Wielki słownik angielsko-polski

The Great English-Polish Dictionary

Jan Stanisławski

The Great
English-Polish
Dictionary

supplemented

O-Z

PHILIP WILSON

Warszawa

Jan Stanisławski

Wielki słownik
angielsko-polski

z suplementem

O-Z

PHILIP WILSON

Warszawa

Współpraca autorska	MAŁGORZATA SZERCHA
Redaktor naukowy	Prof. dr WIKTOR JASSEM
Recenzenci	Prof. dr TADEUSZ GRZEBIENIOWSKI
	Prof. dr JAN TOKARSKI

Okładka i karty tytułowe   MAREK STAŃCZYK

Redaktorzy	KATARZYNA BILLIP
	JOANNA KRASOWSKA
	BOŻENA SAJÓR
	STEFANIA LASOWY
	JERZY BIERNACKI
	ZOFIA CHOCIŁOWSKA

| Współpraca redakcyjna | IZABELLA JASTRZĘBSKA-OKOŃ |
| | ELŻBIETA MIZERA |

| Redaktorzy techniczni | URSZULA RUTKOWSKA |
| | ELŻBIETA GONTARZ |

Korektorzy	MARIA SIELICKA-SOROKA
	KRYSTYNA WYSOCKA
	EWA GARBOWSKA

Wydawnictwo Philip Wilson, Warszawa 1995
00-031 Warszawa, ul. Szpitalna 6/17, tel.: 27-96-27, fax: 26 07 79
Wydanie XVIII (Suplement XVI)
Druk i oprawa: Rzeszowskie Zakłady Graficzne
Rzeszów, ul. płk. L. Lisa-Kuli 19. Zam. 657/96

ISBN 83-85840-63-X

O

O, o[1] [ou] s (pl **os, o's, oes** [ouz]) 1. *litera* o 2. zero

o[2], **oh** [ou] *interj* 1. och!; ach! 2. *wyraża zdziwienie, niedowierzanie:* ale?!; czyżby?! 3. *wyraża nacisk:* ~, **yes** <no> o tak <nie>; 4. *wyraża pragnienie czegoś:* ~ **for** __ żebym to miał ...; żeby Bóg dał ...; żebym to mógł ... 4. *wzywając:* ~, **Mr** <**Mrs, Miss**> __ proszę pana <pani>...

O[3] [ou] dodatek do nazwiska irlandzkiego oznaczający pochodzenie rodowe

oaf [ouf] s (pl ~**s, oaves** [ouvz]) 1. podrzutek 2. potworek 3. idiot-a/ka od urodzenia 4. niezdara; niedołęga

oafish ['oufiʃ] adj 1. głupi; głupkowaty; umysłowo niedorozwinięty 2. niezdarny

oafishness ['oufiʃnis] s 1. głupota; głupkowatość; niedorozwój umysłowy 2. niezdarność

oak [ouk] ① s 1. (*także* ~-**tree**) dąb; ~ **sapling** dębczak 2. dębina 3. *uniw* drzwi wejściowe; **to sport one's** ~ mieć drzwi zamknięte; nie przyjmować odwiedzin 4. liście dębowe (noszone w butonierce 29 maja przez stronników Karola II 5. pl **the Oaks** wyścigi źrebic trzylatek w Epsom ② attr dębowy

oak-apple ['ouk,æpl] s bot galas; ~ **day** dzień 29 maja (rocznica przywrócenia na tron Karola II)

oaken ['oukən] adj dębowy

oak-fern ['ouk,fə:n] s bot zachyłka trójkątna . (paproć)

oak-fig ['ouk,fig], **oak-gall** ['ouk,gɔ:l] s bot galas

oaklet ['ouklit], **oakling** ['ouklin] s dębczak

oakum ['oukəm] s pakuły; **to pick** ~ a) rozpl-eść/atać szpagat na pakuły (dawne zajęcie więźniów i mieszkańców przytułków) b) *przen* wykon-ać/ywać katorżniczą robotę

oar [ɔ:] ① s wiosło; *przen* wioślarz; **to be** <**pull**> **a good** ~ być dobrym wioślarzem; **to have an** ~ **in every man's boat** wszędzie nos wtykać; **to put in one's** ~ wtrącać się; **to rest on one's** ~**s** a) odetchnąć, *pot* odsapnąć b) spocząć na laurach; *przen* **chained to the** ~ w jarzmie ② vt popychać (łódź) wiosłami; wiosłować (sth czymś); **to** ~ **one's way** posuwać się naprzód <przedostawać się (dokądś)> przy pomocy wioseł; (*o ptaku*) **to** ~ **its flight** wiosłować skrzydłami; (*o człowieku*) **to** ~ **one's arms** machać rękami ③ vi wiosłować; uprawiać wioślarstwo <sport wioślarski>

oarage ['ɔ:ridʒ] s 1. wiosła 2. wiosłowanie

oarlock ['ɔ:,lɔk] s dulka

oarsman ['ɔ:zmən] s (pl **oarsmen** ['ɔ:zmən]) wioślarz

oarswoman ['ɔ:z,wumən] s (pl **oarswomen** ['ɔ:z wimin]) wioślarka

oasis [ou'eisis] s (pl **oases** [ou'eisi:z]) oaza

oarsmanship ['ɔ:zmənʃip] s wiosłowanie; wioślarstwo

oast [oust], ~-**house** ['oust,haus] s suszarnia chmielu

oat [out] s 1. (zw pl) owies; bot **Wild Oat** głuchy owies, owiesek; **to be off one's** ~**s** nie mieć ochoty do jedzenia; **to feel one's** ~**s** chcieć brykać; *przen* **to sow one's wild** ~**s** wyszumieć się 2. fujarka pastusza

oatcake ['out,keik] s (*w Szkocji*) placek z mąki owsianej; (*w Anglii*) rodzaj naleśnika

oaten ['outən] adj owsiany; z mąki owsianej

oat-grass ['out,gra:s] = **Wild Oat** zob **oat** 1.

oath [ouθ] s (pl ~**s** [ouðz]) 1. przysięga; ~ **of allegiance** przysięga na wierność; **on** <**under**> ~ związany przysięgą; **to take** <**make, swear**> **an** ~ złożyć/składać przysięgę; przysi-ąc/ęgać 2. przekleństwo

oatmeal ['out,mi:l] s owsianka; mąka owsiana

oaves zob **oaf**

obbligato [,ɔbli'ga:tou] s muz obligato

obduracy ['ɔbdjurəsi] s 1. twarde serce; nieczułość 2. upór 3. zatwardziałość (w grzechu itd.)

obdurate ['ɔbdjurit] adj 1. (*o człowieku*) twardego serca; nieczuły; nieubłagany 2. uparty 3. zatwardziały (grzesznik itd.)

obeah ['oubiə] s 1. fetysz 2. gusła

obedience [ə'bi:djəns] s 1. posłuszeństwo; **in** ~ **to** __ zgodnie z ... 2. kość obediencja

obedient [ə'bi:djənt] adj 1. posłuszny 2. (*w listach*) **your** ~ **servant** proszę przyjąć wyrazy głębokiego szacunku

obeisance [ou'beisəns] s 1. głęboki ukłon; rewerans 2. hołd; **to make** <**pay**> ~ złożyć/składać hołd

obelisk ['ɔbilisk] s 1. obelisk 2. *druk* krzyżyk (jako odsyłacz) 3. *druk* obelus (oznaczenie wstawki do oryginalnego tekstu)

obelize ['ɔbi,laiz] vt *druk* o/znaczyć obelusem; zaopat-rzyć/rywać w obelus

obelus ['ɔbiləs] (pl **obeli** ['ɔbi,lai]) = **obelisk** 2., 3.

obese [ou'bi:s] adj otyły; korpulentny

obesity [ou'bi:siti] s otyłość; korpulentność

obey [ə'bei] ① vi u/słuchać; być posłusznym; okaz-ać/ywać posłuszeństwo ② vt 1. u/słuchać (**sb, sth** kogoś, czegoś); być posłusznym <okaz-ać/ywać posłuszeństwo> (**sb** komuś, **sth** komuś, czemuś __ prawu itp.); spełni-ć/ać rozkaz (**sb** czyjś); przestrzegać (**sth** czegoś __ ustaw itp.)

obfuscate ['ɔbfəs,keit] vt zaciemni-ć/ać; zamglić; za/mroczyć

obfuscation ['ɔbfəs'keiʃən] s zaciemni-enie/anie; zamglenie; zamroczenie obi¹ ['oubi] = obeah

obi² ['oubi] s (u Japończyków) szeroki pas jedwabny

obiter ['ɔbitə] adv mimochodem; prawn ~ dictum nawiasowa <uboczna> uwaga

obituary [ə'bitjuəri] I adj pośmiertny; pogrzebowy; ~ column rubryka zgonów; ~ notice a) klepsydra b) notatka pośmiertna II s = ~ notice

↑object¹ ['ɔbdʒikt] s 1. przedmiot; obiekt 2. (o człowieku) postać <stwór> (dziwn-a/y, żałosn-a/y itd.); widowisko 3. cel; to fail in one's ~ nie osiągnąć celu; with the ~ of _ w celu ...; mając na celu ...; (w ogłoszeniach) (salary, distance etc.) no ~ (wynagrodzenie, odległość itd.) obojętn-e/a <nie odgrywa roli> 4. gram dopełnienie; direct <indirect> ~ dopełnienie bliższe <dalsze>

◦object² [əb'dʒekt] II vt przyt-oczyć/aczać (fakt itd.) dla poparcia przeciwnego zdania; zarzuc-ić/ać (sth against sb coś komuś) III vi sprzeciwi-ć/ać się; za/protestować; to ~ to sth mieć coś <za/protestować> przeciw czemuś; oponować <być przeciwnym, sprzeciwi-ć/ać się> czerruś; nie lubić <nie chcieć> (czegoś); to ~ to su być przeciwnym <mieć coś do zarzucenia> komuś

object-glass ['ɔbdʒikt,glɑːs] s obiektyw (teleskopu, mikroskopu)

◦bjectify [ɔb'dʒekti,fai] vt (objectified [ɔb'dʒekti,faid], objectified; objectifying [ɔb'dʒekti,faiiŋ]) 1. uzmysł-owić/awiać; wyra-zić/żać żal w konkretnej formie 2. obiektywizować

objection [əb'dʒekʃən] s 1. sprzeciw; zarzut; there is no ~ nic nie stoi na przeszkodzie; to have no ~ to _ nic nie mieć przeciwko <nie sprzeciwiać się, nie mieć nic do zarzucenia> ... (komuś, czemuś); nie widzieć przeszkód ... (żeby się coś stało); to raise an ~ to sth wysunąć zarzut przeciwko czemuś; to raise ~s sprzeciwi-ć/ać się; robić trudności 2. powód do obrazy; to take ~ to sth obrazić się o coś 3. przeszkoda; trudność 4. wada

objectionable [əb'dʒekʃənəbl] adj 1. niewłaściwy; nie na miejscu; niepożądany 2. nieprzyjemny; wstrętny

objective [əb'dʒektiv] I adj 1. przedmiotowy 2. obiektywny 3. gram (o przypadku) przedmiotowy, dopełnieniowy III s 1. cel 2. obiektyw

objectivism [ɔb'dʒekti,vizəm] s obiektywizm

objectivity [,ɔbdʒek'tiviti] s obiektywność

objectless ['ɔbdʒiktlis] adj bezprzedmiotowy; bezcelowy

object-lesson ['ɔbdʒikt,lesn] s 1. lekcja poglądowa 2. naoczny przykład 3. nauczka

objector [ɔb'dʒektə] s człowiek sprzeciwiający się <wnoszący sprzeciw, protestujący> zob conscientious

object-plate ['ɔbdʒikt,pleit] s płytka przedmiotowa (w mikroskopie)

object-slide ['ɔbdʒikt,slaid] s szkiełko mikroskopowe

objurgate ['ɔbdʒə,geit] vt strofować; z/łajać

objurgation ['ɔbdʒə'geiʃən] s strofowanie; łajanie

oblate¹ ['ɔbleit] s oblat (osoba żyjąca w klasztorze bez składania ślubów)

↑oblate² ['ɔbleit] adj geom spłaszczony

oblateness [ɔb'leitnis] s geom spłaszczenie

oblation [ou'bleiʃən] s rel oblacja; ofiara; eucharystia

obligate ['ɔbli,geit] vt prawn zobowiąz-ać/ywać (to do sth do zrobienia czegoś)

obligation [,ɔbli'geiʃən] s 1. obowiązek; zobowiązanie; (o święcie itd) of ~ obowiązujący; to put sb under an ~ to _ nałożyć na kogoś obowiązek ... (zrobienia czegoś); to undertake an ~ przyjąć na siebie zobowiązanie; zobowiązać się 2. zobowiązanie; dług; to be under an ~ to sb mieć dług wobec kogoś; być zobowiązanym komuś; to meet one's ~s wywiązywać się ze swych zobowiązań; to repay an ~ z/rewanżować się 3. moc obowiązująca (ustawy, rozporządzenia)

obligatory [ɔ'bligətəri] adj obowiązujący; obowiązkowy

oblige [ə'blaidʒ] vt 1. zobowiąz-ać/ywać (kogoś, się — to do sth do zrobienia czegoś); na-łożyć/ kładać obowiązek (sb to do sth na kogoś zrobienia czegoś); to be ~d to _ być zobowiązanym <zmuszonym> ... (do zrobienia czegoś); musieć ... (coś zrobić) 2. zmu-sić/szać 3. (o rozporządzeniu itd) obowiązywać 4. zobowiąz-ać/ywać (kogoś); wyświadcz-yć/ać przysługę (sb komuś); z/robić grzeczność <uprzejmość> (sb komuś); przysłużyć się (sb komuś); służyć (sb with sth komuś czymś); sprawi-ć/ać przyjemność (sb with sth komuś czymś <zrobieniem czegoś>); could you ~ me with _ czy mogę <mógłbym> pan-a/ ią prosić o ...; ~ me by closing the door <opening the window etc.> bądź łaskaw zamknąć drzwi <otworzyć okno itd.>; to be ~d to sb być komuś zobowiązanym; mieć zobowiązania wobec kogoś; (I am) much ~d bardzo dziękuję zob obliging

obligee [,ɔbli'dʒiː] s wierzyciel/ka

obliging [ə'blaidʒiŋ] I zob oblige III adj uprzejmy; grzeczny; usłużny

obligor [,ɔbli'gɔː] s dłużni-k/czka

oblique [ə'bliːk] I adj 1. skośny; ukośny; nachylony; pochyły 2. okrężny; pośredni; ~ reference to _ niewyraźna aluzja do ... 3. gram (o przypadku) zależny; ~ speech mowa zależna III vi iść na ukos

oblique-angled [ə'bliːk,æŋgld] adj ukośnokątny

obliquely [ə'bliːkli] adv skośnie, ukośnie, na ukos

obliquity [ə'blikwiti] s 1. ukośność; pochyłość; nachylenie 2. nieszczerość (w postępowaniu); fałszywość; dwulicowość

obliterate [ə'blitə,reit] vt 1. zmaz-ać/ywać; wymaz-ać/ywać; zetrzeć/ścierać; za-trzeć/cierać (ślady itd.) 2. s/kasować (znaczek pocztowy itd.) 3. med zat-kać/ykać 4. med usu-nąć/wać

obliteration [ə,blitə'reiʃən] s 1. zmaz-anie/ywanie <wymaz-anie/ywanie, starcie/ścieranie> (czegoś) 2. s/kasowanie (znaczków pocztowych itd.) 3. med zat-kanie/ykanie 4. med usu-nięcie/wanie 5. med zanik

oblivion [ə'bliviən] s zapomnienie; niepamięć; Act <Bill> of Oblivion amnestia

oblivious [ə'bliviəs] adj 1. niepomny (of sth czegoś, na coś); to be ~ of _ nie pamiętać o ... (czymś) 2. poet dający zapomnienie

oblong ['ɔblɔŋ] I adj 1. podłużny, podługowaty; pociągły 2. prostokątny III s prostokąt

obloquy ['ɔbləkwi] s 1. obmowa; oszczerstwo; potwarz 2. hańba; pohańbienie

obnoxious [əb'nɔkʃəs] adj 1. przykry; nieprzyjemny; wstrętny; nieznośny; szkaradny 2. † narażony (to danger etc. na niebezpieczeństwo itd.)

oboe ['oubou] s muz obój

oboist ['oubouist] s muz oboista

obol ['ɔbɔl] s obol

obscene [ɔb'si:n] adj 1. sprośny; plugawy 2. wstrętny; ohydny

obscenity [ɔb'si:niti] s sprośność; nieprzyzwoitość; plugawość

obscurant [ɔb'skjuərənt] s obskurant, wstecznik

obscurantism [,ɔbskjuə'ræntizəm] s obskurantyzm, wstecznictwo

obscuration [,ɔbskjuə'reiʃən] s 1. zaciemni-enie/anie 2. astr zaćmienie

obscure [əb'skjuə] [] adj 1. ciemny; mroczny; ponury 2. niewidoczny; trudno widoczny; fiz ~ rays promienie niewidzialne 3. niejasny; niezrozumiały 4. niewyraźny; nieokreślony 5. nieznany; zapoznany (talent itp.) 6. skromny [] s 1. ciemność 2. niejasność; niezrozumiałość [] vt 1. zaciemni-ć/ać; przyciemni-ć/ać 2. dosł i przen zaćmi-ć/ewać

obscurity [əb'skjuəriti] s 1. ciemność; mrok 2. niejasność; niezrozumiałość 3. skromność 4. ukrycie; zapomnienie; zapoznanie (talentu itp.); to live in ~ żyć z dala od świata; to rise from ~ stać się znanym <sławnym>; zyskać rozgłos

obsecration [,ɔbsi'kreiʃən] s błaganie

obsequies ['ɔbsikwiz] spl pogrzeb; egzekwie

obsequious [ɔb'si:kwiəs] adj służalczy; uniżony; płaszczący się

observable [əb'zə:vəbl] adj 1. (o święcie) obchodzony; (o zwyczaju) przestrzegany 2. dostrzegalny; zauważalny 3. godny uwagi

observance [əb'zə:vəns] s 1. przestrzeganie <poszanowanie> (ustaw itd.); stosowanie (przepisów itd.); zachowanie (zwyczaju itd.); obchodzenie (święta itd.); święcenie (niedzieli) 2. obrzęd; obrządek; rytuał; pl ~s rel praktyki 3. reguła (zakonna) 4. uszanowanie (czegoś) 5. † szacunek

observant [əb'zə:vənt] [] adj 1. przestrzegający; to be ~ of sth przestrzegać czegoś 2. uważny; spostrzegawczy [] s (franciszkanin) observant

† **observation** [,ɔbzə'veiʃən] [] s 1. obserwacja; obserwowanie; spostrzeganie; an attitude of ~ stanowisko wyczekujące; a post of ~ punkt obserwacyjny 2. spostrzegawczość; a man of no ~ człowiek niespostrzegawczy 3. uwaga; spostrzeżenie [] attr obserwacyjny; am kolej ~ car wagon specjalnej konstrukcji ułatwiający obserwowanie krajobrazu

observatory [əb'zə:vətri] s 1. obserwatorium 2. punkt obserwacyjny

observe [əb'zə:v] [] vt 1. przestrzegać (sth czegoś — ustaw, postu itd.); stosować (przepisy itd.); obchodzić (święto itp.); zachowywać (zwyczaj itp.); święcić (niedzielę); zachow-ać/ywać (milczenie); spełni-ć/ać (rozkaz itd.) 2. obserwować; z/badać 3. spostrze-c/gać; zauważ-yć/ać; za/notować [] vi zauważyć; z/robić spostrzeżenie <wypowiedzieć uwagę> (on sth na temat czegoś) zob observing

observer [əb'zə:və] s 1. obserwator/ka 2. człowiek przestrzegający (reguły itp.)

observing [əb'zə:viŋ] [] zob observe [] adj = observant adj

obsess [əb'ses] vt (o duchu, zjawie itp) nawiedz-ić/ać; opętać; (o myśli itp) prześladować; nie dawać spokoju (sb komuś); he is ~ed by <with> the idea of _ prześladuje go <nie daje mu spokoju> myśl o ... (czymś); on jest opętany myślą o ... (czymś)

obsession [əb'seʃən] s obsesja; natręctwo (myślowe); opętanie

obsessive [əb'sesiv] adj (o myśli itp) natrętny

obsidian [ɔb'sidiən] s miner obsydian

obsolescence [,ɔbsə'lesns] s 1. zanikanie 2. starzenie się

obsolescent [,ɔbsə'lesnt] adj 1. (o wyrazie itd) wychodzący z użycia, zanikający 2. (o organie) zanikający, przechodzący w stan szczątkowy 3. starzejący <dezaktualizujący> się

obsolete ['ɔbsə,li:t] adj 1. przestarzały; zdezaktualizowany; zarzucony 2. (o wyrazie, zwrocie) it is ~ to wyszło z użycia 3. (o organie itd) szczątkowy 4. (o napisie itd) wytarty

obstacle ['ɔbstəkl] s przeszkoda; zawada; ~ race bieg z przeszkodami; to put ~s in the way stawiać <robić> przeszkody

obstetric(al) [ɔb'stetrik(əl)] adj położniczy

obstetrician [,ɔbstə'triʃən] s położnik (lekarz)

obstetrics [ɔb'stetriks] s położnictwo

obstinacy ['ɔbstinəsi] s 1. upór; zawziętość 2. wytrwałość 3. uporczywość (choroby itd.)

obstinate ['ɔbstinit] adj 1. uparty; zawzięty 2. wytrwały 3. (o chorobie itd) uporczywy

obstipation [,ɔbsti'peiʃən] s med zatwardzenie, zaparcie

obstreperous [əb'strepərəs] adj 1. krzykliwy; wrzaskliwy; hałaśliwy 2. oporny; niesforny; (o pijaku itd) to be ~ stawiać opór

obstruct [əb'strʌkt] [] vt 1. za/tamować; za/tarasować; zagr-odzić/adzać (przejście); wywoł-ać/ywać zator (the traffic w ruchu); zawadzać <być zawadą> (sb komuś); zat-kać/ykać; zap-chać/ychać; za/czopować; zap-rzeć/ierać; to ~ the bowels wywoł-ać/ywać zaparcie 2. zasł-onić/aniać (sb's view komuś widok) [] vi za/tamować; za/tarasować

obstruction [əb'strʌkʃən] s 1. za/tamowanie; za/tarasowanie; zagr-odzenie/adzanie; zator; zawada; zat-kanie/ykanie; zaparcie (stolca); za/czopowanie; zasł-onięcie/anianie (widoku) 2. polit obstrukcja 3. trudności (czynione komuś); utrudni-enie/anie

obstruction-guard [əb'strʌkʃən,ga:d] s rodzaj zderzaka do usuwania przeszkody z szyn (u lokomotywy itp.)

obstructionism [əb'strʌkʃə,nizəm] s polit obstrukcjonizm

obstructionist [əb'strʌkʃənist] s polit obstrukcjonista

obstructive [əb'strʌktiv] adj 1. tamujący; zawadzający; zatykający 2. med wywołujący zaparcie 3. polit obstrukcyjny; ~ member of the House poseł obstrukcjonista

obstructor [əb'strʌktə] = obstructionist

obstruent ['ɔbstruənt] [] adj med (o czynniku) wywołujący zatwardzenie [] s med czynnik wywołujący zaparcie

obtain [əb'tein] [] vt otrzym-ać/ywać; uzysk-ać/

iwać; dosta-ć/wać; dost-ąpić/ępować (**sth cze-goś**); naby-ć/wać Ⅲ *vi* 1. przeważać; panować 2. (*o zwyczaju, wymowie wyrazu itd*) utrzymywać <spotykać> się; być potocznym <rozpowszech-nionym> 3. (*o przepisie itd*) być ważnym <w mo-cy>; obowiązywać

obtainable [əb'teinəbl] *adj* (możliwy) do nabycia; **it is ~** można to otrzymać <dostać, nabyć>

obtainment [əb'teinmənt], **obtention** [əb'tenʃən] *s* otrzym-anie/ywanie; uzysk-anie/iwanie; naby--cie/wanie

obtrude [əb'tru:d] ⊞ *vt* narzuc-ić/ać (**sth on** <**upon**> **sb** coś komuś) Ⅲ *vr* **~ oneself** narzu-cać <naprzykrzać> się (**on sb komuś**) Ⅲ *vi* na-rzucać się (**on** <**upon**> **sb** komuś); być natręt-nym

obtruncate [əb'trʌnkeit] *vt* 1. uci-ąć/nać głowę (**sb** komuś) 2. obci-ąć/nać czubek (**sth** czegoś)

obtrusion [əb'tru:ʒən] *s* narzucanie <naprzykrza-nie> się (**on sb** komuś); natręctwo (**on sb** wobec kogoś)

obtrusive [əb'tru:siv] *adj* natrętny; naprzykrzający się; uprzykrzony

obtund [əb'tʌnd] *vt* 1. przytępi-ć/ać <stępi-ć/ać> (umysł itp.) 2. *med* uśmierz-yć/ać (ból itp.)

obturate ['ɔbtjuə,reit] *vt* zat-kać/ykać; zam-knąć/ykać (otwór); zasł-onić/aniać

obturation [,ɔbtjuə'reiʃən] *s* zat-kanie/ykanie <zam--knięcie/ykanie> (otworu); zasł-onięcie/anianie

obturator ['ɔbtjuə,reitə] *s* 1. *techn* obturator 2. *anat* zasłaniacz, mięsień zasłaniający

obtuse [əb'tju:s] *adj* 1. *dosł i przen* tępy 2. *geom* (*o kącie*) rozwarty

obtuseness [əb'tju:snis] *s dosł i przen* tępota

obverse ['ɔbvə:s] Ⅱ *adj* 1. (*o stronie przedmiotu*) licowy, prawy; zewnętrzny 2. (*o liściu itd*) zwę-żający się ku nasadzie; odwrócony Ⅲ *s* 1. czo-łowa <prawa> strona monety <medalu>; prawa strona (materiału itd.) 2. odwrotność <przeci-wieństwo> (prawdy, faktu)

obvert [ɔb'və:t] *vt* zapobie-c/gać <zaradz-ić/ać> (**sth** czemuś); odwr-ócić/acać <usu-nąć/wać, uprzedz-ić/ać> (niebezpieczeństwo itd.)

obviate ['ɔbvi,eit] *vt* 1. zapobie-c/gać <zaradzić> (**sth** czemuś) 2. ob-ejść/chodzić (przeszkodę itd.)

obvious ['ɔbviəs] *adj* oczywisty; jasny; rzucający się w oczy; **it is** <**was**> **the ~ thing to do** to się prosi <prosiło>; to się narzuca <narzucało>; nic innego nie można <nie można było> zrobić

obviousness ['ɔbviəsnis] *s* oczywistość

obvolute ['ɔbvə,lu:t] *adj bot* (o liściach pąka) w pół złożone i pokrywające się

ocarina [,ɔka'ri:nə] *s muz* okaryna

occasion [ə'keiʒən] Ⅱ *s* 1. sposobność; okazja; stosowna pora; **appropriate** <**suitable**> **to the ~** stosowny; **as ~ requires** stosownie do okolicz-ności; **on many ~s** w wielu wypadkach; **on ~** od czasu do czasu; gdy się sposobność nadarza <nadarzyła>; **on one ~** pewnego razu; **on the ~ of** _ z okazji ... (czegoś); przy ... (czymś); **on this ~** w obecnym <tym> wypadku; tym razem; obecnie; **to rise to the ~** a) stanąć na wysokości zadania b) *pot* znaleźć się w kropce; **to take ~ to do sth** skorzystać ze sposobności, żeby coś zrobić 2. zdarzenie; niezwykły wypa-dek; **a festive ~** uroczystość 3. powód (**for sth, to do sth** do czegoś, do zrobienia czegoś); **if the**

~ arises jeżeli zajdzie <gdy zachodzi> petrzeba; **should the ~ arise** w razie potrzeby; **there is no ~ to crow** <**laugh**> nie ma się z czego cieszyć <śmiać>; **to give ~ to sth** s/powodować coś; dać powód do czegoś 4. przyczyna 5. *pl* **~s** zajęcia; **one's lawful ~s** codzienne sprawy; normalny tryb życia; **to go about one's ~s** wykonywać codzien-ne zajęcia; zajmować się codziennymi sprawami Ⅲ *vt* s/powodować; wywoł-ać/ywać; sprawi-ć/ać wzbudz-ić/ać

occasional [ə'keiʒnl] *adj* 1. okolicznościowy 2. przypadkowy; sporadyczny; przygodny 3. (*o pra-cowniku*) sezonowy 4. zdarzający <powtarzający> się od czasu do czasu; **~ showers** przelotne opady 5. rzadki, nieczęsty

occasionalizm [ə'keiʒnə,lizəm] *s filoz* okazjonalizm

occasionally [ə'keiʒnəli] *adv* 1. przypadkowo 2. od czasu do czasu; z rzadka

Occident ['ɔksidənt] *s* Zachód (całość geograficz-no-kultúralna)

occidental [,ɔksi'dentl] *adj* zachodni, okcydental-ny

occidentalism [,ɔksi'dentə,lizəm] *s* kultura zachod-nia

occipital [ɔk'sipitl] *adj anat* potyliczny

occiput ['ɔksi,pʌt] *s anat* potylica

occlude [ɔ'klu:d] *vt* 1. zat-kać/ykać; zam-knąć/ykać 2. *chem* (*o ciałach stałych*) okludować, po-chłaniać gazy

↑**occlusion** [ɔ'klu:ʒən] *s* 1. zatkanie; ząmknięcie; 2. *chem* okluzja, pochłanianie gazów

occult¹ [ɔ'kʌlt] *adj* 1. tajemny; okultystyczny; nadprzyrodzony 2. *med* ukryty; utajony

occult² [ɔ'kʌlt] Ⅱ *vt* zakry-ć/wać; zasł-onić/aniać Ⅲ *vi astr* ule-c/gać okultacji; zosta-ć/wać za-krytym <zasłoniętym>

occultation [,ɔkʌl'teiʃən] *s* 1. zasłonięcie 2. *astr* okultacja

occultism ['ɔkəl,tizəm] *s* okultyzm

occultist ['ɔkəltist] *s* okultysta

occupancy ['ɔkjupənsi] *s* 1. zaj-ęcie/mowanie; (wejście w) posiadanie 2. okupacja 3. *prawn.* objęcie w posiadanie bezpańskiej ziemi

occupant ['ɔkjupənt] *s* 1. mieszkan-iec/ka; czło-wiek zajmujący (dom, lokal, posadę itd.); loka-tor/ka; dzierżaw-ca/czyni; posiadacz/ka; użyt-kownik; (*w pojeździe*) pasażer/ka 2. okupant

↑**occupation** [,ɔkju'peiʃən] *s* 1. zajęcie; zawód; za-trudnienie; (*w formularzach*) **by ~** z zawodu 2. posiadanie; zajmowanie; zamieszkiwanie; **~ bridge** <**road etc.**> most <droga itd.> prywat-n-y/a; *prawn* **~ franchise** prawo głosowania z tytułu zamieszkiwania 3. okupacja

↑**occupational** [,ɔkju'peiʃənl] *adj* (*o chorobie itd*) zawodowy

occupied ['ɔkju,paid] Ⅱ *zob* **occupy** Ⅲ *adj* 1. za-jęty 2. okupowany

occupier ['ɔkju,paiə] *s* posiadacz/ka; dzierżaw-ca/czyni; lokator/ka; użytkownik

occupy ['ɔkju,pai] *vt* (**occupied** ['ɔkju,paid], **occupied; occupying** ['ɔkju,paiiŋ]) 1. zaj-ąć/mo-wać; mieć w posiadaniu 2. zaj-ąć/mować (czas, miejsce) 3. zaj-ąć/mować (**sb with sth** kogoś czymś); da-ć/wać zajęcie (**sb** komuś); **to ~ sb's mind** absorbować czyjeś myśli 4. okupować *zob* **occupied**

occur [ə'kə:] *vi* (**-rr-**) 1. (*o zjawisku itd*) zda-rz-yć/ać <wydarz-yć/ać> się; (*o okazie rośliny itp*) trafi-ć/ać się; wyst-ąpić/ępować; da-ć/wać się za/obserwować; pojawi-ć/ać się; *geol* zalegać 2. przy-jść/chodzić na myśl; (*o myśli*) przy-jść/chodzić do głowy (**to sb** komuś); **an idea** ~s **to me** mam pomysł 3. (*o wypadku, nieszczęściu itd*) zdarz-yć/ać <wydarz-yć/ać> się; mieć miejsce; **to** ~ **again** powt-órzyć/arzać się
occurrence [ə'kʌrəns] *s* 1. występowanie (zjawiska, okazu itd.); *geol* zaleganie; **of frequent** ~ częsty; często spotykany <obserwowany> 2. zjawisko (rzadkie, codzienne itd.) 3. zdarzenie; wypadek
ocean ['ouʃən] Ⅰ *s* ocean Ⅲ *attr* oceaniczny
ocean-going ['ouʃən,gouiŋ] *adj* (*o statku*) oceaniczny
Oceanian [,ouʃi'einjən] Ⅰ *adj* (*o mieszkańcu*) Oceanii Ⅲ *s* mieszkan-iec/ka Oceanii
oceanic [,ouʃi'ænik] *adj* oceaniczny
Oceanid [ou'siənid] *s* (*pl* ~s, ~es [ou'siəni,di:z]) *mitol* oceanida
oceanography [,ouʃiə'nɔgrəfi] *s* oceanografia
ocelot ['ousi,lɔt] *s zoo* ocelot
ocher *zob* **ochre**
ochlocracy [ɔk'lɔkrəsi] *s* ochlokracja
ochre, ocher ['oukə] *s* 1. ochra 2. kolor brunatno--żółty
ochreous ['oukriəs] *adj* ochrowy
o'clock *zob* **clock**
ocrea ['ɔkriə] *s* (*pl* **ocreae** ['ɔkri,i:]) *bot* pochwa
octad ['ɔktæd] *s* 1. ósemka 2. grupa <seria> ośmiu (elementów itd.)
octagon ['ɔktəgən] *s* ośmiokąt, ośmiobok, oktagon
octagonal [ɔk'tægənl] *adj* ośmiokątny, ośmioboczny, oktagonalny
octahedral ['ɔktə'hedrəl] *adj* ośmiościenny
octahedron ['ɔktə'hedrən] *s* (*pl* ~s, **octahedra** ['ɔktə'hedrə]) ośmiościan, oktaedr
↑ **octane** ['ɔktein] *s chem* oktan
octant ['ɔktənt] *s astr* oktant
octavalent [,ɔktə'veilənt] *adj chem* ośmiowarto-ściowy
octave ['ɔktiv] *s* 1. *muz prozod* oktawa 2. ['ɔkteiv] *kośc* oktawa 3. beczka na wino zawierająca ok. 60 l
octavo [ɔk'teivou] *s druk* ósemka, format ósemki
octennial [ɔk'tenjəl] *adj* 1. ośmioletni 2. powtarzający się co osiem lat
octet(te) [ɔk'tet] *s* 1. *muz* oktet (zespół i utwór) 2. *prozod* ośmiowiersz
octillion [ɔk'tiljən] *s* jedynka z 48 zerami; *am* jedynka z 27 zerami
October [ɔk'toubə] Ⅰ *s* październik Ⅲ *attr* październikowy
octodecimo ['ɔktou'desimou] *s druk* format osiemnastki
octogenarian ['ɔktoudʒi'nɛəriən] Ⅰ *s* sta-rzec/ruszka osiemdziesięcioletni/a Ⅲ *adj* (*o człowieku*) osiemdziesięcioletni
octopetalous [,ɔktou'petələs] *adj bot* ośmiopłatkowy
octopod ['ɔktə,pɔd] *s zoo* ośmionóg; ośmiornica
octopus ['ɔktəpəs] *s* (*pl* ~es, **octopodes** ['ɔktə pə,di:z], **octopi** ['ɔktə,pai]) *zoo* ośmiornica
octosyllabic ['ɔktou-si'læbik] *adj* ośmiosylabowy, ośmiozgłoskowy

octovalent [,ɔktə'veilənt] *adj chem* ośmiowarto-ściowy
octuple ['ɔktjupl] Ⅰ *adj* ośmiokrotny; ośmioraki Ⅲ *s* ośmiokrotność
ocular ['ɔkjulə] Ⅰ *adj* oczny; (*o świadku*) naoczny; (*o oszacowaniu*) na oko Ⅲ *s opt* okular
ocularist ['ɔkjulərist] *s* fabrykant sztucznych <szklanych> oczu
oculist ['ɔkjulist] *s* okulist-a/ka
od [ɔd] *s* od (siła w przyrodzie wg hipotezy Reichenbacha)
odalisque ['oudəlisk] *s* odaliska
odd [ɔd] Ⅰ *adj* 1. (*o liczbie*) nieparzysty; nierówny; ~ **and even** cetno i licho, para nie para 2. (*po wymienionej liczbie*) kilka; z czymś; z okładem; **thirty** ~ trzydzieści kilka <z czymś, z okładem> 3. pozostający ponad okrągłą liczbę; zbywający; pozostały; ~ **moments** wolne chwile; ~ **money** reszta 4. przypadkowy; zdekompletowany; (*o buciku itd*) nie do pary, pojedynczy; ~ **job** przypadkowe <dorywcze> zajęcie; ~ **man** faktotum; ~ **man out** eliminacja przez losowanie 5. dziwny; dziwaczny; niezwykły; zastanawiający; osobliwy Ⅲ *s* 1. *karc* lewa wygrywająca 2. (*w grze w golfa*) uderzenie decydujące o wygranej *zob* **odds**
odd-come-short ['ɔd-kəm'ʃɔ:t] *s* resztka (materiału)
odd-come-shortly ['ɔd-kəm'ʃɔ:tli] *adv* (*także* **one of these odd-come-shortlies**) któregoś dnia; niedługo
oddfellow ['ɔd,felou] *s* członek towarzystwa wzajemnej pomocy z rytuałem na wzór masoński
oddish ['ɔdiʃ] *adj* trochę dziwny, nieco osobliwy
oddity ['ɔditi] *s* 1. osobliwość; niezwykłość; dziwaczność; cudactwo 2. (*o człowieku*) dziwak 3. (*o przedmiocie*) osobliwość; kuriozum, curiosum
odd-looking ['ɔd,lukiŋ] *adj* dziwny; dziwaczny
oddly ['ɔdli] *adv* dziwnie, osobliwie; ~ **enough** rzecz zastanawiająca <dziwna>
oddments ['ɔdmənts] *spl* resztki; drobiazgi; graty i graciki; rupiecie
oddness ['ɔdnis] *s* osobliwość; niezwykłość; dziwaczność; cudactwo
odd-numbered ['ɔd,nʌmbəd] *adj* nieparzysty
odds [ɔdz] *spl* (*czasem traktowany jako sing*) 1. nierówność; **to make** ~ **even** wyrównać warunki <szanse, stan posiadania> 2. przewaga; szanse (wygranej, powodzenia itd.); **the** ~ **are in our favour** mamy przewagę; **to fight against great** <crushing> ~ s/toczyć nierówną <beznadziejną> walkę 3. niezgodność; sprzeczność; **to be at** ~ **with** _ nie zgadzać się z... (kimś); być <stać> w sprzeczności z... (czymś) 4. różnica; **what's the** ~? jaka <co za> różnica?; **it makes no** ~ to nie robi <nie stanowi> żadnej różnicy; to nie ma znaczenia 5. szanse; dane; **the** ~ **are** <it is ~> **that** _ istnieją wszelkie dane <wszystko wskazuje na to>, że...; *zakładając się*: **to lay** <give> ~ **of 3 to 1** stawiać 3 przeciw 1 (że ktoś wygra itd.) 6. *sport* for Ⅱ ~ **and ends** = **oddments**
odd-shaped ['ɔd,ʃeipt] *adj* dziwnego kształtu
ode [oud] *s* oda
odeum [ou'diəm] *s* (*pl* ~s, **odea** [ou'diə]) odeon
odious ['oudjəs] *adj* wstrętny; nienawistny; odpychający; obmierzły; ohydny

odiousness ['oudjəsnis] *s* ohyda
odium ['oudjəm] *s* 1. nienawiść; odium 2. ohyda 3., wstyd; hańba; ,sromota
odometer [ə'dɔmitə] = **hodometer**
odontalgia [,ɔdɔn'tældʒiə] *s med* ból zębów
odontology [,ɔdɔn'tɔlədʒi] *s* odontologia; stomatologia
odoriferous [,oudə'rifərəs], **odorous** ['oudərəs], *adj* wonny; pachnący
odour ['oudə] *s* 1. zapach; woń; aromat 2. *przen* posmak 3. ślad 4. sława; reputacja; **to be in good <bad>** ~ **with sb** być dobrze <źle> widzianym przez kogoś
odourless ['oudəlis] *adj* bezwonny
Odyssey ['ɔdisi] *s* odyseja
oecology [i'kɔlədʒi] = **ecology**
oecumenical [,i:kju'menikəl] *adj* powszechny; *kośc* ekumeniczny
(o)edema [i'di:mə] *s (bez pl) med* obrzęk
oedematous [i'demətəs] *adj med* obrzękły
Oedipus ['i:dipəs] *spr* ~ **complex** kompleks Edypa
o'er [ɔə] *poet* = **over**[1]
oersted ['ɔ:stid] *s elektr* ersted (jednostka natężenia pola magnetycznego)
oesophagus [i:'sɔfəgəs] *s (pl* **oesophagi** [i:'sɔfə dʒai], ~**es**) *anat* przełyk
oestrum ['i:strəm], **oestrus** ['i:strəs] *s* 1. *zoo* giez 2. ruja 3. bodziec; podnieta
of [ɔv] *praep* 1. *rozdzielenie, oddalenie, pozbawienie, uwolnienie*: od; **destitute** ~ pozbawiony (czegoś); **free** ~ wolny od (czegoś); **north** ~ **us** na północ od nas; **wide** ~ __ daleko od... 2. *pochodzenie*: z, ze; **to descend** ~ **noble stock** pochodzić ze szlachetnego rodu 3. *źródło*: od; **to buy <expect>** sth ~ sb kupić coś <oczekiwać czegoś> od kogoś 4. *autorstwo*: **the works** ~ **Byron** dzieła Byrona 5. *przyczyna*: z; na; ~ **necessity** z konieczności; ~ **one's own choice** z własnego wyboru; **sick** ~ **measles** chory na odrę; **to die** ~ **consumption** umrzeć na suchoty 6. *sprawowanie, wykonywanie*: z; **it was kind <foolish, naughty etc.>** ~ **him <you etc.>** to było uprzejmie <niemądrze, brzydko itd.> z jego <twojej itd.> strony 7. *tworzywo*: z; ~ **stone <brick etc.>** z kamienia <cegły itd.> 8. *odniesienie do kogoś, czegoś*: o; **to think** ~ sb, sth myśleć o kimś, czymś 9. *przydawka rzeczowna*: **the name** ~ **Smith** nazwisko Smith; **the State** ~ **Ohio** stan Ohio; **the town** ~ **Manchester** miasto Manchester 10. *cecha, wiek*: **a boy** ~ **six** chłopiec sześcioletni; **a man** ~ **tact** człowiek taktowny; **a matter** ~ **consequence** ważna sprawa 11. *podział*: z; **many <few>** ~ **us <you, them>** wielu <niewielu> z nas <z was, z nich> 12. *wybór*: z; ~ **all** ze wszystkich; **one** ~ **a thousand** jeden na tysiąc 13. *po przymiotniku, przysłówku w stopniu najwyższym*: z; **the largest** ~ **all** największy ze wszystkich 14. *posiadanie, związek, przynależność*: **a thing** ~ **the past** sprawa przeszłości; **the beauty** ~ **the landscape** piękno krajobrazu; **the master** ~ **the house** pan domu 15. *zawartość, treść*: **a basketful** ~ **fruits** kosz owoców; **a book** ~ **poetry** tom poezji; **a box** ~ **matches** pudełko zapałek 16. *w okolicznikach czasu*: ~ **a morning** z rana, ,rano; ~ **a Sunday** (zwykle) w niedzielę; ~

evenings wieczorami; ~ **late** ostatnio; ~ **old** dawniej
off [ɔf] ⏹ *adv* 1. *odległość, oddalenie*: **far** ~ daleko; w oddali; **some distance** ~ a) w pewnym oddaleniu; opodal b) na pewną odległość 2. *usunięcie*: precz; ~ **with that!** precz z tym!; żebym tego nie widział!; ~ **with his head!** ściąć mu głowę!; **the gilt is** ~ odpadła pozłota; *przen* prysnął czar 3. *zdejmowanie*: **hats** ~ a) zdjąć czapki <kapelusze> b) *przen* cześć; **with my shoes** ~ po zdjęciu obuwia; boso 4. *(o dopływie pary, prądu itd)* zamknięty; przerwany 5. *(o potrawie w restauracji, artykule w sklepie)* skreślony z listy; wyczerpany 6. *(o potrawie, napoju itd)* nieświeży 7. *(o imprezie itp)* odwołany 8. *(o rozmowach, pertraktacjach itd)* zerwany 9. *(o stanie zamożności)* w zwrotach: **badly <well>** ~ źle <dobrze> sytuowany; w pomyślnych <niepomyślnych> warunkach; **better <worse>** ~ w lepszych <gorszych> warunkach (materialnych) ‖ ~ **and on, on and** ~ z przerwami; sporadycznie; **right <straight>** ~ natychmiast *Uwaga: nadaje czasownikom specyficzne znaczenie (przy nich podane)* ⏹ *adj* 1. dalszy; odległy; drugi (koniec czegoś) 2. *(u konia, pojazdu)* prawy; **the** ~ **hind leg** prawa tylna noga 3. *(o ulicy)* boczny 4. *(o kwestii)* drugorzędny 5. *(o możliwości)* mało prawdopodobny; znikomy 6. *(o dniu, czasie)* wolny od pracy 7. *(o stronie)* zewnętrzny 8. *(o sprzedaży napojów alkoholowych)* butelkowy 9. *(o stronie boiska krykietowego)* prawy, zewnętrzny ⏹ *praep* 1. (spaść, odpaść, odejść, zdjąć itd.) z <od> (czegoś, kogoś) 2. z dala; na uboczu; z boku; **it's altogether** ~ **the point** to nie ma nic wspólnego ze sprawą; ~ **the beaten track** z dala od <z boku> głównej drogi <głównego traktu>; *przen* na uboczu 3. w odległości (*x* jardów itd.) od (kogoś, czegoś) 4. (mieć obiad itd.) z (danej potrawy) 5. (wolny) od (czegoś); **to be** ~ **duty** nie mieć (w danym dniu itd.) służby <dyżuru> 6. (skreślony itd.) z (czegoś); **to** ~ **the map** a) nie figurować na mapie; być startym z mapy b) *przen* nie istnieć 7. w bok od (czegoś); **a street** ~ __ przecznica... (danej arterii) 8. poza (czymś) 9. *mar* opodal (wybrzeża itd.) ‖ ~ **one's food** bez apetytu; ~ **colour** __ a) niedysponowany b) wątpliwy; kiepski ⏹ *s (w krykiecie)* prawa <zewnętrzna> strona boiska ⏹ *vt pot* zerwać/zrywać pertraktacje <rozmowy> (sb, sth z kimś, co do czegoś) ⏹ *vi* wypłynąć na pełne morze
offal ['ɔfəl] *s* 1. odpadki 2. *(w produktach mięsnych)* wnętrzności; podroby 3. padlina 4. tańsze gatunki ryb 5. otręby 6. pośład 7. śmieci
offence [ə'fens] *s* 1. obraza; przykrość; uraza; **no** ~ **was meant** nie chciałem nikogo urazić <dotknąć>; **to give** ~ **to sb** obrazić <dotknąć, urazić> kogoś; ubliżyć komuś; **to take** ~ obrazić się; czuć się dotkniętym <urażonym> 2. przestępstwo; wykroczenie; przekroczenie; występek; przewinienie; czyn karygodny; **second** ~ recydywa 3. agresja; ofensywa 4. przyczyna <*przen* kamień> obrazy
offenceless [ə'fenslis] *adj* niewinny; nieszkodliwy
offend [ə'fend] ⏹ *vt* 1. obra-zić/żać; ura-zić/żać; razić (oko, ucho, poczucie czegoś); **to be** ~**ed**

obra-zić/żać się (at <by> sth na <o> coś; with
sb na kogoś); czuć się dotkniętym <urażonym>
2. z/gorszyć III vi 1. z/grzeszyć; zawinić 2. wy-
kr-oczyć/aczać (against sth przeciw czemuś); to
~ against the law <custom etc.> naruszyć prawo
<zwyczaj itd.>; to ~ against decency popełnić
obrazę moralności
offender [ə'fendə] s 1. grzeszni-k/ca 2. prze-
stęp-ca/czyni; złoczyńca; first ~ przestępca
jeszcze nie karany; old ~ recydywist-a/ka 3.
strona obrażająca <winna obrazy>
offensive [ə'fensiv] I adj 1. wojsk ofensywny;
zaczepny; agresywny 2. (o słowach, zachowaniu
itd) obraźliwy 3. (o żarcie, zachowaniu itd) nieprzyzwoity 4. (o widoku) przykry; odpychający 5.
(o zapachu) przykry; wstrętny; ohydny 6. (o zajęciu) niezdrowy 7. (o wyrazie) niemile brzmiący
III s ofensywa; to take the ~ przejść do ofen-
sywy; przystąpić do ataku
offensiveness [ə'fensivnis] s agresywny <obraźliwy,
przykry> charakter (czegoś)
offer ['ofə] I vt 1. ofiarow-ać/ywać; złożyć/skła-
dać (coś) w ofierze; zanosić (modły) 2. za/ofia-
rować <za/proponować, poda-ć/wać, podsu-nąć/
wać> (coś komuś); przed-łożyć/kładać; wypo-
wi-edzieć/adać (zdanie, uwagę); oświadcz-yć/ać
<okaz-ać/ywać> gotowość (to do sth zrobienia
czegoś); zapr-osić/aszać <wezwać/wzywać> (sth
do czegoś); z/robić propozycję (sth czegoś);
przedstawi-ć/ać (widok); nasu-nąć/wać (trudności); (na licytacji) za/licytować; da-ć/wać (cenę);
to ~ an apology przep-rosić/aszać 3. wystawi-
-ć/ać na sprzedaż (towary) 4. s/próbować <u/czy-
nić próbę> (sth czegoś); to ~ resistance sta-
wi-ć/ać opór; to ~ to strike sb zamachnąć się
na kogoś; to ~ violence uży-ć/wać przemocy,
za/stosować przemoc III vr ~ oneself za/ofia-
rować swe usługi III vi 1. oświadcz-yć/ać się;
wyst-ąpić/ępować z propozycją (małżeństwa itd.)
2. (o sposobności itp) nadarz-yć/ać <nasu-nąć/
wać, trafi-ć/ać> się zob offering IV s 1. oferta;
propozycja; an ~ of marriage oświadczyny; propozycja małżeństwa; to be on ~ a) być wystawionym na sprzedaż b) być do nabycia; to make
an ~ za/ofiarować; za/proponować 2. (na licytacji) oferowana cena
offerer ['ofərə] s 1. oferujący 2. licytujący; licytant
offering ['ofəriŋ] I adj zob offer v III s 1. za/ofero-
wanie; propozycja; oferta 2. ofiara
offertory ['ofətəri] s kośc 1. ofiarowanie, ofer-
torium 2. zbiórka (w czasie nabożeństwa)
offertory-box ['ofətəri,boks] s kośc puszka na datki <na ofiary>
off-hand ['o:f'hænd] I adv 1. (zrobić coś) bez
przygotowania; na poczekaniu; natychmiast; od
ręki 2. bez ceremonii; w sposób bezceremonialny III adj 1. nie przygotowany; zaimprowizowany; zrobiony od ręki 2. bezceremonialny; to
be ~ with sb po/traktować kogoś w sposób
bezceremonialny; nie robić ceremonii z kimś
off-handed ['o:f'hændid] = off-hand adj
↑office ['ofis] s 1. przysługa; usługa; the last ~s
ostatnia posługa; to do sb an ill ~ źle się
komuś przysłużyć; through the good ~s of ___
za (łaskawym) pośrednictwem ___ (czyimś); dzięki uprzejmości ... (czyjejś) 2. obowiązek; funkcja; zadanie 3. urząd; służba; stanowisko; po-

sada; zajęcie; to be in ~ sprawować rządy; być
u władzy; (o partii) to be out of ~ być w opozycji; to hold ~ a) (o człowieku) mieć stanowisko; być na stanowisku <w służbie>; b) (o rządzie) być u władzy; to leave <resign> ~ zre-
zygnować ze służby; to take <enter> upon ~
objąć urząd <stanowisko>; wstąpić do służby
4. kośc nabożeństwo; obrządek; to say ~ od-
prawi-ć/ać nabożeństwo 5. biuro; urząd; wydział; gabinet (dyrektora itp.); kancelaria; cash
~ kasa; inquiry ~ informacja, punkt informacyjny; hist the Holy Office święta inkwizycja
6. ministerstwo; Government Office a) urząd
państwowy b) ministerstwo 7. pl ~s (w budynku) izby niemieszkalne 8. sl aluzja; to give the
~ napomknąć; to take the ~ zrozumieć aluzję
office-bearer ['ofis,beərə] s funkcjonariusz/ka; pra-
cowni-k/ca
office-boy ['ofis,boi] s goniec; chłopiec biurowy
officer ['ofisə] I s 1. (wyższy) urzędnik (państwowy, kościelny, miejski itd.); przedstawiciel
władzy; funkcjonariusz; inspektor (sanitarny,
celny itd.) 2. członek prezydium 3. komisarz
(policji); komornik 4. wojsk mar oficer; Officers'
Training Corps organizacja szkoląca oficerów
(rezerwy) III vt 1. dać obsadę oficerską (a regiment pułkowi); obsadz-ić/ać oficerami (a battery
baterię) 2. dowodzić (a unit jednostką) zob
officered
officered ['ofisəd] zob officer v; the regiment was
well ~ a) pułk miał dobrą obsadę oficerską
<dobry korpus oficerski> b) pułk miał dużą ilość
oficerów
office-seeker ['ofis,si:kə] s polityk zabiegający o
intratne stanowisko
official [ə'fiʃəl] I adj 1. urzędowy; oficjalny;
formalny; in my <his etc.> ~ capacity urzędowo 2. = officinal III s 1. urzędnik; osoba
urzędowa 2. kośc oficjał
officialdom [ə'fiʃəldəm] s 1. biurokracja 2. świat
urzędniczy
officialism [ə'fiʃə,lizəm] s biurokratyzm
officially [ə'fiʃəli] adv urzędowo; formalnie; ofi-
cjalnie; z urzędu
officiant [ə'fiʃiənt] s kośc oficjant, celebrujący
kapłan
officiate [ə'fiʃi,eit] vi 1. pełnić <spełniać> obowiązki (as host etc. gospodarza itd.) 2. kośc
celebrować; odprawiać nabożeństwo
↑officinal [,ofi'sainl] adj 1. apteczny; (o leku itd)
objęty spisem leków <lekospisem> 2. (o trawie,
korzeniu itd) lekarski
officious [ə'fiʃəs] adj 1. natrętny; narzucający się;
nadmiernie gorliwy 2. (o piśmie itd) nieoficjalny;
półurzędowy
officiousness [ə'fiʃəsnis] s natrętność; nadgorli-
wość
offing ['ofiŋ] s pełne <otwarte> morze (w pobliżu
wybrzeża); to gain an ~ wypłynąć na pełne
morze (w pobliżu wybrzeża); przen (o wydarzeniu itd) in the ~ spodziewany; oczekiwany;
niedaleki; to have sth in the ~ mieć coś na
widoku
offish ['ofiʃ] adj pot (o zachowaniu) sztywny;
(o człowieku) zachowujący się z rezerwą
offishness ['ofiʃnis] s sztywność (zachowania się);
rezerwa

off-licence ['ɔ:f,laisəns] s koncesja na butelkową sprzedaż napojów alkoholowych

off-load ['ɔ:f,loud] vt (w płd Afryce) wyładow-ać/ ywać; rozładow-ać/ywać

off-position ['ɔ:fpə,ziʃən] s elektr stan wyjściowy <wyłączenia>; położenie zerowe

off-print ['ɔ:f,print] s odbitka (artykułu itp.)

off-reckoning ['ɔ:f,rekəniŋ] s potrącenie z poborów

off-saddle ['ɔ:f'sædl] vt (w płd Afryce) 1. rozsiodłać 2. wyrzucić z siodła

offscourings ['ɔ:f,skauəriŋz] spl 1. śmieci; odpadki; wybierki 2. wyrzutki (społeczeństwa)

offset ['ɔ:f,set] Ⅰ s 1. odrośl; rozłóg; pęd; przen potomek 2. odnoga góry; odgałęzienie 3. kompensata; wynagrodzenie; wyrównanie (straty itd.) 4. tło; kontrast 5. arch występ; wyskok 6. odgięcie <wygięcie> (rury) 7. druk odbicie farby ze świeżo wydrukowanego arkusza 8. druk offset 9. miern rzędna Ⅱ vt [ɔf'set] (-tt-) wynagr-odzić/adzać <wyrówn-ać/ywać> (stratę itd.) Ⅲ vi [ɔf'set] (-tt-) wypu-ścić/szczać rozł-óg/ogi <odrośl/e>

offshoot ['ɔ:f,ʃu:t] s 1. odrośl; odnoga; pęd; przen gałąź (rodu); odgałęzienie 2. jęz wyraz pochodny

↑offshore ['ɔ:f,ʃɔ:] Ⅰ adv (płynąć itd.) od lądu na pełne morze Ⅲ adj (o wietrze itd) od lądu

off-side ['ɔ:f'said] adj sport spalony (przy grze)

offspring ['ɔ:f,spriŋ] s 1. potomstwo 2. potomek 3. przen wynik

off-time ['ɔ:f,taim] s czas wolny od pracy

offward ['ɔ:fwəd] adv mar na pełne morze

oft [ɔft] adv poet często; częstokroć; many a time and ~ wiele, wiele razy

often ['ɔ:fn] adv często, częstokroć; as ~ as not przeważnie; najczęściej; how ~? jak często?; ile razy?; ~ and ~ nader często

oftentimes ['ɔ:fn,taimz], oft-times ['ɔ:ft,taimz] adv poet często, częstokroć

ogam ['ɔgəm] = ogham

ogee ['oudʒi:] s arch profil w kształcie litery S

ogham ['ɔgəm] s alfabet starobrytyjski i staroirlandzki

ogival [ou'dʒaivəl] arch ostrołukowy

ogive ['oudʒaiv] s arch ostrołuk; ~ vault ostrołukowe sklepienie

ogle ['ougl] Ⅰ vt rzuc-ić/ać zalotne spojrzenie (sb komuś); po/patrzeć zalotnie (sb na kogoś); pot oczkować Ⅱ vi strzelać oczami Ⅲ s zalotne spojrzenie; pot perskie oko

ogler ['ouglə] s flircia-rz/rka, zalotnica

ogre ['ougə] s wilkołak; olbrzym ludożerca (z bajek); pot żarłok

ogreish ['ougəriʃ], ogrish ['ougriʃ] adj żarłoczny

ogress ['ougris] s olbrzymka ludożerczyni (z bajek)

oh zob o²; ~ yes tak; aha!; rozumiem

ohm [oum] s elektr om

oho [ou'hou] interj aha!

↑oil [ɔil] Ⅰ s 1. olej; lubricating ~ smar; ~ of vitriol kwas siarkowy; the holy ~ oleje święte; przen to burn the midnight ~ pracować po nocach; przen to pour ~ on the flame dol-ać/ewać oliwy do ognia; przen to pour ~ on the troubled waters po/działać uspokajająco 2. olejek 3. oliwa 4. nafta; crude ~ ropa naftowa

5. farba olejna; ~ painting obraz olejny; painted in ~s malowany olejno Ⅲ attr naftowy, nafciany Ⅲ vt po/smarować; na/oliwić; natłu-ścić/szczać; powle-c/kać <napu-ścić/szczać> olejem; przen to ~ one's tongue mówić słodko; pochlebiać; przen to ~ sb's palm posmarować komuś łapę; przen to ~ the wheels <works> dyplomatycznie postępować Ⅳ vi (o maśle itd) przyb-rać/ierać postać oleistą zob oiled, oiling

oil-bath ['ɔil,bɑ:θ] s techn kąpiel olejowa

oil-bearing ['ɔil,beəriŋ] adj 1. (o roślinie) oleisty 2. geol roponośny

oil-bird ['ɔil,bə:d] s zoo tłuszczak (ptak)

oil-box ['ɔil,bɔks] s oliwiarka; kolej maźnica

oil-burner ['ɔil,bə:nə] s mar statek motorowy

oilcake ['ɔil,keik] s makuch

oil-can ['ɔil,kæn] s oliwiarka

oilcloth ['ɔil,klɔθ] s 1. cerata 2. rodzaj linoleum

oil-colour ['ɔil,kʌlə] s farba olejna

oiled [ɔild] Ⅰ zob oil v Ⅲ adj 1. naoliwiony; posmarowany; natłuszczony 2. nieprzemakalny; impregnowany 3. (o konserwach itd) w oleju 4. sl podchmielony; pod gazem

oil-engine ['ɔil,endʒin] s silnik spalinowy

oiler ['ɔilə] s 1. oliwiarka; smarownica 2. smarownik, smarowacz; sl wazeliniarz 3. statek-cysterna; tankowiec

oil-field ['ɔil,fi:ld] s pole naftowe; pl ~s zagłębie naftowe

oil-fired ['ɔil,faiəd] adj opalany ropą naftową

oil-gauge ['ɔil,geidʒ] s 1. manometr olejowy 2. wskaźnik poziomu oleju

oil-gland ['ɔil,glænd] s zoo gruczoł kuprowy (u ptaków wodnych)

oil-hole ['ɔil,houl] s techn otwór smarowniczy

oiliness ['ɔilinis] s 1. oleistość 2. służalczość; pot wazeliniarstwo

oiling ['ɔiliŋ] Ⅰ zob oil v Ⅲ s smarowanie; oliwienie

oilman ['ɔilmən] s (pl oilmen ['ɔilmən]) 1. sprzedawca farb olejnych 2. pot nafciarz

oil-meal ['ɔil,mi:l] s roln śruta poekstraktowa

oil-mill ['ɔil,mil] s olejarnia

oil-paint ['ɔil'peint] s farba olejna

oil-painting ['ɔil,peintiŋ] s 1. malowanie farbami olejnymi 2. obraz olejny

oil-paper ['ɔil,peipə] s kalka olejna

oil-press ['ɔil,pres] s prasa do wytłaczania oleju

oil-silk ['ɔil,silk] s jedwab impregnowany

oilskin ['ɔil,skin] s 1. cerata 2. pl ~s ubranie <okrycie> nieprzemakalne

oilstone ['ɔil,stoun] s osełka

oil-well ['ɔil,wel] s szyb naftowy

oily ['ɔili] adj (oilier ['ɔiliə], oiliest ['ɔiliist]) 1. oleisty 2. natłuszczony 3. (o mowie, zachowaniu się) służalczy

ointment ['ɔintmənt] s maść

O.K., okay ['ou'kei] Ⅰ adj 1. (zrobiony itd.) w porządku 2. (o człowieku) na miejscu Ⅲ adv interj tak; dobrze!; zgoda!; w porządku Ⅲ vt (praet i pp O.K.'d ['ou'keid]) za/aprobować; za/parafować (pismo, rachunek itd.)

okapi [ou'kɑ:pi] s zoo okapi (zwierzę)

okay zob O.K.

okra ['oukrə] s bot piżmian jadalny (warzywo uprawiane w krajach podzwrotnikowych)

↑old [ould] Ⅰ adj (older ['ouldə], oldest ['oul

dist]; *w rodzeństwie*: **elder** ['eldə], **eldest** ['el
dist]) 1. stary; sędziwy; zestarzały; **an ~ man**
starzec, staruszek; **an ~ woman** staruszka; **elder
brother** starszy brat; **~ age pension** renta starcza; **~ and young** starzy i młodzi; **~ people**
starzy ludzie; starcy; staruszkowie; **how ~ is
he?** ile on ma lat?; **to be *x* years ~** mieć *x* lat;
to be ~ enough to __ być w takim wieku,
żeby móc ... (wiedzieć, umieć coś zrobić itd.);
to grow <become, get> ~ ze/starzeć się 2. starodawny; dawny; **in the ~ days** dawniej; **the
good ~ days** dawne dobre czasy 3. doświadczony 4. zatwardziały (grzesznik); niepoprawny
5. były; dawny; **an ~ boy <pupil>** absolwent;
the ~ country kraj macierzysty 6. *pot* byle (jaki); **any ~ how** byle jak; **any ~ thing** byle co
7. drogi, kochany; **~ man <fellow, chap, bean,
cock, top>** przyjacielu!; bracie!; mój drogi!; kochanie!; stary (druhu)!; **dear <good> ~ __** kochany ...; **my <the> ~ man** a) szef b) ojciec
c) mąż Ⅲ *s w zwrocie*: **of ~** dawniej; w dawnych czasach; dawno temu
old-clothesman ['ould'klouŏz‚mæn] *s* (*pl* **old-
-clothesmen** ['ould'klouŏz‚men]) handlarz sta-
rzyzną; tandeciarz
old-clothes-shop ['ould'klouŏz‚ʃɔp] *s* sklep ze sta-
rzyzną
olden ['ouldən] Ⅰ *vt* postarzać Ⅲ *vi* po/starzeć
się Ⅲ *adj poet* dawny; dawno miniony
old-established ['ould-is'tæbliʃt] *adj* dawno założony <zaprowadzony>; od dawna istniejący
old-fashioned ['ould'fæʃənd] *adj* 1. staromodny
2. (*o człowieku*) starej daty; zacofany
oldish ['ouldiʃ] *adj* starszawy; podstarzały
old-maidenhood ['ould'meidnhud] *s* staropanieństwo
old-maidish ['ould'meidiʃ] *adj* staropanieński
oldness ['ouldnis] *s* starszy <podeszły> wiek; starość
oldster ['ouldstə] *s* człowiek niemłody
old-time ['ould‚taim] *adj* z dawnych czasów;
dawny
old-timer ['ould‚taimə] *s* człowiek pamiętający
dawne czasy
⧫**old-world** ['ould‚wə:ld] *adj* 1. starożytny 2. przestarzały; staromodny 3. *am* (z) kraju macierzy-
stego
oleaceae [‚ouli'eisi‚i:] *spl* rośliny oliwkowate
oleaginous [‚ouli'ædʒinəs] *adj* oleisty
oleander [‚ouli'ændə] *s bot* oleander
oleaster [‚ouli'æstə] *s bot* oliwnik
oleate ['ouliit] *s chem* oleinian
olecranon [‚ouli'kreinən] *s anat* wyrostek łokciowy
oleic [ou'li:ik] *adj* (*o kwasie*) oleinowy
oleiferous [ouli'ifərəs] *adj* oleisty
olein ['ouli:in] *s chem* oleinian glicerylu, oleina
oleograph ['ouliou‚gra:f] *s* oleodruk
oleomargarine ['ouliou‚ma:dʒə‚ri:n] *s* oleomarga-
ryna
oleometer [‚ouli'ɔmitə] *s techn* areometr do oleju
olfaction [ɔl'fækʃən] *s* wąchanie; węch, powonienie
olfactory [ɔl'fæktəri] *adj* węchowy
oligarch ['ɔli‚ga:k] *s* oligarcha
oligarchic(al) [‚ɔli'ga:kik(əl)] *adj* oligarchiczny
oligarchy ['ɔli‚ga:ki] *s* oligarchia

oligocene ['ɔligou‚si:n] *s geol* oligocen
olio ['ouli‚ou] *s* mieszanina; bigos; potpourri
oliphant ['ɔlifənt] *s* róg myśliwski z kości słoniowej
olivaceous [‚ɔli'veiʃəs] *adj* (*o kolorze*) oliwkowy;
brudnozielony
olivary ['ɔlivəri] *adj* kształtu oliwki, owalny
olive ['ɔliv] Ⅰ *s* 1. (*także* **~-tree**) drzewo oliwne
2. oliwka (owoc) 3. guzik kształtu oliwki 4. *kulin*
zraz, zrazik 5. kolor oliwkowy Ⅲ *adj* oliwny;
~ oil oliwa (stołowa)
olive-branch ['ɔliv‚bra:ntʃ] *s dosł i przen* gałązka oliwna; **to hold out the ~** przy-jść/chodzić
(do kogoś) z gałązką oliwną
olive-grove ['ɔliv‚grouv] *s* gaj oliwny
oliver ['ɔlivə] *s techn* młot skokowy (do obróbki
gwoździ)
olivet ['ɔli‚vet], **olivette** [‚ɔli'vet] *s* sztuczna perła
olivin(e) [‚ɔli'vi:n] *s miner* oliwin
olla ['ɔlə] *s* (*także* **~ podrida** ['ɔlə-pou'dri:də])
= **olio**
ology ['ɔlədʒi] *s żart* dziedzina wiedzy
olympiad [ou'limpiəd] *s* olimpiada
Olympian [ou'limpiən] Ⅰ *s* olimpijczyk Ⅲ *adj*
olimpijski
Olympic [ou'limpik] *adj* olimpijski; **~ games**
igrzyska olimpijskie; olimpiada
ombre ['ɔmbə] *s* lombr (gra w karty modna w
XVIII w.)
ombrology [ɔm'brɔlədʒi] *s* ombrologia (nauka o
deszczu)
ombrometer [ɔm'brɔmitə] *s* ombrometr, pluwiometr, deszczomierz
omega ['oumigə] *s gr litera* omega
omelet(te) ['ɔmlit] *s* omlet; **savoury ~** omlet
z ziołami; **sweet ~** omlet z konfiturami; **you
cannot make an ~ without breaking eggs** gdzie
drwą rąbią, tam wióry lecą
omen ['oumen] Ⅰ *s* omen, znak, wróżba; zapowiedź; **of ill ~** złowróżbny Ⅲ *vt* zapowiadać;
być (dobrym, złym) znakiem <(dobrą, złą) wróż-
bą> (**sth** czegoś)
omental [ou'mentəl] *adj anat* sieciowy
omentum [ou'mentəm] *s anat* sieć
omicron, omikron [ou'maikrən] *s gr litera* omikron
ominous ['ɔminəs] *adj* złowieszczy
omissible [ou'misibl] *adj* (*o szczególe itd*) możliwy do opuszczenia <do pominięcia>
omission [ou'miʃən] *s* opuszczenie <pominięcie>
(czegoś); przeoczenie; zaniedbanie
omissive [ou'misiv] *adj* (*o błędzie itd*) wynikający z przeoczenia
omit [ou'mit] *vt* (**-tt-**) opu-ścić/szczać; pomi-nąć/
jać; zaniedb-ać/ywać (**sb, sth** kogoś, coś, czegoś); przeocz-yć/ać; zapom-nieć/inać (**sb, sth**
o kimś, o czymś, czegoś); **do not ~ to do that**
nie omieszkaj/cie tego zrobić; zrób/cie to na
pewno <niezawodnie>
omnibus ['ɔmnibəs] Ⅰ *s* omnibus; autobus Ⅲ *adj*
zbiorowy; **~ bill** projekt ustawy w różnych
sprawach; **~ book <volume>** a) tom różnych
utworów b) (jednotomowy) zbiór (dzieł jednego
autora); *teatr* **~ box** wielka loża (dla kilku
grup abonentów); **~ train** pociąg osobowy
omnicompetent ['ɔmni'kɔmpətənt] *adj* kompetentny we wszystkich sprawach

omnifarious [‚ɔmni'feəriəs] *adj* różnoraki; różnorodny; wszelaki

omnipotence [ɔm'nipətəns] *s* wszechmoc

omnipotent [ɔm'nipətənt] Ⅰ *adj* wszechmocny Ⅱ *s* **the Omnipotent** Wszechmocny

omnipresence ['ɔmni'prezəns] *s* wszechobecność; wszędobylstwo

omnipresent ['ɔmni'prezənt] *adj* wszechobecny; wszędobylski

omniscience [ɔm'nisiəns] *s* wszechwiedza

omniscient [ɔm'nisiənt] *adj* wszechwiedzący

omnium-gatherum ['ɔmniəm'gæðərəm] *s* mieszanina; zbieranina

omnivorous [ɔm'nivərəs] *adj* wszystkożerny; *przen* nienasycony; **an ~ reader** pożeracz/ka książek

omoplate ['oumou‚pleit] *s anat* łopatka

omphalocele ['ɔmfəlou‚siːl] *s med* ruptura <przepuklina> pępkowa

omphalos ['ɔmfələs] *s* 1. *anat* pępek 2. *przen* centrum (świata itd.)

on [ɔn] Ⅰ *praep* 1. *w okolicznikach miejsca*: a) na (czymś, kimś) b) na (coś, kogoś); **~ the table** <chair, floor etc.> a) na stole <krześle, podłodze itd.> b) na stół <krzesło, podłogę itd.>; **~ one's legs** <knees, head etc.> na nogach <kolanach, głowie itd.> 2. *kierunek*: a) na (coś), **~ the north** <south etc.> na północ <południe itd.>; **~ the right** <left> na prawo <lewo>; **~ the table** <floor, carpet, wall etc.> na stół <podłogę, dywan, ścianę itd.> b) ku; **~ London** ku Londynowi; na Londyn; **~ shore** ku brzegowi; na brzeg 3. *podstawa, motyw*: na (czymś); **~ fact** <one's conscience, evidence etc.> na fakcie <sumieniu, dowodzie itd.> 4. *oparcie, opieranie się*: na (czymś); **~ one's heel** <a peg, a stick, a pivot etc.> na pięcie <kołku, lasce, osi itd.> 5. *bliskość*: a) przy (czymś); **~ the road** <frontier, sea etc.> przy drodze <granicy, morzu itd.> b) *przy nazwach rzek*: nad; **~ the Thames** <Avon, Tyne etc.> nad Tamizą <rzeką Avon, rzeką Tyne itd.> 6. *organizacja, instytucja, w której pełni się funkcję*: w (czymś); **~ the committee** <board, a paper, the general staff etc.> w komitecie <zarządzie, gazecie, sztabie generalnym itd.> 7. *przy rozprowadzaniu czegoś na jakiejś powierzchni*: po (czymś); **~ a plank** <the wall, one's skin etc.> po desce <ścianie, skórze itd.> 8. (*w czasie*) a) w dniu ...; **~ Monday** <Tuesday etc.> w poniedziałek <wtorek itd.> b) *tłumaczy się przez polski dopełniacz*: **~ that day** tego dnia; **~ the first of the month** pierwszego dnia w miesiącu 9. *temat*: o (czymś); na temat (czegoś); **~ chemistry** <botany, music etc.> o chemii <botanice, muzyce itd.>; **~ the League of Nations** o Lidze Narodów; na temat Ligi Narodów 10. *nagromadzenie*: na (czymś); **mistake ~ mistake** błąd na błędzie; **ruin ~ ruin** ruina na ruinie 11. przy (sobie); **have you a match** <any change etc.> **~ you?** czy masz zapałkę <drobne itd.> przy sobie? 12. *z czasownikiem z formą na -ing*: a) *tłumaczy się przez polski imiesłów przysłówkowy*: **~ entering the room** wchodząc <wszedłszy> do pokoju; **~ seeing this** widząc <zobaczywszy> to b) po (zrobieniu czegoś); **~ receiving your letter** po otrzymaniu Pańskiego listu 13. *z rzeczownikami oznaczającymi czynność*:

po; **~ arrival** <delivery etc.> po przybyciu <dostawie itd.> Ⅲ *adv* 1. *dalsze trwanie, przedłużenie czynności*: dalej; **and so ~** i tak dalej; **~ and off** z przerwami; sporadycznie; **~ and ~** bez końca; wciąż; **read ~** czytaj dalej; **to move ~** posuwać się dalej 2. naprzód; **~ boys!** naprzód, chłopcy! 3. na przyszłość; **from then ~ —** od tego czasu <w przyszłości> już ...; **later ~** później 4. na (sobie); **with his hat** <shoes, coat etc.> **~** w kapeluszu <bucikach, płaszczu itd.>; **with nothing ~** nie mając nic na sobie; rozebrany 5. w programie; **what is ~ at —** co dają <grają> w ... (kinie itd.); **have you got anything ~ tonight?** czy masz coś w programie na (dzisiejszy) wieczór? *Uwaga*: *nadaje czasownikom specyficzne znaczenie (przy nich podane)* Ⅳ *adj* 1. *elektr techn* włączony 2. (*w krykiecie*) **the ~ side** lewa <zewnętrzna> strona boiska 3: **~ licence** <consumption> koncesja na sprzedaż <prawo konsumpcji> na miejscu 4. (*o sportowcu*) **his ~ day** jego dobry dzień Ⅴ *s* **the ~ =** **the ~ side** *zob* **~** *adj* 2.

onager ['ɔnəgə] *s* (*pl* **~s, onagri** ['ounə‚grai]) 1. *zoo* dziki osioł perski 2. *hist wojsk* onager (rodzaj katapulty)

onanism ['ounə‚nizəm] *s* onanizm, onania, samogwałt

once [wʌns] Ⅰ *adv* 1. (jeden) raz; **for ~** przynajmniej raz; **more than ~** nieraz; **never <not> ~** ani razu; nawet nie ...; **~ a day** <week etc.> raz na dzień <na tydzień itd.>; **~ (and) for all** raz na zawsze; **~ in a while** <way> od czasu do czasu; z rzadka; **~ more** jeszcze raz; **~ or twice** parę razy; **all at ~** nagle; naraz; **at ~** a) natychmiast; zaraz; od razu; niezwłocznie; z miejsca b) naraz; równocześnie; zarazem; **at ~ stern and tender** zarazem <równocześnie> srogi i czuły; **he ate it all at ~** zjadł wszystko naraz; **to do two things at ~** robić dwie rzeczy naraz <równocześnie> 2. kiedyś (w przyszłości); **we shall die ~** kiedyś umrzemy 3. (*w bajkach*): **~ upon a time** pewnego razu 4. dawniej; ongiś; niegdyś; kiedyś; swego czasu Ⅱ *s* raz; **this ~** ten jeden raz Ⅲ *conj* skoro; gdy raz; **~ you begin you must go on** skoro <gdy raz> zaczniesz, nie wolno przerywać

once-over ['wʌns‚ouvə] *s am pot* pobieżny przegląd, przejrzenie; **I'll give it the ~** przeglądnę <przejrzę> to pobieżnie

oncology [ɔn'kɔlədʒi] *s med* onkologia

oncoming ['ɔn‚kʌmiŋ] Ⅰ *s* zbliżanie się; nadejście Ⅱ *adj* zbliżający się, nadchodzący; (*o niebezpieczeństwie*) grożący

ondograph ['ɔndə‚graːf] *s elektr* ondograf (przyrząd rejestrujący fale)

ondometer [ɔn'dɔmitə] *s elektr* falomierz, ondometr

one [wʌn] *num* Ⅰ *adj* 1. jeden; **he <she, it> is ~ (year old)** on <ona, ono> ma jeden rok; **a child** <boy, girl> **of ~** dziecko <chłopiec, dziewczynka> jednoroczne <jednoroczn-y/a>; **~ o'clock** pierwsza godzina; **~ and six** jeden szyling i sześć pensów, półtora szylinga; **~ or two** a) parę; kilka, kilku b) jeden lub dwa c) *w pytaniu*: jeden czy dwa?; **~ by ~** pojedynczo; **by ~s and twos** pojedynczo i po dwóch; **for ~ thing** po pierwsze; przede wszystkim; **like**

~ **man** jak jeden mąż; **never a** ~ ani jeden; **no** ~ nikt; **no** ~ **man** nikt z osobna <w pojedynkę>; **some** ~ **man** ktoś; **with** ~ **voice** jednogłośnie; **that's** ~ **comfort** to przynajmniej jest pewne pocieszenie; tyle (przynajmniej) dobrego; **to be at** ~ zgadzać się; ,być jednomyślnym; **to be** ~ stanowić jedność; **to become** <be made> ~ połączyć się; *w równych liczbach setek, tysięcy, milionów nie tłumaczy się*: ~ **hundred** sto; ~ **thousand** tysiąc 2. jedyny; ~ **and only** jedyny; ~ **and only son** jedynak; **the** ~ **way to** _ jedyny sposób ... (zrobienia czegoś) 3. pewien; ~ **day** a) pewnego dnia (w przeszłości) b) któregoś dnia (w przyszłości) Ⅱ *s* 1. jedynka (cyfra, numer); jedna sztuka <całość>; **all in** ~ (ubiór itd.) w jednej sztuce <z jednego kawałka>; ~ **of two things** jedno z dwojga; **the two parts are** ~ obie części stanowią (jedną) całość; **two** ~**s** dwie jedynki 2. *sport* jedynka (łódka z 1 wioślarzem) 3. *stosowany jako przydawka tłumaczy się przez liczebnik porządkowy*: **number** <chapter> ~ numer <rozdział> pierwszy; **page** <book> ~ stronica <księga>' pierwsza Ⅱ **in the year** ~ dawno, dawno temu; kiedy tam! 4. uderzenie, cios, trafienie; **I gave him** ~ **in the eye** uderzyłem <*pot* palnąłem, wyrżnąłem> go w oko 5. kieliszek <szklanka> czegoś; **a quick** ~ szklanka dżinu <kieliszek wina itd.> naprędce wypit-a/y 6. kawał; dowcip; **that's a good** ~ to dobry kawał <dowcip> 7. *pl* ~**s** ludzie; **our dear** ~**s** nasi bliscy; **the little** ~**s** dzieci, maleństwa Ⅱ **to go** ~ **better** prześcignąć <*pot* zakasować> (kogoś) Ⅲ *pron* 1. *w połączeniu z* **the, this, that**: ten; **the large** <square, red, thinner, prettier> ~ ten duży <kwadratowy, czerwony, cieńszy, ładniejszy> 2. *nie tłumaczy się* a) *po zaimku pytajnym* **which**: which ~? który? b) *po przymiotniku poprzedzonym przedimkiem* **a** (an): **a good** <small, black 'etc.> ~ dobry <mały, czarny itd.>; **you're a good** ~, you are! ale z ciebie kawalarz! 3. *tłumaczy się przez przypadki zależne od zaimka* „on": **my father was a painter but I could never be** ~ mój ojciec był malarzem, ale ja nigdy nie mogłem nim zostać 4. *tłumaczy się zaimkiem* „jakiś" *lub* opuszcza się: **I've forgotten my pen, can you lend me** ~? zapomniałem pióra, czy możesz mi jakieś pożyczyć?; **take a raincoat, you will need** ~ weź płaszcz nieprzemakalny, będzie ci potrzebny 5. ktoś; człowiek; **like** ~ **frenzied** jak człowiek w szale; ~ **well acquainted with the subject** człowiek biegły w tym przedmiocie; **the look of** ~ **in pain** wygląd człowieka cierpiącego; **I am not much of** ~ **for sweets** nie jestem wielkim amatorem słodyczy 6. niejaki; ~ **Mr Robinson** niejaki p. Robinson 7. *tłumaczy się formami bezosobowymi*: **how can** ~ **tell?** skąd można wiedzieć?; ~ **never knows** nigdy nie wiadomo; ~ **should help** ~'s **neighbours** trzeba pomagać swym sąsiadom

one-eyed [ˈwʌnˈaid] *adj* jednooki, o jednym oku

onefold [ˈwʌnˌfould] *adj* pojedynczy

one-horse [ˈwʌnˈhɔːs] *adj* jednokonny; *przen sl* marny, kiepski

one-idea'd, one-ideaed [ˈwʌn-aiˈdiəd] *adj* (*o człowieku*) o ciasnych poglądach

oneiromancy [ouˈnaiərouˌmænsi] *s* wróżenie ze snów

one-legged [ˈwʌnˈlegd] *adj* jednonogi; kulawy

╪**one-man** [ˈwʌnˈmæn] *adj* (*o pracy itd*) dla jednego człowieka; ~ **show** przedstawienie, w którym jeden człowiek gra wszystkie role

oneness [ˈwʌnnis] *s* 1. jedność; identyczność 2. zgodność (poglądów)

oner [ˈwʌnə] *s sl* 1. unikat; (człowiek) as 2. *w zwrocie*: **I gave him a** ~ rąbnąłem <zdzieliłem, walnąłem, wyrżnąłem> go 3. (*w krykiecie*) uderzenie liczące się za jeden punkt

onerous [ˈɔnərəs] *adj* uciążliwy

onerousness [ˈɔnərəsnis] *s* uciążliwość

oneself [wʌnˈself] *pron* 1. się, siebie, sobie, sobą 2. (człowiek) sam; **one must do it** ~ trzeba to zrobić samemu <osobiście>; **one must see it** ~ trzeba to widzieć na własne oczy 3. (*o człowieku*) sam (jeden); bez niczyjej pomocy; bez żadnego towarzystwa; **when one does sth** ~ gdy się coś robi samemu; gdy człowiek robi coś sam <bez niczyjej pomocy>; **when one is by** ~ gdy człowiek jest sam; gdy jest się samemu <bez towarzystwa>

one-sided [ˈwʌnˈsaidid] *adj* 1. (*o kontrakcie itd*) jednostronny 2. (*o ulicy*) zabudowany tylko z jednej strony 3. (*o człowieku, sądzie*) stronniczy; niesprawiedliwy 4. (*o grze*) nierówny 5. (*o kształcie*) asymetryczny

one-sidedness [ˈwʌnˈsaididnis] *s* 1. jednostronność 2. stronniczość 3. asymetryczność, asymetria

one-step [ˈwʌnˈstep] *s* one-step (taniec)

one-storeyed, one-storied [ˈwʌnˈstɔːrid] *adj* jednopiętrowy

one-time [ˈwʌnˈtaim] *adj* były (dyrektor, wykładowca itd.)

one-track [ˈwʌnˈtræk] *adj* 1. jednotorowy 2. (*o umyśle*) ciasny

one-way [ˈwʌnˌwei] *adj* (*o ulicy, ruchu*) jednokierunkowy

onfall [ˈɔnˌfɔːl] *s* napaść

onflow [ˈɔnˌflou] *s* przypływ

ongoings [ˈɔnˌgouiŋz] = **goings-on**

onion [ˈʌnjən] Ⅰ *s* 1. cebula; **spring** ~ młoda cebula (wiosenna); *wojsk* **flaming** ~ rodzaj rakiety zapalającej 2. *sl* głowa, pała; **to be off one's** ~ nie mieć wszystkich klepek w porządku 3. *sl* Bermudczyk Ⅱ *vt* 1. przyprawi-ć/ać cebulą 2. po-trzeć/cierać (oczy) cebulą (dla wywołania łez)

onion-sauce [ˈʌnjənˌsɔːs] *s* sos cebulowy

onion-seed [ˈʌnjənˌsiːd] *s* nasiona cebuli

onion-skin [ˈʌnjənˌskin] *s* 1. skórka z cebuli 2. rodzaj papieru

oniony [ˈʌnjəni] *adj* cebulowy; (*o smaku, zapachu*) cebuli

onlooker [ˈɔnˌlukə] *s* widz

only [ˈounli] Ⅰ *adj* jedyny; **one and** ~ jeden jedyny; ~ **child** jedyna-k/czka; ~ **son** jedynak Ⅲ *adv* 1. tylko; jedynie; **he** <you etc.> ~ **on** <ty itd.> tylko; **he can** ~ **say "no"** najwyżej powie „nie" <odmówi>; **if** ~ gdyby <żeby> tylko; gdyby tak; ~ **just** a) dopiero co b) ledwo, ledwo; ~ **too** _ aż nadto <niezmiernie>... (szczęśliwy itd.); **I shall be only too glad** będę niezmiernie rad; z największą przyjemnością; **the news proved** ~ **too true** wiado-

mość sprawdziła się w całej rozciągłości 2. dopiero; ~ **yesterday** dopiero <nie dalej jak>
wczoraj Ⅲ *conj* tylko że; (ale) cóż z tego,
kiedy...; **he would help us** ~ **he is away** on
by pomógł nam, tylko że <ale cóż z tego, kiedy>
go nie ma

onomatopoeia [,ɔnoumætou'piə] *s* onomatopeja,
naśladowanie dźwięków

onomatopoeic [,ɔnoumætou'pi:ik] *adj* onomato-
peiczny

on-position ['ɔn-pə'ziʃən] *s elektr techn* położenie
włączenia

onrush ['ɔn,rʌʃ] *s* 1. napaść; najście; szturm; napór; prąd <strumień> (wody) 2. poryw

onset ['ɔn,set] *s* 1. napaść; najście; najazd;
szturm; napór 2. poryw 3. początek; **at the first**
~ od samego początku

onslaught ['ɔn,slɔ:t] *s* 1. zaciekły <gwałtowny>
atak <najazd, szturm, napór>; zajadła napaść
2. napad (choroby)

ontogenesis [,ɔntou'dʒenəsis], **ontogeny** [ɔn'tɔdʒ
əni] *s* ontogeneza, ontogenia

ontology [ɔn'tɔlədʒi] *s filoz* ontologia

onus ['ounəs] *s* (*bez pl*) 1. ciężar; brzemię 2. obowiązek 3. odpowiedzialność

onward ['ɔnwəd] Ⅰ *adj* (*o ruchu itd*) naprzód,
ku przodowi; postępowy Ⅲ *adv* (*także* ~s) naprzód; dalej

onyx ['ɔniks] *s miner* onyks

oodles ['u:dlz] *spl pot* kupa <masa> (czegoś)

oof [u:f] *s sl* forsa, pieniądze

oofy ['u:fi] *adj sl* forsiaty, z forsą, bogaty

oolite ['ouə,lait] *s miner geol* oolit

oolitic [,ouə'litik] *adj geol* oolityczny

oology [ou'ɔlədʒi] *s* oologia (nauka o jajach pta-
sich)

oom ['u:m] *s* (*w płd Afryce*) wuj

oospore ['ouə,spɔ:] *s bot* oospora

oomph [u:mf] *s sl* powab dla płci odmiennej;
sex appeal

ooze [u:z] Ⅰ *s* 1. szlam, muł 2. wyciek, przesącz
3. zaprawa garbarska, wykwas Ⅲ *vi* sączyć się,
ciec; przeciekać; wydzielać się; (*o tajemnicy*)
przedosta-ć/wać się na zewnątrz Ⅲ *vt* wydzielać

~ **away** *vi* (*o odwadze itp*) znik-nąć/ać; **my
courage** ~**d away** zabrakło mi odwagi;
opuściła mnie odwaga

oozy ['u:zi] *adj* (**oozier** ['u:ziə], **ooziest** ['u:ziist])
1. mulisty, szlamowaty 2. wilgotny

opacity [ou'pæsiti] *s* 1. nieprzezroczystość; nie-
przepuszczalność światła 2. mętność <nieprzej-
rzystość> (tekstu itp.) 3. tępota (umysłu)

opal ['oupəl] *s miner* opal; ~ **glass** szkło opalowe <mleczne>

opalescence [,oupə'lesns] *s fiz* opalescencja, opa-
lizacja

opalescent [,oupə'lesnt] *adj fiz* opalizujący

opaline ['oupə,lain] Ⅰ *adj* opalowy Ⅲ *s* ['ou
pə,li:n] opalowe <mleczne> szkło

opaque [ou'peik] Ⅰ *adj* 1. nieprzezroczysty; nie
przepuszczający światła 2. (*o tekście itp*) mętny,
nieprzejrzysty 3. (*o człowieku*) tępy Ⅲ *s* **the** ~
ciemnoś-ć/ci

opaqueness [ou'peiknis] = **opacity**

ope [oup] *poet* = **open** *v*

↟ **open** ['oupən] Ⅰ *adj* 1. otwarty; odemknięty;

rozwarty; (*o pojeździe*) odkryty; (*o flaszce*) od-
korkowany; (*o paczce*) rozpakowany; (*o kopercie*) odpieczętowany, rozpieczętowany; (*o liście*)
otwarty; **half** ~ uchylony; nie domknięty; *sąd*
in ~ **court** przy drzwiach otwartych; (*o stanowisku*) ~ **to all** dostępny dla wszystkich; ~ **air**
wolne <świeże, otwarte> powietrze; wolna przestrzeń; ~ **country** szczere pole; głucha wieś; ~
field nie ogrodzone pole; ~ **mine** kopalnia odkrywkowa; ~ **sea** otwarte <pełne> morze; *myśl*
~ **season** okres dozwolonego polowania; (*w przemyśle*) ~ **shop** zakład przyjmujący robotników
nie zrzeszonych w związkach zawodowych; ~
spaces zieleńce; ~ **warfare** wojna ruchoma 2.
wystawiony (na wszystkie wiatry, na ataki wroga itd.); ~ **to doubt** wątpliwy; **to be** ~ **to** —
a) być skłonnym do... (podejrzeń, przesądów
itd.); być podatnym na.... (wpływ itd.); dawać
posłuch... (czemuś); dopuszczać... (coś, możliwość czegoś) b) nadawać się do... (czegoś); **to
lay oneself** ~ **to** — dać powód do... (czegoś);
narazić się <być wystawionym> na... (krytykę,
ośmieszenie itd.) 3. jawny, nieukrywany; publiczny; szczery (podziw itd.); **an** ~ **secret** tajemnica poliszynela; **to be** ~ **with sb** być
szczerym z kimś; **to lay** ~ **a project** <plan,
scheme> ujawnić <ogłosić, opublikować> projekt
4. *wojsk* (*o szyku*) rozczłonkowany 5. (*o materiale itd*) ażurowy; (*o opakowaniu itd*) krato-
wany 6. (*o widoku*) rozległy; odsłonięty 7.
(*o dniu*) zarezerwowany (dla kogoś) 8. (*o posadzie*) wolny, wakujący 9. (*o kwestii*) otwarty,
nie rozstrzygnięty; **to keep an** ~ **mind on** —
nie wypowiadać się... (w jakiejś sprawie) 10.
(*o rzece, porcie*) nie zamarzający 11. *w zwrocie*:
to have ~ **bowels** mieć normalny stolec 12. *fonet*
(*o spółgłosce*) szczelinowy 13. (*o klimacie, zimie*)
łagodny Ⅲ *vt* 1. otw-orzyć/ierać; od-emknąć/
mykać; roz-ewrzeć/wierać; odkorkow-ać/ywać
(flaszkę); rozpieczętow-ać/ywać (list); prze-
czy-ścić/szczać (żołądek); **to half** ~ uchyl-ić/ać
(drzwi itp.); *elektr* **to** ~ **a circuit** przerwać
dopływ prądu; *przen* **to** ~ **the door to** — dać
powód <otworzyć drogę> do... (czegoś); umożli-
wi-ć/ać 2. rozkr-oczyć/aczać (nogi); wyprosto-
w-ać/ywać <rozprostow-ać/ywać> (plecy) 3. wy-
bi-ć/jać (otwór w ścianie); wy/kopać (dół w ziemi); przekop-ać/ywać (drogę) 4. odkry-ć/wać
(swoje myśli); **to** ~ **oneself** <one's mind, heart>
wypowi-edzieć/adać <wywnętrz-yć/ać, zwierz-yć/
ać> się 5. rozpocz-ąć/ynać (pertraktacje itd.); za-
ga-ić/jać (zebranie); za/inaugurować; *sąd* **to** ~
the case wygłosić wstępne przemówienie 6. *karc*
zagrać (**spades etc.** w piki itd.) Ⅲ *vi* 1. otw-orzyć/
ierać <od-emknąć/mykać> się; stać otworem; roz-
chyl-ić/ać się 2. (*o widoku*) roztaczać się 3.
(*o przedstawieniu itd*) zacz-ąć/ynać się; (*o mówcy itd*) zacz-ąć/ynać przemówienie; **school** ~s
on — nauka rozpoczyna się w... 4. (*o psach*)
za/szczekać, zacząć ujadać 5. (*o kwiatach,
pączkach*) rozchyl-ić/ać się 6. (*o przejściu, korytarzu itd*) prowadzić (**into** — do...); wychodzić
(**into** — na...) 7. (*o pokojach*) łączyć <komuni-
kować> się (**into one another** z sobą)

~ **out** Ⅰ *vt* 1. roz-łożyć/kładać 2. posze-
rz-yć/ać (otwór itd.) Ⅲ *vi* (*o widoku*) roz-
t-oczyć/aczać się; (*o perspektywach itd*)

otw-orzyć/ierać się; (o człowieku) **to ~ out to sb** wywnętrz-yć/ać się przed kimś **~ up** vt 1. otw-orzyć/ierać; roztw-orzyć/ierać 2. ọdkry-ć/wać (kopalnię itd.) 3. przed-łożyć/kładać <przedstawi-ć/ać> (plan itd.) 4. przekop-ać/ywać (drogę) zob **opening** Ⅳ s świeże powietrze; otwarta przestrzeń; **in the ~** na świeżym powietrzu; pod gołym niebem; *przen* **to come into the ~** mówić otwarcie; wyjawić swoje zamiary

↑**open-air** ['oupņ'eə] adj (o życiu, imprezie, restauracji itd) na świeżym powietrzu, pod gołym niebem; **~ temperature** temperatura zewnętrzna

open-armed ['oupņ'ɑːmd] adj (o powitaniu itd) z otwartymi ramionami <rękami>

opencast ['oupņ͵kɑːst] adj górn (o kopalni itd) odkrywkowy

open-eared ['oupņ'iəd] adj (o człowieku) łowiący każde słowo; nasłuchujący; przysłuchujący się uważnie; **to be ~** mieć uszy otwarte

opener ['oupņə] s przyrząd do otwierania (puszek, flaszek itd.), otwieracz

open-eyed ['oupņ'aid] adj (o widzu itd) z szeroko ọtwartymi oczami; czujny; **with ~ astonishment** z wielkim zdumieniem

open-handed ['oupņ'hændid] adj hojny; szczodry

open-hearted ['oupņ'hɑːtid] adj szczery; serdeczny

open-hearth ['oupən͵hɑːθ] attr (o piecu, stali) martenowski

opening ['oupniŋ] Ⅰ zob **open** v Ⅲ s 1. otwarcie; otw-orzenie/ieranie 2. otwór; wylot 3. rozstęp; rozpiętość; rozwarcie 4. otwarcie, inauguracjạ, rozpoczęcie, początek; wstępne wywody; *karc* pierwsze wyjście; *szach* pierwszy ruch 5. *meteor* przejaśnienie; przerwa <okno> w chmurach; (w lesie) polana; wyrąb; (w ziemi) wykop 6. możliwość; sposobność; okazja 7. zbyt (dla towarów) 8. wakans 9. *am* pierwsza wystawa towarów w danym sezonie Ⅲ adj początkowy; wstępny; inauguracyjny; (o dniu itd) otwarcia; **~ time** przepisowy czas otwarcia lokali dla sprzedaży napojów wyskokowych

openly ['oupņli] adv 1. otwarcie; bez ogródek; szczerze 2. publicznie

open-minded ['oupņ'maindid] adj (o człowieku) z otwartą głową; bez uprzedzeń; bezstronny zob **open** adj 9.

open-mouthed ['oupņ'mauðd] adj 1. (stojący, patrzący) z otwartymi ustami 2. żarłoczny

openness ['oupņnis] s 1. otwartość; szczerość 2. otwarta przestrzeń

open-work ['oupņ͵wəːk] Ⅰ s ażurowa robota <konstrukcja> Ⅲ adj 1. ażurowy 2. *górn* odkrywkowy

opera ['oupərə] Ⅰ s opera (przedstawienie i gmach); **~ bouffe** [buːf] opera komiczna Ⅲ attr operowy

operable ['oupərəbl] adj 1. (o pacjencie) nadający się do zabiegu operacyjnego; (o nowotworze itd) usuwalny <nadający się do usunięcia> za pomocą zabiegu chirurgicznego 2. (o planie itp) wykonalny <dający się wprowadzić w życie>

opera-cloak ['oupərə͵klouk] s płaszcz wieczorowy

opera-glass ['oupərə͵glɑːs] s (zw pl **~es**) lornetka teatralna

opera-hat ['oupərə͵hæt] s szapoklak

opera-house ['oupərə͵haus] s opera (gmach)

operate ['opə͵reit] Ⅰ vi 1. po/działać; zadziałać; (o leku) po/skutkować; (o maszynie itd) pracować 2. grać <dokonywać operacji> (na giełdzie); spekulować **(for a fall <rise>** na bessę <na hossę> 3. z/operować **(on a patient** pacjenta; **on sb for sth** komuś coś — wyrostek robaczkowy itd.) 4. (o rozporządzeniu) obowiązywać; wchodzić w życie 5. *wojsk* prowadzić operacje; operować; działać Ⅲ vt 1. dokon-ać/ywać **(sth czegoś)** 2. obsługiwać (maszynę) 3. pu-ścić/szczać <wprawi-ć/ać> w ruch; porusz-yć/ać **(sb, sth** kogoś, coś, czymś) 4. *am* kierować **(sth czymś)** 5. eksploatować (kopalnię itd.) zob **operating**

operatic [͵opə'rætik] adj operowy

↑**operating** ['opə͵reitiŋ] Ⅰ zob **operate** Ⅲ adj 1. (o chirurgu) operujący 2. obsługujący; **~ personnel** personel techniczny; obsługa Ⅲ s 1. działanie 2. operowanie 3. chód (maszyny) Ⅳ attr (o kosztach itd) operacyjny; eksploatacyjny; bieżący

operating-room ['opəreitiŋ͵ruːm] s sala operacyjna

operating-table ['opəreitiŋ͵teibl] s stół operacyjny

operating-theatre ['opəreitiŋ͵θiətə] s sala operacyjna (wykładowa)

operation [͵opə'reiʃən] s 1. działanie; *wojsk* akcja; **to be in ~** działać; **to come into ~** wchodzić w życie 2. proces 3. obsługiwanie <obsługa> (maszyny) 4. *chir wojsk ekon* operacja; **~ set** zestaw narzędzi chirurgicznych 5. *am* kierownictwo 6. *am* eksploatacja 7. *mat* działanie

↑**operational** [͵opə'reiʃənl] adj *wojsk* 1. operacyjny 2. bojowy; gotowy do akcji (bojowej)

↑**operative** ['oprətiv] Ⅰ adj 1. skuteczny 2. obowiązujący; **to become ~** działać; wchodzić w życie 3. praktyczny 4. techniczny 5. operacyjny Ⅲ s ['opərətiv] robotnik (pracujący przy maszynie)

operator ['opə͵reitə] s 1. *chir kino* operator 2. (pracownik) obsługujący (maszynę, aparat, centralę telefoniczną itd.); telefonist-a/ka 3. spekulant giełdowy 4. *am* kierownik

operculum [o'pəːkjuləm] s (pl **opercula** [o'pəːkjulə]) *bot zoo* nakrywka; przykrywka

operetta [͵opə'retə] s *muz* operetka

operose ['opə͵rous] adj 1. pracowity 2. pracochłonny

ophidia [o'fidiə] spl zoo węże

ophidian [o'fidiən] s zwierzę z gromady gadów

ophiolatry [͵ofi'ɔlətri] s ofiolatria (kult węży)

ophite ['ofait] s *miner* ofit

ophthalmia [of'θælmiə] s *med* oftalmia, zapalenie oka

ophthalmic [of'θælmik] adj oczny

ophthalmology [͵ofθæl'mɔlədʒi] s oftalmologia, okulistyka

opiate ['oupiit] Ⅰ s opiat, lek makowcowy (zawierający opium) Ⅲ adj nasenny; narkotyczny Ⅲ vt ['oupi͵eit] doda-ć/wać domieszkę opium **(a medicament** do leku)

opine [ou'pain] vi 1. sądzić <uważać, być zdania> **(that __** że ...) 2. wyra-zić/żać <wypowi-edzieć/adać> swe zdanie

↑**opinion** [ə'pinjən] s 1. zdanie; zapatrywanie; sąd; opinia; **a matter of ~** kwestia zapatrywania;

in my <his etc.> ~ moim <jego itd.> zdaniem; to be of (the) ~ that __ być zdania <uważać, sądzić>, że ...; I am of your ~ podzielam pańskie zdanie; to give an ~ wypowi-edzieć/adać zdanie 2. przekonanie; to have the courage of <to act up to> one's ~s mieć odwagę swych przekonań <działać zgodnie ze swymi przekonaniami> 3. porada (lekarska); to get a specialist's ~ zasięg-nąć/ać porady u specjalisty 4. ocena; zdanie; opinia; to have a high ~ of sb mieć pochlebne zdanie o kimś; wysoko kogoś cenić; to have no ~ of __ mieć niepochlebne zdanie o ... (kimś)

opinionated [ə'pinjə,neitid], **opinionative** [ə'pinjə,neitiv] adj uparty; zawzięty; nie odstępujący od swego zdania

opisometer [ɔpi'sɔmitə] s opizometr (przyrząd do pomiaru długości krzywych na mapie itp.)

opium ['oupjəm] s opium; ~ den palarnia opium; ~ extract wyciąg makowcowy; ~ poppy mak lekarski

opium-eater ['oupjəm,i:tə] s opiofag (zażywający opium)

opium-fiend ['oupjəm,fi:nd] s opiumista (nałogowo używający opium)

opium-smoker ['oupjəm,smoukə] s palacz opium

opodeldoc [,ɔpou'deldɔk] s farm opodeldok (maść mydlano-kamforowa — środek przeciw reumatyzmowi)

opopanax [ou'pɔpə,næks] s bot farm opopanaks; ~ oil olejek opopanaksowy

opossum [ə'pɔsəm] s zoo opos, opossum

oppidan ['ɔpidən] ① s 1. mieszkaniec miasta 2. (w Eton) uczeń nieinternatowy ③ adj miejski

oppilate ['ɔpi,leit] vt med zat-kać/ykać; za/tamować

↑**opponent** [ə'pounənt] ① adj przeciwny; przeciwstawny ③ s przeciwni-k/czka

opportune ['ɔpə,tju:n] adj właściwy, odpowiedni, stosowny, dogodny; (o momencie) szczęśliwy

opportunism ['ɔpə,tju:nizəm] s oportunizm

opportunist ['ɔpə,tju:nist] s oportunista

opportunity [,ɔpə'tju:niti] s (dogodna) sposobność <okazja>; to take the ~ of __ s/korzystać ze sposobności, żeby ... (coś zrobić)

opposable [ə'pouzəbl] adj (o zarządzeniu itd) któremu można się przeciwstawić

oppose [ə'pouz] vt 1. przeciwstawi-ć/ać (sth to sb, sth coś komuś, czemuś) 2. przeciwstawi-ć/ać <sprzeciwi-ć/ać> się (sb, sth komuś, czemuś); zwalczać; stawi-ć/ać opór (sb, sth komuś, czemuś) zob opposed, opposing

opposed [ə'pouzd] ① zob oppose ③ adj 1. przeciwstawny 2. przeciwny; ... as ~ to __ ... w przeciwieństwie do ...; to be ~ to __ a) sprzeciwi-ć/ać się ... (komuś, czemuś) b) być przeciwieństwem <stanowić przeciwieństwo> ... (czegoś)

opposer [ə'pouzə] s przeciwni-k/czka; oponent/ka

opposing [ə'pouziŋ] ① zob oppose ③ adj przeciwny

opposite ['ɔpəzit] ① adj 1. przeciwległy 2. (o stronie, kierunku, biegunie itd) przeciwny; (znajdujący się) naprzeciw(ko) (czegoś); ~ number odpowiednik; partner (w tańcu, kartach itp.) 3. przeciwny (to sb, sth komuś, czemuś); (o płci itd) od-

mienny ③ adv naprzeciw(ko); po przeciwnej stronie ③ praep naprzeciw(ko) ④ s przeciwieństwo

opposition [,ɔpə'ziʃən] ① s 1. przeciwstawność; przeciwstawienie; to place in ~ przeciwstawi-ć/ać 2. sprzeciw; przeciwstawi-enie/anie się; opór; polit opozycja; in ~ to __ wbrew ... (czemuś); w przeciwieństwie do ... (czegoś); to be in ~ sprzeciwi-ć/ać się ③ attr opozycyjny; (o szeregach itd) opozycji

oppositionist [,ɔpə'ziʃənist] s opozycjonist-a/ka

oppress [ə'pres] vt 1. uciskać; ciemiężyć; gnębić 2. (o upale, niepogodzie, wypadkach itd) nużyć; męczyć; dręczyć; deprymować; przygniatać

oppression [ə'preʃən] s 1. ucisk; ciemiężenie; gnębienie 2. znużenie; depresja

oppressive [ə'presiv] adj 1. uciążliwy; gnębicielski 2. dręczący; deprymujący; przygniatający; (o atmosferze itd) ciężki, duszny

oppressiveness [ə'presivnis] s 1. ucisk; ciemiężenie; gnębienie 2. duszna <ciężka> atmosfera

oppressor [ə'presə] s ciemięzca; gnębiciel/ka

opprobrious [ə'proubriəs] adj obraźliwy; obelżywy

opprobrium [ə'proubriəm] s hańba; sromota

↑**oppugn** [ɔ'pju:n] vt zwalcz-yć/ać; zbi-ć/jać (twierdzenie itp.); za/kwestionować

opsonic [ɔp'sɔnik] adj fizj opsoninowy

opsonin ['ɔpsənin] s fizj opsonina

opt [ɔpt] vi optować (for sth na rzecz czegoś)

optant ['ɔptənt] s optant/ka

optative ['ɔptətiv] adj 1. gram (o trybie) życzący 2. (o zwrocie itd) wyrażający życzenie <pragnienie>

optic ['ɔptik] ① adj anat wzrokowy; oczny; optyczny ③ s żart oko

optical ['ɔptikəl] adj optyczny

optician [ɔp'tiʃən] s optyk

optics ['ɔptiks] s optyka

optime ['ɔptimi] s uniw (w Cambridge) odznaczony student matematyki

optimism ['ɔpti,mizəm] s optymizm

optimist ['ɔptimist] s optymist-a/ka

optimistic [,ɔpti'mistik] adj optymistyczny; to feel ~ być optymistycznie usposobionym; not to feel ~ mieć <żywić> obawy

optimum ['ɔptiməm] ① s (pl ~s, optima ['ɔptimə]) optimum ③ adj optymalny, najbardziej korzystny, najkorzystniejszy

option ['ɔpʃən] s 1. opcja; (wolny) wybór; prawo wyboru; to have no ~ nie mieć wyboru; być w sytuacji przymusowej; to make one's ~ wybrać; prawn imprisonment without the ~ of a fine kara więzienia bez prawa zamiany na grzywnę 2. alternatywa; none of the ~s is satisfactory żadna z (tych) możliwości <ewentualności> nie jest do przyjęcia

optional ['ɔpʃənl] adj dowolny; fakultatywny; nie obowiązujący

optometer [ɔp'tɔmitə] s opt optometr

opulence ['ɔpjuləns] s 1. bogactwo 2. obfitość

opulent ['ɔpjulənt] adj 1. bogaty 2. obfity; zasobny

opuntia [ə'pʌnʃiə] s bot opuncja (kaktus)

opus ['oupəs] s (bez pl) dzieło; utwór; muz opus

opuscule [ɔ'pʌskju:l] s drobny utwór

or¹ [ɔ:] conj praep poet w zwrocie: ~ e'er <ever> zanim

or² [ɔ:] conj 1. albo, lub; czy (też); w zdaniu

przeczącym: ani; w przeciwnym wypadku <razie>; **one** <a ...> ~ **two** a) parę, kilka b) jeden lub dwa c) *w pytaniu*: jeden czy dwa?; ~ **else** bo; inaczej (bowiem) 2. czyli

or³ [ɔ:] *s herald* kolor złoty <żółty>

orach ['ɔritʃ] *s bot* łoboda

oracle ['ɔrəkl] *s* wyrocznia; *przen* **to work the** ~ a) poruszać sprężyny; używać wpływów b) osiągnąć swój cel

oracular [ɔ'rækjulə] *adj* wyrokujący; proroczy

oral ['ɔ:rəl] *adj* (*o egzaminie itd*) ustny; *anat* ustny; *med* (*o lekarstwie*) doustny

✝ **orange**¹ ['ɔrindʒ] Ⅰ *s* 1. pomarańcza; *bot* (*także* ~-**tree**) drzewo pomarańczowe; **mock** ~ a) jaśminek b) bez; ~**s and lemons** nazwa zabawy dziecinnej 2. kolor pomarańczowy Ⅲ *adj* pomarańczowy; koloru pomarańczowego

Orange² ['ɔrindʒ] *s hist* ultraprotestancka partia północnej Irlandii

orangeade ['ɔrindʒ'eid] *s* oranżada

orange-blossom ['ɔrindʒ,blɔsəm] *s* kwiat pomarańczowy

orange-fin ['ɔrindʒ,fin] *s zoo* odmiana pstrąga

Orangeman ['ɔrindʒ,mæn] *s* (*pl* **Orangemen** ['ɔrindʒ,men]) członek partii "Orange"

orange-peel ['ɔrindʒ,pi:l] *s* skórka pomarańczowa

orangery ['ɔrindʒəri] *s* 1. plantacja pomarańcz 2. oranżeria

orange-tip ['ɔrindʒ,tip] *s zoo* zorzynek (motyl)

orang-outang, **orang-utan** ['ɔ:reŋ'u:tæn] *s zoo* orangutan

orate [ɔ:'reit] *vi żart* perorować

oration [ɔ:'reiʃən] *s* oracja; uroczyste przemówienie

orator ['ɔrətə] *s* mówca; krasomówca; orator; **Public Orator** oficjalny przedstawiciel uniwersytetu na uroczystościach

oratorical [,ɔrə'tɔrikəl] *adj* krasomówczy

oratorio [,ɔrə'tɔ:riou] *s muz* oratorium

oratory¹ ['ɔrətəri] *s* 1. kaplica 2. *kośc* **the Oratory** stowarzyszenie oratorian

oratory² ['ɔrətəri] *s* krasomówstwo; wymowa; elokwencja

orb [ɔ:b] *s* 1. ciało niebieskie 2. *rz* kula (ziemska); głobus; jabłko (oznaka godności królewskiej) 3. *poet* oko 4. ✝ orbita

orbed [ɔ:bd] *adj poet* kulisty; sferyczny

orbicular [ɔ:'bikjulə] *adj* 1. kolisty; kulisty; sferyczny; pierścieniowaty 2. *przen* całkowity

✝ **orbit** ['ɔ:bit] *s* 1. *astr* orbita 2. *anat* oczodół

✝ **orbital** ['ɔ:bitl] *adj anat* oczodołowy

orc, ork [ɔ:k], **orca** ['ɔ:kə] *s zoo* miecznik (żarłoczny delfin)

Orcadian [ɔ:'keidjən] Ⅰ *adj* (*o mieszkańcu itd*) Orkadów Ⅲ *s* mieszkan-iec/ka Orkadów

orchard ['ɔ:tʃəd] *s* sad

orchardist ['ɔ:tʃədist], **orchardman** ['ɔ:tʃədmən] *s* sadownik

orchestic [ɔ:'kestik] *adj* choreograficzny

orchestra ['ɔ:kistrə] *s* 1. (*u staroż. Greków*) orchestra 2. orkiestra (zespół i miejsce w teatrze) 3. *teatr* parter; ~ **stalls** fotele parteru

orchestral [ɔ:'kestrəl] *adj* orkiestralny

orchestrate ['ɔ:kis,treit] *vt muz* rozpis-ać/ywać instrumentację (**a symphony etc.** symfonii itd.)

orchestration [,ɔ:kes'treiʃən] *s muz* orkiestracja, instrumentacja

orchid ['ɔ:kid] *s bot* orchidea, storczyk

orchidaceae [,ɔ:ki'deisi,i:] *spl* rośliny storczykowate

orchil ['ɔ:kil] *s* orschia (barwnik)

orchis ['ɔ:kis] *s bot* storczyk (dzikie odmiany angielskie)

orchitis [ɔ:'kaitis] *s med* zapalenie jądra

orcin(e) ['ɔ:sin], **orcinol** ['ɔ:si,nɔl] *s chem* orcyna

ordain [ɔ:'dein] *vt* 1. wyświęc-ić/ać (**sb priest** etc. kogoś na księdza itd.) 2. (*o losie itd*) zrządz-ić/ać 3. nakaz-ać/ywać; zarządz-ić/ać

ordeal [ɔ:'di:l] *s* 1. *hist* sąd Boży; próba (ognia itd.) 2. (ciężka) próba; doświadczenie; **to go through an** ~ przejść ciężką próbę; zostać ciężko doświadczonym

order ['ɔ:də] Ⅰ *s* 1. rząd; klasa; rodzaj; **a talent of a high** ~ talent wysokiego rzędu <wysokiej klasy>; **considerations of another** ~ względy innego rzędu <rodzaju> 2. klasa <warstwa> (społeczna) 3. *pl* ~**s** *rel* święcenia; **in** ~**s** wyświęcony; **to take** ~**s** przyj-ąć/mować święcenia 4. zakon 5. order; odznaczenie 6. *arch* porządek, styl 7. *mat* rząd 8. (*w systematyce*) rząd 9. porządek (alfabetyczny, chronologiczny itd.) 10. *wojsk* szyk (bojowy itd.); ✝ ordynek 11. porządek; ład; następstwo; kolejność; bieg (wypadków); **in** ~ w porządku; uporządkowany; **in working** ~ zdatny do użytku; *pot* na chodzie; **out of** ~ a) w nieładzie b) uszkodzony; zepsuty; **to get** <go> **out of** ~ zepsuć się; **to put** <set> **in** ~ uporządkować; **to put sth out of** ~ a) wprowadzić nieład w czymś b) zepsuć <uszkodzić> coś 12. porządek obrad; **the** ~ **of the day** porządek dnia <obrad> 13. (*w obradach*) regulamin, przepisy; **in** ~ formalny, przepisowy; **out of** ~ nieformalny, nieprzepisowy; **a point of** ~ kwestia formalna; **to call sb to** ~ przywołać kogoś do porządku; **Order! Order!** żądanie przywołania kogoś do porządku 14. rozkaz; zarządzenie; nakaz; instrukcja; *wojsk* ~ **book** księga rozkazów; **Order in Council** rozporządzenie królewskie; ~**s are** ~**s** rozkaz to rozkaz; **the** ~ **of the day** a) *wojsk* rozkaz dzienny b) nakaz dnia; wziętość; moda; **red** <**green** etc.> **is the** ~ **of the day** kolor czerwony <zielony itd.> jest w modzie; **to give** ~**s for sth to be done** zarządzić coś; **by** ~ **of** __ z nakazu <nakazem> ... (danej władzy); **until further** ~**s** (aż) do odwołania 15. zamówienie; zlecenie; *przen* **a tall** <**large**> ~ trudna <ciężka> sprawa; *handl* ~ **book** księga zamówień; **to place an** ~ **for** __ zamówić ... (coś); **made to** ~ wykonane na zamówienie 16. *bank* zlecenie; **to the** ~ **of** __ na zlecenie ... (czyjeś); **money** ~ przekaz pieniężny; **postal** <**post office**> ~ nieprzenośny przekaz pocztowy 17. cel; zamiar; **in** ~ **that sth should** <**may, might**> **happen** <**be done**> aby <ażeby, by> coś stało się <zostało zrobione>; **in** ~ **to do sth** w celu <z zamiarem> zrobienia czegoś; aby <ażeby, by> coś zrobić Ⅲ *vt* 1. u/porządkować; zaprowadz-ić/ać porządek <ład> (**sth** w czymś); u/regulować 2. (*o losie itd*) zrządz-ić/ać 3. rozkaz-ać/ywać; nakaz-ać/ywać; kazać (**sb to do sth** komuś coś zrobić) 4. zapis-ać/ywać; za/ordynować 5. wys--łać/yłać <pos-łać/yłać> (wojskowego, urzędnika

— dokądś) 6. *handl* zam-ówić/awiać 7. *wojsk*
~ arms! do nogi broń!
~ about *vt* pos-łać/yłać (ludzi) na prawo i na lewo; wyda-ć/wać rozkazy (**sb** komuś)
~ away *vt* od-esłać/syłać
~ back *vt* odwoł-ać/ywać (kogoś)
~ down *vt* 1. pos-łać/yłać na dół (kogoś) 2. kazać zejść (**sb** komuś)
~ in *vt* 1. kazać wejść (**sb** komuś) 2. zamówić <kazać przysłać> (towar)
~ off *vt* od-esłać/syłać; *sport* z/dyskwalifikować (gracza)
~ out *vt* kazać wyjść (**sb** komuś); wyprowadzić (wojsko)
~ up *vt* kazać wejść na górę (**sb** komuś); kazać wynieść <zanieść> (coś) na górę
orderless ['ɔ:dəlis] *adj* (*o pokoju itd*) w nieładzie
orderliness ['ɔ:dəlinis] *s* 1. porządek; ład 2. systematyczność; zamiłowanie do porządku 3. (*u tłumu*) zdyscyplinowanie, spokój
orderly ['ɔ:dəli] ▣ *adj* 1. uporządkowany 2. (*o człowieku*) systematyczny; mający zamiłowanie do porządku 3. (*o tłumie*) zdyscyplinowany; spokojny 4. *wojsk* dyżurny; służbowy ▣ *s* 1. *wojsk* ordynans 2. *wojsk* dyżurny; ~ **room** kancelaria kompanii <batalionu> 3. (*także* **hospital** ~) sanitariusz 4. (*także* **street** ~) zamiatacz ulic; ~ **bin** kosz na śmieci <na odpadki>
ordinal ['ɔ:dinl] ▣ *adj* (*o liczebniku*) porządkowy ▣ *s* 1. liczebnik porządkowy 2. *kośc* księga liturgiczna
ordinance ['ɔ:dinəns] *s* 1. rozporządzenie, zarządzenie 2. *kośc* obrządek
ordinand [,ɔ:di'nænd] *s kośc* ordynand (kandydat do święceń)
ordinarily ['ɔ:dnrili] *adv* zwykle; zwyczajnie; zazwyczaj
ordinariness ['ɔ:dnrinis] *s* 1. zwyczajność; zwykłość; codzienność 2. pospolitość
ordinary ['ɔ:dnri] ▣ *adj* 1. zwykły; zwyczajny; normalny; codzienny 2. przeciętny; typowy 3. pospolity 4. *mar* (*o marynarzu*) drugiej klasy ▣ *s* 1. rzecz normalna <codzienna>; **above the** ~ nieprzeciętny; nadzwyczajny; (*o lekarzu, dostawcy itd*) **in** ~ nadworny; **out of the** ~ niezwykły; niecodzienny; niepospolity; *mar* **ship in** ~ okręt rezerwowy 2. (*w gospodzie itp*) wspólny stół 3. (*w gospodzie itp*) posiłek za stałą opłatą 4. *kośc* ordynariusz, biskup diecezjalny 5. *kośc* przepis regulujący porządek nabożeństwa 6. *szkoc* sędzia okręgowy 7. welocyped 8. *herald* najprostsze i najpospolitsze godło
ordinate ['ɔ:dnit] *s mat* rzędna
ordination [,ɔ:di'neiʃən] *s* 1. układ; układanie; klasyfikacja; systematyka 2. *kośc* wyświęc-enie/anie 3. zrządzenie (losu itp.)
ordnance ['ɔ:dnəns] *s* 1. artyleria; **a piece of** ~ działo, armata 2. *wojsk* dział zaopatrzenia; ~ **survey** państwowy urząd kartograficzny; ~ (**survey**) **map** mapa sztabu generalnego
Ordovician [,ɔ:də'viʃjən] *adj geol* ordowicki (z okresu dolnego syluru)
ordure ['ɔdjuə] *s* 1. nieczystości; nawóz 2. *przen* sprośności, obscena
ore [ɔ:] *s miner* ruda; *poet* kruszec
oread ['ɔ:ri,æd] *s mitol* oreada
ore-bearing ['ɔ:,bɛəriŋ] *adj* rudonośny

oreide ['ɔ:riid]*s metal* oreid
oreography [,ɔri'ɔgrəfi] = **orography**
orfe [ɔ:f] *s zoo* odmiana złotej rybki
organ ['ɔ:gən] *s* 1. *muz* organy; **American** ~ fisharmonia; **mouth** ~ harmonijka ustna; **street** ~ katarynka 2. *anat bot* organ; narząd 3. organ głosu; głos 4. organ (czasopismo)
organ-blower ['ɔ:gən,blouə] *s* kalikant, kalikancista
organdie ['ɔ:gəndi] *s tekst* organdyna
organ-grinder ['ɔ:gən,graində] *s* kataryniarz
organic [ɔ:'gænik] *adj* 1. organiczny 2. usystematyzowany
organically [ɔ:'gænikəli] *adv* organicznie; **something** ~ **wrong** wada organiczna
organism ['ɔ:gə,nizəm] *s* organizm
organist ['ɔ:gənist] *s* organista
organization [,ɔ:gənai'zeiʃən] *s* organizacja; zrzeszenie; z/organizowanie; struktura
organize ['ɔ:gə,naiz] *vt* 1. z/organizować 2. zrzesz-yć/ać 3. nada-ć/wać ustrój (**sth** czemuś) 4. urządz-ić/ać (imprezę itd.)
organized ['ɔ:gə,naizd] ▣ *zob* **organize** ▣ *adj* 1. z/organizowany; ~ **labour** związki <zrzeszenia> zawodowe 2. organiczny
organizer ['ɔ:gə,naizə] *s* organizator/ka
organizing ['ɔ:gə,naiziŋ] ▣ *zob* **organize** ▣ *adj* (*o zmyśle itd*) organizacyjny
organ-loft ['ɔ:gən,lɔft] *s kośc* chór (galeria)
organometallic [ɔ:'gænou-mi'tælik] *adj chem* metaloorganiczny
organotherapy [ɔ:'gænou'θerəpi] *s med* organoterapia
organ-pipe ['ɔ:gən,paip] *s* piszczałka organowa
organ-screen ['ɔ:gən,skri:n] *s arch* empora
organ-stop ['ɔ:gən,stɔp] *s muz* rejestr organowy
organzine ['ɔ:gən,zi:n] *s tekst* organzyna (rodzaj atłasu)
orgasm ['ɔ:gæzəm] *s* 1. *fizj* orgazm 2. paroksyzm
orgeat ['ɔ:dʒiət] *s* orszada (napój)
orgy ['ɔ:dʒi] *s* orgia
oriel ['ɔ:riəl] *s bud* wykusz; (*także* ~ **window**) okno wykuszowe
orient ['ɔ:riənt] ▣ *adj* 1. *lit* (*o słońcu*) wschodzący 2. *lit* (*o klejnotach*) iskrzący się; błyszczący 3. (*o perłach*) najlepszego gatunku ▣ *s* 1. **Orient** (Bliski) Wschód 2. najlepszy gatunek pereł ▣ *vt* = **orientate**
oriental [,ɔ:ri'entl] ▣ *adj* orientalny, wschodni ▣ *s* mieszkan-iec/ka Bliskiego Wschodu
orientalist [,ɔ:ri'entəlist] *s* orientalista
orientalize [,ɔ:ri'entə,laiz] ▣ *vt* nada-ć/wać cechy Wschodu (**sb**, **sth** komuś, czemuś) ▣ *vi* nab-rać/ierać cech Wschodu
orientate ['ɔ:rien,teit] *vt* ustawi-ć/ać <z/orientować> (budynek itp.); z/orientować (plan itd.); **to** ~ **oneself** z/orientować się (w terenie w stosunku do stron świata)
orientation [,ɔ:rien'teiʃən] *s* orientacja
orifice ['ɔrifis] *s* 1. otwór; wylot 2. *techn* dysza 3. *techn* zwężka, kryza
oriflamme ['ɔri,flæm] *s* 1. *hist* znak, sztandar 2. jaskrawa ozdoba
origan ['ɔ:rigən], **origanum** [ɔ'rigənəm] *s bot* lebiodka
origin ['ɔridʒin] *s* początek; źródło; geneza; pochodzenie (człowieka, wyrazu itd.)

original [ə'ridʒən]] Ⅰ adj 1. pierwotny; ~ edition pierwsze wydanie; ~ idea pierwsza myśl; ~ sin grzech pierworodny 2. oryginalny, autentyczny 3. oryginalny, niezwykły; osobliwy Ⅲ s 1. początek <źródło> (czegoś) 2. oryginał (obrazu itd.) 3. (o człowieku) oryginał; dziwak
originality [ə,ridʒi'næliti] s oryginalność
originally [ə'ridʒnəli] adv 1. pierwotnie 2. autentycznie 3. oryginalnie, w oryginalny sposób
originate [ə'ridʒi,neit] Ⅰ vt da-ć/wać początek (sth czemuś); zapoczątkow-ać/ywać Ⅲ vi powsta-ć/wać; z/rodzić się (from sth z czegoś); pojawi-ć/ać się; mieć początek (in sth w czymś); pochodzić <wypływać> (from sth z czegoś)
origination [ə,ridʒi'neiʃən] s 1. początek; źródło; powsta-nie/wanie; pochodzenie; narodziny 2. twór; płód
originative [ə'ridʒi,neitiv] adj twórczy; wynalazczy
originator [ə'ridʒi,neitə] s twórca; sprawca; autor; inicjator; projektodawca
orinasal [,ɔ:ri'neizl] adj (o głosie, samogłosce) nosowy
oriole ['ɔ:ri,oul] s zoo 1. wilga 2. am kacyk (ptak)
Orion [ə'raiən] s astr Orion
ork zob orc
orlop ['ɔ:lɔp] s mar dolny pokład
ormer ['ɔ:mə] s zoo ślimak morski
ormolu ['ɔ:mə,lu:] s 1. pozłacany brąz 2. zbior przedmioty <ozdoby> z pozłacanego brązu
ornament ['ɔ:nəmənt] Ⅰ s 1. dosł i przen ozdoba; ornament; upiększenie 2. muz ozdobnik; pl ~s ornamentyka 3. pl ~s ornamentacja; ornamentyka; zdobnictwo; dekoracje 4. pl ~s kośc paramenta Ⅱ vt ozd-obić/abiać; u/dekorować; przyb-rać/ierać; przystr-oić/ajać; upiększ-yć/ać; ornamentować
ornamental [,ɔ:nə'mentl] adj dekoracyjny; zdobniczy; upiększający
ornamentalist [,ɔ:nə'mentəlist] s ornamencista (artysta wykónujący ornamenty)
ornamentation [,ɔ:nəmen'teiʃən] s zdobnictwo; ornamentacja; ozdoby; upiększenia
ornamenter [,ɔ:nə'mentə], ornamentist [,ɔ:nə'mentist] = ornamentalist
ornate [ɔ:'neit] adj ozdobny, zdobny; przeładowany (ozdobami); (o stylu) kwiecisty
ornateness [ɔ:'neitnis] s nadmiar ozdób; przeładowanie ozdobami; kwiecistość (stylu)
ornithologic(al) [,ɔ:niθə'lɔdʒik(l)] adj ornitologiczny
ornithologist [,ɔ:ni'θɔlədʒist] s ornitolog
ornithology [,ɔ:ni'θɔlədʒi] s ornitologia
ornithopter [,ɔ:ni'θɔptə] s ornitopter, skrzydłowiec
ornithorhynchus [,ɔ:niθə'riŋkəs] s zoo dziobak
orographic(al) [,ɔrou'græfik(əl)] adj orograficzny
orography [ɔ'rɔgrəfi] s geogr orografia
oroide ['ɔ:rouid] s metal stop miedzi i cynku imitujący złoto
orometry [ɔ'rɔmətri] s miern orometria
orotund ['ɔrou,tʌnd] adj 1. (o głosie) silny; pełny; dźwięczny 2. górnolotny; bombastyczny
orphan ['ɔ:fən] Ⅰ s sierota; ~ home sierociniec Ⅲ adj sierocy; osierocony Ⅲ vt osieroc-ić/ać

orphanage ['ɔ:fənidʒ] s 1. sieroctwo; osierocenie 2. sierociniec
orphaned ['ɔ:fənd] adj osierocony
orphanhood ['ɔ:fənhud] s sieroctwo; osierocenie
Orphean [ɔ:'fiən] adj 1. (o muzyce itd) Orfeusza 2. przen urzekający
Orphic ['ɔ:fik] adj (o misteriach itd) orficki
orphray, orphrey ['ɔ:fri] s (u szat religijnych) lamówka, obwódka
orpiment ['ɔ:pimənt] s miner aurypigment
orpin(e) ['ɔ:pin] s bot rozchodnik
Orpington ['ɔ:piŋtən] s orpington (rasa drobiu)
orrery ['ɔrəri] s planetarium
orris ['ɔris] s bot kosaciec florencki
orris-root ['ɔris,ru:t] s farm kłącze kosaćca
orthochromatic ['ɔ:θou-krou'mætik] adj fiz fot ortochromatyczny
orthodox ['ɔ:θə,dɔks] adj 1. ortodoksyjny, prawowierny; prawomyślny 2. (o poglądzie itd) klasyczny; zgodny z powszechnie przyjętymi zasadami; utarty 3. rel prawosławny
orthodoxy ['ɔ:θə,dɔksi] s ortodoksja, prawowierność
orthoepy ['ɔ:θou,epi] s jęz ortoepia
orthogonal [ɔ:'θɔgənl] adj geom ortogonalny, prostokątny
orthographic(al) [,ɔ:θə'græfik(əl)] adj ortograficzny
orthography [ɔ:'θɔgrəfi] s 1. ortografia, pisownia 2. geom rzut ortograficzny (przekrój pionowy)
orthop(a)edic [,ɔ:θou'pi:dik] adj ortopedyczny
orthop(a)edics [,ɔ:θou'pi:diks] = orthopaedy
orthop(a)edist [,ɔ:θou'pi:dist] s ortopeda; ortopedysta
orthop(a)edy ['ɔ:θou,pi:di] s ortopedia
orthopter [ɔ:'θɔptə] s zoo owad prostoskrzydły
orthoptera [ɔ:'θɔptərə] spl owady prostoskrzydłe
ortolan ['ɔ:tələn] s zoo ortolan (ptak)
oryx ['ɔriks] s zoo prostorożna antylopa afrykańska
oscillate ['ɔsi,leit] vi drgać; oscylować; wahać się
oscillation [,ɔsi'leiʃən] s drganie; oscylowanie, oscylacja; wahanie się
oscillator ['ɔsi,leitə] s fiz oscylator, wibrator
oscillatory ['ɔsi,leitəri] adj oscylacyjny; drganiowy; wahadłowy
oscillograph [ɔ'silə,grɑ:f] s elektr oscylograf
oscilloscope [ɔ'silə,skoup] s elektr oscyloskop (przyrząd wykazujący zmiany w przebiegu procesów elektrycznych)
osculant ['ɔskjulənt] adj 1. stykający się 2. (o gatunkach itd) o wspólnych cechach
oscular ['ɔskjulə] adj 1. geòm styczny 2. żart pocałunkowy; (o objawach uczuć itd) połączony z całowaniem
osculate ['ɔskju,leit] vi 1. geom stykać się 2. (o gatunkach) mieć wspólne cechy 3. żart całować się
osculation [,ɔskju'leiʃən] s 1. geom styczność; stykanie się 2. żart całowanie (się)
osculatory ['ɔskjulətəri] adj geom styczny
osculum ['ɔskjuləm] s (pl oscula ['ɔskjulə]) otwór (gąbki)
osier ['ouʒə] s bot łozina, łoza
osier-bed ['ouʒə,bed] s zarośla łoziny
osiery ['ouʒəri] s 1. zarośla łoziny 2. koszykarstwo
osmic ['ɔzmik] adj chem osmowy

osmium ['ozmiəm] s chem osm (pierwiastek)
osmose ['osmous], osmosis [oz'mousis] s fiz osmoza
osmotic [oz'mɔtik] adj fiz osmotyczny
osmund ['ozmənd] s bot gatunek paproci; ~ royal długosz królewski
osprey ['ospri] s 1. zoo rybołów (ptak drapieżny) 2. egreta (kita z piór służąca za przybranie kapeluszy damskich)
ossein(e) ['osiin] s 1. anat osseina 2. klej kostny
osseous ['osiəs] adj 1. kostny 2. kościsty
ossicle ['osikl] s anat kosteczka
ossification [,osifi'keiʃən] s s/kostnienie
ossifrage ['osifridʒ] = osprey 1.
ossify ['osi,fai] vi (ossified ['osi,faid], ossified; ossifying ['osi,faiiŋ]) s/kostnieć
ossuary ['osjuəri] s kostnica; urna
osteitis [,osti'aitis] s med zapalenie kości
ostensible [os'tensəbl] adj pozorny; rzekomy; upozorowany
ostensibly [os'tensəbli] adv 1. pozornie; rzekomo 2. dla pozoru; pod pretekstem
ostensory [os'tensəri] s kośc monstrancja
ostentation [,osten'teiʃən] s 1. ostentacja 2. wystawność; przepych
ostentatious [,osten'teiʃəs] adj 1. ostentacyjny 2. wystawny; okazały
osteology [,osti'ɔlədʒi] s osteologia
osteoma [,osti'oumə] s (pl ~ta [,osti'oumətə]) med kostniak
osteomalacia [,ostioumə'leiʃiə] s med osteomalacja, zmiękczenie kości
osteopath [,ostiə'pæθ] s osteopata (lekarz nastawiający kręgi)
ostiary ['ostiəri] s rel ostiariusz
ostler ['oslə] s stajenny (w zajeździe)
ostracism ['ostrə,sizəm] s hist ostracyzm
ostracize ['ostrə,saiz] vt 1. hist skaz-ać/ywać na wygnanie 2. wyklucz-yć/ać z towarzystwa
ostreiculture ['ostrii,kʌltʃə] s hodowla ostryg
ostrich ['ostritʃ] Ⅰ s zoo struś Ⅲ attr (o polityce, żołądku) strusi
ostrich-farm ['ostritʃ,fɑːm] s hodowla strusi
ostrich-feather ['ostritʃ,feðə] s strusie pióro
Ostrogoth ['ostrə,goθ] s hist Ostrogot
otalgia [o'tældʒiə] s med ból ucha
other ['ʌðə] Ⅰ adj drugi, inny; every ~ a) co drugi b) każdy inny; ~ people inni; ~ than _ inny niż ...; odmienny od ...; some day or ~ któregoś dnia; some ~ day kiedy indziej; some ~ man ktoś inny; someone or ~ ktoś tam; something or ~ coś tam; some time or ~ kiedyś tam; the ~ day a) † onegdaj b) przed paru dniami; parę dni temu c) pot (tu) kiedyś; the ~ world tamten świat; ~ things being equal poza tym; w tych samych warunkach; z liczebnikiem lub rzeczownikiem w pl: the ~ _ pozosta-li/łe ... Ⅲ pron drugi; inny; one after the ~ jeden po drugim; the ~s inn-i/e; pozosta-li/łe; reszta; it was no ~ than the prince był to książę we własnej osobie; one or ~ of _ ktoś z ...; that day <book, flower etc.> of all ~s właśnie ten dzień <ta książka, ten kwiat itd.>; you of all ~s ze wszystkich ludzi na świecie właśnie ty Ⅲ adv inaczej; not ~ than tylko; I could not read it ~ than cursorily mogłem to tylko pobieżnie przejrzeć

otherness ['ʌðənis] s odmienność
otherwise ['ʌðə,waiz] adv 1. inaczej, w inny sposób 2. bo inaczej, inaczej bowiem; w przeciwnym (bowiem) razie 3. skądinąd; poza tym; he is stubborn but ~ likeable on jest uparty, ale poza tym sympatyczny; mistakes of spelling in an exercise ~ laudable błędy ortograficzne w zadaniu skądinąd godnym pochwały 4. w układzie: a) rzeczownik + or + ~ wszystko inne; cokolwiek innego; the praises or ~ pochwały czy nagany b) przymiotnik + and + ~ wszelki inny; all his speeches, political and ~ wszystkie jego mowy polityczne i wszelkie inne
otherwise-minded ['ʌðə,waiz,maindid] adj (o człowieku) odmiennego nastawienia; innego zdania
otherworldliness ['ʌðə'wə:ldlinis] s wyrzeczenie się <oderwanie się od> tego świata
otiose ['ouʃious] adj 1. niepotrzebny; zbyteczny 2. próżniaczy
otioseness ['ouʃiousnis] s zbyteczność
otology [ou'tɔlədʒi] s med otologia
otoscope ['outə,skoup] s otoskop, wziernik uszny
otter ['otə] s 1. zoo wydra 2. wydry (futro) 3. rodzaj przytwierdzonej do brzegu wędki o kilku żyłkach z haczykami
otter-dog ['otə,dog], otter-hound ['otə,haund] s pies specjalnej rasy do polowania na wydry
otto ['otou] = attar
ottoman¹ ['otəmən] s otomana
Ottoman² ['otəmən] Ⅰ adj otomański, turecki Ⅲ s Tur-ek/czynka
oubliette [,u:bli'et] s loch (podziemny)
ouch [autʃ] interj wyraża ból: uch!, au!
ought [ɔ:t] v aux (bez innych form) powinien <powinieneś itd.> (coś zrobić); trzeba, żebym <żebyś itd.> (coś zrobił); it ~ to be done <to have been done> należy <należało> to zrobić; I <you etc.> ~ to do that powinienem <powinieneś itd.> to zrobić; I <you etc.> ~ to have done that powinienem <powinieneś itd.> był to zrobić; such things ~ not to be allowed takie rzeczy są niedopuszczalne; w zdaniach wykrzyknikowych: you ~ to have been there szkoda, że ciebie tam nie było; you ~ to have heard him trzeba było go słyszeć; szkoda, że go nie słyszałeś
ounce¹ [auns] s 1. zoo. — apothecary <troy> ~ uncja aptekarska <troy> — układu wag używanego w handlu kruszcami> (= 31,103 g); avoirdupois ~ uncja handlowa (= 28,35 g) 2. przen odrobina <krzta> (rozsądku itd.)
ounce² [auns] s zoo 1. irbis (zwierzę z rodziny lampartów) 2. poet ryś
our ['auə] adj przed rzeczownikiem: nasz
ours ['auəz] Ⅰ pron w odniesieniu do rzeczownika uprzednio wymienionego lub domyślnego: nasz; a friend of ~ pewien nasz przyjaciel; it's no business of ~ to nie nasza sprawa; ~ was a lovely garden ogród to mieliśmy piękny; your family is larger than ~ wasza rodzina jest liczniejsza od naszej Ⅲ adj praed nasz (nasza własność); it became ~ by purchase to się stało nasze <naszą własnością> drogą kupna
ourself [,auə'self] pron gdy mówi o sobie monarcha, wydawca itd.); się, siebie, sobie, sobą
ourselves [,auə'selvz] pron 1. się, siebie, sobie, sobą 2. (my) sami; osobiście 3. (także by ~) sami, własnoręcznie <bez niczyjej pomocy> (zro-

bibliśmy itd.}; na własne oczy (widzieliśmy) 4. (my) sami <bez żadnego towarzystwa>; **we live by** ~ mieszkamy sami

ousel ['u:zl] = **ouzel**

oust [aust] *vt* 1. wy/rugować; wyrzuc-ić/ać; wyg- -nać/aniać; *przen* wygry-źć/zać 2. wyzu-ć/wać (*of sth* z czegoś)

ouster ['austə] *s prawn* wywłaszczenie; wyzucie

⭡**out**[1] [aut] Ⅰ *adv* 1. *ruch poza pewien obręb lub znajdowanie się poza pewnym obrębem*; a) na zewnątrz b) poza domem; **he <she etc.> is** ~ nie ma go <jej itd.> w domu; **the voyage** ~ podróż <droga> w tamtą stronę <stąd>; **to be** ~ a) (*o kończynie, stawie*) być zwichniętym b) (*o sportowcu*) być spalonym <wyłączonym z gry> c) (*o pracownikach*) strajkować d) (*o partii polit*) nie być u władzy; być w mniejszości <w opozycji> e) (*o stroju itd*) być niemodnym; **it is** ~ to wyszło z mody f) (*o człowieku*) być w błędzie; **I am <was>** ~ **in my calculations** pomyliłem się w rachubach; *wykrzyknikowo lub rozkazująco*: ~ **with him!** wyrzucić <wyprowadzić> go!; ~ **with it!** a) mów; *pot* gadaj! b) pokaż! ǁ **a day** ~ dzień wolny od pracy; *pot* wychodne (służby); **a night** ~ całonocna zabawa; ~ **and about** a) zdrów b) na nogach; **to be** ~ **at elbows** być <chodzić> w wyświechtanym ubraniu; **to be** ~ **for sth** być w poszukiwaniu czegoś <w pogoni za czymś> 2. *ukazywanie się*: **the book is** ~ książka ukazała się <wyszła>; **the chicken is** ~ kurczę wylęgło się; **the roses are** ~ róże zakwitły; **the secret is** ~ tajemnica wyszła na jaw <wydała się>; **the sun is** ~ słońce się pokazało 3. *wygaśnięcie*: **the fire <light> is** ~ ogień <światło> zgasł/o 4. *upływ określonego czasu itd*: **before the week is** ~ nim się (ten) tydzień skończy; **the copyright is** ~ upłynął okres ważności copyright'u 5. *wyczerpanie się*: **my <his etc.> patience is <was>** ~ wyczerpała się moja <jego itd.> cierpliwość 6. *z myślą o wielkiej odległości*: tam; ~ **in the States** tam w Stanach Zjednoczonych 7. *w zwrotach*: ~ **and away** o wiele; bez porównania; o całe niebo (lepszy itd.); ~ **and** ~ a) całkowicie, zupełnie b) całkowity, zupełny, kompletny; **an** ~ **and** ~ **conservative** zagorzały konserwatysta; **he is a fool** ~ **and** ~ <**an** ~ **and** ~ **fool**> to skończony dureń; ~ **loud** na głos; **right** <**straight**> ~ wprost; bez ogródek 8. *w wyrażeniach z przyimkiem of*: a) poza (czymś — domem, krajem itd.); ~ **of doors** na zewnątrz; na wolnym powietrzu; **to be** ~ **of it** być <znajdować się> poza nawiasem; być bezradnym; być źle poinformowanym b) spośród; **one** ~ **of ten** jeden spośród dziesięciu c) z (kogoś, czegoś); przez (coś); **to get money** ~ **of sb** wydobyć pieniądze z kogoś; ~ **of curiosity** <**spite**> z ciekawości, przez ciekawość <ze złośliwości, przez złośliwość> d) (*o oddaleniu*) od (danej miejscowości); **five miles** ~ **of Warsaw** pięć mil od Warszawy e) *w licznych zwrotach, których należy szukać pod poszczególnymi rzeczownikami*: ~ **of breath** bez tchu; ~ **of date** przestarzały; ~ **of doubt** niewątpliwie; ~ **of one's mind** oszalały; ~ **of temper** zirytowany; ~ **of wedlock** nieślubny, nieślubnie (poczęty); ~ **of work** bezrobotny; **times** ~ **of number** niezliczona ilość

razy *Uwaga*: *nadaje czasownikom specyficzne znaczenie* (*przy nich podane*) Ⅲ *adj* 1. (*o częściach całości*) zewnętrzny; dalszy 2. *sport* (*o meczu*) rozegrany na obcym boisku 3. (*o rozmiarach przedmiotu*) niezwykły; wielki (ponad normę) Ⅲ *s* 1. *w zwrocie*: **the ins and** ~**s** *zob* **in** *s* 2. *druk* opuszczony wyraz <*wiersz*> 3. *am w zwrocie*: **to be at** ~**s with sb** gniewać się na kogoś Ⅳ *praep w zwrocie*: **from** ~ _ z ... (czegoś — z okna, z lochu, ze skrzyni itd.) Ⅴ *vt* 1. *sl* wywalić na pysk 2. *boks* położyć, z/nokautować Ⅵ *interj* precz!

out-[2] [aut-] *przedrostek nadający znaczenie*: a) *czasownikom* — *przewyższenia, prześcignięcia, jak polski przedrostek* prze-: **outshout** przekrzyczeć; **outrun** prześcignąć b) *rzeczownikom i przymiotnikom* — *wydostania się na zewnątrz* (**outflow** wylew), *wylonienia się* (**outcrop** wychodnia pokładu geologicznego), *oddalenia* (**outlying** dalszy) ·

out-and-out ['autən'aut] Ⅰ *adj* całkowity, zupełny Ⅲ *adv* całkowicie, zupełnie

out-and-outer ['autən'autə] *s sl* 1. skończona szuja 2. majstersztyk

outbalance [aut'bæləns] *vt* 1. przeważ-yć/ać; ważyć więcej (**sth** niż coś) 2. przewyższ-yć/ać

outbid [aut'bid] *vt* (*praet* **outbade** [aut'beid], **outbid**, *pp* **outbidden** [aut'bidn], **outbid**) przelicytow-ać/ywać

outboard ['aut'bɔ:d] Ⅰ *adj mar* znajdujący się przy burcie <za burtą>; zewnętrzny Ⅲ *adv mar* za burtą; za burtę

out-bound ['aut,baund] *adj mar* (*o statku*) wypływający (z portu); płynący za granicę

outbrag [aut'bræg] *vt* (**-gg-**) prześcig-nąć/ać (kogoś) w chełpliwości

outbrave [aut'breiv] *vt* 1. nie ulęknąć się (**sth** czegoś — niebezpieczeństwa) 2. prześcig-nąć/ać (kogoś) w odwadze

outbreak ['aut,breik] *s* wybuch (gniewu, epidemii, wojny itd.); rozpoczęcie (działań wojennych itd.)

⭡**outbreeding** ['aut,bri:diŋ] *s* wprowadzenie nowych osobników do hodowli

outbuilding ['aut,bildiŋ] *s* przybudówka; oficyna; skrzydło; budynek należący (do hotelu itd.)

outburst ['aut,bə:st] *s* wybuch (gniewu, śmiechu itd.); poryw

outcast ['aut,ka:st] Ⅰ *adj* wygnany; wyrzucony poza nawias Ⅲ *s* 1. wygnaniec; banita 2. wyrzutek

outcaste ['aut,ka:st] *s* (*w Indiach*) człowiek wykluczony z kasty <który stracił kastę>

outclass [aut'kla:s] *vt* przewyższać klasą <zasługami, zaletami>

out-college ['aut,kɔlidʒ] *adj* (*o studencie*) mieszkający poza obrębem uczelni; eksternistyczny

outcome ['aut,kʌm] *s* wynik, rezultat; **what will be the** ~ **of** _? co wyniknie z ...?

outcrop ['autkrɔp] Ⅰ *s geol* odkrywka; wychodnia pokładu Ⅲ *vi* [aut'krɔp] (**-pp-**) *geol* (*o pokładzie*) wychodzić, odsłaniać się

outcry ['aut,krai] *s* krzyk (oburzenia itd.); wrzask

outdare [aut'deə] = **outbrave**

outdid *zob* **outdo**

outdistance [aut'distəns] *vt* z/dystansować; prześcig-nąć/ać

outdo [aut'du:] *vt* (**outdid** [aut'did], **outdone**

[aut'dʌn]) prześcig-nąć/ać; przewyższ-yć/ać; przelicytow-ać/ywać (**sb in sth** kogoś w czymś)
outdone *zob* **outdo**
outdoor ['aut,dɔ:] *adj* pozadomowy; (*o życiu, sportach, przedstawieniu*) na wolnym powietrzu; pod gołym niebem; (*o odzieży*) wyjściowy; *kino* (*o zdjęciach*) plenerowy; (*o podopiecznym*) pozazakładowy; ~ **relief** opieka społeczna roztaczana nad osobami niezamieszkałymi w przytułkach itp.
outdoors ['aut,dɔ:z] *adv* na wolnym powietrzu; pod gołym niebem
outer ['autə] Ⅰ *adj* zewnętrzny; **the** ~ **man** zewnętrzny wygląd człowieka Ⅲ *s* 1. zewnętrzne koło tarczy (strzelniczej) 2. trafienie w zewnętrzne koło tarczy
outermost ['autə,moust] *adj* najdalszy od środka
outface [aut'feis] *vt* onieśmiel-ić/ać; z/mieszać, zbi-ć/jać z tropu
outfall ['aut,fɔ:l] *s* ujście (rzeki); wylot (kanału itd.)
outfield ['aut,fi:ld] *s* (*w krykiecie*) najdalsza część boiska; (*w gospodarstwie*) pole położone daleko od zabudowań
outfit ['aut,fit] Ⅰ *s* 1. sprzęt; ekwipunek; wyposażenie; zestaw narzędzi; *techn* uzbrojenie; **mental** ~ bagaż umysłowy 2. *pot* zespół ludzi; grupa; brygada Ⅲ *vt* (-tt-) wyposaż-yć/ać <wy/ekwipować> (**sb with sth** kogoś w coś) Ⅲ *vi* (-tt-) zaopat-rzyć/rywać się w ekwipunek, wy/ekwipować się
outfitter ['aut,fitə] *s* dostawca konfekcji; **gentlemen's** ~ właściciel sklepu z galanterią męską
outfitting ['aut,fitiŋ] *s* konfekcja; ~ **department** dział konfekcji (sklepu wielobranżowego)
outflank [aut'flæŋk] *vt* 1. oskrzydl-ić/ać 2. *pot* podejść (kogoś); okpi-ć/wać; oszuk-ać/iwać
outflew *zob* **outfly**
outflow ['aut,flou] *s* wypływ (wody, gazu itd.); odpływ; wyciek
outflowing [aut'flouiŋ] Ⅰ *adj* odpływowy; wypływający Ⅲ *s* 1. odpływ; wypływ 2. wylew (uczuć)
outfly [aut'flai] *vt* (**outflew** [aut'flu:], **outflown** [aut'floun]; **outflying** [aut'flaiiŋ]) prześcig-nąć/ać w locie
outfool [aut'fu:l] *vt* 1. prześcig-nąć/ać w głupstwach 2. pod-ejść/chodzić (kogoś); okpi-ć/wać; oszuk-ać/iwać
outgeneral [aut'dʒenərəl] *vt* (-ll-) przewyższ-yć/ać taktyką
outgo [aut'go] Ⅰ *vt* (**outwent** [aut'went], **outgone** [aut'gɔn]) 1. prześcig-nąć/ać 2. przewyższ-yć/ać *zob* **outgoing** Ⅲ *s* ['aut,gou] (*pl* ~es) wydat-ek/ki; nakład (pieniędzy, kosztów)
↑**outgoing** [aut'gouiŋ] Ⅰ *zob* **outgo** *v* Ⅲ *s* 1. wyjście (czyjeś, skądś); ~ **inventory** inwentarz sporządzony przy opuszczeniu <odejściu z> kwatery <mieszkania> 2. *pl* ~s wydatki; rozch-ód/ody Ⅲ *adj* odchodzący; odjeżdżający; (*o rządzie*) ustępujący
outgrew *zob* **outgrow**
outgrow [aut'grou] *vt* (**outgrew** [aut'gru:], **outgrown** [aut'groun]) 1. wyrość <wyr-osnąć/astać> (**one's clothes** z ubrania, **a habit** z przyzwyczajenia); z wiekiem pozbyć się (**a habit** przyzwyczajenia itd.) 2. prze-rość/astać (kogoś)

outgrowth ['aut,grouθ] *s* 1. narośl; wyrostek 2. wynik; rezultat; następstwo
out-Herod [aut'herəd] *vt w zwrocie*: **to** ~ **Herod** prześcignąć w okrucieństwie samego Heroda
outhouse ['aut,haus] *s* skrzydło (budynku); przybudówka; szopa
outing ['autiŋ] *s* wycieczka; wypad; **to go for an** ~ zrobić wycieczkę; pójść <pojechać> na wycieczkę
outjockey [aut'dʒɔki] *vt* 1. okpi-ć/wać; oszuk-ać/iwać; wyprowadz-ić/ać w pole 2. prześcig-nąć/ać w zręczności
outlandish [aut'lændiʃ] *adj* 1. obcy; dziwaczny; barbarzyński 2. (*o miejscowości*) odległy; (leżący) na uboczu; głuchy; zapadły
outlandishness [aut'lændiʃnis] *s* obcość; dziwaczność
outlast [aut'la:st] *vt* trwać dłużej (**sth** niż coś); przetrwać; przeżyć (kogoś, coś)
outlaw ['aut,lɔ:] Ⅰ *s* banita; człowiek wyjęty spod prawa; zbrodniarz Ⅲ *vt* [aut'lɔ:] 1. wyjąć spod prawa 2. zakaz-ać/ywać (**sth** czegoś — jakiegoś rodzaju broni itd.) 3. ogł-osić/aszać (coś) za nielegalne
outlawry ['aut,lɔ:ri] *s* 1. wyjęcie spod prawa; banicja 2. zakaz
outlay ['aut,lei] *s* wydat-ek/ki; nakład (pieniędzy, kosztów)
↑**outlet** ['aut,let] *s* 1. wylot; odpływ; wyjście; ujście 2. *handl* rynek zbytu
outlier ['aut,laiə] *s* 1. oddzielna część (pewnej całości — majątku, budynku itd.) 2. dojeżdżający pracownik 3. właściciel mieszkający poza swą posiadłością 4. *geol* ostaniec (głaz)
outline ['aut,lain] Ⅰ *s* szkic; kontur; zarys; sylweta; **in** ~ w ogólnym zarysie Ⅲ *vt* na/szkicować; nakreśl-ić/ać <przedstawi-ć/ać> w ogólnym zarysie <w ogólnych konturach>; **to be** ~**d against sth** rysować się na tle czegoś
outlive [aut'liv] *vt* przeżyć; przetrwać
outlook ['aut,luk] *s* 1. widok 2. perspektywa <widoki> (na przyszłość) 3. pogląd <spojrzenie> na świat 4. punkt obserwacyjny; czaty; **to be on the** ~ czatować <czyhać> (**for sb, sth** na kogoś, coś)
outlying ['aut,laiiŋ] *adj* 1. oddalony; dalej leżący, dalszy 2. odosobniony
outmanoeuvre [,aut-mə'nu:və] *vt* 1. przewyższ-yć/ać taktyką (przeciwnika); wymanewrow-ać/ywać 2. z/niweczyć plany (**sb** czyjeś) 3. wyprowadz-ić/ać w pole; okaz-ać/ywać się chytrzejszym (**sb** od kogoś)
outmarch [aut'ma:tʃ] *vt* prześcig-nąć/ać w marszu (kogoś); wyprzedz-ić/ać
outmatch [aut'mætʃ] *vt* prześcig-nąć/ać <pobić> (przeciwnika); przewyższ-yć/ać
outmoded [aut'moudid] *adj* niemodny
outmost ['aut,moust] Ⅰ *adj* = **outermost** Ⅲ *s w zwrocie*: **at the** ~ najwyżej
outnumber [aut'nʌmbə] *vt* mieć przewagę liczebną (**sb** nad kimś); przewyższ-yć/ać liczebnie
out-of-date ['autəv'deit] *adj* przestarzały; niemodny; przebrzmiały
out-of-door(s) ['autəv'dɔ:(z)] = **outdoor**
out-of-the-way ['autəvðə'wei] *adj* 1. odległy 2. zapadły; znajdujący się na uboczu, ustronny; *pot* (*o miasteczku, wsi itd*) zakazany 3. niezwykły

outpace [aut'peis] *vt* wyprzedz-ić/ać
out-patient ['aut,peiʃənt] *s* pacjent dochodzący <ambulatoryjny>
outplay [aut'plei] *vt* pokonać <pobić> (przeciwnika) w grze itp.
outpost ['aut,poust] *s wojsk* (wysunięta) placówka; † forpoczta
outpour ['aut,pɔ:] [I] *vt, vi* wyl-ać/ewać (się) [II] *s* wylew
outpouring ['aut,pɔ:riŋ] *s* wylew (uczuć); potok (słów itd.)
†**output** ['aut,put] *s* 1. wytwórczość; produkcja; wydajność; *górn* wydobycie; *techn* moc (maszyny, silnika) 2. *elektr* wyjście; zaciski wyjściowe
outrage ['aut,reidʒ] [I] *s* 1. obraza; ujma; zniewaga; rzecz oburzająca; *prawn* an ~ against morals obraza moralności 2. pogwałcenie (prawa itd.) 3. gwałt 4. zamach (bombowy itd.) [II] *vt* 1. obra-zić/żać; urągać (**common sense etc.** zdrowemu rozsądkowi itd.) 2. po/gwałcić (prawo itp.) 3. z/gwałcić (kobietę)
outrageous [aut',reidʒəs] *adj* 1. oburzający; skandaliczny; niegodziwy 2. obrażający; (*o zniewadze*) śmiertelny 3. (*o cenie*) horrendalny; bezczelnie wygórowany
outrageousness [aut'reidʒəsnis] *s* skandaliczność; niegodziwość
outran *zob* **outrun**
outrange [aut'reindʒ] *vt wojsk* mieć większy zasięg (**sth** niż coś); nieść <strzelać> dalej (**sth** niż coś)
outreach [aut'ri:tʃ] *vt* sięg-nąć/ać dalej (**sb, sth** niż ktoś, coś)
out-relief ['autri,li:f] = **outdoor relief** *zob* **outdoor**
outride [aut'raid] *vt* (**outrode** [aut'roud], **outridden** [aut'ridn]) 1. prześcig-nąć/ać <wyprzedz-ić/ać, pozostawi-ć/ać w tyle> (przeciwnika) 2. (*o okręcie*) przetrwać (burzę)
outrider ['aut,raidə] *s* foryś
†**outrigger** ['aut,rigə] *s* 1. *techn* wysięgnik (do podnoszenia ciężarów) 2. *mar* róg salingu
outright ['aut,rait] [I] *adj* 1. zupełny, całkowity 2. bezpośredni 3. (*o kupnie, sprzedaży*) ryczałtowy; gotówkowy 4. (*o łajdactwie itp*) zwykły, zwyczajny; ordynarny 5. (*o obejściu, postępowaniu*) szczery; otwarty [II] *adv* [aut'rait] 1. zupełnie, całkowicie 2. z miejsca; (zabić) na miejscu 3. (*o kupnie*) ryczałtem; za gotówkę 4. wprost (powiedzieć, odmówić itd.); otwarcie, bez ogródek; (roześmiać się) w twarz
outrightness [aut'raitnis] *s* szczerość; otwartość
outrival [aut'raivəl] *vt* (**-ll-**) prześcig-nąć/ać; przewyższ-yć/ać; wyprzedz-ić/ać
outrode *zob* **outride**
outrun [aut'rʌn] *vt* (**outran** [aut'ræn], **outrun**; **outrunning** ['aut'rʌniŋ]) 1. zdystansować; wyprzedz-ić/ać 2. przekr-oczyć/aczać granicę (**sth** czegoś)
outrunner [aut'rʌnə] *s* 1. laufer; goniec 2. koń na przyprzążkę 3. (*w zaprzęgu psów*) pies przewodnik
outsail [aut'seil] *vt* (*o statku*) wyprzedz-ić/ać
outsat *zob* **outsit**
outsell [aut'sel] *vt* (**outsold** [aut'sould], **outsold**) (*o tou arze*) łatwiej zna-leźć/jdować zbyt <być bardziej pokupnym> (**sth** niż coś)
outset ['aut,set] *s* 1. początek; at the ~ z po-

czątku; początkowo; **from the** ~ **od** (samego) początku 2. *górn* zrąb szybu (na powierzchni)
outshine [aut'ʃain] *vt* (**outshone** [aut'ʃon], **outshone**) prześcig-nąć/ać <przewyższ-yć/ać> blaskiem; zaćmi-ć/ewać
outshone *zob* **outshine**
outside ['aut'said] [I] *s* 1. zewnętrzna strona; from the ~ z <od> zewnątrz; z zagranicy; on the ~ na zewnątrz, z zewnątrz; zewnętrznie 2. zewnętrzny wygląd; powierzchowność; **to know only the** ~ **of sth** znać coś tylko z zewnątrz <powierzchownie> 3. fasada (budynku) 4. okładka (książki) 5. imperiał (omnibusu); dach (dyliżansu) 6. pasażer jadący na dachu dyliżansu 7. (*w piłce nożnej itp*) ~ **left** <**right**> lewo- <prawo-> skrzydłowy || **at the** (**very**) ~ (co) najwyżej, maksymalnie; ~ **in** na wywrót; na drugą <lewą> stronę [III] *adj* 1. zewnętrzny 2. (*o miejscu w rzędzie, ławce*) końcowy; skrajny 3. (*o pracy*) chałupniczy 4. (*o bagażowym*) odstawiający bagaż do domu 5. (*o obliczeniach, cenach itp*) najwyższy, maksymalny 6. (*o możliwości*) znikomy; (*o zdaniu, opinii itd*) postronny; z zewnątrz [III] *adv* zewnątrz; zewnętrznie; na ulicy; na polu; przed budynkiem; *przy oznaczaniu ruchu na zewnątrz*: na ulicę; na pole; przed dom; **from** ~ z zewnątrz [IV] *praep* (*także* ~ **of** _) na zewnątrz (czegoś); przed (czymś); za <poza> (czymś — miastem itd.); dalej od (czegoś); *pot* **to get** ~ **of sth** połknąć <zjeść, wypić> (coś); *pot* ~ **of a horse** na koniu, konno
outsider ['aut'saidə] *s* 1. człowiek obcy <z obcego środowiska, nie związany z żadną grupą> 2. *sport* zawodnik <koń> nie mający szans zwycięstwa; niegroźny konkurent 3. laik, człowiek nie znający się na danej rzeczy
outsit [aut'sit] *vt* (**outsat** [aut'sæt], **outsat**; **outsitting** [aut'sitiŋ]) siedzieć dłużej od <przetrzym-ać/ywać> (**sb** kogoś — wszystkich gości)
†**outsize** ['aut,saiz] [I] *adj* (*o ubraniu itd*) ponadnormalnej wielkości, ponadnormalnego rozmiaru [II] *s* 1. bardzo duży <wielki> numer <rozmiar> (koszuli, butów itd.) 2. koszula <but itd.> bardzo dużego <wielkiego> rozmiaru
outskirts ['aut,skə:ts] *spl* krańce <peryferie> (miasta itd.); skraj (lasu); brzeg; rubieże
outsmart [aut'smɑ:t] *vt am pot* przechytrz-yć/ać; zakasow-ać/ywać
outsold *zob* **outsell**
outsole ['aut,soul] *s* zelówka
outspan [aut'spæn] *vt* (**-nn-**) (*w płd Afryce*) odprzęg-nąć/ać
outspoken [aut'spoukən] *adj* otwarty; szczery; mówiący bez ogródek <prosto z mostu>; **an** ~ **man** weredyk
outspokenness [aut'spoukənnis] *s* szczerość; otwartość
outspread ['aut'spred] *adj* 1. rozwinięty 2. rozpostarty
outstanding ['aut,stændiŋ] *adj* 1. wystający; sterczący; wysunięty naprzód 2. ['aut'stændiŋ] wybitny; znakomity; największej <niezwykłej> (doniosłości) 3. (*o rachunku itd*) zaległy; (*o sprawie*) nie załatwiony
outstare [aut'steə] *vt* zmieszać (kogoś) uporczywym spojrzeniem
outstay [aut'stei] *vt* pozosta-ć/wać dłużej (**the**

others niż inni — goście itp.); przetrzym-ać/
ywać (**the others** innych — gości itd.); **to ~
one's invitation** <**welcome**> przedłuż-yć/ać swój
pobyt (u kogoś) ponad właściwą <stosowną>
miarę; naduż-yć/wać czyjejś gościnności
outstep [aut'step] *vt* (**-pp-**) przekr-oczyć/aczać
(granicę itd.)
outstretched [aut'stretʃt] *adj* rozpostarty; (*o ramionach*) otwarty; (*o ręce*) wyciągnięty
outstrip [aut'strip] *vt* (**-pp-**) prześcig-nąć/ać; wy-
przedz-ić/ać; z/dystansować; *przen* przewyż-
sz-yć/ać
outtalk [aut'tɔːk] *vt pot* przegadać (kogoś)
out-turn ['aut‚təːn] = **output** 1.
outvalue [aut'vælju:] *vt* przewyższ-yć/ać wartością
outvie [aut'vai] *vt* 1. prześcig-nąć/ać; przewyż-
sz-yć/ać 2. (*o dwóch lub więcej osobach*) **to ~
each other** rywalizować <konkurować> ze sobą;
iść w zawody; przelicytowywać się
outvote [aut'vout] *vt* przegłosow-ać/ywać
outwalk [aut'wɔːk] *vt* 1. wyprzedz-ić/ać; iść szyb-
ciej (**sb** niż ktoś) 2. przetrzym-ać/ywać (kogoś)
w marszu
outward ['autwəd] ⓘ *adj* 1. zewnętrzny; widoczny; widomy; ~ **things** otaczający (nas)
świat; **the ~ man** a) ciało (człowieka) b) odzież;
to ~ seeming na pozór, pozornie 2. odjeżdżający; jadący za granicę; (*o bilecie*) docelowy (przy
wyjeździe za granicę) Ⅲ *adv* = **outwards** Ⅲ *s* 1.
wygląd <strona> zewnętrzn-y/a; widok (czegoś)
od zewnątrz 2. *pl* ~**s** świat zewnętrzny
outward-bound ['autwəd'baund] *adj* (*o statku*) odpływający <płynący> za granicę
outwardly ['autwədli] *adv* 1. zewnętrznie; (widziany) z zewnątrz 2. pozornie, na pozór
outwardness ['autwədnis] *s* 1. zewnętrzność 2.
obiektywność (sądu itd.)
outwards ['autwədz] *adv* na zewnątrz
outwear [aut'weə] *vt* (**outwore** [aut'wɔː], **outworn**
[aut'wɔːn]) 1. znosić (ubranie itd.) 2. przeżyć;
przetrwać *zob* **outworn**
outweigh [aut'wei] *vt* 1. przeważ-yć/ać; ważyć
więcej (**sb, sth** niż ktoś, coś; od kogoś, czegoś)
2. mieć większe znaczenie (**sb, sth** od kogoś,
czegoś)
outwent *zob* **outgo** *v*
outwit [aut'wit] *vt* (**-tt-**) 1. pod-ejść/chodzić (kogoś); uży-ć/wać podstępu (**sb** w stosunku do
kogoś) 2. przechytrz-yć/ać (kogoś); z/niweczyć
plany (**sb** czyjeś); wyw-ieść/odzić w pole (**the
hounds, the police etc.** psy, policję itd.)
outwore *zob* **outwear**
outwork ['aut‚wəːk] ⓘ *s* 1. *wojsk* zewnętrzne
umocnienie; fort zewnętrzny 2. (*w przemyśle*)
praca chałupnicza Ⅲ *vt* [aut'wəːk] prze-
ścig-nąć/ać w pracy (kogoś)
outworn [aut'wɔːn] ⓘ *zob* **outwear** Ⅲ *adj* 1. znoszony 2. przestarzały; przebrzmiały 3. (*o człowieku*) wyczerpany
ouzel ['uːzl] *s zoo* kos zwyczajny
oval ['ouvəl] ⓘ *adj* owalny; jajowaty Ⅲ *s* owal;
the Oval londyńskie boisko krykietowe
ovarian [ou'veəriən] *adj anat* jajnikowy
ovariotomy [ou'veəri'ɔtəmi]*s* nacięcie jajnika <guza
jajnika>
ovaritis ['ouveə'raitis]*s* zapalenie jajnika

ovary ['ouvəri] *s anat* jajnik; *bot* zalążnia
ovate ['ouveit] *adj* jajowaty; owalny
ovation [ou'veiʃən] *s* owacja
oven ['ʌvn] *s* piec (piekarski); suszarka; **Dutch ~**
piekarnik, *rz* szabaśnik
oven-bird ['ʌvn‚bəːd] *s zoo* 1. lasówka (ptak amerykański) 2. garncarz (ptak amerykański)
oven-pan ['ʌvn‚pæn] *s* brytfanna
over¹ ['ouvə] ⓘ *praep* 1. na (czymś); po (czymś —
stole, ścianie, podłodze itd.); w (czymś — świecie, kraju itd.); **all ~** po cał-ym/ej (stole, podłodze itd.); po wszystkich (ścianach, książkach
itd.) 2. nad <ponad> (czymś, coś — murem,
mur itd.); na drugą stronę (czegoś); powyżej
(czegoś); przez (coś — ramię itd.); przez wierzch
(czegoś); (*o liczbie, ilości, wieku*) ponad, przeszło; ~ **and above** ponad (czymś); powyżej
(czegoś); więcej niż 3. (potknąć się itd.) σ (coś)
4. (wychylić się, spaść) z (czegoś) 5. (rozmawiać itd.) przy (czymś — szklance herbaty itd.)
6. (przechodzić, przeprawić się) na drugą stronę
(czegoś); przez (coś — ulicę, granicę itd.) 7.
(znajdować się itd.) po drugiej <przeciwnej>
stronie (czegoś), za (czymś — rzeką itd.); **from
~** spoza (oceanu itd.); **the girl from ~ the
street** dziewczyna z przeciwka 8. (*o moście*) na
(rzece); nad (ulicą itd.) 9. (*o okresie czasu*)
przez (kilka lat itd.); w ciągu <na przestrzeni>
(danego okresu); (być, zostać gdzieś) przez (niedzielę, święta itd.) Ⅲ *adv* 1. *przeważnie z* **all**:
a) wszędzie, po całym (mieście itd.); **the world
~** w całym świecie b) od początku do końca;
z góry na dół; od końca do końca 2. *przy oznaczaniu wielokrotności* — *bez odpowiednika polskiego*: *x* **times ~** *x* razy 3. na drugą stronę
(muru, ulicy, rzeki itd.) 4. przez (pokój, ulicę,
morze itd.) 5. więcej; ponad (to) 6. *z myślą
o wielkiej odległości*: tam; hen; ~ **in America**
tam w Ameryce 7. *z formami czasownika* **be**:
it was all ~ in a moment za chwilę było już
po wszystkim <miałem wszystko za sobą, wszystko było skończone>; **my work is ~** jestem po
robocie; mam już robotę za sobą; skończyłem
robotę; **the trouble is ~** już jest po kłopocie
8. *w zwrocie*: **it is you** <**Jones etc.**> **all ~** to na
ciebie <na Jonesa itd.> wygląda; od ciebie <od
Jonesa itd.> niczego innego nie można się spodziewać *Uwaga*: *nadaje czasownikom specyficzne znaczenie* (*przy nich podane*) Ⅲ *s* 1. nadwyżka 2. (*w krykiecie*) seria rzutów
over-² ['ouvə-] *przedrostek nadający złożeniom
znaczenia*: a) *nadmiaru*: nad-; prze-; **overplus**
nadmiar; **overweight** przewaga; **overbrim** przelewać się przez brzeg; **overhang** wisieć u góry
<nad głową>; **overcareful** zbyt <zanadto>
ostrożny; **overbuild** nadmiernie zabudować <roz-
budować> b) *przejścia, przenoszenia przez coś,
z jednej strony na drugą*: **overland** (podróż) lądem; **overseas** (podróż) morzem c) *wyższości,
nadrzędności*: **overworker, overseer** nadzorca;
overlordship zwierzchnictwo d) *okrycia, pokry-
wania*: **overalls** wierzchnie okrycie, kombinezon;
overshadow zaciemnienie; przesłonięcie
overabound ['ouvər-ə'baund] *vi* być <znajdować się>
w nadmiarze
overabundance ['ouvər-ə'bʌndəns] *s* nadmiar
overabundant ['ouvər-ə'bʌndənt] *adj* nadmierny

overact ['ouvər'ækt] *vi* (*także* *vt* **to ~ a role**) szarżować; zgrywać się

overall ['ouvər,ɔːl] ☐ *adj* ogólny; całkowity; obejmujący całość (zagadnienia itd.) ☐ *s* 1. kitel (lekarza itd.) 2. *pl* ~s kombinezon (robotnika); drelichy (chroniące ubranie)

overalled ['ouvər,ɔːld] *adj* (*o człowieku*) w chałacie; w kombinezonie, w drelichach

overarch ['ouvər'aːtʃ] *vt bud* 1. przerzucać łuk (**a passage etc.** nad pasażem, przejściem itd.) 2. zwisać (**sth** nad czymś) 3. zasklepi-ć/ać; nakry-ć/wać sklepieniem

over-anxious ['ouvər'æŋkʃəs] *adj w zwrocie*: **to be ~ to do sth** zbytnio się palić do czegoś

overarm ['ouvər,aːm] *adj adv* (*o stylu pływania*) z wyrzutem ręki znad głowy do przodu

overate *zob* **overeat**

overawe [,ouvər'ɔː] *vt* onieśmiel-ić/ać; przej-ąć/mować <napełni-ć/ać> grozą; zastrasz-yć/ać

overbalance [,ouvə'bæləns] ☐ *vt* przeważ-yć/ać ☐ *vi* s/tracić równowagę; przewr-ócić/acać się ☐ *s* przewaga

overbear [,ouvə'bɛə] *vt* (**overbore** [,ouvə'bɔː], **overborne** [,ouvə'bɔːn]) 1. przem-óc/agać, pokon-ać/ywać 2. onieśmiel-ić/ać 3. górować (**sb** nad kimś) 4. nie liczyć się (**sb, sth** z kimś, czymś); z/lekceważyć *zob* **overbearing**

overbearing [,ouvə'bɛəriŋ] ☐ *zob* **overbear** ☐ *adj* arogancki; hardy; wyniosły; pyszny; władczy; rozkazujący; apodyktyczny

overbid ['ouvə'bid] ☐ *vt* (*praet* **overbade** [,ouvə'beid], **overbid**, *pp* **overbidden** ['ouvə'bidn], **overbid**) (*także karc*) przelicytow-ać/ywać ☐ *s* (*także karc*) przelicytowanie

overblown ['ouvə'bloun] *adj* (*o kwiecie*) przekwitły

↑ **overboard** ['ouvə,bɔːd] *adv* (rzucić, spaść) za burtę; *przen* **to throw sth ~** zarzuc-ić/ać coś; zaniechać czegoś

overbold ['ouvə'bould] *adj* ryzykancki; szaleńczy

overbore *zob* **overbear**

overborne *zob* **overbear**

overbought *zob* **overbuy**

overbuild ['ouvə'bild] *vt* (**overbuilt** ['ouvə'bilt], **overbuilt**) 1. zabudow-ać/ywać (teren) 2. nadmiernie <zbyt gęsto> zabudow-ać/ywać (okolicę); **overbuilt areas** okolice nadmiernie zabudowane <przeludnione>

overburden [,ouvə'bəːdn] *vt* przeciąż-yć/ać; przeładow-ać/ywać

overbuy ['ouvə'bai] *vt* (**overbought** ['ouvə'bɔːt], **overbought**) kup-ić/ować nadmierną ilość <nadmierny zapas> (**sth** czegoś)

overcall ['ouvə'kɔː] ☐ *vt karc* przelicytow-ać/ywać (przeciwnika) ☐ *vi karc* za wysoko za/licytować

overcame *zob* **overcome**

overcapitalize [,ouvə'kæpitə,laiz] *vt* włożyć/wkładać zbyt duży kapitał (**an enterprise** w przedsiębiorstwo itd.)

over-careful ['ouvə'kɛəful] *adj* zanadto ostrożny

overcast ['ouvə'kaːst] ☐ *vt* (**overcast, overcast**) 1. pokry-ć/wać chmurami <zachmurz-yć/ać> (niebo); zasł-onić/aniać; zaciemni-ć/ać 2. zasmuc-ić/ać <przygnębi-ć/ać> (towarzystwo itd.) 3. (*przy szyciu*) obrzuc-ić/ać ☐ *vi dosł i przen* za/chmurzyć się; zasępi-ć/ać się ☐ *adj* (*o niebie*) po-

sępny; pochmurny; zachmurzony; (*o człowieku, towarzystwie*) posępny; zasmucony; przygnębiony

overcharge [,ouvə'tʃaːdʒ] ☐ *vt* 1. przeciąż-yć/ać; przeładow-ać/ywać 2. dolicz-yć/ać; **to ~ an article** dolicz-yć/ać (pewną sumę) do ceny artykułu; **to ~ sb** dolicz-yć/ać (pewną kwotę) do czyjegoś rachunku; oszuk-ać/iwać (**sth na czymś** — cenie itd.); **he has ~d this book 2s.** (on) oszukał (mnie itd.) o 2 szylingi na tej książce ☐ *s* 1. przeciążenie; przeładowanie 2. dolicz-enie/anie pewnej kwoty (do ceny, rachunku); oszuk-anie/iwanie na cenie <opłacie, honorarium itd.>

overcloud [,ouvə'klaud] *vt dosł i przen* zachmurz-yć/ać (niebo, czoło itp.)

overcoat [,ouvə,kout] *s* płaszcz

over-colour [,ouvə'kʌlə] *vt* koloryzować; przesadzać (**sth** w czymś)

overcome [,ouvə'kʌm] *vt* (**overcame** [,ouvə'keim], **overcome**) pokon-ać/ywać; przezwycięż-yć/ać; opanow-ać/ywać; zwalcz-yć/ać (przeszkodę itd.); zm-óc/agać; **to be ~ with** <**by**> **sth** a) ule-c/gać <nie móc się oprzeć> czemuś b) być opanowanym <przejętym> czymś c) nie posiadać się z czegoś (z wściekłości itd.) d) ugi-ąć/nać się przed czymś; być zmożonym czymś e) upa-ść/dać pod ciężarem czegoś

overcrowd [,ouvə'kraud] *vt* przepełni-ć/ać; zatł-oczyć/aczać

overdid *zob* **overdo**

overdo [,ouvə'duː] *vt* (**overdid** [,ouvə'did], **overdone** [,ouvə'dʌn]) 1. przesadz-ić/ać <za daleko się posu-nąć/wać> (**sth** w czymś); przekr-oczyć/aczać granice (**sth czegoś** — przyzwoitości itd.); szarżować (**sth** w czymś) 2. przeciąż-yć/ać; przemęcz-yć/ać 3. *kulin* przesmaż-yć/ać; przepie-c/kać; przegotow-ać/ywać przewarzyć (potrawę)

overdone [,ouvə'dʌn] ☐ *zob* **overdo** ☐ *adj* 1. przesadny 2. *kulin* przesmażony; przepieczony; przegotowany

overdose ['ouvə,dous] ☐ *s* za duża dawka ☐ *vt* ['ouvə'dous] przedawkować

overdraft ['ouvə,draːft] *s* przekroczenie konta (bankowego); czek bez (dostatecznego) pokrycia

overdraw ['ouvə'drɔː] *vt* (**overdrew** ['ouvə'druː], **overdrawn** ['ouvə'drɔːn]) 1. przekr-oczyć/aczać konto <kredyt>; wystawi-ć/ać czek, nie mając (dostatecznego) pokrycia (**one's account** na rachunku) 2. przesadz-ić/ać (w opisie)

overdrawn *zob* **overdraw**

overdress ['ouvə'dres] *vi* przesadnie się stroić

overdrew *zob* **overdraw**

overdrive ['ouvə'draiv] *vt* (**overdrove** ['ouvə'drouv], **overdriven** ['ouvə'drivn]) zamęcz-yć/ać; zajeździć (konia)

overdue ['ouvə'djuː] *adj* (*o rachunku*) zaległy; (*o pociągu*) spóźniony; (*o reformie itd*) od dawna potrzebny; **long ~** a) zaległy od dłuższego czasu b) znacznie spóźniony

overeat ['ouvər'iːt] *vr* (**overate** ['ouvər'et], **overeaten** ['ouvər'iːtn]) **~ oneself** przej-eść/adać <obj-eść/adać> się

over-estimate ['ouvər'esti,meit] ☐ *vt* przeceni-ć/ać wartość <znaczenie> (**sb, sth** czyj-ąś/eś, czegoś) ☐ *s* ['ouvər'estimit] za wysoka <przesadna> ocena

over-excite ['ouvər-ĭk'śaĭt] *vt* nadmiernie pod-niec-ić/ać

over-exert ['ouvər-ig'zə:t] *vt* przemęcz-yć/ać

over-expose ['ouvər-iks‚pouz] *vt fot* prześwietl-ić/ać (zdjęcie)

over-exposure ['ouvəriks'pouzə] *s* prześwietlenie zdjęcia; prześwietlone zdjęcie

overfed *zob* **overfeed**

overfeed ['ouvə'fi:d] *v* (**overfed** ['ouvə'fed], **overfed**) ① *vt* przekarmi-ć/ać ③ *vi* obj-eść/adać się

overfill ['ouvə'fil] ① *vt* przepełni-ć/ać ③ *vi* prze-pełni-ć/ać się

overflow [‚ouvə'flou] ① *vt* 1. przel-ać/ewać się (**the brim of a vessel** przez brzeg naczynia) 2. (*o rzece*) wyst-ąpić/ępować (**the banks** z brze-gów); zal-ać/ewać (pole itd.) ③ *vi* 1. przel-ać/ewać się 2. być przepełnionym (**with sth** czymś; o sercu — uczuciem itd.; o pokoju — ludźmi itd.); obfitować <opływać> (**with sth** w coś — bogactwa itd.) 3. (*o rzece*) wyl-ać/ewać <rozl-ać/ewać> się *zob* **overflowing** ③ *s* ['ouvə‚flou] 1. wylew 2. zalew 3. *techn* przepływ; przelew 4. nadmiar; ~ **meeting** zebranie dodatkowe (dla publiczności nie mieszczącej się na sali)

overflowing [‚ouvə'flouiŋ] ① *zob* **overflow** *v* ③ *adj* 1. przepełniony 2. przelewający się; prze-pływający przez brzeg/i ③ *s* nadmiar; **full to** ~ przepełniony

over-fond ['ouvə'fɔnd] *adj* zanadto rozmiłowany (**of sth** w czymś); **to be** ~ **of sb, sth** zbytnio lubić <kochać> kogoś, coś

over-free [‚ouvə'fri:] *adj* zanadto swobodny; **to be** ~ za dużo sobie pozwalać

overgrow ['ouvə'grou] *v* (**overgrew** ['ouvə'gru:], **overgrown** ['ouvə'groun]) ① *vt* 1. (*o roślinach, chwastach*) pokry-ć/wać (mur, obszar gruntu itd.); zar-osnąć/astać 2. przer-osnąć/astać 3. wyr-osnąć/astać (**one's clothes** z ubrania) ③ *vi* wyr-osnąć/astać nadmiernie *zob* **overgrown**

overgrown ['ouvə'groun] ① *zob* **overgrow** ③ *adj* 1. (*o ogrodzie itd*) zarośnięty; nadmiernie po-rosły (chwastami itd.) 2. (*o dziecku*) wyrośnięty nad wiek; wybujały

overgrowth ['ouvə‚grouθ] *s* 1. wybujałość 2. nad-mierny rozrost; przerost 3. pokrywa (roślinna); (*na twarzy*) zarost

overhand ['ouvə‚hænd] = **overarm**

overhang ['ouvə'hæŋ] *v* (**overhung** ['ouvə'hʌŋ], **overhung**) ① *vt* 1. wystawać <zwisać, sterczeć> (**sth nad** czymś); *przen* unosić się (**sth nad** czymś) 2. (*o niebezpieczeństwie itd*) wisieć (**sb nad** kimś); zagrażać (**sb** komuś) ③ *vi* 1. wystawać; zwisać; sterczeć; *przen* unosić się 2. zagrażać, grozić *zob* **overhung** ③ *s* ['ouvə‚hæŋ] występ; zwis; nawis

over-hasty ['ouvə'heĭstĭ] *adj* zbyt pośpieszny <po-chopny>; porywczy

overhaul [‚ouvə'hɔ:l] ① *vt* 1. gruntownie zbadać (pacjenta); przeprowadz-ić/ać gruntowny prze-gląd (**sth** czegoś — maszyny itd.); **to get** ~**ed** poddać się gruntownemu badaniu lekarskiemu 2. podda-ć/wać kapitalnemu remontowi; przepro-wadz-ić/ać kapitalny remont (**a machine** maszy-ny itd.) 3. sprawdz-ić/ać (rachunki itd.) 4. *mar* (dogonić i) wyprzedzić ③ *s* ['ouvə‚hɔ:l] 1. grun-town-e/y badanie <przegląd> 2. remont (generalny)

overhead ['ouvə'hed] ① *adv* na górze; nad gło-wą; na górnym piętrze; powyżej; nad nami <nimi itd.> ③ *adj* ['ouvə‚hed] 1. (*o kablu itd*) napowietrzny; (*o świetle*) górny 2. ogólny; prze-ciętny 3. *handl* ~ **charges** <**costs**> = **overheads** ③ *s* ['ouvə‚hed] *pl* ~**s** wydatki <koszty> ogólne <bieżące, administracyjne>

overhear [‚ouvə'hiə] *vt* (**overheard** [‚ouvə'hə:d], **overheard**) 1. podsłuchać 2. przypadkowo usły-szeć

overheat ['ouvə'hi:t] *vt* przegrz-ać/ewać

overhung *zob* **overhang** *v*; **to be** ~ **with** __ znaj-dować się pod wiszącym <sterczącym>... (zło-mem skalnym itd.); **the window was** ~ **with icicles** nad oknem zwisały sople lodu

overjoyed [‚ouvə'dʒɔĭd] *adj* rozradowany; **to be** ~ nie posiadać się z radości

overlabour [‚ouvə'leĭbə] *vt* zbyt drobiazgowo opra-cować (projekt itd.)

overladen ['ouvə'leĭdn] *adj* przeciążony; prze-ładowany

overlaid *zob* **overlay¹** *v*

overlain *zob* **overlie**

† **overland** [‚ouvə'lænd] ① *adj* ['ouvə‚lænd] (*o pod-róży, drodze*) lądowy ③ *adv* (podróżować) lą-dem

† **overlap** [‚ouvə'læp] *v* (**-pp-**) ① *vt* 1. (*o dachów-kach itd*) zachodzić (**sth za** <**na**> coś) 2. pokry-wać się (**sth z** czymś) 3. (*w czasie*) kolidować (**sth z** czymś) ③ *vi* 1. zachodzić jedno na dru-gie <na siebie> 2. pokrywać się (częściowo) ③ *s* ['ouvə‚læp] 1. zakładka; zachodzenie (jednego przedmiotu na drugi); *techn* ~ **joint** łączenie na zakładkę 2. *geol* nasunięcie się warstw na siebie

overlay¹ [‚ouvə'leĭ] ① *vt* (**overlaid** [‚ouvə'leĭd], **overlaid**) pokry-ć/wać; **to** ~ **sth with sth** na-ło-żyć/kładać warstwę czegoś na coś ③ *s* ['ouvə‚leĭ] 1. pokrycie; nakrycie; narzutka 2. *geol* czapa złoża

overlay² *zob* **overlie**

overleaf ['ouvə'lif] *adv* na odwrocie (danej stro-nicy)

overleap [‚ouvə'li:p] *vt* (*praet* **overleapt** [‚ouvə 'lept], **overleaped** [‚ouvə'lept], *pp* **overleapt**, **overleaped**) 1. przesk-oczyć/akiwać 2. pomi-nąć/jać

overlie [‚ouvə'laĭ] *vt* (**overlay** [‚ouvə'leĭ], **overlain** [‚ouvə'leĭn]; **overlying** [‚ouvə'laĭiŋ]) 1. pokry-ć/wać; przykry-ć/wać; leżeć (**sth na** <**nad**> czymś) 2. (*o matce*) zadusić (dziecko) niechcąco <nie-chcący> w czasie snu

overlive [‚ouvə'liv] *vt* przeży-ć/wać (kogoś); prze-kr-oczyć/aczać (dany wiek)

overload ['ouvə'loud] ① *vt* przeładow-ać/ywać; przeciąż-yć/ać ③ *s* ['ouvə‚loud] przeciążenie; nadmierny ładunek

overlook [‚ouvə'luk] *vt* 1. (*o budynku itd*) góro-wać <wznosić się> (**sth nad** czymś) 2. (*o oknie itd*) dawać widok <wychodzić> (**a garden etc.** na ogród itd.) 3. przeocz-yć/ać; nie zauważ-yć/ać (**sth** czegoś) 4. pomi-nąć/jać <milczeniem>; nie zwr-ócić/acać uwagi (**sth na** coś); po/patrzyć przez palce <zam-knąć/ykać oczy> (**sth na** coś); ~ **it** daruj <wybacz> (mi, mu itd.) to 5. nad-zorować 6. urze-c/kać

overlooker [‚ouvə'lukə] *s* nadzorujący; nadzorca

overlord ['ouvə,lɔ:d] s hist suzeren; (najwyższy) zwierzchnik (wasala)

overlordship ['ouvə,lɔ:dʃip] s hist (najwyższe) zwierzchnictwo (suzerena)

overly ['ouvəli] adv am pot nadmiernie; zbytnio

overman ['ouvə,mæn] s (pl overmen ['ouvə,men]) 1. brygadzista; górn sztygar 2. filoz nadczłowiek

overmantel ['ouvə,mæntl] s gzyms <półka> nad kominkiem

overmaster [,ouvə'mɑ:stə] vt opanow-ać/ywać; pokon-ać/ywać; przem-óc/agać zob **overmastering**

overmastering [,ouvə'mɑ:stəriŋ] ① zob **overmaster** Ⅲ adj przemożny; nieprzezwyciężony

overmatch [,ouvə'mætʃ] vt pokon-ać/ywać; wziąć/brać górę (sb, sth nad kimś, czymś)

over-measure [,ouvə'meʒə] s naddatek

overmuch ['ouvə'mʌtʃ] ① adj nadmierny; zbytni Ⅲ adv nadmiernie; zbytnio

over-nice ['ouvə'nais] adj zbyt wymagający <skrupulatny>

over-nicety ['ouvə'naisti] s zbyt wielkie wymagania; zbytnia skrupulatność

overnight ['ouvə'nait] ① adv 1. poprzedniego wieczora 2. przez noc; w ciągu nocy; (pozostać) na noc 3. nagle; z dnia na dzień Ⅲ adj ['ouvə,nait] 1. z poprzedniego wieczora 2. nocny 3. nagły; (o zmianie itd) dokonany <zaszły> z jednego dnia na drugi 4. (o pożyczce) jednodniowy

overpaid zob **overpay**

overpass ['ouvə'pɑ:s] vt 1. prze-jść/chodzić <prze-je-chać/żdżać> (a country przez kraj itd.) 2. przekr-oczyć/aczać (granice) 3. przezwycięż-yć/ać 4. przewyższ-yć/ać (sb in sth kogoś czymś)

overpast ['ouvə'pɑ:st] adj praed miniony; the time was ~ to _ (teraz) już było za późno, by...

overpay ['ouvə'pei] vt (overpaid ['ouvə'peid], overpaid) przepłac-ić/ać

overpayment ['ouvə'peimənt] s 1. nadpłata 2. przepłac-enie/anie

overpeopled ['ouvə'pi:pld] adj przeludniony

overplus ['ouvə,plʌs] s nadmiar; nadwyżka

overpoise ['ouvə'pɔiz] ① vt = **outweigh** Ⅲ s ['ouvə,pɔiz] przewaga

over-population [,ouvə,pɔpju'leiʃən] s przeludnienie

overpower [,ouvə'pauə] vt 1. opanow-ać/ywać; przem-óc/agać; pokon-ać/ywać; przezwycięż-yć/ać; zwalcz-yć/ać; wziąć/brać górę (sb, sth nad kimś, czymś) 2. przytł-oczyć/aczać; pogrąż-yć/ać (with grief w smutku) 3. zawstydz-ić/ać (swą uprzejmością itd.) zob **overpowering**

overpowering [,ouvə'pauəriŋ] ① zob **overpower** Ⅲ adj przemożny; nieprzezwyciężony; przytłaczający

overpraise ['ouvə'preiz] vt przechwal-ić/ać

overpressure ['ouvə'preʃə] s 1. nadciśnienie 2. nadmierne obciążenie (pracą)

overprint ['ouvə'print] ① vt nadrukow-ać/ywać (sth na czymś — znaczku itd.) Ⅲ s ['ouvə,print] nadruk (na tekście ulotki itd.)

over-production ['ouvə-prə'dʌkʃən] s nadprodukcja

overproof ['ouvə,pru:f] adj (o preparacie itd) o nadmiernej zawartości alkoholu

overran zob **overrun**

overrate ['ouvə'reit] vt przeceni-ć/ać; przechwal-ić/ać

overreach [,ouvə'ri:tʃ] ① vt 1. prześcig-nąć/ać; wyprzedz-ić/ać 2. pod-ejść/chodzić <okpi-ć/wać> (kogoś) Ⅲ vr ~ oneself a) przeliczyć się z siłami; s/forsować się; pot przeholow-ać/ywać b) pa-ść/dać ofiarą własnych matactw Ⅲ vi (o koniu) ścigać się (kaleczyć sobie przednią nogę tylnym kopytem)

overridden zob **override**

override [,ouvə'raid] vt (overrode [,ouvə'roud], overridden [,ouvə'ridn]) 1. s/pustoszyć (okolicę) 2. s/tratować ko-niem/ńmi 3. przekr-oczyć/aczać (kompetencje itd.); naduż-yć/ywać (sth czegoś — swoich praw) 4. mieć pierwszeństwo (sb, sth przed kimś, czymś); przewyższać 5. z/lekceważyć <nie zważać na> (czyjeś prawa, pretensje itd.) 6. zajeżdżić (konia) zob **overriding**

overriding [,ouvə'raidiŋ] ① zob **override** Ⅲ adj (o zasadzie itd) nadrzędny

overripe ['ouvə,raip] adj (o owocu) przejrzały

overrode zob **override**

overrule [,ouvə'ru:l] vt 1. mieć władzę nadrzędną (sb, sth nad kimś, czymś) 2. powziąć decyzję przeciwną (sth czemuś) 3. prawn unieważni-ć/ać; odrzuc-ić/ać <uchyl-ić/ać> (wniosek itd.) 4. z/lekceważyć; nie zważać (sth na coś) 5. przem-óc/agać

overrun [,ouvə'rʌn] v (overran [,ouvə'ræn], overrun; overrunning [,ouvə'rʌniŋ]) ① vt 1. naje-chać/żdżać <dokon-ać/ywać najazdu> (a country etc. na kraj itd.); zal-ać/ewać (o najeźdźcy — kraj itd.; o rzece — okolicę itd.); s/pustoszyć; grasować (a region na okolicy itd.); to be ~ with _ a) być opanowanym przez... (coś); stać się pastwą... (czegoś) b) roić się od... (czegoś — robactwa itd.) 2. przekr-oczyć/aczać granice (sth czegoś) 3. przeciąż-yć/ać <prze-grz-ać/ewać> (maszynę); s/forsować 4. druk przen-ieść/osić (wyraz itd. — do następnego wiersza, na następną stronę) Ⅲ vi 1. (o wodzie) wyl-ać/ewać; rozl-ać/ewać się 2. auto pracować na obrotach wyższych od regulacyjnych obrotów maksymalnych

oversaw zob **oversee**

oversea(s) ['ouvə'si:(z)] ① adj zamorski (handel itd.) Ⅲ adv 1. za morze; za ocean; do krajów zamorskich; from ~ zza morza; zza oceanu 2. za morzem; za oceanem; w krajach zamorskich

oversee ['ouvə'si:] vt (oversaw ['ouvə'sɔ:], overseen ['ouvə'si:n]) nadzorować; mieć nadzór (sth nad czymś); do-jrzeć/glądać (sth czegoś)

overseen zob **oversee**

overseer ['ouvəsiə] s nadzorca; (człowiek) nadzorujący; brygadzista; ~ of the poor funkcjonariusz miejski dozorujący przytułki

oversell [,ouvə'sel] vt (oversold [,ouvə'sould], oversold) sprzeda-ć/wać więcej niż jest się w stanie dostarczyć (sth czegoś — akcji itd.)

oversensitive ['ouvə'sensitiv] adj przewrażliwiony, przeczulony; nadwrażliwy

oversensitiveness ['ouvə'sensitivnis] s przewrażliwienie, przeczulenie; nadwrażliwość

overset [,ouvə'set] vt (overset, overset; oversetting [,ouvə'setiŋ]) przewr-ócić/acać; przen rozstr-oić/ajać (kogoś)

oversew [,ouvə'sou] vt (oversewed [,ouvə'soud],

oversewn [‚ouvə'soun]) zeszy-ć/wać okrętką <na okrętkę>

oversewn *zob* **oversew**

overshadow [‚ouvə'ʃædou] *vt* 1. ocieni-ć/ać; zaciemni-ć/ać 2. *dosł* i *przen* zaćmi-ć/ewać 3. *dosł* i *przen* rzuc-ić/ać cień (**sth** na coś)

overshoe ['ouvə‚ʃu:] *s* kalosz; śniegowiec

overshoot ['ouvə'ʃu:t] *vt* (**overshot** ['ouvə'ʃɔt], **overshot**) 1. (*o strzelbie itp*) przen-ieść/osić 2. (*o strzelcu*) strzel-ić/ać (**sth** poza coś — cel); *przen* **to** ~ **the mark** przekr-oczyć/aczać granice (przyzwoitości itd.); **to** ~ **oneself** posu-nąć/wać się <za-jść/chodzić> za daleko; *pot* przeholować *zob* **overshot**

overshot ['ouvə‚ʃɔt] [I] *zob* **overshoot** [II] *adj* (*o kole młyńskim*) nasiębierny

overside ['ouvə‚said] *adv* (ładować, rozładować statek) przy pomocy barek (przez burtę)

oversight ['ouvə‚sait] *s* 1. przeoczenie; niedopatrzenie 2. nadzór

oversize ['ouvə‚saiz] [I] *s* 1. za duży <wielki> wymiar; szczególnie duży rozmiar 2. bucik <bluzka itd.> zbyt duż-y/a (na kogoś) [II] *adj* zbyt duży <wielki>

overskirt ['ouvə‚skə:t] *s* wierzchnia spódnica

overslaugh ['ouvə‚slɔ:] *s* *wojsk* zwolnienie (od obowiązku) z uwagi na inny ważniejszy obowiązek

oversleep ['ouvə'sli:p] *v* (**overslept** ['ouvə'slept], **overslept**) [I] *vt* przespać (godzinę wstawania) [II] *vi* (*także* *vr* ~ **oneself**) zaspać

oversleeve ['ouvə‚sli:v] *s* zaręka wek (chroniący rękaw)

overslept *zob* **oversleep**

oversold *zob* **oversell**

overspread [‚ouvə'spred] *vt* (**overspread**, **overspread**) pokry-ć/wać

overstate ['ouvə'steit] *vt* przesadz-ić/ać (**sth** w czymś)

overstatement ['ouvə'steitmənt] *s* przesada (w przedstawieniu faktu)

overstay ['ouvə'stei] *vt* 1. przedłuż-yć/ać (urlop itd.) 2. = **outstay**

overstep ['ouvə'step] *vt* (-**pp**-) przekr-oczyć/aczać (granice itd.)

overstock ['ouvə'stɔk] [I] *vt* z/robić nadmierne zapasy; przeciąż-yć/ać (rynek, skład — towarem; gospodarstwo — inwentarzem) [II] *s* ['ouvə‚stɔk] nadmierny zapas towarów (w składzie); nadmierne pogłowie inwentarza (w gospodarstwie)

overstrain ['ouvə'strein] [I] *vt* 1. przeciąż-yć/ać 2. nadmiernie napi-ąć/nać; *dosł* i *przen* przeciąg-nąć/ać (strunę); naciąg-nąć/ać (argument itd.) [II] *vr* ~ **oneself** przepracow-ać/ywać <s/forsować> się [III] *s* ['ouvə‚strein] przepracowanie; przemęczenie

overstrung ['ouvə'strʌŋ] *adj* przedenerwowany; (będący) w nadmiernym napięciu nerwowym; wyczerpany nerwowo

overstuff [‚ouvə'stʌf] *vt* 1. zap-chać/ychać; przeładow-ać/ywać 2. wymościć

oversubscribe ['ouvə‚səb'skraib] *vt* przekroczyć zaplanowaną kwotę subskrypcji (**sth** czegoś — pożyczki itp.)

overswollen [‚ouvə'swoulən] *adj* (*o rzece, sercu itp*) wezbrany

overt ['ouvə:t] *adj* jawny; nie ukrywany; otwarty

overtake [‚ouvə'teik] *vt* (**overtook** [‚ouvə'tuk], **overtaken** [‚ouvə'teikn]) 1. dog-onić/aniać; dopędz-ić/ać; zrówn-ać/ywać się (**sb** z kimś) 2. wyprzedz-ić/ać; mi-nąć/jać (samochód itd.) 3. odr-obić/abiać (zaległości) 4. zask-oczyć/akiwać; I <he etc.> was ~n by a storm <darkness etc.> zaskoczyła mnie <go itd.> burza <ciemność itd.> 5. zdarz-yć/ać <przydarz-yć/ać, przytrafi-ć/ać się> (**sb** komuś)

overtaken *zob* **overtake**; ~ **in drink** pijany

overtask ['ouvə'tɑ:sk] *vt* przeciąż-yć/ać pracą

overtax ['ouvə'tæks] *vt* 1. przeciąż-yć/ać podatkami 2. przeliczyć się (**one's strength etc.** z siłami itd.)

overthrew *zob* **overthrow** *v*

overthrow [‚ouvə'θrou] [I] *vt* (**overthrew** [‚ouvə'θru:], **overthrown** [‚ouvə'θroun]) 1. przewr-ócić/acać (mebel itd.); powal-ić/ać (przeciwnika); zada-ć/wać klęskę (**sb** komuś) 2. obal-ić/ać (rząd itd.); z/burzyć; doprowadz-ić/ać do upadku 3. z/niweczyć (czyjeś plany itd.) [III] *s* ['ouvə‚θrou] 1. przewrót 2. upadek; obalenie; zburzenie 3. klęska

overthrown *zob* **overthrow** *v*

overthrust ['ouvə‚θrʌst] *s* *geol* nasunięcie się warstw na siebie; następstwo warstw

overtime ['ouvə‚taim] [I] *s* nadgodziny; godziny nadliczbowe; **to work** ~ pracować poza godzinami urzędowymi [II] *adj* nadgodzinowy; nadprogramowy [III] *adv* nadprogramowo [IV] *vt* [‚ouvə'taim] przeeksponować (zdjęcie)

overtones ['ouvə‚tounz] *spl* *muz* alikwoty

overtook *zob* **overtake**

overtop ['ouvə'tɔp] *vt* (-**pp**-) przewyższ-yć/ać; wzn-ieść/osić się (**sb, sth** ponad kogoś, coś), przer-óść/astać

overtrump ['ouvə'trʌmp] *vt* *karc* przebi-ć/jać starszym atutem

overture ['ouvə‚tjuə] *s* 1. *muz* uwertura 2. *pl* ~**s** próby nawiązania rokowań; wstępne rokowania 3. *pl* ~**s** zabieganie o czyjeś względy; awanse

overturn [‚ouvə'tə:n] [I] *vt* 1. przewr-ócić/acać; wywr-ócić/acać 2. obal-ić/ać; z/burzyć; doprowadz-ić/ać do upadku [II] *vi* przewr-ócić/acać <wywr-ócić/acać> się; *lotn* s/kapotować; prze/koziołkować [III] *s* ['ouvə‚tə:n] 1. przewrócenie 2. przewrót

overvaluation ['ouvə‚vælju'eiʃən] *s* przeceni-enie/anie; nadmiernie wysoka ocena

overvalue ['ouvə‚vælju:] [I] *s* 1. zbyt wysoka cena <wartość> 2. przeceni-enie/anie [II] *vt* ['ouvə‚vælju:] *dosł* i *przen* 1. przeceni-ć/ać 2. przykładać zbyt wiele wagi (**sth** do czegoś)

overweening [‚ouvə'wi:niŋ] *adj* arogancki; zarozumiały; zbyt pewny siebie

overweigh ['ouvə'wei] [I] *vt* ważyć więcej (**sb, sth** od kogoś, czegoś; niż ktoś, coś) [II] *vi* (*o przesyłce, bagażu itp*) przeważ-yć/ać; przekr-oczyć/aczać dopuszczalną <przepisową> wagę

overweight ['ouvə‚weit] [I] *s* nadwyżka wagi; (*u człowieka*) otyłość; nadmierna waga [II] *adj* przekraczający normalną wagę [III] *vt* [‚ouvə'weit] przeciąż-yć/ać

overwhelm [‚ouvə'welm] *vt* 1. zasyp-ać/ywać; zagrzeb-ać/ywać; zal-ać/ewać 2. *dosł* i *przen* przygni-eść/atać; **to be** ~**ed with** __ uginać się pod ciężarem... (czegoś). 3. zgni-eść/atać <zdruzgo-

tać, z/miażdżyć> (nieprzyjaciela itd.) 4. ob-syp-ać/ywać (darami itd.); zakłopotać (uprzej-mością itd.); zawstydz-ić/ać 5. (*o złej wiado-mości itd*) przygnębi-ć/ać 6. (*o uczuciu itp*) przepełni-ć/ać serce (sb czyjeś) *zob* over-whelming

↑ **overwhelming** [,ouvə'welmiŋ] ▯ *zob* overwhelm ▯ *adj* 1. (*o sile, większości itd*) przytłaczający 2. (*o uczuciu*) nieprzeparty 3. (*o klęsce*) druzgo-cący; sromotny

overwind [,ouvə'waind] *vt* (overwound [,ouvə'waund], overwound) przekręc-ić/ać (sprężynę w zegarku itd.); *górn* to ~ the hoisting rope przejechać klatką wyciągu ponad pomost

overwork ['ouvə'wə:k] ▯ *vt* 1. przemęcz-yć/ać <przeciąż-yć/ać> pracą; zaje-ździć/żdżać (konia) 2. naduży-ć/wać (sth czegoś) ▯ *vi* przemęcz-yć/ać się ▯ *s* ['ouvə,wə:k] przemęczenie; nadmier-na praca

overwound *zob* overwind

overwrought ['ouvə'rɔ:t] *adj* 1. przedenerwowany 2. przemęczony 3. zbyt wypracowany; (*o utwo-rze literackim*) wymęczony

ovibos ['ouvi,bɔs] *s zoo* wół piżmowy

oviduct ['ouvi,dʌkt] *s anat* jajowód

oviform ['ouvi,fɔ:m] *adj* jajowaty

ovine ['ouvain] *adj* owczy

oviparous [ou'vipərəs] *adj zoo* jajorodny

ovipositor [,ouvi'pozitə] *s zoo* pokładełko (owada)

ovoid ['ouvɔid] ▯ *adj* jajowaty ▯ *s* 1. ciało jajo-wate 2. *pl* ~s węgiel drobnoziarnisty prasowany w jajowate bryłki

ovulation [,ɔvju'leiʃən] *s fizjol* owulacja, jajecz-kowanie

ovule ['ouvju:l] *s* 1. *bot* zalążek 2. *zoo* = ovum 1.

ovum ['ouvəm] *s* (*pl* ova ['ouvə]) 1. *biol* jajo, jaje 2. *bot* zalążek 3. *arch* jajownik

owe [ou] ▯ *vt* 1. być winnym <dłużnym>; *dosł i przen* mieć dług (money <gratitude etc.> to sb pieniężny <wdzięczności itd.> wobec kogoś); to ~ it to sb <sth> that __ zawdzięczać komuś <czemuś> to, że...; to ~ it to sb to __ mieć obowiązek wobec kogoś... (zrobienia czegoś); to ~ no thanks to sb nie mieć zobowiązań wobec kogoś; we ~ obedience <respect etc.> to __ należy się od nas posłuszeństwo <szacu-nek itd.>... (komuś); you ~ it to yourself to __ jest twoim obowiązkiem wobec siebie samego, żebyś... 2. zawdzięczać (sth to sb coś komuś) ▯ *vi* być winnym (sb for sth komuś za coś) *zob* owing

Owenism ['oui,nizəm] *s polit ekon* owenizm

owing ['ouiŋ] ▯ *zob* owe ▯ *adj praed* 1. na-leżny; how much is ~ to you? ile ci się nale-ży? 2. wynikający; to be ~ to __ wynikać z <być skutkiem>... (czegoś) ▯ *praep* ~ to __ dzięki __ (czemuś); z powodu <skutkiem, wsku-tek> ... (czegoś); przez... (coś)

owl [aul] *s* 1. *zoo* sowa 2. *przen* uroczyście wyglą-dająca osoba; cymbał z miną mędrca

owlet ['aulit] *s zoo* sówka, młoda sowa

owlish ['auliʃ] *adj* sowi

owl-light ['aul,lait] *s* zmierzch

owl-train ['aul,trein] *s am* pociąg nocny

own [oun] ▯ *vt* 1. posiadać; mieć (na własność); być właścicielem (sth czegoś) 2. uzna-ć/wać (a child dziecko za swoje); to ~ oneself indebted

to sb uznać się czyimś dłużnikiem; poczytywać <uważać> (sb to be __ kogoś za... — zwierzch-nika itd.) 3. wyznać (winę itd.); przyzna-ć/wać się (sth do czegoś) 4. uzna-ć/wać (one's fault, the force of an argument etc. swój błąd, siłę argumentu itd.) ▯ *vi* przyzna-ć/wać się (to sth do czegoś)

~ up *vi pot* przyzna-ć/wać się (otwarcie) ▯ *adj* 1. własny; my ~! mój/moja (ty) je-dyn-y/a!; sl on one's ~ a) na własną rękę b) samodzielnie; something <nothing> of one's ~ coś <nic> własnego; truth for its ~ sake prawda dla (samej) prawdy; with one's ~ eyes na własne oczy; to be one's ~ man być niezależnym; to be on one's ~ być samodzielnym <niezale-żnym>; to cook one's ~ meals gotować sobie (samemu); to get one's ~ back odpłac-ić/ać się pięknym za nadobne; to have sth for one's ~ mieć coś na własność; to hold one's ~ nie poddawać się; *przen* utrzymać się na swoich pozycjach; to make something one's ~ przy-właszczyć coś sobie; he made the house his ~ on sobie przywłaszczył (ten) dom 2. (*o wartości, uroku itd*) *w zwrocie*: all its ~ odrębny; swoisty 3. (*o rodzeństwie*) rodzony; ~ cousin brat cioteczny <stryjeczny>; siostra cioteczna <stryjeczna>

owner ['ounə] *s* właściciel/ka; posiadacz/ka; joint ~ a) współwłaściciel/ka b) armator c) *sl mar* kapitan

ownerless ['ounəlis] *adj* bezpański; niczyj

ownership ['ounəʃip] *s* 1. posiadanie; własność; common ~ wspólna <kolektywna> własność; *handl* new ~ zmiana właściciela 2. prawo własności

ox [ɔks] *s* (*pl* ~en ['ɔksən]) 1. wół; *przen* the black ~ has trodden on my foot starość <nie-szczęście> gnębi mnie 2. *pl* ~en a) woły b) bydło

oxalate ['ɔksə,leit] *s chem* szczawian

oxalic [ɔk'sælik] *adj chem* (*o kwasie*) szczawiowy

oxalis ['ɔksəlis] *s bot* szczawik

oxbird ['ɔks,bə:d] *s zoo* biegus (ptak)

oxbow ['ɔks,bou] *s* 1. duga, duha 2. łuk rzeki

oxcart ['ɔks,ka:t] *s* wóz zaprzężony w woły

oxen *zob* ox

ox-eye ['ɔks,ai] *s* 1. wyłupiaste oko (ludzkie) 2. *bot* złocień właściwy, jastrun 3. *zoo* sikora bo-gatka 4. okrągłe okno

ox-eyed ['ɔks,aid] *adj* (*o człowieku*) o dużych wyłupiastych oczach

ox-fence ['ɔks,fens] *s* ogrodzenie z żywopłotem; ogrodzenie dla bydła

↑ **Oxford** ['ɔksfəd] *spr* ~ bags szerokie, bufiaste spodnie; ~ frame staromodna ramka z wysta-jącymi i krzyżującymi się narożnikami; ~ man absolwent uniwersytetu oxfordzkiego; ~ mixture materiał ciemnopopielaty; ~ movement ruch ka-tolizujący w kościele anglikańskim (1833 r. w Anglii); ~ shirting nazwa gatunku płótna; ~ shoes półbuciki

oxherd ['ɔks,hə:d] *s* pastuch

oxhide ['ɔks,haid] *s* skóra wołowa

oxidant ['ɔksidənt] *s chem* utleniacz (środek)

↑ **oxidation** [,ɔksi'deiʃən] *s* utleni-enie/anie, oksy-dacja

↑ **oxide** ['ɔksaid] *s chem* tlenek

oxidize ['ɔksi,daiz] *vt vi* utleni-ć/ać <oksydować> (się)

oxlip ['ɔkslip] *s bot* pierwiosnka wyniosła, pierwiosnek wyniosły

Oxonian [ɔk'sounjən] ① *adj* oxfordzki ② *s* 1. student <absolwent> uniwersytetu oxfordzkiego 2. mieszkaniec Oxfordu

oxtail ['ɔks,teil] *s* ogon wołowy; ~ **soup** zupa ogonowa

oxtongue ['ɔks,tʌŋ] *s* 1. ozór 2. *bot* goryczel

oxy-acetylene ['ɔksi-ə'seti,li:n] *adj chem* acetylenowo-tlenowy

oxychloride ['ɔksi'klɔ:raid] *s chem* tlenochlorek

oxygen ['ɔksidʒən] ① *s chem* tlen ② *attr* tlenowy; ~ **bottle** <**cylinder, flask**> butla tlenowa

oxygenate [ɔk'sidʒi,neit] *vt chem* utleni-ć/ać

oxygenation [,ɔksidʒi'neiʃən] *s chem* utleni-enie/anie

oxygenize [ɔk'sidʒi,naiz] = **oxygenate**

oxygon ['ɔksi,gən] *s geom* oksygon (figura o kątach ostrych)

oxyhydrogen ['ɔksi'haidridʒən] *s chem* tlenowodór

oxymel ['ɔksi,mel] *s farm* octomiód

oxymoron [,ɔksi'mɔ:rɔn] *s ret* oksymoron

oyer ['ɔiə] *s prawn* 1. rozprawa w sprawie karnej 2. sprawa karna

oyes, oyez [ou'jes] *interj* uwaga! (wołanie o ciszę herolda lub urzędnika sądowego)

↑oyster ['ɔistə] *s* 1. *zoo* ostryga 2. *am sl* (*o człowieku*) milczek

oyster-bed ['ɔistə,bed] *s* ławica ostryg

oyster-breeder ['ɔistə,bri:də] *s* hodowca ostryg

oyster-catcher ['ɔistə'kætʃə] *s zoo* ostrygojad (ptak brodzący)

oyster-knife ['ɔistə,naif] *s* (*pl* **oyster-knives** ['ɔistə,naivz]) nóż do otwierania ostryg

oyster-plant ['ɔistə,pla:nt] *s bot* kozibród

oyster-shell ['ɔistə,ʃel] *s* muszla ostrygi

oz [auns] (*pl* ~**s** ['aunsiz]) = **ounce**[1]

ozocerite, ozokerit(e) [ou'zoukərit] *s miner* ozokeryt, wosk ziemny

ozone ['ouzoun] *s chem* ozon

ozonic [ou'zɔnik] *adj chem* ozonowy

ozonize ['ouzə,naiz] *vt* na/ozonować, nasyc-ić/ać ozonem

ozonometer [,ouzə'nomitə] *s* ozonometr (przyrząd do pomiaru ilości ozonu)

P

P, p [pi:] *s* (*pl* **ps, p's** [pi:z]) *litera* p

pa [pɑ:] *s pot* tatuś

pabulum ['pæbjuləm] *s* pokarm; strawa; *przen mental* ~ strawa duchowa

pace [peis] ① *s* 1. krok 2. chód; **to put sb through his** ~**s** poddać próbie <wypróbować> kogoś 3. tempo; szybkość; **at a quick** <**slow**> ~ szybkim <powolnym> krokiem <tempem>; szybko; powoli; **to go the** ~ a) pędzić b) hulać c) trwonić pieniądze; **to keep** ~ **with sb** dotrzym-ać/ywać komuś kroku; **to set the** ~ nadawać tempo 4. (*u konia*) inochód, jednochód ② *vt* 1. przemierzać (pokój itd.) 2. odmierz-yć/ać (przestrzeń) krokami 3. *sport* nadawać tempo (*sb komuś* — *zawodnikowi*); trenować ③ *vi* 1. kroczyć; stąpać; **to** ~ **up and down** chodzić tam i z powrotem 2. (*o koniu*) iść jednochodem

pace-maker ['peis,meikə] *s sport* ten, który nadaje tempo

pacer ['peisə] *s* 1. = **pace-maker** 2. (*o koniu*) inochodziec, jednochodziec, stępak

pacha ['pɑ:ʃə] = **pasha**

pachyderm ['pæki,də:m] *s zoo* zwierzę gruboskóre

pachydermatous [,pæki'də:mətəs] *adj* gruboskórny

pacific [pə'sifik] ① *adj* 1. pokojowy 2. spokojny; łagodny ② *s* **the Pacific (Ocean)** Ocean Spokojny, Pacyfik

pacification [,pæsifi'keiʃən] *s* 1. pacyfikacja 2. uspok-ojenie/ajanie; z/łagodzenie; uśmierz-enie/anie

pacificatory [pə'sifi,keitəri] *adj* 1. pacyfikacyjny 2. uspokajający; łagodzący; uśmierzający

pacifism ['pæsi,fizəm] *s* pacyfizm

pacifist ['pæsifist] *s* pacyfist-a/ka

pacify ['pæsi,fai] *vt* (**pacified** ['pæsi,faid], **pacified; pacifying** ['pæsi,faiiŋ]) 1. s/pacyfikować 2. uspok-oić/ajać; ułagodzić; z/łagodzić; uśmie-rz-yć/ać

↑pack [pæk] ① *s* 1. tłumok; tobół; pakunek; paczka; zawiniątko; bela (bawełny itd.); juki 2. *wojsk* plecak; tornister 3. partia (towaru); *przen* a ~ **of lies** stek kłamstw; a ~ **of nonsense** brednie 4. sfora (psów); stado (wilków, ptactwa itd.); banda (złodziei, idiotów itd.); natłok (ludzi); (*w rugby*) atak; grupa (łodzi podwodnych itd.) 5. pływające pole lodowe 6. *karc* talia 7. *med* zawijanie (chorego) 8. plaster kosmetyczny 9. opakowanie 10. produkcja konserw (z ryb, owoców itd.) jednego sezonu ② *vt* 1. (*także* ~ **up**) za/pakować; opakować; spakować (rzeczy do podróży) 2. za/konserwować (mięso, owoce itd.) 3. zebrać/zbierać (psy) w sforę 4. s/tłoczyć; wtł-oczyć/aczać; natłoczyć (**sth** czegoś); zap-chać/ychać; nabi-ć/jać; ubi-ć/jać; ścieśni-ć/ać 5. zebrać/zbierać (karty) w talię 6. *med* zawi-nąć/jać (pacjenta w wilgotne <suche> prześcieradło) 7. objucz-yć/ać 8. dob-rać/ierać (przychylnych sędziów przysięgłych itp.) 9. uszczelni-ć/ać; za/klinować; um-ocnić/acniać ③ *vi* 1. (*także* ~ **up**) s/pakować rzeczy <się> (do podróży) 2. (*także* ~ **off**) zab-rać/ierać się <skądś>; zwi-nąć/jać manatki; **to send sb** ~**ing** odprawi-ć/ać <przepędz-ić/ać> kogoś 3. (*o ziemi, śniegu itd*) ubi-ć/jać się 4. (*o wilkach, ptactwie itd*) zebrać/zbierać <z/gromadzić> się w stada; (*o ludziach*) z/gromadzić <s/tłoczyć> się 5. (*o maszynie, tłoku*) zaci-ąć/nać się

~ **on** *vt mar* rozwi-nąć/jać (**all sail** wszystkie żagle) *zob* **packing**

↑ **package** ['pækidʒ] ⓘ *s* 1. pakunek; paczka; tłumok; tobół 2. opakowanie ⓘⓘⓘ *vt* o/pakować

pack-animal ['pæk,ænimǝl] *s* zwierzę juczne

pack-cloth ['pæk,klɔθ] *s* płótno workowe; pakłak

pack-drill ['pæk,dril] *s wojsk* karne ćwiczenia w pełnym rynsztunku

↑ **packer** ['pækǝ] *s* 1. pakowacz, fachowiec od pakowania towarów 2. *techn* pakowarka (maszyna)

packet ['pækit] *s* 1. paczka; plik (listów itd.); *sl wojsk* **to catch** <stop> a ~ zostać rannym 2. *sl* gruba forsa 3. (*także* ~-**boat**) statek pocztowy

pack-film ['pæk,film] *s fot* błony cięte

packfong ['pæk,fɔŋ] *s* argentan, nowe <białe> srebro, alpaka

pack-full ['pæk,ful] *adj* przepełniony; nabity

pack-horse ['pæk,hɔːs] *s* koń juczny

pack-ice ['pæk,ais] *s* lody polarne

↑ **packing** ['pækiŋ] ⓘ *zob* **pack** *v* ⓘⓘⓘ *s* 1. s/pakowanie; **to do one's** ~ s/pakować się 2. opakowanie 3. *med* zawijanie (pacjenta) 4. manipulacja przy doborze (sędziów przysięgłych itp.) 5. uszczelnienie; uszczelka; zaklinowanie; umocnienie; *med* tampon

packing-agent ['pækiŋ,eidʒǝnt] *s* przedsiębiorca zajmujący się zawodowo pakowaniem towarów

packing-case ['pækiŋ,keis] *s* skrzynia <klatka> do pakowania

packing-needle ['pækiŋ,niːdl] *s* igła do zaszywania opakowań

packing-paper ['pækiŋ,peipǝ] *s* papier pakowy <do pakowania>

packing-ring ['pækiŋ,riŋ] *s* uszczelka; pierścień uszczelniający

packing-sheet ['pækiŋ,ʃiːt] *s* 1. płótno workowe do opakowań 2. *med* prześcieradło do owijań

packing-trade ['pækiŋ,treid] *s* przemysł konserwowy

packman ['pækmǝn] *s* (*pl* **packmen** ['pækmǝn]) domokrążca

packthread ['pæk,θred] *s* szpagat

pact [pækt] *s* pakt

pad[1] [pæd] ⓘ *s sl* 1. droga; gościniec; **gentleman** <knight, squire> **of the** ~ rozbójnik 2. (*także* ~-**nag**) spokojny koń ⓘⓘⓘ *vi* (-**dd-**) 1. iść <chodzić> pieszo; wędrować; włóczyć się ⓘⓘⓘ *vt* (-**dd-**) *sl w zwrocie*: **to** ~ **it** <the hoof> iść pieszo

↑ **pad**[2] [pæd] ⓘ *s* 1. wyściółka; podkładka; poduszka (przy chomącie, siodle, maszynach itd.); *sport* ochraniacz (na nogi itd.) 2. tampon; **inking** ~ poduszka do pieczęci 3. blok (papieru listowego); blok rysunkowy 4. brzusiec <poduszka> (palca); łapa <ślad> (zająca itd.) 5. *am* pływający liść (lilii wodnej itp.) 6. *techn* głowica (świdra); rączka (narzędzia); amortyzator ⓘⓘⓘ *vt* (-**dd-**) 1. wyścielać: obi-ć/jać (drzwi itd.); wywatować (płaszcz itd.) 2. rozciąg-nąć/ać (zdanie, opowiadanie) *zob* **padded, padding**

pad[3] [pæd] *s* kosz (jako miara dla owoców itd.)

padded ['pædid] *zob* **pad**[2] *v*; ~ **cell** cela szpitalna dla furiatów

padding ['pædiŋ] ⓘ *zob* **pad**[2] *v* ⓘⓘⓘ *s* 1. wyście-

lanie; wyściółka; podbicie <podszycie> (płaszcza itd.); obicie (drzwi) 2. rozciąganie (opowiadania); *przen pot* woda (w treści utworu lit.)

paddle[1] ['pædl] *vi* 1. taplać się, przebierać nogami w wodzie 2. nerwowo przebierać palcami 3. (*o dziecku*) dreptać

paddle[2] ['pædl] ⓘ *s* 1. krótkie wiosło o szerokim piórze; **double** ~ krótkie wiosło podwójne <o dwóch piórach>; przejażdżka łodzią <kajakiem> 2. łopatka koła wodnego 3. *zoo* płetwa, płetwa 4. zasuwka (śluzy) 5. kijanka (do bielizny) ⓘⓘⓘ *vt* 1. wiosłować (**a canoe etc.** na kajaku itp.); *przen* **I can** ~ **my own canoe** a) dam sobie radę b) umiem sobie radzić 2. bić kijanką (bieliznę) 3. da-ć/wać klapsa (**a child** dziecku)

paddle-board ['pædl,bɔːd] *s* łopatka koła wodnego

paddle-box ['pædl,bɔks] *s* osłona <obudowa> koła (u dawnego parowca)

paddler ['pædlǝ] *s* wioślarz (na kajaku)

paddle-wheel ['pædl,wiːl] *s* koło łopatkowe (u dawnego parowca)

paddock[1] ['pædǝk] † *s dial* żaba; ropucha

paddock[2] ['pædǝk] *s* 1. wygon dla stadniny 2. paddock (miejsce dla koni przed wyścigiem)

paddy[1] ['pædi] *s* nie łuskany <łuszczony> ryż

paddy[2] ['pædi] *s* 1. **Paddy** *zdrob* **Patrick** 2. przezwisko Irlandczyka 3. *pot* wybuch gniewu; rozdrażnienie

paddywhack ['pædi,wæk] *s* 1. = **paddy**[2],3. 2. klaps

Padishah ['pɑːdi,ʃɑː] *s* padyszach

padlock ['pædlɔk] ⓘ *s* kłódka ⓘⓘⓘ *vt* zam-knąć/ykać na kłódkę

padouk [pǝ'duːk] *s bot* sandalin (drzewo rosnące w Birmie)

padre ['pɑːdri] *s* ksiądz; *sl wojsk mar* kapelan

padrone [pǝ'drouni] *s* 1. kapitan statku śródziemnomorskiej żeglugi przybrzeżnej 2. włoski oberżysta 3. człowiek żyjący z pracy muzykantów ulicznych i żebraniny dzieci

pad-saw ['pæd,sɔː] *s* otwornica (piła do małych otworów)

paduasoy ['pædjuǝ,sɔi] *s* prążkowany materiał jedwabny (bardzo modny w XVIII w.)

paean ['piːǝn] *s* pean

paederast ['piːdi,ræst] *s* pederasta

paederasty ['piːdi,ræsti] *s* pederastia

pagan ['peigǝn] ⓘ *s* pogan-in/ka ⓘⓘⓘ *adj* pogański

paganism ['peigǝ,nizǝm] *s* pogaństwo

paganize ['peigǝ,naiz] *vt* u/czynić <z/robić> poganina (**sb z** kogoś)

page[1] [peidʒ] ⓘ *s* 1. paź 2. *hist* giermek 3. (*w hotelu itd*) goniec ⓘⓘⓘ *vt am* wywoł-ać/ywać przy pomocy gońca (**sb** kogoś)

page[2] [peidʒ] ⓘ *s* stronica; *przen* karta (historii itd.) ⓘⓘⓘ *vt* s/paginować *zob* **paging**

pageant ['pædʒǝnt] *s* 1. widowisko; pokaz (lotniczy itd.) 2. żywy obraz 3. pochód; korowód

pageantry ['pædʒǝntri] *s* 1. pompa; parada; widowiskowość 2. *przen* przedstawienie, widowisko

pagehood ['peidʒhud] *s* obowiązki pazia, paziostwo

paginal ['pædʒinl] *adj* stronicowy; ~ **reference** odsyłacz do stronicy

paginate ['pædʒi,neit] *vt* s/paginować

pagination [,pædʒi'neiʃǝn] *s* paginacja

paging ['peidʒiŋ] Ⅰ *zob* **page**[2] *v* Ⅲ *s* paginacja
pagoda [pə'goudə] *s* 1. pagoda 2. dawna złota moneta obiegowa w Indiach
pagoda-tree [pə'goudə,tri:] *s* nazwa różnych drzew Indii i Chin; *przen* bajeczne drzewo rodzące złote monety; **to shake the** ~ wzbogacić się szybko i bez trudu
pagurian [pə'gjuəriən] *s zoo* rak pustelnik
paid [peid] Ⅰ *zob* **pay**[1] *v* Ⅲ *adj* 1. opłacony; wyrównany; *pot* **that has put** ~ **to him** <**to his account**> to go wykończyło; ma za swoje; teraz ma dość 2. płatny (agent itd.)
pail [peil] *s* wiadro; ceber; skopek
pailful ['peilful] *s* (pełne) wiadro <(pełny) ceber, skopek> (czegoś)
paillasse, palliasse [pæl'jæs] *s* siennik
paillette [pæl'jet] *s* pajetka; błyskotka
pain [pein] Ⅰ *s* 1. ból; cierpienie; **to be in** ~ cierpieć; **to give** ~ a) zada-ć/wać <sprawi-ć/ać> ból (sb komuś) b) zasmuc-ić/ać (sb kogoś) c) boleć (sb kogoś); być rzeczą bolesną (sb dla kogoś); **it gives me** ~ **to tell you that** __ jest moim przykrym obowiązkiem powiedzieć ci <z bólem muszę ci donieść>, że ... 2. *pl* ~s bóle porodowe 3. *pl* ~s trud; starania; **to be a fool** <**have one's labour**> **for one's** ~s daremnie się trudzić; **to take** ~s <**be at great** ~s> **to** __, **to go to** <**be at**> **the** ~s **of** __ zadać sobie trud <dołożyć wszelkich starań>, żeby ... (coś zrobić) 4. † kara; *obecnie w zwrocie*: **on** <**under**> ~ **of** __ pod karą __ (śmierci itd.) Ⅲ *vt* zada-ć/wać <sprawi-ć/ać> ból (sb komuś); boleć; zasmuc-ić/ać *zob* **pained**
pained [peind] Ⅰ *zob* **pain** *v* Ⅲ *adj* 1. zasmucony 2. bolesny
painful ['peinful] *adj* bolesny; przykry; ciężki (obowiązek, trud itd.)
pain-killer ['pein,kilə] *s* środek uśmierzający (ból)
pain-killing ['pein,kiliŋ] *adj* uśmierzający (ból)
painless ['peinlis] *adj* bezbolesny
painstaking ['peinz,teikiŋ] *adj* staranny; pracowity
paint [peint] Ⅰ *vt* 1. na/malować; pomalować; wymalować; **to** ~ **one's face** u/malować <uszminkować, u/różować> sobie twarz; **to** ~ **the town red** wyprawiać orgie 2. przedstawi-ć/ać <opis-ać/ywać> (**in rosy** <**black**> **colours** w różowych <czarnych> barwach) 3. *med* pędzlować; **to** ~ **with iodine** za/jodynować Ⅲ *vi* (*o kobiecie*) malować się
~ **out** *vt* zamalow-ać/ywać
zob **painted, painting** Ⅲ *s* 1. farba; (*w napisie*) **wet** ~ świeżo malowane 2. szminka; róż 3. *med* pędzlowanie
paint-brush ['peint,brʌʃ] *s* pędzel
painted ['peintid] *zob* **paint** *v*; *zoo* ~ **lady** rusałka (motyl)
painter[1] ['peintə] *s* 1. (artysta) malarz 2. *med* ~**'s colic** zatrucie ołowiem 3. (*także* **house-**~) malarz pokojowy
painter[2] ['peintə] *s mar* cuma; (*o koloniach itd*) **to cut the** ~ oderwać się (od metropolii itd.)
painter[3] ['peintə] *s am zoo* pantera
painting ['peintiŋ] Ⅰ *zob* **paint** *v* Ⅲ *s* 1. malarstwo 2. obraz; płótno; dzieło malarskie 3. *med* pędzlowanie
paintress ['peintris] *s* (artystka) malarka

painty ['peinti] *adj* (**paintier** ['peintiə], **paintiest** ['peintiist]) 1. (*o zapachu itd*) farby 2. (*o obrazie*) przeładowany farbami
↑**pair** [peə] Ⅰ *s* 1. para (obuwia, spodni itd.); *często nie tłumaczy się*: **a** ~ **of scissors** <**compasses, scales etc.**> nożyczki; cyrkiel; waga itd.; (*o ludziach*) **a** ~ dwaj, dwie, dwoje; **the** ~ obaj, obie, oboje; **in** ~s parami; ~ **of stairs** <**steps**> dwie kondygnacje schodów (między jednym piętrem a drugim); piętro; **one-** <**two-** etc.> ~ **front** <**back**> mieszkanie na pierwszym <drugim itd> piętrze z frontu <z tyłu>; *karc* ~ **royal** trójka (trzy asy, króle itd.); (*w grze w kości*) trójka (trzy kości z jednakową ilością oczek) 2. dwukonny zaprzęg <zaprząg> 3. stadło; para małżeńska; para zwierząt (samiec z samicą) 4. dwie rzeczy dobrane do pary (obrazy, wazony itd.) 5. przedmiot stanowiący parę z drugim; **the** ~ **to this sock** druga skarpetka od tej pary 6. (*w parlamencie angielskim*) dwaj posłowie z przeciwnych partii umawiający się, że równocześnie wstrzymają się od głosowania indywidualnego (*zob* **division**); jeden poseł, który tworzy <tworzyłby> parę z posłem partii przeciwnej w tym samym celu Ⅲ *vt* 1. dob-rać/ierać do pary 2. łączyć w pary (zwierzęta, drób itd.) Ⅲ *vi* 1. stanowić parę <być dobranym do pary> (z czymś) 2. (*o zwierzętach*) parzyć się; (*o ludziach*) pob-rać/ierać się
~ **off** Ⅰ *vt* ustawi-ć/ać <po/dzielić> parami Ⅲ *vi* 1. odłącz-yć/ać się <od-ejść/chodzić> parami 2. (*w parlamencie angielskim*) uchylać się od głosowania wraz z posłem partii przeciwnej (tak by wynik głosowania pozostał niezmieniony) 3. pob-rać/ierać się
pair-horse ['peə,hɔ:s] *adj* (*o pojeździe*) dwukonny
pair-oar ['peərɔ:] *s* łódź dwuwiosłowa
pajama(s) [pə'dʒɑ:mə(z)] *am* = **pyjama(s)**
pal [pæl] Ⅰ *s sl* kumpel; towarzysz/ka; przyjaci-el/ółka Ⅲ *vi* (**-ll-**) (*także* ~ **up**) *sl* zaprzyjaźnić się
palace ['pælis] *s* pałac
paladin ['pælədin] *s hist* paladyn
pal(a)eographer [,pæli'ɔgrəfə] *s* paleograf
pal(a)eography [,pæli'ɔgrəfi] *s* paleografia
pal(a)eolithic [,pæliou'liθik] *adj* paleolityczny
pal(a)eontological ['pæli,ɔntə'lɔdʒikəl] *adj* paleontologiczny
pal(a)eontology [,pæliɔn'tɔlədʒi] *s* paleontologia
pal(a)eozoic [,pæliou'zouik] *adj* paleozoiczny
pal(a)estra [pə'li:strə] *s* (starożytna) palestra (szkoła gimnastyki)
palafitte ['pælə,fit] *s* palafit, budowla nawodna
palanquin, palankeen [,pælən'ki:n] *s* palankin
palatable ['pælətəbl] *adj* 1. smaczny, smakowity; przyjemny w smaku 2. *przen* przyjemny, miły; **it was not** ~ **to** zostało źle przyjęte; **it was not** ~ **to him** <**them etc.**> to było mu <im itd.> nie w smak
palatal ['pælətl] Ⅰ *adj* podniebienny; *fonet* (*o głosce*) środkowojęzykowy; miękki Ⅲ *s fonet* głoska podniebienna (środkowojęzykowa, miękka)
palatalization ['pælətəlai'zeiʃən] *s fonet* palatalizacja <zmiękczenie> głosek
palatalize ['pælətə,laiz] *vt fonet* palatalizować <zmiękcz-yć/ać> (głoski)

palate ['pælit] *s* 1. *anat* podniebienie 2. smak, zmysł smaku 3. gust; upodobanie
palatial [pə'leiʃəl] *adj* 1. pałacowy 2. wspaniały
palatinate [pə'lætinit] *s* 1. *hist* palatynat 2. barwa purpurowa szat akademickich uniwersytetu w Durham
palatine[1] ['pælə,tain] *s* 1. *hist* palatyn 2. palatynka (mantylka)
palatine[2] ['pælə,tain] [] *adj anat* podniebienny [] *spl* ~s (także ~ bones) kości podniebienne
palaver [pə'lɑ:və] [] *s* 1. palawer, palawra, długotrwała dyskusja; *pot* gadanina; puste gadanie; historie 2. pochlebstwa [] *vi* dużo mówić [] *vt pot* pochlebiać <kadzić> (sb komuś)
pale[1] [peil] [] *s* 1. pal 2. granic-a/e; **beyond** <outside> the ~ poza nawiasem (społeczeństwa itd.); **within the** ~ w granicach przyzwoitości; **within the** ~ **of** — w granicach <w obrębie>... (czegoś); na łonie... (kościoła itd.) 3. *hist* the (English) **Pale** część Irlandii podległa jurysdykcji angielskiej 4. *herald* pionowy pas na tarczy herbowej [] *vt* ot-oczyć/aczać palisadą *zob* **paling**
pale[2] [peil] [] *adj* (o *twarzy, świetle, kolorze*) blady; ~ **blue** <red etc.> bladoniebieski <bladoczerwony itd.>; **to become** <grow, turn> ~ z/blednąć [] *vt* wywoł-ać/ywać <s/powodować> bladość twarzy (sb czyjejś); **her illness** ~d **her** przybladła <zmizerniała> wskutek choroby [] *vi* z/blednąć; *przen* blednąć (**before** <beside> sth przy czymś)
palea ['peiljə] *s bot* plewinka (u roślin złożonych)
paleaceous [,pæli'eiʃəs] *adj bot* plewiasty
pale-face ['peil,feis] *s* (u *Indian*) blada twarz (przedstawiciel rasy białej)
pale-faced ['peil,feist] *adj* blady
paleness ['peilnis] *s* bladość
paleo- *zob* **palaeo-**
paletot ['pæltou] *s* płaszcz
palette ['pælit] *s mal* paleta
palette-knife ['pælit,naif] *s* (*pl* **palette-knives** ['pælit,naivz]) *mal* szpachla
palfrey ['pɔ:lfri] *s* wierzchowiec, rumak
palimpsest ['pælimp,sest] *s* palimpsest
palindrome ['pælin,droum] *s* palindrom
paling ['peiliŋ] [] *zob* **pale**[1] *v* [] *s* palisada; ogrodzenie
palingenesis [,pælin'dʒenisis] *s biol* palingeneza
palinode ['pæli,noud] *s* palinodia
palisade [,pæli'seid] [] *s* 1. palisada, częstokół 2. *bot* (także ~ **layer**) warstwa palisadowa; ~ **tissue** tkanka palisadowa 3. kół 4. *pl* ~s *am* rząd urwistych skał [] *vt* ot-oczyć/aczać palisadą; ogr-odzić/adzać
palisander [,pæli'sændə] *s bot* palisander (drzewo)
palish ['peiliʃ] *adj* bladawy
pall[1] [pɔ:l] [] *s* 1. *kośc* całun; kir 2. = **palla** 3. = **pallium** 4. *przen* pokrywa (śnieżna itd.); szata; okrycie [] *vt* okry-ć/wać
pall[2] [pɔ:l] [] *vi* s/przykrzyć <przej-eść/adać się, z/brzydnąć, ob/mierznąć, z/nudzić się> (**on sb** komuś); wywoł-ać/ywać uczucie przesytu <wstrętu> (**on sb u kogoś**) [] *vt* przesy-cić/cać
palla ['pælə] *s* (*pl* **pallae** ['pæli:]) *kośc* pala (okrycie kielicha)

palladium[1] [pə'leidjəm] *s* (*pl* **palladia** [pə'leidjə]) 1. paladium 2. tarcza
palladium[2] [pə'leidjəm] *s chem* palad, paladium (pierwiastek)
pallet[1] ['pælit] *s* siennik; (nędzne) łoże; *pot* wyrko
pallet[2] ['pælit] *s* 1. = **palette** 2. szpadel, rydel 3. *techn* zapadka; wychwyt kotwicowy
palliasse *zob* **paillasse**
palliate ['pæli,eit] *vt* 1. z/łagodzić; uśmierz-yć/ać; ulżyć (sth w czymś) 2. usprawiedliwi-ć/ać; być wytłumaczeniem <okolicznością łagodzącą, wymówką> (sth dla czegoś)
palliation [,pæli'eiʃən] *s* 1. z/łagodzenie; uśmierz-enie/anie; ulga 2. usprawiedliwienie; wytłumaczenie; okoliczność łagodząca; wymówka
palliative ['pæliətiv] [] *adj* 1. łagodzący; uśmierzający 2. usprawiedliwiający [] *s* 1. paliatyw, półśrodek; środek łagodzący <uśmierzający> 2. usprawiedliwienie; okoliczność łagodząca; wymówka
pallid ['pælid] *adj* (o *twarzy, świetle, kolorze*) blady
pallium ['pæliəm] *s* (*pl* ~s, **pallia** ['pæliə]) 1. *kośc* paliusz 2. *zoo* opończa <płaszcz> (mięczaka)
pall-mall ['pel'mel] *s* nazwa dawnej gry polegającej na przepychaniu kuli przez obręcz za pomocą młotka drewnianego; **Pall-Mall** ulica w centrum Londynu (słynąca z wytwornych klubów)
pallor ['pælə] *s* bladość
pally ['pæli] *adj pot* przyjacielski; łatwo zawierający przyjaźń; **to be** ~ **with** — przyjaźnić się z... (kimś)
palm[1] [pɑ:m] [] *s* 1. dłoń; *mar* sailmaker's ~ dłoniak (krążek ołowiany chroniący dłoń przy szyciu żagli itp.); *przen* **to grease** <oil> sb's ~ po/smarować komuś łapę; **to have an itching** ~ być łapownikiem; czekać na łapówki 2. (*miara*) szerokość dłoni (= ok. 4 cali); (*miara długości*) piędź (= ok. 8 cali) 3. *mar* (u *kotwicy*) łapka [] *vt* 1. manipulować (sth czymś); po/szachrować (sth coś, w czymś); ukry-ć/wać w dłoni (kartę, kości do gry) 2. *pot* po/smarować łapę (sb komuś)
~ **off** *vt* 1. *pot* wtryni-ć/ać; opyl-ić/ać; **to** ~ **sth off on** <upon> sb wtryni-ć/ać komuś coś 2. ukry-ć/wać (**a card** kartę) szulerskim <magicznym> ruchem ręki
↑ **palm**[2] [pɑ:m] *s* 1. *bot* (także ~-tree) palma, drzewo palmowe; **Palm Sunday** Niedziela Palmowa 2. gałązka palmowa; palma (poświęcona w Niedzielę Palmową) 3. *przen* palma pierwszeństwa <zwycięstwa>; **to bear** <carry off> the ~ dzierżyć <zdobyć> palmę pierwszeństwa
Palma Christi ['pælmə'kristi] *s bot* rącznik, kleszczowina, rycynus
palmaceous [pæl'meiʃəs] *adj* palmowy
palmar ['pælmə] *adj* dłoniowy
palmary ['pælməri] *adj* znakomity; doskonały
palmate ['pælmit] *adj* 1. *bot* dłoniasty 2. *zoo* pletwowaty, płetwowaty; pletwisty, płetwisty
palm-butter ['pɑ:m'bʌtə] *s* tłuszcz <olej> palmowy
palmer ['pɑ:mə] *s* 1. pielgrzym wracający z Ziemi Świętej (z liściem palmowym na dowód odbytej

pielgrzymki) 2. zoo (*także* **~-worm**) włochata gąsienica

palmetto [pæl'mətou] *s bot* bocznia, palma karłowata; *am* **the Palmetto State** stan Południowa Karolina

palm-house ['pɑːmˌhaus] *s* palmiarnia

palmiped ['pælmiˌped] ① *s zoo* płetwonóg, płetwonóg (ptak) ③ *adj* (*o ptaku*) płetwonogi, płetwonogi

palmipede ['pælmiˌpiːd] = **palmiped**

palmist ['pɑːmist] *s* chiromant-a/ka

palmistry ['pɑːmistri] *s* chiromancja

palmitate ['pælmiˌteit] *s chem* palmitynian

palmitic [pæl'mitik] *adj chem* (*o kwasie*) palmitowy; palmitynowv

palm-oil ['pɑːmˌɔil] *s* 1. olej palmowy 2. *przen* pot łapówka

palmy ['pɑːmi] *adj* (**palmier** ['pɑːmiə], **palmiest** ['pɑːmiist]) 1. palmowy; porosły palmami 2. pomyślny; kwitnący; **~ days** a) dobre czasy b) okres rozkwitu

palmyra [pæl'maiərə] *s bot* palma winna

palp [pælp] *s zoo* macka, czułek

palpability [ˌpælpəˈbiliti] *s* 1. namacalność 2. oczywistość

palpable ['pælpəbl] *adj* 1. dotykalny; namacalny; *med* dający się wymacać 2. oczywisty

palpate ['pælpeit] *vt* dotykać (**sth** czegoś); *med* obmacywać

palpation [pæl'peiʃən] *s med* obmacywanie, palpacja

palpebra ['pælpibrə] *s* (*pl* **palpebrae** ['pælpiˌbriː]) *anat* powieka

palpebral ['pælpibrəl] *adj anat* powiekowy

palpitate ['pælpiˌteit] *vi* 1. (*o sercu*) pulsować, bić; kołatać 2. (*o człowieku*) drżeć <dygotać> (**with fear etc.** ze strachu itd.) *zob* **palpitating**

palpitating ['pælpiˌteitiŋ] ① *zob* **palpitate** ③ *adj* (*o zainteresowaniu*) żywy; pełen napięcia; (*o kwestii*) palący

palpitation [ˌpælpiˈteiʃən] *s* 1. palpitacja, silne bicie <kołatanie> serca 2. drżenie; dygotanie

palpus ['pælpəs] (*pl* **palpi** ['pælpai]) = **palp**

palsgrave ['pæːlzˌgreiv] *s hist* palatyn

palsied ['pɔːlzid] ① *zob* **palsy** *v* ③ *adj* sparaliżowany

palsy ['pɔːlzi] ① *s* paraliż; porażenie; bezwład ③ *vt* (**palsied** ['pɔːlzid], **palsied**; **palsying** ['pɔːlziiŋ]) s/paraliżować, dotknąć paraliżem; pora-zić/żać *zob* **palsied**

palter ['pɔːltə] *vi* 1. szukać <używać> wykrętów <wybiegów>; kręcić; wymawiać <wykręcać> się; szukać kompromisu (z sumieniem itp.) 2. targować się

paltriness ['pɔːltrinis] *s* lichota; marność

paltry ['pɔːltri] *adj* (**paltrier** ['pɔːltriə], **paltriest** ['pɔːltriist]) lichy; nędzny; marny

paludal [pə'ljuːdəl] *adj* błotny; bagnisty; *med* malaryczny; (*o gorączce*) bagienny

paludism ['pæljuˌdizəm] *s med* gorączka bagienna; malaria, zimnica

paly ['peili] *adj poet* bladawy

pam [pæm] *s karc* walet treflowy

pampas ['pæmpəs] *spl* pampasy, stepy Am. Płd.

pampas-grass ['pæmpəsˌgrɑːs] *s bot* trawa pampasowa

pamper ['pæmpə] *vt* 1. rozpieszczać; pobłażać zbytnio (**sb** komuś) 2. przekarmiać, *pot* opychać

pampero [pæm'peərou] *s* zimny wiatr wiejący od Andów ku Atlantykowi

pamphlet ['pæmflit] *s* 1. broszura 2. pamflet

pamphleteer [ˌpæmfliˈtiə] ① *s* 1. autor/ka broszur polemicznych 2. pamflecist-a/ka ③ *vi* na/pisać broszurę (natury polemicznej) <pamflet>

pan[1] [pæn] ① *s* 1. rondel; rynka 2. = **frying-~** 3. = **tart-~** 4. = **oven-~** 5. miska; niecka; szalka 6. (*także* **lavatory ~**) muszla klozetowa 7. (*u strzelby*) panewka 8. = **brain-~**; *am sl* cyferblat, twarz 9. = **knee-~** 10. *geol* panew 11. = **hard-~** 12. kra ③ *vt* (**-nn-**) 1. (*także* **~ out** <off>) płukać (złotonośny piasek) ③ *vt* (**-nn-**) 1. rozwodzić się (**about sth** nad czymś) 2. (*o piasku złotonośnym*) da-ć/wać kruszec **~ out** *vi* wynik-nąć/ać; (*o interesie itd*) to **~ out well** udać <powieść> się

pan[2] [pæn] *s* betel (do żucia)

Pan[3] [pæn] *s* 1. *mitol* Pan 2. *przen* pogaństwo

panacea [ˌpænəˈsiə] *s* panaceum, lek <środek> uniwersalny

panache [pə'næʃ] *s* 1. pióropusz 2. *przen* buńczuczność; ostentacja

panada [pə'nɑːdə] *s* wodzianka; polewka <zupa> chlebowa

Panama [ˌpænəˈmɑː] *s* (*także* **~ hat**) panama (kapelusz)

pan-American ['pæn-əˈmerikən] *adj* panamerykański

panary ['pænəri] *adj* chlebowy

panatrope ['pænəˌtroup] *s* adapter

↑**pancake** ['pænˌkeik] ① *s* naleśnik; **flat as a ~** płaski jak stół ③ *vi lotn* lądować z przepadnięciem

panchromatic [ˌpæn-krouˈmætik] *adj fot* panchromatyczny

pancreas ['pæŋkriəs] *s anat* trzustka

pancreatic [ˌpæŋkriˈætik] *adj anat* trzustkowy

pancreatin ['pæŋkriətin] *s farm* pankreatyna

panda ['pændə] *s zoo* panda (zwierzę)

pandect ['pændekt] *s* (*zw pl*) *prawn* pandekty

pandemic [pæn'demik] ① *adj* pandemiczny, nagminny, ③ *s* pandemia

pandemonium [ˌpændiˈmounjəm] *s* pandemonium; piekło; *przen* istne piekło

pander ['pændə] ① *s* rajfur/ka, stręczyciel/ka ③ *vt* raić <stręczyć> (**for sb** komuś) ③ *vi* rajfurzyć, stręczyć do nierządu; **to ~ to sb's passions** <evil designs> pośredniczyć w zaspokajaniu czyichś namiętności <w wykonywaniu czyichś złych zamiarów>

pandit ['pændit] = **pundit**

pandours ['pænduəz] *spl hist* pandurowię

pandowdy [pæn'daudi] *s am kulin* rodzaj szarlotki

pane[1] [pein] *s* 1. szyba (okienna) 2. kratka (we wzorze kratkowanym)

pane[2] [pein] *s* cienki koniec młotka

paned [peind] *adj* (*o wzorze*) w kratkę, kratkowany

panegyric [ˌpæniˈdʒiərik] *s* panegiryk

panegyric(al) [ˌpæniˈdʒiərik(əl)] *adj* panegiryczny

panegyrist [ˌpæniˈdʒiərist] *s* panegirysta

panegyrize ['pænidʒiəˌraiz] *vt* wygł-osić/aszać <na/pisać> panegiryk (**sb** na czyjąś cześć)

↑**panel** ['pænl] ① *s* 1. poduszeczka (u siodła);

siodło bez łęków 2. płycina, filunek; kaseton; kwatera 3. *auto lotn elektr* tablica rozdzielcza 4. wstawka wszyta w materiale 5. pas pergaminu 6. skład sędziów przysięgłych 7. (urzędowy) wykaz lekarzy przyjmujących pacjentów w ramach ubezpieczeń społecznych 8. *plast* panneau 9. *szkoc sąd* oskarż-ony/eni 10. duża podłużna fotografia 11. zespół (dyskutantów, specjalistów) Ⅲ *vt* (-**ll**-) 1. osiodłać siodłem bez łęków 2. ozd-obić/abiać (sufit itd.) kasetonami; wprawi-ć/ać płyciny (**a door etc.** w drzwiach itd.); wy-łożyć/kładać (ścianę) boazerią 3. wszy-ć/wać wstawk-ę/i (**a dress etc.** do sukni itd.) *zob* **panelled, panelling**

panelled ['pænld] Ⅰ *zob* **panel** *v* Ⅲ *adj* (*o ścianie*) wykładany boazerią

panelling ['pænlɪŋ] Ⅰ *zob* **panel** *v* Ⅲ *s* 1. podział (ściany itd.) na płaszczyzny (dekoracyjne) 2. boazeria

panful ['pænful] *s* (pełny) rondel (czegoś); (pełna) rynka <patelnia, miska itd.> (czegoś) *zob* **pan¹**

pang [pæŋ] *s* (ostry, przelotny) ból; *przen* męczarnia, męka; szarpanie, ~s **of conscience** wyrzuty sumienia

pangenesis ['pæn'dʒenisis] *s biol* pangeneza (darwinowska hipoteza dziedziczności)

pan-German ['pæn'dʒɔ:mən] *adj* pangermański

pangolin [pæn'goulin] *s zoo* łuskowiec (zwierzę)

panhandle ['pæn,hændl] Ⅰ *s* 1. rączka patelni <rondla> 2. *am* podłużna enklawa Ⅲ *vi am sl* dziadować, żebrać

panhandler ['pæn,hændlə] *s am sl* dziad/ówka, żebra-k/czka

↑**panic** ['pænik] Ⅰ *s* panika; popłoch Ⅲ *adj* paniczny Ⅲ *vt* (**panicked** ['pænikt], **panicked; panicking** ['pænikɪŋ]) siać <szerzyć> panikę <popłoch> (**people** wśród ludzi) Ⅳ *vi* (**panicked** ['pænikt], **panicked; panicking** ['pænikɪŋ]) podda-ć/wać się panice

panicky ['pæniki] *adj* 1. paniczny 2. skłonny do paniki; ulegający panice 3. (*o nastroju itd*) alarmistyczny; (*o zarządzeniu itd*) podyktowany paniką

panicle ['pænikl] *s bot* wiecha, złożony kwiatostan

panic-monger ['pænik,mʌŋgə] *s* panika-rz/rka

panic-stricken ['pænik,strikən] *adj* owładnięty panicznym strachem

paniculate [pə'nikjulit] *adj bot* wiechowaty, o złożonym kwiatostanie

panjandrum [pæn'dʒændrəm] *s iron* gruba ryba; ważniak

pannage ['pænidʒ] *s* 1. prawo wypasania świń w lesie 2. opłata za wypasanie świń w lesie 3. leśny pokarm dla świń (żołędzie, bukiew itd.)

panne [pæn] *s tekst* panne (tkanina)

pannier ['pæniə] *s* 1. kosz (noszony na plecach lub na grzbiecie zwierząt jucznych) 2. turniura (u sukni)

pannikin ['pænikin] *s* kubek; miseczka

panoplied ['pænəplid] *adj* (*o rycerzu*) w pełnej zbroi

panoply ['pænəpli] *s* pełna zbroja, panoplia

panopticon [pæ'nɔptikən] *s* 1. rodzaj więzienia 2. przyrząd optyczny (kombinacja teleskopu i mikroskopu) 3. panopticum, panoptykon, wystawa osobliwości

panorama [,pænə'rɑ:mə] *s* panorama

panoramic ['pænə'rɑ:mik] *adj* panoramiczny

pan-pipe ['pæn,paip] *s* fujarka; piszczałka

pan-Slavism ['pæn'slɑ:vizəm] *s* panslawizm

pansy ['pænzi] *s* 1. *bot* bratek 2. = **nancy**

pant [pænt] *vi* 1. sapać; dyszeć; być bez tchu; mieć zadyszkę; zadyszeć się; z trudem chwytać powietrze; ziajać 2. łaknąć <pragnąć, pożądać> (**for** <**after**> **sth** czegoś) 3. (*o sercu*) kołatać ~ **out** *vt* powiedzieć/mówić przerywanym głosem *zob* **panting** Ⅲ *s* = **panting** *s*

pantagraph ['pæntə,grɑ:f] *błędnie* = **pantograph**

pantalet(te)s [,pæntə'lets] *spl* 1. długie majtki damskie (noszone w XIX w.) 2. damskie spodnie do jazdy rowerowej

pantaloon [,pæntə'lu:n] *s* 1. **Pantaloon** Pantalone 2. *pl* ~**s** pantalony, majtki 3. *hist* obcisłe spodnie sięgające do kostek

pantechnicon [pæn'teknikən] *s* 1. skład mebli 2. (*także* ~ **van**) wóz meblowy

pantelegraph [pæn'teli,grɑ:f] *s* pantelegraf (telegraf odtwarzający wiernie przysyłane pismo lub rysunek)

panter ['pæntə] *s* człowiek zdyszany <bez tchu>

pantheism ['pænθi,izəm] *s* panteizm

pantheist ['pænθiist] *s* panteista

pantheistic(al) [,pænθi'istik(əl)] *adj* panteistyczny

pantheon [pæn'θi:ən] *s* panteon

panther ['pænθə] *s zoo* pantera, lampart; (*także* **American** ~) puma; kuguar

panties ['pæntiz] *spl pot* majtki (damskie); majteczki (dziecinne)

pantile ['pæn,tail] *s* dachówka dwułukowa

panting ['pæntiŋ] Ⅰ *zob* **pant** *v* Ⅲ *s* 1. brak tchu; zadyszka 2. palpitacja Ⅲ *adj* 1. zadyszany; bez tchu 2. łaknący (**for** <**after**> **sth** czegoś)

pantograph ['pæntə,grɑ:f] *s* 1. pantograf (kreślarski) 2. *elektr* pantograf, odbierak prądu (na tramwaju i lokomotywie)

pantometer [pæn'tɔmitə] *s* pantometr

pantomime ['pæntə,maim] *s* 1. pantomima, pantomina 2. przedstawienie <widowisko> urządzane w okresie Bożego Narodzenia

pantomimic [,pæntə'mimik] *adj* pantomimiczny

pantry ['pæntri] *s* spiżarnia; **butler's** ~ przechowalnia naczynia stołowego; **housemaid's** ~ przechowalnia bielizny stołowej

pantryman ['pæntrimən] *s* (*pl* **pantrymen** ['pæntrimən]) *hist* kredencerz

pants [pænts] *spl* (*także* **a pair of** ~) 1. kalesony 2. *am* spodnie; **to wear the** ~ rządzić <*pot* trzymać wszystkich za łeb> (w rodzinie); trzymać męża pod pantoflem

pap¹ [pæp] *s* 1. *anat* sutka, brodawka piersiowa 2. *geogr* pagórek

pap² [pæp] *s* papka; kleik

papa [pə'pɑ:] *s dziec* tatuś; ojciec

papacy ['peipəsi] *s* papiestwo

papal ['peipəl] *adj* papieski

papalize ['peipə,laiz] *vt* nawr-ócić/acać na katolicyzm

papaveraceous [pə,peivə'reiʃəs] *adj bot* makowaty

papaverine [pə'peivə,ri:n] *s farm* papaweryna

papaverous [pə'peivərəs] *adj* 1. makowy 2. nasenny

papaw [pə'pɔ:], papaya [pə'paiə] s bot melonowiec (drzewo i owoc)
↑paper ['peipə] 🗓 s 1. papier; *przen* on ~ na papierze; teoretycznie; rzekomo; brown ~ papier do pakowania; India ~ bibuła; cigarette ~ bibułka do papierosów 2. papier wartościowy (weksel, akcja itd.) 3. pieniądze papierowe 4. *pl* ~s papiery, dokumenty (tożsamości); świadectwa; on ~s he is the better man jego świadectwa są lepsze; to send in one's ~s zgł-osić/ aszać <wn-ieść/osić> rezygnację 5. pytania egzaminacyjne 6. gazeta, dziennik; czasopismo; magazyn; fashion ~ żurnal (mód) 7. rozprawa; (napisana) praca naukowa; to read a ~ wygłosić referat 8. *sl teatr* bilet wolnego wstępu 9. tapeta 10. *handl* pakiecik (szpilek itd.) 🗓 *adj* 1. papierowy; ~ bag torebka papierowa; ~ money <currency> pieniądze papierowe; ~ parcel zawiniątko; pakunek; ~ securities zabezpieczenie (długu itd.) w papierach wartościowych 2. papierowy; (znajdujący się) na papierze; drukowany; teoretyczny; rzekomy; ~ profits rzokomy zysk; ~ strength rzekomy stan liczebny (sił zbrojnych itd.); ~ war <warfare> polemika (prasowa) 🗓 *vt* 1. zawi-nąć/jać w papier 2. obi-ć/jać tapetami 3. wy-łożyć/kładać papierem (pudełko itd.); *sl teatr* zapełni-ć/ać (salę) przez rozdanie bezpłatnych biletów wstępu
paper-back ['peipə,bæk] s *pot* książka w papierowej okładce <broszurowana>
paper-backed ['peipə,bækt] *adj* (*o książce*) w papierowej okładce, broszurowany
paper-bag ['peipə,bæg] *attr* ~ cooking gotowanie potraw w natłuszczonym papierze
paper-chase ['peipə,tʃeis] s bieg na przełaj za śladem rozrzuconych przez współzawodników kawałków papieru
paper-fastener ['peipə,fɑ:snə] s spinacz (do papieru)
paper-hanger ['peipə,hæŋə] s tapeciarz; tapicer
paper-hanging ['peipə,hæŋiŋ] s tapetowanie
paper-hangings ['peipə,hæŋiŋz] *spl* tapety
paper-knife ['peipə,naif] s (*pl* paper-knives ['peipə,naivz]) nóż do (rozcinania) papieru
paper-mill ['peipə,mil] s papiernia
paper-stainer ['peipə,steinə] s producent tapet
paper-weight ['peipə,weit] s przycisk
papery ['peipəri] *adj* podobny do papieru; cienki jak papier
papier-mâché ['pæpjei'mɑ:ʃei] s papier-mâché
papilionaceous [pə,piljə'neiʃəs] *adj bot* motylkowy
papilla [pə'pilə] s (*pl* papillae [pə'pili:]) brodawka
papillary [pə'piləri] *adj* brodawkowy
papillate ['pæpilit], papillose ['pæpi,lous] *adj* brodawkowaty
papism ['peipizəm] s papizm
papist ['peipist] s papista
papistic [pə'pistik] *adj* papistyczny
papistry ['peipistri] s papizm
papoose [pə'pu:s] s dziecko indiańskie
pappose [pə'pous] *adj bot* (*o owocu*) pokryty puchem
pappus ['pæpəs] s (*pl* ~es, pappi ['pæpai]) *bot* puch (na owocu)
pappy ['pæpi] *adj* papkowaty

paprika ['pæprikə] s papryka
Papuan ['pæpjuən] 🗓 *adj* papuaski 🗓 s Papuas/ka
papula ['pæpjulə] s (*pl* papulae ['pæpju,li:]) *med bot* grudka
papular ['pæpjulə] *adj* grudkowy
papule ['pæpju:l] = papula
papulose ['pæpju,lous], papulous ['pæpjuləs] *adj* grudkowy
papyraceous [,pæpi'reiʃəs] *adj* papierowaty, podobny do papieru
papyrus [pə'paiərəs] s (*pl* papyri [pə'paiə,rai]) papirus
par¹ [pɑ:] s 1. równość; równorzędność; to be on a ~ with __ stać na równi <na jednym poziomie> z... 2. (*także* ~ of exchange) *ekon* parytet; at ~ według parytetu; al pari; below ~ poniżej parytetu; (sprzedać itd.) ze stratą 3. przeciętna; przeciętny stan <poziom>; above <below> ~ powyżej <poniżej> przeciętnej; on a ~ przeciętnie; *pot* to feel below ~ nie być w formie; to feel up to ~ być w dobrej formie; mieć dobre samopoczucie
par² [pɑ:] s *pot* felieton; notatka dziennikarska; ~ writer, writer of ~s felietonist-a/ka; dziennika-rz/rka
parable ['pærəbl] s przypowieść
parabola [pə'ræbələ] s *geom* parabola
parabolic [,pærə'bɔlik] *adj geom* paraboliczny
parabolical [,pærə'bɔlikəl] *adj bibl* przypowieściowy, paraboliczny
paracentric(al) [,pærə'sentrik(əl)] *adj* paracentryczny (leżący lub obracający się około punktu środkowego)
parachronism [pə'rækrə,nizəm] s parachronizm, błąd chronologiczny
↑parachute ['pærə,ʃu:t] 🗓 s spadochron 🗓 *attr* (*o wojsku, rakiecie itd*) spadochronowy 🗓 *vi* spa-ść/dać na spadochronie 🗓 *vt* zrzuc-ić/ać na spadochronie
parachutist ['pærə,ʃu:tist] s spadochronia-rz/rka
paraclete ['pærə,kli:t] s paraklet, pocieszyciel; *rel* Paraclete Duch Święty
parade [pə'reid] 🗓 s 1. parada; popis; afiszowanie; to make a ~ of sth popisywać się czymś; afiszować się (z) czymś 2. *wojsk* apel; inspekcja; przegląd; church ~ zbiórka (w celu pójścia) do kościoła 3. *wojsk* plac apelowy 4. promenada; korso; aleja spacerowa 5. pochód; pokaz; konkurs 🗓 *vt* 1. u/szykować (wojsko) do inspekcji <do przeglądu> 2. przeprowadz-ić/ać inspekcję <przegląd> (sth czegoś — wojska) 3. popisywać się (sth czymś); afiszować się (sth z czymś) 🗓 *vi* 1. paradować 2. prze/defilować; prze-jść/chodzić w pochodzie
parade-ground [pə'reid,graund] s *wojsk* plac apelowy <koszarowy>
↑paradigm ['pærə,daim] s paradygmat
paradise ['pærə,dais] s raj; bird of ~ rajski ptak
paradisiac [,pærə'disi,æk], paradisiacal [,pærədi'saiəkəl] *adj* rajski
parados ['pærə,dɔs] s *fort* zaplecze
paradox ['pærə,dɔks] s paradoks
paradoxical [,pærə,dɔksikəl] *adj* paradoksalny
paradoxure ['pærə,dɔksjuə] s *zoo* pokrewne cybecie zwierzę ajzatyckie (rodzaju Paradoxurus)
paraesthesia [,pærə'θi:ziə] s *med* zaburzenie czucia

↑ paraffin(e) ['pærəfin] ① s 1. parafina; **liquid ~** parafina ciekła 2. (*także ~ oil*) nafta (do lamp) ③ *vt* 1. *chem* parafinować 2. sprysk-ać/iwać (bagno) naftą

paragenesis [,pærə'dʒenisis] s *geol* parageneza, regularność współwystępowania

paragoge [,pærə'goudʒi] s *jęz* paragogizm

paragon ['pærəgən] ① s 1. wzór (doskonałości itd.) 2. brylant bez skazy ponad stukaratowy ③ *vt* porówn-ać/ywać

paragraph ['pærə,grɑ:f] ① s 1. *druk* akapit 2. ustęp (w książce itd.); nowy wiersz; (*przy dyktowaniu*) a linea, od nowego wiersza 3. felieton; notatka dziennikarska ③ *vt* 1. po/dzielić (utwór) na ustępy 2. pis-ać/ywać felieton/y (**sb, sth** o kimś, czymś)

paragrapher ['pærə,grɑ:fə], **paragraphist** ['pærə,grɑ:fist] s felietonist-a/ka; dziennika-rz/rka

paraguay ['pærə,gwai] s (*także ~-tea*) mate, herbata paragwajska

parakeet ['pærə,ki:t] s *zoo* papuga długoogonowa

parallax ['pærə,læks] s *astr* paralaksa

parallel ['pærə,lel] ① *adj* 1. równoległy (**with** <**to**> **sth** z czymś, do czegoś); **to run ~ to __** biec <ciągnąć się> równolegle do ... 2. (*o wypadku itd*) analogiczny ③ s 1. *geom* (linia) równoległa 2. *fort* paralela 3. paralela, porównanie, zestawienie; **in ~** równolegle; **to draw a ~ between two things** przeprowadzić paralelę między dwiema rzeczami <między dwoma wypadkami> 4. analogia; **it is without ~** to jest rzecz niespotykana <niebywała, nie mająca sobie równej> 5. *geogr* równoleżnik 6. *druk* paralelki (znak ‖) ③ *vt* (**-ll-**) 1. porówn-ać/ywać 2. zna-leźć/jdować analogię (**sth** do czegoś) 3. równać się (**sth** z czymś); dorówn-ać/ywać (**sb, sth** komuś, czemuś); odpowiadać (**sth** czemuś); być odpowiednikiem (**sth** czegoś) ④ *vi* stanowić paralelę

parallelepiped [,pærələ'lepi,ped] s *geom* równoległościan

parallelism ['pærələ,lizəm] s paralelizm

parallelogram [,pærə'lelə,græm] s *geom* równoległobok

paralogism [pə'rælə,dʒizəm] s *log* paralogizm

paralogize [pə'rælə,dʒaiz] *vi* popełni-ć/ać logiczny błąd; fałszywie rozumować

paralyse ['pærə,laiz] *vt* s/paraliżować; pora-zić/żać; **~d with fear** zdrętwiały ze strachu

paralysis [pə'rælisis] s paraliż, porażenie, bezwład; **creeping ~** paraliż postępowy

paralytic [,pærə'litik] ① *adj* paralityczny ③ s parality-k/czka

paramagnetic [,pærə-mə'gnætik] *adj fiz* paramagnetyczny

paramatta [,pærə'mætə] s lekki materiał wełniano--bawełniany (na suknie damskie)

paramecium [,pærə'mi:ʃiəm] s *zoo* pantofelek (rodzaj pierwotniaka)

parameter [pə'ræmitə] s *mat* parametr, wielkość stała

paramorphism [,pærə'mɔ:fizəm] s *geol* paramorfizm (właściwość zmieniania układu cząsteczek bez zmiany składu chemicznego)

paramount ['pærə,maunt] *adj* główny; fundamentalny; najważniejszy; najdonioślejszy; kapitalny

paramour ['pærə,muə] s *uj* kochan-ek/ka

↑ parang ['pɑ:ræŋ] s nóż malajski

paranoea [,pærə'ni:ə], **paranoia** [,pærə'nɔiə] s *psych* paranoja (choroba)

parapet ['pærə,pet] s 1. parapet 2. *fort* parapet, przedpiersie

paraph ['pærəf] ① s 1. zakrętas (przy podpisie) 2. parafa ③ *vt* za/parafować

paraphernalia [,pærəfə'neiljə] *spl* 1. przedmioty osobistego użytku 2. sprzęt; przybory

paraphrase ['pærə,freiz] ① s parafraza ③ *vt* s/parafrazować

paraphrastic [,pærə'fræstik] *adj* parafrazowany

paraplegia [,pærə'pli:dʒə] s *med* paraplegia

parasang ['pærə,sæŋ] s *hist* perska miara długości (= około 3½ mili)

paraselene [,pærəsi'li:ni] s (*pl* **paraselenae** [,pærə si'li:ni:]) *astr* paraselene, księżyc pozorny

parasite ['pærə,sait] s pasożyt

parasitic(al) [,pærə'sitik(əl)] *adj* pasożytniczy

parasiticide [,pærə'siti,said] ① s środek niszczący pasożyty <pasożytobójczy> ③ *adj* (*o środku*) niszczący pasożyty, pasożytobójczy

parasitism ['pærəsi,tizəm] s pasożytnictwo

parasitize ['pærəsi,taiz] *vt* pasożytować (**sth** na czymś)

parasol [,pærə'sɔl] s parasolka (od słońca)

parataxis [,pærə'tæksis] s *gram* parataksa, niezależne powiązanie zdań

parathyroid [,pærə'θairɔid] ① *adj anat* przytarczyczny ③ s *anat* przytarczyca

paratrooper [,pærə'tru:pə] s *wojsk* spadochroniarz

paratroops ['pærə,tru:ps] *spl wojsk* wojska spadochronowe

paratyphoid ['pærə'taifɔid] s *med* paratyfus

paravane ['pærə,vein] s *mar* parawan (urządzenie do przecinania lin przytrzymujących miny podwodne)

parboil ['pɑ:,bɔil] *vt kulin* 1. s/parzyć (jarzynę itd.) 2. przypie-c/kać <podsmaż-yć/ać> (mięso); podgotow-ać/ywać (potrawę) 3. przygrz-ać/ewać (potrawę)

parbuckle ['pɑ:,bʌkl] ① s urządzenie linowe do podnoszenia i opuszczania beczek itp. ③ *vt* podnosić <opuszczać> (beczki itp.) przy pomocy lin

parcel ['pɑ:sl] ① s 1. paczka; pakunek; zawiniątko; przesyłka (pocztowa, kolejowa); **~ delivery** dostawa paczek; **~ post** dział paczek na poczcie; **to send by ~ post** posłać (coś) jako przesyłkę pocztową; *kolej* **~s office** ekspedycja bagażowa 2. parcela; działka; (posiadany) grunt 3. *handl* partia (towaru); portfel (akcji itd.) 4. (*o ludziach*) banda, szajka 5. *sl* kupa forsy ③ † *adv* częściowo; (*o kielichu itd*) **~ gilt** wewnątrz pozłacany ③ *vt* (**-ll-**) 1. (*także ~ out*) rozparcelow-ać/ywać 2. paczkować (towar) 3. *mar* za/bandażować (linę)

parcenary ['pɑ:sinəri] s *prawn* wspólne dziedzictwo; odziedziczony wspólnie majątek

parcener ['pɑ:sinə] s współdziedzi-c/czka

parch [pɑ:tʃ] ① *vt* spie-c/kać; przypie-c/kać; wy/prażyć; wysusz-yć/ać; palić (kawę itd.) ③ *vi* wys-chnąć/ychać *zob* **parched, parching**

parched [pɑ:tʃt] ① *zob* **parch** ③ *adj* spieczony; wysuszony

parching ['pɑ:tʃiŋ] ① *zob* **parch** ③ *adj* prażący; piekący

parchment ['pɑ:tʃmənt] ☐ s pergamin ☰ attr pergaminowy

pard[1] ['pɑ:d] † s zoo lampart

pard[2] ['pɑ:d] s am sl kumpel

pardon ['pɑ:dn] ☐ vt wybacz-yć/ać <przebacz-yć/ać, darow-ać/ywać> (sb komuś); ~ me przepraszam; ~ (me)? słucham? ☰ s 1. wybaczenie, przebaczenie; free ~ prawo łaski; I beg your ~ przepraszam (najmocniej, bardzo); I beg your ~? pot (beg) ~? słucham?; (co) proszę? 2. amnestia 3. kośc odpust

pardonable ['pɑ:dənəbl] adj wybaczalny; it's ~ można (mu itd.) to darować <wybaczyć>

pardoner ['pɑ:dnə] s hist ksiądz <zakonnik> sprzedający odpusty

pare [peə] vt (także ~ off <away>) obci-ąć/nać; ob-rać/ierać (owoce, ziemniaki itd.); oskrob-ać/ywać; obłup-ić/ywać; ostrug-ać/iwać; przen zmniejsz-yć/ać (wydatki itd.) zob **paring**

paregoric [,pæri'gɔrik] ☐ adj (o środku) uśmierzający ☰ s środek <lek> uśmierzający

pareira [pə'reərə] s bot kruszota (krzew tropikalny)

parella [pə'relə] s bot miesecznica (porost)

parenchyma [pə'reŋkimə] s ' anat miękisz; bot miąższ

↑ **parent** ['peərənt] ☐ s 1. ojciec; matka; † rodziciel/ka; pl ~s rodzice 2. antenat/ka 3. bot roślina mateczna 4. źródło (zła itd.) ☰ attr (o kraju itd) macierzysty; bot mateczny; handl ~ establishment centrala; ~ state metropolia

parentage ['peərəntidʒ] s pochodzenie; ród

↑ **parental** [pə'rentl] adj rodzicielski

parenthesis [pə'renθisis] s (pl **parentheses** [pə'renθi,si:z]) 1. nawias 2. wyraz <zdanie> wtrącon-y/e

parenthesize [pə'renθi,saiz] vt 1. wziąć/brać (słowa itd.) w nawias 2. wtrąc-ić/ać (uwagę itd.) na marginesie; powiedzieć/mówić (coś) nawiasem

parenthetic(al) ,[,pæren'θetik(əl)] adj 1. (o wyrazie itd) wzięty w nawias 2. (o uwadze itd) nawiasowy, marginesowy

parenthood ['peərənthud] s stan rodzicielski; ojcostwo; macierzyństwo

parentless ['peərəntlis] adj osierocony

parergon [pæ'rə:gɔn] s (pl **parerga** [pæ'rə:gə]) uboczna praca

paresis ['pærəsis] s med niedowład, pereza

parfait [pɑ:'fei] s krem mrożony

parget ['pɑ:dʒit] ☐ vt 1. o/tynkować 2. ozd-obić/abiać sztukaterią ☰ s gips; tynk; sztukateria

parhelion [pɑ:'hi:ljən] s (pl **parhelia** [pɑ:'hi:ljə]) astr parhelion, pozorne słońce

pariah ['pæriə] s dosł i przen parias

pariah-dog ['pæriə,dɔg] s bezpański pies

Parian ['peəriən] ☐ adj (o marmurze itd) paryjski ☰ s rodzaj białej porcelany

parietal [pə'raiitl] adj bot ścienny; przyścienny; anat ciemieniowy

pari-mutuel ['pɑ:ri'mju:tjuəl] s totalizator sportowy

paring ['peəriŋ] ☐ zob **pare** ☰ s 1. obci-ęcie/nanie; ob-ranie/ieranie; oskrob-anie/ywanie; ostrug-anie/iwanie 2. pl ~s obierzyny; łupiny; strużyny; **skrawki**

pari passu ['pærai'pæsju:] adv równolegle; w równym tempie

Paris ['pæris] spr ~ **doll** manekin paryskiej firmy krawieckiej; ~ **green** zieleń paryska (środek owadobójczy); ~ **white** biel paryska

parish ['pæriʃ] ☐ s 1. parafia 2. obwód administracyjny organizacji opieki społecznej; **to go on the** ~ przejść na utrzymanie z funduszów społecznych ☰ attr parafialny; ~ **clerk** funkcjonariusz parafialny (prowadzący księgi i biorący udział w nabożeństwach anglikańskich); ~ **pump** drobne intrygi miejscowe; ~ **register** parafialna księga metrykalna <stanu cywilnego>

parishioner [pə'riʃənə] s parafian-in/ka

Parisian [pə'rizjən] ☐ adj paryski ☰ s paryża-n-in/ka

parisyllabic ['pærisi'læbik] adj jęz równozgłoskowy

↑ **parity** ['pæriti] s 1. równość; równorzędność; 2. analogia; paralelizm 3. handl bank parytet

park [pɑ:k] ☐ s 1. park; **the Park** (w Londynie) Hyde Park 2. rezerwat 3. wojsk park (artyleryjski itd.) 4. parking 5. łożysko ostryg ☰ vt 1. pu-ścić/szczać (owce itd.) w prywatnym parku na wypas 2. (także wojsk) za/parkować 3. am sl pozostawi-ć/ać (płaszcz itd. w garderobie itd.) 4. przeznacz-yć/ać (teren) pod park zob **parking**

parka ['pɑ:kə] s (u Eskimosów) okrycie futrzane z kapturem; (w Kanadzie) wełniana koszula z kapturem

Parkhurst ['pɑ:khə:st] spr (znane) więzienie w Parkhurst

parkin ['pɑ:kin] s dial rodzaj placka z mąki owsianej, melasy i imbiru

↑ **parking** ['pɑ:kiŋ] ☐ zob **park** v ☰ s parking; parkowanie; **no** ~ parkowanie zabronione

parkway ['pɑ:k,wei] s am aleja

parky ['pɑ:ki] adj sl (o poranku itd) chłodny; świeży; rzeźwy

parlance ['pɑ:ləns] s język; mowa; **common** <**legal**> ~ język potoczny <prawniczy>

parley ['pɑ:li] ☐ vi układać się <pertraktować, prowadzić pertraktacje> (z nieprzyjacielem itd.) ☰ vt żart mówić (a **foreign language** obcym językiem) ☰ s układy; pertraktacje; **to beat** <**sound**> **a** ~ da-ć/wać sygnał do rozpoczęcia układów

parleyvoo ['pɑ:li'vu:] ☐ s sl 1. język francuski 2. Francuz/ka ☰ vi sl mówić po francusku

parliament ['pɑ:ləmənt] s 1. parlament 2. (także ~-**cake**) rodzaj piernika z imbirem

parliamentarian [,pɑ:ləmen'teəriən] ☐ s 1. hist stronnik parlamentu (w wojnie domowej za Karola I) 2. parlamentarz 3. (wytrawn-y/a) parlamentarzyst-a/ka ☰ adj parlamentarny

parliamentary [,pɑ:lə'mentəri] adj (także o języku) parlamentarny; (o wyborach) do parlamentu; (o kandyda-cie/tce) na posła/nkę do parlamentu; **an old** ~ **hand** wytrawny parlamentarzysta; ~ **agent** doradca firmowy przy parlamencie; hist ~ **train** pociąg wożący pasażerów według stawek uchwalonych w parlamencie

parlour ['pɑ:lə] s 1. salon, salonik; szk ~ **boarder** uczeń szkoły z internatem, mieszkający u dyrektora; am ~ **car** wagon urządzony na wzór salonu; ~ **tricks** gry towarzyskie 2. (w klaszto-

rze) rozmównica 3. (*w barze*) sala dla stałych gości 4. *am* zakład fryzjerski <dentystyczny itd.>

parlour-maid [ˈpɑːləˌmeid] *s* pokojówka

parlous [ˈpɑːləs] † Ⅰ *adj* żart 1. niebezpieczny; niepewny 2. (*o człowieku*) sprytny; chytry 3. nie lada; nie byle jaki Ⅲ *adv dial* strasznie; ogromnie

Parmesan [ˌpɑːmiˈzæn] *spr* ~ **cheese** parmezan (ser)

Parnassian [pɑːˈnæsiən] Ⅰ *adj* (dotyczący) Parnasu Ⅲ *s* parnasista

parochial [pəˈroukjəl] *adj* 1. parafialny 2. *przen* małomiasteczkowy

parochialism [pəˈroukjəˌlizəm] *s* małomiasteczkowość; ciasnota poglądów

parodist [ˈpærədist] *s* autor/ka parodii

parody [ˈpærədi] Ⅰ *s* parodia Ⅲ *vt* (**parodied** [ˈpærədid], **parodied; parodying** [ˈpærədiiŋ]) s/parodiować

parole [pəˈroul] Ⅰ *s* 1. słowo honoru; **on** ~ (zwolniony z aresztu) na słowo honoru <warunkowo> 2. *wojsk* hasło Ⅲ *vt* zw-olnić/alniać (z aresztu) warunkowo

paronomasia [pəˌrɔnəˈmeiziə] *s* paronomazja; gra słów; kalambur

paronym [ˈpærəˌnim] *s jęz* paronimia (wyprowadzanie wyrazów pochodnych z pierwotnych)

paroquet [ˈpærəkit] = **parakeet**

parotid [pəˈrɔtid] Ⅰ *adj anat* przyuszny Ⅲ *s anat* ślinianka przyuszna, przyusznica

parotitis [ˌpærəˈtaitis] *s med* zapalenie przyusznicy

paroxysm [ˈpærəkˌsizəm] *s* paroksyzm <atak> (choroby); napad (śmiechu itd.)

paroxysmal [ˌpærəkˈsizməl] *adj med* napadowy

parpen [ˈpɑːpən] *s bud* ściągacz, sięgacz (kamień lub cegła)

parquet [ˈpɑːkei] Ⅰ *s* 1. parkiet; ~ **floor** parkiet (podłoga) 2. *am teatr* fotele parterowe; ~ **circle** parter (tylne rzędy) Ⅲ *vt* wy-łożyć/kładać (podłogę) parkietem *zob* **parqueted**

parqueted [ˈpɑːkitid] Ⅰ *zob* **parquet** *v* Ⅲ (*o podłodze*) wyłożony parkietem

parquetry [ˈpɑːkitri] *s* parkiet (materiał i wzór)

par(r) [pɑː] *s zoo* młody łosoś

parral, parrel [ˈpærəl] *s mar* więźba rei górnej

parricide [ˈpæriˌsaid] *s* 1. ojcobójstwo 2. ojcobój-ca/czyni 3. morder-ca/czyni bliskiego krewnego 4. zdraj-ca/czyni

parrot [ˈpærət] Ⅰ *s zoo* papuga; ~ **disease** choroba papuzia Ⅲ *vt* powtarzać (coś) jak papuga Ⅲ *vi* mówić jak papuga

parrotry [ˈpærətri] *s* 1. używanie wyrazów, których się nie rozumie 2. powtarzanie cudzych słów

parry [ˈpæri] Ⅰ *vt* (**parried** [ˈpærid], **parried; parrying** [ˈpæriiŋ]) odparow-ać/ywać; **to ~ a question** da-ć/wać wymijającą odpowiedź na <zby-ć/wać> pytanie Ⅲ *s* odparow-anie/ywanie (cięcia, ciosu); *szerm* parada

parse [pɑːz] *vt* z/robić (gramatyczny) rozbiór (**a sentence** zdania) *zob* **parsing**

Parsee [pɑːˈsiː] *s* 1. Pars 2. język parsyjski

Parseeism [pɑːˈsiːizəm] *s rel* parsyzm

parsimonious [ˌpɑːsiˈmounjəs] *adj* 1. oszczędny 2. skąpy

parsimony [ˈpɑːsiməni] *s* 1. oszczędność 2. skąpstwo

parsing [ˈpɑːziŋ] Ⅰ *zob* **parse** Ⅲ *s* rozbiór (gramatyczny) zdania

parsley [ˈpɑːsli] *s bot* pietruszka

parsnip [ˈpɑːsnip] *s bot* pasternak

parson [ˈpɑːsn] *s* pastor; pleban; proboszcz; ~'s **nose** kuper ptasi

parsonage [ˈpɑːsnidʒ] *s* plebania

parsonic [pɑːˈsɔnik] *adj* plebański

↑**part** [pɑːt] Ⅰ *s* 1. część; **gram a** ~ **of speech** część mowy; **for the most** ~ po większej części; przeważnie; **in great** ~ w znacznej części; w wielkiej mierze; w poważnym stopniu; **in** ~ częściowo, po części; **in the early** ~ **of the week** <month etc.> w pierwszej połowie <z początkiem> tygodnia <miesiąca itd.>; **in the latter** ~ **of the week** <month etc.> w drugiej połowie <pod koniec> tygodnia <miesiąca itd.>; ~ **and parcel** część istotna <integralna> (czegoś); **the greater** ~ większość; przeważająca część; **to be** ~ **of** — należeć do... (czyichś obowiązków itd.) 2. ustęp (opowiadania, książki itd.); **the funny** ~ **is** — cały komizm w tym <*pot* dowcip polega na tym>, że... 3. *pl* ~s = **privy** ~s *zob* **privy** *adj* 1. 4. udział; **to have neither** ~ **nor lot in sth** nie wziąć/brać żadnego udziału w <nie za/interesować się> czymś; **to take** ~ **in doing sth** przyczyni-ć/ać się do czegoś; **to take** ~ **in sth** wziąć/brać udział w czymś 5. obowiązek; swoje; to, co do (danego) człowieka należy; **I have done my** ~ zrobiłem swoje <to, co do mnie należy>; spełniłem swój obowiązek; **it was not my** ~ **to interfere** nie moją rzeczą było interweniować; **for my** ~ co do mnie; jeżeli o mnie chodzi; **on my** ~ z mojej strony; co do mnie; jeżeli o mnie chodzi; **on the** ~ **of** — ze strony... (czyjejś) 6. rola; **to play a** ~ a) od-egrać/grywać rolę (w czymś) b) od-egrać/grywać komedię 7. *muz* partia (instrumentalna, wokalna); głos; **to sing in** ~s śpiewać na kilka głosów <na głosy> 8. *pl* ~s okolica; strony; **in these** ~s w tych <naszych> stronach; w tej <naszej> okolicy 9. *pl* ~s zdolności; **a man of** ~s człowiek uzdolniony <zdolny> 10. strona; **on the one** ~... **(and) on the other** ~ — z jednej strony... z drugiej (zaś) strony... 11. strona (w sporze); **to take the** ~ **of** — sta-nąć/ć po stronie... (czyjejś) 12. *am* przedział (we włosach) ‖ **to take sth in bad** <good> ~ wziąć/brać coś <nie wziąć/brać czegoś> za złe; obra-zić/żać się <nie obra-zić/żać się> o coś Ⅲ *adv* częściowo; po części Ⅲ *vt* 1. po/dzielić; rozdziel-ić/ać (walczących itp.); oddziel-ić/ać; rozgranicz-yć/ać 2. czesać (włosy) z przedziałem; **to** ~ **one's hair** czesać się z przedziałem <na bok> 3. ur-wać/ywać (linę itd.); **to** ~ **company** rozsta-ć/wać się (**with** sb z kimś) Ⅳ *vi* 1. po/dzielić <roz-dziel-ić/ać> się; (*o tłumie*) rozst-ąpić/ępować się 2. rozsta-ć/wać się (**from** <with> sb z kimś, **with sth** z czymś); rozłącz-yć/ać się; (*o drogach itd*) rozchodzić się; **to** ~ **friends** rozsta-ć/wać się w przyjaźni 3. (*o linie itd*) ur-wać/ywać się *zob* **parting**

partake [pɑːˈteik] *v* (**partook** [pɑːˈtuk], **partaken** [pɑːˈteikən]) Ⅰ *vi* 1. wziąć/brać udział <uczest-

niczyć> (**in** <**of**> **sth** w czymś) 2. po/dzielić się (**of sth with sb** czymś z kimś); spoży-ć/wać (**of sth with sb** coś z kimś); **to ~ of _** a) z/jeść <wy/pić>... (coś) b) przyst-ąpić/ępować do... (czegoś — jedzenia itd.) c) (*o odezwaniu się, zachowaniu itd*) trącić <graniczyć z>... (czymś — grubiaństwem itd.); zakrawać na... (coś); mieć w sobie coś z <nie być pozbawionym>... (czegoś) Ⅲ *vt* po/dzielić (czyjś los itd.); podzielać (uczucia itd.)

partaken *zob* **partake**

partaker [pɑː'teikə] *s* uczestni-k/czka; uczestniczą-y/a

parterre [pɑː'tɛə] *s* 1. klomb (kwiatów) 2. *am* ławy parterowe (w teatrze)

Parthian ['pɑːθjən] Ⅲ *adj* partyjski; **a ~ shot** <**arrow**> strzała partyjska; *przen* złośliwa uwaga rzucona na odchodnym Ⅲ *s* Part

partial ['pɑːʃəl] *adj* 1. częściowy; niecałkowity 2. stronniczy; niesprawiedliwy; uprzedzony; **to be ~ to sb** mieć słabość do <sentyment dla> kogoś; **to be ~ to sth** nie stronić od czegoś; lubić coś

partiality [ˌpɑːʃi'æliti] *s* 1. stronniczość 2. słabość (**for sb, sth** do <dla> kogoś, do czegoś); upodobanie (**for sth** do czegoś)

participant [pɑː'tisipənt] *s* uczestni-k/czka

participate [pɑː'tisi,peit] Ⅲ *vi* 1. wziąć/brać udział <uczestniczyć> (**in sth** w czymś) 2. dzielić <podzielać> (**in sb's sorrow etc.** czyjś smutek itd.) Ⅲ *vt* po/dzielić się (**sth with sb** czymś z kimś)

↑**participation** [pɑːˌtisi'peiʃən] *s* udział; współudział; uczestnictwo, uczestniczenie

participator [pɑː'tisi,peitə] *s* uczestni-k/czka; uczestniczą-y/a

participial [ˌpɑːti'sipiəl] *adj gram* imiesłowowy

participle ['pɑːtsipl] *s gram* imiesłów; **past ~** imiesłów bierny <czasu przeszłego>; **present ~** imiesłów .czasu teraźniejszego

↑**particle** ['pɑːtikl] *s* 1. cząstka, cząsteczka; odrobina; okruszyna; ziarnko 2. *gram* partykuła

particoloured ['pɑːtiˌkʌləd] *adj* różnokolorowy, różnobarwny; pstry; pstrokaty; łaciaty

particular [pə'tikjulə] Ⅲ *adj* 1. szczególny; osobliwy; specjalny; określony; specyficzny; **a ~ friend of mine** mój bardzo dobry znajomy; **for no ~ reason** bez specjalnego powodu; **in ~** w szczególności; szczególnie; zwłaszcza; **my** <**our etc.**> **~ opinion etc.** mój <nasz itd.> osobisty pogląd itd.; **nothing ~** nic szczególnego 2. indywidualny; poszczególny; z osobna wzięty; **this** <**that**> **~ act etc.** ten właśnie czyn itd. 3. szczegółowy; drobiazgowy 4. pedantyczny; dbały; dokładny; wymagający; wybredny; grymaśny; **to be ~ about sth** a) dbać o coś b) mieć wymagania co do czegoś c) przywiązywać wagę do czegoś; **I am very ~ about that** bardzo mi na tym zależy <o to chodzi> Ⅲ *s* 1. szczegół; detal ‖ **a London ~** (specyficzna) londyńska mgła 2. *pl* **~s** (*zw* **full ~s**) szczegółowe informacje; dokładne dane 3. *pl* **~s** opis

particularism [pə'tikjuləˌrizəm] *s* partykularyzm

particularity [pəˌtikju'læriti] *s* 1. szczegół 2. osobliwość 3. pedantyczność; dokładność

particularize [pə'tikjuləˌraiz] Ⅲ *vt* wyszczegól-

ni-ć/ać; wymieni-ć/ać po nazwisku Ⅲ *vi* wchodzić w szczegóły

particularly [pə'tikjuləli] *adv* 1. szczególnie; w szczególności; zwłaszcza 2. indywidualnie 3. szczegółowo

parting ['pɑːtiŋ] Ⅲ *zob* **part** *v* Ⅲ *s* 1. rozdział; *geogr* dział wodny 2. rozstaje 3. oddziel-enie/anie się 4. rozstanie; odejście; odjazd; pożegnanie 5. urwanie się (liny itp.) 6. przedział (we włosach) 7. *geol* przerost Ⅲ *attr* pożegnalny (całus itd.); (*o zaleceniach itd*) ostatni Ⅳ *adj* 1. dzielący; **the ~ line** rozgraniczenie; granica 2. *poet* gasnący (dzień itd.)

partisan[1] [ˌpɑːti'zæn] *s* 1. stronni-k/czka; zwolenni-k/czka; popleczni-k/czka; **~ spirit** zacietrzewienie 2. partyzant

partisan[2] [ˌpɑːti'zæn] *s* berdysz

partisanship [ˌpɑːti'zænʃip] *s* 1. stronniczość 2. zacietrzewienie

partite ['pɑːtait] *adj bot* podzielony, † dzielny

partition [pɑː'tiʃən] Ⅲ *s* 1. podział; rozdział; rozczłonkowanie; rozparcelowanie, parcelacja; rozbiór (państwa) 2. (oddzielona) część; działka; parcela; sekcja 3. przegroda, przegródka; przepierzenie; ścianka Ⅲ *vt* po/dzielić; rozczłonkow-ać/ywać; roz/parcelować; roz-ebrać/bierać na części

~ off *vt* oddziel-ić/ać przepierzeniem <ścianką>

partitive ['pɑːtitiv] *adj gram* cząstkowy

Partlet ['Pɑːtlit] *spr lit* kura; **Dame ~** jejmość kura; (*o kobiecie*) kurka (domowa)

partly ['pɑːtli] *adv* częściowo; po części; poniekąd

partner ['pɑːtnə] Ⅲ *s* 1. towarzysz/ka; współuczestni-k/czka 2. wspólni-k/czka (w przedsiębiorstwie, w zbrodni); **the predominant ~** Anglia w stosunku do innych części Zjednoczonego Królestwa 3. towarzysz/ka życia; małżon-ek/ka 4. partner/ka (w grze, tańcu itd.); **to take one's ~** zaprosić do tańca 5. *pl* **~s** *mar* wzmacniacze (wokół otworu w pokładzie, przez który przechodzi maszt itd.) Ⅲ *vt* 1. być wspólnikiem <partnerem> (**sb** czyimś); współdziałać (**sb z** kimś) 2. wyznacz-yć/ać (kogoś) na partnera (**with sb** komuś); połączyć (ludzi) jako partnerów

partnership ['pɑːtnəʃip] *s* 1. współudział, współuczestnictwo 2. spółka; **to give sb a ~** wziąć/brać <dopu-ścić/szczać> kogoś do spółki; **to go into ~** zawiąz-ać/ywać spółkę

partook *zob* **partake**

part-owner ['pɑːt'ounə] *s* współwłaściciel/ka

partridge ['pɑːtridʒ] *s* kuropatwa; *am* przepiórka

partridge-wood ['pɑːtridʒ,wud] *s* czerwone drewno z Am. Płd.

part-song ['pɑːt,sɔŋ] *s* śpiew na głosy

part-time ['pɑːt,taim] Ⅲ *adj* (*o pracowniku*) niepełnoetatowy Ⅲ *adv* na częściowym etacie

parturient [pɑː'tjuərient] *adj* (*o kobiecie*) rodząca <bliska rozwiązania>; (*o zwierzęciu*) na ocieleniu <na okoceniu, oproszeniu>; *przen* **his brain was ~ with the idea** w jego głowie <umyśle> rodziła się myśl

parturition [ˌpɑːtjuə'riʃən] *s* poród

↑**party** ['pɑːti] *s* 1. *polit* partia; **~ dues** składka członkowska; **~ man** partyjnik; **~ spirit** dyscyplina partyjna 2. grupa; towarzystwo 3. wyprawa; wycieczka 4. zebranie towarzyskie; przyjęcie; wieczorek (taneczny); zabawa; bal; **dinner** ~ proszona kolacja 5. *wojsk* oddział; komenda 6. (*w pracy*) brygada; drużyna; zespół; ekipa 7. strona (**to a contract** umowy, **to a suit** w sporze) 8. osoba <strona> zaangażowana (**to sth** w czymś); **to be a** ~ **to sth** wziąć/brać udział w czymś 9. *pot żart* gość; facet/ka; jegomość, jejmość; pasażer/ka

party-coloured [ˈpɑːtiˌkʌləd] = **particoloured**

party-line [ˈpɑːtiˌlain] *s* wspólna linia; linia partyjna; ~ **telephone** telefon towarzyski <wspólny>

party-wall [ˈpɑːtiˌwɔːl] *s* wspólna ściana (dwu budynków)

parure [pəˈruə] *s* garnitur (biżuterii)

parvenu [ˈpɑːvəˌnjuː] *s* parweniusz/ka

parvis [ˈpɑːvis] *s* dziedziniec przed kościołem

pas [pɑː] *s* (*pl* **pas** [pɑːz]) 1. pierwszeństwo; starszeństwo 2. krok (w tańcu)

paschal [ˈpɑːskəl] *adj* paschalny; wielkanocny

pash [pæʃ] *sl* = **passion** *s*

pasha [ˈpɑːʃə] *s* pasza, basza; ~ **of two** <**three**> **tails** pasza drugiego <trzeciego> stopnia

pashalic [ˈpɑːʃəlik] *s* okręg podległy paszy <baszy>

pasque-flower [ˈpɑːskˌflauə] *s bot* sasanka

pasquinade [ˌpæskwiˈneid] *s* paskwinada, satyra, (dowcipny) paszkwil

↑**pass¹** [pɑːs] Ⓘ *vi* 1. prze-jść/chodzić; przeje-chać/żdżać; przebie-c/gać; przel-ecieć/atywać; prze-pły-nąć/wać; przedosta-ć/wać <przesu-nąć/wać> się; **to let sb, sth** ~ przepu-ścić/szczać kogoś, coś; **to let sth** ~ pomi-nąć/jać coś milczeniem; nie zwr-ócić/acać na coś uwagi 2. mi-nąć/jać; (*o czasie*) uciekać 3. być (powszechnie) znanym (**by the name of Smith** jako Smith) 4. prze-mi-nąć/jać; zejść/schodzić (ze świata); s/kończyć się; znik-nąć/ać 5. ujść, nadawać się w ostateczności 6. zda-ć/wać egzamin 7. dziać się; mieć miejsce; **words** ~**ed between them** między nimi doszło do ostrej wymiany słów 8. (*o wyroku*) zostać wydanym 9. *karc* s/pasować 10. (*o ustawie*) prze-jść/chodzić, zostać uchwalonym 11. (*o pieniądzu*) mieć obieg 12. **z przyimkami:** ~ **across** przeprawi-ć/ać się przez (rzekę itd.); przekr-oczyć/aczać (granicę itd.); przeje-chać/żdżać przez (kraj itd.); prze-jść/chodzić <przebie-c/gać> przez (ulicę itd.); przel-ecieć/atywać <przepły-nąć/wać> przez (morze itd.); ~ **for** uchodzić za (**sb, sth** kogoś, coś); ~ **into** przemieni-ć/ać się (**sth** w coś); ~ **out of;** ~ **out of use** wy-jść/chodzić z użycia; **to** ~ **out of sight** znik-nąć/ać z oczu; ~ **over** = ~ **across;** ~ **over sth** omi-nąć/jać coś; pomi-nąć/jać coś (milczeniem); przemilczeć <zataić> coś: ~ **through** a) = ~ **across** b) dozna-ć/wać (nieszczęść itd.); przeży-ć/wać (ciężkie chwile itd.); ~ **upon** (*o władzy sądowej*) rozsądz-ić/ać (coś) Ⓘ *vt* 1. przeprawi-ć/ać się (**a river etc.** przez rzekę itd.); przekr-oczyć/aczać (**a limit etc.** granicę itd.); przeje-chać/żdżać (**a region etc.** przez okolicę itd.); prze-jść/chodzić (**a street, a censorship etc.** przez ulicę, przez cenzurę itd.); przebie-c/gać (**sth przez coś**); przel-ecieć/atywać <przepły-nąć/wać> (**the sea etc.** przez morze itd.); (*o słowach itd*) **to** ~ **sb's lips** prze-jść/chodzić komuś przez usta 2. prze-jść/

chodzić <przeje-chać/żdżać, przebie-c/gać, przel-ecieć/atywać, przepły-nąć/wać> (**sb, sth** obok kogoś, czegoś); mi-nąć/jać (**sb, sth** kogoś, coś) 3. dozna-ć/wać (**misfortunes etc.** nieszczęść itd.); przeży-ć/wać (ciężkie chwile itd.) 4. prześcig-nąć/ać; wyprzedz-ić/ać; przewyższ-yć/ać 5. zda-ć/wać (egzamin); wytrzym-ać/ywać (próbę) 6. pomi-nąć/jać (milczeniem); przemilcz-eć/ać; zata-ić/jać 7. przechodzić <przekraczać> (czyjeś pojęcie itd.) 8. poda-ć/wać (coś komuś) 9. przyj-ąć/mować (kandydata, rezolucję itd.); uzna-ć/wać; zatwierdz-ić/ać 10. spędz-ić/ać (czas itd.) 11. pu-ścić/szczać w obieg; poda-ć/wać dalej (wiadomość itd.) 12. wypowi-edzieć/adać (uwagę itd.); wyda-ć/wać (sąd, opinię itd.) 13. *księgow* zapis-ać/ywać (**a sum to an account** kwotę na jakiś rachunek) 14. *fizj* wydalać; **to** ~ **water** odda-ć/wać mocz 15. przesu-nąć/wać (**one's hand** <**a sponge etc.**> **across sth** ręką <gąbką itd.> po czymś) ‖ **to** ~ **one's word** dać słowo; obiec-ać/ywać; przyrze-c/kać; *sl* **to** ~ **sth upon sb** wpakować komuś coś (fałszywą monetę itd.)

~ **along** Ⓘ *vi* prze-jść/chodzić Ⓘ *vt* poda-ć/wać (dalej)

~ **away** *vi* zejść/schodzić ze świata; um-rzeć/ierać

~ **beyond** *vi* mi-nąć/jać

~ **by** Ⓘ *vi* = ~ *vi* 1. Ⓘ *vt* = ~ *vt* 6.

~ **down** *vt* poda-ć/wać (coś) z góry

~ **in** Ⓘ *vi* 1. prze-jść/chodzić do środka <do pokoju> 2. um-rzeć/ierać Ⓘ *vt* poda-ć/wać z zewnątrz

~ **off** Ⓘ *vi* 1. przemi-nąć/jać 2. odby-ć/wać się (pomyślnie itd.) Ⓘ *vt sl* w/pakować (**sth upon sb** coś komuś) Ⓘ *vr w zwrocie:* ~ **oneself off as** <**for**> **sb, sth** poda-ć/wać się za kogoś, coś

~ **on** Ⓘ *vi* 1. prze-jść/chodzić dalej 2. prze-jść/chodzić (**to sth** do czegoś — innego tematu itd.) 3. um-rzeć/ierać Ⓘ *vt* pu-ścić/szczać (coś) w ruch; poda-ć/wać (coś) dalej

~ **out** *vi* 1. wy-jść/chodzić 2. *pot* um-rzeć/ierać 3. *am* ze/mdleć

~ **over** Ⓘ *vi* 1. prze-jść/chodzić (do przeciwnego obozu itd.) 2. (*o burzy itd*) prze-jść/chodzić; przemi-nąć/jać 3. um-rzeć/ierać Ⓘ *vt* 1. poda-ć/wać (coś komuś) 2. pomi-nąć/jać

~ **round** *vt* poda-ć/wać z rąk do rąk; pu-ścić/szczać w koło

~ **up** *vt* 1. poda-ć/wać (coś) do góry 2. *am* odm-ówić/awiać przyjęcia (**sth czegoś**)

zob **passing** Ⓘ *s* 1. *szk uniw* zdanie egzaminu; *uniw* a) zdanie egzaminu z wynikiem dostatecznym b) zdanie egzaminu bez specjalizacji 2. krytyczny stan; **a pretty** ~ nie lada kłopot; **to bring to** ~ dokon-ać/ywać (**sth czegoś**); **to come to** ~ zdarz-yć/ać <sta-ć/wać> się; **things have come to a (strange)** ~ sprawy (dziwnie) się powikłały 3. przepustka; **he is on** ~ on jest na przepustce <wyszedł (z koszar itd.) za przepustką> 4. *kolej* bilet wolnej jazdy; *teatr* bilet wolnego wstępu; passe-partout 5. *szerm* wypad; *sl* **to make a** ~ **at** <**on**> **sb** przystawiać się do kogoś 6. passa (hipnotyzera) 7. żonglerski ruch

8. (*w piłce nożnej*) podanie (piłki współgraczowi) 9. *techn* wykrój (walca itd.)

pass² [pɑːs] *s* 1. przejście (przez bagno itd.) 2. przełęcz; *przen* **to hold the** ~ bronić pozycji; **to sell the** ~ zdradz-ić/ać (ojczyznę, partię itd.); popełni-ć/ać zdradę 3. *mar* farwater 4. (*także* **fish-**~) przepławka (dla ryb — w tamie)

passable ['pɑːsəbl] *adj* 1. (*o rzece*) możliwy do przeprawy 2. (*o drogach*) jezdny; nadający się do ruchu kołowego; (możliwy) do przebycia; (*o rzece*) spławny 3. znośny; dostateczny; zadowalający; możliwy (do przyjęcia) 4. (*o pieniądzu*) mający obieg

passage¹ ['pæsidʒ] *s* 1. przejście; przejazd; przelot; przepłynięcie; przeprawa; wędrówka; przepust; upływ (czasu itd.); podróż <droga> (przez kraj, morze itd.); **bird of** ~ ptak wędrowny; *przen* człowiek często zmieniający pracę <miejsce pobytu>; przelotny ptak 2. prawo <możność> przejścia <przejazdu> 3. uchwalenie <wejście w życie> (ustawy) 4. korytarz 5. *pl* ~**s** intymny stosunek (dwojga ludzi); zwierzenia 6. zajście; ostra wymiana słów; **to have angry** ~**s with sb** ostro ściąć się z kimś; ~ **of** <at> **arms** potyczka 7. ustęp (w książce, mowie itd.); wyjątek (z dzieła itd.) 8. *med* wypróżnienie 9. (*w hippice*) pasaż

passage² ['pæsidʒ] *vi* 1. odby-ć/wać podróż 2. s/toczyć słowną walkę 3. (*o koniu*) posuwać się ciągiem, robić pasaż

passage-way ['pæsidʒˌwei] *s* 1. przejście; miejsce na przejście 2. *górn* przecinka; kanał; wyrobisko 3. uliczka; pasaż 4. *am* korytarz

pass-book ['pɑːsˌbuk] *s* książeczka bankowa

passé, *f* **passée** ['pɑːsei] *adj* 1. zdradzający ślady dawnej urody <świetności> 2. miniony; nieaktualny; przestarzały; niemodny

passementerie [pɑːs'mɑ̃tri] *s* pasmanteria

passenger ['pæsindʒə] *s* 1. pasażer/ka; ~ **car** <carriage, coach> wagon osobowy; ~ **train** pociąg pasażerski 2. bezużyteczny członek organizacji <ekipy, drużyny>; balast; *przen* piąte koło u wozu

passenger-pigeon ['pæsindʒə'pidʒən] *s zoo* kanadyjski gołąb wędrowny

passe-partout ['pæspɑːˌtuː] *s* 1. wytrych 2. passe-partout (oprawa obrazu)

passer-by ['pɑːsə'bai] *s* (*pl* **passers-by** ['pɑːsəz'bai]) przechodzień

passerine ['pæsəˌrain] ① *adj zoo* wróblowaty ② *s zoo* ptak wróblowaty

passible ['pæsibl] *adj* zdolny do odczuwania <cierpienia>; wrażliwy

passiflora [ˌpæsi'flɔːrə] *s bot* passiflora, męczennica

passim ['pæsim] *adv* passim, w wielu miejscach (pracy, książki)

passimeter [pæ'simitə] *s* automat do wydawania biletów

passing ['pɑːsiŋ] ① *zob* **pass¹** *v* ③ *adj* 1. przemijający; chwilowy 2. (*o uwadze*) marginesowy; wypowiedziany mimochodem ⑩ *†* *adv* niezmiernie; nader; nadzwyczaj ④ *s* 1. przejazd (pociągu itd.); przelot 2. wyprzedzenie (samochodu itd.) 3. zgon; śmierć 4. przyjęcie (kandydata) 5. uchwalenie (ustawy)

passing-bell ['pɑːsiŋˌbel] *s* dzwonienie po umarłym; dzwon żałobny <pogrzebowy>

passing-note ['pɑːsiŋˌnout] *s muz* nuta przejściowa

passion ['pæʃən] ① *s* 1. namiętność; namiętna miłość 2. pasja (**for sth** do czegoś) 3. przystęp <napad> (gniewu itd.); **a** ~ **of grief** bezgraniczny smutek; **a** ~ **of tears** potok łez; **to fly into a** ~ unieść się gniewem 4. *rel* **the Passion** Męka Pańska; **Passion Sunday** piąta niedziela Wielkiego Postu; **Passion Week** a) tydzień Męki Pańskiej b) Wielki Tydzień ⑪ *vi poet* odczuwać <wyrażać> namiętność

passional¹ ['pæʃənl] *adj* powodowany <wywołany> namiętnością <przez namiętność>

passional² ['pæʃənl], **passionary** ['pæʃnəri] *s rel* 1. księga o Męce Pańskiej 2. martyrologia świętych (księga)

passionate ['pæʃənit] *adj* 1. namiętny 2. ognisty; zapalczywy; porywczy 3. żarliwy

passionateness ['pæʃənitnis] *s* 1. namiętność 2. zapalczywość; gwałtowność; porywczość 3. żarliwość

passion-flower ['pæʃənˌflauə] = **passiflora**

passionless ['pæʃənlis] *adj* beznamiętny

passion-play ['pæʃənˌplei] *s* widowisko pasyjne

passivation [ˌpæsi'veiʃən] *s fiz chem* pasywacja (metali)

passive ['pæsiv] ① *adj* 1. bierny; *gram* bierny; w stronie biernej 2. *handl bank* bezprocentowy ⑪ *s gram* strona bierna

passiveness ['pæsivnis], **passivity** [pæ'siviti] *s* bierność

pass-key ['pɑːsˌkiː] *s* 1. wytrych 2. prywatny klucz od bramy <od drzwi>

passman ['pɑːsˌmæn] *s* (*pl* **passmen** ['pɑːsˌmen]) absolwent, który zdał egzamin a) bez odznaczenia <z wynikiem dostatecznym> b) bez specjalizacji

pass-out ['pɑːsˌaut] *adj* (*o żetonie itp*) upoważniający do swobodnego przechodzenia (na widownię i z widowni); *teatr* ~ **check** <ticket> bilet wolnego wstępu, passe-partout

Passover ['pɑːsˌouvə] *s* 1. Pascha (święta w obrządku mojżeszowym) 2. *rel* Baranek Boży

passport ['pɑːsˌpɔːt] *s* 1. paszport 2. *przen* klucz (do czyjegoś serca itd.)

pass-word ['pɑːsˌwəːd] *s* hasło, *†* parol

past [pɑːst] ① *adj* 1. przeszły; miniony; dawny; **for some time** ~ od pewnego czasu 2. ubiegły <zeszły, ostatni> (tydzień, miesiąc, rok itd.); **for the** ~ **few** <three etc.> **days** <weeks etc.> a) w ciągu ostatnich kilku <trzech itd.> dni <tygodni itd.> b) od kilku <trzech itd.> dni <tygodni itd.> 3. *gram* przeszły; czasu przeszłego 4. były (przewodniczący, sekretarz itd.); ~ **master** a) były mistrz loży masońskiej <cechu itd.> b) mistrz nieprześcigniony <niezrównany>; znakomity znawca (**in** <of> **a subject** przedmiotu, dziedziny) ⑪ *s* 1. przeszłość; **a woman with a** ~ kobieta z przeszłością; **it is a thing of the** ~ to należy do przeszłości; **you cannot undo the** ~ (to) co się stało, już się nie odstanie 2. *gram* czas przeszły ⑩ *praep* 1. (*w przestrzeni*) a) za (czymś); ~ **the baker's shop** za piekarnią b) (przejść, przejechać itd.) obok <mimo> (czegoś),

przed (czymś) 2. (*w czasie*) po (godzinie); **~ one** **<two etc.>** po godzinie pierwszej <drugiej itd.>; **a quarter ~ one <two etc.>** kwadrans po pierwszej <po drugiej itd.>; **half ~ one <two etc.>** wpół do drugiej <do trzeciej itd.>; **he <she> is ~ forty <fifty etc.>** on <ona> jest po czterdziestce <po pięćdziesiątce itd.>; on <ona> przekroczył/a <ma ponad> czterdziestkę <pięćdziesiątkę itd.>; **till ~** — poza... (daną godzinę); **he stayed <worked> till ~ three** już było po trzeciej, kiedy poszedł <przestał pracować> 3. *w zwrocie*: **to be ~** — przekraczać granicę ... (rozumu ludzkiego, wytrzymałości itd.); być nie do ... (wytrzymania, uwierzenia itd.); **to be ~ doing sth** a) już nie być zdolnym do czegoś b) być niezdolnym do czegoś (niegodziwego itd.); **I am ~ doing such things** takie rzeczy już nie dla mnie; **he is ~ praying for** już mu i modlitwy nie pomogą; **~ hope** beznadziejny; **~ remedy** nieuleczalny; w beznadziejnym stanie; **~ work** (już) niezdolny do pracy Ⅳ *adv* (przejść, przejechać itd.) obok <mimo> (kogoś, czegoś); *niekiedy nie tłumaczy się*: **the years flew ~** lata mijały
paste [peist] Ⅰ *s* 1. ciasto 2. pasta (do jedzenia, do celów kosmetycznych itd.) 3. mączny klej; klajster 4. stras 5. papka (węglowa itd.) 6. *elektr* masa czynna (w akumulatorze) 7. *cer* zaczyn cementowy Ⅲ *vt* 1. s/kleić; z/lepić; nakle-ić/jać; nalepi-ć/ać; zakle-ić/jać; zalepi-ć/ać 2. (*także* **~ up**) powle-c/kać <po/smarować> pastą <masą, papką> 3. *sl* zamalować <wyrżnąć> (kogoś w twarz itd.) *zob* **pasting**
pasteboard¹ ['peist.bɔ:d] Ⅰ *s* 1. tektura; karton 2. *sl* bilet wizytowy <kolejowy itp.> Ⅲ *attr* 1. tekturowy; kartonowy 2. *przen* tandetny
pasteboard² ['peist.bɔ:d] *s* stolnica
pastel ['pæstəl] Ⅰ *s* 1. pastel (kredka i obraz); **in ~** (malować) pastelem 2. *bot* urzet Ⅱ *attr* pastelowy
pastel(l)ist ['pæstəlist] *s* pastelist-a/ka
paster ['peistə] *s* 1. naklejka 2. rozlepiacz/ka (afiszów itd.)
pastern ['pæstə:n] *s* pęcina
pasteurization [.pæstərai'zeiʃən] *s* pasteryzacja
pasteurize ['pæstə.raiz] *vt*· pasteryzować
pasticcio [pæ'stitʃou], **pastiche** [pæ'sti:ʃ] *s plast muz* pastisz
pastille [pæs'ti:l] *s* 1. pastylka (czekoladowa itd.) 2. trociczka (do kadzenia)
pastime ['pɑ:s.taim] *s* rozrywka
pastiness ['peistinis] *s* ciastowatość
pasting ['peistiŋ] Ⅰ *zob* **paste** *v* Ⅲ *s* 1. lepienie; rozlepianie 2. pasta; masa; papka 3. *sl* lanie, baty, cięgi
pastor ['pɑ:stə] *s* 1. *rz* pasterz 2. pastor; pleban; ksiądz 3. *zoo* pasterz <szpak> różowy
↑**pastoral** ['pɑ:stərəl] Ⅰ *adj* 1. pastuszy 2. pasterski; **~ tribe** szczep pasterski; *kośc* **~ letter** list pasterski; *kośc* **~ staff** pastorał 3. pastoralny Ⅲ *s* sielanka; utwór sielankowy
pastorale [.pæstə'rɑ:li:] *s muz* pastorale (utwór)
pastorate ['pɑ:stərit] *s kośc* pastorat; *zbior* pastorzy
pastry ['peistri] *s* 1. *zbior* wyroby cukiernicze 2. pasztet 3. pasztecik
pastry-cook ['peistri.kuk] *s* 1. cukiernik 2. pasztetnik

pasturable ['pɑ:stʃərəbl] *adj* pastewny
pasturage ['pɑ:stjurid3] *s* 1. pastwisko; wygon 2. pasienie (się) 3. wypasanie 4. pasza
pasture ['pɑ:stʃə] Ⅰ *s* 1. pasza 2. pastwisko Ⅲ *vi* paść się Ⅲ *vt* 1. paść (bydło) 2. wypasać (trawę itd.)
pasty¹ ['pæsti] *s* 1. pasztet 2. pasztecik
pasty² ['peisti] *adj* (**pastier** ['peistiə], **pastiest** ['peistiist]) 1. ciastowy; ciastowaty 2. (*o cerze*) ziemisty; blady; niezdrowy
pasty-faced ['peisti.feist] *adj* (*o człowieku*) o ziemistej <bladej, niezdrowej> cerze
pat¹ [pæt] Ⅰ *s* 1. klepanie; głaskanie; **to give sb a ~ on the back** klepnąć kogoś po ramieniu; *przen* pochwalić kogoś 2. krążek (masła itd.) 3. tupot, tupotanie Ⅲ *vt* (-tt-) po/klepać, poklepywać; po/głaskać; **to ~ sb on the back** poklepać kogoś po ramieniu; *przen* pochwalić kogoś; **to ~ oneself on the back** pochwalić się Ⅲ *vi* (-tt-) tupotać; postukiwać; uderzać lekko **~ down** *vt* wygładz-ić/ać
pat² [pæt] Ⅰ *adv* trafnie; w samą porę; szczęśliwie; jak na zamówienie; na poczekaniu; z miejsca; jak z rękawa; **to stand ~** a) (*w pokerze*) nie zmieniać kart b) *przen* stać twardo przy swoim; nie zmieniać zdania <postanowienia> Ⅲ *adj* trafny; szczęśliwy; nadarzający <zjawiający> się w samą porę
Pat³ [pæt] *spr* (*skr* **Patrick**) przezwisko Irlandczyka; Irlandczyk
patagium [.pætə'd3aiəm] *s* (*pl* **patagia** [.pætə'd3aiə]) *zoo* błona skrzydłowa (u nietoperza itd.)
pat-ball ['pæt.bɔ:l] *s żart* kiepska gra w tenisa
↑**patch** [pætʃ] Ⅰ *s* 1. łata, łatka; skrawek (materiału); **to put a ~ on** — załatać... (coś); *przen* **it isn't a ~ on** — nie da się porównać z...; *pot* ani się umywa do...; **~ pocket** naszywana kieszeń 2. plaster; muszka 3. przepaska (na oku) 4. plama (światła, koloru); *przen* **to strike a bad ~** mieć złą passę 5. łacha <płat> (śniegu itd.) 6. zagon, zagonik; grządka Ⅲ *vt* 1. *dosł i przen* po/łatać, załatać; **to ~ together** zesztukować; zeszyć; zlepić; pozlepiać; związ-ać/ywać razem 2. naprawi-ć/ać; po/sztukować **~ up** *vt* 1. za/łatać; naprawi-ć/ać 2. *pot* s/klecić 3. za/łagodzić (spór) *zob* **patched**
patched [pætʃt] Ⅰ *zob* **patch** *v* Ⅲ *adj* w plamy; upstrzony
patcher ['pætʃə] *s* łatacz/ka
patchiness ['pætʃinis] *s* niejednolitość; różnorodność; pstrokacizna
patchouli ['pætʃuli] *s bot* paczula; **~ oil** olejek paczulowy
patch-pocket ['pætʃ.pokit] *s* kieszeń naszywana <sportowa>
patchwork ['pætʃ.wə:k] Ⅰ *s* niejednolita całość; przedmiot złożony <zszyty, sklecony> z różnorodnych kawałków <skrawków>; mieszanina; szachownica (pól itd.) Ⅲ *attr* 1. (*o powierzchni itd*) niejednolity; różnorodny; pstry; pstrokaty; w szachownicę 2. (*o robocie itd*) sklecony
↑**patchy** ['pætʃi] *adj* (**patchier** ['pætʃiə], **patchiest** ['pætʃiist]) niejednolity; różnorodny; pstry; pstrokaty; w szachownicę
pate [peit] *s pot* pała, łeb, głowa

pâté ['pætei] *s* pasztet; ~ **de fois gras** ['pætidə fwɑːˈgrɑː] pasztet z wątróbek gęsich

patella [pəˈtelə] *s* (*pl* **patellae** [pəˈteliː]) *anat* rzepka

paten ['pætən] *s kośc* patena

patency ['peitənsi] *s* 1. oczywistość; jawność 2. *med* drożność (przewodu)

patent ['peitənt] Ⅰ *adj* 1. patentowy; **letters** ~ patent (nadający tytuł, przywilej, prawo eksploatowania wynalazku itd.) 2. opatentowany; zastrzeżony; ~ ·**fuel** brykiety; ~ **leather** lakierowana skóra; ~ **medicine** specyfik 3. (*o sposobie robienia czegoś*) swój własny; osobliwy, oryginalny 4. (*o drzwiach itd*) otwarty 5. *bot* (*o organie kwiatu*) otwarty 6. *med* (*o przewodzie*) drożny 7. (*o fakcie itd*) oczywisty; jawny; stwierdzony Ⅲ *s* 1. = **letters** ~ 2. patent 3. opatentowany wynalazek Ⅲ *attr* patentowy; ~ **agent** rzecznik patentowy; ~ **office** ['pætənt,ɔfis] biuro patentowe Ⅳ *vt* opatentować

patentee [,peitənˈtiː] *s* właściciel/ka <posiadacz/ka> patentu

patent-leather ['peitəntˈleðə] *attr* ~ **shoes** lakierki

patent-roll(s) ['peitənt,roul(z)] *s* (*pl*) rejestr patentów

pater ['peitə] *s sl* fater, ojciec

paterfamilias ['peitə-fəˈmiljæs] *s żart* pater familias, ojciec rodziny

paternal [pəˈtəːn!] *adj* 1. ojcowski 2. (*o krewnym*) po ojcu

paternally [pəˈtəːnəli] *adv* po ojcowsku

paternity [pəˈtəːniti] *s* 1. ojcostwσ 2. pochodzenie 3. autorstwo

paternoster ['pætəˈnɔstə] *s* 1. Ojcze Nasz (modlitwa); **black** <**white**> ~ zaklęcie 2. (*także* ~ **bead**) (*w różańcu*) paciorek na Ojcze Nasz 3. (*także* ~ **line**) wędka „paternoster" (z szeregiem haczyków)

↑path [pɑːθ] *s* (*pl* ~**s** [pɑːðs]) 1. ścieżka; *przen* droga; **to enter on the** ~ **of** _ wejść/wchodzić <wst-ąpić/ępować> na drogę... (poprawy itd.) 2. *sport* bieżnia; żużel 3. tor (pocisku itd.)

pathetic [pəˈθetik] Ⅰ *adj* 1. patetyczny 2. wzruszający; rozrzewniający 3. emocjonalny; **the** ~ **fallacy** fałszywe twierdzenie jakoby przyroda była obdarzona uczuciami ludzkimi Ⅱ *spl* ~**s** patos

↑pathfinder ['pɑːθ,faində] *s* 1. *dosł i przen* pionier/ka 2. *lotn* samolot rozpoznawczy (naprowadzający inne na cel)

pathic ['pæθik] = catamite

pathless ['pɑːθlis] *adj* 1. bezdrożny; nie do przebycia 2. (*o lesie itp*) dziewiczy

pathogenesis [,pæθouˈdʒenisis] *s med* patogeneza

pathogenetic [,pæθou-dʒiˈnetik] *adj med* chorobotwórczy

pathogeny [pəˈθɔdʒini] = **pathogenesis**

pathological [,pæθəˈlɔdʒikəl] *adj* patologiczny, chorobowy

pathologist [pəˈθɔlədʒist] *s* patolog

pathology [pəˈθɔlədʒi] *s* patologia

pathos ['peiθɔs] *s* patos

pathway ['pɑːθ,wei] *s* 1. ścieżka; droga 2. chodnik

patience ['peiʃəns] *s* 1. cierpliwość; wytrzymałość; **I am out of** ~ **with him** już brak mi cierpli

wości do niego; **to have** ~ być cierpliwym; **I have no** ~ **with him** on mnie wyprowadza z równowagi <irytuje>; **the** ~ **of Job** [dʒoub] anielska cierpliwość 2. pasjans; **to play** ~ stawiać pasjansa

patient ['peiʃənt] Ⅰ *adj* cierpliwy; wytrwały; **to be** ~ **of** _ a) cierpliwie znosić... b) dopuszczać... (rozmaitą interpretację itd.) Ⅱ *s* pacjent/ka

patina ['pætinə] *s* patyna

patio ['pɑːtiou] *s hiszp* wirydarz, wewnętrzny dziedziniec

patriarch ['peitri,ɑːk] *s* patriarcha

patriarchal [,peitriˈɑːkəl] *adj* patriarchalny

patriarchate ['peitri,ɑːkit] *s* patriarchat

patriarchy ['peitri,ɑːki] *s* patriarchia

patrician [pəˈtriʃən] Ⅰ *s* patrycjusz/ka Ⅲ *adj* patrycjuszowski

patriciate [pəˈtriʃiit] *s* patrycjat

patricide ['pætri,said] *s* 1. ojcobój-ca/czyni 2. ojcobójstwo

patrimonial [,pætriˈmounjəl] *adj* patrymonialny; dziedziczny; odziedziczony

patrimony ['pætriməni] *s* 1. ojcowizna 2. fundacja (kościelna)

patriot ['pætriət] *s* patriot-a/ka

patriotic [,pætriˈɔtik] *adj* patriotyczny

patriotism ['pætriə,tizəm] *s* patriotyzm

patristic [pəˈtristik] *adj* (*o nauce itd*) ojców Kościoła

patristics [pəˈtristiks] *s* patrystyka (część teologii obejmująca życiorysy, naukę itd. ojców Kościoła)

↑patrol [pəˈtroul] *v* (-ll-) Ⅰ *vi* patrolować Ⅲ *vt* patrolować (ulice miasta itd.) Ⅲ *s* patrol (wojskowy, policyjny) Ⅳ *attr* (*o samolocie*) patrolowy

patrolman [pəˈtroulmæn] *s* (*pl* **patrolmen** [pəˈtroul men]) *am* patrolujący policjant

patron ['peitrən] *s* 1. patron; opiekun; protektor; orędownik; mecenas 2. *kośc* kolator 3. *handl* stały klient <gość, bywalec>

patronage ['pætrənidʒ] *s* 1. patronat; opieka; orędownictwo; poparcie 2. protekcjonalne traktowanie 3. *kośc* kolatorstwo 4. stałe odwiedzanie <popieranie> (sklepu, kawiarni itd.)

patronal [pəˈtrounəl] *s* 1. opiekuńczy 2. (*o święcie itd*) patrona

patroness ['peitrənis] *s* 1. patronka; opiekunka; orędowniczka; protektorka 2. *kośc* kolatorka 3. *handl* stała klientka

patronize ['pætrə,naiz] *vt* 1. pop-rzeć/ierać; rozt-oczyć/aczać opiekę (**sb, sth** nad kimś, czymś) 2. po/traktować protekcjonalnie 3. *handl* popierać (przedsiębiorstwo itd.); być stałym klientem <gościem> (**a firm etc.** firmy itd.); stale odwiedzać (kawiarnię itd.) *zob* **patronizing**

patronizing ['pætrə,naiziŋ] Ⅰ *zob* **patronize** Ⅲ *adj* protekcjonalny

patronizingly ['pætrə,naiziŋli] *adv* protekcjonalnie

patronymic [,pætrəˈnimik] Ⅰ *adj* patronimiczny Ⅲ *s* patronimicum, imię rodowe

patten ['pætn] *s* 1. rodzaj chodaka drewnianego dla ochrony obuwia 2. *arch* cokół

patter[1] ['pætə] Ⅰ *vi* za/stukotać; za/tupotać Ⅲ *s* stukot; tupot

patter[2] ['pætə] Ⅰ *vi* za/trajkotać Ⅲ *vt* od/klepać

(pacierze itd.) Ⅲ *s* 1. gwara (złodziejska itd.); żargon 2. trajkot, trajkotanie 3. słowa piosenki <utworu scenicznego itd.>

pattern ['pætən] Ⅰ *s* 1. wzór (do naśladowania); **to take ~ by sb, sth** wzorować się na kimś, czymś 2. model; krój (ubrania itd.) 3. wzór <deseń> (na serwecie itd.) 4. patron, szablon, wykrój 5. próbka (wyrobu, materiału) 6. *techn* wzornik 7. forma Ⅲ *attr* wzorowy Ⅲ *vt* 1. modelować <z/robić> (**sth after <on> sth** coś według czegoś <na wzór czegoś, wzorując się na czymś>) 2. ozd-obić/abiać (coś) wzorem <deseniem>

pattern-book ['pætən,buk] *s* album wzorów <próbek>

pattern-maker ['pætən,meikə] *s* modela-rz/rka

pattern-shop ['pætən,ʃɔp] *s* modelarnia

patty ['pæti] *s* pasztecik

pattypan ['pæti,pæn] *s* foremka do paszteckików

patulous ['pætjuləs] *adj* .1. otwarty, rozległy; szeroki 2. (*o drzewie, konarach*) rozłożysty

paucity ['pɔ:siti] *s* brak; szczupłość; ubóstwo

paunch ['pɔ:ntʃ] Ⅰ *s* 1. wydatny brzuch, *pot żart* kuferek 2. (*u przeżuwaczy*) pierwszy żołądek, żwacz 3. *mar* jeżyk, kotek, mata ochronna Ⅲ *vt* wy/patroszyć

pauper ['pɔ:pə] *s* 1. ubogi; **~ asylum** przytułek 2. *sąd* strona korzystająca z praw ubogich 3. żebra-k/czka

pauperism ['pɔ:pə,rizəm] *s ekon* pauperyzm

pauperization [,pɔ:pərai'zeiʃən] *s* pauperyzacja, zubożenie

pauperize ['pɔ:pə,raiz] *vt* s/pauperyzować

pause [pɔ:z] Ⅰ *s* 1. pauza, przerwa; (*w czasie rozmowy*) chwila ogólnego milczenia; chwila wahania; **he made a ~** a) przerwał (mówienie) b) zawahał się; **to give ~ to sb** a) wzbudz-ić/ać czyjeś wątpliwości b) po/hamować czyjś rozpęd 2. *muz* fermata Ⅲ *vi* 1. s/pauzować, z/robić przerwę; zatrzym-ać/ywać się, przysta-nąć/wać 2. za/wahać się 3. *muz* przedłuż-yć/ać (**upon a note** nutę)

pavan(e) ['pævən] *s* pawana (taniec)

pave [peiv] *vt* wy/brukować (ulicę itd.); wy--łożyć/kładać (dziedziniec itd.) płytami <taflami itd.>; wy/mościć (drogę itd.); *przen* **to ~ the way for sth** u/torować drogę do czegoś *zob* **paving**

pavement ['peivmənt] *s* 1. bruk; nawierzchnia (drogi, ulicy itd.) 2. chodnik 3. *am* gościniec 4. *am górn* spąg

pavement-artist ['peivmənt,ɑ:tist] *s* człowiek malujący kredkami na chodniku dla otrzymania datków od przechodniów

paver ['peivə] *s* 1. brukarz 2. kostka brukowa; płyta chodnikowa

pavilion [pə'viljən] Ⅰ *s* 1. (duży, ozdobny) namiot 2. pawilon Ⅲ *vt* przykry-ć/wać <osł-onić/aniać> namiotem <pawilonem>; rozpi-ąć/nać namiot <wystawi-ć/ać pawilon> (**a piece of ground** na jakimś obszarze)

paving ['peiviŋ] Ⅰ *zob* **pave** Ⅲ *s* bruk; nawierzchnia (drogi, ulicy itd.)

paving-stone ['peiviŋ,stoun] *s* kamień brukowy

pavonine ['pævə,nain] *adj* pawi

✝ **paw** [pɔ:] Ⅰ *s* 1. łapa 2. *pot* (*o ręce*) łapa 3. pismo (charakter pisma) Ⅲ *vi* (*o koniu*) grzebać

nogą Ⅲ *vt* 1. (*o zwierzęciu*) skrobać (łapą, nogą) (**the door etc.** do drzwi itd.) 2. czepiać się rękami (**sb, sth** kogoś, czegoś) 3. *pot* obłapiać (kobietę)

pawaw ['pau,wau] = **powwow**

pawkiness ['pɔ:kinis] *s szkoc* 1. chytrość 2. figlarność

pawky ['pɔ:ki] *adj* (**pawkier** ['pɔ:kiə], **pawkiest** ['pɔ:kiist]) *szkoc* 1. chytry 2. figlarny

pawl [pɔ:l] Ⅰ *s* 1. *techn* zapadka 2. *mar* drąg unieruchamiający (kołowrót itp.) Ⅲ *vt mar* unieruch-omić/amiać za pomocą drąga (kołowrót itp.)

pawn¹ [pɔ:n] *s szach i przen* pionek

pawn² [pɔ:n] Ⅰ *s* zastaw; **in ~** zastawiony, oddany w zastaw; w lombardzie, w zakładzie zastawniczym Ⅲ *vt* 1. da-ć/wać w zastaw, zastawi-ć/ać; *przen* ręczyć (**one's word <life etc.>** słowem honoru, głową itd.) 2. postawić/stawiać na szalę

pawnbroker ['pɔ:n,broukə] *s* właściciel/ka zakładu zastawniczego <lombardu>; **at the ~'s** w lombardzie

pawnee [pɔ:'ni:] *s* posiadacz/ka zastawu

pawnshop ['pɔ:n,ʃɔp] *s* zakład zastawniczy; lombard

pawn-ticket ['pɔ:n,tikit] *s* kwit zastawniczy

pax [pæks] Ⅰ *s kośc* 1. patena 2. pocałunek pokoju Ⅲ *interj szk* spokój!

paxwax ['pæks,wæks] *s dial anat* wiązadło szyjne

pay¹ [pei] *v* (**paid** [peid], **paid; paying** ['peiiŋ]) Ⅰ *vt* 1. za/płacić (**sb a sum** komuś kwotę); **sb for sth** komuś za coś; **sb to do <for doing> sth** komuś za to, żeby coś zrobił); wypłac-ić/ać żołd (**the troops** wojsku); opłac-ić/ać (kogoś, pracę itd.); wynagr-odzić/adzać (kogoś); wpłac-ić/ać (**into a bank** do banku); wypłac-ić/ać <spłac-ić/ać> (kogoś, dług itd.); wyrówn-ać/ywać .<ui--ścić/szczać> (rachunek, koszty itd.); *przen* **to ~ dearly for sth** drogo coś okupić; **to ~ one's way** a) pokry-ć/wać koszty podróży b) z/wiązać koniec z końcem; **to ~ one's way through the university** zarabiać na siebie w czasie studiów 2. (*o papierach wartościowych itd*) da-ć/wać <przyn-ieść/osić> procent 3. opłacać się; **it ~s one to —** opłaca się <warto> ... (coś z/robić) 4. udziel-ić/ać (**sth** czegoś); okaz-ać/ywać; **to ~ attention** uważać; **to ~ a visit to sb** <**sb a visit**> odwiedz-ić/ać kogoś; złożyć/składać komuś wizytę; **to ~ compliments** prawić komplementy; **to ~ sb a compliment** powiedzieć komplement komuś; **to ~ court** zalecać się; **to ~ one's respects to sb** złożyć/składać swoje uszanowanie komuś Ⅲ *vi* 1. za/płacić; ui-ścić/szczać należność; wyrówn-ać/ywać rachun-ek/ki 2. (*o przedsiębiorstwie itd*) być dochodowym <intratnym, popłatnym>; da-ć/wać dochody 3. opłac-ić/ać się; **it ~s to be honest etc.** opłaca się <warto> być uczciwym itd.; uczciwość itd. popłaca

~ away *vt* 1. wyda-ć/wać (pieniądze) 2. *mar* popu-ścić/szczać ˙ (liny)

~ back *vt* zwr-ócić/acać pieniądze (**sb** komuś); wyrówn-ać/ywać (dług); **to ~ sb back in his own coin** odpłacić komuś tą samą monetą

~ down Ⅰ *vt* za/płacić gotówką <w gotów-

ce> (część ceny itd.) ⏐Ⅲ⏐ *vi* za/płacić gotówką <w gotówce>

~ **in** *vt* wpłac-ić/ać <złożyć/składać> (kwotę)

~ **off** *vt* 1. spłac-ić/ać (dług, wierzyciela itd.); wyrówn-ać/ywać <ui-ścić/szczać> (dług itd.); rozlicz-yć/ać się (**sb** z kimś); s/kwitować (kogoś) 2. odprawi-ć/ać (sługę); rozpu--ścić/szczać (wojsko)

~ **out** *vt* 1. wypłac-ić/ać 2. wydatkować 3. odpłac-ić/ać <z/rewanżować się> (**sb** komuś) 4. *mar* popu-ścić/szczać (linę)

~ **over** *vt* za/płacić

~ **up** ⏐⏐ *vt* wyrówn-ać/ywać <spłac-ić/ać> (rachunki, długi) ⏐Ⅲ⏐ *vi* za/płacić; *pot* wy/ bulić

zob **paid, paying** ⏐Ⅲ⏐ *s* płaca; zapłata; wynagrodzenie; pobory; żołd; wypłata; **in sb's** ~ **na** czyimś żołdzie; (*o urlopie*) **with** ~ płatny

pay² [pei] *vt* (**payed** [peid], **payed**) *mar* powle-c/ kać <po/smarować> (smołą itd.)

payable ['peiəbl] *adj* 1. (*o kwocie*) płatny (z podaniem terminu, miejsca, sposobu zapłaty) 2. (*o kopalni itd*) dochodowy; opłacalny

pay-as-you-earn ['pei-əz-ju'ə:n] *s* system płacenia podatku dochodowego z poborów przez potrącenie go w zakładzie pracy

pay-bill ['pei,bil] *s* lista płac

pay-box ['pei,bɔks] *s* kasa (teatralna itd.)

pay-day ['pei,dei] *s* dzień wypłaty (poborów)

pay-desk ['pei,desk] *s* kasa (w sklepie itd.)

payee [pei'i:] *s* odbior-ca/czyni (traty itd.); beneficjant/ka

payer ['peiə] *s* płatni-k/czka (traty itd.); trasant/ka

paying ['peiiŋ] ⏐⏐ *zob* **pay¹** *v* ⏐Ⅲ⏐ *s* płacenie; wyrównanie (długu itd.) ⏐Ⅲ⏐ *adj* 1. płacący; **a** ~ **guest** pensjonariusz/ka 2. (*o przedsiębiorstwie itd*) popłatny; dochodowy; intratny

pay-list ['pei,list] *s* lista płac

↑**pay-load** ['pei,loud] *s handl* ładunek handlowy

paymaster ['pei,mɑ:stə] *s* płatnik; skarbnik; ~ **general** minister bez teki w ministerstwie skarbu

payment ['peimənt] *s* wpłata; zapłata; opłata; wypłata; płatność; opłacenie; zapłacenie; uiszczenie; wyrównanie; wynagrodzenie; **against** ~ **of** _ za opłatą <za uiszczeniem> ... (kwoty *x*); ~ **in advance** zaliczka; **to stop** ~ wstrzymać zapłatę

paynim ['peinim] *†* *s* pogan-in/ka; mahometan-in/ ka; niewiern-y/a

pay-office ['pei,ɔfis] *s* kasa

↑**pay-roll** ['pei,roul], **pay-sheet** ['pei,ʃi:t] *s* 1. lista płac 2. suma wypłat; łączne wypłaty poborów

pea [pi:] *s* 1. ziarnko grochu; **as like as two** ~**s** podobn-i/e jak dwie krople wody 2. groch (roślina); *pl* **green** ~**s** groszek zielony <cukrowy> (roślina i potrawa); **sweet** ~ groszek pachnący (kwiat i roślina); *am* ~ **time** czas właściwej chwili; odpowiedni moment; *am* **the last of** ~ **time** ostatnia chwila (żeby coś zrobić) 3. *pl* ~**s** groszek (sortyment węgla)

pea-beetle ['pi:,bi:tl], **pea-bug** ['pi:,bʌg] *s* *zoo* oprzędek pręgowany (owad); mszyca grochowianka (owad)

peace [pi:s] *s* 1. pokój; **at** ~ na stopie pokojowej; ~ **with honour** zaszczytny pokój; **to make** ~ zaw-rzeć/ierać pokój; **to make one's** ~ **with**

sb <**with God**> pojednać się z kimś <z Bogiem> 2. pojednanie 3. traktat pokojowy 4. (*także* **the public** <**the King's**> ~) spokój publiczny; porządek; **breach of the** ~ rozruchy; **justice of** <**person sworn of**> **the** ~ obywatel mający obowiązek czuwania nad spokojem publicznym i spełniania obowiązków sędziowskich; **to break the** ~ wywoł-ać/ywać zamieszki <rozruchy, niepokoje> 5. spokój <pokój> (ducha); **leave me in** ~ daj/cie mi spokój; zostaw/cie mnie w spokoju; **my conscience is** <**not**> **at** ~ mam spokojne sumienie <nie mam spokojnego sumienia>; ~ **to their memory!** cześć ich pamięci!; **they give me no** ~ nie dają mi spokoju; *pot* nie dają mi żyć 6. milczenie; **hold your** ~! cicho bądź/cie!; przestań/cie mówić <*pot* gadać>!

peaceable ['pi:səbl] *adj* (*o człowieku*) spokojny; zgodny; (*o czynie*) pojednawczy

peaceableness ['pi:səblnis] *s* spokojne <zgodne> usposobienie

peaceful ['pi:sful] *adj* 1. spokojny 2. pokojowy; pojednawczy

peacefulness ['pi:sfulnis] *s* 1. spokój 2. pokojowość

peace-loving ['pi:s,lʌviŋ] *adj* 1. miłujący pokój 2. ceniący spokój domowy

peace-maker ['pi:s,meikə] *s* 1. rozjemca; arbiter; pojednawca 2. *żart* broń śmiercionośna (karabin, rewolwer, okręt wojenny itd.)

peace-offering ['pi:s,ɔfəriŋ] *s* ofiara złożona dla pojednania; *bibl* ofiara dziękczynna

peace-officer ['pi:s,ɔfisə] *s* stróż porządku publicznego; policjant

peace-pipe ['pi:s,paip] *s* fajka pokoju

peace-time ['pi:s,taim] ⏐⏐ *s* pokój; okres pokojowy ⏐Ⅲ⏐ *attr* (*o zarządzeniach itd*) pokojowy

peach¹ [pi:tʃ] *vi sl* don-ieść/osić; być donosicielem

↑**peach²** [pi:tʃ] ⏐⏐ *s* 1. brzoskwinia (owoc i drzewo) 2. *pot* śliczna <rozkoszna> babka <dziewczyna>; ślicznotka ⏐Ⅲ⏐ *attr* (*o kwiecie, pestce itd*) brzoskwini

peach-brandy ['pi:tʃ,brændi] *s* brzoskwiniówka (wódka)

peach-coloured ['pi:tʃ,kʌləd] *adj* (*o kolorze*) brzoskwiniowy

peachery ['pi:tʃəri] *s* brzoskwiniarnia (sad brzoskwiniowy, cieplarnia)

pea-chick ['pi:,tʃik] *s* pawiątko

↑**peach-tree** ['pi:tʃ,tri:] *s* brzoskwinia (drzewo)

peachy ['pi:tʃi] *adj* brzoskwiniowy; *przen* (*o cerze itd*) aksamitny

peacock ['pi:,kɔk] ⏐⏐ *s zoo* paw; ~ **butterfly** pawik (motyl) ⏐Ⅲ⏐ *vi* chodzić jak paw; paradować

peacock-blue ['pi:kɔk,blu:] ⏐⏐ *s* kolor pawi <niebieski> ⏐Ⅲ⏐ *adj* koloru pawiego <niebieskiego>

peacockery ['pi:,kɔkəri] *s* pyszałkowatość

pea-fowl ['pi:,faul] *s zoo* paw, pawica; *zbior* pawie

pea-green ['pi:,gri:n] ⏐⏐ *s* kolor zielonego grochu ⏐Ⅲ⏐ *adj* (*o kolorze*) zielonego grochu; groszkowy

pea-hen ['pi:,hen] *s zoo* pawica

pea-jacket ['pi:,dʒækit] *s mar* kurtka

peak¹ [pi:k] ⏐⏐ *s* 1. daszek (u czapki) 2. *mar* skrajnik (wąska część ładowni z przodu lub z tyłu okrętu) 3. *mar* róg pikowy (żagla) 4.

szczyt (góry); wierzchołek 5. szpic (brody itd.) 6. szczyt (krzywej, natężenia itd.) 7. grzebień (fali) [II] *attr* (*o produkcji, konsumpcji, obciążeniu itd*) szczytowy; maksymalny; (*o roku*) rekordowy [III] *vi* 1. (*o krzywej itd*) osiągnąć maksimum 2. (*o wielorybie*) pikować [IV] *vt* podn-ieść/osić (reję itd.) *zob* **peaked**

peak[2] [pi:k] *vi* z/marnieć; z/mizernieć; **to ~ and pine** usychać z tęsknoty

peaked [pi:kt] [I] *zob* **peak**[1] *v* [II] *adj* 1. spiczasty 2. (*o czapce*) z daszkiem

peaky[1] ['pi:ki] *adj* (*o krajobrazie*) poszarpany ostrymi szczytami

peaky[2] ['pi:ki] *adj dial* wynędzniały; chorowity

peal [pi:l] [I] *s* 1. kurant; melodia dzwonów 2. zespół dzwonów o dobranych tonach 3. głośne <silne> bicie w dzwony 4. łoskot <grzmot, huk> (pioruna, organów itd.); salwa (śmiechu); **in full ~** pełnym głosem; z hukiem [II] *vi* 1. (*o dzwonach*) rozbrzmiewać, bić; **the bells ~ed** biły dzwony; rozleg-ł/ał się głos dzwonów 2. (*o piorunie itd*) hu-knąć/czeć, za/grzmieć 3. (*o organach*) rozbrzmiewać 4. (*o śmiechu*) rozle-c/gać się, rozbrzmiewać

peanut ['pi:,nʌt] *s* orzech ziemny; **~ oil** olej arachidowy; **~ butter** masło orzechowe; *am pot* **~ politician** nędzny <sprzedajny> politykier

pea-pod ['pi:,pɔd] *s* strączek grochu

† **pear** [pɛə] *s* gruszka

† **pearl**[1] [pə:l] [I] *s* 1. perła; *przen* perełka; *kulin* **to bring sugar to the ~** gotować cukier do sperlenia 2. masa perłowa 3. *druk* perl <półgarmond> (czcionka 5-punktowa) [II] *attr* perłowy; perlisty; (*o guziku itd*) z masy perłowej; (*o kolorze*) **~ grey** perłowy [III] *vt* 1. zr-osić/aszać 2. łuszczyć (jęczmień) [IV] *vi* 1. perlić się 2. łowić <poławiać> perły

pearl[2] [pə:l] *s* (*u koronki*) pikot

pearl-ash ['pə:l,æʃ] *s chem* potaż, węglan potasowy

pearl-barley ['pə:l'bɑ:li] *s* kasza perłowa (z jęczmienia)

pearl-diver ['pə:l,daivə], **pearl-fisher** ['pə:l,fiʃə] *s* poławiacz pereł

pearlies ['pə:liz] *spl* paradny strój przekupniów londyńskich, ozdobiony mnóstwem guzików z masy perłowej

pearl-oyster ['pə:l,ɔistə] *s zoo* perłopław, ostryga perłorodna

pearl-shell ['pə:l,ʃel] *s* macica <masa> perłowa

pearl-white ['pə:l,wait] *s* 1. *farm* tlenochlorek bizmutu 2. *kosmet* bielidło

pearl-wort ['pə:l,wə:t] *s bot* karmnik (ziele)

pearly ['pə:li] *adj* 1. perłowy 2. perlisty

pearmain ['pɛə:mein] *s* papierówka (jabłko)

pear-shaped ['pɛə,ʃeipt] *adj* gruszkowaty

peart [piət] *adj dial* 1. rześki; wesoły 2. rozgarnięty, bystry

pear-tree ['pɛə,tri:] *s bot* grusza

peasant ['pezənt] *s* 1. chłop, wieśniak 2. rolnik; gospodarz

peasantry ['pezəntri] *s* chłopstwo; *zbior* chłopi

pease [pi:z] *s* groch

pease-pudding ['pi:z'pudiŋ] *s* purée grochowe

pea-shooter ['pi:,ʃu:tə] *s* dmuchawka (do strzelania grochem)

pea-soup ['pi:,su:p] *s* grochówka; **~ fog** = **pea-souper**

pea-souper ['pi:,su:pə] *s pot* gęsta i żółtawa mgła londyńska

pea-soupy ['pi:,su:pi] *adj* (*o londyńskiej mgle*) gęsty i żółty (jak zupa grochowa)

pea-stone ['pi:,stoun] *s miner* pizolit, grochowiec

peat [pi:t] *s* 1. torf 2. cegiełka torfu

peat-bog ['pi:t,bɔg] *s* torfowisko

peatery ['pi:təri] *s* torfiarnia

peat-hag ['pi:t,hæg] *s* dół po wykopanym torfie

peat-moss ['pi:t,mɔs] *s bot* torfowiec (mech)

peaty ['pi:ti], *adj* (**peatier** ['pi:tiə], **peatiest** ['pi:tiist]) torfiasty; torfowy (zapach dymu itd.)

pebble ['pebl] [I] *s* 1. kamyk; *geol* otoczak; **she's not the only ~ on the beach** nie ta, to inna; takich jak ona nie brak 2. *miner* kryształ górski 3. soczewka z kryształu górskiego 4. rodzaj agatu [II] *vt garb* granulować; wyciskać (skórę) w deseń

pebble-dash ['pebl,dæʃ] *s bud* obrzucenie świeżej zaprawy <muru itd.> żwirem

pebble-leather ['pebl,leðə] *s garb* skóra granulowana <wyciskana w deseń>

pebbly ['pebli] *adj* kamienisty; żwirowaty

pecan [pi'kæn] *s bot* 1. amerykański gatunek leszczyny 2. orzeszek

peccadillo [,pekə'dilou] *s* (*pl* **~es**) drobne przewinienie; grzeszek

peccancy ['pekənsi] *s* 1. grzeszność 2. grzech; przewinienie

peccant ['pekənt] *adj* 1. grzeszny 2. *med* złośliwy

peccary ['pekəri] *s zoo* pekari

peck[1] [pek] *s* 1. garniec (= 9.09 l); **to eat a ~ of salt with sb** zjeść z kimś beczkę soli; gruntownie kogoś poznać 2. *pot* kupa <duża ilość, masa> (czegoś); **a ~ of troubles** kłopotów <zmartwień> co niemiara

peck[2] [pek] [I] *vt* 1. dziob-nąć/ać; wydziob-ać/ywać (**a hole in sth** dziurę w czymś); **to ~ to death** zadziobać 2. *przen* musnąć wargami (**sb's cheek** kogoś w policzek) 3. s/kopać (motyką itd.); z/motyczyć [II] *vi* dziobać (**at sth** coś); (*o człowieku*) **to ~ at one's food** dziobać jedzenie widelcem; pogryzać; pochrupywać; *przen* **to ~ at sb** docinać <dogadywać, dogryzać> komuś

~ out *vt* wydziob-ać/ywać; wydłub-ać/ywać

~ up *vt* 1. (*o ptaku*) wydziob-ać/ywać z ziemi <z podłogi> 2. (*o człowieku*) rozkop-ać/ywać (ziemię) motyką <kilofem itp.>

[III] *s* 1. dziobnięcie 2. ślad ptasiego dzioba; (*o owocu*) **covered with ~s** podziobany 3. muśnięcie wargami 4. *sl* żarcie, jedzenie

pecker ['pekə] *s* 1. dzięcioł 2. motyka 3. *sl* nos; **keep your ~ up** nos <głowa> do góry

peckish ['pekiʃ] *adj pot* głodny

Pecksniff ['pek,snif] *spr* uosobienie obłudy <zakłamania, faryzeuszostwa>

pectase ['pekteis] *s chem* pektynaza (enzym)

pecten ['pektən] *s* (*pl* **pectines** ['pekti,ni:z]) *zoo* grzebień

pectic ['pektik] *adj chem* (*o kwasie*) pektynowy

pectin ['pektin] *s chem* pektyna

pectinate ['pektinit], **pectinated** [,pekti'neitid] *adj zoo* grzebieniasty

pectoral ['pektərəl] [I] *adj* 1. piersiowy 2. napierśny Ⅲ *s* 1. *kość (także ~ cross)* pektorał 2. napierśnik (pancerz)

peculate ['pekju,leit] Ⅰ *vt* sprzeniewierz-yć/ać (pieniądze) Ⅲ *vi* popełni-ć/ać malwersacj-ę/e

peculation [,pekju'leiʃən] *s* sprzeniewierzenie; malwersacja

peculator ['pekju,leitə] *s* przeniewier-ca/czyni; malwersant/ka

peculiar [pi'kju:ljə] Ⅰ *adj* 1. własny; osobisty; indywidualny 2. specyficzny; właściwy (**to sb, sth** komuś, czemuś); ściśle związany (**to sth z** czymś); **to be ~ to sb, sth** być właściwym komuś, czemuś; stanowić specyfikę czyjąś, czegoś 3. specjalny; szczególny; *teol* **the ~ people** naród wybrany; *rel* **the Peculiar People** sekta religijna propagująca leczenie drogą wiary 4. osobliwy; dziwny Ⅲ *s* 1. osobista własność; przywilej osobisty 2. kościół <parafia> nie podlegając-y/a jurysdykcji miejscowej diecezji

peculiarity [pi,kju:li'æriti] *s* 1. właściwość; (specyficzna, szczególna) cecha; (*u człowieka*) znak szczególny 2. osobliwość; dziwaczność; dziwactwo

peculiarize [pi'kju:ljə,raiz] *vt* wyszczególni-ć/ać; z/indywidualizować

peculiarly [pi'kju:ljəli] *adv* 1. osobiście 2. specjalnie, szczególnie 3. osobliwie; dziwnie; w specyficzny sposób

pecuniary [pi'kju:njəri] *adj* pieniężny; (*o trudnościach itd*) finansowy; natury materialnej

pedagogic(al) [,pedə'gɔdʒik(əl)] *adj* pedagogicznv

pedagogics [,pedə'gɔdʒiks] *s* pedagogika

pedagogue ['pedə,gɔg] *s zw lekceważąco*: nauczyciel, belfer

pedagogy ['pedə,gɔgi] *s* pedagogia

↑ **pedal** ['pedl] Ⅰ *adj* nożny; **~ bicycle** <*pot* **bike**> rower Ⅲ *s* pedał Ⅲ *vi* (-**ll**-) 1. nacis-nąć/kać pedał (fortepianu, organów itd.); grać na pedale (organów) 2. (*na rowerze*) pedałować

pedal-board ['pedl,bɔ:d] *s* pedał organowy

pedant ['pedənt] *s* pedant/ka

pedantic [pi'dæntic] *adj* pedantyczny

pedantry ['pedəntri] *s* pedanteria

peddle ['pedl] Ⅰ *vi* 1. prowadzić handel domokrążny; *rz* kramarzyć 2. marnować czas; zbijać bąki 3. zajmować się głupstwami Ⅲ *vt* 1. kolportować (towary, plotki) 2. marnować czas *zob* **peddling**

peddling ['pedliŋ] Ⅰ *zob* **peddle** Ⅲ *adj* 1. zbijający bąki 2. (*o czymś*) bez znaczenia; błahy Ⅲ *s* 1. kolportowanie; handel domokrążny 2. marnowanie czasu

pederast ['pedərəst] = **paederast**

pederasty ['pedərəsti] = **paederasty**

pedestal ['pedistl] Ⅰ *s* 1. piedestał 2. rząd szuflad z każdej strony biurka 3. nocny stolik Ⅲ *vt* (-**ll**-) postawić/stawiać na piedestale

pedestrian [pi'destriən] Ⅰ *adj* 1. pieszy 2. prozaiczny; nudny; przyziemny Ⅲ *s* (*człowiek*) pieszy; **~ crossing** przejście dla pieszych; **~ lines** wyznaczone pasami przejście dla pieszych, zebra

pediatrics [,pi:di'ætriks], **pediatry** ['pi:diətri] *s* pediatria

pedicel ['pedisl] *s bot* szypułka

pedicellate ['pedisə,leit] *adj bot* mający szypułkę

pedicle ['pedikl] = **pedicel**

pedicular [pi'dikjulə], **pediculous** [pi'dikjuləs] *adj* 1. *med* szypułkowaty 2. wszawy

pedigree ['pedi,gri:] Ⅰ *s* 1. rodowód (człowieka i zwierzęcia); genealogia 2. pochodzenie (zwierzęcia, słowa itd.) Ⅲ *attr* (*o zwierzęciu*) z rodowodem *zob* **pedigreed**

pedigreed ['pedi,gri:d] *adj* (*o zwierzęciu*) z rodowodem; rasowy

pediment ['pedimənt] *s arch* fronton

pedimental [,pedi'mentl] *adj arch* frontonowy

pedlar ['pedlə] *s* domokrążca; *rz* kramarz; przekup-ień/ka; **~ of gossip** plotka-rz/rka; bajcza-rz/rka; **~'s French** gwara złodziejska

pedlary ['pedləri] *s* handel domokrążny; *rz* kramarstwo; kolportowanie

pedometer [pi'dɔmitə] *s* krokomierz, pedometr (przyrząd notujący liczbę kroków)

peduncle [pi'dʌŋkl] *s bot* szypułka

peduncular [pi'dʌŋkjulə] *adj bot* szypułkowy

peek [pi:k] *vi* zerk-nąć/ać

~ in *vi* za-jrzeć/glądać

~ out *vi* wy-jrzeć/glądać

peek-a-boo ['pi:kə'bu:] *s am* zabawa w chowanego

↑ **peel**[1] [pi:l] Ⅰ *vt* 1. ob-rać/ierać (**the rind** <**skin**> **of an apple** <**a potato etc.**> jabłko <ziemniak itd.>) 2. zedrzeć/zdzierać <ob-edrzeć/dzierać> korę (**a tree** z drzewa); o/korować 3. zadrasnąć <zedrzeć/zdzierać, otrzeć/ocierać> (skórę) Ⅲ *vi* 1. (*także ~* **off**) z/łuszczyć się; odpa-ść/dać płatami 2. (*o drzewie*) s/tracić korę 3. (*o zwierzęciu*) zrzuc-ić/ać skórę 4. (*o człowieku*) zrzuc-ić/ać z siebie wierzchnią odzież (do ćwiczeń itd.) 5. (*o owocu, jarzynie itd*) (łatwo, trudno itd.) obierać się *zob* **peeling** Ⅲ *s* skórka (owocu, jarzyny itd.); **candied orange** <**lemon etc.**> **~** skórka pomarańczowa <cytrynowa itd.> w cukrze

peel[2] [pi:l] *s hist* baszta strażnicza na pograniczu angielsko-szkockim w XVI w.

peel[3] [pi:l] *s* łopata piekarska

peeler[1] ['pi:lə] *s* przyrząd do obierania owoców <jarzyn>

peeler[2] ['pi:lə] *s* 1. *sl* policjant 2. *hist* policjant w Irlandii za czasów R. Peela

peeling ['pi:liŋ] Ⅰ *zob* **peel**[1] *v* Ⅲ *s* 1. łuszczenie 2. *pl* **~s** obierzyny Ⅲ *adj* łuszczący się

Peelite ['pi:lait] *s hist* stronni-k/czka R. Peela

peen [pi:n] *s* cieńszy koniec młotka

peep[1] [pi:p] Ⅰ *vi* (*o ptaku*) za/ćwierkać; (*o myszy itd*) za/piszczeć Ⅲ *s* ćwierkanie (ptaka); pisk (myszy itd.)

peep[2] [pi:p] Ⅰ *vi* 1. zerk-nąć/ać (**at sb, sth** na kogoś, coś); za-jrzeć/glądać (**into a room etc.** do pokoju itd.) 2. (*także ~* **out**) wy-jrzeć/glądać 3. (*także ~* **out**) przezierać; ukaz-ać/ywać się; (*o dniu*) za/świtać 4. pod-ejrzeć/glądać <podpat-rzyć/rywać> (**at sb, sth** kogoś, coś) *zob* **peeping** Ⅲ *s* 1. zerknięcie; spojrzenie; **to get a ~ of __** ujrzeć <zobaczyć>...; **to have** <**take**> **a ~ at __** spojrzeć na... 2. ukazanie się; **~ of day** świt

peep-bo ['pi:p,bou] *interj* a kuku!

peeper ['pi:pə] *s* 1. człowiek podglądający innych 2. *sl* ślepie, oko

peep-hole ['pi:p,houl] *s* otwór do zaglądania; judasz

peeping ['pi:piŋ] Ⅰ *zob* **peep**[2] *v* Ⅲ *adj* (natrętnie) ciekawy; podglądający; **Peeping Tom** człowiek podglądający, ciekawski

peep-show ['pi:p‚∫ou] s fotoplastykon

peepul-tree ['pi:pul‚tri:] = **bo-tree**

peer¹ [piə] Ⅰ s 1. (człowiek) równy (**sb's** komuś — rangą itd.); **to be sb's ~** dorówn-ać/ywać komuś; **to be tried by one's ~s** być sądzonym przez równych sobie; **you will not find his ~** nie znajdzie-sz/cie jemu równego <takiego, który by mu dorównał> 2. (**także ~ of the realm**) par; członek Izby Lordów (**spiritual** duchowny, **temporal** świecki) Ⅲ vt 1. być równym (**sb** komuś) 2. pot podn-ieść/osić do godności para Ⅲ vi 1. być równym (**with sb** komuś) 2. dorówn-ać/ywać (**with sb** komuś)

peer² [piə] vi 1. spo-jrzeć/glądać; za-jrzeć/glądać (**into sth** do czegoś); przy-jrzeć/glądać się bacznie <badawczo> (**at sb, sth** komuś, czemuś); **to ~ into —** badać wzrokiem... (przepaść, czyjeś oblicze itd.) 2. wyzierać; ukaz-ać/ywać się; wy-jrzeć/glądać (spod <zza> czegoś) zob **peering**

peerage ['piəridʒ] s 1. godność para 2. pot zbior parowie; ogół parów 3. wykaz parów Wielkiej Brytanii

peeress ['piəris] s 1. żona para 2. kobieta posiadająca godność para

peering ['piəriŋ] Ⅰ zob **peer**² Ⅲ adj badawczy

peerless ['piəlis] adj niezrównany

peeve [pi:v] vt z/irytować; rozdraźni-ć/ać

peevish ['pi:vi∫] adj 1. drażliwy; skory do gniewu; zrzędny 2. zły; zirytowany

peevishness ['pi:vi∫nis] s 1. zrzędność 2. zły humor

peewit ['pi:wit] = **pewit**

peg [peg] Ⅰ s 1. kołek; zatyczka; czop; szpunt; (w krokiecie) palik; przen a **~ to hang sth on** powód <pretekst> do czegoś; **a round <square> ~ in a square <round> hole** człowiek na niewłaściwym miejscu <w nieodpowiednim otoczeniu>; **clothes off the ~** gotowe ubranie, konfekcja; **to come down a ~** spuścić z tonu; **to take sb down a ~ or two** utrzeć komuś nosa 2. wieszak 3. techn sworzeń, kołek 4. muz kołek (u skrzypiec itd.) 5. koniak z wodą sodową; haust <łyk> napoju alkoholowego Ⅲ vt (**-gg-**) 1. za/kołkować 2. przytwierdz-ić/ać <przymocow-ać/ywać> kołkami <sworzniem> 3. gield utrzym-ać/ywać na jednym poziomie (przez sprzedaż w dowolnych ilościach) ceny (**sth** czegoś)

~ away vi zawzięcie <wytrwale, uporczywie> pracować (**at sth** przy czymś)

~ down vt 1. przybi-ć/jać <przymocow-ać/ywać> kołkami 2. przen obwarow-ać/ywać <s/krępować> (przepisami itd.) 3. przen przyc-is-nąć/kać do muru

~ out vi 1. (w krokiecie) trafić kulą w końcowy palik 2. przen sl wykitować, umrzeć 3. wszystko stracić; przen pójść z torbami

pegamoid ['pegə‚mɔid] s imitacja skóry, dermatoid

pegmatite ['pegmə‚tait] s miner pegmatyt

peg-top ['peg‚tɔp] s bąk (zabawka); **~ trousers** bryczesy

peignoir ['peinwɑ:] s peniuar, (luźny) szlafrok

pejorative ['pi:dʒərətiv] Ⅰ adj (o wyrazie itd) o znaczeniu ujemnym <lekceważącym>, pejora-

tywny Ⅲ s wyraz o znaczeniu ujemnym <lekceważącym, pejoratywnym>

pekan ['pekən] s zoo norka (zwierzę i futro)

peke [pi:k] pot = **Pekinese** s 2.

pekin ['pi:kin] s tekst pekin (tkanina jedwabna)

Pekinese [‚pi:ki'ni:z], **Pekingese** [‚pi:kiŋ'i:z] Ⅰ adj pekiński Ⅲ s 1. Peki-ńczyk/nka 2. zoo pekińczyk

pekoe ['pi:kou] s gatunek czarnej herbaty

pelage ['pelidʒ] s sierść <futro> (zwierzęcia)

pelagic [pe'lædʒik] adj pelagiczny, morski

pelargonium [‚pelə'gounjəm] s bot pelargonia

Pelasgic [pe'læzgik] adj staroż pelazgijski

pelerine ['pelə‚ri:n] s peleryna

pelf [pelf] s (zu uj) mamona, pieniądze; bogactwo

pelican ['pelikən] s zoo pelikan

pelisse [pe'li:s] s 1. pelisa; futro 2. damski <dziecinny> płaszcz 3. kurtka huzarska

pellagra [pe'lægrə] s med pelagra

pellet ['pelit] Ⅰ s 1. kulka (z papieru, chleba itd.) 2. śrut 3. farm pigułka Ⅲ vt obrzuc-ić/ać kulkami

pellicle ['pelikl] s błona

pellitory ['pelitəri] s bot pomurnik; pomurne ziele

pell-mell ['pel'mel] Ⅰ adv 1. bezładnie; chaotycznie; bez ładu i składu; jak groch z kapustą 2. na łeb na szyję Ⅲ adj bezładny; chaotyczny Ⅲ s mieszanina; zbieranina; przen bigos

pellucid [pe'lju:sid] adj 1. przeźroczysty 2. jasny; zrozumiały

pellucidness [pe'lju:sidnis] s 1. przezroczystość 2. jasność; zrozumiałość

Pelmanism ['pelmə‚nizəm] s mnemotechniczna metoda nauczania

pelmet ['pelmit] s lambrekin

pelota [pi'loutə] s rodzaj gry w piłkę

pelt¹ [pelt] s skóra (zw barania, kozia)

pelt² [pelt] Ⅰ vt obrzuc-ić/ać; przen zasyp-ać/ywać (**with abuse etc.** gradem obelg itd.) Ⅲ vi 1. (o deszczu, gradzie itd) bębnić; walić; grzmocić 2. popędzić, pognać Ⅲ s 1. grad (pocisków itd.) 2. bębnienie <grzmocenie> (deszczu o dach itd.) ‖ **at full ~** (biec, uciekać) pędem <co sił w nogach>

peltate ['peltit] adj bot tarczowy, kształtu tarczy

pelter ['peltə] s 1. napastnik obrzucający gradem pocisków <obelg itd.> 2. rzęsisty deszcz

peltry ['peltri] s zbior skóry (zwierzęce); futra

pelvic ['pelvik] adj anat miednicowy

pelvis ['pelvis] s anat miednica

pemmican ['pemikən] s pemikan, konserwa z suszonego mięsa; przen skondensowany materiał literacki

pemphigus ['pemfigəs] s med pęcherzyca (choroba skóry)

pen¹ [pen] Ⅰ s 1. zagroda; wybieg; **chicken ~** kurnik 2. (w Indiach Zach.) plantacja 3. schron <miejsce schronienia> dla łodzi podwodnych Ⅲ vt (**-nn-**) zam-knąć/ykać; zag-nać/aniać

~ up vt stł-oczyć/aczać w zagrodzie <przen w czterech ścianach>

pen² [pen] Ⅰ s 1. pióro; **to put ~ to paper** za/brać się do pisania; wziąć/brać pióro do ręki 2. stalówka 3. przen praca literacka; **to live by**

one's ~ żyć z pióra [II] *vt* (**-nn-**) na/pisać; z/redagować

pen[3] [pen] *s zoo* łabędzica

penal ['pi:nl̩] *adj* (*o kodeksie, prawie*) karny; (*o przestępstwie*) karalny; **~ colony** kolonia karna; **~ servitude** ciężkie roboty, katorga

penalize ['pi:nə,laiz] *vt* u/karać; podda-ć/wać karze; skaz-ać/ywać na karę; na-łożyć/kładać karę (**sb** na kogoś); **to be ~d** ponieść karę

↑**penalty** ['penl̩ti] [I] *s* kara; grzywna; sankcja karna; **under ~ of** ... pod karą...; (*w piłce nożnej*) rzut karny; *am* **~ envelope** koperta dla pism urzędowych [II] *attr* (*także sport*) karny

penance ['penəns] [I] *s kośc* pokuta; **to do ~** odprawi-ć/ać pokutę [II] *vt* zada-ć/wać pokutę (**sb** komuś)

pen-and-ink ['penənd'iŋk] *attr* (*o rysunku*) piórkiem

Penates [pe'neiti:z] *spl mitol* penaty

pence *zob* **penny**

penchant ['pɑ̃:ʃɑ̃:] *s* skłonność (**for sth** do czegoś)

pencil ['pensl] [I] *s* 1. † pędzel (malarski); *przen* styl (malarza) 2. ołówek; **a drawing in ~, a ~ drawing** rysunek ołówkiem 3. *opt* snop <pęk> (promieni itd.) 4. *geom* wiązka linii [II] *vt* (**-ll-**) 1. na/rysować; na/szkicować 2. na/pisać ołówkiem 3. (*na wyścigach*) zapis-ać/ywać (konia) w książce zakładów

pencil-case ['pensl,keis] *s* piórnik

pencraft ['pen,krɑ:ft] *s* zdolności pisarskie <literackie>

pendant, pendent ['pendənt] *s* 1. wisiorek; brelok; ozdoba wisząca 2. *mar* proporzec 3. *arch* wisior 4. [*także* pɑ̃:dɑ̃:] para <pendant, uzupełnienie> (**to sth** do czegoś) *zob* **pendent** *adj*

pendency ['pendənsi] *s* tok <przebieg> (rozprawy)

pendent ['pendənt] [I] *zob* **pendant** [II] *adj* (*także* **pendant**) 1. wiszący; zwisający 2. będący w toku; toczący się; nie rozstrzygnięty 3. *gram* (*o zdaniu*) niedokończony

pending ['pendiŋ] [I] *adj* nie rozstrzygnięty; **to be ~** być w toku; toczyć się [II] *praep* 1. podczas <w czasie, w trakcie> (czegoś) 2. do (czasu) <w oczekiwaniu> (**his return etc.** jego powrotu itd.)

pendragon [pen'drægən] *s hist* wódz <książę> walijski <brytyjski>

pendulate ['pendju,leit] *vi* 1. (*o wahadle*) wahać się, poruszać się ruchem wahadłowym 2. (*o człowieku*) wahać się; być niezdecydowanym

pendulous ['pendjuləs] *adj* 1. wiszący; zwisający 2. kołyszący się

pendulum ['pendjuləm] *s* wahadło; *polit* **a swing of the ~** nagły zwrot w opinii publicznej

peneplain ['pi:ni,plein] *s geol geogr* peneplena, prawierównia

penetrability [,penitrə'biliti] *s* 1. przenikalność; przepuszczalność 2. † przenikliwość (umysłu itd.)

penetrable ['penitrəbl] *adj* 1. przenikalny; przepuszczalny 2. † przenikliwy

penetralia [,peni'treiljə] *spl* tajniki, najgłębsze zakątki

penetrate ['peni,treit] [I] *vt* 1. przenik-nąć/ać; przebi-ć/jać; przeszy-ć/wać; przesiąk-nąć/ać (**sth** przez coś); wedrzeć/wdzierać <wtargnąć, przedosta-ć/wać, zanurz-yć/ać, wcis-nąć/kać> się (**sth** do czegoś); zat-opić/apiać się (**sth** w czymś) 2. zgłębi-ć/ać (tajemnicę itd.) 3. przej-ąć/mować <natchnąć> (**sb with a feeling etc.** kogoś uczuciem itd.) [II] *vi* przenik-nąć/ać <przesiąk-nąć/ać, do-trzeć/cierać, przedosta-ć/wać się> (**through** <**into**> **sth** przez coś, do czegoś); wedrzeć/wdzierać <zanurz-yć/ać, zat-opić/apiać, wcis-nąć/kać, zapu-ścić/szczać> się (**into sth** do <w głąb> czegoś); wtargnąć (**into sth** do czegoś) *zob* **penetrating**

↑**penetrating** ['peni,treitiŋ] [I] *zob* **penetrate** [II] *adj* 1. przenikliwy; przenikający 2. wnikliwy 3. przeszywający (ból itd.); drążący

penetration [,peni'treiʃən] *s* 1. przenikanie; przesiąkanie; przedostawanie się 2. przebicie 3. zanurzenie; zatopienie 4. przenikliwość; wnikliwość; bystrość umysłu 5. wtargnięcie; wdarcie się; penetracja; wciśnięcie się

penetrative ['peni,treitiv] = **penetrating** *adj*

pen-feather ['pen,feðə] *s* (*u ptaka*) lotka, pióro lotne

penguin ['peŋgwin] *s zoo* pingwin; *lotn* samolot szkolny (toczący się po ziemi)

pen-holder ['pen,houldə] *s* obsadka, rączka (do pisania)

penial ['pi:njəl] *adj anat* prąciowy

penicillate [pə'nisilit] *adj* pędzelkowy

penicillin [,peni'silin] *s farm* penicylina

peninsula [pi'ninsjulə] *s geogr* półwysep

penis ['pi:nis] *s* (*pl* **penes** ['pi:ni:z]) *anat* prącie

penitence ['penitəns] *s* skrucha; żal za grzechy

penitent ['penitənt] [I] *adj* skruszony [II] *s* pokutni-k/ca; skruszon-y/a grzeszni-k/czka; penitent/ka: *rel* (*u ewangelików*) **~ form** ławka pokutujących

penitential [,peni'tenʃəl] *adj* pokutny; pokutniczy; **the ~ psalms** psalmy pokutne

penitentiary [,peni'tenʃəri] [I] *adj* 1. poprawczy 2. karny; *prawn* penitencjarny 3. *am* (*o przestępstwie*) karany więzieniem <domem poprawy> 4. *rel* pokutny; pokutniczy [II] *s* 1. *kośc* penitencjariusz 2. dom poprawy <poprawczy> 3. więzienie karne

penknife ['pen,naif] *s* (*pl* **penknives** ['pen,naivz]) scyzoryk

penman ['penmən] *s* (*pl* **penmen** ['penmən]) 1. pisarz (literat) 2. pisarz (gminny itp.); **a good** <**bad**> **~** człowiek z ładnym <brzydkim> charakterem pisma

penmanship ['penmənʃip] *s* 1. zdolności literackie 2. charakter pisma

pen-name ['pen,neim] *s* pseudonim (literacki)

pennant ['penənt] *s* proporzec

pennate ['penit] *adj* pierzasty; upierzony

penniless ['penilis] *adj* (*o człowieku*) bez środków, pozbawiony środków do życia; w nędzy; bez grosza

pennon ['penən] *s* proporzec

penn'orth ['penəθ] = **pennyworth**

penny ['peni] *s* (*pl* **pence** [pens], **pennies** ['pen iz]) 1. (*pl* **pence** [pens]) penny, pens; kwota jednopensowa; **a ~ for your thoughts** nad czym się zamyśli-łeś/liście?; **a pretty ~** ładne <ciężkie> pieniądze; *pot* gruba forsa; **in for a ~, in for a pound** gdy się powiedziało A, trzeba także powiedzieć B; **take care of the pennies and the pounds will take care of themselves** grosza pilnuj, dukat sam się pilnuje; do grosza grosz a napełni się trzos; **to turn an honest** ~ a) dorywczo zarabiać b) zarabiać uczciwą pracą; **you won't be a** ~ **the worse** <the wiser> **for it** nie zaszkodzi ci to <nie przyniesie ci to żadnego pożytku>; ~ **blood** <dreadful> tania literatura sensacyjna 2. (*pl* **pennies**) moneta jednopensowa; *przen* grosz; **a bad** ~ zły szeląg; **he hasn't a** ~ **to his name** (on) nie ma grosza w majątku 3. (*pl* **pennies**) *am* cent

penny-a-line ['peniə'lain] *adj* (*o utworze*) kiepski, tandetny

penny-a-liner ['peniə'lainə] *s* pismak; marn-y/a dziennika-rz/rka

penny-bank ['peni,bæŋk] *s* kasa oszczędności przyjmująca wpłaty jednopensowe

penny-cress ['peni,kres] *s bot* tobołki

penny-farthing ['peni,fɑ:ðiŋ] *s pot* bicykl

penny-in-the-slot ['peni-inðə,slɔt] *s* 1. automat (do sprzedaży cukierków itd.) 2. waga automatyczna

penny-post ['peni,poust] *s* jednopensowe ofrankowanie listów

penny-royal ['peni,rɔiəl] *s bot* mięta polej

pennyweight ['peni,weit] *s* 1/20 uncji używanej w handlu kruszcami (= 1,5552 g)

pennywise ['peni,waiz] *adj* oszczędzający na drobiazgach; ~ **and pound foolish** oszczędny w drobiazgach, a rozrzutny przy dużych kwotach

pennywort ['peni,wə:t] *s bot* 1. wąkrotka zwyczajna 2. pępownica (ziele)

pennyworth ['peni,wə:θ, 'penəθ] *s* towar za (jednego) pensa; **a** ~ **of sweets, please** proszę cukierków za pensa; **a good** <bad> ~ dobry <kiepski> interes; korzystna <niekorzystna> transakcja; **not a** ~ **of** __ ani za grosz … (czegoś)

penology [pi:'nɔlədʒi] *s* nauka o karaniu sądowym oraz o więziennictwie

pensile ['pensail] *adj* 1. wiszący 2. *zoo* (*o ptaku*) budujący gniazda wiszące

pension ['penʃən] Ⅰ *s* 1. emerytura; renta 2. ['pã:si,ɔ̃:] pensjonat Ⅲ *vt* 1. przyzna-ć/wać <wyznacz-yć/ać> emeryturę <rentę> (**sb** komuś) 2. przekup-ić/ywać (**sb** kogoś) przyznaniem (mu) renty

~ **off** przenieść (kogoś) na emeryturę; spensjonować

pensionable ['penʃənəbl] *adj* 1. (*o człowieku*) mający prawo do emerytury <do renty> 2. (*o wysłudze lat itd*) uprawniający do emerytury <do renty> 3. (*o wieku*) emerytalny

pensionary ['penʃənəri] Ⅰ *adj* (*o prawach itd*) emerytalny; (*o człowieku*) a) emerytowany b) przekupiony; najemny Ⅲ *s* 1. emeryt/ka; rencist-a/ka 2. najmita 3. *hist* **the Grand Pensionary** pierwszy minister Holandii i Zelandii w XVII i XVIII w.

pensioner ['penʃənə] *s* 1. emeryt/ka; rencist-a/ka 2. *wojsk* weteran 3. najmita 4. *uniw* (*w Cambridge*) student nie pobierający żadnego stypendium

pensive ['pensiv] *adj* 1. zamyślony; zadumany 2. melancholijny

pensiveness ['pensivnis] *s* 1. zamyślenie; zaduma 2. melancholia

penstock ['pen,stɔk] *s* 1. stawidło 2. kanał doprowadzający <zasilający>

pen-swan ['pen,swɔn] = **pen³**

pent [pent] *adj* zamknięty; *przen* uwięziony; ~ **up** <in> stłoczony, zgnieciony; (*o uczuciach, łzach itd*) ~ **up** zdławiony; powstrzymywany

pentachord ['pentə,kɔ:d] *s muz* pentachord, instrument pięciostrunowy

pentacle ['pentəkl] = **pentagram**

pentad ['pentæd] *s* 1. piątka 2. grupa <seria> pięciu (elementów itd.) 3. pięciolecie 4. *chem* element pięciowartościowy

pentagon ['pentəgən] *s* pięciokąt, pięciobok, pentagon

pentagonal [pen'tægənl] *adj* pięciokątny, pięcioboczny

pentagram ['pentə,græm] *s* pentagram (figura symboliczna)

pentahedral [,pentə'hi:drəl] *adj* pięciościenny

pentahedron [,pentə'hi:drən] *s* pięciościan

pentameter [pen'tæmitə] *s prozod* pentametr, wiersz pięciostopowy

pentane ['pentein] *s chem* pentan

pentapetalous [,pentə'petələs] *adj bot* pięciopłatkowy

pentarchy ['pentɑ:ki] *s hist* pentarchia, rządy pięciu

pentasulphide [,pentə'sʌlfaid] *s chem* pięciosiarczek

Pentateuch ['pentə,tju:k] *s bibl* Pięcioksiąg, Pentateuch

pentathlon [pen'tæθlɔn] *s sport* pięciobój

pentavalent [pen'tævələnt] *adj chem* pięciowartościowy

Pentecost ['penti,kɔst] *s rel* Zesłanie Ducha Św., Zielone Świątki

penthouse ['pent,haus], **pentice** ['pentis] *s* 1. przybudówka 2. okap, daszek 3. *am* mieszkanie <nadbudówka mieszkalna> na dachu wysokościowca <drapacza chmur>

pentode ['pentoud] *s elektr* pentoda

pentomic [pen'tɔmik] *adj am wojsk* (*o związku taktycznym*) złożony z pięciu grup bojowych i wyposażony w broń atomową

pentoxide [,pent'ɔksaid] *s chem* pięciotlenek

pentroof ['pent,ru:f] *s* dach jednospadowy

pentstemon [,pent'sti:mən] *s bot* pentstemon (roślina trędownikowata)

pent-up ['pent,ʌp] *adj* 1. zamknięty; ogrodzony 2. (*o rzece*) ujarzmiony 3. (*o uczuciach*) zdławiony; powstrzymywany

penult [pi'nʌlt], **penultimate** [pi'nʌltimit] Ⅰ *s jęz* przedostatnia zgłoska Ⅲ *adj* przedostatni

penumbra [pi'nʌmbrə] *s* półcień

penurious [pi'njuəriəs] *adj* 1. ubogi 2. skąpy 3. (*o gruncie*) jałowy

penuriousness [pi'njuəriəsnis] *s* skąpstwo

penury ['penjuri] *s* 1. ubóstwo; nędza 2. brak; niedostatek

pen-wiper ['pen,waipə] *s* wycieraczka do piór

peon [pju:n] *s* 1. (*w Indiach*) a) posłaniec; goniec b) piechur, żołnierz piechoty c) policjant 2. ['pi:ən] (*w Ameryce Płd.*) robotnik pracujący na dniówki 3. ['pi:ən] (*w Meksyku*) człowiek skazany na roboty przymusowe za niepłacenie długów

peonage ['pi:ənidʒ] *s* (*w Meksyku*) roboty przymusowe za niepłacenie długów

peony ['piəni] *s bot* piwonia

people ['pi:pl] Ⅰ *s* naród, nacja; lud Ⅲ *spl* 1.

ludzie; **old** ~ starcy; **young** ~ młodzież; **the**
~ **who** _ ci, którzy...; **you** ~ wy (tam) 2.
społeczeństwo; mieszkańcy <ludność> (miasta
itd.); obywatele (kraju); **the country** ~ wieś-
niacy 3. poddani (króla itd.) 4. pracownicy (zakładu itd.); służba (w gospodarstwie) 5. rodzice; rodzina 6. *kośc* parafianie; parafia 7. lud;
People's Palace Ludowy Dom Kultury w Londynie 8. gmin; pospólstwo 9. osoby; **how many**
~ **were there?** ile było osób? 10. *bezosobowo*:
~ **saw you** widziano cię <was>; ~ **say that** _
mówią, że ... Ⅲ *vt* zaludni-ć/ać
pep [pep] Ⅰ *s sl* animusz; werwa; życie; ożywienie; wigor; **it was enough to take the** ~
out of anybody to by każdego przygasiło; **to**
put some ~ **into a fellow** ożywić <wlać trochę
werwy w> człowieka Ⅲ *vt* (**-pp-**) (*zw* ~ **up**)
am ożywi-ć/ać; .doda-ć/wać animuszu (**sb ko-**
muś)
pepper ['pepə] Ⅰ *s* pieprz Ⅲ *vt* 1. po/pieprzyć
2. obsyp-ać/ywać (wroga) gradem pocisków 3.
zbić <*pot* sprać> (kogoś)
pepper-and-salt ['pepərən'sɔːlt] *attr* 1. (*o mate-*
riale) a) cętkowany b) w białe i czarne kropki
c) marengo 2. (*o włosach, brodzie*) szpakowaty;
przyprószony siwizną
pepper-box ['pepə,bɒks], **pepper-caster, pepper-**
-castor ['pepə,kɑːstə] *s* pieprzniczka
pepper-corn ['pepə,kɔːn] *s* ziarnko pieprzu; *prawn*
~ **rent** symboliczny czynsz
peppermint ['pepə,mint] *s* 1. *bot* mięta 2. likier
miętowy 3. cukierek miętowy
pepper-pot ['pepə,pɒt] *s* 1. = **pepper-box** 2. *kulin*
rodzaj gulaszu z pieprzem 3. przezwisko Jamaj-
czyka
pepperwort ['pepə,wəːt] *s bot* pieprzyca polna
peppery ['pepəri] *adj* 1. pieprzny 2. (*o uwadze*
itd) zjadliwy 3. (*o człowieku*) porywczy; skory
do gniewu
peppy ['pepi] *adj sl* pełen werwy <życia>
pepsin ['pepsin] *s fizj* pepsyna
peptic ['peptik] *adj fizj* trawienny
peptone ['peptoun] *s fizj chem* pepton
peptonization [,peptənai'zeiʃən] *s* peptonizacja
per [pə:] *praep* 1. przez (posłańca itd.); za pośrednictwem; ~ **rail** koleją; ~ **steamer** parow-
cem 2. według <stosownie do> (wzoru, faktury
itd.); *sl* **as** ~ **usual** jak zwykle 3. *w łacińskich*
zwrotach i wyrażeniach: ~ **annum** [pər'ænəm]
rocznie; ~ **capita** [pə'kæpitə] na głowę (ludności); od osoby; ~ **cent(um)** [pə'sent(əm)] od
sta; procent; ~ **contra** na przeciwnej stronie
(rachunku); ~ **pro**, ~ **procurationem** [pə:'prɔ-
kjuəreiti'ounəm] w zastępstwie; w/z; ~ **saltum**
[pə'sæltəm] naraz; nagle; bezpośrednio; ~ **se**
[pə'siː] sam przez się
peracid [pər'æsid] *s chem* nadkwas
peracute [,perə'kjuːt] *adj med* bardzo ostry; gwałtowny
peradventure [,pərəd'ventʃə] Ⅰ *adv* być może;
if ~ gdyby przypadkiem; **lest** ~ _ żeby przypadkiem nie ... Ⅲ *s* niepewność; przypadek;
beyond <**without**> ~ bez żadnej wątpliwości;
na pewno; niewątpliwie
perambulate [pə'ræmbju,leit] Ⅰ *vt* 1. prze-jść/
chadzać się (**a garden, room etc.** po ogrodzie,
pokoju itd.) 2. zwiedz-ić/ać; obejrzeć/oglądać

3. ustal-ić/ać granice (**a parish etc.** parafii itd.)
w uroczystym pochodzie 4. wozić (dziecko) w
wózku Ⅲ *vi* przechadzać się
perambulation [pə,ræmbju'leiʃən] *s* 1. przechadzka; przechadzanie się 2. inspekcja; objazd 3.
ustalenie granic (obszaru)
perambulator [pə'ræmbju,leitə] *s* wózek dziecinny
percale [pə'keil] *s tekst* perkal
percaline ['pə:kəlin] *s tekst* perkalina
perceivable [pə'siːvəbl] *adj* dostrzegalny
perceive [pə'siːv] *vt* spostrze-c/gać; dostrze-c/
gać; zauważ-yć/ać; uświad-omić/amiać <uprzy-
tomni-ć/ać> sobie; po/czuć; odczu-ć/wać
↑ **percentage** [pə'sentidʒ] *s* procent, odsetek, (*od*
kapitału) odsetka
percept ['pə:sept] *s filoz* 1. spostrzegany przedmiot 2. postrzeganie
perceptibility [pə,septə'biliti] *s* dostrzegalność
perceptible [pə'septəbl] *adj* dostrzegalny
perception [pə'sepʃən] *s* 1. *filoz* postrzeganie,
percepcja 2. *prawn* pobór <pobieranie> (czyn-
szów itd.)
perceptive [pə'septiv] *adj* 1. *filoz* postrzeżeniowy, spostrzeżeniowy, percepcyjny 2. spostrzegawczy
perceptiveness [pə'septivnis], **perceptivity** [,pə:-
sep'tiviti] *s* 1. *filoz* zdolność postrzegania 2. spostrzegawczość
perch[1] [pə:tʃ] *s zoo* okoń, okuń (ryba)
perch[2] [pə:tʃ] Ⅰ *s* 1. grzęda; **the bird takes its** ~
ptak siada 2. *przen* siodło; wysokie stanowisko;
to come off one's ~ spuścić z tonu; **to hop**
the ~ wyciągnąć nogi; umrzeć; **to knock sb**
off his ~ wysadzić kogoś z siodła 3. żerdź;
tyczka 4. (*u wozu*) rozwora 5. pręt (= 5,5 jarda,
ok. 5 m); **square** ~ pręt kwadratowy (= ok.
25 m²) 6. półksiężyc garbarski (przyrząd) Ⅲ *vi*
1. (*o ptaku*) si-ąść/adać 2. u/sadowić <umie-
-ścić/szczać, u/lokować> się Ⅲ *vt* u/sadowić;
umie-ścić/szczać *zob* **perching**
perchance [pə'tʃɑːns] † *adv* przypadkiem; być
może
percher ['pə:tʃə] *s zoo* ptak wróblowaty
percheron ['pə:ʃə,rɒn] *s* perszeron (koń)
perching ['pə:tʃiŋ] Ⅰ *zob* **perch**[2] *v* Ⅲ *adj* ~
bird = **percher**
perchlorate [pə'klɔrit] *s chem* nadchloran
perchloric [pə'klɔrik] *adj chem* nadchlorowy
percipient [pə'sipiənt] Ⅰ *adj* 1. doznający wrażenia; **to be** ~ **of** _ percypować <dozna-ć/wać>
... 2. spostrzegawczy; bystry Ⅲ *s* człowiek doznający wrażenia (*zw* telepatycznego)
percolate [pə:kə,leit] Ⅰ *vt* 1. przesącz-yć/ać;
prze/cedzić; prze/filtrować; *chem* perkolować
2. (*o płynie*) przesącz-yć/ać się <przenik-nąć/ać>
(**sth przez coś**) Ⅲ *vi* przesącz-yć/ać się; nasiąk-
-nąć/ać; wsiąk-nąć/ać; przenik-nąć/ać
↑ **percolation** [,pə:kə'leiʃən] *s* 1. sączenie; cedze-
nie; filtracja; perkolacja 2. przesiąkanie
percolator ['pə:kə,leitə] *s* filtr; perkolator; maszynka do kawy
percuss [pə'kʌs] *vt med* opuk-ać/iwać
percussion [pə'kʌʃən] *s* 1. uderzenie; wstrząs;
zderzenie; ~ **cap** kapiszon; spłonka (naboju)
2. *med* opukiwanie, perkusja 3. *muz* perkusja;
~ **instruments** instrumenty perkusyjne
percussive [pə'kʌsiv] *adj* perkusyjny

percutaneous [ˌpəːkjuˈteinjəs] *adj* (*o zastrzyku itp*) podskórny

perdition [pəːˈdiʃən] *s* zatracenie; *rel* wieczne potępienie

perdu(e) [pəːˈdjuː] *adj* 1. ukryty; przyczajony; **to lie ~** siedzieć w ukryciu; czaić się 2. stracony 3. *wojsk* ukryty na czatach

perdurable [pəːˈdjuərəbl] *adj* trwały; wieczny

peregrinate [ˈperigriˌneit] *vi* żart wędrować; podróżować

peregrination [ˌperigriˈneiʃən] *s* wędrówka; podróżowanie; podróż

peregrinator [ˌperigriˈneitə] *s* wędrowni-k/czka; podróżn-y/a; podróżni-k/czka

peregrine [ˈperigrin] *adj* Ⅰ † zagraniczny; obcy Ⅲ *s zoo* (*także ~* falcon) sokół wędrowny

peremptoriness [pəˈremptərinis] *s* ton rozkazujący; apodyktyczność; stanowczość; bezapelacyjność; nieodwołalność

peremptory [pəˈremptəri] *adj* rozkazujący; nakazujący; apodyktyczny; stanowczy; bezapelacyjny; ostateczny, nieodwołalny

perennial [pəˈrenjəl] Ⅰ *adj* 1. trwały 2. wieczny 3. (*o źródle*) nie wysychający Ⅲ *s bot* bylina

perfect [ˈpəːfikt] Ⅰ *adj* 1. doskonały 2. skończony (dureń itd.) 3. (*o lekcji*) wyuczony; opanowany 4. zupełny; całkowity; **a ~ fright** straszydło; **a ~ stranger** zupełnie obcy człowiek; **~ nonsense** czysta bzdura; kompletny nonsens 5. *muz* (*o interwale, akordzie itd*) czysty 6. *gram* dokonany Ⅲ *s gram* czas przeszły dokonany Ⅲ *vt* [pəˈfekt] 1. u/doskonalić 2. dokon-ać/ywać (**sth** czegoś); u/kończyć; przeprowadz-ić/ać 3. *druk* zadrukować odwrotną stronę (**a sheet** arkusza)

perfectibility [pəˌfektiˈbiliti] *s* możność osiągnięcia doskonałości

perfectible [pəˈfektəbl] *adj* dający się udoskonalić; **it is ~** można to udoskonalić

perfection [pəˈfekʃən] *s* 1. doskonałość; perfekcja; **~ itself** uosobienie <szczyt> doskonałości; **to ~** doskonale (coś zrobić itd.); **to succeed to ~** a) osiągnąć pełny sukces b) udać się w pełni 2. udoskonalenie 3. szczyt (doskonałości itd.) 4. dokonanie <ukończenie, przeprowadzenie> (zadania itd.)

perfectionism [pəˈfekʃəˌnizəm] *s teol* perfekcjonizm (teoria)

perfectionist [pəˈfekʃənist] *s teol* perfekcjonist-a/ka

perfectly [ˈpəːfiktli] *adv* 1. doskonale; **I know it ~ well** doskonale wiem o tym 2. zupełnie; całkowicie; **it's ~ stupid to** (jest) szczyt głupoty; **to be ~ right** mieć zupełną <świętą> rację

perfervid [pəːˈfəːvid] *adj* płomienny; żarliwy; gorliwy

perfidious [pəːˈfidiəs] *adj* wiarołomny; zdradziecki; perfidny

perfidiousness [pəːˈfidjəsnis], **perfidy** [ˈpəːfidi] *s* wiarołomność; perfidia

perfoliate [pəːˈfouliit] *adj bot* (*o liściu*) przerośnięty

perforate [ˈpəːfəˌreit] Ⅰ *vt* prze/dziurkować; przedziurawi-ć/ać; przekłu-ć/wać; prześwidrow-ać/ywać; perforować Ⅲ *vi* przebi-ć/jać się (przez coś)

perforation [ˌpəːfəˈreiʃən] *s* przedziurkowanie; przedziurawienie; przebicie; prześwidrowanie; przekłucie; perforacja; *med* pęknięcie

perforator [ˈpəːfəˌreitə] *s* 1. dziurkacz, perforator 2. *techn* dziurkarka 3. *techn* świder; wiertarka

perforce [pəˈfɔːs] *adv* z konieczności

perform [pəˈfɔːm] Ⅰ *vt* spełni-ć/ać (zadanie itd.); wykon-ać/ywać (rozkaz, utwór muz., zamówienie itd.); od-egrać/grywać (sztukę, rolę); wywiąz-ać/ywać się (**one's duty** z obowiązku itd.); uskuteczni-ć/ać; dokon-ać/ywać (**sth** czegoś); od-prawi-ć/ać (nabożeństwo itd.) Ⅲ *vi* 1. (*o człowieku*) wyst-ąpić/ępować (na scenie itd.); mieć występ; za/grać (na instrumencie) 2. (*o zwierzęciu*) pokaz-ać/ywać sztuki *zob* **performing**

performable [pəˈfɔːməbl] *adj* (*o zadaniu itd*) wykonalny; (*o dramacie itd*) **to be ~** nadawać się na scenę

⸙**performance** [pəˈfɔːməns] *s* 1. spełnienie; wykonanie (rozkazu, utworu muz. itd.); odegranie (roli); występ (aktora itd.); wywiązanie się (**of a duty etc.** z obowiązku itd.); uskutecznienie; dokonanie; odprawienie (nabożeństwa itd.) 2. czyn (bohaterski); wyczyn; osiągnięcie; **to put up a good ~** dobrze się spisać 3. *techn* wydajność (maszyny itd); osiągi 4. *teatr kino* przedstawienie; seans; (*w napisie*) **no ~** teatr zamknięty; kino nieczynne 5. *muz* koncert; **to give a ~** wystąpić z koncertem; wykon-ać/ywać (utwór)

performer [pəˈfɔːmə] *s* wykonaw-ca/czyni; artyst-a/ka; aktor/ka; muzy-k/czka

performing [pəˈfɔːmiŋ] Ⅰ *zob* **perform** Ⅲ *adj* (*o zwierzęciu*) tresowany

perfume [ˈpəːfjuːm] Ⅰ *s* 1. perfumy 2. zapach; aromat; woń Ⅲ *vt* [pəˈfjuːm] 1. wy/perfumować 2. nasyc-ić/ać <napełni-ć/ać> zapachem; rozsiewać zapach (**the air, a room etc.** w powietrzu, w pokoju itd.)

perfumer [pəˈfjuːmə] *s* fabrykant/ka <sprzedaw--ca/czyni> perfum; **a ~'s shop** perfumeria

perfumery [pəˈfjuːməri] *s* perfumeria

perfunctoriness [pəˈfʌŋktərinis] *s* 1. powierzchowne traktowanie (inspekcji itd.) 2. niedbałość

perfunctory [pəˈfʌŋktəri] *adj* 1. pobieżny; powierzchowny; zrobiony dla formy <dla pozoru, niedbale, *pot* na kolanie> 2. (*o człowieku*) niedbały

perfuse [pəˈfjuːz] *vt* 1. o/bryzgać; po/kropić, skr-opić/apiać 2. obl-ać/ewać; zal-ać/ewać 3. przecedz-ić/ać

perfusion [pəˈfjuːʒən] *s* 1. obryzganie; pokropienie 2. oblanie; zalanie 3. przecedzenie

pergameneous [ˌpəːgəˈmiːnjəs] *adj* pergaminowy

pergola [ˈpəːgələ] *s* pergola

perhaps [pəˈhæps] *adv* być może, może być; może...; może by...; możliwie; **unless ~ —** chyba że...

peri [ˈpiəri] *s mitol* (*u Persów*) wróżka; nadziemska istota; *przen* istota nieziemskiej piękności

periagua *zob* **piragua**

perianth [ˈperiˌænθ] *s bot* okwiat

pericardial [ˌperiˈkaːdiəl] *adj anat* osierdziowy

pericardium [ˌperiˈkaːdiəm] *s anat* osierdzie

pericarp [ˈperiˌkaːp] *s bot* owocnia

periclinal [ˌperiˈklainl̩] *adj geol* peryklinalny

pericope [ˈperiˌkoup] *s* perykopa, ustęp z **Pisma** św.

pericranium [ˌperi'kreinjəm] s *anat* oczaszna; *żart* mózgownica, głowa; rozum

peridot ['peri,dɔt] s *miner* oliwin, perydot (kamień półszlachetny)

perigee ['peri,dʒi:] s *astr* perygeum

perihelion [ˌperi'hi:ljən] s *astr* peryhelium

peril ['peril] □ s niebezpieczeństwo; **at one's ~** na własne ryzyko; **in ~ of one's life** w niebezpieczeństwie życia Ⅲ *vt* (**-ll-**) wystawi-ć/ać <nara-zić/żać> na niebezpieczeństwo

perilous ['periləs] *adj* niebezpieczny; ryzykowny

perimeter [pə'rimitə] s obwód, perymetr

perineal [ˌperi'ni:əl] *adj* anat kroczowy

perineum [ˌperi'ni:əm] s *anat* krocze

↑**period** ['piəriəd] □ s 1. okres; cykl 2. *astr mat* okres, period 3. *hist* okres; epoka; dzień dzisiejszy, nasze czasy; **of the ~** a) dzisiejszy b) ówczesny 4. *med* faza <okres> (choroby); *pl* **~s** okres, menstruacja, period, miesiączka 5. kropka; **to put a ~ to sth** położyć kres czemuś 6. wypowiedź 7. *gram* zdanie złożone Ⅲ *attr* (*o kostiumach, meblach itd*) stylowy

periodate [pə'raiə,deit] s *chem* nadjodan

↑**periodic**[1] [ˌpiəri'ɔdik] *adj* 1. okresowy; periodyczny; cykliczny 2. *lit* okresowy, retoryczny

periodic[2] [ˌpə:rai'ɔdik] *adj* chem (*o kwasie*) nadjodowy

periodical [ˌpiəri'ɔdikəl] □ *adj* = **periodic**[1] 1. Ⅲ s czasopismo, periodyk

periodicity [ˌpiəriə'disiti] s okresowość, periodyczność; cykliczność; *elektr* częstotliwość

periosteal [ˌperi'ɔstiəl] *adj* anat okostnowy

periosteum [ˌperi'ɔstiəm] s *anat* okostna

periostitis [ˌperiəs'taitis] s *med* zapalenie okostnej

peripatetic [ˌperipə'tetik] □ *adj* 1. *filoz* perypatetyczny 2. wędrowny Ⅲ s 1. *filoz* perypatetyk 2. *żart* domokrążca

peripeteia, peripetia [ˌperipə'taiə] s perypetia

peripheral [pə'rifərəl] *adj* peryferyczny, obwodowy

periphery [pə'rifəri] s 1. obwód 2. peryferie, krańce, skraj

periphrase ['peri,freiz] □ s *ret* peryfraza, omówienie Ⅲ *vt* wypowi-edzieć/adać (myśl itd.) za pomocą peryfrazy Ⅲ *vi* posługiwać się peryfrazami

periphrasis [pə'rifrəsis] (*pl* **periphrases** [pə'rifrə,si:z]) = **periphrase** s

periphrastic [ˌperi'fræstik] *adj* (*o stylu*) peryfrastyczny; *gram* (*o czasie*) złożony

perique [pə'ri:k] s ciemny wyborowy tytoń ze stanu Louisiana

periscope ['peri,skoup] s peryskop

periscopic [peri'skɔpik] *adj* (*o szkłach itd*) peryskopowy

perish ['periʃ] □ *vi* 1. z/ginąć; s/tracić życie; przepa-ść/dać 2. przymierać (głodem) 3. ze/psuć się; z/niszczeć; (*o metalach*) zetleć Ⅲ *vt* z/niszczyć; (*o mrozie itd*) z/warzyć; (*o słońcu*) spal-ić/ać (roślinność) *zob* **perished, perishing**

perishable ['periʃəbl] □ *adj* (*o towarze*) psujący się Ⅲ *spl* **~s** łatwo psujące się towary

perished ['periʃt] □ *zob* **perish** Ⅲ·*adj* 1. zniszczony; zepsuty; zetlały 2. skostniały (z zimna)

perisher ['periʃə] *sl* = **blighter**

perishing ['periʃiŋ] □ *zob* **perish** Ⅲ *adj* *sl* silny; zabójczy; przeraźliwy; piekielny

peristalsis [ˌperi'stælsis] s *fizj* ruch robaczkowy

peristaltic [ˌperi'stæltik] *adj* fizj (*o ruchu*) robaczkowy, perystaltyczny

peristeronic [ˌperistə'rɔnik] *adj* (dotyczący) gołębi

peristyle ['peri,stail] s *arch* perystyl

periton(a)eal [ˌperitɔ'niəl] *adj* anat otrzewnowy

periton(a)eum [ˌperitou'ni:əm] s *anat* otrzewna

peritonitis [ˌperitə'naitis] s *med* zapalenie otrzewnej

periwig ['periwig] s peruka

periwinkle[1] ['peri,wiŋkl] s *bot* barwinek

periwinkle[2] ['peri,wiŋkl] s *zoo* pobrzeżek (małż jadalny)

perjure ['pə:dʒə] *vr* **~ oneself** krzywoprzysi-ąc/ęgać *zob* **perjured**

perjured ['pə:dʒəd] □ *zob* **perjure** Ⅲ *adj* 1. winny krzywoprzysięstwa 2. wiarołomny

perjurer ['pə:dʒərə] s krzywoprzysięzca

perjury ['pə:dʒəri] s 1. krzywoprzysięstwo 2. wiarołomstwo

perk[1] [pə:k] □ *vi* (*także* **~ up**) 1. ożywi-ć/ać się; odzysk-ać/iwać animusz; nab-rać/ierać otuchy 2. przy-jść/chodzić do siebie (po chorobie) 3. junakować 4. zadzierać nosa Ⅲ *vt* 1. ożywi-ć/ać; doda-ć/wać animuszu (**sb** komuś); (*o psie*) **to ~ up its ears** nastawić uszy; **to ~ up one's head** zadrzeć głowę 2. przystr-oić/ajać; odśwież-yć/ać

perk[2] [pə:k] *sl* = **perquisite**

perkiness ['pə:kinis] s 1. pewność siebie; zuchwalstwo 2. żwawość; dziarskość

perky ['pə:ki] *adj* (**perkier** ['pə:kiə], **perkiest** ['pə:kiist]) 1. pewny siebie; zuchwały 2. żwawy; dziarski

perlite ['pə:lait] s *miner* perłowiec, perlit, szkliwo wulkaniczne

perm [pə:m] □ s (= **permanent wave**) *pot* trwała ondulacja Ⅲ *vt* trwale za/ondulować; **she had her hair ~ed** dała sobie zrobić trwałą ondulację

permalloy ['pə:mə,lɔi] s *metal* stop niklu i żelaza

permanence ['pə:mənəns] s trwałość; ciągłość; stałość; permanencja; niezmienność

permanency ['pə:mənənsi] s 1. = **permanence** 2. stałe zajęcie 3. rzecz trwała

↑**permanent** ['pə:mənənt] *adj* trwały; ciągły; stały; nieustanny; niezmienny; długotrwały; **~ magnet** magnes stały <trwały>; **~ wave** trwała ondulacja; *kolej* **~ way** nawierzchnia

permanently ['pə:mənəntli] *adv* trwale: na stałe; ciągle, stale, nieustannie; niezmiennie

permanganate [pə:'mæŋgənit] s *chem* nadmanganian

permanganic [ˌpə:mæŋ'gænik] *adj* chem nadmanganowy

permeability [ˌpə:mjə'biliti] s przepuszczalność; przenikalność; przenikliwość

permeable ['pə:mjəbl] *adj* przepuszczalny; przenikalny (**to a gas** dla gazu)

permeance ['pə:mjəns] s przewodność magnetyczna

permeate ['pə:mi,eit] □ *vt* przenik-nąć/ać; przesiąk-nąć/ać (**sth przez coś**); napełni-ć/ać Ⅲ *vi* przesiąk-nąć/ać (**through sth przez coś**) permeation [͵pǝ:mi'eiʃǝn] s przenikanie; przesiąkanie; napełnianie

Permian ['pǝ:miǝn] adj geol permski

permissibility [pǝ͵misi'biliti] s dopuszczalność

permissible [pǝ'misǝbl] adj dopuszczalny; dozwolony

permission [pǝ'miʃǝn] s pozwolenie, zezwolenie

↑permissive [pǝ'misiv] adj 1. dozwalający 2. zalecający 3. dozwolony

permit [pǝ'mit] v (-tt-) ① vt pozw-olić/alać <zezw-olić/alać> (sth na coś; sb to do sth komuś coś zrobić); dozw-olić/alać (sth czegoś, na coś); ~ me to say _ pozwól/cie, że powiem ...; we were not ~ted to speak etc. nie pozwolono nam <nie wolno nam było> mówić itd. ② vi dopu-ścić/szczać <zn-ieść/osić, ś/cierpieć> (of sth coś) zob permitted, permitting ③ s ['pǝ:mit] 1. pozwolenie, zezwolenie 2. przepustka

permitted [pǝ'mitid] ① zob permit v ② adj dozwolony; ~ hours godziny dozwolonej sprzedaży napojów alkoholowych

permitting [pǝ'mitiŋ] zob permit v; weather ~ w razie ·pogody; przy sprzyjających warunkach atmosferycznych

permittivity [͵pǝ:mi'tiviti] s elektr przenikalność <stała> dielektryczna

permutable [pǝ'mju:tǝbl] adj zamienny, wymienny

permutation [͵pǝ:mju'teiʃǝn] s przemiana; zamiana; przestawi-enie/anie; mat permutacja

permute [pǝ'mju:t] vt przestawi-ć/ać

pern [pǝ:n] s zoo pszczołojad (ptak)

pernicious [pǝ:'niʃǝs] adj szkodliwy; zgubny; med (o anemii itd) złośliwy

perniciousness [pǝ:'niʃǝsnis] s szkodliwość; zgubne skutki

pernickety [pǝ'nikiti] adj pot 1. wymagający; grymaśny 2. drobiazgowy; pedantyczny 3. (o sprawie) delikatny

pernoctation [͵pǝ:nɔk'teiʃǝn] s spędzenie nocy (zw na modlitwach); całonocne modlitwy

perorate ['perǝ͵reit] vi 1. z/reasumować przemówienie 2. perorować

peroration [͵perǝ'reiʃǝn] s 1. z/reasumowanie przemówienia 2. perora

peroxide [pǝ'rɔksaid] ① s chem nadtlenek; hydrogen ~ woda utleniona ② vt utleni-ć/ać (włosy)

perpend¹ [pǝ:'pend] † vt rozważ-yć/ać (w myślach)

perpend² ['pǝ:pend] = parpen

perpendicular [͵pǝ:pǝn'dikjulǝ] ① adj pionowy; prostopadły; arch ~ style późny gotyk angielski ② s 1. geom linia prostopadła 2. pion; out of the ~ nie w pionie; krzywy 3. sl przyjęcie na stojąco

perpendicularity ['pǝ:pǝn͵dikju'læriti] s prostopadłość

perpetrate ['pǝ:pi͵treit] vt popełni-ć/ać (błąd, czyn karygodny itd.); pot s/płodzić <wymyśl-ić/ać> (kalambur, wiersz itd.)

perpetration [͵pǝ:pi'treiʃǝn] s 1. popełnienie (błędu, czynu karygodnego itd.) 2. błąd; grzech; zbrodnia

perpetrator ['pǝ:pi͵treitǝ] s spraw-ca/czyni; przestęp-ca/czyni

perpetual [pǝ'petjuǝl] adj 1. wieczny 2. nieusta-

jący; bezustanny; ~ motion perpetuum mobile; ~ screw ślimak (śruba bez końca)

perpetuate [pǝ'petju͵eit] vt uwieczni-ć/ać; unieśmiertelni-ć/ać

perpetuation [pǝ͵petju'eiʃǝn] s uwiecznienie; unieśmiertelnienie

perpetuator [pǝ͵petju'eitǝ] s człowiek, który uwiecznił (of sth coś)

perpetuity [͵pǝ:pi'tjuiti] s 1. wieczność; in <for, to> ~ na wieczność; po wieczne czasy; bezterminowo 2. dożywocie; renta dożywotnia

perplex [pǝ'pleks] vt 1. za/kłopotać; wprawi-ć/ać w zakłopotanie; zmieszać 2. zdumie-ć/wać 3. po/gmatwać zob perplexing

perplexedly [pǝ'pleksidli] adv z zakłopotaniem

perplexing [pǝ'pleksiŋ] ① zob perplex ② adj kłopotliwy

perplexingly [pǝ'pleksiŋli] adv (zachować się) w sposób wprawiający (innych) w zakłopotanie

perplexity [pǝ'pleksiti] s 1. zakłopotanie 2. zdumienie 3. dylemat 4. gmatwanina

perquisite ['pǝ:kwizit] s uboczny <nieprzewidziany> dochód <zarobek>; napiwek

perquisition [͵pǝ:kwi'ziʃǝn] s rewizja (w mieszkaniu)

perron ['perǝn] s 1. taras 2. stopnie prowadzące na taras 3. (przed wejściem do domu) schody zewnętrzne (prowadzące na parter)

perry ['peri] s wino z gruszek

persecute ['pǝ:si͵kju:t] vt prześladować; szykanować; napastować; nagabywać; nie dawać spokoju (sb komuś)

persecution [͵pǝ:si'kju:ʃǝn] s prześladowanie; ~ mania mania prześladowcza

persecutor ['pǝ:si͵kju:tǝ] s prześladow-ca/czyni

perseverance [͵pǝ:si'viǝrǝns] s wytrwałość

persevere [͵pǝ:si'viǝ] vi wytrwać; nie ustawać (w czymś); to ~ in doing sth uporczywie <wytrwale> coś robić zob persevering

persevering [͵pǝ:si'viǝriŋ] ① zob persevere ② adj wytrwały

↑Persian ['pǝ:ʃǝn] ① adj perski; ~ blinds żaluzja (z deseczek u okna) ② s 1. Pers/janka 2. język perski

persicot ['pǝ:si͵kɔt] s pestkówka (likier)

persiennes [͵pǝ:si'enz] = Persian blinds zob Persian adj

persiflage [͵peǝsi'fla:ʒ] s persyflaż; pokpiwanie; drwiny

persimmon [pǝ:'simǝn] s bot śliwa daktylowa

persist [pǝ'sist] vi 1. wytrwać 2. upierać się <obstawać> (in sth przy czymś); to ~ in doing sth wciąż <dalej> coś robić; nie przestawać coś <czegoś> robić; if you ~ in making that noise, I'll spank you jeżeli będziesz dalej tak hałasował <jeżeli nie przestaniesz tak hałasować> dam ci klapsa 3. trwać; utrzymywać się; nie ustawać

persistence [pǝ'sistǝns], persistency [pǝ'sistǝnsi] s 1. wytrwałość 2. uporczywość 3. trwałość; stałość

persistent [pǝ'sistǝnt] adj 1. wytrwały 2. uporczywy 3. trwały; stały 4. bot (o liściach) nie opadający w zimie

person ['pǝ:sn] s 1. osoba; człowiek; in ~ osobiście; in one's own <proper> ~ we własnej osobie 2. powierzchowność (człowieka); postawa

3. *prawn* osoba prawna 4. *zoo* osobnik; okaz 5. *gram* osoba

persona [pə'sounə] *s lac* osoba; ~ **grata** [-'gra:tə] persona grata, człowiek mile widziany

personable ['pə:sɳəbl] *adj* przystojny

personage ['pə:sɳidʒ] *s* 1. osobistość; (wielka) figura 2. osoba; człowiek 3. postać (sztuki scenicznej, utworu lit. itd.)

personal ['pə:sɳl] *adj* 1. osobisty; prywatny; własny; ~ **remark** osobista przymówka <aluzja>; **to be** ~ robić osobiste wycieczki 2. indywidualny 3. *gram* (*o zaimku, formie*) osobowy 4. *dzien* ~ **column** dział ogłoszeń o charakterze prywatnym 5. (*o pytaniu, uwadze*) niedyskretny

personality [ˌpə:sə'næliti] *s* 1. osobistość 2. powierzchowność; postawa; prezencja 3. indywidualność 4. (*zw pl*) osobiste wycieczki <przymówki>

personalize ['pə:sɳəˌlaiz] *vt* uosabiać; być uosobieniem (**sth** czegoś)

personally ['pə:sɳəli] *adv* 1. osobiście; ~ **I don't mind** osobiście <co do mnie, (to)> nic nie mam przeciw(ko) temu; (*o wycieczce*) ~ **conducted** prowadzony przez zawodowego przewodnika 2. (oddać coś) do rąk własnych 3. (brać wypowiedzianą uwagę itd.) do siebie

personalty ['pə:sɳti] *s* 1. majątek <mienie> osobist-y/e 2. *zbior* ruchomości

personate[1] ['pə:sənit] *adj bot* (*o koronie kwiatu*) maskowaty (u lwiej paszczy itd.)

personate[2] ['pə:səˌneit] *vt* 1. od-egrać/grywać rolę (**Hamlet** etc. Hamleta itd.) 2. poda-ć/wać się (**sb** za kogoś)

personation [ˌpə:sə'neiʃən] *s* 1. przedstawienie (postaci) 2. podawanie się (za kogoś) 3. uosobienie

personator ['pə:səˌneitə] *s* 1. odtwór-ca/czyni (roli) 2. oszust/ka podając-y/a się za kogoś innego

personification [pə:ˌsɔnifi'keiʃən] *s* 1. personifikacja, uosobienie 2. wcielenie; ucieleśnienie

personify [pə:'sɔniˌfai] *vi* (**personified** [pə:'sɔniˌfaid], **personified**; **personifying** [pə:'sɔniˌfaiiŋ]) 1. uos-obić/abiać 2. ucieleśni-ć/ać

‡**personnel** [ˌpə:sə'nel] *s* personel, pracownicy; *wojsk* skład osobowy (wojska)

perspective [pə'spektiv] *s* perspektywa; (*o obrazie*) **in** ~ z dobrą perspektywą; zachowujący właściwe proporcje; **out of** ~ z wadliwą perspektywą; namalowany bez zachowania proporcji *adj* perspektywiczny

perspex ['pə:speks] *s chem* perspex, *handl* plexiglas (tworzywo zastępujące szkło)

perspicacious [ˌpə:spi'keiʃəs] *adj* bystry; przenikliwy; przewidujący; mądry

perspicacity [ˌpə:spi'kæsiti] *s* bystrość; przenikliwość; mądrość

perspicuity [ˌpə:spi'kjuiti] *s* jasność; wyrazistość; dobitność; zrozumiałość

perspicuous [pə'spikjuəs] *adj* jasny; wyraźny; dobitny; zrozumiały

perspirable [pə:'spaiərəbl] *adj* 1. przewiewny; pozwalający na przenikanie potu 2. wypacalny

perspiration [ˌpə:spə'reiʃən] *s* 1. pocenie się 2. pot; **bathed in** ~ zlany <ociekający> potem; **in** ~ spocony; **to break into** ~ zacząć się pocić

perspiratory [pə:'spaiərətəri] *adj* 1. (*o gruczole itd*) potny 2. (*o leku itd*) napotny

perspire [pəs'paiə] *vi* s/pocić się *vt* wy-p-ocić/acać *zob* **perspiring**

perspiring [pəs'paiəriŋ] *zob* **perspire** *adj* spocony

persuadable [pə'sweidəbl] *adj* dający się przekonać; **to be** ~ dać się przekonać

persuade [pə'sweid] *vt* przekon-ać/ywać (**of sth** o czymś); **to** ~ **sb into doing** <**to do**> **sth** nam-ówić/awiać kogoś do zrobienia czegoś; **to** ~ **sb out of sth** <**not to do sth**> wyperswadować <odradz-ić/ać> komuś coś <zrobienie czegoś>; odw-ieść/odzić kogoś od czegoś; **I was** ~**d that** __ byłem przekonany <miałem przeświadczenie>, że ...

persuader [pə'sweidə] *s* 1. dorad-ca/czyni 2. *pl* ~**s** *sl* ostrogi

persuasibility [pəˌsweisi'biliti] *s* możność <zdolność, umiejętność> przekonywania

persuasible [pə'sweisəbl] *adj* dający się przekonać <namówić>; ulegający namowom

persuasion [pə'sweiʒən] *s* 1. przekonywanie; namawianie; perswazja 2. przekonanie; przeświadczenie; zdanie 3. *rel* wyznanie; sekta 4. *żart* rodzaj; płeć

persuasive [pə'sweisiv] *adj* przekonywający *s* pobudka

persulphate [pə'sʌlfit] *s chem* nadtlenosiarczan, nadsiarczan

pert [pə:t] *adj* zuchwały; impertynencki

pertain [pə:'tein] *vi* 1. należeć (**to sth** do czegoś); wchodzić w zakres (**to sth** czegoś) 2. być właściwością (**to sth** czegoś — istoty itd.) 3. odnosić się (**to sb, sth** do kogoś, czegoś) *zob* **pertaining**

pertaining [pə:'teiniŋ] *zob* **pertain** *adj* właściwy (**to sb, sth** komuś, czemuś); typowy (**to sb, sth** dla kogoś, czegoś)

pertinacious [ˌpə:ti'neiʃəs] *adj* uparty; zawzięty; (*o chorobie itd*) uporczywy

pertinaciousness [ˌpə:ti'neiʃəsnis], **pertinacity** [ˌpə:ti'næsiti] *s* upór; zawziętość; uporczywość (choroby itd.)

pertinence ['pə:tinəns], **pertinency** ['pə:tinənsi] *s* stosowność; trafność; słuszność

pertinent ['pə:tinənt] *adj* 1. stosowny; trafny; słuszny 2. mający związek (**to the matter in hand** z omawianą sprawą, tematem itd.); odnoszący się (**to sb, sth** do kogoś, czegoś) *s* (*zw pl*) *prawn* przynależności

pertness ['pə:tnis] *s* zuchwalstwo; impertynencja

perturb [pə'tə:b] *vt* 1. wywoł-ać/ywać zaburzeni-e/a <zamieszanie, zamęt> (**sth** w czymś); wzburz-yć/ać; zakłóc-ić/ać porządek (**sth** czegoś) 2. zaniepokoić; zatrwożyć; zmieszać

perturbation [ˌpə:tə'beiʃən] *s* 1. zaburzeni-e/a; zamieszanie; zamęt; wzburzenie; zakłócenie porządku 2. niepokój; poruszenie; zmieszanie 3. *astr* perturbacja

peruke [pə'ru:k] *s* peruka

perusal [pə'ru:zəl] *s* (uważne) przeczytanie

peruse [pə'ru:z] *vt* 1. prze/czytać (uważnie) 2. przy-jrzeć/glądać się badawczo (**sb, sth** komuś, czemuś)

Peruvian [pə'ru:viən] *adj* peruwiański; ~ **balsam** balsam peruwiański; ~ **bark** kora chinowa *s* Peruwia-nin/nka

pervade [pə'veid] *vt* szerzyć się (**society etc.**

wśród społeczeństwa itd.); nurtować (**sb, sth** kogoś, coś; w kimś, czymś); przenikać <przesiąkać, sięgać> (**sth** do czegoś); napełniać; **the feelings that ~ _** uczucia, którymi przeniknięty jest <tchnie> ... *zob* **pervading**
pervading [pə'veidiŋ] Ⓘ *zob* **pervade** Ⅲ *adj* 1. przenikający; napełniający 2. panujący; dominujący; przeważający 3. powszechny
pervasion [pə'veiʒən] *s* szerzenie się; nurtowanie; przenikanie; przesiąkanie; infiltracja
pervasive [pə'veisiv] *adj* szerzący <rozprzestrzeniający> się; przenikający; przenikliwy
pervasiveness [pə'veisivnis] *s* przenikliwość
perverse [pə'və:s] *adj* 1. przewrotny 2. uparty; przekorny 3. perwersyjny; zepsuty; wyuzdany; 4. *prawn* (*o wyroku*) umyślnie <złośliwie> fałszywy
perverseness [pə've:snis] *s* 1. przewrotność 2. upór; przekora 3. perwersja; zepsucie; wyuzdanie
perversion [pə'və:ʃən] *s* 1. perwersja, zboczenie 2. zakłamanie 3. przekręcenie; wypaczenie
perversity [pə'və:siti] = **perverseness**
pervert [pə'və:t] Ⓘ *vt* 1. odw-ieść/odzić; odprowadz-ić/ać 2. sprowadz-ić/ać na manowce 3. ze/psuć (moralnie), z/deprawować 4. odciąg-nąć/ać od wiary 5. wypacz-yć/ać; przekręc-ić/ać Ⅲ *s* ['pə:və:t] 1. zboczeniec 2. renegat/ka; apostata
perverter [pə'və:tə] *s* demoralizator/ka
pervertible [pə'və:təbl] *adj* dający <mogący> się wypaczyć
pervious ['pə:viəs] *adj* 1. przepuszczalny (**to water, gas etc.** dla wody, gazu itd.) 2. ulegający <poddający się> (**to sth** czemuś); wrażliwy (**to sth** na coś)
perviousness ['pə:viəsnis] *s* 1. przepuszczalność 2. uleganie <poddawanie się> (**to sth** czemuś); wrażliwość (**to sth** na coś)
peseta [pə'setə] *s* peseta
pesky ['peski] *adj* (**peskier** ['peskiə], **peskiest** ['peskiist]) *am* *pot* pieroński; cholerny; wstrętny; nieznośny
peso ['peisou] *s* peso
pessary ['pesəri] *s med* pessarium
pessimism ['pesi,mizəm] *s* pesymizm
pessimist ['pesimist] *s* pesymist-a/ka
pessimistic(al) [,pesi'mistik(əl)] *adj* pesymistyczny
pest [pest] *s* 1. plaga; szkodnik (chwast, owad); (*o człowieku itd*) utrapienie; **to be a ~** zatruwać życie; nie dawać spokoju 2. zaraza; pomór
pester ['pestə] *vt* 1. (*o szkodnikach*) nawiedz-ić/ać; da-ć/wać się we znaki (**sb, sth** komuś, czemuś) 2. niepokoić; dokuczać <nie dawać spokoju> (**sb** komuś)
pest-house ['pest,haus] *s* szpital epidemicznych chorób zakaźnych
pestiferous [pes'tifərəs] *adj* 1. zapowietrzony; morowy 2. szkodliwy
pestilence ['pestiləns] *s* zaraza; epidemia
pestilent ['pestilənt] *adj* 1. zabójczy; śmiercionośny 2. szkodliwy; zgubny 3. epidemiczny 4. *pot* nieznośny; przeklęty
pestilential [,pesti'lenʃəl] *adj* 1. zapowietrzony 2. zaraźliwy 3. szkodliwy; zgubny 4. *pot* nieznośny; wstrętny
pestle ['pesl] Ⓘ *s* tłuczek Ⅲ *vt* u/tłuc
pestology [pes'tɔlədʒi] *s* nauka o szkodnikach
pet[1] [pet] Ⓘ *s* 1. pieszczoch/a; **his mother's ~**

maminsynek; **my ~!** kochanie! 2. pieszczon-e/y zwierzę <ptak>, ulubieni-ec/ca Ⅲ *adj* ulubiony; ukochany; pieszczony; wypieszczony; **~ name** zdrobniała <pieszczotliwa> nazwa; pieszczotliwe imię Ⅲ *vt* (-tt-) wy/pieścić Ⅳ *vi* (-tt-) *am* pieścić się
pet[2] [pet] Ⓘ *s* obraza; gniew; dąsy; **to be in a ~ = to ~** *vi*; **to get into a** <**to take the**> **~** obra-zić/żać <roz/gniewać, na/dąsać> się Ⅲ *vi* (-tt-) być obrażonym; gniewać <dąsać> się
petal ['petl] *s bot* płatek (kwiatu)
petard [pe'tɑ:d] *s* petarda
petasus ['petəsəs] *s mitol* skrzydlaty kapelusz (Hermesa)
petaurist [pə'tɔ:rist] *s zoo* polatucha
peter[1] ['pi:tə] *vi w zwrocie*: **to ~ out** 1. *dosł i przen* wyczerp-ać/ywać <s/kończyć> się 2. (*o strumyku*) znik-nąć/ać pod ziemią 3. *auto* (*o silniku*) sta-nąć/wać 4. (*o projekcie itd*) spalić na panewce; zaw-ieść/odzić; **it ~ed out** nic z tego nie wyszło
Peter[2] ['pi:tə] *spr w zwrocie*: **to rob ~ to pay Paul** przełożyć z jednej kieszeni do drugiej; **~'s penny** <**pence**> świętopietrze
petersham ['pi:təʃəm] *s tekst* ratyna; **~ ribbon** wstążka rypsowa
petiolar ['petiələ] *adj bot* szypułkowy
petiole ['peti,oul] *s bot* ogonek liścia
petite [pə'ti:t] *adj* (*o kobiecie*) drobna
petition [pi'tiʃən] Ⓘ *s* petycja; *sąd* prośba; *rel* modlitwa Ⅲ *vt* wn-ieść/osić petycję <prośbę> (**the authorities** <**court**> do władz <do sądu>) Ⅲ *vi* błagać (**for sth** o coś)
petitionary [pi'tiʃənəri] *adj* błagalny
petitioner [pi'tiʃnə] *s* petent/ka
petrel ['petrəl] *s zoo* petrel (ptak)
petrifaction [,petri'fækʃən], **petrification** [,petri fi'keiʃən] *s* skamienienie; skamieniałość
petrify ['petri,fai] *v* (**petrified** ['petri,faid], **petrified**; **petrifying** ['petri,faiiŋ]) Ⓘ *vt* 1. s/petryfikować 2. *przen* s/paraliżować; wprawi-ć/ać w osłupienie Ⅲ *vi* 1. *dosł i przen* skamienieć 2. osłupieć
petrography [pi'trɔgrəfi] *s* petrografia
petrol ['petrəl] *s* benzyna; mieszanka benzynowa; paliwo (płynne)
petrolatum [,petrə'leitəm] *s farm* wazelina
petrol-can ['petrəl,kæn] *s* blaszanka (na paliwo płynne); *pot* kanister
petroleum [pi'trouljəm] *s* ropa naftowa; olej skalny
petroliferous [,petrə'lifərəs] *adj* roponośny
petrology [pi'trɔlədʒi] *s* petrologia
petrous ['petrəs] *adj* kamienny; skalisty
petticoat ['peti,kout] Ⓘ *s* 1. † spódnica, spódniczka 2. (sztywna) halka 3. *pl* **~s** *przen* pieluszki 4. *przen* kobieta; dziewczyna; *pl* **~s** kobiety; płeć żeńska Ⅲ *attr* (*o rządach itd*) kobiecy
pettifog ['peti,fɔg] *vi* (-gg-) 1. ustawicznie prawować się; uprawiać pieniactwo 2. używać kruczków *zob* **pettifogging**
pettifogger ['peti,fɔgə] *s* 1. pieniacz/ka; awanturni-k/ca 2. pokątny doradca (w sprawach sądowych)
pettifogging ['peti,fɔgiŋ] Ⓘ *zob* **pettifog** Ⅲ *s* pokątne doradzanie <† doradztwo> (w sprawach

sądowych) [W] *adj* 1. pieniacki; awanturniczy 2. krętacki

pettish ['petiʃ] *adj* 1. drażliwy; obraźliwy 2. rozdrażniony; w złym humorze

pettishness ['petiʃnis] *s* 1. drażliwość; obraźliwość 2. rozdrażnienie; zły humor

pettitoes ['peti,touz] *spl kulin* nóżki wieprzowe

petty ['peti] *adj* (**pettier** ['petiə], **pettiest** ['petiist]) 1. drobny; pomniejszy; mało ważny; ~ **cash** kasa podręczna; *mar* ~ **officer** podoficer 2. = **petty-minded**

petty-minded ['peti,maindid] *adj* małostkowy

petty-mindedness ['peti,maindidnis] *s* małostkowość

petulance ['petjuləns] *s* 1. rozdrażnienie 2. drażliwość

petulant ['petjulənt] *adj* 1. rozdrażniony 2. drażliwy

petunia [pi'tju:njə] [I] *s bot* petunia [II] *attr* ciemnofioletowy

pew [pju:] [I] *s* ławka (kościelna); *pot* **take a** ~ proszę klapnąć <usiąść> [III] *vt* 1. zaopatrzyć/rywać (kościół) w ławki 2. zamknąć/ykać (kogoś) w ławce kościelnej

pewage ['pju:idʒ] *s* 1. *zbior* ławki (w kościele) 2. abonament na miejsce w ławce kościelnej

pewit ['pi:wit] *s zoo* czajka

pew-opener ['pju:,oupnə] *s* kościelny otwierający drzwiczki ławek

pewter ['pju:tə] *s* 1. stop cyny z ołowiem 2. naczynie cynowe 3. dzban cynowy 4. *sl* nagroda pieniężna

pfennig ['pfenig] *s* fenig

phaeton ['feitn] *s* faeton (powozik)

phaged(a)ena [,fædʒi'di:nə] *s med* owrzodzenie zgorzelinowe szybko rozszerzające się

phaged(a)enic [,fædʒi'di:nik] *adj med* (*o wrzodzie*) żrący i szybko rozszerzający się

phagocyte ['fægə,sait] *s biol* fagocyt, komórka żerna

phalange ['fælændʒ] = **phalanx**

phalangeal [fə'lændʒəl] *adj anat* (odnoszący się do) kości palców

phalanger [fə'lændʒə] *s zoo* australijski torbacz nadrzewny

phalanges *zob* **phalanx** 2.

phalansterian [,fæləns'tiəriən] *s* falansterzyst-a/ka

phalanstery ['fælənstəri] *s* falanster (budynek mieszkalny wspólnoty socjalistycznej projektu Fouriera)

phalanx ['fælæŋks] *s* 1. (*pl* ~**es** ['fælæŋksiz]) falanga 2. (*pl* **phalanges** [fæ'lændʒi:z]) *anat* człon (palca)

phalarope ['fælə,roup] *s zoo* płatkonóg (ptak)

phallic ['fælik] *adj anat* (dotyczący) prącia; (*o kulcie*) falliczny

phallus ['fæləs] *s* (*pl* **phalli** ['fælai]) *anat* prącie

phanariot [fə'næri,ot] *s* fanariota (członek arystokracji greckiej pozostałej przy życiu po zdobyciu Konstantynopola przez Turków w 1453 r., wyższy urzędnik lub duchowny)

phanerogam ['fænə,rougəm] *s bot* roślina jawnopłciowa

phanerogamic [,fænərou'gæmik], **phanerogamous** [,fænə'rogəməs] *adj bot* jawnopłciowy

phantasm ['fæntæzəm] *s* 1. chimera, urojenie; złudzenie; przywidzenie 2. zjawa

phantasmagoria [,fæntæzmə'gɔriə], **phantasmagory** [,fæn'tæzməgəri] *s* fantasmagoria

phantasmagoric [,fæntəzmə'gɔrik] *adj* fantasmagoryczny

phantasmagory *zob* **phantasmagoria**

phantasmal [fæn'tæzməl] *adj* widmowy; upiorny; złudny

phantasy ['fæntəsi] = **fantasy**

phantom ['fæntəm] [I] *s* 1. widmo; upiór; zjawa; fantom 2. złudzenie [II] *adj* 1. widmowy; upiorny 2. złudny; ~ **ship** okręt widmo

Pharaoh ['fɛərou] *s* faraon; ~'s **serpent** rodzaj ognia sztucznego

pharisaic(al) [,færi'seiik(əl)] *adj* faryzeuszowski

pharisaism ['færisei,izəm] *s* faryzeuszostwo

pharisee ['færi,si:] *s dosł i przen* faryzeusz

pharmaceutic(al) [,fɑ:mə'sju:tik(əl)] *adj* farmaceutyczny, aptekarski

pharmaceutics [,fɑ:mə'sju:tiks] *s* farmaceutyka

pharmaceutist [,fɑ:mə'sju:tist], **pharmacist** ['fɑ:məsist] *s* farmaceut-a/ka

pharmacologist [,fɑ:mə'kɔlədʒist] *s* farmakolog

pharmacology [,fɑ:mə'kɔlədʒi] *s* farmakologia

pharmacopoeia [,fɑ:məkə'pi:ə] *s* farmakopea

pharmacy ['fɑ:məsi] *s* 1. apteka 2. farmacja

pharos ['fɛərɔs] *s* latarnia morska

pharyngeal [,færin'dʒi:əl] *adj anat* gardłowy

pharyngitis [,færin'dʒaitis] *s med* zapalenie gardła

pharyngotomy [,færin'gɔtəmi] *s med* przecięcie gardzieli

pharynx ['færiŋks] *s anat* gardło; gardziel

↑**phase** [feiz] *s* 1. *astr* faza 2. faza; okres; stadium 3. *elektr* faza

phasic ['feizik] *adj* fazowy

pheasant ['feznt] *s* bażant; *bot* ~'s **eye** miłek

pheasantry ['fezntri] *s* bażantarnia, bażanciarnia

phenacetin [fi'næsitin] *s chem* fenacetyna

phenol ['fi:nɔl] *s chem* fenol

phenology [fi'nɔlədʒi] *s meteor* fenologia

phenomenal [fi'nɔminəl] *adj* 1. (dotyczący) zjawiska 2. fenomenalny 3. niezwykły

phenomenon [fi'nɔmi,nɔn] *s* (*pl* **phenomena** [fi'nɔm inə]), zjawisko; *dosł i przen* fenomen; **infant** ~ cudowne dziecko

phenyl ['fenil] *s chem* fenyl

phew [fju:] *interj* wyraża *zniecierpliwienie lub odrazę*: ph!, ts!

phi [fai] *s gr litera* fi; **Phi Beta Kappa** ['fai-bi: tə'kæpə] *am* nazwa najstarszej korporacji studenckiej w USA

phial ['faiəl] *s* słoiczek (aptekarski itd.); flakonik; fiolka; flaszeczka

philander [fi'lændə] *vi* flirtować; romansować

philanderer [fi'lændərə] *s* flircia-rz/rka; kobieciarz; bałamut/ka

philanthrope ['filən,θroup] = **philanthropist**

philanthropic(al) [,filən'θrɔpik(əl)] *adj* filantropijny, dobroczynny

philanthropist [fi'lænθrəpist] *s* filantrop/ka

philanthropy [fi'lænθrəpi] *s* filantropia, dobroczynność

philatelic [,filə'telik] *adj* filatelistyczny

philatelist [fi'lætəlist] *s* filatelist-a/ka

philately [fi'lætəli] *s* filatelistyka

philharmonic [,filɑ:'mɔnik] *adj* filharmoniczny, filharmonijny; (*o orkiestrze itd*) filharmonii

philhellene ['filhe‚li:n] *s* filhellenist-a/ka (miłośni-k/czka Hellady)

philhellenic [‚filhe'li:nik] *adj* filhelleński (sprzyjający Hellenom)

Philippi [fi'lipai] *spr w zwrocie*: **thou shalt see me at** ~ jeszcze się spotkamy (pogróżka)

philippic [fi'lipik] *s* filipika

philippina [‚fili'pi:nə], **philippine** [‚fili'pi:n] *s* 1. zwyczaj dzielenia się przez dwoje biesiadników parzystym migdałem <orzechem> znalezionyın w placku, co obowiązuje jedną ze stron do jakiegoś świadczenia na rzecz drugiej przy następnym spotkaniu 2. parzysty migdał <orzech

Philistine ['filis‚tain] *s* 1. *żart* wróg 2. filister

philistinism ['filisti‚nizəm] *s* filisterstwo

philological [‚filə'lɔdʒikəl] *adj* filologiczny

philologist [fi'lɔlədʒist] *s* filolog

philology [fi'lɔlədʒi] *s* filologia

Philomel ['filou‚mel] **Philomela** [‚filou'mi:lə] *s poet* słowik

philop(o)ena [‚filou'pi:nə] = **philippina**

philoprogenitive [‚filouprou'dʒenitiv] *adj* 1. płodny 2. miłujący potomstwo

philosopher [fi'lɔsəfə] *s* filozof/ka; **moral** ~ moralist-a/ka; **natural** ~ fizy-k/czka; **~'s stone** kamień filozoficzny

philosophical [‚filə'sɔfikəl] *adj* filozoficzny

philosophize [fi'lɔsə‚faiz] *vi* filozofować

philosophy [fi'lɔsəfi] *s* filozofia; **moral** ~ etyka; **natural** ~ fizyka

philter, philtre ['filtə] *s* napój miłosny

phimosis [fi'mousis] *s med* stulejka, zwężenie napletka (prącia)

phiz [fiz] *s pot żart* fizys; gęba; facjata; *wulg* cyferblat

phlebotomize [fli'bɔtə‚maiz] *vt* pu-ścić/szczać krew (**sb** komuś)

phlebotomy [fli'bɔtəmi] *s* puszczenie krwi

phlegm [flem] *s* 1. flegma; śluz; plwocina 2. *przen* flegma; spokój

phlegmatic [fleg'mætik] *adj* 1. *anat* śluzowy 2. flegmatyczny; spokojny

phlegmon ['flegmɔn] *s med* ropowica

phlegmonous ['flegmənəs] *adj med* ropowiczy

phloem ['flouem] *s bot* łyko

phlogistic [flɔ'dʒistik] *adj med* zapalny

phlox [flɔks] *s bot* floks

Phoebe ['fi:bi] *s poet* księżyc

Phoebus ['fi:bəs] *s poet* słońce

Phoenician [fi'niʃiən] ⬜ *adj* fenicki Ⅲ *s* 1. Fenicjan-in/ka 2. język fenicki

phoenix ['fi:niks] *s mitol* feniks

phon [fɔn] *s fiz* fon

phonate ['founeit] *vi jęz* wymawiać głoski

phonation [fou'neiʃən] *s jęz* wymawianie głosek

phone[1] [foun] *s fonet* głoska

phone[2] [foun] *skr pot* telephone ⬜ *s* 1. telefon; **by** ~, **over the** ~ telefonicznie; **to be on the** ~ a) mieć telefon (w domu) b) telefonować; **to get sb on the** ~ zadzwonić <zatelefonować> do kogoś 2. słuchawka (telefoniczna); **to hang up the** ~ odłożyć słuchawkę Ⅲ *vt* za/dzwonić <za/telefonować> (**sb** do kogoś) Ⅲ *vi* za/dzwonić <za/telefonować> (**to sb** do kogoś)

phoneme ['founi:m] *s jęz* fonem

phonemic [fou'ni:mik] *adj jęz* fonematyczny

phonetic [fou'netik] *adj jęz* fonetyczny

phonetician [‚founi'tiʃən] *s* fonety-k/czka

phonetics [fou'netiks] *s jęz* fonetyka

phoney ['founi] *adj sl* fałszywy; sztuczny; nieprawdziwy; udawany; na niby; ~ **war** okres bezczynności na froncie zachodnim na początku II wojny światowej

phonic ['founik] *adj* 1. głosowy; foniczny 2. *jęz* fonetyczny 3. (*o głosce*) dźwięczny

phonics ['founiks] *s* 1. akustyka 2. *jęz* fonetyka, głosownia 3. nauka wymowy i czytania

phonograph ['founə‚gra:f] *s* fonograf; *am* gramofon

phonography [fou'nɔgrəfi] *s* 1. fonografia 2. stenografia systemem Pitmana

phonology [fou'nɔlədʒi] *s jęz* 1. fonetyka historyczna 2. fonologia

phonometer [fou'nɔmitə] *s fiz* fonometr

phony ['founi] = **phoney**

phosgene ['fɔzdʒi:n] *s chem* fosgen

phosphate ['fɔsfeit] *s* 1. *chem* fosforan; *pl* ~**s** nawozy fosforowe 2. *miner* fosforyt

phosphide ['fɔsfaid] *s chem* fosforek

phosphite ['fɔsfait] *s chem* fosforyn

phosphorate ['fɔsfə‚reit] *vt* na/fosforować

phosphoresce [‚fɔsfə'res] *vi* fosforyzować

phosphorescence [‚fɔsfə'resns] *s* fosforescencja

phosphorescent [‚fɔsfə'resnt] *adj* fosforyzujący

phosphoric [fɔs'fɔrik], **phosphorous** ['fɔsfərəs] *adj* (*o kwasie*) fosforowy

phosphorus ['fɔsfərəs] *s chem* fosfor (pierwiastek)

phot [fɔt] *s fiz* fot

photo ['foutou] *skr* photograph *s*

photo-cell ['foutou‚sel] *s fiz* fotokcmórka, fotocela, komórka fotoelektryczna

photochemistry [‚foutou'kemistri] *s chem* fotochemia

photoelectric [‚foutou-i'lektrik] *adj fiz* fotoelektryczny

photoelectron [‚foutou-i'lektron] *s fiz* fotoelektron

photogenic [‚foutou'dʒenik] *adj* fotogeniczny

photograph ['foutə‚gra:f] ⬜ *s* fotografia, zdjęcie; **to have one's** ~ **taken** dać się sfotografować; zrobić sobie zdjęcie Ⅲ *vt* s/fotografować; z/robić zdjęci-e/a (**sb, sth** czyjeś, czegoś) Ⅲ *vi* (dobrze, źle itd.) wy-jść/chodzić na fotografii; **to** ~ **well** <**badly**> być <nie być> fotogenicznym

photographer [fə'tɔgrəfə] *s* fotograf

photographic [‚foutə'græfik] *adj* fotograficzny

photography [fou'tɔgrəfi] *s* 1. fotografia (sztuka fotografowania) 2. *kino* zdjęcia (strona fotograficzna filmu)

photogravure [‚foutəgrə'vjuə] *s druk* fotograwiura

photolithograph [‚foutə'liθə‚gra:f] *s druk* fotolitografia

photometer [fə'tɔmitə] *s fiz astr* fotometr

photometric(al) [‚foutə'metrik(əl)] *adj fiz astr* fotometryczny

photometry [fə'tɔmetri] *s fiz astr* fotometria

photoplay ['foutə‚plei] *s* filmowane przedstawienie teatralne

photoprint ['foutə‚print] *s druk* fotograwiura

photosphere ['foutou‚sfiə] *s astr* fotosfera (zewnętrzna świetlna powłoka Słońca)

photostat ['foutou‚stæt] *s fot* fotostat

photosynthesis [‚foutə'sinθisis] *s biol bot* fotosynteza

phototelegraphy [‚foutouti'legrəfi] *s* telefotografia

phototype ['foutə,taip] *s druk* fototyp, odbitka światłodrukowa
phototypy ['foutə,taipi] *s druk* fototypia, światłodruk
photozincography [,foutə-ziŋ'kɔgrəfi] *s druk* fotocynkografia
phrase [freiz] ① *s* 1. wyrażenie; zwrot; **felicity of ~** szczęśliwy dobór słów; **in simple ~** prostymi słowami; w prostych słowach 2. powiedzenie 3. *muz* fraza 4. *pl* **~s** piękne słowa; frazesy ③ *vt* 1. wyra-zić/żać; wypowi-edzieć/adać; **as he ~d it** jak się wyraził 2. *muz* frazować
phrase-book ['freiz,buk] *s* zbiór wyrażeń i zwrotów
phrase-monger ['freiz,mʌŋgə] *s* frazesowicz
phraseological [,freiziə'lɔdʒikəl] *adj* frazeologiczny
⁋**phraseology** [,freizi'ɔlədʒi] *s* frazeologia
phratry ['freitri] *s* (*u staroż. Greków*) fratria
phrenetic [fri'netik] *adj* frenetyczny; szalony
phrenic ['frenik] *adj anat* przeponowy
phrenological [,frenə'lɔdʒikəl] *adj* frenologiczny
phrenologist [fri'nɔlədʒist] *s* frenolog
phrenology [fri'nɔlədʒi] *s* frenologia
Phrygian ['fridʒiən] ① *adj* frygijski; **~ cap** czapka frygijska ③ *s* Frygij-czyk/ka
phthalate ['fθæleit] *s chem* ftalan
phthalein ['fθæliin] *s chem* ftaleina (barwnik)
phthisical ['θaisikəl] *adj* gruźliczy, † *pot* suchotniczy
phthisis ['θaisis] *s med* gruźlica, † *pot* suchoty
phut [fʌt] *adv w zwrocie*: **to go ~** a) (*o żarówce itd*) trzasnąć, spalić się b) (*o przedsięwzięciu, planie, zamiarze itd*) spalić na panewce; zaw-ieść/odzić; s/kończyć się fiaskiem; spełznąć na niczym
phycology [fi'kɔlədʒi] *s* nauka o wodorostach
phylactery [fi'læktəri] *s rel* filakteria (zwitek pergaminu z wersetami z Pięcioksięgu przywiązywany do ramienia lub czoła przez modlących się wyznawców religii mojżeszowej); **to make broad one's ~** afiszować się ze swymi uczuciami religijnymi
phyllophagous [fi'lɔfəgəs] *adj* (*o owadzie*) liściożerny
phyllopod ['filə,pɔd] *s zoo* liścionóg
phylloxera [,filɔk'siərə] *s zoo* filoksera (owad)
phylogenesis [,failou'dʒenəsis], **phylogeny** [failɔdʒəni] *s biol* filogeneza
phylum ['failəm] *s* (*pl* **phyla** ['failə]) *biol* gromada; plemię; ród
physic ['fizik] ① *s* 1. lekarstwo 2. środek przeczyszczający ③ *vt* (**physicked** ['fizikt], **physicked; physicking** ['fizikiŋ]) 1. da-ć/wać lekarstwo (**sb** komuś) 2. leczyć <*pot* opychać> lekarstwami 3. da-ć/wać na przeczyszczenie (**sb** komuś)
⁋**physical** ['fizikəl] *adj* 1. fizyczny; fizykalny 2. cielesny; fizyczny; **~ education** wychowanie fizyczne; **~ training** ćwiczenia gimnastyczne; gimnastyka
physician [fi'ziʃən] *s* leka-rz/rka
physicist ['fizisist] *s* fizy-k/czka
physicky ['fiziki] *adj* (*o potrawie, napoju itd*) mający smak <zapach> lekarstwa
physico-chemistry ['fizikou'kemistri] *s* fizykochemia
physico-therapy ['fizikou'θerəpi] *s* fizykoterapia

physics ['fiziks] *s* fizyka
physiocrat ['fiziou,kræt] *s hist ekon* fizjokrata
physiognomical [,fiziə'nɔmikəl] *adj* fizjonomiczny
physiognomist [,fizi'ɔnəmist] *s* fizjonomista, znawca fizjonomiki
physiognomy [,fizi'ɔnəmi] *s* 1. fizjonomika 2. fizjonomia; *sl* gęba, twarz 3. aspekt (zjawiska itd.)
physiographer [,fizi'ɔgrəfə] *s* fizjograf
physiographical [,fiziou'græfikəl] *adj* fizjograficzny
physiography [,fizi'ɔgrəfi] *s* fizjografia
physiological [,fiziə'lɔdʒikəl] *adj* fizjologiczny
physiologist [,fizi'ɔlədʒist] *s* fizjolog
physiology [,fizi'ɔlədʒi] *s* fizjologia
physique [fi'zi:k] *s* budowa ciała; konstytucja; **a man of good ~** człowiek dobrze zbudowany
phytobiology [,faitou-bai'ɔlədʒi] *s* fitobiologia
phytochemistry [,faitou'kemistri] *s* fitochemia (nauka o procesach chemicznych zachodzących w żywych roślinach)
phytography [fai'tɔgrəfi] *s* fitografia (botanika opisowa)
phytology [fai'tɔlədʒi] *s* fitologia (botanika)
phytophagous [fai'tɔfəgəs] *adj* roślinożerny
phytozoa [,faitou'zouə] *spl zoo* zoofity, zwierzokrzewy (gąbki i jamochłony)
pi¹ [pai] *s* 1. *gr litera* pi 2. *mat* liczba π
pi² [pai] *adj sl szk* pobożny; **~ jaw** kazanie; umoralnianie
piacular [pai'ækjulə] *adj* pokutniczy
piaffe [pi'æf] *vi* (*o koniu*) biec truchtem <wolnym kłusem>
piaffer [pi'æfə] *s* trucht, wolny kłus
pia mater ['paiə'meitə] *s anat* opona miękka
pianette [pjə'net] *s* małe pianino
pianino [pjə'ni:nou] *s* pianino
pianissimo [pjə'nisi,mou] *adv* pianissimo, bardzo cicho
pianist ['pjænist] *s* pianist-a/ka
piano ['pjænou] ① *s* fortepian ③ *adv* piano, cicho
pianoforte [,pjænou'fɔ:ti] = **piano** *s*
pianola [pjæ'noulə] *s muz* pianola
piano-organ ['pjænou,ɔ:gən] *s* katarynka
piano-player ['pjænou,pleiə] *s* przyrząd do mechanicznej gry na fortepianie
piano-tuner ['pjænou,tju:nə] *s* stroiciel/ka fortepianów
piassaba [,pi:ə'sa:bə], **piassava** [,pi:ə'sa:və] *s* piasawa (włókno z palm brazylijskich)
piaster, piastre [pi'æstə] *s* piastr
piazza [pi'ædzə] *s* 1. plac 2. *am* weranda
pibroch ['pi:brɔk] *s muz* wariacje na kobzę <na dudy>
pica ['paikə] *s druk* cycero (= 12 pkt)
picador ['pikə,dɔ:] *s* pikador
picaresque [,pikə'resk] *adj* (*o powieści*) z życia zbójców
picaroon [,pikə'ru:n] *s* 1. szelma, łotr 2. korsarz 3. okręt korsarski
picayune [,pikə'ju:n] ① *s am* moneta pięciocentowa; *przen* bagatela; drobiazg ③ *adj* nędzny; marny
piccalilli ['pikə,lili] *s* korniszony z jarzynami w occie (konserwa)
piccaninny ['pikə,nini] ① *s* Murzyniątko ③ *adj* malusieńki
piccolo ['pikə,lou] *s muz* pikolo

pice [pais] *s* drobna moneta indyjska
pichiciago [ˌpitʃisi'eigou] *s zoo* mały pancernik południowoamerykański pokrewny armadylowi
pick¹ [pik] *s* 1. kilof; oskard 2. młot kamieniarski 3. dłuto 4. *druk* brud na czcionkach
pick² [pik] Ⅰ *s* 1. uderzenie ostrzem kilofa <motyki itd.> 2. zbiór <zrywanie> (owoców, jagód, kwiatów itd.) 3. wybór; elita; najlepsza część (czegokolwiek); *przen* śmietanka; kwiat; **the ~ of the basket** sama śmietanka; sam kwiat Ⅱ *vt* 1. kopać <rozkop-ać/ywać> (ziemię itd.) kilofem <motyką itd.>; wy/kopać (dziurę) kilofem <motyką itd.>; *przen* **to ~ holes in sth** s/krytykować <z/ganić, nicować> coś; szukać dziury w całym; **to ~ to pieces** nie zostawić na kimś suchej nitki 2. dłubać (**one's teeth, nose etc.** w zębach, nosie itd.) 3. ob-rać/ierać <oczy-ścić/szczać> (kości itd.) z mięsa; przeb-rać/ierać (agrest, porzeczki itd.) 4. zerwać/zrywać <ze-brać/zbierać> (kwiaty, jagody, owoce itd.); usu-nąć/wać (**sth off** — coś z...) 5. o/skubać (**a chicken etc.** kurczę itp.) 6. rozpl-eść/atać <rozszarp-ać/ywać> (**oakum** szpagat na pakuły) *zob* **oakum** 7. (*o ptakach*) wy/dziobać; (*o człowieku*) **to ~ one's food** jeść bez apetytu; dłubać (widelcem) w talerzu 8. wyb-rać/ierać; przeb-rać/ierać; wy/sortować; dob-rać/ierać (słowa itd.); **to ~ and choose** grymasić; kręcić nosem; **to ~ one's way** <**steps**> iść ostrożnie (przez błoto itd.); uważać, gdzie się stąpa 9. s/kraść; **to ~ a lock** otworzyć zamek wytrychem; **to ~ and steal** mieć lepkie ręce <smołę w rękach>; **to ~ sb's brains** ukraść komuś pomysł; popełnić plagiat; **to ~ sb's pocket** wyciągnąć komuś coś z kieszeni; okraść kogoś ‖ **to ~ a quarrel with sb** pokłócić się z kimś Ⅲ *vi* 1. kraść; być złodziejem kieszonkowym 2. przebierać; **to ~ at one's food** jeść bez apetytu; dłubać (widelcem) w talerzu 3. s/krytykować <z/ganić, nicować, szykanować, *pot* czepiać się> (**at sb** kogoś)
~ off *vt* 1. zedrzeć/zdzierać, zerwać/zrywać 2. ustrzelić; wystrzelać pojedynczo (nieprzyjaciół itd.); powystrzelać
~ out *vt* 1. wyr-wać/ywać; wy-drzeć/dzierać; wydłub-ać/ywać 2. wyb-rać/ierać 3. wy/tropić; wy/śledzić; wył-owić/awiać; odszuk-ać/iwać 4. *plast* uwydatni-ć/ać (coś w obrazie) 5. dob-rać/ierać <wystuk-ać/iwać> (melodię na fortepianie itd.) 6. doszuk-ać/iwać się (**sth** czegoś — znaczenia słów itd.)
~ over *vt* przebierać
~ up Ⅰ *vt* 1. rozkop-ać/ywać kilofem 2. od-bi-ć/jać (piłkę) 3. podn-ieść/osić (coś z ziemi itd.); **to ~ oneself up** podnieść <pozbierać> się (po upadku) 4. wziąć/brać <zab-rać/ierać> (pakunek, listy itd.); (*o pociągu, taksówce itd*) zab-rać/ierać (pasażerów); podje-chać/żdżać (**sb** po kogoś) 5. nauczyć się (**sth** czegoś — języka, sztuczek itd.) 6. zebrać <po/zbierać> (wiadomości, plotki itd.) 7. zna-leźć/jdować; natrafi-ć/ać <natknąć się> (**sth** na coś — rzecz ciekawą, wartościową itd.) 8. zarabiać (**a livelihood, a living** na życie, na utrzymanie) 9. wył-owić/awiać (błędy w zadaniu itd.) 10. (*o reflektorze*) wyłowić (samolot w locie) 11. u/słyszeć <*pot* z/łapać> (radiostację, wiadomości itd. w radiu) 12. od-

na-leźć/jdować <odzysk-ać/iwać> (coś straconego — zdrowie, humor itd.); **to ~ up flesh** przybrać na wadze; poprawić się; przytyć Ⅲ *vi* 1. poprawi-ć/ać się na zdrowiu; przy-jść/chodzić do siebie; wr-ócić/acać do sił <do formy>; odzysk-ać/iwać zdrowie 2. poznać <*†* zaprzyjaźnić> się (**with sb** z kimś) 3. dob-rać/ierać graczy (**for sides** do drużyn) *zob* **picking**
pick-a-back ['pik-əˌbæk] *adv* (wziąć) na plecy; (nieść) na plecach; (*o dziecku*) (jechać) na barana
pickaninny ['pikəˌnini] = **piccaninny**
pickaxe ['pikˌæks] Ⅰ *s* kilof; oskard; motyka Ⅱ *vt* s/kopać kilofem <oskardem, motyką>
picker ['pikə] *s* 1. = **pickaxe** *s* 2. robotni-k/ca zatrudnion-y/a przy zrywaniu owoców <przy zbieraniu jagód, strzępieniu szmat itd.> 3. robotnik sortujący (węgiel itd.) 4. człowiek zbierający niedopałki
pickerel ['pikərəl] *s zoo* młody szczupak
picket ['pikit] Ⅰ *s* 1. kołek; palik 2. pal 3. tyczka miernicza 4. *wojsk* placówka 5. pikieta (w czasie strajku) Ⅱ *vt* 1. uwiąz-ać/ywać (konia itd.) 2. kołkować (teren) 3. zabezpiecz-yć/ać palami; ot-oczyć/aczać palisadą 4. *uojsk* obstawi-ć/ać placówkami 5. *wojsk* u/karać (żołnierza) służbą dodatkową 6. (*w czasie strajku*) pikietować (fabrykę itd.); ot-oczyć/aczać (fabrykę itd.) pikietami Ⅲ *vi* 1. stać na warcie 2. pikietować
picking ['pikiŋ] Ⅰ *s zob* **pick**² *v* Ⅲ *spl* **~s** 1. obierzyny 2. resztki 3. kradzione drobiazgi
pickle¹ ['pikl] Ⅰ *s* 1. marynata; **in ~** za/marynowany 2. *pl* **~s** pikle 3. *w zwrocie*: **a nice** <**sad, sorry itd.**> **~** kłopot, kabała, tarapaty, opały 4. łobuz; gałgan 5. *garb* kąpiel piklująca 6. *chem* kąpiel trawieniowa; trawienie, dekapowanie Ⅱ *vt* 1. za/marynować; za/konserwować w occie 2. *chem* trawić, dekapować 3. na-trzeć/cierać (**sb's back** komuś plecy) solą <octem> (po chłoście) *zob* **pickled**
pickle² ['pikl] *s szkoc* ziarnko; okruszyna; odrobina
pickled ['pikld] Ⅰ *zob* **pickle**¹ *v* Ⅲ *adj sl* urżnięty, zalany, pijany
picklock ['pikˌlɔk] *s* 1. włamywacz 2. wytrych
pick-me-up ['pik-miˌʌp] *s* napój pokrzepiający; kieliszek (wódki itd.)
pickpocket ['pikˌpɔkit] *s* złodziej kieszonkowy
picksome ['piksəm] *adj* grymaśny; wymagający
pickthank ['pikˌθæŋk] *s* pochleb-ca/czyni
↑**pick-up** ['pikˌʌp] *s* 1. odbicie (piłki) 2. okazja; korzystne kupno; nabytek 3. klient (taksówkarza) 4. przygodna znajomość 5. poprawa w interesach 6. *pot* złapanie (transmisji radiowej) 7. adapter 8. lekki samochód półciężarowy
Pickwickian [pik'wikiən] Ⅰ *adj* (*o znaczeniu wyrazu*) specyficzny; niepowszedni; zmyślony Ⅲ *s* członek klubu Pickwicka
picnic ['piknik] Ⅰ *s* majówka; posiłek na świeżym powietrzu; *przen* **it's no ~** to nie żarty; to nie (jest) zabawa Ⅲ *vi* (**picnicked** ['piknikt], **picnicked**; **picnicking** ['piknikiŋ]) urządz-ić/ać majówk-ę/i; z/jeść posiłek na świeżym powietrzu
picnicker ['piknikə] *s* wycieczkowicz

picot ['pi:kou] *s* pikot (ząbek u koronki)
picotee [,pikə'ti:] *s bot* odmiana goździka
picric ['pikrik] *adj chem* (*o kwasie*) pikrynowy
Pict [pikt] *s* Pikt (dawny mieszkaniec Szkocji)
pictography [pik'tɔɡrəfi] *s* piktografia, pismo rysunkowe
pictorial [pik'tɔ:riəl] ① *adj* 1. obrazowy 2. malowniczy 3. malarski; ~ **art** malarstwo 4. (*o periodyku*) ilustrowany ② *s* pismo ilustrowane
↑ **picture** ['piktʃə] ① *s* 1. obraz, obrazek; rysunek; rycina; malowidło; portret; wizerunek; wyobrażenie; widok; ~ **gallery** galeria obrazów; ~ **postcard** pocztówka; widokówka; **to be in** <**come into**> **the** ~ liczyć się; mieć znaczenie; **to be out of the** ~ nie wchodzić w rachubę; nie mieć nic wspólnego z tematem <ze sprawą>; **to draw a mental** ~ **of sth** wyobra-zić/żać sobie coś 2. (*o czymś ładnym — kapeluszu itd*) (prawdziwe) cacko 3. uosobienie (zdrowia itd.); **a** ~ **of misery** chodzące nieszczęście; **the** ~ **of one's father** (wierne) odbicie swego ojca; *pot* wykapany ojciec 4. *fot* zdjęcie; **to have one's** ~ **taken** s/fotografować się; (dać) zrobić sobie zdjęcie; **to take a** ~ z/robić fotografię <zdjęcie>; **to take** ~s fotografować 5. *kino* film (przedstawienie); *pl* **the (moving)** ~s kino ② *vt* odmalow-ać/ywać; przedstawi-ć/ać; opis-ać/ywać; przedstawi-ć/ać obraz (**sth** czegoś); **to** ~ **to oneself** przedstawi-ć/ać <wyobra-zić/żać> sobie
picture-book ['piktʃə,buk] *s* książka z obrazkami (dla dzieci)
picture-card ['piktʃə,ka:d] *s karc* figura
picture-frame ['piktʃə,freim] *s* rama (obrazu)
picture-goer ['piktʃə,gouə] *s* miłośni-k/czka kina; kinoman/ka
picture-hat ['piktʃə,hæt] *s* kapelusz (damski) z szerokim rondem (*zw* ozdobiony strusim piórem)
picture-house ['piktʃə,haus] *s* kino (budynek)
picture-moulding ['piktʃə,mouldiŋ] *s* gzyms pod sufitem do wieszania obrazów
picture-palace ['piktʃə,pælis] = **picture-house**
picturesque [,piktʃə'resk] *adj* malowniczy
picturesqueness [,piktʃə'resknis] *s* malowniczość
picture-theatre ['piktʃə,θiətə] = **picture-house**
picture-writing ['piktʃə,raitiŋ] = **pictography**
piddle ['pidl] *vi* 1. † zajmować się głupstwami 2. *pot dziec* siusiać; wysiusiać się *zob* **piddling**
piddling ['pidliŋ] ① *zob* **piddle** ② *adj* błahy
piddock ['pidək] *s zoo* świdrak (małż)
pidgin ['pidʒin] *s* (*także* ~ **English**) łamana angielszczyzna (*zw* Chińczyków)
pie¹ [pai] *s zoo* sroka; **French** ~ dzięcioł pstry większy
pie² [pai] *s* (*w Indiach*) drobna moneta miedziana
pie³ [pai] ① *s druk* pomieszane czcionki składu drukarskiego; *przen* bigos, galimatias ② *vt* (**pied** [paid], **pied; pieing** ['paiiŋ]) pomieszać (**type** czcionki składu drukarskiego); *przen* narobić bigosu <galimatiasu> (**sth w** czymś)
pie⁴ [pai] *s* 1. pasztet 2. pasztecik 3. babeczka; placek; szarlotka; **to have a finger in the** ~ być (osobiście) zainteresowanym w danej sprawie; maczać palce w sprawie
piebald ['pai,bɔ:ld] ① *adj* srokaty; łaciaty ② *s* srokaty <łaciaty> koń
piece [pi:s] ① *s* 1. kawał <kawałek> (czegoś);

all of a ~ a) (*o przedmiotach*) z jednego kawałka; jednolity b) (*o przedmiotach*) dobrany; harmonizujący; dopasowany c) (*o ludziach*) jednego pokroju d) (*o zjawiskach*) idący w parze (z czymś); **in** ~**s** (być) w kawałkach; (rozbić) w <na> kawałki; ~ **by** ~ po kawałku; po jednej sztuce; **to break to** ~**s** rozbić na drobne kawałki; **to go to** ~**s** a)' (*o przedmiocie*) rozl-ecieć/atywać się w <na> kawałki b) (*o człowieku*) s/tracić panowanie nad sobą <zimną krew>; załam-ać/ywać się c) (*o drużynie itd*) grać bezładnie <skandalicznie> 2. część; **to take to** ~**s** rozebrać (rower, zegarek itd.) na części; popruć (sukienkę itd.) 3. sztuka <kupon> (materiału itd.); beczka (wina itd.); akordowa robota; **to pay a workman by the** ~ płacić robotnikowi akordowo <od sztuki> 4. obszar (gruntu, wody); **a** ~ **of water** staw; jezioro 5. *przy rzeczownikach abstrakcyjnych i zbiorowych przeważnie nie tłumaczy się*; **a** ~ **of clothing** część garderoby; **a** ~ **of folly** szaleństwo; **a** ~ **of furniture** mebel; **a** ~ **of impudence** bezczelność; **a** ~ **of luck** szczęście; **a** ~ **of nonsense** bzdura 6. przykład; wzór; okaz 7. *szach* figura 8. moneta (srebrna, miedziana itd.) 9. utwór (literacki i muzyczny); sztuka (teatralna) 10. *wojsk* działo 11. człowiek; dziewczyna; *lekceważąco:* (*także* **a** ~ **of goods**) dziewczę; kobiecina ② *vt* 1. (*także* ~ **together**) ze/sztukować; z/łączyć; związ-ać/ywać; zeszy-ć/wać; sp-oić/ajać; spawać; sczepi-ć/ać 2. za/łatać; połatać; naprawi-ć/ać
~ **down** *vt* nadstawi-ć/ać; podłuż-yć/ać (sukienkę itd.)
~ **on** *vt* 1. do/sztukować 2. dopasow-ać/ywać
~ **out** *vt* uzupełni-ć/ać; ze/sztukować
~ **up** *vt* za/łatać; połatać; **to** ~ **up a friendship** naprawi-ć/ać stosunki między dawnymi przyjaciółmi
pièce [pjes] *fr w zwrocie:* ~ **de resistance** ['pjes də,reizi:s'tã:s] *s* 1. główne danie 2. najcenniejszy okaz (w zbiorze itd.)
piece-goods ['pi:s,gudz] *spl* materiały tkane w sztukach (określonej długości)
piecemeal ['pi:s,mi:l] ① *adv* po kawałku; na części, na cząstki; po odrobinie; urywkowo ② *adj* urywkowy; fragmentaryczny; (*o artykule*) robiony <produkowany> po kawałku <częściami> ③ *s* kawałek, kawałeczek
piece-rate ['pi:s,reit] *s* stawka akordowa
piece-work ['pi:s,wə:k] *s* praca akordowa
pie-crust ['pai,krʌst] *s* skórka (na placku, pasztecie itd.)
pied [paid] *adj* pstrokaty; pstry; łaciaty
piedmont ['pi:d,mɔnt] *s am* podgórska okolica
pieman ['paimən] *s* (*pl* **piemen** ['paimən]) pasztetnik; uliczny sprzedawca pasztecików
pieplant ['pai,pla:nt] *s am bot* rabarbar
pier [piə] *s* 1. molo; falochron; przystań 2. *bud* filar
pierage ['piəridʒ] *s* opłata za wstęp na molo
pierce [piəs] ① *vt* 1. przebi-ć/jać; przeszy-ć/wać; przewierc-ić/ać; prześwidrow-ać/ywać; przedziurawi-ć/ać; przekłu-ć/wać 2. wbi-ć/jać się <wejść> wchodzić, wra-zić/żać się> (**sth w** coś); utkwić (**sth w** czymś) 3. wnik-nąć/ać (**sth w** coś, do czegoś) 4. napocz-ąć/ynać <otw-orzyć/ierać, odszpuntow-ać/ywać> (beczkę) 5. (*o świetle itd*)

przenikać (ciemności itd.) 6. (*o wiadomości itd*) roz-edrzeć/dzierać <rozkrwawi-ć/áć> (serce) III *vi* przenik-nąć/áć; przedosta-ć/wać <przebi-ć/jać> się; (*o zębach*) wy-rżnąć/rzynać się

~ **out** *vi* (*o roślinach*) za/kielkować

~ **through** I *vt* przeszy-ć/wać; przekłu-ć/wać III *vi* przebi-ć/jać się

zob **piercing**

piercer ['piəsə] *s* wiertak

piercing ['piəsiŋ] I *zob* **pierce** III *adj* (bardzo) ostry; przeszywający; przenikliwy (głos itd.); świdrujący; klujący; rozdzierający

pierglass ['piə‚glɑ:s] *s* zwierciadło; tremo

pierhead ['piə‚hed] *s* koniec mola

pierid ['paiərid] *s zoo* motyl z rodziny bielinkowatych

pieridae [pai'eri‚di:] *spl zoo* motyle bielinkowate, bielinki

pierrot ['piərou] *s* pierrot

pier-table ['piə‚teibl] *s* konsola

pietà [‚pie'tɑ:] *s* Pietà

pietism ['paiə‚tizəm] *s* 1. pietyzm 2. pobożność

pietist ['paiətist] *s* 1. *rel* pietyst-a/ka 2. człowiek pobożny

piety ['paiəti] *s* 1. pobożność 2. uczucia synowskie

piezo-electric [pai'i:zou-i'lektrik] *adj fiz* piezoelektryczny

piezometer [‚paiə'zɔmitə] *s fiz* piezometr

piffle ['pifl] I *s sl zbior* bzdury; głupstwa; bajdurzenie III *vi sl* 1. bajdurzyć; gadać <robić> głupstwa 2. zajmować się głupstwami

↑ **pig**[1] [pig] I *s* 1. wieprz; świnia; prosię; tucznik; ~ **breeding** hodowla <tuczenie> świń; ~ **farm** hodowla świń; tuczarnia; **wild** ~ dzik; **in** ~ prośna; ~**s might fly** bywają rzadko na świecie; **to bring one's** ~**s to a fine** <**a pretty, the wrong**> **market** a) popkić sprawę b) doznać niepowodzenia; **to buy a** ~ **in a poke** kup-ić/ować kota w worku; **to get the wrong** ~ **by the tail** pomylić się w adresie 2. *kulin* (pieczone) prosię 3. *przen* (*o człowieku*) świnia, żart świnka; świntuch; paskudziarz; **a dirty** ~ brudas; niechluj; **a greedy** ~ obżartuch; **don't be a** ~! a) nie bądź świnią!; bądź przyzwoity! b) nie bądź egoistą!; **to make a** ~ **of oneself** ob-eżreć/żerać <ob-jeść/jadać> się 4. *metal* surówka; gęś (surówki); gąska <kęs> (metali nieżelaznych) 5. cząstka pomarańczy III *vi* (**-gg-**) 1. (*o maciorze*) oprosić się 2. (*także* ~ **together**) być stłoczonym; mieszkać <żyć> jak świnie w chlewie III *vt* (**-gg-**) 1. (*o maciorze*) mieć (prosięta) 2. (*o ludziach*) **to** ~ **it** = **to** ~ *vi* 2.

pig[2] [pig] *s* 1. gliniany dzban 2. termofor

pigeon ['pidʒin] I *s* 1. gołąb; **clay** ~ rzutek (krążek, do którego strzela się na strzelnicach); ~**'s milk** rzecz zmyślona <nie istniejąca>, po którą posyła się dzieci na prima aprilis; **that's my** ~ to moja rzecz 2. *pot* naiwnia-k/czka; frajer/ka III *vt* nab-rać/ierać, oszuk-ać/iwać, okpi-ć/wać; **to** ~ **sb of sth** wyłudz-ić/ać coś od kogoś

pigeon-breast ['pidʒin‚brest] *s med* kurza klatka piersiowa

pigeon-breasted ['pidʒin‚brestid] *adj* (*o człowieku*) z kurzą klatką piersiową

pigeon-breeding ['pidʒin‚bri:diŋ] *s* hodowla gołębi

pigeon-English ['pidʒin‚iŋgliʃ] = **pidgin**

pigeon-fancier ['pidʒin‚fænsiə] *s* hodowca gołębi, gołębiarz

pigeon-hawk ['pidʒin‚hɔ:k] *s zoo* mały sokół amerykański

pigeon-hearted ['pidʒin‚hɑ:tid] *adj* bojaźliwy

pigeon-hole ['pidʒin‚houl] I *s* 1. przegródka w gołębniku 2. przegródka (w biurku itd.) III *vt* 1. umie-ścić/szczać w (odpowiedniej) przegródce 2. po/segregować 3. *przen* włożyć/wkładać (sprawę, podanie itd.) do szufladki

pigeon-house ['pidʒin‚haus] *s* gołębnik

pigeon-livered ['pidʒin‚livəd] *adj* bojaźliwy

pigeon-pea ['pidʒin‚pi:] *s bot* nikla indyjska (roślina jadalna)

pigeonry ['pidʒinri] = **pigeon-house**

pigeon-toed ['pidʒin‚toud] *adj* szpotawy (z palcami nóg zwróconymi do środka)

pig-eyed ['pig‚aid] *adj* (*o człowieku*) ze świńskimi oczami

pig-faced ['pig‚feist] *adj* (*o człowieku*) ze świńską twarzą; wieprzowaty

piggery ['pigəri] *s* tuczarnia; hodowla trzody chlewnej

piggin ['pigin] *s* cebrzyk

piggish ['pigiʃ] *adj* 1. wstrętny; brudny; niechlujny 2. ordynarny 3. żarłoczny 4. uparty 5. samolubny

piggishness ['pigiʃnis] *s* 1. brud; niechlujstwo 2. ordynarność 3. żarłoczność 4. upór 5. samolubstwo

piggy ['pigi] *s* 1. *dziec* świnka 2. zabawa w klipę

piggywiggy ['pigi'wigi] *s dziec* świnka; brudas

pigheaded ['pig'hedid] *adj* 1. uparty 2. głupi

pigheadedness ['pig'hedidnis] *s* 1. upór 2. głupota

pig-iron ['pig‚aiən] *s metal* surówka

pig-lead ['pig‚led] *s metal* ołów w blokach

piglet ['piglit], **pigling** ['pigliŋ] *s* prosię, prosiątko, osesek

pigment ['pigmənt] *s* pigment, barwnik, barwik

pigmental [pig'mentl] = **pigmentary**

pigmentary ['pigməntəri] *adj* pigmentowy, barwnikowy, barwikowy

pigmentation [‚pigmən'teiʃən] *s biol* pigmentacja

pigmy ['pigmi] = **pygmy**

pignorate ['pignə‚reit] *vt* da-ć/wać w zastaw, zastawi-ć/ać

pig-nut ['pig‚nʌt] *s* orzech ziemny

pigskin ['pig‚skin] *s* 1. świńska skóra 2. *sl* siodło 3. *am sl* piłka futbolowa

pig-sticker ['pig‚stikə] *s* 1. myśliwy polujący z oszczepem na dziki 2. rzeźnik 3. nóż kieszonkowy z długim ostrzem

pig-sticking ['pig‚stikiŋ] *s* 1. polowanie z oszczepem na dziki 2. zarzynanie świń

pigsty ['pig‚stai] *s* chlew

pigtail ['pig‚teil] *s* 1. pleciony tytoń w rolce 2. warkocz, warkoczyk; *przen* (*u dziewczynki*) mysi ogon

pigwash ['pig‚wɔʃ] *s* pomyje

pigweed ['pig‚wi:d] *s bot* komosa biała, lebioda

↑ **pike**[1] [paik] I *s* 1. pika; dzida 2. ostrze; szpic; *dial* szczyt (górski); *górn* kilof; oskard 3. *zoo* szczupak III *vt* przebi-ć/jać <przeszy-ć/wać> piką <dzidą>

pike[2] [paik] *s am* 1. rogatka 2. rogatkowe

piked [paikt] *adj* ostry; spiczasty

pikeman ['paikmən] s (pl **pikemen** ['paikmən]) hist pikinier (żołnierz uzbrojony w pikę)

piker ['paikə] s pot (w grach hazardowych) ostrożny gracz; człowiek bez fantazji

pikestaff ['paik‚stɑːf] s drzewce piki <dzidy>; **plain as a** ~ jasne jak słońce

pilaf(f) ['pilæf] = **pilau**

pilaster [pi'læstə] s arch pilastr, pilaster

pilau [pi'lau], **pilaw** [pi'lɔː] s kulin pilaw

pilch [piltʃ] s kocyk niemowlęcy

pilchard ['piltʃəd] s zoo sardela (rybka)

pilcorn ['pilkɔːn] s bot owies nagi

↑ pile¹ [pail] ① s 1. stos; kupa; góra; sterta; zwał; hałda; **bud a** ~ **of bricks** kozioł cegieł; **funeral** ~ stos całopalny 2. pot grube pieniądze; majątek; **to make a <one's>** ~ grubo zarobić; nabić kabzę; wzbogacić się 3. gmach; budowla 4. elektr stos; bateria 5. fiz stos (atomowy, uranowy) 6. wojsk kozły ① vt 1. (także ~ **up**) na/gromadzić; ułożyć/układać w stos; zwal-ić/ać na kupę; usyp-ać/ywać; na/ładować; **to** ~ **a table with food** nagromadzić stos/y jedzenia na stole; **to** ~ **it on** przesadzać 2. wojsk ustawi-ć/ać (broń) w kozły ~ **up** ① vt osadz-ić/ać statek na mieliźnie; rozbi-ć/jać statek; pot **to** ~ **up <on> the agony** nie szczędzić przykrych szczegółów ② vi na/gromadzić <zbi-ć/jać, zwal-ić/ać, s/tłoczyć> się

pile² [pail] ① s słup; pal ② vt wbi-ć/jać słupy (the ground etc. w ziemię itd.)

pile³ [pail] s włos; meszek; puszek; kutner; wełna; strzyżona wełna (na dywanie)

pile⁴ [pail] ✝ s odwrotna strona monety; reszka; **cross or** ~ orzeł czy reszka

pile⁵ [pail] s (zw pl) med hemoroidy

pileate ['pailiit] adj bot kapeluszowaty (kształtu kapelusza grzyba)

pile-driver ['pail‚draivə] s 1. kafar 2. pot fanga (cios); grzmotnięcie

pile-dwelling ['pail‚dweliŋ] s budowla nawodna

pileorhiza [‚pailiou'raizə] s bot czapeczka korzeniowa

pileus ['pailjəs] s (pl **pilei** ['pailjai]) kapelusz <czapka> (grzyba)

pilewort ['pail‚wəːt] s bot ziarnopłon (roślina)

pilfer ['pilfə] vt u/kraść; pot zwędzić; ściąg-nąć/ać; buch-nąć/ać

pilferage ['pilfəridʒ] s drobn-a/e kradzież/e

pilferer ['pilfərə] s złodziejaszek

pilgarlic [pil'gɑːlik] s 1. ✝ łysa pała 2. biedaczysko

pilgrim ['pilgrim] s pielgrzym; **the Pilgrim Fathers** pierwsi koloniści angielscy w Ameryce Płn. (1620 r.)

pilgrimage ['pilgrimidʒ] s 1. pielgrzymka; **to go on a** ~ pójść/iść na pielgrzymkę <z pielgrzymką> 2. wędrówka

piliferous [pi'lifərəs] adj włochaty

pill¹ [pil] ① s 1. med pigułka; **to take a** ~ a) zaży-ć/wać pigułkę b) wziąć/brać na przeczyszczenie 2. przen (gorzka) pigułka; **to gild the** ~ osłodzić pigułkę 3. sl żart kula armatnia 4. sl żart piłka (nożna, tenisowa) 5. sl żart pl ~s bilard 6. niesympatyczny typ 7. sl (także ~s) lekarz ② vt sl głosować (sb przeciw komuś)

pill² [pil] ✝ vt s/plądrować; z/łupić; ob/rabować

pillage ['pilidʒ] ① s grabież; łupiestwo; rabunek ② vt s/plądrować; z/łupić; ob/rabować ③ vi uprawiać rabunek

pillager ['pilidʒə] s rabuś

pillar ['pilə] ① s 1. kolumna; filar; przen podpora; **from** ~ **to post** od Annasza do Kajfasza 2. słup 3. górn filar 4. anat wyrostek stawowy ② vt podtrzym-ać/ywać; wzm-ocnić/acniać filarami <słupami, kolumnami> zob **pillared**

pillar-box ['pilə‚bɔks] s skrzynka pocztowa (w kształcie słupa)

pillared ['piləd] ① zob **pillar** v ② adj podparty filarami <słupami>; kolumnowy

pill-box ['pil‚bɔks] s 1. pudełko na pigułki 2. (także ~ **cap**) okrągła, sztywna czapeczka bez daszka 3. wojsk bunkier, schron betonowy 4. żart mały samochodzik, mikrus 5. żart ciasne mieszkanko; klitka; domek

pill-bug ['pil‚bʌg] s zoo stonoga

pillion ['piljən] s 1. poduszka na siodłem (dla drugiego jeźdźca na wierzchowcu); tylne siodełko motocykla; **to ride** ~ jechać z tyłu za jeźdźcem na wierzchowcu <na tylnym siodełku motocykla> 2. damskie siodło

pillioned ['piljənd] adj (jadący) z tyłu za jeźdźcem na wierzchowcu <na tylnym siodełku motocykla>

pilliwinks ['pili‚wiŋks] s hist narzędzie tortur miażdżące palce

pillory ['piləri] ① s pręgierz; **to put sb in the** ~ = **to** ~ vt ② vt (**pilloried** ['pilərid], **pillorying** ['piləriiŋ]) postawić/stawiać pod pręgierzem

pillow ['pilou] ① s 1. poduszka; **to take counsel of one's** ~ przemyśleć sprawę przez noc; odłożyć powzięcie decyzji do następnego dnia 2. techn poduszeczka; podkładka ② vt 1. op-rzeć/ierać (głowę itd.) 2. pod-łożyć/kładać (**one's** <**sb's**> **head etc. on sth** sobie <komuś> coś pod głowę itd.) ③ vi (o głowie) spocz-ąć/ywać (**on sth** na czymś)

pillow-block ['pilou‚blɔk] s techn łożysko

pillow-case ['pilou‚keis] s poszewka

pillow-fight ['pilou‚fait] s walka poduszkami

pillow-lace ['pilou‚leis] s koronka klockowa

pillow-sham ['pilou‚ʃæm] s dekoracyjna narzutka na poduszkę

pillow-slip ['pilou‚slip] = **pillow-case**

pillowy ['piloui] adj miękki (jak poduszka)

pillwort ['pil‚wəːt] s bot gałuszka kulecznica

pilocarpine [‚pailou'kɑːpin] s chem pilokarpina

pilose ['pailous] adj włochaty; owłosiony; pokryty włosami; obrośnięty

pilosity [pi'lɔsiti] s włochatość; owłosienie; uwłosienie

↑ pilot ['pailət] ① s 1. mar lotn pilot; przen **to drop the** ~ odsunąć od siebie wiernego doradcę; lotn ~ **officer** podporucznik lotnictwa 2. przewodni-k/czka 3. am zderzak lokomotywy ② vt 1. pilotować 2. służyć za przewodnika (**sb** komuś); oprowadz-ić/ać; przeprowadz-ić/ać (**sb through** _ kogoś przez ...)

pilotage ['pailətidʒ] s 1. pilotowanie; pilotaż 2. mar przewodnictwo (opłata)

pilot-balloon ['pailət-bə'luːn] s balon próbny

pilot-boat ['pailət‚bout] s mar łódź pilotowa, pilotówka, pilotowiec

pilot-cloth ['pailət͵klɔθ] s gruby materiał granatowy na płaszcze

pilot-engine ['pailət͵endʒin] s *kolej* parowóz pilotujący

pilot-fish ['pailət͵fiʃ] s *zoo* pilot (ryba)

pilot-jacket ['pailət͵dʒækit] = **pea-jacket**

pilot-light ['pailət͵lait] s 1. stały płomyk (w piecyku gazowym) 2. światło sygnalizacyjne <kontrolne>

pilous ['pailous] = **pilose**

pilular ['piljulə] *adj* pigułkowy

pilule ['pilju:l] s (mała) pigułka

pimelite ['pimə͵lait] s *miner* pimelit, glinokrzemian

pimento [pi'mentou] s piment, pieprz angielski

pimp [pimp] Ⅰ s rajfur/ka, stręczyciel/ka Ⅱ *vi* rajfurzyć, stręczyć do nierządu

pimpernel ['pimpə͵nel] s *bot* kurzyślad polny, kurzyślep

pimpinella [͵pimpi'nelə] s *bot* biedrzeniec

pimping ['pimpiŋ] *adj* 1. nędzny; podły 2. chorowity

pimple ['pimpl] s krosta; pryszcz

pimpled ['pimpld], **pimply** ['pimpli] *adj* krostowaty, pokryty krostami; *pot* opryszczony, pryszczaty

pin [pin] Ⅰ s 1. szpilka; ∼s and needles mrowienie (w nodze itd.); **neat as a new** ∼ wyelegantowany; **for two** ∼s I would have kicked him niewiele wskórało, bym go kopnął; **I don't care a** ∼ wszystko mi jedno; gwiżdżę na to; **there isn't a** ∼ **to choose between them** między nimi nie ma żadnej różnicy; **to be on** ∼s **and needles** siedzieć jak na szpilkach; *przen* **you might have heard a** ∼ **fall** było cicho, jak makiem zasiał 2. kołek; sztyft; zatyczka; przetyczka; zwora; trzpień; sworzeń; lon (u osi koła) 3. czop 4. (*także* **rolling-**∼) wałek do ciasta 5. kręgiel 6. *pl* ∼s *pot* nogi (człowieka); *wulg* giry 7. *stol* wpust 8. beczułka Ⅱ *vt* (**-nn-**) 1. przypi-ąć/nać (szpilką), przyszpil-ić/ać; *przen* **to** ∼ **one's faith on sb** wierzyć komuś bez zastrzeżeń 2. przymocow-ać/ywać <przytwierdz-ić/ać> kołkiem <zatyczką itd.>; przygw-oździć/ażdżać 3. przyp-rzeć/ierać (**sb against the wall** kogoś do muru) 4. *bud* podstemplow-ać/ywać (mur itd.)

∼ **down** *vt* zobowiąz-ać/ywać; zmu-sić/szać

∼ **on** *vt* przypi-ąć/nać (kokardę itd.)

∼ **out** *vt* rozwałkow-ać/ywać (ciasto)

∼ **up** *vt* upi-ąć/nać (włosy)

pinafore ['pinə͵fɔ:] s fartuszek (dziecinny)

pinaster [pai'næstə] s *bot* sosna nadmorska

pince-nez ['pɛ̃:s͵nei] s pince-nez, binokle

pincers ['pinsəz] *spl* (*także* **a pair of** ∼) kleszcze; szczypce; obcęgi, obcążki

pincette [pɛ̃:'set] s pinceta, pęseta

▲**pinch** [pintʃ] Ⅰ *vt* 1. szczypnąć/szczypać 2. przycis-nąć/kać; zacis-nąć/kać; przychwycić; **I** <**he etc.**> ∼**ed my** <**his etc.**> **finger in the door** przyciąłem <przyciął itd.> sobie palec drzwiami; **the air-chamber got** ∼**ed** dętka się zakleszczyła 3. obdoszczepi-ć/ać <ob-erwać/rywać> (pączki, pędy itd.) 4. (*o zimnie, głodzie itd*) ściągnąć (**sb's face** komuś twarz); (*o mrozie*) zwarzyć (roślinę); **to be** ∼**ed with cold** zziębnąć 5. dokucz-yć/ać (**sb** komuś); **to be** ∼**ed with hunger** odczuwać głód; **I was** ∼**ed with hunger** głód mi doku-

czał 6. krępować; cisnąć; (*o obuwiu*) uwierać 7. żałować (**sb for food etc.** komuś jedzenia itd.) 8. *pot* świsnąć; zwędzić; buchnąć; ukraść 9. *pot* schwy-cić/tać <capnąć> (złodzieja itd.) 10. popędzać (konia) 11. *am* grać pizzicato (**the violin** na skrzypcach) 12. posuwać (ciężki przedmiot) za pomocą dźwigni <łomu> 13. *mar* żeglować zbyt blisko do wiatru <na granicy łopotu żagli> Ⅲ *vi* 1. cisnąć; przycis-nąć/kać; uwierać 2. dokuczać; dawać się we znaki; *przen* **that's where the shoe** ∼**es** w tym sęk; tu cię <go, ją itd.> boli; **to know where the shoe** ∼**es** orientować się w sytuacji 3. oszczędzać; odmawiać <żałować> sobie 4. *górn* (*o pokładzie*) wykliniać się, zanikać

∼ **off** <**out**> *vt* ob-erwać/rywać pędy (**a plant** rośliny)

zob **pinched, pinching** Ⅲ s 1. uszczypnięcie; **to give sb a** ∼ uszczypnąć kogoś 2. nękanie (głodu, nędzy itd.); **at a** ∼ w razie potrzeby <konieczności>; **under the** ∼ **of** — nękany <przyciśnięty, doprowadzony do ostateczności> przez ... 3. szczypta (soli, tabaki itd.) 4. = **pinch-bar**

pinch-bar ['pintʃ͵bɑ:] s łom; dźwignia

pinchbeck ['pintʃ͵bek] Ⅰ s tombak; † similor (stop o wyglądzie złota) Ⅲ *adj* sztuczny; fałszywy

pinchcock ['pintʃ͵kɔk] s zacisk (do węża gumowego itd.)

▲**pinched** ['pintʃt] Ⅰ *zob* **pinch** v Ⅲ *adj* 1. (*o twarzy*) ściągnięty (mrozem, głodem); wynędzniały 2. (*o człowieku*) w nędzy; **to be** ∼ **for money** mieć pustkę w kieszeni; **to be** ∼ **for time** <**room etc.**> cierpieć na brak czasu <miejsca itd.>

pinchers ['pintʃəz] = **pincers**

pinching ['pintʃiŋ] Ⅰ *zob* **pinch** v Ⅲ *adj* 1. (*o mrozie*) szczypiący; ostry 2. (*o człowieku*) skąpy

pincushion ['pin͵kuʃin] s poduszeczka do igieł i szpilek

Pindaric [pin'dærik] *adj* (*o wierszu itd*) pindaryczny (będący utworem Pindara lub napisany na jego wzór)

▲**pine**[1] [pain] Ⅰ s *bot* sosna Ⅲ *adj* sosnowy

pine[2] [pain] *vi* 1. (*także* ∼ **away**) opa-ść/dać z sił; marnieć; usychać; (*o roślinach*) z/więdnąć 2. tęsknić <wzdychać, usychać z tęsknoty> (**for sb, sth** za kimś, czymś)

pineal ['pinjəl] *adj* szyszkowaty, szyszkowy; *anat* ∼ **gland** szyszynka

pineapple ['pain͵æpl] s 1. ananas 2. *sl wojsk* granat ręczny

pine-beetle ['pain͵bi:tl], **pine-chafer** ['pain͵tʃeifə] s *zoo* drzewisz owłosiony (kornik)

pine-cone ['pain͵koun] s szyszka sosnowa

pinene ['paini:n] s *chem* pinen

pinery ['painəri] s 1. cieplarnia dla hodowli ananasów 2. plantacja drzew sosnowych 3. las <lasek> sosnowy

pinetum [pai'ni:təm] s (*pl* **pineta** [pai'ni:tə]) *bot* plantacja <lasek> różnych gatunków drzew sosnowych

pinfold ['pin͵fould] Ⅰ s zagroda dla bydła zajętego w szkodzie Ⅲ *vt* umie-ścić/szczać w ogrodzeniu (bydło zajęte w szkodzie)

ping [piŋ] Ⅰ s świst <gwizd> (kuli itd.) Ⅲ *vi* (*o pocisku*) świs-nąć/tać

pingpong [ˈpiŋ͵pɔŋ] *s* ping-pong
pinguid [ˈpiŋgwid] *adj* 1. *żart* tłusty 2. (*o ziemi*) żyzny
pin-head [ˈpin͵hed] *s* główka od szpilki
pin-hole [ˈpin͵houl] *s* 1. dziurka po ukłuciu szpilką 2. otwór (na zatyczkę, sworzeń itp.)
pinion¹ [ˈpinjən] Ⓘ *s* 1. koniec skrzydła 2. lotka 3. *poet* skrzydło Ⓘ *vt* 1. podci-ąć/nać skrzydła (**a bird** ptakowi) 2. z/wiązać (**sb's arms** komuś ręce); s/krępować 3. uwiązać; przywiąz-ać/ywać (**sb** <**sth**> **to sth** kogoś <coś> do czegoś)
pinion² [ˈpinjən] *s techn* mniejsze koło zębate w przekładni; wałek zębaty
▲**pink**¹ [piŋk] Ⓘ *s* 1. *bot* goździk, gwoździk 2. **the ~** szczyt <uosobienie> (doskonałości itd.); kwiat (młodości itd.); idealny stan (zdrowia itd.); **in the ~ of** __ u szczytu <w kwiecie>...; *sl* **to be in the ~** mieć <czuć> się pierwszorzędnie <świetnie> 3. kolor różowy, róż 4. czerwona kurtka myśliwego (biorącego udział w polowaniu par force na lisa) 5. myśliwy w czerwonej kurtce Ⓘ *adj* 1. różowy; *sl* **strike me ~!** niemożliwe! 2. *polit* (*o socjaliście*) umiarkowany Ⓘ *vt* zabarwi-ć/ać na różowo; za/różowić Ⓘ *vi* za/różowić się
pink² [piŋk] *s hist mar* pinka (rodzaj statku żaglowego)
pink³ [piŋk] *vt* 1. przebi-ć/jać (szpadą itd.) 2. (*także* **~ out**) dziurkować; ażurować; wycinać; ząbkować (coś) 3. ozd-obić/abiać
pink⁴ [piŋk] *s zoo* 1. młody łosoś 2. *dial* = minnow
pink⁵ [piŋk] *vi* (*o silniku*) stukać
pink-eye [ˈpiŋk͵ai] *s med* zapalenie spojówek
pink-eyed [ˈpiŋk͵aid] *adj* (*o człowieku*) cierpiący na zapalenie spojówek
pinkish [ˈpiŋkiʃ] = **pinky**
pinkness [ˈpiŋknis] *s* różowość
Pinkster [ˈpiŋkstə] *s am* Zielone Świątki; *bot* **pinkster flower** różowa azalia
pinky [ˈpiŋki] *adj* różowawy
pin-money [ˈpin͵mʌni] *s* pieniądze na szpilki <na drobne wydatki>
pinnace [ˈpinis] *s mar* 1. *lit* pinasa (rodzaj statku żaglowego) 2. szalupa (okrętu wojennego)
pinnacle [ˈpinəkl] Ⓘ *s* 1. wieżyczka 2. *arch* pinakiel, pinakl, sterczyna 3. *dosł i przen* szczyt Ⓘ *vt* 1. zakończ-yć/ać (budynek) pinaklem <wieżyczką>; ozd-obić/abiać pinakl-em/ami <wieżyczk-ą/ami> 2. być szczytem (**sth** czegoś)
pinnate [ˈpinit], **pinnated** [ˈpineitid] *adj* pierzasty
pinner [ˈpinə] *s* 1. czepek z długimi nausznicami 2. *dial* fartuszek
pinnipedia [͵pini'piːdjə] *spl zoo* płetwonogie
pinnule [ˈpinjuːl] *s* 1. celownik (dioptry) 2. *bot* listek liścia podwójnie pierzastego
pinny [ˈpini] *s skr dziec* **pinafore**
pinoc(h)le [ˈpinəkl] *s am* staromodna gra w karty (podobna do bezika)
pinole [piˈnouli] *s am* słodka potrawa z prażonej mąki kukurydzianej i przypraw
▲**pinpoint** [ˈpin͵pɔint] Ⓘ *s* koniec szpilki Ⓘ *attr wojsk* (*o celu bombardowania*) wymagający wielkiej precyzji Ⓘ *vt* 1. określ-ić/ać z maksymalną dokładnością; s/precyzować 2. *wojsk* z/bombardować (obiekt) po precyzyjnym określeniu (jego) położenia

pin-prick [ˈpin͵prik] *s dosł i przen* ukłucie szpilki
pin-striped [ˈpin͵straipt] *adj* (*o materiale*) w drobne paski <prążki>
pint [paint] *s* pół kwarty (= 0,568 1; *am* 0,473 1)
pin-table [ˈpin͵teibl] *s* fortunka (gra)
pintado [pinˈtɑːdou] *s zoo* 1. perliczka 2. (*także* **~ bird** <**petrel**>) petrel warcabnik (gołąb kapsztadzki)
pintail [ˈpin͵teil] *s zoo* rożeniec (kaczka)
pintle [ˈpintl] *s* czop; kołek; sworzeń
▲**pinto** [ˈpintou] *am* Ⓘ *adj* (*o koniu*) łaciaty Ⓘ *s* koń łaciaty
pin-tuck [ˈpin͵tʌk] *s* ozdobn-y/a fałd <fałda>
pin-up [ˈpin͵ʌp] *am* Ⓘ *adj* (*o dziewczynie*) olśniewającej urody, *pot* szałowa Ⓘ *s* podobizna urodziwej <sławnej> osoby zdobiąca ścianę
pin-vice [ˈpin͵vais] *s* imadło
pin-wheel [ˈpin͵wiːl] *s pir* słońce (ogień sztuczny)
piny [ˈpaini] *adj* 1. (*o zapachu itd*) sosny, sośniny 2. (*o obszarze itd*) porosły sosnami
piolet [ˈpioulei] *s* czekan turystyczny
pioneer [͵paiəˈniə] Ⓘ *s* pionier; *wojsk* pionier Ⓘ *vt* 1. u/torować (drogę) 2. u/torować drogę (**sb** komuś) Ⓘ *vi* być pionierem
pious [ˈpaiəs] *adj* (*o człowieku, czynie, życzeniu itd*) pobożny; **~ fraud** oszustwo popełnione w pobożnym celu
pip¹ [pip] *s* 1. pypeć (choroba drobiu) 2. *sl* chandra; ponury nastrój; zły humor; przygnębienie; **to give sb the ~** wprawi-ć/ać kogoś w ponury nastrój; **to have the ~** być w ponurym nastroju
▲**pip**² [pip] *s* 1. oczko (w kartach, dominie, kościach do gry) 2. gwiazdka (na naramienniku oficerskim) 3. *bot* pojedynczy kwiat (skupionego kwiatostanu) *zob* **pip**⁴ 4. pojedynczy dźwięk radiowego sygnału czasu; **the six ~s of the time--signal** sygnał czasu 5. łuska na ananasie
pip³ [pip] *v* (**-pp-**) *sl* Ⓘ *vt* 1. balotować; w balotowaniu odda-ć/wać głos (**sb przeciw** komuś) 2. *szk* obl-ać/ewać (kandydata) 3. po/bić; pokon-ać/ywać; zwycięż-yć/ać 4. po/krzyżować plany (**sb** czyjeś) 5. zastrzelić 6. postrzelić Ⓘ *vi* 1. obl-ać/ewać egzamin 2. (*także* **~ out**) wykitować; um-rzeć/ierać
pip⁴ [pip] *s* pesteczka <ziarenko> (jabłka, pomarańczy itd.)
pip⁵ [pip] *s* (*w sygnalizacji*) litera p; *sl* **~ emma** (= **p.m.**) po południu
pipage [ˈpaipidʒ] *s* 1. rurociąg; *zbior* rury 2. zaopatrzenie (w wodę itd.) rurami <rurociągiem>
pipal-tree [ˈpiːpəl͵triː] = **bo-tree**
▲**pipe** [paip] Ⓘ *s* 1. rura, rurka; przewód; kanał; rynna; **to lay the ~s** założyć <zaprowadzić> instalację (wodociągową, gazową) <kanalizację, rynny> *zob* **pipe-laying** 2. piszczałka; fujarka 3. piszczałka organowa 4. *pl* **~s** kobza; dudy 5. *mar* gwizdek bosmana; rozkaz wydany gwizdkiem 6. (*w śpiewie*) głos (wysoki) 7. śpiew ptaka 8. *górn* podłużne skupienie rudy w żyle 9. wejście do pułapki dla dzikich kaczek 10. fajka; **a ~ dream** iluzja; **the King's <Queen's> ~** piec do spalania przemycanego tytoniu; **put that in your ~ and smoke it** przemyśl/cie <rozważ/cie> to sobie 11. = **pipeful** 12. beczka, pipa (= 105 galonów = 476,70 l) 13. *anat* przewód; tchawica Ⓘ *vi* 1. grać na piszczałce <na fujarce,

kobzie> 2. (*o wietrze*) świszczeć, świstać 3. (*o ptaku*) ćwierkać; świergotać; śpiewać 4. (*o człowieku*) za/piszczeć; prze/mówić piskliwym głosem 5. *mar* za/gwizdać; da-ć/wać sygnał gwizdkiem [III] *vt* 1. za/grać (melodię) na piszczałce <na fujarce, kobzie> 2. za/śpiewać (melodię) piskliwym głosem 3. odprowadz-ić/ać <przyprowadz-ić/ać> (kogoś, oddział wojsk itd.) uroczyście przy dźwiękach kobz <piszczałek> 4. *w zwrocie*: **to ~ one's eyes** płakać; *pot* beczeć 5. za-łożyć/kładać <zaprowadz-ić/ać> instalację (wodociągową, gazową) <kanalizację, rynny itp.> (**a building** w budynku); s/kanalizować; sprowadz-ić/ać (wodę itd.) rurami 6. *ogr* odkładać <rozkrzewiać> (goździki itd.) 7. ob/lamować; obszy-ć/wać

~ away *vt mar* gwizdkiem da-ć/wać sygnał odpłynięcia (**a boat** statkowi)

~ down [I] *vt mar* gwizdkiem da-ć/wać sygnał zejścia pod pokład (**the crew** załodze) [II] *vi sl* uciszyć się; mówić ciszej; zamilknąć

~ up [I] *vt mar* gwizdkiem zwoł-ać/ywać (**the crew** załogę) [II] *vi* 1. za/grać na piszczałce <na fujarce, kobzie> 2. za/śpiewać piskliwym głosem 3. zacz-ąć/ynać grać

zob **piping**

pipeclay ['paip,klei] [I] *s* 1. delikatna glinka kamionkowa (do wyrobu fajek i w wojsku do czyszczenia oporządzenia) 2. *pot* (*w wojsku*) formalistyka [II] *vt* o/czyścić glinką kamionkową

pipe-cleaner ['paip,kli:nə] *s* przetyczka do fajki

pipefish ['paip,fiʃ] *s zoo* iglicznia (ryba)

pipeful ['paipful] *s* porcja tytoniu (na zapełnienie fajki)

pipe-laying ['paip,leiiŋ] *s* 1. za-łożenie/kładanie <zaprowadz-enie/anie> instalacji (wodociągowej, gazowej) <rurociągu, rynien> 2. *am sl* intrygi polityczne

pipe-lighter ['paip,laitə] *s* 1. † fidybus 2. zapalniczka

pipe-line ['paip,lain] *s* rurociąg

piper ['paipə] *s* 1. kobziarz; wędrowny muzykant grający na piszczałce <na fujarce>; **to pay the ~** a) pon-ieść/osić koszty b) pon-ieść/osić konsekwencje; **he who pays the ~ calls the tune** kto płaci, ten ma prawo wymagać 2. dychawiczny koń 3. *górn* szczelina wydzielająca gaz 4. pies wytresowany do wabienia ptactwa 5. nazwa kilku gatunków ryb (kurek itd.)

pipe-rack ['paip,ræk] *s* wieszak na fajki

piperazine ['pipərə,zi:n] *s farm* piperazyna

pipette [pi'pet] *s chem* pipeta, pipetka

pipe-wrench ['paip,rentʃ] *s* cęgi do rur

piping ['paipiŋ] [I] *zob* **pipe** *v* [II] *adj* 1. (*o człowieku*) grający na piszczałce <na fujarce, kobzie>; **the ~ times of peace** sielankowe <beztroskie> czasy pokojowe 2. (*o dźwięku, głosie*) piskliwy 3. **~ hot** a) wrzący b) upalny c) *pot* (*o wiadomościach*) najświeższy [III] *s* 1. gra na piszczałce <na fujarce, kobzie, dudach> 2. świst (wiatru) 3. ćwierkanie; świergot 4. *mar* wydawanie rozkazów za pomocą gwizdka 5. za-łożenie/kładanie instalacji wodociągowej <gazowej itd.> 6. instalacja rurowa; kanalizacja; rynny; rurociąg 7. *ogr* odkładanie <rozkrzewianie> (goździków itp.) 8. *ogr* odkład, pęd boczny 9. oblamowanie, lamówka, obszycie 10. cukrowe przybranie tortu

pipistrel(le) [,pipi'strel] *s zoo* nocek rudy (nietoperz)

pipit ['pipit] *s zoo* świergotek (ptak)

pipkin ['pipkin] *s* gliniany garnek

pippin ['pipin] *s* 1. reneta (jabłko) 2. *sl* kapitalny facet; szałowy kociak; coś kapitalnego

pipsqueak ['pip,skwi:k] *s* 1. *wojsk sl* pocisk wydający piskliwy dźwięk w czasie lotu 2. (*o człowieku*) miernota; (*o rzeczy*) tandeta

pipy ['paipi] *adj* rurkowaty

piquancy ['pi:kənsi] *s* pikantność (potrawy, opowiadania, sytuacji itd.); pikanteria

piquant ['pi:kənt] *adj* (*o potrawie, opowiadaniu, sytuacji itd*) pikantny

pique¹ [pi:k] [I] *s* uraza; żal; rozgoryczenie; **in a fit of ~** pod wpływem rozgoryczenia; **to take a ~ against sb** poczuć urazę do kogoś [II] *vt* 1. ubóść; dot-knąć/ykać (kogoś) w (jego) miłości własnej <ambicji> 2. wzbudz-ić/ać (czyjąś ciekawość) [III] *vr* **~ oneself** chełpić się (**on** <**upon**> **sth** czymś)

pique² [pi:k] [I] *s* (*w grze w pikietę*) pik (rodzaj wygranej) [II] *vi* (*w grze w pikietę*) wygr-ać/ywać

piqué ['pi:kei] *s tekst* pika

piquet¹ [pi'ket] *s karc* pikieta

piquet² ['pikit] = **picket** *s* 4.

piracy ['paiərəsi] *s* 1. piractwo, korsarstwo 2. piractwo literackie; naruszenie praw autorskich

piragua, periagua [pi'rægwə] *s* piroga (czółno)

pirate ['paiərit] [I] *s* 1. pirat, korsarz, rozbójnik morski 2. człowiek uprawiający piractwo literackie 3. autobus konkurujący ze stałą linią komunikacji samochodowej [II] *vt* 1. ob/rabować 2. wyda-ć/wać (cudze dzieło) bez pozwolenia autora [III] *vi* uprawiać piractwo <korsarstwo>

piratic(al) [pai'rætik(əl)] *adj* piracki, korsarski

pirn [pə:n] *s szkoc tekst* szpulka

pirogue [pi'roug] = **piragua**

pirouette [,piru'et] [I] *s* piruet [II] *vi* robić piruety

pis aller [,pizæ'lei] *s* ostateczność; konieczność

piscary ['piskəri] *s prawn w zwrocie*: **common of ~** prawo łowienia ryb na cudzym terenie

piscatorial [,piskə'tɔ:riəl], **piscatory** ['piskətəri] *adj* rybacki; wędkarski

Pisces ['pisi:z] *spl* Ryby (gwiazdozbiór i znak zodiaku)

pisciculture ['pisi,kʌltʃə] *s* hodowla ryb

pisciculturist [,pisi'kʌltʃərist] *s* hodowca ryb

pisciform ['pisi,fɔ:m] *adj* rybokształtny

piscina [pi'si:nə] (*pl* **piscinae** [pi'si:ni:], **~s**) *s* 1. *kośc* piscyna (miejsce w zakrystii, gdzie zlewa się wodę po myciu naczyń lub praniu bielizny kościelnej) 2. (*u staroż. Rzymian*) basen kąpielowy 3. staw rybny

piscine¹ ['pisi:n] *s* basen kąpielowy

piscine² ['pisain] *adj* rybi

piscivorous [pi'sivərəs] *adj zoo* rybożerny

pisé ['pi:zei] *s bud* piza (ubita glina)

pish [piʃ] [I] *interj* tfu! [II] *vt* (*także* **~ away**) odpędz-ić/ać; przepędz-ić/ać [III] *vi* wyra-zić/żać pogardę <wstręt>; wyra-zić/żać się z pogardą <ze wstrętem> (**at sb, sth** o kimś, czymś)

pisiform ['pisi,fɔ:m] *adj* groszkowaty

pismire ['pis,maiə] *s zoo* mrówka

pisolite ['paisə,lait] *s miner* pizolit, grochowiec

piss 70 pith

piss [pis] ☐ *vi* odda-ć/wać mocz; *pot* siusiać,
z/robić siusiu; *wulg* szczać ☐ *vt* 1. *med* mieć
(krew itd.) w moczu 2. z/moczyć (łóżko); *pot*
obsikać *zob* **pissed** ☐ *s* mocz; *wulg* szczyny
pissed [pist] ☐ *zob* **piss** *v* ☐ *adj sl* zalany, pijany
piss-pot ['pis,pɔt] *s wulg* nocnik
pistachio [pis'tɑːʃiou] *s bot* pistacja (drzewo i owoc)
pistil ['pistil] *s bot* słupek
pistillate ['pistilit] *adj bot* słupkowy; żeński
pistol ['pistl] ☐ *s* pistolet (do strzelania, lakierowania itp.); rewolwer; (*o pojedynku*) **with** ~s
na pistolety ☐ *vt* (-ll-) zastrzelić z pistoletu
<z rewolweru>
pistole [pis'toul] *s hist* pistol (moneta)
pistol-shot ['pistl,ʃɔt] *s* wystrzał z pistoletu <z rewolweru>; **within** ~ na odległość strzału z pistoletu
✝**piston** ['pistən] *s* 1. *techn* tłok 2. *muz* piston
<wentyl, klapa> (instrumentu)
piston-rod ['pistən,rɔd] *s techn* trzon tłokowy,
tłoczysko
piston-stroke ['pistən,strouk] *s* suw tłoka
pit [pit] ☐ *s* 1. dół (w ziemi) 2. = **ash-**~ 3. =
chalk-~ 4. = **gravel-**~ 5. = **sand-**~ 6. =
tan-~ 7. wybój (na drodze); jama 8. *górn* szyb;
kopalnia (węgla) 9. *techn* kanał (do przeglądu
i naprawy samochodów itd.) 10. *roln* silos 11.
= **store-**~ 12. piekło 13. pułapka; potrzask;
sidła; wilczy dół; **to dig a** ~ **for sb** zastawi-ć/
ać na kogoś pułapkę 14. dołek <dziób> (po
ospie itd.); *anat* **the** ~ **of the stomach** dołek
(pod piersiami) 15. *teatr* parter (miejsca i publiczność na parterze) 16. *auto* punkt obsługi
na wyścigach 17. = **cockpit** 18. (*na giełdzie*)
miejsce do załatwiania określonych transakcji
19. loch ☐ *vt* (-tt-) 1. włożyć/wkładać do dołu;
za/kopcować (okopowizny); za/silosować, za-
kwa-sić/szać w silosie; za/dołować 2. ustawi-ć/ać
<podniec-ić/ać> (koguta, psa itd.) do walki na
arenie (**against another** z innym); przeciwstawi-ć/ać (**sb, sth against sb, sth** kogoś, coś komuś, czemuś); **to be** ~**ted against sb, sth** musieć
się zmierzyć <zmagać> z kimś, czymś 3. (*o ospie*) zostawi-ć/ać dzioby (**the face** na twarzy);
ze/szpecić (twarz) dziobami 4. (*o kwasach*) wże-
rać się (**a metal** w metal) ☐ *vr* (-tt-) ~ **oneself**
z/mierzyć się <zmagać się, sta-nąć/wać do walki> (**against sb, sth** z kimś, czymś) ☐ *vi* (-tt-)
1. pokry-ć/wać się dołkami <dziobami> 2. (*o skórze*) zachow-ać/ywać ślad naciśnięcia *zob* **pitted**
pit-a-pat ['pitə'pæt] ☐ *adv* z bębnieniem; bębniąc; **to go** ~ a) (*o deszczu, gradzie*) bębnić
b) (*o stopach*) tupotać c) (*o sercu*) za/kołatać, bić,
walić, tłuc się ☐ *s* bębnienie (deszczu, gradu);
tupot (nóg); tętent (kopyt); bicie <kołatanie>
(serca)
pitch[1] [pitʃ] ☐ *s* smoła; pak; **mineral** ~ asfalt
mineralny ☐ *vt* po/smołować; wy/smolić
✝**pitch**[2] [pitʃ] ☐ *vt* 1. rozbi-ć/jać (namiot, obóz)
2. (*w krykiecie*) ustawi-ć/ać do gry (**wickets**
paliki) 3. ustawi-ć/ać; umie-ścić/szczać; u/loko-
wać 4. wystawi-ć/ać (towary) na sprzedaż 5.
da-ć/wać podkład kamienny (**sth pod coś** —
nawierzchnię szosy itd.); wy/brukować (drogę)
6. *muz* na/stroić <za/śpiewać, za/grać> (**high,
low** wysoko, nisko) 7. cis-nąć/kać; *sport* rzuc-ić/
ać (**sth** coś, czymś — piłką, oszczepem itd.);

uderz-yć/ać (piłkę golfową) w specyficzny sposób; **to** ~ **coins** rzuc-ić/ać monety tak, by
padły płasko jak najbliżej celu 8. ładować
widłami (siano itd.) 9. *sl* opowi-edzieć/adać
(anegdotę); **to** ~ **it strong** przesadzać ☐ *vi* 1.
upa-ść/dać 2. (*o statku*) zapa-ść/dać <zanurz-yć/
ać> się dziobem w morze; kołysać się wzdłużnie
3. opa-ść/dać; obniż-yć/ać się; *górn* (*o pokładzie*) zapa-ść/dać się 4. *techn* (*o zębach koła
zębatego*) zazębi-ć/ać się 5. rzuc-ić/ać się (**into**
sb na kogoś) 6. walić (**into sb** w kogoś) 7.
sk-oczyć/akać głową naprzód (**into the water**
do wody) 8. (przypadkowo) obrać <wybrać>
(**upon sth** coś)
~ **in** zab-rać/ierać się energicznie do pracy
zob **pitched** ☐ *s* 1. zapadanie <zanurzanie> się
(statku) dziobem w morze; wzdłużne kołysanie
się (statku) 2. rzut (piłką krykietową) bezpośrednio <wprost> w paliki; specyficzny sposób
uderzenia (piłki golfowej) 3. partia towaru wystawiona na sprzedaż 4. boisko krykietowe 5.
miejsce <stanowisko> (produkującego się aktora
ulicznego, żebraka, bukmachera, sprzedawcy
ulicznego) 6. pułap; wysokość lotu (sokoła itp.)
przed rzuceniem się na ofiarę; *przen* **to fly**
a high ~ mieć wysokie aspiracje 7. *muz* wysokość nastrojenia; nastrojenie; tonacja; diapazon
8. *fiz jęz* wysokość tonu <głosu> 9. stopień; granic-a/e; natężenie <intensywność> (przymiotu
itd.); **the highest** ~ szczyt; maksimum 10. nachylenie; kąt nachylenia 11. *techn* skok (gwintu)
12. *techn* rozstęp (między zębami koła zębatego)
pitch-and-toss ['pitʃənd'tɔs] *s* gra hazardowo-
zręcznościowa monetami
pitch-black ['pitʃ'blæk] *adj* czarny jak smoła
pitchblende ['pitʃ,blend] *s miner* uranityt, blenda
smolista
pitch-dark ['pitʃ'dɑːk] *adj* (*o nocy*) ciemny, choć
oko wykol
pitch-darkness ['pitʃ,dɑːknis] *s* głęboka ciemność;
ciemna noc
pitched [pitʃt] ☐ *zob* **pitch**[2] *v* ☐ *adj* ~ **battle**
walna <rozstrzygająca> bitwa
pitcher[1] ['pitʃə] *s* dzban; **little** ~**s have long
ears** małe dzieci wszystko słyszą
pitcher[2] ['pitʃə] *s* 1. *sport* zawodnik rzucający
piłką 2. sprzedawca uliczny 3. kamień brukowy
pitcherful ['pitʃəful] *s* (pełny) dzban (czegoś)
pitcher-plant ['pitʃə,plɑːnt] *s bot* dzbanecznik
pitchfork ['pitʃ,fɔːk] ☐ *s* 1. widły 2. kamerton
☐ *vt* ładować <przerzucać> (siano itd.) widłami;
przen **to** ~ **sb into a position** wsadz-ić/ać kogoś na (wysokie) stanowisko
pitch-pine ['pitʃ,pain] *s bot* amerykańska sosna
żółta
pitch-pipe ['pitʃ,paip] *s muz* kamerton dęty
(w kształcie piszczałki)
pitch-stone ['pitʃ,stoun] *s geol* smołowiec (szkliwo wulkaniczne)
pitch-wheel ['pitʃ,wiːl] *s techn* koło zębate; tryb
pitchy ['pitʃi] *adj* smolisty
pit-coal ['pit,koul] *s* węgiel kamienny
piteous ['pitiəs] *adj* żałosny; nędzny
piteousness ['pitiəsnis] *s* żałosny <nędzny> stan
pitfall ['pit,fɔːl] *s* pułapka
pith [piθ] ☐ *s* 1. *bot* biała część owocu pomarańczy; *anat* szpik; rdzeń kręgowy; ~ **hat**

<helmet> hełm tropikalny 2. siła;. moc; wigor; jędrność 3. (także ~ and marrow) kwintesencja; istota; (o sprawach) of ~ and moment wielkiej doniosłości ⫿ vt bić (bydło) przez przecięcie rdzenia pacierzowego

pithead ['pit,hed] s górn wieża szybowa; nadszybie

pithecanthrope [,piθi'kænθroup] s pitekantrop (praczłowiek)

pithiness ['piθinis] s 1. wigor; moc 2. jędrność 3. soczystość 4. zwięzłość

pithless ['piθlis] adj 1. sflaczały; flakowaty; bez wigoru 2. bez treści

pithy ['piθi] adj (pithier ['piθiə], pithiest ['piθ iist]) 1. anat rdzeniowy; szpikowy 2. pełen wigoru 3. jędrny 4. soczysty 5. treściwy 6. zwięzły

pitiable ['pitiəbl] adj żałosny; nędzny; godny politowania

pitiableness ['pitiəblnis] s stan żałosny <nędzny, godny politowania>

pitiful ['pitiful] adj 1. litościwy 2. żałosny; nędzny

pitiless ['pitilis] adj bezlitosny; niemiłosierny

pitman ['pitmən] s 1. (pl pitmen ['pitmən]) górnik 2. pl ~s techn korbowód; wał korbowy; łącznik, drążek łączący

pitpan ['pit,pæn] s czółno z wydrążonego pnia (używane w Am. Środk.)

pit-pat ['pit'pæt] = **pit-a-pat**

pitsaw ['pit,sɔ:] s piła tracka

pittance ['pitəns] s 1. nędzne wynagrodzenie; pot psie pieniądze 2. odrobina; ochłap

pitted ['pitid] ⫿ zob pit v ⫿ adj dziobaty

pittite ['pitait] s teatr widz na parterze

pituitary [pi'tjuitəri] adj anat przysadkowy

pituitous [pi'tjuitəs] adj med śluzowaty; flegmisty; zaflegmiony

pity ['piti] ⫿ s 1. litość; politowanie; współczucie; **for ~'s sake** na litość boską; **out of ~** z litości; **to take <have> ~ on _** zlitować się nad... 2. w wyrażeniach żalu: szkoda; **it is a thousand pities** wielka <straszna> szkoda; **that's a ~** (to) szkoda; **the ~ is that _** szkoda (tylko), że...; **more's the ~** tym gorzej <większa szkoda>; **what a ~!** jaka <wielka> szkoda! ⫿ vt (**pitied** ['pitid], **pitied**; **pitying** ['pitiiŋ]) żałować (sb, sth kogoś, czegoś); z/litować się (sb nad kimś); współczuć (sb komuś); **I ~ you** żal mi ciebie; **he is much to be pitied** jest godny współczucia zob **pitying**

pitying ['pitiiŋ] ⫿ zob **pity** v ⫿ adj litościwy

pityingly ['pitiiŋli] adv z politowaniem

pityriasis [,piti'raiəsis] s med łupież, grzybicza choroba skóry

pivot ['pivət] ⫿ s 1. czop (osi); oś; trzpień; sworzeń 2. wojsk (także ~-man) skrzydłowy 3. przen oś (sprawy); sedno (zagadnienia); decydujący czynnik <moment>; sprężyna; dźwignia ⫿ vt osadz-ić/ać (coś) na osi ⫿ vi 1. obracać się na czopie <na osi> 2. przen (o sprawie) obracać się (round sth dookoła czegoś); zależeć (upon <on> sth od czegoś)

pivotal ['pivətəl] adj osiowy; przen podstawowy; decydujący; kardynalny; kluczowy

pixie, pixy ['piksi] s chochlik; wróżka

pixilated ['piksi,leitid] adj dial zbzikowany

pixy zob **pixie**

pizzicato [,pitsi'kɑ:tou] adv muz pizzicato

pizzle ['pizl] s 1. wulg pyta (członek zwierzęcy) 2. bykowiec (bicz)

placability [,pleikə'biliti] s dobrotliwość; wyrozumiałość

placable ['pleikəbl] adj dobrotliwy; wyrozumiały

placard ['plækɑ:d] ⫿ s afisz; plakat ⫿ vt 1. rozlepi-ć/ać afisze (a wall na murze) 2. ogł-osić/ aszać <za/reklamować> (coś) afiszami 3. roz/plakatować

placate [plə'keit] vt 1. ułagodzić; zjedn-ać/ywać sobie 2. am przekup-ić/ywać (przeciwników) dla zapewnienia sobie (ich) milczenia

▶**place** [pleis] ⫿ s 1. miejsce (w przestrzeni, książce, społeczeństwie itd.); **all over the ~** a) wszędzie b) po całym (pokoju, mieszkaniu itd.) c) w całym mieście; **if I had been in his ~ _** na jego miejscu byłbym ...; (o uwadze itd) **in ~** na miejscu; stosowny; właściwy; **in ~ of _** zamiast ...; **in <to> another ~** gdzie indziej; **in all ~s** wszędzie; **in the first ~** a) przede wszystkim; najpierw b) na (samym) początku; od (samego) początku; od razu; **in the first <second, third etc.> ~** po pierwsze <po drugie, trzecie itd.>; **is this the ~?** czy to tu?; **that was the ~** to było tam; (w książce) **I've lost my ~** zgubiłem miejsce (gdzie czytałem); nie wiem, na czym stanąłem; **out of ~** nie na miejscu; niestosowny; niewłaściwy; **to look out of ~** mieć kiepską minę; **some ~** gdzieś; **there is no ~ for** (doubt etc.) tu nie może być (wątpliwości itd.); **this is no ~ for a girl of 15** to nie jest odpowiednie miejsce dla dziewczyny 15-letniej; **to give ~ to sb, sth** a) ust-ąpić/ epować miejsca komuś, czemuś b) z/robić miejsce dla kogoś, czegoś; **to keep sb in his ~** nie pozw-olić/alać komuś na poufałość <na spoufalanie się>; trzymać kogoś na dystans; **to take ~** zdarz-yć/ać <wydarz-yć/ać, odby-ć/wać> się; mieć miejsce; **to take the ~ of sb, sth** zast-ąpić/epować kogoś, coś 2. miejscowość; miasto, miasteczko; wieś; **from another ~** skądinąd; z innej miejscowości 3. (w nazwach zabudowań miejskich) plac; ulica; blok/i; **Ely Place** ulica Ely 4. mieszkanie; dom; siedziba; posiadłość; rezydencja; **at my ~** u mnie; **we went to his ~** poszliśmy do niego 5. lokal (rozrywkowy itd.); dom (modlitwy itd.); zakład (kąpielowy itd.); **a low ~** nędzny <podejrzany> lokal 6. sport miejsce (zajęte w zawodach) 7. krzesło; fotel; miejsce siedzące <stojące>; (przy stole) nakrycie; miejsce 8. miejsce, posada, stanowisko 9. mat miejsce dziesiętne 10. (w parlamencie angielskim) Izba Gmin <Lordów> 11. obowiązek; **it is your ~ to _** twoim obowiązkiem <twoją rzeczą> jest ... (dopilnować itd.) ⫿ vt 1. umie-ścić/szczać; u/lokować; postawić/ stawiać; położyć/kłaść; posadzić/sadzać; **to be ~d** być położonym <usytuowanym>; znajdować się 2. da-ć/wać stanowisko (sb komuś) 3. u/lokować (pieniądze) 4. zna-leźć/jdować zbyt (goods dla towaru); sprzeda-ć/wać (coś) 5. da-ć/wać (zamówienie na towar itd.) 6. pokładać (one's confidence in sb zaufanie w kimś) 7. powierz-yć/ać (sth with sb <under sb's care> komuś coś) 8. (w rugby) strzel-ić/ać (a goal gola) 9. określ-ić/ać (miejsce, okoliczności. datę itd.):

I can't ~ the man nie wiem, skąd tego człowieka znam 10. o/cenić; o/szacować 11. *sport* (*w zawodach*) **to be ~d first etc.** zająć pierwsze itd. miejsce; być pierwszym itd. na mecie; **not to be ~d** zająć dalsze miejsce

placebo [plə'si:bou] *s* (*pl ~s, ~es*) 1. *kośc* modlitwy za zmarłych 2. *med* lekarstwo bez znaczenia (dla uspokojenia pacjenta)

place-hunter ['pleis,hʌntə] *s* karierowicz

placeman ['pleismən] *s* (*pl* **placemen** ['pleismən]) urzędnik-karierowicz

placenta [plə'sentə] *s* (*pl* **placentae** [plə'senti:]) 1. *bot* łożysko (w słupku) 2. *anat* łożysko

placental [plə'sentl] *adj anat bot* łożyskowy

placentalia [,plæsən'teiljə] *spl zoo* łożyskowce

placer ['pleisə] *s geol* złoże okruchowe

placet ['pleiset] *s* (*przy głosowaniu*) głos za (wnioskiem)

placid ['plæsid] *adj* łagodny; spokojny; pogodny

placidity [plæ'siditi] *s* łagodność; spokój; pogoda (ducha)

placket ['plækit] *s* 1. kieszonka w spódniczce 2. (*także ~-hole*) rozcięcie na kieszeń w spódniczce

placoid ['plækɔid] *adj zoo* (*o rybie*) pancerny; z rogowatą łuską

plafond ['plæfɔ:] *s* plafon

plagal ['pleigəl] *adj muz* plagalny (właściwy śpiewowi i muzyce gregoriańskiej)

plagiarism ['pleidʒjə,rizəm] *s* plagiat; popełnienie plagiatu

plagiarist ['pleidʒjərist] *s* plagiator/ka

plagiarize ['pleidʒjə,raiz] *vt* popełni-ć/ać plagiat (**sb's writings** czyichś prac)

plagiary ['pleidʒiəri] *s* 1. plagiat 2. plagiator/ka

plagioclase ['pleidʒiə,kleis] *s miner* plagioklaz

plague [pleig] □ *s* 1. plaga; zaraza; mór; pomór; dżuma 2. skaranie boskie; utrapienie; **it is a ~ to** (jest) istna plaga Ⅲ *vt* 1. dotknąć plagą; zesłać plagę (**a place** na jakąś miejscowość) 2. *pot* trapić; nie da-ć/wać żyć (**sb** komuś)

plaguesome ['pleigsəm] *adj* nieznośny

plague-spot ['pleig,spɔt] *s* 1. piętno dżumy 2. ognisko zarazy

plaguy ['pleigi] □ *adj pot* nieznośny; diabelny; cholerny Ⅲ *adv pot* diablo; cholernie; bardzo

plaice [pleis] *s zoo* płastuga (ryba)

plaid [plæd] *s* 1. rodzaj szala (stanowiącego część stroju narodowego Szkotów) 2. pled w kratę 3. materiał na pledy w szkocką kratę

plain[1] [plein] □ *adj* 1. jasny; zrozumiały; oczywisty; **as ~ as a pikestaff** <**as daylight**> jasne jak słońce; **in ~ English** prosto z mostu; bez ogródek; **in ~ words** po prostu; **to make one's meaning ~** wyra-zić/żać się w sposób zrozumiały <jasno, zrozumiale> 2. prosty; nieskomplikowany; zwyczajny; zwykły; niewyszukany; (*o człowieku*) prosty, niewykształcony; (*o rysunkach, pocztówkach itd*) bezbarwny; *karc* **a ~ card** blotka; **in ~ clothes** po cywilnemu; *przen* **it's ~ sailing** to jest całkiem proste; idzie jak po maśle 3. (*o tkaninie*) gładki; jednolity (w kolorze) 4. szczery; otwarty; **~ dealing** uczciwe postępowanie; **to be ~ with sb** szczerze <otwarcie> mówić z kimś; mówić komuś (szczerą) prawdę 5. (*o twarzy*) nieładny; bez <pozbawiony> urody; ·taki sobie Ⅲ *s* równina; dolina Ⅲ *adv*

1. jasno <wyraźnie> (mówić itd.) 2. otwarcie; bez ogródek

plain[2] [plein] *vt* † opłakiwać

plain-cook ['plein,kuk] *vi* gotować proste <domowe> potrawy

plainness ['pleinnis] *s* 1. jasność; zrozumiałość; oczywistość 2. prostota 3. szczerość; otwartość 4. brak urody

plainsman ['pleinzmən] *s* (*pl* **plainsmen** ['pleinzmən]) mieszkaniec równin

plainsong ['plein,sɔŋ] *s kośc* śpiew gregoriański

plain-spoken ['plein,spoukən] *adj* szczery; otwarty; mówiący po prostu <bez ogródek>

plaint [pleint] *s* 1. *prawn* skarga; zażalenie 2. *poet* lament

plaintiff ['pleintif] *s sąd* powód/ka

plaintive ['pleintiv] *adj* żałosny; płaczliwy

plait [plæt] □ *s* 1. fałd, fałda 2. warkocz; plecionka Ⅲ *vt* 1. zaprasować w fałdy; plisować 2. spl-eść/atać, za/pleść

plan [plæn] □ *s* 1. plan; **according to ~** planowo; **to make ~s** u/planować (sobie) 2. plan (miasta itd.) 3. projekt, zamiar 4. sposób (postępowania); **it would be a good ~ to** _ dobrze by było... 5. system Ⅲ *vt* (**-nn-**) 1. za/planować; za/projektować 2. sporządz-ić/ać <na/rysować> plan/y (**sth** czegoś) 3. zamierzać; zamyślać

~ out *vt* za/planować; z/organizować

planch [plɑ:nʃ] *s* płyta (metalowa, kamienna itp.)

planchette [plɑ:n'ʃet] *s* deseczka dla medium (do pisania w czasie seansu)

plane[1] [plein] *s bot* platan

plane[2] [plein] □ *s* strug, hebel; gładzik Ⅲ *vt* wy/strugać; s/heblować; *przen* wy/gładzić; **to ~ smooth** wy/heblować na gładko; **to ~ the way** u/torować drogę

~ away <**down**> *vt* wygładz-ić/ać <usu-nąć/wać> (nierówności)

⧪ plane[3] [plein] □ *s* 1. płaszczyzna, równina 2. płaszczyzna nośna <skrzydło> samolotu 3. samolot 4. płaszczyzna, poziom; **on the same ~ as** _ na jednym poziomie z... 5. *górn* pochylnia <chodnik> przewozow-a/y 6. **~ sailing** a) *mar* żegluga loksodromiczna b) *przen* = **plain sailing** *zob* **plain** *adj* 2. Ⅲ *vi* 1. lecieć/latać samolotem 2. szybować

~ down *vi lotn* obniż-yć/ać lot <opu-ścić/szczać się, opa-ść/dać> szybując

plane[4] [plein] □ *adj* płaski; równy; **~ geometry** planimetria Ⅲ *vt* wygładz-ić/ać; wyrówn-ać/ywać; rozpłaszcz-yć/ać

plane-iron ['plein,aiən] *s* nóż struga <hebla>

planer ['pleinə] *s* 1. człowiek heblujący 2. strugarka, heblarka (maszyna)

plane-stock ['plein,stɔk] *s* oprawa <korpus> struga <hebla>

planet[1] ['plænit] *s* planeta

planet[2] ['plænit] *s kośc* ornat

planetarium [,plæni'teəriəm] *s* planetarium

planetary ['plænitəri] *adj* 1. planetarny 2. ziemski 3. wędrowny

planetoid ['plæni,tɔid] *s astr* planetoida

plane-tree ['plein,tri:] = **plane**[1]

plangent ['plændʒənt] *adj lit* 1. grzmiący; hałaśliwy; głośny 2. jękliwy

planimeter [plæ'nimitə] *s* planimetr

planimetry [plæ'nimətri] *s geom* planimetria
planish ['plæniʃ] *vt* 1. wy/klepać 2. walcować 3. *fot* z/satynować
planisher ['plæniʃə] *s* szlifierz
planisphere ['plæni͵sfiə] *s kartogr* planisfera
plank [plæŋk] Ⅰ *s* 1. deska; tarcica; **on a ~ bed** (spać) na gołych deskach; *hist mar* (*o skazańcu*) **to walk the ~** iść na śmierć z zawiązanymi oczami po desce wystającej za burtę 2. punkt programu (partyjnego itd.) Ⅲ *vt* po/kryć deskami (podłogę itd.)
~ down *vt sl* 1. rzuc-ić/ać; cis-nąć/kać 2. wy/bulić (gotówkę) *zob* **planking**
planking ['plæŋkiŋ] Ⅰ *zob* **plank** *v* Ⅲ *s* deski
plankton ['plæŋktən] *s biol* plankton
plano-concave ['pleinou-kɔn'keiv] *adj* płasko-wklęsły
plano-convex ['pleinou-kɔn'veks] *adj* płasko-wypukły
planometer [plə'nɔmitə] *s miern* płyta miernicza
↑**plant** [plɑːnt] Ⅰ *s* 1. roślina; sadzonka 2. wzrost; rozwój; **in ~** rosnący; **to lose ~** wyginąć; (*o roślinie*) **to miss ~** nie przyjąć się 3. zbiór (okopowych itd.) 4. poza; postawa 5. *techn* instalacja; urządzenia mechaniczne 6. fabryka; zakłady przemysłowe; warsztaty 7. *sl* planowe <uknute> oszustwo <włamanie> 8. *sl* szpicel; wtyczka 9. pułapka (na złodzieja itd.) Ⅲ *attr* roślinny; (*o życiu, patologii itd*) roślin Ⅲ *vt* 1. za/sadzić (rośliny, drzewa); za/siać 2. obsadz-ić/ać (pole itd.); obsi-ać/ewać 3. wsadz-ić/ać; wet-knąć/wtykać; wkop-ać/ywać; postawić/stawiać; umie-ścić/szczać; u/lokować; **to ~ a blow** zdzielić (kogoś); wymierzyć cios (**sb** komuś); **to ~ a bullet** trafić (z karabinu, rewolweru itd.); **to ~ a thrust** ugodzić; dźgnąć 4. osiedl-ić/ać 5. za-łożyć/kładać (miasto, kościół itd.) 6. wszczepi-ć/ać <wp-oić/ajać> (pojęcie itd.) 7. postawić/stawiać (posterunek itd.); umie-ścić/szczać (szpiega) 8. *sl* u/kryć <s/chować> (kradzione rzeczy) 9. u/planować <u/knuć> (oszustwo, włamanie) 10. pod-łożyć/kładać (grudkę złota na wabika przy sprzedaży działki rzekomo złotonośnej) 11. *sl* po/chować <po/grzebać> (umarłego) 12. *sl* pu-ścić/szczać kantem; porzuc-ić/ać; opu-ścić/szczać
~ out *vt* pikować (sadzonki); przesadz-ić/ać (młode drzewa)
plantain[1] ['plæntin] *s bot* babka zwyczajna (ziele)
plantain[2] ['plæntin] *s bot* figa rajska, banan (drzewo i owoc)
plantar ['plæntə] *adj anat* podeszwowy
plantation [plæn'teiʃən] *s* 1. plantacja; **~ song** pieśń murzyńska 2. *hist* kolonia 3. *hist* osadnictwo (w koloniach)
planter ['plɑːntə] *s* 1. plantator 2. *irl* osadnik na wywłaszczonych <porzuconych> gruntach 3. maszyna <przyrząd> do flancowania sadzonek
plantigrade ['plænti͵greid] Ⅰ *adj* stopochodny następny Ⅲ *s* zwierzę stopochodne <nastopne>
plant-louse ['plɑːnt͵laus] *s* (*pl* **plant-lice** ['plɑːnt͵lais]) *zoo* mszyca
plaque [plɑːk] *s* 1. płyta (pamiątkowa) 3. gwiazda (orderu) 3. *med* tarczka, płytka
plash[1] [plæʃ] *s* kałuża; staw błotnisty
plash[2] [plæʃ] Ⅰ *s* plusk Ⅲ *vi* 1. plus-nąć/kać 2. bryz-nąć/gać

plash[3] [plæʃ] *vt* s/pleść <splatać> (gałązki żywopłotu)
plashy ['plæʃi] *adj* (*o obszarze*) obfitujący w kałuże; kałużysty, błotnisty
plasm ['plæzəm] *s biol* protoplazma
↑**plasma** ['plæzmə] *s* 1. *biol fizj* plazma, osocze 2. *miner* plazma
plasmatic [plæz'mætik] *adj* protoplazmatyczny
plasmodium [plæz'moudjəm] *s* (*pl* **plasmodia** [plæz'moudjə]) *biol* plazmodia
plaster ['plɑːstə] Ⅰ *s* 1. gips; tynk; wyprawa wapienna; **~ of Paris** gips modelarski <sztukatorski> 2. *med* plaster; przylepiec; leukoplast Ⅲ *attr* (*o odlewie itd*) gipsowy Ⅲ *vt* 1. wyprawi-ć/ać; o/tynkować 2. (*także* **~ over**) pokry-ć/wać (coś) grubą warstwą (czegoś); oblepi-ć/ać (błotem itd.) 3. *przen* obsyp-ać/ywać (**with praise** pochwałami) 4. gipsować (pole, wino) 5. *med* przy-łożyć/kładać plaster (**a wound** etc. na ranę itd.)
~ down *vt* przygładz-ić/ać (**one's hair** sobie włosy) pomadą <brylantyną itd.>
~ up *vt* za/gipsować; zaprawi-ć/ać
plasterer ['plɑːstərə] *s* sztukator; tynkarz
plastic ['plæstik] Ⅰ *adj* 1. (*o materiale, sztuce, operacji itd*) plastyczny 2. *przen* giętki; podatny 3. *biol* twórczy Ⅲ *s* plastyk, sztuczne tworzywo
plasticine ['plæsti͵siːn] *s* plastelina
plasticity [plæs'tisiti] *s* plastyczność
plastics ['plæstiks] *s* plastyka, chirurgia plastyczna
plastron ['plæstrən] *s* 1. *szerm* plastron 2. *hist* napierśnik 3. gors (stanika, koszuli męskiej) 4. *zoo* plastron (tarcza brzuszna żółwia)
plat[1] [plæt] Ⅰ *s* = **plait** *s* Ⅲ *vt* (**-tt-**) = **plait** *vt zob* **platting**
plat[2] [plæt] Ⅰ *s* 1. działka; mały obszar gruntu; poletko 2. *am* plan (nieruchomości) Ⅲ *vt* (**-tt-**) *am* sporządz-ić/ać plan (**sth** czegoś)
platan ['plætən] *s bot* platan
platband ['plæt͵bænd] *s* 1. *bud* nadproże; ościeżnica 2. *arch* gładkie czoło gzymsu; gładki pas ornamentacyjny 3. klomb
↑**plate** [pleit] Ⅰ *s* 1. płyta (metalowa, kamienna, pancerna itd.); tafla 2. blaszka (kamienia itd.); arkusz (metalu itd.); blacha 3. metal w arkuszach <w płytach> 4. tablica (kamienna itd.) 5. tabliczka (na drzwiach itd.) 6. *druk* klisza; rycina; plansza 7. *fot* klisza 8. półka (maszyny itd.) 9. *bud* przycieś; murłat, leżnia 10. srebro stołowe; platery; wyroby ze złota <ze srebra, z cyny> 11. puchar 12. wyścigi konne <biegi> o puchar; **selling ~** gonitwa sprzedażna (po której nagrodzony koń musi być sprzedany za z góry ustaloną cenę) 13. płyta dentystyczna; sztuczna szczęka 14. talerz 15. = **plateful** 16. *kośc* taca; *przen* zbiórka 17. *elektr* okładka (kondensatora) 18. *elektr* anoda (lampy elektronowej) 19. *sport* stanowisko (w różnych etapach rozgrywki base-ball'u) 20. podkowa pantoflowa (dla koni wyścigowych) 21. = **plate-rail** Ⅲ *vt* 1. opancerz-yć/ać 2. podku-ć/wać (konia) 3. platerować; **to ~ with gold** pozł-ocić/acać; **to ~ with tin** po/cynować, pobiel-ić/ać 4. *druk* z/matrycować *zob* **plated, plating**
plate-armour ['pleit͵ɑːmə] *s* opancerzenie
↑**plateau** ['plætou] *s* (*pl* **~x** ['plætouz], **~s**) 1. płaskowzgórze, płaskowyż 2. patera

plate-basket ['pleit,bɑːskit] *s* kosz do przechowywania srebra stołowego

plated ['pleitid] ⏣ *zob* **plate** *v* ⏣ *adj* 1. opancerzony; pancerny 2. platerowany (pozłacany, posrebrzany, niklowany, pobielany itd.)

plateful ['pleitful] *s* (pełny) talerz (czegoś)

plate-glass ['pleit,glɑːs] *s* szkło płaskie <taflowe, szlifowane>

platelayer ['pleit,leiə] *s* robotnik pracujący przy budowie lub naprawie toru kolejowego; torarz

plate-mark ['pleit,mɑːk] *s* 1. stempel probierczy 2. wytłoczony ślad kliszy (na kartonie itd.)

platen ['plætn] *s* 1. stół (obrabiarki) 2. wałek (maszyny do pisania) 3. *druk* cylinder (maszyny drukarskiej) 4. *techn* płyta dociskowa

plate-powder ['pleit,paudə] *s* proszek do czyszczenia srebra

plater ['pleitə] *s* 1. platerownik 2. pobielacz 3. koń słabszej klasy (biorący udział w wyścigach o puchar) *zob* **plate** *s* 12.

plate-rack ['pleit,ræk] *s* 1. stojak <wieszak> na ozdobne talerze 2. suszarka na talerze; *fot* koziołek na płyty, suszarka

plate-rail ['pleit,reil] *s* pierwotna <dawna> szyna kolejowa

plate-warmer ['pleit,wɔːmə] *s* ogrzewacz do talerzy

↑**platform** ['plæt,fɔːm] ⏣ *s* 1. taras 2. estrada; podium; trybuna; podwyższenie; mównica; ~ **oratory** sztuka krasomówcza 3. program polityczny; linia partyjna 4. *kolej* peron; ~ **ticket** bilet peronowy; *pot* peronówka 5. platforma; (*w tramwaju, autobusie, na statku*) pomost ⏣ *vt* umie-ścić/szczać na estradzie; przywoł-ać/ywać na estradę ⏣ *vi* przem-ówić/awiać z estrady

plating ['pleitiŋ] ⏣ *zob* **plate** *v* ⏣ *s* 1. opancerzenie 2. powlekanie galwaniczne; platerowanie; metalizowanie; **gold** ~ pozłota; ~ **with gold** złocenie, pozłacanie 3. wyścigi <bieg> o puchar *zob* **plate** *s* 12.

platinic [plə'tinik] *adj* platynowy

platiniferous [,plæti'nifərəs] *adj* zawierający platynę

platinization [,plætinai'zeiʃən] *s* platynowanie

platinize ['plæti,naiz] *vt* platynować

platinocyanide [,plætinou'saiə,naid] *s chem* cyjanoplatynin

platino-iridium [,plætinou-ai'ridjəm] *s met* platynoiryd

platinotype ['plætinou,taip] *s fot* platynotypia

platinous ['plætinəs] *adj chem* platynawy

platinum ['plætinəm] ⏣ *s* platyna ⏣ *attr* platynowy; ~ **blonde** platynowa blondynka

platitude ['plæti,tjuːd] *s* 1. banał; komunał; frazes; *pot* drętwa mowa 2. banalność <płytkość> (przemówienia itd.)

platitudinarian [,plæti,tjuːdi'nɛəriən] ⏣ *s* frazesowicz ⏣ *adj* banalny

platitudinize [,plæti'tjuːdi,naiz] *vi* operować frazesami <banałami, komunałami>

platitudinous [,plæti'tjuːdinəs] *adj* banalny; płaski; zdawkowy

Platonic [plə'tɔnik] *adj* 1. platoniczny 2. platoński

platonics [plə'tɔniks] *s* miłość platoniczna

platonism ['pleitə,nizəm] *s filoz* platonizm

platoon [plə'tuːn] *s wojsk* pluton

platten *zob* **platen**

platter ['plætə] *s* talerz (*zw* drewniany) na chleb; taca

platting ['plætiŋ] ⏣ *zob* **plat**[1] *v* ⏣ *s* plecionka

platypus ['plætipəs] *s zoo* dziobak (ptak)

plaudit ['plɔːdit] *s* 1. poklask, aplauz 2. *pl* ~**s** oklaski

plausibility [,plɔːzə'biliti] *s* 1. pozorna słuszność; pozory prawdopodobieństwa; wiarogodność 2. obłudne przymilanie się

plausible ['plɔːzəbl] *adj* 1. (*o argumencie, wymówce itd*) wiarogodny; możliwy do przyjęcia; posiadający pozory prawdopodobieństwa 2. (*o człowieku*) obłudnie przymilny; obleśny

play [plei] ⏣ *vi* 1. poruszać się (żwawo); skakać; pląsać; biegać <*pot* latać> (to tu, to tam); fruwać; igrać; bawić się; swawolić; figlować; dokazywać 2. (*o świetle*) połyskiwać; mienić się; migotać; (*o kolorach*) mienić się 3. (*o uśmiechu*) błąkać się (na ustach) 4. (*o fontannie*) tryskać 5. bawić się (**at sth** w coś; **with sth** czymś): igrać (**with sth** z czymś); z/robić sobie zabawę (**with sb's love etc.** z czyjejś miłości itd.); lekko po/traktować (**with sth** coś); wyprawiać żarty (**with sb** z kimś); **I shall not be ~ed with** ze mną nie ma żartów; **to ~ on words** bawić się w dwuznaczniki <w kalambury> 6. *dial* strajkować 7. za/grać (**at sth** w coś — piłkę nożną itd.; **on an instrument** na instrumencie; **on the stage** na scenie) *zob* ~ *vt* 1.; **to ~ fair** a) grać przepisowo b) *przen* postępować uczciwie <rzetelnie, lojalnie>; **to ~ for high stakes etc.** grać o wysokie stawki itd.; **to ~ into the hands of sb** ułatwi-ć/ać zadanie komuś (przeciwnikowi); da-ć/wać broń do ręki komuś (przeciwnikowi) 8. (*o części maszyny, mechanizmu*) poruszać się, chodzić 9. *wojsk* ostrzel-ać/iwać (**on an objective** cel) 10. s/kierować strumień wody <snop światła, grad pocisków> (**on sth** na coś); (*o świetle*) przesu-nąć/wać się (**on sth** po czymś); *zob* ~ *vt* 5. 11. grać (**on sb's feelings** na czyichś uczuciach); **to ~ on sb's fears** <**credulity etc.**> wyzysk-ać/iwać <wykorzyst-ać/ywać> czyjeś obawy <czyjąś łatwowierność itd.> 12. (*o boisku*) być w (dobrym, kiepskim itd.) stanie ⏣ *vt* 1. za/grać (**rolę, kartę, partię** tenisa itd.); od-egrać/grywać (**rolę**); udawać (głupiego itd.); roz-egrać/grywać (**mecz**); **to ~ a good** <**bad**> **game of tennis** zagrać dobrze <źle> partię tenisa; **to ~ a joke** <**trick**> **on sb** s/płatać komuś figla; *sport* **to ~ a stroke** za/grać; *sl* **to ~ it low on** <**(low) down on**> **sb** postąpić z kimś po świńsku; **to ~ one's cards well** a) dobrze roz-egrać/grywać partię; wykorzystać kartę b) *przen* wykorzyst-ać/ywać sytuację; **to ~ sb a mean trick** zrobić komuś świństwo; **to ~ sb fair** <**false**> post-ąpić/ępować lojalnie wobec <zdradz-ić/ać> kogoś; **to ~ sb for championship** <**the drinks etc.**> za/grać z kimś o tytuł mistrza <o wyrównanie rachunku za wypite napoje, trunki itd.>; *przen* **to ~ the game** post-ąpić/ępować honorowo; **to ~ the man** post-ąpić/ępować po męsku; wykaz-ać/ywać odwagę; **to ~ the violin** <**piano etc.**> grać na skrzypcach <na pianinie itd.> 2. (*o drużynie*) mieć (kogoś) wśród swych zawodników 3. *wędk* wodzić (rybę) do utraty przez nią sił 4. umiejętnie manipulować <posługiwać się> (**sth** czymś); **to ~ a good knife and fork** zajadać; z/jeść z apetytem; s/pałaszować 5. nakierow-ać/ywać; **to ~ guns on sth** ostrzel-ać/iwać coś z dział; **to ~ water on the fire** <**a torch-light on sb, sth**> s/kierować strumień wody na płomienie <latarkę elektryczną na kogoś, coś> **~ away** vt przegr-ać/ywać (majątek itd.) **~ back** vt przegr-ać/ywać (świeżo nagraną płytę gramofonową itd.) **~ down** vi grać (**to the gallery, crowd etc.** dla galerii, tłumu itd.) **~ in** vt 1. za/grać na powitanie (**sb** komuś) 2. w zwrocie: **to ~ the congregation in** grać na organach przed rozpoczęciem nabożeństwa **~ off** vt 1. sport rozegrać (poremisową partię) 2. s/powodować ośmieszenie się <kompromitację> (**sb** czyj-eś/ąś); przen podstawi-ć/ać nogę (**sb** komuś) 3. poda-ć/wać (**sth as __** coś za... **__** coś innego) 4. wygrywać (**sb against sb** kogoś przeciw komuś) **~ out** vt 1. grać do końca 2. w zwrotach: **to be ~ed out** a) przeżyć się, być przeżytkiem <przebrzmiałym> b) być wyczerpanym <pot skonanym>; (o człowieku) **he is ~ed out** on się skończył 3. w zwrocie: **to ~ the congregation out** grać na organach po skończonym nabożeństwie **~ up** □ vi 1. grać z werwą <z zapałem>; **~ up!** żywiej! 2. w zwrocie: **to ~ up to sb** a) teatr podtrzym-ać/ywać kogoś (słabego w roli) b) przypochlebi-ć/ać się komuś; pot podbi-ć/jać komuś bębenka Ⅲ vt 1. drażnić <naciągać> (kogoś) 2. wykorzyst-ać/ywać <wyzysk-ać/iwać> dla własnych celów (skandal itd.) zob **playing** Ⅲ s 1. gra (światła, barw itd.); **~ of fancy** gra wyobraźni; **~ on words** gra słów; kalambur; dwuznacznik; **to bring** <**call**> **sth into ~** uży-ć/wać czegoś; wykorzyst-ać/ywać coś; ucie-c/kać się <sięgać> do czegoś; z/mobilizować coś (dla osiągnięcia celu); **to come into ~** a) wchodzić w grę b) zacząć działać c) pojawić się na scenie <na arenie>; **in full ~** w pełni <całkowicie> wykorzystany 2. luz (tłokowy itd.); **to give** <**allow**> **full ~ to sb, sth** dać folgę <puścić wodze> komuś, czemuś; **to give ~ to sth** rozluźnić <zluźnić, zwolnić>˙ coś (linę itd.) 3. zabawa; **child's ~** igraszka <zabawa> dziecinna; **to say sth in '~** powiedzieć coś żartem 4. sport gra; rozgrywka; **fair ~** czysta <uczciwa, szlachetna> gra; przen rzetelne postępowanie; **foul ~** a) dosł i przen nieczysta gra b) pot rozróbka; **my** <**your etc.**> **~** moja <twoja itd.> kolej (gry); **out of ~** wyłączony; nie biorący udziału w grze 5. powstrzymywanie się od pracy 6. gra hazardowa; hazard 7. przedstawienie teatralne; **as good as a ~** prawdziwe przedstawienie; **at the ~** w teatrze **play-act** ['plei͵ækt] vi udawać; grać komedię zob **play-acting** **play-acting** ['plei͵æktiŋ] □ zob **play-act** Ⅲ s udawanie; komedia **play-actor** ['plei͵æktə] s kabotyn ↑ **playback** ['plei͵bæk] s przegr-anie/ywanie (świeżo nagranej płyty gramofonowej itd.)

play-bill ['plei͵bil] s afisz teatralny **play-book** ['plei͵buk] s zbiór utworów scenicznych **play-box** ['plei͵bɔks] s skrzynka na zabawki **play-boy** ['plei͵bɔi] s lekkoduch **play-day** ['plei͵dei] s dzień wolny od pracy <od nauki> **play-debt** ['plei͵det] s dług karciany **player** ['pleiə] s 1. gracz 2. muzy-k/czka; grajek 3. aktor/ka 4. sport zawodni-k/czka; gracz 5. zawodowy sportowiec, zawodowiec **player-piano** ['pleiə͵pjænou] s pianola **playfellow** ['plei͵felou] s towarzysz zabaw dziecinnych **playful** ['pleiful] adj 1. figlarny; filuterny; swawolny; wesoły 2. żartobliwy **playfulness** ['pleifulnis] s 1. figlarność; filuterność; swawola; wesołość 2. żartobliwość **playgame** ['plei͵geim] s przen zabawa dziecinna; fraszka **playgoer** ['plei͵gouə] s bywalec teatralny; miłośni-k/czka teatru, teatroman/ka **playground** ['plei͵graund] s szk plac gier i zabaw; boisko; przen ośrodek rozrywkowy <sportowy> **playhouse** ['plei͵haus] s teatr (gmach) **playing** ['pleiiŋ] □ zob **play** v Ⅲ s 1. gra 2. interpretacja; wykonanie 3. przedstawienie Ⅲ attr **~ cards** karty do gry **playlet** ['pleilit] s krótka sztuka; jednoaktówka **playmate** ['plei͵meit] = **playfellow** **play-off** ['plei'ɔf] s sport dogrywka **playpen** ['plei͵pen] s kojec (dla dziecka) **playroom** ['plei͵ru:m] s 1. pokój zabaw dziecinnych 2. sala gier **play-spell** ['plei͵spel] s am szk pauza **plaything** ['plei͵θiŋ] s zabawka; bawidełko; cacko **playtime** ['plei͵taim] s szk pauza **playwright** ['plei͵rait] s dramaturg **plaza** ['plɑːzə] s plac <rynek> (w mieście hiszpańskim) **plea** [pli:] s 1. obrona (sądowa); prawn special **~** przedstawienie nowego faktu przez obronę 2. wymówka; pretekst; uzasadnienie; usprawiedliwienie; **on the ~ of __** pod pretekstem...; powołując się na... **pleach** [pli:tʃ] vt spl-eść/atać (gałęzie) **plead** [pli:d] □ vi 1. bronić sprawy (w sądzie) 2. błagać (**with sb for sth** kogoś o coś); **to ~ with sb against sth** wyst-ąpić/ępować przed kimś z prośbą o zniesienie <o zaniechanie> czegoś; **to ~ with sb for sb** wstawi-ć/ać się u kogoś za kimś 3. argumentować (**for sth** za czymś; **against sth** przeciwko czemuś); **to ~ guilty** <**not guilty**> przyzna-ć/wać się <nie przyzna-ć/wać się> do winy Ⅲ vt 1. bronić (**sb, sth** kogoś, czegoś, czyjejś sprawy) 2. powoł-ać/ywać się (**sth na coś**) 3. przyt-oczyć/aczać (coś) na usprawiedliwienie 4. prosić <błagać> (**sb's cause with sb** kogoś w czyjejś sprawie) zob **pleading** **pleadable** ['pli:dəbl] adj 1. sąd (o sprawie) nadający się do obrony 2. (o uzasadnieniu itd) możliwy do przytoczenia <do wysunięcia> **pleader** ['pli:də] s obrońca; adwokat **pleading** ['pli:diŋ] □ zob **plead** Ⅲ adj (o spojrzeniu itd) błagalny Ⅲ s 1. rzecznictwo, obrona 2. pl **~s** przewód sądowy 3. wstawiennictwo

pleasance ['plezəns] † *s* 1. przyjemność 2. ogród; park

pleasant ['pleznt] *adj* 1. sympatyczny; przyjemny; miły; **to make oneself ~** starać się być miłym 2. † wesoły; figlarny

pleasantness ['plezntnis] *s* 1. przyjemna <miła> atmosfera; przyjemne otoczenie (miejscowości, posiadłości itd.) 2. miłe <sympatyczne> obejście (człowieka)

pleasantry ['plezntri] *s* 1. żart; dowcip 2. żartobliwość

please [pli:z] Ⅰ *vt* 1. podobać się (**sb** komuś); być przyjemnym (**sb dla** kogoś); sprawi-ć/ać przyjemność (**sb** komuś); być miłym (**the eye, the ear, the palate** etc. dla oka, ucha, podniebienia itd.); *przen* pieścić (oko itd.) 2. zadow-olić/alać; dog-odzić/adzać (**sb** komuś); **there's no pleasing him** <her etc.>, **he** <she etc.> **is hard to ~** jemu <jej itd.> nikt nie dogodzi; trudno mu <jej itd.> dogodzić; **to be anxious to ~ sb** zabiegać o czyjeś względy; przymilać się komuś; **you can't ~ everybody** wszystkim nie dogodzisz ‖ **(may it) ~ your honour** proszę wysokiego sądu; **~ God!** daj Boże!; dałby Bóg!; *żart* **~ the pigs!** po najdłuższym życiu; jak (się) doczekamy! Ⅱ *vr* **~ oneself** z/robić po swojemu; **~ yourself** z/rób jak chcesz <jak uważasz, co ci serce dyktuje> Ⅲ *vi* 1. podobać się; być przyjemnym <miłym>; **to be anxious to ~** chcieć się przypodobać 2. chcieć; uważać za stosowne; **as much** <**many**> **as you ~** ile chcesz <chcecie>; **do (just) as you ~** rób/cie jak chce-sz/cie <po swojemu, według swego upodobania>; **whenever you ~** kiedy <ilekroć> będzie-sz/cie chci-ał/eli 3. *przy grzecznym odezwaniu się, prośbach itd nieosobowo*: (*także* **if you ~**) proszę; prosimy; proszę bardzo; **~ sit down** proszę usiąść; **~ don't do that** proszę tego nie robić; **~ not to do that** proszę cię, żebyś tego nie robił; **~ to return this book** uprasza się o zwrot (tej) książki 4. *z oburzeniem oraz ironicznie:* **if you ~** wyobraź/cie <pomyśl/cie> sobie! *zob* **pleased, pleasing**

pleased [pli:zd] *zob* **please; to be ~ at sth** cieszyć się z czegoś; **to be ~ to ~** a) zechcieć (łaskawie) ...; raczyć ... b) z przyjemnością <chętnie> ... (zawiadomić itd.); **I am ~ to say ~** z przyjemnością zawiadamiam ...; miło mi jest donieść ...; **to be ~ with sth** a) być zadowolonym z czegoś b) zadow-olić/alać się czymś; **as ~ as Punch** a) wniebowzięty b) dumny jak paw; **easily ~** nie wymagający

pleasing ['pli:ziŋ] Ⅰ *zob* **please** Ⅲ *adj* przyjemny, miły; sympatyczny; ujmujący

pleasurable ['pleʒərəbl] *adj* przyjemny

pleasure ['pleʒə] Ⅰ *s* 1. przyjemność; **to take (a) ~ in doing sth** znajdować przyjemność w czymś; z przyjemnością <z upodobaniem> coś robić; **I have** <**shall have**> **much** <**great**> **~ in ~** miło mi jest <będzie> ...; z przyjemnością ... (zawiadamiam, zrobię itd.); **it's a ~ to ~** prawdziwą przyjemnością jest ... (słyszeć itd.); **it will be a ~!** z przyjemnością (to zrobię)!; **with ~** z przyjemnością!; (*po czymś podziękowaniu*) **it was a ~** było mi bardzo przyjemnie <miło>; **the ~ is mine** cała przyjemność po mojej stronie; (*w zaproszeniu*) **Mr and Mrs X request**

the ~ of your company ~ mamy zaszczyt zaprosić ...; prosimy o łaskawe przybycie ...; (*na balu itd*) **may I have the ~?** czy mogę prosić? 2. przyjemności (życia); rozkosze; **a man of ~** rozpustnik; **sensual ~** rozpusta 3. upodobanie; życzenie; fantazja; widzimisię; **at ~** do woli; **at sb's ~** według czyjegoś upodobania; **to consult sb's ~** liczyć się z czyimś życzeniem; *handl* **what is your ~, Madam?** czyın mogę pani służyć? Ⅱ *attr* przyjemnościowy; rozrywkowy Ⅲ *vt* sprawi-ć/ać przyjemność (**sb** komuś) Ⅳ *vi* znajdować przyjemność (**in smoking** <**teasing** etc.> w paleniu <dokuczaniu itd.>)

pleasure-boat ['pleʒə,bout] *s* łódka (spacerowa)

pleasure-ground ['pleʒə,graund] *s* park

pleasure-loving ['pleʒə,lʌviŋ], **pleasure-seeking** ['pleʒə,si:kiŋ] *adj* (*o człowieku*) żądny użycia

pleasure-steamer ['pleʒə,sti:mə] *s* statek wycieczkowy

pleasure-trip ['pleʒə,trip] *s* wycieczka

pleat [pli:t] = **plait** *s* 1., *v* 1.

pleb [pleb] *skr sl* **plebeian** *s*

plebe [pli:b] *s am pot* młodszy kadet

plebeian [pli'biən] Ⅰ *adj hist i przen* plebejski Ⅱ *s hist i przen* plebejusz/ka

plebiscite ['plebisit] *s* plebiscyt

plebs [plebz] *s hist i przen* plebs

plectrum ['plektrəm] *s* (*pl* **plectra** ['plektrə]) *muz* plektron

pledge [pledʒ] Ⅰ *s* 1. zastaw; fant; **lying in ~** zastawiony; **to put in ~** zastawi-ć/ać; **to take sth out of ~** wykupić zastaw; zwolnić coś od zastawu; *przen* (*o dziecku*) **~ of love** owoc <dowód> miłości 2. rękojmia; gwarancja 3. ślubowanie; **under ~ of secrecy** w tajemnicy; z obowiązkiem zachowania tajemnicy; **to take** <**sign**> **the ~** ślubować powstrzymanie się od napojów alkoholowych 4. *polit* uroczysta obietnica nieodstępowania od linii partyjnej 5. toast; (wypite) zdrowie Ⅱ *vt* 1. zastawi-ć/ać; za-łożyć/kładać; da-ć/wać w zastaw 2. zobowiąz-ać/ywać się pod słowem honoru (**sth, to do sth** do czegoś, do zrobienia czegoś); ślubować; **to ~ one's honour** dać słowo honoru 3. wy/pić zdrowie (**sb** czyjeś); wzn-ieść/osić toast (**sb na** czyjąś cześć, w czyjeś ręce) Ⅲ *vr* **~ oneself** 1. zobowiąz-ać/ywać się pod słowem honoru <ślubować> (**to do sth** że się coś zrobi) 2. ręczyć (**for sb** za kogoś)

pledgee ['pledʒi:] *s* wierzyciel/ka biorąc-y/a (coś) w zastaw

pledger ['pledʒə] *s* dłużnik dający zastaw

pledget ['pledʒit] *s med* mały okład; wacik

Pleiad ['plaiəd] *s* 1. *astr* Plejady 2. *hist i przen* plejada

plein-air ['plen'ɛə] *s plast* plener

pleistocene ['plaistou,si:n] Ⅰ *adj geol* plejstoceński Ⅱ *s geol* plejstocen

plenary ['pli:nəri] *adj* 1. pełny; całkowity; **~ power** pełnomocnictwo 2. plenarny

plenipotentiary [,plenipə'tenʃəri] Ⅰ *adj* pełnomocny Ⅱ *s* pełnomocnik

plenishing ['pleniʃiŋ] *s szkoc* ruchomości; posag w ruchomościach

plenitude ['pleni,tju:d] *s* pełnia (czegoś); obfitość

plenteous ['plentjəs] *adj poet* obfity; bogaty (**in sth** w coś)

plentiful ['plentiful] *adj* obfity; liczny; **to be ~** być <znajdować się> w obfitości; być obfitym; obfitować

plenty ['plenti] ⊡ *s* 1. obfitość; **~ of** — dużo ... (czasu, pieniędzy, znajomych itd.); **to have ~ of everything** mieć wszystkiego pod dostatkiem; opływać we wszystko; nie mieć żadnych braków; **the horn of ~** róg obfitości 2. dostatek; **to live in ~** żyć w dostatku; opływać we wszystko ⊞ *adv* **~ pot** w zupełności; aż nadto; **~ more** jeszcze dużo

plenum ['pli:nəm] *s* 1. *fiz* przestrzeń wypełniona; **~ (ventilation)** wentylacja tłocząca 2. plenum

pleomorphism [,pli:ou'mɔ:fizəm] *s biol* pleomorfizm, wielopostaciowość

pleonasm ['pliə,næzəm] *s* pleonazm

pleonastic [pliə'næstik] *adj* pleonastyczny

plesiosaurus ['pli:siə'sɔ:rəs] *s* (*pl* **plesiosauri** ['pli: siə'sɔ:rai], **~es**) *paleont* wężojaszczur, plezjozaur

plethora ['pleθərə] *s* 1. nadmiar 2. *med* krwistość, czerwienica

⫟**plethoric** [ple'θɔrik] *adj* krwisty

pleura ['pluərə] *s anat* opłucna

pleural ['pluərəl] *adj anat* opłucnowy

⫟**pleurisy** ['pluərisi] *s med* zapalenie opłucnej

pleuritic [pluə'ritik] *adj med* dotyczący zapalenia opłucnej; opłucnowy

pleuro-pneumonia ['pluərou-nju'mounjə] *s med* zapalenie opłucnej i płuc

plexiform ['pleksi,fɔ:m] *adj anat* splotowaty; siatkowy

plexor ['pleksɔ:] *s med* młotek do opukiwania

plexus ['pleksəs] *s anat* splot

pliability [,plaiə'biliti], **pliancy** ['plaiənsi] *s* 1. giętkość 2. podatność

pliable ['plaiəbl], **pliant** ['plaiənt] *adj* 1. giętki 2. podatny; ulegający wpływom 3. zgodliwy

pliancy *zob* **pliability**

pliant *zob* **pliable**

plica ['plaikə] *s* (*pl* **plicae** ['plaisi:]) 1. *anat* fałd, fałda 2. *med* kołtun

plicate ['plaikit], **plicated** ['plaikeitid] *adj bot zoo geol* pofałdowany; składany

plication [plai'keiʃən] *s* fałdowanie, pofałdowanie; *geol* drobne fałdowanie warstw

pliers ['plaiəz] *spl* szczypce; kleszcze

plight[1] [plait] ⊡ *s* 1. zobowiązanie 2. ślubowanie; **to give one's ~ to sb** ślubować komuś 3. zastaw ⊞ *vt poet lit* ślubować; przyrze-c/kać ⫟ *vr* **~ oneself** ślubować wierność *zob* **plighted**

plight[2] [plait] *s* położenie; sytuacja; stan; **a sorry <sad> ~** ciężkie położenie; kłopot; opały; tarapaty

plighted ['plaitid] ⊡ *zob* **plight**[1] *v* ⊞ *adj* przyrzeczony; **~ faith** ślubowanie wierności; **~ lovers** zaręczeni; **~ word** dane słowo; przyrzeczenie

Plimsoll ['plimsəl] *spr* 1. **~ line, ~'s mark** znak Plimsolla wolnej burty <linia dopuszczalnego zanurzenia (statku)> 2. *pl* **plimsolls** płócienne obuwie z gumowymi podeszwami

plinth [plinθ] *s* 1. *arch* plinta 2. *bud* cokół, odziom

pliocene ['plaiə,si:n] ⊡ *adj geol* plioceński ⊞ *s geol* pliocen

plod [plɔd] *v* (**-dd-**) ⊡ *vi* 1. ciężko stąpać; po-

suwać się z trudem 2. (*także* **~ along**) mozolić się <trudzić się, *pot* harować, orać, tyrać> (**at sth** nad czymś); *szk* ślęczeć; wkuwać; **to ~ through a textbook** przebrnąć przez podręcznik ⊞ *vt w zwrocie*: **to ~ one's way** = **to ~ along ~ away** *vi w zwrocie*: **to ~ away at one's lessons** kuć; zakuwać się *zob* **plodding** ⊞ *s* 1. ciężki chód; ciężkie kroki 2. ciężka praca; *pot* harówka

plodder ['plɔdə] *s* wytrwały <tęgi, nie szczędzący wysiłku> pracownik; *szk* kujon; mól książkowy

plodding ['plɔdiŋ] ⊡ *zob* **plod** *v* ⊞ *adj* 1. (*o człowieku*) pracowity 2. (*o chodzie*) ciężki ⊞ *s* ciężka praca; *pot* harówka

plonk [plɔŋk] *interj* bęc!

plop [plɔp] ⊡ *s* plusk; chlupnięcie ⊞ *adv* (wpaść do wody itd.) z pluskiem ⊞ *vi* (**-pp-**) 1. plus-nąć/kać; chlup-nąć/ać 2. (*także* **~ down**) usiąść ciężko; *pot* klapnąć ⊠ *vt* (**-pp-**) *pot* palnąć (**sth** czymś)

plosive ['plousiv] ⊡ *adj fonet* (*o głosce*) zwarty, wybuchowy ⊞ *s fonet* głoska zwarta <wybuchowa>

plot [plɔt] ⊡ *s* 1. parcela; działka; kawałek gruntu 2. wykres 3. (*w powieści itd*) fabuła; intryga; wątek; akcja; plan 4. spisek; zmowa ⊞ *vt* (**-tt-**) 1. na/kreślić; nan-ieść/osić (na mapę); sporządz-ić/ać plan <wykres> (**sth** czegoś) 2. u/knuć; ukartować ⊞ *vi* (**-tt-**) spiskować; zm-ówić/awiać się; knuć; robić intrygi

plotter ['plɔtə] *s* 1. kreślarz 2. liczydło 3. spiskowiec, intrygant/ka

plotting-paper ['plɔtiŋ,peipə] *s* papier milimetrowy

plough [plau] ⊡ *s* 1. pług; socha; *przen* rolnictwo; **to follow the ~** a) orać b) być rolnikiem; **to put one's hand to the ~** wziąć/brać się do roboty 2. rola; orny grunt; ziemia uprawna 3. *astr* **the Plough** Wielka Niedźwiedzica, Wielki Wóz 4. *sl* oblanie egzaminu 5. *elektr* odbiornik <odbierak> prądu 6. strug do żłobkowania ⊞ *vt* 1. z/orać; zaor-ać/ywać; upraw-ić/iać (ziemię); *przen* wy/ryć bruzdy (**the face** na twarzy); porysować (twarz); **to ~ the sand(s)** daremnie się trudzić 2. (*o statku*) pruć (fale) 3. (*o łzach*) zostawi-ć/ać ślady (**the face** na twarzy) 4. wy/strugać żłob-ek/ki (**wood** w drzewie) 5. *sl* obl-ać/ewać (studenta, kandydata) przy egzaminie ⊞ *vi* 1. orać <uprawiać> ziemię 2. (*o roli*) orać się (lekko, ciężko itd.) 3. *sl* obl-ać/ewać egzamin 4. *dosł i przen w zwrocie*: **to ~ through sth** przebrnąć przez coś

~ back *vt* 1. zaor-ać/ywać (zielony nawóz) 2. *przen* reinwestować (zysk) w przedsiębiorstwo

~ down *vt* zaor-ać/ywać (rośliny)

~ in *vt* zaor-ać/ywać (nawóz)

~ under *vt* przyor-ać/ywać (rośliny itd.)

~ up *vt* 1. z/orać (pole) 2. pługiem wy/karczować (krzewy, chwasty itd.) 3. (*o pociskach itd*) z/ryć (ziemię)

plough-beam ['plau,bi:m] *s* grządziel pługa

plough-boy ['plau,bɔi] *s* pomocnik oracza

plough-handle ['plau,hændl] *s* czepiga, rączka pługa

plough-horse ['plau,hɔ:s] *s* koń gospodarski

plough-land ['plau,lænd] s rola; orny grunt; ziemia uprawna

ploughman ['plaumən] s (pl ploughmen ['plaumən] oracz

Plough-Monday ['plau,mʌndi] s poniedziałek po Trzech Królach

ploughshare ['plau,ʃeə] s lemiesz; anat ~ bone kość w przegrodzie nosowej

plough-staff ['plau,stɑ:f] s łopatka na kiju (do zeskrobywania ziemi z lemiesza)

plough-tail ['plau,teil] s czepiga, rączka pługa; from the ~ od pługa <wideł, gnoju>; (o człowieku) ze wsi; to follow the ~ chodzić za pługiem

plover ['plʌvə] s zoo siewka (ptak)

plover-page ['plʌvə,peidʒ], plover's page ['plʌvəz,peidʒ] s zoo piaskowiec (ptak)

plow [plau] am = plough

ploy [plɔi] s szkoc 1. wyprawa, ekspedycja 2. zajęcie, praca

pluck [plʌk] Ⅰ vt 1. wyr-wać/ywać (włos, pióro itd.); wyszarp-ać/ywać; szarp-nąć/ać; zerwać/zrywać <rwać> (kwiaty) 2. o/skubać (drób); to have a crow to ~ with sb mieć z kimś na pieńku; przen to ~ a pigeon o/skubać naiwnego <pot naiwniaka, frajera> 3. pociąg-nąć/ać <szarp-nąć/ać> (sb's <sb by the> sleeve kogoś za rękaw) 4. sl szk obl-ać/ewać <s/palić> (kogoś) przy egzaminie Ⅱ vi szarp-nąć/ać (at sth coś)

~ off vt od-erwać/rywać

~ out vt wyr-wać/ywać; wyskub-ać/ywać

~ up vt 1. wyr-wać/ywać (chwast itd.) 2. w zwrotach: to ~ up (one's) courage <spirits> nabrać odwagi <śmiałości, otuchy>; zebrać <zdobyć> się na odwagę

Ⅲ s 1. szarpnięcie; pociągnięcie 2. kulin podróbki 3. śmiałość; odwaga; otucha; dzielność; to have ~ nie bać się; być zuchem 4. sl szk oblanie egzaminu

pluckiness ['plʌkinis] = pluck s 3.

plucky ['plʌki] adj (pluckier ['plʌkiə], pluckiest ['plʌkiist]) śmiały; odważny; dzielny; zuchowaty

↑plug [plʌg] Ⅰ s 1. zatyczka; korek; czop; szpunt; kołek; sztyft 2. elektr wtyczka 3. tampon (waty) 4. (także dent) plomba 5. prymka tytoniu do żucia 6. hydrant 7. świeca (silnika spalinowego) 8. rączka urządzenia do spłukiwania muszli klozetowej; to pull the ~ po/ciągnąć za rączkę; spłukać muszlę 9. am stara szkapa 10. książka nie mająca popytu <pot niechodliwa> 11. cios <uderzenie> pięścią Ⅱ vt (-gg-) 1. zat-kać/ykać 2. za/tamować 3. sl postrzelić (kogoś) 4. sl palnąć pięścią; grzmotnąć 5. pot bębnić (ludziom) w uszy (piosenkę, teorię, program polityczny itd.)

~ along <away> vi pot harować; orać; tyrać; trudzić <mozolić> się; (w boksie) to ~ away walić

~ in vi wetknąć/wtykać wtyczkę do kontaktu zob plugging

plugging ['plʌgiŋ] Ⅰ zob plug v Ⅲ s 1. zat--kanie/ykanie 2. zatyczka 3. tampon 4. (także dent) plomba

plug-hat ['plʌg,hæt] s am sl cylinder (kapelusz)

plug-in ['plʌg'in] attr (o kontakcie itd) wtyczkowy

plug-switch ['plʌg,switʃ] s kontakt wtyczkowy

plug-ugly ['plʌg,ʌgli] s am sl chuligan

plum [plʌm] s 1. śliwka, śliwa; French ~ suszona śliwka; ~ duff budyń z rodzynkami; ~ jam dżem śliwkowy 2. (także ~-tree) śliwa (drzewo) 3. rodzynek (w cieście, potrawie) 4. przen rodzynek; delikates; smakołyk; specjał; ~ pudding = plum-pudding 5. przen miejsce przy żłobie; dobra posada 6. sl sto tysięcy funtów sterlingów

plumage ['plu:midʒ] s upierzenie; zbior pióra

plumb [plʌm] Ⅰ s 1. pion (przyrząd oraz prostopadłość muru itd.); out of ~ nie w pionie; nie prostopadły do poziomu 2. mar sonda Ⅲ adj 1. pionowy 2. przen prawdziwy; szczery; istny (nonsens itd.) 3. (o boisku krykietowym) równy; gładki Ⅲ adv 1. pionowo 2. ściśle; dokładnie 3. sl kompletnie; zupełnie; całkowicie Ⅳ vt 1. wy/sondować 2. zgłębi-ć/ać (tajemnicę itd.) 3. ustawi-ć/ać do poziomu; pionować Ⅴ vi wykonywać instalacje gazowe i wodno-kanalizacyjne; być hydraulikiem

plumbaginous [plʌm'bædʒinəs] adj grafitowy

plumbago [plʌm'beigou] s 1. grafit 2. bot roślina zawciągowata; ołownica

plumbate ['plʌmbit] s chem 1. ołowian 2. metaołowian

plumbeous ['plʌmbiəs] adj ołowiasty

plumber ['plʌmə] s instalator; hydraulik

plumbery ['plʌməri] s instalacja (gazowa i wodno-kanalizacyjna)

plumbic ['plʌmbik] adj chem ołowiowy

plumbiferous [plʌm'bifərəs] adj zawierający ołów

plumbism ['plʌmbizəm] s med zatrucie ołowiem, ołowica

plumbless ['plʌmlis] adj niezgłębiony; bezdenny

plumb-line ['plʌm,lain] s 1. pion 2. sonda

plumbous ['plʌmbəs] adj chem ołowiawy

plumb-rule ['plʌm,ru:l] s poziomica, libella

plum-cake ['plʌm,keik] s ciastko <placek, babka> z rodzynkami; papatacz

plume [plu:m] Ⅰ s 1. pióro; przen in borrowed ~s w cudzych piórkach 2. pióropusz; court ~ kita z trzech strusich piór (noszona przez panie na uroczystych przyjęciach dworskich) Ⅲ vt 1. upierz-yć/ać 2. ozd-obić/abiać pióropuszem Ⅲ vr ~ oneself 1. (o człowieku) pysznić się (on sth czymś, z czegoś); paradować 2. (o ptaku) ~ itself muskać się; gładzić sobie pióra dziobem

plumelet ['plu:mlit] s piórko (ptasie)

plummer-block ['plʌmə,blɔk] s techn łożysko oporowe

↑plummet ['plʌmit] s 1. ciężarek pionu 2. ołowianka; sonda 3. przen ciężar <kamień> (na sercu)

plummy ['plʌmi] adj 1. obfitujący w śliwki <w rodzynki> 2. pot bogaty; wart zachodu

plumose ['plu:mous] adj pierzasty

plump¹ [plʌmp] Ⅰ adj pulchny; zażywny; tłuściutki Ⅲ vt u/tuczyć Ⅲ vi (także ~ out <up>) (o człowieku, zwierzęciu) pełnieć; nab-rać/ierać ciała

plump² [plʌmp] Ⅰ vi 1. buchnąć (w wodę itd.); ciężko upa-ść/dać <opa-ść/dać> 2. (o człowieku) pot klapnąć 3. polit w zwrocie: to ~ for sb odda-ć/wać wszystkie głosy na kogoś Ⅲ vt rzuc-ić/ać <cis-nąć/kać> (sth coś, czymś) Ⅲ s upadek Ⅳ adj (o odpowiedzi itd) kategoryczny; bez ogródek Ⅴ adv 1. nagle; to run ~ into sb, sth nadziać się <wpaść> na kogoś, coś 2. ciężko;

to come ~ into the water etc. zwalić się <upaść z pluskiem> do wody itd. 3. otwarcie; wprost; **to lie ~** kłamać bez zająknienia

plump³ [plʌmp] † *s* garść; grupa; kępa (drzew)

plumper¹ ['plʌmpə] *s* krążek trzymany w ustach dla wypełnienia zapadniętych policzków

plumper² ['plʌmpə] *s* 1. wyborca oddający wszystkie przysługujące mu głosy na jednego kandydata 2. oddanie wszystkich głosów na jednego kandydata 3. *sl* bezczelne kłamstwo 4. *sl* uderzenie

plumpness ['plʌmpnis] *s* pulchność; zażywność

plum-pudding ['plʌm'pudiŋ] *s* budyń z chleba, rodzynków i innych przypraw, podawany w Boże Narodzenie

plumule ['plu:mju:l] *s* 1. *bot* pączek; zarodek 2. piórko (puchowe)

plumy ['plu:mi] *adj* 1. pierzasty 2. opierzony

plunder ['plʌndə] Ⅰ *vt* s/plądrować; o/grabić; ob/łupić; ob/rabować Ⅱ *vi* uprawiać grabież <rabunek> Ⅲ *s* 1. grabież; plądrowanie; rabunek 2. łup; zdobycz; zrabowane mienie 3. *sl* zysk

plunderer ['plʌndərə] *s* grabieżca; łupieżca; rabuś

plunderous ['plʌndərəs] *adj* grabieżczy; łupieżczy; rabunkowy

plunge [plʌndʒ] Ⅰ *vt* 1. zanurz-yć/ać <pogrąż-yć/ać, zagłębi-ć/ać> (**into sth** w coś, w czymś); zat-opić/apiać; włożyć/wkładać <wepchnąć/wypychać, wetknąć/wtykać, wsu-nąć/wać, wsadz-ić/ać> (**into sth** do czegoś) 2. wsadz-ić/ać (doniczki z kwiatami) do ziemi Ⅱ *vi* 1. nurkować; sk-oczyć/akać (do wody) głową naprzód 2. zapu-ścić/szczać <zapędz-ić/ać> się (**into sth** do czegoś, w coś) 3. zagłębi-ć/ać <zat-opić/apiać> się (**into sth** w coś, w czymś) 4. rzuc-ić/ać się w wir (zabawy itp.) 5. pogrąż-yć/ać się 6. rzuc-ić/ać się (naprzód) 7. wpa-ść/dać (do pokoju itd.) 8. zl-ecieć/atywać (**down the stairs** <**a hill**> ze schodów <z góry>) 9. (*o koniu*) da-ć/wać susa i wierzg-nąć/ać zadem 10. (*o statku*) zanurz-yć/ać się dziobem 11. (*o karciarzu itd*) grać (hazardowo) bez pamięci Ⅲ *s* 1. skok do wody (głową naprzód); nurkowanie; **to take a ~** skoczyć do wody głową naprzód; dać nurka; nurkować; *przen* **to take the ~** zdecydować się na stanowczy <decydujący> krok; powziąć stanowczą <nieodwołalną> decyzję 2. *sl* ryzykowne przedsięwzięcie

plunge-bath ['plʌndʒ,baθ] *s* pływalnia

plunge-board ['plʌndʒ,bo:d] *s* trampolina

plunger ['plʌndʒə] *s* 1. *sport* nurek 2. *sl* hazardzist-a/ka; spekulant/ka 3. *sl* kawalerzysta 4. *techn* tłok nurnikowy 5. *techn* guzik wciskany

plunk [plʌŋk] Ⅰ *vt* 1. cis-nąć/kać <rzuc-ić/ać> (**a stone** kamieniem) 2. uderz-yć/ać 3. szarpać (struny instrumentu muz.) 4. strzel-ić/ać (**sb** do kogoś) Ⅱ *vi* upaść ciężko Ⅲ *s* 1. *am* silne uderzenie; cios 2. *am* dźwięk szarpania strun instrumentu muz. 3. *am sl* dolar

pluperfect ['plu:'pə:fikt] Ⅰ *adj gram* (*o czasie*) zaprzeszły Ⅱ *s gram* czas zaprzeszły

plural ['pluərəl] Ⅰ *adj* 1. *gram* mnogi 2. (*o prawie wyborczym*) pluralny, wielogłosowy Ⅱ *s gram* liczba mnoga

pluralism ['pluərə,lizəm] *s* 1. kumulacja stanowisk 2. *filoz* pluralizm

plurality [pluə'ræliti] *s* 1. wielorakość 2. wielość, mnogość 3. kumulacja (**of offices** stanowisk) 4. większość 5. *am* względna większość

pluralize ['pluərə,laiz] *vt* 1. uży-ć/wać (wyrazu) w liczbie mnogiej 2. kumulować (stanowiska)

plus [plʌs] Ⅰ *praep* plus; i; oraz; z dodaniem <z dodatkiem> (czegoś) Ⅱ *adj* dodatni; (*o znaku*) dodawania Ⅲ *s* 1. plus, znak dodawania 2. wartość dodatnia

plus-fours ['plʌs'fo:z] *spl* pumpy

↑**plush** [plʌʃ] Ⅰ *s* 1. plusz 2. *pl* **~es** pluszowe (lokajskie) spodnie Ⅱ *attr* pluszowy

plushy [plʌʃi] *adj* pluszowy; aksamitny

plutarchy ['plu:ta:ki], **plutocracy** [plu:'tɔkrəsi] *s* plutokracja

plutocrat ['plu:tə,kræt] *s* plutokrat-a/ka

plutocratic [,plu:tə'krætik] *adj* plutokratyczny

Plutonic [plu:'tɔnik] *adj geol* plutoniczny, głębinowy

Plutonism ['plu:tə,nizəm] *s geol* plutonizm (teoria)

Plutonist ['plu:tənist] *s* plutonista (zwolennik plutonizmu)

↑**plutonium** [plu:'tounjəm] *s chem* pluton

pluvial ['plu:vjəl] Ⅰ *adj* deszczowy; dżdżysty; *geol* pluwialny Ⅲ *s kość hist* pluwiał (płaszcz uroczysty)

pluviometer [,plu:vi'ɔmitə] *s* pluwiometr, deszczomierz

ply¹ [plai] *s* 1. fałd, fałda; zagięcie; **to take a ~** a) sfałdować się b) *przen* nagiąć <wdrożyć> się; nawyknąć 2. tendencja; skłonność 3. warstwa (sklejki, dykty) 4. zwój, † wojek (liny); pasmo (wełny); nić (przędzy)

ply² [plai] *v* (**plied** [plaid], **plied; plying** ['plaiiŋ]) Ⅰ *vt* 1. (energicznie, pilnie, zawzięcie) pracować <operować, robić> (**sth czymś** — narzędziem, wiosłami itd.) 2. wykonywać (zajęcie, zawód) 3. zasyp-ać/ywać (pytaniami, argumentami itd.) 4. (natarczywie) częstować; wpychać (**sb with food** komuś jedzenie siłą <do gardła>); **to ~ sb with drink** sp-oić/ajać kogoś 5. (regularnie) kursować (**a route, a river etc.** po danej trasie, na rzece itd.) Ⅱ *vi* 1. kursować (**between Dover and Calais etc.** między Dover a Calais itd.) 2. (*o taksówce itd*) mieć stanowisko, stać na postoju; czekać na pasażerów 3. *mar* lawirować

Plymouth ['pliməθ] *spr* **~ Brethren** ewangelicka organizacja religijna; **~ Rock fowl** plymutroki (rasa drobiu)

plywood ['plai,wud] *s* sklejka, dykta

pneumatic [nju'mætik] Ⅰ *adj* pneumatyczny Ⅲ *s* opona <guma> (rowerowa itd.)

↑**pneumatics** [nju'mætiks] *s* pneumatyka (nauka o własnościach fizycznych powietrza)

pneumatometer [,njumə'tɔmitə] *s* spirometr

pneumonia [nju'mounjə] *s med* zapalenie płuc

pneumonic [nju'mɔnik] *adj med* płucny

pneumothorax ['njumou'θɔ:ræks] *s med* odma opłucnowa

poach¹ [poutʃ] *vt* u/gotować (jajka) bez skorupy (we wrzątku)

poach² [poutʃ] Ⅰ *vi* 1. uprawiać kłusownictwo; **to ~ on sb's preserves** a) polować na cudzym gruncie b) krąść cudze myśli; przyswajać sobie cudzą pracę 2. podstępnie zyskać przewagę nad współzawodnikiem 3. (*o gruncie*) zrobić <stać> się grząskim ⟨III⟩ *vt* 1. (*o koniu itd*) z/ryć (ziemię) kopytami 2. nielegalnie polować (**game** na zwierzynę); nielegalnie łowić (**fish** ryby) 3. wetknąć/ wtykać (palec <laskę> do czegoś) 4. *tenis* odbierać (piłki) partnerowi

poacher ['pout∫ə] *s* kłusownik

pochard ['pout∫əd] *s zoo* kaczka rdzawogłowa

pock [pɔk] *s* 1. krostka (*zu*. ospy) 2. dziób <blizna> po ospie

pocket ['pɔkit] ⟨I⟩ *s* 1. kieszeń; *przen* kieszeń; portfel; środki (pieniężne); **a small** ~ kieszonka; *przen* **I have him in my** ~ on siedzi u mnie w kieszeni; **to be 5 shillings in** ~ a) dysponować kwotą 5 szylingów b) zyskać 5 szylingów (**by a transaction** na dokonanej transakcji); **to be 5 pounds** <**shillings etc.**> **out of** ~ stracić 5 funtów <szylingów itd.> (**by a transaction** na dokonanej transakcji); **to put one's pride** in one's ~ zrzucić pychę z serca 2. worek; torba; ~**s under the eyes** worki pod oczami 3. worek (= 168 funtów) 4. *bil* łuza, otwór z woreczkiem 5. *wojsk* występ (frontu) 6. *lotn* próżnia, dziura powietrzna 7. zagłębienie 8. *geol górn* gniazdo; zbiornik ⟨III⟩ *attr* (*o formacie itd*) kieszonkowy; ~ **battleship** mały okręt wojenny; ~ **borough** okręg wyborczy znajdujący się pod wpływem jednego człowieka <jednej rodziny> ⟨III⟩ *vt* 1. (*także przen o przywłaszczonych pieniądzach*) włożyć/wkładać <wsadz-ić/ać> do kieszeni 2. (*o grupie zawodników w biegu*) s/krępować ruchy (**an opponent** przeciwnika) 3. *bil* wrzuc-ić/ać (bilę) do łuzy 4. *przen* poł-knąć/ ykać (afront, obrazę); **to** ~ **one's pride** zrzucić pychę z serca 5. po/hamować (gniew itd.)

pocketable ['pɔkitəbl] *adj* kieszonkowy; mieszczący się w kieszeni

pocket-book ['pɔkit,buk] *s* 1. notes; notatnik 2. portfel

pocketful ['pɔkitful] *s* pełna kieszeń (czegoś)

pocket-glass ['pɔkit,glɑ:s] *s* lusterko kieszonkowe

pocket-handkerchief ['pɔkit,hæŋkət∫if] *s* chusteczka do nosa

pocket-knife ['pɔkit,naif] *s* (*pl* **pocket-knives** ['pɔkit,naivz] scyzoryk

pocket-money ['pɔkit,mʌni] *s* kieszonkowe

pockmark ['pɔk,mɑ:k] *s* dziób <blizna> (po ospie)

pock-marked ['pɔk,mɑ:kt] *adj* dziobaty, ospowaty

pock-wood ['pɔk,wud] *s bot* drzewo gwajakowe

pococurante ['poukoukjuə'rænti] ⟨I⟩ *adj* obojętny; niedbały; beztroski ⟨III⟩ *s* człowiek obojętny <niedbały, beztroski>

pod[1] [pɔd] *s techn* głowica <obsada, uchwyt> (świdra)

pod[2] [pɔd] ⟨I⟩ *s* 1. strąk, strączek 2. kokon <oprzęd> (jedwabnika) 3. torebka jajowa szarańczy 4. więcierz 5. *wulg* bańdzioch, brzuch ⟨II⟩ *vt* (**-dd-**) łuskać (groch itd.) ⟨III⟩ *vi* (**-dd-**) (*o roślinie*) pokry-ć/wać się strączkami; rodzić strączki *zob* **podded**

pod[3] [pɔd] *s* stadko (fok, wielorybów i ptaków)

podagra [pə'dægrə] *s med* podagra, dna

podagric [pə'dægrik] *adj* podagryczny

podded ['pɔdid] ⟨I⟩ *zob* **pod**[2] *v* ⟨II⟩ *adj* 1. strączkowy 2. *przen* zamożny; (*o człowieku*) z pieniędzmi

podgy ['pɔdʒi] *adj* (**podgier** ['pɔdʒiə], **podgiest** ['pɔdʒiist]) (*o człowieku*) niski i gruby; pękaty; (*o palcu*) tłusty

podium ['poudjəm] *s* (*pl* **podia** ['poudjə]) 1. podium 2. *arch* cokół <podmurówka> rzędu kolumn

podophyllin [,pɔdə'filin] *s chem* podofilina

Podunk ['poudʌŋk] *spr am pot* Pipidówka, Psia Wólka, *wulg* Zadupie

poe-bird ['pou,bə:d] *s zoo* miodojad kędziornik (ptak nowozelandzki)

poem ['pouim] *s* poemat; wiersz

poesy ['pouizi] † *s* poezja

↑**poet** ['pouit] *s* poeta

poetaster ['poui,tæstə] *s pog* wierszokleta

poetess ['pouitis] *s* poetka

poetic(al) [pou'etik(əl)] *adj* poetycki, poetyczny; pełen poezji; ~ **justice** zwycięstwo dobra nad złem; ~ **licence** licencja poetycka; ~ **works** dzieła poetyckie

poeticise [pou'eti,saiz] *vt* poetyzować, przedstawi-ć/ać w formie poetyckiej

poetics [pou'etiks] *s* poetyka

poetize ['poui,taiz] ⟨I⟩ *vi* pisać wiersze; parać się poezją ⟨II⟩ *vt* poetyzować

poetry ['pouitri] *s* poezja; **a piece of** ~ utwór poetycki; **to write** ~ pisać wiersze

pogrom ['pɔgrəm] *s* pogrom

poignancy ['pɔinənsi] *s* 1. siła <działanie> (utworu lit., muz. itd.) 2. ostrość (bólu itd.) 3. † pikantność <cierpkość> (smaku itd.) 4. ostrość <ciętość, cierpkość> (uwagi, odpowiedzi itd.); zgryźliwość; zjadliwość

poignant ['pɔinənt] *adj* 1. (*o utworze lit., widoku itd*) chwytający za serce, wzruszający 2. † (*o smaku*) ostry; cierpki 3. † (*o zapachu*) ostry 4. (*o odpowiedzi, uwadze itd*) cierpki, zjadliwy; zgryźliwy 5. (*o żalu*) gorzki 6. (*o bólu*) ostry; dotkliwy; dojmujący

↑**point** [pɔint] ⟨I⟩ *s* 1. punkt, punkcik; kropka; *geom* punkt (przecięcia, styczności itd); **full** ~ kropka (w interpunkcji) 2. (*w spisie itd*) punkt; pozycja; szczegół; sprawa; **a** ~ **of conscience** sprawa sumienia; **a** ~ **of honour** punkt honoru; **a** ~ **of interest** ciekawy szczegół; **a** ~ **of order** kwestia formalna; **at all** ~s w każdym szczególe; **we differ on this** ~ w tej sprawie <w tej kwestii, na tym punkcie> nie zgadzamy się 3. punkt (zdobyty w grach i sportach); **to give** ~s dać fory (słabemu przeciwnikowi) 4. (*w kartce żywnościowej itd*) kupon; odcinek; **free from** ~s (towar) nie racjonowany 5. *druk* punkt (jednostka miary) 6. punkt (kontrolny itd.) 7. *fiz* punkt <temperatura> (wrzenia, zamarzania itd.) 8. *mat* przecinek, znak dziesiętny, † koma; **five** ~ **one** 5,1; pięć przecinek jeden; pięć całych i jedna dziesiąta 9. chwila, moment; **at the** ~ **of death** na progu śmierci; **to be on the** ~ **of doing sth** mieć właśnie coś zrobić 10. cecha charakterystyczna; zaleta; wada; czyjaś mocna <słaba> strona 11. sedno <istota> rzeczy <sprawy>; to, o co chodzi; rzecz najważniejsza; sens; trafność <dosadność> (uwagi itd.); **in** ~ **of** __ pod względem...; **in** ~ **of fact** istotnie; w rzeczy samej; właściwie; ściśle rzecz biorąc; **that's just the** ~ o to właśnie chodzi; w tym cała rzecz; **that's off** <**not to**> **the** ~ to nie ma nic do rzeczy; to nie należy do sprawy; to nie ma nic wspólnego z tą <z omawianą> sprawą; **there's no ~ in seeing him <going on etc.>** nie ma sensu iść do niego <kontynuować itd.>; **there's no ~ in that** to się mija z celem; to nie ma sensu; (*w przemówieniu*) **to come fo the ~** przyst-ąpić/ępować do (sedna) sprawy; **to make <score> a ~** trafić (komuś) do przekonania; **to make a ~ of doing sth** dbać o to, żeby coś zrobić; uważać zrobienie czegoś za konieczne; nie omieszkać czegoś zrobić; (*o uwadze, wypowiedzi itd*) **to the ~** trafny; do rzeczy 12. punkt (widzenia); teza; argument; **I see your ~** rozumiem o co ci chodzi; **to carry one's ~** a) osiągnąć cel b) postawić na swoim c) obronić swoją tezę; **to make a ~** wysunąć propozycję; postawić tezę 13. moment krytyczny; **things came to such a ~ that __** doszło do tego, że...; **when it came to the ~ he declined** w decydującym momencie on się cofnął 14. stopień (napięcia, natężenia itd.); granica; **the highest ~ of eloquence etc.** szczyt elokwencji itd.; **at the ~ of tears** bliski płaczu; **thrifty to the ~ of stinginess** oszczędny aż do granic skąpstwa 15. (*na termometrze*) kreska 16. (*także* ~ **lace**) koronka szydełkowa 17. (ostre) zakończenie; ostrze; szpic; **at the ~ of the sword** siłą oręża; pod groźbą bagnetów; *przen* **not to put too fine a ~ upon it** szczerze mówiąc 18. *geogr* cypel ·19. (*w maści konia*) łata 20. rylec 21. *kolej* zwrotnica 22. pointa (dowcipu itd.) 23. strona świata 24. *mar* rumb (róży kompasowej) 25. (*na kościach do gry itd*) oczko 26. (*u jelenia*) odnoga na tykach wieńca <na porożu> 27. *wojsk* szpica; czołówka 28. wskazywanie (palcem); **to say sth with a ~ at __** powiedzieć/mówić coś wskazując (palcem) na... 29. *w zwrocie*: *myśl* (*o psie*) **to make <come to> a ~** wystawiać Ⅱ *attr* (*o głosce*) przedniojęzykowy Ⅲ *vt* 1. punktować; kropkować; postawić/stawiać kropk-ę/i (**i's etc.** nad i itd.); **to ~ psalms** po/znaczyć punktami psalmy (dla ułatwienia śpiewu w liturgii anglikańskiej) 2. za/ostrzyć; za/strugać (pręt itd.); za/temperować (ołówek) 3. doda-ć/wać ostrości <dosadności> (**a remark etc.** uwadze itd.); podkreśl-ić/àć; uwydatni-ć/ać; z/ilustrować <nastawi-ć/ać> (lunetę itd.); **to ~ a rifle <revolver etc.> at sb** wy/celować <wy/mierzyć> do kogoś z karabinu <z rewolweru itd.> 5. wskaz-ać/ywać (drogę itd.) 6. *myśl* (*o psie*) wystawiać 7. *bud* fugować <spoinować, testować> (mur itd.) 8. ra-. cjonować (towar) 9. (*także* ~ **over**) s/kopać <przekop-ać/ywać> (ziemię) łopatą; (*także* ~ **in**) zakop-ać/ywać łopatą (nawóz) Ⅳ *vi* 1. wskaz-ać/ywać (**at sb** kogoś, na kogoś; **to sth** coś, na coś); (*o igle magnetycznej, wskazówce itd*) pokazywać (strony świata, godziny itd.); (*o okoliczności itd*) wskazywać (**to sth** na coś); dowodzić (**to sth** czegoś) 2. (*o budynku itd*) być zwróconym <stać> frontem (**at the sea etc.** do morza itd.) 3. dążyć <celować> (**at <towards> sth** do czegoś)

~ out *vt* 1. wskaz-ać/ywać (**sb,** · **sth** kogoś, coś, na kogoś, coś); **to ~ out sth to sb** zwr-ócić/acać uwagę komuś <czyjąś uwagę>

na coś; naprowadz-ić/ać kogoś na coś 2. wyznacz-yć/ać 3. wyt-knąć/ykać (błędy itd.) 4. uwydatni-ć/ać; zaznacz-yć/ać 5. zauważyć (**that __** że...)
zob **pointed**

point-blank ['pɔint'blæŋk] Ⅰ *adj* 1. *artyl* (*o ogniu*) bezpośredni, na wprost 2. (*o zapytaniu*) zadany wprost <bez ogródek> 3. (*o odmowie, oświadczeniu*) kategoryczny Ⅱ *adv* 1. (strzelać) bezpośrednio <wprost> (do kogoś, do celu) 2. (zapytać) wprost <bez ogródek>; (odmówić, oświadczyć) wręcz <bez ogródek, z miejsca, kategorycznie>

point-device [,pɔint-di'vais] † *adj* 1. dokładny; precyzyjny 2. bez zarzutu Ⅱ *adv* dokładnie; precyzyjnie

point-duty ['pɔint,djuːti] *s* 1. służba na posterunku 2. służba regulacji ruchu; **to be on ~** a) stać <pełnić służbę> na ·posterunku b) regulować ruch (uliczny, drogowy)

pointed ['pɔintid] Ⅰ *zob* **point** *v* Ⅲ *adj* 1. spiczasty; ostry; naostrzony; zaostrzony; (*o ołówku*) zatemperowany; *arch* ostrołukowy 2. (*o uwadze, wypowiedzi*) sarkastyczny; uszczypliwy; zjadliwy; zgryźliwy; dosadny; (*o naganie, wymówce*) ostry 3. (*o aluzji, napomknieniu*) niedwuznaczny; wyraźny

pointedness ['pɔintidnis] *s* 1. sarkastyczność <uszczypliwość, zjadliwość, zgryźliwość, dosadność> (uwagi, wypowiedzi) 2. niedwuznaczność (aluzji, napomknienia)

pointer ['pɔintə] *s* 1. *techn* wskazówka; wskaźnik; strzałka 2. *szk* pałeczka (do pokazywania szczegółów na mapie itd.) 3. wskazówka; informacja, porada 4. *am wojsk* celowniczy (działa itp.) 5. pointer (pies myśliwski) 6. *pl* ~**s** gwiazdy Wielkiej Niedźwiedzicy tworzące linię prostą z Gwiazdą Polarną

pointillism ['pɔinti,lizəm] *s plast* puentylizm, pointylizm, neoimpresjonizm

pointless ['pɔintlis] *adj* 1. tępy, nie zaostrzony 2. (*o opowiadaniu, żarcie itd*) płytki; banalny 3. (*o uwadze, wypowiedzi*) chybiony; (powiedziany) ni w pięć, ni w dziewięć; ni przypiął, ni przyłatał

pointsman ['pɔintsmən] *s* (*pl* **pointsmen** ['pɔints. mən]) 1. zwrotniczy 2. policjant <milicjant> regulujący ruch uliczny

poise [pɔiz] Ⅰ *vt* 1. z/równoważyć; utrzym-ać/ ywać w równowadze 2. ustawi-ać/ać 3. trzymać w powietrzu; **to ~ oneself on one's toes** unosić się na czubkach palców 4. nosić <trzymać> (głowę — podniesioną, nachyloną itd.) 5. ważyć w rękach; *przen* rozważać (w umyśle) Ⅱ *vi* zawisnąć/wisieć <unosić się> w powietrzu Ⅲ *s* 1. *dosl i przen* równowaga; **a man of ~** człowiek zrównoważony <poważny> 2. waga; ciężar 3. sposób trzymania (głowy); postawa 4. stan zawieszenia <niepewności>

poison ['pɔizn] Ⅰ *s* trucizna; *dosł i przen* jad; **they hate each other like ~** oni się śmiertelnie nienawidzą; jeden drugiego w łyżce wody by utopił; **to give ~ to __** o/truć...; **to take <die of> ~** otruć się; Ⅱ *attr* (*o gazie itd*) trujący Ⅲ *vt* s/truć; otruć; zatru-ć/wać; zaprawi-ć/ać trucizną; wrzuc-ić/ać truciznę <dodać trucizny>

(**sth** do czegoś); zaka-zić/żać; **I have a ~ed hand** zaraziłem sobie rękę

poisoner ['pɔiznə] *s* truciciel/ka

poison-ivy ['pɔizn,aivi] *s bot* sumak jadowity

poisonous ['pɔiznəs] *adj* 1. toksyczny; trujący; (*o zwierzęciu, roślinie itd*) jadowity 2. (*o doktrynie itd*) szkodliwy; zatruwający umysły

poke[1] [pouk] *s dial* worek

poke[2] [pouk] *s* 1. wystający z przodu brzeg kapelusza damskiego 2. (*także ~-bonnet*) kapelusz z wystającym z przodu brzegiem (staromodny, obecnie noszony przez kobiety z Armii Zbawienia)

poke[3] [pouk] Ⅰ *vt* 1. szturch-nąć/ać <pch-nąć/ać, pop-chnąć/ychać> (**sth with a stick etc., a stick etc. at sth** coś laską <kijem> itd.); **to ~ a hole in sth** przedziurawi-ć/ać coś (palcem, kijem itd.) 2. po/grzebać (**the fire** w piecu) 3. wepchnąć/wpychać <wetknąć/wtykać> (**sth into <up, down>** a pipe etc. coś do rury itd.); *pot* wsadz-ić/ać <wetknąć/wtykać, wścibi-ć/ać> (**one's nose into sth** nos w coś — cudze sprawy itd.); cis-nąć/kać (śmieci w kąt itd.); **to ~ fun at sb, sth** za/żartować <pokpiwać> z kogoś, czegoś; **to ~ one's head** chodzić z głową wysuniętą do przodu; wysu-nąć/wać głowę; wyciąg-nąć/ać szyję Ⅲ *vr* **~ oneself up** zamknąć się w ciasnym pomieszczeniu Ⅲ *vi* 1. szturchać <poszturchiwać> (**at sb <sth> with sth** kogoś <coś> czymś) 2. (*także* **~ about, ~ and pry**) myszkować, gmerać, szperać, węszyć 3. *pot* wścibi-ć/ać nos (**into other people's affairs** w cudze sprawy)

poke[4] [pouk] *s bot* szkarłatka

pokeberry ['pouk,beri] = **poke**[4]

poke-bonnet ['pouk,bɔnit] = **poke**[2] 2.

poker[1] ['poukə] *s* 1. pogrzebacz; **as stiff as a ~** sztywny jakby kij połknął 2. *uniw żart* berło 3. *uniw żart* pedel niosący berło (na uroczystościach) 4. rylec do wypalania wzorów w drzewie <w skórze>

poker[2] ['poukə] *s karc* poker

poker-face ['poukə,feis] *s* kamienne oblicze (jak u gracza pokerowego)

poker-faced ['poukə,feist] *adj* (*o człowieku*) z kamiennym obliczem

poker-work ['poukə,wə:k] *s* pirografia, wypalanie wzorów w drzewie <w skórze>

pokeweed ['pouk,wi:d] *s* = **poke**[4]

poky ['pouki] *adj* (**pokier** ['poukiə], **pokiest** ['poukiist]) 1. (*o pomieszczeniu*) ciasny; ubogi; nędzny 2. (*o zajęciu itd*) marny, kiepski, nędzny

▲**polar** ['poulə] Ⅰ *adj* 1. polarny; **~ lights** zorza polarna 2. *geogr mat* biegunowy; *geogr* podbiegunowy 3. biegunowo przeciwny Ⅲ *s mat* (krzywa) biegunowa

polarimeter [,poulə'rimitə] *s fiz* polarymetr

polariscope [pou'læri,skoup] *s fiz* polaryskop

polarity [pou'læriti] *s fiz* polarność; biegunowość

polarization [,poulərai'zeiʃən] *s fiz* polaryzacja

polarize ['poulə,raiz] *vt* 1. *fiz* polaryzować 2. nada-ć/wać dowolne znaczenie <dowolny kierunek> (**sth** czemuś)

polarizer ['poulə,raizə] *s fiz* polaryzator

polatouche [,pɔlə'tu:ʃ] *zoo* polatucha (zwierzę z rodziny wiewiórek)

polder ['pɔldə] *s geogr* polder

Pole[1] [poul] *s* Pol-ak/ka

pole[2] [poul] Ⅰ *s* 1. słup, słupek; pal 2. żerdź; tyka, tyczka; drąg; bosak; *sport* **~ jump** skok o tyczce; **to be up the ~** a) być w kłopocie b) być pod dobrą datą c) mieć bzika 3. maszt; **under bare ~s** ze zwiniętymi żaglami 4. pręt (= 5,5 jardów) 5. dyszel; **~ horse** koń dyszlowy Ⅲ *vt* 1. podpierać tyczkami <tyczyć> (fasolę, chmiel itd.) 2. popychać (łódź) drągiem <żerdzią> 3. palować, wbijać pale

▲**pole**[3] [poul] *s geogr geom fiz* biegun

pole-axe ['poul,æks] Ⅰ *s* 1. berdysz; halabarda 2. topór (rzeźnicki) Ⅲ *vt* 1. uderz-yć/ać <zdzielić, wal-nąć/ić> berdyszem <halabardą, toporem> 2. ogłusz-yć/ać (zwierzę rzeźne przed zabiciem)

polecat ['poul,kæt] *s zoo* tchórz

polemic(al) [pə'lemik(əl)] Ⅰ *adj* polemiczny Ⅲ *s* **polemic** (*także* **polemics**) polemika

polemize ['pɔlə,maiz] *vi* polemizować

polenta [pə'lentə] *s kulin* polenta

poler ['poulə] *s* 1. = **pole horse** 2. człowiek popychający łódkę drągiem <*pot* płynący łodzią na pych>

pole-star ['poul,stɑ:] *s* gwiazda Polarna <Północna>; *przen* gwiazda przewodnia

pole-vault ['poul,vɔ:lt] Ⅰ *s sport* skok o tyczce Ⅲ *vi* sk-oczyć/akać o tyczce

police [pə'li:s] Ⅰ *s* 1. (*bez pl*) policja (organizacja); **the military ~** żandarmeria, policja wojskowa; wojskowa służba wewnętrzna 2. *pl* **~** policja, policjanci Ⅲ *attr* policyjny; (*o inspektorze itd*) policji; **~ constable** policjant Ⅲ *vt* 1. utrzym-ać/ywać porządek (**the state** w państwie) 2. patrolować (**the streets** ulice) 3. regulować ruch (**the streets** na ulicach) 4. *am* po/sprzątać (**a camp, barracks** w obozie, w koszarach)

police-court [pə'li:s,kɔ:t] *s* sąd policyjny (dla drobnych wykroczeń)

police-force [pə'li:s,fɔ:s] *s zbior* policja

police-magistrate [pə'li:s,mædʒistrit] *s* sędzia sądu policyjnego

policeman [pə'li:smən], *s* (*pl* **policemen** [pə'li:smən]) policjant

police-office [pə'li:s,ɔfis] *s* komenda policji

police-state [pə'li:s,steit] *s* państwo policyjne

police-station [pə'li:s,steiʃən] *s* komisariat

police-woman [pə'li:s,wumən] *s* (*pl* **police-women** [pə'li:s,wimin]) policjantka

policlinic [,pɔli'klinik] *s* 1. lecznica (prywatna) 2. ambulatorium szpitalne

policy[1] ['pɔlisi] *s* 1. polityka (jako linia postępowania), kierunek, kurs, linia (partyjna itd.); dążność 2. dyplomacja (jako dyplomatyczny, rozważny sposób postępowania); taktyka; **it's bad ~** to zła taktyka; to jest niedyplomatyczne <nierozptropne> 3. *szkoc* park wokół rezydencji wiejskiej

policy[2] ['pɔlisi] *s* 1. polisa (ubezpieczeniowa); **to take out a ~** ubezpiecz-yć/ać <za/asekurować> się 2. *am* rodzaj loterii liczbowej

policy-holder ['pɔlisi,houldə] *s* (człowiek) ubezpieczony

poliomyelitis [,pouliou-maiə'laitis] *s med* paraliż dziecięcy, choroba Heine-Medina

↑Polish¹ ['pouliʃ] Ⓘ *adj* polski; **are you ~?** czy pan/i jest Pol-akiem/ką? Ⓘ *s* język polski; polszczyzna

polish² ['poliʃ] Ⓘ *vt* 1. wy/polerować; wy/szlifować; wygładz-ić/ać; nada-ć/wać blask <połysk> **(sth czemuś)**; wy/czyścić (do połysku), *pot* wy/ pucować; wy/froterować (podłogę) 2. nada-ć/ wać polor <ogładę> **(sb komuś)** Ⓘ *vi* polerować <szlifować> się; nab-rać/ierać blasku <połysku, poloru>; błyszczeć; lśnić się
~ off Ⓘ *vt* 1. *pot* szybko s/kończyć <odr--obić/abiać (pracę, zadanie); szybko się sprawi-ć/ać <załatwi-ć/ać> **(a piece of work etc. z jakąś robotą itd.)** 2. *pot* wypróżni-ć/ać (butelkę, szklankę, kieliszek czegoś) 3. *pot* poł--knąć/ykać <s/pałaszować, zmi-eść/atać z talerza> (potrawę, posiłek) 4. *przen* wygładz-ić/ ać (tekst, pracę itd.)
~ up *vt* 1. = **~** *vt* 1. 2. udoskonal-ić/ać; *przen* wy/szlifować (znajomość języka itd.)
zob **polished** Ⓘ *s* 1. blask; połysk 2. pasta <płyn, proszek> do czyszczenia <do polerowania>; lakier (do paznokci itd.); politura 3. polor; ogłada; gładkie <piękne> maniery; elegancja 4. wygładzenie

polished ['poliʃt] Ⓘ *zob* **polish²** *v* Ⓘ *adj* wytworny; elegancki; (*o człowieku*) z ogładą
polisher ['poliʃə] *s* 1. polerowacz; szlifierz 2. gładzik (narzędzie); przyrząd do czyszczenia <do polerowania, szlifowania> (metali itd.)
polishing-cream ['poliʃiŋ,kri:m] *s* pasta do czyszczenia <do polerowania>
polishing-disc ['poliʃiŋ,disk], **polishing-stone** ['pol iʃiŋ,stoun] *s* szlifierka
Politbureau [pə'lit-bjuə,rou] *s* biuro polityczne (w partiach komunistycznych i robotniczych)
polite [pə'lait] *adj* grzeczny; uprzejmy; dobrze wychowany; kulturalny; **~ letters** beletrystyka
politeness [pə'laitnis] *s* grzeczność; uprzejmość; dobre wychowanie; kultura; ogłada
politic ['politik] *adj* 1. (*o człowieku*) zręczny; roztropny; przemyślny 2. (*o czynach itd*) rozsądny; rozważny 3. chytry 4. **the body ~** państwo
political [pə'litikᴧl] *adj* polityczny; **~ agent <resident>** angielski doradca tubylczego władcy w Indiach
political-economical [pə'litikəl,i:kə'nomikəl] *adj* polityczno-ekonomiczny
politician [,poli'tiʃən] *s* 1. polityk 2. *am uj* politykier
politicize [pə'liti,saiz] Ⓘ *vt* upoliczni-ć/ać Ⓘ *vi* politykować
politics ['politiks] *s* 1. polityka; **to go into ~** ob--rać/ierać karierę polityczną 2. zapatrywania <poglądy> polityczne 3. *am uj* politykierstwo
polity ['politi] *s* 1. administracja państwowa 2. ustrój 3. państwo
polka ['polkə] *s* polka (taniec)
Poll¹ [pol] *s* nazwa powszechnie nadawana papugom; **~ parrot** papuga
↑poll² [poul] Ⓘ *s* 1. głowa; włosy (na głowie) 2. *polit* głosowanie; **exclusion from the ~** pozbawienie prawa wyborczego <głosowania>; **to go to the ~** głosować; pójść/iść do urn 3. obliczenie głosów w wyborach 4. udział w głosowaniu; **heavy <light> ~** liczny <słaby> udział

w głosowaniu 5. spis wyborców Ⓘ *adj* 1. = **polled** *adj* 2. równo <gładko> obcięty Ⓘ *vt* 1. **†** ostrzyc (kogoś) 2. ostrzyc (krzew itd.) 3. obci-ąć/nać rogi **(a bull etc.** bykowi itd.) 4. zebrać/zbierać głos/y **(the voters <constituents>** wyborców) 5. odda-ć/wać (głos) 6. otrzymać **(x głosów)** Ⓘ *vi* głosować *zob* **polled, polling**
Poll³ [pol] *s sl uniw zbior* studenci kończący studia z wynikiem dostatecznym; **a ~ man** student, który skończył studia z wynikiem dostatecznym; **to go out in the ~** s/kończyć studia z wynikiem dostatecznym
pollack ['polək] *s zoo* ryba z rodziny wątłuszowatych
pollan ['polən] *s zoo* ryba z rodziny śledziowatych
pollard ['poləd] Ⓘ *s* 1. *ogr leśn* drzewo ogłowione (strzyżone) 2. zwierzę z obciętymi rogami 3. bezroga odmiana wołu <kozy itd.> 4. mąka z otrębami 5. otręby Ⓘ *vt* 1. *ogr* ogł-owić/awiać (drzewo) 2. obci-ąć/nać rogi **(an animal** zwierzęciu)
poll-beast ['poul'bi:st] *s* zwierzę bezrogie
polled [pould] Ⓘ *zob* **poll²** *v* Ⓘ *adj* (*o zwierzęciu*) bez rogów, z obciętymi rogami
pollen ['polin] Ⓘ *s* pyłek (kwiatowy) Ⓘ *vt* zapyl-ić/ać
pollen-basket ['polin,ba:skit] *s zoo* koszyczek (u nóżek pszczoły)
pollen-sac ['polin,sæk] *s bot* koszyczek (pyłkowy)
pollen-tube ['polin,tju:b] *s bot* łagiewka pyłkowa
pollicitation [,polisi'teiʃən] *s prawn* przyrzeczenie formalnie jeszcze nie przyjęte, a zatem odwołalne
pollinate ['poli,neit] *vi bot* zapyl-ić/ać
pollination [,poli'neiʃən] *s bot* zapyl-enie/anie
polling ['pouliŋ] Ⓘ *zob* **poll²** *v* Ⓘ *s* głosowanie
polling-booth ['pouliŋ,bu:θ] *s* lokal wyborczy
pollinic [pə'linik] *adj bot* pyłkowy
polliwog, pollywog ['poli,wog] *s zoo* kijanka
pollock ['polək] = **pollack**
poll-tax ['poul,tæks] *s* podatek od głowy, pogłówne
pollute [pə'lu:t] *vt* 1. s/kazić, s/plugawić, zanieczy-ścić/szczać 2. s/profanować, z/bezcześcić
polluter [pə'lu:tə] *s* 1. człowiek <czynnik> zanieczyszczający (rzekę itd.) 2. profanator/ka
pollution [pə'lu:ʃən] *s* 1. skażenie s/plugawienie; zanieczyszczenie 2. *fizj* polucja, zmaza nocna
Polly ['poli] *s zdrob* **Poll¹**
pollywog *zob* **polliwog**
↑polo ['poulou] *s sport* polo; **~ stick** kij do gry w polo
polonaise [,polə'neiz] *s* polonez (taniec i utwór muz.)
polonium [pə ɪounjəm] *s chem* polon
polony [pə'louni] *s* (*także* **~ sausage**). rodzaj kiełbasy wieprzowej
poltergeist ['poltə,gaist] *s metaf* (hałaśliwy i złośliwy) duch
poltroon [pol'tru:n] *s* (*o człowieku*) tchórz; *pot* strachajło; **he is a ~** on jest tchórzem podszyty
poltroonery [pol'tru:nəri] *s* tchórzostwo
polyadelphous [,poli-ə'delfəs] *adj bot* wielosłupkowy

polyandrous [ˌpɔli'ændrəs] adj 1. bot wielopręci-kowy 2. praktykujący wielomęstwo

polyandry ['pɔli,ændri] s poliandria, wielomęstwo

polyanthus [ˌpɔli'ænθəs] s bot prymulka

polyarchy ['pɔli,ɑːki] s wielowładztwo, poliarchia

polyatomic [ˌpɔli-ə'tɔmik] adj chem wieloato-mowy

polybasic [ˌpɔli'beisik] adj chem wielozasadowy

polybasite [ˌpɔli'beisait] s miner polibazyt

polychromatic [ˌpɔlikrə'mætik] adj polichromicz-ny, wielobarwny

polychrome ['pɔli,kroum] Ⅰ adj polichromowany Ⅲ s przedmiot <posąg, waza> polichromo-wan-y/a

polychromy ['pɔli,kroumi] s polichromia

polyclinic [ˌpɔli'klinik] s poliklinika; przychodnia; poradnia

polycotyledonous ['pɔli,kɔti'liːdənəs] adj bot wielo-liścieniowy

polygamous [pɔ'ligəməs] adj 1. poligamiczny, wielożenny 2. bot poligamiczny; wielopłciowy

polygamy [pɔ'ligəmi] s poligamia, wielożeństwo

polygenism [pɔ'lidʒə,nizəm] s poligenizm

polygeny [pɔ'lidʒəni]· s poligenia (wielość gatun-ków ludzkich)

polygenous [pɔ'lidʒinəs] adj bot wielosłupkowy

polyglot ['pɔli,glɔt] Ⅰ adj wielojęzyczny Ⅲ s po-liglot-a/ka

polygon ['pɔligən] s geom wielokąt, wielobok

polygonal [pɔ'ligənl] adj wielokątny, wieloboczny

polygraph ['pɔli,grɑːf] s powielacz

polyhedral [ˌpɔli'hedrəl] adj wielościenny

polyhedron [ˌpɔli'hedrən] s (pl ~s, polyhedra ['pɔli'hedrə]) wielościan

polymer ['pɔlimə] s chem polimer

polymeric [ˌpɔli'merik] adj chem polimeryczny

polymerism [pə'limə,rizəm] s chem polimeria

polymorphic [ˌpɔli'mɔːfik], polymorphous [ˌpɔli'mɔːfəs] adj polimorficzny, wielopostaciowy; wielokształtny

polymorphism [ˌpɔli'mɔːfizəm] s polimorfizm, wielopostaciowość; wielokształtność

polymorphous zob polymorphic

Polynesian [ˌpɔli'niːzjən] Ⅰ adj polinezyjski Ⅲ s Polinezyj-czyk/ka

polynomial [ˌpɔli'noumjəl] s mat wielomian

polyp(e) ['pɔlip] s zoo med polip

polypetalous [ˌpɔli'petələs] adj bot wielopłatkowy

polyphagous [pɔ,lifəgəs] adj żarłoczny

polyphonic [ˌpɔli'fɔnik] adj polifoniczny, wielo-głosowy

polyphony [pə'lifəni] s muz polifonia, wielogło-sowość

polyploid ['pɔli,plɔid] adj biol poliploidalny (za-wierający w komórkach ciała wielokrotność podstawowej liczby chromozomów)

polyploidy ['pɔli,plɔidi] s biol poliploidalność (po-siadanie w komórkach ciała wielokrotności pod-stawowej liczby chromozomów)

polypod ['pɔlipəd] s zoo wielonóg

polypody ['pɔlipədi] s bot paprotka

polypous ['pɔlipəs] adj zoo med polipowy

polypus ['pɔlipəs] s (pl polypi ['pɔli,pai]) med polip

polysyllabic ['pɔli-si'læbik] adj jęz wielozgłoskowy

polysyllable ['pɔli,siləbl] s jęz wyraz wielozgłos-kowy

polytechnic [ˌpɔli'teknik] Ⅰ adj politechniczny; (o szkole) zawodowy; rzemieślniczy; techniczny Ⅲ s szkoła zawodowa <rzemieślnicza, tech-niczna>

polytheism ['pɔliθi,izəm] s politeizm, wielobóstwo

polyvalent [pə'livələnt] adj chem wielowartościo-wy

polyzoa [ˌpɔli'zouə] spl zoo mszywioły

pom [pɔm] skr Pomeranian dog zob Pomeranian

pomace ['pʌmis] s 1. wytłoki z jabłek; wytłoczy-ny; makuch 2. miąższ 3. nawóz z odpadków rybich

pomade [pə'mɑːd] Ⅰ s pomada (do włosów) Ⅲ vt na/pomadować

pomander [pou'mændə] s kulka aromatyczna (no-szona dawniej w torebce)

pomatum [pə'meitəm] = pomade

pome [poum] s bot drzewo jabłkowate

pomegranate ['pɔm,grænit] s bot granat (owoc i drzewo)

pomelo ['pɔmi,lou] s bot grejpfrut

Pomeranian [ˌpɔmə'reinjən] Ⅰ adj pomorski Ⅲ s 1. Pomorzan-in/ka 2. (także ~ dog) szpic (pies)

pomfret ['pɔmfrit] s zoo jaskółka morska (ryba mórz ciepłych)

pomiculture [ˌpɔmi'kʌltʃə] s sadownictwo

Pommard ['pɔmɑːd] s gatunek wina burgundz-kiego

pommel ['pʌml] Ⅰ s 1. gałka (na rękojeści szpa-dy itp.) 2. kula (wzniesiony łęk siodła) Ⅲ vt (-ll-) okładać pięściami; walić; tłuc

pomology [pou'mɔlədʒi] s bot ogr pomologia

pomp [pɔmp] s pompa; parada; przepych; wy-stawność

pompier-ladder ['pɔmpjə'lædə] s drabina strażac-ka

pom-pom ['pɔm,pɔm] s automatyczne działo szyb-kostrzelne

pompon ['pɔ̃ːpɔ̃ː] s pompon

pomposity [pɔm'pɔsiti] s pompatyczność; nadętość

pompous ['pɔmpəs] adj 1. wystawny; paradny; okazały 2. pompatyczny; napuszony; nadęty

pompousness ['pɔmpəsnis] s 1. wystawność; para-da; okazałość 2. = pomposity

ponce [pɔns] s sl alfons, sutener

poncho ['pɔntʃou] s poncho (rodzaj peleryny)

⬤pond [pɔnd] Ⅰ s staw; sadz; morze; ocean; ~ lily lilia wodna Ⅲ vi (o wodzie) s/piętrzyć się ~ back <up> vt spiętrz-yć/ać (a stream rze-kę)

pondage ['pɔndidʒ] s kubatura stawu

ponder ['pɔndə] Ⅰ vt rozważ-yć/ać Ⅲ vi prze-myśliwać <dumać, zastan-owić/awiać się> (on <over> sth nad czymś) zob pondering

ponderability [ˌpɔndərə'biliti] s dosł i przen waż-kość

ponderable ['pɔndərəbl] adj 1. dosł i przen ważki 2. dający się zważyć

ponderation [ˌpɔndə'reiʃən] s 1. ważenie (na wa-dze) 2. rozważanie

pondering ['pɔndəriŋ] Ⅰ zob ponder Ⅲ adj za-dumany Ⅲ s dumanie

ponderosity [ˌpɔndə'rɔsiti] s 1. ciężkość 2. waż-ność 3. ociężałość; nieruchawość; niezgrabność

ponderous ['pɔndərəs] adj 1. ciężki 2. ważny 3. ociężały; nieruchawy; niezgrabny

pondweed ['pɔnd,wiːd] s bot rdestnica

pone¹ ['pouni] *s karc* 1. zagrywając-y/a 2. partner/ka zagrywające-go/j

pone² [poun] *s* razowy placek <chleb> kukurydzany

pongee [pɔn'dʒi:] *s tekst* surowy jedwab

poniard ['pɔnjəd] Ⅰ *s* sztylet Ⅲ *vt* zasztyletować

pontifex ['pɔnti‚feks] *s (pl* **pontifices** [pon'tifi‚si:z]) (*u staroż. Rzymian*) kapłan

pontiff ['pɔntif] *s* 1. arcykapłan. 2. biskup; **the sovereign** ~ papież

pontifical [pon'tifikəl] Ⅰ *adj kośc* pontyfikalny Ⅲ *s* 1. *liturg* pontyfikał (księga) 2. *kośc pl* ~s pontyfikalia; szaty pontyfikalne

pontificate [pon'tifikit] Ⅰ *s* pontyfikat Ⅲ *vi* [pon'tifi‚keit] pontyfikować; celebrować

pontifices *zob* **pontifex**

pontify ['pɔnti‚fai] *vi iron* z/robić z siebie wyrocznię; mówić z namaszczeniem

pontoneer, pontonier [‚pɔntə'niə] *s wojsk* pontonier

pontoon¹ [pon'tu:n] Ⅰ *s* ponton Ⅲ *vt* 1. przeprawi-ć/ać się pontonem (**a river** przez rzekę) 2. przerzuc-ić/ać most pontonowy (**a river** przez rzekę)

pontoon² [pon'tu:n] *s karc* gra w 21 <*pot* w oko>

pontoon-bridge [pon'tu:n‚bridʒ] *s* most pontonowy

⫯**pony** ['pouni] *s* 1. kucyk; *am* ~ **express** poczta przewożona na kucykach (w XIX w.) 2. *sl* 25 funtów sterlingów 3. *am sl szk* bryk, skrót, klucz

pood [pu:d] *s* pud (rosyjska jednostka wagi = 16,38 kg)

poodle ['pu:dl] Ⅰ *s zoo* pudel Ⅲ *vt* o/strzyc na pudla

poodle-faker ['pu:dl‚feikə] *s sl* młody bawidamek

pooh [pu] *interj wyraża zniecierpliwienie, lekceważenie:* ach!; fi!

Pooh-Bah ['pu:'ba:] *spr pot* osobnik zajmujący kilka posad <*przen* siedzący na kilku stołkach>

pooh-pooh [pu:'pu:] *vt* wyśmi-ać/ewać; mówić z lekceważeniem (**sb, sth** o kimś, czymś)

pooja ['pu:dʒa:] = **puja**

pool¹ [pu:l] Ⅰ *s* 1. kałuża 2. sadzawka 3. rozlewisko 4. basen (pływacki itd.) 5. *geol* złoże (ropy) Ⅲ *vt górn* wrębi-ć/ać

pool² [pu:l] Ⅰ *s* 1. rodzaj gry bilardowej 2. pula (w grach); wspóln-y/a fundusz <kasa>; **football** ~ totalizator sportowy (rodzaj gry liczbowej) 3. *handl* kartel; syndykat; zmowa (producentów, giełdziarzy) Ⅲ *vt* 1. z/sumować (wyniki itd.) 2. złożyć/składać (pieniądze) do wspólnej kasy Ⅲ *vi* s/tworzyć wspólny fundusz

⫯**poop¹** [pu:p] Ⅰ *s mar* rufa Ⅲ *vt* (*o fali*) zalewać rufę (**a ship** statku) Ⅲ *vi* (*o statku*) mieć rufę zalaną przez falę

poop² [pu:p] *s sl* półgłówek

poop³ [pu:p] = **pope³**

⫯**poor** [puə] Ⅰ *adj* 1. biedny; ubogi; ~ **in** __ ubogi w ... (coś — rudę, witaminy itd.) 2. lichy; kiepski; słaby; ~ **consolation** słaba pociecha 3. skąpy; ledwo wystarczający; **a** ~ **10 days** zaledwie 10 dni 4. nędzny; **a** ~ **10 sh a week** nędzne <marne, mizerne> 10 szylingów tygodniowo; **a** ~ **creature** nędzna kreatura 5. skromny; **in my** ~ **opinion** moim skromnym zdaniem

6. biedny, nieszczęśliwy; ~ **fellow!** biedaczysko! ~ **me!** marny mój los!; o ją nieszczęśliw-y/a!; ~ **you!** biedn-yś/aś ty!; ~ **thing** <creature>! biedactwo! 7. nieżyjący; zmarły Ⅲ *spl* **the** ~ biedni; biedota

poor-box ['puə‚bɔks] *s kośc* puszka na datki dla ubogich

poor-house ['puə‚haus] *s* przytułek

poor-law ['puə‚lɔ:] *s* ustawa o opiece nad ubogimi

poorly ['puəli] Ⅰ *adv* 1. biednie; ubogo 2. licho; kiepsko; słabo 3. skąpo 4. nędznie 5. skromnie Ⅲ *adj* niezdrów; w kiepskim stanie zdrowia; cierpiący; mizerny; **to be looking** ~ kiepsko wyglądać; **he is** ~ (on) źle się ma

poorness ['puənis] *s* 1. ubóstwo 2. brak; niedostatek 3. licha jakość; kiepski gatunek

poor-rate ['puə‚reit] *s* podatek (samorządowy) na rzecz ubogich

poor-relief ['puə-ri‚li:f] *s* zasiłek dla ubogich; pomoc społeczna

poor-spirited [‚puə'spiritid] *adj* bojaźliwy; nieśmiały

pop¹ [pɔp] Ⅰ *s* 1. puknięcie; trzask; wystrzał (korka z butelki itp.) 2. napój musujący (szampan, lemoniada itp.) 3. *sl* lombard; zakład zastawniczy; (*o zegarku itd*) **in** ~ zastawiony Ⅲ *vi* (-pp-) 1. roz-erwać/rywać się <pęk-nąć/ać> z trzaskiem; puk-nąć/ać; (*o korku itd*) strzel-ić/ać 2. *pot* pójść/iść; sk-oczyć/akać; **to** ~ **into bed** wskoczyć do łóżka Ⅲ *vt* (-pp-) 1. roz-erwać/rywać (balonik itd.) 2. strzel-ić/ać (**a gun** etc. ze strzelby itd.); **to** ~ **the question** oświadczyć się 3. wyciąg-nąć/ać z trzaskiem (korek itd.) 4. *am* prażyć (na suchej patelni ziarnka kukurydzy, które pękają z trzaskiem) 5. s/chować <cis-nąć/kać, wsu-nąć/wać> (**sth into a drawer** etc. coś do szuflady itd.) 6. *sl* zastawi-ć/ać (w lombardzie)

~ **in** *vi pot* za-jrzeć/glądać <wpa-ść/dać, wsk-oczyć/akiwać> (do kogoś)

~ **off** *vi pot* 1. zemknąć/zmykać 2. zas-nąć/ypiać 3. *sl* (*także* **to** ~ **off the hooks**) wykitować, wyciągnąć kopyta, umrzeć

~ **out** *vi pot* wysk-oczyć/akiwać (z domu itd.)

~ **over** <round> *vi pot* skoczyć <polecieć> (do sklepu itd.)

~ **up** *vi pot* wysk-oczyć/akiwać (skądś)

Ⅳ *adv* z hukiem; **to go** ~ (*o korku itd*) strzel-ić/ać; (*o baloniku itd*) trzas-nąć/kać

pop² [pɔp] *s pot* koncert popularny

pop³ [pɔp] *s am pot* tatuś

pop⁴ [pɔp] *s pot* kochanie; dziecina

pop⁵ [pɔp] = **poppycock**

pop-corn ['pɔp‚kɔ:n] *s am zbior* kukurydza prażona (na suchej patelni)

pope¹ [poup] *s* 1. papież; *przen* człowiek nieomylny; ~ **Joan** a) (legendarna) papieżyca b) rodzaj gry w karty; *kulin* ~'s **eye** gruczoł limfatyczny pokryty tłuszczem w udzie baranim; ~'s **head** okrągła szczotka na długim kiju; ~'s **nose** kuper ptasi 2. *zoo* jazgarz (ryba)

pope² [poup] *s* pop (prawosławny)

pope³ [poup] *s* pachwina; **to take sb's** ~ trafi-ć/ać <uderz-yć/ać> kogoś w pachwinę

popedom ['poupdəm] *s* papiestwo

popery ['poupəri] *s* papizm

pop-eyed ['pɔp͵aid] *adj pot* 1. z wyłupiastymi oczami 2. z oczami szeroko rozwartymi (ze zdumienia itd.)

pop-gun ['pɔp͵gʌn] *s* pukawka; *pog* strzelba

popinjay ['pɔpin͵dʒei] *s* 1. † papuga 2. cel do strzelania 3. strojniś, modniś, goguś 4. *zoo* zielony dzięcioł

popish ['poupiʃ] *adj uj* papieski; *hist* papistowski; klerykalny

poplar ['pɔplə] *s bot* topola; trembling ~ osika

Poplarism ['pɔplə͵rizəm] *s* rozrzutna polityka pomocy społecznej (praktykowana około 1920 r. w Anglii)

poplin ['pɔplin] *s tekst* popelina

popliteal [pɔp'litiəl] *adj anat* podkolanowy

poppa ['pɔpə] = pop³

poppet ['pɔpit] *s* 1. *dial* kruszyna; kochanie; dziecinka 2. *mar* belka ślizgowa (do wodowania statku 3. *techn* konik <głowica> (obrabiarki, tokarki) 4. *techn* (*także* ~ valve) zawór grzybkowy <stożkowy>

poppet-head [͵pɔpit'hed] = poppet 3.

poppet-valve ['pɔpit͵vælv] = poppet 4.

poppied ['pɔpid] *adj* 1. usiany makami 2. powodujący odurzenie <senność> 3. odurzony; senny

popping-crease ['pɔpiŋ͵kriːs] *s* (*w krykiecie*) linia graniczna przed celem

popple ['pɔpl] Ⅰ *vi* 1. (*o wodzie*) przewalać się 2. chlupotać 3. falować Ⅱ *s* 1. przewalanie się (fal) 2. falowanie

popply ['pɔpli] *adj* 1. chlupoczący 2. falujący

poppy ['pɔpi] *s bot* mak; Poppy Day rocznica zawieszenia broni w 1918 r. (obchodzona corocznie w sobotę najbliższą 11.XI.)

poppycock ['pɔpi͵kɔk] *s am sl* głupstwa; bzdury; androny

poppy-head ['pɔpi͵hed] *s* makówka

poppy-seed ['pɔpi͵siːd] *s* mak (nasienie)

pop-shop ['pɔp͵ʃɔp] *s sl* lombard; zakład zastawniczy

popsy(-wopsy) ['pɔpsi('wɔpsi)] *s pot* dzieweczka; kochanie

populace ['pɔpjuləs] *s* motłoch; pospólstwo; † czerń; † gmin

popular ['pɔpjulə] Ⅰ *adj* 1. ludowy 2. popularny 3. (*o cenach*) przystępny 4. (*o wyrażeniu*) potoczny 5. (*o przesądach itd*) ludowy; pokutujący wśród ludu 6. lubiany; cieszący się popularnością <mirem, wzięciem>; to be ~ with — cieszyć się popularnością <mirem, wzięciem> u ...; mieć powodzenie u ...; to make oneself ~ zyskać popularność; zdobyć sympatię Ⅱ *s* (*także* ~ concert) koncert popularny <po zniżonych cenach>

popularity [͵pɔpju'læriti] *s* popularność

popularization [͵pɔpjulərai'zeiʃən] *s* popularyzacja, popularyzowanie

popularize ['pɔpjulə͵raiz] *vt* s/popularyzować; propagować

popularizer ['pɔpjulə͵raizə] *s* popularyzator/ka

populate ['pɔpju͵leit] *vt* zaludni-ć/ać

▲population [͵pɔpju'leiʃən] *s* 1. ludność 2. *biol* populacja

populist ['pɔpjulist] *s am polit* ludowiec <postępowiec> (członek partii powstałej w 1892 r., żądającej upaństwowienia kolei, progresji podatków i innych reform)

populous ['pɔpjuləs] *adj* gęsto zaludniony; ludny

porbeagle ['pɔː͵biːgl] *s zoo* żarłacz śledziowy (ryba)

porcelain ['pɔːslin] Ⅰ *s* porcelana; *zoo* ~ shell porcelanka (mięczak morski) Ⅲ *attr* porcelanowy; ~ clay glinka porcelanowa, kaolin

porcellaneous [͵pɔːsə'leinjəs] *adj* podobny do porcelany

porcel(l)anite ['pɔːsələ͵nait] *s miner* porcelanit

porch [pɔːtʃ] *s* 1. portyk; ganek; przedsionek; *kość* kruchta 2. *am* weranda

porched [pɔːtʃt] *adj* (*o domu itd*) z portykiem <z przedsionkiem, gankiem>; (*o kościele*) z kruchtą

porcine ['pɔːsain] *adj* świński; wieprzowy

porcupine ['pɔːkju͵pain] *s* 1. *zoo* jeżozwierz 2. *tekst* czesarka (maszyna)

pore¹ [pɔː] *s anat* por, otworek

pore² [pɔː] *vi* zagłębi-ć/ać się (over sth w coś, w czymś); ślęczeć <zamyślać się> (over sth nad czymś)

porgy ['pɔːdʒi] *s zoo* morlesz (ryba)

▲pork [pɔːk] *s* 1. wieprzowina, mięso wieprzowe 2. *am sl* fundusze państwowe udzielane przez protekcję na cele społeczne

pork-butcher ['pɔːk͵butʃə] *s* masarz

porker ['pɔːkə] *s* tuczn-y/a wieprz <świnia>, tucznik

porkling ['pɔːkliŋ] *s* prosię

pork-pie ['pɔːk͵pai] *s* pasztet wieprzowy w cieście; a ~ hat damski kapelusz filcowy z okrągłym denkiem i podwiniętym rondem

porky ['pɔːki] *adj* 1. (*o potrawie itd*) przypominający wieprzowinę; tłusty 2. opasły

pornographic [͵pɔːnə'græfik] *adj* pornograficzny

pornography [pɔː'nɔgrəfi] *s* pornografia

porosity [pɔː'rɔsiti] *s* porowatość

porous ['pɔːrəs] *adj* porowaty; gąbczasty

porphyry ['pɔːfiri] *s geol* porfir

porpoise ['pɔːpəs] Ⅰ *s zoo* morświn (ssak morski) Ⅱ *vi lotn* (*o hydroplanie*) kołysać się wzdłużnie (na wodzie)

porraceous [pɔ'reiʃəs] *adj* zielonkawy

porridge ['pɔridʒ] *s* owsianka, kasza owsiana

porrigo [pə'raigou] *s med* strupień (choroba skóry owłosionej)

porringer ['pɔrindʒə] *s* miska, miseczka

▲port¹ [pɔːt] Ⅰ *s* port; *przen* przystań; close ~ port śródlądowy <rzeczny> Ⅲ *attr* (*o opłatach itd*) portowy; ~ admiral (admirał) komendant portu (wojennego)

port² [pɔːt] *s* 1. *szkoc* brama (miejska) 2. *mar* (*na statku*) otwór ładunkowy 3. (*na dawnym okręcie wojennym*) otwór działowy 4. *mar* (*także* ~-hole) iluminator; świetlik 5. *techn* otwór (wlotowy, wylotowy itp.)

port³ [pɔːt] *s* 1. postawa, sposób trzymania się; chód; ruchy 2. *wojsk* trzymanie karabinu w pozycji do przeglądu

port⁴ [pɔːt] Ⅰ *s mar* lewa burta Ⅲ *vt* sterować w lewo (sth czymś) Ⅲ *vi* obr-ócić/acać się w lewo

port⁵ [pɔːt] *s* (*także* ~-wine) porto, portwajn

portability [͵pɔːtə'biliti] *s* portatywność

portable ['pɔːtəbl] *adj* portatywny; przenośny; (*o maszynie do pisania itd*) portable

portage ['pɔːtidʒ] Ⅰ *s* 1. przewóz; transport 2.

koszty przewozu <transportu>; przewoźne 3. transport łodzi między jedną drogą wodną a drugą Ⅲ *vt* prze/transportować (łódź, towar) lądem z jednej drogi wodnej na drugą

portal¹ ['pɔːtl] *s arch* portal, wejście monumentalne

portal² ['pɔːtl] *adj anat* ~ **vein** żyła wrotna

portative ['pɔːtətiv] *adj* dźwigający; ~ **force** siła nośna

portcrayon [ˌpɔːt'kreiɔn] *s* obsadka do kredki rysunkowej

portcullis [ˌpɔːt'kʌlis] *s* krata spuszczana (w bramie twierdzy)

Porte [pɔːt] *s (także* **the Sublime** ~) Porta Otomańska

porte-cochère ['pɔːt-kou'ʃɛə] *s* brama (wjazdowa)

portend [pɔː'tend] *vt* zapowiadać <zwiastować, wróżyć> (nieszczęście itd.)

portent ['pɔːtent] *s* 1. zapowiedź <znak> (czegoś złego) 2. cudo

portentous [pɔː'tentəs] *adj* 1. złowieszczy; złowrogi 2. cudowny

porter¹ ['pɔːtə] *s* 1. portier; szwajcar; odźwierny; ~'s **lodge** portiernia; stróżówka 2. *am* obsługujący (w wagonie sypialnym)

porter² ['pɔːtə] *s* 1. bagażowy; numerowy; tragarz; ~'s **knot** poduszka na plecach (stosowana przy noszeniu wielkich ciężarów) 2. *techn* dźwigarka do przenoszenia ciężarów 3. porter (gatunek piwa)

porterage ['pɔːtəridʒ] *s* 1. noszenie pakunków <ciężarów> 2. opłata za przeniesienie (ciężkiego) pakunku

porter-house ['pɔːtəˌhaus] *s am* piwiarnia; jadłodajnia; gospoda; ~ **steak** befsztyk z polędwicy

portfire ['pɔːtˌfaiə] *s* lont; przewód ogniowy

portfolio [ˌpɔːt'fouljou] *s* 1. teczka; aktówka 2. *przen* teka (ministerialna) 3. *bank* portfel (wekslowy itp.)

porthole ['pɔːtˌhoul] *s* = **port²** 2., 3., 4.

portico ['pɔːtiˌkou] *s (pl* ~s, ~es) *arch* portyk

portière [pɔːt'jeə] *s* portiera

portion ['pɔːʃən] Ⅰ *s* 1. porcja; (przypadająca komuś <na kogoś>) część <cząstka>; udział; przydział; nadział (gruntu) 2. partia (czegoś — utworu itd.; towaru itd.); *bank* transza (część emisji) 3. odcinek (biletu itd.) 4. posag 5. los; przeznaczenie; dola Ⅲ *vt* 1. po/dzielić (majątek itd.) 2. (*także* ~ **out**) wydziel-ić/ać (**sth to sb** coś komuś) 3. wyposaż-yć/ać (córkę itd.)

portionless ['pɔːʃənlis] *adj (o kobiecie)* bez posagu

Portland ['pɔːtlənd] Ⅰ *spr* więzienie w Portland Ⅲ *attr* portlandzki (cement itd.)

portliness ['pɔːtlinis] *s* 1. dostojeństwo; godność; dostojność; powaga 2. korpulentność; tusza

portly ['pɔːtli] *adj* (**portlier** ['pɔːtliə], **portliest** ['pɔːtliist]) 1. dostojny; godny; poważny 2. korpulentny; tęgi

portmanteau [pɔːt'mæntou] *s (pl* ~s, ~x [pɔːt 'mæntouz]) waliza; ~ **word** (żartobliwa) kontaminacja (np. **slanguage** = **slang** + **language**)

portrait [pɔːtrit] *s dosł i przen* portret

portrait-painter ['pɔːtritˌpeintə], **portraitist** ['pɔː tritist] *s* portrecist-a/ka

portraiture ['pɔːtritʃə] *s* 1. portret 2. s/portretowanie 3. opis; opisywanie

portray [pɔː'trei] *vt* 1. s/portretować 2. opis-ać/ywać; odtw-orzyć/arzać

portrayal [pɔː'treiəl] *s* 1. portret 2. s/portretowanie 3. opis; opis-anie/ywanie; odmalow-anie/ywanie; przedstawi-enie/anie (obrazu, sceny itd.)

portrayer [pɔː'treiə] *s* odtwór-ca/czyni

portreeve ['pɔːtˌriːv] *s hist* burmistrz; *(obecnie)* zastępca burmistrza, wiceburmistrz

portress ['pɔːtris] *s* 1. portierka 2. furtianka (klasztorna)

Portuguese [ˌpɔːtjuˈgiːz] Ⅰ *adj* portugalski Ⅲ *s* 1. Portugal-czyk/ka; *pl* **the** ~ Portugalczycy 2. język portugalski

portulaca [ˌpɔːtjuˈleikə] *s bot* portulaka (ziele)

port-wine ['pɔːtˌwain] *zob* **port⁵**

pose¹ [pouz] Ⅰ *s* 1. (przybierana przez kogoś) poza; postawa 2. pozowanie (na kogoś, coś); poza; afektacja Ⅲ *vi* 1. pozować (do portretu) 2. przyb-rać/ierać pozę <minę> 3. pozować (**as sb, sth** na kogoś, coś); udawać (**as a connoisseur etc.** znawcę itd.) 4. (*w dominie*) położyć/ kłaść pierwszą kostkę Ⅲ *vt* 1. postawić/stawiać (pytanie) 2. wypowi-edzieć/adać <wygł-osić/ aszać, s/formułować> (opinię itd.) 3. przyt-oczyć/ aczać (przykład) 4. upozować (model)

pose² [pouz] *vt* wprawi-ć/ać w zakłopotanie; zask-oczyć/akiwać; zada-ć/wać kłopotliwe pytanie (**sb** komuś); zabi-ć/jać klina (**sb** komuś)

poser ['pouzə] *s* kłopotliwe pytanie; **to give sb a** ~ zabić komuś klina

poseur [pou'zəː] *s* pozer/ka

posh [pɔʃ] Ⅰ *adj sl* tip-top, ef-ef; szykowny; elegancki Ⅲ *vt vi sl* wy/fiokować <wy/elegantować> (się)

~ **oneself up** *vr sl* = ~ *vi*

posit ['pɔzit] *vt* 1. za-łożyć/kładać <przyj-ąć/mować> (**that** __ że ...); wysu-nąć/wać (postulat) 2. umie-ścić/szczać

position [pə'ziʃən] Ⅰ *s* 1. *filoz* twierdzenie 2. położenie; pozycja; stanowisko; sytuacja; (właściwe) miejsce; **in** ~ na (swoim) miejscu; **out of** ~ nie na (swoim) <na nie właściwym> miejscu; **to place in** ~ ustawi-ć/ać 3. *wojsk* stanowisko; pozycja 4. (zajmowane w jakiejś sprawie) stanowisko; nastawienie 5. położenie; stan; możność; **to be in a** ~ **to do sth** być w stanie coś zrobić; mieć możność zrobienia czegoś 6. *szk* lokata 7. (urzędowe itd.) stanowisko; posada; **people of** ~ ludzie wysoko postawieni <na (wysokich) stanowiskach> 8. sytuacja (czyjaś); warunki (czyjeś); **in a difficult <awkward>** ~ w trudnym <kłopotliwym> położeniu; **put yourself in my** ~ wejdź w moje położenie Ⅲ *vt* 1. ustawi-ć/ać; u/lokować; umie-ścić/szczać 2. umiejsc-owić/awiać; okreś-lić/ać położenie (**sth** czegoś)

positional [pə'ziʃn̩] *adj* pozycyjny

positive ['pɔzitiv] Ⅰ *adj* 1. *(o prawach)* pozytywny <stanowiony> (w odróżnieniu od prawa naturalnego) 2. stanowczy; kategoryczny; *(o tonie)* rozkazujący 3. przekonany; przeświadczony; (bezwzględnie) pewny 4. *gram (o stopniu przymiotnika, przysłówka)* równy <pierwszy> 5. (*o cudzie, zmorze, nieszczęściu itd*) formalny; istny; prawdziwy 6. niezaprzeczony; bezwzględny 7. pozytywny; (także mat elektr) dodatni; ~ philosophy pozytywizm; ~ sign znak dodawania, plus 8. (o usposobieniu, umyśle) praktyczny III s 1. mat wielkość dodatnia 2. gram stopień równy <pierwszy> (przymiotnika, przysłówka) 3. fot pozytyw

positively ['pozitivli] adv 1. pozytywnie; (także mat elektr) dodatnio 2. stanowczo; kategorycznie; zdecydowanie; (mówić, twierdzić) z całą stanowczością 3. formalnie; he was ~ furious on był po prostu wściekły

positiveness ['pozitivnis] s 1. pozytywność 2. pewność 3. kategoryczność

positivism ['poziti,vizəm] s filoz pozytywizm

positivist ['pozitivist] s filoz pozytywist-a/ka

positron ['pozitron] s fiz pozytron, elektron dodatni

posse ['posi] s 1. oddział (policji) 2. grupa ludzi 3. ~ comitatus [,komi'teitəs] a) osoby podlegające obowiązkowi stawiennictwa na wezwanie szeryfa dla utrzymania spokoju publicznego b) pospolite ruszenie

possess [pə'zes] III vt 1. posiadać; mieć; być w posiadaniu (sth czegoś); władać (sth czymś); to be ~ed of sth a) posiadać coś; być właścicielem czegoś b) być obdarzonym czymś (zaletą itd.); to ~ one's soul <mind> in patience uzbroić się w cierpliwość 2. posiąść (kobietę) 3. opętać; to be ~ed być opętanym (by the devil przez diabła; with an idea jakąś myślą); być owładniętym (by fear lękiem) III vr ~ oneself posiąść (of sth coś); zawładnąć (of sth czymś); opanować (of sth coś); przywłaszcz-yć/ać sobie (of sth coś) zob possessed

possessed [pə'zest] III zob possess III adj 1. opanowany; spokojny 2. opętany; one ~ opętaniec; am like all ~ jak wszyscy diabli

possession [pə'zeʃən] s 1. posiadanie; władanie (of sth czymś); ~ is nine points of the law beatus qui tenet (posiadanie (czegoś) stwarza korzystną sytuację prawną); (w ogłoszeniach) vacant ~ (realność) do objęcia natychmiast; to be in ~ of sth posiadać <mieć> coś; być właścicielem czegoś; władać czymś; (o przedmiocie) to be in the ~ of a person być <znajdować się> w czyimś posiadaniu; to come <enter> into ~ of sth wejść/wchodzić w posiadanie czegoś; ob-jąć/ejmować coś w posiadanie; to regain <resume> ~ of __ odebrać <odzyskać> ...; to rejoice in the ~ of sth być szczęśliwym posiadaczem czegoś; to take ~ of sth wziąć <zabrać> coś; zawładnąć czymś; opanować <przywłaszczyć sobie> coś 2. opętanie 3. posiadany przedmiot 4. posesja 5. pl ~s majątek osobisty; ruchomości; dobytek; chudoba 6. pl ~s posiadłości (kraju); kolonie; zdobycze 7. opanowanie; spokój; panowanie nad sobą

possessive [pə'zesiv] III adj 1. własnościowy; (o instynkcie, chęci itd) posiadania 2. gram dzierżawczy III s gram 1. dopełniacz 2. zaimek dzierżawczy

possessor [pə'zesə] s właściciel/ka; posiadacz/ka

possessorship [pə'zesəʃip] s posiadanie

possessory [pə'zesəri] adj prawn posesoryjny

posset ['posit] s napój z grzanego mleka zaprawionego winem i korzeniami

possibility [,posə'biliti] s 1. możliwość; możność; rzecz możliwa; there is no ~ of __ jest rzeczą niemożliwą ... 2. ewentualność; if by any ~ __ jeśli <o ile> przypadkowo ... 3. pl possibilities szanse

possible ['posəbl] III adj 1. możliwy; as good <big, small, well, quickly etc.> as ~ jak najlepszy <największy, najmniejszy, najlepiej, najszybciej itd.>; as much <many> as ~ jak najwięcej; if ~ w miarę możliwości; it is scarcely ~ to say it __ trudno powiedzieć, czy ...; it was just ~ istniała znikoma możliwość 2. (o ludziach) znośny; the one ~ man jedyny człowiek, z którym można wytrzymać <rozmawiać itd.> 3. ewentualny; dopuszczalny 4. (zw barely <scarcely> ~) (mało) prawdopodobny 5. ze stopniem najwyższym: jak naj-; the best <highest etc.> ~ jak najlepszy <najwyższy itd.> III s 1. (w strzelaniu) maksymalna ilość punktów, jaką można osiągnąć; to do one's ~ do-łożyć/kładać wszelkich starań; starać się z całych sił; pot stawać na głowie 2. kandydat mający widoki na przyjęcie

possibly ['posəbli] adv 1. możliwie 2. (być) może; może być; (to jest) możliwe 3. w zdaniach przeczących: not ~ w żaden sposób <żadnym sposobem> (nie mogę, nie potrafię itd.); I cannot ~ do that w żaden sposób nie mogę tego zrobić 4. w pytaniach (zw z can, could): w jakiś sposób; can we ~ help him? czy możemy w jakiś sposób mu pomóc?; wyraża zakłopotanie, zdumienie, zniecierpliwienie itd: how can we ~ do that? jakim cudem my to zrobimy?; what can we ~ do? cóż my możemy do diaska poradzić?; where can he ~ be? gdzie on się u licha podziewa? 5. w zdaniach twierdzących jako wzmocnienie: all you ~ can wszystko, co w twojej <waszej> mocy; if <as soon as> we ~ can jeżeli <skoro tylko> będziemy mogli

possum ['posəm] s pot = opossum; to play ~ udawać; symulować (chorobę); przy/czaić <kryć> się; karc nie odkrywać (swoich) kart

post¹ [poust] III s 1. słup, słupek; pal; as deaf as a ~ głuchy jak pień; sport starting ~ start; winning ~ meta 2. (u drzwi, okna) węgar; ościeżnica 3. (także bed-~) słupek baldachimu (staromodnego łóżka) 4. górn stojak; słup; podpora; filar III vt 1. (także ~ up) roz/plakatować; afiszować; ogł-osić/aszać za pomocą afiszów 2. rozlepi-ć/ać (afisze); zalepi-ć/ać <oblepi-ć/ać> (mur itd.) afiszami 3. wywię-sić/szać (listę, ogłoszenie itd.) 4. uniw umie-ścić/szczać (a candidate nazwisko kandydata) na liście nie przyjętych; (w klubie itd) to ~ a member poda-ć/wać do ogólnej wiadomości, że dany stowarzyszony nie spełnił swych obowiązków; to ~ a ship ogł-osić/aszać, że dany statek zaginął <jest opóźniony>

post² [poust] III s 1. poczta (ogół przesyłek); korespondencja; a heavy ~ obfita korespondencja; dużo listów; ~ office = post-office; the morning <afternoon, evening> ~ poczta poranna <popołudniowa, wieczorna>; has the ~ come (yet)? czy był listonosz?; czy była poczta?; to open one's ~ a) otw-orzyć/ierać (otrzymane listy) b) prze/czytać korespondencję; by return of ~ odwrotną pocztą 2. poczta (instytucja); to send sth by ~ pos-łać/yłać coś pocztą 3. (zw ~-office) poczta (urząd);

take this to the ~ zanieś/cie to na pocztę 4. dział poczty; **registered** ~ dział przesyłek poleconych; **by registered** ~ (posłać coś) przesyłką poleconą 5. (*w nazwach gazet*) kurier 6. = **post-paper** 7. *hist* kurier; pocztylion III *vt* 1. pos-łać/yłać pocztą 2. zan-ieść/osić (list) na pocztę; wrzuc-ić/ać (list) do skrzynki pocztowej 3. *księgow* za/księgować 4. (*także* ~ **up**) dokładnie po/informować; udziel-ić/ać wyczerpujących informacji (**sb** komuś) III *vi hist* po/jechać rozstawnymi końmi; *przen* po/pędzić IV *adv* 1. *hist* (jechać) rozstawnymi końmi 2. (jechać) w cwał; cwałem, z wielkim pośpiechem

post³ [poust] II *s* 1. *wojsk* posterunek; placówka; obsada placówki 2. (*także* **trading-**~) faktoria 3. stanowisko; posada; *przen* posterunek 4. *mar* stanowisko kapitana (okrętu wojennego) 5. *wojsk* capstrzyk; **the last** ~ ostatnie honory (oddawane nad grobem) III *vt* 1. postawić/stawiać <rozstawi-ć/ać> (posterun-ek/ki) 2. za/mianować (**sb as captain** kogoś kapitanem okrętu wojennego); **to** ~ **sb to a command** powierz-yć/ać komuś dowództwo

post-⁴ [poust-] *przedrostek* 1. po-; **postglacial** polodowcowy; **postoperative** pooperacyjny; **postwar** powojenny 2. poza-; **postcentral** pozaśrodkowy

postage ['poustidʒ] *s* opłata pocztowa; porto; ofrankowanie; **extra** <**additional**> ~ dopłata (do porta); **inland** <**foreign**> ~ porto w obrocie krajowym <zagranicznym>; ~ **stamp** znaczek pocztowy

postal ['poustǝl] II *adj* pocztowy; *am* ~ **card** pocztówka, kartka pocztowa; ~ **order** przekaz pieniężny III *s am* = ~ **card**

post-bag ['poust,bæg] *s* worek pocztowy

post-boy ['poust,bɔi] *s* 1. listonosz 2. † foryś

post-captain ['poust,kæptin] *s mar hist* dowódca okrętu wojennego

post-card ['poust,ka:d] *s* karta <kartka> pocztowa, pocztówka; **picture** ~ widokówka

post-chaise ['poust,ʃeiz] *s hist* kareta pocztowa

post-classical ['poust,klæsikǝl] *adj* (*o okresie literatury, sztuki itd*) poklasyczny, postklasyczny

postdate ['poust,deit] *vt* zaopat-rzyć/rywać (czek itd.) w datę późniejszą (od dnia wystawienia), postdatować

post-day ['poust,dei] *s* dzień przybycia <odejścia> poczty

post-diluvial ['poust-dai'lu:vjǝl] *adj* 1. *geol* podyluwialny 2. dotyczący okresu po potopie, popotopowy

post-diluvian ['poust-dai'lu:vjǝn] = **post-diluvial**

posted ['poustid] *adj* (*o staromodnym łóżku*) z baldachimem

post-entry ['poust,entri] *s* 1. *księgow* pozycja zaksięgowana uzupełniająco 2. uzupełniająca deklaracja celna

poster ['poustǝ] *s* 1. afisz, plakat 2. rozlepiacz/ka afiszów

postered ['poustǝd] *adj* 1. (*o towarze itd*) reklamowany afiszami 2. (*o murze itd*) oblepiony afiszami

poste restante ['poust'restãt] *s* poste-restante

posterior [pɔs'tiǝriǝ] II *adj* 1. późniejszy; (*o wiekach, pokoleniach itd*) następny 2. tylny; zadni III *s* (*także* † *pl*) zadek; **to kick sb's** ~ kop-nąć/ać kogoś w zadek <w pośladek>

posteriority [pɔs,tiǝri'ɔriti] *s* późniejsze ukazanie <pojawienie> się

posteriorly [pɔs'tiǝriǝli] *adv* później; następnie

posterity [pɔs'teriti] *s* potomność; późniejsze pokolenia; potomkowie

postern ['poustǝ:n] *s* tylne <boczne> wejście; furtka; *fort* poterna; ~ **door** tylne drzwi

postfix ['poustfiks] II *s gram* przyrostek III *vt* [,poust'fiks] *gram* doda-ć/wać jako przyrostek

post-free ['poust'fri:] *adj* wolny od opłaty pocztowej

post-glacial ['poust'gleisjǝl] *adj geol* polodowcowy

post-graduate ['poust'grædjuit] II *adj* (*o kursie nauki*) odbywany po ukończonych studiach; **a** ~ **course** specjalizacja III *s* (*także* ~ **student**) doktorant/ka

post-haste ['poust'heist] *adv* z największym pośpiechem; galopem; cwałem, w cwał; co koń wyskoczy; *hist* rozstawnymi końmi

posthorn ['poust,hɔ:n] *s hist* trąbka pocztyliona

post-horse ['poust,hɔ:s] *s hist* koń pocztowy

post-house ['poust,haus] *s hist* stacja pocztowa; *dial* poczta

posthumous ['pɔstjumǝs] *adj* pośmiertny; (*o potomku*) urodzony po śmierci ojca

postiche [pɔs'ti:ʃ] II *adj* 1. (niestosownie) dodany (do rzeźby, pomnika itp.) 2. sztuczny 3. (*o brodzie, włosach itd*) przyprawiony III *s* przypinane włosy; przypinana grzywka

postillion [pǝs'tiljǝn] = **post-boy** 2.

post-impressionism ['poust-im'preʃnizǝm] *s* postimpresjonizm

postlude ['poust,lu:d] *s muz* postludium (przygrywka na zakończenie utworu)

postman ['poustmǝn] *s* (*pl* **postmen** ['poustmǝn]) listonosz

postmark ['poust,ma:k] II *s* stempel pocztowy III *vt* o/stemplować (datownikiem pocztowym)

postmaster¹ ['poust,ma:stǝ] *s* naczelnik poczty; pocztmistrz; **Postmaster General** minister poczt

postmaster² ['poust,ma:stǝ] *s uniw* stypendysta jednego z kolegiów oxfordzkich

post-meridian ['poust-mǝ'ridiǝn] *adj* popołudniowy

post-mistress ['poust,mistris] *s* kierowniczka urzędu pocztowego

post-mortem ['poust'mɔ:tǝm] II *adj* pośmiertny III *s med* sekcja zwłok

post-natal ['poust'neitl] *adj* pourodzeniowy

postnuptial ['poust'nʌpʃǝl] *adj* poślubny

post-obit ['poust'oubit] II *adj* (*o dokumencie itd*) nabierający ważności dopiero po czyjejś śmierci III *s* skrypt dłużny, płatny po śmierci wymienionej w nim osoby

post-office ['poust,ɔfis] II *s* poczta, urząd pocztowy III *attr* pocztowy

post-paid ['poust,peid] *adj* (*o porcie*) opłacony; (*o liście*) ofrankowany; (*o przesyłce*) z opłaconym portem

post-paper ['poust,peipǝ] *s* format papieru listowego (20 × 16 cali)

postpone ['poust'poun] II *vt* 1. od-łożyć/kładać odr-oczyć/aczać; zwlekać (**sth z** czymś); od-wle-c/kać 2. podporządkow-ać/ywać (**one thing to another** coś czemuś) III *vi med* opóźni-ć/ać się

postponement [poust'pounmǝnt] *s* 1. odroczenie;

zwłoka 2. podporządkow-anie/ywanie (of one thing to another jednej rzeczy drugiej)

postposition [ˌpoust-pə'ziʃən] s gram postpozycja (słowo lub partykuła zrośnięte z wyrazem lub umieszczone za nim)

post-prandial [ˌpoust'prændjəl] adj poobiedni

postprimary [poust'praiməri] adj (o wykształceniu) średni

postscript ['pousskript] s dopisek, postscriptum

post-town ['poust,taun] s miasto posiadające główny urząd pocztowy

postulant ['pɔstjulənt] s postulant/ka (kandydat/ka zw do zakonu)

postulate ['pɔstju,leit] ① vt 1. domagać się <za/żądać> (sth czegoś); wysu-nąć/wać jako postulat 2. za-łożyć/kładać (that — że ...) ③ vi domagać się <za/żądać> (for sth czegoś); wysu-nąć/wać jako postulat (for sth coś) ③ s ['pɔs tjulit] postulat

postulation [ˌpɔstju'leiʃən] s 1. żądanie; postulat 2. założenie

posture ['pɔstʃə] ① s 1. postawa <poza> (jaką ktoś przybiera) 2. stan (spraw); położenie ③ vt ustawi-ć/ać; upozować ③ vi przyb-rać/ierać pozór <postawę, pozę>; pozować (as sb, sth na kogoś, coś)

posture-master ['pɔstʃə,mɑːstə] s nauczyciel/ka rytmiki

posturer ['pɔstʃərə] s akrobat-a/ka

post-war ['poust'wɔː] adj powojenny

posy ['pouzi] s 1. napis (na pierścionku) 2. bukiet (kwiatów)

pot [pɔt] ① s 1. wazonik; doniczka 2. kufel; dzban 3. garnek; rondel; kocioł; przen a big ~ gruba ryba; ~s and pans naczynia kuchenne; pot ~s of money kupa forsy; the ~ calls the kettle black przyganiał kocioł garnkowi; przen wulg to go to ~ zejść na psy; przen to keep the ~ boiling a) zarabiać na życie b) podtrzymywać rozmowę; przen to make the ~ boil wiązać koniec z końcem; to put a quart into a pint ~ porywać się z motyką na słońce 4. słój, słoik 5. (także chamber-~) nocnik 6. (także melting-~) tygiel 7. sl sport puchar 8. ryb więcierz 9. (także chimney-~) nadstawka kominowa 10. karc pula 11. bil łuza 12. = pot--shot ③ vt (-tt-) 1. za/konserwować <przechow-ać/ywać> (mięso itd.) w glinianych <fajansowych> naczyniach 2. za/sadzić (roślin-ę/y) w donicz-ce/kach 3. bil wrzuc-ić/ać (bilę) do łuzy 4. ustrzelić (zwierzynę) 5. chwy-cić/tać; z/łapać ③ vi (-tt-) strzel-ić/ać (at game do zwierzyny)

potable ['poutəbl] adj (nadający się) do picia

potamic [pə'tæmik] adj rzeczny

potash ['pɔtæʃ], **potass** ['pɔtəs] s chem potaż, techniczny węglan potasowy; **caustic** ~ techniczny wodorotlenek potasowy; potaż żrący

potassium [pə'tæsjəm] s chem potas (pierwiastek); ~ **cyanide** cyjanek potasu

potation [pou'teiʃən] s 1. napój, pot napitek 2. łyk 3. (zw pl) pijaństwo

potato [pə'teitou] s (pl ~es) ziemniak, kartofel; przen sl small ~es człowiek <przedmiot> mało ważny; **sweet** ~ batat; sl it is quite the ~ wypada; przystoi; jest odpowiednie; pot można śmiało (to zrobić itd.)

potato-beetle [pə'teitou,biːtl] s zoo stonka ziemniaczana

potato-box [pə'teitou,bɔks] = **potato-trap**

potato-bug [pə'teitou,bʌg] = **potato-beetle**

potato-lifter [pə'teitou,liftə] s roln koparka (do ziemniaków)

potato-trap [pə'teitou,træp] s sl gęba; pysk

pot-bellied ['pɔt,belid] adj brzuchaty; (o garnku itd) pękaty

pot-belly ['pɔt,beli] s pot 1. bańdzioch, kałdun; wystający brzuch 2. (o człowieku) brzuchacz

pot-boiler ['pɔt,bɔilə] s 1. mierny artykuł <utwór literacki> napisany dla zarobku 2. pismak

pot-boy ['pɔt,bɔi] s pomocnik karczmarza; bufetowy

poteen [pɔ'tiːn] s whisky pędzona potajemnie; pot samogon, bimber

potency ['poutənsi] s 1. potęga; siła; moc; wigor 2. fizj potencja

potent ['poutənt] adj 1. (zw poet) potężny; silny; mocny 2. (o argumencie itd) przekonywający, przekonujący 3. (o człowieku) pełen wigoru 4. (o leku) skuteczny

potentate ['poutən,teit] s potentat/ka

▲**potential** [pə'tenʃəl] ① adj 1. potencjalny; ukryty; utajony 2. gram warunkowy ③ s potencjał

potentiality [pə,tenʃi'æliti] s możliwość

potentilla [ˌpoutən'tilə] s bot pięciornik (ziele)

potentiometer [pə,tenʃi'ɔmitə] s elektr potencjometr

pot-hanger ['pɔt,hæŋgə] s 1. hak w kształcie litery S 2. (w kaligrafii) wężyk

pot-hat ['pɔt,hæt] s melonik (kapelusz)

potheen [pɔ'tiːn] = **poteen**

pother ['pɔðə] ① s 1. kłąb dymu; tuman kurzu 2. wrzawa; hałas; awantura ③ vt za/niepokoić; sprawi-ć/ać kłopot (sb komuś) ③ vi 1. podn-ieść/osić wrzawę 2. za/niepokoić się

pot-herb ['pɔt,həːb] s warzywo

pot-hole ['pɔt,houl] s 1. wybój 2. geol kocioł erozyjny

pot-hook ['pɔt,huk] = **pot-hanger**

pot-house ['pɔt,haus] s karczma; pot knajpa

pot-hunter ['pɔt,hʌntə] s 1. myśliwy polujący tylko dla zdobyczy 2. strzelec biorący udział w zawodach dla samego zdobycia nagród

potion ['pouʃən] s 1. napój leczniczy 2. dawka (lekarstwa, trucizny)

pot-lead ['pɔt,led] s grafit

pot-lid ['pɔt,lid] s przykrywka, pokrywka

pot-luck ['pɔt'lʌk] s cokolwiek do jedzenia; to take ~ with sb wstąpić <dać się zaprosić> do kogoś na przygodny posiłek; zjeść z kimś przygodny posiłek

potman ['pɔtmən] (pl **potmen** ['pɔtmən]) = **pot-boy**

pot-metal ['pɔt,metl] s 1. metal do wyrobu garnków 2. barwne szkło

pot-pourri ['pou'puri] s 1. aromatyczna mieszanina korzeni i ziół 2. muz potpourri

potsherd ['pɔt,ʃəːd] s czerep, skorupa

pot-shot ['pɔt'ʃɔt] s 1. łatwy strzał 2. strzał oddany na chybił trafił 3. strzał oddany jedynie dla zdobycia pożywienia 4. atak z bezpiecznej pozycji

pot-still ['pɔt,stil] s kocioł destylacyjny

pottage ['pɔtidʒ] s † polewka, zupa; *przen* **a mess of** ~ miska soczewicy

↑ **potter**[1] ['pɔtə] s garncarz

potter[2] ['pɔtə] vi 1. grzebać się (**at** <**in**> **sth** w czymś); gmerać; dłubać 2. łazić; włóczyć się; *pot szwendać się*
~ **about** vi gmerać; dłubać
~ **away** vt w *zwrocie*: **to** ~ **away one's time** tracić czas na głupstwa

pottery ['pɔtəri] s 1. wyroby garncarskie 2. garncarstwo 3. *pl* **the Potteries** wielki ośrodek przemysłu garncarskiego w środkowej Anglii

pottle ['pɔtl] s 1. † miara pojemności (= pół galona) 2. koszyk; kobiałka 3. napój wyskokowy; *pot alkohol*

potto ['pɔtou] s *zoo* lemur zachodnioafrykański

potty ['pɔti] adj (**pottier** ['pɔtiə], **pottiest** ['pɔtiist]) *sl* 1. lichy; marny; nędzny 2. (*o zadaniu itd*) łatwy; byle jaki; bzdurny 3. stuknięty, zbzikowany; **to be** ~ **wariować** (**about sb, sth** za kimś, czymś, na punkcie czegoś)

pot-valiant ['pɔt,væljənt] adj odważny po pijanemu

pot-valour ['pɔt,vælə] s ‘odwaga pijacka

pouch [pautʃ] [I] s 1. torba; worek; *przen* worek pod oczami; woreczek; kieszeń, kieszonka 2. † sakiewka 3. kapciuch (na tytoń) 4. *wojsk* ładownica 5. *zoo* torba (kangura itd.); torebka policzkowa (małpy) 6. *bot* torebka nasienna [III] vt 1. włożyć/wkładać <wsadz-ić/ać, s/chować> do torby <do worka, kieszeni> 2. *sl* posmarować łapę (**sb** komuś) 3. uszyć luźno <jak worek> [III] vi zwisać jak worek

pouf [pu:f] s 1. puf (miękki taboret) 2. kok (z włosów) 3. miękka otomana

poult [poult] s 1. kurczątko 2. młode ptactwa domowego (kurczę, indyczę itd.)

poulterer ['poultərə] s handla-rz/rka drobiu

poultice ['poultis] [I] s okład; kataplazm [III] vt położyć/kłaść okład (**sth** na coś); leczyć (coś) za pomocą okładów

poultry ['poultri] s drób

poultry-farm ['poultri,fa:m] s hodowla drobiu

poultry-house ['poultri,haus] s kurnik

poultry-show ['poultri,ʃou] s wystawa drobiu

poultry-yard ['poultri,ja:d] s podwórze (przeznaczone) dla drobiu

pounce[1] [pauns] [I] s 1. szpon, pazur (ptaka drapieżnego) 2. błyskawiczny ruch (ptaka drapieżnego, spadającego na zdobycz); **to make a** ~ **on** — a) (*o ptaku*) spa-ść/dać na... b) (*o człowieku itd*) rzuc-ić/ać się <sk-oczyć/akać> na... [III] vt (*o ptaku*) spa-ść/dać (**its prey** na zdobycz); chwy-cić/tać w szpony [III] vi 1. (*o ptaku*) spa-ść/dać (**upon its prey** na· zdobycz) 2. (*o człowieku*) rzuc-ić/ać się <sk-oczyć/akać> (**upon** — na...)

↑ **pounce**[2] [pauns] [I] s proszek węglowy <pumeksowy> [III] vt 1. pumeksować; wy/gładzić pumeksem 2. odbi-ć/jać (rysunek) węglem 3. posyp-ać/ywać (wzór) proszkiem węglowym

pound[1] [paund] [I] s 1. funt (wagi handlowej = 16 uncji = 453,6 g; wagi kruszców = 12 uncji = 373,2 g) 2. funt szterling (= 20 szylingów); **5** <**10 etc.**> **shillings in the** ~ **25** <**50** itd.> % [III] vi sprawdz-ić/ać wagę monet obiegowych

pound[2] [paund] [I] s 1. zagroda dla bydła zajętego w szkodzie <chodzącego samopas> 2. *przen* areszt [II] vt zam-knąć/ykać (bydło zajęte w szkodzie) w zagrodzie przeznaczonej do tego celu

pound[3] [paund] [I] vt 1. u/tłuc 2. utrzeć/ucierać; zetrzeć/ścierać 3. z/bić; walić; okładać [II] vi 1. walić <łomotać, tłuc> (**at** <**on**> **sth** w coś) 2. (*także* ~ **along**) ciężko <z łomotem> posuwać się naprzód

poundage ['paundidʒ] s 1. opłata od wagi 2. procent w funtach 3. prowizja

pound-cake ['paund,keik] s tort <placek> sporządzony z kilku składników w proporcjach jednofuntowych

pounder[1] ['paundə] s tłuczek

pounder[2] ['paundə] s 1. rzecz wagi 1 funta; w *złożeniach*: działo na pociski x-funtowe; **a 12-**~ działo (na pociski) 12-funtowe 2. rzecz o wartości 1 funta; w *złożeniach*: człowiek mający x funtów szterlingów dochodu

pour [pɔ:] vt po/lać; nal-ać/ewać (**sth** czegoś); rozl-ać/ewać; *przen* **to** ~ **cold water on sb** obl-ać/ewać kubłem zimnej wody <zniechęc-ić/ać> kogoś; **to** ~ **milk etc. into sth** wl-ać/ewać mleko itd. do czegoś; **to** ~ **missiles on a town etc.** pu-ścić/szczać <wypu-ścić/szczać> grad pocisków na miasto; *przen* **to** ~ **oil on troubled waters** za/łagodzić spór; uspokoić wzburzone umysły; **to** ~ **water etc. on sth** nal-ać/ewać wodę itd. na coś; obl-ać/ewać <pol-ać/ewać> coś wodą itd.; **to** ~ **wine etc. out of sth** a) wyl-ać/ewać wino itd. z czegoś b) nalać wina z czegoś [III] vr w *zwrocie*: (*o rzece*) **it** ~**s itself into the sea etc.** wpada do morza itd. [III] vi (*o deszczu*) lać, padać strumieniami; (*o pociskach itd*) padać <sypać się> masami; **it never rains but it** ~**s** nieszczęścia zawsze idą w parze <seriami>; (*o ludziach*) **to** ~ **into a building etc.** masami <tłumnie, ławą> wchodzić <przybywać> do budynku itd.; **to** ~ **out of a building** <**city etc.**> masami <tłumnie, ławą> wychodzić z budynku, <wyjeżdżać z miasta itd.>
~ **down** vi (*o deszczu*) lunąć/lać
~ **in** vi masowo napły-nąć/wać
~ **out** [I] vt 1. rozl-ać/ewać (zupę itd.) 2. *dosł i przen* wyl-ać/ewać (płyn, potok słów itd.); *przen* wyładow-ać/ywać (gniew itd.) [III] vi 1. wyl-ać/ewać się 2. tłumnie <ławą, masami> wychodzić
[V] s 1. ulewa 2. spust (topionego metalu)

pourboire ['puəbwa:] s napiwek

pourparler [puə'pa:lei] s (*zw pl*) wstępne rokowania

poussette [pu'set] s taniec w koło ze złączonymi rękami

pout[1] [paut] [I] vi od-ąć/ymać wargi; z/robić kwaśną minę [III] vt od-ąć/ymać (**the lips** wargi) [III] s odęcie warg; kwaśna mina; dąsy; **to be in the** ~**s** dąsać się

pout[2] [paut] = eel-~, horn-~, whiting-~

pouter ['pautə] s 1. człowiek skłonny do dąsów <obraźliwy, łatwo się obrażający> 2. *zoo* gardłacz (gołąb)

poverty ['pɔvəti] s 1. ubóstwo 2. brak; niedostatek

poverty-stricken ['pɔvəti,strikən] adj ubogi; zubożały

powder ['paudə] ① s 1. proch; pył; to reduce to ~ sproszkować; przen keep your ~ dry bądź/cie w pogotowiu; przen not worth ~ and shot nie wart zachodu 2. (także med) proszek 3. (także face-<toilet-> ~) puder (do twarzy) 4. przen pot ikra, energia; krzepa, siła ⑪ vt 1. posyp-ać/ywać (with sth czymś — cukrem itd.) 2. u/pudrować 3. s/proszkować; u/tłuc <zetrzeć/ścierać> na proch ⑪ vi zetrzeć/ścierać się na proch zob powdered

powder-blue ['paudə,blu:] s farbka (do bielizny)

powder-box ['paudə,bɔks] s puderniczka

powdered ['paudəd] ① zob powder v ⑪ adj 1. sproszkowany; (o cukrze itd) w proszku; ~ sugar mączka cukrowa 2. upudrowany 3. (o wzorze itd) kropkowany <w kropki>

powder-flask ['paudə,flɑ:sk], **powder-horn** ['paudə,hɔ:n] s rożek na proch, prochownica

powder-magazine ['paudə,mægə,zi:n] s prochownia

powder-mill ['paudə,mil] s fabryka prochu

powder-monkey ['paudə,mʌŋki] s hist mar chłopiec donoszący ładunki obsłudze dział

powder-puff ['paudə,pʌf] s puszek do pudru

powdery ['paudəri] adj 1. proszkowaty 2. sypki

power ['pauə] ① s 1. moc; możność; możliwości; all in my ~ wszystko co w mojej mocy; it is beyond my ~ to przekracza moje możliwości 2. siła; energia; (u człowieka) siły; mechanical ~ napęd; more ~ to your elbow! powodzenia! 3. pl ~s zdolności 4. fiz chem zdolność <własność> (promieniowania, łączenia się itd.) 5. władza (over sb nad kimś); the party in ~ partia (znajdująca się) u władzy <rządząca>; the ~s that be czynniki miarodajne; to be in sb's ~ znajdować się <być> w czyichś rękach 6. (także full ~s) pełnomocnictwo; upoważnienie; moc prawna 7. polit mocarstwo; potęga (lotnicza, morska itd.); ~ politics polityka siły 8. pl ~s uprawnienia 9. pl ~s moce (niebieskie, piekielne) 10. mat potęga; wykładnik potęgi <potęgowy> 11. sl kupa <moc, mnóstwo> (of people etc. ludzi itd.) ⑪ vt dostarcz-yć/ać energii elektrycznej (a railway etc. kolei itd.)

power-dive ['pauə,daiv] s lotn nurkowanie bez wyłączenia silników

power-driven ['pauə,drivən] adj o napędzie mechanicznym

powerful ['pauəful] adj 1. potężny 2. mocny, silny 3. (o leku itd) silnie działający; skuteczny 4. dial wielgachny; fest

power-house ['pauə,haus] = **power-station**

power-lathe ['pauə,leiθ] s techn tokarka o indywidualnym napędzie mechanicznym

power-loom ['pauə,lu:m] s techn krosno o napędzie mechanicznym

power-plant ['pauə,plɑ:nt] s 1. techn urządzenie napędowe; zespół silnikowy 2. = **power-station**

power-station ['pauə,steiʃən] s 1. siłownia; elektrownia 2. budynek siłowni

pow-wow ['pau,wau] ① s 1. (u Indian) czarownik 2. (u Indian) zebranie 3. sl odprawa oficerska 4. am pot konferencja; narada; zjazd; zebranie ⑪ vi am pot odby-ć/wać konferencję <naradę> ⑪ vt leczyć środkami magicznymi

pox [pɔks] s 1. = **smallpox** 2. pot syfilis, kiła

pozz(u)olana [,pɔts(u)ə'lɑ:nə] s geol pozzolan, pucolana, puzzolana

praam zob **pram**[1]

practicability [,præktikə'biliti] s 1. wykonalność 2. dobry stan (drogi)

practicable ['præktikəbl] adj 1. wykonalny; możliwy; do przeprowadzenia 2. (o drodze) w stanie nadającym się do jazdy kołowej; (o brodzie) możliwy do przeprawy 3. teatr (o drzwiach, oknie) prawdziwy (nie malowany)

practical ['præktikəl] adj 1. praktyczny; (o projekcie itd) realny; możliwy (do zastosowania, przeprowadzenia) w praktyce; a ~ joke psikus, figiel, kawał 2. (o człowieku) praktyczny; realnie myślący 3. (o dziedzinie wiedzy) stosowany; doświadczalny 4. (o fachowcu, rzemieślniku) wykonujący na zamówienie <na miarę> 5. faktyczny; rzeczywisty; właściwy; he has ~ control on właściwie kieruje <jest rzeczywistym kierownikiem>; he is a ~ atheist on jest właściwie ateistą

practically ['præktikəli] adv 1. praktycznie 2. ['præktikli] faktycznie; rzeczywiście; właściwie; ściśle mówiąc <rzecz biorąc>; na dobrą sprawę 3. ['præktikli] prawie (że); niemal

practicalness ['præktikəlnis] s 1. praktyczność 2. wykonalność <możliwość zastosowania, przeprowadzenia> (projektu itd.)

practice ['præktis] s 1. praktyka 2. wykonywanie; stosowanie w praktyce; in ~ w rzeczywistości; pot gdy przyjdzie co do czego; to put in <into> ~ za/stosować w praktyce; wprowadz-ić/ać w czyn; wykon-ać/ywać <z/realizować> (projekt itd.) 3. wprawa; ćwiczenie (czegoś, w czymś); trening; target ~ ćwiczeni-e/a w strzelaniu; ~ makes perfect ćwiczenia doskonalą <prowadzą do doskonałości>; to be in ~ mieć stałą wprawę; stale (się) ćwiczyć; sport być w dobrej formie; I am out of ~ a) wyszedłem z wprawy b) nie mam praktyki <wprawy> c) sport nie jestem w formie 4. zwyczaj; a matter of common ~ rzecz (całkiem) zwyczajna; it is the common ~ to się powszechnie praktykuje; to make a ~ of doing sth praktykować coś; mieć zwyczaj robienia czegoś 5. procedura (sądowa itd.) 6. praktyka (lekarska); kancelaria adwokacka 7. pl ~s praktyki, machinacje; intrygi 8. mat reguła trzech (składana)

practician [præk'tiʃən] s praktyk

practise ['præktis] vt 1. za/stosować w praktyce; to ~ deceit oszukiwać 2. prze/ćwiczyć (coś); ćwiczyć się (sth w czymś) 3. wykonywać (zawód); (o lekarzu) to ~ medicine praktykować, leczyć 4. trenować (drużynę); ćwiczyć (sb in sth kogoś w czymś) ⑪ vr ~ oneself ćwiczyć się <nabierać wprawy> (in sth w czymś) ⑪ vi 1. ćwiczyć <wprawiać> się; praktykować 2. (o lekarzu) ordynować; praktykować, mieć (własną) praktykę; (o adwokacie) prowadzić kancelarię 3. wykorzyst-ać/ywać (upon sb, sth kogoś, coś) zob **practised, practising**

practised ['præktist] ① zob **practise** ⑪ adj 1. doświadczony; wprawny; (o fachowcu itd) wytrawny 2. wypraktykowany; wypróbowany

practising ['præktisiŋ] ① zob **practise** ⑪ adj wykonujący (zawód); (o lekarzu, katoliku itd) pra-

ktykujący; (o adwokacie) prowadzący kancelarię ▥ s 1. praktykowanie 2. wprawa; trening
practitioner [præk'tiʃŋə] s praktyk; lekarz praktykujący; **general** ~ a) doktor medycyny nie specjalizujący się <praktykujący ogólnie> b) adwokat prowadzący kancelarię
praedial ['pri:djəl] = **predial**
pr(a)epostor [pri:'pɔstə] s starszy uczeń nadzorujący młodszych (w internacie)
praetor ['pri:tə] s (u staroż. Rzymian) pretor
praetorian [pri'tɔ:riən] ▯ adj (u staroż. Rzymian) pretoriański ▥ s pretorianin
pragmatic [præg'mætik] adj pragmatyczny
pragmatical [præg'mætikal] adj 1. wścibski; naprzykrzony 2. dogmatyczny; obstający <upierający się> przy własnym zdaniu; apodyktyczny; dyktatorski 3. = **pragmatic**
pragmatism ['prægmə,tizəm] s pragmatyzm
pragmatist ['prægmətist] s pragmatysta; pragmatyk
pragmatize ['prægmə,taiz] vt pragmatyzować, przedstawiać (coś) jako rzeczywiste (mit itp.)
prairie ['prɛəri] s preria, step północnoamerykański
prairie-chicken ['prɛəri,tʃikin] s zoo kurak amerykański
prairie-dog ['prɛəri,dɔg] s zoo pies stepowy
prairie-hen ['prɛəri,hen] = **prairie-chicken**
prairie-schooner ['prɛəri,sku:nə] s wóz pierwszych osadników amerykańskich
prairie-wolf ['prɛəri,wulf] s (pl **prairie-wolves** ['prɛəri,wulvz]) zoo kujot, kojot
praisable ['preizəbl] adj godny pochwały
praise [preiz] ▯ vt po/chwalić; sławić, wysławiać; wychwalać; zachwal-ić/ać; **~d be Jesus Christ** niech będzie pochwalony Jezus Chrystus; **to ~ to the skies** wynosić pod niebiosa ▥ s chwała; wysławianie; pochwała; **~ be to God** chwała Bogu; **to be loud in one's ~** nie skąpić pochwał (**of sb, sth** komuś, czemuś); rozpływać się w pochwałach (**of sb, sth** nad kimś, czymś)
praiseworthy ['preiz,wə:ði] adj chwalebny; godny pochwały; zasługujący na pochwałę
Prakrit ['pra:krit] s jęz prakryt
praline ['pra:li:n] s pralina, pralinka
pram¹, praam [pra:m] s płaskodenn-a/y łódź <statek>
pram² [præm] s pot 1. = **perambulator** 2. ręczny wózek mleczarski
prance [pra:ns] ▯ vi 1. (o koniu) sta-nąć/wać dęba; da-ć/wać susa; tańczyć; harcować 2. (o człowieku) nadymać <pysznić, wynosić> się; zadzierać nosa ▥ vt zmu-sić/szać (konia) do stawania dęba <tańczenia> ▥ s 1. podskok <sus> (konia); stawanie dęba 2. pyszałkowatość; wyniosłość; zadzieranie nosa
prandial ['prændiəl] adj żart obiadowy; (o zaproszeniu) na obiad; **~ excesses** nieumiarkowanie w jedzeniu
prang [præŋ] vt sl lotn (przy bombardowaniu) trafi-ć/ać (**a target** w cel, w obiekt); rozwal-ić/ać; z/bombardować; s/trzaskać
prank¹ [præŋk] s 1. wybryk; szaleństwo; przen (u maszyny itd) kaprys 2. figiel; psota; kawał;

psikus; **to play ~s** a) płatać figle (**on sb** komuś) b) przen (o maszynie itd) kaprysić
prank² [præŋk] ▯ vt wy/stroić; ozd-obić/abiać; upiększ-yć/ać; usiać (**a meadow etc. with flowers. etc.** łąkę itd. kwiatami itd.) ▥ vr ~ **oneself (out)** wy/stroić <wy/elegantować> się ▥ vi paradować; pysznić się
prase [preiz] s miner praz, prazem (odmiana chalcedonu)
praseodymium [,preizjə'dimiəm] s chem prazeodym
prate [preit] ▯ vi paplać; mleć językiem; pot bajdurzyć; na/plotkować ▥ vt wy/paplać; wy/gadać ▥ s paplanina; gadanina; bajdurzenie; plotki
praties ['preitiz] spl irl pot kartofle, ziemniaki
pratincole ['prætin,koul] s zoo ptak z rodzaju siewek (podobny do jaskółki)
pratique [præ'ti:k] s mar pozwolenie wpłynięcia do portu <prawo wolności ruchów> (wydane okrętowi po odbyciu kwarantanny lub przedstawieniu świadectwa zdrowia)
prattle ['prætl] ▯ vi 1. (o ptakach, dzieciach) za/szczebiotać; (o niemowlęciu) gaworzyć; (o strumyku) szemrać; (o ptaku) za/świergotać 2. (o ludziach) mleć językiem; pleść głupstwa; pot bajdurzyć ▥ vt (o dziecku) wy/paplać (coś) ▥ s 1. szczebiot (ptaków, dzieci); świergot (ptaków); szemranie (strumyka) 2. paplanina; plotkowanie; pot bajdurzenie
prattler ['prætlə] s gaduła; pleciuga
prawn [prɔ:n] s zoo krewetka
praxis ['præksis] s 1. praktyka; (przyjęty) zwyczaj 2. gram wzory do ćwiczeń
pray [prei] ▯ vi 1. po/modlić się (**to God etc.** do Boga itd.; **for <on behalf of> sb** za kogoś, na czyjąś intencję; **for sth** o coś); **he is past ~ing for** jemu i modlitwy (już) nie pomogą 2. upraszać <błagać> (**for sth** o coś) ▥ vt 1. po/modlić się (**God etc. do** Boga itd.); blagać, prosić usilnie 2. wymodlić <wybłagać> (coś) 3. (także **I ~ you**) proszę cię <was>; **~ sit down, sit down, ~** proszę usiąść; **what is the use of that, ~?** na co to, powiedz/cie mi <proszę cię/ was>?
prayer¹ ['preiə] s (człowiek) modlący się; wierny (w świątyni)
prayer² [prɛə] s 1. modlitwa, pacierz, paciorek; pl ~s modły; **the Book of Common Prayer** rytuał anglikański; **the Lord's Prayer** modlitwa Pańska; Ojcze Nasz; **to grant a ~** wysłuchać modlitwy; **to say a ~** z/mówić pacierz <paciorek>; odm-ówić/awiać modlitwę; **to say one's ~s** modlić się, odmawiać pacierze 2. (także pl ~s) nabożeństwo; **at ~s** na nabożeństwie; w kościele; **he is at his ~s** (on) modli się <odmawia pacierze> 3. błagalna prośba
prayer-book ['prɛə,buk] s książka <książeczka> do nabożeństwa; modlitewnik
prayerful ['prɛəful] adj 1. pobożny 2. modlitewny; błagalny
prayer-mill ['prɛə,mil], **prayer-wheel** ['prɛə,wi:l] s (u buddystów) młynek modlitewny
pre- [pri:-] przedrostek przed- ; wstępny; uprzedni; uprzednio; z góry (zapłacony itd.)
preach [pri:tʃ] ▯ vi kazać, mówić kazanie; być kaznodzieją; dosł i przen wygł-osić/aszać kaza-

nie Ⅲ *vt* wygł-osić/aszać (kazanie); głosić
(Ewangelię itd.); **to practise what one ~s** potwierdzać słowa czynem; być w zgodzie · z głoszonymi przez siebie zasadami; **to ~ peace**
<**war**> głosić hasła pokojowe <wojenne>
~ **down** *vt* oczerni-ć/ać; oszkalować
~ **up** *vt* wychwalać (coś)
Ⅲ *s pot* kazanie
preacher ['priːtʃə] *s* 1. kaznodzieja 2. *am* pastor
preachify ['priːtʃi‚fai] *vi* (**preachified** ['priːtʃi
‚faid], **preachified; preachifying** ['priːtʃi‚faiiŋ]
prawić morały; bawić się w moralizatorstwo
preachy ['priːtʃi] *adj* moralizatorski, lubiący prawić kazania
pre-acquaint ['priː-ə'kweint] *vt* uprzednio zaznaj-
-omić/amiać (**sb with sth** kogoś z czymś)
pre-adamite ['priː'ædə‚mait] *s* preadamita (człowiek zamieszkujący ziemię przed biblijnym
Adamem)
pre-admission ['priːəd'miʃən] *s techn* wlot przed-
zwrotowy (pary, mieszanki)
pre-admonish ['priːəd'mɔniʃ] *vt* uprzedz-ić/ać;
przestrze-c/gać (**sb of** <**against**> **sb, sth** kogoś
przed kimś, czymś)
preamble [priː'æmbl] Ⅰ *s* wstęp Ⅲ *vi* stanowić
wstęp; być wstępem
preapprehension ['priːæpri'henʃən] *s* przeczucie
prearrange ['priːə'reindʒ] *vt* ułożyć/układać u-
przednio
preaudience ['priː'ɔːdiəns] *s prawn* pierwszeństwo
w dopuszczeniu do głosu
prebend ['prebənd] *s* prebenda
prebendary ['prebəndəri] *s* prebendarz, preben-
dariusz
precarious [pri'kεəriəs] *adj* 1. *prawn* prekaryjny,
odwoławalny 2. niepewny; przypadkowy; wątpliwy; nietrwały; niestały 3. niebezpieczny; ryzykowny
precariousness [pri'kεəriəsnis] *s* niepewność; przy-
padkowość; brak trwałości <stałości>
precatory ['prekətəri] *adj* wyrażający życzenie
precaution [pri'kɔːʃən] *s* 1. ostrożność 2. środek
ostrożności
precautionary [pri'kɔːʃn̩əri] *adj* (*o środku*) ostrożności
precede [pri'siːd] Ⅰ *vt* 1. poprzedz-ić/ać (kogoś,
coś); mieć miejsce <odby-ć/wać się> (**sth** przed
czymś); **the performance was ~d by a lecture**
przed przedstawieniem odbył się wykład 2.
mieć pierwszeństwo (**sb, sth** przed kimś, czymś)
Ⅲ *vi* poprzedz-ić/ać; pójść/iść przodem *zob*
preceding
precedence [pri'siːdəns] *s* pierwszeństwo; nad-
rzędność; **to take ~ of sb, sth** być ważniejszym od kogoś, czegoś; mieć pierwszeństwo
przed kimś, czymś; **to yield ~ to sb, sth**
ust-ąpić/ępować (pierwszeństwa) komuś, czemuś
precedent[1] ['presidənt] *s* precedens
precedent[2] [pri'siːdənt] *adj* poprzedzający; u-
przedni
precedented ['presidəntid] *adj* mający precedens;
oparty na precedensie; nie pierwszy
precedential [‚presi'denʃəl] *adj* stanowiący precedens
preceding [pri'siːdiŋ] Ⅰ *zob* **precede** Ⅲ *adj* poprzedzający; poprzedni; (*w liście, dokumencie
itd*) powyższy

precentor [pri'sentə] *s* (*w kościele anglikańskim*)
1. kantor 2. członek kapituły czuwający nad
stroną muzyczną nabożeństw
precept ['priːsept] *s* 1. nakaz 2. przykazanie (boskie) 3. nauka
preceptor [pri'septə] *s* nauczyciel, † preceptor
preceptorial [‚prisep'tɔːriəl] *adj* mentorski
preceptress [pri'septris] *s* nauczycielka
precession [pri'seʃən] *s astr* precesja
pre-Christian [pri'kristjən] *adj* przedchrześcijań-
ski
precinct ['priːsiŋkt] *s* 1. obręb; granice (posiadłości, instytucji itd.) 2. bezpośrednie otoczenie
3. *pl* ~s okolice (miasta itd.); obszar otaczający (**of a cathedral** katedrę) 4. *am* okręg wyborczy
preciosity [‚preʃi'ɔsiti] *s* afektacja (w mowie)
precious ['preʃəs] Ⅰ *adj* 1. drogocenny; kosztowny; wartościowy 2. cenny 3. afektowany (w
mowie) 4. *pot* kompletny <beznadziejny> (bałagan itd.); skończony (idiota itd.); **a ~ sight**
more znacznie więcej Ⅲ *adv pot* diablo
preciousness ['preʃəsnis] *s* drogocenność; wysoka
wartość
·**precipice** ['presipis] *s* przepaść
precipitability [pri‚sipitə'biliti] *s chem* strącal-
ność
precipitable [pri'sipitəbl] *adj chem* strącalny, wy-
trącalny
precipitance [pri'sipitəns], **precipitancy** [pri'sipit
ənsi] *s* 1. pośpiech 2. porywczość; popędliwość;
pochopność
precipitant [pri'sipitənt] *s chem* czynnik <środek>
strącający
precipitate [pri'sipi‚teit] Ⅰ *vt* 1. strąc-ić/ać;
zrzuc-ić/ać; zepchnąć/spychać 2. wtrąc-ić/ać
<wepchnąć/wpychać> (**into __** do ...) 3. przy-
śpiesz-yć/ać 4. *chem* strąc-ić/ać <wytrąc-ić/ać>
(osad) Ⅲ *vr* ~ **oneself** rzuc-ić/ać się (**on** <**upon**>
sb, sth na kogoś, coś) Ⅲ *vi* osadz-ić/ać <skr-op-
lić/aplać, s/kondensować> się Ⅳ *adj* [pri'sipitit]
1. pośpieszny; gwałtowny; nagły 2. pochopny;
nierozważny Ⅴ *s* [pri'sipitit] osad, strąt
precipitately [pri'sipititli] *adv* 1. pośpiesznie;
gwałtownie; nagle; na oślep 2. pochopnie; nierozważnie
precipitation [pri‚sipi'teiʃən] *s* 1. *chem* strąc-enie/
anie, wytrąc-enie/anie 2. osad; strąt 3. *meteor*
opad/y 4. pośpiech 5. pochopność, porywczość
6. zrzuc-enie/anie; zepchnięcie/spychanie 7. u-
padek
precipitous [pri'sipitəs] *adj* stromy; urwisty
précis ['preisiː] Ⅰ *s* (*pl* **précis** ['preisiːz]) streszs-
czenie Ⅲ *vt* stre-ścić/szczać (referat, artykuł
itd.)
precise [pri'sais] *adj* 1. dokładny; ścisły; ściśle
określony; sprecyzowany; **at that ~ moment**
ściśle <dokładnie> w tym momencie; **to be ~**
__ dla ścisłości ... 2. (*o człowieku*) dokładny;
pedantyczny; skrupulatny 3. punktualny
precisely [pri'saisli] *adv* 1. dokładnie; ściśle; **to**
state ~ sprecyzować 2. pedantycznie; skrupulatnie 3. punktualnie 4. *potakująco*: (tak) właśnie!
precisian [pri'siʒən] *s* 1. formalist-a/ka; rygory-
st-a/ka 2. pedant/ka

precision [pri'siʒən] ① *s* precyzja; ścisłość; dokładność ③ *attr* (*o instrumencie itd*) precyzyjny
preclude [pri'klu:d] *vt* wyklucz-yć/ać; uniemożliwi-ć/ać; zapobie-c/gać (**sth** czemuś); przeszk-odzić/adzać (**sb from** sth komuś w czymś)
preclusive [pri'klu:siv] *adj* wykluczający <uniemożliwiający> (**of sth** coś); **to be ~ of sth** przeszk-odzić/adzać czemuś
precocious [pri'kouʃəs] *adj* 1. (*o roślinie*) wczesny; wcześnie dojrzewający 2. (*o dziecku*) przedwcześnie <nad swój wiek> rozwinięty 3. (*o czynności, fakcie*) przedwczesny
precociousness [pri'kouʃəsnis], **precocity** [pri'kɔsiti] *s* 1. wczesn-y/e rozwój <dojrzewanie> 2. przedwczesny rozwój
precognition [‚pri:kɔg'niʃən] *s* 1. wiedza uprzednia, uprzednia znajomość (czegoś) 2. *szkoc prawn* (przed)wstępne śledztwo
precombustion ['pri:kəm'bʌstʃən] *s techn* spalanie wstępne
preconceive ['pri:kən'si:v] *vt* z góry powziąć sąd <pojęcie> (**sth** o czymś); z góry <naprzód> sobie wyobra-zić/żać; uprzedz-ić/ać się (**sth do** czegoś); **~d notion** z góry wyrobiony sąd; uprzedzenie
preconception ['pri:kən'sepʃən] *s* z góry wyrobiony sąd; uprzedzenie
preconcerted ['pri:kən'sə:tid] *adj* z góry <zawczasu> ułożony <umówiony, ustalony>; *uj* ukartowany
precondemn ['pri:kən'dem] *vt* z góry potępi-ć/ać
⬆**precondition** ['pri:kən'diʃən] *s* warunek wstępny <konieczny>
preconize ['pri:kə‚naiz] *vt* 1. ogł-osić/aszać 2. (publicznie) chwalić; pochwalać 3. *kośc* prekonizować; publicznie ogłaszać nominację biskupa
pre-conquest ['pri:'kɔŋkwest] *adj hist* (*o okresie itd*) sprzed podboju Anglii
pre-contract ['pri:'kɔntrækt] *s* przedwstępny kontrakt (*zw* małżeński)
precursor [pri'kə:sə] *s* 1. zwiastun, prekursor 2. poprzednik (na stanowisku itd.)
precursory [pri'kə:səri] *adj* 1. zwiastujący; zapowiadający 2. (*o uwadze itd*) wstępny
predacious [pri'deiʃəs] *adj* drapieżny
predacity [pri'dæsiti] *s* drapieżność
⬆**predate** ['pri:'deit] *vt* antydatować
predatory ['predətəri] *adj* 1. grabieżczy; łupieżczy; rozbójniczy 2. (*o zwierzęciu*) drapieżny
predecease ['pri:di'si:s] ① *s* wcześniejsza śmierć ③ *vt* umrzeć wcześniej (**sb** od kogoś)
predecessor ['pri:di‚sesə] *s* 1. poprzedni-k/czka 2. poprzedni wypadek <przykład> tego samego rodzaju 3. przodek, antenat
predella [pri'delə] *s kośc* predella
predestinarian [pri‚desti'nɛəriən] *s* zwolenni-k/czka doktryny predestynacji
predestinate [pri'desti‚neit] ① *vt* 1. *teol* predestynować 2. z góry <zawczasu> przeznacz-yć/ać ③ *adj* [pri'destinit] predestynowany
predestination [pri‚desti'neiʃən] *s* predestynacja
predestine [pri'destin] *vt* = **predestinate** *v*
predetermine ['pri:di'tə:min] *vt* z góry <naprzód> postan-owić/awiać <ustal-ić/ać, określ-ić/ać>
predial ['pri:djəl] ① *adj* gruntowy, ziemski ③ *s hist* chłop pańszczyźniany, przypisaniec

predicament [pri'dikəmənt] *s* 1. *filoz* kategoria 2. kłopotliwe położenie; kłopot; **he was in the same ~** on miał ten sam kłopot <był w takim samym położeniu>
predicant ['predikənt] ① *s* predykant, kaznodzieja ③ *attr* (*o zakonie*) kaznodziejski
predicate ['predi‚keit] ① *vt* orzekać; twierdzić; głosić ③ *s* ['predikit] *log gram* orzeczenie
predication [‚predi'keiʃən] *s* 1. *log* twierdzenie; orzekanie 2. *gram* orzeczenie
predicative [pri'dikətiv] *adj gram* orzecznikowy
predicatory [pri'dikətəri] *adj* kaznodziejski
predict [pri'dikt] *vt* przepowi-edzieć/adać; wy/prorokować; wy/wróżyć
predictive [pri'diktiv] *adj* proroczy; wieszczy
predictor [pri'diktə] *s* 1. prorok; wieszcz 2. *wojsk* przelicznik (artylerii przeciwlotniczej)
predilection [‚pri:di'lekʃən] *s* szczególne upodobanie <predylekcja> (**for sth** do czegoś)
predispose ['pri:dis'pouz] *vt* uspos-obić/abiać; wytw-orzyć/arzać skłonność <predyspozycję> (**sb to sth w** kimś <u kogoś> do czegoś)
predisposition ['pri:‚dispə'ziʃən] *s* skłonność <predyspozycja> (**to sth** do czegoś)
predominance [pri'dɔminəns] *s* przewaga; wyższość; górowanie; panowanie
predominant [pri'dɔminənt] *adj* dominujący; panujący; górujący; przeważający; **to be ~** panować; dominować; górować; przeważać
predominantly [pri'dɔminəntli] *adv* przeważnie; w przeważającej mierze; w przeważającym stopniu; najczęściej
predominate [pri'dɔmi‚neit] *vi* 1. przeważać; górować; panować; dominować 2. przewyższać (**over sb, sth** kogoś, coś); mieć przewagę (**over sb, sth** nad kimś, czymś)
preelection [‚pri:i'lekʃən] *attr* przedwyborczy
preeminence [pri'eminəns] *s* przewaga; wyższość; prymat
preeminent [pri'eminənt] *adj* górujący; przewyższający (innych); wybitny; wyróżniający się (**in sth** czymś)
pre-empt [pri'empt] *vt* 1. naby-ć/wać prawem pierwokupu 2. *am* zaj-ąć/mować (grunt państwowy) dla nabycia prawa pierwokupu 3. *karc* za/licytować zamykająco
pre-emption [pri'empʃən] *s* 1. prawo pierwokupu 2. nabycie prawem pierwokupu
pre-emptive [pri'emptiv] *adj* 1. (*o prawie*) pierwokupu 2. *karc* (*o licytacji*) zamykający
preen [pri:n] ① *vt* (*o ptaku*) gładzić dziobem <muskać> (pióra) ③ *vr* **~ oneself** 1. (*o człowieku*) wy/stroić się 2. (*o dziewczynie*) wdzięczyć się 3. pysznić się
pre-engage ['pri:in'geidʒ] *vt* za/angażować z góry <zawczasu>
pre-establish ['pri:is'tæbliʃ] *vt* za-łożyć/kładać <ustanowi-ć/ać> wcześniej <zawczasu>
pre-exist ['pri:ig'zist] *vi* istnieć uprzednio
pre-existence ['pri:ig'zistəns] *s* preegzystencja, byt uprzedni
prefab ['pri:‚fæb] *skr pot* = **prefabricated house** *zob* **prefabricate**
prefabricate ['pri:'fæbri‚keit] *vt* prefabrykować (elementy itd.); **~d house** dom (zbudowany) z prefabrykatów
preface ['prefis] ① *s* przedmowa; słowo wstępne;

wstęp ⟨III⟩ *vt* 1. na/pisać przedmowę ⟨słowo wstępne, wstęp⟩ (**a book** etc. do książki itd.); poprzedz-ić/ać (coś czymś) 2. (*o wydarzeniu itd*) doprowadz-ić/ać (**sth do czegoś**) ⟨III⟩ *vi* wy-g-łosić/aszać ⟨na/pisać⟩ wstępne uwagi

prefatory ['prefətəri] *adj* wstępny

prefect ['priːfekt] *s* 1. (*u staroż. Rzymian*) prefekt 2. *szk* wójt, starszy uczeń 3. (*we Francji*) prefekt (departamentu) 4. (*we Francji*) dyrektor policji

prefecture ['priːfek,tjuə] *s* (*we Francji*) prefektura

prefer [pri'fəː] *vt* (-rr-) 1. za/mianować (**sb to an office** kogoś na urząd); wyn-ieść/osić (**sb to a higher post** kogoś na wyższe stanowisko) 2. wn-ieść/osić ⟨przed-łożyć/kładać⟩ (**a complaint against sb** skargę na kogoś) 3. woleć (**sb, sth to** ⟨**rather than**⟩ **sb, sth** kogoś, coś od kogoś, czegoś); przekładać (**sb, sth to sb, sth** kogoś, coś nad kogoś, coś); **to ～ to do sth rather than —** raczej ⟨prędzej, chętniej⟩ uczynić coś, aniżeli...; **he ～s to die rather than (to) surrender** (on) woli umrzeć raczej, niż się poddać; prędzej u-mrze, niż się podda; *z rzeczownikiem i przymiot-nikiem użytym orzecznikowo*: **I ～ my coffee sweet** ⟨**my tea hot** etc.⟩ wolę słodką kawę ⟨gorącą herbatę itd.⟩ *zob* **preferred**

preferable ['prefərəbl] *adj* lepszy ⟨milszy⟩ (**to sb, sth** od kogoś, czegoś); bardziej pożądany ⟨wskazany⟩ (**to sb, sth** aniżeli ktoś, coś)

preferably ['prefərəbli] *adv* raczej; chętniej; prędzej

preference[1] ['prefərəns] ⟨I⟩ *s* 1. przekładanie (**of one thing to** ⟨**over**⟩ **another** jednej rzeczy nad inną); oddawanie pierwszeństwa; **a mark of ～** wyróżnienie; **to give sth ～** ⟨**one's ～ to sth**⟩ woleć coś 2. pierwszeństwo 3. to, co ktoś woli ⟨co kogoś specjalnie pociąga⟩; **this is my ～** wolę to 4. *ekon* priorytet; uprzywilejowanie; ulgi (celne) ⟨II⟩ *attr* uprzywilejowany; mający pierwszeństwo; preferencyjny; priorytetowy

preference[2] ['prefərəns] *s karc* preferans

♦preferential [,prefə'renʃəl] *adj* uprzywilejowany; priorytetowy; preferencyjny

preferment [pri'fəːmənt] *s* awans; wyniesienie (na wyższe stanowisko)

preferred [pri'fəːd] ⟨I⟩ *zob* **prefer** ⟨III⟩ *adj* (*o akcjach*) uprzywilejowany; priorytetowy

prefix [priː'fiks] ⟨I⟩ *vt* umie-ścić/szczać (**sth to sth** coś przed czymś); doda-ć/wać jako wstęp (**sth to sth** coś do czegoś) ⟨III⟩ *s* ['priːfiks] 1. *gram* przedrostek; (*w złożeniach*) człon wstępny 2. tytuł używany przed nazwiskiem (**Mr, dr** itd.)

preformation [,prefɔː'meiʃən] *s biol* preformacja

pregnable ['pregnəbl] *adj* (*o fortecy itd*) możliwy do zdobycia

pregnancy ['pregnənsi] *s* 1. brzemienność, ciąża 2. płodność 3. bogactwo, obfitość 4. doniosłość 5. bujność (wyobraźni)

♦pregnant ['pregnənt] *adj* 1. brzemienna, ciężarna, w ciąży; *przen* brzemienny (**with sth** w coś) 2. sugestywny; dający do myślenia 3. (*o argumencie, słowach*) ważki 4. (*o· przykładzie, argumentacji*) przekonywający, przekonujący 5. *gram*

(*o czasowniku, konstrukcji*) z dopełnieniem domyślnym 6. (*o wyobraźni*) bujny

prehensile [pri'hensail] *adj zoo* (*o ogonie itd*) chwytny

prehension [pri'henʃən] *s* 1. chwytanie 2. pojmowanie

prehistoric ['priːhis'tɔrik] *adj* przedhistoryczny, prehistoryczny

prehistory ['priː'histri] *s* prehistoria

pre-ignition ['priːig'niʃən] *s techn* zapłon przedwczesny

prejudge ['priː'dʒʌdʒ] *vt* z góry ⟨przedwcześnie⟩ osądz-ić/ać

prejudgment ['priː'dʒʌdʒmənt] *s* sąd powzięty ⟨wydany⟩ z góry ⟨przedwcześnie⟩

prejudice ['predʒudis] ⟨I⟩ *s* 1. uprzedzenie ⟨nieprzychylne nastawienie⟩ (**against sb, sth** do kogoś, czegoś) 2. przychylne nastawienie (**in favour of sb, sth** do kogoś, czegoś) 3. stronniczość 4. przesąd 5. krzywda; szkoda; uszczerbek; **to the ～ of sb, sth** ze szkodą dla kogoś, czegoś; **without ～** a) bez uszczerbku b) nie przesądzając sprawy ⟨III⟩ *vt* 1. s/krzywdzić; przyn-ieść/osić uszczerbek ⟨szkodę⟩ (**sb, sth** komuś, czemuś); narusz-yć/ać (prawa itd.) 2. uprzedz--ić/ać (fakt itd.) 3. uprzedz-ić/ać (**sb against sb, sth** kogoś do kogoś, czegoś) 4. przychylnie nastawi-ć/ać (**sb in favour of sb, sth** kogoś do kogoś, czegoś)

prejudicial [,predʒu'diʃəl] *adj* krzywdzący ⟨szkodliwy⟩ (**to sb, sth** dla kogoś, czegoś); **to be ～ to sb, sth** s/krzywdzić kogoś, coś; za/szkodzić ⟨przyn-ieść/osić uszczerbek⟩ komuś, czemuś

prelacy ['preləsi] *s* 1. prałatura, prałactwo 2. episkopat (kraju itd.) 3. *uj* rządy prałatów

prelate ['prelit] *s* prałat, dostojnik kościelny (biskup itd.)

prelatess ['prelitis] *s* przeorysza, † ksieni

prelatic(al) [pri'lætik(əl)] *adj* prałacki

prelect [pri'lekt] *vi* wygł-osić/aszać prelekcję

prelection [pri'lekʃən] *s* prelekcja

prelector [pri'lektə] *s* prelegent/ka

prelibation [,priːlai'beiʃən] *s* przedsmak

prelim [pri'lim] *skr sl szk* = **preliminary examination** *zob* **preliminary** *adj*

preliminary [pri'liminəri] ⟨I⟩ *adj* wstępny; przedwstępny; przygotowawczy; **～ examination** egzamin wstępny ⟨III⟩ *s* 1. wstęp 2. *pl* **preliminaries** preliminaria ⟨rozmowy wstępne⟩ (pokojowe itd.)

prelude ['preljuːd] ⟨I⟩ *s* 1. wstęp (do czegoś) 2. *muz* preludium ⟨III⟩ *vt* 1. zapowiadać; być zapowiedzią (**sth czegoś**); wprowadz-ić/ać 2. poprze-dz-ić/ać ⟨III⟩ *vi* 1. stanowić wstęp (**to sth** do czegoś) 2. *muz* za/grać preludium

prelusive [prə'ljuːsiv] *adj* wstępny; przedwstępny

premature [,premə'tjuə] *adj* 1. przedwczesny 2. niewczesny, nie w porę 3. pochopny

prematureness [,premə'tjuənis], **prematurity** [,premə'tjuəriti] *s* przedwczesność

premeditate [pri'medi,teit] *vt* obmyśl-ić/ać; rozważ-yć/ać; u/planować *zob* **premeditated**

premeditated [pri'medi,teitid] ⟨I⟩ *zob* **premeditate** ⟨II⟩ *adj* obmyślony; dokonany z premedytacją

premeditation [pri,medi'teiʃən] *s* premedytacja

premier ['premjə] ⟨I⟩ *adj* 1. pierwszy; najważniejszy; główny 2. najwcześniejszy; najstarszy ⟨III⟩ *s*

1. premier, prezes rady ministrów 2. *am* sekretarz stanu; minister spraw zagranicznych
premiere [prə'mjɛə] *s* premiera
premise ['premis] ⊡ *s* 1. (*także* **premiss**) *log* przesłanka, premisa 2. *pl* ~**s** *prawn* wyżej wymienione nieruchomości 3. *pl* ~**s** lokal; realność; obręb realności; obejście; **off the** ~**s** poza obrębem realności; **on the** ~**s** na miejscu ⊡ *vt* [pri'maiz] 1. powiedzieć <napisać, zaznaczyć> jako wstęp 2. poprzedz-ić/ać (coś czymś)
premiss ['premis] = **premise** *s* 1.
premium ['pri:mjəm] ⊡ *s* 1. nagroda (**on sth za** coś); **to put a** ~ **on sth** nagr-odzić/adzać coś; zachęc-ić/ać do czegoś 2. opłata (za naukę <praktykę> w wolnych zawodach) 3. premia; dodatek (do poborów); **insurance** ~ a) premia ubezpieczeniowa <asekuracyjna> b) składka ubezpieczeniowa <asekuracyjna> 4. *ekon* ażio; **at a** ~ a) (sprzedać) z zyskiem <powyżej parytetu> b) *przen* ceniony; poszukiwany; uprzywilejowany ⊡ *attr* (*o systemie, bonie itd*) premiowy
premolar ['pri:'moulə] *adj* (*o zębie*) przedtrzonowy
premonition [,pri:mə'niʃən] *s* 1. ostrzeżenie 2. przeczucie
premonitory [pri'mɔnitəri] *adj* ostrzegawczy
premorse [pri'mɔ:s] *adj bot zoo* o ściętym <urwanym> zakończeniu
pre-natal ['pri:'neitl] *adj* przedporodowy; (istniejący) przed urodzeniem
prentice ['prentis] *pot* = **apprentice** *s*
preoccupation [pri,ɔkju'peiʃən] *s* 1. troska 2. przesąd 3. uprzednie <wcześniejsze> zajęcie (miejsca itd.) 4. zaabsorbowanie
preoccupied [pri'ɔkju,paid] ⊡ *zob* **preoccupy** ⊡ *adj* 1. pochłonięty; zaabsorbowany 2. zatroskany
preoccupy [pri'ɔkju,pai] *vt* (**preoccupied** [pri'ɔkju,paid], **preoccupied**; **preoccupying** [pri'ɔkju,paiiŋ]) 1. uprzednio <wcześniej> zaj-ąć/mować 2. pochł-onąć/aniać umysł (**sb** czyjś); za/absorbować 3. sprawi-ć/ać troskę (**sb** komuś) *zob* **preoccupied**
preordain ['pri:ɔ:'dein] *vt* przeznacz-yć/ać; rozstrzyg-nąć/ać z góry <naprzód> (**sth** coś, o czymś)
prep [prep] *skr sl* 1. = **preparation** 2. *am* = **preparatory school** *zob* **preparatory** *adj*
prepaid ['pri:'peid] ⊡ *zob* **prepay** ⊡ *adj* z góry opłacony; (*o liście*) z ofrankowaniem opłaconym gotówką; (*o koszcie*) pokryty
preparation [,prepə'reiʃən] *s* 1. przygotow-anie/ywanie; przysposobienie/abianie 2. przyrządz-enie/anie (potrawy itd.); sporządz-enie/anie; s/preparowanie (lekarstwa itd.) 3. preparat; przetwór 4. *szk* odr-obienie/abianie lekcji 5. *szk* godziny odrabiania lekcji (w szkole) 6. *górn* wzbogacanie (rud i węgla)
preparative [pri'pærətiv] ⊡ *adj* przygotowawczy ⊡ *s* przygotowanie
preparatory [pri'pærətəri] ⊡ *adj* przygotowawczy; ~ **school** szkoła przygotowująca do szkół średnich zwanych "public schools" ⊡ *adv* (zrobić coś) jako przygotowanie <krok wstępny> (**to sth** do czegoś); celem <w celu> (zrobienia czegoś)

prepare [pri'pɛə] ⊡ *vt* 1. przygotow-ać/ywać; przyspos-obić/abiać; na/szykować; z/gotować (**a surprise for sb** komuś niespodziankę); u/torować (**the way for sth** drogę czemuś) 2. przyrządz-ić/ać (potrawę itd.); sporządz-ić/ać; s/preparować (lekarstwo itd.) 3. poducz-yć/ać ⊡ *vi* przygotow-ać/ywać <przyspos-obić/abiać, na/szykować> się; po/czynić przygotowania (**for sth** do czegoś) *zob* **prepared**
prepared [pri'pɛəd] ⊡ *zob* **prepare** ⊡ *adj* gotowy; **I am** <**he is etc.**> ~ **to admit** jestem <on jest itd.> gotów przyznać
preparedness [pri'pɛəridnis] *s* gotowość
▲**prepay** ['pri'pei] *vt* (**prepaid** ['pri:'peid], **prepaid**) opłac-ić/ać <ofrankow-ać/ywać> z góry; z góry <naprzód> pokry-ć/wać koszty (**sth** czegoś) *zob* **prepaid**
prepense [pri'pens] *adj* umyślny, rozmyślny; **malice** ~ złe zamiary; **of malice** ~ w złym zamiarze; w zamiarze wyrządzenia szkody
preponderance [pri'pɔndərəns] *s* przewaga; wyższość
preponderant [pri'pɔndərənt] *adj* przeważający; mający <posiadający> przewagę; górujący; wyższy; ważniejszy
preponderate [pri'pɔndə,reit] *vi* przeważ-yć/ać; mieć przewagę <górować> (**over sb, sth** nad kimś, czymś); mieć większą wagę (**over sth** niż coś); być ważniejszym (**over sth** od czegoś)
preponderatingly [pri'pɔndə,reitiŋli] *adv* przeważnie; w przeważającej mierze; w przeważającym stopniu
preposition [,prepə'ziʃən] *s gram* przyimek
prepositional [,prepə'ziʃn̩l] *adj gram* przyimkowy
prepossess [,pri:pə'zes] *vt* 1. wp-oić/ajać (**sb with sth** komuś coś); natchnąć <przej-ąć/mować> (**sb with sth** kogoś czymś) 2. *zw w stronie biernej*: (*o idei itd*) owładnąć/władać (**sb** kimś) 3. uspos-obić/abiać; **to** ~ **sb against sb** uprzedz-ić/ać kogoś do kogoś; **to** ~ **sb in sb's favour** dobrze kogoś uspos-obić/abiać do kogoś; **his conduct** ~**ed me in his favour** on mnie ujął swoim zachowaniem *zob* **prepossessing**
prepossessing [,pripə'zesiŋ] ⊡ *zob* **prepossess** ⊡ *adj* miły; sympatyczny; ujmujący
prepossession [,pripə'zeʃən] *s* 1. życzliwe nastawienie 2. uprzedzenie
preposterous [pri'pɔstərəs] *adj* niedorzeczny, absurdalny, bezsensowny, *pot* bzdurny; śmieszny
preposterousness [pri'pɔstərisnis] *s* niedorzeczność, absurdalność, bezsensowność, *pot* bzdurność; śmieszność
prepotence [pri'poutəns], **prepotency** [pri'poutənsi] *s* 1. przemożność; przewaga 2. *biol* przeważająca siła rozrodcza <przekazywania cech dziedzicznych>
prepotent [pri'poutənt] *adj* przemożny; przeważający
prepuce ['pri:pju:s] *s anat* napletek
preputial [pri'pju:ʃəl] *adj anat* napletkowy
Pre-Raphaelite ['pri:'ræfə,lait] *s mal* prerafaelita
Pre-Raphaelitism ['pri:'ræfəli,tizəm] *s mal* prerafaelityzm
pre-release ['pri:ri'li:s] *attr* (*o seansie filmowym*) prapremierowy

prerequisite ['pri:'rekwizit] 🔲 *s* wstępny warunek 🔲 *adj* wymagany jako warunek wstępny

prerogative [pri'rɔgətiv] 🔲 *s* prerogatywa; przywilej 🔲 *adj* posiadany na mocy <z tytułu> prerogatywy <przywileju>

presage ['presidʒ] 🔲 *s* 1. zapowiedź; znak; oznaka; wróżba 2. przeczucie 🔲 *vt* [pri'seidʒ] 1. zapowi-edzieć/adać; wróżyć; być zapowiedzią <znakiem, oznaką> (sth czegoś) 2. (*o człowieku*) przepowi-edzieć/adać; wy/wróżyć 3. przeczu-ć/wać 🔲 *vi* [pri'seidʒ] 1. wróżyć 2. być wróżbą; **it ~s well for us** to dla nas dobra wróżba <dobry znak> 3. mie-ć/wać (dobre, złe) przeczucie

presbyopia [,prezbi'oupjə] *s med* starczowzroczność, dalekowzroczność starcza

presbyter ['prezbitə] *s* 1. prezbiter 2. (*u prezbiterian*) starszy kościoła

presbyteral [prez'bitərəl] *adj* (*o obowiązkach itd*) prezbitera

presbyterial [,prezbi'tiəriəl] *adj* prezbiterialny

Presbyterian [,prezbi'tiəriən] 🔲 *adj* prezbiteriański 🔲 *s* prezbiterian-in/ka

Presbyterianism [,prezbi'tiəriə,nizəm] *s* prezbiterianizm, prezbiteriański odłam wyznania protestanckiego

presbytery ['prezbitəri] *s* 1. *arch* prezbiterium 2. (*w kościele rzymskokatolickim*) plebania 3. (*w kościele prezbiteriańskim*) konsystorz

pre-school ['pri:'sku:l] *attr* (*o wieku itd*) przedszkolny

prescience ['presiəns] *s* 1. wiedza <znajomość> uprzednia (faktów) 2. przewidywanie

prescient ['presiənt] *adj* 1. wiedzący z góry; mający znajomość przyszłych wydarzeń 2. przewidujący

pre-scientific ['pri:,saiən'tifik] *adj* przednaukowy, sprzed ery naukowej

prescind [pri'sind] 🔲 *vt* odci-ąć/nać; oddziel-ić/ać; odłącz-yć/ać 🔲 *vi* abstrahować (**from sth** od czegoś); pomi-nąć/jać (**from sth** coś)

prescribe [pris'kraib] 🔲 *vt* 1. przepis-ać/ywać; nakaz-ać/ywać; zalec-ić/ać; zlec-ić/ać 2. wyznacz-yć/ać; określ-ić/ać 3. (*o lekarzu*) za/ordynować 🔲 *vi* 1. (*o lekarzu*) zapis-ać/ywać <za/ordynować> lekarstwo (**to** <**for**> **sb** komuś) 2. *prawn* ule-c/gać przedawnieniu 3. *prawn* rościć prawo na podstawie zasiedzenia (**to** <**for**> **sth** do czegoś)

prescript ['pri:skript] *s* nakaz

prescription [pris'kripʃən] *s* 1. nakaz 2. przepis; recepta; **to make out a ~ for a medicine** zaordynować lekarstwo 3. *prawn* **positive ~** nabycie przez zasiedzenie; **negative ~** utrata wskutek przedawnienia

prescriptive [pris'kriptiv] *adj* 1. nakazany 2. uświęcony zwyczajem 3. *prawn* (*o prawie, klauzuli*) przedawnienia <zasiedzenia>

presence ['prezns] *s* 1. obecność; **~ of mind** przytomność umysłu; **your ~ is requested** uprasza się o (łaskawe) przybycie; **in the (august** etc.**) ~** przed obliczem <przed oblicze> (najjaśniejszego pana itd.) 2. postawa; powierzchowność; prezencja; aparycja

presence-chamber ['prezns,tʃeimbə] *s* sala audiencjonalna

present¹ ['preznt] 🔲 *adj* 1. obecny (w danym miejscu); **~ to the mind** żywy w pamięci;

those ~, **the ~ company** obecni 2. niniejszy; **the ~ writer** autor (niniejszej pracy) 3. obecny, teraźniejszy, dzisiejszy; bieżący (rok itd.) 4. *gram* (*o czasie*) teraźniejszy 🔲 *s* 1. teraźniejszość; dzisiejsze czasy; obecny czas; **at ~** teraz, obecnie; **w obecnej** <**tej**> **chwili**; chwilowo; **no** <**not any**> **more at ~** więcej nie; na razie dość; **for the ~** na razie; **up to** <**until**> **the ~** dotychczas 2. *gram* czas teraźniejszy 3. *pl prawn* **these ~s** niniejszy akt

present² ['preznt] *s* prezent; dar; podarunek; upominek; **to make a ~ of sth** podarować <złożyć w darze> coś

present³ [pri'zent] 🔲 *vt* 1. przedstawi-ć/ać (kogoś komuś) 2. przedstawi-ć/ać <przed-łożyć/kładać, okaz-ać/ywać> (dokument itd.) 3. *kośc* polec-ić/ać <wysu-nąć/wać> (jako kandydata do beneficjum) 4. celować <mierzyć> (**a fire-arm at sb, sth** z broni palnej do kogoś, czegoś) 5. *wojsk* prezentować (broń) 6. po/darować <za/ofiarować> (**sth to sb, sb with sth** komuś coś); **to ~ sb with sth** zrobić komuś prezent z czegoś 7. wyra-zić/żać (coś komuś); **to ~ one's apologies to sb** złożyć/składać komuś wyrazy ubolewania; przepr-osić/aszać kogoś; **to ~ sb's compliments** <**regards**> **to sb** kłaniać się komuś od kogoś 8. wn-ieść/osić (skargę, projekt ustawy itd.) 🔲 *vr* **~ oneself** 1. przedstawi-ć/ać się 2. stawi-ć/ać się (**for an examination** na <do> egzamin/u); **to ~ oneself at sb's house** zgł-osić/aszać się u kogoś 3. (*o sposobności*) nadarz-yć/ać się 🔲 *s* 1. celowanie (z broni); (*o broni*) **at the ~** wycelowany 2. prezentowanie broni

presentable [pri'zentəbl] *adj* 1. (*o przedmiocie*) nadający się na prezent 2. (*o człowieku*) posiadający dobrą prezencję; **to be ~** móc się pokazać (ludziom na oczy)

presentation [,prezn'teiʃən] *s* 1. przedstawi-enie/anie (kogoś, czegoś komuś); przedłożenie <okaz--anie/ywanie> (dokumentu itd.); **payable on ~** płatny za okazaniem 2. przedstawienie (kogoś) na dworze 3. przedstawienie (teatralne itd.) 4. podarowanie; **~ copy (of a book etc.)** egzemplarz autorski <okazowy> (książki itd.) 5. *rel* **Presentation of the Blessed Virgin** Oczyszczenie Najśw. Panny 6. (*w położnictwie*) przodowanie 7. *filoz* postrzeżenie

presentative [pri'zentətiv] *adj* 1. *kośc* kolatorski 2. sugestywny 3. *filoz* postrzeżeniowy

present-day ['preznt,dei] *adj* dzisiejszy; obecny; współczesny

presentee [,prezən'ti:] *s* 1. kandydat/ka (na stanowisko itd.) 2. osoba przedstawiona na dworze 3. osoba obdarowana

presenter [pri'zentə] *s* 1. osoba przedstawiająca (kandydata na stanowisko itd.) 2. *kośc* kolator 3. darczyńca, obdarowujący, ofiarodawca

presentient [pri'senʃiənt] *adj* przeczuwający (**of sth** coś); **to be ~ of sth** przeczuwać coś

presentiment [pri'zentimənt] *s* przeczucie; **to have a ~ of sth** przeczuwać coś

presentive [pri'zentiv] *adj* (*o wyrazie*) obrazowy

presently ['prezntli] *adv* 1. niebawem; wkrótce; zaraz 2. † *dial* obecnie

presentment [pri'zentmənt] *s* 1. przedstawienie (myśli w słowach, sceny w malarstwie, sztuki w teatrze); obraz; opis; sposób przedstawiania 2. *sąd* oświadczenie (sędziów przysięgłych) 3. *kośc* skarga; zażalenie

preservation [‚prezə'veiʃən] *s* 1. zachow-anie//ywa-nie; utrzym-anie/ywanie 2. ochrona 3. stan; **in an excellent <a fair> state of ~** doskonale <względnie dobrze> zachowany; w doskonałym <we względnie dobrym> stanie

preservative [pri'zə:vətiv] Ⅰ *adj* ochronny; zabez-pieczający; zapobiegawczy; konserwujący Ⅲ *s* środek ochronny <antyseptyczny, zapobiegający zepsuciu>

preserve [pri'zə:v] Ⅰ *vt* 1. o/chronić **(from sth** od czegoś, przed czymś); zabezpiecz-yć//ać 2. przechow-ać//ywać, zachow-ać//ywać; utrzym-ać// ywać 3. za/konserwować; (*o człowieku*) **well ~d** dobrze się trzymający <zakonserwowany> 4. trzy-mać pod ochroną (zwierzynę, ryby) Ⅲ *s* 1. kon-serwa; konfitura; dżem 2. rezerwat 3. *pl* **~s** okulary ochronne

preside [pri'zaid] *vi* 1. przewodniczyć **(at <over> a meeting** etc. na zebraniu itd.) 2. grać **(at the organ** na organach); wyst-ąpić/ępować **(at the piano** przy fortepianie)

presidency ['prezidənsi] *s* 1. prezydentura; ka-dencja prezydenta 2. przewodnictwo; prezesura 3. urząd ministra 4. dyrektorstwo 5. kadencja rektora 6. (*w Indiach*) okręg administracyjny

president ['prezidənt] *s* 1. prezydent 2. przewod-niczący; prezes 3. (*w ministerstwach zwanych*: **Board-**) minister 4. dyrektor (w niektórych szko-łach) 5. rektor 6. (*w Indiach*) gubernator

presidential [‚prezi'denʃəl] *adj* 1. prezydialny 2. (*o wyborach*) prezydenckie, prezydenta; **~ year** rok wyborów prezydenta

presidiary [pri'sidiəri] *adj* garnizonowy

presidio [pri'sidi‚ou] *s* (*w Hiszpanii i w Ameryce Płd*) twierdza

presidium [pri'sidiəm] *s* prezydium

⬆**press¹** [pres] Ⅰ *vt* 1. cisnąć, nacis-nąć/kać; przy-cis-nąć/kać; ścis-nąć/kać; wycis-nąć/kać 2. s/pra-sować; wziąć/brać <da-ć//wać> pod prasę; tło-czyć; wytł-oczyć/aczać; wtł-oczyć/aczać; **to ~ home an argument** przekonać (kogoś) argumen-tem 3. od/prasować (ubranie itd.) 4. nacis-nąć/ kać **(the enemy** etc. nieprzyjaciela itd.); nękać; nalegać <wyw-rzeć/ierać nacisk> **(sb na kogoś);** naglić **(sb for sth** kogoś o coś); nastawać **(sb for sth** na kogoś o coś) 5. przygni-eść/atać; gnę-bić 6. ciążyć **(the mind** na sercu) 7. narzuc-ić/ ać **(sth upon sb** komuś coś); wmu-sić/szać **(sth upon sb** coś w kogoś); wymu-sić/szać **(sth on sb** coś na kimś, od kogoś) 8. żądać <wymagać, domagać się> **(sb for sth** czegoś od kogoś) 9. nalegać **(sth** na coś); obstawać <upierać się> **(sth** przy czymś) Ⅱ *vi* 1. nacis-nąć/kać **(on sth** coś) 2. tłoczyć się 3. (*o czasie itd*) naglić 4. przycis-nąć/kać się **(close against sb, sth** do kogoś, czegoś) 5. (*o obowiązkach itd*) być cię-żarem **(on sb** dla kogoś); **to ~ heavily on sb** ciążyć komuś

~ back *vt* 1. od-epchnąć/pychać <powstrzym--ać//ywać> (wroga itd.) 2. powstrzym-ać//ywać (łzy itd.)

~ down Ⅰ *vt* nacis-nąć/kać Ⅲ *vi* nacis-nąć/ kać **(on sth** coś)

~ forward *vi* 1. = **~ on** *vi* 2. cisnąć się naprzód; pchać się do przodu

~ in *vt* wcis-nąć/kać

~ on Ⅰ *vt* popędzać; poganiać Ⅲ *vi* pędzić naprzód; pośpieszać; po/śpieszyć się

~ out *vt* wyż-ąć/ymać; wycis-nąć/kać

~ up Ⅰ *vi* s/tłoczyć się Ⅲ *vt* s/tłoczyć; s/cisnąć

zob **pressed, pressing**

press² [pres] Ⅰ *vt* 1. siłą <przemocą> wciel-ić/ać do wojska <do marynarki> 2. za/rekwirować Ⅲ *s* przymusowe wcielenie do wojska <do mary-narki> *zob* **press-gang**

press³ [pres] Ⅰ *s* 1. tłok; ścisk 2. nawał (zajęć itd.) 3. przyciśnięcie; **to give sth a ~** nacisnąć <przycisnąć> coś 4. prasa (maszyna drukarska i dzienniki); wytłaczarka; **in the ~** w druku 5. szafa (ścienna z półkami — na bieliznę, książki itd.) 6. recenzje prasowe; **the book had a good ~** książka miała dobre <przychylne> recenzje Ⅲ *attr* prasowy

press-agency ['pres‚eidʒənsi] *s* agencja prasowa <informacyjna>

press-agent ['pres‚eidʒənt] *s* agent prasowy

press-bed ['pres‚bed] *s* składane łóżko (zamykane w szafie ściennej)

press-box ['pres‚bɔks] *s* miejsce dla przedstawi-cieli prasy <loża prasowa> (na stadionie, uro-czystości itd.)

press-button ['pres‚bʌtn] = **press-stud**

press-clipping ['pres‚klipiŋ] = **press-cutting**

press-conference ['pres‚kɔnfərəns] *s* konferencja prasowa

press-corrector ['pres-kə‚rektə] *s* korektor/ka

press-cutting ['pres‚kʌtiŋ] *s* wycinek prasowy; **~ agency** agencja wycinków prasowych

pressed [prest] Ⅰ *zob* **press¹** *v* Ⅲ *adj* 1. praso-wany 2. tłoczony 3. odczuwający <cierpiący na> brak **(for sth** czegoś); **to be hard ~** być przy-partym do muru <w położeniu bez wyjścia>; **to be ~ for time** <money> nie mieć czasu <pieniędzy>

press-gallery ['pres‚gæləri] *s* *parl* galeria prasowa

press-gang ['pres‚gæŋ] *s* *hist* najemne bandy ła-piące młodych mężczyzn celem przymusowego wcielenia do wojska <do marynarki>

pressing ['presiŋ] Ⅰ *zob* **press¹** *v* Ⅲ *adj* 1. (*o ko-nieczności itd*) pilny 2. (*o niebezpieczeństwie*) groźny 3. natarczywy; (*o zaproszeniu*) usilny; **to be ~** nalegać

pressman ['presmən] *s* (*pl* **pressmen** ['presmən]) dziennikarz; przedstawiciel prasy

pressmark ['pres‚ma:k] *s* sygnatura (biblioteczna)

press-proof ['pres‚pru:f] *s* *druk* 1. rewizja (ostat-nia korekta) 2. próbna odbitka z maszyny (przed drukiem)

press-room ['pres‚ru:m] *s* *druk* hala maszyn

press-stud ['pres‚stʌd] *s* zatrzask (do odzieży)

⬆**pressure** ['preʃə] Ⅰ *s* 1. *fiz meteor med techn* ciśnienie; *techn* **high <low> ~** wysokie <niskie> ciśnienie; wysoka <niska> prężność; *przen* **at high ~** (pracować itd.) intensywnie <na gorącz-kowo> 2. napór; parcie 3. *elektr* napięcie 4. na-cisk; presja; przymus; **to act under ~** działać pod presją <pod przymusem>; **to bring ~ to bear on sb** wyw-rzeć/ierać na kogoś presję; za/

stosować przymus wobec kogoś; **to put ~ upon sth** kłaść nacisk <nalegać> na coś 5. nawał (pracy, spraw itd.); **under (the) ~ of** __ w nawale ... 6. trudności <kłopoty> (finansowe itd.) ⑪ *attr* ciśnieniowy; (*o komorze itd*) ciśnień

pressure-cooker ['preʃə,kukə] *s* naczynie do gotowania pod ciśnieniem

pressure-gauge ['preʃə,geidʒ] *s techn* manometr

pressure-oiler ['preʃər,ɔilə] *s techn* towotnica

prestidigitation ['presti,didʒi'teiʃən] *s* kuglarstwo

prestidigitator [,presti'didʒi,teitə] *s* prestidigitator, kuglarz

prestige [pres'tiːʒ] *s* prestiż

presto ['prestou] ① *adj muz* bardzo szybki ⑪ *s muz* presto ⑪ *adv* szybko; już ⑰ *interj* szybko!; już!

presumable [pri'zjuːməbl] *adj* przypuszczalny

presume [pri'zjuːm] ① *vt* 1. przypu-ścić/szczać <domyśl-ić/ać się, wnosić, wy/wnioskować, przyjmować> (**that** __ że ...); **to ~ sb** <**sth**> **to be** __ przypuszczać <sądzić, uważać, przyjmować>, że ktoś <coś> jest ... (czymś) 2. ośmiel-ić/ać się (**to do sth** coś zrobić); pozw-olić/alać sobie (**to do sth** (na to, żeby) coś zrobić) ⑪ *vi* 1. za dużo sobie pozwalać 2. polegać (**on** <**upon**> **sth** na czymś); ufać (**on** <**upon**> **sth** czemuś) 3. nadużywać (**on** <**upon**> **sth** czegoś); wykorzyst-ać/ywać (**on** <**upon**> **sth** coś) *zob* **presumed, presuming**

presumed [pri'zjuːmd] ① *zob* **presume** ⑪ *adj* przypuszczalny; domniemany

presumedly [pri'zjuːmidli] *adv* przypuszczalnie

presuming [pri'zjuːmiŋ] ① *zob* **presume** ⑪ *adj* zarozumiały; zadufany w sobie

presumption [pri'zʌmpʃən] *s* 1. przypuszczenie; założenie; domniemanie 2. podstawa do przypuszczenia 3. zarozumiałość; pewność siebie; arogancja

presumptive [pri'zʌmptiv] *adj* przypuszczalny; **heir ~** ewentualny dziedzic <następca tronu>; **~ evidence** poszlaki

presumptuous [pri'zʌmptjuəs] *adj* zarozumiały; pewny siebie; arogancki

presuppose [,priːsə'pouz] *vt* 1. przyjmować <zakładać> (z góry) (**sth** coś; **that** __ że ...) 2. nasu-nąć/wać wniosek (**that** __ że ...) 3. implikować

presupposition [,priːsʌpə'ziʃən] *s* założenie; domysł

pretence [pri'tens] *s* 1. roszczenie (**to sth** o coś, z czegoś); pretensja (**to sth** do czegoś) 2. pretensje; **devoid of ~** bez pretensji; skromny 3. udawanie, symulowanie; **to make a ~ of** __ udawać ... (coś); **to make a ~ of doing sth** udawać, że się coś robi 4. pozór; **false ~s** pozory; **by** <**on, under**> **false ~s** podstępem (coś uzyskać) 5. pretekst; **on** <**under**> **the ~ that** __ pod pretekstem, że... 6. wykręt; **it was all ~** to był zwykły wykręt

pretend [pri'tend] ① *vt* uda-ć/wać; symulować; u/pozorować; stw-orzyć/arzać pozory (**sth** czegoś); **to ~ to be** __ udawać, że się jest ... (kimś, czymś); udawać ... (kogoś — artystę itd.); podawać się ... (za kogoś); chcieć uchodzić ... (za kogoś, coś) ⑪ *vi* 1. udawać; symulować; robić minę (**that** __ że ...) 2. rościć sobie pre-

tensje <pretendować, mieć aspiracje> (**to sth** do czegoś); starać się (**to sb** o kogoś, o czyjąś rękę) *zob* **pretended**

pretended [pri'tendid] ① *zob* **pretend** ⑪ *adj* udany, udawany; fałszywy

pretender [pri'tendə] *s* 1. udawącz/ka; symulant/ka; oszust/ka 2. pretendent/ka

pretense [pri'tens] *am* = **pretence**

pretension [pri'tenʃən] *s* 1. aspiracje; ambicje; pretensje (**to sth do** czegoś); **a person of no ~s** osoba bez pretensji <skromna> 2. roszczenie; prawo <tytuł> (**to sth** do czegoś) 3. pretensjonalność

pretentious [pri'tenʃəs] *adj* pretensjonalny

pretentiousness [pri'tenʃəsnis] *s* pretensjonalność

preter- ['priːtə-] *praef* poza-; ponad-; nad-

preterhuman ['priːtə'hjuːmən] *adj* nadludzki

preterite ['pretərit] ① *adj gram* przeszły ⑪ *s gram* czas przeszły

preterition [,pretə'riʃən] *s* pominięcie; nieuwzględnienie

pretermission [,priːtə'miʃən] *s* 1. = **preterition** 2. zaprzestanie; zarzucenie; przerwa

pretermit [,priːtə'mit] *vt* (-tt-) 1. pomi-nąć/jać; nie wspom-nieć/inać (**sb, sth** o kimś, czymś) 2. zaprzesta-ć/wać (**sth** czegoś); zarzuc-ić/ać; przer-wać/ywać

▲**preternatural** [,priːtə'nætʃrəl] *adj* nadprzyrodzony

pretext ['priːtekst] ① *s* pretekst, pozór; wymówka ⑪ *vt* [pri'tekst] poda-ć/wać jako pretekst; wym-ówić/awiać się (**sth** czymś)

pretone ['priː'toun] *s fonet* samogłoska <zgłoska> poprzedzająca zgłoskę akcentowaną

prettify ['priti,fai] *vt* (**prettified** ['priti,faid], **prettified; prettifying** ['priti,faiiŋ]) upieksz-yć/ać

prettily ['pritili] *adv* ładnie

prettiness ['pritinis] *s* uroda (dziecka, dziewczyny); ładność (stylu itd.)

pretty ['priti] ① *adj* (**prettier** ['pritiə], **prettiest** ['pritiist]) 1. ładny; śliczny 2. przyjemny 3. (*o sportowcu*) dobry (w grze) 4. niemały, spory; **a ~ penny** ładny grosz 5. *iron* ładny; **a ~ sort of chap!** ładny ananas!; dobry numer!; **a ~ state of affairs!** ładne rzeczy!; **~ tales** ładne <ciekawe> historie ⑪ *s* 1. ślicznotka; kochane dziecko 2. *pot* oczyszczona z przeszkód część boiska golfowego 3. ozdobiona <rżnięta> część kieliszka do wina ⑪ *adv* dość, dosyć; mniej więcej; **~ much** <**nearly**> mniej więcej; niemal (że); **~ much alike** bardzo podobn-i/e

prettyish ['pritiiʃ] *adj* ładniutki; niebrzydki

pretty-pretty ['priti,priti] ① *s* cacko ⑪ *adj* ładniutki; milutki

prevail [pri'veil] *vi* 1. zwycięż-yć/ać (**over sb, sth** kogoś, coś); za/tryumfować (**over sb** nad kimś); wziąć/brać górę (**against** <**over**> **sb, sth** nad kimś, czymś) 2. nakł-onić/aniać <nam-ówić/awiać> (**upon sb to do sth** kogoś do zrobienia czegoś); wymóc (**upon sb to do sth** na kimś zrobienie czegoś) 3. przeważać; panować; być w powszechnym użyciu <zwyczaju> *zob* **prevailing**

prevailing [pri'veiliŋ] ① *zob* **prevail** ⑪ *adj* 1. przeważający; powszechny; ogólny 2. obecny, obecnie panujący

prevalence ['prevələns] *s* panowanie; przewaga; rozpowszechnienie

prevalent ['prevələnt] *adj* 1. panujący; przeważający; rozpowszechniony; powszechny; ogólny 2. obecny, obecnie panujący

prevaricate [pri'væri‚kǝit] *vi* 1. mówić wymijająco; kręcić; omijać prawdę; *pot* wyłg-ać/iwać się 2. mówić dwuznacznikami

prevarication [pri‚væri'keiʃən] *s* 1. wykręt; omijanie prawdy; *pot* wyłg-anie/iwanie się 2. dwuznacznik

prevaricator [pri'væri‚keitə] *s* krętacz/ka; matacz/ka

prevenient [pri'vi:njənt] *adj* 1. uprzedni 2. prewencyjny; zapobiegający (**of sth** czemuś)

prevent [pri'vent] *vt* 1. przeszk-odzić/adzać (**sth** czemuś; **sb from doing sth, sb's doing sth** komuś w zrobieniu czegoś); sta-nąć/ć na przeszkodzie (**sth** czemuś); uniemożliwi-ć/ać; nie dopu-ścić/szczać (**sth do** czegoś) 2. zapobie-c/gać (**zaradz-ić/ać**) (**sth** czemuś); odwr-ócić/acać (nieszczęście itd.); o/chronić (**sth przed** czymś) 3. † uprzedz-ić/ać

preventable [pri'ventəbl] *adj* (możliwy) do uniknięcia

preventer [pri'ventə] *s mar* prewenter (linka lub łańcuch zabezpieczający)

prevention [pri'venʃən] *s* 1. przeszkoda 2. zapobieganie (**of sth** czemuś); ochrona <zabezpiecze-nie> (**of sth przed** czymś); ˙środ-ek/ki zapobiegawcz-y/e; profilaktyka

preventive [pri'ventiv] ⊡ *adj* zapobiegawczy; zaradczy; ochronny; prewencyjny; profilaktyczny; **the Preventive Service** ochrona (celna) wybrzeża ⊞ *s* środek zapobiegawczy <profilaktyczny, zaradczy>

preventorium [‚privən'tɔ:riəm] *s* (*pl* **preventoria** [‚privən'tɔ:riə]) prewentorium

▲**pre-view** ['pri:'vju:] *s* prapremiera (filmu); pokaz (mody itd.) przed udostępnieniem publiczności

previous ['pri:vjəs] ⊡ *adj* 1. poprzedni; poprzedzający (**to sth** coś); uprzedni; ~ **examination** egzamin wstępny na uniwersytet w Cambridge 2. *am pot* pochopny; popędliwy ⊞ *adv w zwrocie*: ~ **to sth** przed czymś

previse [pri'vaiz] *vt* przewi-dzieć/dywać

prevision [pri'viʒən] *s* przewidywanie

previsional [pri'viʒənəl] *adj* przewidujący

pre-war ['pri:'wɔ:] *adj* przedwojenny

prex [preks], **prexy** ['preksi] *s am sl uniw* rektor

prey [prei] ⊡ *s* 1. zdobycz; łup; żer; **bird <beast> of** ~ ptak ‹zwierzę› drapieżn-y/e 2. ofiara; pastwa; **to be a** ~ **to** __ a) być ofiarą ... (czegoś) b) być trawionym <dręczonym> ... (smutkiem, lękiem itd.); **to fall a** ~ **to** __ stać się pastwą <ofiarą> ... (czegoś); być wydanym na łup <na pastwę> ...; ule-c/gać ... (pokusie itd.) ⊞ *vi* 1. polować (**upon <on> sth** na coś — zwierzęta, ptaki itd.) 2. żerować (**on <upon> sb, sth** na kimś, czymś); **to** ~ **on sb's mind** dręczyć <szarpać, męczyć, trawić> kogoś

priapism ['praiə‚pizəm] *s med* bolesny wzwód prącia

▲**price** [prais] ⊡ *s* 1. cena; koszt; **at any <at no, not at any>** ~ za wszelką ‹żadną› cenę; **beyond <without>** ~ bezcenny 2. *giełd* kurs

3. szanse <widoki> (wygranej itd.) 4. *sl w zwrocie*: **what** ~ __ a) co ty <pan> na ...?; jak ci <panu> się podoba ...? b) czy możliwe jest ...? ⊡ *attr* (*o wskaźniku, poziomie, polityce itd*) cen ⊞ *vt* 1. oznacz-yć/ać <określ-ić/ać> cenę (**sth** czegoś); wyceni-ć/ać 2. oceni-ć/ać 3. za/pytać <informować się> o cenę (**sth** czegoś) *zob* **priced**

price-current ['prais‚kʌrənt] *s* cennik

price-cutting ['prais‚kʌtiŋ] *s* zniżka cen

priced [praist] ⊡ *zob* **price** *v* ⊞ *adj* oceniony (**at £** *x* **na** *x* funtów); ~ **catalogue** katalog cen

priceless ['praislis] *adj* bezcenny; nieoceniony

price-list ['prais‚list] *s* cennik

price-slashing ['prais‚slæʃiŋ] *s* gwałtowny spadek cen

prick [prik] ⊡ *s* 1. ukłucie; przekłucie; *przen* ~**s of conscience** wyrzuty sumienia; *przen* **to kick against the** ~**s** walić głową o mur 2. punkcik (ślad ukłucia) 3. kolec; cierń; oścień 4. *wulg* buc, kutas; penis ⊞ *vt* 1. u/kłuć; **to** ~ **one's finger** ukłuć się w palec 2. przekłu-ć/wać (**sth, a hole in sth** coś) 3. wy/punktować (wzór) 4. odfajkow-ać/ywać (nazwisko) na liście; wyb-rać/ierać 5. † spi-ąć/nać (konia) ostrogami 6. (*o sumieniu*) nie dawać spokoju (**sb** komuś) 7. (*o kowalu*) s/kaleczyć przy podkuwaniu (konia) ⊞ *vi* 1. kłuć; bóść; szczypać 2. † (*o jeźdźcu*) pędzić galopem 3. (*o winie*) s/kwaśnieć

~ **in** <**out, off**> *vt* prze/pikować (sadzonki) ~ **up** *vt w zwrocie*: **to** ~ **up one's ears** a) (*o psie itd*) nastawi-ć/ać uszy b) (*o człowieku*) nadstawi-ć/ać uszu; wytęż-yć/ać słuch; nasłuchiwać

prick-eared ['prik‚iəd] *adj* 1. (*o psie*) ostrouchy 2. (*o zwierzęciu, człowieku*) ze sterczącymi uszami

prick-ears ['prik‚iəz] *s* 1. sterczące uszy 2. (pies) ostrouszek 3. *hist* szydercze określenie purytanów

pricker ['prikə] *s* szydło; iglica; oścień

pricket ['prikit] *s* 1. (jeleń) roczniak 2. (*u lichtarza kościelnego*) kolec na świecę

prickle ['prikl] ⊡ *s* kolec; cierń ⊞ *vt* u/kłuć; u/bóść ⊞ *vi* 1. (*o cierniu itd*) kłuć 2. (*o napoju musującym itd*) szczypać

▲**prickly** ['prikli] *adj* (**pricklier** ['prikliə], **prickliest** ['prikliist]) 1. kolczasty; ciernisty; kłujący; *med* ~ **heat** potówka; *bot* ~ **pear** opuncja 2. (*o uczuciu*) mrowienia

pride [praid] ⊡ *s* 1. duma; pycha; buta; hardość; wyniosłość; zarozumiałość; **false** ~ próżność 2. duma; godność osobista; ambicja; **to take** ~ **in sb, sth** szczycić się kimś, czymś; być dumnym z kogoś, czegoś; **to wound sb's** ~ urazić <zranić> czyjąś dumę 3. (*o osobie, przedmiocie*) duma, chluba 4. szczyt (piękności itd.); kwiat (wieku) 5. stado (lwów) 6. *w nazwach różnych roślin*: **London** ~ odmiana skalnicy ⊞ *vr* ~ **oneself** 1. szczycić się (**on <upon> sth** czymś) 2. pysznić <chełpić> się (**on <upon> sth** czymś)

priest [pri:st] *s* 1. duchowny; ksiądz; kapłan; **high** ~ arcykapłan 2. pałka do głuszenia ryb

priestcraft ['pri:st‚krɑ:ft] *s* intrygi <matactwa> kleru

priestess ['pri:stis] *s* kapłanka

priesthood ['pri:sthud] *s* 1. stan duchowny; kapłaństwo 2. *zbior* kler, duchowieństwo, duchowni

priestly ['pri:stli] *adj* księży; kapłański; duszpasterski

priest-ridden ['pri:st,ridn] *adj* (*o kraju itd*) opanowany przez kler; poddany władzy <będący pod władzą> kleru

prig [prig] Ⅰ *s* 1. pedant/ka; *pot* piła 2. ograniczony zarozumialec 3. kołtun/ka 4. *sl* złodziej/ka Ⅲ *vt* (-gg-) *sl* buch-nąć/ać, gwizdnąć, zwędzić

priggish ['prigiʃ] *adj* 1. pedantyczny 2. zarozumiały 3. kołtuński

priggishness ['prigiʃnis] *s* 1. pedantyczność 2. zarozumiałość 3. kołtuństwo

prill [pril] *s* bryłka metalu

prim [prim] Ⅰ *adj* (-mm-) 1. sztywny 2. pedantyczny 3. wyszukany; wymuskany 4. afektowany; sztuczny; przesadny Ⅲ *vt* (-mm-) sznurować <ściągać> (usta) przy mówieniu Ⅲ *vi* (-mm-) przyb-rać/ierać afektowany wyraz twarzy; sznurować <ściągać> usta przy mówieniu

prima ['pri:mə] *adj* pierwszy; główny; ~ **donna** ['dɔnə] primadonna; ~ **facie** ['praimə'feiʃii:] a) (wrażenie wywierane) na pierwszy rzut oka b) na pozór

primacy ['praiməsi] *s* 1. pierwszeństwo; prymat 2. prymasostwo

primaeval [prai'mi:vəl] = **primeval**

primage[1] ['praimidʒ] *s mar* prymaż (dopłata na rzecz kapitana)

primage[2] ['praimidʒ] *s techn* ilość wody porywanej przez parę z kotła <z warnika>

primal ['praiməl] *adj* 1. pierwotny 2. główny; naczelny; podstawowy

primally ['praiməli] *adv* 1. pierwotnie 2. głównie; w pierwszym rzędzie

primarily ['praimərili] *adv* 1. pierwotnie; początkowo 2. głównie; przede wszystkim; najpierw; zwłaszcza

primary ['praiməri] Ⅰ *adj* 1. pierwotny; początkowy; prymitywny; ~ **assembly** <**meeting**> zebranie przedwyborcze 2. (*o znaczeniu itd*) pierwszorzędny; podstawowy; główny; najważniejszy; ~ **school** szkoła podstawowa 3. *geol* pierwszorzędowy, paleozoiczny 4. *astr* (*o planecie*) główny (krążący dookoła słońca) Ⅱ *s* 1. warunek podstawowy <pierwotny> 2. *geol* era paleozoiczna 3. *astr* planeta główna <krążąca dookoła słońca> 4. zebranie przedwyborcze 5. *fiz* barwa podstawowa

primate ['praimit] *s kośc* prymas

primates [prai'meiti:z] *spl zoo* prymaty <naczelne> (najwyższe grupy zwierząt ssących)

primateship ['praimitʃip] *s kośc* prymasostwo

primatial [prai'meiʃəl] *adj kośc* prymasowski

prime[1] [praim] Ⅰ *adj* 1. pierwszy; pierwszorzędny; pierwszorzędnego znaczenia; naczelny; najwyższy; główny; *mat* (*o liczbie*) pierwszy; **articles of** ~ **necessity** artykuły pierwszej potrzeby; ~ **cost** koszt własny; cena kosztu; **Prime Minister** premier; ~ **mover** a) *techn* napęd główny b) *przen* źródło (czegoś); główna sprężyna <pobudka> 2. (*o jakości*) pierwszorzędny; najlepszego <najwyższego> gatunku; wyborny, wyborowy; **in** ~ **condition** w zna-

komitym stanie Ⅲ *s* 1. szczyt (doskonałości); rozkwit; pełnia; **he is past his** ~ (on) przekroczył punkt szczytowy w swej karierze; **in the** ~ **of life** w kwiecie wieku 2. najlepsza cząstka 3. zaczątek; zaranie; *przen* wiosna (życia itd.) 4. *kośc* pierwsza godzina kanoniczna 5. *szerm* prima, pierwsza postawa 6. *mat* liczba pierwsza 7. *muz* prima 8. *druk mat* prim; **A'** A prim

prime[2] [praim] Ⅰ *vt* 1. uzbr-oić/ajać (pocisk itd.) 2. zal-ać/ewać (pompę przed pompowaniem) 3. poucz-yć/ać; dokładnie po/informować; udziel-ić/ać wyczerpujących informacji <wiadomości> (**sb** komuś) 4. sp-oić/ajać <upi-ć/jać> (kogoś) 5. za/gruntować (przed malowaniem) Ⅲ *vi* 1. *hist* podsyp-ać/ywać prochu na panewkę strzelby 2. przygotow-ać/ywać strzelbę do strzału

primeness ['praimnis] *s* doskonały gatunek (towaru)

primer[1] ['praimə] *s* 1. spłonka; zapłonnik 2. *plast* grunt

primer[2] ['praimə] *s* 1. elementarz; podręcznik dla początkujących 2. *kośc* godzinki; książka z godzinkami 3. ['primə] *druk* **great** ~ czcionka 18 pkt; **long** ~ czcionka 10 pkt

primeval [prai'mi:vəl] *adj* pierwotny; pradawny; prastary; (*o lesie*) dziewiczy

primipara [prai'mipərə] *s med* pierwiastka, pieroródka

primitive ['primitiv] Ⅰ *adj* 1. pierwotny; początkowy; *geol* pierwszorzędowy, paleozoiczny; (*o barwach*) podstawowy, główny; *jęz* (*o wyrazie*) pierwotny 2. prymitywny; surowy Ⅲ *s* 1. *jęz* wyraz pierwotny 2. barwa podstawowa 3. *plast* prymitywista 4. *plast* prymityw, obraz <rzeźba> prymitywn-y/a

primitiveness ['primitivnis] *s* prymitywność; prymitywizm

primness ['primnis] *s* 1. sztywność 2. pedantyczność, pedanteria 3. afektowanie, afektacja; sztuczność

primogeniture [,praimou'dʒenitʃə] *s* pieworództwo

primordial [prai'mɔ:djəl] *adj* 1. pierwotny; początkowy; odwieczny 2. zasadniczy; podstawowy

primp [primp] Ⅰ *vt am* wy/stroić Ⅲ *vr am* ~ **oneself** wy/stroić się

primrose ['prim,rouz] *s bot* pierwiosnek; **evening** ~ wiesiołek dwuletni, nocna świeca; **Primrose Day** 19 kwietnia, rocznica śmierci Disraelego; **Primrose League** liga konserwatywna dla zachowania polityki Disraelego; *przen* ~ **path** pogoń <uganianie się> za przyjemnościami;. ~ **yellow** kolor bladożółty

primula ['primjulə] *s bot* pierwiosnek, pierwiosnka

primulaceae [,primju'leisi,i:] *spl* (rośliny) pierwiosnkowate

primus[1] ['praiməs] Ⅰ *s* biskup przewodniczący w szkockim kościele episkopalnym Ⅲ *adj szk* najstarszy (z braci, z imienników)

primus[2] ['praiməs] *s* (*także* ~ **stove**) prymus (piecyk naftowy)

prince [prins] *s* książę; **Prince Albert** (**coat**) anglez, długi surdut; **Prince of Darkness** szatan;

Prince of Wales książę Walii (następca tronu angielskiego); *bot* ~'s **feather** a) odmiana szałłatu b) odmiana skalnicy; ~'s **metal** stop miedzi i cynku
princekin ['prinskin] *s* książątko, młody <mały> książę
princeling ['prinsliŋ] *s* książątko, pomniejszy książę
princely ['prinsli] *adj* (**princelier** ['prinsliə], **princeliest** ['prinsliist]) książęcy; królewski; **in a ~ manner** po królewsku
princess [prin'ses] *s* 1. księżna; księżniczka; **Princess royal** tytuł najstarszej córki króla angielskiego 2. (*także* ~ **dress** <**petticoat**>) kombinacja damska
principal ['prinsəpəl] Ⅰ *adj* 1. główny 2. (*o kwocie*) nominalny Ⅱ *s* 1. szef; dyrektor; kierownik 2. *handl* zleceniodawca, mocodawca, mandant 3. kapitał (w odróżnieniu od odsetek) 4. *prawn* sprawca 5. *muz* (*w organach*) główny rejestr 6. *pl* ~s (*w pojedynku*) przeciwnicy
principality [,prinsi'pæliti] *s* 1. księstwo 2. *pl teol* the **Principalities** księstwa (piąty rząd aniołów)
principalship ['prinsipəlʃip] *s* dyrektorstwo (szkoły)
principate ['prinsipit] *s* 1. godność książęca 2. księstwo
principle ['prinsəpl] *s* 1. podstawa; źródło 2. zasada; *fiz* prawo; reguła; **a man of high** ~s <**of no** ~s> człowiek (twardych) zasad <bez zasad>; **guiding** ~ wytyczna; **moral** ~s zasady moralności; **in** ~ w zasadzie; zasadniczo; **on** ~ ze względów zasadniczych 3. *chem* składnik
prink [priŋk] Ⅰ *vt* 1. wy/stroić 2. (*o ptaku*) muskać (pióra) Ⅱ *vr* ~ **oneself** wy/stroić się
print [print] Ⅰ *s* 1. odcisk; odbicie; ślad (stopy itd.); (**butter-**)~ a) krążek masła b) wytłaczarka do masła 2. *tekst* zadrukowany perkal 3. druk, druki; materiał drukowany; *am* gazeta; wydawnictwo; **in** ~ a) w formie drukowanej b) znajdujący się na półkach księgarskich; (*o wydawnictwie*) **out of** ~ wyczerpany 4. druk, pismo; ~ **hand** <**letters**> litery drukowane; **in large** <**small**> ~ dużym <drobnym> drukiem <pismem> 5. *druk fot* odbitka 6. sztych; rycina Ⅲ *adj tekst* (*o materiale*) zadrukowany Ⅲ *vt* 1. wycis-nąć/kać <wytł-oczyć/aczać> (**a surface etc. with a seal etc., a seal etc. on a surface etc.** pieczęć itd. na jakiejś powierzchni itd.); *przen* wyryć (**sth on the mind** <**memory**> coś w pamięci) 2. wy/drukować 3. *fot* (*także* ~ **out** <**off**>) odbi-ć/jać; z/robić odbitkę (**sth** czegoś) 4. zadrukow-ać/ywać (stronicę, perkal) Ⅳ *vi* 1. drukować publikacje 2. być w druku, drukować się; **his paper is now** ~**ing** jego praca jest teraz w druku <drukuje się> 3. (*o filmie, kliszy*) **to** ~ **well** <**badly etc.**> dawać dobre <złe itd.> odbitki *zob* **printing**
printer ['printə] *s* 1. drukarz; ~'s **devil** uczeń drukarski; ~'s **error** błąd druku <drukarski>; ~'s **ink** farba drukarska; ~'s **mark** znak firmowy drukarni; ~'s **reader** korektor/ka 2. *tekst* drukarz tkanin
printing ['printiŋ] Ⅰ *zob* **print** *v* Ⅲ *s* 1. druk; drukowanie 2. nakład 3. *fot* robienie odbitek 4. *tekst* zadrukow-anie/ywanie Ⅲ *attr* drukarski; ~ **firm** drukarnia, zakłady drukarskie

printing-frame ['printiŋ,freim] *s fot* ramka do kopiowania
printing-house ['printiŋ,haus] *s* drukarnia
printing-ink ['printiŋ,iŋk] *s* farba drukarska
printing-machine ['printiŋmə,ʃiːn] *s* maszyna <prasa> drukarska
printing-office ['printiŋ,ɔfis] = **printing-house**
printing-paper ['printiŋ,peipə] *s* 1. papier drukarski 2. *fot* (*także* **printing-out paper**) papier fotograficzny do kopiowania <do odbitek>
printing-press ['printiŋ,pres] *s* maszyna <prasa> drukarska
print-seller ['print,selə] *s* kupiec handlujący grawiurami
print-shop ['print,ʃɔp] *s* 1. skład grawiur, sklep z grawiurami 2. drukarnia
print-works ['print,wəːks] *s tekst* zakład drukowania tkanin
prior[1] ['praiə] Ⅰ *adj* 1. wcześniejszy; uprzedni; poprzedni; poprzedzający 2. ważniejszy; mający pierwszeństwo Ⅲ *adv w zwrocie*: ~ **to sth** przed czymś; wcześniej od czegoś; ~ **to his appointment** zanim został mianowany
prior[2] ['praiə] *s kośc* przeor
prioress ['praiəris] *s kośc* przeorysza
priority [prai'ɔriti] *s* pierwszeństwo; starszeństwo; priorytet; **first** <**top**> ~ bezwzględne pierwszeństwo
priory ['praiəri] *s* klasztor
prise *zob* **prize**[1]
prism ['prizəm] *s* 1. *fiz* pryzmat 2. *geom* graniastosłup 3. pryzma 4. *miner* słup 5. *pl* ~s barwy pryzmatyczne
prismatic [priz'mætik] *adj* pryzmatyczny
prison ['prizn] Ⅰ *s* więzienie Ⅲ *attr* więzienny Ⅲ *vt poet* u/więzić
prison-breaker ['prizn,breikə] *s* zbieg z więzienia, zbiegły więzień <aresztant>
prison-breaking ['prizn,breikiŋ] *s* ucieczka z więzienia
prison-editor ['prizn,editə] *s* redaktor odpowiedzialny (dziennika)
prisoner ['priznə] *s* więzień; *przen* **a** ~ **to one's room** <**chair**> człowiek przykuty (chorobą) do łóżka <do fotela>; ~ **at the bar** a) oskarżony; podsądny b) więzień w areszcie śledczym; ~ **of war** jeniec wojenny; ~ **of State** więzień polityczny; ~s' **base** <**bars**> gra w mety; **to be taken** ~ dostać się do niewoli; **to take** ~ wziąć do niewoli
prison-house ['prizn,haus] *s* więzienie
pristine ['pristain] *adj* dawny; pierwotny
prithee ['priði] *† interj* proszę cię
privacy ['praivəsi] *s* 1. odosobnienie; zacisze (domowe); odcięcie (się) od świata 2. unikanie rozgłosu; trzymanie (czegoś) w tajemnicy; **to do sth in strict** ~ robić coś bez rozgłosu <w zamkniętym gronie, w ścisłym kółku, w ścisłej tajemnicy>
private ['praivit] Ⅰ *adj* 1. prywatny; (*w napisie*) "Private" „wstęp wzbroniony"; ~ **member** poseł do parlamentu nie będący w rządzie; ~ (**soldier**) prosty żołnierz, szeregowiec; **in a** ~ **capacity** prywatnie; **in** ~ **clothes** (ubrany) po cywilnemu 2. ukryty; sekretny; tajny; **to keep sth** ~ trzymać coś w tajemnicy; nie rozgłaszać czegoś 3. osobisty 4. intymny; ~ **parts** geni-

talia, narządy płciowe 5. własny 6. indywidualny 7. (*o rozprawie itd*) niejawny, (odbywający się) przy drzwiach zamkniętych; (*o zabawie itd*) odbywający się w zamkniętym kółku; (dostępny) tylko za zaproszeniem 8. poufny; (powiedziany) w zaufaniu <w sekrecie, tajemnicy> 9. odosobniony; (od)izolowany Ⅲ *s* 1. prosty żołnierz, szeregowiec 2. *pl* ~*s* narządy płciowe, genitalia ‖ **in** ~ a) prywatnie b) w sekrecie; w tajemnicy c) (mówić z kimś) na osobności

privateer [ˌpraivə'tiə] *s* 1. statek korsarski 2. kapitan statku korsarskiego 3. *pl* ~*s* załoga statku korsarskiego

privateering [ˌpraivə'tiəriŋ] *s* korsarstwo

privation [prai'veiʃən] *s* 1. pozbawienie; utrata 2. brak; niedostatek; ubóstwo

privative ['privətiv] *adj* 1. negatywny 2. *gram* przeczący; wyrażający brak

privet ['privit] *s bot* kocierpka, ligustr

privilege ['privilidʒ] Ⅰ *s* 1. przywilej; immunitet; **bill of** ~ prośba para, by go sądzili parowie; **parliamentary** ~ nietykalność poselska; ~ **cab** dorożka uprawniona do korzystania z prywatnych <zastrzeżonych> miejsc postoju (dworców kolejowych itd.); **writ of** ~ nakaz zwolnienia z aresztu osoby za/trzymanej w sprawie cywilnej 2. prawdziwa satysfakcja; **to listen to him was a** ~ słuchać go było prawdziwą satysfakcją 3. zaszczyt (uczynienia czegoś); wyróżnienie Ⅲ *vt* 1. uprzywilejować; nada-ć/wać przywilej <udziel-ić/ać przywileju> (**sb** komuś) 2. uw-olnić/alniać (**from sth** od czegoś) *zob* **privileged**

privileged ['privilidʒd] Ⅰ *zob* **privilege** *v* Ⅲ *adj* uprzywilejowany; **to be** ~ **to** ~ mieć przywilej <zaszczyt>... (robienia czegoś)

privily ['privili] *adv* w sekrecie; w tajemnicy; po cichu

privity ['priviti] *s* 1. wiedza (**to sth** o czymś); **with the** ~ **of sb** (zrobiony) z <za> czyjąś wiedzą 2. *prawn* stosunek (pokrewieństwa, służbowy itd.)

privy ['privi] Ⅰ *adj* 1. *poet* ukryty; trzymany w ukryciu <w tajemnicy>; ~ **parts** genitalia 2. wtajemniczony (**to sth** w coś) 3. tajny; **Lord Privy Seal** lord tajnej pieczęci; **Privy Seal** tajna pieczęć 4. † osobisty; **the Privy Purse** a) fundusze asygnowane królowi na jego osobiste wydatki b) osobisty skarbnik króla Ⅲ *s* 1. ustęp, *pot* wygódka 2. *prawn* strona osobiście zainteresowana

prize¹, prise [praiz] *vt* (*także* ~ **up** <**out, open**>) wyważ-yć/ać (drzwi itp.); podważ-yć/ać (wieko, przykrywkę itp.)

prize² [praiz] Ⅰ *s* 1. nagroda (w sportach, konkursach itd.); ~ **fellowship** stypendium konkursowe 2. wygrana (na loterii) 3. intratne stanowisko; dobra posada; **the** ~*s* **of life** dobra tego świata Ⅲ *attr iron* kapitalny; stuprocentowy (idiota itd.) Ⅲ *adj* nagrodzony (w konkursie, na wystawie itd.) Ⅳ *vt* (wysoko sobie) cenić; przywiązywać wagę (**sth** do czegoś)

prize³ [praiz] Ⅰ *s* 1. zdobyty statek (wojenny); ładunek zdobytego statku; łup wojenny, trofeum, zdobycz; ~ **crew** załoga wyznaczona do obsługi zdobytego statku; **to become** ~ paść łupem; **to make** ~ **of sth** zdobyć <zagarnąć>

coś (na mocy prawa wojennego) 2. znaleziony skarb; gratka; **what a** ~ **I have found!** ależ mi się trafiła gratka! Ⅲ *vt* zdoby-ć/wać; pochwycić, schwytać

prize-fight ['praizˌfait] *s* mecz bokserski o nagrodę pieniężną

prize-fighter ['praizˌfaitə] *s* bokser <pięściarz> zawodowy

prize-fighting ['praizˌfaitiŋ] *s* boks <pięściarstwo> zawodow-y/e

prizeman ['praizmən] *s* (*pl* **prizemen** ['praizmən]) zdobywca nagrody, laureat

prize-master ['praizˌmɑːstə] *s* oficer rozporządzający zdobytym statkiem

prize-money ['praizˌmʌni] *s* udział w zdobyczy

prize-ring ['praizˌriŋ] *s* 1. ring dla zawodowych bokserów 2. zawody bokserów zawodowych

prize-winner ['praizˌwinə] *s* zdobyw-ca/czyni nagrody, laureat/ka

pro¹ [prou] *praep w różnych zwrotach łacińskich*: ~ **forma** [prou'fɔːmə] pro forma; ~ **forma invoice** faktura pro forma; ~ **rata** [prou'rɑːtə] proporcjonalny (fracht itd.); ~ **tem** [prou'tem], ~ **tempore** [prou'tempərə] tymczasowy, tymczasowo

pro² [prou] *skr pot* **professional** *s* 3.

pro³ [prou] Ⅰ *s w zwrocie*: **the** ~*s* **and cons** (wszystkie) za i przeciw; dobre i złe strony Ⅲ *adv w zwrocie*: ~ **and con** za i przeciw

proa ['prouə] *s* proa (malajski statek żaglowy)

probabilism ['prɔbəbiˌlizəm] *s filoz* probabilizm

probability [ˌprɔbə'biliti] *s* prawdopodobieństwo; szanse <widoki> (czegoś, na coś); *mat* **the calculus of probabilities** rachunek prawdopodobieństwa; **the** ~ **is that** ~ istnieje prawdopodobieństwo, że ...; prawdopodobnie...; **there is no** ~ **of** ~ nie ma widoków na to, (że)by...; **in all** ~ według wszelkiego prawdopodobieństwa

probable ['prɔbəbl] Ⅰ *adj* 1. prawdopodobny 2. (*o kandidacie itd*) mający szanse (zwycięstwa itd.) 3. (*o opowiadaniu itd*) wiarogodny; (*o wymówce itd*) możliwy do przyjęcia Ⅲ *s* prawdopodobny kandydat <wybór, zwycięzca itd.>

probang ['proubæŋ] *s med* zgłębnik (do badania przełyku itd.); pałeczka do pędzlowania

probate ['proubit] Ⅰ *s* 1. poświadczenie <dowód> autentyczności testamentu 2. autentyczna <uwierzytelniona> kopia testamentu Ⅲ *attr* (*o sądzie itd*) dla spraw spadkowych

probation [prə'beiʃən] *s* 1. próba; staż <okres> próbny; **to be on** ~ być przyjętym na próbę; odbywać staż (próbny) 2. *kość* nowicjat 3. *prawn* zawieszenie kary młodocianemu przestępcy (pod warunkiem nienagannego prowadzenia się) i oddanie go pod nadzór władzy sądowej; ~ **officer** opiekun sądowy młodocianych przestępców wypuszczonych warunkowo na wolność

probationary [prə'beiʃn̩əri] Ⅰ *adj* (*o okresie*) próbny Ⅲ *s* = **probationer**

probationer [prə'beiʃn̩ə] *s* 1. kandydat/ka przyjęt-y/a na próbę 2. *kość* nowicjusz/ka 3. *prawn* młodocian-y/a przestęp-ca/czyni (z zawieszoną warunkowo karą) znajdując-y/a się pod nadzorem władzy sądowej

probative ['proubətiv] *adj* dowodowy

probe [proub] Ⅰ *s* 1. *med* sonda 2. *med* z/bada-

nie sondą; zapuszcz-enie/anie sondy 3. przetyczka 4. *am* badanie; śledztwo Ⅲ *vt* 1. *med*
sondować; z/badać (ranę itd.) sondą <palcem>;
zapu-ścić/szczać sondę (**sth** do czegoś) 2. wy/
sondować <z/badać, wybadać> (opinię itd.) Ⅲ
vi 1. zapu-ścić/szczać' się (**into sth** w coś) 2.
wgłębi-ć/ać się (**into sth** w coś); z/badać gruntownie (**into sth** coś)
probity ['proubiti] *s* uczciwość
problem ['problǝm] *s* 1. zagadnienie; problem;
kwestia; ~ **play** <**novel etc.**> sztuka <powieść>
problemowa 2. rzecz niezrozumiała, zagadka
problematic(al) [,probli'mætik(ǝl)] *adj* problema-
tyczny
proboscidean, proboscidian [,probǝ'sidjǝn] *s zoo*
trąbowiec (ssak)
proboscis [prǝ'bosis] *s* ' (*pl* ~**es, proboscides**
[prǝ'bosi,di:z]) 1. trąba (słonia itd.); *żart* nos
(człowieka); ~ **monkey** małpa długonosa 2.
trąbka (owada)
procedural [prǝ'si:dʒǝrǝl] *adj* proceduralny
procedure [prǝ'si:dʒǝ] *s* 1. postępowanie; sposób
postępowania 2. procedura (sądowa itd.)
proceed [prǝ'si:d] *vi* 1. uda-ć/wać się <po/jechać,
po/płynąć, po/lecieć, pójść/iść, s/kierować swe
kroki> (**to a place** dokądś); prze-jść/chodzić
<przen-ieść/osić się> (do innego pokoju itd.);
posu-nąć/wać się (naprzód) 2. prowadzić dalej
<kontynuować> (**with** <**in**> **an action, investiga-
tions** etc. akcję, badania itd.) 3. ciągnąć
<mówić> dalej 4. (*o czynności, procesie itd*) po-
stępować <odbywać się, po/toczyć się, przebiegać, ciągnąć się, rozwijać się, być prowadzo-
nym> dalej; być w toku 5. prze-jść/chodzić (**to
another subject** etc. do innego tematu itd.) 6.
przyst-ąpić/ępować (**to do sth** do robienia czegoś) 7. posu-nąć/wać się (do ostateczności itd.);
to ~ **to blows** przejść do rękoczynów 8. po-
st-ąpić/ępować 9. zaskarż-yć/ać (**against sb** kogoś); wyt-oczyć/aczać proces (**against sb** komuś);
wszcz-ąć/ynać kroki (**against sb** przeciw komuś)
10. z kolei <następnie> powiedzieć <zrobić> (**to
sth** coś); **to** ~ (**to the degree of**) M. A. o-
trzymać (drugi z kolei) stopień (naukowy)
„M.A."; **we then** ~**ed to elect a new president**
następnie przystąpiliśmy do wyboru nowego
prezesa 11. wywodzić się <pochodzić, wynikać>
(**from sth** z czegoś); (*o dźwiękach*) wydobywać
się <pochodzić> (**from somewhere** skądś) *zob*
proceeding
proceeding [prǝ'si:diŋ] ① *zob* **proceed** Ⅲ *s* 1. postępowanie; zachowanie (się) 2. poczynanie;
postępek 3. *pl* ~**s** zebranie; debaty; obrady;
prace 4. *pl* ~**s** (*w nagłówku*) sprawozdanie;
protokóły 5. *pl* **legal** ~**s** postępowanie prawne;
proces (sądowy); sprawa sądowa
proceeds ['prou,si:dz] *spl* przychód; zysk; dochód
(ze sprzedaży)
procellarian [,prosi'leǝrian] *s zoo* ptak rurkonosy
♦**process** ['prouses] ① *s* 1. proces; przebieg; tok;
bieg; postęp; rozwój; **to be in** ~ odbywać się;
być w toku; **in** ~ **of time** z biegiem czasu;
z czasem; **in** <**during**> **the** ~ **of** — w trakcie...
2. *chem* proces; reakcja 3. metoda; sposób 4.
prawn proces; sprawa sądowa 5. procedura 6.
anat wyrostek Ⅲ *vt* [prou'ses] 1. podda-ć/wać
działaniu <procesowi> (chemicznemu itd.) 2.

apreturować, apretować (tkaninę) 3. wyprawi-
-ć/ać (skórę) 4. konserwować (artykuł spożyw-
czy) 5. s/pasteryzować (mleko) 6. przetw-orzyć/
arzać; ze/mleć (zboże) 7. reprodukować (rysunek itd.) 8. z/matrycować (płytę gramofonową
itp.) 9. wszcz-ąć/ynać kroki sądowe (**sb** przeciwko komuś) *zob* **processing**
♦**processing** [prǝ'sesiŋ] ① *zob* **process** *v* Ⅲ *adj*
(*o przemyśle itd*) przetwórczy
procession [prǝ'seʃǝn] ① *s* procesja; pochód; defilada; *zoo* ~ **caterpillars** gąsienice wędrowne;
to go <**walk**> **in** ~ prze/defilować Ⅲ *vi* prze/
defilować Ⅲ *vt* defilować (**the streets** przez ulice miasta)
processional [prǝ'seʃn̩] *adj* procesjonalny
procès-verbal ['prosei-veǝ'ba:l] *s* (*pl* **procès-ver-
baux** ['prosei-veǝ'bou]) *prawn* protokół
prochronism ['proukrǝ,nizǝm] *s* prochronizm
(wcześniejsze umieszczenie zdarzenia w czasie)
proclaim [prǝ'kleim] *vt* 1. proklamować; obwie-
-ścić/szczać; ogł-osić/aszać <oświadcz-yć/ać>
(**sth** coś; **sb to be** — że ktoś jest ...); **to** ~
sb a traitor ogłosić kogoś zdrajcą; **to** ~ **war**
wypowi-edzieć/adać wojnę 2. zakaz-ać/ywać
(**sth** czegoś — zebrania itd.) 3. wprowadz-ić/ać
ograniczenia prawne (**a district** etc. w jakimś
okręgu itd.)
proclamation [,proklǝ'meiʃǝn] *s* 1. proklamacja;
obwieszczenie; odezwa 2. zakaz 3. wprowadzenie ograniczeń prawnych (**of a district** etc. w
okręgu itd.)
proclitic [prou'klitik] *s jęz* proklityka
proclivity [prǝ'kliviti] *s* skłonność; inklinacja;
tendencja; ciążenie (**to** <**towards**> **sth** ku czemuś)
proconsul [prou'konsǝl] *s* 1. (*u staroż. Rzymian*)
prokonsul 2. wielkorządca
proconsular [prou'konsjulǝ] *s adj* (*u staroż. Rzymian*) prokonsularny
proconsulate [prou'konsjulit] *s* (*u staroż. Rzymian*) prokonsulat
procrastinate [prou'kræsti,neit] ① *vt* odwlekać;
spychać z dnia na dzień Ⅲ *vi* zwlekać; ociągać się; spychać sprawy z dnia na dzień
procrastination [prou,kræsti'neiʃǝn] *s* zwlekanie;
ociąganie się; odkładanie spraw na później
procreate ['proukri,eit] ① *vt* z/rodzić; s/płodzić;
wyda-ć/wać na świat Ⅲ *vi* rozradzać <rodzić>
się; płodzić <wydawać na. świat> potomstwo
procreation [,proukri'eiʃǝn] *s* 1. z/rodzenie; rozra-
dzanie, rozród; wyda-nie/wanie na świat 2. s/pło-
dzenie
procreative ['proukri,eitiv] *adj* rozrodczy
procreator ['proukri,eitǝ] *s* rodzic, rodziciel
Procrustean [prou'krʌstjǝn] *adj* (*o metodach*)
gwałtowny; *mitol* ~ **bed** prokrustowe łoże
proctor ['proktǝ] *s* 1. *uniw* cenzor, delegat do
spraw dyscyplinarnych 2. *sąd* pełnomocnik (*zw
do spraw kościelnych*); **King's** <**Queen's**> **Proctor** prokurator do spraw spadkowych i rozwo-
dowych
proctorial [prok'to:riǝl] *adj* 1. *uniw* cenzorski,
dyscyplinarny 2. *sąd* (*o obowiązkach itd*) peł-
nomocnika (*zw do spraw kościelnych*) 3. *sąd*
prokuratorski
proctorize ['proktǝ,raiz] *vt* u/karać za naruszenie
dyscypliny

procumbent [prou'kʌmbənt] *adj* 1. (*o człuwieku*) leżący twarzą ku ziemi 2. *bot* ścielący <płożący> się

procuration [ˌprɔkjuə'reiʃən] *s* 1. pełnomocnictwo; upoważnienie; prokura 2. naby-cie/wanie 3. prowizja 4. stręczycielstwo

procurator ['prɔkjuəˌreitə] *s* 1. (*u staroż. Rzymian*) prokurator 2. *prawn* pełnomocnik; zastępca

procuratory ['prɔkjuərətəri] *s* pełnomocnictwo

procure [prə'kjuə] Ⅰ *vt* 1. dosta-ć/wać <naby-ć/ wać> (**sth** coś, czegoś); otrzym-ać/ywać; zdoby-ć/wać; wystarać się (**sth** o coś) 2. dostarcz--yć/ać (**sth for sb** coś <czegoś> komuś) 3. † s/powodować (śmierć, kalectwo itd.) Ⅲ *vi* stręczyć do nierządu, rajfurzyć

procurement [prə'kjuəmənt] *s* 1. naby-cie/wanie; otrzym-anie/ywanie; zdoby-cie/wanie; wystaranie się (**of sth** o coś) 2. dostarcz-enie/anie 3. *am* zaopat-rzenie/rywanie 4. stręczycielstwo; stręczenie do nierządu

procurer [prə'kjuərə] *s* 1. nabywca 2. dostawca 3. pośrednik; faktor 4. stręczyciel, rajfur

procuress [prə'kjuəris] *s* 1. pośredniczka; faktorka 2. stręczycielka, rajfurka

prod [prɔd] Ⅰ *vt* (**-dd-**) 1. szturch-nąć/ać 2. kłuć; dźgać 3. poganiać; popędzać

~ **on** *vt* deptać po piętach (**sb** komuś) Ⅲ *s* 1. szturchnięcie; **to give a** ~ szturchnąć; dźgnąć 2. oścień; spiczaste narzędzie

prodelision [ˌproudi'liʒən] *s prozod* elizja, opuszczenie początkowej samogłoski (wyrazu)

prodigal ['prɔdigəl] Ⅰ *adj* rozrzutny; marnotrawny; **to be** ~ **of sth** a) szafować czymś; nie szczędzić czegoś; hojnie darzyć czymś (**to sb** kogoś) b) trwonić coś Ⅲ *s* rozrzutnik; marnotrawca; utracjusz

prodigality [ˌprɔdi'gæliti] *s* 1. rozrzutność; marnotrawstwo; utracjuszostwo 2. hojność; szafowanie (**of sth** czymś)

prodigalize ['prɔdigəˌlaiz] *vt* 1. trwonić 2. szafować (**sth** czymś)

prodigious [prə'didʒəs] *adj* 1. cudowny; fantastyczny 2. ogromny; kolosalny; potwornych rozmiarów

prodigy ['prɔdidʒi] *s* cud (świata, techniki itd.); **a** ~ (**violinist etc.**) cudowny (skrzypek itd.); **infant** ~ cudowne dziecko

prodromal ['prɔdrəməl] *adj med* (*o objawie*) przedwstępny <zwiastunowy>

prodrome ['prɔdrəm] *s* 1. wstępna rozprawa (naukowa); słowo wstępne 2. *med* zwiastun; objaw przedwstępny <zwiastunowy>

produce [prə'djuːs] Ⅰ *vt* 1. okaz-ać/ywać; przed- -łożyć/kładać; wydoby-ć/wać <wyj-ąć/mować> (z kieszeni itd.); przyprowadz-ić/ać <wskaz-ać/ ywać> (świadka) 2. za/produkować; *teatr* wystawi-ć/ać (sztukę); przedstawi-ć/ać (publiczności) 3. wytw-orzyć/arzać (prąd itd.); *pot* da-ć/wać (iskrę itd.); wywoł-ać/ywać (zjawisko, wrażenie, sensację itd.) 4. wy/produkować <wytw-orzyć/ arzać> (towary itd.) 5. da-ć/wać (światu, społeczeństwu itd.); s/płodzić; (*o autorze*) na/pisać <wyda-ć/wać> (książkę itd.) 6. przyn-ieść/osić (zysk, wyniki itd.); da-ć/wać (rezultaty) 7. *geom* przedłuż-yć/ać <przeciąg-nąć/ać> (linię) 8. (*o ziemi, zwierzętach, roślinach*) rodzić; wydawać (potomstwo itd.) Ⅲ *vi* 1. da-ć/wać płody; być

płodnym 2. produkować Ⅲ *s* ['prɔdjuːs] 1. produkcja; wydajność; wydobycie 2. produkt; płody rolne 3. wynik <owoc> (pracy itd.) 4. sprzedaż z demobilu <podemobilowa>; demobil; **to bring to** ~ przeznacz-yć/ać do sprzedaży z demobilu Ⅳ *attr* (*o rynku itd*) towarowy

▲**producer** [prə'djuːsə] *s* 1. producent, wytwórca; fabrykant 2. *kino* kierownik produkcji; *am* dyrektor teatru 3. *fiz chem* (*także* **gas-~**) generator, wytwornica gazu

producer-gas [prə'djuːsəˌgæs] *s* gaz generatorowy

producible [prə'djuːsəbl] *adj* wytwarzalny; możliwy do produkowania

▲**product** ['prɔdəkt] *s* 1. produkt; wyrób; fabrykat 2. wynik <owoc, rezultat> (pracy itd.) 3. *mat* iloczyn

▲**production** [prə'dʌkʃən] Ⅰ *s* 1. produkcja, wytwórczość; wydobycie; wydajność 2. produkowanie; wytwarzanie; wyrabianie; fabrykacja 3. wyrób; fabrykat; produkt 4. praca (literacka itd.); utwór 5. przedłużenie (linii, czasu trwania) 6. okaz-anie/ywanie; przedstawi-enie/anie (dowodów itd.) 7. *teatr* zaprodukowanie <wystawienie> (sztuki) Ⅲ *attr* (*o procesie itd*) produkcyjny; (*o kosztach itd*) produkcji

productive [prə'dʌktiv] *adj* 1. rodzący; **to be** ~ **of sth** rodzić <wywoł-ać/ywać> coś; s/powodować; przyn-ieść/osić (dobre wyniki itd.) 2. produkcyjny 3. płodny; (*o roli*) żyzny, urodzajny; (*o pracy itd*) produktywny; wydajny 4. (*o przedsiębiorstwie*) rentowny

▲**productiveness** [prə'dʌktivnis], **productivity** [ˌprɔdʌk'tiviti] *s* 1. produktywność; wydajność produkcyjna 2. rentowność

proem ['prouem] *s* wstęp; przedmowa

proenzyme ['prouenzim] *s chem* proenzym

profanation [ˌprɔfə'neiʃən] *s* profanacja; s/profanowanie; z/bezczeszczenie

profane [prə'fein] Ⅰ *adj* 1. świecki 2. (*o człowieku*) nie wtajemniczony 3. (*o obrzędzie itd*) pogański 4. bluźnierczy; ~ **language** przekleństwa; **to be** ~ kląć, przeklinać Ⅲ *vt* s/profanować, z/bezcześcić

profanity [prə'fæniti] *s* 1. świecki charakter (rozprawy itd.) 2. bezbożność 3. przekleństwo; **to utter profanities** kląć; przeklinać

profess [prə'fes] Ⅰ *vt* 1. twierdzić <utrzymywać, głosić, oświadczać> (**that** ... że ...; **to do** <**be etc.**> ... że się robi <jest itd.> ...); zapewni-ć/ ać (**sth** o czymś); **to** ~ **oneself content** twierdzić, że się jest zadowolonym; **I** ~ (**that**) **this is news to me** przyznaję <muszę przyznać>, że to dla mnie nowina <nowość> 2. udawać; **to** ~ **oneself to be a painter etc.** podawać się za malarza itd. 3. wyznawać (wiarę) 4. uprawiać <wykonywać> zawód (**medicine etc.** lekarski itd.); zawodowo uprawiać (coś); grać (**the flute etc.** na flecie itd.) 5. uczyć (**sth** czegoś;) wykładać Ⅲ *vi* być profesorem; wykładać; prowadzić wykłady *zob* **professed**

professed [prə'fest] Ⅰ *zob* **profess** Ⅲ *adj* 1. jawny (wyznawca, wróg itd.) 2. rzekomy 3. zawodowy 4. (*o zakonniku*) po ślubach

professedly [prə'fesidli] *adv* 1. jawnie; otwarcie; wyraźnie; jasno 2. rzekomo

profession [prə'feʃən] *s* 1. oświadczenie; zapew-

nienie; **in** ~ jawnie <otwarcie> (postępować); **to make** ~ **of sth** zapewniać o czymś 2. wyzna-nie/wanie (wiary) 3. śluby (zakonne) 4. zawód; fach; zajęcie; **by** ~ z zawodu; *pl* **the** ~**s** wolne zawody; **the learned** ~s teologia, prawo i medycyna 5. koledzy po fachu; brać (literacka itd.) 6. *sl teatr* zawód aktorski; aktorzy
▲**professional** [prə'feʃn̩l] Ⓘ *adj* zawodowy; fachowy; (*o dyplomacie itd*) z zawodu; **a** ~ **man** człowiek wykonujący wolny zawód <należący do wolnego zawodu> Ⓘ *s* 1. fachowiec 2. człowiek wykonujący wolny zawód; reprezentant wolnego zawodu 3. *sport* zawodowiec
professionalism [prə'feʃn̩ə‚lizəm] *s* 1. fachowość 2. *sport* profesjonalizm, zawodostwo
professionalize [prə'fəʃn̩ə‚laiz] *vt* 1. zawodowo uprawiać (coś) <trudnić się (**sth** czymś)> 2. udostępni-ć/ać (sport) dla zawodowców
professor [prə'fesə] *s* 1. *uniw* profesor; **assistant** ~ docent; **associate** ~ profesor nadzwyczajny; *am* **full** ~ profesor zwyczajny 2. wyznawca 3. nauczyciel (tańca, gimnastyki itd.); tytuł używany dla reklamy (przez prestidigitatorów itp.) 4. *sl sport* zawodowiec
professorate [prə'fesərit] *s* 1. = **professorship** 2. ciało profesorskie; *zbior* (koledzy) profesorowie
professorial [‚prɔfə'sɔ:riəl] *adj* profesorski
professoriate [‚prɔfə'sɔ:riit] *s* 1. ciało profesorskie; *zbior* ogół profesorów 2. = **professorship**
professorship [prə'fesəʃip] *s* profesura; stanowisko profesora; katedra; zajmowanie katedry uniwersyteckiej
proffer ['prɔfə] Ⓘ *vt* 1. za/ofiarować (usługi itd.); za/proponować (**sth** coś; **to do sth** że się coś zrobi) 2. poda-ć/wać (**one's hand** <**arm**> **to sb** rękę <ramię> komuś) Ⓘ *s lit* propozycja
profferer ['prɔfərə] *s* oferent; **the best** ~ najwięcej dający (na licytacji)
proficiency [prə'fiʃənsi] *s* biegłość; sprawność
proficient [prə'fiʃənt] Ⓘ *adj* biegły; sprawny; **to be** ~ **in a language** biegle znać język <władać językiem> Ⓘ *s* biegły; fachowiec
▲**profile** ['proufi:l] Ⓘ *s* 1. profil; sylwetka; **in** ~ z profilu 2. profil, przekrój pionowy 3. *teatr* dekoracja w głębi sceny Ⓘ *vt* 1. na/rysować w profilu; na/rysować <nakreśl-ić/ać> profil (**sb, sth** czyjś, czegoś); **to be** ~**d against sth** rysować się na tle czegoś 2. z/robić zarys (**sth** czegoś)
profit ['prɔfit] Ⓘ *s* 1. korzyść; pożytek; **to one's** ~ (uczynić coś) z korzyścią dla siebie; **to turn to** (**one's**) ~ wykorzyst-ać/ywać 2. zysk/i; doch-ód/ody; zarob-ek/ki; **at a** ~ (sprzedać) z zyskiem; **to make a** ~ **on sth** zar-obić/abiać na czymś; mieć dochód z czegoś; **to make** ~**s** mieć zyski Ⓘ *attr* (*o marży, saldzie itd*) zysku Ⓘ *vt* przyn-ieść/osić korzyść <pożytek> (**sb, sth** komuś, czemuś); być korzystnym (**sb, sth** dla kogoś, czegoś); przyda-ć/wać <zda-ć/wać> się (**sb sth** komuś na coś); **it** ~**ed him** <**her etc.**> **nothing** nic mu <jej itd.> z tego nie przyszło; na nic mu <jej itd.> się to nie zdało; **what will it** ~ **him** <**me etc.**>? co mu <mi itd.> z tego przyjdzie? Ⓥ *vi* 1. mieć <odn-ieść/osić> korzyść <pożytek> (**by sth** z czegoś) 2. zysk-ać/iwać (**by sth** na czymś); mieć zysk <dochody> (**by sth** z czegoś)

profitable ['prɔfitəbl] *adj* 1. pożyteczny; korzystny 2. zyskowny; rentowny; intratny
profiteer [‚prɔfi'tiə] Ⓘ *s* spekulant; *pot* paskarz Ⓘ *vi* spekulować; uprawiać spekulację <*pot* paskarstwo, pasek>; *pot* paskować *zob* **profiteering**
profiteering [‚prɔfi'tiəriŋ] Ⓘ *zob* **profiteer** *v* Ⓘ *s* spekulacja; *pot* pasek; paskarstwo
profitless ['prɔfitlis] *adj* 1. bezużyteczny; daremny 2. (*o interesie itd*) nie przynoszący <nie dający> zysku <dochodu>
profit-seeking ['prɔfit‚si:kiŋ] *adj* (*o człowieku*) interesowny
profit-sharing ['prɔfit‚ʃeəriŋ] Ⓘ *s* udział w zyskach Ⓘ *adj* (*o pracowniku*) partycypujący w zyskach
profligacy ['prɔfligəsi] *s* 1. rozwiązłość 2. rozrzutność
profligate ['prɔfligit] Ⓘ *adj* 1. rozwiązły 2. rozrzutny Ⓘ *s* 1. człowiek rozwiązły; rozpustnik 2. rozrzutnik; utracjusz; marnotrawca
profound [prə'faund] Ⓘ *adj* 1. (*o ukłonie, zainteresowaniu, tajemnicy itd*) głęboki 2. (*o obojętności, ignorancji itd*) zupełny, całkowity 3. (*o badaniach itd*) gruntowny, wyczerpujący Ⓘ *s poet* głębi-a/e; otchłań; przepaść
profoundness [prə'faundnis], **profundity** [prə'fʌn diti] *s* 1. głębokość; głębia 2. gruntowność (badań itd.)
profuse [prə'fju:s] *adj* 1. hojny; **to be** ~ **in** <**of**> **sth** szafować czymś; nie żałować czegoś; **to be** ~ **in one's apologies** gęsto się tłumaczyć; **to be** ~ **in one's praises** rozpływać się w pochwałach 2. obfity 3. nadmierny
profuseness [prə'fju:snis], **profusion** [prə'fju:ʒən] *s* 1. hojność 2. obfitość 3. nadmiar
prog[1] [prɔg] *s sl* żarcie
prog[2] [prɔg] Ⓘ *s sl uniw* = **proctor** 1. Ⓘ *vt* (**-gg-**) *sl uniw* = **proctorize**
progenitor [prou'dʒenitə] *s* przodek, antenat
progeniture [prou'dʒenitʃə] *s* 1. rodzenie 2. potomstwo
progeny ['prɔdʒini] *s* 1. potomstwo; *zbior* potomkowie 2. skut-ek/ki; plon (wojny itd.); *przen* pokłosie
proggins ['prɔginz] = **prog**[2] *s*
proglottis [prɔ'glɔtis] *s zoo* człon tasiemca
prognathism ['prɔgnə‚θizem] *s med* prognatyzm
prognathous [prɔg'neiθəs] *adj* (*o człowieku*) o wysuniętej szczęce
prognosis [prɔg'nousis] *s* (*pl* **prognoses** [prɔg'nou si:z]) prognoza; *med* rokowanie
prognostic [prɔg'nɔstik] Ⓘ *s* prognostyk; symptom; oznaka; zapowiedź Ⓘ *adj* prognostyczny; zapowiadający (**of sth** coś)
prognosticate [prəg'nɔsti‚keit] *vt* przepowi-edzieć/adać; zapowi-edzieć/adać
prognostication [prəg‚nɔsti'keiʃən] *s* 1. przepowiadanie 2. = **prognostic** *s*
prognosticative [prəg'nɔstikətiv] *adj* symptomatyczny; zapowiadający (**of sth** coś); **to be** ~ **of sth** zapowiadać coś
▲**program(me)** ['prougræm] Ⓘ *s* 1. program; plan (działania, czynności itd.); **what is the** ~ **for today?** co mamy (na) dzisiaj w programie?; **ball** ~ karnet <karnecik> balowy; ~ **music** muzyka programowa; *kino* ~ **picture** dodatek 2. przedstawienie 3. *radio* audycja Ⓘ *vt* ułożyć/

układać plan (**sth** czegoś); za/planować; umie-
-ścić/szczać w programie
progress ['prougres] ⊞ *s* (*bez pl*) 1. postęp/y;
droga <posuwanie się, marsz> naprzód; pochód
(procesji itd.); (*o czynności, śledztwie itd*) **to be
in** ～ być w toku; odbywać <toczyć> się; **to
make** ～ a) z/robić postępy b) postępować <po-
suwać się> naprzód 2. kolejne etapy <stadia>
(podróży itd.) 3. rozwój <bieg> (wypadków itd.)
4. postęp (cywilizacji itd.) 5. † podróż 6. (*z pl*)
objazd (królewski itd.) ⊞ *vi* [prə'gres] 1. posuwać się <postępować> naprzód; zbliżać się
(etapami) (**towards one's destination** do celu
podróży) 2. odbywać <toczyć> się; być w toku;
trwać; (*o dyskusji itd*) rozwijać się 3. robić postępy (**with** <**in**> **one's work etc.** w pracy itd.)
4. (*o pacjencie*) czuć się lepiej
progression [prə'greʃən] *s* 1. postęp; posuwanie
się <marsz> naprzód; **mode of** ～ środek lokomocji 2. progresja (arytmetyczna itd.); postęp
(arytmetyczny itd.) 3. *muz* progresja, sekwencja
progressionist [prə'greʃnist], **progressist** [prə'gres
ist] *s* postępowiec
▲**progressive** [prə'gresiv] ⊞ *s* postępowiec ⊞ *adj*
1. posuwający się naprzód; ～ **movement** ruch
naprzód 2. stopniowy; ～ **stages** etapy; stadia
3. progresywny; wzrastający 4. *filoz polit med*
postępowy
progressiveness [prə'gresivnis] *s* postępowość
prohibit [prə'hibit] *vt* 1. zakaz-ać//ywać <zabr-
-onić/aniać; wzbr-onić/aniać> (**sth** czegoś) 2.
przeszk-odzić/adzać (**sb from doing sth** komuś
w zrobieniu czegoś)
prohibition [ˌproui'biʃən] *s* 1. zakaz 2. prohibicja
prohibitionist [ˌproui'biʃnist] *s* zwolenni-k/czka
prohibicji
prohibitive [prə'hibitiv] *adj* 1. zakazujący 2. *ekon*
prohibicyjny; ochronny 3. *handl* (*o cenie*) wygórowany; niedostępny
prohibitory [prə'hibitəri] *adj ekon* prohibicyjny;
ochronny
▲**project** ['prɔdʒekt] ⊞ *s* projekt; plan ⊞ *vt*
[prə'dʒekt] 1. za/projektować 2. miotać (**sth**
coś, czymś); wyrzuc-ić/ać <wystrzel-ić/ać>
(w przestrzeń itd.) 3. *chem* wrzuc-ić/ać (**into
a crucible** do tygla) 4. wyświetl-ić/ać; rzuc-ić/ać
(obraz na ekran itd.) 5. *geom* rzutować (linię
itd.) ⊞ *vr* [prə'dʒekt] ～ **oneself** 1. przen-ieść/
osić się myślą (w przeszłość itd.) 2. (*o widmie*)
ukaz-ać//ywać się ⊠ *vi* [prə'dʒekt] sterczeć;
wystawać; przekraczać (**beyond a limit** <**a line**>
granicę, linię)
projectile [prə'dʒektail] ⊞ *adj* 1. dający się wyrzucić (jak pocisk) 2. balistyczny; ～ **force** siła
wyrzucająca ⊞ *s* ['prɔdʒik,tail] pocisk
projection [prə'dʒekʃən] *s* 1. rzut; miotanie; rzucanie; wyrzuc-enie/anie 2. projektowanie; planowanie 3. występ; wybrzuszenie; sterczenie;
wystawanie 4. *geom* rzutowanie 5. wyświetl-
-enie/anie; projekcja; *kino* ～ **room** kabina pro-
jekcyjna 6. wyobrażenie 7. wyświetlany obraz
projectionist [prə'dʒekʃənist] *s* operator kinowy
(wyświetlający film)
projective [prə'dʒektiv] *adj* rzutowy
projector [prə'dʒektə] *s* 1. projektodawca 2. planista 3. człowiek lansujący różne towarzystwa

w celach spekulacyjnych 4. aparat projekcyjny
5. *wojsk* (*także* **flame-**～) miotacz ognia
prolapse ['proulæps] *s med* wypadnięcie (odbytnicy itp.)
▲**prolate** ['prouleit] *adj* 1. *geom* (*o elipsoidzie*)
wydłużony 2. *przen* rozpowszechniony
prolegomena [ˌproule'gɔminə] *spl* prolegomena,
objaśnienia wstępne
proletarian [ˌproule'tɛəriən] ⊞ *adj* proletariacki
⊞ *s* proletariusz/ka
proletarianization ['proule,tɛəriənai'zeiʃən] *s* pro-
letaryzacja
proletarianize [ˌproule'tɛəriə,naiz] *vt* s/proletary-
zować
proletariat(e) [ˌproule'tɛəriət] *s* proletariat
proliferate [prə'lifə,reit] *vi zoo bot* rozmnażać się
proliferation [prə,lifə'reiʃən] *s zoo* proliferacja;
bot prolifikacja
proliferous [prə'lifərəs] *adj zoo bot* rozmnażający
się drogą proliferacji - <prolifikacji>
prolific [prə'lifik] *adj* płodny
prolification [prə,lifi'keiʃən] *s* płodzenie
prolix ['prouliks] *adj* rozwlekły
prolixity [prou'liksiti] *s* rozwlekłość
prolocutor [prou'lɔkjutə] *s* 1. † rzecznik 2. przewodniczący (zebrania kościelnego itd.)
prologue ['proulɔg] ⊞ *s* prolog ⊞ *vt* poprzedz-
-ić/ać prologiem
prolong [prə'lɔŋ] *vt* 1. przedłuż-yć/ać 2. wydłuż-
-yć/ać 3. s/prolongować (weksel) *zob* **prolonged**
prolongation [ˌproulɔŋ'geiʃən] *s* 1. przedłużenie
2. wydłużenie 3. s/prolongowanie, prolongata
prolonged [prə'lɔŋd] ⊞ *zob* **prolong** ⊞ *adj* 1.
przedłużający się 2. długotrwały
prom [prɔm] *skr pot* **promenade** **concert** *zob*
promenade *s* 2.
promenade [ˌprɔmi'na:d] ⊞ *s* 1. przechadzka;
przechadzanie się 2. promenada; ～ **concert**
koncert na promenadzie; ～ **deck** pokład spacerowy 3. *am* bal studencki ⊞ *vi* przechadzać
się; † promenować ⊞ *vt* 1. przechadzać się
(**the place** po ulicach miejscowości) 2. chodzić dla pokazu <afiszować się> (**a person** z danym człowiekiem)
Promethean [prə'mi:θiən] *adj* prometejski
prominence ['prɔminəns] *s* 1. wzniesienie; wypukłość; wzgórze 2. wybitność; rozgłos; uwy-
datni-enie/anie (się); **to bring into** ～ uwydat-
ni-ć/ać; uwypukl-ić/ać; **to come into** ～ a)
odznacz-yć/ać się; uzyskać rozgłos b) (*o rzeczy*)
uwydatni-ć/ać się; nab-rać/ierać znaczenia c)
(*o myśli itd*) ujawni-ć/ać się
prominent ['prɔminənt] *adj* 1. wystający; sterczący; wydatny; uwydatniający się 2. znaczny;
widoczny 3. wybitny; głośny; sławny; wyróżniający się
promiscuity [ˌprɔmis'kjuiti] *s* 1. bezład; pomieszanie 2. mieszanina 3. stosunek pozamałżeński
promiscuous [prə'miskjuəs] *adj* 1. mieszany; różnorodny; bezładny 2. (*o rzeczi itd*) ogólny; bez
względu na płeć i wiek; (*o kąpieli*) wspólny (dla
obojga płci) 3. (*o stosunku*) pozamałżeński 4.
pot przypadkowy; (*o przechadzce*) bez określonego celu
promiscuous-like [prə'miskjuəs,laik] *adv wulg
żart* ni w pięć, ni w dziewięć
promise ['prɔmis] ⊞ *s* obietnica; przyrzeczenie;

fair <empty> ~s obiecanki; **the land of** ~ ziemia obiecana; (*o młodzieńcu, pisarzu itd*) **of** (**great**) ~ (bardzo) obiecujący; budzący nadzieje; **to break a** ~ z/łamać obietnicę; **to claim sb's** ~ domagać się spełnienia obietnicy; **to keep a** ~ dotrzym-ać/ywać przyrzeczenia; **to make a** ~ obiec-ać/ywać; przyrze-c/kać; **to show** ~ wróżyć powodzenie; dobrze się zapowiadać Ⅲ *vt* 1. obiec-ać/ywać <przyrze-c/kać> (**sb, sth** <**sth to sb**> komuś coś; **sb to do sth** komuś, że się coś zrobi); **to** ~ **oneself sth** obiecywać sobie <cieszyć się na> coś 2. *pot* zapewni--ć/ać 3. zapowiadać <wróżyć> (niepogodę itd.) Ⅲ *vi* 1. robić obietnice 2. zapowiadać się (dobrze itd.); rokować nadzieje *zob* **promising**
promisee [ˌprɔmi'si:] *s prawn* osoba otrzymująca przyrzeczenie
promising ['prɔmisiŋ] Ⅰ *zob* **promise** *v* Ⅲ *adj* (*o młodzieńcu, przyszłości itd*) obiecujący; rokujący nadzieje
promisor [ˌprɔmi'sɔ:] *s prawn* osoba dająca przyrzeczenie
promissory ['prɔmisəri] *adj bank handl* promisoryjny; ~ **note** sola weksel; promesa; skrypt dłużny
promontory ['prɔməntri] *s* 1. *geogr* cypel; przylądek 2. *anat* wyniosłość; wzgórek
promote [prə'mout] *vt* 1. podn-ieść/osić (na wyższe stanowisko, do wyższego stopnia służbowego, do danej godności); **to** ~ **sb to an office** <**a higher rank etc.**> nadać komuś stanowisko <wyższą rangę itd.>; awansować kogoś; † promować; *szk* promować (ucznia do wyższej klasy); **to be** ~**d** zaawansować 2. pop-rzeć/ierać; przyczyni-ć/ać się (**sth do czegoś**); pobudz-ić/ać (**sb to sth** kogoś do czegoś); sprzyjać (**sth** czemuś); krzewić; zachęc-ić/ać (**sth do czegoś**); ułatwi-ć/ać; ożywi-ć/ać; *am* za/reklamować 3. podżegać <podburz-yć/ać> (**riot etc.** do buntu itd.) 4. lansować <za-łożyć/kładać> (przedsiębiorstwo) 5. *szach* doprowadzić (pionek) do hetmana <do królowej itd.>
promoter [prə'moutə] *s* 1. promotor/ka; krzewiciel/ka; inspirator/ka; organizator/ka 2. założyciel/ka; *handl* ~'s **shares** akcje założycielskie
promotion [prə'mouʃən] *s* 1. awans; promowanie; podwyższ-enie/anie (rangi itd.); **to get** ~ za/awansować 2. pop-arcie/ieranie; przyczyni-enie/anie się <pobudz-enie/anie, zachęta, zachęcanie> (**of sth** do czegoś); sprzyjanie (**of sth** czemuś); ułatwianie; ożywianie; krzewienie; *am* za/reklamowanie 3. lansowanie <za-łożenie/kładanie> (przedsiębiorstw/a)
promotive [prə'moutiv] *adj* (*o czynniku itd*) ułatwiający <popierający> (**of sth** coś); przyczyniający się (**of sth** do czegoś)
▶**prompt** [prɔmpt] Ⅰ *adj* 1. bystry; szybki; skory (**to act** do czynu) 2. natychmiastowy; bezzwłoczny; (*o odpowiedzi itd*) rychły; wysłany odwrotną pocztą; ~ **cash** a) gotówka b) płatność przy odbiorze (towaru); (*o towarze*) ~ **delivery** z natychmiastową dostawą; *handl* ~ **iron** <**cotton etc.**> dostawy żelaza <bawełny itd.> natychmiastowe <za gotówkę> Ⅲ *adv* punktualnie; w terminie; co do minuty; z wybiciem godziny Ⅲ *vt* 1. skł-onić/aniać <nakł-onić/aniać, pobudz-ić/ać, natchnąć, nam-ówić/awiać> (**sb to sth** <**to do**

sth> kogoś do czegoś <do zrobienia czegoś>) 2. podpowi-edzieć/adać (**sb** komuś); podsu-nąć/wać (**sb with an answer etc.** komuś odpowiedź itd.); za/sugerować; *teatr* suflerować (**an actor** aktorowi) Ⅴ *vi teatr* suflerować Ⅴ *s* 1. podsu-nięcie/wanie słów <odpowiedzi, myśli itd.>; podpowi-edzenie/adanie 2. *handl* termin zapłaty
prompt-book ['prɔmptˌbuk] *s teatr* egzemplarz (sztuki) dla suflera
prompt-box ['prɔmptˌbɔks] *s teatr* budka suflera
prompter ['prɔmptə] *s* 1. podżegacz/ka; prowokator/ka 2. *teatr* sufler; **opposite** ~ na prawo <*am* na lewo> od aktorów; ~'s **box** = **prompt-box** 3. *szk.* podpowiadający (uczeń)
prompting ['prɔmptiŋ] Ⅰ *zob* **prompt** *v* Ⅲ *s* 1. podnieta; namowa 2. *szk* podpowiadanie; **no** ~ **there!** nie podpowiadać tam!
promptitude ['prɔmptiˌtju:d], **promptness** ['prɔmptnis] *s* 1. szybkość; bystrość 2. gotowość (**of sth** do czegoś) 3. punktualność
promptly ['prɔmptli] *adv* 1. natychmiast; bezzwłocznie; z miejsca 2. punktualnie
promptness *zob* **promptitude**
prompt-side ['prɔmptˌsaid] *s teatr* lewa <*am* prawa> strona sceny (od aktorów)
promulgate ['prɔməlˌgeit] *vt* 1. ogł-osić/aszać; obwie-ścić/szczać; o/publikować 2. szerzyć (ideę itd.)
promulgation [ˌprɔməl'geiʃən] *s* 1. ogł-oszenie/aszanie; obwieszcz-enie/anie; o/publikowanie; promulgacja 2. szerzenie (czegoś)
promulgator ['prɔməlˌgeitə] *s* 1. człowiek promulgujący (prawo itp.) 2. szerzyciel/ka; krzewiciel/ka; propagator/ka
pronation [prou'neiʃən] *s fizj* nawracanie; zwracanie na zewnątrz <do wewnątrz>
pronator [prou'neitə] *s anat* mięsień nawrotny
prone [proun] *adj* 1. (*o ręce*) zwrócony na zewnątrz <do wewnątrz> 2. (*o człowieku*) leżący twarzą na dół; **to fall** ~ upaść plackiem <twarzą na dół> 3. (*o terenie*) opadający stromo, spadzisty 4. (*o człowieku*) skłonny <skory> (**to sth, to do sth** do czegoś, do zrobienia czegoś); **to be** ~ **to sth** mieć skłonność do czegoś
proneness ['prounnis] *s* skłonność (**to sth** do czegoś)
prong [prɔŋ] Ⅰ *s* 1. ząb (widelca, wideł); ostrze; kolec 2. *dial* widły; widelec 3. odnoga (poroża jelenia itd.); odgałęzienie; *am dial* odnoga (rzeki itp.) Ⅲ *vt* 1. przebi-ć/jać widłami 2. przewr--ócić/acać widłami 3. wbi-ć/jać <nabi-ć/jać> na widły
pronominal [prə'nɔminl] *adj gram* zaimkowy
pronoun ['prounaun] *s gram* zaimek
pronounce [prə'nauns] Ⅰ *vt* 1. oświadcz-yć/ać (**sb** <**sth**> **to be** _ że ktoś <coś> jest ...) 2. wyda-ć/wać <odczyt-ać/ywać> (wyrok); wypowi--edzieć/adać (sąd, zdanie itp.) 3. wym-ówić/awiać; **how do you** ~ **that?** jak się to wymawia?; **that letter is not** ~**d** ta litera jest niema Ⅲ *vi* 1. wypowi-edzieć/adać się (**on sth w** sprawie czegoś; **for** <**against**> **sb, sth** za kimś, czymś <przeciwko komuś, czemuś>); oświadcz-yć/ać się (**for** <**against**> **sb, sth** za kimś, czymś <przeciwko komuś, czemuś>) 2. mieć wymowę (**correctly, incorrectly etc.** dobrą, złą itd.) *zob* **pronounced, pronouncing**

pronounceable [prə'naunsəbl] *adj* możliwy do wymówienia; **that's not ~** tego się nie da wymówić

pronounced [prə'naunst] Ⅰ *zob* **pronounce** Ⅲ *adj* wyraźny; wyraźnie zaznaczony; zdecydowany (zapach itd.); **to be <become> ~** zaznacz-yć/ać się

pronouncement [prə'naunsmənt] *s* wypowiedź; oświadczenie

pronouncing [prə'naunsiŋ] Ⅰ *zob* **pronounce** Ⅲ *s* 1. wypowiadanie 2. wymawianie Ⅲ *attr* (*o słowniku itd*) wymowy

pronto ['prontou] *adv am sl* szybko; już

pronunciamento [prə,nʌnsiə'mentou] *s* manifest

pronunciation [prə,nʌnsi'eiʃən] *s* wymowa

proof [pru:f] Ⅰ *s* 1. dowód; *prawn* **~ to the contrary** przeciwdowód; **the ~ of the pudding is in the eating** a) nie wydawaj sądu o potrawie, nie skosztowawszy; nie wierz gębie — połóż na zębie b) *przen* słuszność teorii sprawdza się w praktyce; praktyka pokaże; *pot* to się pokaże w praniu; **to give ~ of sth** da-ć/wać dowody czegoś 2. udowodnienie 3. próba; **to bring to the ~** podda-ć/wać próbie 4. badanie; sprawdzanie; próba jakości 5. (przepisowa) moc <zawartość> alkoholu (w winie itd.) 6. próbówka 7. *druk* korekta; odbitka (kliszy); **artist's <engraver's> ~** odbitka przed drukiem Ⅲ *adj* odporny (**against sth** na coś); szczelny; zabezpieczony (**against sth** od czegoś <przed czymś>); (*o człowieku*) nieczuły (**against sth** na coś — na pokusy, pochlebstwa itd.) Ⅲ *vt* 1. odbi-ć/jać (kliszę, arkusz itd.) 2. z/robić korektę <odbitkę> (**sth** czegoś) 3. wypróbow-ać/ywać 4. impregnować; u/czynić nieprzemakalnym <nieprzepuszczalnym>

proofless ['pru:flis] *adj* nie dowiedziony, nie udowodniony

proof-read ['pru:f,ri:d] *vt* czytać <z/robić> korektę (**sth** czegoś) *zob* **proof-reading**

proof-reader ['pru:f,ri:də] *s* korektor/ka

proof-reading ['pru:f,ri:diŋ] Ⅰ *zob* **proof-read** Ⅲ *s* korekta; czytanie korekty; praca korektorska

proof-sheet ['pruf,ʃi:t] *s* korekta; odbitka (kliszy)

♦**prop**[1] [prop] Ⅰ *s* 1. podpórka; żerdź; tyczka; pal; stojak; *górn* stempel 2. podpora; ostoja Ⅲ *vt* (**-pp-**) 1. (*także* **~ up**) pod-eprzeć/pierać 2. podstemplow-ać/ywać; palować 3. tyczyć (fasolę itd.) Ⅲ *vi* (**-pp-**) (*o koniu*) nagle sta-nąć/wać

prop[2] [prop] = **proposition** 2.

prop[3] [prop] *s* (*zw pl*) *sl teatr* rekwizyt

propaedeutic(al) [,proupi:'dju:tik(əl)] *adj* propedeutyczny

propaedeutics [,proupi:'dju:tiks] *s* propedeutyka

♦**propaganda** [,propə'gændə] Ⅰ *s* propaganda Ⅲ *attr* (*o filmie itd*) propagandowy

propagandist [,propə'gændist] *s* 1. propagandzist-a/ka 2. *kośc* misjonarz

propagate ['propə,geit] *vt* 1. rozkrzewi-ć/ać; rozmn-ożyć/ażać 2. przekaz-ać/ywać (z pokolenia na pokolenie) 3. propagować; szerzyć 4. *fiz* przenosić (światło, drgania itd.)

propagation [,propə'geiʃən] *s* 1. rozkrzewi-enie/anie (się); rozmn-ożenie/ażanie (się) 2. propagowanie; szerzenie 3. *fiz* przenoszenie <rozchodzenie się> (światła itd.)

propagator ['propə,geitə] *s* propagator/ka; szerzyciel/ka; krzewiciel/ka

propane [prou'pein] *s chem* propan

proparoxytone [,prou-pə'roksi,toun] *s jęz* wyraz mający akcent na trzeciej zgłosce od końca

propel [prə'pel] *vt* (**-ll-**) nada-ć/wać impuls (**sth** czemuś); (*o parze, elektryczności itd*) poruszać (coś); nada-ć/wać ruch (**sth** czemuś); napędzać; pch-nąć/ać <rzuc-ić/ać> naprzód

propellent [prə'pelənt] Ⅰ *adj* napędzający; napędowy Ⅲ *s* siła napędzająca <napędowa>

♦**propeller** [prə'pelə] *s* 1. siła napędowa 2. *lotn* śmigło; *mar* śruba (okrętowa)

propeller-blade [prə'pelə,bleid] *s techn* ramię śmigła; łopatka śruby (okrętowej)

propeller-shaft [prə'pelə,ʃɑ:ft] *s techn* wał napędowy

propensity [prə'pensiti] *s* skłonność <tendencja, popęd, pociąg> (**to sth** do czegoś; **to do <for doing>** sth do robienia czegoś)

♦**proper** ['propə] *adj* 1. właściwy; odpowiedni; należyty; prawidłowy; **in ~ condition** w dobrym stanie; **~ to sb, sth** właściwy komuś, czemuś; związany z kimś, czymś; **to do the ~ thing by sb** postąpić lojalnie <uczciwie, przyzwoicie> wobec kogoś 2. *gram* (*o imieniu*) własny 3. stosowny; przyzwoity 4. *po rzeczownikach:* prawdziwy; właściwy; w ścisłym (tego słowa) znaczeniu 5. *pot* prawdziwy <skończony> (łajdak itd.); kompletny (idiota itd.) 6. † własny

properly ['propəli] *adv* 1. właściwie; odpowiednio; należycie; jak (się) należy; **~ speaking** ściśle mówiąc; właściwie 2. słusznie 3. przyzwoicie 4. *pot* kompletnie; całkowicie; zupełnie

propertied ['propətid] *adj* (*o klasie społecznej*) posiadający; posiadaczy

property ['propəti] Ⅰ *s* 1. posiadanie 2. własność; **a man of ~** posiadacz; **personal ~** mienie osobiste; ruchomości 3. nieruchomość; posiadłość; gospodarstwo 4. *teatr* część przyborów <rekwizytów>; *pl* **properties** przybory; rekwizyty 5. własność <właściwość, cecha> (leku itd.) Ⅲ *attr* (*o podatku, cenzusie itd*) majątkowy

property-man ['propəti,mæn] *s* (*pl* **property-men** ['propəti,men]) *teatr* rekwizytor

property-room ['propəti,ru:m] *s teatr* rekwizytornia

prophecy ['profisi] *s* proroctwo

prophesy ['profi,sai] *v* (**prophesied** ['profi,said], **prophesied**; **prophesying** ['profi,saiiŋ]) Ⅰ *vt* prorokować; przepowi-edzieć/adać przyszłość Ⅲ *vt* prorokować; przepowi-edzieć/adać

prophet ['profit] *s* 1. prorok 2. *sl* człowiek udzielający informacji o widokach wygrania na wyścigach

prophetess ['profitis] *s* prorokini

prophetic(al) [prə'fetik(əl)] *adj* proroczy

prophylactic [,profi'læktik] Ⅰ *adj* profilaktyczny, zapobiegawczy Ⅲ *s* środek zapobiegawczy

prophylaxis [,profi'læksis] *s* profilaktyka

propinquity [prə'piŋkwiti] *s* 1. bliskość (w czasie i przestrzeni) 2. pokrewieństwo; powinowactwo

propionate ['proupiənit] *s chem* propionian

propitiate [prə'piʃi,eit] *vt* 1. przejedn-ać/ywać; przebłagać 2. zjedn-ać/ywać (sobie)

propitiation [prə,piʃi'eiʃən] *s* 1. przejedn-anie/ywanie; przebłaganie 2. zjedn-anie/ywanie 3. pokuta; odpokutowanie 4. † ofiara błagalna

propitiator [prə'piʃiˌeitə] s pojednawca
propitiatory [prə'piʃjətəri] adj 1. pojednawczy 2. błagalny 3. pokutniczy
propitious [prə'piʃəs] adj 1. pomyślny; sprzyjający; **to be ~ to sb, sth** sprzyjać komuś, czemuś 2. życzliwy; przychylny; łaskawy
propolis ['prɔpəlis] s pierzga, zasklep, klej <kit> pszczeli
propone [prə'poun] szkoc = **propose**
proponent [prə'pounent] s 1. wnioskodawca 2. rzecznik <obrońca> (teorii itd.)
proportion [prə'pɔːʃən] Ⓘ s 1. proporcja; stosunek; współmierność; **in ~** proporcjonalny; **in ~ to _** w stosunku <stosownie> do ...; **to be in <bear a> ~ to _** stać w pewnym stosunku do ...; **to bear no ~ to _** nie stać w żadnym stosunku <być nieproporcjonalnym> do ...; **out of ~** nieproporcjonalny; niewspółmierny 2. część; udział; odsetek, procent 3. mat proporcja, reguła trzech 4. pl ~s proporcje (budynku itd.); rozmiary (maszyny itd.); budowa <barczystość> (atlety) Ⓘ vt 1. dostosow-ać/ywać 2. dozować, dawkować
proportionable [prə'pɔːʃnəbl] adj proporcjonalny, o właściwych proporcjach
proportional [prə'pɔːʃn̩l] Ⓘ adj proporcjonalny; współmierny; odpowiedni; stosowny Ⓘ s mat liczba stosunkowa
proportionalist [prə'pɔːʃn̩list] s zwolenni-k/czka proporcjonalnego systemu wyborczego
proportionate [prə'pɔːʃnit] Ⓘ adj proporcjonalny <dostosowany> (**to _** do ...) Ⓘ vt [prə'pɔːʃəˌneit] dostosow-ać/ywać
proposal [prə'pouzəl] s 1. propozycja 2. am oferta 3. projekt 4. oświadczyny
propose [prə'pouz] Ⓘ vt 1. za/proponować; postawić/stawiać <wysu-nąć/wać> wniosek (**sth w sprawie <co do>** czegoś); wyst-ąpić/ępować z wnioskiem (**sth w sprawie** czegoś; **to do sth** zrobienia czegoś); podda-ć/wać pod rozwagę 2. wysu-nąć/wać kandydaturę (**sb** czyjąś); za/proponować (**sb as a chairman etc.** kogoś na przewodniczącego itd.) 3. (także **to ~ the toast <the health>**) wzn-ieść/osić toast za zdrowie (**of sb** czyjeś) 4. zamierzać (**to do <doing> sth** coś zrobić); **to ~ sth to oneself** postawić/stawiać sobie coś za zadanie 5. zá/planować (ulepszenia itd.) Ⓘ vi 1. planować; układać plany; **man ~s, God disposes** człowiek strzela, Pan Bóg kule nosi 2. oświadcz-yć/ać się
proposition [ˌprɔpə'ziʃən] s 1. wniosek 2. (także mat) twierdzenie 3. teza; teoremat 4. log założenie 5. gram zdanie 6. muz temat (fugi itd.) 7. sl sprawa; interes; zadanie; przedsięwzięcie; **a tough ~** twardy orzech do zgryzienia
propound [prə'paund] vt przed-łożyć/kładać; za/proponować; wysu-nąć/wać <zgł-osić/aszać, podda-ć/wać> (projekt itd.); prawn przed-łożyć/kładać (testament) do zatwierdzenia sądowego
proprietary [prə'praiətəri] Ⓘ s 1. właściciel/e 2. własność Ⓘ adj 1. (o prawach itd) własności <posiadania> 2. posiadający 3. prawnie zastrzeżony; **~ medicine** lekarstwo patentowane
proprietor [prə'praiətə] s właściciel; gospodarz; posiadacz

proprietorship [prə'praiətəʃip] s prawo własności; posiadanie
proprietress [prə'praiətris] s właścicielka; gospodyni; posiadaczka
propriety [prə'praiəti] s 1. stosowność; właściwość; odpowiedniość; celowość; **I doubt the ~ of doing that** wątpię, czy wypada <byłoby na miejscu, byłoby wskazane> to robić 2. trafność 3. poprawność 4. przyzwoitość; dobre wychowanie; pl **proprieties** nakazy przyzwoitości <dobrego wychowania>
propulsion [prə'pʌlʃən] s napęd; impuls przen bodziec
↑**propulsive** [prə'pʌlsiv] adj (o sile itd) napędowy, napędzający
propylaeum [ˌprɔpi'liəm] s (pl **propylaea** [ˌprɔpi'liə]) arch propyleje, propileje, wejście monumentalne (do gmachu)
↑**propylene** ['proupiˌliːn] s chem propylen; propen
propylite ['prɔpiˌlait] s miner propilit
propylon ['prɔpiˌlɔn] = **propylaeum**
prorate [prou'reit] vt am rozdziel-ić/ać proporcjonalnie
prorogation [ˌprourə'geiʃən] s prorogacja, przedłużenie terminu; odroczenie
prorogue [prə'roug] vt prorogować, przedłuż-yć/ać termin (**sth** czegoś); odr-oczyć/aczać
prosaic [prou'zeiik] adj dosł i przen prozaiczny
prosaist ['prouzeiist] s 1. prozaik 2. człowiek prozaiczny
proscenium [prou'siːnjəm] s (pl **proscenia** [prou'siːnjə]) teatr proscenium, przedscenie, awanscena
proscribe [prous'kraib] vt 1. wyj-ąć/mować spod prawa 2. skaz-ać/ywać na wygnanie; wygnać z kraju; wydal-ić/ać 3. zakaz-ać/ywać (**sth** czegoś)
proscription [prous'kripʃən] s 1. proskrypcja; wyjęcie spod prawa 2. wygnanie; wydalenie 3. zakaz
proscriptive [prous'kriptiv] adj proskrypcyjny
prose [prouz] Ⓘ s 1. proza 2. prozaiczność Ⓘ attr (o utworze) napisany prozą Ⓘ vi 1. na/pisać prozą 2. nudzić, nudno mówić Ⓘ vt prze-łożyć/kładać (poemat itd.) na prozę
prosector [prə'sektə] s prosektor
prosecutable [ˌprɔsi'kjutəbl] adj (o czynie itd) zaskarżalny; (o człowieku) podlegający zaskarżeniu <pociągnięciu do odpowiedzialności sądowej>
prosecute ['prɔsiˌkjuːt] Ⓘ vt 1. dalej prowadzić (pracę itd.), kontynuować 2. wykonywać (zajęcie itd.); sprawować <pełnić, wykonywać> (obowiązki itd.); trudnić się (**a trade etc.** rzemiosłem itd.) 3. ścigać sądownie; zaskarż-yć/ać 4. poda-ć/wać <wn-ieść/osić> (**sprawę**) do sądu; prowadzić (sprawę) 5. pilnować <doglądać, nie zaniedbywać> (**sth** czegoś) 6. odby-ć/wać (podróż) Ⓘ vi wst-ąpić/ępować na drogę sądową
prosecution [ˌprɔsi'kjuːʃən] s 1. dalsze prowadzenie (pracy itd.) 2. sprawowanie <pełnienie, wykonywanie> (obowiązków) 3. kroki sądowe; zaskarżenie; skarga sądowa 4. sąd powód/ka 5. sąd oskarżyciel 6. sąd powództwo
prosecutor ['prɔsiˌkjuːtə] s sąd powód/ka; strona skarżąca <oskarżająca>; **public ~** prokurator

proselyte ['prɔsi,lait] Ⓘ *s* prozelit-a/ka, nowo nawrócon-y/a; neofit-a/ka Ⓘ *vt* nawr-ócić/acać
proselytize ['prɔsili,taiz] *vt vi* nawr-ócić/acać
prosenchyma [prɔ'senkimə] *s bot* prozenchyma
prosify ['prouzi,fai] *v* (**prosified** ['prouzi,faid], **prosified; prosifying** ['prouzi,faiiŋ]) Ⓘ *vt* 1. prze-łożyć/kładać na prozę 2. u/czynić prozaicznym Ⓘ *vi* na/pisać nudną prozą
prosody ['prɔsədi] *s* prozodia
prosopopoeia [,prɔsoupə'piə] *s ret* 1. prozopopeja 2. personifikacja
prospect ['prɔspəkt] Ⓘ *s* 1. widok; krajobraz 2. perspektywa; **little ~ of _** słabe szanse na ... (zrobienie <stanie się> czegoś); *pl* ~**s** widoki na przyszłość; nadzieje; możliwości; **there is no ~ of his <her etc.> coming <doing that etc.>** nie ma nadziei, że on <ona itd.> przyjdzie <zrobi to itd.>; **to have sth in ~** mieć coś na widoku <w perspektywie> 3. działka złotonośna 4. zawartość złota w ziemi na działce; wydajność (złotonośnej działki) 5. możliwy <ewentualny, przyszły> klient <prenumerator itd.>; kandydat (na członka partii <towarzystwa itd.>) Ⓘ *vi* [prə'spekt] 1. szukać <poszukiwać (**for gold** etc. złota itd.) 2. (*o działce, kopalni*) dawać nadzieję rentowności (**well, ill** dużą, słabą) Ⓘ *vt* [prə'spekt] z/badać (teren) w poszukiwaniu kruszców *zob* **prospecting**
prospecting [prəs'pektiŋ] Ⓘ *zob* **prospect** *v* Ⓘ *s górn* roboty poszukiwawcze; szukanie <poszukiwanie> złota itd.
prospective [prəs'pektiv] *adj* 1. dotyczący przyszłości; (*o ustawie*) działający na przyszłość, przyszły 2. zapowiedziany; spodziewany
prospectively [prəs'pektivli] *adv* 1. w przyszłości, na przyszłość 2. w perspektywie (czasu)
prospector [prəs'pektə] *s* poszukiwacz (złota itd.)
prospectus [prəs'pektəs] *s* prospekt
prosper ['prɔspə] Ⓘ *vi* (*o przedsięwzięciu itp*) prosperować, pomyślnie się rozwijać; kwitnąć; (*o człowieku*) **he is ~ing** (on) cieszy się powodzeniem; dobrze mu się powodzi <wiedzie>; szczęści mu się Ⓘ *vt* darzyć powodzeniem; przyn-ieść/osić szczęście (**sb** komuś); **Heaven ~ you** oby ci się poszczęściło
prosperity [prɔs'periti] *s* 1. pomyślność; powodzenie; szczęście 2. dobrobyt 3. dobra koniunktura; okres dobrej koniunktury; prosperity
prosperous ['prɔspərəs] *adj* 1. cieszący się powodzeniem; kwitnący; dobrze <pomyślnie> się rozwijający 2. znajdujący się w dobrobycie 3. sprzyjający; pomyślny
prostate [prɔs'teit] *s anat* prostata, stercz, gruczoł krokowy
prostatic [prɔs'tætik] *adj anat* prostatyczny, sterczowy
prosthesis ['prɔsθisis] *s* 1. *gram* dodanie przedrostka 2. *med* protezowanie 3. protetyka
prosthetics [prɔs'θetiks] *s* protetyka, nauka o wykonywaniu protez
prostitute ['prɔsti,tju:t] Ⓘ *vt* s/prostytuować Ⓘ *vr* **~ oneself** odda-ć/wać się prostytucji, uprawiać prostytucję <nierząd, rozpustę> Ⓘ *adj* wszeteczny; rozpustny Ⓘ *s* prostytutka, nierządnica
prostitution [,prɔsti'tju:ʃən] *s* 1. prostytucja, nierząd 2. prostytuowanie (sztuki itd.)
prostrate ['prɔstreit] Ⓘ *adj* 1. leżący twarzą ku

ziemi; leżący plackiem (*także przen* — przed kimś); **to lay ~** pogrążyć (instytucję itd.) 2. (będący) w prostracji; skrajnie wyczerpany 3. przybity; złamany; zdruzgotany; **~ with grief** pogrążony <nieutulony> w smutku 4. *bot* płożący się Ⓘ *vt* [prɔs'treit] 1. powalić 2. poniż-yć/ać 3. doprowadz-ić/ać do prostracji; wyczerp-ać/ywać do ostateczności Ⓘ *vr* [prɔs'treit] **~ oneself** pa-ść/dać na twarz; poniż-yć/ać <upok-orzyć/arzać, płaszczyć> się
prostration [prɔs'treiʃən] *s* 1. płaszczenie się; czołobitność 2. złamanie; zdruzgotanie 3. prostracja; skrajne wyczerpanie (nerwowe)
prostyle ['proustail] *s arch* prostyl (otwarty portyk)
prosy ['prouzi] *adj* (**prosier** ['prouziə], **prosiest** ['prouziist]) 1. prozaiczny; przyziemny; banalny 2. jednostajny; nudny
protagonist [prou'tægənist] *s* 1. protagonista 2. szermierz (idei); zwolennik
protasis ['prɔtəsis] *s* (*pl* **protases** ['prɔtə,si:z]) *gram* protasis, protaza, zdanie wprowadzające
protean [prou'ti:ən] *adj* proteuszowy, zmienny
protect [prə'tekt] *vt* 1. u/chronić <ochraniać> (**from** <**against**> **sb, sth** od kogoś, czegoś <przed kimś, czymś>); o/bronić (**from** <**against**> **sb, sth** przed kimś, czymś); osł-onić/aniać (**from** <**against**> **sb, sth** od kogoś, czegoś <przed kimś, czymś>); zabezpiecz-yć/ać (**from sb, sth** przed kimś, czymś) 2. *ekon* chronić <popierać> (przemysł itd.) 3. protegować 4. honorować (weksel itd.)
▲**protection** [prə'tekʃən] Ⓘ *s* 1. ochrona; obrona; osłona <zabezpieczenie> (**against sth** przed czymś) 2. opieka; poparcie 3. protekcja; protegowanie 4. list żelazny; *hist* glejt; *am* świadectwo obywatelstwa 5. honorowanie (weksla) Ⓘ *attr* (*o taryfach itd*) ochronny; (*o cle*) ochronny, protekcyjny
protectionism [prə'tekʃə,nizəm] *s ekon* protekcjonizm
protectionist [prə'tekʃənist] *e ekon* protekcjonista
protective [prə'tektiv] *adj* 1. ochronny 2. zapobiegawczy
protector [prə'tektə] *s* 1. obrońca; opiekun; protektor 2. *techn* ochraniacz; osłona; przyrząd ochronny; **lightning ~** piorunochron
protectorate [prə'tektərit] *s* protektorat
protectorship [prə'tektəʃip] *s* 1. patronat; opieka 2. protektorat
protectress [prə'tektris] *s* obrończyni; opiekunka; protektorka
protégé ['proute,ʒei] *s* protegowan-y/a
proteid ['proutiid] *s chem* proteid, białko złożone
protein ['prouti:n] *s chem* białko, proteina
protest [prə'test] Ⓘ *vi* za/protestować; wn-ieść/osić <za-łożyć/kładać> protest; sprzeciwi-ć/ać się; za/oponować Ⓘ *vt* 1. uroczyście zapewni-ć/ać (**one's innocence** etc. o swej niewinności itd.; **that _** że...) 2. za/protestować <odda-ć/wać do protestu> (weksel) 2. za/protestować (**sth** przeciw czemuś) Ⓘ *s* ['proutest] 1. protest; **to sign** <**pay** etc.> **under ~** podpisać <zapłacić itd.> pod przymusem <protestując, z zastrzeżeniem> 2. protest <zaprotestowanie> (weksla) 3. uroczyste zapewnienie <oświadczenie>
Protestant ['prɔtistənt] Ⓘ *s* protestant/ka; ewan-

geli-k/czka; anglikan-in/ka ③ *adj* protestancki; ewangelicki; anglikański

Protestantism ['prɔtistən,tizəm] *s* protestantyzm; wyznanie ewangelickie <anglikańskie>

protestantize ['prɔtistən,taiz] *vt* nawr-ócić/acać na protestantyzm

protestation [,proutes'teiʃən] *s* 1. uroczyste zapewni-enie/anie 2. za/protestowanie; protest

protester, protestor [prə'testə] *s* strona protestująca <uroczyście zapewniająca>

prothonotary [,prouθə'noutəri] = **protonotary**

prothorax [prou'θɔræks] *s zoo* przedpiersie (owada)

protocol ['proutə,kɔl] ① *s dypl* protokół (akt i etykieta) ③ *vi* (-ll-) sporządz-ić/ać protokół ③ *vt* (-ll-) za/protokołować

proton ['proutɔn] *s fiz* proton

protonotary [,proutə'noutəri] *s* 1. *kośc* protonotariusz 2. *sąd* archiwariusz

protoplasm ['proutə,plæzəm] *s* protoplazma, zaródź

protoplasmic [,proutə'plæzmik] *adj* protoplazmatyczny

protoplast ['proutə,plɑ:st] *s* 1. protoplasta 2. prototyp; wzór 3. *biol* protoplast (protoplazmatyczna część komórki zawierająca jądro)

▲ **prototype** ['proutə,taip] *s* prototyp

protoxide [prou'tɔksaid] *s chem* tlenek (metalu)

protozoan [,proutə'zouən] ① *s zoo* pierwotniak ③ *adj* (dotyczący) pierwotniak-a/ów

protozoon [,proutə'zouɔn] *s* (*pl* **protozoa** [,proutə'zouə]) *zoo* pierwotniak

protract [prə'trækt] *vt* 1. przedłuż-yć/ać; przewle-c/kać 2. na/kreślić <sporządz-ić/ać> (plan) w (odpowiedniej) skali *zob* **protracted**

protracted [prə'træktid] ① *zob* **protract** ③ *adj* przedłużający się; długi; przewlekły

protractedly [prə'træktidli] *adv* przewlekle

protractile [prə'træktail] *adj zoo* (o *organie*) wysuwalny

protraction [prə'trækʃən] *s* 1. przedłuż-enie/anie; przewlekanie; przewlekłość 2. na/kreślenie <sporządz-enie/anie> (planu) w (odpowiedniej) skali

protractor [prə'træktə] *s* 1. *mar* protraktor 2. *geom* kątomierz (łukowy) 3. *anat* prostownik, mięsień prostujący

protrude [prə'tru:d] ① *vt* wysu-nąć/wać ③ *vi* wystawać; sterczeć *zob* **protruding**

protrudent [prə'tru:dənt] = **protruding** *adj*

protruding [prə'tru:diŋ] *zob* **protrude** ③ *adj* wystający; sterczący; wypukły; (o *oczach*) wyłupiasty

protrusion [prə'tru:ʒən] *s* 1. wysu-nięcie/wanie; uwypukl-enie/anie 2. wystawanie 3. występ

protuberance [prə'tju:bərəns] *s* wypukłość; *med* guzowatość; *astr* protuberancja

protuberant [prə'tju:bərənt] *adj* wypukły; wystający; wydatny

proud [praud] ① *adj* 1. dumny; pyszny; wyniosły; butny; hardy; **to be ~ of sth** być dumnym z czegoś; szczycić się czymś 2. (o *widoku, gmachu itd*) wspaniały; piękny 3. (o *dniu itd*) szczęśliwy 4. (o *wodach*) wezbrany 5. *med* **~ flesh** dzikie mięso, ziarnina ③ *adv w zwrocie*: **pɔt to do sb ~** zaszczyc-ić/ać kogoś; z/robić komuś zaszczyt

proud-hearted ['praud,hɑ:tid], **proud-spirited** ['praud,spiritid] *adj* 1. dumny 2. zarozumiały

prove [pru:v] *v* (*praet* **~d** [pru:vd], *pp* **~d**, † **~n** ['pru:vn]) ① *vt* 1. wypróbow-ać/ywać 2. † s/kontrolować; sprawdz-ić/ać; upewni-ć/ać się (**sth o czymś, co do czegoś**) 3. udow-odnić/adniać (**sth coś**); **sb <sth> to be ~ że ktoś <coś> jest** ...); dow-ieść/odzić (**sth czegoś**) 4. z/robić próbną odbitkę (**a plate etc.** kliszy itd.) 5. *prawn* zatwierdz-ić/ać (testament) ③ *vr* **~ oneself** pokaz-ać/ywać swą wartość ③ *vi* okaz-ać/ywać się (dobrym, złym itd.); **to ~ true** sprawdz-ić/ać się; **to ~ useful** przyda-ć/wać się

proven ['pru:vən] *adj prawn* udowodniony

provenance ['prouvinəns] *s* pochodzenie

Provençal [,prɔvã:'sɑ:l] ① *adj* prowansalski ③ *s* Prowansal-czyk/ka

provender ['prɔvində] *s* 1. obrok; pasza 2. *żart* jedzenie

provenience [prə'vi:njəns] = **provenance**

proverb ['prɔvəb] *s* 1. przysłowie; **he is a ~ for hypocrisy** on jest znany z obłudy <notorycznym obłudnikiem>; jego obłuda jest przysłowiowa; **to a ~** przysłowiowo <notorycznie> (skąpy, lekkomyślny itd.) 2. *bibl* (**the Book of**) **Proverbs** Księga Przypowieści

proverbial [prə'və:bjəl] *adj* przysłowiowy

proviant ['prɔviənt] *s* zaprowiantowanie (wojska)

provide [prə'vaid] ① *vt* 1. dostarcz-yć/ać (**sb with sth komuś coś, czegoś**); stanowić (wymówkę itd.); da-ć/wać (**a good reason for sb to do sth** komuś powód do zrobienia czegoś); zaopat-rzyć/rywać (**sb <oneself> with sth** kogoś <się> w coś); **to ~ a bill with an acceptance** za/akceptować weksel 2. (o *budowniczym*) przewi-dzieć/dywać <za/planować> (**a passage etc.** przejście itd.) 3. (o *korytarzu itd*) umożliwi-ć/ać (przejście dokądś, wyjście skądś itd.) 4. zastrze-c/gać sobie <zastrze-c/gać się> (**that ... że ...**) 5. (o *ustawie itd*) przewidywać <postanawiać> (**that ... że ...**) ③ *vi* 1. zabezpiecz-yć/ać się (**against sth** przed czymś <od czegoś, na wypadek czegoś, przeciw czemuś>); przewi-dzieć/dywać (**for sth** coś) 2. utrzymywać <zabezpiecz-yć/ać> (**for sb** kogoś); zaspok-oić/ajać potrzeby (**for sb <oneself>** czyjeś <swoje>); zapewni-ć/ać byt (**for sb** komuś) 3. da-ć/wać pokrycie (**for a bill** na weksel) *zob* **provided, providing**

provided [prə'vaidid] ① *zob* **provide** ③ *conj* (*także* **~ that**) pod warunkiem, że...; byle (tylko)...; z (tym) zastrzeżeniem, że...; o ile...; założywszy, że... ③ *adj w zwrocie*: **~ for** zaopatrzony; zabezpieczony; mający zapewniony byt; (o *potrzebach*) zaspokojony

providence ['prɔvidəns] *s* 1. przezorność 2. skrzętność 3. **Providence** Opatrzność; **a special Providence** zrządzenie Opatrzności

provident ['prɔvidənt] *adj* 1. przezorny 2. skrzętny

providential [,prɔvi'denʃəl] *adj* opatrznościowy

provider [prə'vaidə] *s* dostaw-ca/czyni; *zoo* **lion's ~** szakal; **universal ~** dom towarowy; sklep wielobranżowy

providing [prə'vaidiŋ] ① *zob* **provide** ③ *conj* = **provided** *conj*

province ['prɔvins] *s* 1. *admin* prowincja; okręg <obwód> (państwa) 2. *pl* **the ~s** prowincja (w odróżnieniu od stolicy) 3. dziedzina; zakres 4. kompetencja

provincial [prə'vinʃəl] ① *adj* 1. prowincjonalny

2. zaściankowy 3. rejonowy III s 1 człowiek z prowincji <małomiasteczkowy> 2. *kość* prowincjał

provincialism [prə'vinʃə,lizəm] s 1. prowincjonalizm; zaściankowość; małomiasteczkowość 2. *jęz* prowincjonalizm

provinciality [prə,vinʃi'æliti] s prowincjonalność; zaściankowość; małomiasteczkowość

provincialize [prə'vinʃə,laiz] vt u/czynić prowincjonalnym; pozbawi-ć/ać oglądy wielkomiejskiej

provision [prə'viʒən] I s 1. zaopatrzenie (**of sth** w coś) 2. zabezpieczenie się (**for** <**against**> **sth** przed czymś, od czegoś, na wypadek czegoś <przeciw czemuś>); **to make ~** zabezpiecz-yć/ać się; **to make ~ for sb** zabezpiecz-yć/ać kogoś; zapewni-ć/ać komuś byt 2. *pl* **~s** zapasy (żywności); zaopatrzenie w żywność; zaprowiantowanie; aprowizacja; artykuły <produkty> żywnościowe <spożywcze> 3. postanowienie (ustawy); klauzula; zastrzeżenie; warunek III vt za/prowiantować; zaopat-rzyć/rywać w żywność

provisional [prə'viʒn̩l] adj prowizoryczny, tymczasowy

provisionment [prə'viʒn̩mənt] s zaprowiantowanie

proviso [prə'vaizou] s (*pl* **~s**, **~es**) zastrzeżenie; klauzula

provisory [prə'vaizəri] adj 1. warunkowy 2. tymczasowy, prowizoryczny 3. zapobiegawczy

provocation [,prɔvə'keiʃən] s 1. prowokacja; s/prowokowanie; s/powodowanie; **on** <**at**> **the slightest ~** z lada powodu 2. irytacja; zdenerwowanie; rozdrażnienie; **to do sth under (severe) ~** z/robić coś pod wpływem (silnego) rozdrażnienia

provocative [prə'vɔkətiv] I adj 1. prowokacyjny; prowokujący; wyzywający; **to be ~ of sth** pobudz-ić/ać do czegoś; wywoł-ać/ywać coś 2. drażniący III s środek podniecający

provoke [prə'vouk] vt 1. s/prowokować; podburz-yć/ać; podżegać; jątrzyć 2. doprowadz-ić/ać (**sb to anger** etc. kogoś do gniewu itd.) 3. z/irytować; po/drażnić; rozdrażni-ć/ać; rozjątrz-yć/ać; roz/gniewać; roz/złościć; z/denerwować 4. pobudz-ić/ać; wywoł-ać/ywać; s/powodować *zob* **provoking**

provoking [prə'voukiŋ] I adj *zob* **provoke** III adj drażniący; irytujący; denerwujący; nieznośny

provost ['prɔvəst] s 1. *uniw* rektor 2. *szkoc* burmistrz 3. [prə'vou] *wojsk* **~ marshal** komendant żandarmerii; **~ sergeant** sierżant żandarmerii

prow [prau] s *mar* dziób (statku)

prowess ['prauis] s 1. dzielność; waleczność; męstwo 2. czyn bohaterski

♦**prowl** [praul] I vi grasować; poszukiwać zdobyczy <łupu>; polować na zdobycz III s poszukiwanie zdobyczy <łupu>; **to be on the ~** = **to ~** vi

prowler ['praulə] s maruder

prox. [prɔks] *skr* **proximo**

proximal ['prɔksiməl] adj *anat* bliższy (osi ciała), dosiebny

proximate ['prɔksimit] adj 1. najbliższy; bezpośredni; następny 2. przybliżony

♦**proximity** [prɔk'simiti] s bliskość <sąsiedztwo> (**of** <**to**> **a place** etc. miejscowości itd.); niewielka odległość (**of** <**to**> __ od ...); **~ of blood** po-

---

krewieństwo; **in the ~ of** <**in ~ to**> **a town** <**the post-office**> etc. w pobliżu miejscowości <poczty> itd.

proximo ['prɔksi,mou] adv przyszłego miesiąca

proxy ['prɔksi] I s 1. pośrednictwo; zastępstwo; pełnomocnictwo; upoważnienie; **by ~** (zrobić coś) przez pośrednika; w zastępstwie i z upoważnienia 2. *handl* prokura; prawo podpisu 3. pełnomocnik; zastępca; prokurent III attr (*o czynie, głosie itd*) (dokonany, oddany itd.) przez zastępcę <przez osobę upoważnioną>

prude [pru:d] s pruderyjna kobieta; świętoszka

prudence ['pru:dəns] s rozwaga; ostrożność; roztropność

prudent ['pru:dənt] adj rozważny; ostrożny; roztropny

prudential [pru'denʃəl] I adj 1. (*o kroku itd*) podyktowany rozwagą <roztropnością, względami ostrożności> 2. *am* nadzorczy III *spl* **~s** względy ostrożności

prudery ['pru:dəri] s pruderia

prudish ['pru:diʃ] adj pruderyjny

prudishness ['pru:diʃnis] = **prudery**

pruinose ['prui,nous] adj *bot* oszadziały, pokryty szadzią

prune[1] [pru:n] s 1. suszona śliwka; *przen* **~s and prisms** afektacja (w mówieniu itd.) 2. kolor ciemnofioletowy

prune[2] [pru:n] vt 1. (*także* **~ down**) oczy-ścić/szczać (drzewo); przyci-ąć/nać (roślinę) 2. okr-oić/awać <oczy-ścić/szczać> (książkę itd.) **~ away** <**off**> vt obci-ąć/nać (zbyteczne gałęzie itd.)

prunella[1] [pru'nelə] s *tekst* prunela

prunella[2] [pru'nelə] s 1. *med* angina 2. *bot* głowienka pospolita, chmielik

prurience ['pruəriəns] s 1. chuć 2. lubieżność

prurient ['pruəriənt] adj lubieżny

prurigo [pru'raigou] s *med* świerzbiączka, swędzenie

Prussian ['prʌʃən] I adj pruski; **~ blue** błękit pruski, żelazocyjanek żelazawy; **~ green** zieleń pruska, żelazocyjanek; **~ red** czerwony tlenek żelazowy III s Prusa-k/czka

prussiate ['prʌʃiit] s *chem* cyjanek

prussic ['prʌsik] adj *chem* (*o kwasie*) pruski, cyjanowodorowy

pry[1] [prai] I vi (**pried** [praid], **pried; prying** ['praiiŋ]) 1. podpatrywać; zerkać ciekawie 2. wtrącać się <wścibiać nos> (**into other people's affairs** etc. w cudze sprawy itd.); szperać; węszyć; śledzić III s (**Paul) Pry** człowiek wścibski, *pot* wścibinos

pry[2] [prai] vt (**pried** [praid], **pried; prying** ['praiiŋ]) wyważ-yć/ać (drzwi itd.); odbi-ć/jać (wieko itd.); **to ~ a door open** wyważ-yć/ać drzwi; **to ~ a secret out of sb** wydu-sić/szać z kogoś tajemnicę <sekret>

prytaneum [,pritə'ni:əm] s (*u staroż. Greków*) prytaneum (budynek, w którym urzędowali prytanowie)

psalm [sa:m] s psalm; pieśń (religijna, nabożna); **~ book** psałterz, książka <zbiór> psalmów <pieśni nabożnych, kościelnych>; *bibl* **the (Book of) Psalms** księga psalmów

psalmist ['sa:mist] s psalmista, autor psalmu

psalmody ['sælmədi] s psalmodia

psalter ['sɔ:ltə] s psałterz
psaltery ['sɔ:ltəri] s muz psalterion (instrument)
pseudo ['(p)sju:dou] adj rzekomy; pozorny; fałszywy; udawany
pseudo-archaic ['(p)sju:dou-a:'keiik] adj pseudoarchaiczny
pseudo-catholic ['(p)sju:dou'kæθəlik] adj pseudokatolicki
pseudo-classic ['(p)sju:dou'klæsik] adj pseudoklasyczny
pseudonym ['(p)sju:də,nim] s pseudonim
pseudonymous ['(p)sju:'dɔniməs] adj napisany pod pseudonimem
pshaw [pʃɔ:] I interj pog phi! II vi zby-ć/wać pogardliwie (at sth coś) III vt zby-ć/wać pogardliwie (sth coś)
psilosis [sai'lousis] s łysina; łysienie
psittacidae [psi'tæsi,di:] spl zoo rodzina papug
psittacine ['psitə,sain] adj zoo papuzi
psittacosis [,psitə'kousis] s med choroba papuzia
psoriasis [(p)sɔ'raiəsis] s med łuszczyca
psyche ['saiki] s 1. Psyche mitol Psyche 2. dusza; psyche 3. psyche, duże zwierciadło odchylane 4. zoo koszówka (motyl)
psychiatric(al) [,saiki'ætrik(əl)] adj psychiatryczny
psychiatrist [sai'kaiətrist] s psychiatra
psychiatry [sai'kaiətri] s psychiatria
psychic ['saikik] I adj 1. psychiczny 2. metapsychiczny III s medium
psychical ['saikikəl] adj psychiczny
psychics ['saikiks] s 1. psychologia 2. metapsychika
psychoanalysis [,saikou-ə'nælisis] s psychoanaliza
psychological [,saikə'lɔdʒikəl] adj psychologiczny
psychologist [sai'kɔlədʒist] s psycholog
psychology [sai'kɔlədʒi] s psychologia
psychometry [sai'kɔmitri] s psych psychometria
psychomotor [,saikou'moutə] adj psych psychomotoryczny, psychoruchowy
psychopath ['saikou,pæθ] s psychopat-a/ka
psychopathology [,saikou-pə'θɔlədʒi] s psychopatologia
psychosis [sai'kousis] s (pl psychoses [sai'kousi:z]) psychoza
psychotherapeutics [,saikou-θerə'pju:tiks], psychotherapy [,saikou'θerəpi] s psychoterapia
psychrometer [sai'krɔmitə] s meteor psychrometr
ptarmigan ['ta:migən] s zoo pardwa (ptak); pardwa biała <tundrowa>
pteridology [,teri'dɔlədʒi] s nauka o paprociach
pterodactyl [,terou'dæktil] s paleont pterodaktyl
pteropod ['terə'pɔd] s zoo skrzydłonóg
ptisan [ti'zæn] s kleik (jęczmienny itd.)
ptomaine ['toumein] s chem ptomaina; ~ poisoning zatrucie ptomainami
ptosis ['tousis] s med ptoza
pub [pʌb] s pot knajpa; piwiarnia; bar; karczma
puberty ['pju:bəti] s okres dojrzewania płciowego, pokwitanie
pubes ['pju:bi:z] s anat łono
pubescence [pju'besns] s 1. dojrzewanie płciowe 2. bot omszenie; puszek; meszek; zoo delikatne owłosienie
pubescent [pju'besnt] adj 1. dojrzewający płciowo 2. bot omszały; pokryty puszkiem; zoo pokryty delikatnym włoskiem

pubic ['pju:bik] adj anat łonowy; ~ louse wesz łonowa
public ['pʌblik] I adj 1. publiczny; ogólny; (o dobru itd) ogółu; powszechny; (o czynie) jawny; (o bibliotece, czytelni itd) miejski; wiejski; a ~ man a) człowiek ogólnie znany b) osoba urzędowa c) działacz; notary ~ notariusz; offence of ~ morals obraza moralności publicznej; ~ debt dług państwowy; ~ house szynk; karczma; piwiarnia; bar; gospoda; oberża; ~ law prawo międzynarodowe; ~ relations department biuro prasowe; ~ school a) (w Anglii) prywatna (ekskluzywna) szkoła średnia b) am średnia szkoła państwowa; ~ utility zakład użyteczności publicznej; to make a ~ appearance wyst-ąpić/ępować publicznie; to make ~ o/publikować; ogł-osić/aszać; ujawni-ć/ać 2. obywatelski; ~ spirit duch obywatelski 3. (o święcie) urzędowy 4. uniw (występujący z ramienia) uniwersytetu 5. (o wrogu itd) społeczny III s 1. publiczność; in ~ publicznie 2. naród, lud 3. odłam <koła> (społeczeństwa)
publican ['pʌblikən] s 1. szynka-rz/rka; karczma-rz/rka; właściciel/ka piwiarni <baru, gospody>; oberżyst-a/ka 2. (u staroż. Rzymian) publikanin, dzierżawca <poborca> podatków; bibl celnik
publication [,pʌbli'keiʃən] s 1. publikacja, opublikowanie; ogłoszenie; obwieszczenie 2. wydanie (książki, pracy itd.) 3. publikacja (dzieło)
publicist ['pʌblisist] 1. publicyst-a/ka; dziennika-rz/rka 2. specjalist-a/ka w zakresie prawa międzynarodowego 3. właściciel/ka biura reklamy
publicity [pʌb'lisiti] I s 1. reklama 2. rozgłos; to give ~ to sth nada-ć/wać rozgłos czemuś; wydoby-ć/wać coś na światło dzienne III attr reklamowy; (o biurze itd) reklamy
publicness ['pʌbliknis] s jawność
publish ['pʌbliʃ] vt 1. o/publikować; ogł-osić/aszać; ujawni-ć/ać; to ~ abroad wydoby-ć/wać (sprawę itd.) na światło dzienne; rozpowszechni-ć/ać 2. wyda-ć/wać (drukiem); (o publikacji) to be ~ed ukaz-ać/ywać się; wy-jść/chodzić zob publishing
publisher ['pʌbliʃə] s 1. wydawca 2. am właściciel gazety <dziennika>
publishing ['pʌbliʃiŋ] I zob publish III s działalność wydawnicza III attr wydawniczy; ~ house firma wydawnicza; wydawcy
puccoon [pə'ku:n] s bot krwawoziół (północnoamerykańska roślina dająca czerwony lub żółty barwnik)
puce [pju:s] I s kolor brązowofioletowy III adj ciemnobrązowy
Puck¹ [pʌk] s chochlik
puck² [pʌk] s sport krążek do hokeja
pucka zob pukka(h)
pucker ['pʌkə] I vt 1. (także ~ up) z/marszczyć (twarz, brwi); ściąg-nąć/ać <sznurować> (usta) 2. po/fałdować; u/szyć <ułożyć/układać, zebrać/zbierać> w fałdy III vi (także ~ up) 1. z/marszczyć się 2. po/fałdować się III s 1. zmarszczka 2. z/marszczenie brwi 3. fałd, fałda
puckish ['pʌkiʃ] adj psotny
pud [pʌd] s dziec 1. łapka, rączka 2. łapka (zwierzęcia)
puddening zob pudding 3.
pudding ['pudiŋ] s 1. pudding (potrawa słodka,

mięsna lub jarzynowa, gotowana na parze); **more praise than** ~ gołosłowna pochwała; za „dziękuję" nic się nie kupuje; ~ **face** tłusta <nalana> twarz 2. *sl* trutka (dawana psom przez złodziei) 3. (*także* **puddening** ['pudṇiŋ]) *mar* ochraniacz (liny itd.); odbijacz stały (na holowniku)

pudding-basin ['pudiŋ,beisn] *s* forma do budyniu
pudding-head ['pudiŋ,hed] *s* głupiec; *pog* jołop
pudding-stone ['pudiŋ,stoun] *s geol* konglomerat, zlepieniec; skała pudingowa

puddle ['pʌdl] I *s* 1. kałuża 2. *przen* galimatias; mętlik; *pot* bałagan 3. (wodoszczelna) zaprawa z gliny i żwiru <piasku> II *vi* 1. (*także* ~ **about**) chlapać <taplać> się II *vt* 1. narobić galimatiasu (**sth** w czymś); *pot* zabałaganić 2. mieszać (glinę) ze żwirem <z piaskiem> 3. urabiać (glinę itp.) 4. wy-łożyć/kładać zaprawą z gliny i żwiru <piasku> 5. *hut* pudlingować, pudlować

puddler ['pʌdlə] *s hut* pudlarz
puddling-furnace ['pʌdliŋ,fə:nis] *s hut* piec pudlarski
puddly ['pʌdli] *adj* pełen kałuż, *rz* kałużysty
pudency ['pju:dənsi] *s* wstydliwość; skromność
pudenda [pju:'dendə] *spl anat* zewnętrzne narządy płciowe
pudge [pʌdʒ] *s pot* niski grubas, baryłka, kulfon
pudgy ['pʌdʒi] *adj pot* niski i gruby, pękaty
pudicity [pju'disiti] = **pudency**
pudsy ['pʌdzi] *adj* pulchny
puerile ['pjuə,rail] *adj* dziecinny; chłopięcy; *med* ~ **breathing** oddech chłopięcy (u dorosłego)
puerility ['pjuə'riliti] *s* 1. dzieciństwo 2. dziecinada
puerperal [pju'ə:pərəl] *adj* połogowy; poporodowy

puff [pʌf] I *vi* 1. dmuch-nąć/ać, podmuchać 2. (*także* **to** ~ **and blow**) *dosł i przen* dyszeć; sapać 3. pykać (**at one's pipe** <cigar> z fajki <z cygara>) 4. podbi-ć/jać ceny (na licytacji) II *vt* 1. wypuszczać (kłęby dymu); puszczać (**smoke into sb's face** dym z papierosa komuś w twarz); pykać (**a cigar** z cygara) 2. zachwalać; hałaśliwie reklamować 3. pudrować puszkiem (twarz itp.)
~ **away** *vi* 1. pykać raz po raz; wydmuchiwać (dym itd.) 2. zdmuch-nąć/iwać (pył itd.)
~ **out** I *vt* 1. nad-ąć/ymać 2. powiedzieć/ mówić (coś) sapiąc 3. wypu-ścić/szczać (kłęby dymu) II *vi* (*o człowieku, sukni itd*) nad-ąć/ ymać <wyd-ąć/ymać> się
~ **up** I *vt* 1. nad-ąć/ymać; wyd-ąć/ymać 2. napełni-ć/ać (dumą) II *vr* ~ **oneself up** nad-ąć/ymać się
zob **puffed** III *s* 1. dmuchnięcie; podmuch 2. kłąb (dymu, pary) 3. pyk-nięcie/anie 4. *pot* oddech; **to be out of** ~ być zadyszanym <zasapanym, bez tchu> 5. bufa (rękawa) 6. kok; zwój włosów 7. podkład we włosach 8. watówka (w rękawie) 9. puszek (do pudru) 10. *kulin* ptyś 11. hałaśliwa reklama; przesadna pochwała

puff-adder ['pʌf,ædə] *s zoo* żmija afrykańska
puff-ball ['pʌf,bɔ:l] *s* 1. *bot* purchawka 2. *bot* mniszek lekarski, *pot* mlecz
puff-box ['pʌf,bɔks] *s* puderniczka
puffed [pʌft] I *zob* **puff** *v* III *adj* 1. (*o ręka-*

wach) bufiasty; (*o człowieku*) ~ **up** nadęty 2. (*o człowieku*) zadyszany; bez tchu; zasapany
puffery ['pʌfəri] *s* 1. hałaśliwa reklama 2. bufa 3. falbana
puffin ['pʌfin] *s zoo* maskonur (ptak morski)
puffiness ['pʌfinis] *s* 1. bufiastość 2. obrzęk 3. nalana twarz
puff-paste ['pʌf,peist] *s kulin* francuskie ciasto
puffy ['pʌfi] *adj* (**puffier** ['pʌfiə], **puffiest** ['pʌf iist]) 1. (*o wietrze*) porywisty 2. dychawiczny 3. otyły; pękaty 4. (*o rękawie*) bufiasty 5. (*o twarzy*) nalany 6. (*o oczach*) podpuchnięty; zapuchnięty; (*o człowieku*) ~ **under the eyes** z podpuchniętymi oczami
pug[1] [pʌg] *s* 1. (*także* ~**-dog**) mops 2. *w mowie służby domowej*: starszy lokaj 3. (*także* ~**-engine**) *kolej* parowóz manewrowy
pug[2] [pʌg] I *s* wyrobiona glina (do wypalania cegieł) II *vt* (**-gg-**) 1. mieszać <wyr-obić/abiać> (glinę) 2. obrzuc-ić/ać (mur) gliną 3. ut-kać/ ykać gliną <trocinami itd.> *zob* **pugging**
pug[3] [pʌg] I *s* (*w Indiach*) ślad (zwierza) II *vt* (**-gg-**) wy/tropić (zwierza)
pug[4] [pʌg] *sl skr* **pugilist**
pug-engine ['pʌg,endʒin] *zob* **pug**[1] 3.
pugg(a)ree ['pʌg(ə)ri] *s* 1. turban 2. muślinowa zasłona na kasku tropikalnym <na kapeluszu itd.>
pugging ['pʌgiŋ] I *zob* **pug**[2] *v* II *s* wyrobiona glina <trociny itd.> do utykania
pugilism ['pju:dʒi,lizəm] *s* boks, pięściarstwo
pugilist ['pju:dʒilist] *s* 1. bokser, pięściarz 2. *przen* groźny przeciwnik
pugilistic [,pju:dʒi'listik] *adj* bokserski, pięściarski
pug-mill ['pʌg,mil] *s techn* mieszarka do gliny
pugnacious [pʌg'neiʃəs] *adj* wojowniczy; skory do bójki; awanturniczy; kłótliwy; zawadiacki
pugnaciousness [pʌg'neiʃəsnis], **pugnacity** [pʌg 'næsiti] *s* skłonność do (wszczynania) bójek; awanturniczość; kłótliwość; zawadiactwo
pug-nose ['pʌg,nouz] *s* zadarty <pot perkaty> nos
pug-nosed ['pʌg,nouzd] *adj* (*o człowieku*) z zadartym <pot perkatym> nosem
puisne ['pju:ni] I *adj* 1. młodszy (stopniem służbowym) 2. *prawn* późniejszy II *s* sędzia młodszy (stopniem służbowym)
puissant ['pjuisnt] *adj poet* możny
puja ['pu:dʒɑ:] *s* (*w Indiach*) *rel* 1. obrzędy 2. (*zw pl*) modlitwy
puke [pju:k] I *vt* z/wymiotować; *wulg* wy/rzygać II *vi* z/wymiotować; *wulg* rzygać; wyrzygać się III *s* 1. wymioty 2. emetyk, środek na wymioty
pukka(h), pucka ['pʌkə] *adj* (*w Indiach*) 1. prawdziwy 2. doskonały; świetny
pulchritude ['pʌlkri,tju:d] *s lit* uroda; piękno
pule [pju:l] *vi* 1. (*o ptakach, kurczętach itd*) za/ kwilić; za/piszczeć 2. (*o dziecku*) mazgaić się
pull [pul] I *vt* 1. po/ciągnąć; szarp-nąć/ać; **to** ~ **open** otw-orzyć/ierać (szarpnięciem); szarp-nąć/ać (szufladę, drzwi itd.); **to** ~ **sb's hair** po/ciągnąć <szarp-nąć/ać> kogoś za włosy; *przen* **to** ~ **sb's leg** naciąg-nąć/ać kogoś; za/żartować z kogoś; **to** ~ **sb's nose** <**sleeve etc**.> po/ciągnąć kogoś za nos <za rękaw itd.>; **to** ~ **shut** przytrzas-nąć/kiwać; **to** ~ **the bell** za/dzwonić;

to ~ to pieces a) roz-ebrać/bierać (na części, na kawałki) b) *przen* s/krytykować; *pot* zje-chać/żdżać; **to ~ wires** uży-ć/wać wpływów <protekcji> 2. (*o magnesie, reklamie itd*) przyciąg-nąć/ać 3. (*także ~ up*) wyr-wać/ywać (z korzeniami); wy/rwać (ząb), 4. wy/drukować; odbi-ć/jać 5. (*także* **to ~ a boat**) wprawi-ć/ać w ruch (łódź); wiosłować; **to ~ a good oar** dobrze wiosłować; **to ~ one's weight** a) wiosłować z całych sił b) nie szczędzić wysiłku; (*o łodzi*) **to ~ x oars** być wyposażonym w *x* wioseł 6. *sl* zam-knąć/ykać <za/aresztować> (kogoś); z/robić obławę (**a gambling-house etc.** w jaskini gry itd.) 7. powstrzym-ać/ywać (konia itd.); *boks* **to ~ one's punches** nie uderzać z całej siły 8. *sport* (uderzeniem) nakierować (piłkę) w lewą stronę 9. *z przyimkami*: **~ down** ściąg-nąć/ać; **to ~ sth down the stairs** ściągnąć coś ze schodów; **~ in** wciąg-nąć/ać; **to ~ in** <into> sth wciąg-nąć/ać do czegoś; **~ off** ściąg-nąć/ać; **to ~ sth off sb, sth** ściąg-nąć/ać coś z kogoś, czegoś; **~ on** naciąg-nąć/ać; **to ~ sth on sb, sth** naciąg-nąć/ać coś na kogoś, coś; **~ out** wyciąg-nąć/ać; **to ~ sth out of sth** wyciąg-nąć/ać coś z czegoś; **to ~ a game out of the fire** uratować rozgrywkę <mecz> w ostatniej chwili; **~ over** naciąg-nąć/ać; **to ~ sth over sth** naciąg-nąć/ać coś na coś (kapelusz na oczy itd.); **~ through** przeciąg-nąć/ać; **to ~ sth through sth** przeciąg-nąć/ać coś przez coś; **~ up** wyciąg-nąć/ać; **to ~ sth up a hill** wyciąg-nąć/ać coś pod górę || **to ~ a face** wykrzywi-ć/ać twarz; z/robić grymas; s/krzywić się; **to ~ a yarn** opowi-edzieć/adać kawał <anegdotę, dykteryjkę>; **to ~ caps** <wigs> szamotać <kłócić> się; **to ~ faces** robić miny; **to ~ it** zwi-ać/ewać ⊞ *vi* 1. po/ciągnąć <pociągać, szarp-nąć/ać> (**at sth** za coś) 2. posuwać się z trudem <z wysiłkiem> 3. pociągać (**at a pipe** <a tankard etc.> z fajki <z kufla itd.>) 4. wiosłować, robić wiosłami 5. (*o łodzi*) płynąć, posuwać się 6. (*o papierosie, piecu itd*) ciągnąć (dobrze, źle itd.)

~ about *vt* 1. porozciągać; porozwłóczyć 2. ciągnąć w różne strony 3. z/maltretować

~ ahead *vi* wysu-nąć/wać się naprzód

~ apart <asunder> *vt* roz-erwać/rywać; od-erwać/rywać od siebie <jedno od drugiego>

~ away ⊡ *vt* odciąg-nąć/ać ⊞ *vi* ciągnąć z całych sił

~ back *vt* 1. odciąg-nąć/ać 2. przyhamować, po/hamować

~ down *vt* 1. ściąg-nąć/ać; spu-ścić/szczać (storę itd.) 2. roz-ebrać/bierać (dom, maszynę itd.) 3. osłabi-ć/ać

~ in ⊡ *vt* 1. wciąg-nąć/ać <ściąg-nąć/ać> (do czegoś) 2. powściąg-nąć/ać (konia itd.) ⊞ *vr* **~ oneself in** 1. po/hamować się 2. zaciąg-nąć/ać pas ⊞ *vi* stanąć, zatrzymać się **~ off** ⊡ *vt* 1. ściąg-nąć/ać 2. zdoby-ć/ać (nagrodę itd.) 3. *pot* zdołać, potrafić; **I** <he etc.> **~ed it off** udało mi <mu itd.> się w końcu ⊞ *vi* (*o pokrywce itd*) zdejmować się

~ out ⊡ *vt* wyciąg-nąć/ać; wyr-wać/ywać (ząb itd.) ⊞ *vi* 1. (*o szufladzie*) wyciągać

się 2. (*o pociągu*) wyje-chać/żdżać z dworca 3. (*o wioślarzach*) oddal-ić/ać się

~ over *vt* 1. (ciągnąc) przewr-ócić/acać 2. przyciąg-nąć/ać do siebie

~ round ⊡ *vt* postawić/stawiać (kogoś) na nogi ⊞ *vi* przy-jść/chodzić do siebie (po chorobie); poprawi-ć/ać się (na zdrowiu)

~ through ⊡ *vt* 1. wyciąg-nąć/ać (kogoś) z kłopotu 2. doprowadz-ić/ać (sprawę) do szczęśliwego końca 3. postawić/stawiać (chorego) na nogi ⊞ *vi* 1. dać sobie radę; przebrnąć 2. wyzdrowieć; *pot* wylizać się

~ to *vt* zatrzas-nąć/kiwać <przyciąg-nąć/ać do siebie> (drzwi itd.)

~ together ⊡ *vr* **~ oneself together** a) przyjść do siebie b) opamiętać się ⊞ *vi* 1. ciągnąć razem; współdziałać 2. (*o członkach zespołu*) dobrze się rozumieć

~ up ⊡ *vt* 1. wyciąg-nąć/ać (do góry, z korzeniami itd.); podn-ieść/osić; podciąg-nąć/ać; **to ~ up one's socks** a) *dosł* podciąg-nąć/ać sobie skarpetki b) *przen* zab-rać/ierać się do dzieła; **to ~ up the brake** zaciąg-nąć/ać hamulec ręczny 2. zatrzym-ać/ywać 3. otrzeźwi-ć/ać 4. z/besztać ⊞ *vi* 1. zatrzym-ać/ywać się 2. podciąg-nąć/ać się 3. dog-onić/aniać <dopędz-ić/ać> (**with** <to> sb, sth kogoś, coś)

zob **pulled** ⊞ *s* 1. siła ciągnąca; ciąg; siła przyciągania; przyciąganie (magnetyczne) 2. pociągnięcie; szarpnięcie; **to give a ~** pociągnąć; szarpnąć 3. wysiłek: **a ~ up-hill** wysiłek wyjścia <wyciągnięcia pojazdu> pod górę 4. pociągnięcie wiosłem; **to have a ~** powiosłować; przejechać się na łodzi 5. (*na wyścigach*) manewr hamujący cudzego konia 6. *sport* skierowanie piłki w lewą stronę 7. przewaga (**of** <over> sb nad kimś) 8. wpływ (**with** sb na kogoś) 9. łyk (piwa itd.); **to have** <take> **a ~ at the bottle** pociągnąć z flaszki; *pot* golnąć sobie 10. rączka (szuflady itd.); (staromodny) sznur do dzwonka 11. hak (u lokomotywy) 12. *druk* korekta; odbitka

pull-back ['pul,bæk] ⊡ *s* przeszkoda; zawada ⊞ *attr* (*o sprężynie itd*) odciągający

pulled [puld] ⊡ *zob* **pull** *v* ⊞ *adj* (*o człowieku*) osłabiony; przybity; **~ bread** suchary (z miększu chleba); **~ figs** a) figi ręcznie zrywane b) figi suszone nie prasowane

puller ['pulə] *s* 1. (*o przyrządzie*) ciągarka; szarpak; ekstraktor; kleszcze 2. wioślarz 3. wierzchowięc twardy w pysku <ciągnący>; (*o koniu dyszlowym*) **to be a good** <bad> **~** dobrze <słabo> ciągnąć 4. *am teatr* sztuka atrakcyjna <kasowa>

pullet ['pulit] *s* 1. kurczę, kurczak 2. pularda

pulley ['puli] *s techn* koło (pasowe, linowe, napędowe itd.); krążek (linowy); blok

Pullman ['pulmən] *s* (*także* **~ car**) wagon pulmanowski

pull-over ['pul,ouvə] *s* pulower

pull-through ['pul'θru:] *s wojsk* wycior sznurowy (do czyszczenia broni ręcznej)

pullulate ['pʌlju,leit] *vi* 1. za/kiełkować 2. pu-ścić/szczać pączki, pączkować 3. rozmnażać się 4. za/roić się 5. (*o opinii itd*) szerzyć się

pullulation [,pʌlju'leiʃən] *s* 1. kiełkowanie 2.

pączkowanie 3. rozmnażanie się 4. rojenie się 5. szerzenie się (opinii itd.)

pull-up ['pul'ʌp] s 1. zatrzymanie się 2. przydrożna gospoda

pully-haul ['puli'hɔ:l] vt po/ciągnąć siłą mięśni

pully-hauly ['puli,hɔ:li] s ciągnięcie <wyciąganie> (siłą mięśni)

pulmobranchiate [,pʌlmou'bræŋkiət] s zoo ryba dwudyszna

pulmonaria ['pʌlmə'neəriə]s bot miodunka (ziele)

pulmonary ['pʌlmənəri] adj 1. płucny; (o chorobie) płuc 2. (o człowieku) chory na płuca 3. zoo płucodyszny

pulmonate ['pʌlmənit] = **pulmonary** 3.

pulmonic [pʌl'mɔnik] Ⓘ adj płucny Ⓘ s 1. lekarstwo na chorobę płuc 2. gruźli-k/czka, † suchotni-k/ca; człowiek chory na płuca

▲**pulp** [pʌlp] Ⓘ s 1. anat miazga (zębowa) 2. miąższ (owoców) 3. miazga; masa (celulozowa itp.); **to beat sb to a ~** zbić <sprać> kogoś na kwaśne jabłko; **to reduce to a ~** zetrzeć <roz-etrzeć/cierać> na miazgę 4. papka 5. górn muł <szlam> rudny Ⓘ vt 1. roz-etrzeć/cierać na miazgę <na papkę>; rozwłókni-ć/ać, porozdzielać na włókna; (w papiernictwie) roztwarzać 2. zebrać/zbierać miąższ (**fruits** z owoców)

pulpit ['pulpit] s 1. ambona, kazalnica; ~ **eloquence** <oratory> kaznodziejstwo 2. zbiór kaznodziei; duchowieństwo 3. (w tytułach książek) kazania, zbiór kazań

▲**pulpous** ['pʌlpəs], **pulpy** ['pʌlpi] adj (**pulpier** ['pʌlpiə], **pulpiest** [pʌlpiist]) 1. miąższowy, miąsisty 2. papkowaty

pulque ['pulki] s napój ze sfermentowanego soku agawy

pulsate [pʌl'seit] Ⓘ vi pulsować, tętnić; bić; drgać Ⓘ vt trząść <odsiewać> (diamenty)

pulsatile ['pʌlsə,tail] adj 1. fizj silnie tętniący 2. muz (o instrumencie) perkusyjny

pulsatilla [,pʌlsə'tilə] s bot sasanka

▲**pulsation** [pʌl'seiʃən] s pulsacja, pulsowanie, tętnienie; bicie, drganie

pulsator [pʌl'seitə] s 1. techn pulsator; górn osadzarka pulsacyjna 2. = **pulsometer**

pulsatory ['pʌlsətəri] adj tętniący, pulsujący; drgający

▲**pulse¹** [pʌls] Ⓘ s 1. puls, tętno; ~ **rate** tętno (liczba uderzeń na minutę); **to feel sb's ~** a) z/badać komuś puls b) przen wy/sondować kogoś 2. przen tętno (życia itd.); miarow-e/y uderzenie <ruch> 3. drganie; wibracja 4. rytm Ⓘ vi pulsować, tętnić; bić, drgać ~ **in** <out> vt rytmicznym ruchem wprowadzać <wyprowadzać> (krew itd.)

pulse² [pʌls] s bot jadalne nasiona roślin strączkowych (groch itp.)

pulsimeter [pʌl'simitə] s med aparat do mierzenia siły tętna

pulsometer [pʌl'sɔmitə] s techn pulsometr, tętnik

pultaceous [pʌl'teiʃəs] adj miazgowaty; papkowaty

pulverization [,pʌlvərai'zeiʃən] s 1. s/proszkowanie 2. rozpyl-enie/anie

pulverize ['pʌlvə,raiz] Ⓘ vt 1. s/proszkować 2. rozpyl-ić/ać 3. przen zetrzeć/ścierać na proch (wroga itd.); z/niszczyć; z/druzgotać Ⓘ vi s/proszkować się

pulverulent [pʌl'verjulənt] adj 1. proszkowaty 2. przyprószony 3. (o skale itd) kruszący się

pulvinate ['pʌlvinit] adj bot zoo poduszkowaty

puma ['pju:mə] s zoo puma

pumice ['pʌmis] Ⓘ s (także ~-stone) pumeks Ⓘ vt polerować <czyścić> pumeksem

pummel ['pʌml] vt (-ll-) okładać pięściami

pump¹ [pʌmp] Ⓘ s 1. pompa; ~ **water** woda studzienna 2. pompowanie; **to give a ~** poruszać pompą 3. próba wysondowania <wybadania> (kogoś) 4. człowiek umiejący wyciągnąć wiadomości od <wysondować (innych) Ⓘ vt 1. (także ~ **up**) pompować (wodę itd.); na/pompować (dętkę itd.); **to ~ air** <water etc.> **into** __ napompować powietrza <wody itd.> do ...; **to ~ a well dry** wypompować wszystką wodę ze studni; **to ~ (information out of) sb** wyciąg-nąć/ać <wy/pompować> wiadomości od kogoś; wulg **to ~ ship** odlać się 2. wypompować (z pieniędzy) 3. wyczerp-ać/ywać (kogoś) 4. zasyp-ać/ywać (**projectiles** etc. **upon sb, sth** pociskami itd. kogoś, coś) Ⓘ vi 1. pompować 2. (o barometrze) skakać ~ **out** vt wypompow-ać/ywać

pump² [pʌmp] s 1. (lekki) pantofelek (wieczorowy) 2. lakierek (męski)

pump-barrel ['pʌmp,bærəl] s rura pompy

pump-brake ['pʌmp,breik] s dźwignia pompy

pumpernickel ['pumpə,nikl] s pumpernikiel

pump-gear ['pʌmp,giə] s urządzenie pompy; części <akcesoria> pomp

pump-handle ['pʌmp,hændl] s dźwignia pompy; ~ **handshake** uścisk dłoni połączony z energicznym potrząsaniem ręki

pumpkin ['pʌmpkin] s bot dynia

pump-piston ['pʌmp,pistn] s tłok pompy

pump-room ['pʌmp,ru:m] s pompownia

pun [pʌn] Ⓘ vi (-nn-) robić kalambury; bawić się w dwuznaczniki Ⓘ s kalambur; dwuznacznik

puna ['pu:nə] s 1. płaskowzgórze (w Andach peruwiańskich) 2. choroba górska (trudności w oddychaniu)

▲**punch¹** [pʌntʃ] s 1. techn dziurkacz; przebijak; wybijak 2. szczypce do dziurkowania biletów 3. sztanca; stempel

punch² [pʌntʃ] vt 1. dziurkować; przebi-ć/jać; wybi-ć/jać; sztancować 2. uderz-yć/ać pięścią 3. poganiać (bydło) przy pomocy ościenia

▲**punch³** [pʌntʃ] s 1. uderzenie pięścią 2. sl krzepa, siła

punch⁴ [pʌntʃ] s poncz

punch⁵ [pʌntʃ] s 1. (także **Suffolk ~**) krótkonogi krępy koń pociągowy 2. krępy człowiek

Punch⁶ [pʌntʃ] s 1. postać poliszynela w teatrach kukiełek; **as pleased as ~** rozanielony; zachwycony 2. nazwa angielskiego pisma satyrycznego

punch-bowl ['pʌntʃ,boul] s waza na poncz

puncheon¹ ['pʌntʃən] s beczka (= od 72 do 120 galonów = od 327 do 545 l)

puncheon² ['pʌntʃən] s górn krótki stojak; podpora

puncher ['pʌntʃə] s 1. techn dziurkacz; przebijak 2. szczypce do dziurkowania biletów 3. sztanca; stempel 4. górn wiertarka udarowa 5. am cowboy

Punchinello [͵pʌntʃi'nelou] s 1. poliszynel 2. człowiek niski i gruby; *pot* kulfon
punctate ['pʌŋkteit] *adj* kropkowany, nakrapiany; cętkowany
punctilio [pʌŋk'tili͵ou] s 1. konwenans; formalność 2. szczegół etykietalny
punctilious [pʌŋk'tiliəs] *adj* 1. drobiazgowy; skrupulatny; pedantyczny 2. dbały o konwenanse <o etykietę>; lubiący ceremoniować się
punctiliousness [pʌŋk'tiliəsnis] s 1. drobiazgowość; skrupulatność; pedantyczność 2. ceregiele; ceremonie; dbałość o konwenanse <o etykietę>
punctual ['pʌŋktjuəl] *adj* 1. punktualny; to be ~ in doing sth robić coś punktualnie 2. dokładny 3. *geom* punktowy; (o *współrzędnych itd*) punktu
punctuality [͵pʌŋktju'æliti] s 1. punktualność 2. dokładność
punctuate ['pʌŋktju͵eit] *vt* 1. stawiać znaki przestankowe <pisarskie> (a sentence etc. w zdaniu itd.) 2. przerywać (mowę itd. oklaskami itd.) 3. *pot* za/akcentować (słowa itd.); podkreśl-ić/ać
punctuation [͵pʌŋktju'eiʃən] Ⓘ s interpunkcja, znaki przestankowe <pisarskie> Ⓘ *attr* (o *znaku*) przestankowy, pisarski
punctum ['pʌŋktəm] s (*pl* puncta ['pʌŋktə]) *anat bot zoo* kropka; plamka
puncture ['pʌŋktʃə] Ⓘ s 1. przekłucie; przebicie; defekt w oponie <w dętce> 2. *elektr* przebicie (izolacji) 3. *med* nakłucie, punkcja Ⓘ *vt* 1. przekłu-ć/wać 2. mieć defekt (a tyre w dętce); *pot* złapać gumę <gwoździa>; I had two ~s miałem dwa przebicia <defekty> ogumienia; *pot* guma nawaliła mi dwa razy 3. *elektr* przebi-ć/jać (izolację) 4. *med* nakłu-ć/wać, z/robić punkcję (sb komuś) Ⓘ *vi* (o *oponie, dętce*) prze/ dziurawić się, *pot* nawalić
puncture-proof ['pʌŋktʃə͵pruːf] *adj* (o *oponie, dętce*) nie do przebicia
pundit ['pʌndit] s 1. uczony hinduski 2. *żart* luminarz; mędrzec
pungency ['pʌndʒənsi] s 1. ostrość (smaku); cierpkość; szczypiący <ostry> smak (potrawy itd.) 2. ostrość (zapachu); ostry <gryzący> zapach 3. przenikliwość <ostrość> (bólu) 4. cierpkość <zgryźliwość, zjadliwość, sarkastyczność> (słów itd.) 5. pikanteria (opowiadania)
pungent ['pʌndʒənt] *adj* 1. *bot* klujący 2. (o *smaku*) ostry; cierpki; szczypiący 3. (o *zapachu*) ostry; gryzący 4. (o *bólu*) ostry; klujący; przenikający 5. (o *słowach itd*) cierpki; zgryźliwy; zjadliwy; sarkastyczny 6. (o *opowiadaniu, dowcipie itd*) pełny pikanterii; pikantny
Punic ['pjuːnik] Ⓘ *adj* punicki, kartagiński; ~ faith perfidia Ⓘ s 1. Kartagi-ńczyk/nka 2. język punicki <kartagiński>
puniness ['pjuːninis] s 1. słabowitość 2. małostkowość
punish ['pʌniʃ] *vt* 1. u/karać; zada-ć/wać karę (sb komuś); to be ~ed for sth a) zostać ukaranym <mieć karę> za coś b) pokutować za coś; ponosić skutki czegoś 2. *pot* da-ć/wać szkołę <bobu> (an opponent, a weak player etc. przeciwnikowi, słabemu graczowi itd.) 3. *pot* z/robić wyrwę (a dish w potrawie), z/jeść solidnie (a dish potrawy); *pot* wci-ąć/nać (a dish potrawę *zob* punishing

punishable ['pʌniʃəbl] *adj* karalny
punishing ['pʌniʃiŋ] Ⓘ *zob* punish Ⓘ *adj* forsowny; wyczerpujący
punishment ['pʌniʃmənt] s 1. kara; ukaranie; ~ is lame, but it comes Bóg nie rychliwy, ale sprawiedliwy 2. *pot sport* lanie, sromotna klęska; cięgi
punitive ['pjuːnitiv], punitory ['pjuːnitəri] *adj* (o *wyprawie, prawie itd*) karny; (o *sprawiedliwości itd*) karzący
punk¹ [pʌŋk] Ⓘ s am 1. hubka 2. śmieć Ⓘ *adj am sl* (o *drewnie*) zbutwiały
punk² [pʌŋk] *adj am sl* (o *rzeczach*) lichy, marny, nędzny, dziadowski
punk³ [pʌŋk] † s prostytutka
punka(h) ['pʌŋkə] s 1. (*w Indiach*) rozpostarty nad głowami materiał do wachlowania 2. wachlarz (*zw* z liścia palmowego)
punner ['pʌnə] s ubijak
punnet ['pʌnit] s kobiałka
punster ['pʌnstə] s kalamburzysta
punt¹ [pʌnt] Ⓘ s płaskodenna łódź Ⓘ *vt* 1. płynąć (łodzią) na pych 2. przewozić na płaskodennej łodzi Ⓘ *vi* płynąć płaskodenną łodzia
punt² [pʌnt] Ⓘ s *sport* kopnięcie (piłki) z powietrza Ⓘ *vt sport* kop-nąć/ać (piłkę) z powietrza
punt³ [pʌnt] Ⓘ *vi* 1. *karc* pontować, stawiać przeciwko bankowi 2. *pot* postawić/stawiać na konia Ⓘ s gracz stawiający przeciwko bankowi
punt⁴ [pʌnt] s dno flaszki
punter ['pʌntə] = punt³ s
punt-pole ['pʌnt͵poul] s wiosło pychowe
punty ['pʌnti] s przylepiak (pręt żelazny dmuchacza w hucie szkła)
puny ['pjuːni] *adj* (punier ['pjuːniə], puniest ['pjuːniist]) 1. słabowity 2. drobny 3. małostkowy
pup [pʌp] Ⓘ s 1. szczenię; a bitch in ~ suka szczenna; *przen* to sell sb a ~ oszuk-ać/iwać <*pot* naci-ąć/nać> kogoś 2. (o *młodym człowieku*) szczeniak Ⓘ *vt* (-pp-) (o *suczce*) u/rodzić (szczenięta) Ⓘ *vi* (-pp-) o/szczenić się
pupa ['pjuːpə] s (*pl* pupae ['pjuːpiː]) *zoo* poczwarka
pupal ['pjuːpəl] *adj* (o *narządach itd*) poczwarki
pupate ['pjuːpeit] *vi* przepoczwarz-yć/ać się
pupil¹ ['pjuːpl] s 1. ucze-ń/nnica; wychowan-ek/ ka 2. *prawn* małoletni, niepełnoletni
pupil² ['pjuːpl] s *anat* źrenica
pupil(l)age ['pjuːpilidʒ] s 1. małoletność; niepełnoletność 2. kuratela 3. *przen* powijaki 4. lata szkolne
pupil(l)ary¹ ['pjuːpiləri] *adj* 1. *prawn* pupilarny, dotyczący sierot <nieletnich> 2. *uniw* studencki 3. *szk* uczniowski
pupillary¹ ['pjuːpiləri] *adj anat* źrenicowy, źreniczny
pupil-teacher ['pjuːpl͵tiːtʃə] s *szk* praktykant/ka; hospitant/ka
puppet ['pʌpit] s *dosł i przen* marionetka; kukiełka
puppet-play ['pʌpit͵plei] s przedstawienie kukiełkowe <teatru marionetek>
puppetry ['pʌpitri] s maskarada; udawanie; obłuda

puppet-show ['pʌpit‚ʃou] = **puppet-play**
puppet-state ['pʌpit'steit] s marionetkowe państwo
puppet-valve ['pʌpit‚vælv] = **poppet** 4.
puppy ['pʌpi] s 1. szczenię, pot szczeniak 2. (o młodym człowieku) zarozumialec; pot szczeniak
puppyish ['pʌpiiʃ] adj głupio <pot szczenięco> zarozumiały; pot szczeniacki
puppyism ['pʌpi‚izəm] s głupia <pot szczenięca> zarozumiałość; pot szczeniactwo
purblind ['pə:‚blaind] adj 1. ślepawy 2. przen tępy (umysłowo)
purblindness ['pə:‚blaindnis] s 1. słaby wzrok 2. przen tępota (umysłowa)
purchasable ['pə:tʃəsəbl] adj (będący) do nabycia
purchase ['pə:tʃəs] Ⅰ vt 1. naby-ć/wać (sth coś, czegoś); sprawi-ć/ać sobie 2. zdoby-ć/wać (sth with one's blood <toil etc.> coś kosztem własne-j/go krwi <znoju itd.>); okup-ić/ywać 3. mar techn wciąg-nąć/ać <podn-ieść/osić> za pomocą dźwigu <lewara> Ⅱ s 1. naby-cie/wanie; sprawi-enie/anie sobie 2. hist naby-cie/wanie stopnia oficerskiego 3. w zwrotach: at 20 year's ~ za 20-letni dochód (z gruntu); my <our> life is not worth an hour's ~ nie wiadomo, czy godzinę pożyję <pożyjemy> 4. nabytek; sprawunek; kupno 5. techn przełożenie siłowe (maszyny) 6. maszyna prosta (dźwignia, krążek itp.) 7. punkt oparcia <podparcia> zob **purchasing**
purchase-deed ['pə:tʃəs‚di:d] s akt kupna
purchase-money ['pə:tʃəs‚mʌni], **purchase-price** ['pə:tʃəs‚prais] s cena kupna <zakupu>
purchaser ['pə:tʃəsə] s nabywca, kupujący
purchasing ['pə:tʃəsiŋ] Ⅰ zob **purchase** v Ⅱ adj (o wartości pieniądza itd) nabywczy; ~ power siła kupna
purdah ['pə:dɑ:] s (w Indiach) 1. zasłona 2. przen odosabnianie kobiet wysokiego stanu 3. materiał na zasłony
▲**pure** [pjuə] adj 1. czysty; bez domieszki; nie rozpuszczony; nie rozcieńczony; nie fałszowany; nie barwiony; klarowny 2. czysty (przypadek itd.); (o złośliwości itd) zwykły, zwyczajny; (o prawdzie) szczery 3. (o zwierzęciu) czystej krwi, rasowy 4. nie zepsuty; niewinny; niepokalany
pure-blood ['pjuə‚blʌd] adj (o zwierzęciu) czystej krwi, rasowy
purée ['pjuərei] s 1. zupa z tartych jarzyn 2. tarte jarzyny 3. tłuczone ziemniaki; purée
purely ['pjuəli] adv 1. czysto 2. niewinnie 3. wyłącznie; jedynie; po prostu 4. całkowicie; zupełnie; przed przymiotnikiem lub przysłówkiem: czysto; ~ private czysto prywatnie
pureness ['pjuənis] = **purity**
purfle ['pə:fl] Ⅰ vt ozd-obić/abiać; upiększ-yć/ać Ⅱ † s brzeg, lamówka; szlak, szlaczek
purgation [pə:'geiʃən] s 1. med prze/czyszczenie 2. hist oczyszczenie się (z zarzutów itd.) 3. rel oczyszczenie duszy (w czyśćcu)
purgative ['pə:gətiv] Ⅰ adj 1. med przeczyszczający, czyszczący 2. lit oczyszczający Ⅱ s środek na przeczyszczenie, lekarstwo czyszczące
purgatorial [‚pə:gə'tɔ:riəl] adj rel 1. czyśćcowy 2. oczyszczający
purgatory ['pə:gətəri] Ⅰ adj oczyszczający Ⅱ s rel czyściec

purge [pə:dʒ] Ⅰ vt 1. oczy-ścić/szczać (sth of <from> sth coś z czegoś); wy/klarować 2. med (o lekarstwie) przeczy-ścić/szczać 3. (o lekarzu) da-ć/wać na przeczyszczenie (a patient etc. choremu itd.) 4. uzdr-owić/awiać (finanse państwa itd.); przeprowadz-ić/ać sanację (sth czegoś — stosunków itd.) 5. odpokutować (winę itd.) 6. polit przeprowadz-ić/ać czystkę (a party etc. w partii itd.) Ⅱ vr ~ oneself oczy-ścić/szczać się (of a charge z zarzutu) Ⅲ vi 1. czyścić 2. oczy-ścić/szczać <wy/klarować> się
~ away <off, out> vt usu-nąć/wać <wydal-ić/ać> (sth coś — nieczystości itd.); oczy-ścić/szczać (sth of <from> sth coś z czegoś)
zob **purging** Ⅳ s 1. środek na przeczyszczenie <czyszczący> 2. polit czystka 3. techn oczyszczanie; klarowanie; rafinowanie; przedmuchiwanie
purger ['pə:dʒə] s 1. techn odpowietrzacz <odpowietrznik> (przyrząd) 2. techn puryfikator <oczyszczalnik> (gazów, cieczy itd.) 3. czyściciel (kanałów itd.)
purging ['pə:dʒiŋ] Ⅰ zob **purge** v Ⅲ s 1. oczyszcz-enie/anie; czyszczenie 2. med biegunka Ⅲ adj czyszczący
purification [‚pjuərifi'keiʃən] s 1. oczyszcz-enie/anie; rektyfikacja; rafinowanie; wy/klarowanie 2. uzdrowienie <sanacja> (finansów itd.) 3. rel the Purification Oczyszczenie (Matki Boskiej)
purificator ['pjuərifi‚keitə] s kośc puryfikaterz
purificatory ['pjuərifi‚keitəri] adj czyszczący; oczyszczający
purifier ['pjuəri‚faiə] s oczyszczalnik; techn puryfikator (gazów, cieczy itd.)
purify ['pjuəri‚fai] v (**purified** ['pjuəri‚faid], **purified**; **purifying** ['pjuəri‚faiiŋ]) Ⅰ vt oczy-ścić/szczać; wy/klarować; z/rektyfikować; rafinować; to ~ sb of <from> his sins oczy-ścić/szczać kogoś z grzechów Ⅱ vi oczy-ścić/szczać <wy/klarować> się
purism ['pjuə‚rizəm] s puryzm
purist ['pjuərist] s puryst-a/ka
puritan ['pjuəritən] Ⅰ s purytan-in/ka; hist **Puritan** purytan-in/ka Ⅱ adj purytański; (o wierze itd) purytanów
puritanic(al) [‚pjuəri'tænik(əl)] adj purytański
puritanism ['pjuəritə‚nizəm] s purytanizm
purity ['pjuəriti] s 1. czystość (fizyczna i moralna); klarowność (cieczy) 2. niewinność 3. próba (złota)
purl[1] [pə:l] Ⅰ vt 1. ob/lamować <obszy-ć/wać> galonem <kordonkiem, srebrną, złotą nitką> 2. dziać na wywrót Ⅱ s 1. galon; kordonek; srebrna <złota> nitka 2. ścieg na wywrót
purl[2] [pə:l] Ⅰ vi (o strumyku) szemrać Ⅱ s szmer <szemranie> (strumyka)
purl[3] [pə:l] Ⅰ vi pot (także to come a ~) przewr-ócić/acać się; upaść/padać na głowę; nakry-ć/wać się nogami; koziołkować Ⅱ vt przewr-ócić/acać do góry nogami Ⅲ s pot upadek; kozioł (nakrycie się nogami)
purl[4] [pə:l] s hist gorące piwo z dżynem <z piołunem>
purler ['pə:lə] s pot 1. = **purl**[3] s 2. cios; uderzenie; to take a ~ dostać łupnia
purlieu ['pə:lju:] s 1. prawn tereny graniczące z lasem 2. pl ~s granice; krańce; peryferie;

skraj; pobliże; sąsiedztwo 3. uboga dzielnica <ulica> (miasta)
purlin ['pə:lin] *s bud* płatew (rodzaj belki)
purloin [pə:'lɔin] *vt* u/kraść; por-wać/ywać
purloiner [pə:'lɔinə] *s* złodziej/ka; sprawca kradzieży
♦**purple** ['pə:pl] Ⅰ *s* 1. kolor purpurowy; szkarłat 2. purpura (barwnik, szata i *przen* godność) 3. *pl* ~**s** *wet* różyca (świń) 4. *pl* ~**s** *bot* śnieć zbożowa 5. *pl* ~**s** *med* plamica, wysypka plamista Ⅲ *adj* purpurowy; szkarłatny; ~ **emperor** mieniacz tęczowiec (motyl); ~ **with cold** siny <posiniały> z zimna; **to get** ~ **in the face** s/pąsowieć; po/sinieć Ⅲ *vt* zabarwi-ć/ać na purpurowo <na szkarłat> Ⅳ *vi* s/pąsowieć; po/sinieć; przyb-rać/ierać barwę purpurową <szkarłatną>
purple-fish ['pə:pl,fiʃ] *s zoo* ślimak morski dający purpurę
purple-wood ['pə:pl,wud] *s bot* kopajowiec (drzewo Płd. Am.)
purplish ['pə:pliʃ] *adj* purpurowy; sinawy
purport ['pə:pət] Ⅰ *s* 1. sens; znaczenie 2. waga, doniosłość 3. (*w listach handl*) cel (listu) Ⅲ *vt* 1. znaczyć <oznaczać, świadczyć> (**that** _ o tym, że ...) 2. *przed bezokolicznikiem:* mieć; rzekomo <† ponoć> być; **the measure** ~**s to be in the interest of** _ krok ten ma być <rzekomo, † ponoć jest> w interesie ...
purportless ['pə:pətlis] *adj* bez znaczenia
purpose ['pə:pəs] Ⅰ *s* 1. cel; zamiar, zamysł; **to answer** <**serve**> **the** ~ odpowiadać celowi; nadawać się; **it serves my** <**our etc.**> ~ to mi <nam itd.> odpowiada; **to effect one's** ~ osiągnąć cel; **for all** ~**s** (nadający się) do wszystkiego; uniwersalny; **of set** ~ rozmyślnie; zdecydowanie; **on** ~ celowo; (na)umyślnie; **with the** ~ **of** _ w zamiarze...; w celu...; celem... 2. skutek; **to good** ~ z dobrym skutkiem; skutecznie; **to little** ~ bez wielkiego skutku; z niewielkim skutkiem; niewiele wskórawszy; **to no** ~ bezskuteczny, bezskutecznie; daremny, daremnie 3. rezolutność; stanowczość; wola; charakter; dążenie do (wytkniętego) celu; (*o człowieku*) **of feeble** <**wanting in**> ~ słabej woli <bez charakteru>; **steadfastness of** ~ wytrwałość 4. związek z treścią <z tematem>; **a remark to the** ~ uwaga trafna <do rzeczy, konstruktywna>; **to no** ~ od rzeczy; nie na temat; ni w pięć, ni w dziewięć Ⅲ *vt* (*także* † **to be** ~**d**) zamierzać <mieć zamiar, mieć na celu> (**to do** <**doing**> **sth** coś zrobić)
purposeful ['pə:pəsful] *adj* 1. celowy; umyślny; rozmyślny 2. (*o człowieku*) zdecydowany, z charakterem; dążący do (wytkniętego) celu; wytrwały 3. (*o rzeczy*) znaczący; doniosły
purposefulness ['pə:pəsfulnis] *s* 1. celowość 2. zdecydowanie; dążenie do (wytkniętego) celu 3. wytrwałość
purposeless ['pə:pəslis] *adj* bezcelowy; daremny; próżny
purposelessness ['pə:pəslisnis] *s* bezcelowość; daremność; próżność (usiłowań itd.)
purposely ['pə:pəsli] *adv* celowo; (na)umyślnie, rozmyślnie
purposive ['pə:pəsiv] *adj* 1. służący określonemu celowi; pełniący określone zadanie; (*o organie itd*) celowy 2. rozmyślny 3. (*o człowieku*) zde-

cydowany; dążący do wytkniętego celu; posiadający cel; stanowczy
♦**purpura** ['pə:pjuərə] *s* 1. = **purple** *s* 5. 2. *zoo* purpura (mięczak)
purpuric [pə'pjuərik] *adj* 1. *chem* (*o kwasie*) purpurowy 2. *med* plamisty
purpurin ['pə:pjurin] *s chem* purpuryna (barwnik)
purr [pə:] Ⅰ *vi* 1. mruczeć 2. (*o samolocie, maszynie itd*) cicho warkotać Ⅲ *vt* mruczeniem wyra--zić/żać (zadowolenie) Ⅲ *s* 1. mruczenie <pomruk> (kota itd.) 2. cichy warkot (samolotu, maszyny)
purree ['pʌri] *s chem* żółcień indyjski (barwnik)
pur sang [pyr'sɑ̃:] *adj* czystej krwi; prawdziwy; z krwi i kości; z prawdziwego zdarzenia
purse [pə:s] Ⅰ *s* 1. trzos, kabza, sakiewka; portmonetka; portfel; *przen* kieszeń 2. środki <zasoby> pieniężne; **a heavy** <**long**> ~ zamożność; **a lean** <**light**> ~ ubóstwo; **the public** ~ skarb państwa 3. stypendium; nagroda pieniężna; (zebrany) fundusz; zapomoga 4. (*w Turcji*) *w zwrocie:* **a** ~ **of silver** <**gold**> 500 <10 000> piastrów 5. *zoo* torba 6. *anat* moszna 7. *med* torbiel, cysta Ⅲ *vt* 1. ściąg-nąć/ać (brwi itp.); z/marszczyć (czoło); zacis-nąć/kać <sznurować> (usta) 2. włożyć/wkładać <wsadz-ić/ać> do sakiewki <do portfelu> Ⅲ *vi* z/marszczyć <ściąg-nąć/ać> się
purse-bearer ['pə:s,beərə] *s* 1. skarbnik 2. urzędnik niosący wielką pieczęć przed lordem kanclerzem
purse-net ['pə:s,net] *s* siatka do łapania królików
purse-proud ['pə:s,praud] *adj* dumny z bogactwa; pyszniący się (swoim) bogactwem
purser ['pə:sə] *s mar* płatnik (na statku)
purse-seine ['pə:s,sein] *s* niewód
purse-strings ['pə:s,striŋz] *spl* sznurki sakiewki; *przen* **to hold the** ~ trzymać rękę na kasie domowej; zarządzać funduszami; **to loosen the** ~ sypnąć pieniędzmi; **to tighten the** ~ oszczędzać; skąpić; *pot* dusić pieniądze
pursiness ['pə:sinis] *s* 1. dychawiczność 2. pękatość
purslane ['pə:slin] *s bot* portulaka (ziele podzwrotnikowe)
pursuance [pə'sjuəns] *s* wykonywanie; wypełnianie; kontynuowanie; dążenie (**of one's object** do osiągnięcia celu); **in** ~ **of** _ wykonując... (plan, instrukcje itd.); zgodnie z... (planem, instrukcjami itd.); stosownie do... (planu, instrukcji itd.)
pursuant [pə'sjuənt] Ⅰ *adj* wykonujący; wypełniający Ⅲ *adv* stosownie (**to** _ do...)
pursue [pə'sju:] Ⅰ *vt* 1. ścigać; tropić; iść śladem (**sb** czyimś); *przen* być wynikiem <następstwem> (**sth** czegoś); być związanym (**sth** z czymś — zbrodnią, nadużyciem itd.); prześladować 2. gonić (**pleasure etc.** za przyjemnościami itd.) 3. dążyć do osiągnięcia (**one's object etc.** celu itd.) 4. wykonywać (**plan** itd.); uprawiać (zawód itd.); spełniać (obowiązek) 5. postępować (**sth według** czegoś); stosować 6. prowadzić (politykę itd.); dalej prowadzić <kontynuować> (prace, studia, podróż itd.); **to** ~ **one's road** iść <jechać> dalej Ⅲ *vi* ścigać (**after** sb, sth kogoś, coś); iść (**after** sb, sth za kimś, czymś; śladem czyimś, czegoś)
pursuer [pə'sjuə] *s* 1. ścigający; prześladowca 2.

prawn szkoc prokurator; powód/ka; skarżąc-y/a, strona skarżąca

↑pursuit [pə'sjuːt] *s* 1. gonitwa <pogoń> **(of sb, sth** za kimś, czymś); pościg (za zwierzęciem itd.); poszukiwanie (szczęścia itd.); **in ~ of sb, sth** w pościgu <w pogoni> za kimś, czymś; na tropie kogoś, czegoś 2. dążenie do osiągnięcia (czegoś); dążność 3. zawód; zajęcie; praca

pursuivant ['pəːswivənt] *s* 1. młodszy członek kolegium heraldycznego 2. *poet* członek świty <orszaku> (króla itd.)

pursy[1] ['pəːsi] *adj* 1. dychawiczny 2. gruby; pękaty

pursy[2] ['pəːsi] *adj* 1. *(o ustach)* ściągnięty 2. *pot (o człowieku)* z nabitą kabzą

purtenance ['pəːtinəns] *s †* wnętrzności zwierzęce, patrochy

purulence ['pjuəruləns] *s med* 1. ropienie 2. ropa

purulent ['pjuərulənt] *adj med* ropiejący; ropny

purvey [pəː'vei] □ *vt* dostarcz-yć/ać **(sth** czegoś — prowiantu itd.); zaopat-rzyć/rywać **(articles of food for sb** kogoś w prowiant) .Ⅱ *vi* za/prowiantować **(for the army etc.** wojsko itd.); być dostawcą **(for sb** czyimś)

purveyance [pəː'veiəns] *s* dostawa (żywności itd.); zaprowiantowanie; zaopat-rzenie/rywanie (w żywność); *hist* **right of ~** prawo do zaprowiantowania <do rekwirowania prowiantu>

purveyor [pəː'veiə] *s* dostaw-ca/czyni

purview ['pəːvjuː] *s* 1. *prawn* treść <paragrafy> (ustawy) 2. zakres; resort; granice 3. widnokrąg; pole widzenia; zasięg wzroku

pus [pʌs] *s med* ropa

Puseyism ['pjuːziˌizəm] *s* puseizm *(pog* określenie traktarianizmu) *zob* **Tractarianism**

↑push [puʃ] □ *vt* 1. pch-nąć/ać; popychać; szturch-nąć/ać; przeć; cisnąć; nacis-nąć/kać **(sth** coś, czymś); tłoczyć; *dosl i przen* **to ~ one's way** przep-chać/ychać się (przez tłum, życie itd.) 2. pchnąć (szpadą itp.); *bibl* u/bóść 3. pop-chnąć/ychać <popędz-ić/ać, nakł-onić/aniać, zachęc-ić/ać> **(sb to sth <to do sth>** kogoś do czegoś <do zrobienia czegoś>); doda-ć/wać bodźca **(sb** komuś); z/dopingować 4. *wojsk* energicznie po/prowadzić (walkę itd.) 5. energicznie się zaj-ąć/mować **(a business etc.** sprawą itd.); pilnować <dogląd-nąć/ać, nie zaniedb-ać/ywać> **(a business etc.** sprawy itd.) 6. pop-rzeć/ierać **(sb, sth** kogoś, coś) 7. powiększać **(majątek** itd.); **to ~ one's fortune** zakrzątnąć/krzątać się koło powiększenia <zabiegać o powiększenie> swego majątku 8. wykorzyst-ać/ywać <wyzysk-ać/iwać> (zdobytą przewagę) 9. forsować (artykuł w handlu itd.) 10. ponagl-ić/ać; nacis-nąć/kać; wyw-rzeć/ierać presję **(sb** na kogoś); przyp-rzeć/ierać (kogoś) do muru 11. *bil* przep-chnąć/ychać (bilę) 12. *z przyimkami:* **~ into** wepchnąć/wpychać; **to ~ sb <sth> into a room** wepchnąć/wpychać kogoś <coś> do pokoju; **~ off** zepchnąć/spychać; **to ~ sb <sth> off a ladder** zepchnąć/spychać kogoś <coś> z drabiny; **~ out** wyp-chnąć/ychać; **to ~ sb <sth> out of a room** wyp-chnąć/ychać kogoś <coś> z pokoju ‖ **to be ~ed for time <money>** dotkliwie odczuwać brak czasu <pieniędzy> Ⅲ *vi* 1. pchać <cisnąć, tłoczyć> się; popychać się 2. posu-nąć/wać się z trudem

<z wysiłkiem> 3. robić karierę; szukać powodzenia <awansu>

~ along *vi* po/śpieszyć się

~ aside *vt* zepchnąć/spychać <odsu-nąć/wać> na bok

~ away *vt* od-epchnąć/pychać; odsu-nąć/wać

~ back □ *vt* od-epchnąć/pychać w tył <do tyłu> Ⅲ *vi* cof-nąć/ać się

~ down *vt* 1. wywr-ócić/acać <przewr-ócić/acać> (pchnięciem) 2. zepchnąć/spychać (w dół)

~ forth *vt* wysu-nąć/wać; *(o roślinie)* **to ~ forth buds** pokry-ć/wać się pączkami; **to ~ forth new roots** wypu-ścić/szczać nowe korzenie

~ forward □ *vt* wysu-nąć/wać do przodu <naprzód> Ⅲ *vr* **~ oneself forward** u/torować sobie drogę (w świecie); z/robić karierę Ⅲ *vi* posu-nąć/wać się naprzód

~ in □ *vt* wepchnąć/wpychać Ⅲ *vi* przecis-nąć/kać się

~ off *vi* 1. od-epchnąć/pychać się (od brzegu) 2. *pot* pójść/iść do domu; ucie-c/kać; **I'll have to be ~ing off** będę musiał uciekać

~ on □ *vt* pop-chnąć/ychać naprzód; popędz-ić/ać; przyspiesz-yć/ać; przynagl-ić/ać Ⅲ *vi* 1. posu-nąć/wać się naprzód; iść <jechać> dalej 2. po/śpieszyć się 3. pop-chnąć/ychać naprzód **(with an affair** sprawę)

~ out *vt* wyp-chnąć/ychać Ⅲ *vi* wysu-nąć/wać się

~ over *vt* (pchnięciem) wywr-ócić/acać <przewr-ócić/acać>

~ through □ *vt* 1. przep-chnąć/ychać 2. przeprowadz-ić/ać (sprawę itd.); doprowadz-ić/ać do (pomyślnego) końca Ⅲ *vi* przep-chnąć/ychać <przecis-nąć/kać> się

~ to *vt* (pchnięciem) zam-knąć/ykać; dom-knąć/ykać

~ up *vt* pop-chnąć/ychać do góry

zob **pushing** Ⅲ *s* 1. pchnięcie; ścisk; parcie; nacisk; *sl* **to get the ~** zostać wywalonym z posady; **to give a ~** pchnąć; *sl* **to give sb the ~** wywalić kogoś z posady 2. *bud* napór 3. poparcie (udzielone komuś) 4. pchnięcie (bronią); uderzenie rogiem (przez byka itd.) 5. wysiłek; *wojsk* energiczne uderzenie 6. krytyczna chwila; **at a ~** w razie czego; w potrzebie 7. inicjatywa; energia; dążenie do osiągnięcia powodzenia w życiu 8. *sl* banda <szajka> (złodziei itp.)

pushball ['puʃˌbɔːl] *s* sportowa gra polegająca na popychaniu piłki olbrzymich rozmiarów

push-bicycle ['puʃˌbaisikl] *s* rower

push-bike ['puʃˌbaik] *s pot* = **push-bicycle**

push-cart ['puʃˌkɑːt] *s* wózek ręczny

↑pusher ['puʃə] *s* 1. popychacz (człowiek i przyrząd) 2. *hut* wypycharka (koksu) 3. *techn* tłoczek 4. *kolej* parowóz pchający 5. *lotn* śmigło pchające 6. karierowicz

pushful ['puʃful] *adj (o człowieku)* energiczny; z inicjatywą; pewny siebie

pushing ['puʃiŋ] □ *zob* **push** *v* Ⅲ *adj* = **pushful**

push-pin ['puʃˌpin] *s* 1. rodzaj zabawy dziecinnej 2. *am* pluskiewka

push-stroke ['puʃ͵strouk] *s bil* uderzenie prze-
pchane
Pushtoo, Pushtu ['pʌʃtu:] *s* język afgański
pusillanimity [͵pju:silə'nimiti] *s* 1. małoduszność
2. lękliwość
pusillanimous [͵pju:si'læniməs] *adj* 1. małoduszny 2. lękliwy; strachliwy
puss [pus] *s* 1. kot; ~ **in the corner** gra w 4
kąty 2. *żart'* (*o dziewczynie*) gałgan 3. *myśl*
(*o zającu, tygrysie*) kot
puss-moth ['pus͵mɔθ] *s zoo* widłogonka siwica
(ćma)
pussy¹ ['pʌsi] *adj* ropiejący; ropny
pussy² ['pusi] *s* 1. (*także* ~-cat) kotek, kiciuś
2. *bot* bazia
pussyfoot ['pusi͵fut] ⓘ *s sl* (*także* **Pussyfoot**) zwolenni-k/czka prohibicji ⓘⓘ *vi* skradać się (jak kot)
pussy-willow ['pusi͵wilou] *s bot* odmiana wierzby
amerykańskiej
pustular ['pʌstjulə] *adj* krostkowy; pęcherzykowy
pustulate ['pʌstju͵leit] ⓘ *vt* pokry-ć/wać krostami
ⓘⓘ *vi* pokry-ć/wać się krostami ⓘⓘⓘ *adj* ['pʌstju
lit] krostowaty; *pot* pryszczaty
⁴**pustule** ['pʌstju:l] *s* krosta; *pot* pryszcz
pustulous ['pʌstjuləs] = **pustulate** *adj*
⁴**put¹** [put] *v* (**put, put; putting** ['putiŋ]) ⓘ *vt*
1. *sport* pchnąć <rzuc-ić/ać> (**sth** coś, czymś —
kulą itd.) 2. *górn* pchać, pop-chnąć/ychać (wózek z węglem) 3. położyć/kłaść; postawić/stawiać;
umie-ścić/szczać; **to stay** ~ a) pozosta-ć/wać na
miejscu b) (*o przedmiocie*) dobrze <mocno> siedzieć; **the cramp will not stay** ~ klamra słabo
siedzi; **where shall I** ~ **it?** gdzie ją tam dać?
4. przedstawi-ć/ać (sprawę); **to** ~ **things** <it>
wyra-zić/żać się; powiedzieć/mówić; **I don't
know how to** ~ **it** nie wiem, jak to powiedzieć;
that was well ~ to było dobrze (o)powiedziane
5. *z przymiotnikami:* **to** ~ **a clock fast** posu-nąć/
wać zegar naprzód; **to** ~ **sb wise** uświad-omić/
amiać kogoś; otw-orzyć/ierać komuś oczy; **to** ~
sth right naprawi-ć/ać <doprowadz-ić/ać do porządku, s/korygować> coś 6. *z przyimkami:* ~
across; to ~ **sb across a river etc.** przeprawi-ć/ać
kogoś przez rzekę itd.; **to** ~ **sth across sb** wm--ówić/awiać coś komuś; nab-rać/ierać kogoś na
coś; ~ **against; to** ~ **a mark against a name**
położyć/kłaść <umie-ścić/szczać> znak przy nazwisku (w spisie itd.); **to** ~ **at; to** ~ **a price at a
figure** ustal-ić/ać cenę (artykułu) na daną kwotę;
to ~ **sb at his ease** sprawi-ć/ać, by ktoś czuł się
swobodnie; ośmiel-ić/ać kogoś; **to** ~ **sb at
work** zaprz-ąc/ęgać kogoś do pracy; zasadz-ić/
ać <postawić/stawiać> kogoś do pracy; **to** ~
sth at a figure o/szacować <oblicz-yć/ać> coś
na daną kwotę; ~ **before** postawić/stawiać (coś)
przed (kimś); **to** ~ **honour etc. before wealth
etc.** stawiać honor itd. wyżej (niż) bogactwa
itd.; **to** ~ **sth before sb** przedstawi-ć/ać coś
komuś; ~ **down; to** ~ **sth down a well etc.**
spu-ścić/szczać coś do studni itd.; ~ **for; to**
~ **the will for the deed** zast-ąpić/ępować czyn
dobrymi chęciami; ~ **from; to** ~ **sth from one**
odsu-nąć/wać coś od siebie; ~ **in; to** ~ **one-self in sb's place** postawić/stawiać się w czyjeś
położenie; **to** ~ **oneself in the wrong** pokpić
sprawę; **to** ~ **sb in a hole** postawić/stawiać
kogoś w głupim położeniu; **to** ~ **sb in a state**

of despair etc. doprowadz-ić/ać kogoś do rozpaczy itd.; **to** ~ **sb in his place** utrzeć/ucierać
komuś nosa; na/uczyć kogoś moresu; **to** ~ **sb
in prison etc.** wsadz-ić/ać <*pot* w/pakować> kogoś do więzienia itd.; **to** ~ **sb in the wrong**
zbi-ć/jać kogoś z tropu; wykręc-ić/ać sprawę
na swoją korzyść; **to** ~ **sth in a sack etc.**
włożyć/wkładać <wsadz-ić/ać, *pot* w/pakować>
coś do worka itd.; **to** ~ **sth in French etc.**
wyra-zić/żać <powiedzieć> coś po francusku itd.;
to ~ **sth in order** doprowadz-ić/ać coś do porządku; zaprowadz-ić/ać porządek w czymś;
~ **into;** włożyć/wkładać; wsadzić <*pot* wpakować> coś do czegoś; **to** ~ **a ball into sb** wsadz-ić/ać <*pot* wpakować> kulę w kogoś; **to** ~ **a boy
into a suit etc.** ub-rać/ierać chłopca w garnitur
itd.; **to** ~ **a matter into sb's hands** odda-ć/wać
sprawę w czyjeś ręce; powierz-yć/ać komuś sprawę; **to** ~ **a text etc. into English etc.** prze-łożyć/
kładać <prze/tłumaczyć> tekst itd. na (język)
angielski itd.; **to** ~ **into operation** wprowadz-ić/
ać w życie; za/stosować (paragraf itd.); **to** ~
land into a crop przeznacz-yć/ać ziemię pod (jakąś) uprawę; obsi-ać/ewać ziemię (jakimś) zbożem; **to** ~ **money into sth** za/inwestować pieniądze w czymś <w coś>; włożyć/wkładać pieniądze do czegoś (do interesu itd.); **to** ~ **oneself
into sb's hands** odda-ć/wać się w czyjeś ręce;
to ~ **sth into sb's head** podsu-nąć/wać <za/sugerować> coś komuś; **to** ~ **sth into shape** a) nada-ć/
wać czemuś odpowiednią formę b) doprowadz-ić/
ać coś do możliwego stanu c) odpowiednio wyra-zić/żać <z/redagować> coś; **to** ~ **sth into sth**
włożyć/wkładać <wsadz-ić/ać, *pot* w/pakować> coś
do czegoś <w coś>; **to** ~ **sth into words** wyra-zić/
żać coś (słowami); **to** ~ **words into sb's mouth**
włożyć/wkładać słowa w czyjeś usta; ~ **on;** *karc*
to ~ **a card on** __ dorzuc-ić/ać kartę do __;
to ~ **an ace etc. on a card** przebi-ć/jać kartę
asem itd.; **to** ~ **a patch on sth** załatać <połatać> coś; **to** ~ **a play on the stage** wystawi-ć/
ać sztukę; **to** ~ **a price on sth** <sb's head>
na-łożyć/kładać cenę na coś <na czyjąś głowę>;
to ~ **dues on goods** obłożyć/okładać towar
clem; na-łożyć/kładać cło na towar; **to** ~ **goods
on the market** rzuc-ić/ać towar na rynek; **to** ~
money on a horse postawić/stawiać na konia;
to ~ **one's mind on a problem** poświęc-ić/ać
(swą) uwagę zagadnieniu; zagłębi-ć/ać się w
problem; **to** ~ **sb on his guard** ostrze-c/gać
<uprzedz-ić/ać> kogoś; **to** ~ **sb on his honour**
zobowiąz-ać/ywać kogoś pod słowem honoru (do
czegoś); **to** ~ **sb on his mettle** wbi-ć/jać kogoś w ambicję; z/dopingować kogoś; **to** ~ **sb
on his oath** zaprzysi-ąc/ęgać kogoś; **to** ~ **servants on board wages** płacić służbie ekwiwalent
za utrzymanie; **to** ~ **sth on paper** napisać coś
(czarno na białym); **to** ~ **the blame on sb,
sth** winić kogoś, coś; ~ **out of; to** ~ **sb out
of countenance** onieśmiel-ić/ać kogoś; **to** ~ **sb
out of face** zakłopotać <s/peszyć> kogoś; **to** ~
sb out of patience wyprowadz-ić/ać kogoś z
równowagi; **to** ~ **sth out of court** a) pozbawi-ć/ać coś <sprawę> wszelkiego znaczenia b)
unieważni-ć/ać coś; **to** ~ **sth out of sb's**
<one's> **head** wybi-ć/jać coś komuś <sobie> z
głowy; ~ **through; to** ~ **sb through an exami-**

nation podda-ć/wać kogoś egzaminowi; **to ~ sb through his paces** podda-ć/wać kogoś próbie; wypróbow-ać/ywać kogoś; *pot* **to ~ sb through it** za/dać komuś pieprzu <bobu>; dać komuś w kość; **~ to; I ~ it to you that** ___ przyznaj/cie, że ...; **I ~ it to you whether** ___ pytam cię <was>, czy ...; **he was hard ~ to it to** ___ z trudem <ledwo> mógł ...; **to be ~ to it** być przypartym <przyciśniętym> do muru; **to ~ a boy to school** odda-ć/wać chłopca do szkoły; **to ~ a bull to a cow** dopu-ścić/szczać byka do krowy; **to ~ a case to sb** przedstawi-ć/ać komuś sprawę; odwoł-ać/ywać się do kogoś; **to ~ a child to bed** położyć/kłaść dziecko do łóżka; ułożyć/układać dziecko do snu; **to ~ a cow to the bull** doprowadz-ić/ać krowę do byka; **to ~ a horse to a fence** zmu-sić/szać konia do skoku przez płot; **to ~ a horse to cart** zaprz-ąc/ęgać konia; **to ~ milk to one's tea** dol-ać/ewać mleka do herbaty; **to ~ one's ear etc. to sth** przy-łożyć/kładać ucho itd. do czegoś; **to ~ one's hand to sth** a) przy-łożyć/kładać rękę do czegoś b) zab-rać/ierać się energicznie do czegoś; **to ~ sb to confusion** <shame, the blush> zawstydz-ić/ać kogoś; **to ~ sb to death** uśmierc-ić/ać <zgładzić> kogoś; **to ~ sb to expense** nara-zić/żać kogoś na wydatki; **to ~ sb to inconvenience** sprawi-ć/ać komuś kłopot <niewygodę>; **to ~ sb to sth** kazać komuś coś z/robić; wyznacz-yć/ać kogoś do (z/robienia) czegoś; powierz-yć/ać komuś zrobienie czegoś; **to ~ sb to the rack** <torture> podda-ć/wać kogoś torturom; **to ~ sb to the test** podda-ć/wać kogoś próbie; **to ~ sth to a good use** z/robić z czegoś dobry użytek; **to ~ sth to sale** wystawi-ć/ać coś na sprzedaż; **to ~ the enemy etc. to flight** rozpr-oszyć/aszać <zmu-sić/szać do ucieczki> przeciwnika itd.; **to ~ the population etc. to the sword** wyci-ąć/nać ludność itd.; **to ~ to sleep** a) położyć/kłaść (kogoś) spać <do snu> b) *wet* uśpić/usypiać (zwierzę na śmierć); **~ up; to ~ sth up the chimney etc.** wsadz-ić/ać <wetknąć/wtykać> coś do komina itd.; *sl* **to ~ the wind up sb** napędzić komuś stracha; **~ upon; to be ~ upon by sb** pozw-olić/alać <da-ć/wać> komuś znęcać się nad sobą Ⅲ *vi mar w zwrocie:* **to ~ (out) to sea** a) odpły-nąć/wać b) wypły-nąć/wać na otwarte morze

~ about *vt* 1. zawr-ócić/acać (konia itd.); *mar* zmieni-ć/ać kurs na przeciwny (**a ship etc.** okrętu itd.) 2. rozpu-ścić/szczać (pogłoskę, plotkę) 3. za/niepokoić

~ across *vt* 1. przeprawi-ć/ać <przew-ieźć/ozić> (na drugą stronę) 2. przeprowadz-ić/ać (transakcję itd.) 3. zdołać; **he ~ it across** udało mu się; zdołał <potrafił> to zrobić <tego dokazać>; **you'll never ~ it across** to ci się nigdy nie uda

~ aside *vt* od-łożyć/kładać

~ away *vt* 1. s/chować; uprząt-nąć/ać 2. od--łożyć/kładać (pieniądze itd.) 3. porzuc-ić/ać (myśl o czymś) 4. odpędz-ić/ać od siebie (złe myśli, strach itd.) 5. *sl* wci-ąć/nać; łyk--nąć/ać 6. *sl* zastawi-ć/ać (w lombardzie) 7. *pot* usu-nąć/wać (kogoś); pozby-ć/wać się (**sb, sth** kogoś, czegoś); sprząt-nąć/ać (ko-

goś); wsadz-ić/ać do paki; odda-ć/wać do szpitala

~ back Ⅰ *vt* 1. położyć/kłaść <postawić/stawiać, od-łożyć/kładać> z powrotem 2. cof--nąć/ać (zegar) 3. za/hamować; powstrzym--ać/ywać Ⅱ *vi mar* wr-ócić/acać (do portu itd.)

~ by *vt* 1. uchyl-ić/ać się (**sth** od czegoś); da-ć/wać wymijającą odpowiedź (**a question** na pytanie) 2. zby-ć/wać (kogoś, coś) 3. od--łożyć/kładać

~ down *vt* 1. położyć/kłaść; postawić/stawiać 2. spu-ścić/szczać na dół 3. wysadz-ić/ać (pasażerów); da-ć/wać wysiąść (**the passengers** pasażerom) 4. zgnieść <stłumić> (powstanie itd.); położyć/kłaść kres (**sth** czemuś); ukróc-ić/ać <poskr-omić/amiać> (kogoś) 5. ogranicz-yć/ać (wydatki) 6. mieć <uważać> (**sb as** <for> ___ kogoś za ...) 7. zmu-sić/szać (kogoś) do milczenia; zamknąć usta (**sb** komuś) 8. zapis-ać/ywać; **to ~ one's name down** zapis-ać/ywać <wpis-ać/ywać, podpis--ać/ywać> się; **to ~ sb down for £5** zapis-ać/ywać, że ktoś deklaruje 5 funtów szterlingów (na jakiś cel) 9. przypis-ać/ywać (**sth to sb, sth** coś komuś, czemuś) 10. zapis-ać/ywać (**sth to sb** coś na czyjś rachunek)

~ forth *vt* 1. rozwi-nąć/jać (energię itd.); wytęż-yć/ać (siły itd.); z/mobilizować (siły itd.) 2. wyda-ć/wać (publikację itd.) 3. (*o drzewach*) pu-ścić/szczać (pędy itd.)

~ forward Ⅰ *vt* 1. wysu-nąć/wać (przedmiot, wniosek, teorię itd.); przed-łożyć/kładać; przedstawi-ć/ać (kogoś do awansu itd.) 2. posu-nąć/wać naprzód; **to ~ one's best foot forward** a) przyśpiesz-yć/ać kroku b) chcieć się pokazać z najlepszej strony; **to ~ the clock forward** posu-nąć/wać zegar naprzód Ⅲ *vr* **~ oneself forward** odznacz-yć/ać się

~ in Ⅰ *vt* 1. włożyć/wkładać; wsu-nąć/wać; wprowadz-ić/ać; **to ~ in a blow** zada-ć/wać cios; *pot* rąbnąć; **to ~ in an appearance** pokaz-ać/ywać się (gdzieś); **to ~ in time** włożyć/wkładać czas (w pracę itd.); poświęc--ić/ać czas 2. wtrąc-ić/ać (**a word** słówko); **to ~ in a (good) word for sb** wstawi-ć/ać się za kimś 3. doda-ć/wać (coś do czegoś) 4. wn-ieść/osić (reklamację, skargę itd.) 5. *pot* spędz-ić/ać (gdzieś czas, lato itd.) Ⅱ *vi* 1. *mar* zawi-nąć/jać (**at a port** do portu) 2. kandydować (**for an election** (**a post**) w wyborach <na stanowisko>; **to ~ in for a job** starać się o pracę <o zajęcie>

~ off Ⅰ *vt* 1. od-łożyć/kładać; odr-oczyć/aczać 2. zby-ć/wać (**sb with polite words etc.** kogoś grzecznymi słowami itd.; **sth with silence etc.** coś milczeniem itd.) 3. odradz--ić/ać (**sb from sth** komuś coś); odw-ieść/odzić (**sb from sth** kogoś od czegoś) 4. zd--jąć/ejmować 5. pozby-ć/wać się (**one's fears** <doubts etc.> lęku <wątpliwości itd.>) Ⅱ *vi* odpły-nąć/wać

~ on *vt* 1. wdzi-ać/ewać; na-łożyć/kładać (na siebie) 2. przyb-rać/ierać (postać, minę itd.); **to ~ it on** udawać; szarżować 3. doda-ć/wać; **to ~ a train on** doda-ć/wać pociąg (do rozkładu); wprowadz-ić/ać dodatkowy pociąg; **to ~ on flesh** przy/tyć; **to ~ on more butter** <paint etc.> doda-ć/wać masła <farby itd.>; **to ~ on speed** zwiększ-yć/ać szybkość; **to ~ on to a bill** doda-ć/wać <dopis-ać/ywać> do rachunku; **to ~ on to a price** podn-ieść/osić cenę; **to ~ on weight** przyb-rać/ierać na wadze 4. *teatr* wystawi--ć/ać (sztukę) 5. przy-łożyć/kładać; za/aplikować; **to be ~ on to sb** otrzymać połączenie (telefoniczne) z kimś; **to ~ the brakes on** za/hamować; przyhamować 6. postawić/stawiać (na konia itp.) 7. zapal-ić/ać (światło) 8. posu-nąć/wać naprzód (zegar) 9. nastawi--ć/ać (wodę na herbatę, gramofon itd.) 10. *w zwrocie:* **to ~ sb on to sth** powiad-omić/amiać kogoś o czymś

~ out ① *vt* 1. (*także* **to ~ out of joint**) zwichnąć (rękę itd.) 2. wyrzuc-ić/ać (z pokoju itd.); *sport* wy/eliminować; wytrąc-ić/ać z gry; *pot* spal-ić/ać (zawodnika) 3. z/gasić (ogień, światło itd.) 4. wytrąc-ić/ać z równowagi; z/mieszać; zbi-ć/jać z tropu; z/irytować; roz/gniewać; **to be ~ out** a) z/mieszać się b) z/irytować się 5. sprawi-ć/ać kłopot (**sb** komuś) 6. natęż-yć/ać; wytęż-yć/ać 7. pożycz-yć/ać na procent; za/inwestować 8. odda-ć/wać; **to ~ out a baby to nurse** odda-ć/wać dziecko mamce na wykarmienie; **to ~ out one's washing** odda-ć/wać bieliznę do prania; **to ~ out work** odda-ć/wać pracę do wykonania poza zakład 9. wyciąg-nąć/ać (rękę); wysu-nąć/wać (głowę, język itd.) 10. wywie-sić/szać (flagę itd.); powiesić/wieszać (bieliznę itd.) 11. wybi-ć/jać (**sb's eye** komuś oko) 12. z/nokautować (boksera); ogłusz-yć/ać 13. wyda-ć/wać drukiem ③ *vr* **~ oneself out** zada-ć/wać sobie trud; sprawi-ć/ać sobie kłopot (dla kogoś, w czyjejś sprawie) ④ *vi mar w zwrocie:* **to ~ out to sea =to ~ to sea zob ~ vi**

~ over ① *vt* 1. zdołać <potrafić> (coś zrobić); przeprowadz-ić/ać (coś) 2. zdoby-ć/wać uznanie (**a film etc.** dla filmu itd.) ③ *vr* **~ oneself over** za/imponować (**an audience etc.** swemu audytorium itd.)

~ through *vt* 1. przeprowadz-ić/ać (sprawę); wykon-ać/ywać (zadanie); doprowadz-ić/ać do skutku 2. po/łączyć (telefonicznie) (**to sb** z kimś)

~ to *vt* 1. zaprz-ąc/ęgać (konia itd.) 2. doczepi-ć/ać (lokomotywę itd.)

~ together *vt* 1. z/montować <zestawi-ć/ać, złożyć/składać> (maszynę itd.) 2. zlicz-yć/ać; z/sumować 3. po/łączyć; s/kojarzyć; zebrać/zbierać; pozbierać (myśli); **to ~ our <your etc.> heads together** naradz-ić/ać się; **to ~ two and two together** po/wiązać z sobą fakty; wysnu-ć/wać wniosek

~ up ① *vt* 1. podn-ieść/osić; dźwig-nąć/ać do góry; ustawi-ć/ać; postawić/stawiać; powiesić/wieszać; zawie-sić/szać (obraz, słuchawkę itd.); wywie-sić/szać (flagę) itd.; **to ~ one's hair up** zaczesać się do góry; **to ~ sb's back up** z/irytować <rozdrażni-ć/ać> kogoś; **to ~ up the shutters** a) zasu-nąć/wać <spu-ścić/szczać> żaluzje b) zwi-nąć/jać

przedsiębiorstwo 2. od-łożyć/kładać (na bok); **to ~ up one's sword** s/chować miecz 3. rozplakatow-ać/ywać (ogłoszenie itd.); rozlepi-ć/ać (afisze) 4. naj-ąć/mować (kogoś) na dżokeja; da-ć/wać konia (**a jockey** dżokejowi) 5. wypłoszyć (kuropatwę itd.) 6. podn-ieść/osić (cenę) 7. wn-ieść/osić (prośbę, petycję itd.); wzn-ieść/osić (modły itp.) 8. wysu-nąć/wać (kandydaturę) 9. wystawi-ć/ać (**for sale** na sprzedaż; **for auction** na licytację) 10. *teatr* wystawi-ć/ać (sztukę) 11. dostarcz-yć/ać (**sth** czegoś — pieniędzy, środków itd.) 12. za/pakować (towar itd.) 13. stawi-ć/ać (**a resistance** opór) 14. ulokować u siebie <przenocować> (kogoś); da-ć/wać nocleg (**sb** komuś) 15. po/informować <poucz-yć/ać> (**sb to sth** kogoś o czymś) 16. z/budować (dom itd.); wystawi-ć/ać (pomnik); postawić/stawiać (rusztowanie) ② *vi* 1. ulokować się <prze/nocować> (**at a hotel etc.** w hotelu itd.); zatrzym-ać/ywać się (**at sb's** u kogoś; **at a place** gdzieś) 2. po/godzić się (**with sth** z czymś); (cierpliwie) zn-ieść/osić (**with sth** coś); zadow-olić/alać się (**with sth** czymś) ③ *s* 1. rzut <pchnięcie> (kulą itd.) 2. *handl* premiowa transakcja terminowa

put² [put] **= putt** *s*

putative [ˈpjuːtətiv] *adj* domniemany; przypuszczalny

puteal [ˈpjuːtiəl] *s* cembrzyna, ocembrowanie

putlog [ˈputˌlɔg] *s bud* maculec (krótka belka pozioma, na której opiera się rusztowanie)

put-off [ˈputˈɔf] *s* 1. odroczenie 2. wymówka

putrefaction [ˌpjuːtriˈfækʃən] *s* gnicie

putrefactive [ˌpjuːtriˈfæktiv] *adj* gnilny

putrefy [ˈpjuːtriˌfai] *v* (putrefied [ˈpjuːtriˌfaid], putrefied; putrefying [ˈpjuːtriˌfaiiŋ]) ① *vt* s/powodować <wywoł-ać/ywać> gnicie <rozkład> (**sth** czegoś) ② *vi* 1. z/gnić; rozkładać <psuć> się 2. ropieć 3. ule-c/gać zepsuciu <rozkładowi moralnemu, zgniliźnie moralnej>

putrescence [pjuːˈtresns] *s* gnicie; rozkład

putrescent [pjuːˈtresnt] *adj* gnijący; psujący się; (będący) w rozkładzie

putrid [ˈpjuːtrid] *adj* 1. zgniły; *med* **~ fever** tyfus; *med* **~ sore throat** dyfteryt, błonica 2. cuchnący, śmierdzący 3. *dosł i przen* zepsuty 4. *sl* wstrętny; obrzydliwy

putridity [pjuːˈtridity], **putridness** [ˈpjuːtridnis] *s dosł i przen* zgnilizna; zepsucie; rozkład

putt [pʌt] ① *vt vi* wprowadz-ić/ać (piłkę golfową) do dołka (uderzeniem specjalnego kija zwanego "putter") *zob* **putting** ③ *s* uderzenie piłki golfowej w celu trafienia do dołka

puttee [ˈpʌti] *s* owijacz; *am* sztylpa

putter¹ [ˈpʌtə] *s* osoba wysuwająca <stawiająca> (pytania itd.)

putter² [ˈpʌtə] *s sport* 1. miotacz/ka (osoba) 2. jeden z kijów do gry w golfa *zob* **putt** *v*

putting [ˈpʌtiŋ] ① *zob* **putt** *v* ③ *s* **~ green** trawnik z dołkami do gry w golfa

putty [ˈpʌti] ① *s* 1. kit (szklarski, stolarski, malarski); szpachlówka 2. cynaś, popiół cynowy (do polerowania) ② *vt* (puttied [ˈpʌtid], puttied; puttying [ˈpʌtiiŋ]) za/kitować

putty-faced [ˈpʌtiˌfeist] *adj* (*o człowieku*) z nalaną twarzą o ziemistej cerze

putty-knife ['pʌti͵naif] *s* (*pl* **putty-knives** ['pʌti ͵naivz]) szpachla
puzzle ['pʌzl] Ⅰ *vt* 1. za/intrygować 2. wprawi-ć/ać w zakłopotanie, zakłopotać; **to be ~d** a) być w kłopocie b) być zaintrygowanym Ⅱ *vi* na/głowić się <łamać sobie głowę> (**over** <**about**> **sth** nad czymś)
    ~ out *vt* rozwiąz-ać/ywać (zagadkę); odcyfrow-ać/ywać (pismo)
Ⅲ *s* 1. zagadka; łamigłówka; rebus 2. kłopot; zakłopotanie
puzzledom ['pʌzldəm], **puzzlement** ['pʌzlmənt] *s* 1. zaintrygowanie 2. kłopot; zakłopotanie
puzzler ['pʌzlə] *s* 1. zagadka 2. kłopotliwe pytanie
puzzolana [͵pʌtsəˈlɑːnə] = **pozz(u)olana**
py(a)emia [paiˈiːmjə] *s med* ropnica (zakażenie ogólne)
pycnite ['piknait] *s miner* piknit (odmiana topazu)
pycnogonid [͵piknəˈgɔnid] *s zoo* pająk morski
pycnometer [pikˈnɔmitə] *s fiz* piknometr
pyedog ['pai͵dɔg] *s* (*na Wschodzie*) pies bezpański
pyelitis [͵paiiˈlaitis] *s med* zapalenie miedniczek nerkowych
Pygmaean [pigˈmiːən] *adj* pigmejski, pigmejowy
pygmy ['pigmi] Ⅰ *s* 1. *dosł i przen* pigmej 2. **Pygmy** Pigmej-czyk/ka Ⅲ *attr* pigmejski, pigmejowy
pyjamas [pəˈdʒɑːməz] *spl* piżama, pidżama
pylon ['pailən] *s* 1. *arch* pylon 2. słup (sieci elektrycznej itd.)
pyloric [paiˈlɔrik] *adj anat* odźwiernikowy
pylorus [paiˈlɔːrəs] *s anat* odźwiernik
pyorrh(o)ea [͵paiəˈriə] *s med* ropotok
pyosis [paiˈousis] *s med* ropienie
pyothorax [͵paiouˈθɔːræks] *s med* ropniak opłucnej
pyracanth ['paiərə͵kænθ] *s bot* ognik szkarłatny (krzew)
▲**pyramid** ['pirəmid] *s* 1. piramida 2. *geom* ostrosłup
pyramidal [piˈræmidl] *adj* piramidalny
pyre ['paiə] *s* stos (całopalny, pogrzebowy itp.)
pyrene [paiˈriːn] *s chem* piren, benzofenantren
pyrethrum [paiˈriːθrəm] *s* 1. *bot* maruna (z gatunku chryzantem) 2. proszek owadobójczy

pyretic [paiˈretik] *adj med* gorączkowy
pyrexia [paiˈreksiə] *s med* podwyższona temperatura, gorączka
pyridine ['pairi͵diːn] *s chem* pirydyna
pyriform ['piri͵fɔːm] *adj* gruszkowaty
pyrites [paiˈraitiːz] *s* (*pl* **~**) *miner* piryt; **arsenical ~** arsenopiryt; **copper ~** chalkopiryt; **iron ~** markazyt, markasyt
pyritic [paiˈritik] *adj miner* pirytowy
pyro ['paiərou] *s* (= **pyrogallic acid**) *fot chem* pirogalol
pyrometer [paiˈrɔmitə] *s* pirometr
pyrope ['pairoup] *s miner* pirop
pyrosis [paiˈrousis] *s med* zgaga, palenie w żołądku, pieczenie
pyrotechnic(al) [͵pairouˈteknik(əl)] *adj* pirotechniczny
pyrotechnics [͵pairouˈtekniks] *s* pirotechnika
pyrotechnist [͵pairouˈteknist] *s* pirotechnik
pyroxene ['pairouk͵siːn] *s miner* pirokseny
pyroxylin(e) [paiˈrɔksilin] *s chem* piroksylina
Pyrrhic[1] ['pirik] Ⅰ *s* (*u staroż. Greków*) taniec wojenny Ⅲ *adj* 1. (*o tańcu*) pirryjski 2. *prozod* (*o stopie*) pirryjska
Pyrrhic[2] ['pirik] *adj* (*o zwycięstwie*) pirrusowy
Pyrrhonism ['pirə͵nizəm] *s filoz* pirronizm, sceptycyzm
pyrus ['paiərəs] *s bot* grusza
Pythagorean [pai͵θægəˈriən] Ⅰ *adj* pitagorejski; (*o tablicy, twierdzeniu itd*) Pitagorasa Ⅲ *s filoz* pitagorejczyk
Pythian ['piθjən] *adj* pityjski
python[1] ['paiθən] *s zoo* pyton
python[2] ['paiθən] *s* wieszczbiarz
pythoness ['paiθənis] *s* 1. **Pythoness** pytonissa (kapłanka Appollina) 2. *przen* pitia, pytia
pyuria [paiˈjuːriə] *s med* ropomocz
pyx [piks] *s* 1. *kośc* cyborium (puszka z komunikantami) 2. (*w mennicy londyńskiej*) puszka na wzorcowe złote i srebrne monety; **trial of the ~** próba wagi monet
pyxides *zob* **pyxis**
pyxidium [piˈksidiəm] *s* (*pl* **pyxidia** [piˈksidiə]) *bot* torebka
pyxis ['piksis] *s* (*pl* **pyxides** ['piksə͵diːz]) szkatułka; puszka

Q

Q, q [kjuː] *s* (*pl* **qs, q's** [kjuːz]) 1. *litera* q; *wojsk* **~ department** kwatermistrzostwo 2. (**reverse**) **~ ósemka** (figura w łyżwiarstwie)
q-boat ['kjuː͵bout], **q-ship** ['kjuː͵ʃip] *s mar* (*w I wojnie światowej*) okręt wojenny do walki z łodziami podwodnymi, zamaskowany jako statek handlowy
qu. *skr* **quaere, query**
qua [kwei] *conj* jako; **the Church not ~ Church but ~ Establishment** Kościół nie jako kościół lecz jako instytucja

quack[1] [kwæk] Ⅰ *s* kwak, kwakanie (kaczki) Ⅲ *vi* 1. (*o kaczce*) za/kwakać 2. (*o człowieku*) za/trajkotać
quack[2] [kwæk] Ⅰ *s* (*także ~ doctor*) szarlatan; znachor; **~ remedy** środek znachorski Ⅲ *vi* 1. uprawiać znachorstwo 2. perorować Ⅲ *vt* zachwalać (środek znachorski itd.)
quackery ['kwækəri] *s* znachorstwo; szarlataństwo
quackish ['kwækiʃ] *adj* znachorski; szarlatański
quacksalver ['kwæk͵sælvə] *s rz* szarlatan; znachor

quad [kwɔd] ⌶ *s* 1. = **quadrangle** 2. 2. = **quadrat** 3. = **quadruplet** Ⅲ *vt* (**-dd-**) *druk* wypełni-ć/ać (wiersz) kwadratami

quadragenarian [ˌkwɔdrədʒiˈneəriən] *s* mężczyzna <kobieta> czterdziestoletni/a

Quadragesima [ˌkwɔdrəˈdʒesimə] *s* 1. † Wielki Post 2. (*także* ~ **Sunday**) wstępna niedziela; pierwsza niedziela Wielkiego Postu

quadragesimal [ˌkwɔdrəˈdʒesiməl] *adj* 1. (*o poście*) czterdziestodniowy 2. wielkopostny

quadrangle [kwɔˈdræŋgl] *s* 1. czworokąt; czworobok 2. (*także pot uniw* **quad**) dziedziniec

quadrangular [kwɔˈdræŋgjulə] *adj* czworokątny; czworoboczny

quadrant [ˈkwɔdrənt] *s* 1. *techn* kwadrant (przyrząd) 2. *mat* ćwiartka (koła itd.)

quadrat [ˈkwɔdrət] *s* (*także pot* **quad**) *druk* kwadrat

quadrate [ˈkwɔdrit] ⌶ *adj* kwadratowy; czworoboczny Ⅲ *s anat* mięsień czworoboczny Ⅲ *vt* [kwɔˈdreit] 1. oblicz-yć/ać w jednostkach kwadratowych; **to** ~ **the circle** rozwiązać kwadraturę koła 2. uzg-odnić/adniać Ⅳ *vi* [kwɔˈdreit] zgadzać się, harmonizować; pasować; odpowiadać

quadrature [ˈkwɔdrətʃə] *s mat astr* kwadratura

quadrennial [kwɔˈdrenjəl] *adj* czteroletni; powtarzający się co cztery lata

quadric [ˈkwɔdrik] ⌶ *adj mat* drugiego stopnia Ⅲ *s mat* powierzchnia drugiego stopnia, kwadryka

quadriga [kwɔˈdriːgə] *s* (*pl* **quadrigae** [kwɔˈdriːdʒiː]) kwadryga

quadrilateral [ˌkwɔdriˈlætərəl] *adj* czworoboczny; czterostronny

quadrille [kwəˈdril] *s* kadryl (taniec i utwór)

quadrillion [kwɔˈdriljən] *s* kwadrylion, jedynka z 24 zerami; *am* jedynka z 15 zerami

quadrinomial [ˌkwɔdriˈnoumjəl] ⌶ *adj mat* czteromianowy Ⅲ *s mat* czworomian

quadripartite [ˌkwɔdriˈpɑːtait] *adj* 1. czterostronny 2. *bot* czterodziałkowy

quadrisyllabic [ˈkwɔdrisiˈlæbik] *adj* czterosylabowy, czterozgłoskowy

quadrivalence [ˌkwɔdriˈveiləns] *s chem* czterowartościowość

quadrivalent [ˌkwɔdriˈveilənt] *adj chem* czterowartościowy

quadroon [kwɔˈdruːn] *s antrop* kwarteron/ka

quadruped [ˈkwɔdruˌped] ⌶ *s* czworonóg, zwierzę czworonożne Ⅲ *adj* czworonożny

quadruple [ˈkwɔdrupl] ⌶ *adj* czterokrotny; poczwórny; czworaki; czterokrotnie większy (**of** <**to**> **sth** od czegoś); *mat* czwórkowy; **the Quadruple Alliance** Czwórprzymierze Ⅲ *s* czterokrotność Ⅲ *vt* 1. po/mnożyć przez cztery; powiększ-yć/ać czterokrotnie <w czwórnasób> Ⅳ *vi* powiększ-yć/ać się czterokrotnie

quadruplets [ˈkwɔdruplits] *spl* (*także pot* **quads**) czworaczki

quadruplicate [kwɔˈdruːplikit] ⌶ *adj* czterokrotny Ⅲ *s w zwrocie*: **in** ~ w czterech egzemplarzach Ⅲ *vt* [kwɔˈdruːpliˌkeit] 1. sporządz-ić/ać w czterech egzemplarzach 2. pomn-ożyć/ażać czterokrotnie <w czwórnasób> Ⅳ *vi* pomn-ożyć/ażać się czterokrotnie <w czwórnasób>

quadruplication [ˌkwɔdrupliˈkeiʃən] *s* pómnożenie

<podniesienie, powiększenie> (liczby itd.) czterokrotne <w czwórnasób>

quaere [ˈkwiəri] ⌶ *s* = **query** Ⅲ *vt* (*tylko imper*) zapytaj/cie, pytaj/cie się; **it is interesting, but** ~, **is it true?** to jest ciekawe, ale pytam się <pytanie>, czy to prawda?

quaestor [ˈkwiːstə] *s* (*u staroż. Rzymian*) kwestor

quaff [kwɑːf] ⌶ *vt vi* pić (coś) łapczywie <wielkimi łykami>; wypić (coś) jednym haustem; *pot* żłopać (coś) Ⅲ *s* haust

quaffer [ˈkwɑːfə] *s* wielki amator trunków, *pot* ochlajdusza

quag [kwæg] *s* bagno; trzęsawisko

quagga [ˈkwægə] *s zoo* kwaga (wytępione zwierzę południowoafrykańskie)

quaggy [ˈkwægi] *adj* bagnisty; grząski

quagmire [ˈkwægˌmaiə] *s* bagno; trzęsawisko; *przen* **to be in a** ~ być w wielkim kłopocie; znajdować się w trudnej sytuacji

quail[1] [kweil] *s* 1. (*pl* ~) przepiórka 2. † *am uniw pot* studentka

quail[2] [kweil] *vi* zlęknąć/lękać się (**before sth** czegoś); cof-nąć/ać się (**before sth** przed czymś); **my heart** ~**ed** zabrakło mi odwagi; opuściła mnie odwaga; **to** ~ **at sth** drżeć na (samą) myśl o czymś

quail-call [ˈkweilˌkɔːl], **quail-pipe** [ˈkweilˌpaip] *s* wabik na przepiórki

quail-net [ˈkweilˌnet] *s* sidła na przepiórki

quail-pipe *zob* **quail-call**

quaint [kweint] *adj* osobliwy; ciekawy; niezwykły; oryginalny

quaintness [ˈkweintnis] *s* osobliwość; ciekawy <niezwykły> charakter (czegoś); oryginalność

quake [kweik] ⌶ *vi* 1. (*o rzeczach*) za/trząść <za/chwiać> się 2. (*o człowieku*) za/drżeć; za/trząść się (**for** <**with**> **fear** <**cold**> ze strachu <z zimna>); **to** ~ **for sb, sth** drżeć o kogoś, coś Ⅲ *s* drżenie (serca itd.); *pot* trzęsienie (ziemi itd.)

Quaker [ˈkweikə] *s* 1. kwakier (członek sekty rel. kwakrów); ~ **City** Filadelfia 2. *am* **quaker** pozorowane działo (na okręcie, w twierdzy)

quaker-bird [ˈkweikəˌbəːd] *s zoo* odmiana albatrosa

quakeress [ˈkweikris] *s* kwakierka

quakerish [ˈkweikəriʃ] *adj* kwakierski; (*o stroju itd*) kwakrów

quaker(s')-meeting [ˈkweikə(z)ˈmiːtiŋ] *s* 1. *rel* zebranie kwakrów 2. milczące zebranie towarzyskie

quaking-grass [ˈkweikiŋˌgrɑːs] *s bot* drżączka (trawa)

quaky [ˈkweiki] *adj* drżący; trzęsący się; **I felt** ~ nogi mi się trzęsły; z trudem opanowałem drżenie

qualification [ˌkwɔlifiˈkeiʃən] *s* 1. zastrzeżenie; warunek; **without** ~ bez zastrzeżeń; bezwarunkowo 2. kwalifikacja; kompetencja; zdatność; uzdolnienie; wymaganie; tytuł (do czegoś); cenzus 3. określenie

qualificatory [ˈkwɔlifiˌkeitəri] *adj* 1. określający 2. warunkujący

qualified [ˈkwɔliˌfaid] ⌶ *zob* **qualify** Ⅲ *adj* 1. dyplomowany; kompetentny; wykwalifikowany; kwalifikujący się (**for a post etc.** na stanowisko itp.) 2. upoważniony 3. uwarunkowany; obwarowany zastrzeżeni-em/ami; z ograniczeniami

qualifier ['kwɔli,faiə] s 1. zastrzeżenie; warunek 2. *gram* przydawka, określnik

qualify ['kwɔli,fai] v (**qualified** ['kwɔli,faid], **qualified; qualifying** ['kwɔli,faiiŋ] [I] vt 1. określ-ić/ać 2. przyspos-obić/abiać (kogoś do czegoś); **it qualifies him for this post** etc. to kwalifikuje go do objęcia <umożliwia mu objęcie> tego stanowiska 3. u/warunkować; obwarow-ać/ywać zastrzeżeni-em/ami 4. ogranicz-yć/ać; zmniejsz-yć/ać; z/łagodzić, osłabi-ć/ać (twierdzenie itd.); z/modyfikować 5. rozcieńcz-yć/ać wodą (wino itd.); żart wzm-ocnić/acniać (herbatę itd. spirytusem itd.) [II] vi 1. zdoby-ć/wać potrzebne kwalifikacje (do czegoś); kwalifikować <nadawać> się (do robienia czegoś) 2. otrzym-ać/ywać dyplom (**as doctor <a doctor>** etc. lekarza itd.); zda-ć/wać egzamin (**as pilot <a pilot>** etc. na pilota itd.); otrzym-ać/ywać prawa (**as specialist <a specialist>** etc. specjalisty itd.) *zob* **qualified, qualifying**

qualifying ['kwɔli,faiiŋ] [I] *zob* **qualify** [II] *adj* 1. kwalifikacyjny; ~ **certificate** dyplom 2. *sport* eliminacyjny

qualitative ['kwɔli,teitiv] *adj* jakościowy

quality ['kwɔliti] [I] s 1. jakość; gatunek; **of good <poor>** ~ w dobrym <kiepskim> gatunku; dobrej <kiepskiej> jakości 2. cechy dobrej jakości; wysoka klasa; *radio* ~ **set** odbiornik wysokiej klasy 3. zaleta; cecha; przymiot; własność; właściwość; wartość 4. charakter; **in the** ~ **of** _ (występować itd.) w charakterze <jako> ... 5. barwa <timbre> (głosu) 6. † *wulg* wyższa sfera (społeczna) [II] *attr* jakościowy; (*o kontroli itd*) jakości

qualm [kwɔ:m] s 1. mdłości; nudności 2. skrupuł/y; wyrzut/y (sumienia); niespokojne sumienie 3. niepokój

qualmish ['kwɔ:miʃ] *adj w zwrocie:* **to be** ~ a) mieć mdłości <nudności> b) mieć niespokojne sumienie c) być niespokojnym

qualmless ['kwɔ:mlis] *adj* 1. nie mający <bez> skrupułów 2. nie mający <bez> obaw

quandary ['kwɔndəri] s kłopot; dylemat; kłopotliwe położenie

quant ['kwɔnt] [I] s drąg do popychania barki [II] *vt vi* popychać drągiem barkę

quantic ['kwɔntik] *adj mat* kwantowy

quantification [,kwɔntifi'keiʃən] s określenie ilościowe

quantify ['kwɔnti,fai] *vt* (**quantified** ['kwɔnti,faid], **quantified; quantifying** ['kwɔnti,faiiŋ]) określ-ić/ać ilościowo

quantitative ['kwɔnti,teitiv] *adj* 1. kwantytatywny, ilościowy 2. (*o akcencie, wierszu itp*) iloczasowy

quantity ['kwɔntiti] [I] s 1. ilość 2. *mat* wielkość; **negligible** ~ a) wielkość pomijalna b) człowiek bez znaczenia <niegodny uwagi>; **unknown** ~ niewiadoma 3. liczba 4. *pl* **quantities** wielkie ilości; masa; obfitość; *handl* hurt; ~ **buyer** masowy odbiorca; ~ **price** cena hurtowa 5. iloczas [II] *attr* 1. ilościowy; masowy 2. iloczasowy; (*o znaku itd*) iloczasu

quantivalence [kwɔn'tivələns] s *chem* wartościowość

quantization [,kwɔntai'zeiʃən] s *mat fiz* kwantowanie, kwantyzacja

ǁ quantum ['kwɔntəm] [I] s (*pl* **quanta** ['kwɔntə]) 1. kwantum, ilość; kwota 2. *fiz* kwant [II] *attr fiz* kwantowy

quarantine ['kwɔrən,ti:n] [I] s kwarantanna [II] *vt* podda-ć/wać kwarantannie

quarenden ['kwɔrəndən] s gatunek wczesnych małych i czerwonych jabłek (z Somerset i Devon)

quarrel[1] ['kwɔrəl] [I] s 1. kłótnia; waśń; spór; sprzeczka; swar/y; zwada; **it takes two to make a** ~ do kłótni jak do tańca potrzebna jest para; **to pick a** ~ szukać zwady 2. powód do skargi; **a good** ~ słuszna sprawa; **I have no** ~ **against <with>** him nie mam mu nic do zarzucenia; **to espouse sb's** ~, **to fight sb's** ~**s for him** sta-nąć/wać w czyjejś obronie; **to find** ~ **in a straw** szukać dziury w całym [II] vi (-ll-) 1. po/kłócić <po/sprzeczać, spierać, swarzyć> się 2. po/skarżyć się (**with sb** na kogoś); **never** ~ **with your bread and butter** patrz, z czego żyjesz; nie rób sobie na złość 3. s/krytykować (**with sb** kogoś); robić wyrzuty (**with sb** komuś)

quarrel[2] ['kwɔrəl] s *hist* krótka strzała do kuszy, bełt

quarrel[3] ['kwɔrəl] s szybka w kształcie rombu

quarrelsome ['kwɔrəlsəm] *adj* kłótliwy; swarliwy

quarry[1] ['kwɔri] s 1. żer; łup; zdobycz; pastwa 2. wnętrzności upolowanej zwierzyny rzucane psom 3. upolowana zwierzyna 4. ofiara (czyjejś zemsty itd.); **to become the** ~ **of** _ paść ofiarą ...

quarry[2] ['kwɔri] [I] s 1. kamieniołom; kopalnia odkrywkowa 2. *przen* kopalnia (wiadomości itd.) [II] *vt* (**quarried** ['kwɔrid], **quarried; quarrying** ['kwɔriiŋ]) 1. wydobywać <eksploatować> (kamień w kamieniołomie) 2. szperać (**information** etc. w poszukiwaniu wiadomości itd.)

quarryman ['kwɔrimən] s (*pl* **quarrymen** ['kwɔrimən]) kamieniarz, robotnik kamieniołomu

quart[1] [kwɔ:t] s 1. kwarta (= 1.136 l; *am* 0,946 l); **pot to try to put a** ~ **in a pint** po/kusić się o rzecz niemożliwą 2. kwartow-y/a garnek <flaszka> 3. kwarta piwa; **he still takes his** ~ potrafi jeszcze wypić kwartę piwa

quart[2] [kɑ:t] s 1. *szerm* kwarta, czwarta zasłona 2. *karc* sekwens z czterech kart

quartan ['kwɔ:tn] [I] *adj* (*o zimnicy itp*) powtarzający się co czwarty dzień [II] s (*także* ~ **ague <fever>**) czwartaczka (zimnica)

ǁ quarter ['kwɔ:tə] [I] s 1. czwarta część; ćwierć, ćwiartka; **a bad** ~ **of an hour** przykre chwile; **a** ~ **longer <heavier, cheaper** etc.> o jedną czwartą dłuższy <cięższy, tańszy itd.>; **a** ~ **of a century** ćwierćwiecze; **a** ~ **(of a) mile <yard** etc.> ćwierć mili <jarda itd.>; **a** ~ **of an hour** kwadrans; **a** ~ **to one <two** etc.> za kwadrans pierwsza <druga itd.>; ~ **the price, a** ~ **(of) the price** czwarta część ceny; **it isn't a** ~ **as good as** _ nie jest ani trochę tak dobry jak ..., ani się umywa do ...; **the bottle was a** ~ **full** flaszka <butelka> była napełniona w jednej czwartej; **the room was a** ~ **full** sala była wypełniona w jednej czwartej 2. *am* czwarta część dolara, 25 centów 3. ćwierć (zwierzęcia) 4. *pl* ~**s** (*w średniowieczu*) kończyny ćwiartowanego skazańca 5. *pl* (**hind**) ~**s** zad (konia itd.) 6. *herald* czwarta część tarczy 7. ćwierć (miara a) ciał sypkich = 290,9 l; *am* 281,8 l b) wagi

= 12,7 kg; *am* 11,34 kg c) długości = 22,86 cm) 8. kwartał; trymestr; czynsz kwartalny; ~ **sessions** sąd objazdowy 9. kwadra (księżyca) 10. strona (świata); **from every** ~ ze wszystkich stron; **nothing will come from that** ~ z tej strony niczego nie należy się spodziewać; **the wind blew from all four** ~**s at once** wiatr dął równocześnie ze wszystkich (czterech) stron (świata) 11. źródło (informacji itd.) 12. *pl* ~**s** sfery; **from high** ~**s** od osób <ze sfer> wysoko postawionych 13. dzielnica (miasta) 14. *pl* ~**s** mieszkanie; **to take up** ~**s** zamieszkać 15. *pl* ~**s** *wojsk* kwatery; leże (zimowe itp.) 16. *pl* ~**s** *mar* stanowiska (bojowe); **at close** ~**s** z bliska; (*o walce*) wręcz 17. litość; łaska; **to give** ~ darować (pokonanemu wrogowi) życie; **no** ~ **was given** nikogo nie oszczędzono 18. *sport* bieg na ćwierć mili 19. napiętek (buta) III *vt* 1. po/dzielić <rozkr-oić/ajać, rozci-ąć/nać, roz-ebrać/bierać> na cztery części 2. po/ćwiartować; roz/płatać 3. *wojsk* roz/kwaterować 4. *w zwrocie*: *myśl* (*o psie*) **to** ~ **the ground** szukać na wszystkie strony 5. *herald* po/dzielić (tarczę) na cztery części; umie-ścić/szczać w jednej z czterech części tarczy III *vi* 1. *wojsk* stacjonować 2. *wojsk* kwaterować, stać na kwate-rze/rach 3. *myśl* (*o psie*) szukać na wszystkie strony 4. (*o woźnicy*) zje-chać/żdżać na bok
quarterage ['kwɔ:təridʒ] *s* kwartalna płaca <płatność, pensja, renta>; kwartalny czynsz
quarter-bell ['kwɔ:tə‚bel] *s* dzwon wybijający kwadranse
quarter-binding ['kwɔ:tə‚baindiŋ] *s introl* oprawa w półskórek (bez narożników)
quarter-day ['kwɔ:tə‚dei] *s* dzień dokonywania płatności kwartalnych
quarter-deck ['kwɔ:tə‚dek] *s mar* nadbudówka
quarter-final ['kwɔ:tə‚fainl] I *adj sport* ćwierćfinałowy III *s* (*zw pl*) *sport* ćwierćfinał
quarter-ill ['kwɔ:tər‚il] *s wet* wąglik
quarter-light ['kwɔ:tə‚lait] *s* okienko w powozie
quarterly ['kwɔ:təli] I *adj* kwartalny III *adv* kwartalnie III *s* kwartalnik
quartermaster ['kwɔ:tə‚mɑ:stə] *s* 1. *wojsk* kwatermistrz 2. *mar* podoficer zawiadujący sterownią
quarter-miler ['kwɔ:tə‚mailə] *s sport* biegacz/ka na ćwierć mili
quartern ['kwɔ:tən] *s* 1. ćwierć (różnych jednostek miary) 2. czterofuntowy bochenek chleba
quarter-plate ['kwɔ:tə‚pleit] *s fot* klisza <zdjęcie> 8.2 × 10.8 cm
quarter-staff ['kwɔ:tə‚stɑ:f] *s* drąg 1.8 — 2.4 m (*hist* broń chłopska, obecnie w konkurencjach sportowych)
quartet(te) [kwɔ:'tet] *s muz* kwartet
quarto ['kwɔ:tou] I *adj* (*o formacie*) ćwiartkowy III *s* format ćwiartkowy
▲**quartz** [kwɔ:ts] *s miner* kwarc
quartzite ['kwɔ:tsait] *s miner* kwarcyt
quash [kwɔʃ] *vt* 1. *prawn* unieważni-ć/ać 2. z/dusić; z/dławić; s/tłumić; zgnieść (powstanie itd.)
quasi ['kwɑ:zi] *conj* prawie, niemal; jak gdyby; niby; poniekąd
Quasimodo [‚kwɑ:zi'moudou] *s* 1. *kośc* (*także* ~ **Sunday**) Niedziela Przewodnia 2. Quasimodo (postać literacka)
quassia ['kwɔʃə] *s bot* kwasja, gorzkodrzew

quater-centenary ['kwætə-sen'ti:nəri] *s* czterechsetlecie
quaternary [kwə'tə:nəri] I *adj* 1. czwórkowy; poczwórny 2. *chem geol* czwartorzędowy III *s* 1. *mat* system czwórkowy 2. *geol* formacja czwartorzędowa
quaternion [kwə'tə:njən] *s* 1. czwórka 2. *pl* ~**s** *mat* kwaterniony
quatrain ['kwɔtrein] *s* czterowiersz
quatrefoil ['kætrə‚fɔil] *s* 1. kwiat czteropłatkowy; liść czteropalczasty 2. *arch* czterolistny podział okna gotyckiego
quattrocentist [‚kwɔtrə'tʃentist] *s* malarz włoski z okresu quattrocento
quattrocento [‚kwɔtrə'tʃentou] *s* quattrocento (XV wiek w historii kultury włoskiej)
quaver ['kweivə] I *vi* 1. (*o głosie*) drżeć, wibrować, drgać 2. (*o śpiewaku*) za/śpiewać tremolando; wywodzić trele 3. *muz* za/stosować tryl 4. *rz* (*o człowieku, zwierzęciu*) drżeć III *vt* za/śpiewać (coś) tremolando
~ **out** *vt* wy/powiedzieć drżącym głosem III *s* 1. drżenie głosu (w śpiewie); tremolo 2. *muz* tryl 3. *muz* ósemka (nuta)
quavery ['kweivəri] *adj* 1. drżący
quay [ki:] *s* molo; nadbrzeże
quayage ['ki:idʒ] *s* (*opłaty*) portowe
quean [kwi:n] *s* 1. † gałganica 2. *szkoc* hoża dziewoja
queasiness ['kwi:zinis] *s* 1. mdłości 2. skrupuły
queasy ['kwi:zi] *adj* 1. (*o jedzeniu*) przyprawiający o mdłości 2. (*o żołądku*) delikatny; wrażliwy 3. (*o sumieniu*) przewrażliwiony 4. (*o człowieku*) odczuwający mdłości; **I am** ~ mdli mnie; **to feel** ~ mieć mdłości
▲**queen** [kwi:n] I *s* 1. (*także u owadów*) królowa; **she was** ~ **to Edward III** była małżonką króla Edwarda III 2. *karc* dama 3. *szach* królowa; *warc* dama, damka III *vt* 1. wyn-ieść/osić (kobietę) na tron 2. *szach* zrobić królową <*warc* zrobić damę> (**a pawn** z pionka) 3. *iron w zwrocie*: **to** ~ **it** królować; udawać królową <(wielką) damę>
queen-cake ['kwi:n‚keik] *s* ciastko z rodzynkami
queenhood ['kwi:nhud] *s* królowanie (królowej); godność królowej
queenliness ['kwi:nlinis] *s* królewskość
queenly ['kwi:nli] I *adj* królewski III *adv* po królewsku
queen-post ['kwi:n‚poust] *s bud* wieszak w wieszarze dwuwieszakowym (dachu)
queen's-ware ['kwi:nz‚wɛə] *s* ceramika o kremowej glazurze
▲**queer** [kwiə] I *adj* 1. dziwny; cudaczny; dziwaczny; ekscentryczny; *pot* **a** ~ **customer** dziwa-k/czka; ~ **in the head** niespełna rozumu; nienormalny; zbzikowany; *sl* **in Queer Street** w tarapatach 2. nieswój; niedysponowany; **to feel** ~ a) mieć zawrót głowy b) kiepsko <źle> się czuć; **I felt** ~ a) zakręciło mi się w głowie b) zrobiło mi się słabo; byłem nieswój 3. podejrzany; (*o monecie*) fałszywy 4. *sl* pod gazem; wstawiony III *vt* 1. ze/psuć; **to** ~ **the pitch for sb** pokrzyżować plany <nabruździć> komuś 2. przyprawi-ć/ać (kogoś) o zawrót głowy <o mdłości>

quell [kwel] *vt poet ret* z/dusić <s/tłumić, z/dławić> (gniew, bunt itd.); zgnieść (powstanie itd.)

quench [kwentʃ] *vt* 1. u/gasić (ogień, pragnienie itd.) 2. s/tłumić <z/dusić> (uczucia itd.) 3. o/studzić (potrawę, zapał itd.); oziębi-ć/ać; za/hartować 4. *sl* zam-knąć/ykać gębę (**sb** komuś)

quencher ['kwentʃə] *s* 1. gaśnica 2. *sl* kieliszek (wódki itp.); **we had a ~** poszliśmy „na jednego"

quenchless ['kwentʃlis] *adj* nieugaszony; nie do ugaszenia

quenelle [kə'nel] *s kulin* rodzaj pulpetu

quercitron ['kwə:sitrən] *s* 1. *bot* dąb farbiarski 2. *garb* kwercytron (barwnik)

querist ['kwiərist] *s* człowiek zadający pytanie

quern [kwə:n] *s* żarna; **pepper ~** młynek do pieprzu

quern-stone ['kwə:n,stoun] *s* kamień do żaren

querulous ['kweruləs] *adj* narzekający; utyskujący; zrzędny; gderliwy, wiecznie <stale> niezadowolony; (*o tonie*) płaczliwy

querulousness ['kweruləsnis] *s* wieczne <ustawiczne> narzekanie; płaczliwy ton (skarg itd.); zrzędliwość; gderliwość

query ['kwiəri] Ⅰ *s* 1. za/pytanie; **now ~ _ ...** ale pytanie, czy ...; (teraz) powstaje pytanie ... 2. znak zapytania, pytajnik Ⅲ *vt* (**queried** ['kwiərid], **queried; querying** ['kwiəriiŋ]) 1. zapyt-ać/ywać; pytać (**sb** kogoś) 2. za/kwestionować Ⅲ *vi* (**queried** ['kwiərid], **queried; querying** ['kwiəriiŋ]) 1. zada-ć/wać pytani-e/a 2. postawić/stawiać znak zapytania <pytajnik>

quest [kwest] Ⅰ *s* 1. † sąd śledztwo; *wulg* **crowner's ~ = coroner's inquest** *zob* **inquest** 2. poszukiwanie; **in ~ of sb, sth** w poszukiwaniu kogoś, czegoś; **w** pogoni za kimś, czymś Ⅲ *vi* 1. (*o psach*) szukać (zwierzyny) 2. (*o człowieku*) szukać <poszukiwać> (**for** <**after**> **sth** czegoś); być w pogoni (**for** <**after**> **sth** za czymś) Ⅲ *vt* uda-ć/wać się na poszukiwanie (**sth** czegoś)

question ['kwestʃən] Ⅰ *s* 1. za/pytanie; indagacja; *gram* **oblique** <**indirect**> **~** pytanie zależne; **to put a ~ to sb** zadać komuś pytanie 2. kwestia, zakwestionowanie; zastrzeżenie; postawienie/stawianie (czegoś) pod znakiem zapytania; wątpliwoś-ć/ci; **there is no ~ but that _** nie ulega kwestii <wątpliwości>, że ...; **to call sth into ~** za/kwestionować coś; **to make no ~ but that _** nie wątpić w to, że ...; **to make no ~ of _** nie kwestionować ... (czegoś); **beyond** <**past, without, out of**> **the ~** bez kwestii; bezwarunkowo; na pewno; z wszelką pewnością; **without ~** a) bez kwestii b) bez zastrzeżeń 3. kwestia, sprawa; **an open ~** kwestia <pytanie> otwart-a/e <nie rozstrzygnięt-a/e>; **a ~ of time** <**money etc.**> kwestia czasu <pieniędzy itd.>; **it is only a ~ of saying** <**producing etc.**> wystarczy powiedzieć <pokazać itd.> 4. (omawiany) temat; kwestia; (*na zebraniu*) **~!** do sprawy!; do tematu!; **the person in ~** osoba, o której mowa; **the ~ is whether _** chodzi o to, czy ...; **to be out of the ~** nie wchodzić w rachubę; być wykluczonym; **it** <**this, that**> **is out of the ~** o tym nie ma mowy; to jest wykluczone; **to come into ~** wchodzić w rachubę; (*w parlamencie*) **to put the ~** przeprowadz-ić/ać głosowanie indywi-

dualne 5. † tortury; **to put to the ~** podda-ć/wać torturom (dla wydobycia zeznań) Ⅲ *vt* 1. zada-ć/wać pytani-e/a (**sb** komuś) 2. z/badać; prze/egzaminować; przeprowadz-ić/ać badania (**phenomena** nad zjawiskami); indagować; przesłuch-ać/iwać (**suspects etc.** podejrzanych itd.) 3. za/kwestionować; poda-ć/wać w wątpliwość; postawić/stawiać pod znakiem zapytania; **it cannot be ~ed** co do tego nie ma kwestii; to nie ulega kwestii <wątpliwości> Ⅲ *vi* pytać się *zob* **questioning**

questionable ['kwestʃənəbl] *adj* niejasny; wątpliwy; sporny

questionableness ['kwestʃənəblnis] *s* niepewny <wątpliwy, sporny> charakter (sprawy)

questionary ['kwestʃənəri] = **questionnaire**

questioner ['kwestʃənə] *s* człowiek wypytujący <zadający pytania>; † indagator

questioning ['kwestʃəniŋ] Ⅰ *zob* **question** *v* Ⅲ *adj* (*o spojrzeniu itd*) pytający; badawczy

question-mark ['kwestʃən,ma:k] *s* pytajnik, znak zapytania

questionnaire [,kwestiə'neə] *s* kwestionariusz

quetzal ['kwetsəl] *s zoo* kwesal (ptak Am. Środk.)

queue [kju:] Ⅰ *s* 1. warkocz 2. kolejka <**pot** ogonek> (w sklepie itd.) Ⅲ *vt* 1. spl-eść/atać (włosy) w warkocz 2. ustawi-ć/ać (ludzi) w kolejce Ⅲ *vi* sta-ć/wać w kolejce

~ up *vi* sta-nąć/wać w kolejce <**pot** w ogonku>; u/tworzyć kolejkę

quibble ['kwibl] Ⅰ *s* 1. gra słów; kalambur 2. wykręt; wybieg Ⅲ *vi* powiedzieć/mówić wykrętnie <wymijająco>; uży-ć/wać wybiegów *zob* **quibbling**

quibbler ['kwiblə] *s* krętacz; matacz

quibbling ['kwibliŋ] Ⅰ *zob* **quibble** *v* Ⅲ *adj* wykrętny; (*o odpowiedzi*) wymijający

quick [kwik] Ⅰ *adj* 1. szybki, prędki; bystry; rychły; (*także* **~ of foot**) chyży; *karc* (*o lewie*) szybki; pewny; **a ~ luncheon** południowy posiłek <lunch> zjedzony naprędce; **a ~ one** kieliszek (wódki itd.) wypity naprędce; **in ~ succession** bezpośrednio jedno po drugim; *wojsk* **~ march** przyśpieszony krok; **to be ~** pośpieszyć się 2. bystry; inteligentny; rozgarnięty; **~ wits** przytomność umysłu; bystrość; **to have a ~ wit** być ciętym 3. (*o wzroku*) przenikliwy; ostry; (*o spojrzeniu*) bystry; (*o słuchu*) wyostrzony 4. (*o człowieku*) porywczy; krewki; zapalczywy; gniewliwy; skory (**to sth** do czegoś — gniewu itd.) 5. żywy; (*o płodzie*) o wyczuwalnych ruchach; **a ~ hedge** żywopłot; (*o kobiecie*) **~ with child** w zaawansowanym stadium ciąży Ⅲ *adv* 1. szybko; prędko; bystro; chyżo; rychło; **as ~ as you can** (zrób, leć itd.) jak najszybciej; co tchu 2. wnet; zaraz Ⅲ *s* 1. *w zwrocie*: **the ~ and the dead** żywi i umarli 2. żywe ciało; *przen* **to cut** <**sting**> **to the ~** dotknąć (kogoś) do żywego 3. = **quickset** *s*

quick-acting ['kwik'æktiŋ] *adj* (*o maszynie*) szybko działający

quick-change ['kwik,tʃeindʒ] *adj* szybko zmieniający się; *teatr* **~ actor** transformista (aktor zmieniający szybko charakteryzację stosownie do roli)

quicken¹ ['kwikən] Ⅰ *vt* 1. ożywi-ć/ać 2. przywr-ócić/acać do życia 3. pobudz-ić/ać; wzbudz-ić/ać; podniec-ić/ać 4. przyśpiesz-yć/ać �Ⅲ *vi* 1. ożywi-ć/ać się 2. wr-ócić/acać do życia 3. (*o płodzie*) porusz-yć/ać się (w łonie) 4. (*o kobiecie brzemiennej*) wyczu-ć/wać ruchy płodu 5. przyb-rać/ierać na szybkości; zwiększ-yć/ać szybkość *zob* **quickening**

quicken² ['kwikən] *s bot* jarzębina

quickener ['kwiknə] *s* 1. czynnik ożywczy 2. mechanizm przyśpieszający

quickening ['kwikṇiŋ] ⁣Ⅰ *zob* **quicken¹** Ⅲ *adj* 1. ożywczy 2. przyśpieszający

quick-firer ['kwik͵faiərə] *s* działo szybkostrzelne

quick-firing ['kwik͵faiəriŋ] *adj* szybkostrzelny

▲**quickie** ['kwiki] *s pot* 1. tandetny film (z przyśpieszonej produkcji) 2. *radio* zgaduj — zgadula

quick-lime ['kwik͵laim] *s* niegaszone wapno; *chem* tlenek wapniowy

quick-lunch ['kwik͵lʌntʃ] *attr* ~ **bar** bufet

quickness ['kwiknis] *s* 1. szybkość; prędkość; chyżość; pośpiech 2. bystrość; inteligencja 3. ostrość <przenikliwość> (wzroku); czułość (słuchu) 4. ciętość (języka itd.) 5. porywczość; krewkość; zapalczywość

quicksand ['kwik͵sænd] *s* 1. lotne piaski; grząski piasek 2. kurzawa, kurzawka

quickset ['kwik͵set] ⁣Ⅰ *s* 1. sadzonka (zwłaszcza głogu) Ⅲ *attr* ~ **hedge** żywopłot

quicksighted ['kwik'saitid] *adj* bystrooki

quicksilver ['kwik͵silvə] *s* rtęć; *przen* żywe srebro

quickstep ['kwik͵step] *s* 1. *wojsk* przyśpieszony krok 2. szybki fokstrot

quick-tempered ['kwik'tempəd] *adj* porywczy; krewki; zapalczywy; gniewliwy; w gorącej wodzie kąpany; **a** ~ **man** raptus

quick-witted ['kwik'witid] *adj* bystry; rozgarnięty

quid¹ [kwid] *s* prymka

quid² [kwid] *s* (*pl* ~) *sl* funt szterling

quiddity ['kwiditi] *s* 1. istota (rzeczy); sedno (sprawy) 2. wykręt/y; wybieg/i

quidnunc ['kwid͵nʌŋk] *s* plotka-rz/rka

quid pro quo ['kwidprou'kwou] *s* 1. *rz* qui pro quo 2. rekompensata

quiescence [kwai'esns] *s* spokój; spoczynek; bezruch; cisza

quiescent [kwai'esnt] *adj* spokojny; nieruchomy; cichy

quiet ['kwaiət] ⁣Ⅰ *adj* 1. spokojny; **to become** ~ uspok-oić/ajać się 2. cichy; **to be** ~ a) być cichym <spokojnym> b) cicho siedzieć; nic nie mówić; zamilknąć; milczeć; **to grow** ~ uciszać się; **to keep** ~ a) cicho się zachowywać b) uspokoić się; zamilknąć; **to keep sb** ~ uspokoić kogoś (dziecko itd.) 3. (*o kolorze, ubiorze itd*) spokojny; skromny 4. (*o ślubie, przyjęciu itd*) skromny; w kole najbliższych <rodzinnym> 5. (*o człowieku, psie itd*) łagodny 6. (*o uczuciu itd*) ukryty; **to keep sth** ~ trzymać coś w tajemnicy 7. niezmącony 8. spokojny; bez obaw; **I am** ~ **on his score** jestem spokojny <nie mam obaw> o niego Ⅲ *s* spokój; cisza; spoczynek; **on the** ~ a) po cichu; bez rozgłosu; cichaczem, *pot* cichcem; w ukryciu; w tajemnicy b) na osobności Ⅲ *vt* uspok-oić/ajać; ucisz-yć/ ać Ⅳ *vi* (*także* ~ **down**) uspok-oić/ajać <ucisz-yć/ać> się; u/cichnąć

quieten ['kwaiətən] = **quiet** *v*

quietism ['kwaiə͵tizəm] *s filoz* kwietyzm

quietist ['kwaiətist] *s* kwietysta, zwolennik kwietyzmu

quietistic [͵kwaiə'tistik] *adj* kwietystyczny, dotyczący kwietyzmu

quietness ['kwaiətnis] *s* 1. spokój; cisza 2. łagodność (zwierzęcia) 3. skromność (ubioru itd.)

quietude ['kwaiə͵tju:d] *s* spokój (ducha)

quietus [kwa'i:təs] *s* 1. *rz* recepis; kwit; pokwitowanie 2. uwolnienie (od więzów ziemskich); **to get one's** ~ przenieść się na drugi świat; **to give sb his** ~ zadać komuś śmierć

quiff [kwif] *s* zalotny loczek

quill [kwil] ⁣Ⅰ *s* 1. dutka (pióra) 2. lotka 3. (gęsie) pióro (do pisania) 4. wykałaczka (z gęsiego pióra) 5. (*u wędki*) pływak 6. kolec (jeża itp.) 7. szpulka 8. plektron 9. piszczałka; fujarka 10. rurka kory cynamonowej <chinowej> 11. *techn* wydrążony wał; tulejka Ⅲ *vt* 1. z/rurkować (koronkę itd.); s/plisować (wstążkę itd.) 2. nawi- ⁣⁣nąć/jać na szpulkę

quillai [ki'lai], **quillaia** [ki'lejə] *s farm* kora mydłoki

quill-driver ['kwil͵draivə] *s* (*zw pog*) gryzipiórek

quillet ['kwilit] *†* = **quibble** *s*

quill-pen ['kwil͵pen] *s* gęsie pióro (do pisania)

quill-wort ['kwil͵wə:t] *s bot* roślina z rodziny poryblinowatych; poryblin

quilt [kwilt] ⁣Ⅰ *s* 1. kołdra 2. wyściółka Ⅲ *vt* 1. pikować 2. wy/watować 3. zaszy-ć/wać (kosztowności itd.) w zakładach odzieży (dla przemycenia) 4. s/kompilować (utwór lit.) 5. *sl* s/prać (kogoś); sprawi-ć/ać lanie (sb komuś) *zob* **quilted, quilting**

quilted ['kwiltid] ⁣Ⅰ *zob* **quilt** *v* Ⅲ *adj* 1. pikowany 2. watowany

▲**quilting** ['kwiltiŋ] ⁣Ⅰ *zob* **quilt** *v* Ⅲ *s* 1. *tekst* pika 2. pikowanie

quinary ['kwainəri] *adj* pięcioraki; piątkowy

quinate¹ ['kwainit] *adj bot* (*o liściu*) pięciopalczasty

quinate² ['kwainit] *s chem* chinian

quince [kwins] *s bot* pigwa

quincentenary ['kwinsen'ti:nəri] ⁣Ⅰ *s* pięćsetlecie Ⅲ *adj* pięćsetletni

quincuncial [kwin'kʌnʃəl] *adj* w kształcie kwinkunksa; (*o sadzeniu drzew itd*) w szachownicę *zob* **quincunx**

quincunx ['kwinkʌŋks] *s* kwinkunks (układ pięciu przedmiotów — cztery w kątach i jeden w środku czworoboku)

quingentenary ['kwindʒen'ti:nəri] = **quincentenary**

quinic ['kwinik] *adj* chinowy

quinine [kwi'ni:n] *s* chinina

quinism ['kwinizəm], **quininism** ['kwini͵nizəm] *s med* zatrucie chininą

quinquagenarian ['kwiŋkwədʒi'neəriən] ⁣Ⅰ *s* mężczyzna <kobieta> pięćdziesięcioletni/a Ⅲ *adj* pięćdziesięcioletni

Quinquagesima [͵kwiŋkwə'dʒesimə] *s* (*także* ~ **Sunday**) *kośc* niedziela zapustna

quinquefoliate [͵kwiŋkwə'fouliit] *adj bot* pięciolistny

quinquennial [kwiŋ'kweniəl] ⁣Ⅰ *adj* pięcioletni; powtarzający się co pięć lat Ⅲ *s* pięciolecie

quinquennium [kwiŋ'kweniəm] *s* (*pl* **quinquennia** [kwiŋ'kweniə]) pięciolecie

quinquina [kwiŋ'kwainə] *s bot* chinowiec

quinquivalence [kwiŋ'kwivələns] *s chem* pięciowartościowość

quinquivalent [kwin'kwivələnt] *adj chem* pięciowartościowy

quins [kwinz] *skr pot* **quintuplets**

quinsy ['kwinzi] *s med* ropień okołomigdałkowy

quint [kwint] *s muz szerm* kwinta; † *karc* kwinta (sekwens z pięciu kart)

quintain ['kwintin] *s (w średniowieczu)* słup do ćwiczeń z kopią

quintal ['kwintl] *s* 1. cetnar (= 50,8 kg; *am* = 45,36 kg) 2. kwintal, cetnar metryczny (= 100 kg)

quintan ['kwintən] I *adj* występujący co piąty dzień II *s (także ~ fever)* atak gorączki występujący co piąty dzień

quintessence [kwin'tesns] *s* kwintesencja

quintet(te) [kwin'tet] *s* 1. *muz* kwintet 2. piątka

quintuple ['kwintjupl] I *adj* 1. pięcioraki 2. pięciokrotny II *s* pięciokrotność III *vt* po/mnożyć <powiększ-yć/ać, podn-ieść/osić> pięciokrotnie IV *vi* pomn-ożyć/ażać <powiększ-yć/ać, podn-ieść/osić> się pięciokrotnie

quintuplets ['kwintjuplits] *spl* pięcioraczki

quip [kwip] I *s* cięty dowcip; żart; dykteryjka III *vi* (**-pp-**) żartować; dowcipkować; opowiadać dykteryjki

quire[1] ['kwaiə] *s* libra (= 24—25 arkuszy papieru); *druk (o publikacji)* in ~s w arkuszach

quire[2] ['kwaiə] = **choir** *s*

quirk [kwə:k] *s* 1. gra słów; kalambur 2. kaprys 3. wykręt 4. sztuczka; haczyk 5. wykrętas 6. *arch* żłobek; wyżłobienie

quirt [kwə:t] I *s am* harap II *vt am* wy/chłostać <z/bić> harapem

quisling ['kwizliŋ] *s polit* quisling, zdrajca

quit [kwit] *v (praet* ~**ted** ['kwitid], **quit**, *pp* ~**ted**, **quit**) I *vt* 1. opu-ścić/szczać (miejscowość, mieszkanie, posadę itd.); wyje-chać/żdżać (**a place** skądś); to ~ **hold** (**of sth**) pu-ścić/szczać (coś); to ~ (**one's**) **office** (po)rzuc-ić/ać posadę; zw-olnić/alniać się <od-ejść/chodzić> z posady; to ~ **the army** pójść do cywila; to ~ **work** s/kończyć praeę 2. *am* przesta-ć/wać (**doing sth** robić coś); ~ **that!** przestań! 3. † to ~ **one** <**oneself**> — sprawi-ć/ać się <post-ąpić/ępować>... (dobrze, dzielnie itd.) 4. *poet* odpłac-ić/ać się (**sth with sth** czymś za coś); **death** ~s **all scores** śmierć wyrównuje wszystkie rachunki; to ~ **love with hate** odpłacić się za miłość nienawiścią 5. po/żegnać <rozsta-ć/wać> się (**sb, sth** z kimś, czymś) II *vi* 1. opróżni-ć/ać mieszkanie; wyprowadz-ić/ać <*pot* wyn-ieść/osić> się 2. *am* (po)rzuc-ić/ać posadę <zajęcie>; od-ejść/chodzić; z/rezygnować 3. s/kończyć pracę III *adj praed* uwolniony; wolny; to be <get> ~ **of sth** uwolnić/alniać się od czegoś; pozby-ć/wać się czegoś; **I was glad to be** ~ **of the trouble** ucieszyłem się, że się pozbyłem kłopotu; **he was** ~ **for a cold** <**fine etc.**> skończyło się na katarze <na grzywnie itd.>; **to go** ~ odejść wolno; ujść bezkarnie *zob* **quits**

quitch [kwitʃ], ~-**grass** ['kwitʃ,gra:s] *s bot* perz

quitclaim ['kwit,kleim] I *s prawn* zrzeczenie się III *vt prawn* zrze-c/kać się (**a right etc.** prawa do czegoś itd.)

quite [kwait] *adv* 1. zupełnie; całkowicie, *pot* całkiem; w zupełności; zgoła; **I don't** ~ **understand** nie bardzo rozumiem; **I** ~ **understand** rozumiem (to) dobrze 2. *wykrzyknikowo*: (**oh**) ~! a) no, właśnie! b) racja! c) rzeczywiście!; ~ **so!** właśnie, właśnie! 3. raczej; wcale; **I** ~ **liked him** on mi się wcale podobał; **it's** ~ **good** to wcale dobre <niezłe>; ~ **a few** sporo, niemało; ~ **a long time** wcale długo 4. *przed rzeczownikiem*: prawdziwy; **he is** ~ **a gentleman** to prawdziwy dżentelmen <prawdziwie kulturalny pan>; **it's** ~ **the thing** to ostatni krzyk mody; to jest bardzo modne; **it isn't** ~ **the thing** to jest nie bardzo odpowiednie <stosowne, na miejscu>; **this is** ~ **a surprise** to jest prawdziwa niespodzianka

quitrent ['kwit,rent] *s* czynsz w gotówce (zamiast odróbki)

quits [kwits] *adj praed* skwitowany; **double or** ~ (zagrajmy) podwójnie lub kwita; **I'll be** ~ **with you yet** jeszcze się z tobą porachuję; **let's cry** ~ niech będzie kwita; **we are** ~ kwita między nami; jesteśmy kwita

quittance ['kwitəns] *s poet* 1. uwolnienie (**from sth** od czegoś — długu itd.) 2. pokwitowanie 3. odwet

quitter ['kwitə] *s am pot* człowiek łatwo się zniechęcający <niewytrwały, na którym nie można polegać>

quiver[1] ['kwivə] *s* kołczan; **a** ~ **full of children** liczne. potomstwo; *przen* **to have an arrow left in one's** ~ mieć coś (jeszcze) w zanadrzu

quiver[2] ['kwivə] I *vi* 1. za/drżeć; za/drgać II *vt (o ptaku)* za/trzepotać (**its wings** skrzydłami) III *s* 1. drżenie; drganie 2. trzepotanie (skrzydłami)

quivered ['kwivəd] *adj (o człowieku)* z kołczanem u boku

quiverful ['kwivəful] *s* pełny kołczan (strzał); *przen* **a** ~ **of children** liczne potomstwo

qui vive [ki:'vi:v] *s w zwrocie*: **to be on the** ~ być w pogotowiu; mieć się na baczności

quixotic [kwik'sɔtik] *adj* donkiszotowski, † donkiszocki

quixotics [kwik'sɔtiks], **quixotism** ['kwiksə,tizəm], **quixotry** ['kwiksətri] *s* donkiszoteria, donkiszotyzm

quiz [kwiz] I *s* 1. mistyfikacja; zagadka 2. figlowanie; kpina 3. *rz* dziwak; dziwaczna rzecz 4. kpiarz 5. *am* egzamin; próba orientacji <znajomości (czegoś) itd.> 6. kwiz, zgaduj — zgadula II *vt* (**-zz-**) 1. za/żartować <za/kpić> (**sb, sth** z kogoś, czegoś) 2. przy-jrzeć/glądać się kpiąco (**sb, sth** komuś, czemuś); zerk-nąć/ać (**sb, sth** na kogoś, coś); z/lornetować 3. zada-ć/wać pytania (**sb** komuś); z/badać wiadomości <bystrość orientacji, domyślność> (**sb** czyj-eś/ąś); za/bawić się w zgaduj — zgadulę (**sb z** kimś) III *vi* kpić; żartować

quizzical ['kwizikəl] *adj* 1. dziwaczny 2. kpiarski; żartobliwy; figlarny

quizzing-glass ['kwiziŋ,gla:s] *s* monokl; lorgnon

quoad ['kwouæd] *praep* co do; ~ **hoc** co do tego

quod [kwɔd] I *s sl* paka, więzienie II *vt* (**-dd-**) *sl* wsadz-ić/ać do paki

quoin [kɔin] I *s* 1. narożnik; węgieł; kamień narożny 2. kąt (pokoju) 3. klin II *vt* 1. za/klinować 2. podn-ieść/osić na klinach 3. zaopat-rzyć/rywać w kamienie narożne

quoit [kɔit] ⏿ *s* 1. pierścień do gry zręcznościo-wej 2. *pl* **~s** gra w rzucanie pierścieniem ⏞ *vi* grać w "quoits"

quondam ['kwɔndæm] *adj* były (dyrektor, przy-jaciel itd.)

quorum ['kwɔːrəm] *s* quorum, kworum; komplet

quota ['kwoutə] *s* 1. udział; **sb's** **~** przypadająca na kogoś część (całości) 2. kontyngent; norma

quotable ['kwoutəbl] *adj* 1. godny <możliwy do> za/cytowania <przytoczenia> 2. *handl* (*o kursie, cenie itd*) godny <możliwy do> notowania <ko-towania>

quotation [kwou'teiʃən] *s* 1. cytat, cytata 2. za/cytowanie <przyt-oczenie/aczanie, powoł-anie/ ywanie się na> (autora itd.) 3. *handl* notowanie <podawanie, kotowanie> (cen, kursów) 4. *pl* **~s** ceduła (giełdowa itd.) 5. *druk* firet

quotation-marks [kwou'teiʃən,maːks] *spl* cudzy-

słów; **to put (words etc.) in** **~** wziąć/brać (słowa itd.) w cudzysłów

quote [kwout] ⏿ *vt* 1. za/cytować; przyt-oczyć/ aczać; wymieni-ć/ać; powoł-ać/ywać się (**an author, source etc.** na autora, źródło itd.) 2. po-da-ć/wać (cenę — na towar, za dostawę itd.) 3. (*w cedule giełdowej itd*) notować <kotować> (kurs, cenę itd.) 4. umie-ścić/szczać w cudzysło-wie 5. *przy dyktowaniu — w trybie rozkazują-cym*: otworzyć <zamknąć> cudzysłów ⏞ *s* 1. = **quotation** 1. 2. znak cudzysłowu

quoteworthy ['kwout,wəːði] = **quotable**

quoth [kwouθ] † *vi* (*tylko w 1 i 3 pers sing praet*) rzekł-em/am, rzekł/a

quotha ['kwouθə] † *interj* *pog iron* zaiste

quotidian [kwɔ'tidiən] ⏿ *adj* codzienny ⏞ *s med* codzienny atak wysokiej gorączki

quotient ['kwouʃənt] *s mat* iloraz

quo warranto [,kwou-wɔ'ræntou] *s prawn* wezwa-nie kogoś do wykazania na jakiej podstawie peł-ni jakąś funkcję, żąda przywileju itd.

R

R, r [aː] (*pl* **rs**, **r's** [aːz]) *litera* r ⏿ *s* **the three Rs** (= **reading, (w)riting, (a)rithmetic**) czytanie, pisanie i arytmetyka ⏞ *attr* **~ season** sezon na ostrygi; **the R months** miesiące o nazwach zawierających literę r (w języku angielskim)

rabbet ['ræbit] ⏿ *s* 1. rowek; wyżłobienie 2. *bud* wpust; spoina; felc ⏞ *vt* 1. złobkować 2. *bud* spoinować; z/łączyć (deski) na wpust; felcować

rabbi ['ræbai], **rabbin** ['ræbin] *s* rabin

rabbinate ['ræbinit] *s* rabinat

rabbinic(al) [ræ'binik(əl)] *adj* rabiniczny

rabbinism ['ræbi,nizəm] *s* rabinizm

rabbinist ['ræbinist] *s* rabinista

▲**rabbit¹** ['ræbit] ⏿ *s* 1. *zoo* królik; *boks* **~ punch** cios w kark 2. króliki (futro) 3. *kulin* **stewed ~** potrawka z królika; **Welsh ~** grzanki smażone z serem 4. *pot* (*o człowieku*) tchórz 5. *pot sport* kiepski gracz, patałach; fajtłapa ⏞ *vi* (*także* **to go ~ing**) polować na <łapać> króliki

rabbit² ['ræbit] *vt wulg w zwrocie*: (**odd**) **~ it!** psiakrew!

rabbit-foot ['ræbit,fut] *attr bot* **~ clover** koni-czyna polna

rabbit-hutch ['ræbit,hʌtʃ] *s* klatka do chowu kró-lików

rabbitry ['ræbitri], **rabbit-warren** ['ræbit,wɔrin] *s* królikarnia

rabbitty ['ræbiti] *adj* 1. króliczy 2. (*o młodym człowieku*) nieśmiały; tchórzliwy 3. (*o graczu, zawodniku*) kiepski

rabbit-warren *zob* **rabbitry**

rabble¹ ['ræbl] *s* 1. motłoch; hałastra; † czerń 2. pospólstwo

rabble² ['ræbl] ⏿ *s* pogrzebacz <mieszadło> (do roztopionego metalu) ⏞ *vt* przegarniać (roztopiony metal)

Rabelaisian [,ræbi'leizjən] *adj* rabelaisowski

rabid ['ræbid] *adj* 1. (*o człowieku*) rozzłoszczony; rozwścieczony; rozjuszony; wściekły; **to be ~** szaleć; wściekać się; **to go ~** wpa-ść/dać w szał; wście-c/kać się 2. (*o polityku itd*) zacietrze-wiony 3. (*o psie itd*) wściekły, chory na wście-kliznę 4. (*o zarazku itd*) wścieklizny

rabidity [rə'biditi], **rabidness** ['ræbidnis] *s* 1. wściekłość 2. zacietrzewienie 3. = **rabies**

rabies ['reibiːz] *s med* wścieklizna, wodowstręt

▲**raccoon** [rə'kuːn] = **racoon**

▲**race¹** [reis] *s* 1. rasa 2. szczep; plemię; rodzaj <ród> (ludzki); **the feathered ~** skrzydlaty ród, ptactwo 3. (*u konia*) krew (arabska itd.) 4. ród <pochodzenie> (człowieka) 5. (*w rodzie*) szereg (nauczycieli, oficerów, marynarzy itd.) 6. kate-goria ludzi; klasa; **the ~ of poets** poeci jako kategoria ludzi

race² [reis] ⏿ *s* 1. prąd; nurt; prąd pływowy (morza) 2. droga (przebyta <do przebycia>); bieg życia 3. kanał; odnoga (rzeki); młynówka 4. gonitwa; *sport* bieg; zawody; wyścig (kolar-ski itd.; *przen* zbrojeń itd.); regaty; spływ (ka-jakowy); *pl* **~s** wyścigi konne; **~ ball** zabawa po regatach <biegach, zawodach> ⏞ *vi* 1. ści-gać <gonić> się 2. (*o człowieku*) po/pędzić, po/ lecieć pędem <galopem, co tchu> 3. (*o maszy-nie*) pracować na przyśpieszonych obrotach; (*o śmigle, śrubie okrętowej*) obracać się w przy-śpieszonym tempie; (*o pulsie*) być przyśpieszo-nym 4. (*o sportowcu*) brać udział w biegu <wy-ścigu, regatach, spływie>; (*o koniu*) biegać na wyścigach ⏞ *vt* 1. ścigać się <współzawodni-czyć, iść w zawody> (**sb** z kimś) 2. po/gnać; popędz-ić/ać; zmu-sić/szać do szybkiego chodu; **to ~ horses** urządz-ić/ać wyścig między (dwo-ma itd.) końmi 3. z/robić (coś) w szybkim tem-pie <galopem>

~ **away** *vt* przepuścić <stracić> (majątek itd.) w grze na wyścigach konnych *zob* **racing**

race³ [reis] *s bot* korzeń (imbiru itd.)

race-card ['reis,kɑ:d] *s* program wyścigów

racecourse ['reis,kɔ:s] *s* 1. tor wyścigowy; pole wyścigowe 2. bieżnia

race-ginger ['reis,dʒindʒə] *s* korzeń imbiru; imbir nie sproszkowany

race-goer ['reis,gouə] *s* miłośni-k/czka <amator/ka> wyścigów konnych

racehorse ['reis,hɔ:s] *s* koń wyścigowy

raceme [ræ'si:m] *s. bot* kiść

race-meeting ['reis,mi:tiŋ] *s* wyścigi konne

racemic [ræ'si:mik] *adj chem* racemiczny; (*o kwasie*) gronowy

racemose [ræ'si:mous] *adj bot* kiściowy, kiściasty; *anat* groniasty

racer ['reisə] *s* 1. biegacz/ka 2. koń <rower, samochód, jacht itd.> wyścigowy 3. *techn* pomost obrotowy; obrotnica

race-track ['reis,træk] *s* tor wyścigowy

raceway ['reis,wei] *s* 1. *am* kanał; odnoga (rzeki); młynówka 2. *elektr* torowisko przewodów

rachidian [rə'kidjən] *adj anat* pacierzowy

rachis ['reikis] *s* (*pl* **rachides** ['reiki,di:z], ~**es**) 1. *anat* kręgosłup 2. *zoo* dudka (pióra) 3. *bot* (*w gronach, kłosach i kotkach*) szypułka główna; oś kwiatostanu; (*w liściach składanych*) ogonek główny; nerw środkowy

rachitic [ræ'kitik] *adj med* krzywiczny; rachityczny

rachitis [ræ'kaitis], **rickets** ['rikits] *s med* krzywica, choroba angielska, rachityzm

racial ['reiʃəl] *adj* rasowy, (dotyczący) ras/y

racialism ['reiʃə,lizəm] *s* rasizm

racialist ['reiʃəlist] *s* rasist-a/ka

racily ['reisili] *adv* 1. (pisać, opowiadać itd.) z werwą <z zacięciem> 2. swojsko

raciness ['reisinis] *s* 1. (*u wina*) bukiet 2. (*w utworze lit*) werwa, zacięcie 3. swojskość

racing ['reisiŋ] ① *zob* **race²** *v* ③ *s* 1. biegi; wyścigi konne; regaty; spływy kajakowe 2. gra na wyścigach 3. przyśpieszone obroty <tempo> (maszyny, śmigła itd.) ③ *attr* (*o koniu, rowerze, samochodzie, jachcie itd*) wyścigowy; ~ **path** <track> bieżnia; tor; ~ **stable** stadnina koni wyścigowych ④ *adj w zwrotach*: **a** ~ **man** amator wyścigów konnych; *zbior* **the** ~ **world** amatorzy wyścigów konnych

rack¹ [ræk] ① *s* 1. pędzące chmurki <obłoczki> 2. zniszczenie; ruina; **to go to** ~ **and ruin** popa-ść/dać w ruinę; z/niszczeć ③ *vi* (*o chmurach*) przelatywać

rack² [ræk] ① *s* 1. drabina stajenna 2. wieszadło 3. stojak; stelaż; kozioł 4. półka (na narzędzia itd.); siatka <półka> (na bagaż w wagonie) 5. *techn* zębatka ③ *vt w zwrocie*: **to** ~ **up a stable** <a horse> napełnić drabinę stajenną sianem

⬧**rack³** [ræk] ① *s* koło tortur; **to be on the** ~ znosić <cierpieć> katusze <męczarnie>; **to put to the** ~ łamać kołem; podda-ć/wać torturom ③ *vt* 1. łamać kołem; podda-ć/wać torturom 2. u/męczyć; zamęcz-yć/ać; zada-ć/wać tortury (**sb** komuś); **to** ~ **one's brains for sth** głowić się <łamać sobie głowę> nad czymś 3. *przen* ob-

-edrzeć/dzierać <zedrzeć/zdzierać skórę z> (lokatora itd.) 4. wyjał-owić/awiać (ziemię) *zob* **racking**

rack⁴ [ræk] *s* arak; ~ **punch** poncz z araku

rack⁵ [ræk] ① *s* jednochód ③ *vi* (*o koniu*) iść <biec> jednochodem; ~**ing** **gait** chód jednochodźca

rack⁶ [ræk] *vt* (*także* ~ **off**) ściągać (wino, jabłecznik itd.)

racket¹ ['rækit] *s* 1. *sport* rakieta 2. *pl* ~**s** nazwa gry podobnej do tenisa 3. rak (do chodzenia po lodzie); *pl* ~**s** rakiety śnieżne

⬧**racket²** ['rækit] ① *s* 1. hałas; wrzawa; harmider; awantura; **to make** <kick up> **a** ~ narobić hałasu; podnieść wrzawę; wszcząć awanturę 2. zabawa; hulanka 3. próba; **to stand** <face> **the** ~ a) pon-ieść/osić skutki swego postępowania, nieprzezorności itd.; pokry-ć/wać koszty b) wytrzym-ać/ywać próbę; stawiać czoło burzy 4. *sl* machinacje; naciąganie (gości); granda; kant; gangsterstwo ③ *vi* 1. (*także* ~ **about**) hałasować; awanturować się 2. za/bawić się; po/hulać

⬧**racketeer** [,ræki'tiə] *s sl* grandziarz; kanciarz; oszust/ka; gangster

racketeering [,ræki'tiəriŋ] ① *zob* **racketeer** *s* ③ *s sl* grandziarstwo; kantowanie, kanciarstwo; oszustwo; gangsterstwo

rackety ['rækiti] *adj* 1. hałaśliwy; awanturniczy 2. hulaszczy

rack-rail ['ræk,reil] *s techn* szyna uzębiona (do pochyłego toru); kremaliera

rack-railway ['ræk,reilwei] *s* kolej zębata

rack-rent ['ræk,rent] *s* wygórowany czynsz

rack-wheel ['ræk,wi:l] *s* koło zębate

raconteur [rækɔ̃:'tə:] *s* gawędziarz

racoon [rə'ku:n] *s zoo* szop

racquet ['rækit] = **racket¹**

racy ['reisi] *adj* (**racier** ['reisiə], **raciest** ['reisiist]) 1. (*o winie*) z bukietem 2. (w wysokim stopniu) charakterystyczny; typowy; naturalny 3. (*o opowiadaniu*) pikantny 4. (*także* ~ **of the soil**) (*o pisarzu*) pełen werwy; błyskotliwy; (*o stylu*) świeży; żywy 5. (*o zwierzęciu*) rasowy

rad [ræd] = **radical** *s* 5.

radar ['reidə] *s* 1. radar, radiolokator 2. radiolokacja

raddle ['rædl] ① *s* ochra ③ *vt* po/malować <po/smarować> ochrą

⬧**radial** ['reidiəl] ① *adj* promieniowy; gwiaździsty ③ *s anat* mięsień <nerw> promieniowy; arteria promieniowa

radian ['reidiən] *s mat* radian

radiance ['reidiəns] *s* 1. promieniowanie; blask; jasność 2. promienistość

radiancy ['reidiənsi] *s* 1. *poet* promienistość 2. emitancja, zdolność promieniowania

⬧**radiant** ['reidiənt] ① *adj* promieniejący; (*o cieple itd*) rozchodzący się promieniście; (*o słońcu itd*) promienny; (*o twarzy itd*) rozpromieniony ③ *s* ognisko promieniowania; punkt świetlny; *astr* radiant

radiata [,reidi'eitə] *† spl zoo* promieniaki

radiate ['reidi,eit] ① *vi* 1. promieniować; jaśnieć 2. wypuszczać <wysyłać, emitować> promienie <światło, ciepło, energię> 3. rozchodzić się na wszystkie strony (z jednego punktu) ③ *vt* 1. promieniować 2. wysyłać, emitować (**light** <heat> światło <ciepło>); promieniować (**love, joy etc.**

miłością, radością itd.); szerzyć Ⅲ *adj* promienisty

radiation [ˌrediˈeiʃən] *s* 1. promieniowanie; radiacja 2. *med* naświetl-enie/anie; napromieni--enie/anie

radiator [ˈreidiˌeitə] *s* 1. radiator; kaloryfer; grzejnik 2. *techn* źródło promieniowania 3. *radio* radiator; antena nadawcza 4. *auto* chłodnica

radical [ˈrædikəl] Ⅰ *adj* 1. *bot* korzeniowy; *anat* korzonkowy 2. podstawowy; zasadniczy; istotny; gruntowny; radykalny 3. *polit* radykalny; skrajny 4. *chem* rodnikowy 5. *mat* pierwiastkowy 6. *jęz* rdzenny; pierwiastkowy Ⅲ *s* 1. *jęz* rdzeń 2. *mat* pierwiastek 3. *mat* symbol pierwiastkowania 4. *chem* rodnik 5. *polit* (*także pot* **rad**) radykał

radicalism [ˈrædikəˌlizəm] *s* radykalizm

radically [ˈrædikəli] *adv* zasadniczo; gruntownie; z gruntu; radykalnie

radicant [ˈrædikənt], **radicating** [ˈrædiˌkeitiŋ] *adj* *bot* korzenioczepny

radication [ˌrædiˈkeiʃən] *s* *bot* roz-łożenie/kładanie <wypuszcz-enie/anie> korzeni

radicle [ˈrædikəl] *s* 1. *anat bot* korzonek 2. *chem* rodnik

radicular [rəˈdikjulə] *adj* korzonkowy

radio [ˈreidiˌou] Ⅰ *s* 1. radio 2. odbiornik (radiowy) 3. depesza radiowa Ⅲ *attr* 1. radiowy 2. nadawczy 3. radiofoniczny; ~ **play** słuchowisko Ⅲ *vt vi* nada-ć/wać <wys-łać/yłać> przez radio <drogą radiową>

radio-active [ˈreidiouˌæktiv] *adj* radioaktywny, promieniotwórczy

radio-activity [ˈreidiou-ækˈtiviti] *s* radioaktywność, promieniotwórczość

radio-controlled [ˈreidiou-kənˈtrould] *adj* kierowany drogą radiową

radiogoniometer [ˈreidiouˌgouniˈɔmitə] *s* radiogoniometr, radionamiernik

radiogram [ˈreidiouˌgræm] *s* 1. depesza radiowa 2. zdjęcie rentgenowskie 3. aparat <odbiornik> radiowy z adapterem

radiograph [ˈreidiouˌgrɑːf] Ⅰ *s* zdjęcie rentgenowskie Ⅲ *vt* z/robić zdjęcie rentgenowskie (**sth** czegoś); prześwietl-ić/ać

radiographer [ˌreidiˈɔgrəfə] *s* technik radiograf

radiography [ˌreidiˈɔgrəfi] *s* radiografia; rentgenografia; prześwietlanie

radiolaria [ˌreidiouˈleəriə] *spl zoo* radiolarie

radiolocation [ˈreidiou-louˈkeiʃən] *s* 1. radar 2. radiolokacja

radiological [ˈreidiouˈlɔdʒikəl] *adj* rentgenologiczny

radiologist [ˌreidiˈɔlədʒist] *s* rentgenolog

radiology [ˈreidiˌɔlədʒi] *s* rentgenologia; radiologia

radiometer [ˌreidiˈɔmitə] *s* *fiz* radiometr

radiophone [ˈreidiouˌfoun] *s* *fiz* radiofon

radiophony [ˌreidiˈɔfəni] *s* radiofonia

radioscopy [ˌreidiˈɔskəpi] *s* radioskopia, prześwietlanie promieniami Rentgena

radiotelegram [ˈreidiouˈteliˌgræm] *s* radiogram, depesza radiowa

radiotelegraph [ˈreidiouˈteliˌgrɑːf] *s* radiotelegraf

radiotelephone [ˈreidiouˈteliˌfoun] *s* radiotelefon

radiotherapeutics [ˈreidiouˌθerəˈpjuːtiks], **radiotherapy** [ˈreidiouˈθerəpi] *s* radioterapia

radish [ˈrædiʃ] *s bot* rzodkiew, rzodkiewka

radium [ˈreidiəm] Ⅰ *s chem* rad (pierwiastek) Ⅲ *attr* (*o bromku, węglanie itd*) radowy; ~ **treatment** leczenie radem <promieniami Roentgena>

radius [ˈreidiəs] *s* (*pl* **radii** [ˈreidiˌai]) 1. *geom* promień 2. zasięg (działalności) 3. *anat* kość promieniowa 4. *bot* promień (u stokrotki itd.)

radix [ˈreidiks] *s* (*pl* **radices** [ˈreidiˌsiːz]) 1. *mat* podstawa <system> (wyliczeń) 2. źródło (zła itd.)

radon [ˈreidɔn] *s chem* radon (pierwiastek)

raffia [ˈræfiə] Ⅰ *s* rafia Ⅲ *attr* (*o koszyku, macie itd*) z rafii

raffish [ˈræfiʃ] *adj* ordynarny; łobuzerski; rozpustny; pochodzący z <należący do> szumowin

raffle[1] [ˈræfl] Ⅰ *s* loteria; † wenta (dobroczynna) Ⅲ *vt* sprzeda-ć/wać (coś) na loterii Ⅲ *vi* za/grać na loterii

raffle[2] [ˈræfl] *s zbior* 1. wybierki 2. męty społeczne; szumowiny

raft[1] [rɑːft] *s am* 1. mnóstwo; masa 2. tłum

raft[2] [rɑːft] Ⅰ *s* tratwa Ⅲ *vt* 1. spławi-ć/ać tratwą 2. przeprawi-ć/ać (się) tratwą (**a river etc.** przez rzekę itd.) 3. zbi-ć/jać tratwę (**logs** z okrąglaków) Ⅲ *vi* przeprawi-ć/ać się tratwą

rafter[1] [ˈrɑːftə] = **raftsman**

rafter[2] [ˈrɑːftə] Ⅰ *s bud* krokiew Ⅲ *vt* 1. krokwiować (dom) 2. s/pokładać <płytko z/orać> (pole), zastosować płytką orkę

raftsman [ˈrɑːftsmən] *s* (*pl* **raftsmen** [ˈrɑːftsmən]) flisak

rag[1] [ræg] *s* 1. szmata; gałgan; łachman; strzęp; skrawek <zrzynek> materiału; ~ **fair** tandeta, ciuchy; (*o mięsie*) **cooked to** ~**s** rozgotowany (na strzępy); **in** ~**s** a) (*o człowieku*) w łachmanach b) (*o przedmiocie*) w strzępach <rozdarty na strzępy>; **like a red** ~ **to a bull** jak czerwona płachta na byka; **not a** ~ **of** _ ani krzty... (czegoś); **not a** ~ **of evidence** (nie ma) najmniejszego dowodu 2. *pog* (*o gazecie itd*) szmata, szmatławiec 3. *pl* ~**s** łachy; ciuchy; **glad** ~**s** odświętne ubranie

rag[2] [ræg] *s* 1. gruboplytowy łupek 2. płyta łupkowa do krycia dachów

rag[3] [ræg] *v* (**-gg-**) Ⅰ *vt sl* 1. z/besztać; skrzyczeć; z/łajać 2. s/płatać figla <zrobić kawał> (**sb** komuś); dokucz-yć/ać (**sb** komuś); dla żartu wywr-ócić/acać wszystkie rzeczy do góry nogami (**sb** komuś) Ⅲ *vi* hałasować; zachow-ać/ywać się wrzaskliwie; z/robić harmider <rejwach> Ⅲ *s* harmider, rejwach

ragamuffin [ˈrægəˌmʌfin] *s* obszarpaniec; obdartus; oberwaniec; łapserdak

rag-and-bone [ˌrægənˈboun] *attr* ~ **man** gałganiarz; szmaciarz

rag-baby [ˈrægˌbeibi] *s* szmaciana lalka

rag-bag [ˈrægˌbæg] *s* worek na skrawki materiału

rag-bolt [ˈrægˌboult] *s techn* sworzeń ząbkowany; śruba fundamentowa z ostrogami

rag-doll [ˈrægˌdɔl] = **rag-baby**

rage [reidʒ] Ⅰ *s* 1. wściekłość; niepohamowany gniew; furia; pasja; **to be in a** ~ wściekać się; szaleć; **he flew into a** ~ wpadł w furię; poniosło go; napadła go wściekłość; *pot* cholera go wzięła 2. mania (**for sth** czegoś); pasja (**for sth** do czegoś); **all the** ~ ostatni krzyk mody; szał; **it was all the** ~ wszyscy za tym szaleli

<wariowali>; **to have a** ~ **for sb, sth** szaleć za kimś, czymś ⟨III⟩ *vi* 1. (*o człowieku, burzy, epidemii itd*) szaleć 2. wariować; wściekać się (**at** <**against**> sb na kogoś); **to** ~ **and fume** pienić się ze złości
~ **out** *vr* (*o wichurze itd*) ~ **itself out** wyszaleć się
zob **raging**

ragee ['rɑːdʒiː] = **raggee**

ragged ['rægid] *adj* 1. poszarpany; nierówny; chropowaty; wyszczerbiony; *bot* ~ **robin** firletka poszarpana 2. strzępiasty; postrzępiony 3. (*o ubiorze*) wystrzępiony; obszarpany 4. (*o człowieku*) obdarty, w łachmanach; ~ **school** (dawna) szkoła bezpłatna dla ubogich dzieci 5. (*o ruchach wioślarzy itd*) nierówny; niezgrany 6. (*o pracy, stylu*) niestaranny; nie wygładzony

raggedness ['rægidnis] *s* 1. łachmany; obszarpany <opłakany> stan (odzieży); stan obszarpania 2. nierówności; chropowatość; strzępiaste brzegi (czegoś) 3. brak wygładzenia <wykończenia, staranności> 4. (*u wioślarzy, zespołu muzycznego itd*) brak zgrania

raggee ['rɑːgiː] *s bot* eleuzyna, manneczka łęgowata (odmiana prosa)

raging ['reidʒiŋ] ⟨I⟩ *zob* **rage** *v* ⟨III⟩ *adj* szalejący; oszalały; wściekły; rozhukany

raglan ['ræglən] ⟨I⟩ *s kraw* raglan ⟨III⟩ *attr* (*o rękawie itd*) raglanowy

ragman ['rægmən] *s* (*pl* **ragmen** ['rægmən]) gałganiarz; szmaciarz

ragout [ræ'guː] *s kulin* potrawka, ragoût

rag-paper ['ræg,peipə] *s* papier ze szmat

rag-picker ['ræg,pikə] = **ragman**

ragstone ['ræg,stoun] *s miner* 1. łupek grubopłytowy 2. piaskowiec krzemionkowy

ragtag ['ræg,tæg] *s* (*także* ~ **and bob-tail**) tłuszcza; hołota; hałastra

rag-time ['ræg,taim] ⟨I⟩ *s* synkopowany rytm taneczny; synkopowana muzyka murzyńska ⟨III⟩ *attr* (*o armii itd*) operetkowy; śmiechu wart

ragweed ['ræg,wiːd] *s* 1. = **ragwort** 2. *bot* ambrozja

ragwheel ['ræg,wiːl] *s techn* koło zębate napędu łańcuchowego

ragwort ['ræg,wəːt] *s bot* starzec jakubek, krostawiec (ziele)

rahat lakoum ['ræhæt-lə'kuːm] *s* rachatłukum

raid [reid] ⟨I⟩ *s* 1. najazd 2. napad (bandycki) 3. obława (policyjna); łapanka 4. *wojsk* rajd 5. (*także* **air** ~) nalot ⟨III⟩ *vt* 1. naje-chać/żdżać (kraj, okolicę) 2. przeprowadz-ić/ać obławę <łapankę> (**a gambling den etc.** w jaskini gry itd.); dokon-ać/ywać napadu <rajdu, nalotu> (**a region etc.** na okolicę itd.)

raider ['reidə] *s* 1. najeźdźca; łupieżca 2. korsarz; pirat 3. *lotn* bombowiec

rail[1] [reil] ⟨I⟩ *s* 1. sztacheta; balas, balasek; słupek w balustradzie 2. parapet; balustrada; ogrodzenie; poręcz 3. drabina (na wozie) 4. (*u drzwi itd*) ramiak (poziomy) 5. wieszak 6. szyna (kolejowa itd.); *pl* ~s tor (kolejowy itd.); **by** ~ (posłać itd.) koleją; **off the** ~s a) (*o pociągu itd*) wykolejony b) *przen* zdezorganizowany; (*o pociągu*) **to leave the** ~s wykoleić się 7. *mar* nadburcie 8. *pl* ~s giełd akcje kolejowe ⟨III⟩ *vt* 1. (*także* ~ **in** <**round**>) ogr-odzić/adzać; odgr-odzić/adzać balu-

stradą <parapetem> 2. przew-ieźć/ozić <przes-łać/yłać> koleją
~ **off** *vt* odgr-odzić/adzać
zob **railing**

rail[2] [reil] *s zoo* derkacz

rail[3] [reil] *vi* 1. po/skarżyć <uskarżać, użal-ić/ać> się (**at sb, sth** na kogoś, coś) 2. złorzeczyć <urągać> (**at sb, sth** komuś, czemuś); lżyć (**at sb** kogoś); pomstować (**at sb, sth** na kogoś, coś) 3. szydzić <za/drwić> (**at sb, sth** z kogoś, czegoś)

rail-car ['reil,kɑː] *s am* 1. wagon silnikowy; luxtorpeda 2. wagon kolejowy

rail-chair ['reil,tʃeə] *s kolej* podkładka szynowa

railer ['reilə] *s* malkontent; człowiek wiecznie utyskujący

rail-fence ['reil,fens] *s am* płot; sztachety

rail-head ['reil,hed] *s* 1. końcowa stacja budującej się kolei 2. *wojsk* najbliższa stacja na zapleczu wojska

railing ['reiliŋ] ⟨I⟩ *zob* **rail**[1] *v* ⟨III⟩ *s* sztachety; ogrodzenie; balustrada

raillery ['reiləri] *s* drwiny; kpiny, pokpiwanie; szyderstwo

rail-mill ['reil,mil] *s techn* walcarka szyn

railroad ['reil,roud] ⟨I⟩ *s am* = **railway** *s* ⟨III⟩ *vt am* 1. popędzać 2. załatwi-ć/ać (coś) <uchwal-ić/ać (ustawę)> w trybie przyśpieszonym 3. pos-łać/yłać koleją 4. z/budować kolej żelazną (**a region** w okolicy) ⟨III⟩ *vi am* 1. podróżować koleją 2. pracować na kolei

railway ['reil,wei] ⟨I⟩ *s* kolej żelazna ⟨III⟩ *attr* (*o dworcu, wagonie, bilecie, torze itd*) kolejowy; (*o przedsiębiorstwie, budowie itd*) kolei żelaznej; **at** ~ **speed** w błyskawicznym tempie; w trybie przyśpieszonym ⟨III⟩ *vi* podróżować koleją

railway-cutting ['reilwei,kʌtiŋ] *s* podkop kolejowy

railway-embankment ['reilwei-im,bæŋkmənt] *s* nasyp kolejowy

railwayman ['reilweimən] *s* (*pl* **railwaymen** ['reil weimən]) kolejarz

raiment ['reimənt] *s poet* ubiór; szaty

⦙**rain** [rein] ⟨I⟩ *s* 1. deszcz; **in the** ~ na deszczu; ~ **or shine** bez względu na pogodę 2. *pl* **the** ~**s** a) pora deszczowa b) *mar* **the Rains** pas deszczowy na Atlantyku między 4 i 10° szerokości 3. *przen* deszcz (pocałunków, popiołu itd.); grad (pocisków, razów itd.) 4. *kino* (w zniszczonym filmie) deszcz; rysy ⟨III⟩ *vi* 1. (*o deszczu*) padać; lać 2. *przen* (*o pociskach, razach, nieszczęściach itd*) sypać się; (*o łzach*) ciec ⟨III⟩ *vt* 1. obsyp-ać/ywać (**benefits, flowers etc. on sb** kogoś dobrodziejstwami, kwiatami itd.), zasyp-ać/ywać (**invitations etc. on sb** kogoś zaproszeniami itd.) 2. okładać (**blows on sb** kogoś razami) 3. zarzuc-ić/ać (**missiles etc. on sb** kogoś pociskami itd.)

rain-bird ['rein,bəːd] *s zoo* zielony dzięcioł

rainbow ['rein,bou] *s* tęcza; *zoo* ~ **trout** pstrąg kalifornijski

rainbow-hued ['reinbou,hjuːd], **rainbow-tinted** [reinbou,tintid] *adj* tęczowy

raincoat ['rein,kout] *s* płaszcz nieprzemakalny, deszczowiec

raindrop ['rein,drɔp] *s* kropla deszczu <rz dżdżu>

rainfall ['rein,fɔːl] *s* 1. opad (deszczu); wysokość opadów 2. ulewa

rain-gauge ['rein,geidʒ] *s meteor* deszczomierz

rain-glass ['rein,glɑːs] *s* barometr
raininess ['reininis] *s* dżdżystość
rainless ['reinlis] *adj* bezdeszczowy
rainproof ['rein,pruːf] *adj* nieprzemakalny
rain-tight ['rein,tait] *adj* szczelny
rain-water ['rein,wɔːtə] *s* deszczówka, woda deszczowa
rain-worm ['rein,wəːm] *s zoo* dżdżownica
rainy ['reini] *adj* (**rainier** ['reiniə], **rainiest** ['rei niist]) 1. deszczowy; dżdżysty; słotny; ~ **weather** słota; *przen* **to lay by for** <**provide against**> a ~ **day** od-łożyć/kładać na czarną godzinę 2. *przen kino* ~ **film** porysowany film
raise [reiz] □ *vt* 1. podn-ieść/osić (kogoś, coś z ziemi itd., głos, cenę, kurz, kwestię, oczy, poziom czegoś itd.); **to** ~ **a claim** wn-ieść/ osić reklamację; zgł-osić/aszać pretensję; **to** ~ **dust** narobić krzyku <szumu>; **to** ~ **Cain** <**hell, the devil, mischief**> zrobić <wywołać> awanturę; **to** ~ **sb's spirits** podnieść kogoś na duchu 2. podwyższ-yć/ać; dźwig-nąć/ać <wydźwigać> z upadku 3. ustawi-ć/ać (drabinę, słup itd.) 4. najeżyć (sierść); nastroszyć (pióra); strzyc (**the ears** uszami) 5. wskrze-sić/szać (kogoś z martwych) 6. wypł-oszyć/aszać (zwierzynę) 7. s/powodować powstanie (**blisters** bąbli); nabi-ć/jać (**bumps** guzy); **to** ~ **steam** wytwarzać parę (w kotle) 8. wzn-ieść/osić <postawić/stawiać> (budynek, posąg itd.); z/budować 9. wy/hodować 10. uprawi-ć/ać (jarzyny itd.) 11. wychow-ać/ ywać (dzieci) 12. wzbudz-ić/ać (śmiech, nadzieje, podejrzenia itd.) 13. wyn-ieść/osić (kogoś na stanowisko itd.); osadz-ić/ać (kogoś na urzędzie itd.) 14. uchyl-ić/ać (**sth** czegoś — kapelusza, rąbka itd.) 15. wydoby-ć/wać (węgiel itd.); wypompow-ać/ywać (wodę) 16. wywoł-ać/ywać (burzę, zdziwienie, rumieniec itd.) 17. za/intonować <za/śpiewać> (pieśń itd.) 18. zwi-nąć/jać (obóz); odst-ąpić/ępować (**a siege** od oblężenia) 19. zn-ieść/osić (zakaz, embargo itd.) 20. zaczyni-ć/ać drożdżami (ciasto) 21. z/mobilizować <zebrać/zbierać> (armię, fundusze itd.); zaciąg-nąć/ać (pożyczkę); *sl* **to** ~ **the wind** wytrzasnąć forsę 22. na-łożyć/kładać <ściąg-nąć/ać, zebrać/zbierać> (podat-ek/ki) 23. *mar* ujrzeć <zobaczyć> (ląd) ze statku *zob* **raised** Ⅲ *s* 1. podwyżka (płac) 2. *karc* podn-iesienie/oszenie (staw-ki/ek, licytacji)
raised [reizd] □ *zob* **raise** *v* Ⅲ *adj* 1. podniesiony 2. podwyższony 3. wypukły 4. *arch* ~ **plan** elewacja 5'. (*o cieście*) drożdżowy
raiser ['reizə] *s* 1. *sport* sztangista; ciężarowiec 2. sprawca (buntu itd.) 3. hodowca 4. producent 5. drożdże 6. *bud* podstawka (schodka) 7. *auto* korbka do podnoszenia szyby okiennej 8. *techn* podnośnik
raisin ['reizn] *s* rodzynek
raison d'être ['reizɔ̃ːˈdeitr] *s* racja bytu
raj [rɑːdʒ] *s* (*w Indiach*) zwierzchnictwo
raja(h) ['rɑːdʒə] *s* (*w Indiach*) radża
rake[1] [reik] □ *s* 1. grabie, grabki 2. pogrzebacz; ożóg Ⅲ *vt* 1. zgrabi-ć/ać; zgarn-ąć/iać grabiami <grabkami>; po/grzebać (**with** w czymś); **to** ~ **clean** zgrabić liście <odpadki itd.> (**a lawn** etc. z trawnika itd.); **to** ~ **level** <**smooth**> wyrówn-ać/ywać grabiami <grabkami> 2. *przen* przetrząs-nąć/ać; przeszuk-ać/iwać; **to** ~ **one's mem-**

ory grzebać w pamięci 3. *wojsk* ostrzel-ać//iwać ogniem flankowym 4. przemierz-yć/ać wzrokiem 5. (*o oknie itd*) pozwalać ogarnąć wzrokiem Ⅲ *vi* grzebać (**in** <**into**> **sth** w czymś); przetrząs-nąć/ać (**among old records** etc. stare archiwa itd.)
~ **away** *vt* zgrabi-ć/ać (liście itd.)
~ **down** <**in**> *vt* zgarn-ąć/iać (grabiami <grabkami>)
~ **out** *vt* wygrzeb-ać/ywać; wygarn-ąć/iać; **to** ~ **out a fire** wygarn-ąć/iać popiół z ogniska <kominka>
~ **over** *vt* przegrzeb-ać/ywać (**sth with a rake** <**poker**> coś grabiami <pogrzebaczem>)
~ **together** *vt* zgarn-ąć/iać grabiami <grabkami>
~ **up** *vt* 1. zgrzeb-ać/ywać; zgarn-ąć/iać; zebrać/zbierać 2. odgrzeb-ać/ywać (przeszłość, wspomnienia itd.) 3. podgarn-ąć/iać <podniec-ić/ać> (ogień); pogrzebać (**the fire** w piecu)
rake[2] [reik] *s* hulaka; rozpustni-k/ca
rake[3] [reik] □ *s* 1. pochylenie; odchylenie od pionu 2. ukos; skos; odsadzenie (narzędzia, noża) Ⅲ *vi* nachyl-ić/ać <odchyl-ić/ać> się Ⅲ *vt* nachyl-ić/ać; odchyl-ić/ać
rake-off ['reik'ɔf] *s am pot* prowizja
raker ['reikə] *s* 1. robotni-k/ca zajęt-y/a grabieniem 2. *roln* grabiarka (maszyna)
rakish[1] ['reikiʃ] *adj* 1. hulaszczy; rozpustny 2. chwacki; dziarski; zawadiacki; zadzierzysty; (**with**) **his hat at a** ~ **angle** z kapeluszem (zawadiacko) na bakier
rakish[2] ['reikiʃ] *adj mar* (*o statku*) o smukłych liniach (budzący podejrzenie o korsarstwo)
rale [rɑːl] *s med* rzężenie
rally[1] ['ræli] *v* (**rallied** ['rælid], **rallied**; **rallying** ['ræliiŋ]) □ *vt* zebrać/zbierać (rozproszone wojsko, siły itd.); skupi-ć/ać (**partisans** etc. **round one** etc. stronników itd. dokoła siebie itd.); **to** ~ **one's wits** skupi-ć/ać myśli Ⅲ *vi* 1. zebrać/zbierać <skupi-ć/ać> się 2. zebrać/ zbierać <odzysk-ać/iwać> siły; przy-jść/chodzić do siebie (po chorobie itd.); otrząs-nąć/ać się (z lęku itd.); oprzytomnieć 3. *handl* (*o sytuacji*) ule-c/gać poprawie, poprawi-ć/ać się *zob* **rallying**[1] Ⅲ *s* 1. ponowne zebranie się <skupienie> (rozproszonego wojska itd.) 2. zbiórka 3. zjazd (partyjny itd.); zlot (harcerski itp.); rajd 4. powrót (do sił, zdrowia, przytomności); oprzytomnienie 5. ożywienie; poprawa (koniunktury itd.) 6. *boks tenis* szybka wymiana uderzeń
rally[2] ['ræli] *vt* (**rallied** ['rælid], **rallied**, **rallying** ['ræliiŋ]) za/kpić <pokpiwać, naśmiewać się, naigrawać się> (**sb** z kogoś) *zob* **rallying**[2]
rallying[1] ['ræliiŋ] □ *zob* **rally**[1] *v* Ⅲ *attr* (*o punkcie*) zborny
rallying[2] ['ræliiŋ] □ *zob* **rally**[2] Ⅲ *adj* kpiarski; szyderczy, drwiący
▲**ram** [ræm] □ *s* 1. *zoo* tryk, baran 2. *astr* Baran 3. taran 4. *techn* baba ręczna; kafar; tłok; zapychak; (*w koksowni*) wypycharka Ⅲ *vt* (**-mm-**) 1. ubi-ć/jać (ziemię itd.) 2. ubi-ć/jać ziemię (**a post** u podstawy <dokoła> słupka); um-ocnić/ acniać (słup itd.); ugni-eść/atać ziemię (**a plant** dokoła świeżo posadzonej rośliny) 3. up-chać/ ychać; **to** ~ **sth home** wtł-oczyć/aczać coś

(komuś, ludziom) do głowy; **to ~ sth into** __
wepchnąć/wpychać <wtł-oczyć/aczać coś do
...; **to ~ sth into sb** wbi-ć/jać <wtł-oczyć/
aczać> coś komuś do głowy 4. bić taranem <ba-
bą ręczną, kafarem itd.> **(sth w coś)**; uderz-yć/
ać <wal-nąć/ić> **(one's head etc. against sth**
głową itd. o coś); zderzyć się **(a car z samochodem)**; najechać **(a car na samochód); to ~
sth down sb's throat** zanudzać kogoś czymś
~ down *vt* 1. ubi-ć/jać (ziemię, kamienie)
2. um-ocnić/acniać (słup itd.) 3. wgni-eść/
atać; **to ~ one's hat down on one's head**
wbi-ć/jać sobie kapelusz na głowę
~ in *vt* wbi-ć/jać
~ up *vt* zat-kać/ykać; ut-kać/ykać
Ramadan [ˌræmə'dɑːn] *s* (*u mahometan*) ramadan <ramazan> (miesiąc wielkiego postu)
ramal ['reiməl] *adj bot* gałązkowy
ramble ['ræmbl] ☐ *vi* 1. po/wędrować; po/włó-
czyć się; pójść/chodzić na wycieczk-ę/i <wę-
drówk-ę/i, włóczęgę>; odby-ć/wać <z/robić>
wycieczk-ę/i <wędrówk-ę/i> 2. mówić <pisać>
bez związku; przeskakiwać z tematu na temat
3. (*o roślinie*) piąć się; pełzać *zob* **rambling** ☐
s 1. wędrówka; wycieczka; włóczęga; **to go for
a ~ = to ~** *vi* 1. 2. mowa nie powiązana
<bez związku, chaotyczna, bezładna>; przeska-
kiwanie z tematu na temat
rambler ['ræmblə] *s* 1. wycieczkowicz; wędrowiec 2, pnącze, pnąca roślina 3. pnąca róża
rambling ['ræmblij] ☐ *zob* **ramble** *v* ☐ *adj* 1. wędrowny; wędrujący; (*o człowieku*) na wycieczce
<wędrówce> 2. (*o mowie*) bez związku 3. (*o ro-
ślinie*) pnący 4. (*o ulicy*) kręty, wijący się 5.
(*o domu*) zbudowany bez jednolitego planu
rambunctious [ræm'bʌŋkʃəs] *adj pot* kłótliwy;
swarliwy; wrzaskliwy; hałaśliwy
rambutan [ræm'buːtən] *s* 1. *bot* bliźniarka łapano-
wata (drzewo rosnące w Indiach) 2. owoc bliź-
niarki łapanowatej
ramekin, ramquin ['ræmikin] *s kulin* rodzaj ser-
nika <serowca>
ramie ['ræmiː] *s* 1. *bot* rami 2. włókno pokrzywy
chińskiej 3. materiał <papier itd.> z włókna
pokrzywy chińskiej
ramification [ˌræmifi'keiʃən] *s* 1. rozgałęzienie;
rozwidlenie; **the ~s of a plot** wątek intrygi
<fabuły> 2. gałąź; konar; odnoga; odgałęzienie
ramify ['ræmiˌfai] *vi* (**ramified** ['ræmiˌfaid], **ramified; ramifying** ['ræmiˌfaiiŋ]) 1. rozgałęziać
<rozwidlać, rozchodzić> się 2. odgałęziać się
rammer ['ræmə] *s* baba ręczna; kafar; ubijak;
stępor
rammish [ræmiʃ] *adj* cuchnący
ramose [rə'mous] *adj* rozgałęziony
ramp[1] [ræmp] ☐ *vi* 1. *herald* (*o lwie itd*) stać
<wspinać się> na tylnych łapach 2. *żart* (*o czło-
wieku*) wściekać się; szaleć 3. (*o murze itd*)
wznosić się <opadać> pochyło (od jednego poziomu do drugiego) ☐ *vt* z/budować (mur itp.)
pochyło; nada-ć/wać nachylenie (**a wall etc.**
murowi itd.) ☐ *s* 1. nachylenie (muru itd.)
2. rampa (kolejowa); ładownia 3. *bud* krzy-
wizna wklęsła balustrady schodowej
ramp[2] [ræmp] ☐ *vi sl* oszuk-ać/iwać ☐ *vt* wy-
mu-sić/szać pieniądze (**sb od kogoś**); szantażo-
wać ☐ *s* 1. oszustwo 2. wymuszanie pieniędzy;

szantaż 3. wyśrubowanie cen 4. wyśrubowane
ceny
rampage [ræm'peidʒ] ☐ *s* miotanie się w szale
<w pasji>; **to be on the ~ = to ~** *vi* ☐ *vi*
miotać <pieklić> się; szaleć; zachow-ać/ywać się
jak szaleniec
rampageous [ræm'peidʒəs] *adj* gwałtowny; szaleńczy; opętańczy
rampageousness [ræm'peidʒəsnis] *s* 1. furia; szał
2. szaleńcze <opętańcze> zachowanie
rampancy ['ræmpənsi] *s* 1. gwałtowność; niepohamowanie; rozpasanie; nieokiełznanie 2. wybujałość
rampant ['ræmpənt] *adj* 1. *herald* (*o lwie itd*)
w pozycji stojącej 2. gwałtowny; rozpasany;
niepohamowany; nieokiełznany; **to be ~** (*o nałogu itd*) szerzyć się; (*o głodzie, epidemii itd*)
srożyć się, panować 3. (*o roślinie itd*) bujny, wybujały; **to be ~** wybujać 4. *arch* (*o łuku*) wspięty
rampart ['ræmpɑːt] ☐ *s* 1. *fort* wał (obronny); parapet 2. *przen* osłona ☐ *vt* obwałować
rampion ['ræmpjən] *s bot* dzwonek jednostronny
ramquin *zob* **ramekin**
ramrod ['ræmˌrod] *s* wycior
ramshackle ['ræmˌʃækl] *adj* zrujnowany; zdeze-
lowany; rozklekotany; walący się; w opłakanym
stanie; w ruinie
ramson ['ræmsən] *s bot* czosnek niedźwiedzi
ran *zob* **run** *v*
rance [ræns] *s* gatunek kolorowego marmuru
ranch [rɑːntʃ] ☐ *s am* rancho; farma <gospo-
darstwo> hodowlan-a/e ☐ *vi* prowadzić rancho
<farmę, gospodarstwo hodowlane>
rancher ['rɑːntʃə] *s* ranchero; farmer; właściciel
gospodarstwa hodowlanego
rancid ['rænsid] *adj* zjełczały
rancidity [ræn'siditi], **rancidness** ['rænsidnis] *s*
zjełczałość
rancorous ['ræŋkərəs] *adj* 1. urażony; rozgory-
czony; rozżalony 2. zawzięty 3. złośliwy
rancour ['ræŋkə] *s* 1. uraza; rozgoryczenie; żal;
animozja 2. złośliwość
rand [rænd] *s* 1. skraj; brzeg 2. (*u bucika*) glo-
nek (część podeszwy)
randan[1] ['rændən] *s* łódź czterowiosłowa obsa-
dzona trzema wioślarzami
randan[2] ['rændən] *s* zabawa; pohulanka; **to be on
the ~** bawić się; hulać
random ['rændəm] ☐ *s w zwrocie*: **at ~** na
chybił trafił; na los szczęścia; na ślepo; wy-
rywkowo; (walić) gdzie popadnie; (strzelać) z
zamkniętymi oczami; (mówić) co ślina na język
przyniesie ☐ *adj* pierwszy lepszy; przypadkowy; wyrywkowy; nie wybierany; nie obmyślony; nie planowany; **a ~ bullet** zabłąkana kula
randy ['rændi] *adj* 1. krzykliwy; hałaśliwy; 2.
szkoc (*o zwierzęciu*) niespokojny 3. pożądliwy;
lubieżny
ranee [rɑː'niː] *s* (*u Hindusów*) rani
rang *zob* **ring**[2] *v*
▲**range** [reindʒ] ☐ *vt* 1. ustawi-ć/ać; uszeregować;
u/szykować; ułożyć/układać; dob-rać/ierać 2.
wy/prostować; wyrówn-ać/ywać 3. zalicz-yć/ać
(**among __ do ...** — danej klasy <kategorii itd.>)
4. po/sortować 5. przebie-c/gać <obl-ecieć/aty-
wać> (miasto itd.); przeje-chać/żdżać (kraj itd.)
6. (*o rzece itd*) biec <płynąć> (**sth wzdłuż cze-

goś); (o drodze itd) biec, ciągnąć się (a forest etc. wzdłuż lasu itd.) III vr ~ oneself 1. ustawi-ć/ać się; sta-nąć/wać (on the side of __ po stronie ... czyjeś) 2. ustatkować się III vi 1. sięgać <ciągnąć się, rozciągać się> (from ... to __ od ... do ...); wahać się (from __ to __ w granicach od ... do ...) 2. (o gatunkach roślin, zwierząt itd) mieć swe środowisko; znajdować <spotykać, trafiać> się (w pewnych okolicach, warunkach itd.) 3. stać <dać się ustawić> w jednej linii (with __ z ...) 4. zaliczać się (among __ do ...) 5. przebie-c/gać (over __ przez ...); (o badaniach itd) ob-jąć/ejmować (over a field pewien teren <jakąś przestrzeń, dziedzinę>) 6. (o broni palnej) nieść (over __ na odległość ...); (o pocisku) sięgać (over __ na odległość ...); V s 1. rząd <szereg> (budynków itd.); pasmo <pas> (gór itd.) 2. kierunek; położenie; in ~ with __ w <na> jednej linii z ... 3. teren (polowania, wypasu itd.) 4. środowisko (rośliny itd.); strefa 5. dziedzina; zakres; krąg (zainteresowań itd.); wachlarz (zagadnień itd.); pole (działania); teren (badań) 6. zasięg; rozpiętość; skala; gama; granice; przestrzeń; ~ of vision widnokrąg; to be within the ~ of __ być <leżeć> w granicach ... (czegoś) <w zasięgu ... (czyimś, czegoś)>; być dostępnym dla ... (kogoś); to be beyond <out of> the ~ of sb być niedostępnym <nieosiągalnym> dla kogoś 6. kuchenka (gazowa itd.); piec kuchenny 7. strzelnica; poligon (artyleryjski)

range-finder [ˈreindʒˌfaində] s artyl dalekomierz; dalmierz; odległościomierz

ranger [ˈreindʒə] s 1. obieżyświat 2. konserwator parku królewskiego 3. am **Ranger** komandos; desantowiec 4. pl wojsk **Rangers** konna formacja wywiadowcza

rangy [ˈreindʒi] adj (**rangier** [ˈreindʒiə], **rangiest** [ˈreindʒiist]) 1. (o koniu) smukły; długonogi 2. przestronny; obszerny 3. górzysty

rani [rɑːˈniː] = **ranee**

ranine [ˈreinain] adj anat podjęzykowy

rank¹ [ræŋk] s 1. rząd; szereg; pot ogonek, kolejka; wojsk szereg; the ~s, the ~ and file a) wojsk szeregowi; żołnierze b) przen szara masa (społeczeństwa itd.); przeciętny obywatel; to break ~s z/łamać szeregi; to fall into ~ stanąć w szeregu; to reduce to the ~s z/degradować do stopnia szeregowca; to rise from the ~s a) wyjść z szeregów b) przen wybić się 2. ranga; stanowisko; warstwa społeczna; klasa; sfera; of the first ~ pierwszorzędny; of the second ~ drugorzędny 3. arystokracja; ~ and fashion wytworny świat 4. (także **cab-~**, **taxi-~**) miejsce postoju dorożek <taksówek> III vt 1. ustawi-ć/ać (żołnierzy); wyrówn-ać/ywać 2. zaszeregow-ać/ywać; zalicz-yć/ać (among __ do ...) 3. nada-ć/wać rangę (sb komuś) 4. am mieć pierwszeństwo (sb przed kimś) III vi 1. zaliczać się (among __ do ...) 2. liczyć się (as __ jako ...) 3. zajmować (dane) miejsce w hierarchii społecznej <(daną) pozycję społeczną>; stać na równi (with __ z ...); to ~ above <before> sb mieć pierwszeństwo przed kimś; być starszym (rangą) od kogoś; to ~ below <after> sb ustępo-

wać pierwszeństwo komuś; być młodszym rangą od kogoś

~ off vi rusz-yć/ać z miejsca
~ past vi prze/defilować

rank² [ræŋk] adj 1. wybujały; to grow ~ wybujać; rozr-óść/astać się 2. (o glebie) zbyt <zanadto> żyzny; tłusty 3. zjełczały; cuchnący; to smell ~ cuchnąć 4. ordynarny; wstrętny; obrzydliwy; bezwstydny 5. (o złodzieju, idiocie itd) kompletny, całkowity; skończony; (o skandalu itd) prawdziwy <krzyczący>; (o kłamstwie itd) ordynarny, bezczelny; oczywisty, wierutny, istny

ranker [ˈræŋkə] s oficer, który rozpoczął służbę od szeregowca

rankle [ˈræŋkl] vi 1. (o ranie itd) jątrzyć się; ropieć 2. sprawiać ból; to ~ in sb's mind <heart> dręczyć kogoś; napełni-ć/ać komuś serce goryczą; jątrzyć <toczyć, nurtować> czyjeś serce; rozgorycz-yć/ać kogoś

rankness [ˈræŋknis] s 1. wybujałość 2. smród 3. zjełczałość 4. ordynarność; bezczelność

ransack [ˈrænsæk] vt 1. przetrząs-nąć/ać; przeszuk-ać/iwać; przerzuc-ić/ać; grzebać (one's memory w pamięci) 2. s/plądrować

ransom [ˈrænsəm] I s 1. okup; to hold sb to ~ na-łożyć/kładać okup na kogoś; przen a king's ~ bajońskie sumy 2. rel odkupienie <wybawienie> (ludzkości) III vt 1. za/płacić okup (sb za kogoś) 2. rel odkup-ić/ywać 3. za/żądać okupu (sb za kogoś) 4. uw-olnić/alniać za okupem

rant [rænt] I vi vt za/deklamować <wygł-osić/aszać> z patosem III s tyrada; deklamowanie; bombastyczna mowa

ranter [ˈræntə] s deklamator/ka

ranula [ˈrænjulə] s med żabka, torbiel podjęzykowa

ranunculus [rəˈnʌŋkjuləs] s (pl **~es**, **ranunculi** [rəˈnʌŋkjuˌlai]) bot jaskier

rap¹ [ræp] I s 1. kuks, kuksaniec, szturchaniec; to give sb a ~ on the head szturchnąć <trzasnąć, palnąć, grzmotnąć> kogoś w głowę; to give sb a ~ on the knuckles a) dosł da-ć/wać komuś po palcach b) przen dać komuś nauczkę 2. za/pukanie (at the door do drzwi); we heard a ~ at the door usłyszeliśmy, że ktoś puka <stuka> do drzwi III vt (-pp-) 1. za/stukać (the table etc. w stół itd.); to ~ sb's knuckles <sb on the knuckles> a) dosł da-ć/wać komuś po palcach b) przen dać komuś nauczkę 2. sl ostro s/krytykować III vi (-pp-) 1. za/pukać (at the door do drzwi); za/stukać (on the table w stół) 2. kląć; pomstować
~ out vt 1. powiedzieć bez namysłu; to ~ out an oath zakląć 2. (w seansie spirytystycznym) wystukać (słowo itd.)

rap² [ræp] s 1. hist irlandzka moneta groszowej wartości 2. odrobina; not a ~ ani trochę, nic a nic; I don't care a ~ kpię (sobie) z tego; gwiżdżę na to

rap³ [ræp] s motek przędzy (= 120 jardów)

rapacious [rəˈpeiʃəs] adj 1. dosł i przen drapieżny 2. (o człowieku) chciwy; zachłanny; łupieżczy

rapaciousness [rəˈpeiʃəsnis], **rapacity** [rəˈpæsiti] s 1. dosł i przen drapieżność 2. chciwość, zachłanność

rape¹ [reip] I s 1. porwanie (kobiety); uprowadzenie 2. zgwałcenie; gwałt; polit pogwałcenie neutralności 3. zabór [II] *vt* 1. *poet* por--wać/ywać (kobietę) 2. z/gwałcić; *polit* po/gwałcić neutralność (**a country** kraju)

rape² [reip] *s bot* 1. rzepak 2. rzepa pastewna

rape³ [reip] *s* okręg administracyjny hrabstwa Sussex

rape⁴ [reip] *s* wytłoczyny z winogron; **~ wine** wino z wytłoczyn gronowych

rape-cake ['reip,keik] *s* makuch rzepakowy

rape-oil ['reip,ɔil] *s* olej rzepakowy

rape-seed ['reip,si:d] *s* siemię <nasienie> rzepakowe

Raphaelesque [,ræfeiə'lesk] *adj* rafaelowski

raphe ['reifi:] *s* (*pl* **raphae** ['reifi:]) *anat* szew

raphia ['ræfiə] *s bot* rafia

rapid ['ræpid] [I] *adj* 1. szybki; bystry; prędki; (*o rzece*) rwący; (*o prądzie*) wartki; (*o ogniu artyleryjskim itp*) nieprzerwany; (*o wydarzeniach itd*) **in ~ succession** szybko po sobie następujące 2. stromy; stromo opadający [II] *s* (*zw pl*) (*na rzece*) bystrzyna <katarakta, progi>; **to shoot the ~s** przeje-chać/żdżać <jeździć, mknąć> (kajakiem itd.) po bystrzu; spłynąć (kajakiem) przez wodospad <przez kataraktę>

rapid-fire ['ræpid,faiə] *attr*, **rapid-firing** ['ræpid,faiəriŋ] *adj* (*o dziale*) szybkostrzelny

rapidity [rə'piditi] *s* szybkość; prędkość; bystrość (prądu itd.); rwący nurt (rzeki)

rapier ['reipjə] *s* rapier; **~ thrust** a) pchnięcie rapierem b) *przen* wbicie szpilki; cięta uwaga; docinek

rapine ['ræpain] *s* grabież

rapparee [,ræpə'ri:] *s* 1. *hist* irlandzki pikinier 2. rozbójnik; rabuś

rappee [rə'pi:] *s* pospolity gatunek tabaki

rapper ['ræpə] *s* 1. kołatka (u drzwi) 2. wielkie kłamstwo

rapport [ræ'pɔ:] *s* stosunek wzajemny; kontakt; porozumienie; **to be in ~ with sb** być <pozostawać> w kontakcie <porozumiewać się, utrzymywać stosunki> z kimś

rapprochement [ræ'prɔʃmã:] *s polit* zbliżenie (dwóch krajów itd.)

rapscallion [ræp'skæljən] † *s* łotr, szubrawiec, kanalia, szelma, łajdak

rapt [ræpt] *adj* 1. porwany; *bibl* (*także* **~ away** <**up**>) żywcem wzięty (do nieba) 2. zachwycony; (będący) w zachwycie <w ekstazie>; oczarowany; urzeczony; wniebowzięty 3. pochłonięty; zaabsorbowany; zatopiony (w myślach) 4. (*o uwadze*) napięty, wytężony, skupiony 5. (*o zainteresowaniu*) głęboki, najwyższy

raptores [ræp'tɔ:ri:z] *spl zoo* ptaki drapieżne

raptorial [ræp'tɔ:rjəl] *adj zoo* drapieżny

rapture ['ræptʃə] *s* 1. zachwyt; uniesienie; ekstaza; upojenie; **to be in ~s** upajać <zachwycać> się (**over sb, sth** kimś, czymś); **to go into ~s** zachwycać <entuzjazmować> się (**over sb, sth** kimś, czymś); unosić się (**over sb, sth** nad kimś, czymś); **to throw into ~s** por-wać/ywać; zachwyc-ić/ać; wywoł-ać/ywać uniesienie (**sb** czyjeś) 2. *bibl* wzięcie żywcem (do nieba)

raptured ['ræptʃəd] *adj* zachwycony; w ekstazie; w upojeniu

rapturous ['ræptʃərəs] *adj* entuzjastyczny; frenetyczny; (*o okrzykach itd*) zachwytu <uniesienia>

rara avis ['reərə'eivis] *s* (*pl* **rarae aves** ['reəri:'eivi:z]) rzadkość; biały kruk

rare¹ [rɛə] *adj am* (*o mięsie*) na pół surowy, nie dosmażony

rare² [rɛə] [I] *adj* 1. rzadki; niezwykły; rzadko spotykany; **it is ~ for sb to —** rzadko się zdarza, żeby ktoś ...; *chem* **~ earths** ziemie rzadkie 2. (*o powietrzu itd*) rzadki, rozrzedzony 3. *chem* (*o gazie*) szlachetny 4. niezwykły; nadzwyczajny; *pot* (*o zabawie itd*) byczy; kapitalny; świetny; pierwszorzędny [II] *adv* rzadko; niezwykle

rarebit ['rɛəbit] *s* grzanki smażone z serem

raree-show ['rɛəri:,ʃou] *s* skrzynka osobliwości

rarefaction [,rɛəri'fækʃən] *s* rozrzedzenie; rozcieńczenie

rarefiable [,rɛəri'faiəbl] *adj* rozcieńczalny; dający się rozrzedzić

rarefy ['rɛəri,fai] *v* (**rarefied** ['rɛəri,faid], **rarefied; rarefying** ['rɛəri,faiiŋ]) [I] *vt* 1. rozrzedz--ić/ać; przerzedz-ić/ać; rozcieńcz-yć/ać 2. wy/subtylizować 3. oczy-ścić/szczać; rafinować [II] *vi* rozrzedz-ić/ać <rozcieńcz-yć/ać> się; z/rzednąć, z/rzednieć; przerzedz-ić/ać się

rareness ['rɛənis] *s* 1. rzadkość; niezwykłość 2. rozrzedzenie (powietrza itd.)

rareripe ['rɛə,raip] *s* wczesny <wcześnie dojrzewający> owoc

rarity ['rɛəriti] *s* 1. rzadkość <niezwykłość> (zjawiska itd.) 2. rozrzedzenie (powietrza itd.) 3. (*o przedmiocie, zjawisku itd*) rzadkość; osobliwość; rarytas

rascal ['rɑ:skəl] [I] *s* łot-r/rzyca; szubrawiec; kanalia; szelma; łajda-k/czka; *żart* gałgan, łobuz, urwis [II] *adj* **the ~ rout** motłoch; hałastra

rascaldom ['rɑ:skəldəm] *s* 1. *zbior* hołota; hałastra; szelmy 2. łotrostwo; szelmostwo; łajdactwo

rascality [rɑ:s'kæliti] = **rascaldom** 2.

rascally ['rɑ:skəli] *adj* łajdacki; łotrowski; szelmowski

rase *zob* **raze**

rash¹ [ræʃ] *adj* 1. nierozważny, nieroztropny; nie przemyślany; niebaczny; pochopny 2. brawurowy; zuchowaty; junacki

rash² [ræʃ] *s med* wysypka, rumień (przedospowy), osutka

rasher ['ræʃə] *s* plasterek (bekonu itd.); płat <płatek> (mięsa itd.)

rashness ['ræʃnis] *s* 1. brak rozwagi; nieroztropność; pochopność 2. brawura, zuchowatość, junactwo

rasp [rɑ:sp] [I] *s* 1. tarnik, raszpla; *med* nożyk do skrobania, skrobaczka 2. zgrzyt; zgrzytanie 3. *myśl* trudna przeszkoda (dla konia) [II] *vt* 1. piłować tarnikiem <raszplą>; zeskrob-ać/ywać; zedrzeć/zdzierać 2. *dosł i przen* ura-zić/żać [III] *vi* 1. za/zgrzytać; *przen* rzępolić (**on a violin** na skrzypcach) 2. mówić chrapliwym <zgrzytliwym> głosem

~ away <**off**> *vt* s/piłować tarnikiem <raszplą>; zeskrob-ać/ywać <zedrzeć/zdzierać, zetrzeć/ścierać> (tarką, raszplą)

zob **rasping**

raspatory ['rɑ:spətəri] *s chir* skrobaczka, raspator (narzędzie)

raspberry ['rɑ:zbəri] [I] *s* 1. *bot* malina; **~ bush, ~-canes** krzew malinowy 2. *sl* pogardliwe prychnięcie; **to give sb the ~** powiedzieć komuś,

że się go ma gdzieś <w pięcie> 3. odprawa ⫿
attr (*o soku itd*) malinowy

rasper ['rɑːspə] *s* 1. tarnik; tarka 2. *myśl pot*
trudna przeszkoda (dla konia)

rasping ['rɑːspiŋ] ⫿ *zob* **rasp** *v* ⫿ *adj* zgrzytliwy
⫿ *spl* ~**s** opiłki

rasse ['ræsi] *s zoo* zwierzę z grupy łaszowatych
żyjące w Indochinach i na Malajach

▲**rat**[1] [ræt] ⫿ *s* 1. szczur; **to clear of** ~**s** od-
szczurz-yć/ać; **to smell a** ~ podejrzewać coś;
zwąchać <po/czuć> pismo nosem; **like a drown-
ed** ~ (przemoczony) do nitki; jak zmokła kura 2. *pl* ~**s!** *sl* bzdura!; gdzie tam!; niemożliwe!; idźże, idźże! 3. *polit* zaprzaniec; sprzedawczyk 4. łamistrajk 5. robotnik pracujący za
wynagrodzenie niższe od ustalonego przez związek zawodowy 6. (*o człowieku*) nędzna kreatura
⫿ *vi* (**-tt-**) 1. polować na <łapać> szczury 2.
polit zdradz-ić/ać, zmieni-ć/ać front; zaprzeda-ć/
wać się 3. łamać strajk

rat[2] [ræt] = **drat**

rata ['reitə] *s bot* żeleźniak, rozdręb (drzewo rosnące w Nowej Zelandii)

ratable ['reitəbl] *adj* 1. proporcjonalny 2. podlegający opodatkowaniu; **to be** ~ podlegać opodatkowaniu; ~ **value** = **ratal**

ratafia [,rætə'fiə], **ratafee** [,rætə'fiː] *s* 1. ratafia
2. placek migdałowy

ratal ['reitəl] *s* stopa podatkowa

ratan [rə'tæn] = **rattan**

rataplan [,rætə'plæn] ⫿ *s* werbel; tryl na bębnie
⫿ *vi* (**-nn-**) za/bębnić

rat-catcher ['ræt,kætʃə] *s* 1. odszczurzacz (człowiek) 2. *sl* zwykły strój do konnej jazdy noszony podczas polowania par force (zamiast
tradycyjnej czerwonej kurtki)

ratch [rætʃ] = **ratchet-wheel**

ratchet ['rætʃit] ⫿ *s* (*także* ~**-and-pawl mechanism**) *techn* urządzenie zapadkowe ⫿ *vt*
techn zaopat-rzyć/rywać (koło) w urządzenie
zapadkowe

ratchet-wheel ['rætʃit,wiːl] *s techn* koło zapadkowe

▲**rate**[1] [reit] ⫿ *s* 1. stosunek (liczbowy, ilościowy);
proporcja 2. tempo; szybkość; prędkość; **at a
great** ~ w szalonym tempie; **at that** ~ a) przy
takim tempie b) w takim wypadku c) w ten
sposób; **at the** ~ **of** *x* **miles an hour** w tempie <z szybkością> *x* mil na godzinę 3. norma;
stawka; **accident** ~ przeciętna liczba wypadków, wypadkowość; **birth** ~ wskaźnik urodzeń;
death ~ śmiertelność, wskaźnik umieralności
4. taryfa; cena; stawka; kurs (wymiany itd.);
5. stopa (podatkowa, procentowa, życiowa itd.);
at any ~ w każdym razie; bądź co bądź;
przynajmniej 6. wskaźnik (wydajności itd.);
zdolność (produkcyjna itd.) 7. podatek (lokalny,
miejski, samorządowy); opłata 8. klasa; kategoria; rodzaj; gatunek 9. ocena; oszacowanie;
am szk ocena postępów; klasyfikacja ⫿ *vt* 1.
o/szacować <oceni-ć/ać, ustal-ić/ać> wartość (**sth**
czegoś) (**at** _ na ... _ daną kwotę); **to** _
a person high wysoko cenić człowieka 2. uważać (**sb as** _ kogoś za ...); zalicz-yć/ać (**sb, sth
among** _ kogoś, coś do ...) 3. opodatkować
4. s/klasyfikować ⫿ *vi* być <zostać> zaliczonym
(**as** _ do ... _ danej kategorii) *zob* **rating**[1]

rate[2] [reit] ⫿ *vt* wy/łajać, z/gromić, o/fuknąć,
fukać, s/karcić ⫿ *vi* skrzyczeć (**at sb** kogoś);
krzyczeć (**at sb** na kogoś) *zob* **rating**[2]

rate[3] [reit] = **ret**

rateable ['reitəbl] = **ratable**

rate-aided ['reit,eidid] *adj* subwencjonowany z podatków lokalnych <miejskich, samorządowych>

ratel ['reitel] *s zoo* miodożer ratel (czworonożne
zwierzę Afryki płd.)

rate-payer ['reit,peiə] *s* podatnik (płacący podatki
lokalne)

rater ['reitə] *s* taksator

rath [ræθ] † *s irl* przedhistoryczna twierdza

rathe [reið] *adj poet* wcześnie dojrzewający <kwit-
nący>, wczesny

rather ['rɑːðə] *adv* 1. raczej; **I** <**he etc.**> **would**
<**had**> ~ wolę <on itd. woli>; wolałbym <on itd.
wolałby>; **the** ~ **that** _ tym bardziej, że ...
2. właściwie; ściśle mówiąc; na dobrą sprawę; prawdę powiedziawszy 3. dość <wcale>
(dobry, ładny, duży itd.) 4. nieco <cokolwiek,
odrobinę> (grubszy, ładniejszy itd.) 5. poniekąd;
do pewnego stopnia 6. *przy czasowniku:* **I** ~
like this nie powiem, żeby mi się to nie podobało; moim zdaniem to (jest) niebrzydkie
<niezłe>; **I** ~ **think that** _ skłonny jestem
uważać <takie mam wrażenie>, że ...; **to be** ~
inclined to _ skłaniać się ku ... 7. prędzej
<chętniej, raczej> (**than** _ niż ...); ~ **than**
zamiast 8. *pot wykrzyknikowo w odpowiedziach:*
['rɑː'ðəː] ~**!** jeszcze jak!; myślę!; jużci!; ['rɑː
ðə] ~ **not!** skąd?!; bynajmniej!; nigdy w życiu!, za nic w świecie!

ratheripe ['rɑːðə,raip] = **rareripe**

ratification [,rætifi'keiʃən] *s* ratyfikacja; ratyfi-
kowanie

ratify ['ræti,fai] *vt* (**ratified** ['ræti,faid], **ratified,
ratifying** ['ræti,faiiŋ]) ratyfikować, zatwierdz-
-ić/ać

rating[1] ['reitiŋ] ⫿ *zob* **rate**[1] *v* ⫿ *s* 1. oszacowanie; ocena 2. oznacznik; wskaźnik; *techn*
wartość znamionowana 3. opodatkowanie 4. klasyfikacja 5. klasa; kategoria 6. *mar* marynarz
7. *mar* specjalność (marynarza)

rating[2] ['reitiŋ] ⫿ *zob* **rate**[2] ⫿ *s* zbesztanie; nagana; bura

ratio ['reiʃi,ou] *s* 1. stosunek (liczbowy, ilościowy
itd.); współczynnik; **in direct** <**inverse**> ~ w
stosunku wprost <odwrotnie> proporcjonalnym;
in the ~ **of** *x* **to** *y* w stosunku jak *x* do *y*
2. wskaźnik 3. *techn* przekładnia

ratiocinate [,ræti'ɔsi,neit] *vi* rozumować

ratiocination [,ræti,ɔsi'neiʃən] *s* rozumowanie

ration ['ræʃən] ⫿ *s* 1. racja (żywnościowa itd.);
przydział; porcja; **to put** (**the population etc.**)
on (**short**) ~**s** ogranicz-yć/ać (ludności itd.) ra-
cje żywnościowe; ~ **card** <**book**> karta <ksią-
żeczka> żywnościowa 2. *pl* ~**s** aprowizacja ⫿
vt 1. z/racjonować; u/normować; ogranicz-yć/ać;
wydzielać <sprzedawać> na kartki <talony>; **to**
~ **out sth** wydziel-ić/ać coś; **to** ~ **sb in sth**
ogranicz-yć/ać komuś coś (żywność itd.)

rational ['ræʃnl] ⫿ *adj* 1. (*o stworzeniu itd*) rozumny, obdarzony rozumem 2. racjonalny; sensowny; rozsądny 3. wymierny ⫿ *s* 1. rozumne
stworzenie 2. *pl* ~**s** praktyczny strój <ubiór>

rationale [ræʃiə'nɑːli] s 1. racja bytu 2. wywód rozumowy; racjonalne <rozumowe> uzasadnienie
rationalism ['ræʃnə,lizəm] s racjonalizm
rationalist ['ræʃnəlist] s racjonalist-a/ka
rationalistic [,ræʃnə'listik] adj racjonalistyczny
rationalization ['ræʃnəlai'zeiʃən] s racjonalizacja; usprawnienie
rationalize ['ræʃnə,laiz] vt z/racjonalizować; u-sprawni-ć/ać
ratite ['rætait] adj zoo (o ptaku) bezgrzebienio-wy; the ~ birds bezgrzebieniowce
ratlin(e) ['rætlin] s mar wyblinka, szczebel drabinki wantowej
ratoon [rə'tuːn] s bot pęd wyrosły po obcięciu łodygi (trzciny cukrowej itp.)
ratsbane ['ræts,bein] s 1. trucizna na szczury; tlenek arsenowy 2. bot nazwa kilku jadowitych roślin
rat's-tail ['ræts,teil] s przedmiot kształtu szczu-rzego ogona (rodzaj pilnika itd.)
rat-tailed ['ræt,teild] adj kształtu szczurzego ogo-na; ~ spoon łyżka ze zgrubieniem rączki za-kończonym w kształcie szczurzego ogona
rat(t)an [rə'tæn] s 1. bot trzcinopalma 2. laska trzcinowa
rat-tat ['rætət], rat-tat-tat ['rætə'tæt] s stuk; stu-kot, stukotanie; pukanie
ratteen [rə'tiːn] s tekst ratyna
ratten ['rætən] vt przez sabotaż wymuszać przy-jęcie warunków związków zawodowych
ratter ['rætə] s 1. człowiek <pies itd.> łapiący szczury 2. = rat¹ s 3., 4., 5.
rattle ['rætl] ① vi 1. za/grzechotać; za/klekotać 2. za/szczękać; za/brzęczeć 3. za/trzeszczeć 4. za/stukać; stukotać; za/turkotać; (o pojeździe itd) posuwać się z turkotem 5. za/terkotać 6. (o drzwiach itd) trzaskać; to ~ at the door za/kołatać do drzwi; dobijać się 7. (o człowie-ku) za/trajkotać; paplać 8. rzęzić ③ vt 1. za/brzęczeć <za/szczękać> (chains <a sabre etc.> łańcuchami <szablą itd.>); pobrzękiwać (sth czymś) 2. za/klekotać (sth czymś); za/turkotać (sth czymś) 3. sl wstrząs-nąć/ać (sb kimś); po-rusz-yć/ać; s/konsternować; przera-zić/żać; za/szokować; boks (uderzeniem) zachwiać równo-wagę (one's opponent przeciwnika)
~ along vi jechać <przeje-chać/żdżać> z kle-kotem <turkotem>
~ away vi 1. odje-chać/żdżać z turkotem <klekocząc, stukocząc> 2. (wciąż <bez koń-ca>) trajkotać
~ down vi upa-ść/dać <runąć> z brzękiem
~ off ① vi = ~ away 1. ③ vt 1. od/kle-pać (pacierz, lekcję itd.) 2. załatwi-ć/ać <zwi-nąć/jać, uwi-nąć/jać> się w szybkim tempie (one's work z pracą)
~ on vi wciąż <bez końca> trajkotać; the child ~d on buzia się dziecku nie zamy-kała
~ past vi przeje-chać/żdżać z klekotem <z turkotem, stukotem>
~ up vt 1. pot potrząsaniem zbudzić (kogoś) ze snu 2. podn-ieść/osić z brzękiem (kotwi-cę itd.)
zob rattling ③ s 1. grzechot, grzechotanie, kle-kot, klekotanie 2. szczęk; brzęk; pobrzękiwanie 3. trzask 4. stukot, stukotanie; turkot, turkota-

nie 5. terkot 6. grzechotka (także u węża); ko-łatka 7. bot roślina, której nasiona grzechoczą w torbie nasiennej; red ~ gnidosz bagienny; yellow ~ grzebycznik (roślina z rodziny trędo-wnikowatych) 8. med rzężenie 9. trajkotanie; paplanina 10. gadatliwy człowiek; gaduła; (o ko-biecie) trajkotka
rattle-bag ['rætl,bæg], rattle-bladder ['rætl,blædə], rattle-box ['rætl,bɔks] s grzechotka (zabawka)
rattle-brain ['rætl,brein], rattle-head ['rætl,hed], rattle-pate ['rætl,peit] s roztrzepaniec; człowiek roztargniony
rattle-brained ['rætl,breind] adj roztrzepany; roz-targniony
rattle-head zob rattle-brain
rattle-pate zob rattle-brain
rattler ['rætlə] s 1. am zoo grzechotnik 2. pot grzmotnięcie, uderzenie, sójka 3. pot świetny koń 4. pot kapitalny facet 5. pot bycza <świetna> rzecz; coś wspaniałego; okaz
rattle-snake ['rætl,sneik] s zoo grzechotnik
rattle-trap ['rætl,træp] s 1. gruchot; rozklekotany wóz <pojazd> 2. sl jadaczka; szczekaczka; pasz-cza
rattling ['rætliŋ] ① zob rattle v ③ adj 1. grze-choczący; klekoczący; brzęczący; trzeszczący; stukoczący; turkoczący 2. (o kroku itd) żywy, raźny, żwawy; at a ~ pace żwawo; szybko; galopem 3. (o wietrze) porywisty 4. pot klawy, byczy, świetny; a ~ good fellow kapitalny gość; to have a ~ good time świetnie <fanta-stycznie, kapitalnie> się za/bawić
rat-trap ['ræt,træp] ① s pułapka na szczury ③ attr (o pedale rowerowym) z nacięciami
ratty ['ræti] adj 1. rojący się od szczurów 2. (o warkoczu itd) jak mysi ogon 3. sl zły jak pies, wściekły
raucity ['rɔːsiti] s ochrypłość (głosu)
raucous ['rɔːkəs] adj ochrypły
raughty ['rɔːti] = rorty
rauque [rɔːk] = raucous
ravage ['rævidʒ] ① vt z/niszczyć, z/dewastować; s/pustoszyć; s/plądrować; ogoł-ocić/acać (of sth z czegoś) ③ vi 1. siać zniszczenie; z/robić spustoszenie 2. szukać łupu ④ s zniszczenie; dewastacja; spustoszenie; pl ~s ślady <skutki> (choroby itd.)
ravager ['rævidʒə] s niszczyciel/ka
rave [reiv] ① vi 1. bredzić; majaczyć 2. (o mo-rzu, wietrze itd) szaleć; (o człowieku) odcho-dzić od zmysłów; wściekać się (at <against> sb na kogoś); wrzeszczeć; pot pieklić się 3. unosić się (about sb, sth nad kimś, czymś); zachwycać się (about sb, sth kimś, czymś) ③ vt wykrzyki-wać w szale ③ vr w zwrotach: to ~ oneself hoarse wrzeszczeć (aż) do ochrypnięcia; the storm ~d itself out burza przestała szaleć zob raving
ravel ['rævəl] v (-ll-) ① vt dosł i przen po/plą-tać; wikłać; zaplątać; po/gmatwać, zagmatwać; po/wikłać; za/motać ③ vi po/plątać <powikłać> się ③ s 1. węzeł; plątanina; poplątane nici; in a ~ poplątany; splątany; zamotany 2. strzępy; wystrzępione końce <brzegi> (materiału)
ravelin ['rævlin] s fort półksiężyc
raven¹ ['reivn] ① s zoo kruk ③ adj kruczy
raven² ['rævn] ① vt poż-reć/erać ③ vi 1. szukać

łupu <zdobyczy>; iść w poszukiwaniu (**after prey** zdobyczy) 2. żyć z łupu 3. pożądać. <łaknąć> (**for sth** czegoś) *zob* **ravening** Ⅲ *s* = **ravin**

ravening ['rævəniŋ] ·Ⅰ *zob* **raven²** Ⅲ *adj* 1. głodny; zgłodniały 2. żarłoczny

ravenous ['rævinəs] *adj* 1. drapieżny 2. żarłoczny 3. (*o człowieku*) zgłodniały; **to be** ~ umierać z głodu 4. (*o apetycie*) wilczy

ravin(e) ['rævin] *s poet* 1. grabież 2. łup; pastwa; **beast of** ~ drapieżny zwierz

ravine [rə'vi:n] *s* parów; wąwóz; jar

ravined [rə'vi:nd] *adj* (*o terenie*) poryty wąwozami

raving ['reiviŋ] Ⅰ *zob* **rave** Ⅲ *s* bredzenie; majaczenie; *pl* ~**s** miotanie się w szale Ⅲ *adj* bredzący; majaczący; oszalały; obłąkańczy; **to be** ~ bredzić; majaczyć; szaleć; odchodzić od zmysłów; **a** ~ **madman** furiat; ~ **madness** ostry szał; atak furii

ravish ['ræviʃ] *vt* 1. por-wać/ywać 2. z/gwałcić (kobietę) 3. zachwyc-ić/ać; oczarow-ać/ywać *zob* **ravishing**

ravisher ['ræviʃə] *s* 1. porywacz; złodziej 2. gwałciciel

ravishing ['ræviʃiŋ] Ⅰ *zob* **ravish** Ⅲ *adj* zachwycający; czarowny

ravishment ['ræviʃmənt] *s* 1. porwanie 2. gwałt, zgwałcenie 3. zachwyt

raw [rɔ:] Ⅰ *adj* 1. (*o mięsie itd*) surowy; (*o metalu itd*) nieobrobiony; ~ **material** surowiec 2. (*o cegle*) niewypalany 3. (*o spirytusie*) czysty 4. (*o cukrze*) nierafinowany 5. (*o człowieku*) niedoświadczony; *pot* zielony; **a** ~ **lad** nowicjusz; młokos; gołowąs 6. nieokrzesany 7. (*o rekrucie*) niewyszkolony; świeży 8. (*o tkaninie*) nieobrębiony 9. (*o ranie*) otwarty; krwawiący 10. (*o ciele*) żywy 11. (*o pogodzie*) przykry; zimny i mokry; słotny 12. (*o smaku*) cierpki 13. (*o skórze zwierzęcej*) niewyprawiony ‖ **a** ~ **deal** (wyrządzona) krzywda; ~ **head and bloody bones** trupia główka i piszczele; ~**-head-and-bloody-bones narrative** <style> sposób opowiadania <styl> naturalistyczny <przedstawiający nagą rzeczywistość> Ⅲ *s* żywe ciało; *przen* czułe miejsce; **to touch sb on the** ~ a) dotknąć kogoś do żywego b) trafić kogoś w czułe miejsce Ⅲ *vt* otrzeć/ocierać skórę (**a horse's back** koniowi na grzbiecie itd.)

raw-boned ['rɔ:,bound] *adj* wychudły; kościsty

raw-head ['rɔ:,hed] *s* straszak; trupia czaszka <główka>

rawness ['rɔ:nis] *s* 1. surowość; surowy stan 2. niewyrobienie (młodego człowieka); niedoświadczenie; nieokrzesanie 3. otarta skóra; otarcie skóry; żywe ciało; bolące miejsce 4. chłód i wilgoć (powietrza)

▲**ray¹** [rei] Ⅰ *s* 1. promień 2. promyk <przebłysk> (nadziei itd.) 3. *bot* kwiat języczkowy 4. *zoo* promień <ramię> (rozgwiazdy) Ⅲ *vt* (*także* ~ **forth** <**off, out**>) wysyłać <emitować> promienie (**light etc.** światła itd.) Ⅲ *vi* promieniować

ray² [rei] *s zoo* raja, płaszczka (ryba)

rayless ['reilis] *adj* bezpromienny

rayon ['reion] *s tekst* sztuczny jedwab

raze, rase [reiz] *vt* 1. z/burzyć; zn-ieść/osić (z powierzchni ziemi); zrównać z ziemią 2. *lit* ze-

trzeć/ścierać; wy-trzeć/cierać; wykreśl-ić/ać (z pamięci itd.) 3. otrzeć/ocierać (skórę)

razee [rə'zi:] *s hist* okręt ze zniesionym górnym pokładem

razor ['reizə] *s* (*także pot* **cutthroat** ~) brzytwa; ~ **blade** a) ostrze brzytwy b) żyletka; ~**'s edge** *zob* **razor-edge** 2.; **safety** ~ maszynka do golenia

▲**razor-back** ['reizə,bæk] *attr,* **razor-backed** *adj* (*o koniu, górze itd*) z ostrym grzbietem

razorbill ['reizə,bil] *s* nazwa różnych ptaków o dziobie kształtu brzytwy (alka, pingwin itd.)

razor-edge ['reizər'edʒ] *s* 1. ostrze brzytwy 2. krytyczne <niebezpieczne> położenie; **to be on a** ~ <**razor's edge**> być w wielkim niebezpieczeństwie 3. ostry grzbiet górski; grań

razor-fish ['reizə,fiʃ] *s zoo* nożeniec <okładniczka> (małż)

razor-strop ['reizə,strop] *s* pasek do brzytwy

razzia ['ræziə] *s arab* razzia, wyprawa łupieska

razzle(-dazzle) ['ræzl(,dæzl)] *s sl* 1. jubel; pohulanka; biba 2. falująca karuzela

re¹ [rei] *s muz* re; drugi stopień skali C dur

re² [ri:] *praep* 1. w sprawie...; co do... 2. *handl* odnośnie; dotyczy...

re-³ [ri:-] *przedrostek nadający wyrazowi znaczenia:* na nowo, ponownie, jeszcze raz, powtórnie, po raz drugi, wiele razy, *często oddawane za pomocą polskiego przedrostka* prze-: **readdress** przeadresować; **rearm** ponownie <na nowo> uzbroić; **reread** przeczytać jeszcze raz <wiele razy>; **rewrite** przepisać

reabsorb ['ri:əb'sɔ:b] *vt* z/resorbować

reabsorption ['ri:əb'sɔ:pʃən] *s* resorpcja

reach [ri:tʃ] Ⅰ *vt* 1. (*także* ~ **out**) wyciągn-ąć/ać (**rękę** itd.) 2. dosięg-nąć/ać (**sb, sth** kogoś, czegoś) 3. do-trzeć/cierać <do-jść/chodzić, doje-chać/żdżać, zaje-chać/żdżać, dobie-c/gać, dopły-nąć/wać, dol-ecieć/atywać, przyby-ć/wać> (**a place, limit, point etc.** do miejscowości, granicy, punktu itd.); **to** ~ **sb by phone** połączyć się z kimś telefonicznie 4. osiąg-nąć/ać; trafi-ć/ać (**one's aim etc.** do celu itd.) 5. dosięg-nąć/ać (**the ceiling etc.** do sufitu itd.) 6. dożyć (**a certain age** pewnego wieku) 7. do-jść/chodzić; (*o zainteresowanych stronach*) **to** ~ **an agreement** do-jść/chodzić do porozumienia; (*o liście*) **to** ~ **sb** do-jść/chodzić do czyichś rąk; (*o dźwięku, pogłosce itd*) **to** ~ **sb's ears** do-trzeć/cierać do czyichś uszu 8. poda-ć/wać (**sb sth** <**sth to sb**> komuś coś) Ⅲ *vi* 1. sięg-nąć/ać (**to sth** do-kąd); **after** <**for**> **sth** po coś); **as far as the eye can** ~ jak okiem sięgnąć 2. (*o imperium, posiadłości itd*) rozciągać się (**to** — aż do...)

~ **back** *vi* (*o pamięci*) sięg-nąć/ać wstecz

~ **down** *vt* zd-jąć/ejmować (**sth from somewhere** coś skądś)

Ⅲ *s* 1. zasięg; **out of** <**beyond**> **sb's** ~ poza czyimś zasięgiem; nieosiągalny <niedościgły, niedostępny> dla kogoś; **within** ~ **of** — w zasięgu... (czyimś, czegoś); dostępny <osiągalny> dla... (kogoś); **within easy** ~ łatwo dostępny 2. pobliże; **within** ~ w pobliżu 3. granice (rozumu itd.) 4. odcinek rzeki możliwy do objęcia wzrokiem z danego miejsca 5. wyciągnięcie ręki; sięgnięcie ręką; **to have a long** ~ daleko sięgać; **to make a** ~ **for sth** sięg-nąć/ać po coś

reach-me-down ['ri:tʃ-mi:'daun] Ⅰ *adj* (*o odzieży*) gotowy Ⅱ *spl* ~s gotowe spodnie

react ['ri'ækt] *vi* 1. za/reagować 2. oddział-ać/ywać 3. przeciwdziałać 4. *wojsk* przeprowadz-ić/ać kontrakat

reactance [ri'æktəns] *s elektr* reaktancja, oporność bierna

⌐**reaction** [ri'ækʃən] *s* 1. *ftz chem polit* reakcja; **chem chain** ~ reakcja łańcuchowa 2. reagowanie; **my** ~ **was immediate** zareagowałem natychmiast 3. oddziaływanie 4. przeciwdziałanie 5. *chem* odczyn; **acid <alkaline, neutral>** ~ odczyn kwaśny <alkaliczny, obojętny>

reactionary [ri'ækʃnəri] Ⅰ *adj* 1. przeciwdziałający 2. reakcyjny Ⅱ *s* reakcjonist-a/ka

reactionist [ri'ækʃnist] = **reactionary** *s*

reactivate [ri'ækti,veit] *vt* uaktywni-ć/ać; z/reaktywować; uczynni-ć/ać na nowo

reactive [ri'æktiv] *adj* reagujący; reaktywny; reakcyjny

reactivity [,riæk'tiviti] *s* reaktywność; reakcyjność

⌐**reactor** [ri'æktə] *s elektr fiz* reaktor

read [ri:d] *v* (**read** [red], **read**) Ⅰ *vt* 1. prze/czytać (list, gazetę, książkę itd.); odczyt-ać/ywać (nuty, hieroglify, czyjeś myśli itd.); **to ~ a foreign language** <French, German etc.> czytać w języku obcym <po francusku, niemiecku itd.>; **to ~ between the lines** czytać między wierszami; **to ~ oneself to sleep** uśpić/usypiać się lekturą; **to ~ sb a lesson** <a lecture> z/besztać <upom-nieć/inać, s/karcić, strofować, z/gromić> kogoś; **to ~ sb to sleep** po/czytać komuś do snu; **to ~ the sky** czytać z gwiazd 2. z/robić korektę (**a book etc.** książki itd.) 3. studiować (prawo itd.) 4. wyczytać (**sth out of <from> a book** <the paper etc.> coś z książki <z gazety itd.>; **sth in sb's eyes** coś z czyichś oczu) 5. tłumaczyć (sny); przepowiadać (przyszłość); wróżyć (**people's hands** ludziom z ręki; **the cards** z kart); rozwiąz-ać/ywać (zagadki); odcyfrow-ać/ywać (szyfr, czyjeś pismo itd.) 6. rozumieć <tłumaczyć> (**sb's silence etc. as** — czyjeś milczenie itd. jako...) 7. dorozumiewać się (**sth into a text** czegoś z jakiegoś tekstu) 8. odczyt-ać/ywać (stan licznika, temperaturę na termometrze); (*o dziecku*) **to ~ the clock** znać się na zegarze 9. (*o termometrze itd*) wskazywać Ⅱ *vi* 1. (umieć) czytać; **to have ~ of sth** wiedzieć o czymś z książek <z gazet itd.> 2. (*o tekście*) brzmieć 3. (*o ustawie itd*) głosić 4. (*o książce itd*) czytać się (łatwo, przyjemnie itd.) 5. studiować (**for the law** prawo); **to ~ for the bar** przygotowywać się do egzaminu na obrońcę sądowego (w wyższych. instancjach)

~ **in** *vr* ~ **oneself in** (*o pastorze anglikańskim*) ob-jąć/ejmować urząd (proboszcza) przez publiczne odczytanie nakazanych przepisami deklaracji itd.

~ **off** *vt* odczyt-ać/ywać

~ **on** *vi* czytać dalej; nie przerywać czytania <lektury>

~ **over** *vt* przeczytać jeszcze raz

~ **through** *vt* przeczytać; zaznajomić się z treścią (**a contract etc.** umowy itd.)

~ **up** *vt* zaznaj-omić/amiać się z literaturą (**a subject** tematu)

zob **reading** Ⅲ *s* czytanie; lektura; czas poświę-

cony lekturze; **to have a long** <quiet etc.> ~ długo <spokojnie itd.> sobie poczytać

readable ['ri:dəbl] *adj* 1. możliwy do czytania 2. (*o piśmie*) czytelny

readdress ['ri:ə'dres] *vt* przeadresow-ać/ywać; przes-łać/yłać pod zmienionym adresem

reader ['ri:də] *s* 1. czytelni-k/czka 2. miłośni-k/czka książek; człowiek rozmiłowany w lekturze; **to be a great** <not much of a> ~ dużo <niewiele> czytać 3. korektor/ka 4. lektor/ka 5. *uniw* docent; wykładowca 6. wypisy (książka); czytanki 7. recenzent/ka (wydawnictwa)

⌐**readership** ['ri:dəʃip] *s uniw* docentura

readily ['redili] *adv* 1. z gotowością; chętnie; ochoczo; z ochotą 2. łatwo; z łatwością, bez trudu

readiness ['redinis] *s* 1. gotowość; **in** ~ w pogotowiu 2. ochota; chęć 3. łatwość (przyswajania) 4. bystrość <przytomność> (umysłu) 5. pomysłowość 6. ciętość

reading ['ri:diŋ] Ⅰ *zob* **read** *v* Ⅱ *adj* czytający; **a** ~ **man** miłośnik książki; **the** ~ **public** czytelnicy; miłośnicy książki Ⅲ *s* 1. czytanie; lektura; **penny** ~s publiczne czytanie arcydzieł literatury (z opłatą jednego pensa za wstęp); **there is plenty of** ~ **in** — jest co czytać w... 2. czytelnictwo 3. lektura; materiał do czytania 4. oczytanie; **a person of wide** ~ człowiek oczytany 5. *parl* czytanie (projektu ustawy) 6. tłumaczenie <rozwiąz-anie/ywanie> (zagadki); interpretacja <zrozumienie> (utworu) 7. odczyt-anie/ywanie (licznika itd.) 8. odczyt (temperatury itd.); wskazania (przyrządów pomiarowych itd.) 9. sposób czytania 10. wersja <brzmienie> (tekstu); **various** ~s warianty (tekstu) Ⅳ *attr* ~ **list** spis lektur; ~ **matter** materiał do czytania; treść; lektura

reading-book ['ri:diŋ,buk] *s* 1. książka do czytania 2. czytanka; wypisy

reading-desk ['ri:diŋ,desk] *s* pulpit

reading-glass ['ri:diŋ,glɑ:s] *s* szkło powiększające

reading-lamp ['ri:diŋ,læmp] *s* lampa do czytania

reading-room ['ri:diŋ,ru:m] *s* 1. czytelnia 2. korektornia

reading-stand ['ri:diŋ,stænd] *s* pulpit

readjust ['ri:ə'dʒʌst] *vt* 1. ponownie uporządkować <przystosować, dopasować> 2. *druk* przestawi-ć/ać kolumnę

readjustment ['ri:ə'dʒʌstment] *s* 1. ponowne uporządkowanie <przystosowanie, dopasowanie> 2. *druk* przestawi-enie/anie kolumny

readmission ['ri:əd'miʃən] *s* ponowne dopuszczenie <przyjęcie>; ponowny wstęp (na przedstawienie itd.)

⌐**ready** ['redi] Ⅰ *adj* (**readier** ['rediə], **readiest** ['rediist]) 1. gotowy; przygotowany; ~ **money** <capital> gotówka; ~ **reckoner** tablica rachunkowa; ~ **for use** gotowy do użycia; **I am** <was> ~ **to** __ gotów <skłonny> jestem <byłem>...; chętnie bym <byłbym>...; **to be** ~ **for sb, sth** czekać na kogoś, coś; **to be** ~ **to burst** <die, swear etc.> o mało nie pęknąć <umrzeć, zakląć itd.>; **to be** ~ **with sth** mieć coś przygotowane (dla kogoś, do czegoś); **to get** <make> ~ a) przygotow-ać/ywać <przyspos-obić/abiać> się b) przygotow-ać/ywać (coś); ~ **at hand** <to hand(s)> pod ręką; na podorędziu 2. gotów;

skłonny 3. chętny; pełen dobrych chęci; **to give a ~ assent** chętnie się zgodzić 4. łatwy 5. bystry; pomysłowy; cięty; (*o umyśle*) lotny; **to have a ~ answer** (zawsze) mieć odpowiedź na końcu języka; **a ~ pen** łatwość pisania; *pot* lekkie pióro Ⅲ *adv* w pogotowiu; gotowy <przygotowany> (do drogi, użycia itd.); **~ packed** zapakowany <gotowy> do wysyłki Ⅲ *s* 1. *wojsk* w *zwrocie*: **at the ~** a) w pozycji „gotuj broń" b) w gotowości do oddania strzału 2. *sl* gotóweczka Ⅳ *vt* (**readied** ['redid], **readied; readying** ['rediiŋ]) 1. przygotow-ać/ywać 2. *sl* (*na wyścigach*) zapewni-ć/ać wygraną (**a horse** koniowi)

ready-cooked ['redi͵kukt] *adj* (*o potrawie*) ugotowany <upieczony, usmażony>; gotowy do podania na stół

ready-for-service ['redi-fə'sə:vis] *am* = **ready--made**

ready-made ['redi'meid] *adj* (*o odzieży*) gotowy; **~ clothes** konfekcja

ready-to-wear ['redi-tu'wɛə] *am* = **ready-made**

ready-witted ['redi͵witid] *adj* bystry; (*o człowieku*) o lotnym umyśle

reaffirm ['ri:ə'fə:m] *vt* jeszcze raz oświadczyć; potwierdz-ić/ać

reaffix ['ri:ə'fiks] *vt* powtórnie <jeszcze raz> przy--łożyć/kładać (pieczęć itd.)

reafforest ['ri:ə'fɔrist] *vt* ponownie zalesi-ć/ać

reagent [ri'eidʒənt] *s chem* odczynnik

▲**real**[1] [riəl] Ⅰ *adj* 1. prawdziwy; rzeczywisty; autentyczny; **the ~ thing** a) autentyk b) (*o fachowcu itd*) z prawdziwego zdarzenia c) to, o co właśnie chodzi 2. istotny; faktyczny; realny; efektywny 3. *prawn* nieruchomy; **~ property** <estate> nieruchomość; własność gruntowa; † realność Ⅲ *adv am* naprawdę; rzeczywiście; **I'm ~ glad** szczerze się cieszę Ⅲ *s* 1. autentyk 2. realist-a/ka

real[2] [rei'ɑ:l] *s* (*w Hiszpanii*) real (moneta)

realgar [ri'ælgə] *s miner* realgar

realism ['riə͵lizəm] *s* realizm

realist ['riəlist] *s* realist-a/ka

realistic [riə'listik] *adj* 1. realistyczny 2. (*o człowieku*) z poczuciem rzeczywistości

reality [ri'æliti] *s* 1. rzeczywistość; **in ~** w rzeczywistości; rzeczywiście; właściwie; faktycznie 2. prawdziwość; realność (świata, życia itd.) 3. realizm

realizable ['riə͵laizəbl] *adj* 1. wykonalny, (możliwy) do przeprowadzenia <realizacji> 2. *handl* (*o kapitale itd*) możliwy do upłynnienia 3. (możliwy) do pomyślenia; **it is ~** to jest do pomyślenia; można to sobie wyobrazić

realization [͵riəlai'zeiʃən] *s* 1. realizacja <z/realizowanie> (projektu itd.); urzeczywistni-enie/anie (programu itd.); wykon-anie/ywanie (planu itd.); spełni-enie/anie (nadziei itd.) 2. upłynni-enie/anie (kapitałów itd.); spienięż-enie/anie 3. uprzytomni-enie/anie <uświad-omienie/amianie> sobie (faktu, niebezpieczeństwa itd.); świadomość (**of sth** czegoś)

realize ['riə͵laiz] *vt* 1. z/realizować; urzeczywistni-ć/ać; wykon-ać/ywać; spełni-ć/ać 2. *handl* upłynni-ć/ać; spienięż-yć/ać; z/realizować (czek itd.) 3. *handl* osiąg-ną-ć/ać (cenę); mieć <uzysk--ać/iwać> (dochód) 4. z/rozumieć; uprzytomni-ć/

ać <uświad-omić/amiać> sobie; zda-ć/wać sobie sprawę (**sth z** czegoś)

really ['riəli] *adv* 1. naprawdę, rzeczywiście; prawdziwie 2. istotnie, faktycznie 3. *pytająco*: doprawdy?; naprawdę?; czyżby? 4. *wykrzyknikowo z zaprzeczeniem*: **not ~!** czyż to możliwe?; niepodobna!

realm [relm] *s* 1. *dosł i przen* królestwo 2. dziedzina; zakres; sfera; domena

realtor ['riəltə] *s am* pośrednik w sprawach kupna i sprzedaży nieruchomości

ream[1] [ri:m] *s*[']ryza (papieru); *przen* **~s and ~s** (**of verse etc.**) stosy <całe masy> (wierszy itd.)

ream[2] [ri:m] *vt* rozwierc-ić/ać (otwór); poszerz--yć/ać (szczelinę)

reamer ['ri:mə] *s techn* rozwiertak; *górn* rozszerzacz

reanimate [ri:'æni͵meit] *vt* ożywi-ć/ać; natchnąć nowym życiem

reap [ri:p] Ⅰ *vt* zebrać/zbierać (plon, owoce pracy itd.); *przen* **to ~ where one has not sown** zbierać tam, gdzie się nie posiało <owoce cudzej pracy> Ⅲ *vi* żąć; przeprowadz-ić/ać żniwa

reaper ['ri:pə] *s* 1. żniwia-rz/rka; żeniec 2. = **reaping-machine**

reaping-hook ['ri:piŋ͵huk] *s* sierp

reaping-machine ['ri:piŋ-mə͵ʃi:n] *s* żniwiarka (maszyna)

reappear ['ri:ə'piə] *vi* znowu <ponownie> się ukaz--ać/ywać <pojawi-ć/ać>

reappoint ['ri:ə'pɔint] *vt* przywr-ócić/acać do godności <do urzędu itd.>

rear[1] [riə] Ⅰ *s* 1. *wojsk* = **rearguard** 2. *wojsk* tyły; **in the ~** a) na tyłach b) z tyłu; za (kimś, czymś); **to bring <close> up the ~** zamykać pochód 3. *pot* wychodek 4. tył (domu, pochodu, pociągu itd.); **in <at> the ~** w tyle (domu, pochodu, pociągu itd.) Ⅲ *adj* tylny

rear[2] [riə] Ⅰ *vt* 1. wy/budować <wzn-ieść/osić> (gmach, pomnik itd.); wystawi-ć/ać (pomnik) 2. ustawi-ć/ać (drabinę, słup itd.) 3. podn-ieść/osić (głowę, rękę, głos itd.) 4. hodować <chować> (zwierzęta) 5. wychow-ać/ywać (dzieci) 6. upraw-ić/ać (rośliny) Ⅲ *vi* (*także* **~ up;** *rz* *vr* **~ itself**) (*o koniu*) sta-ną-ć/wać dęba

rear-admiral ['riər'ædmərəl] *s mar* kontradmirał

rear-arch ['riər͵ɑ:tʃ] *s arch* łuk podtrzymujący wewnętrzną część ściany

rearguard ['riə͵gɑ:d] *s wojsk* tylna straż

rear-light ['riə͵lait] *s* tylne światł-o/a (samochodu itd.)

rearm ['ri:'ɑ:m] *vt vi* 1. ponownie u/zbroić (się) 2. przezbr-oić/ajać (się)

rearmament ['ri:'ɑ:məmənt] *s* 1. ponowne zbrojenie; remilitaryzacja 2. przezbrojenie

rearmice *zob* **rearmouse**

rearmost ['riə͵moust] *adj* ostatni; końcowy

rearmouse ['riə͵maus], **reremouse** ['reə͵maus] *s* (*pl* **rearmice** ['riə͵mais], **reremice** ['reə͵mais]) *dial* = **bat**[1]

rearrange ['ri:ə'reindʒ] *vt* 1. przemieni-ć/ać, po-przemieniać 2. przestawi-ć/ać, poprzestawiać 2. poprawi-ć/ać (fryzurę itd.)

rearward ['riə͵wəd] Ⅰ *adj* 1. końcowy; cofnięty 2. wsteczny Ⅲ *s* w *zwrotach*: *wojsk* **in the ~** w tyle, na tyłach; bliżej tyłu; **to the ~** (skierować się itd.) na tył (kolumny itd.) <na tyły (armii itd.)>

rearwards ['ri:əwədz] *adv* 1. na tył 2. ku tyłowi; wstecz

reascend ['ri:ə'send] *vt* 1. ponownie się wzn-ieść/ osić <wspi-ąć/nać> (**sth** na coś) 2. ponownie osiąść (**the throne** na tronie)

reason ['ri:zn] Ⅰ *s* 1. powód (**of sth** czegoś; **for sth** do czegoś); przyczyna; racja; uzasadnienie; usprawiedliwienie; motyw; **all the more** ~ **for** _ (**doing sth** etc.) tym bardziej należy <trzeba> ... (coś zrobić itd.); **by** ~ **of** _ z powodu <przyczyny, racji> ... (czegoś); **for a good** ~ bardzo słusznie; **for no** ~ **whatever** <**at all**> bez żadnego powodu <uzasadnienia>; **for** ~**s** _ z przyczyn ... (wiadomych itd.); ~ **of State** racja stanu; konieczność państwowa; ~**s of health** przyczyny <względy> zdrowotne; **the woman's** ~ nieuzasadnione przyczyny; brak uzasadnienia; **to have** (**every good**) ~ **to** _ mieć (wszelkie) powody <podstawę> do ... (przypuszczenia itd.); **with** ~ nie bez powodu; (całkiem) słusznie 2. *log* przesłanka 3. rozum; rozsądek; **anything in** ~ wszystko, co leży w granicach rozsądku; **wszystko co rozum dyktuje** <nakazuje>; **as** ~ **was** jak to rozum <rozsądek> nakazywał; **it stands to** ~ a) (to) jest rzecz zrozumiała <jest rzeczą zrozumiałą, nie trzeba chyba dodawać> (**that** _ że ...) b) ma się rozumieć; oczywiście; rzecz jasna; **to bring sb to** ~ przywieść kogoś do rozsądku; **to hear** <**listen to**> ~ słuchać głosu rozsądku Ⅲ *vt* 1. przekonywać (**with sb** kogoś) 2. wyciąg-nąć/ać wnioski 3. rozumować; argumentować Ⅲ *vt* 1. dowodzić (**sth** czegoś); **to** ~ **sb into sth** przekonać kogoś o słuszności czegoś; przekonać kogoś, że coś jest wskazane <konieczne>; **to** ~ **sb out of sth** wyperswadować komuś coś 2. zastanawiać się <rozważać> (**whether** <**why** etc.> _ czy <dlaczego itd.> ...) 3. wnosić <wnioskować> (**from sth that** _ z czegoś, że ...)
~ **out** *vt* wyrozumować (coś); rozumowaniem dociec (**sth** czegoś)
zob **reasoned, reasoning**

reasonable ['ri:znəbl] *adj* 1. rozsądny; sensowny; racjonalny 2. (*o cenie, wymówce itd*) (możliwy) do przyjęcia 3. godziwy; umiarkowany 4. (*o podejrzeniach itd*) uzasadniony

reasoned ['ri:znd] Ⅰ *zob* **reason** *v* Ⅲ *adj* 1. wyrozumowany 2. rozsądny, racjonalny

reasoner ['ri:znə] *s* argumentator

reasoning ['ri:zniŋ] Ⅰ *zob* **reason** *v* Ⅲ *s* rozumowanie Ⅲ *adj* obdarzony rozsądkiem

reasonless ['ri:znlis] *adj* 1. nie posiadający rozumu 2. pozbawiony rozsądku; nierozsądny

reassemble ['ri:ə'sembl] Ⅰ *vt* 1. ponownie zebrać/ zbierać <zwoł-ać/ywać> 2. ponownie <na nowo> złożyć/składać <z/montować> (maszynę itd.) Ⅲ *vi* 1. zebrać/zbierać się ponownie 2. *szk* na nowo zacz-ąć/ynać naukę; rozpocz-ąć/ynać nowy rok szkolny

reassert ['ri:ə'sə:t] *vt* powt-órzyć/arzać (swoje twierdzenie); ponownie twierdzić

reassess ['ri:ə'ses] *vt* podda-ć/wać rewizji <ponownej ocenie>; przeszacow-ać/ywać; z/rewidować

reassessment ['ri:ə'sesmənt] *s* ponowna ocena; przeszacowanie; rewizja

reassume ['ri:ə'sju:m] *vt* objąć na nowo <ponownie> (stanowisko itd.)

reassurance [,ri:ə'ʃuərəns] *s* 1. ponowne zapewnienie <przekonywanie> 2. przywrócone zaufanie 3. reasekuracja

reassure [,ri:ə'ʃuə] *vt* 1. przywr-ócić/acać zaufanie (**sb** komuś); uspok-oić/ajać; rozpr-oszyć/ aszać wątpliwości (**sb** czyjeś) 2. reasekurować *zob* **reassuring**

reassuring [,ri:ə'ʃuəriŋ] Ⅰ *zob* **reassure** Ⅲ *adj* (*o wiadomości itd*) uspokajający

reave, reive [ri:v] *†* *v* (**reft** [reft], **reft**) *poet* Ⅰ *vt* 1. s/plądrować; s/pustoszyć 2. por-wać/ ywać 3. od-erwać/rywać (**sb of sth** coś od kogoś); pozbawi-ć/ać (**sb of sth** kogoś czegoś) Ⅲ *vi* (*zw* **reive**) uprawiać grabież; s/plądrować

reaver, reiver ['ri:və] *†* *s* rozbójnik

reawaken ['ri:ə'weikən] Ⅰ *vt* ponownie o/budzić <wzbudz-ić/ać, ożywi-ć/ać> Ⅲ *vi* o/budzić się powtórnie

rebate[1] [ri'beit] *†* *vt* 1. z/amortyzować 2. przytępi-ć/ać

rebate[2] ['ri:beit] *s* *handl* rabat; opust; bonifikata; ristorno; skonto

rebate[3] ['ræbit] = **rabbet**

rebec(k) ['ri:bek] *s* *hist muz* rebeka (instrument)

rebel ['rebl] Ⅰ *s* 1. buntownik 2. powstaniec Ⅲ *adj* 1. buntowniczy; zbuntowany 2. powstańczy; (*o obozie itd*) powstańców Ⅲ *vi* [ri'bel] (**-ll-**) z/buntować się <powsta-ć/wać> (**against sb, sth** przeciw komuś, czemuś)

rebellion [ri'beljən] *s* 1. bunt; rebelia; rewolta; rokosz; *hist* **the Great Rebellion** wojna domowa w Anglii — 1642-1660 2. powstanie

rebellious [ri'beljəs] *adj* 1. buntowniczy; zbuntowany 2. oporny 3. powstańczy

re-bind ['ri:'baind] *vt* (**re-bound** ['ri:'baund], **re-bound**) oprawi-ć/ać (książkę) na nowo; zmieni-ć/ać oprawę (**a book** książki)

rebirth ['ri:'bə:θ] *s* odrodzenie

rebound[1] [ri'baund] Ⅰ *vi* 1. (*o piłce itd*) odbi-ć/ jać się <odsk-oczyć/akiwać> 2. (*o złu*) ze/mścić się (**upon sb** na kimś) Ⅲ *s* 1. odbicie się (piłki itd.); odskok; rykoszet; **to make a** ~ <**several** ~**s**> odbić się raz <kilka razy> (od podłogi itd.) 2. odprężenie, zwolnienie napięcia; *przen* chwila słabości; **to take sb on** <**at**> **the** ~ wykorzystać u kogoś chwilę słabości

re-bound[2] *zob* **re-bind**

re-broadcast ['ri:'brɔ:dkɑ:st] *vt* retransmitować

rebuff [ri'bʌf] Ⅰ *s* odprawa; odmowa; odrzucenie; niepowodzenie; odepchnięcie; **to meet with a** ~ dostać odprawę; doznać niepowodzenia Ⅲ *vt* odprawi-ć/ać; odtrąc-ić/ać; odrzuc-ić/ać; od-epchnąć/pychać; da-ć/wać odprawę (**sb** komuś); od-esłać/syłać z kwitkiem (kogoś)

rebuild ['ri:'bild] *vt* (**rebuilt** ['ri:'bilt], **rebuilt**) 1. odbudow-ać/ywać; z/budować na nowo 2. przebudow-ać/ywać 3. odn-owić/awiać; odremontow-ać/ywać

rebuke [ri'bju:k] Ⅰ *vt* upom-nieć/inać, strofować, s/karcić; z/ganić; udziel-ić/ać nagany <z/robić wyrzuty> (**sb** komuś) Ⅲ *s* nagana, upomnienie; reprymenda; wyrzut; **without** ~ bez zarzutu

rebuking [ri'bju:kiŋ] *adv* z wyrzutem

rebus ['ri:bəs] *s* rebus

rebut [ri'bʌt] *vt* (**-tt-**) 1. powstrzym-ać/ywać 2.

od-epchnąć/pychać 3. od-eprzeć/pierać <zbi-ć/jać> (zarzuty); obal-ić/ać (zarzuty, teorię itd.)

rebuttal [ri'bʌtl], **rebutment** [ri'bʌtmənt] s odparcie; obalenie

recalcitrance [ri'kælsitrəns] s opór; krnąbrność

recalcitrant [ri'kælsitrənt] ① adj (o człowieku) oporny; krnąbrny ② s człowiek oporny <krnąbrny>

recalcitrate [ri'kælsi,treit] vi stawi-ć/ać opór <op--rzeć/ierać się (at <against> sth czemuś); z/buntować się (at <against> sth przeciw czemuś)

recalescence ['ri:kə'lesəns] s techn rekalescencja

recall [ri'ko:l] ① vt 1. przywoł-ać/ywać z powrotem 2. odwoł-ać/ywać (pracownika, ambasadora itd.) 3. od-erwać/rywać (kogoś od czegoś); wyr-wać/ywać (kogoś z zamyślenia itd.) 4. (także to ~ to mind) przypom-nieć/inać sobie; przywoł-ać/ywać na pamięć; wskrze-sić/szać (wspomnienia) 5. odwoł-ać/ywać <cof-nąć/ać> (obietnicę, rozporządzenie itd.) 6. s/kasować; unieważni-ć/ać; anulować 7. od-ebrać/bierać (darowiznę itd.) ② s 1. przywoł-anie/ywanie (artysty na scenę itd.) 2. odwoł-anie/ywanie (pracownika, rozporządzenia itd.); **beyond** <past> ~ nieodwołalnie 3. rozkaz <nakaz> powrotu

recant [ri'kænt] ① vt odwoł-ać/ywać <cof-nąć/ać> (oświadczenie itd.); wyrze-c/kać <wyp-rzeć/ierać> się (one's faith <convictions etc.> wiary <przekonań itd.>) ② vi kając się

recantation [,ri:kæn'teiʃən] s odwoł-anie/ywanie; wyrze-czenie/kanie <wyp-arcie/ieranie> się; kajanie się

recapitulate [,ri:-kə'pitju,leit] vt stre-ścić/szczać; z/reasumować; podsumow-ać/ywać; prze-jrzeć/glądać pobieżnie; powt-órzyć/arzać w krótkości

recapitulation ['ri:-kə,pitju'leiʃən] s streszcz-enie/anie; z/reasumowanie, reasumpcja; podsumow--anie/ywanie; krótki przegląd

recapitulative [,ri:-kə'pitjulətiv], **recapitulatory** [,ri:-kə'pitjulətəri] adj reasumujący

recaption [ri'kæpʃən] s prawn odzyskanie (dóbr) w drodze pokojowej

recapture ['ri:'kæptʃə] ① vt 1. odzysk-ać/iwać 2. odbi-ć/jać (łup, coś straconego) ② s odzysk-anie/iwanie

recast ['ri:'ka:st] ① vt (recast, recast) 1. przet--opić/apiać (metal) 2. przer-obić/abiać (utwór lit. itd.) 3. na nowo przelicz-yć/ać 4. teatr zmieni-ć/ać obsadę (a play sztuki) ② s przeróbka

recede [ri'si:d] vi 1. (także wojsk) cof-nąć/ać <wycof-ać/ywać> się 2. oddal-ić/ać się 3. odst-ąpić/ępować 4. o/słabnąć 5. (o cenach, wartości) spa-ść/dać; zniżkować; być w recesji 6. (o papierach itd) s/tracić na wartości <znaczeniu> ‖ to ~ into the background a) (o ludziach) s/tracić wpływy <znaczenie> b) (o zagadnieniu itd) s/tracić na aktualności <doniosłości> zob **receding**

receding [ri'si:diŋ] ① zob **recede** ② adj 1. (o czole) cofnięty 2. (o cenach, kursach itd) (będący) w recesji

receipt [ri'si:t] ① s 1. med recepta; kulin med przepis 2. pl ~s przychód; wpływy kasowe 3. odbiór; **on** ~ **of** _ po otrzymaniu ...; **to be in** ~ **of a letter etc.** być w posiadaniu listu itd.; **we are in** ~ **of** _ otrzymaliśmy ... 4. pokwitowanie; kwit; potwierdzenie odbioru; recepis

5. kasa; ~ **of custom** kasa urzędu celnego; **to sit at the** ~ **of custom** spełniać funkcje kasjera ② vt po/kwitować; potwierdz-ić/ać odbiór (**a sum** kwoty); **to** ~ **a bill** umie-ścić/szczać na rachunku adnotację o uiszczeniu należności; pokwitować rachunek

receipt-book [ri'si:t,buk] s kwitariusz

receipt-stamp [ri'si:t,stæmp] s stempel

receive [ri'si:v] ① vt 1. otrzym-ać/ywać; od--ebrać/bierać; dosta-ć/wać; **on receiving** po otrzymaniu; odebrawszy 2. przyj-ąć/mować (dar, sakrament, gości itd.); **to** ~ **the sacraments** przyst-ąpić/ępować do komunii 3. dopu-ścić/szczać (**sb into the membership** etc. kogoś do członkostwa itd.); **to** ~ **sb into the Church** przyjąć kogoś na łono kościoła 4. przyj-ąć/mować na siebie (ciężar, natarcie itd.); dźwigać (ciężar konstrukcji itd.) 5. dozna-ć/wać (**a defeat** etc. niepowodzenia itd.); doświadcz-yć/ać (**sth** czegoś) 6. po/mieścić (w sobie); z/mieścić 7. przechow-ać/ywać (kradzione rzeczy) ② vi 1. przyj-ąć/mować gości 2. przyst-ąpić/ępować do komunii zob **received, receiving**

received [ri'si:vd] ① zob **receive** ② adj ogólnie <powszechnie> przyjęty

receiver [ri'si:və] s 1. odbior-ca/czyni; adresat/ka 2. poborca 3. zarządca masy upadłości; zarządca przymusowy; likwidator 4. paser 5. odbieralnik (aparat) 6. techn odbiornik; zbiornik; pojemnik 7. radio odbiornik 8. telef słuchawka

▲**receiving** [ri'si:viŋ] ① zob **receive** ② s odbiór; ~ **of stolen goods** paserstwo

receiving-order [ri'si:viŋ,ɔ:də] s ustanowienie syndyka masy upadłości

recency ['ri:sənsi] s nowość <bliskość w czasie> (zajścia itd.)

recension [ri'senʃən] s 1. z/rewidowanie <rewizja> (tekstu itd.) 2. zrewidowany tekst

recent ['ri:snt] adj 1. świeży; niedawny; świeżej daty; nowy; ostatni 2. współczesny

recently ['ri:sntli] adv 1. świeżo; niedawno; ostatnio 2. współcześnie

▲**receptacle** [ri'septəkl] s 1. naczynie; zbiornik; odbieralnik 2. bot dno kwiatu

reception [ri'sepʃən] s 1. przyjęcie; przyjmowanie; dopuszczenie; **to meet with a ...** ~ doznać ... (serdecznego, oziębłego itd.) przyjęcia; (w czasie II wojny światowej) ~ **area** okolica bezpieczna od nalotów (przyjmująca ludność ewakuowaną z okręgów zagrożonych); (w hotelu) ~ **office** recepcja; biuro przyjęć; portiernia 2. powitanie 3. odbiór (radiowy)

▲**receptionist** [ri'sepʃənist] s (w hotelu) portier

reception-room [ri'sepʃən,ru:m] s 1. handl sala przyjęć 2. (w domu prywatnym) salon

receptive [ri'septiv] adj (o umyśle) chłonny; (o człowieku) podatny; wrażliwy

receptivity [,risep'tiviti] s chłonność (umysłu); podatność; wrażliwość

receptor [ri'septə] s fizj chwytnik, zakończenie odbiorcze; receptor

recess [ri'ses] ① s 1. wakacje 2. ferie (sądowe itd.) 3. zakątek; zakamarek; zaciszne miejsce; pl ~es tajniki (serca) 4. cof-nięcie/anie się; ust-ąpienie/ępowanie 5. wgłębienie 6. nisza; alkowa; framuga 7. anat wnęka, uchyłek, zatoka ② vt umie-ścić/szczać <s/chować> w ni-

szy <we wgłębieniu> ▥ *vi* 1. robić wgłębienia 2. *am* rozje-chać/żdżać się na ferie
recession [ri'seʃən] *s* 1. cof-nięcie/anie się; ust--ąpienie/ępowanie 2. recesja; zastój (w handlu); kryzys (ekonomiczny)
▲**recessional** [ri'seʃnl] *adj* wakacyjny
recessive [ri'sesiv] *adj* 1. wycofujący się; ustępujący 2. (*w genetyce*) recesywny
réchauffé ['rei'ʃoufei] *adj* 1. (*o potrawie*) odgrzany 2. (*o wiadomości, utworze literackim*) przerobiony, podany w odmiennej wersji
recherché [re'ʃeəʃei] *adj* wyszukany
recidivism [ri'sidi,vizəm] *s* recydywa
recidivist [ri'sidivist] *s* recydywist-a/ka
recipe ['resipi] *s* 1. *med* recepta 2. *kulin* przepis
recipient [ri'sipiənt] □ *adj* odbierający; przyjmujący ▥ *s* 1. odbior-ca/czyni 2. (człowiek) obdarowany <obdarzony>
▲**reciprocal** [ri'siprəkəl] □ *adj* 1. wzajemny; obustronny; obopólny 2. odwzajemniony, podobny; **if I helped him, I had ~ help from him** wprawdzie pomagałem mu, ale on ze swej strony udzielał mi takiej samej pomocy <on mi nawzajem pomagał>; **I took him for a Frenchman and he made the ~ mistake** ja go wziąłem za Francuza, a on ze swej strony zrobił podobny błąd w stosunku do mnie 3. *gram* (*o zaimku*) zwrotny (w odniesieniu do czynności wzajemnej) 4. *mat* odwrotny ▥ *s mat* odwrotność
reciprocate [ri'siprə,keit] □ *vt* 1. odwzajemni-ć/ać 2. odwzajemni-ć/ać <odpłac-ić/ać, z/rewanżować> się (**sth za coś**) 3. da-ć/wać <świadczyć, wyświadcz-yć/ać> sobie nawzajem; wzajemnie udziel-ić/ać sobie (**sth czegoś**) ▥ *vi* 1. odwzajemni-ć/ać <odpłac-ić/ać, z/rewanżować> się; działać <poruszać się> ruchem posuwistozwrotnym *zob* **reciprocating**
reciprocating [ri'siprə,keitiŋ] □ *zob* **reciprocate** ▥ *adj* (*o ruchu*) posuwistozwrotny; (*o maszynie*) tłokowy
reciprocation [ri,siprə'keiʃən] *s* 1. odwzajemni--enie/anie; wymiana 2. odwzajemni-enie/anie <odpłac-enie/anie, z/rewanżowanie> się 3. *techn* ruch posuwistozwrotny
reciprocity [,resi'prositi] *s* wzajemność; obopólność
recital [ri'saitl] *s* 1. opowiadanie 2. przytoczenie <wyłożenie, przedstawi-enie/anie> (faktów, szczegółów itd.) 3. wyszczególni-enie/anie (faktów itd.) 4. wy/recytowanie <za/deklamowanie> (utworu poet. itd.) 5. *muz* recital
recitation [,resi'teiʃən] *s* 1. recytacja; deklamacja 2. *am szk* odpowiedź (ucznia — z wyuczonej lekcji)
recitative [,resitə'ti:v] *s muz* recytatyw
recite [ri'sait] *vt* 1. wy/recytować; za/deklamować 2. wylicz-yć/ać 3. *prawn* z/relacjonować 4. *am szk* odpowiadać (**the lesson z przerobionej lekcji**)
reciter [ri'saitə] *s* 1. deklamator/ka; recytator/ka 2. wypisy poezji
reck [rek] *v poet* (*tylko w formie pytającej i przeczącej*) □ *vt w zwrocie*: **what ~s it him that __?** co mu po tym, że ...? ▥ *vi* dbać <troszczyć się> (**of sth o coś**); zważać (**of sth na coś**; **if <where, why etc.>** na to, czy <gdzie, dlaczego itd.>)

reckless ['reklis] *adj* 1. nierozważny; niebaczny; lekkomyślny 2. brawurowy; zuchowaty; szaleńczy; (*o jeździe itd*) na oślep; wariacki
recklessness ['reklisnis] *s* 1. brak rozwagi; lekkomyślność 2. brawura; zuchowatość; szaleńcze postępowanie
reckon ['rekən] □ *vt* 1. po/liczyć; naliczyć; oblicz-yć/ać 2. uważać (**sb, sth to be __ że ktoś, coś jest ...**; **sb as __ kogoś za ...**) 3. zalicz-yć/ać (**sb, sth among <with> __ kogoś, coś do ...**) ▥ *vi* 1. rachować; liczyć; **he taught me to ~** on mnie uczył rachunków <rachować> 2. liczyć (**on sth na coś**) 3. liczyć się (**with sb, sth z kimś, czymś**) 4. uważać; sądzić; przypuszczać
~ in *vt* wlicz-yć/ać; wziąć/brać pod uwagę
~ off *vt* odlicz-yć/ać; potrąc-ić/ać
~ up *vt* z/liczyć; z/sumować
zob **reckoning**
reckoner ['rekṇə] *s* rachmistrz; kalkulator
reckoning ['rekṇiŋ] □ *zob* **reckon** ▥ *s* 1. rachunek; obliczenie; rachuba; kalkulacja; **to be out in one's ~** przelicz-yć/ać <przerachow-ać/ywać> się; pomylić się w rachubach; **we are <were> out in our ~** (okazuje <okazało> się, że) przeliczyliśmy się <przerachowaliśmy się, pomyliliśmy się w rachunkach> 2. rozrachunek; rozliczenie; wyrównanie (kont); **the day of ~** dzień zapłaty 3. *handl* rachunek; zestawienie wydatków <kosztów> 4. *mar* ustalenie położenia (okrętu)
reclaim [ri'kleim] □ *vt* 1. nawr-ócić/acać; s/kierować na drogę poprawy; z/reformować; wybawi-ć/ać (z grzechu) 2. u/cywilizować; wydoby-ć/wać (z mroków barbarzyństwa) 3. osw-oić/ajać 4. z/meliorować 5. wziąć/brać (nieużytki) pod uprawę 6. odzysk-ać/iwać <z/regenerować> (surowiec itd.) 7. ['ri:'kleim] za/żądać zwrotu <dochodzić> (**sth czegoś**) ▥ *vi rz* za/protestować ▥ *s w zwrocie*: **beyond <past> ~** bezpowrotnie; beznadziejnie
reclaimable [ri'kleiməbl] *adj* 1. możliwy do nawrócenia <do skierowania na drogę poprawy> 2. dający się z/meliorować <uprawi-ć/ać> 3. (*o surowcu*) możliwy do odzyskania (z odpadków) <do zregenerowania>
reclamation [,reklə'meiʃən] *s* 1. nawrót; nawr-ócenie/acanie; skierow-anie/ywanie na drogę poprawy 2. u/cywilizowanie 3. melioracja; z/meliorowanie 4. odda-nie/wanie <wzięcie/branie> pod uprawę 5. regeneracja <odzyskanie> (surowca itd.) 6. reklamacja 7. rewindykacja
reclinate ['reklinit] *adj bot* (*o liściu itd*) odchylony
recline [ri'klain] □ *vt* 1. ułożyć/układać (w pozycji półleżącej) 2. op-rzeć/ierać ▥ *vi* 1. leżeć; spoczywać pół leżąc 2. (*o głowie*) opierać się <być opartym> (**on sb, sth o kogoś, coś; na kimś, czymś**) 3. *przen* polegać (**upon sb, sth na kimś, czymś**)
reclothe ['ri:'klouð] *vt* 1. przeb-rać/ierać; zmieni-ć/ać ubranie (**sb komuś**) 2. da-ć/wać nową garderobę (**sb komuś**)
recluse [ri'klu:s] *adj* 1. samotny; żyjący w samotności 2. pustelniczy ▥ *s* 1. samotni-k/ca; odludek 2. pustelni-k/ca
recoal ['ri:'koul] □ *vt* zaopat-rzyć/rywać w wę-

giel Ⅲ *vi* bunkrować; uzupełni-ć/ać zapas węgla

recognition [,rekəg'niʃən] *s* 1. uzna-nie/wanie (faktu, zasług) 2. dowód uznania; **in ~ of sth** w dowód uznania czegoś 3. pɔzna-nie/wanie (znajomej twarzy, przedmiotu itp.); rozpozna--nie/wanie; **a sign of ~** znak <dowód> poznania <zauważenia> (kogoś); **past all ~** nie do poznania <rozpoznania>

recognizable ['rekəg,naizəbl] *adj* możliwy do poznania <rozpoznania>; **he is no longer ~** nie można go poznać; (on) zmienił się nie do poznania; **he is ~ by his manner of __** poznaje się go po jego sposobie ... (robienia czegoś)

recognizance [ri'kɔgnizəns] *s prawn* 1. zobowiązanie (powzięte wobec sądu) 2. kaucja; zastaw

recognize ['rekəg,naiz] *vt* 1. uzna-ć/wać (**sb, sth** kogoś, coś; **sb as __** kogoś za... — zwierzchnika itd.); **to refuse to ~ sb, sth** wyp-rzcć/icrać się kogoś, czegoś 2. przyzna-ć/wać się (**sb, sth** do kogoś, czegoś) 3. pozna-ć/wać (**a person one knows by sth** znajomego po czymś); rozpozna-ć/wać (coś); pozna-ć/wać się (**sth na czymś**) 4. (*o przewodniczącym zebrania*) udziel-ić/ać głosu (**a member** członkowi zebrania) *zob* **recognized**

recognized ['rekəg,naizd] Ⅰ *zob* **recognize** Ⅲ *adj* 1. uznany 2. (ogólnie, powszechnie) przyjęty

⧫**recoil** [ri'kɔil] Ⅰ *vi* 1. cof-nąć/ać <wycof-ać/ywać> się 2. odbi-ć/jać się; (*o broni palnej*) odsk-oczyć/akiwać <szarp-nąć/ać> 3. (*o sprężynie, cięciwie itd*) odpręż-yć/ać się; odsk-oczyć/akiwać 4. (*o złem*) odbi-ć/jać się (**on sb** na kimś) 5. wzdragać się (**from sth** <**doing sth**> przed czymś <przed zrobieniem czegoś>); wzbraniać się (**from sth** <**doing sth**> od czegoś <od zrobienia czegoś>) Ⅲ *s* 1. odskok 2. odbicie się 3. odrzut <szarpnięcie> (karabinu itd.) 4. cofnięcie się 5. wstręt (**from sth** do czegoś)

recollect[1] [,rekə'lekt] Ⅰ *vt* przypɔm-nieć/inać sobie <**pamiętać**> (**sth** coś; **having done** <**said etc.**> **sth** że się coś zrobiło <powiedziało itd.>); **I couldn't ~ him** nie mogłem sobie przypomnieć, kto to jest <skąd go znam> Ⅲ *vr* **~ oneself** zebrać (swe) myśli

re-collect[2] ['ri:-kə'lekt] *vt* zebrać na nowo; pozbierać

recollection [,rekə'lekʃən] *s* 1. pamięć; **it is outside my ~** ja (już) tego nie pamiętam; **to have a** <**no**> **~ of sth** pamiętać coś <nie pamiętać czegoś>; **to have a dim ~ of sth** pamiętać coś jak przez mgłę; **to the best of my ~** o ile mnie pamięć nie myli <nie zawodzi>; **within my ~** za mojej pamięci 2. wspomnienie

⧫**recollective** [,rekə'lektiv] *adj* (*o pamięci*) trwały; dobry

recommence ['ri:kə'mens] *vt* zacz-ąć/ynać <rozpocz-ąć/ynać> na nowo; wzn-owić/awiać

recommend [,rekə'mend] *vt* 1. polec-ić/ać (**sb, sth to sb** kogoś, coś komuś; **one's soul** <**oneself**> **to God** duszę Bogu <się opiece boskiej>); za/rekomendować; **the hotel** <**restaurant etc.**> **is to be ~ed for __** hotel <restauracja itd.> jest godny polecenia ze względu na ... 2. polec-ić/ać (**sb to do sth** komuś coś zrobić); zalec-ić/ać (**sth to sb** coś kɔmuś) 3. (*o zaletach itd*) prze-

mawiać (**sb za kimś** <**na czyjąś korzyść**>); dobrze świadczyć (**sb o kimś**)

recommendable [,rekə'mendəbl] *adj* godny polecenia

recommendation [,rekəmen'deiʃən] *s* 1. polecenie; rekomendacja; **letter of ~** list polecający; **on the ~ of sb** na polecenie czyjeś 2. zalecenie (komisji itd.) 3. rzecz godna polecenia

recommendatory [,rekə'mendətəri] *adj* (*o liście itd*) polecający

recommit ['ri:-kə'mit] *vt* (-tt-) 1. ponownie <po raz drugi> popełni-ć/ać 2. zlec-ić/ać ponownie 3. od-esłać/syłać (projekt ustawy) do ponownego rozpatrzenia przez komisję 4. od-esłać/syłać (więźnia) do celi więziennej

recompense ['rekəm,pens] Ⅰ *vt* 1. wynagr-odzić/adzać (**sb** kogoś, **an action** czyn, uczynek; **sb for sth** kogoś za coś; **sth to sb** komuś coś); odwdzięcz-yć/ać się (**sth to sb** komuś za coś) 2. wynagr-odzić/adzać <s/kompensować> (**sb for a loss etc.** komuś stratę itd.) Ⅲ *s* 1. wynagrodzenie 2. rekompensata; odszkodowanie

recompose ['ri:-kəm'pouz] *vt* 1. *druk* na nowo układać; przeskładać 2. uspok-oić/ajać na nowo

reconcilable ['rekən,sailəbl] *adj* możliwy do pogodzenia <dający się pogodzić> (**with sth z** czymś)

reconcile ['rekən,sail] Ⅰ *vt* 1. po/godzić <pojedn-ać/ywać> (**sb with sb** kogoś z kimś); (*o powaśnionych stronach*) **to become ~d** pogodzić się 2. na nowo poświęc-ić/ać (sprofanowany kościół) 3. po/godzić (**sb to his fate etc.** kogoś z losem itd.) 4. załag-odzić/adzać (spór) 5. po/godzić (fakty itd.) Ⅲ *vr* **~ oneself** po/godzić <pojedn-ać/ywać> się (**with sb z** kimś); po/godzić się (**to one's lot etc.** z losem itd.)

reconcilement ['rekən,sailmənt] *s* 1. pojednanie; zgoda 2. załagodzenie (sporu) 3. pogodzenie (sprzeczności itd.)

reconciler ['rekən,sailə] *s* pojednawca

reconciliation [,rekənsili'eiʃən] *s* 1. pojednanie; zgoda 2. *kośc* rekoncyliacja (poświęcenie sprofanowanego kościoła)

recondite [ri'kɔndait] *adj* 1. (*o wiedzy*) tajemny 2. (*o stylu itd*) niezrozumiały; zawiły 3. (*o autorze itd*) zapoznany; mało znany

reconditeness ['rekən,daitnis] *s* 1. tajemniczy charakter (wiedzy) 2. niejasny <zawiły> styl (autora)

recondition ['ri:-kən'diʃən] *vt* odn-owić/awiać; od/remontować

reconduct ['ri:-kən'dʌkt] *vt* odprowadz-ić/ać

reconnaissance [ri'kɔnisəns] *s* 1. *wojsk* rozpoznanie; zwiad; rekonesans; **~ party** patrol; oddział rozpoznawczy <zwiadowczy> 2. *dosł i przen* zbadanie terenu; zorientowanie się w sytuacji

reconnect ['ri:-kə'nekt] *vt* na nowo połączyć; wzn-ɔwić/awiać połączenie (**sth** czegoś)

reconnoitre [,rekə'nɔitə] Ⅰ *vt* 1. *wojsk* rozpozna-ć/wać <z/badać> (teren) 2. z/badać (sytuację itd.); zorientować się (**the condition of sth** w stanie czegoś) Ⅲ *vi* 1. *wojsk* przeprowadz-ić/ać rozpoznanie <zwiad> 2. *dosł i przen* z/badać teren; z/orientować się w sytuacji *zob* **reconnoitring** Ⅲ *s* = **reconnaissance**

reconnoitring [,rekə'nɔitəriŋ] Ⅰ *zob* **reconnoitre** Ⅲ *adj* (*o oddziale*) rozpoznawczy, zwiadowczy; ~ **party** patrol; oddział rozpoznawczy <zwiadowczy> **Ⅲ** *s_wojsk* rozpoznanie; zwiad; **to go** ~ przeprowadz-ić/ać rozpoznanie <zwiad>

reconquer ['ri:'kɔŋkə] *vt* odbi-ć/jać **(from the enemy** nieprzyjacielowi); odzysk-ać/iwać <zdoby-ć/wać z powrotem> **(from the enemy od** nieprzyjaciela)

reconsider ['ri:-kən'sidə] *vt* rozpatrzyć na nowo; podda-ć/wać rewizji; z/rewidować

reconsideration ['ri:-kən‚sidə'reiʃən] *s* ponowne rozpatrzenie; rewizja <zrewidowanie> (decyzji itd.)

reconstitute ['ri:'kɔnsti‚tju:t] *vt* ponownie ustan-owić/awiać; przywr-ócić/acać

reconstruct ['ri:-kən'strʌkt] *vt* 1. odbudow-ać/ywać 2. przebudow-ać/ywać 3. z/rekonstruować; odtw-orzyć/arzać (fakty, sytuację itd.)

reconstruction ['ri:-kən'strʌkʃən] *s* 1. odbudowa, odbudowanie 2. przebudowa 3. rekonstrukcja; odtw-orzenie/arzanie (faktów, sytuacji itd.)

reconvert ['ri:-kən'və:t] *vt* 1. przywr-ócić/acać do dawnego <poprzedniego> stanu 2. na nowo nawrócić

▲**record** [ri'kɔ:d] **Ⅰ** *vt* 1. za/notować; zapis-ać/ywać 2. za/protokołować 3. (*o kronikarzu itd*) opowiadać <wspominać> **(sth** o czymś) 4. (*o pomniku itd*) upamiętni-ć/ać 5. (*o instrumencie, przyrządzie itd*) notować; rejestrować 6. utrwal-ić/ać; za/rejestrować (głos itd.) 7. nagr-ać/ywać (na płycie, taśmie) 8. *lit* (*o ptaku*) za/świergotać *zob* **recording** **Ⅲ** *s* ['rekɔ:d] 1. za/notowanie <zapis-anie/ywanie> (faktu itd.) w rejestrze; za/rejestrowanie; **a matter of** ~ rzecz urzędowo stwierdzona <zapisana>; **it is on** ~ **that** — historia· notuje, że ...; **to bear** ~ **to sth** potwierdzać coś; **to be on** ~ być urzędowo zarejestrowanym <stwierdzonym> 2. *sąd* akta (sprawy); protokół 3. notatka; obserwacja; wzmianka; **to keep a** ~ **of sth** notować <zapisywać, rejestrować>·coś; (*o informacji itd*) **off the** ~ nieoficjalny; prywatny; podany do prywatnej wiadomości 4. rejestr 5. świadectwo (historyczne); *pl* **Records** archiwa; kroniki; pamiętniki; zapiski; **Keeper of the Records** archiwariusz 6. znak; dowód <upamiętnienie> (faktu, zajścia itd.) 7. akta personalne; świadectwa pracy; (czyjaś) przeszłość; (*u obywatela*) stan karalności; **to have a good** ~ mieć nieskazitelną przeszłość; **to have a bad** ~ nie mieć nieskazitelnej przeszłości; **to show a clean** ~ wykazać, że się nie było sądownie karanym 8. rekord (sportowy itd.); ~ **speed** <**height etc.**> rekordowa szybkość <wysokość itd.> 9. płyta gramofonowa; ~ **library** zbiór płyt gramofonowych

recorder [ri'kɔ:də] *s* 1. *sąd* naczelny sędzia miasta <okręgu> 2. kronikarz 3. pisak; przyrząd rejestrujący <samopiszący>, rejestrator; **sound** ~ przyrząd rejestrujący dźwięk; **tape** ~ magnetofon· 4. *muz* starodawny rodzaj fletu

record-holder ['rekɔ:d‚houldə] *s* rekordzist-a/ka; *sport* mistrz/yni

recording [ri'kɔ:diŋ] **Ⅰ** *zob* record *v* **Ⅲ** *s* nagranie **Ⅲ** *adj* notujący, rejestrujący, zapisujący

recount¹ ['ri:'kaunt] **Ⅰ** *vt* przelicz-yć/ać **Ⅲ** *s* ['ri:‚kaunt] przeliczenie (głosów przy wyborach itd.)

recount² [ri'kaunt] *vt* (szczegółowo) opowi-edzieć/adać

recoup [ri'ku:p] **Ⅰ** *vt* 1. wynagr-odzić/adzać **(a loss** stratę; **sb his loss** <**for his loss**> komuś stratę) 2. *prawn* potrąc-ić/ać <zatrzym-ać/ywać sobie> (część należności itp.) **Ⅱ** *vr* ~ **oneself** wynagr-odzić/adzać sobie **(for one's loss** stratę)

recoupment [ri'ku:pmənt] *s* 1. wynagr-odzenie/adzanie (straty) 2. potrąc-enie/anie (części należności)

recourse [ri'kɔ:s] *s* 1. uciekanie się **(to sth do** czegoś); **to have** ~ **to** — uciekać się do ...; **one's last** ~ ostatnia ucieczka <deska ratunku> 2. regres; prawo regresu

recover¹ [ri'kʌvə] **Ⅰ** *vt* 1. odzysk-ać/iwać (mienie, przytomność itd.); odna-leźć/jdywać; **to** ~ **one's legs** stanąć na nogi <*pot* pozbierać się> (po upadku); **to** ~ **one's strength** wrócić do sił 2. od-ebrać/bierać (stracone mienie itd.); otrzym-ać/ywać zwrot **(sth** czegoś); dochodzić **(one's rights, money etc.** praw, należności itd.); uzysk-ać/iwać <otrzym-ać/ywać> (odszkodowanie itd.); **to** ~ **one's losses** odegrać się 3. o/cucić; przywr-ócić/acać (do przytomności, do życia) 4. wyleczyć; uzdrowić 5. wynagr-odzić/adzać sobie; odr-obić/abiać **(lost time** stracony czas) **Ⅲ** *vi* 1. wyzdrowieć; przy-jść/chodzić <wr-ócić/acać> do zdrowia; poprawi-ć/ać się 2. odzysk-ać/iwać przytomność; przy-jść/chodzić do przytomności; oprzytomnieć; ocknąć się 3. *handl* (*o kursach, koniunkturze itd*) polepsz-yć/ać <poprawi-ć/ać> się; wr-ócić/acać do normy 4. *szerm* wracać do poprzedniej pozycji **Ⅲ** *s szerm* powrót do poprzedniej pozycji

recover² ['ri:'kʌvə] *vt* na nowo pokry-ć/wać (meble itd.)

▲**recovery** [ri'kʌvəri] *s* 1. odzysk-anie/iwanie; *chem* regeneracja; rekuperacja; zużytkowanie odpadków 2. zwrot (mienia, pieniędzy itd.) 3. otrzym-anie/ywanie <uzysk-anie/iwanie> (odszkodowania itd.) 4. powrót do zdrowia; poprawa; wyzdrowienie; **past** ~ w beznadziejnym stanie 5. *handl* poprawa (koniunktury, sytuacji) 6. *szerm* powrót do pozycji wyjściowej

recreancy ['rekriənsi] *s poet ret* 1. tchórzostwo; małoduszność 2. odstępstwo; zaprzaństwo

recreant ['rekriənt] **Ⅰ** *adj poet ret* 1. tchórzliwy; małoduszny 2. odstępczy **Ⅲ** *s poet ret* 1. tchórz; człowiek małoduszny 2. odstępca; zaprzaniec

re-create¹ ['ri:-kri'eit] *vt* ponownie stw-orzyć/arzać; odtw-orzyć/arzać

recreate² ['rekri‚eit] **Ⅰ** *vt* 1. rozerwać; da-ć/wać rozrywkę <wypoczynek, odprężenie, wytchnienie> **(sb** komuś); zabawi-ć/ać, bawić 2. odśwież-yć/ać umysł **(sb** komuś); doda-ć/wać nowych sił **(sb** komuś) **Ⅲ** *vr* ~ **oneself** 1. rozerwać <zabawi-ć/ać, bawić> się 2. odśwież-yć/ać sobie umysł; pokrzepi-ć/ać się; zaczerpnąć nowych sił, czerpać nowe siły; wypocz-ać/ywać

▲**recreation** [‚rekri'eiʃən] *s* 1. rozrywka; zabawa 2. pokrzepienie (się); odświeżenie umysłu 3. wytchnienie; wypoczynek; odprężenie 4. *szk* przerwa; rekreacja; ~ **ground** plac zabaw

recreative ['rekri‚eitiv] *adj* (*o zajęciu itd*) rozrywkowy; dający wypoczynek <odprężenie, wytchnienie>; odświeżający umysł

recrement ['rekrimənt] s 1. *fizj* wydzielina ulegająca wchłonięciu (ślina itd.) 2. odpadki

recriminate [ri'krimi,neit] *vi* obwiniać się wzajemnie

recrimination [ri,krimi'neiʃən] s rekryminacja, wzajemne obwinianie się

recriminatory [rí'kriminətəri] *adj* rekryminacyjny

recross ['ri:'krɔs] *vt* 1. prze-jść/chodzić <przeje--chać/żdżać>, ponownie <jeszcze raz, powtórnie> (a street, a district etc. przez ulicę, okolicę itd.); przepły-nąć/wać <przeprawi-ć/ać się> ponownie <jeszcze raz, powtórnie> (a river etc. przez rzekę itd.) || to cross and ~ one's arms nerwowo zakładać i rozkładać ręce

recrudesce [,ri:-kru:'des] *vi* (*o ranie*) otw-orzyć/ierać się; (*o objawach, gorączce itd*) wzn-owić/awiać <odn-owić/awiać, od-ezwać/zywać> się; powr-ócić/acać; (*o niepokojach itd*) wybuchnąć na nowo; powt-órzyć/arzać się

recrudescence [,ri:-kru:'desns] s otw-arcie/ieranie się (rany); wzn-owienie/awianie <odn-owienie/awianie> się; powrót <nawrót> (gorączki, objawów itd.); ponowny wybuch <wzn-owienie/awianie się, powt-órzenie/arzanie się> (niepokojów itd.)

recruit [ri'kru:t] [I] s 1. *wojsk* rekrut 2. (*w organizacji itd*) świeży nabytek; nowicjusz/ka [II] *vi* 1. uzupełni-ć/ać braki 2. poratować zdrowie; poprawi-ć/ać się na zdrowiu; powr-ócić/acać do zdrowia; odzysk-ać/iwać siły; wzm-ocnić/acniać się [III] *vt* z/werbować; rekrutować *zob* recruiting

recruiting [ri'kru:tiŋ] [I] *zob* recruit *v* [II] *adj* rekrutacyjny; werbunkowy [III] s rekrutacja; rekrutowanie; werbunek; z/werbowanie; *wojsk* pobór (rekruta)

recruitment [ri'kru:tmənt] s 1. werbunek; z/werbowanie; rekrutacja; rekrutowanie; *wojsk* pobór (rekruta) 2. uzupełni-enie/anie braków 3. poratowanie zdrowia; powrót do zdrowia <sił>; wzm-ocnienie/acnianie się

rectal ['rektəl] *adj anat* odbytniczy; ~ injection <douche> lewatywa

rectangle ['rektæŋgl] s prostokąt

rectangular [rek'tæŋgjulə] *adj* prostokątny

rectifiable ['rekti,faiəbl] *adj* dający się poprawić <sprostować>; (możliwy) do sprostowania <poprawienia>

rectification [,rektifi'keiʃən] s 1. poprawka (błędu itd.); korektura; sprostowanie; naprawi-enie/anie (krzywd); ukr-acanie/ócenie (nadużyć) 2. *chem* rektyfikacja; oczyszcz-enie/anie 3. *mat* rektyfikacja <wy/prostowanie> (krzywej) 4. *elektr* s/prostowanie

rectifier ['rekti,faiə] s· 1. osoba <rzecz> poprawiająca <prostująca> 2. *techn* rektyfikator 3. *elektr* prostownik

rectify ['rekti,fai] *vt* (rectified ['rekti,faid], rectified; rectifying ['rekti,faiiŋ]) 1. poprawi--ć/ać <s/prostować, s/korygować> (błąd itd.); naprawi-ć/ać (krzywdę), ukr-ócić/acać (nadużycia) 2. *chem* z/rektyfikować; oczy-ścić/szczać 3. *mat* z/rektyfikować <wy/prostować> (krzywą) 4. *elektr* s/prostować

rectilineal [,rekti'liniəl], rectilinear [,rekti'liniə] *adj* prostolinijny

rectitude ['rekti,tju:d] s prawość; rzetelność;

uczciwość; prostolinijność; wysoki poziom moralny

recto ['rektou] s pierwsza <przednia, prawa> stronica (kartki, arkusza)

rector ['rektə] s 1. (*w kościele anglikańskim*) proboszcz (pobierający dziesięcinę) 2. rektor (uniwersytetu i zakonu) 3. dyrektor (szkoły średniej)

rectorate ['rektərit] s rektorat; rektorstwo

rectorial [rek'tɔ:riəl] *adj* rektorski

rectory ['rektəri] s (*w kościele anglikańskim*) probostwo

rectrices ['rektri,si:z] *spl* sterówki (ptaka)

rectum ['rektəm] s *anat* prostnica, odbytnica, kiszka stolcowa

recumbency [ri'kʌmbensi] s pozycja leżąca

recumbent [ri'kʌmbənt] *adj* (*o człowieku, pozycji*) leżący; (*o człowieku, postaci*) (będący) w pozycji leżącej

recuperate [ri'kju:pə,reit] [I] *vt* 1. przywr-ócić/acać do zdrowia; wyleczyć 2. *techn* odzysk-ać/iwać; z/regenerować; z/rekuperować [II] *vi* być rekonwalescentem; wr-ócić/acać <powr-ócić/acać> do zdrowia; wyzdrowieć

recuperation [ri,kju:pə'reiʃən] s 1. rekonwalescencja; powrót do zdrowia; wyzdrowienie 2. *techn* odzysk-anie/iwanie, rekuperacja; regeneracja

recuperative [ri'kju:pərətiv] *adj* 1. (*o zdolnościach itd*) powracania do zdrowia; ~ power siły żywotne 2. krzepiący; przywracający zdrowie

recuperator [ri'kju:pə,reitə] s 1. *techn* rekuperator, odzysknica 2. *artyl* powrotnik

recur [ri'kə:] *vi* (-rr-) 1. wr-ócić/acać <powr-ócić/acać> (do czegoś w mowie lub myślą) 2. (*o idei, zdarzeniu itd*) wr-ócić/acać <powr-ócić/acać> na myśl 3. (*o zajściu, zjawisku itd*) powt-órzyć/arzać się; zdarz-yć/ać się jeszcze raz <powtórnie>; (*o sposobności*) nadarz-yć/ać się jeszcze raz <wiele razy> *zob* recurring

recurrence [ri'kʌrəns] s 1. powrót <nawrót> (to sth do czegoś) 2. uciekanie się (to sth do czegoś); to have ~ to — uciekać się do... 3. powt-órzenie/arzanie się (zjawiska itd.) 4. *med* powrót <nawrót> (gorączki itd.)

recurrent [ri'kʌrənt] *adj* 1. *anat* (*o nerwie itd*) wsteczny <powrotny> 2. powtarzający się; periodyczny; okresowy 3. *med* (*o gorączce itd*) powrotny, powracający w pewnych odstępach czasu 4. *mat* ~ series szereg zwrotny

recurring [ri'kʌriŋ] [I] *zob* recur [II] *adj mat* ~ decimal ułamek dziesiętny okresowy; ~ series szereg zwrotny

recurvate [ri'kə:vit] *adj* zagięty; odgięty

recusancy ['rekjuzənsi] s 1. *hist* odmowa brania udziału w nabożeństwie anglikańskim 2. zawzięty upór

recusant ['rekjuzənt] s *adj hist* odmawiający brania udziału w nabożeństwie anglikańskim

↑red [red] [I] *adj* (-dd-) 1. czerwony; (*o oczach*) zaczerwieniony; (*o policzkach*) czerwony; rumiany; *przen* (*o rękach*) splamiony krwią; (*o bitwie itd*) krwawy; zoo ~ admiral admirał (motyl); ~ bark kora chinowa; ~ book księga rodów angielskich <urzędników państwowych itd.>; ~ box kuferek pokryty czerwoną skórą, w którym ministrowie angielscy przechowują ważne dokumenty państwowe; ~ ensign bandera angielskiej marynarki handlowej; ~ gum a) dziecięca wysypka b) sok z kilku gatunków eukaliptusu; ~ **heat** żar czerwony; **Red Indian** Indianin; ~ **lamp** czerwone światło przed domem lekarza <aptekarza>; *pot dziec* ~ **lane** gardło; ~ **light** a) czerwone światło b) znak ostrzegawczy c) = ~ **lamp**; ~ **man** Indianin; ~ **meat** mięso baranie <wołowe> (w odróżnieniu od białego i wieprzowego); ~ **rag** czerwona szmata; *przen* czerwona płachta; ~ **ribbon** wstążka Orderu Łaźni; ~ **tape** a) czerwona taśma do związywania aktów urzędowych b) *przen* biurokratyzm; biurokracja; *bot* ~ **weed** mak; **the Red Army** Armia Czerwona; **the Red Flag** Czerwony Sztandar; **to become** <**get, go, turn**> ~ za/ czerwienić się; **to become** ~ **in the face** zdenerwować się 2. rudy; ryży ⅲ *s* 1. czerwony kolor; czerwień; **to see** ~ mieć uderzenie krwi do głowy; *pot* **I saw** ~ krew mnie zalała, cholera mnie wzięła 2. *polit* czerwony; radykał; skrajny lewicowiec; rewolucjonist-a/ka 3. *bil* czerwona bila 4. *sl* złoto; forsa ‖ *am* **to be in the** ~ mieć deficyt

redact [ri'dækt] *vt* 1. z/redagować; przer-obić/ abiać <przeredagow-ać/ywać> (artykuł itd.) 2. wyda-ć/wać (książkę itd.)

redaction [ri'dækʃən] *s* 1. z/redagowanie; redakcja (artykułu itd.); przeróbka (artykułu itd.) 2. nowe wydanie

redan [ri'dæn] *s hist fort* redan, dwuramnik (rodzaj szańca)

redbreast ['red͵brest] *s zoo* rudzik właściwy (ptak)

↟**redcap** ['red͵kæp] *s* żołnierz żandarmerii

redcoat ['red͵kout] *s hist* żołnierz angielski

redd [red] *vt dial szkoc* po/sprzątać <z/robić po­rządek> (**the house etc.** w domu itd.)

redden ['redn] ⅰ *vt* po/czerwienić; po/malować <u/farbować> na kolor czerwony ⅲ *vi* za/czerwienić się; po/czerwienieć

reddish ['rediʃ] *adj* czerwonawy

reddle ['redl] ⅰ *s* czerwona ochra ⅲ *vt* po/czerwienić ochrą

reddleman ['redlmən] *s* (*pl* **reddlemen** ['redlmən]) sprzedawca ochry

redecorate ['ri:'dekə͵reit] *vt* odmalow-ać/ywać (przemalow-ać/ywać) (mieszkanie); zmieni-ć/ać tapety (**a room etc.** w pokoju itd.)

redeem [ri'di:m] *vt* 1. wykup-ić/ywać (zastaw, weksel itd.); spłac-ić/ać <z/amortyzować, um­-orzyć/arzać> (dług itd.); odzysk-ać/iwać (prawo itd.); u/ratować (honor) 2. dotrzym-ać/ywać (**a promise** obietnicy), spełni-ć/ać (obietnicę) 3. uw-olnić/alniać <wykup-ić/ywać> (niewolnika, zakładnika itd.); (*o Chrystusie*) odkupić <wyba­wić> (ludzkość) 4. (*o zaletach itd*) wyrówn-ać/ ywać <s/kompensować> (wady, braki itd.) 5. odpokutować (zbrodnię itd.), pokutować (**one's errors etc.** za winy itd.) *zob* **redeeming**

redeemable [ri'di:məbl] *adj* odkupny; podlegający wykupowi <amortyzacji>

redeemer [ri'di:mə] *s* wybawca; **the Redeemer** Zbawiciel, Odkupiciel

redeeming [ri'di:miŋ] ⅰ *zob* **redeem** ⅲ *adj* 1. zbawczy 2. kompensacyjny; **a** ~ **feature** cecha wyrównująca wady <braki>

re-deliver ['ri:-di'livə] *vt* dostawi-ć/ać ponownie <powtórnie>

re-delivery ['ri:-di'livəri] *s* ponowna <powtórna> dostawa

redemand ['ri:-di'mɑ:nd] *vt* za/żądać zwrotu (**sth** czegoś)

redemise ['ri:-di'maiz] *s prawn* zwrot

redemption [ri'dempʃən] *s* 1. wykup <wykupie­nie> (weksla, zastawu itd.); spłac-enie/anie <z/amortyzowanie, amortyzacja, um-orzenie/ arzanie> (długu itd.); ~ **fund** fundusz amortyzacyjny 2. wykup <uwolnienie> (niewolnika, zakładnika itd.) 3. wybawienie <zbawienie, odku­pienie> (ludzkości); **the year of our** ~ __ rok pański... 4. odpokutowanie (zbrodni itd.); **a crime without** <**beyond, past**> ~ zbrodnia nie do odpokutowania 5. wkupienie się (do organizacji)

redemptive [ri'demptiv] *adj* wyrównujący, kompensacyjny

redemptorist [ri'demptərist] *s kość* redemptorysta

redeploy ['ri:-di'plɔi] *vt wojsk* przerzuc-ić/ać (wojska) na inny odcinek frontu

red-eye ['red͵ai] *s* 1. *zoo* czerwionka; wzdręga (ryba karpiowata) 2. *am sl* (tani gatunek) whisky

red-eyed ['red͵aid] *adj* z zaczerwienionymi oczami

red-faced ['red͵feist] *adj* czerwony na twarzy; rumiany

red-fish ['red͵fiʃ] *s* (*pl* ~) *zoo* łosoś (w okresie tarła)

red-haired ['red'heəd] *adj* rudy; ryży

red-handed ['red'hændid] *adj* (*o człowieku*) o rękach splamionych krwią ludzką; **to be caught** ~ zostać przyłapanym na gorącym uczynku

↟**red-headed** ['red'hedid] = **red-haired**

red-hot ['red͵hɔt] *adj* 1. rozpalony do czerwoności 2. mocno podniecony 3. *sl* zawzięty; zacietrzewiony

re-did *zob* **re-do**

redintegrate [re'dinti͵greit] *vt* 1. scal-ić/ać 2. wzn-owić/awiać; odn-owić/awiać 3. restytuować (**sb in his possessions** komuś mienie)

redirect ['ri:-di'rekt] *vt* przeadresow-ać/ywać; przes-łać/yłać pod zmienionym adresem

rediscount ['ri:-dis'kaunt] ⅰ *s bank* redyskont ⅲ *vt* z/redyskontować

rediscover ['ri:-dis'kʌvə] *vt* odkry-ć/wać na nowo

rediscovery ['ri:-dis'kʌvəri] *s* ponowne odkrycie

redistil ['ri:-dis'til] *vt* (-ll-) *chem* powtórnie destylować

redistillation ['ri:͵disti'leiʃən] *s chem* redestylacja, powtórna destylacja

redistribute ['ri:-dis'tribjut] *vt* rozdziel-ić/ać ponownie

redistribution ['ri:͵distri'bju:ʃən] *s* ponowny rozdział, redystrybucja

red-legged ['red͵legd] *adj zoo* czerwononogi

red-legs ['red͵legz] *spl zoo* nazwa kilku gatunków ptaków (kuropatw, brodźców itd.)

red-letter ['red'letə] *attr* (*o dniu*) świąteczny <pa­miętny>

redness ['rednis] *s* czerwoność

red-nosed ['red͵nouzd] *adj* (*o człowieku*) czerwononosy

↟**re-do** ['ri:'du:] *vt* (**re-did** ['ri:'did], **re-done** ['ri:'dʌn]) 1. przer-obić/abiać; zmieni-ć/ać 2. poprawi-ć/ać <zmieni-ć/ać> (fryzurę)

redolence ['redələns] *s* aromat; (miły, przyjemny) zapach; woń

redolent ['redələnt] *adj* 1. aromatyczny; wonny 2. pachnący (**of sth** czymś) 3. (*o potrawie itd*) o silnym zapachu (**of garlic etc.** czosnku itd.) 4. (*o zapachu*) przypominający (**of sth** coś) <trącący (**of sth** czymś)>

re-done *zob* re-do

redouble [ri'dʌbl] [I] *vt* 1. podw-oić/ajać; zdw-oić/ajać; podn-ieść/osić <powiększ-yć/ać> w dwójnasób 2. *karc* z/rekontrować [II] *vi* podw-oić/ajać <zdw-oić/ajać> się; podn-ieść/osić <powiększ-yć/ać> się w dwójnasób [III] *s* 1. ilość podwojona 2. *karc* rekontra

redoubt [ri'daut] *s fort* reduta

redoubtable [ri'dautəbl] *adj* groźny; straszny

redound [ri'daund] *vi* 1. przyczyni-ć/ać się (**to sth** do czegoś) 2. przyn-ieść/osić (**to sb's honour** <advantage etc.> (komuś zaszczyt <korzyść itd.>) 3. odbi-ć/jać się <(*o czymś ujemnym*) ze/mścić się> (**upon sb** na kimś) 4. (*o korzyściach itd*) wynik-nąć/ać (**to sb** dla kogoś)

redpoll ['red,poul] *s zoo* 1. czeczotka (ptak wróblowaty) 2. rasa czerwonego bydła bez rogów

redraft ['ri:,drɑːft] [I] *s* przeredagowana wersja (dokumentu itd.) [II] *vt* ['ri:'drɑːft] przeredagow-ać/ywać

redraw ['ri:'drɔː] *vt* (**redrew** ['ri:'druː], **redrawn** ['ri:'drɔːn]) przerysow-ać/ywać

redress [ri'dres] [I] *vt* 1. wyrówn-ać/ywać; przywr-ócić/acać (równowagę itd.) 2. naprawi-ć/ać (krzywdę); wynagr-odzić/adzać (stratę itd.); usu-nąć/wać <ukr-ócić/acać> (nadużycia); ulżyć (**sb's distress etc.** komuś w jego cierpieniu itd.) [II] *s* rekompensata; naprawienie (krzywdy); zadośćuczynienie; usunięcie <ukrócenie> (nadużycia); **to seek** ~ szukać sprawiedliwości <zadośćuczynienia>

red-rimmed ['red,rimd] *adj* (*o oczach*) z zaczerwienionymi powiekami

red-roofed ['red,ruːft] *adj* (*o domu*) z czerwonym dachem

redshank ['red,ʃæŋk] *s zoo* brodziec krwawodzioby (ptak spokrewniony z bekasem)

red-short ['red,ʃɔːt] *adj metalurg* (*o żelazie*) kruchy na gorąco

redskin[1] ['red,skin] *adj* (*o Indianinie*) czerwonoskóry

Redskin[2] ['red,skin] *s* Indian-in/ka

redstart ['red,stɑːt] *s zoo* pleszka

red-tapism ['red'teipizəm] *s przen* biurokracja

reduce [ri'djuːs]. [I] *vt* 1. *med* nastawi-ć/ać (zwichnięty staw) 2. z/redukować; pomniejsz-yć/ać; zmniejsz-yć/ać; zwę-zić/żać; skr-ócić/acać; obniż-yć/ać wagę <zmniejsz-yć/ać grubość> (**sth** czegoś) 3. obniż-yć/ać (cenę, temperaturę, szybkość, podatek itd.); s/kurczyć; ogranicz-yć/ać (wydatki, produkcję itd.); osłabi-ć/ać (kogoś, coś) 4. doprowadz-ić/ać (**sb to** __ kogoś do...; **sth to** __ coś do stanu... __ czegoś; **sth to an absurdity** coś do absurdu); obr-ócić/acać (**to ashes etc.** w popiół itd.); sprowadz-ić/ać (coś do czegoś); **I am** <he was etc.> ~**d to** __ (**doing sth**) doszło do tego że... (robię coś <on robił coś itd.>); **to** ~ **to dust** obr-ócić/acać w proch; s/proszkować; zetrzeć/ścierać na proch; **to** ~ **sth to its elements** roz-łożyć/kładać coś na części składowe; **to** ~ **to writing** spis-ać/ywać 5. skr-

-ócić/acać <upr-ościć/aszczać> (ułamek); przelicz-yć/ać (**feet to inches etc.** stopy na cale itd.); sprowadz-ić/ać (**sth to a rule** <a common denominator etc.> coś do pewnego prawa <do wspólnego mianownika itd.>); podciąg-nąć/ać (**to a class etc.** pod pewną kategorię itd.) 6. doprowadz-ić/ać <zmu-sić/szać> (**sb to** __ kogoś do... __ uległości itd.); opanow-ać/ywać; ujarzmi-ć/ać; poskr-omić/amiać 7. przen-ieść/osić na niższe stanowisko; z/degradować (**sb** kogoś) 8. *chem* odtleni-ć/ać 9. wyt-opić/apiać (metal z rudy) [III] *vi* 1. zmniejsz-yć/ać <s/kurczyć> się 2. zeszczupleć 3. stracić na wadze <objętości>; *zob* **reduced, reducing**

reduced [ri'djuːst] [I] *zob* **reduce** [III] *adj* 1. zredukowany; zmniejszony; mniejszy; obniżony; niższy; zniżony; skurczony 2. osłabiony; wymizerowany; mizerny 3. zubożały; **to be in** ~ **circumstances** być w biedzie

reducer [ri'djuːsə] *s* 1. *techn* przekładnia redukcyjna; reduktor; zwężka rurowa 2. *foto* osłabiacz 3. *chem* czynnik redukujący

reducible [ri'djuːsəbl] *adj* 1. dający się z/redukować 2. (*o cenie itd*) podlegający zniżce

reducing [ri'djuːsiŋ] [I] *zob* **reduce** [III] *adj* 1. redukujący; redukcyjny; zmniejszający 2. (*o kuracji itd*) odtłuszczający [III] *s* 1. z/redukowanie, redukcja; zmniejsz-enie/anie 2. *chem* odtleni-enie/anie; redukowanie

reduction [ri'dʌkʃən] [I] *s* 1. redukcja; zmniejsz-enie/anie; pomniejsz-enie/anie; zwęż-enie/anie; skr-ócenie/acanie 2. *handl* obniżka; rabat; opust 3. *med* odprowadzenie (przepukliny itd.) 4. nastawienie (zwichniętego stawu itd.) 5. rozejście się (wrzodu itd.) 6. doprowadz-enie/anie (do czegoś) 7. sprowadz-enie/anie (do czegoś) 8. obr-ócenie/acanie (w proch itd.) 9. skr-ócenie/acanie <upr-oszczenie/aszczanie> ułamka; przelicz-enie/anie 10. z/degradowanie, degradacja 11. *chem* odtleni-enie/anie; redukcja 12. wyt-opienie/apianie (metalu z rudy) [III] *attr* redukcyjny

redundance [ri'dʌndəns], **redundancy** [ri'dʌndənsi] *s* 1. rozwlekłość (stylu) 2. nadmiar; zbyteczność; zbędność 3. *mat* redundancja

redundant [ri'dʌndənt] *adj* zbyteczny; niepotrzebny, zbędny; nadmierny

reduplicate [ri'djuːpli,keit] [I] *vt* podw-oić/ajać; powt-órzyć/arzać [II] *vi* podw-oić/ajać <powt-órzyć/arzać> się [III] *adj* [ri'djuːplikit] podwojony, podwajany; powtórzony, powtarzany; podwajający <powtarzający> się

reduplication [ri,djuːpli'keiʃən] *s* podw-ojenie/ajanie (się); powt-órzenie/arzanie (się)

reduplicative [ri'djuːpli,keitiv] *adj* podwajający <powtarzający> się

red-water ['red,wɔːtə] *s wet* piroplazmoza (u bydła)

red-wing ['red,wiŋ] *s zoo* drozd rdzawoboczny

redwood ['red,wud] *s bot* sekwoja

re-dye ['ri:'dai] *vt* (**re-dyed** ['ri:'daid], **re-dyed**; **re-dyeing** ['ri:'daiiŋ]) przefarbow-ać/ywać

ree [ri:] *s* = **reeve**

reebok ['ri:bɔk] *s zoo* mała antylopa południowoafrykańska

re-echo [ri'ekou] [I] *vt* odbi-ć/jać echem [II] *vi* 1. odbi-ć/jać <od-ezwać/zywać> się echem 2.

rozbrzmiewać; rozlegać się Ⅲ *s* odbi-cie/janie się echem

↕**reed** ['ri:d] Ⅰ *s* 1. trzcina; *przen* **a broken ~** człowiek <rzecz> na któr-ym/ej nie można polegać; człowiek bez kręgosłupa 2. poszycie trzcinowe (dachu); (słoma) równianka 3. *poet* piszczałka; fujarka 4. *poet* strzała 5. *poet* poezja pastoralna 6. stroik (instrumentu muzycznego) 7. *pl* **~s** instrumenty stroikowe 8. płocha tkacka 9. *pl* **~s** *arch* laskowanie Ⅲ *vt* 1. po/kryć (dach) trzciną 2. *muz* zaopat-rzyć/rywać (instrument) w stroik 3. *arch* laskować; *zob* **reeded, reeding**

reed-babbler ['ri:d,bæblə] = **reed-warbler**

reed-bunting ['ri:d,bʌntiŋ] *s zoo* trzcinnik (ptak z rodziny łuszczaków)

reeded ['ri:did] Ⅰ *zob* **reed** *v* Ⅲ *adj* 1. (*o terenie itd*) porosły trzciną 2. *muz* stroikowy

re-edify ['ri:'edi,fai] *vt* (**re-edified** ['ri:'edi,faid], **re-edified; re-edifying** ['ri:'edi,faiiŋ]) 1. przebudow-ać/ywać <odbudow-ać/ywać> (gmach itd.) 2. ożywi-ć/ać (nadzieje itd.)

reeding ['ri:diŋ] Ⅰ *zob* **reed** *v* Ⅲ *s* 1. strzecha; materiał na strzechę 2. *arch* laskowanie

re-edit ['ri:'edit] *vt* wzn-owić/awiać (wydanie)

reedling ['ri:dliŋ] *s zoo* sikora uboga

reed-mace ['ri:d,meis] *s bot* pałka szerokolistna, rogoża

reed-pheasant ['ri:d,feznt] = **reedling**

reed-pipe ['ri:d,paip] *s* 1. piszczałka z trzciny 2. (*u organów*) piszczałka stroikowa

reed-sparrow ['ri:d,spærou] = **reed-bunting**

reed-stop ['ri:d,stɔp] *s* (*u organów*) rejestr piszczałek stroikowych

reed-warbler ['ri:d,wɔ:blə], **reed-wren** ['ri:d,ren] *s zoo* trzcionka (ptak wróblowaty)

reedy ['ri:di] *adj* (**reedier** ['ri:diə], **reediest** ['ri:diist]) 1. (*o terenie itd*) trzciniasty 2. (*o trawie itd*) trzciniasty 3. (*o piszczałce, posłaniu itd*) trzcinowy 4. (*o głosie itd.*) cienki; piskliwy 5. (*o postaci*) wątły

reef¹ [ri:f] *s* 1. rafa; skała podwodna 2. *geol* skała kruszconośna

reef² [ri:f] Ⅰ *s mar* refa; **to take in a ~** a) refować b) *przen* przedsięwziąć środki ostrożności; *przen pot* **to let out a ~** popuścić pasa Ⅲ *vi mar* refować

reef-band ['ri:f,bænd] *s mar* refbant (wzmacniający pas płótna)

reefer ['ri:fə] *s mar* 1. refujący marynarz; *sl* aspirant w marynarce 2. kurtka dwurzędowa

reefing-jacket ['ri:fiŋ,dʒækit] = **reefer** 2.

reef-knot ['ri:f,nɔt] *s mar* węzeł refowy

reek [ri:k] Ⅰ *s* 1. *lit* szkoc dym 2. *zbior* opary; wyziewy 3. smród; zaduch; fetor; **the ~ of tabbacco** powietrze gęste od dymu tytoniowego Ⅲ *vi* 1. *lit* dymić <kurzyć> się 2. śmierdzieć <cuchnąć> (**of sth** czymś)

reekie ['ri:ki] *adj* szkoc zadymiony; **Auld Reekie** sentymentalna nazwa Edynburga

reeky ['ri:ki] *adj* 1. dymiący; zadymiony; (*o chmurze*) dymu 2. wydzielający opary <wyziewy> 3. czarny od dymu, zakopcony

reel¹ [ri:l] Ⅰ *s* 1. cewka; szpula, szpulka; motowidło 2. szpulka (nici, jedwabiu itd.) 3. bęben (do nawijania) 4. kołowrotek 5. *kino* film; szpula; rolka 6. rolka (papieru itd.) 7. *przen w zwrocie:* **off the ~** (powiedzieć, wyliczyć itd.) z miej-

sca <bez namysłu, jednym tchem> Ⅲ *vt* 1. (*także* **~ in** <**up**>) nawi-nąć/jać <namotać> (na szpulkę itd.); wyciąg-nąć/ać (rybę itd.) przy pomocy kołowrotka 2. (*także* **~ off**) rozwi-nąć/jać <odwi-nąć/jać, rozmotać> (ze szpulki itd.); *przen* **to ~ off** odrecytow-ać/ywać <odklepać> (wiersze itd.); sypać jak z rękawa (**jokes etc.** kawałami itd.); odczyt-ać/ywać (listę itd.) jednym tchem 3. (*o koniku polnym itd*) cykać

reel² [ri:l] Ⅰ *s* 1. zataczanie się; chwiejny krok 2. wir (zabawy itd.) Ⅲ *vi* 1. za/kręcić się; krążyć; za/wirować; **my head** <**mind**> **~ed** zakręciło mi się w głowie; **to make sb's senses ~** przyprawi-ć/ać kogoś o zawrót głowy 2. (*o człowieku*) zat-oczyć/aczać się; za/chwiać się na nogach; (*także* **to go ~ing**) iść chwiejnym krokiem 3. (*o przedmiotach*) za/chwiać <za/trząść> się 4. (*o przedmiotach*) za/kręcić się <za/wirować> (**before sb's eyes** w czyichś oczach) *zob* **reeling**

reel³ [ri:l] Ⅰ *s* nazwa wirowego tańca szkockiego Ⅲ *vi* za/tańczyć szkocki taniec wirowy

re-elect ['ri:-i'lekt] *vt* wyb-rać/ierać ponownie

re-election ['ri:-i'lekʃən] *s* ponowny wybór

reeling ['ri:liŋ] Ⅰ *zob* **reel²** *v* Ⅲ *adj* 1. wirujący; wirowy 2. (*o człowieku*) na chwiejnych nogach; zataczający się 3. (*o ciosie*) ogłuszający

re-embark ['ri:-im'ba:k] Ⅰ *vt* ponownie <powtórnie> za/okrętować Ⅲ *vi* ponownie <powtórnie> za/okrętować się <wsi-ąść/adać na okręt>

re-enact ['ri:-i'nækt] *vt* 1. przywr-ócić/acać moc <ważność> (**a law** ustawie) 2. powt-órzyć/arzać <odtw-orzyć/arzać, od-egrać/grywać ponownie> (scenę)

re-enforce ['ri:-in'fɔ:s] *vt* przywr-ócić/acać moc (**a law** ustawie)

re-engage ['ri:-in'geidʒ] Ⅰ *vt* 1. *wojsk* powoł-ać/ywać ponownie <z powrotem> do służby 2. ponownie zatrudni-ć/ać <za/angażować> 3. *techn* na nowo włącz-yć/ać <sprzęg-nąć/ać> Ⅲ *vi* za-ciąg-nąć/ać się na nowo

re-enlist ['ri:-in'list] Ⅰ *vt* = **re-engage** *vt* 1. Ⅲ *vi* = **re-engage** *vi*

re-enter ['ri:'entə] Ⅰ *vt* 1. wr-ócić/acać (**a house etc.** do jakiegoś domu itd.) 2. ponownie za/księgować 3. ponownie zgł-osić/aszać (kandydaturę itd.) 4. ponownie ob-jąć/ejmować (**an employment etc.** posadę itd.) Ⅲ *vi* 1. wejść/wchodzić ponownie 2. sta-nąć/wać ponownie (**for an examination** do egzaminu) 3. *muz* (*o instrumencie*) ponownie wejść/wchodzić 4. *prawn* ponownie wejść/wchodzić w posiadanie (**upon sth** czegoś)

re-entrant [ri:'entrənt] *adj geom* (*o kącie*) wklęsły

re-entry ['ri:'entri] *s* 1. ponowne wejście 2. *prawn* rewindykacja 3. *karc* dojście; wpustka

re-establish ['ri:is'tæbliʃ] *vt* przywr-ócić/acać; na nowo ustan-owić/awiać; **to ~ one's health** powr-ócić/acać do zdrowia

reeve¹ [ri:v] *s* 1. główny sędzia (miasta, okręgu) 2. (*w Kanadzie*) przewodniczący rady miejskiej

reeve² [ri:v] *s zoo* samica bojownika (ptak)

reeve³ [ri:v] *vt* (*praet* **rove** [rouv], **reeved** [ri:vd] *pp* **rove, reeved**) *mar* 1. przepu-ścić/szczać (linę) przez blok 2. przymocow-ać/ywać (linę itd.) 3. obkładać (linę) na kółku 4. (*o statku*) u/torować sobie drogę (**shoals etc.** przez mieliznę itd.)

re-examine ['ri:ig'zæmin] vt ponownie z/badać; z/rewidować

re-export ['ri:'ekspo:t] ① s reeksport ③ vt ['ri:eks'po:t] reeksportować

re-face ['ri:'feis] vt 1. nada-ć/wać nowy wygląd (sth czemuś) 2. odn-owić/awiać fasadę (a building gmachu) 3. da-ć/wać nowe wyłogi (a dinner-jackęt etc. do smokinga itd.)

refashion ['ri:'fæʃən] vt przefasonow-ać/ywać

re-fasten ['ri:'fɑ:sn] vt na nowo umocow-ać/ywać <przymocow-ać/ywać, spi-ąć/nać>

refection [ri'fekʃən] s posiłek, posilenie się; przekąska

refectory [ri'fektəri] s refektarz

refer [ri'fə:] v (-rr-) ① vt 1. po/wiązać (one thing to another coś z czymś; sth to sb coś z kimś; sth to its cause coś z przyczyną) 2. przypis-ać/ywać (sth to sb, sth coś komuś, czemuś) 3. s/kierować <od-esłać/syłać> (kogoś do kogoś innego) 4. odwoł-ać/ywać się (a question to sb do kogoś w jakiejś sprawie); podda-ć/wać (a question to sb sprawę czyjejś decyzji); to ~ a cheque to the drawer porozumie-ć/wać się z wystawcą czeku (przed dokonaniem wypłaty, wobec braku pokrycia) ③ vr ~ oneself zda-ć/wać się (to sb's generosity etc. na czyjąś wielkoduszność itd.) ③ vi 1. powoł-ać/ywać się (to _ na ... — kogoś, źródło itd.); przyt-oczyć/aczać <za/cytować> (to a source źródło) 2. porozumie-ć/wać się (to the manager etc. z dyrektorem itd.) 3. (o oświadczeniu, uwadze itd) dotyczyć (to sb, sth kogoś, czegoś); odnosić się (to sb, sth do kogoś, czegoś); mieć związek (to sth z czymś); być skierowanym (to sb pod czyimś adresem) 4. (o człowieku przemawiającym) mówić (to sb, sth o kimś, czymś; to sb pod czyimś adresem); mieć na myśli (to sb, sth kogoś, coś); wspom-nieć/inać (to sb, sth o kimś, czymś); u/czynić aluzję <pot pić> (to sb do kogoś); the person <question etc.> ~red to osoba <sprawa itd.>, o której mowa

referable [ri'fə:rəbl] adj dający się powiązać (to sth z czymś); dający się przypisać (to sb, sth komuś, czemuś)

referee [,refə'ri:] ① s 1. sport sędzia 2. arbiter ③ vi 1. sport sędziować 2. arbitrażować

reference ['refrəns] ① s 1. odwoł-anie/ywanie się <s/kierowanie sprawy> (do czynnika nadrzędnego); to do sth without ~ to one's chief zrobić coś bez porozumienia się ze swym szefem 2. kompetencje (sądu itd.); zakres (władzy) 3. związek; zależność <stosunek> wzajemn-a/y; to have ~ to sb, sth odnosić się do <dotyczyć> kogoś, czegoś; with <in> ~ to _ w związku z ...; co się tyczy ...; odnośnie do ... 4. powołanie się (to sth na coś); with ~ to our letter of _ powołując się na nasz list <nawiązując do naszego listu> z dnia ... 5. wzmianka (to sb, sth o kimś, czymś); aluzja; napomknienie; to make a ~ to sb, sth wspom-nieć/inać <napom-knąć/ykać, wzmiankować> o kimś, czymś 6. druk (także ~ mark) odsyłacz 7. notatka; adnotacja; uwaga; zapisek 8. za-jrzenie/glądanie (to _ do ... — słownika, encyklopedii itd.); porównanie; sprawdzenie (zgodności itd.) 9. informacja; a book <work> of ~ książka <praca, publikacja> informacyjna; informator (kolejowy, telefoniczny,

adresowy itd.); ~ library biblioteka wydawnictw naukowo-informacyjnych (do przeglądania na miejscu) 10. referencja; polecenie; świadectwo z pracy; to make <take up> sb's ~ zasięg-nąć/ać informacji o kimś 11. osoba polecająca (kandydata); who are your ~s? kto pana poleca? ③ vt zaopat-rzyć/rywać (książkę) w adnotacje <w zapiski>

referendary [,refə'rendəri] s rz referendarz (tytuł urzędniczy)

referendum [,refə'rendəm] (pl ~s, referenda [,refə'rendə]) referendum

refill ['ri:'fil] ① vt 1. (na nowo) napełni-ć/ać (kieliszek, szklankę, zbiornik, portfel itd.) 2. wziąć/brać <uzupełni-ć/ać> zapas (sth czegoś — benzyny itd.) ③ vi napełni-ć/ać się (automatycznie itd.); zob refilling ③ s ['ri:,fil] (zapasowy) wkład (do etui, długopisu itd.); mina (do ołówka); nowy zapas (kartek do notesu, benzyny do samochodu itp.); bateria (do latarki itd.)

refilling ['ri:'filiŋ] ① zob refill v ③ s napełni--enie/anie; uzupełni-enie/anie; (nowy) zapas; to have a ~ of sth brać zapas czegoś; ~ station stacja benzynowa

refine [ri'fain] ① vt 1. techn rafinować, dokon-ać/ywać rafinacji (sth czegoś); oczy-ścić/szczać (z domieszek); fryszować (metal) 2. wysubtelni-ć/ać; nada-ć/wać polor (sb komuś); uszlachetni-ć/ać 3. udoskonal-ić/ać ③ vi techn 1. rafinować <oczy-ścić/szczać> się; † (o metalach) fryszować się 2. wy/subtelnieć; nab-rać/ierać poloru; wy/szlachetnieć 3. wysubtelni-ć/ać (on <upon> sth coś) 4. analizować drobiazgowo (on <upon> sth coś) 5. rozprawiać (on <upon> sth o czymś); zob refined, refining

refined [ri'faind] ① zob refine ③ adj 1. (o cukrze, nafcie itd) rafinowany; (o metalu) fryszowany; ~ sugar rafinada 2. (o smaku, okrucieństwie itd) wyrafinowany 3. (o człowieku) dystyngowany; wytworny

refinement [ri'fainmənt] s 1. rafinowanie (cukru itd.); oczyszcz-enie/anie (z domieszek); fryszowanie (metalu) 2. wyrafinowanie (smaku, w okrucieństwie itd.) 3. (u człowieka) subtelność; polor; dystynkcja; wytworność 4. udoskonalenie

refiner [ri'fainə] s 1. rafiner (pracownik cukrowni) 2. robotnik zatrudniony przy świeżeniu metali, † fryszer

refinery [ri'fainəri] s rafineria; oczyszczalnia

refining [ri'fainiŋ] ① zob refine ③ s 1. rafinowanie; oczyszcz-enie/anie; fryszowanie (metali); odkwaszanie (tłuszczów); ~ works rafineria

refit ['ri:'fit] ① vt (-tt-) odremontow-ać/ywać; podda-ć/wać remontowi <naprawie>; przywr--ócić/acać do stanu używalności; naprawi-ć/ać ③ s ['ri:,fit] remont; naprawa; przywrócenie do stanu używalności

reflect [ri'flekt] ① vt 1. odbi-ć/jać (fale, promienie itd.) 2. odzwierciedl-ić/ać (obraz, nastroje itd.); być odbiciem (sth czegoś) 3. przyn--ieść/osić (credit <discredit etc.> on sb, sth zaszczyt <ujmę itd.> komuś, czemuś) ③ vi 1. zastan-owić/awiać <namyśl-ić/ać> się (on upon sth nad czymś; how, why etc. jak, dlaczego itd.); rozważ-yć/ać (on sth coś); zachodzić w głowę (who, what etc. kto, co itd.) 2. s/krytykować (on sb, sth kogoś, coś — ideologię itd.); z/robić

zarzut/y (**on sb** komuś) 3. przyn-ieść/osić ujmę (**on sb, sth** komuś, czemuś); ujemnie się odbi-ć/ jać (**on sb, sth** na kimś, czymś) 4. za/szkodzić (**on sb, sth** komuś, czemuś)
reflection, reflexion [ri'flekʃən] *s* 1. odbi-cie/janie (fal, promieni itd.) 2. odzwierciedlenie <odbi- cie> (obrazu, nastroju itd.); odbite światło; od- bity kolor <obraz itd.> 3. krytyka (**on sb, sth** kogoś, czegoś); zarzut (**on sb, sth** stawiany ko- muś, czemuś, pod adresem kogoś, czegoś); ujma 4. rozwaga; namysł; zastan-owienie/awianie się; **on** ~ po namyśle <zastanowieniu się> 5. myśl 6. refleksja 7. refleks
reflective [ri'flektiv] *adj* 1. odbijający (fale, pro- mienie itd.) 2. *gram* = **reflexive** 3. myślowy; (*o zdolności itd*) rozważania 4. (*o nastroju itd*) refleksyjny; zadumy 5. (*o człowieku*) zadumany 6. (*o człowieku*) zastanawiający się; rozważny
▲**reflector** [ri'flektə] *s* 1. reflektor; **parabolic** ~ zwierciadło paraboliczne 2. (*o człowieku, książ- ce itd*) odbicie (czegoś)
reflex ['ri:ˌfleks] Ⅰ *adj* 1. (*o świetle itd*) odbity 2. (*o myśli itd*) introspektywny 3. (*o ruchu itd*) refleksowy; odruchowy 4. (*o działaniu itd*) po- średni 5. *fot* (*o aparacie*) lustrzany 6. *gram* = **reflexive** Ⅱ *s* 1. odbicie (obrazu, stanu itd.) 2. odbicie się (światła itd.); odblask 3. *fizj* re- fleks, odruch
reflexed [ri'flekst] *adj bot* odgięty
reflexible [ri'fleksəbl] *adj* ulegający odbiciu; od- bijający się
reflexion *zob* **reflection**
reflexive [ri'fleksiv] *adj gram* (*o zaimku*) zwrotny
refluent ['refluənt] *adj* odpływający
reflux ['ri:ˌflʌks] *s* ponowny napływ; przypływ
reforest ['ri:'fɔrist] *v* = **reafforest**
reform[1] [ri'fɔ:m] Ⅰ *vt* 1. z/reformować 2. usu- -nąć/wać <ukr-ócić/acać> (nadużycia) 3. uzdr- -owić/awiać <przeprowadz-ić/ać sanację> (**an ad- ministration** w administracji); usprawni-ć/ać 4. poprawi-ć/ać; nawr-ócić/acać (kogoś) z drogi zła Ⅱ *vi* wst-ąpić/ępować na drogę poprawy; poprawi-ć/ać się *zob* **reformed** Ⅲ *s* 1. reforma; usu-nięcie/wanie <ukr-ócenie/acanie> (nadużyć); sanacja (administracji); usprawni-enie/anie; **the Reform Bill** ustawa o reformie systemu wybor- czego w Anglii w 1832 r. 2. poprawa; porzuc- -enie/anie drogi zła
reform[2] ['ri:'fɔ:m] *vt* 1. na nowo uformować (oddział wojska itd.) 2. przekształc-ić/ać; prze- mieni-ć/ać
reformation[1] [ˌrefə'meiʃən] *s* 1. poprawa; nawró- cenie 2. *hist* **Reformation** Reformacja
reformation[2] ['ri:-fɔ:'meiʃən] *s* 1. ponowne ufor- mowanie (oddziału wojska itd.) 2. przekształce- nie
reformative [ri'fɔ:mətiv] *adj* poprawczy; ulepsza- jący; usprawniający; (*o środkach itd*) naprawy
reformatory [ri'fɔ:mətəri] Ⅰ *adj* = **reformative** Ⅲ *s* zakład poprawczy
reformed [ri'fɔ:md] Ⅰ *adj zob* **reform**[1] *v* Ⅱ *adj* 1. zreformowany; **the Reformed Church** a) kościół protestancki b) kalwinizm
reformer [ri'fɔ:mə] *s* 1. reformator/ka 2. zwo- lenni-k/czka Reformacji 3. zwolenni-k/czka "Re- form Bill" (*zob* **reform** *s* 1.)
reformist [ri'fɔ:mist] *s* reformist-a/ka

refract [ri'frækt] *vt* załam-ać/ywać (światło); **to be** ~**ed** załam-ać/ywać się; ~**ing angle** kąt załamania
refraction [ri'frækʃən] *s fiz* załamanie się (pro- mieni); refrakcja; **double** ~ dwułomność
refractive [ri'fræktiv] *adj fiz* refrakcyjny; ~ **index** współczynnik załamania
refractivity [ˌrifrək'tiviti] *s fiz* refrakcja właściwa
refractometer [ˌrefrək'tɔmitə] *s fiz* refraktometr
refractor [ri'fræktə] *s opt* refraktor
refractoriness [ri'fræktərinis] *s* 1. nieposłuszeń- stwo; oporność; krnąbrność; buntownicze uspo- sobienie 2. *med* uporczywość (choroby); opor- ność na leczenie 3. *techn chem* odporność; ognio- trwałość; trudnotopliwość
refractory [ri'fræktəri] *adj* 1. nieposłuszny; opor- ny; krnąbrny; buntowniczy; uparty 2. *med* (*o chorobie*) uporczywy; (*o ranie itd*) oporny na leczenie 3. *techn chem* odporny; ogniotrwały; trudnotopliwy
refrain[1] [ri'frein] *s* refren
refrain[2] [ri'frein] Ⅰ *vt* powstrzym-ać/ywać; opa- now-ać/ywać; po/hamować Ⅲ *vi* powstrzym-ać/ ywać się (**from sth** <**doing sth**> od czegoś <od robienia czegoś>); **I could not** ~ **from saying** <**writing etc.**> nie mogłem nie powiedzieć <nie napisać itd.>
refrangible [ri'frændʒəbl] *adj* załamywalny; ule- gający załamaniu; załamujący się
refresh [ri'freʃ] Ⅰ *vt* 1. odśwież-yć/ać; **to** ~ **one's** <**sb's**> **memory** odśwież-yć/ać sobie <ko- muś> w pamięci (**of** <**about**> **sth** pewne rzeczy) 2. pokrzepi-ć/ać; posil-ić/ać; odżywi-ć/ać; wzm- -ocnić/acniać 3. ożywi-ć/ać 4. rozniec-ić/ać (ogień); naład-ow-ać/ywać (akumulator) 5. *handl* odn-owić/awiać (zapas towarów) Ⅱ *vi vr* **oneself** 1. odśwież-yć/ać się 2. pokrzepi-ć/ać <posil-ić/ać, wzm-ocnić/acniać> się 3. ożywi-ć/ać się *zob* **refreshed, refreshing**
refreshed [ri'freʃt] *adj zob* **refresh** Ⅲ *adj* 1. od- świeżony 2. wypoczęty 3. pokrzepiony; posilony; wzmocniony 4. ożywiony
refresher [ri'freʃə] *s* 1. czynnik odświeżający <pokrzepiający, wzmacniający, posilający>; *pot* **to have a** ~ napić się (czegoś pokrzepiającego) 2. odświeżenie (pamięci); *szk* **a** ~ **course** kurs podyplomowy dla przypomnienia sobie zdoby- tych wiadomości 3. dodatkowe honorarium pła- cone adwokatowi w wypadku przeciągania się procesu
refreshing [ri'freʃiŋ] Ⅰ *adj zob* **refresh** Ⅲ *adj* 1. od- świeżający 2. pokrzepiający, wzmacniający; od- żywczy 3. ożywczy; świeży; nowy
refreshment [ri'freʃmənt] *s* 1. odśwież-enie/anie 2. pokrzepi-enie/anie; **to be a** ~ **to sb** pokrzepi-ć/ ać kogoś; podn-ieść/osić kogoś na duchu 3. wy- poczynek; wytchnienie 4. zakąska; pokrzepiający trunek; *pl* ~**s** bufet (na zabawie itd.); **to have some** ~ posil-ić/ać <pokrzepi-ć/ać, wzm-ocnić/ acniać> się; napić się czegoś pokrzepiającego; ~ **car** wagon restauracyjny; ~ **room** bufet (ko- lejowy) 5. *kośc* **Refreshment Sunday** czwarta nie- dziela Wielkiego Postu
refrigerant [ri'fridʒərənt] Ⅰ *adj* oziębiający; chło- dzący Ⅲ *s* czynnik oziębiający <chłodzący>; chłodziwo
refrigerate [ri'fridʒəˌreit] Ⅰ *vt* 1. ochł-odzić/

adzać; oziębi-ć/ać; **~d meat** mrożone mięso Ⅲ
vi 1. ochł-odzić/adzać <oziębi-ć/ać> się 2. zamr-
-ozić/ażać się *zob* **refrigerating**

refrigerating [ri'fridʒə‚reitiŋ] Ⅰ *zob* **refrigerate**
Ⅲ *adj* 1. chłodzący 2. zamrażający Ⅲ *s* 1. chłodzenie; oziębi-enie/anie 2. zamr-ożenie/ażanie;
~ agent <medium> chłodziwo; **~ machine**
chłodziarka; chłodnia

refrigeration [ri‚fridʒə'reiʃən] *s* 1. chłodzenie;
oziębi-enie/anie 2. zamr-ożenie/ażanie

refrigerator [ri'fridʒə‚reitə] *s* 1. chłodnia; **~ car**
<van> wagon-chłodnia 2. lodówka

refringent [ri'frindʒnt] *adj* załamujący (światło)

reft *zob* **reave**

refuel ['ri:'fju:əl] *vi* (-ll-) uzupełni-ć/ać zapas
<nab-rać/ierać> paliwa; tankować

refuge ['refju:dʒ] Ⅰ *s* 1. schronienie; azyl; **to
take ~** a) s/chronić się (gdzieś) b) ucie-c/kać
się (**in lying** etc. do kłamstwa itd.); ratować się
(**in lying** etc. kłamstwem itd.) 2. ucieczka (**of
the distressed** etc. strapionych itd.) 3. przytułek
4. (*na ulicach wielkich miast*) wysepka Ⅲ *vt vi*
s/chronić (się)

refugee [‚refju'dʒi:] *s* uciekinier; uchodźca

refulgence [ri'fʌldʒəns] *s* blask; jasność

refulgent [ri'fʌldʒənt] *adj* 1. błyszczący; jaśniejący 2. promienny; promienisty

refund [ri'fʌnd] Ⅰ *vt* zwr-ócić/acać (pieniądze,
wydatki itd.) Ⅲ *vi* dokon-ać/ywać zwrotu Ⅲ *s*
['ri:‚fʌnd] (*także* **refundment**) 1. zwrot (pieniędzy, wydatków itd.) 2. spłata

refurbish ['ri:'fə:biʃ] *vt* odn-owić/awiać; odczy-
-ścić/szczać

refurnish ['ri:'fə:niʃ] *vt* 1. przemeblow-ać/ywać
(mieszkanie itd.) 2. zmieni-ć/ać urządzenie
(**a workshop** etc. warsztatu itd.)

refusal [ri'fju:zəl] *s* 1. odmowa (**of sth** czegoś;
to do sth zrobienia czegoś); **he will take no ~**
on nie zgodzi się na odmowę 2. odrzuc-enie/
anie (oferty itd.) 3. *handl* nieprzyjęcie (towaru)
4. opcja; **right of (first) ~** prawo pierwokupu
5. kosz; † odkosz, rekuza

refuse[1] [ri'fju:z] Ⅰ *vt* 1. odm-ówić/awiać (**sth** <**to
do sth**> czegoś <zrobienia czegoś>; **to go
somewhere** etc. pójścia dokądś itd.); wzbraniać
się (**sth, to do sth** od czegoś, od zrobienia
czegoś); **he ~d to listen** nie chciał słuchać;
to ~ obedience odmówić posłuszeństwa; **I was
~d** <**they ~d me**> **satisfaction** odmówiono mi
zadośćuczynienia 2. odrzuc-ić/ać (propozycję,
ofertę itd.); nie przyj-ąć/mować (**an offer** etc.
oferty itd.); nie s/korzystać (**an offer** etc. z oferty itd.); da-ć/wać odkosza (**sb** komuś) 3. (*o koniu*) sta-nąć/wać (**a fence** przed przeszkodą) Ⅲ
vi 1. odm-ówić/awiać; da-ć/wać odpowiedź od-
mowną 2. *karc* nie doda-ć/wać do koloru

refuse[2] ['refju:s] *s* 1. *zbior* śmieci; brudy, odpadki; **~ bin** skrzynia na śmieci <na odpadki>; **~
dump** <heap> śmietnisko 2. (*w produkcji*) odpady, odpadki; braki; wybrakowany towar; **~
water** ścieki fabryczne 3. *przen* wyrzutki (społeczeństwa), szumowiny, męty

re-fuse[3] ['ri:'fju:z] *vt* przet-opić/apiać

re-fusion ['ri:'fju:ʒən] *s* przet-opienie/apianie

refutable ['refjutəbl] *adj* (*o argumencie itd*) do
obalenia <zbicia, odparcia>

refutal [ri'fju:təl], **refutation** [‚refju'teiʃən] *s*

obal-enie/anie (teorii itd.); zbi-cie/janie (dowodów itd.); odp-arcie/ieranie (zarzutów itd.)

refute [ri'fju:t] *vt* obal-ić/ać (teorię itd.); zbi-ć/
jać (dowody itd.); od-eprzeć/pierać (zarzuty
itd.); wykaz-ać/ywać błędność twierdzeń (**sb**
czyichś)

regain [ri'gein] *vt* 1. odzysk-ać/iwać (stracone
pieniądze, mienie, siły, zaufanie itd.); **to ~
possession of sth** wejść/wchodzić ponownie
w posiadanie czegoś 2. wr-ócić/acać (**health,
consciousness** etc. do zdrowia, przytomności itd.);
to ~ one's feet <footing> odnaleźć grunt pod
nogami; stanąć ponownie na nogach 3. powr-
-ócić/acać (**a place** dokądś)

regal ['ri:gəl] *adj* królewski

regale [ri'geil] Ⅰ *vt* 1. (*także iron*) u/raczyć <po/
częstować> (**sb with sth** kogoś czymś) 2. u/cie-
szyć (kogoś czymś — opowiadaniem itd.; oczy —
pięknym widokiem itd.); pieścić <napawać, cie-
szyć> (oczy); być rozkoszą (**the ear** dla ucha);
dosł i przen sprawi-ć/ać ucztę (**sb** komuś) Ⅲ *vr*
~ oneself u/raczyć <na/cieszyć> się (czymś) Ⅲ
vi 1. ucztować; biesiadować 2. delektować <u/ra-
czyć> się (**on sth** czymś) Ⅳ *s* 1. *dosł i przen*
uczta, biesiada 2. wyborny smak (potrawy);
viands of higher ~ wyszukane potrawy

regalia[1] [ri'geiljə] *spl* 1. regalia; insygnia królewskie 2. insygnia (masońskie itd.); oznaki władzy

regalia[2] [ri'geiljə] *s* regał (przedni gatunek cygara)

regality [ri'gæliti] *s* 1. królewskość 2. przywileje
królewskie

regally ['ri:gəli] *adv* po królewsku

regard [ri'ga:d] Ⅰ *vt* 1. przy-jrzeć/glądać <przy-
pat-rzyć/rywać> się (**sb, sth** komuś, czemuś) 2.
zważać <zwr-ócić/acać uwagę> (**sb, sth na kogoś, coś**); wziąć/brać pod uwagę 3. obserwować;
widzieć (**with horror** etc. ze zgrozą itd.); **to ~
sb** <sth> **kindly** <with reverence, suspicion etc.>
patrzyć życzliwie <z szacunkiem, podejrzliwie
itd.> na kogoś, coś; **to ~ sb with reverence**
<kindly etc.> mieć dla kogoś cześć <uczucie
życzliwości itd.> 4. uważać (**sb, sth as _** kogoś,
coś za...); traktować (**sb, sth as _** kogoś, coś
jako...); **to be ~ed as _** uchodzić za... (mądrego, artystę itd.) 5. dotyczyć <tyczyć się, odnosić się do> (**sb, sth** kogoś, czegoś); **as ~s _**
co do...; co się tyczy...; odnośnie do...; w sprawie (zaś)... *zob* **regarding** Ⅲ *s* 1. spojrzenie 2.
wzgląd; **in ~ to** <of>_ pod względem...; **in
this ~** pod tym względem 3. odniesienie, od-
noszenie się <stosunek> (**to sb, sth** do kogoś,
czegoś); **with ~ to sb, sth** co do kogoś, czegoś;
co się tyczy kogoś, czegoś; odnośnie do kogoś,
czegoś; w stosunku do kogoś, czegoś; **wobec**
kogoś, czegoś 4. wzgląd <zważanie, uwaga, ba-
czenie> (**to** <for> **sb, sth** na kogoś, coś); troska
(**to** <for> **sth** o coś); **to have** <pay> **~ to sb,
sth** mieć wzgląd <zważać, baczyć, zwracać uwa-
gę> na kogoś, coś; **having ~ to sth** zważywszy
<mając na uwadze> coś; wobec czegoś; **to pay
no ~ to sb, sth** nie zważać <nie baczyć> na
kogoś, coś; **without ~ to** <for> **sb, sth** nie
zważając <nie bacząc, nie zwracając uwagi> na
kogoś, coś; pomijając kogoś, coś; nie troszcząc
się o kogoś, coś 5. względy; szacunek; **out of
~ for sb, sth** przez wzgląd na kogoś, coś; przez

szacunek dla kogoś, czegoś; **to have** ~ **for sb** szanować <mieć szacunek dla> kogoś 6. *pl* ~**s** pozdrowienia; ukłony; wyrazy poważania <szacunku>; **give him my (best <kindest>)** ~**s** proszę go (serdecznie) pozdrowić ode mnie; **with (kindest)** ~**s from** __ z (serdecznymi) pozdrowieni-em/ami od ...; w dowód szacunku <przyjaźni, przywiązania> ...; **with kind <kindest>** ~**s (to** __**)** łączę uprzejme <serdeczne> pozdrowienia (dla... — całej rodziny itd.)

regardant [ri'gɑ:dənt] *adj herald* patrzący do tyłu <za siebie>

regardful [ri'gɑ:dful] *adj* 1. staranny; uważny; troskliwy; dbały; **to be** ~ **of sth** starać <troszczyć> się o coś; uważać na coś; liczyć się z czymś 2. pełen szacunku (**of sb** dla kogoś)

regardfully [ri'gɑ:dfuli] *adv* 1. starannie; uważnie; troskliwie 2. z szacunkiem

regarding [ri'gɑ:diŋ] Ⅰ *zob* **regard** *v* Ⅲ *praep* co do <co się tyczy, odnośnie do, w sprawie, w stosunku do, wobec, w odniesieniu do> (**sb, sth** kogoś, czegoś)

regardless [ri'gɑ:dlis] Ⅰ *adj* niestaranny; niedbały; niebaczny; nieuważny; **to be** ~ **of sth** nie zważać <nie baczyć> na coś Ⅲ *adv* 1. (czynić coś) nie zważając <nie bacząc, bez względu> (**of sth** na coś); nie licząc się (**of sth** z czymś) 2. *pot* (ub-rać/ierać się itd.) bez względu na koszt <nie licząc się z wydatkami>

regardlessness [ri'gɑ:dlisnis] *s* beztroska; lekceważenie; obojętność (**of** __ dla...)

regatta [ri'gætə] *s* regaty

regelate ['ri:dʒi,leit] *vi* (*o kawałkach kry itd*) połączyć się i zamarznąć w jedną bryłę

regency ['ri:dʒənsi] *s* 1. regencja 2. *hist* (*w Anglii*) **the Regency** regencja Jerzego IV (1810—1820)

regenerate [ri'dʒenə,reit] Ⅰ *vt* 1. odr-odzić/adzać 2. odn-owić/awiać; z/regenerować Ⅲ *vi* 1. odr-odzić/adzać się 2. odn-owić/awiać <z/regenerować> się 3. (*o społeczeństwie itp*) poprawi--ć/ać się; odr-odzić/adzać się duchowo Ⅲ *adj* [ri'dʒenərit] 1. zregenerowany; odrodzony 2. poprawiony; duchowo odrodzony

regeneration [ri,dʒenə'reiʃən] *s* 1. regeneracja; odrodzenie 2. odrodzenie duchowe; poprawa 3. *chem techn* regeneracja, z/regenerowanie; odzysk-anie/iwanie

regenerative [ri'dʒenərətiv] *adj* regeneracyjny

regenerator [ri'dʒenə,reitə] *s techn elektr* regenerator; *techn* komora regeneracyjna (w piecu wannowym szklarskim)

regent ['ri:dʒənt] *s* 1. regent/ka 2. *am* człon-ek/kini rady zarządzającej uniwersytetu państwowego

regicide ['redʒi,said] *s* 1. królobójstwo 2. królobój-ca/czyni; *hist* **the** ~**s** sprawcy stracenia Karola I.

régie [rei'ʒi:] *s* państwowy monopol (tytoniowy, solny)

régime [rei'ʒi:m] *s* 1. *zbior* rządy 2. ustrój; reżim

regimen ['redʒi,men] *s* 1. *med* dieta; regulamin; sposób życia 2. *gram* związek rządu; zależność składniowa

regiment ['redʒimənt] Ⅰ *s* 1. rząd/y (kobiet itd.) 2. pułk; *przen* zastępy; legion Ⅲ *vt* ['redʒi,ment] 1. u/formować (rekrutów itd.) w pułk/i

2. z/organizować (robotników itd.); podda-ć/wać surowej dyscyplinie

regimental [,redʒi'mentl] Ⅰ *adj* pułkowy Ⅲ *spl* ~**s** mundur pułkowy; kolor <odznaki> pułkow-y/e

regimentation [,redʒimen'teiʃən] *s* 1. u/formowanie pułk-u/ów 2. z/organizowanie (robotników itd.); podda-nie/wanie surowej dyscyplinie

Regina [ri'dʒainə] *s lac* (*w aktach urzędowych*) królowa (Anglii)

region ['ri:dʒən] *s* 1. okolica; okręg; obszar 2. strefa 3. warstwa (atmosfery, morza) 4. obwód; *anat* okolica (lędźwiowa itd.) 5. dziedzina (metafizyki itd.) 6. *przen* kraina (śmierci itd.); **the lower <nether>** ~**s** piekło; **the upper** ~**s** niebo

regional ['ri:dʒənl] *adj* regionalny; okręgowy; rejonowy

regionalism ['ri:dʒnə,lizəm] *s* regionalizm

register ['redʒistə] Ⅰ *s* 1. rejestr; spis; wykaz; lista; **naval** ~ rejestr morski; **public** ~**s** księgi metrykalne; ~ **office** = **registry**; ~ **ton** tona rejestrowa; ~ **tonnage** tonaż <pojemność> rejestrow-y/a; **ship's** ~ certyfikat okrętowy 2. *techn* urządzenie <mechanizm> rejestrując-e/y; licznik; **cash** ~ kasa rejestrująca (sklepowa) 3. *muz* rejestr 4. (*w piecu itd*) zasłona; przysłona; zasuwa; urządzenie regulujące (przepływ powietrza); regulator 5. *druk* register 6. *fot* dokładne nastawienie na ostrość Ⅲ *vt* 1. zapis-ać/ywać; za/notować (na piśmie, w pamięci); za/rejestrować 2. wpis-ać/ywać do rejestru; wciąg-nąć/ać na listę; umie-ścić/szczać w spisie 3. zgł-osić/aszać; za/meldować 4. nada-ć/wać (list na poczcie jako polecony; bagaż na kolei); ~**ed letter** list polecony; ~**ed parcel** paczka wartościowa 5. (*o instrumencie, termometrze itd*) notować; pokazywać 6. (*o twarzy*) wyra-zić/żać (uczucie) 7. *druk* justować Ⅲ *vr* ~ **oneself** 1. zapis-ać/ywać się 2. wpis-ać/ywać się; wciąg-nąć/ać się na listę <do spisu> (kandydatów, wyborców itd.) 3. za/meldować się Ⅳ *vi* 1. wpis-ać/ywać się do rejestru <księgi gości (hotelowych itd.)> 2. *wojsk* zaciąg-nąć/ać się

registrar [,redʒis'trɑ:] *s* 1. archiwariusz, archiwista 2. urzędnik <kierownik urzędu> stanu cywilnego; **a marriage before the** ~ ślub cywilny; **the** ~'**s office** urząd stanu cywilnego 3. sekretarz uniwersytetu 4. ~ **of companies** rejestr handlowy

registrarship ['redʒis,trɑ:ʃip] *s* stanowisko <urząd> archiwisty <kierownika urzędu stanu cywilnego, sekretarza uniwersytetu>

registration [,redʒis'treiʃən] *s* 1. rejestracja; za/rejestrowanie 2. wpis-anie/ywanie <wciąg-nięcie/anie> do rejestru <na listę, do spisu> 3. nada--nie/wanie (listu poleconego, bagażu); ~ **fee** opłata za polecenie przesyłki 4. *druk* register

registry ['redʒistri] *s* 1. rejestracja; za/rejestrowanie; wpis <wpis-anie/ywanie, zapis> w rejestrze 2. *am* polecenie (listu); ~ **fee** opłata za polecenie (listu) 3. urząd stanu cywilnego; ~ **marriage** ślub cywilny 4. (*także* ~ **office**) biuro pośrednictwa pracy dla pomocy domowej

Regius ['ri:dʒəs] *adj lac uniw* ~ **Professor** profesor przy katedrze posiadającej przywileje królewskie

reglet ['reglit] *s* 1. *arch* drobny profil prostokątny 2. *druk* regleta

regnal ['regnəl] *adj* (*o roku itd*) panowania (danego monarchy); **~ day** rocznica wstąpienia na tron

regnant ['regnənt] *adj* (*o monarsze, opinii itd*) panujący

regorge [ri'gɔ:dʒ] ① *vt* 1. zrzuc-ić/ać; z/wymiotować 2. poł-knąć/ykać z powrotem ③ *vi* (*o rzece*) płynąć wstecznym prądem

regrate [ri'greit] *vt* skupywać (towary) w celach spekulacyjnych

regress ['ri:gres] ① *s* 1. powrót; ruch wsteczny 2. schyłek ③ *vi* [ri'gres] 1. poruszać się wstecz 2. być na schyłku

regression [ri'greʃən] *s* 1. ruch wsteczny 2. powrót; nawrót; regresja

regressive [ri'gresiv] *adj* powrotny; wsteczny; regresywny

regret [ri'gret] ① *vt* (-tt-) 1. po/żałować (**sth, having done sth** czegoś, że się coś zrobiło); **to ~ to do sth** z przykrością coś z/robić; **we ~ to have to ...** z przykrością musimy... 2. boleć <ubolewać> (**sth nad czymś**); **it is to be ~ted that _** szkoda, że ...; **that is to be ~ted** to jest godne pożałowania; 3. opłakiwać stratę (**sb, sth** kogoś, czegoś); **we ~ him** żal nam, że odszedł <że straciliśmy go> *zob* **regretted** ③ *s* 1. żal (**for sth** z powodu czegoś, nad czymś); **to feel ~** żałować (**for sth** czegoś); **to have no ~s** nic nie żałować 2. ubolewanie; **much to my ~** ku memu wielkiemu ubolewaniu; **to express ~ for sth** a) wyra-zić/żać żal <ubolewanie> z powodu czegoś b) przepr-osić/aszać za coś; **to refuse with much ~** <**many ~s**> odm-ówić/awiać z wielką przykrością 3. skrucha

regretful [ri'gretful] *adj* 1. skruszony; **to be ~** żałować, ubolewać 2. (*o uczuciu itd*) żalu <skruchy>

regrettable [ri'gretəbl] *adj* godny pożałowania <politowania>

regretted [ri'gretid] ① *zob* **regret** *v* ③ *adj* 1. godny pożałowania <ubolewania> 2. (*o nieboszczyku itd*) opłakiwany 3. (*o pracowniku itd*) nieodżałowany

regrind ['ri:'graind] *vt* (**reground** ['ri:'graund], **reground**) przemleć

regroup ['ri:'gru:p] *vt* przegrupow-ać/ywać

regular ['regjulə] ① *adj* 1. *kośc* regularny; zakonny 2. regularny; prawidłowy; (*o tętnie itd*) miarowy, rytmiczny; (*o dochodzie, kliencie, pracowniku itd*) stały 3. (*o człowieku*) pilny; systematyczny; metodyczny; (*o trybie życia itd*) regularny; uregulowany; uporządkowany; jednostajny; **to keep ~ hours** prowadzić regularny tryb życia 4. (*o sposobie postępowania*) przepisowy; formalny; zwyczajowy, zwyczajem uświęcony; (*powszechnie*) przyjęty 5. (*o cenie itd*) normalny 6. *gram* (*o czasowniku*) regularny <prawidłowy> 7. (*o kucharzu itd*) zawodowy, fachowy; (*o lekarzu itd*) dyplomowany 8. *pot* (*o oszuście, łajdaku itd*) skończony; (*o artyście itd*) prawdziwy; (*o balu, kłótni itd*) formaln-y/a; **a ~ brick** <**am guy**> pierwszorzędny <kapitalny, klawy> facet <gość>; dobry chłop 9. *pot* = re-

gularly; he is ~ angry on się na dobre złości; on się wścieka nie na żarty; **it happens ~** to się stale zdarza <powtarza> ③ *s* 1. zakonni-k/ca 2. oficer <żołnierz> zawodowy; **the Regulars** armia stała 3. stały klient <gość, pracownik>

regularity [,regju'læriti] *s* 1. regularność; prawidłowość 2. systematyczność; metodyczność; pilność 3. miarowość; rytmiczność; jednostajność 4. reguła; zasada; porządek; **for ~** dla zasady; dla porządku

regularize ['regjulə,raiz] *vt* uporządkow-ać/ywać

regularly ['regjuləli] *adv* 1. regularnie; prawidłowo 2. miarowo; rytmicznie; jednostajnie 3. systematycznie; metodycznie; pilnie 4. przepisowo; formalnie; według przyjętego zwyczaju 5. stale 6. *pot* naprawdę; formalnie; zupełnie; kompletnie

regulate ['regju,leit] *vt* 1. u/regulować (dopływ, działanie itd.); dostosow-ać/ywać (do potrzeb); ujednostajni-ć/ać 2. na/regulować, nastawi-ć/ać (maszynę, zegar itd.) 3. uporządkow-ać/ywać 4. po/kierować (**sth czymś**); **to be ~d by sth** kierować się czymś 5. ustal-ić/ać zasady <regulamin, przepisy> (**sth czegoś**)

regulation [,regju'leiʃən] ① *s* 1. regulacja; regulowanie; rozrząd 2. naregulowanie <nastawienie> (zegara itd.) 3. uporządkowanie 4. regulowanie (**of sth** czymś) 5. ustal-enie/anie zasad <regulaminu, przepisów> 6. przepis; nakaz; *pl* **~s** regulamin; przepisy; **according** <**contrary**> **to ~s** przepisowo <nieprzepisowo> ③ *attr* 1. przepisowy 2. ustawowy 3. zwyczajny

regulative ['regju,leitiv] *adj* regulujący

regulator ['regju,leitə] *s* regulator

⬩**regulus** ['regjuləs] *s* (*pl* **reguli** ['regju,lai]) 1. królewiątko 2. *zoo* mysikrólik 3. *chem techn* masa ciekłego metalu oddzielona od żużlu 4. *chem* **~ of antimony** antymon rafinowany 5. *spr astr* **Regulus** Regulus (gwiazda)

regurgitate [ri'gə:dʒi,teit] ① *vt* 1. (*o żołądku*) wr-ócić/acać <zwr-ócić/acać> (pokarm) ③ *vi* (*o cieczach*) cof-nąć/ać się; pły-nąć/wać w tył

regurgitation ['ri,gə:dʒi'teiʃən] *s* 1. zwracanie pokarmu 2. cof-nięcie/anie się (cieczy)

rehabilitate [,ri:ə'bili,teit] *vt* 1. z/rehabilitować 2. przywr-ócić/acać do poprzedniego <normalnego> stanu; odbudow-ać/ywać 3. uzdr-owić/awiać (finanse itd.)

rehabilitation ['ri:ə,bili'teiʃən] *s* 1. rehabilitacja 2. przywr-ócenie/acanie do poprzedniego <normalnego> stanu; odbudowa 3. uzdr-owienie/awianie (finansów itd.)

rehandle [ri'hændl] *vt* powtórnie om-ówić/awiać <rozpat-rzyć/rywać, prze/dyskutować> (sprawę)

re-hash ['ri:'hæʃ] ① *s* przedstawione na nowo stare dzieje ③ *vt* przedstawi-ć/ać <poda-ć/wać> w nowej szacie (starą sprawę)

rehear ['ri:'hiə] *vt* (**reheard** ['ri:'hə:d], **reheard**) ponownie rozpat-rzyć/rywać (sprawę sądową)

rehearsal [ri'hə:səl] *s* 1. szczegółowe opowiadanie <wyliczenie> 2. powtórka (lekcji itd.) 3. *teatr* próba

rehearse [ri'hə:s] *vt* 1. szczegółowo opowi-edzieć/adać; wylicz-yć/ać 2. powt-órzyć/arzać; z/robić powtórkę (**a lesson etc.** lekcji itd.) 3. *teatr* z/robić próbę (**a play etc.** sztuki itd.)

reheat ['ri:'hi:t] *vt* na nowo ogrz-ać/ewać <rozżarz-yć/ać>; *hut* wy/glijować (żelazo, stal)

reheating ['ri:'hi:tiŋ] *s techn* 1. ponowne nagrzewanie 2. przegrzew międzystopniowy

re-house ['ri:'hauz] *vt* u/lokować w nowych mieszkaniach; przesiedl-ić/ać; da-ć/wać <dostarcz--yć/ać> nowe mieszkania (**the population** ludności)

reign [rein] [I] *s* panowanie (króla, terroru, prawa itd.); rządy; władanie; **five successive** ~**s** panowanie pięciu kolejnych królów; **in** <**under**> **the** ~ **of** __ za (panowania) ... (danego monarchy) [III] *vi* 1. (*o królu, prawie, ciszy itd*) za/panować 2. władać; dzierżyć władzę

reignate [ˌri:igˈneit] *vt* na nowo zapal-ić/ać

reimburse [ˌri:imˈbə:s] *vt* zwr-ócić/acać (pieniądze, koszty itd.)

reimbursement [ˌri:imˈbə:smənt] *s* zwrot (pieniędzy, kosztów itd.)

reimport ['ri:imˈpɔ:t] *vt* reimportować

reimportation ['ri:-impɔ:ˈteiʃən] *s* reimport

reimpression ['ri:imˈpreʃən] *s* nowy nakład

rein [rein] [I] *s* cugiel; lejc; wodza; *pl* ~**s** *przen* wodze <ster> (państwa itd.); **to draw** ~ ściąg--nąć/ać cugle; **to give a horse (free)** ~ <**the** ~> popu-ścić/szczać koniowi cugli; **to give the** ~**s to one's imagination** pu-ścić/szczać wodze fantazji; **to hold** <**keep**> **a tight** ~ **on sb** trzymać kogoś w ryzach <karbach, klubach>; **to hold the** ~**s** rządzić (w domu itd.) [III] *vt* trzymać (konia) za lejce; *przen* kierować (**sb, sth** kimś, czymś); sterować (**sth** czymś); trzymać w ryzach

   ~ **in** [I] *vt* ściąg-nąć/ać cugle (**a horse** koniowi) [III] *vi dosł i przen* ściąg-nąć/ać cugle

   ~ **up** [I] *vt* zatrzym-ać/ywać (konia) [III] *vi* zatrzym-ać/ywać się

reincarnate ['ri:inˈka:nit] [I] *adj* ponownie wcielony [III] *vt vi* ['ri:'inka:ˌneit] wciel-ić/ać (się) ponownie

reincarnation ['ri:inka:ˈneiʃən] *s* ponowne wcielenie; reinkarnacja

reincorporate ['ri:inˈkɔ:pəˌreit] *vt* wciel-ić/ać ponownie

reindeer ['reinˌdiə] *s* (*pl* ~) *zoo* renifer

reinforce ['ri:inˈfɔ:s] *vt* 1. wzm-ocnić/acniać 2. zasil-ić/ać 3. pokrzepi-ć/ać; doda-ć/wać sił (**sb** komuś) 4. pod-eprzeć/pierać 5. pop-rzeć/ierać (prośbę, argument itd.)

reinforcement ['ri:inˈfɔ:smənt] *s* 1. wzm-ocnienie/acnianie 2. zasil-enie/anie; (*także pl* ~**s**) *wojsk* posiłki 3. pokrzepienie; nowe siły 4. podpora 5. poparcie (prośby, argumentu itd.)

reingratiate ['ri:inˈgreiʃiˌeit] [I] *vt* przywr-ócić/acać do łask [III] *vr* ~ **oneself** wr-ócić/acać do łask (**with sb** czyichś)

reinless ['reinlis] *adj* niepohamowany; nieokiełznany

reins [reinz] † *spl* nerki; okolice nerek

reinsert ['ri:inˈsə:t] *vt* 1. wprowadz-ić/ać ponownie 2. powt-órzyć/arzać (inserat, ogłoszenie)

reinstate ['ri:inˈsteit] *vt* przywr-ócić/acać (na stanowisko itd.)

reinstatement ['ri:inˈsteitmənt] *s* przywr-ócenie/acanie (na stanowisko itd.)

reinsurance ['ri:inˈʃuərəns] *s* reasekuracja

reinsure ['ri:inˈʃuə] *vt* reasekurować

reintegrate [ri'intəˌgreit] *vt* 1. = **redintegrate** 2. *mat* powtórnie całkować

reintroduce ['ri:ˌintrəˈdju:s] *vt* ponownie wprowadz-ić/ać <przedstawi-ć/ać>

reinvest ['ri:inˈvest] *vt* 1. ponownie <z powrotem> wprowadz-ić/ać na urząd 2. ponownie za/inwestować 3. gdzie indziej u/lokować (pieniądze)

reinvigorate ['ri:inˈvigəˌreit] *vt* orzeźwi-ć/ać; pokrzepi-ć/ać; ẇzm-ocnić/acniać

reissue ['ri:'isju:] [I] *vt* wzn-owić/awiać wydanie (**a book** książki) [III] *s* wznowione wydanie; wznowienie

reiterate [ri:'itəˌreit] *vt* wciąż <wielokrotnie> powtarzać

reive *zob* **reave**

reiver *zob* **reaver**

reject [ri'dʒekt] [I] *vt* 1. odrzuc-ić/ać; oddal-ić/ać; nie przyj-ąć/ʍować <odm-ówić/awiać przyjęcia> (**sth** czegoś) 2. (*o żołądku*) zrzuc-ić/ać; (*o człowieku*) ~ **food** z/wymiotować 3. wybrakować (towar) 4. odpal-ić/ać (konkurenta) 5. obl--ać/ewać (studenta) [III] *s* ['ri:dʒekt] 1. odrzucony kandydat 2. wybrakowany towar

rejectamenta [riˌdʒektəˈmentə] *spl* 1. braki wybrakowany towar 2. odpady 3. przedmioty wyrzucone przez morze 4. ekskrementy

rejection [ri'dʒekʃən] *s* 1. odrzucenie; nieprzyjęcie; odmowa 2. wybrakowanie 3. odpalenie (konkurenta); odkosz 4. oblanie (studenta) 5. *pl* ~**s** braki; wybrakowany towar 6. *pl* ~**s** odchody

rejoice [ri'dʒɔis] [I] *vt* u/radować, u/cieszyć; sprawi-ć/ać radość <uciechę> (**sb** komuś); **to be** ~**d at** <**by**> **sth** u/cieszyć się czymś; **to be** ~**d to hear** <**learn etc.**> **that** __ z (prawdziwą) radością dowiedzieć się, że ... [III] *vi* 1. u/cieszyć <u/radować> się (**at** <**over**> **sth** czymś <z czegoś>); **to** ~ **to do sth** z radością, <z przyjemnością, z rozkoszą> coś z/robić 2. cieszyć się posiadaniem <być szczęśliwym posiadaczem> (**in sth** czegoś) 3. weselić się *zob* **rejoicing**

rejoicing [ri'dʒɔisiŋ] [I] *zob* **rejoice** [III] *s* uradowanie; radość; *pl* ~**s** zabawy; świętowanie; oznaki <objawy> powszechnej radości [III] *adj* 1. uradowany 2. (*o wiadomości itd*) radosny

rejoin[1] [ri'dʒɔin] *vi* 1. odpowi-edzieć/adać; odrzec 2. *prawn* od-eprzeć/pierać zarzut/y (**sb** czyjeś)

rejoin[2] ['ri:'dʒɔin] [I] *vt* 1. po/łączyć na nowo; zestawi-ć/ać (złamane części itd.) 2. po/łączyć się (**sb** z kimś); wr-ócić/acać (**one's company** do towarzystwa <*wojsk* do kompanii>); z powrotem <znowu, na nowo> nawiąz-ać/ywać kontakt (**sb** z kimś); **I'll** ~ **you at the corner** spotkamy się na rogu [III] *vi* po/łączyć się na nowo; zejść, schodzić się

rejoinder [ri'dʒɔində] *s* 1. odpowiedź; replika 2. *prawn* ɔdparcie zarzut-u/ów

rejuvenate [ri'dʒu:viˌneit] [I] *vt* odmł-odzić/adzać [III] *vi* odmłodnieć

rejuvenation [riˌdʒu:vi'neiʃən] *s ´* odmł-odzenie/adzanie

rejuvenesce [ˌri:dʒu:vi'nes] [I] *vi* odmłodnieć [III] *vt* odmł-odzić/adzać

rejuvenescence [ˌri:dʒu:vi'nesns] *s* odmłodnienie; odmł-odzenie/adzanie

rejuvenescent [ˌri:dʒu:vi'nesnt] *adj* odmładzający

rekindle ['ri:'kindl] [I] *vt* 1. na nowo zapal-ić/ać

(drzewo itd.) <wzniec-ić/ać (ogień)> 2. ożywi-ć/ać;
to ~ sb's zeal wzniec-ić/ać nowy zapał w kimś
<u kogoś> Ⅲ *vi* zapal-ić/ać się na nowo

relapse [ri'læps] Ⅰ *vi* popa-ść/dać z powrotem
(**into vice** <**heresy, crime etc.**> w nałóg <w he-
rezję, zbrodnię itd.>); powr-ócić/acać (**into vice**
<**crime etc.**> na drogę grzechu <zbrodni itd.>;
into wrong doing etc. do dawnych błędów itd.);
to ~ into illness mieć nawrót choroby; ponownie zachorować; **to ~ into poverty** ponownie znaleźć się w ubóstwie; **to ~ into silence**
<**idleness**> znowu zamilknąć <rozleniwi-ć/ać się>;
relapsing fever gorączka powrotna Ⅲ *s* nawrót
(**into sth** do czegoś)

relate [ri'leit] Ⅰ *vt* 1. opowi-edzieć/adać; zda-ć/
wać sprawę (**the facts etc.** z wydarzeń itd.); z/re-
ferować; **strange to ~** rzecz osobliwa, dziwna
rzecz 2. powiązać; ustal-ić/ać pokrewieństwo
<**związek**> (**one phenomenon etc. with** <**to**> **an-
other** jednego zjawiska itd. z drugim) Ⅲ *vi* odnosić się (**to sb, sth** do kogoś, czegoś); (*o faktach itd*)
wiązać się (**to sb, sth** z kimś, czymś) *zob* **related,
relating**

related [ri'leitid] Ⅰ *zob* **relate** Ⅲ *adj* 1. związany
(**to sb, sth** z kimś, czymś) 2. **to be ~ to sb, sth**
wiązać się z kimś, czymś 2. bliski; pokrewny
3. spokrewniony <powinowaty, spowinowacony>
(**to sb** z kimś); **we are closely** <**distantly**> **~**
jesteśmy spokrewnieni <spowinowaceni>; mię-
dzy nami jest bliskie <dalekie> pokrewieństwo

relating [ri'leitiŋ] Ⅰ *zob* **relate** Ⅲ *adj* odnoszący
się (**to sb, sth** do kogoś, czegoś); dotyczący (**to
sb, sth** kogoś, czegoś)

relation [ri'leiʃən] *s* 1. opowiadanie; z/referowa-
nie; relacja, sprawozdanie 2. *prawn* doniesienie 3. stosunek (wzajemny); relacja; związek;
in ~ to — a) w stosunku do ... b) co do ...;
co się tyczy ...; odnośnie do ...; w sprawie
<w odniesieniu do> ...; **to bear no** <**be out of
all**> **~ to —** nie stać w żadnym stosunku do
...; być niewspółmiernym z ... 4. *pl* **~s** stosunki; kontakty; **to have ~s with —** mieć stosunki <kontaktować się> z ... 5. krewn-y/a; po-
winowat-y/a; **near ~s** rodzeństwo; rodzina 6.
pokrewieństwo; spowinowacenie; **what ~ is he
to you?** jaki jest między wami stosunek <sto-
pień> pokrewieństwa?

relational [ri'leiʃnl] *adj* 1. pokrewny 2. (dotyczący) stosunku wzajemnego 3. *gram* względny

relationship [ri'leiʃənʃip] *s* 1. związek <stosunek>
(wzajemny); zależność; **to bring into ~** powiązać
z sobą (różne rzeczy) 2. pokrewieństwo; powinowactwo

relative ['relətiv] Ⅰ *adj* 1. *gram* (*o zaimku*)
względny; (*o zdaniu*) poboczny; podrzędny;
względny 2. względny; stosunkowy; **a matter
of ~ importance** sprawa stosunkowo ważna;
in ~ comfort stosunkowo wygodnie; **with ~
coolness** <**ease etc.**> względnie <stosunkowo>
spokojnie <łatwo itd.> 3. proporcjonalny 4. zależny; **to be ~ to —** zależeć od ... 5. odpowiedni; **their ~ advantages** <**merits, faults, positions etc.**> korzyści <zalety, wady, pozycje itd.>
każdego z nich <jednego i drugiego> 6. dotyczący (**to sth** czegoś); odnoszący się (**to sb, sth**
do kogoś, czegoś) 7. *przysłówkowo*: odnośnie

(do kogoś, czegoś); w sprawie (kogoś, czegoś)
Ⅲ *s* 1. *gram* zaimek względny 2. krewn-y/a

relatively ['relətivli] *adv* 1. w stosunku (**to —**
do ...) 2. względnie; stosunkowo

relativism ['reləti,vizəm] *s* relatywizm

relativity [,relə'tiviti] *s* względność

relax [ri'læks] Ⅰ *vt* odpręż-yć/ać; zw-olnić/alniać
<zmniejsz-yć/ać> napięcie (**sth** czegoś); zw-olnić/
alniać; rozluźni-ć/ać; popu-ścić/szczać (**sth** czegoś); po/folgować (**sth** czemuś); zmiękcz-yć/ać;
u/czynić łagodniejszym; osłabi-ć/ać; pozw-olić/
alać odetchnąć <wytchnąć> (**sb** komuś) Ⅲ *vi*
odpręż-yć/ać się, ule-c/gać odprężeniu; rozluź-
ni-ć/ać się; z/mięknąć; z/łagodnieć; o/słabnąć;
odetchnąć, wytchnąć

relaxation [,ri:læk'seiʃən] *s* 1. odpręż-enie/anie;
rozładow-anie/ywanie napięcia; z/łagodzenie;
zmiękcz-enie/anie; osłabi-enie/anie 2. *fiz* relak-
sacja 3. *prawn* z/łagodzenie kary 4. chwil-a/e
wytchnienia; odpoczynek, relaks

relay[1] [ri'lei] Ⅰ *s* 1. konie zapasowe <rozstaw-
ne>; przeprząg; **~ horse** koń przeprzęgowy 2.
zmiana (robotników itd.); z/luzowanie; szychta; **in ~s** (pracować) na zmiany <na szychty>
3. ['ri:,lei] *sport* sztafeta; **~ race** bieg sztafe-
towy; sztafeta 4. ['ri:,lei] *radio* retransmisja 5.
['ri:'lei] *elektr* przekaźnik; **~ station** stacja
przekaźnikowa Ⅲ *vt* ['ri:'lei] (**relayed** ['ri:'leid],
relayed) 1. z/organizować <zarządz-ić/ać> zmiany (**workers** (dla) robotników) 2. z/luzować 3.
(dalej) przekaz-ać/ywać (wiadomość itd.) 4. ['ri:
,lei] *radio* retransmitować

relay[2] ['ri:'lei] *vt* (**relaid** ['ri:'leid], **relaid**) 1. po-
łożyć/kłaść na nowo 2. zmieni-ć/ać (tor kole-
jowy, tramwajowy)

release [ri'li:s] Ⅰ *vt* 1. *prawn* darow-ać/ywać
<um-orzyć/arzać> (**sb of a debt etc.** komuś dług
itd.) 2. *prawn* zrze-c/kać się (**a right etc.** przy-
sługującego prawa itd.) 3. *prawn* przen-ieść/
osić <s/cedować> (majątek itd. na kogoś) 4. uw-
-olnić/alniać <zw-olnić/alniać> (**sb from an obligation** <**a debt, bondage etc.**> kogoś z zobowiązania <z długu, niewoli itd.>) 5. wypu-
-ścić/szczać na wolność 6. pu-ścić/szczać (**wolno,
luzem**) **to ~ one's hold of sth** pu-ścić/szczać
coś; wypu-ścić/szczać coś z rąk 7. wypu-ścić/
szczać (coś z druku, towar na sprzedaż, nowy
film itd.); wyda-ć/wać (przytrzymany towar) 8.
pozw-olić/alać na opublikowanie (**sth** czegoś —
wiadomości itd.) 9. wyzw-olić/alać (gaz itd.);
spu-ścić/szczać (bombę, sprężynę, cyngiel itd.);
otw-orzyć/ierać (spadochron); **auto to ~ the
brake** odhamować Ⅲ *s* 1. wyzwolenie; uwolnienie <zwolnienie> (**from sth** z czegoś). 2. wypuszczenie na wolność 3. wypuszczenie (towaru
do sprzedaży, nowego filmu, publikacji itd.);
wyda-nie/wanie (przytrzymanego towaru) 4. pozwolenie na opublikowanie (**of news etc.** wiadomości itd.) 5. wyzw-olenie/alanie (gazu itd.);
spuszcz-enie/anie (bomby, sprężyny, cyngla itd.);
otw-arcie/ieranie (spadochronu) 6. pokwitowanie, recepis 7. przen-iesienie/oszenie <s/cedo-
wanie> (majątku) 8. rączka <uchwyt itd.> wy-
zwalając-a/y (mechanizm itd.); wyzwalacz

relegate ['reli,geit] *vt* 1. wydal-ić/ać; zesłać/zsy-
łać; wyg-nać/aniać 2. usu-nąć/wać; relegować;
wyrzuc-ić/ać 3. przen-ieść/osić (do niższego sto-

pnia służbowego <na skromniejsze stanowisko, miejsce>) 4. podda-ć/wać pod decyzję <przekaz-ać/ywać do decyzji> kompetentnej osoby (sprawę itd.) 5. skierow-ać/ywać (**sb to** __ kogoś do ... — osoby miarodajnej)

relegation [ˌreli'geiʃən] *s* 1. wydalenie; zesłanie; wygnanie 2. przeniesienie (do niższego stopnia służbowego <na skromniejsze stanowisko, miejsce>) 3. podda-nie/wanie pod decyzję <przekazanie do decyzji> kompetentnej osoby (sprawy itd.) 4. skierowanie (**sb to** __ kogoś do ... — osoby miarodajnej itd.)

relent ['ri'lent] *vi* 1. z/mięknąć; o/słabnąć; ust-ąpić/ępować 2. z/łagodnieć; dać się wzruszyć <ubłagać>

relentless [ri'lentlis] *adj* 1. nieugięty; nieustępliwy 2. nieubłagany; bezlitosny; srogi

re-let ['ri:'let] *vt* (**re-let, re-let; re-letting** ['ri:'let iŋ]) ponownie wydzierżawi-ć/ać; zna-leźć/jdować nowego lokatora (**a house** dla domu)

relevance ['relivəns], **relevancy** ['relivənsi] *s* 1. związek (**to the matter in hand** z omawian-ą/ym sprawą <tematem>) 2. stosowność <trafność> (uwagi itd.)

relevant ['relivənt] *adj* 1. związany (**to the matter in hand** z omawian-ą/ym sprawą <tematem>) 2. (*o uwadze itd*) stosowny; trafny; na miejscu 3. istotny; posiadający znaczenie

reliability [riˌlaie'biliti] *s* pewność; solidność; niezawodność; wytrzymałość (maszyny, samochodu itd.)

reliable [ri'laiəbl] *adj* 1. pewny; solidny; niezawodny; (*o maszynie, samochodzie itd*) wytrzymały 2. (*o człowieku itd*) godny zaufania; rzetelny; **he is (perfectly)** ~ można (w zupełności) na nim polegać 3. (*o wiadomości, źródle informacji*) wiarogodny, pewny

reliance [ri'laiəns] *s* 1. zaufanie (**upon** <**on, in**> **sb, sth** do kogoś, czegoś); poleganie (na kimś); **to have** <**place, feel**> ~ **upon** <**on, in**> sb mieć <żywić> zaufanie do kogoś, czegoś; pokładać zaufanie w <polegać na> kimś, czymś 2. oparcie; podpora; ostoja

reliant [ri'laiənt] *adj* ufny; **to be** ~ **on sb, sth** a) mieć zaufanie do kogoś, czegoś; pokładać zaufanie w kimś, czymś b) liczyć na kogoś, coś; polegać na kimś, czymś c) być zależnym <uzależnionym> od kogoś, czegoś

relic ['relik] *s* 1. *rel* relikwia 2. pozostałość; resztka; pamiątka; zabytek; relikt 3. *pl* ~s zwłoki

relict ['relikt] *s* 1. *prawn* wdowa (**of sb** po kimś) 2. pozostałość

relief[1] [ri'li:f] *s* 1. ulga (w bólu, strapieniu itd.); ~ **from taxation** ulga w podatkach; **to bring** ~ **sprawi-ć/ać** <przyn-ieść/osić> ulgę; **to feel** ~ **dozna-ć/wać ulgi; it was a** ~ **to me to find** <**to my** __ **I found**> **that** __ z ulgą stwierdziłem, że...; **to my** <**his etc.**> ~ na szczęście 2. odciążenie 3. urozmaicenie; **by way of** ~ dla urozmaicenia 4. obniżenie (grzywny, ciśnienia itd.) 5. pomoc (niesiona cierpiącym, ubogim itd.); zapomoga; opieka społeczna; ~ **fund** fundusz zapomogowy; **to come to sb's** ~ przy-jść/chodzić komuś z pomocą 6. odsiecz (dla miasta oblężonego); ~ **troops** posiłki 7. z/luzowanie pracownika 8. zmiana robocza; nowa szychta

9. wynagrodzenie (szkody); naprawa (krzywdy)

relief[2] [ri'li:f] *s* 1. (*także* **low** ~) płaskorzeźba; **high** ~ wypukłorzeźba; (*o wizerunku, scenie itd*) **in** ~ wypukły; wykonany w płaskorzeźbie 2. uwypuklenie; **to bring into** ~ uwydatni-ć/ać; zaznacz-yć/ać; podkreśl-ić/ać (fakty itd.); **to bring out in strong** ~ mocno zaznacz-yć/ać; silnie uwypukl-ić/ać; **to stand out in** ~ wystawać <odcinać się, zaznaczać się> (**against sth** na tle czegoś); ~ **map** mapa plastyczna 3. *geol* relief, rzeźba terenu

relieve [ri'li:v] *vt* 1. ulżyć <przyn-ieść/osić ulgę> (**sb komuś**); uśmierz-yć/ać <z/łagodzić> (ból, cierpienia); **to** ~ **sb's pain** przyn-ieść/osić <sprawi-ć/ać> komuś ulgę w bólu; **to** ~ **the distressed** nieść pomoc ubogim <cierpiącym, ofiarom katastrofy itd.>); **I was much** ~**d to hear** <**at the news of**> __ zrobiło mi się lżej na sercu na wiadomość o...; **to** ~ **one's feelings** ulżyć sobie (przez wyłajanie kogoś, przez wybuch uczuć itd.); **to** ~ **nature** pójść/iść za potrzebą; odda-ć/wać mocz <stolec> 2. uspok-oić/ajać (**sb's mind** kogoś <czyjeś obawy itd.>) 3. (*także* ~ **the tediousness of** __) urozmaic-ić/ać (coś — podróż itd.) 4. odciąż-yć/ać; wyręcz-yć/ać; zmniejsz-yć/ać (naprężenie, ciśnienie itd.); **to** ~ **the congestion** rozładować tłok 5. uw-olnić/alniać (**sb of sth** kogoś od czegoś); **to** ~ **sb of his load** pomóc komuś nieść coś ciężkiego; **to** ~ **sb (of his post)** zw-olnić/alniać kogoś (ze stanowiska); *żart* **to** ~ **sb of his purse** <**watch etc.**> wyciągnąć <ukraść> komuś portfel <zegarek itd.> 6. *wojsk* uw-olnić/alniać (oblężone miasto); przy-jść/chodzić z odsieczą (**a besieged town** oblężonemu miastu) 7. z/luzować (wartę, robotników itd.) 8. uwydatni-ć/ać (**sth against sth** coś na tle czegoś) *zob* **relieving**

relieving [ri'li:viŋ] Ⓘ *zob* **relieve** Ⓘ *adj* 1. (*o środku itd*) łagodzący <uśmierzający> 2. odciążający; *wojsk* ~ **troops** posiłki; odsiecz 3. niosący pomoc; ~ **officer** komisarz dla spraw pomocy społecznej 4. *arch* (*o łuku*) wsporny

relievo [ri'li:vou] *s* płaskorzeźba

relight ['ri:'lait] *vt* (*praet* **relit** ['ri:'lit], **relighted** ['ri:'laitid], *pp* **relighted, relit**) na nowo zapalić <zaświecić>

religion [ri'lidʒən] *s* 1. zakon; **to enter** ~ pójść do zakonu; zostać zakonni-kiem/cą 2. religia; wyznanie; obrządek; *wulg żart* **to get** ~ a) na-wr-ócić/acać się b) popa-ść/dać w bigoterię; *przen* **to make a** ~ **of sth** traktować coś jak rzecz świętą; odnosić się do czegoś z nabożeństwem

religioner [ri'lidʒənə] *s* religiant; bigot/ka; dewotka; *†* dewot

religionism [ri'lidʒəˌnizəm] *s* bigoteria

religionist [ri'lidʒənist] *s* 1. człowiek wierzący 2. bigot/ka

religiosity [riˌlidʒi'ositi] *s* 1. religijność 2. fanatyzm religijny

religious [ri'lidʒəs] Ⓘ *adj* 1. pobożny; religijny 2. zakonny; klasztorny 3. skrupulatny Ⓘ *s* zakonni-k/ca

religiousness [ri'lidʒəsnis] *s* religijność; pobożność, nabożność

reline ['ri:'lain] *vt* (da-ć/wać) na nowo podszyć (marynarkę itd.)
relinquish [ri'liŋkwiʃ] *vt* 1. zarzuc-ić/ać (plan itd.); porzuc-ić/ać (nadzieje itd.); opu-ścić/szczać (kogoś, coś) 2. zaniechać <zaprzesta-ć/wać> (sth czegoś) 3. z/rezygnować (sth z czegoś); zrze-c/kać <wyrze-c/kać> się (sth czegoś) 4. (*także to* ~ one's hold of <on> sth) pu-ścić/szczać coś; wypu-ścić/szczać coś z rąk
relinquishment [ri'liŋkwiʃmənt] *s* 1. zarzuc-enie/anie (planu itd.); porzuc-enie/anie (nadziei itd.); opuszcz-enie/anie (kogoś, czegoś) 2. zaniechanie <zaprzestanie> (czegoś) 3. z/rezygnowanie (of sth z czegoś); zrze-czenie/kanie <wyrze--czenie/kanie> się 4. puszcz-enie/anie <wypuszcz-enie/anie z rąk> (czegoś)
reliquary ['relikwəri] *s* relikwiarz
reliquiae [ri'likwi‚i:] *spl* 1. szczątki 2. *geol* skamienieliny
relish ['reliʃ] Ⓛ *s* 1. smak <posmak> (czegoś) 2. urok <powab> (czegoś); (*o potrawie*) to have ~ smakować; (*o człowieku*) to have no more ~ for sth s/tracić smak do czegoś 3. apetyt <ochota> (for sth na coś); pociąg <gust> (for sth do czegoś) 4. przyprawa 5. smakołyk; przysmak; delikates 6. upodobanie <chęć, zamiłowanie> (for sth do czegoś); to do sth with ~ robić coś z upodobaniem <z przyjemnością>, mieć przyjemność w robieniu czegoś; to eat with ~ z/jeść ze smakiem Ⅲ *vt* 1. doda-ć/wać smaku (a dish potrawie); poprawi-ć/ać smak (a dish potrawy) 2. jeść <pić> ze smakiem <z przyjemnością> 3. rozkoszować się (sth czymś); znajdować przyjemność (sth, doing sth w czymś, w robieniu czegoś); he does not ~ the prospect <the idea> of _ nie uśmiecha mu się perspektywa... (czegoś) <myśl... (o czymś)> Ⅲ *vi* mieć posmak (of sth czegoś); trącić <zalatywać> (of sth czymś)
relishable ['reliʃəbl] *adj* smakowity
relive ['ri:'liv] *vt* na nowo przeży-ć/wać
reload ['ri:'loud] *vt* przeładow-ać/ywać
reluctance [ri'lʌktəns] *s* 1. wstręt; niechęć; to show ~ to do sth = to be reluctant to do sth *zob* reluctant 1.; to show no ~ to do sth z/robić coś z chęcią <z gotowością>; nie dać się prosić, żeby coś zrobić; with ~ niechętnie; ociągając się; z bólem serca 2. *elektr* oporność magnetyczna
reluctant [ri'lʌktənt] *adj* 1. niechętny; to be ~ to do sth z/robić coś niechętnie <ociągając się, z bólem serca>; nie być skłonnym do zrobienia czegoś; nie kwapić się ze zrobieniem czegoś 2. (*o zgodzie itd*) udzielony <wyrażony> niechętnie; to give ~ assistance <advice etc.> niechętnie udziel-ić/ać pomocy <rady itd.>
reluctivity [‚relʌk'tiviti] *s elektr* oporność magnetyczna właściwa
rely [ri'lai] *vi* (relied [ri'laid], relied; relying [ri'laiiŋ]) polegać (on sb, sth na kimś, czymś; on sb to do sth na tym, że ktoś coś zrobi); mieć zaufanie (on sb, sth do kogoś, czegoś); liczyć <zda-ć/wać się> (on sb, sth na kogoś, coś)
remain [ri'mein] Ⓛ *vi* 1. pozosta-ć/wać, zosta-ć/wać; what ~s to, co po/zostaje <zostało>; nothing ~ed for us but to _ nic nam nie pozostawało, jak tylko ...; that it ~s to be seen to się okaże; the fact ~s that _ faktem

jest, że ...; 2. zosta-ć/wać; przebywać; za/bawić (somewhere gdzieś) 3. pozosta-ć/wać (wiernym, pewnym itd.); trwać (certain etc. w pewności itd.); (*formułka końcowa listu*) I ~ yours truly <faithfully etc.> pozostaję z poważaniem <szczerze oddany itd.> *zob* remaining Ⅲ *s* (*zw pl*) 1. resztki; szczątki; pozostałoś-ć/ci; ślady 2. prace (pośmiertne) 3. zwłoki
remainder [ri'meində] Ⓛ *s* 1. *prawn* prawo rewersyjne 2. pozostałość 3. reszta 4. resztk-a/i 5. (*o grupie osób*) reszta; pozostali 6. *księg* remitenda Ⅲ *vt* z/robić wyprzedaż (an edition remanentów książek)
remaining [ri'meiniŋ] Ⓛ *zob* remain *v* Ⅲ *adj* pozostały; we had... ~ pozostawało nam...
remake [ri:'meik] *vt* (remade ['ri:'meid], remade) przer-obić/abiać; przefasonow-ać/ywać
reman ['ri:'mæn] *vt* (-nn-) zmieni-ć/ać załogę (a ship statku)
remand [ri'mɑ:nd] Ⓛ *vt* odesłać (obwinionego) do więzienia Ⅲ *s* odesłanie (obwinionego) do więzienia
remanence ['remənəns] *s fiz* (*także* remanent magnetism*) pozostałość magnetyczna
remanet ['remə‚net] *s* 1. pozostałość 2. *sąd* odroczona sprawa 3. odroczony projekt ustawy
remark [ri'mɑ:k] Ⓛ *vt* 1. spostrze-c/gać 2. zauważ-yć/ać 3. przy-jrzeć/glądać się pilnie (sb, sth komuś, czemuś) Ⅲ *vi* zauważ-yć/ać; z/robić <wypowi-edzieć/adać> uwag-ę/i (on <upon> sb, sth o kimś, czymś); powiedzieć, rzec Ⅲ *s* 1. uwaga; to let sth pass without ~ przepu--ścić/szczać coś nic nie zauważywszy; worthy of ~ godny uwagi 2. (poczyniona, wypowiedziana) uwaga; obserwacja; spostrzeżenie; notatka; komentarz; to pass a ~ zauważyć; wypowiedzieć się; to venture <hazard> a ~ _ pozwolić sobie <ośmielić się> zauważyć...
remarkable [ri'mɑ:kəbl] *adj* znakomity; wybitny; nadzwyczajny; szczególny; godny uwagi
remarkably [ri'mɑ:kəbli] *adv* wybitnie; wielce; nadzwyczajnie; w wysokim stopniu, w znacznej <wielkiej> mierze
remarry ['ri:'mæri] *vi* (remarried ['ri:'mærid], remarried; remarrying ['ri:mæriiŋ]) powtórnie <ponownie> się o/żenić <wy-jść/chodzić za mąż>
Rembrandtesque [‚rembræn'tesk] *adj* rembrandtowski
remediable [ri'mi:djəbl] *adj* 1. (możliwy) do naprawy 2. *med* uleczalny
remedial [ri'mi:djəl] *adj* 1. zaradczy; (*o środku itd*) naprawy; (*o warsztacie*) naprawczy 2. leczniczy 3. (*o pracach, przedsięwziętych krokach itd*) konserwacyjny, ochronny
remediless ['remedilis] *adj* 1. nie do naprawienia; nie do uratowania 2. nie do wyleczenia; nieuleczalny
remedy ['remidi] Ⓛ *s* 1. lekarstwo; środek (for sth na coś); past ~ nie do uleczenia 2. naprawa 3. *prawn* naprawa <wynagrodzenie> krzywdy; wynagrodzenie straty 4. *ekon* remedium <tolerancja> (monet złotych i srebrnych) Ⅲ *vt* (remedied ['remidid], remedied; remedying ['remidiiŋ]) naprawi-ć/ać; zaradzić (sth czemuś)
remelt ['ri:'melt] *vt* przet-opić/apiać
remember [ri'membə] Ⓛ *vt* 1. za/pamiętać; przypom-nieć/inać sobie; mieć w pamięci; nie zapom-nieć/inać (sb, sth kogoś, o kimś, czegoś,

o czymś); **to ~ doing** <seeing etc.> **sth** pamiętać, że się coś robiło <widziało itd.>; **to ~ sth against sb** mieć za złe <zapamiętać> coś komuś; **to ~ to** _ nie zapomnieć <pamiętać o tym, żeby> ... (coś zrobić, gdzieś pójść, coś powiedzieć itd.); **sth to ~ one by** pamiątka po kimś 2. wspom-nieć/inać **(sb o kimś — in one's will** <prayers etc.> w testamencie <w modlitwach itd.>); nie zapom-nieć/inać **(the waiter etc.** o kelnerze itd.) 3. przypom-nieć/inać; **~ me (kindly) to** _ kłaniaj/cie się (uprzejmie) ode mnie ... (komuś); **Mr. X begs to be ~ed to you** p. X zasyła ci <wam> swoje uszanowanie <ukłony> ☐ _vr_ **~ oneself** oprzytomnieć; opamiętać się

remembrance [ri'membrəns] _s_ 1. wspom-nienie/ inanie 2. pamięć; **to call to ~** przypom-nieć/ inać sobie; **to escape sb's ~** ujść czyjejś pamięci; **to have in ~** pamiętać; **to put sb in ~ of sth** przypom-nieć/inać coś komuś; **within my ~** za mojej pamięci; **Remembrance Day** dzień uczczenia pamięci poległych w czasie I wojny światowej (11.XI.) 3. pamiątka **(of sb** po kimś, od kogoś) 4. _pl_ **~s** ukłony (przesłane za czyimś pośrednictwem)

Remembrancer[1] [ri'membrənsə] _s_ 1. **the King's** <Queen's> **~** skarbnik koronny 2. **City ~** rzecznik londyńskiej City w komisjach parlamentarnych

remembrancer[2] [ri'membrənsə] _s_ raptularz; notatnik

remex ['ri:meks] _s_ (_pl_ **remiges** ['remi‚dʒi:z]) _zoo_ lotka

re-militarize ['ri:'militə‚raiz] _vt_ z/remilitaryzować

remind [ri'maind] _vt_ przypom-nieć/inać (**sb of sth** <sb to do sth> coś komuś <komuś, żeby coś zrobił>); **that ~s me!** aha!; przypomniałem sobie; a propos!; **you are ~ed that** _ przypomina się, że ...

reminder [ri'maində] _s_ 1. pamiątka 2. rzecz ułatwiająca <zapewniająca> pamiętanie o czymś 3. przypomnienie; _handl_ monit; upomnienie

remindful [ri'maindful]´ _adj_ 1. przypominający (**of sth** o czymś) 2. pamiętający (**of sth** o czymś)

↑**reminisce** [‚remi'nis] _vt am pot_ 1. opowiadać swe wspomnienia 2. sięgać pamięcią wstecz

reminiscence [‚remi'nisəns] _s_ 1. wspomnienie; reminiscencja 2. _przen_ ślad

reminiscent [‚remi'nisnt] _adj_ 1. pamiętający; wspominający; przypominający sobie 2. (_o rysach twarzy, okoliczności itd_) przypominający (kogoś, coś); **to be ~ of sb, sth** przypominać kogoś, coś; nasu-nąć/wać myśl o kimś, czymś

remise [ri'maiz] _s prawn_ zrze-czenie/kanie się (prawa, pretensji)

remiss [ri'mis] _adj_ niedbały; opieszały; zaniedbujący swe obowiązki

remissible [ri'misəbl] _adj_ wybaczalny; (_o grzechu_) odpuszczalny

remission [ri'miʃən] _s_ 1. odpuszcz-enie/anie (grzechów); um-orzenie/arzanie (długu, podatku itd.); darowanie (kary) 2. zmniejsz-enie/anie się <osłabi-enie/anie, z/łagodzenie, spadek> (gwałtowności, intensywności itd.); zelżenie (mrozu) 3. _med_ remisja (spadek temperatury)

remissive [ri'misiv] _adj_ 1. przebaczający; odpusz-

czający; darujący; uwalniający 2. zmniejszający; łagodzący

remissness [ri'misnis] _s_ niedbalstwo; opieszałość; zaniedbywanie obowiązków

remit [ri'mit] _v_ (-**tt**-) ☐ _vt_ 1. odpu-ścić/szczać <przebacz-yć/ać> (grzechy); darować (karę itd.); um-orzyć/arzać (dług/i); **to ~ a penalty etc.** uwolnić od kary itd. 2. powściąg-nąć/ać (gniew itd.); z/łagodzić (ból) 3. odda-ć/wać (sprawę) do rozstrzygnięcia (**to some authority** jakiejś władzy) 4. _sąd_ od-esłać/syłać (sprawę) z powrotem do sądu niższej instancji 5. odr-oczyć/aczać 6. przywr-ócić/acać (do dawnego stanu) 7. _handl_ wpłac-ić/ać <ui-ścić/szczać, przekaz-ać/ywać, przes-łać/yłać, przel-ać/ewać> (pieniądze) ☐ _vi_ o/słabnąć; zmniejsz-yć/ać się; z/łagodnieć; s/tracić na sile <na intensywności>; usta-ć/wać; s/folgować; zelżeć; (_o temperaturze itd_) spa-ść/ dać

remittal [ri'mitl] _s_ 1. odpuszcz-enie/anie <przebacz-enie/anie> (grzech-u/ów); darowanie (winy); um-orzenie/arzanie (długu itd.) 2. _sąd_ odesłanie (sprawy) do innego sądu

remittance [ri'mitəns] _s_ wpłata; należność; płatność; wpłacone <uiszczone> pieniądze; przekaz; przelew

remittance-man [ri'mitəns‚mæn] _s_ (_pl_ **remittance- -men** [ri'mitəns‚men]) człowiek wysłany do kolonii angielskich, utrzymujący się z funduszów przekazywanych mu z domu

remittee [ri'miti:] _s_ odbior-ca/czyni należności <płatności>

remittent [ri'mitənt] _adj med_ (_o gorączce_) zwalniający

remitter[1] [ri'mitə] _s_ nadawca przekazu <przelewu>; wpłacając-y/a

remitter[2] [ri'mitə] _s prawn_ odesłanie (sprawy) do innego sądu

remnant ['remnənt] _s_ pozostałość; reszta; resztka (materiału itd.) remanent; **~ sale** poremanentowa wyprzedaż resztek

remodel ['ri:'mɔdl] _vt_ (-**ll**-) przer-obić/abiać; przefasonow-ać/ywać

remonstrance [ri'mɔnstrəns] _s_ 1. protest 2. upomnienie; napom-nienie/inanie (króla przez parlament) 3. wymówka; wypom-nienie/inanie 4. remonstracja

remonstrant [ri'mɔnstrənt] _adj_ 1. protestujący; protestacyjny 2. upominający 3. remonstracyjny

remonstrate [ri'mɔnstreit] _vi_ 1. za/protestować (**against sth** przeciw czemuś) 2. upom-nieć/inać (**with sb on** <upon> **sth** kogoś o coś); czynić wymówki (**with sb on** <upon> **sth** komuś z powodu czegoś) 3. remonstrować

remontant [ri'mɔntənt] ☐ _adj bot_ (_o róży itd_) remontujący (kwitnący więcej niż raz w roku) ☐ _s bot_ remontant

remora ['remərə] _s_ 1. _zoo_ trzymonaw (ryba) 2. zawada, przeszkoda

remorse [ri'mɔ:s] _s_ 1. wyrzut sumienia; **without ~** bez skrupułów 2. skrucha; żal (za grzechy)

remorseful [ri'mɔ:sful] _adj_ skruszony

remorseless [ri'mɔ:slis] _adj_ 1. nie skruszony 2. bezlitosny

↑**remote** [ri'mout] _adj_ 1. odległy <daleki, oddalony> (w przestrzeni i czasie) 2. (_o miejscowości itd_) odosobniony 3. (_o podobieństwie_) słaby 4. (_o po-

krewieństwie) daleki 5. *w stopniu najwyższym*: (*o pojęciu, wyobrażeniu*) najmniejszy; *pot* zielony 6. (*o możliwości itd*) mało prawdopodobny 7. obcy (**from the matter etc.** tematowi itd.), nie mający nic wspólnego <nie związany> (**from the matter etc.** z tematem itd.) 8. *techn* (*o działaniu, kierowaniu itd*) zdalny
remoteness [ri'moutnis] *s* 1. odległość (w przestrzeni i czasie) 2. odosobnienie (miejscowości itd.) 3. słaby stopień (podobieństwa) 4. daleki stopień (pokrewieństwa) 5. znikomość (prawdopodobieństwa itd.)
remould ['ri:'mould] *vt* przefasonow-ać/ywać
remount [ri:'maunt] □ *vt* 1. ponownie wejść/wchodzić (**a hill <ladder etc.**> na górę <po drabinie itd.>) 2. si-ąść/adać ponownie (**one's horse <bicycle etc.**> na konia <rower itd.>) 3. na nowo podkle-ić/jać (mapę) 4. uzupełni-ć/ać remontami (**a cavalry regiment** pułk kawalerii) □ *vi* sięg-nąć/ać wstecz (**to a remote period etc.** do odległego okresu itd.) □ *s* ['ri:,maunt] *wojsk* 1. uzupełni-enie/anie remontami (oddziału kawalerii) 2. *pl* ~s remonty (konie)
removable [ri'mu:vəbl] □ *adj* 1. (*o części maszyny, urządzenia*) do zdejmowania; usuwalny; ruchomy; **it is** ~ to się zdejmuje; można to zd-jąć/ejmować 2. przenośny 3. (*o urzędniku, sędzim itd*) odwołalny; usuwalny □ *s* (*w Irlandii*) sędzia odwołalny <usuwalny>
removal [ri'mu:vl] *s* 1. usu-nięcie/wanie 2. zd-jęcie/ejmowanie 3. sprząt-nięcie/anie, uprząt-nięcie/anie 4. zwózka 5. zn-iesienie/oszenie (zarządzenia itd.) 6. przeprowadzka; ~ **expenses** koszty przeprowadzki 7. odwoł-anie/ywanie <usu--nięcie/wanie> (sędziego itd.) 8. wyprowadzenie (zwłok)
remove [ri'mu:v] □ *vt* 1. usu-nąć/wać; zd-jąć/ejmować; sprząt-nąć/ać; uprząt-nąć/ać; wyn-ieść/osić; wyw-ieźć/ozić; **to** ~ **mountains** przenosić góry; dokonywać cudów 2. uchyl-ić/ać (**one's hat etc.** kapelusza itd.) 3. położyć/kłaść kres (**sth** czemuś); rozpr-oszyć/aszać (wątpliwości); uspok-oić/ajać (obawy); skreśl-ić/ać (coś z listy itd.); przełam-ać/ywać (sprzeciw) 4. odwoł-ać/ywać <usu--nąć/wać> (sędziego itd.) 5. przen-ieść/osić; przew-ieźć/ozić; przemie-ścić/szczać; odsu-nąć/wać; oddal-ić/ać; wycof-ać/ywać; **to** ~ **a boy from school** zab-rać/ierać chłopca ze szkoły; **to** ~ **furniture** dokon-ać/ywać przeprowadzki □ *vr* ~ **oneself** usu-nąć/wać <oddal-ić/ać, wyn-ieść/osić> się □ *vi* przen-ieść/osić <przeprowadz-ić/ać> się *zob* **removed** Ⅳ *s* 1. kolejne danie 2. *szk* prze-jście/chodzenie do następnej klasy 3. *szk* klasa 4. *przen* krok (od czegoś); **to be one** ~ **from sth** graniczyć z czymś; być o (jeden) krok od czegoś 5. stopień pokrewieństwa 6. oddalenie
removed [ri'mu:vd] □ *zob* **remove** *v* □ *adj* 1. oddalony; **far** ~ odległy; daleki; **not far** ~ **from** sth bliski czegoś; sąsiadujący <graniczący> z czymś 2. *w zwrocie*: **once <twice etc.**> ~ (krewny) w drugim <trzecim itd.> pokoleniu 3. *w zwrocie*: (*o daniu, potrawie*) **the fish etc. was** ~ **by the joint etc.** po rybie itd. nastąpiła <podano> pieczeń itd.
remover [ri'mu:və] *s* 1. właściciel przedsiębiorstwa przewozowego; spedytor 2. *chem* zmywacz (farb, lakierów itd.)

remunerate [ri'mju:nə,reit] *vt* wynagr-odzić/adzać; **to** ~ **sb for sth** za/płacić komuś za coś
remuneration [ri,mju:nə'reiʃən] *s* wynagrodzenie; zapłata; **in** ~ **for services** tytułem wynagrodzenia <zapłaty> za usługi
remunerative [ri'mju:nərətiv] *adj* popłatny; opłacalny; dochodowy; korzystny; intratny; zyskowny; rentowny
remunerativeness [ri'mju:nərə,tivnis] *s* dochodowość; zyskowność; rentowność
renaissance [rə'neisəns] Ⅰ *s* odrodzenie, renesans Ⅲ *attr* renesansowy; (*o epoce, stylu, malarzu itd*) odrodzenia <renesansu>
renal ['ri:nəl] *adj anat* nerkowy
rename ['ri:'neim] *vt* przemianow-ać/ywać
renascence [ri'næsns] *s* 1. nowe życie; powrót do życia; odrodzenie 2. = **renaissance**
renascent [ri'næsnt] *adj* odradzający się
rencontre [ren'kontə], **rencounter** [ren'kauntə] *s* spotkanie <potyczka, starcie się> (z nieprzyjacielem); pojedynek
rend [rend] *v* (**rent** [rent], **rent**) □ *vt* 1. roz-edrzeć/dzierać; po/drzeć; **to** ~ ... **from sb, sth** od-erwać/rywać ... od kogoś, czegoś; **to** ~ ... **out of sth** wyr-wać/ywać ... z czegoś; **to** ~ **sb's <one's> hair** wyrywać komuś <sobie> włosy z głowy; (*o krzyku itd*) **to** ~ **the air** przeszy-ć/wać powietrze; **to turn and** ~ **sb** napa-ść/dać na kogoś z krzykiem 2. rozłup-ać/ywać (drzewo) □ *vi* 1. drzeć się 2. rozłup-ać/ywać się
  ~ **apart** <**asunder**> *vt* 1. od-erwać/rywać; **to** ~ **two things apart** <**asunder**> oderwać jedno od drugiego <dwie rzeczy od siebie> 2. rozerwać (**sth** coś) na dwie części
  ~ **off** <**away**> *vt* od-erwać/rywać
render ['rendə] *vt* 1. odpłac-ić/ać się (**sth for __** czymś za ...); **to** ~ **thanks** złożyć/składać podziękowani-e/a 2. zwr-ócić/acać; odda-ć/wać; wyda-ć/wać 3. złożyć/składać (hołd); odda-ć/wać <wyświadcz-yć/ać> (przysługę); okaz-ać/ywać (pomoc); udziel-ić/ać (**help etc.** pomocy itp.); wyda-ć/wać <ogł-osić/aszać> (wyrok); zda-ć/wać (sprawę <rachunek> z czegoś); *handl* **to** ~ **an account** przed-łożyć/kładać <przes-łać/yłać, sporządz-ić/ać> zestawienie rachunkowe 4. wykon-ać/ywać; przedstawi-ć/ać; odda-ć/wać <uchwyci-ć> (podobieństwo, wyraz twarzy itd.); odtw-orzyć/arzać <interpretować, uj-ąć/mować> (utwór muz., rolę itd.); prze-łożyć/kładać <prze/tłumaczy-ć> (**into __** na ... — inny język) 5. u/czynić (kogoś, coś — ważnym, niezbędnym itd.); z/robić (**an act a crime etc.** z czynu zbrodnię itd.); **to** ~ **sb peevish** <**sth possible etc.**> sprawi-ć/ać, że ktoś staje się stetryczały <coś staje się możliwe itd.> 6. wyt-opić/apiać (tłuszcz) 7. *bud* obrzuc-ić/ać (**with plaster etc.** zaprawą itd.)
  ~ **up** *vt* podda-ć/wać (twierdzę itd.)
render-set ['rendə,set] *vt* (-tt-) *bud* wy/tynkować <wyprawi-ć/ać> (mur itd.)
rendezvous ['rondi,vu:] □ *s* (*pl* ~ ['rondi,vu:z]) 1. (umówione) spotkanie; *pot* randka 2. miejsce spotkania 3. *wojsk mar* punkt zborny □ *vi* spot-kać/ykać <zejść/schodzić> się (w umówionym miejscu)
rendition [ren'diʃən] *s* 1. oddanie (twierdzy); wydanie (zbiega itd.) 2. odda-nie/wanie (sensu znaczenia> wyrazu itd.); prze/tłumaczenie 3. od-

tw-orzenie/arzanie (utworu, roli itd.); odda-nie/
wanie; interpretacja
renegade ['reni,geid] ① *s* 1. renegat, odstępca;
zaprzaniec 2. zdrajca; sprzedawczyk ③ *vi* 1.
zosta-ć/wać renegatem <odstępcą> 2. zdradz-ić/
ać (**from one's country** <**party** etc.> ojczyznę
partię itd.>)
renegue [ri'ni:g] *vi karc* nie doda-ć/wać do koloru
renew [ri'nju:] ① *vt* 1. odn-owić/awiać; s/pro-
longować (weksel) 2. wzn-owić/awiać; pon-owić/
awiać; pod-jąć/ejmować na nowo; powt-órzyć/
arzać; **to ~ one's youth** odmłodnieć; przeży-
wać drugą młodość 3. odśwież-yć/ać 4. odmł-
-odzić/adzać 5. wymieni-ć/ać (części maszyny
itd.) ③ *vi* wzn-owić/awiać <powt-órzyć/arzać>
się *zob* **renewed**
renewal [ri'njuəl] *s* 1. odn-owienie/awianie; s/pro-
longowanie <prolongata> (weksla) 2. wzn-owie-
nie/awianie; pon-owienie/awianie; powt-órzenie/
arzanie 3. odśwież-enie/anie 4. odmł-odzenie/
adzanie 5. wymiana (części maszyny itd.)
renewed [ri'nju:d] ① *zob* **renew** ③ *adj* 1. odnowiony; świeży; nowy 2. wznowiony, wznawia-
ny; powtórzony 3. odświeżony 4. odmłodzony
reniform ['ri:nifɔ:m] *adj* nerkowaty
rennet[1] ['renit] *s fizj* podpuszczka, ferment żołądkowy
rennet[2] ['renit] *s* reneta (jabłko)
renounce [ri'nauns] ① *vt* 1. wyrze-c/kać <zrze-c/
kać> się (**sth** czegoś); z/rezygnować (**sth** z czegoś); porzuc-ić/ać; **to ~ the world** odsunąć się
od ludzi 2. wyp-rzeć/ierać <zap-rzeć/ierać> się
(**sb, sth** kogoś, czegoś) 3. wypowi-edzieć/adać
(traktat, umowę itd.); odst-ąpić/ępować (**a contract** od umowy) 4. zaniechać (**sth** czegoś) 5.
nie uzna-ć/wać (**sb's authority** etc. czyjejś władzy
itd.) ③ *vi karc* nie doda-ć/wać do koloru; mieć
renons ④ *s karc* renons
renouncement [ri'naunsmənt] = **renunciation**
renovate ['renou,veit] *vt* 1. odn-owić/awiać 2. od-
śwież-yć/ać 3. naprawi-ć/ać
renovation [,renə'veiʃən] *s* 1. odn-owienie/awia-
nie; renowacja 2. odśwież-enie/anie 3. naprawa
renovator ['renə,veitə] *s* 1. odnowiciel 2. naprawiacz
renown [ri'naun] *s* sława; rozgłos; **a man** <**town**
etc.> **of** (**great**) **~** człowiek <miasto itd.> (bardzo) sławn-y/e <słynn-y/e>
renowned [ri'naund] *adj* sławny; słynny
rent[1] *zob* **rend**
rent[2] [rent] *s* 1. rozdarcie; dziura (w odzieży)
2. szczelina; rysa 3. (*w społeczeństwie, organizacji itd*) rozłam
rent[3] [rent] ① *s* 1. dzierżawa; najem; najmowanie
2. czynsz; komorne; renta (dzierżawna) ③ *vt*
naj-ąć/mować; wynaj-ąć/mować; dzierżawić, wy-
dzierżawi-ć/ać; wziąć/brać <odda-ć/wać> w dzier-
żawę ③ *vi w zwrocie*: **the flat** <**house** etc.> **~s**
at _ czynsz za to mieszkanie <ten dom itd.>
wynosi ...
🔹**rental** ['rentl] *s* czynsz; dzierżawa; komorne
rent-charge ['rent,tʃa:dʒ] *s* czynsz dzierżawny
rent-day ['rent,dei] *s* dzień płacenia czynszu
<dzierżawy>
renter ['rentə] *s* lokator/ka; dzierżaw-ca/czyni; na-
jem-ca/czyni

rent-free ['rent'fri:] *adj* wolny od opłaty czyn-
szowej
rent-roll ['rent,roul] *s* lista czynszowa <dzier-
żawna>
renumber ['ri:'nʌmbə] *vt* zmieni-ć/ać liczbę <nu-
merację> (**sth** czegoś)
renunciation [ri,nʌnsi'eiʃən] *s* 1 wyrze-czenie/ka-
nie <zrze-czenie/kanie> się; z/rezygnowanie (**of
sth** z czegoś) 2. wyp-arcie/ieranie <zap-arcie/ie-
ranie> się (kogoś, czegoś) 3. wypowi-edzenie/
adanie (traktatu, umowy itd.); odst-ąpienie/ępo-
wanie (**of a contract** od umowy) 4. zaniechanie
5. nieuzna-nie/wanie (władzy)
renunciatory [ri'nʌnsjətəri] *adj* (*o akcie, słowie
itd*) wyrzeczenia się <zrzeczenia się, rezygnacji,
zrezygnowania, wyparcia się>
reopen ['ri:'oupən] ① *vt* 1. jeszcze raz <ponow-
nie, na nowo> otw-orzyć/ierać 2. wzn-owić/
awiać (spór, proces, działania wojenne itd.) ③
vi (*o ranie*) odn-owić/awiać się; (*o szkole*) wzn-
-owić/awiać naukę; (*o teatrze itd*) rozpocz-ąć/
ynać nowy sezon; (*o sądzie itd*) wzn-owić/awiać
działanie <urzędowanie itp.>
reorganization ['ri:,ɔ:gənai'zeiʃən] *s* reorganizacja;
z/reorganizowanie; reforma
reorganize ['ri:'ɔ:gə,naiz] ① *vt* z/reorganizować;
uzdr-owić/awiać (finanse itd.); z/reformować (system nauczania itd.) ③ *vi* przeprowadz-ić/ać
reorganizację
rep[1] [rep] *s tekst* ryps
rep[2] [rep] *sl skr* repetition *s* 2. repertory *s* 3.
rep[3] [rep] *s sl* rozpustni-k/ca
repaid *zob* **repay**
repaint ['ri:'peint] *vt* przemalow-ać/ywać
repair[1] [ri'peə] ① *vi* 1. pójść/iść <uda-ć/wać się>
(**to a place** dokądś) 2. ucie-c/kać się (**to sth**
do czegoś) ③ *s †* uczęszczanie; częste odwiedzanie; **a place of** (**little**) **~** miejsce <miejscowe>
(mało) uczęszczan-e/a; **to have ~ to _** uczęszczać do ...; często odwiedzać ...
repair[2] [ri'peə] ① *vt* 1. naprawi-ć/ać; z/repero-
wać; wy/remontować; odremontować; dokon-ać/
ywać naprawy <naprawek> (**sth** czegoś); prze-
prowadz-ić/ać naprawę <remont> (**sth** czegoś)
za/cerować; za/łatać 2. poprawi-ć/ać (błąd) 3.
wynagr-odzić/adzać (krzywdę, stratę); powetować 4. po/ratować (zdrowie) *zob* **repairing** ③ *s*
1. naprawa; naprawi-enie/anie; (*także* **~s**) remont; wy/remontowanie, odremontowanie; **beyond ~** nie do naprawienia; w beznadziejnym
stanie; **under ~** w naprawie; w remoncie 2.
stan (czegoś); **in good** <**bad**> **~** w dobrym
<złym> stanie; **out of ~** w niedobrym <złym>
stanie; **to be in good** <**bad**> **~** nie potrzebować
<wymagać> naprawy; **put in ~** naprawi-ć/ać
repairable [ri'peərəbl] = **reparable**
repairing [ri'peəriŋ] ① *zob* **repair**[2] *v* ③ *s* naprawa; naprawi-enie/anie; **~ shop** warsztat naprawczy
repand [ri'pænd] *adj zoo bot* falisty
repaper ['ri:'peipə] *vt* wy/tapetować na nowo;
zmieni-ć/ać tapety (**a room** etc. w pokoju itd.)
reparable ['repərəbl] *adj* 1. (możliwy) do naprawienia; dający się naprawić; nadający się do re-
montu <do naprawy> 2. (*o stracie*) do powetowa-
nia 3. (*o błędzie*) do naprawienia
reparation [,repə'reiʃən] *s* 1. naprawa; (*także* **~s**)

remont 2. wynagrodzenie (straty); powetowanie 3. *pl* ~s odszkodowania (wojenne)

repartee [‚repɑː'tiː] *s* cięta odpowiedź; umiejętność <zdolność> odcinania się; gotowy dowcip; **to have a great power of** <**be good, quick at**> ~ umieć się odci-ąć/nać; mieć zawsze gotową odpowiedź

repartition [‚repɑː'tiʃən] *s* 1. podział (dóbr itd.) 2. repartycja <rozłożenie> (podatków itd.) 3. ['riː-pɑː'tiʃən] ponowny podział

repass ['riːpɑːs] ◻ *vt* ponownie prze-jść/chodzić <przeje-chać/żdżać, przepły-nąć/wać> (**a house** etc. przed domem itd.); przeprawi-ć/ać się ponownie (**the sea** <**a river** etc.> przez morze <rzekę itd.>) ◻ *vi* ponownie prze-jść/chodzić <przeje-chać/żdżać, przepły-nąć/wać> (**in front of** _ przed ...; **through** _ przez ...)

repast [ri'pɑːst] *s* posiłek

repatriate [riː'pætri‚eit] *vt* repatriować

repatriation [riː‚pætri'eiʃən] *s* repatriacja

repave [ri'peiv] *vt* przebrukow-ać/ywać

repay [ri'pei] *v* (**repaid** [ri'peid], **repaid**) ◻ *vt* 1. spłac-ić/ać (dług); zwr-ócić/acać <odda-ć/wać> (pożyczone pieniądze); **to** ~ **sb a debt** ui-ścić/szczać się komuś z długu; ui-ścić/szczać <wyrównać> komuś dług 2. odwdzięcz-yć/ać <odwzajemni-ć/ać, odpłac-ić/ać, z/rewanżować> się (**sb** komuś; **sth za coś; with** <**by**> **sth** czymś) 3. wynagr-odzić/adzać (**sb for sth** komuś coś); *przen* nagr-odzić/adzać (poniesiony trud itd.) ◻ *vi* odwdzięcz-yć/ać się (**for sth** za coś); odpłac-ić/ać się; odda-ć/wać wet za wet

repayable [riː'peiəbl] *adj* 1. (*o długu itd*) zwrotny; podlegający zwrotowi <obowiązkowi zwrotu>; odpłatny 2. (*o stracie itd*) możliwy do wynagrodzenia

repayment [ri'peimənt] *s* 1. zwrot (pieniędzy itd.); spłata (długu) 2. odpłata; odwzajemni-enie/anie się 3. nagroda

repeal [ri'piːl] ◻ *vt* 1. uchyl-ić/ać; zn-ieść/osić (ustawę itd.) 2. odwoł-ać/ywać (rozkaz itd.); unieważni-ć/ać (zamówienie itd.); anulować ◻ *s* 1. uchyl-enie/anie; zn-iesienie/oszenie (ustawy itd.) 2. odwoł-anie/ywanie (rozkazu itd.); unieważni-enie/anie (zamówienia itd.); *hist* **Repeal** (żądane przez Irlandczyków) rozwiązanie zjednoczenia Irlandii z Anglią

repealer [ri'piːlə] *s* sprawca uchylenia <zniesienia, unieważnienia>; *hist* **Repealer** zwolenni-k/czka niezależności Irlandii

repeat [ri'piːt] ◻ *vt* 1. powt-órzyć/arzać (słowa, czyny itd.) 2. *szk* z/robić powtórkę (**sth** czegoś); wy/recytować (lekcję itd.) 3. odtw-orzyć/arzać 4. don-ieść/osić (**sth** o czymś) 5. pon-owić/awiać ◻ *vr* 1. (*o człowieku*) ~ **oneself** powtarzać jedno i to samo 2. (*o historii itd*) ~ **itself** powtarzać się ◻ *vi* 1. (*o liczbach itd*) powt-órzyć/arzać się 2. (*o zegarze*) bić godziny <kwadranse> za pociśnięciem sprężyny 3. (*o broni*) repetować; działać automatycznie 4. (*o pokarmie*) odbijać się *zob* **repeated, repeating**

repeated [ri'piːtid] ◻ *zob* **repeat** ◻ *adj* powtórny, powtarzający się; wielokrotny

repeatedly [ri'piːtidli] *adv* nieraz; wielokrotnie, wiele razy; wciąż na nowo

repeater [ri'piːtə] *s* 1. informator/ka; donosiciel/

ka 2. (zegarek) repetier *zob* **repeat** *vi* 2. 3. broń automatyczna 4. *mat* ułamek okresowy 5. okręt powtarzający sygnały 6. *elektr* przekaźnik

repeating [ri'piːtiŋ] ◻ *zob* **repeat** ◻ *s* powt-órzenie/arzanie; **the language will not bear** ~ słowa te nie nadają się do powtórzenia ◻ *adj* ~ **decimal** = **repeater** 4.; ~ **rifle** = **repeater** 3.; ~ **ship** = **repeater** 5.; ~ **watch** = **repeater** 2.

repel [ri'pel] *vt* (**-ll-**) 1. od-eprzeć/pierać; odrzuc-ić/ać (napastnika, propozycję itd.); odtrąc-ić/ać; od-epchnąć/pychać 2. budzić <wzbudzać> odrazę <wstręt> (**sb w kimś**)

repellent [ri'pelənt] ◻ *adj* odrażający; wstrętny; odpychający ◻ *s* 1. cecha odrażająca <odpychająca> 2. *med* środek zmniejszający obrzęk

repent[1] ['riːpənt] *adj bot* płożący się

repent[2] [ri'pent] ◻ *vi* 1. † żałować (**of sth** czegoś); **I now** ~ **me** teraz żałuję 2. czuć <okaz-ać/ywać> skruchę <żal> (**of one's sins** za grzechy); kajać się ◻ *vt* żałować (**sth** czegoś; **having done sth** że się coś zrobiło); † **it** ~s **me that** _ żałuję, że ... *zob* **repenting**

repentance [ri'pentəns] *s* żal; skrucha

repentant [ri'pentənt] *adj* żałujący; skruszony; (*o westchnieniu itd*) skruchy

repenting [ri'pentiŋ] ◻ *zob* **repent**[2] ◻ *adj* = **repentant**

repeople ['riː'piːpl] *vt* zaludni-ć/ać na nowo

repercussion [‚riːpəː'kʌʃən] *s fiz muz* reperkusja; odbicie się; odgłos; *przen* oddźwięk; echo; następstwo; **to be followed by** ~s mieć następstwa; odbić się echem

repercussive [‚riːpəː'kʌsiv] *adj fiz muz* wywołujący reperkusję <oddźwięk>; odbijający głos

repertoire ['repə‚twɑː] *s* repertuar

repertory ['repətəri] *s* 1. zapas <zbiór> (informacji, faktów itd.) 2. skład; składnica 3. *teatr* repertuar; ~ **theatre** teatr stały

repetend [‚repi'tend] *s* 1. powtarzająca się część ułamka 2. refren

repetition [‚repi'tiʃən] *s* 1. powt-órzenie/arzanie; powtórka 2. *szk* recytacja 3. *muz* repetycja 4. kopia (dzieła sztuki) 5. ~ **work** produkcja seryjna <masowa>

repine [ri'pain] *vi* skarżyć się <narzekać, sarkać> (**at** <**against**> **sb, sth** na kogoś, coś); szemrać (**at** <**against**> **sb** przeciw komuś)

repiner [ri'painə] *s* malkontent/ka

repique ['riː'piːk] *s karc* (*w pikiecie*) repik

replace [ri'pleis] *vt* 1. zwr-ócić/acać <odstawi-ć/ać, położyć/kłaść, postawić/stawiać> (coś) na (dawne <swoje>) miejsce <z powrotem>; przywr-ócić/acać (kogoś) na dawne stanowisko 2. zast-ąpić/ępować (**sb, sth with** <**by**> **sb, sth** kogoś, coś kimś, czymś); zamieni-ć/ać <wymieni-ć/ać> (części maszyny itd.); **impossible to** ~ niezastąpiony

replaceable [ri'pleisəbl] *adj* możliwy do zastąpienia; **he is not** ~ on jest niezastąpiony; nie można go nikim zastąpić

replacement [ri'pleismənt] *s* 1. przywr-ócenie/acanie na (dawne) miejsce <stanowisko> 2. zast-ąpienie/ępowanie 3. zamiana <wymiana> (części maszyny itd.) 4. *pl* ~s części zamienne

replay ['riː'plei] ◻ *vt* powtórnie roz-egrać/gry-

wać (mecz itd.) Ⅲ s ['ri:‚plci] powtórn-y/a mecz <rozgrywka>
replenish [ri'pleniʃ] vt 1. ponownie napełni-ć/ać 2. uzupełni-ć/ać (zapas, garderobę itd.) 3. zaopat-rzyć/rywać (**with water** etc. w wodę itd.)
replenishment [ri'pleniʃmənt] s 1. ponowne napełni-enie/anie 2. uzupełnienie; nowy zapas 3. zaopatrzenie (**of water** etc. w wodę itd.)
replete [ri'pli:t] adj pełny (**with sth** czegoś); przepełniony <pot zapchany> (**with sth** czymś); nasycony <przesycony> (**with sth** czymś); **to be ~ with sth** obfitować w coś; **~ with food** przejedzony
repletion [ri'pli:ʃən] s napełnienie; przepełnienie; pełność; sytość; przesyt; **to ~ do syta**; **full to ~** a) przepełniony b) najedzony do przesytu; przejedzony
replevin [ri'plevin] s prawn warunkowe zdjęcie sekwestru
replica ['replikə] s kopia <replika, reprodukcja, duplikat> (dzieła sztuki)
replicate¹ ['replikit] s muz replika
replicate² ['replikit] adj bot (o liściu) odgięty
replicate³ ['repli‚keit] vt wykon-ać/ywać <sporządz-ić/ać> kopię <replikę, reprodukcję> (**sth <a piece of art** etc.> czegoś <dzieła sztuki itd.>)
replication [‚repli'keiʃən] s 1. odpowiedź; przen riposta 2. prawn replika 3. odbi-cie/janie się głosu; odgłos 4. replika <kopia> (dzieła sztuki)
reply [ri'plai] Ⅰ vt vi (**replied** [ri'plaid], **replied**; **replying** [ri'plaiiŋ]) odpowi-edzieć/adać; odrzec Ⅲ s odpowiedź; **to make a <say in> ~ da-ć/wać odpowiedź**; odrzec; **~ card** pocztówka z dołączonym ofrankowanym odcinkiem na odpowiedź; (o telegramie) **~ paid** z zapłaconą odpowiedzią
report [ri'po:t] Ⅰ vt 1. don-ieść/osić; po/informować, zawiad-omić/amiać, za/komunikować, za/meldować (**a fact** etc. o fakcie itd.); zgł-osić/aszać (**sth to the police** etc. coś na policji itd.) 2. zda-ć/wać sprawę <relację> (**sth z czegoś**); z/relacjonować; na/pisać protokół (**sth czegoś**) 3. przyt-oczyć/aczać <powt-órzyć/arzać> (czyjeś słowa itd.); **gram ~ed speech** mowa zależna <wiązana> 4. na/pisać reportaż/e (**sth z czegoś**) 5. mówić; opowiadać; **it is ~ed that _ mówią** <opowiadają, krążą pogłoski o tym>, że <jakoby>...; **you are ~ed to have _ mówią** <opowiadają>, żeś... (miał coś zrobić); krążą pogłoski o tym, żeś ty <jakobyś>... (miał coś zrobić) Ⅲ vr 1. **~ oneself** za/meldować <zgł-osić/aszać> się (**sick** etc. jako chory itd.) 2. zgł-osić/aszać <za/meldować> się (**to one's superior** etc. u swego przełożonego itd.; **for duty** do pracy) Ⅲ vi 1. na/pisać <złożyć/składać> sprawozdanie (**on sth** z czegoś); **to ~ well <badly> of sth** na/pisać korzystne <niekorzystne> sprawozdanie o czymś; don-ieść/osić o korzystnym <niekorzystnym> wrażeniu z przebiegu <ze stanu> czegoś 2. zgł-osić/aszać się (**to the police** etc. na policję itd.); za/meldować się (**to the police** etc. na policji itd.) Ⅳ s 1. pogłosk-a/i; wieś-ć/ci; relacj-a/e; **the ~ goes _ krążą pogłoski** <mówią, opowiadają>... (jakoby) 2. sprawozdanie; raport; meldunek; biuletyn; meteor komunikat; parl **~ stage** stadium debat (nad projektem ustawy) 3. reputacja; opinia; **bad ~ zła** repu-

tacja <opinia, sława>; **people of good ~ ludzie** cieszący się dobrą reputacją <opinią> 4. huk; wybuch; eksplozja 5. świadectwo szkolne
reportage ['repo:‚ta:ʒ] s reportaż
reporter [ri'po:tə] s 1. sprawozdawca 2. reporter/ka; dziennika-rz/rka; **the Reporter's Gallery** galeria <łoża> prasowa 3. (na zebraniu itd) sekreta-rz/rka; (w sądzie itd) protokolant/ka
reposal [ri'pouzəl] s 1. odpoczynek; spoczynek 2. pokładanie; **~ of trust <confidence> in sb** darzenie kogoś zaufaniem; zaufanie pokładane w kimś
repose¹ [ri'pouz] Ⅰ vt 1. da-ć/wać wytchnienie <wypoczynek> (**sb** komuś); ułożyć/układać (kogoś) do snu 2. skł-onić/aniać (głowę na poduszkę) Ⅲ vr **~ oneself** odpocz-ąć/ywać Ⅲ vi 1. leżeć spokojnie; odpocz-ąć/ywać; po/szukać wytchnienia; (o człowieku, także o zwłokach) spocz-ąć/ywać 2. opierać się <być opartym> (**on sb, sth** na kimś, czymś) Ⅳ s odpoczynek, spoczynek; wytchnienie; spokój; mech **angle of ~** kąt tarcia <spoczynku>; kąt zsypu; rel **Repose of the Holy Virgin** Uśnięcie Matki Boskiej
repose² [ri'pouz] vt pokładać (zaufanie <nadzieje itd.>) (**in sb**, w kimś, czymś)
reposeful [ri'pouzful] adj 1. cichy; pełen ciszy <spokoju> 2. uspokajający
reposit [ri'pozit] vt złożyć/składać; s/chować
repository [ri'pozitəri] s 1. skład; składnica; magazyn; przechowalnia (**for sth** czegoś) 2. przen kopalnia (wiadomości itd.) 3. grobowiec 4. powierni-k/czka; **to make sb the ~ of one's secrets** etc. zwierz-yć/ać się komuś ze swoich tajemnic
repossess [‚ri:pə'zes] Ⅰ vt 1. odzysk-ać/iwać; wejść/wchodzić z powrotem w posiadanie (**sth** czegoś) 2. przywr-ócić/acać posiadanie (**sb of sth** komuś czegoś) Ⅲ vr **~ oneself** odzysk-ać/iwać (**of sth** coś)
repoussé [rə'pu:sei] adj tłoczony, wytłaczany
repp [rep] = **rep¹**
repped [rept] adj tekst (o materiale) rypsowy
reprehend [‚repri'hend] vt z/ganić; strofować; s/karcić
reprehensible [‚repri'hensəbl] adj naganny; karygodny; zasługujący na potępienie
reprehension [‚repri'henʃən] s nagana; reprymenda; potępienie
represent [‚repri'zent] vt 1. przedstawi-ć/ać; wyobra-zić/żać 2. opis-ać/ywać; z/referować 3. przedstawi-ć/ać (siebie <kogoś> jako...); twierdzić (**sth as true <false>** jakoby coś było prawdą <nieprawdą>) 4. reprezentować; zast-ąpić/ępować; być przedstawicielem <zastępcą> (**sb, sth** czyimś, czegoś — firmy, instytucji itd.) 5. znaczyć; odpowiadać (**sth** czemuś); być odpowiednikiem (**sth** czegoś)
representation [‚reprizen'teiʃən] s 1. przedstawi-enie/anie (osoby, sztuki, faktów itd.); wyobraż-enie/anie; podobizna; **to make false ~s to sb** wprowadz-ić/ać kogoś w błąd 2. przedstawicielstwo; reprezentacja; zastępstwo; **proportional ~** proporcjonalny system wyborczy 3. pl **~s** sprawy przedstawiane <przedkładane>; upomnienia; zażalenia
representative [‚repri'zentətiv] Ⅰ adj 1. przedsta-

wiający <symbolizujący> **(of sth** coś) 2. *polit* (*o ustroju itd*) oparty na zasadzie reprezentacji; ~ **men** przedstawiciele; zastępcy 3. *handl* (*o wzorze itd*) okazowy <typowy> Ⅲ *s* 1. przedstawiciel/ka; reprezentant/ka; pos-eł/łanka; **the House of Representatives** Izba Reprezentantów 2. zastęp-ca/czyni 3. wzór

repress [ri'pres] *vt* 1. po/hamować; powstrzym-ać/ywać; poskr-omić/amiać; za/stosować środki represyjne **(sb** wobec kogoś) 2. s/tłumić (powstanie, łzy itd.); ukr-ócić/acać; u/trzymać w ryzach *zob* **repressed**

repressed [ri'prest] Ⅰ *zob* **repress** Ⅲ *adj* (*o człowieku*) zamknięty w sobie

represser [ri'presə] *s* poskromiciel/ka; pogrom-ca/czyni

repressible [ri'presəbl] *adj* możliwy do powstrzymania

repression [ri'preʃən] *s* 1. po/hamowanie; powstrzym-anie/ywanie; poskr-omienie/amianie 2. s/tłumienie; ukr-ócenie/acanie; represj-a/e

repressive [ri'presiv] *adj* represyjny; (*o środkach itd*) represji

repressor = **represser**

reprieve [ri'pri:v] Ⅰ *vt* 1. zawie-sić/szać <odr-oczyć/aczać> wykonanie wyroku **(a condemned person** skazane-mu/j) 2. udziel-ić/ać zwłoki **(a debtor etc.** dłużnikowi itd.) 3. da-ć/wać wytchnienie <przyn-ieść/osić ulgę> **(sb** komuś) Ⅲ *s* 1. zawieszenie <odroczenie> wykonania wyroku 2. zwłoka 3. wytchnienie; ulga

reprimand ['repri,mɑ:nd] Ⅰ *s* nagana; bura; reprymenda Ⅲ *vt* udziel-ić/ać nagany <dać reprymendę> **(sb** komuś); strofować; s/karcić; z/ganić; *pot* da-ć/wać burę **(sb** komuś), z/besztać, z/łajać

reprint ['ri:'print] Ⅰ *vt* przedrukow-ać/ywać; wypu-ścić/szczać nowe wydanie **(a book etc.** książki itd.); wzn-owić/awiać (książkę) Ⅲ *s* przedruk; nowe wydanie, wznowienie

reprisal [ri'praizəl] *s* akcja <czyn> odwetow-a/y; *pl* ~s represalia; **to make** ~s za/stosować represalia <środki odwetowe>

reprise [ri'praiz] *s ekon* potrącenie od dochodu; **above** <**beyond, besides**> ~s (dochód) czysty po uwzględnieniu potrąceń

reproach [ri'prəutʃ] Ⅰ *vt* 1. wymawiać **(sb with sth** komuś coś; **sb for doing** <**having done**> **sth** komuś, że coś robi <zrobił>); robić <czynić> wyrzuty <wymówki> **(sb about** <**for**> **sth** komuś z powodu czegoś); zarzuc-ić/ać <wyrzucać> **(sb for sth** komuś coś; **sb for doing** <**having done**> **sth** komuś z/robienie czegoś); **he has nothing to** ~ **himself with** <**for**> on nie ma sobie nic do wyrzucenia; **his eyes** ~ed **me** popatrzył na mnie z wyrzutem, rzucił mi spojrzenie pełne wyrzutu 2. z/ganić (przewinienie itd.) Ⅲ *s* 1. hańba **(to civilization etc.** dla cywilizacji itd.); **to be a** ~ **to** _ przyn-ieść/osić hańbę... (krajowi, miastu itd.); **to live in** ~ prowadzić haniebny tryb życia 2. wyrzut; zarzut; wymówka; nagana; **a look of** ~ spojrzenie pełne wyrzutu; **beyond** ~ bez zarzutu; nieskazitelny; **terms of** ~ słowa nagany; **to heap** ~s **on sb** zasyp-ać/ywać kogoś wymówkami 3. *pl* ~es *kość* Improperie

reproachful [ri'prəutʃful] *adj* pełen wyrzutu

reproachfully [ri'prəutʃfuli] *adv* z wyrzutem

reprobate ['reprə,beit] Ⅰ *adj* 1. zatwardziały w grzechu 2. rozpustny Ⅲ *s* potępieni-ec/ca; zatwardział-y/a grzeszni-k/ca; rozpustni-k/ca; nicpoń Ⅲ *vt* 1. potępi-ć/ać 2. *teol* skaz-ać/ywać na wieczne potępienie

reprobation [,reprə'beiʃən] *s* potępi-enie/anie

reproduce [,ri:prə'dju:s] Ⅰ *vt* 1. za/reprodukować; odtw-orzyć/arzać 2. rozmn-ożyć/ażać 3. przegr-ać/ywać (płytę itd.) Ⅲ *vi* 1. rozmn-ożyć/ażać się 2. nada-ć/wać się do reprodukcji

reproducer [,ri:prə'dju:sə] *s* 1. odtwór-ca/czyni 2. adapter

reproduction [,ri:prə'dʌkʃən] *s* 1. reprodukcja; odtw-orzenie/arzanie 2. rozmn-ożenie/ażanie (się) 3. kopia (obrazu itd.) 4. od-egranie/grywanie (płyty itd.)

reproductive [,ri:prə'dʌktiv] *adj* 1. reprodukcyjny 2. rozrodczy

reproductiveness [,ri:prə'dʌktivnis] *s* rozrodczość

reproof[1] [ri'pru:f] *s* wyrzut; wymówka; zarzut; nagana; **to speak in** ~ **of** _ ganić <potępiać>... (kogoś, coś); **words** <**looks**> **of** ~ słowa <spojrzenia> pełne wyrzutu

reproof[2] ['ri:'pru:f] *vt* reimpregnować; impregnować na nowo <powtórnie>

reprove [ri'pru:v] *vt* 1. z/ganić; z/gromić; strofować 2. potępi-ć/ać *zob* **reproving**

reproving [ri'pru:viŋ] Ⅰ *zob* **reprove** Ⅲ *adj* wyrażający dezaprobatę; (*o słowach, spojrzeniu, minie itd*) pełen wyrzutu

reps [reps] = **rep**[1]

reptant ['reptənt] *adj bot* płożący się; *zoo* pełzający

reptile ['reptail] Ⅰ *adj* 1. (*o gadzie*) pełzający; czołgający się 2. (*o człowieku, usposobieniu itd*) płaszczący się; podły; **the** ~ **press** gadzinowa prasa Ⅲ *s* 1. *zoo* gad 2. (człowiek) lizus <pochlebca, podlizuch>

reptilia [rep'tiliə] *spl zoo* gady

reptilian [rep'tiliən] Ⅰ *adj* właściwy gadowi; (charakterystyczny dla) gada Ⅲ *s zoo* gad

republic [ri'pʌblik] *s* 1. republika, rzeczpospolita 2. *przen* świat, koła <sfery> (literacki/e itd.)

♦republican [ri'pʌblikən] Ⅰ *adj* republikański Ⅲ *s* republikanin; *am* **Republican** członek partii republikańskiej

republicanism [ri'pʌblikə,nizəm] *s* republikanizm

republication ['ri:,pʌbli'keiʃən] *s* wznowienie (wydawnictwa)

republish ['ri:'pʌbliʃ] *vt* wyda-ć/wać na nowo; wzn-owić/awiać wydanie (a book książki)

repudiate [ri'pju:di,eit] *vt* 1. rozw-ieść/odzić się (one's wife z żoną) 2. wyp-rzeć/ierać się **(sb, sth** kogoś, czegoś); nie przyzna-ć/wać się **(the authorship etc.** do autorstwa itd.); wym-ówić/awiać się **(sth od-** czegoś) 3. odrzuc-ić/ać (umowę itd.); zrzuc-ić/ać (czyjąś władzę itd.); nie uzna-ć/wać **(sb's authority** czyjejś władzy) 4. nie przyj-ąć/mować <odm-ówić/awiać przyjęcia> **(a gift etc.** daru itd.)

repudiation [ri,pju:di'eiʃən] *s* 1. rozwód (of one's wife z żoną) 2. wyp-arcie/ieranie się; nieprzyzna-nie/wanie się (of the authorship etc. do autorstwa itd.); wym-ówienie/awianie się 3. odrzuc-enie/anie; nieuzna-nie/wanie (władzy itd.)

repugnance [ri'pʌgnəns] *s* 1. niezgodność; sprzeczność 2. wstręt <odraza, niechęć> (**to** <**against**> **sb, sth** do kogoś, czegoś)

repugnant [ri'pʌgnənt] *adj* 1. niezgodny <sprzeczny> (**to sth** z czymś) 2. odrażający <wstrętny> (**to sb** dla kogoś); **to be ~ to sb** budzić w kimś odrazę 3. oporny

repulse [ri'pʌls] [I] *vt* 1. od-eprzeć/pierać (nieprzyjaciela, napad itd.) 2. odrzuc-ić/ać (ofertę itd.) 3. od-epchnąć/pychać (kogoś); da-ć/wać odprawę <op-rzeć/ierać się> (**sb** komuś) [II] *s* 1. odparcie (ataku itd.); klęska; **to suffer a ~** ponieść klęskę 2. odrzuc-enie/anie; od-epchnięcie/pychanie (kogoś); odprawa

repulsion [ri'pʌlʃən] *s* 1. *fiz* odpychanie (elektrostatyczne) 2. wstręt, odraza; niechęć; awersja

repulsive [ri'pʌlsiv] *adj* 1. *fiz* odpychający 2. (*o człowieku, wyglądzie, zachowaniu itd*) odpychający; wstrętny; budzący odrazę

repulsiveness [ri'pʌlsivnis] *s* 1. *fiz* siła odpychania 2. wstręt, odraza

repurchase [ri:'pə:tʃis] [I] *vt* odkup-ić/ywać [II] *s* odkup; **option** <**right**> **of ~** prawo odkupu

reputable ['repjutəbl] *adj* 1. szanowany; godny szacunku; cieszący się poważaniem 2. chlubny; zaszczytny

reputation [,repju'teiʃən] *s* reputacja; dobre imię; opinia; sława; **a person of bad ~** człowiek mający złą sławę <opinię>; **a person of (good** <**high**>**) ~** człowiek szanowany <cieszący się dobrą opinią>; **to be held in ~** cieszyć się dobrą opinią; **to have a ~ for sth** słynąć <być znanym> z czegoś;

repute [ri'pju:t] [I] *vt* uważać (kogoś za coś); **to be ~d honest** cieszyć się reputacją <sławą> uczciwego człowieka; mieć opinię człowieka uczciwego; **to be ~d (to be) a good specjalist** być uważanym <uchodzić> za dobrego specjalistę; **to be well** <**ill**> **~d** mieć dobrą <kiepską, złą> opinię *zob* **reputed** [II] *s* reputacja; sława; rozgłos; **a specialist of ~** sławny specjalista; **in great ~** słynny; **places of ill ~** lokale o złej sławie; **to be held in high ~** być bardzo <wysoce> cenionym; **to know sb by ~** znać kogoś ze słyszenia

reputed [ri'pju:tid] [I] *zob* **repute** *v* [II] *adj* rzekomy

request [ri'kwest] [I] *s* 1. prośba; życzenie; **at sb's ~** na czyjąś prośbę; **by ~** na życzenie (publiczności); **I have a ~ to make** mam do ciebie <do pan-a/i> prośbę; przychodzę z prośbą; **on** <**by**> **~** na żądanie 2. zapotrzebowanie <popyt> (na jakiś artykuł <wyrób> itd.); **in ~** poszukiwany; modny [II] *vt* po/prosić (**a favour, reply etc.** o przysługę, odpowiedź itd.); upraszać (**sb to do sth** kogoś o zrobienie czegoś <żeby coś zrobił>; **sb's presence** <**consideration etc.**> kogoś o przybycie <o rozważenie itd.>); **as ~ed** stosownie do życzenia; **an answer is ~ed** uprasza się o odpowiedź; **the public is ~ed —** uprasza się publiczność o...

requiem ['rekwi,em] *s* requiem; nabożeństwo <msza> żałobn-e/a

require [ri'kwaiə] [I] *vt* 1. za/żądać (**sth of sb** czegoś od kogoś; **sb to do sth** od kogoś, żeby coś zrobił) 2. (*o prawie, ustawie*) nakazywać 3. wymagać <potrzebować> (**sth** czegoś); **if ~d** w razie potrzeby; **visitors are ~d not to —** uprasza się nie <nie wolno>... (dotykać eksponatów itd.); **whatever is ~d** wszystko co potrzebne; **when ~d** kiedy zajdzie potrzeba [II] *vi* być wymaganym <potrzebnym>

requirement [ri'kwaiəmənt] *s* 1. żądanie; wymaganie; potrzeba; **to meet the ~s** zadośćuczynić <odpowiadać> wymaganiom; spełni-ć/ać wymagania 2. warunek

requisite ['rekwizit] [I] *adj* wymagany; konieczny; żądany [II] *s* 1. warunek 2. rzecz konieczna <potrzebna> 3. rekwizyt 4. *pl* **~s** przybory (toaletowe, do podróży itd.)

requisiteness ['rekwizitnis] *s* 1. konieczność 2. potrzeba

requisition [,rekwi'ziʃən] [I] *s* 1. żądanie; nakaz 2. zapotrzebowanie (**for sth** na coś); użycie (czegoś); **to be under ~** być w użyciu; **it is in (constant) ~** a) jest na to (ciągłe) zapotrzebowanie b) to jest (stale) w użyciu 3. *wojsk* rekwizycja; **to put in** <**call into**> **~** a) za/rekwirować b) za/żądać (**sth** czegoś); zgł-osić/aszać zapotrzebowanie (**sth** na coś) c) posługiwać się (**sth** czymś); mieć w użyciu [II] *vt* 1. za/rekwirować (żywność, konie itd.) 2. za/żądać dostaw (**a town etc.** od miasta itd.); **they ~ed the town for lorries** zażądali od miasta dostawy ciężarówek; **to ~ sb's services** nakazać komuś zaofiarowanie swych usług

requital [ri'kwaitəl] *s* 1. nagroda; wynagrodzenie; odpłata 2. kara 3. odwet; **in ~ for sth** a) w nagrodę za coś b) jako kara za coś c) w odwet za coś

requite [ri'kwait] *vt* 1. wynagr-odzić/adzać <nagr-odzić/adzać> (**sb's services etc.** czyjeś usługi itd.; **sb for sth** kogoś za coś); odwdzięcz-yć/ać <odwzajemni-ć/ać, odpłac-ić/ać> się (**sth with sth** czymś za coś; **like for like** tą samą monetą); odda-ć/wać (**like for like** wet za wet) 2. ze/mścić się (**a wrong** za doznaną krzywdę); u/karać (**sb for sth** kogoś za coś)

re-read ['ri:'ri:d] *vt* (**re-read** ['ri:'red], **re-read**) ponownie <jeszcze raz> prze/czytać

reredos ['riə,dɔs] *s* obraz <rzeźba> stanowiąc-y/a tło ołtarza; **the Wit Stwosz ~** ołtarz Wita Stwosza

reremice *zob* **rearmouse**

reremouse *zob* **rearmouse**

resaddle ['ri:'sædl] *vt* 1. ponownie o/siodłać 2. zmieni-ć/ać siodło (**a horse** koniowi)

resale ['ri:'seil] *s* odsprzedaż

rescind [ri'sind] *vt* odwoł-ać/ywać <uchyl-ić/ać> (zarządzenie itd.); unieważni-ć/ać

rescission [ri'siʒən] *s* odwoł-anie/ywanie <uchyl-enie/anie> (zarządzenia itd.); unieważni-enie/anie

rescript ['ri:,skript] *s* reskrypt

rescue ['reskju:] [I] *vt* 1. wybawi-ć/ać; uw-olnić/alniać; oswob-odzić/adzać; wyratować, u/ratować 2. odbi-ć/jać (więźnia) 3. *prawn* od-ebrać/bierać (mienie) siłą <przy użyciu siły> *zob* **rescued** [II] *s* 1. wybawienie; uwolnienie; oswobodzenie; ratunek; odsiecz; **to come to the ~** przy-jść/chodzić z pomocą <z odsieczą, na pomoc> 2. ratownictwo 3. *prawn* odbicie (więźnia); odebranie (mienia) siłą <przy użyciu siły> 4. *karc* (*także* **~ bid**) obrona; licytacja obronna [III] *attr* ratunkowy; ratowniczy

rescued ['reskju:d] ⬜ *zob* **rescue** *v* ⬛ *s* **the ~** wyratowani (z katastrofy)

rescuer ['reskjuə] *s* wybawca; oswobodziciel

↟**research** [ri'sə:tʃ] ⬜ *s* badani-e/a; dociekani-e/a; poszukiwani-e/a; (*także* **~ work**) praca badawcza <naukowa>; analiza ⬛ *vi* prowadzić <wykonywać> prace badawcze <badania>

researcher [ri'sə:tʃə] *s* badacz/ka

reseat ['ri:'si:t] *vt* 1. na nowo posadzić/sadzać (kogoś) 2. zmieni-ć/ać siedzeni-e/a (**a chair w** krześle; **a motor coach** w autobusie) 3. *techn* do-trzeć/cierać; dopasow-ać/ywać; wy/szlifować

resect [ri'sekt] *vt chir* wyci-ąć/nać

resection [ri'sekʃən] *s chir* wyci-ęcie/nanie

reseda ['residə] *s bot* rezeda

resell ['ri:'sel] *vt* (**resold** ['ri:'sould], **resold**) od-przeda-ć/wać

resemblance [ri'zembləns] *s* podobieństwo; **to bear a ~ to sb, sth** być podobnym do kogoś, czegoś; przypominać kogoś, coś z wyglądu

resemble [ri'zembl] *vt* być podobnym (**sb, sth** do kogoś, czegoś); przypominać (kogoś, coś) z wyglądu; **they ~ each other** oni są do siebie podobni

resent [ri'zent] *vt* 1. czuć się dotkniętym <urażonym> (**sth** czymś); roz/gniewać się (**sth na** coś); mieć za złe 2. obra-zić/żać się (**sth o** coś); oburz-yć/ać się (**sth na** coś)

resentful [ri'zentful] *adj* 1. dotknięty <urażony> (**of sth** czymś) 2. obrażony <oburzony> (**of sth** czymś) 3. zawzięty (**of sth** na coś)

resentment [ri'zentmənt] *s* 1. uraza; złość 2. oburzenie; obraza

↟**reservation** [,rezə'veiʃən] *s* 1. *kośc* rezerwat 2. *prawn* restrykcja; ograniczenie 3. zastrzeżenie; **without ~** bez zastrzeżeń; bezwarunkowo; bezwzględnie 4. rezerwat (przyrody itd.) 5. zarezerwowane miejsce (w pociągu, teatrze itd.); zarezerwowany pokój (w hotelu itd.); **to make ~s** za/rezerwować (miejsce w pociągu, teatrze itd.; pokój w hotelu itd.)

reserve [ri'zə:v] ⬜ *vt* 1. od-łożyć/kładać; zachow-ać/ywać; zatrzym-ać/ywać; trzymać; mieć w zapasie <w rezerwie>; **to ~ oneself for __ za/** czekać na ... (odpowiednią chwilę itd.) 2. przeznacz-yć/ać (**for sth** dla czegoś <na coś>) 3. zastrze-c/gać <zawarow-ać/ywać> (**to oneself** sobie) 4. za/rezerwować (miejsce, pokój itd.) *zob* **reserved** ⬛ *s* 1. zapas; rezerwa 2. *wojsk* rezerwa; obwód; posiłki 3. *sport* rezerwa 4. zastrzeżenie; warunek; **to accept sth without ~** przyj-ąć/mować coś bez zastrzeżeń <bezwarunkowo> 5. (*w zachowaniu, usposobieniu*) rezerwa; powściągliwość; umiarkowanie; **an attitude of ~** zachowanie pełne rezerwy; **to publish sth with all ~** <all proper ~s> o/publikować coś z należytą ostrożnością ⬛ *attr* 1. zapasowy; rezerwowy 2. *wojsk* (*o oficerze itd*) rezerwy 3. (*o dozwolonej cenie sprzedaży na licytacji*) minimalna, najniższa

reserved [ri'zə:vd] ⬜ *zob* **reserve** *v* ⬛ *adj* 1. zarezerwowany; zakupiony <opłacony> w przedpłacie 2. (*o prawach*) zastrzeżony 3. (*o człowieku*) zamknięty w sobie; powściągliwy; umiarkowany; trzymający <zachowujący> się z rezerwą 4. *mar* należący do rezerwy; **~ list** wykaz oficerów rezerwy

reservedly [ri'zə:vidli] *adv* z rezerwą; powściągliwie

reservedness [ri'zə:vidnis] *s* rezerwa (w zachowaniu); powściągliwość; umiarkowanie

reservist [ri'zə:vist] *s* rezerwista

↟**reservoir** ['rezə,vwa:] *s* 1. zbiornik, rezerwuar; **~ pen** pióro do napełniania 2. *przen* kopalnia (wiadomości itd.)

reset[1] [ri'set] *vt* (**reset, reset; resetting** [ri'setiŋ]) 1. przechow-ać/ywać (kradzione rzeczy) 2. ukry-ć/wać (złodzieja, przestępcę)

reset[2] ['ri:'set] *vt* (**reset, reset; resetting** ['ri:'setiŋ]) 1. ustawi-ć/ać <wystawi-ć/ać, nastawi-ć/ać> z powrotem <na nowo>; na nowo wbi-ć/jać w ziemię (pal itd.) <po/sadzić (rośliny)> 2. ponownie naostrzyć (narzędzie) 3. *druk* złożyć/składać **na** nowo; przeskładać

resetter [ri'setə] *s* paser

resettle ['ri:'setl] ⬜ *vt* 1. powtórnie załatwi-ć/ać 2. przemieni-ć/ać 3. na nowo osiedl-ić/ać <osadz-ić/ać> ⬛ *vr* **~ oneself** usad-owić/awiać się na nowo ⬛ *vi* 1. osiedl-ić/ać się na nowo 2. (*o płynach itd*) usta-ć/wać się na nowo

reshape ['ri:'ʃeip] *vt* 1. przefasonow-ać/ywać 2. przer-obić/abiać

resharpen ['ri:'ʃa:pən] *vt* ponownie naostrzyć

reship ['ri:'ʃip] *vt* 1. załadować ponownie 2. reekspediować 3. załadować na inny statek

reshuffle ['ri:'ʃʌfl] *vt* 1. *karc* przetasow-ać/ywać 2. *przen* przeprowadz-ić/ać zmiany personalne (**a cabinet** w gabinecie <w radzie ministrów>; **the personnel** w zespole pracowników)

reside [ri'zaid] *vi* 1. rezydować <mieć swoją rezydencję> (**in a place** gdzieś); przebywać; mieć miejsce zamieszkania <stałego pobytu> (**in a place** gdzieś) 2. (*o przymiotach itd*) tkwić (**in sb, sth** w kimś, czymś); być właściwym (**in sb, sth** komuś, czemuś) 3. (*o władzy itd*) spoczywać (**in the King** etc. w rękach króla itd.) 4. *chem* osadzać się

residence ['rezidəns] *s* 1. miejsce zamieszkania <stałego pobytu>; stałe przebywanie; **to be in ~** zamieszkiwać; stale przebywać; **to take up one's ~ in** <at> **a place** zamieszkać <osiedlić się> gdzieś 2. pobyt 3. miejsce zamieszkania; rezydencja; mieszkanie; dom; willa 4. *chem* osad

residency ['rezidənsi] *s* siedziba rezydenta; rezydentura

resident ['rezidənt] ⬜ *adj* 1. przebywający stale (gdzieś); zamieszkujący (**in a place** daną miejscowość); (*o lekarzu, inżynierze*) zakładowy, przyzakładowy; (*o nauczycielu*) mieszkający na terenie szkoły; (*o ptakach*) osiadły (nie wędrowny) 2. mieszczący się; tkwiący; przynależny (**in sb, sth** komuś, czemuś); (*o trudnościach itd*) związany (**in sth** z czymś) ⬛ *s* 1. stał-y/a mieszkan-iec/ka 2. (*w koloniach itd*) rezydent

residential [,rezi'denʃəl] *adj* ~ o dzielnicy miasta) mieszkaniowy (w odróżnieniu od centrów przemysłowych, handlowych); willowy; **~ quarter** dzielnica bogatych mieszkań <zamieszkana przez sfery zamożne> || **~ qualification** prawo głosowania uwarunkowane zamieszkiwaniem w miejscu głosowania

residentiary [,rezi'denʃəri] ⬜ *adj kośc* (*o kanoniku*) mający obowiązek stałego zamieszkiwania przy

kanonii ⊞ s kanonik stale zamieszkały przy kanonii
residual [ri'zidjuəl] ⊡ *adj* 1. (*o błędzie itd*) pozostały 2. *fiz* szczątkowy 3. *chem* osadowy ⊞ *s* 1. *chem* osad 2. *mat* reszta
residuary [ri'zidjuəri] *adj* 1. szczątkowy; (*o produkcie*) odpadkowy 2. *chem* osadowy 3. *prawn* resztowy (= dotyczący reszty spadkowej); ~ **legatee** zapisobiorca reszty spadkowej
residue ['rezi‚dju:] *s* 1. pozostałość; reszta 2. *chem* osad; rodnik; produkt (spalania itd.) 3. *prawn* reszta spadkowa
residuum [ri'zidjuəm] *s* (*pl* **residua** [ri'zidjuə]) 1. pozostałość; reszta 2. *chem* osad 3. *geol* residuum
resign[1] [ri'zain] ⊡ *vt* 1. zrze-c/kać się (**sth** czegoś); z/rezygnować <wycof-ać/ywać się> (**sth z** czegoś); złożyć/składać (urząd itd.); porzuc-ić/ać (nadzieję itd.); zarzuc-ić/ać (rozpoczętą pracę itd.); zaniechać (**sth** czegoś) 2. odda-ć/wać <ust-ąpić/ępować> (**sth to sb** coś komuś); przel-ać/ewać <s/cedować> (**sth to sb** coś na kogoś); złożyć/składać (**sth into sb's hands** coś w czyjeś ręce); zlec-ić/ać (**sth to sb** coś komuś) ‖ **to ~ one's mind to sth** po/godzić się z czymś <z myślą o czymś> ⊞ *vr* ~ **oneself** 1. podda-ć/wać się (**to sb's guidance** czyjemuś kierownictwu); odda-ć/wać się (marzeniom itd.) 2. po/godzić się (**to one's fate etc.** z losem itd.); podda-ć/wać się z rezygnacją (**to sth** czemuś) ⊞ *vi* poda-ć/wać się do dymisji; wn-ieść/osić rezygnację; zrze-c/kać się swego urzędu; ust-ąpić/ępować (ze stanowiska) *zob* **resigned**
re-sign[2] [ˌri:'sain] *vt* powtórnie podpis-ać/ywać
resignation [ˌrezig'neiʃən] *s* 1. dymisja; ustąpienie; rezygnacja; **to give <send in>** one's ~ poda-ć/wać się do dymisji; ust-ąpić/ępować; wn-ieść/osić rezygnację 2. z/rezygnowanie; zrze-czenie/kanie się; zarzuc-enie/anie; zaniechanie 3. rezygnacja; podda-nie/wanie się (sile wyższej itd.); po/godzenie się (**to one's fate etc.** z losem itd.)
resigned [ri'zaind] ⊡ *zob* **resign**[1] ⊞ *adj* 1. zrezygnowany; **to become ~ to sth** z rezygnacją pogodzić się z czymś 2. (*o oficerze itd*) w stanie spoczynku
resignedly [ri'zainidli] *adv* z rezygnacją
resile [ri'żail] *vi* 1. wycof-ać/ywać się (z umowy itd.) 2. (*o ciałach elastycznych*) posiadać sprężystość <odprężność>; być sprężystym <odprężnym>; powr-ócić/acać do pierwotnego kształtu; odzysk-ać/iwać pierwotny kształt 3. (*o sprężynie itd*) odsk-oczyć/akiwać 4. (*o człowieku, organizmie*) być odpornym
resilience [ri'ziliəns], **resiliency** [ri'ziliənsi] *s* 1. *fiz* elastyczność; sprężystość; odbojność; odprężność 2. (*u człowieka, organizmu*) prężność; sprężystość (ruchów itd.) 3. zdolność zdrowienia
resilient [ri'ziliənt] *adj* 1. *fiz* elastyczny; sprężysty; odprężny 2. (*o człowieku, organizmie*) prężny; posiadający zdolność zdrowienia
resin [rezin] ⊡ *s* żywica ⊞ *vt* zaprawi-ć/ać żywicą
resinaceous [ˌrezi'neiʃəs] = **resinous**
resinates ['rezinits] *spl chem* żywiczany, sole kwasów żywicznych

resiniferous [ˌrezi'nifərəs] *adj* (*o roślinie*) żywiczny
resinify ['rezini‚fai] *vi* (**resinified** ['rezini‚faid], **resinified; resinifying** ['rezini‚faiiŋ]) z/żywiczeć
resinous ['rezinəs] *adj* żywiczny
resipiscence [ˌresi'pisəns] *s* uznanie (popełnionego) błędu
resist [ri'zist] ⊡ *vt* 1. op-rzeć/ierać się <stawi-ć/ać opór, sprzeciwi-ć/ać się, przeciwstawi-ć/ać się> (**sb, sth** komuś, czemuś); z/buntować się (**sth** przeciw czemuś); odm-ówić/awiać posłuszeństwa <nie podda-ć/wać się> (**sb, sth** komuś, czemuś) 2. być odpornym <wytrzymałym> (**heat, cold etc.** na wysoką temperaturę, zimno itd.); wytrzym-ać/ywać 3. powstrzym-ać/ywać (kogoś, coś); powstrzym-ać/ywać się (**sth, doing sth od** czegoś, od robienia czegoś) 4. odrzuc-ić/ać (projekt, propozycję itd.) 5. osta-ć/wać się (**sth** czemuś) ⊞ *vi* opierać się; stawiać opór; *wojsk* utrzymywać się na pozycjach ⊞ *s chem* warstwa ochronna
↑**resistance** [ri'zistəns] ⊡ *s* 1. opór; sprzeciw; sprzeciwianie <przeciwstawianie> się; przeciwdziałanie; **to offer ~** stawiać opór; **to take the line of least ~** pójść/iść po linii najmniejszego oporu 2. wytrzymałość (materiału itd.) 3. *fiz techn* opór; odporność; 4. *elektr* oporność 5. *elektr* opornik ⊞ *attr* 1. *fiz techn* oporowy 2. *polit* (*o ruchu itd*) oporu
resistant [ri'zistənt] *adj* 1. odporny; wytrzymały 2. oporny
resistibility [riˌzistə'biliti] *s* zdolność do stawiania oporu
resistible [ri'zistəbl] *adj* 1. (możliwy) do odparcia 2. dający się wytrzymać
resistive [ri'zistiv] *adj* 1. oporny 2. *elektr* oporowy
resistivity [ˌrezis'tiviti] *s elektr* oporność właściwa
resistless [ri'zistlis] *adj* 1. nieodparty 2. niezdolny do oporu; bierny; poddający się
resold *zob* **resell**
resolder ['ri:'sɔldə] *vt* na nowo za/lutować <spawać>
resole ['ri:'soul] *vt* pod/zelować (buty)
resoluble ['rezəljubl] *adj* 1. rozpuszczalny 2. dający się roz-łożyć/kładać (na części składowe) 3. (*o zagadnieniu*) możliwy do rozwiązania
resolute ['rezə‚lu:t] *adj* (*o człowieku*) zdecydowany; śmiały; rezolutny; (*o tonie itd*) stanowczy
resoluteness ['rezə‚lu:tnis] *s* zdecydowanie; śmiałość; rezolutność; stanowczość
↑**resolution** [ˌrezə'lu:ʃən] *s* 1. rozkład; roz-łożenie/kładanie; analiza; ul-otnienie/atnianie <skr-oplenie/aplanie> się; wyparow-anie/ywanie (wody itd.) 2. *med* rozejście się (wrzodu) 3. przemiana 4. *prozod* zastąpienie długiej zgłoski dwiema krótkimi 5. *techn* rozkład (sił) 6. rozwiąz-anie/ywanie (zadania mat., zagadki itd.) 7. postanowienie 8. uchwała; decyzja; rezolucja 9. zdecydowanie; rezolutność; stanowczość
resolutive ['rezə‚lju:tiv] *adj* 1. (*o leku itd*) rozpuszczający 2. *prawn* (*o warunku itd*) rozwiązujący (umowę itd.)
resolve [ri'zɔlv] ⊡ *vt* 1. roz-łożyć/kładać; z/analizować 2. rozpu-ścić/szczać 3. przemieni-ć/ać 4. rozwiąz-ać/ywać (zadanie mat., zagadkę itd.)

5. postan-owić/awiać; uchwal-ić/ać 6. † (*o okolicznościach*) skł-onić/aniać (**sb to do sth** kogoś do zrobienia czegoś) III *vr* 1. (*o wrzodzie, mgle itd*) ~ **itself** przemieni-ć/ać <zamieni-ć/ać> się (**into** _ w ... — coś) 2. (*o zgromadzeniu itd*) ~ **itself** konstytuować się (**into** _ w ...) 3. (*o zagadnieniu itd*) ~ **itself** sprowadzać się (**into** _ do ...) 4. rozkładać <rozpadać> się (**into** _ na ...) 5. ule-c/gać rozkładowi <rozpadowi> III *vi* 1. roz-łożyć/kładać <rozpa-ść/dać> się 2. *med* (*o wrzodzie*) roz-ejść/chodzić się; z/resorbować się 3. postan-owić/awiać (**upon** sth coś); z/decydować się (**upon sth** <**doing sth**> na coś <na to, żeby coś zrobić>) 4. *muz* rozwiązywać się (**into** _ na ...) *zob* **resolved** IV *s* 1. postanowienie; decyzja; zdecydowanie; stanowczość

resolved [ri'zɔlvd] I *zob* **resolve** *v* III *adj* zdecydowany

resolvedly [ri'zɔlvidli] *adv* zdecydowanie; stanowczo

resolvent [ri'zɔlvənt] I *s* 1. *med* środek usuwający stan zapalny 2. *chem* rozpuszczalnik III *adj* 1. *med* rozpędzający 2. *chem* rozkładający

‖**resonance** ['reznəns] *s* rezonans; oddźwięk; odgłos

‖**resonant** ['reznənt] *adj* 1. (*o głosie*) donośny 2. (*o sali itd*) akustyczny 3. (*o okolicy itd*) rozbrzmiewający (**with singing etc.** śpiewem itd.)

resonator ['rezə,neitə] *s fiz* rezonator

resorb [ri'zɔ:b] *vt* z/resorbować

resorcin [ri'zɔ:sin] *s chem* rezorcyna

resorption [ri'zɔ:pʃən] *s* resorpcja

resort¹ [ri'zɔ:t] I *vi* 1. zwr-ócić/acać <uda-ć/wać> się (**to sb for sth** do kogoś o coś) 2. ucie-c/kać się (**to tricks etc.** do forteli itd.); uży-ć/wać (**to violence** <**force**> przemocy <siły>); za/stosować (**to means of precaution etc.** środki ostrożności itd.); **finally they ~ed to blows** w końcu doszło do rękoczynów 3. (*licznie* <*często*>) odwiedzać (**to a place** miejscowość <lokal itd.>); (*często*) bywać (**to a place** w jakiejś miejscowości); uczęszczać <udawać się, jeździć> (**to a place** do jakiejś miejscowości) III *s* 1. uciekanie się; ucieczka; ostateczny środek; ratunek; **in the last ~** w ostateczności; **the only ~** ostatnia deska ratunku; **without ~ to** _ nie uciekając do <nie używając, nie stosując> ... (siły itd.) 2. uczęszczanie; odwiedzanie; przebywanie (gdzieś); przybywanie (dokąd); **a place of great ~** miejscowość często <licznie> odwiedzana; lokal licznie uczęszczany <cieszący się wielką frekwencją>; **health ~** miejscowość kuracyjna <kąpielowa, wypoczynkowa>; uzdrowisko; kurort; **mountain ~** górska miejscowość wypoczynkowa <kuracyjna>; **seaside ~** kąpielisko nadmorskie; **summer ~** letnisko; **winter ~** ośrodek <centrum> sportów zimowych

re-sort² ['ri:'sɔ:t] *vt* przesortow-ać/ywać

resound [ri'zaund] I *vt* 1. opiewać <głosić> (czyjąś sławę itd.) 2. odbi-ć/jać (dźwięk) III *vi* 1. (*o miejscu, sali itd*) rozbrzmiewać (**with shouts etc.** krzykiem itd.); odbijać echem (**with shouts etc.** krzyki itd.) 2. (*o głosie, dźwiękach itd*) rozbrzmiewać; brzmieć 3. (*o sławie, wydarzeniu itd*) odbi-ć/jać <od-ezwać/zywać> się echem; obie-c/gać (**through the country etc.** cały kraj itd.) *zob* **resounding**

resounding [ri'zaundiŋ] I *zob* **resound** III *adj* 1. rozbrzmiewający 2. głośny 3. (*o głosie*) tubalny

resource [ri'sɔ:s] *s* 1. *pl* ~**s** zasoby, bogactwa (naturalne itd.); środki (pieniężne itd.); **to open up new ~s** otwierać nowe możliwości; **to be at the end of one's ~s** wyczerpać wszystkie środki <możliwości> 2. środek zaradczy; ratunek; ucieczka; *przen* deska ratunku; **lost without ~** beznadziejnie stracony; **the only ~** jedyna rada 3. pomysłowość; zaradność; **a man of ~** człowiek pomysłowy <zaradny> 4. rozrywka

resourceful [ri'sɔ:sful] *adj* pomysłowy; zaradny

resourceless [ri'sɔ:slis] *adj* 1. bez możności ratunku 2. niezaradny

respect [ris'pekt] I *vt* 1. poważać; mieć szacunek (**sb, sth** dla kogoś, czegoś); **to make oneself ~ed** nakaz-ać/ywać szacunek <respekt> (dla siebie) 2. u/szanować (kogoś, coś — prawo, czyjeś życzenie itd.); respektować 3. mieć wzgląd (**sth** na coś); nie zapominać (**sth** o czymś); **to ~ a boundary** nie przekroczyć granicy 4. dotyczyć (**sb, sth** kogoś, czegoś); odn-ieść/osić się (**sb, sth** do kogoś, czegoś); **as ~s** _ co się tyczy... III *vr* ~ **oneself** szanować się, cenić swą godność *zob* **respecting** III *s* 1. związek, łączność; **to have ~ to** _ dotyczyć <odnosić się do>...; **with ~ to** _ co do ...; co się tyczy ...; odnośnie <w odniesieniu> do ... 2. wzgląd (**to sth** na coś); **in ~ of** _ pod względem ... (czegoś); † **in ~ that** _ zważywszy, że ...; **in all** <**many, some**> ~**s** pod każdym <wieloma, niektórymi> względ-em/ami; **to have <pay> ~ to** _ zważać na ...; mieć na uwadze ...; **without ~ to** _ bez względu <nie zważając> na ... 3. wyróżnianie; wzgląd (**to property** <**position etc.**> na majątek <na stanowisko itd.>) 4. poważanie; szacunek; poszanowanie; respekt; **to have ~ for sb** <**hold sb in ~**> poważać <szanować> kogoś; mieć szacunek <poważanie> dla kogoś; darzyć kogoś szacunkiem 5. uszanowanie (**for sth** czegoś — danej obietnicy, czyjegoś życzenia itd.) 6. *pl* ~**s** pozdrowienia; uszanowanie; wyrazy szacunku; **give my ~s to** _ pozdrów/cie ode mnie ...; **to pay one's ~s to sb** złożyć/składać swoje uszanowanie (komuś); **x sends you his ~s** x zasyła ci pozdrowienia

respectability [ris,pektə'biliti] *s* 1. powszechne poważanie; ogólny szacunek; powaga 2. *zbior* ludzie cieszący się powszechnym szacunkiem

respectable [ris'pektəbl] I *adj* 1. (*o pobudkach, motywach itd*) godny szacunku; honorowy; chwalebny; bezwzględnie uczciwy 2. dość pokaźny; nie najgorszy; niemały 3. (*o człowieku*) porządny; szanowny; zacny; zasługujący na <budzący> szacunek; cieszący się szacunkiem; uczciwy; poważany; poważny; (*o środowisku*) ludzi uczciwych <cieszących się szacunkiem> III *spl* **the ~s** ludzie poważani

respectful [ris'pektful] *adj* pełen szacunku; **standing at a ~ distance** zachowując dystans podyktowany szacunkiem; **to be ~** okaz-ać/ywać uszanowanie

respectfully [ris'pektfuli] *adv* z poważaniem; z uszanowaniem; (*w listach*) **yours ~** proszę przyjąć wyrazy głębokiego szacunku

respecting [ris'pektiŋ] I *zob* **respect** *v* III *praep* co do; co się tyczy; odnośnie <w odniesieniu> do; w sprawie; Ⅲ *adj* dotyczący

respective [ris'pektiv] *adj* indywidualny; poszczególny; każdy; **their ~ merits** zalety i wady każdego z nich; **the ~ popularity of the candidates** popularność, jaką się cieszy każdy z kandydatów <cieszą poszczególni kandydaci>; **they <we etc.> went to their <our etc.> ~ places** poszli <poszliśmy> każdy na swoje miejsce

respectively [ris'pektivli] *adv* 1. (dać, zapłacić itd.) każdemu z osobna 2. kolejno; odpowiednio (według wymienionej kolejności); **X, Y and Z have a population of 30, 40 and 50 thousand ~** X, Y i Z mają ludności: pierwszy 30, drugi 40, trzeci 50 tysięcy

respirable ['respirəbl] *adj* zdatny do oddychania

respiration [,respə'reiʃən] *s* oddychanie; oddech

respirator ['respə,reitə] *s* 1. przyrząd do oddychania, respirator 2. *wojsk* maska gazowa

respiratory [ris'paiərətəri] *adj* (*o organie itd*) oddechowy

respire [ris'paiə] Ⅰ *vi* od-etchnąć/dychać Ⅲ *vt* wdychać <wydychać> (powietrze)

respite ['respait] Ⅰ *s* 1. *prawn* zawieszenie; odroczenie; *handl* prolongata terminu (płatności itd.); udzielona zwłoka; moratorium; *bank* **days of ~** dni respektowe; respiro 2. wytchnienie Ⅲ *vt* 1. zawie-sić/szać <odr-oczyć/aczać> wykonanie wyroku (**a condemned person** skazanemu) 2. odr-oczyć/aczać (ogłoszenie wyroku) 3. *handl* s/prolongować termin wykonania <udziel-ić/ać zwłoki w wykonaniu> (**an obligation** zobowiązania) 4. przyn-ieść/osić ulgę <ulżyć> w bólu (**sb** komuś) 5. da-ć/wać wytchnienie (**sb** komuś)

resplendence [ris'plendəns], **resplendency** [ris'plendənsi] *s* oślepiający blask; jasność

resplendent [ris'plendənt] *adj* świecący oślepiającym blaskiem; jasny

respond [ris'pond] Ⅰ *vi* 1. odpowi-edzieć/adać 2. od-ezwać/zywać się <za/reagować> (**to sth with** — na coś ... — czymś); odwzajemni-ać/ować się (**to sth with** — za coś ... — czymś) 3. *kośc* odczyt-ać/ywać <odśpiew-ać/ywać, wygł-osić/aszać> responsoria 4. za/reagować <być czułym, wrażliwym> (**to sth** na coś); *lotn* w zwrocie: **the plane ~s to the controls** urządzenia sterownicze działają Ⅲ *s* 1. *kośc* responsorium 2. *arch* pilastr; półfilar 3. *arch* ościeże pionowe

respondent [ris'pondənt] Ⅰ *adj* 1. odpowiadający (**to sth** czemuś) 2. reagujący <czuły> (**to sth** na coś) 3. broniący (tezy itd.) Ⅲ *s* 1. kandydat/ka broniąc-y/a tezy 2. *sąd* pozwan-y/a

▲**response** [ris'pons] *s* 1. odpowiedź; odezwanie się; **he made no ~** nie dał odpowiedzi; nie odezwał się; pozostał głuchy; (*o liście*) **to bring no ~** pozosta-ć/wać bez odpowiedzi 2. odzew; oddźwięk; reakcja; *przen* echo; **to meet with <call forth> a ~** wywoł-ać/ywać echo <oddźwięk> (**from sb** u kogoś; **in sb's mind etc.** w czyimś sercu itd.)

responsibility [ris,ponsə'biliti] *s* odpowiedzialność; **a position of ~** odpowiedzialne stanowisko; **on one's own ~** na własną odpowiedzialność; **to be relieved of one's responsibilities** zostać zwolnionym od swych obowiązków

responsible [ris'ponsəbl] *adj* odpowiedzialny (**for** sth za coś; **to sb** wobec kogoś); **to be ~ for sth** a) być odpowiedzialnym <ponosić odpowiedzialność, odpowiadać> za coś b) być autorem <sprawcą> czegoś; **to hold sb ~ for sth** czynić kogoś odpowiedzialnym za coś; **a ~ post** odpowiedzialne stanowisko; **~ government** rząd demokratyczny

responsions [ris'ponʃənz] *spl uniw* pierwszy egzamin kandydatów na stopień "B.A." (*zob* **B.A.**)

responsive [ris'ponsiv] *adj* czuły <wrażliwy> (**to sth** na coś); **to be ~ to** — za/reagować na ...

responsiveness [ris'ponsivnis] *s* reakcja <za/reagowanie> (**to sth** na coś)

responsory [ri'sponsəri] *s kośc* responsorium

ressaldar ['resəl,da:] *s* (*w armii hinduskiej*) kapitan kawalerii

▲**rest¹** [rest] Ⅰ *s* 1. odpoczynek; spoczynek; wytchnienie; wypoczynek; (*o poruszającym się ciele*) **to come to ~** sta-nąć/wać; **to get no ~** nie odpocz-ąć/ywać; nie wypocz-ąć/ywać; nie zmrużyć oka (przez całą noc); **to give a machine a ~** dać maszynie odpocząć; **to go <retire> to ~** pójść/iść na spoczynek; **to have a good ~** dobrze odpocząć <wypocząć>; **to set a question at ~** załatwić sprawę; **to set sb's mind at ~** uspok-oić/ajać kogoś; rozpr-oszyć/aszać czyjeś obawy; **to take a ~** spocząć; odpocząć; wytchnąć; **to take one's ~** spocz-ąć/ywać; zaży-ć/wać spoczynku; **at ~** a) nieruchomy; (będący) bez ruchu <w bezruchu> b) spokojny 2. wieczne spoczywanie; **at ~** nieżyjący; **to lay sb to ~** złożyć kogoś na miejsce wiecznego spoczynku 3. dom <ognisko> marynarza; schronisko (dla dorożkarzy itd.) 4. oparcie; podstawa; podpora; łożysko; *techn* suport 5. stojak (na kije bilardowe itd.) 6. *muz* pauza 7. *prozod* średniówka, pauza, cezura Ⅲ *vi* 1. spocz-ąć/ywać; odpocz-ąć/ywać; wytchnąć; zaży-ć/wać spoczynku; **he could not ~ till** — nie spoczął <nie zaznał spokoju>, dopóki nie..; **to ~ from one's labours** spocz-ąć/ywać po trudach 2. (*o maszynie, ciele w ruchu itd*) sta-nąć/wać 3. (*o gruncie*) leżeć odłogiem 4. (*o sprawie*) **to ~ here <there>** stanąć na tym 5. (*o wzroku, promieniu światła itd*) spocz-ąć/ywać (**on sth** na czymś); (*o ciężarze, belce, głowie, ręce itd*) spocz-ąć/ywać <op-rzeć/ierać się, wesprzeć/wspierać się> (**on sth** na czymś); op-rzeć/ierać się <wesprzeć/wspierać się> (**against sth** o coś) 6. (*o przekonaniach, nauce itd*) op-rzeć/ierać się (**on sth** na czymś) 7. (*o człowieku*) za/ufać (**on sb** komuś) 8. polegać (**on sb, sth** na kimś, czymś) 9. (*o nieboszczyku*) spoczywać, leżeć, być pochowanym Ⅲ *vr* **~ oneself** odpocz-ąć/ywać; zaży-ć/wać spoczynku Ⅳ *vt* 1. da-ć/wać <pozw-olić/alać> spocząć <wytchnąć> (**sb, sth** — **an animal etc.** komuś, czemuś — zwierzęciu itd.); **God ~ his soul** niech mu (Pan) Bóg da wieczne odpoczywanie 2. op-rzeć/ierać (**sth on sth** coś na czymś; **sth against sth** coś o coś) 3. (*o kolorach, okularach itd*) dawać wypoczynek (**the eyes** oczom); działać kojąco (**the eyes** na oczy); sprawi-ć/ać ulgę (**the eyes** oczom) *zob* **rested**

rest² [rest] Ⅰ *s* 1. reszta; pozostałość; wszystko inne; pozostała część; **and all the ~ of it** a) i wszystko pozostałe b) i Bóg wie, co tam jeszcze; **for the ~** co (zaś) do <co się tyczy> reszty;

poza tym 2. pozostali; reszta (**of us, you etc.**
nas, was itd.) 3. *bank* rezerwa 4. *handl* remanent; bilans Ⅲ *vi* 1. pozostawać 2. być (**assured**
pewnym; **satisfied** zadowolonym) 3. zależeć
(**with sb** od kogoś); spoczywać w rękach (**with
sb** czyichś); **it ~s with him to decide** decyzja
zależy od niego <spoczywa w jego rękach>
restart ['ri:'sta:t] ☐ *vt* 1. zacz-ąć/ynać na nowo;
zab-rać/ierać się z powrotem (**sth do czegoś**) 2.
na nowo pu-ścić/szczać w ruch <zapu-ścić/szczać>
(motor itd.) Ⅲ *vi* 1. na nowo się zacz-ąć/ynać
<rozpocz-ąć/ynać> 2. ruszyć ponownie
restate ['ri:'steit] *vt* 1. ponownie przedstawi-ć/ać
(**a question** sprawę); ponownie oświadcz-yć/ać
<wy-łożyć/kładać> 2. z/redagować <przedstawi-
-ć/ać> inaczej
restaurant ['restə,rõ:] *s* restauracja
restaurant-car ['restərõ:,ka:] *s* wagon restauracyjny
rest-camp ['rest,kæmp] *s* obóz wypoczynkowy
<wczasowy>
rest-cure ['rest,kjuə] *s* kuracja wypoczynkowa
rested ['restid] ☐ *zob* **rest**[1] *v* Ⅲ *adj* wypoczęty
restful ['restful] *adj* kojący; spokojny; sprzyjający
wypoczynkowi; tchnący spokojem; uspokajający
rest-harrow ['rest,hærou] *s bot* wilżyna
rest-home ['rest,houm] *s* dom wypoczynkowy
<wczasowy>; schronisko
rest-house ['rest,haus] *s* oberża; gospoda
restiff ['restif] *†* = **restive**
restiform ['resti,fɔ:m] *adj anat* powrózkowaty
resting-place ['restiŋ,pleis] *s* 1. miejsce spoczynku; schronisko 2. (**last**) ~ miejsce wiecznego
spoczynku, grób 3. (*na schodach*) podest
restitution [,resti'tju:ʃən] *s* 1. odda-nie/wanie
<zwrot> (mienia); restytucja; **to make** ~ a)
zwr-ócić/acać przywłaszczone mienie b) wy-
nagr-odzić/adzać stratę 2. przywr-ócenie/acanie
do pierwotnego stanu 3. powrót (ciała elastycz-
nego) do pierwotnego kształtu
restive ['restiv] *adj* 1. (*o koniu*) narowisty 2. (*o
człowieku*) krnąbrny; oporny; uparty 3. (*o człowieku*) nerwowy; niespokojny
restiveness ['restivnis] *s* 1. narowistość; narowy
2. krnąbrność; oporna natura; upór 3. nerwowość; niespokojne usposobienie
restless ['restlis] *adj* 1. (*o człowieku, zwierzęciu,
także o morzu, falach*) niespokojny; **to get** ~
z/niecierpliwić się 2. (*o nocy*) bezsenny 3. (*o
dziecku*) niesforny
restlessly ['restlisli] *adv* niespokojnie; z niepokojem; nerwowo; gorączkowo
restlessness ['restlisnis] *s* 1. niepokój 2. zniecierpliwienie 3. wzburzenie 4. nerwowość; zdenerwowanie
restock ['ri:'stɔk] *vt* 1. odn-owić/awiać <uzupeł-
ni-ć/ać> zapas <asortyment> towarów (**a shop**
w sklepie) 2. na nowo zaryb-ić/iać (staw)
restoration [,restə'reiʃən] *s* 1. zwrot (mienia) 2.
odrestaurowanie <restauracja> (budynku, pomnika itd.); odn-owienie/awianie; odbudowa; rekonstrukcja <z/rekonstruowanie> (zniszczonego
obiektu) 3. przywr-ócenie/acanie (na stanowisko, do łask itd.) 4. *hist* **the Restoration** Restauracja
restorative [ris'tɔrətiv] ☐ *adj* wzmacniający, pokrzepiający; odżywczy Ⅲ *s* środek <lek> wzmacniający <pokrzepiający, odżywczy>

↓restore [ris'tɔ:] *vt* 1. odda-ć/wać <zwr-ócić/acać>
(mienie itd.) 2. od/restaurować; odbudow-ać/
ywać; odn-owić/awiać; odśwież-yć/ać; z/rekon-
struować (zniszczony obiekt, brakującą część);
odtw-orzyć/arzać 3. przywr-ócić/acać (kogoś na
stanowisko <do życia itd.>; coś do stanu używalności); postawić/stawiać <położyć/kłaść> (**sth
to its place** coś na dawne miejsce); przywr-ócić/
acać, wzn-owić/awiać (zwyczaj, obchód, porządek, spokój, zaufanie itd.) 4. przywr-ócić/acać
(pacjenta) do zdrowia; wyleczyć; **to ~ a patient's strength** przywr-ócić/acać pacjenta do sił;
wzm-ocnić/acniać pacjenta
restorer [ris'tɔ:rə] *s* 1. restaurator (dzieł sztuki)
2. odnowiciel; renowator 3. ośrodek wzmacniający <pokrzepiający, odżywczy>
restrain [ris'trein] ☐ *vt* 1. wstrzym-ać/ywać <po-
wstrzym-ać/ywać, powściąg-nąć/ać> (**sb from sth**
kogoś od czegoś) 2. opanow-ać/ywać <pohamo-
wać> (uczucia itd.); za/panować (**one's feelings
etc.** nad uczuciami itd.); powstrzym-ać/ywać się
(**one's tears etc.** od łez itd.) 3. ogranicz-yć/ać
4. trzymać w ryzach 5. trzymać (kogoś) w zam-
knięciu; ubezwłasnowolni-ć/ać (obłąkanego); po-
zbawi-ć/ać swobody ruchów; u/więzić Ⅲ *vr* ~
oneself po/hamować się; za/panować nad sobą
zob **restrained**
restrained [ris'treind] ☐ *zob* **restrain** Ⅲ *adj* powściągliwy; umiarkowany
restrainedly [ris'treinidli] *adv* powściągliwie;
umiarkowanie; z umiarem
restrainer [ris'treinə] *s* 1. czynnik hamujący <po-
wstrzymujący, powściągający> 2. *fot* osłabiacz
3. *chem* inhibitor, katalizator ujemny
restraint [ris'treint] *s* 1. powściągliwość; po-
wstrzym-anie/ywanie; po/hamowanie; opanow-
-anie/ywanie; hamul-ec/ce; **to put a ~ on sb,
sth** powściąg-nąć/ać <powstrzym-ać/ywać> kogoś, coś; **without ~** a) swobodnie; niepohamowanie; bez skrępowania <umiaru, miary> b) z wy-
uzdaniem 2. panowanie nad sobą; powstrzym-
-anie/ywanie <po/hamowanie> się; **lack of ~**
brak opanowania <umiaru, hamulców>; wyuzdanie 3. wstrzemięźliwość; umiar; umiarkowanie;
surowość (stylu itd.) 4. skrępowanie; ograniczenie; pozbawi-enie/anie swobody ruchów; ubez-
własnowolnienie (obłąkanego); u/więzienie; **to
be under ~** być w domu obłąkanych 5. *prawn*
zatrzym-anie/ywanie (mienia); sekwestr
restrict [ris'trikt] *vt* ogranicz-yć/ać; ścieśni-ć/ać;
~ed within narrow limits zamknięty w ciasnych ramach
restriction [ris'trikʃən] *s* ograniczenie; restrykcja;
to place ~s on sth ogranicz-yć/ać coś (sprzedaż
itd.); **mental ~** zastrzeżenie myślowe
restrictive [ris'triktiv] *adj* ograniczający
result [ri'zʌlt] ☐ *vi* 1. wynik-nąć/ać <wypły-nąć/
wać, pochodzić> (**from sth z czegoś**); być wynikiem <rezultatem> (**from sth z czegoś**); **what
has ~ed from his efforts?** co wyszło z jego
usiłowań?; **nothing will ~ from this** nic z tego
nie wyjdzie 2. s/kończyć się (**in sth czymś** —
powodzeniem, fiaskiem itd.; **well** <**badly etc.**> dobrze <źle itd.>); da-ć/wać w rezultacie <przyn-
-ieść/osić> (**in profit** <**trouble etc.**> korzyści
<zmartwienia itd.>); (*o przedsięwzięciu itd*) **to
~ badly** źle się skończyć *zob* **resulting** Ⅲ *s.*

wynik; skutek; efekt; rezultat; **as a** ~ **of sth** skutkiem <na skutek, wskutek> czegoś; **in the** ~ — ostatecznie ...; w końcu ...; koniec końców ...; **the** ~ **was that** — wynik <skutek, efekt> był taki, że ...; **to have a good <favourable>** ~ a) mieć dobry <pomyślny> wynik b) dobrze się s/kończyć; **with good** ~ skutecznie; z pomyślnym wynikiem; **without** ~ bezskutecznie; bezowocnie; bez rezultatu; *gram* ~ **clause** zdanie skutkowe

resultant [ri'zʌltənt] Ⓘ *adj* 1. wynikły; powstały 2. *fiz* (*o sile*) wypadkowy Ⓘ *s mat* wypadkowa
resultful [ri'zʌltful] *adj* skuteczny; owocny
resulting [ri'zʌltiŋ] Ⓘ *zob* result *v* Ⓘ *adj* wynikający; wynikły; powstały
resultless [ri'zʌltlis] *adj* bezskuteczny; bezowocny; daremny
resume [ri'zju:m] Ⓘ *vt* 1. od-ebrać/bierać; otrzym-ać/ywać z powrotem; odzysk-ać/iwać; **to** ~ **one's seat** siąść/siadać z powrotem 2. pod-jąć/ ejmować na nowo <wzn-owić/awiać> (pracę itd.); ob-jąć/ejmować na nowo (obowiązki itd.); po-wr-ócić/acać (**a conversation, one's habits, negotiations etc.** do przerwanej rozmowy, do swoich przyzwyczajeń, do pertraktacji itd.); **to** ~ **sth** dalej coś robić; **to** ~ **one's journey <one's reading, a story, one's pipe etc.>** dalej jechać <czytać, opowiadać, pykać z fajki itd.> 3. stre-ścić/szczać; z/reasumować Ⓘ *vi* 1. mówić dalej 2. (*o parlamencie*) zebrać/zbierać się na nowo
résumé ['rezju,mei] *s fr* streszczenie
resumption [ri'zʌmpʃən] *s* 1. od-ebranie/bieranie; odzysk-anie/iwanie 2. ponowne pod-jęcie/ejmowanie, wzn-owienie/awianie; powrót (**of sth** do czegoś); dalsze prowadzenie (rozmowy, prac, pertraktacji itd.)
resupinate [ri'sju:pinit] *adj bot* (*o liściu itd*) przewrócony
re-surface ['ri:'sə:fis] *vt* pokry-ć/wać nową nawierzchnią (drogę, szosę)
resurge [ri'sə:dʒ] *vi żart* znowu wypły-nąć/wać; odży-ć/wać
resurgence [ri'sə:dʒəns] *s żart* ponowne życie; powrót do życia
resurgent [ri'sə:dʒənt] *adj* wskrzeszony
resurrect [,rezə'rekt] Ⓘ *vt* wskre-sić/szać; *przen* wzn-owić/awiać Ⓘ *vi* powsta-ć/wać z martwych <z grobu>
resurrection [,rezə'rekʃən] *s* 1. *rel* the Resurrection Zmartwychwstanie 2. odgrzebywanie <wykopywanie> zwłok; *hist* ~ **man** człowiek trudniący się odgrzebywaniem zwłok dla sekcji 3. wskrzesz-enie/anie <wzn-owienie/awianie> (zwyczaju itd.); ~ **pie** pasztet z nie dojedzonych resztek
resurrectionist [,rezə'rekʃənist] = **resurrection man** *zob* **resurrection** *s* 2.
resurvey [ri:sə:'vei] *vt* 1. dokon-ać/ywać ponownego przeglądu (**sth** czegoś) 2. dokon-ać/ywać ponownych pomiarów (**sth** czegoś)
resuscitate [ri'sʌsi,teit] Ⓘ *vt* wskre-sić/szać; wzn-owić/awiać; przywoł-ać/ywać do życia <ponownie do życia> Ⓘ *vi* powr-ócić/acać do życia; oży-ć/wać
ret [ret] *v* (**-tt-**) Ⓘ *vt* zmiękczać <moczyć> len Ⓘ *vi* (*o sianie itd*) z/gnić
retable [ri'teibl] *s* 1. (*u ołtarza*) gzyms (na świeczniki itd.) 2. nastawa ołtarzowa, retabulum

retail ['ri:teil] Ⓘ *s* detal; handel <sprzedaż> detaliczn-y/a; **to sell by** ~ sprzedawać detalicznie Ⓘ *attr* detaliczny Ⓘ *adv* detalicznie Ⓘ *vt* [ri:'teil] 1. sprzedawać detalicznie 2. kolportować <powtarzać> (wiadomości, plotki itd.) Ⓘ *vi* [ri:'teil] (*o towarze*) kalkulować się w sprzedaży detalicznej <w detalu> (**at** — na ...)
retailer [ri:'teilə] *s* 1. detalist-a/ka 2. ~ **of news** plotka-rz/rka
retain [ri'tein] *vt* 1. trzymać <utrzymywać, zatrzym-ać/ywać> w miejscu; powstrzym-ać/ywać (siły nieprzyjacielskie itd.); tamować (wodę w rzece) 2. za/angażować; naj-ąć/mować; zatrudni-ć/ać; zapewni-ć/ać sobie (**sb's services** czyjeś usługi) 3. zachow-ać/ywać <utrzym-ać/ywać, zatrzym-ać/ywać> (mienie, zwyczaj itd.); przechow-ać/ywać (tradycję itd.); pozosta-ć/wać w posiadaniu (**sth** czegoś); **to** ~ **hold of sth** nie pu-ścić/szczać (z rąk) czegoś 4. (*o naczyniu itd*) nie przepuszczać (**water etc.** wody itd.) 5. zachow-ać/ywać w pamięci *zob* **retaining**
retainer [ri'teinə] *s* 1. *prawn* zachowanie (czegoś) na własność 2. za/angażowanie; wy/najęcie 3. zaliczka (zapłacona adwokatowi itd.) 4. *hist* członek świty <domownik> (dostojnika); *pl* ~**s** czeladź <orszak, świta> (dostojnika) 5. *techn* dławnica
▲**retaining** [ri'teiniŋ] Ⓘ *zob* **retain** Ⓘ *adj* powstrzymujący; ~ **bandages** opatrunek ustalający; ~ **fee** zaliczka (zapłacona adwokatowi itd.); ~ **wall** mur wsporczy
retake ['ri:'teik] *vt* (**retook** ['ri:'tuk], **retaken** [ri:'teikən]) 1. od-ebrać/bierać; odbi-ć/jać (twierdzę, więźnia itd.) 2. *kino* na nowo nakręc-ić/ać (scenę, widok itd.)
retaliate [ri'tæli,eit] Ⓘ *vt* odwzajemni-ć/ać się <od-płac-ić/ać się tym samym> (**a wrong, an insult etc.** za doznaną krzywdę, zniewagę itd.); **to** ~ **an accusation** przeciwoskarż-yć/ać Ⓘ *vi* 1. odda-ć/wać wet za wet 2. za/stosować środki odwetowe 3. ze/mścić się
retaliation [ri,tæli'eiʃən] *s* odpłata; odwet; środki odwetowe; zemsta
retaliatory [ri'tæliətəri] *adj* odwetowy
retard [ri'ta:d] Ⓘ *vt* opóźni-ć/ać; zw-olnić/alniać; wstrzym-ać/ywać; za/hamować Ⓘ *vi* opóźni-ć/ać się Ⓘ *s* opóźnienie, spóźnienie
retardation [,ri:ta:'deiʃən] *s* 1. opóźni-enie/anie 2. *muz* zw-olnienie/alnianie 3. hamowanie; wstrzym-anie/ywanie
retarder [ri'ta:də] *s techn* opóźniacz; zwalniacz
retardment [ri'ta:dmənt] *s* opóźni-enie/anie
retch [ri:tʃ] Ⓘ *vi* mieć nudności; **the sight makes one** ~ ten widok przyprawia człowieka o nudności; na ten widok zbiera się każdemu na wymioty Ⓘ *s* nudności
retell ['ri:'tel] *vt* (**retold** ['ri:'tould], **retold**) ponownie opowi-edzieć/adać; powt-órzyć/arzać (opowiadanie)
▲**retention** [ri'tenʃən] *s* 1. zatrzym-anie/ywanie <zachow-anie/ywanie> (mienia itd.); utrzym-anie/ywanie (zwyczaju itd.) 2. *med* wstrzym-anie/ywanie (moczu, stolca) 3. utrzym-anie/ywanie w pozycji (protezy itd.) 4. zdolność zapamięt-ania/ywania
retentive [ri'tentiv] *adj* 1. (*o pamięci*) trwały; dobry; wierny; (*o glebie*) nie przepuszczający; **to be** ~ **of sth** a) (*o pamięci*) zachowywać coś

b) (*o człowieku*) trzymać <zachowywać> w pamięci c) (*o glebie*) nie przepuszczać (wilgoci) 2. (*o opatrunku*) ustalający

retentiveness [ri'tentivnis] *s* zdolność zachowywania

retenue ['reti,nu:] *fr s* powściągliwość; opanowanie

rethread ['ri:'θred] *vt* nawle-c/kać na nowo

retiarius [,ri:ʃi'eəriəs] *s* (*pl* **retiarii** [,ri:ʃi'eəri,ai]) (*u staroż. Rzymian*) retiarius, gladiator sieciarz

retiary ['ri:ʃiəri] *s zoo* pająk snujący sieć

reticence ['retisəns] *s* 1. powściągliwość w mowie 2. niedomówienie 3. małomówność

reticent ['retisənt] *adj* 1. powściągliwy w mowie; **to be ~ on** <**upon, about**> **sth** mówić o czymś powściągliwie 2. małomówny

reticle ['retikl] *s opt* siatka (przyrządu)

reticular [ri'tikjulə] *adj* siatkowy; siateczkowy

reticulate [ri'tikju,leit] ⬚ *vt* po/siatkować ⬚ *vi* (*o liniach itd*) tworzyć siatkę *zob* **reticulated** ⬚ *adj* siatkowaty

reticulated [ri'tikju,leitid] ⬚ *zob* **reticulate** *v* ⬚ *adj* 1. ,posiatkowany 2. siatkowy; siateczkowy

reticulation [ri,tikju'leiʃən] *s* siatkowanie; wzór siatkowy

reticule ['reti,kju:l] *s* 1. torebka damska (*zw* dziana) 2. = **reticle**

reticulum [ri'tikjuləm] *s* (*pl* **reticula** [ri'tikjulə]) 1. *zoo* drugi żołądek przeżuwacza 2. *anat* sieć, siatka

retie ['ri:'tai] *vt* (**retied** ['ri:'taid], **retied; retying** ['ri:'taiiŋ]) na nowo z/wiązać <zawiąz-ać/ywać, nawiąz-ać/ywać>

retiform ['ri:ti,fɔ:m] *adj* siatkowy; siatkowaty; siateczkowy

retina ['retinə] *s* (*pl* ~**s, retinae** ['reti,ni:]) *anat* siatkówka

retinal ['retinl] *adj med* siatkówkowy

retinue ['reti,nju:] *s* świta <orszak, poczet, czeladź> (dostojnika)

retire [ri'taiə] ⬚ *vi* 1. od-ejść/chodzić; wy-jść/chodzić; wycof-ać/ywać <usu-nąć/wać, oddal-ić/ać> się; opu-ścić/szczać towarzystwo; (*także* **to ~ to rest** <**to bed, for the night**>) pójść/iść <chodzić> spać; uda-ć/wać się na spoczynek; **to ~ from the world** odseparować się od świata; **he has ~d from the world** on żyje w odosobnieniu <prowadzi pustelnicze, samotne życie>; **to ~ into oneself** zam-knąć/ykać się w sobie 2. *wojsk* cof-nąć/ać <wycof-ać/ywać> się; być w odwrocie 3. ust-ąpić/ępować <z/rezygnować, od-ejść/chodzić> (ze stanowiska); złożyć/składać urząd; wycof-ać/ywać się (z interesów <z czynnego życia>); z/likwidować przedsiębiorstwo <interes/y> 4. poda-ć/wać się do dymisji; pójść/iść na emeryturę; prze-jść/chodzić w stan spoczynku; *wojsk* **to ~ from the army** a) prze-jść/chodzić w stan spoczynku b) pójść/iść do cywila ⬚ *vt* 1. s/pensjonować (pracownika); dymisjonować; przen-ieść/osić (oficera) w stan spoczynku; wydal-ić/ać z wojska 2. nakaz-ać/ywać odwrót (**troops** wojsku) 3. wycof-ać/ywać z obiegu (banknot itd.) 4. wykup-ić/ywać (weksel) ⬚ *s* sygnał (do) odwrotu *zob* **retired, retiring**

retired [ri'taiəd] ⬚ *zob* **retire** *v* ⬚ *adj* 1. odosobniony; samotny 2. (*o miejscowości itd*) ustronny; **in a ~ spot** na uboczu 3. (*o urzędniku itd*) spensjonowany; emerytowany; (*o oficerze itd*)

(*także* **on the ~ list**) w stanie spoczynku; ~ **list** wykaz oficerów w stanie spoczynku; **to place** <**put**> **on the ~ list** s/pensjonować; przen-ieść/osić w stan spoczynku; ~ **pay** emerytura; **a ~ business man** były kupiec <przemysłowiec>; kupiec <przemysłowiec>, który zlikwidował swe przedsiębiorstwo <wycofał się z interesów>

retiredness [ri'taiəridnis] *s* 1. rezerwa 2. życie w odosobnieniu 3. umiłowanie samotności 4. odosobnienie; ustronność; zacisze

retirement [ri'taiəmənt] *s* 1. dymisja; stan spoczynku 2. odosobnienie 3. cofnięcie <wycofanie> się; ust-ąpienie/ępowanie; *wojsk* odwrót 4. wykupienie (weksla)

retiring [ri'taiəriŋ] ⬚ *zob* **retire** *v* ⬚ *adj* 1. skromny; nie narzucający się; małomówny; zachowujący się z rezerwą 2. (*o urzędniku itd*) ustępujący, odchodzący; (*o oficerze*) występujący z wojska 3. *wojsk* (*o oddziale itd*) (będący) w odwrocie ⬚ *s* 1. wycof-anie/ywanie się; ~ **room** ustęp; toaleta 2. dymisja; emerytura; stan spoczynku; ~ **fund** fundusz emerytalny

retold *zob* **retell**

retook *zob* **retake**

retort[1] [ri'tɔ:t] ⬚ *vt* odpłac-ić/ać się (**an insult etc.** za zniewagę itd.); odci-ąć/nać się (**a sarcasm etc.** za uszczypliwość itd.); od-eprzeć/pierać; odparow-ać/ywać; **to ~ a charge on** <**upon**> **the author** odwr-ócić/acać oskarżenie przeciw temu, kto je skierował; **to ~ an argument on** <**upon**> **sb** zwalcz-yć/ać kogoś jego własnym argumentem <*przen* jego własną bronią> ⬚ *vi* odci-ąć/nać się; odparow-ać/ywać; ripostować ⬚ *s* ostra <cięta> odpowiedź; odcięcie się; replika; riposta

retort[2] [ri'tɔ:t] ⬚ *vt* prze/destylować ⬚ *s* retorta

retortion [ri'tɔ:ʃən] *s* 1. odgi-ęcie/nanie 2. *prawn* retorsja; odwet; represja

retouch [ri:'tʌtʃ] ⬚ *vt* wy/retuszować ⬚ *s* retusz, retuszowanie

retoucher ['ri:'tʌtʃə] *s* retuszer

retrace[1] [ri'treis] *vt* 1. cof-nąć/ać się do początków (**sth** czegoś) 2. odtw-orzyć/arzać przeszłość (**sth** czegoś) 3. przypom-nieć/inać sobie ‖ **to ~ one's steps** <**one's way**> a) wr-ócić/acać z drogi b) zawr-ócić/acać z obranej drogi; *przen* poniechać swoich zamiarów c) odr-obić/abiać przeszłość

retrace[2] ['ri:'treis] *vt* przerysow-ać/ywać

retract [ri'trækt] ⬚ *vt* 1. odciąg-nąć/ać; cof-nąć/ać; (*o ślimaku, kocie itd*) wciąg-nąć/ać (różki, pazury itd.); (*o samolocie*) wciąg-nąć/ać (podwozie) 2. cof-nąć/ać odwoł-ać/ywać (wypowiedziane słowa, obietnicę, ofertę itd.); wyrze-c/kać się (**sth** czegoś) ⬚ *vi* 1. cof-nąć/ać <wycof-ać/ywać> się 2. s/kurczyć się 3. odwoł-ać/ywać wypowiedziane słowa <oświadczenie itd.>

retractable [ri'træktəbl] *adj* 1. (*o podwoziu*) wciągany 2. (*o zobowiązaniu, oświadczeniu itd*) odwołalny

retractation [,ri:træk'teiʃən] *s* cofnięcie, wycof-anie/ywanie; odwoł-anie/ywanie

retractile [ri'træktail] *adj* 1. kurczliwy 2. dający się cofnąć <wciąg-nąć/ać>

retraction [ri'trækʃən] *s* 1. odciąg-nięcie/anie; cof-nięcie/anie; wciąg-nięcie/anie; retrakcja 2. s/kurczenie się 3. = **retractation**

retractor [ri'træktə] s 1. *anat* mięsień kurczący 2. *chir* rozwieracz, (narzędzie)
retral ['ri:trəl] *adj* tylny
retranslate ['ri:-trɑ:ns'leit] *vt* 1. na nowo przetłumaczyć 2. zmieni-ć/ać przekład
retransmission ['ri:-trɑ:ns'miʃən] *s* retransmisja
retransmit ['ri:-trɑ:ns'mit] *vt* (-tt-) retransmitować
retread[1] ['ri:'tred] *vt* (retrod ['ri:'trɔd], retrodden ['ri:'trɔdn]) ponownie deptać; odby-ć/wać ponownie (przebytą drogę)
re-tread[2] ['ri:'tred] I *vt* zaopat-rzyć/rywać (oponę) w nowy bieżnik; pokry-ć/wać (oponę) nowym bieżnikiem II *s* opona z nowym bieżnikiem
retreat [ri'tri:t] I *s* 1. odwrót; to make good one's ~ a) szczęśliwie przeprowadzić odwrót <dokonać odwrotu> b) uciec; umknąć; to sound the ~ da-ć/wać sygnał (do) odwrotu 2. *wojsk* capstrzyk 3. cof-nięcie/anie <wycof-anie/ywanie> się; opadanie (wód); recesja (lodowca) 4. odsu-nięcie/wanie się od ludzi; szukanie <przebywanie w> samotności; samotność 5. *kośc* rekolekcje 6. schronienie; ustronie; zacisze; *przen* azyl 7. jaskinia <nora> (zbójecka itp.) 8. szpital dla obłąkanych II *vi* 1. cof-nąć/ać <wycof-ać/ywać, usu-nąć/wać, oddal-ić/ać> się; s/kryć się (w kącie); ~ing chin <forehead> cofnięt-y/e podbródek <czoło>; ~ing wing of a building cofnięte skrzydło budynku 2. *wojsk* dokon-ać/ywać odwrotu III *vt szach* cof-nąć/ać (pionek, figurę)
retrench [ri'trentʃ] I *vt* 1. obci-ąć/nać <z/redukować, ogranicz-yć/ać> (wydatki itd.) 2. okr-oić/awać (utwór lit.) 3. uj-ąć/mować (sth czegoś) 4. *wojsk* obwałow-ać/ywać; o/szańcować III *vi* z/robić oszczędności; ogranicz-yć/ać wydatki
retrenchment [ri'trentʃmənt] *s* 1. obci-ęcie/nanie <z/redukowanie, redukcja, ogranicz-enie/anie> (wydatków itd.) 2. okr-ojenie/awanie (utworu lit.) 3. uj-ęcie/mowanie (czegoś z całości) 4. *wojsk* obwałow-anie/ywanie; o/szańcowanie
retrial ['ri:'traiəl] *s prawn* rewizja procesu
retribution [,retri'bju:ʃən] *s* 1. kara; zemsta; *przen* zapłata 2. nagroda
retributive [ri'tribjutiv] *adj* karzący; mszczący
retrievable [ri'tri:vəbl] *adj* 1. (o *pieniądzach, stracie itd*) możliwy do odzyskania 2. (o *szkodzie itd*) możliwy do naprawienia <do powetowania>
retrieval [ri'tri:vəl] *s* 1. odzysk-anie/iwanie (mienia) 2. poratowanie; odratowanie; poprawi-enie/anie <naprawa> (stanu majątkowego itd.); przywr-ócenie/acanie (dobrej reputacji itd.); naprawa (błędu itd.); powetowanie <wynagr-odzenie/adzanie> (straty); beyond <past> ~ niepowetowany; beznadziejnie stracony; nie do naprawienia
retrieve [ri'tri:v] I *vt* 1. (o *psie*) aportować 2. odzysk-ać/iwać; od-ebrać/bierać; odna-leźć/jdować 3. wskrze-sić/szać (wspomnienia); przypom-nieć/inać sobie 4. poratować; odratować; naprawi-ć/ać; przywr-ócić/acać do dobrego stanu; wynagr-odzić/adzać (stratę itd.); powetować (szkodę itd.); odr-obić/abiać (zaległości itd.); (*w grach hazardowych itd*) to ~ one's losses od-egrać/grywać się III *s* 1. odzyskanie 2. cofnięcie się; ruch powrotny <wsteczny>

retriever [ri'tri:və] *s* pies myśliwski
retrim ['ri:'trim] *vt* (-mm-) 1. przyb-rać/ierać na nowo (kapelusz itd.) 2. *mar w zwrocie* to ~ a ship przetrymować ładunek statku (przemieścić dla równowagi)
retroact [,retrou'ækt] *vi* 1. (o *ustawie*) działać wstecz 2. przeciwdziałać (against sth czemuś)
retroaction [,retrou'ækʃən] *s* 1. odbi-cie/janie się; reakcja wsteczna 2. wsteczne działanie <moc retroaktywna> (ustawy) 3. *radio* sprzężenie zwrotne
retroactive [,retrou'æktiv] *adj* (o *ustawie*) z mocą retroaktywną
retrocede [,retrou'si:d] *vt* zwr-ócić/acać; *prawn* retrocedować
retrocession [,retrou'seʃən] *s prawn* retrocesja
retrochoir ['retrou,kwaiə] *s bud* (w *kościele katedralnym*) część kościoła mieszcząca się za głównym ołtarzem
retroflected [,retrou'flektid] *adj med* tyłozgięty, zgięty ku tyłowi
retroflex ['retrou,fleks] *adj* (o *języku*) wygięty do tyłu; (o *głosce*) cerebralny
retroflexion [,retrou'flekʃən] *s med* tyłozgięcie, retrofleksja
retrogradation [,retrou-grə'deiʃən] *s astr* retrogradacja (pozornie wsteczny ruch planety)
retrograde ['retrou,greid] I *adj* (o *ruchu*) wsteczny; (o *porządku*) odwrotny; *polit* reakcyjny II *s* 1. wstecznictwo 2. degenerat III *vi* 1. cof-nąć/ać się 2. degenerować <wyradzać> się IV *vt* powodować cofanie się (sth czegoś)
retrogress [,retrou'gres] *vi* 1. cof-nąć/ać się; być w regresji 2. upa-ść/dać; podupa-ść/dać
retrogression [,retrou'greʃən] *s* 1. cof-nięcie/anie się; regresja 2. upadek
retrorse [ri'trɔ:s] *adj* odwrócony; odchylony
retrospect ['retrou,spekt] I *s* 1. *sąd* odesłanie (sprawy) do innego sądu 2. rzut oka wstecz; przegląd retrospektywny; to see the past in ~ widzieć przeszłość z pewnego oddalenia III *vi* patrzyć wstecz (on sth na coś) III *vt* widzieć (coś) w przeglądzie retrospektywnym
retrospection [,retrou'spekʃən] *s* rzut oka wstecz
retrospective [,retrou'spektiv] *adj* 1. (o *przeglądzie itd*) retrospektywny 2. (o *ustawie itd*) z mocą retroaktywną
retroussé [rə'tru:sei] *adj* (o *nosie*) lekko zadarty
retroversion [,retrou'və:ʃən] *s* pochylenie ku tyłowi
retry ['ri:'trai] *vt* (retried ['ri:'traid], retried, retrying ['ri:'traiiŋ]) 1. s/próbować ponownie <wzn-owić/awiać próbę> (sth czegoś) 2. *sąd* sądzić ponownie; wzn-owić/awiać proces (sb czyjś)
return [ri'tə:n] I *vi* 1. wr-ócić/acać (się); powr-ócić/acać (do kogoś, domu, tematu); never to ~ (odszedł itd.) na zawsze 2. obr-ócić/acać się (to dust etc. w pył <w proch itd.>) III *vt* 1. zwr-ócić/acać (mienie itd.); odda-ć/wać (pożyczony przedmiot, cios itd.); od-esłać/syłać; odn-ieść/osić; odw-ieźć/ozić; odbi-ć/jać (piłkę, światło, głos) 2. położyć/kłaść <postawić/stawiać, włożyć/wkładać, wsu-nąć/wać, wepchnąć/wpychać> z powrotem na (swoje, dawne, poprzednie) miejsce 3. odpłac-ić/ać <odwzajemni-ć/ać się> (sth czymś); to ~ sb's greeting odkł-onić/aniać się; to ~ sb's love etc. odwza-

jemni-ć/ać czyjąś miłość itd.; *karc* to ~ a **partner's lead** odwr-ócić/acać kolor partnerowi 4. odpowi-edzieć/adać; odrzec 5. przyn-ieść/osić <da-ć/wać> (dochód, odsetki) 6. uzna-ć/wać (**sb fit** <**unfit**> **for work, guilty** <**innocent**> kogoś za zdolnego <niezdolnego> do służby, za winnego <niewinnego>) 7. złożyć/składać zeznanie (**one's income** o dochodzie) 8. oszacow-ać/ywać <obli-cz-yć/ać> (aktywa, pasywa) 9. złożyć/składać sprawozdanie (**the result of the poll** z wyniku wyborów) 10. wyb-rać/ierać (*posła do parlamentu*) *zob* **returning** Ⅲ *s* 1. powrót; **by ~ of post** odwrotną pocztą; (*w życzeniach urodzinowych*) **many happy ~s of the day** wiele lat szczęścia <pomyślności>; wszystkiego najlepszego; **on sb's ~** a) po czyimś powrocie b) w drodze powrotnej do domu 2. (*także ~* **ticket**) bilet (kolejowy) powrotny <w obie strony> 3. nawrót (choroby, objawów) 4. *arch* załamanie (linii muru) 5. doch-ód/ody; zysk/i; *pl* ~s wpływy kasowe 6. *pl* ~s statystyka; zestawienie statystyczne 7. zwrot (czegoś komuś); odda-nie/wanie; od-esłanie/syłanie 8. od-łożenie/kładanie <postawienie/stawianie, włożenie/wkładanie, wsu-nięcie/wanie, wepchnięcie/wpychanie> (czegoś) z powrotem na (dawne, poprzednie) miejsce 9. zamiana; **in ~ for** _ w zamian za ... 10. odpłata; odwzajemnienie się; **to do sth in ~** nawzajem coś uczynić; odwdzięczyć <odwzajemnić, zrewanżować> się; **to make some ~ for** _ odwdzięczyć się **za ...** 11. raport; urzędowe sprawozdanie (o spełnieniu nakazu, wyniku wyborów itd.); zeznanie (o dochodzie itd.) 12. *pl* ~s gatunek łagodnego tytoniu fajkowego 13. wybór (posła do parlamentu) Ⅿ *attr* 1. powrotny 2. *sport* ~ **match** rewanż

returning [ri'tə:niŋ] Ⅰ *zob* **return** *v* Ⅲ *adj polit* wyborczy

reunion ['ri:'ju:njən] *s* 1. ponowne połączenie 2. złączenie (brzegów rany itd.) 3. zgromadzenie; zebranie; zjazd; **a family ~** zebranie w kole rodzinnym; zjazd rodzinny

reunionist ['ri:'ju:njənist] *s* zwolenni-k/czka połączenia kościoła anglikańskiego z rzymskokatolickim

reunite ['ri:-ju:'nait] Ⅰ *vt* ponownie połączyć <zebrać/zbierać> Ⅲ *vi* 1 po/łączyć się ponownie 2. po/godzić <po/jednać> się 3. z/łączyć się

rev [rev] Ⅰ *s sl auto skr* **revolution** obrót (silnika) Ⅲ *vt* (-vv-) *sl auto w zwrocie:* **to ~ up the motor** rozrusz-yć/ać silnik; przyśpiesz-yć/ać obroty silnika Ⅲ *vi* (-vv-) (*o silniku*) pracować na przyśpieszonych obrotach

revalorization ['ri:'vælərai'zeiʃən] *s* rewaloryzacja, przewartościowanie

revalue ['ri:'vælju:] *vt* przewartościow-ać/ywać

reveal[1] [ri'vi:l] *vt* 1. objawi-ć/ać 2. odsł-onić/aniać; odkry-ć/wać; wyjawi-ć/ać; ujawni-ć/ać 3. wykaz-ać/ywać (inteligencję itd.); dow-ieść/odzić (**sth** czegoś — **a quality etc.** jakiejś' zalety itd.); być dowodem (**sth in sb** czegoś u kogoś)

reveal[2] [ri'vi:l] *s bud* ościeże; węgarek; glif

reveille [ri'væli] *s wojsk* pobudka

revel ['revl] Ⅰ *vi* (-ll-) 1. za/bawić się; po/hulać; ucztować; biesiadować 2. rozkoszować <delektować, upajać> się (**in sth** czymś); znajdować rozkosz (**in sth** w czymś)

~ away *vt w zwrocie:* **~ away one's time** trawić czas na zabawach <na hulaniu, ucztowaniu, biesiadowaniu> Ⅲ *s* 1. zabawa; pohulanka; uczta; biesiada; *pot* popijawa 2. *pl* ~s maskarada

revelation [,revi'leiʃən] *s* 1. objawienie; *rel* **the Book of Revelation** Apokalipsa 2. rewelacja; odkrycie

reveller ['revlə] *s* 1. birbant/ka; hulaka; biesiadni-k/czka 2. *pl* ~s rewelersi

revelry ['revlri] *s* zabawa; biesiada; hulanie; ucztowanie

revendication [ri,vendi'keiʃən] *s* rewindykacja

revenge [ri'vendʒ] Ⅰ *vt* pomścić (kogoś, zniewagę itd.); **to be ~d** = **to ~ oneself** Ⅲ *vr* **~ oneself** ze/mścić się <wyw-rzeć/ierać zemstę> (**on sb na kimś**) Ⅲ *s* 1. zemsta; odwet; **to take** <**have**> **one's ~** ze/mścić się; **in ~ for sth** w odwet za coś; **out of ~** z zemsty; przez zemstę 2. rewanż; **to give sb his ~** dać komuś możność rewanżu <odegrania się>

revengeful [ri'vendʒful] *adj* mściwy

revenger [ri'vendʒə] *s* mściciel/ka

revenue ['revi,nju:] Ⅰ *s* 1. doch-ód/ody 2. dochód państwowy 3. urzędy skarbowe; aparat fiskalny Ⅲ *attr* 1. (*o władzach itd*) skarbowy 2. celny

reverberant [ri'və:bərənt] *adj* rozbrzmiewający

reverberate [ri'və:bə,reit] Ⅰ *vt* odbi-ć/jać (dźwięk, światło) Ⅲ *vi* 1. (*o dźwięku*) odbi-ć/jać się; rozbrzmie-ć/wać; rozle-c/gać się 2. (*o świetle*) odbi-ć/jać się 3. (*o piłce*) odsk-oczyć/akiwać

reverberation [ri,və:bə'reiʃən] *s* 1. odbi-cie/janie (się) (dźwięku, światła) 2. pogłos 3. huk <łoskot, grzmot> piorunu

reverberator [ri,və:bə'reitə] *s* reflektor

reverberatory [ri'və:bə,reitəri] *adj hut* (*o piecu*) płomienny

revere [ri'viə] *vt* czcić; mieć cześć (**sb, sth** dla kogoś, czegoś); odnosić się z rewerencją (**sb do** kogoś)

reverence ['revərəns] Ⅰ *s* 1. cześć; **to hold in ~** czcić; *pot* **saving your ~** z przeproszeniem 2. *irl* **Your** <**His**> **Reverence** Wielebny Ksiądz Ⅲ *vt* czcić

reverend ['revərənd] *adj* 1. czcigodny 2. wielebny; **Most Reverend** Jego Przewielebność (tytuł arcybiskupa); **Right Reverend** Jego Wielebność (tytuł biskupa); **the ~ gentleman** wielebny ksiądz (o którym mowa); (*na zebraniu — o księdzu*) przedmówca 3. (*o wypowiedzi itd*) kleru 4. (*w adresie przed nazwiskiem*) **Reverend** (*także skr* **Rev.**) ksiądz (*skr* ks.)

reverent ['revərənt] *adj* pełen czci <uszanowania>

reverential [,revə'renʃəl] *adj* pełen czci

reverie ['revəri] *s* zamyślenie; zaduma

revers [ri'viə] *s* (*pl* ~ [ri'viəz]) wyłóg

reversal [ri'və:səl] *s* 1. *prawn* obalenie (wyroku) 2. odwrócenie (obrazu, ruchu itd.) 3. zwrot (opinii) 4. zmiana kierunku 5. porażka

reverse [ri'və:s] Ⅰ *vt* 1. odwr-ócić/acać (przedmiot, bieg, położenie, proces itd.); wywr-ócić/acać; przewr-ócić/acać; obr-ócić/acać w przeciwną stronę <w odwrotnym kierunku>; **to ~ an engine** da-ć/wać kontrparę 2. prze/nicować (ubranie) 3. *prawn* obal-ić/ać (wyrok); unieważni-ć/ać 4. *księgow* ze/stornować Ⅲ *vi* 1.

za/tańczyć (*walca*) -w przeciwnym kierunku 2. *auto* da-ć/wać wsteczny bieg Ⅲ *s* 1. odwrotność; przeciwieństwo; **remarks that are the ~ of complimentary** uwagi bynajmniej niepochlebne, wręcz przeciwnie; **the ~ happens <is the case>** jest wręcz przeciwnie; **with others the ~ happens** z innymi ludźmi <u innych> bywa wprost przeciwnie 2. odwrotna strona (medalu, kartki itd.); odwrotne <odwrócone> położenie; odwrotny <przeciwny> kierunek; odwrotny <wsteczny> bieg; **to go into ~** da-ć/wać wsteczny bieg; *wojsk* **to take in ~** za/atakować od tyłu 3. niepowodzenie; porażka; przeciwność losu Ⅳ *adj* 1. odwrotny; przeciwny 2. (*o biegu*) wsteczny 3. *księgow* (*o zapisie*) przeciwstawny 4. *wojsk* (*o ogniu*) z tyłów <od tyłu>

reverser [ri'və:sə] *s elektr* nawrotnik

reversi [ri'və:si] *s* chapanka (dawna gra w karty)

reversible [ri'və:səbl] *adj* 1. (*o przedmiocie, procesie, biegu itd*) dający się odwrócić; odwracalny; nawrotny; zwrotny 2. (*o materiale*) nadający się do nicowania 3. (*o wyroku*) odwoływalny; podlegający obaleniu <kasacji>

reversion [ri'və:ʃən] *s* 1. *prawn* zwrot spadku; rewersja 2. prawo objęcia (urzędu itd.) po czyjejś śmierci 3. powrót do pierwotnego <do poprzedniego> stanu; powrót do pierwowzoru

reversionary [ri'və:ʃnəri] *adj* 1. *prawn* rewersyjny 2. atawistyczny

revert [ri'və:t] Ⅰ *vt* odwr-ócić/acać (wzrok) ‖ **to ~ one's steps** zawr-ócić/acać z drogi Ⅱ *vi* 1. (*o mieniu*) wr-ócić/acać (do kogoś) 2. (*o człowieku*) wr-ócić/acać do poprzedniego stanu <zwyczaju itd.> 3. (*o mówcy*) wr-ócić/acać do poprzedniego tematu; **to ~ to our subject** wracając do (naszej) sprawy Ⅲ *s* człowiek ponownie nawrócony

revet [ri'vet] *vt* (-tt-) 1. pokry-ć/wać (skarpy murem itd.) 2. wy-łożyć/kładać (okop) workami piasku

revetment [ri'vetmənt] *s bud* 1. pokrycie (skarp) 2. ściana oporowa

review [ri'vju:] Ⅰ *s* 1. *prawn* rewizja (procesu) 2. *wojsk* rewia; przegląd; inspekcja; **to pass the troops in ~** przeprowadz-ić/ać inspekcję wojska 3. wspominanie; *przen* **to pass one's sins in ~** zrobić rachunek sumienia 4. przegląd (wydarzeń itd.); zbadanie; **to come under ~** wejść pod obrady 5. recenzja; **~ copy** egzemplarz recenzyjny (książki itd.); **the book under ~** recenzowana książka 6. przegląd (pismo periodyczne) Ⅱ *vt* 1. z/rewidować <podda-ć/wać rewizji> (proces) 2. zrobić przegląd (sth czegoś); (ponownie) prze-jrzeć/glądać 3. przeprowadz-ić/ać inspekcję (**troops** wojsk) 4. z/recenzować; na/pisać recenzję (**a book etc.** książki itd.) Ⅲ *vi* pis-ać/ywać recenzje; zajmować się krytyką literacką

reviewer [ri'vju:ə] *s* recenzent/ka; **this ~** autor/ka niniejszej recenzji

revile [ri'vail] Ⅰ *vt* lżyć; obrzuc-ić/ać obelgami <inwektywami>; urągać <wymyślać> (**sb** komuś); pomstować (**sb na kogoś**) Ⅱ *vi* wymyślać; kląć; urągać (**against sb** komuś); pomstować (**against sb** na kogoś) *zob* **reviling** Ⅲ *s* = **revilement**

revilement [ri'vailmənt] *s zbior* obelgi; pomstowanie

reviling [ri'vailiŋ] Ⅰ *zob* **revile** Ⅱ *s* = **revilement** Ⅲ *adj* obelżywy

revindicate [ri'vindi,keit] *vt prawn* z/rewindykować

revisal [ri'vaizəl] *s* rewizja, z/rewidowanie; prze-jrzenie/glądanie; korekta (utworu lit. itd.)

revise [ri'vaiz] Ⅰ *vt* z/rewidować; podda-ć/wać rewizji <przejrzeniu, korekcie>; prze-jrzeć/glądać; s/korygować; poprawi-ć/ać Ⅱ *s druk* rewizja, ostatnia korekta

reviser [ri'vaizə] *s* korektor/ka

revision [ri'viʒən] *s* 1. rewizja; przejrzenie 2. wydanie przejrzane

revisionism [ri'viʒə,nizəm] *s polit* rewizjonizm

revisionist [ri'viʒənist] *s polit* rewizjonist-a/ka

revisit ['ri:'vizit] *vt* ponownie odwiedz-ić/ać <zwiedz-ić/ać> .

revisory [ri'vaizəri] *adj* rewizyjny

revival [ri'vaivəl] *s* 1. odży-cie/wanie; powrót do życia; nowe życie 2. odrodzenie 3. przebudzenie (religijne itd.) 4. wznowienie (sztuki teatr., wydawnictwa itd.) 5. ożywienie (ekonomiczne) 6. przywrócenie mocy prawnej

revive [ri'vaiv] Ⅰ *vt* 1. tchnąć nowe życie (**sb, sth** w kogoś, coś); wskrze-sić/szać (kogoś, coś — nadzieje, pragnienia itd.) 2. natchnąć nowym życiem; ożywi-ć/ać; o/budzić (pragnienie itd.) 3. o/cucić 4. wzn-owić/awiać (sztukę teatr. itd.); reaktywować 5. odśwież-yć/ać (garderobę, obraz itd.) 6. *chem* z/regenerować Ⅱ *vi* 1. powr-ócić/acać do życia; odży-ć/wać 2. wr-ócić/acać do przytomności <do sił> 3. ożywi-ć/ać się . 4. (*o zwyczaju, modzie itd*) wr-ócić/acać

reviver [ri'vaivə] *s* 1. wskrzesiciel; odnowiciel 2. *sl* kieliszek mocnego napoju dla pokrzepienia 3. preparat do odświeżania wyblakłych kolorów <politury itd.>

revivification [ri,vivifi'keiʃən] *s* 1. przywr-ócenie/acanie do życia 2. *chem* regenerowanie

revivify [ri'vivi,fai] *vt* (**revivified** [ri'vivi,faid], **revivified; revivifying** [ri'vivi,faiiŋ]) 1. przywr-ócić/acać do życia 2. *chem* z/regenerować

reviviscence [,revi'visəns] *s* powrót do życia; odrodzenie

reviviscent [,revi'visənt] *adj* odżywający; powracający do życia

revocable ['revəkəbl] *adj* odwołalny

revocation [,revə'keiʃən] *s* odwoł-anie/ywanie; unieważni-enie/anie

revocatory ['revəkətəri] *adj* odwoławczy; odwołujący

revoke [ri'vouk] Ⅰ *vt* 1. odwoł-ać/ywać; unieważni-ć/ać 2. *rz* cof-nąć/ać (obietnicę itd.) Ⅲ *vi karc* nie doda-ć/wać do koloru (pomimo istniejącej możliwości) Ⅲ *s karc* niedodanie do koloru (pomimo istniejącej możliwości)

revolt [ri'voult] Ⅰ *vi* 1. z/buntować się; powsta-ć/wać; podn-ieść/osić bunt 2. oburz-yć/ać się 3. wzdryg-nąć/ać się; odczu-ć/wać odrazę <niesmak> (**at sth** z powodu czegoś) Ⅲ *vt* 1. oburz-yć/ać; wywoł-ać/ywać oburzenie (**sb** czyjeś) 2. budzić odrazę (**sb w kimś**) *zob* **revolting** Ⅲ *s* bunt; powstanie; rewolta; **to be in ~** buntować się; **to rise in ~** zbuntować się

revolting [ri'voultiŋ] Ⅰ *zob* **revolt** *v* Ⅲ *adj* 1. oburzający; wstrętny; ohydny 2. niesmaczny, budzący niesmak <odrazę>

revolute ['revə,lu:t] *adj bot* (*o liściu*) zawinięty

revolution [,revə'lu:ʃən] *s* 1. *astr techn* obrót (dookoła osi); ~ **counter** obrotomierz 2. *polit* rewolucja; *hist* the Revolution wygnanie Jakuba II z Anglii w 1688 r.

revolutionary [,revə'luʃnəri] ① *adj* rewolucyjny ③ *s* = revolutionist

revolutionist [,revə'lu:ʃnist] *s* rewolucjonist-a/ka

revolutionize [,revə'lu:ʃn,aiz] *vt* z/rewolucjonizować; wywoł-ać/ywać rewolucję (**sth** w czymś)

revolve [ri'vɔlv] ① *vt* 1. obracać (**sth** w czymś) 2. rozważać (coś) ze wszystkich stron; obmyślać ③ *vi* obracać się; krążyć; (*o porach roku itd*) dokon-ać/ywać periodycznego obrotu cyklicznego, powracać <powtarzać się> periodycznie *zob* **revolving**

revolver [ri'vɔlvə] *s* rewolwer, pistolet

revolving [ri'vɔlviŋ] ① *zob* **revolve** ③ *adj* (*o drzwiach, dźwigu itd*) obrotowy

revue [ri'vju:] *s teatr* rewia

revulsion [ri'vʌlʃən] *s* 1. zwrot (w opinii publicznej) 2. *med* rewulsja; odciąg-nięcie/anie krwi z jednego miejsca do drugiego

revulsive [ri'vʌlsiv] ① *adj med* (*o leku*) odciągający ③ *s med* środek odciągający (krew)

reward [ri'wɔ:d] ① *s* 1. nagroda; **as a** ~ **for sth** w nagrodę za coś; *przysł* **no** ~ **without toil** bez pracy nie ma kołaczy 2. wynagrodzenie; zapłata; odpłata 3. *przen* nagroda <wynagrodzenie> (**of virtue** etc. za cnotę itd.); kara (**of sin** etc. za grzech itd.) ③ *vt* nagr-odzić/adzać, wynagr-odzić/adzać

rewardless [ri'wɔ:dlis] *adj* nie wynagrodzony

re-win ['ri:'win] *vt* (**re-won** ['ri:'wʌn], re-won; **re-winning** ['ri:'winiŋ]) odzysk-ać/iwać (przegrane pieniądze itd.); **to** ~ **one's money** od-egrać/grywać się

re-wind ['ri:'waind] *vt* (**re-wound** ['ri:'waund], re-wound) przewi-nąć/jać

re-won *zob* **re-win**

reword ['ri:'wɔ:d] *vt* przeredagow-ać/ywać

re-wound *zob* **re-wind**

rewrite ['ri:'rait] *vt* (**rewrote** ['ri:'rout], rewritten ['ri:'ritn]) 1. przepis-ać/ywać 2. przer-obić/abiać (utwór lit.)

Reynard ['renəd] *spr* nazwa lisa w bajkach

rhapsod ['ræpsəd] *s* rapsod

rhapsodic(al) [ræp'sɔdik(əl)] *adj* rapsodyczny

rhapsodize ['ræpsə,daiz] *vi* unosić się (**about** <on, over> **sb, sth** nad kimś, czymś)

rhapsody ['ræpsədi] *s* 1. *muz prozod* rapsodia 2. pieśń pochwalna

rhatany ['rætəni] *s* 1. *bot* ratania (krzew) 2. *farm* wyciąg z korzenia ratanii

rhea [riə] *s zoo* nandu (struś pampasów)

Rhenish ['ri:niʃ] ① *adj* reński ③ *s* wino reńskie

rhenium ['ri:niəm] *s chem* ren

rheostat ['riə,stæt] *s elektr* opornik nastawny <regulacyjny>, nastawnik oporowy

rhetor ['ri:tə] *s* retor

rhetoric ['retərik] *s* retoryka

rhetorical [ri'tɔrikəl] *adj* retoryczny

rhetorician [,retə'riʃən] *s* krasomówca

rheumatic [ru'mætik] *adj* reumatyczny, gośćcowy; *med* ~ **fever** ostry gościec stawowy

rheumatism ['ru:mə,tizəm] *s* reumatyzm

rheumy ['ru:mi] *adj* (*o oczach*) kaprawy

rhinal ['rainəl] *adj anat* nosowy

rhinestone ['rain,stoun] *s* 1. *miner* kryształ górski 2. namiastka diamentu

rhino¹ ['rainou] *s sl* forsa

rhino² ['rainou] *pot skr* rhinoceros

rhinoceros [rai'nɔsərəs] *s* (*pl* ~) *zoo* nosorożec

rhizome ['raizoum] *s bot* kłącze

Rhode Island Red ['roud'ailənd,red] *s* gatunek drobiu

Rhodes [roudz] *spr* (*w Oxfordzie*) ~ **scholar** stypendyst-a/ka fundacji Cecil Rhodesa

rhodium ['roudjəm] *s chem* rod (pierwiastek)

rhododendron [,roudə'dendrən] *s bot* rododendron

rhomb [rɔm] *s geom* romb

rhombohedron [,rɔmbou'hedrən] *s* (*pl* **rhombohedra** [,rɔmbou'hedrə], ~s) *geom* romboedr

rhomboid ['rɔmbɔid] *s geom* romboid

rhombus ['rɔmbəs] *s* (*pl* ~es, **rhombi** ['rɔmbai]) *geom* romb

rhotacism ['routə,sizəm] *s jęz* rotacyzm

rhubarb ['ru:bɑ:b] *s bot* rabarbar

rhumb [rʌm] *s mar* rumb

rhyme, rime [raim] ① *s* 1. rym; **without** ~ **or reason** a) ni stąd ni zowąd b) bez ładu i składu 2. *pl* ~s wiersze ③ *vi* 1. rymować, wierszować 2. (*o wyrazie*) tworzyć rym (**well, badly** etc. dobry, kiepski itd.) ③ *vt* 1. *w zwrocie:* **to** ~ **one word with another** dobrać jakiś wyraz jako rym do innego 2. ułożyć/układać (coś) wierszem *zob* **rhyming**

rhymer, rimer ['raimə] *s* wierszopis

rhymester, rimester ['raimstə] *s* wierszoklet-a/ka

rhyming ['raimiŋ] ① *zob* **rhyme** *v* ③ *adj* rymujący się; (ułożony <brzmiący>) do rymu ③ *s* układanie rymów; ~ **dictionary** zbiór rymów

rhythm ['riðəm] *s* rytm

rhythmic(al) ['riðmik(əl)] *adj* rytmiczny; miarowy

riant ['raiənt] *adj* (*o twarzy, oczach*) wesoły; uśmiechnięty

rib [rib] ① *s* 1. *anat* żebro; *kulin* (także *pl* ~s) żeberka; (*także pl* ~s **of beef**) rozbratel; *żart* połowica, żona 2. *bot* żeberko (liścia) 3. *arch* żebro (sklepienia) 4. skiba 5. grzbiet górski 6. *górn* filar (węglowy) 7. *techn* krawędź, żebro, żeberko 8. *mar* wręga 9. drut (parasola) ③ *vt* (**-bb-**) 1. *bud* żebrować 2. *roln* s/pokładać <płytko z/orać> (pole) *zob* **ribbed, ribbing**

ribald ['ribəld] ① *s* bezwstydnik; sprośnik; plugawiec; człowiek bezwstydny <ordynarny> ③ *adj* sprośny; grubiański; karczemny; plugawy; ordynarny; nieprzyzwoity; nieprzystojny

ribaldry ['ribəldri] *s* sprośnoś-ć/ci; ordynarność; grubiaństwo; plugawość

riband ['ribənd] = **ribbon**

ribband ['ribənd] *s mar* wzdłużnica

ribbed [ribd] ① *zob* **rib** *v* ③ *adj* żebrowany; (*o liściu*) unerwiony

ribbing ['ribiŋ] ① *zob* **rib** *v* ③ *s* żebrowanie; unerwienie (liścia)

ribbon ['ribən] ① *s* 1. wstążka; taśma (maszynowa); tasiemka; *hist irl* the **Ribbon Society** tajne towarzystwo katolickie, podżegające do zamieszek w XIX w. 2. baretka, wstążka (oznaka orderu) 3. *pl* ~s cugle, lejce, wodze; **to handle** <hold> **the** ~s a) powozić b) *przen* kierować; być u steru 4. taśma (pleciona, skórzana,

stalowa itp.); wstęga (gościńca itd.); ~ **building**
<**development**> budowanie domów <will> wzdłuż
gościńców poza miastem 5. *pl* ~**s** strzępy ⟨II⟩
vt ozd-obić/abiać wstążką ⟨III⟩ *vi* (*o gościńcu itd*)
wić <ciągnąć> się wstęgą (przez okolicę)
ribbon-fish ['ribən‚fiʃ] *s* (*pl* ~) *zoo* wstęgowata
ryba morska
ribbon-grass ['ribən‚graːs] *s bot* mozga trzcino-
wata
ribbon-man ['ribən‚mæn] *s* (*pl* **ribbon-men** ['ribən
‚men]) członek towarzystwa „Ribbon Society"
zob **ribbon** *s* 1.
ribbon-saw ['ribən‚sɔː] *s* wąska piła taśmowa
Ribston ['ribstən] *spr bot* ~ **pippin** gatunek re-
nety (jabłko)
▲**rice** [rais] *s* ryż
rice-bird ['rais‚bəːd] *s* nazwa kilku gatunków
ptaków nawiedzających pola ryżowe (ryżojad
itp.)
rice-mill ['rais‚mil] *s* łuszczarnia ryżu
rice-paper ['rais‚peipə] *s* papier ryżowy
rice-pudding ['rais‚pudiŋ] *s* budyń z ryżu
rice-water ['rais‚wɔtə] *s* odwar z ryżu
rich [ritʃ] ⟨I⟩ *adj* 1. bogaty; zamożny; zasobny;
a ~ **man** bogacz; **to grow** ~ wzbogac-ić/ać
się 2. (*o glebie*) bogaty; żyzny 3. (*o roślinności*)
bujny 4. (*o plonach itd*) obfity 5. (*o pożywieniu*)
pożywny 6. (*o mleku*) tłusty 7. (*o barwie*) soczysty
8. (*o głosie*) głęboki; pełny 9. (*o przedmiocie, ume-*
blowaniu, stroju itd) wspaniały; kosztowny 10.
obfity; suty; a ~ **cake** ciasto (świąteczne) o dużej zawartości tłuszczu, jaj, bakalii itd.; ~ **in sth**
obfitujący <bogaty> w coś 11. (*o incydencie itd*)
komiczny; przezabawny ⟨II⟩ *spl* **the** ~ bogaci;
sfery zamożne; klasa posiadająca
Richard Roe ['ritʃəd‚rou] *spr prawn* fikcyjne nazwisko używane w sprawach o eksmisję
riches ['ritʃiz] *spl* bogactwa
richly ['ritʃli] *adv* 1. bogato; wspaniale; obficie;
suto 2. w pełni <zupełnie, całkowicie> (zasłu-
giwać na coś)
richness ['ritʃnis] *s* 1. bogactwo; obfitość; sutość
2. żyzność (gleby) 3. pożywność 4. wspaniałość;
przepych 5. pełnia <głębokość> (głosu, tonów)
6. soczystość (barwy)
ricinus ['risinəs] *s bot* rącznik, rycynus
rick¹ [rik] ⟨I⟩ *s* kopka (siana); stóg; sterta; bróg
⟨II⟩ *vt* ułożyć/układać (siano) w kopki <w st-óg/
ogi, stert-ę/y>
rick² [rik] = **wrick**
rick-cloth ['rik‚klɔθ] *s* brezent (do nakrycia stogu)
ricketiness ['rikitinis] *s* rozklekotanie <rozchwie-
rutanie> (mebla)
rickets ['rikits] = **rachitis**
rickety ['rikiti] *adj* (**ricketier** ['rikitiə], **ricketiest**
['rikitiist]) 1. = **rachitic** 2. (*o meblu itd*) chwiejący <kiwający> się; rozklecony, rozchwierutany, rozklekotany, kulawy
rickshaw ['rikʃɔː] *s* riksza
rick-stand ['rik‚stænd] *s* podstawa stogu <sterty>
rick-yard ['rik‚jaːd] *s* podwórze gospodarskie
ricochet ['rikə‚ʃet] ⟨I⟩ *s* rykoszet ⟨II⟩ *vi* (-t-, -tt-)
odbi-ć/jać się rykoszetem
rictus ['riktəs] *s* 1. rozwarcie (ust, gęby zwierzęcia
itd.) 2. *bot* rozchylenie dwupłatkowej korony
(kwiatu)
rid [rid] *v* (**ridded** ['ridid], **rid; ridding** ['ridiŋ])

⟨I⟩ *vt* 1. uw-olnić/alniać (**sb of sth** kogoś od czegoś); oczy-ścić/szczać (**a region of bandits** etc.
okolicę z bandytów itd.); **to get** ~ **of sb, sth**
pozby-ć/wać się kogoś, czegoś; uw-olnić/alniać
się od kogoś, czegoś; *karc* **to get** ~ **of a card**
zrzuc-ić/ać się z karty 2. *mat* wy/eliminować ⟨III⟩
vr ~ **oneself** pozby-ć/wać się (**of sb, sth** kogoś,
czegoś)
riddance ['ridəns] *s* uwolnienie; pozbycie się;
a good ~ ! baba z wozu, koniom lżej!; idźże
sobie z Panem Bogiem!; chwała Bogu! (że sobie
poszedł); nie będę płakał/a (jeżeli pójdzie)!
ridden *zob* **ride** *v*
riddle¹ ['ridl] ⟨I⟩ *s* 1. zagadka 2. zagadkowa postać <sprawa> ⟨II⟩ *vt* (*także* ~ **out**) objaśni-ć/ać
(zagadkę); zna-leźć/jdować rozwiązanie (zagadki) ⟨III⟩ *† vi* operować zagadkami; mówić zagad-
kowo
riddle² ['ridl] ⟨I⟩ *s* rzeszoto; sito ⟨II⟩ *vt* 1. przesi-
-ać/ewać 2. po/dziurawić (jak rzeszoto) 3. za-
syp-ać/ywać gradem (pytań itd.) 4. zbi-ć/jać
(czyjeś argumenty itd.)
▲**ride** [raid] *v* (**rode** [roud], **ridden** ['ridn]) ⟨I⟩ *vi·*
1. po/jechać <jeździć> (konno, na rowerze, sło-
niu itd.); przejechać się; siedzieć okrakiem (na
czyichś plecach, miotle itd.); (*o dwóch jeźdź-*
cach) **to** ~ **and tie** posługiwać się jednym ko-
niem na zmianę; **to** ~ **easy** jeździć lekko <bez
zmęczenia>; **to** ~ **for a fall** a) szaleć (na koniu
itd.); pędzić na złamanie karku b) *przen* kopać
sobie grób c) *przen* szukać guza; *przen* **to** ~ **high**
over sth dominować nad czymś; **to** ~ **over sb**
przejechać po kimś; s/tratować kogoś; **to** ~ **to**
hounds polować konno; brać udział w polowaniu par force na lisa 2. (*o drodze*) umożliwi-
-ć/ać jazdę; **the field** ~**s soft** <**hard**> po tym
polu jedzie się lekko <ciężko>; **this coach does**
not ~ **very smoothly** nie bardzo miękko się
jedzie tym powozem <wagonem> 3. po/jechać
<jeździć, przeje-chać/żdżać się, odby-ć/wać po-
dróż, drogę> powozem <pociągiem, tramwajem,
autobusem itd.>; siedzieć (w powozie, pociągu,
tramwaju, autobusie itd.) 4. (*o statku*) płynąć
5. (*o słońcu, księżycu*) odbywać swoją drogę;
żeglować (na nieboskłonie) 6. (*o ptaku*) szybować 7. *mar* stać (**at anchor** na kotwicy) 8.
(*o przedmiotach mających znajdować się w rów-*
nej płaszczyźnie) zachodzić (na siebie); wystawać ⟨II⟩ *vt* 1. je-chać/ździć (**a horse, a bicycle,**
an ass, an elephant etc. na koniu, rowerze, ośle,
słoniu itd.); **to** ~ **a child on** one's back wziąć/
brać dziecko na barana; **to** ~ **a horse** jeździć
konno; uprawiać konną jazdę; **to** ~ **a horse at**
a fence skierować konia na płot; **to** ~ **a race**
wziąć/brać udział w wyścigach konnych 2. siedzieć okrakiem (**a broomstick** etc. na miotle itd.)
3. przeje-chać/żdżać (**a region, the streets** etc.
przez okolicę, ulicami miasta itd.) 4. (*na wy-*
ścigach) forsować konia; **to** ~ **a horse to death**
zaje-ździć/żdżać konia (na śmierć); **to** ~ **a the-**
ory <**jest** etc.> **to death** powtarzać teorię <do-
wcip itd.> do znudzenia; *przen* **to** ~ **sth to**
death przeholować z czymś (z pomysłem, dowcipem itd.); **to** ~ **a hobby** mieć swego konika
(z upodobaniem) oddawać się swemu hobby 5.
tyranizować; nie dawać wytchnienia (**sb** komuś);
popędzać (pracownika, konia) 6. (*o zmorze*)

dusić (śpiącego) 7. (o statku) pruć (fale); płynąć (the waves na falach) 8. (dzielnie) stawi-ć/ać czoło (dosł i przen the whirlwind burzy) 9. (o samcu) po/kryć (samicę)
~ about vi jeździć tu i tam
~ along vi jechać sobie (przed siebie)
~ away vi odje-chać/żdżać
~ back vi wr-ócić/acać (konno, w powozie itd.)
~ behind vi 1. jechać z tyłu (jako druga osoba na koniu, motocyklu itd.) 2. jechać (w ślad) za kimś
~ by vi przeje-chać/żdżać
~ down vt 1. przejechać (sb kogoś <po czyimś ciele>; the crowd po tłumie <po ciałach>); s/tratować 2. prześcig-nąć/ać <wy-przedz-ić/ać> konno
~ in vi wje-chać/żdżać
~ off □ vi w zwrocie: (w dyskusji) to ~ off on a side issue rozwodzić się nad sprawą uboczną dla uniknięcia sprawy głównej; wykręc-ić/ać się sianem Ⅲ vt sport (w polo) zepchnąć/spychać (przeciwnika)
~ on vi 1. po/jechać dalej 2. nie zatrzym-ać/ywać się
~ out □ vi wyje-chać/żdżać Ⅲ vt dosł i przen w zwrocie: to ~ out the storm stawi-ć/ać czoło burzy; przetrwać burzę
~ over □ vi 1. (na wyścigach) wygr-ać/ywać walkowerem 2. pojechać <przyjechać> (to see sb do kogoś) Ⅲ vt traktować (kogoś) z góry; to ~ over all protests z/lekceważyć wszelkie protesty
~ up vi 1. podje-chać/żdżać (to a porch etc. przed ganek itd.) 2. (o kołnierzyku, krawacie) wysu-nąć/wać się do góry
zob **riding**[1] Ⅲ s 1. przejażdżka; to go for a ~ przejechać się; udać się na przejażdżkę; to have a ~ przejechać się (na rowerze, w powozie, samochodzie, na wielbłądzie, karuzeli itd.) 2. jazda; podróż; przejazd; it's a penny ~ przejazd kosztuje jednego pensa; to steal a ~ a) przyczepić się z tyłu pojazdu b) jechać <przejechać się> na gapę; to take sb for a ~ a) wziąć kogoś ze sobą na przejażdżkę b) am sl porwać kogoś w celu zamordowania 3. aleja do konnej jazdy 4. ścieżka dla rowerzystów
rideable ['raidəbl] adj 1. (o drodze) w stanie zdatnym do jazdy 2. (o koniu) nadający się pod wierzch <do jazdy wierzchem>
rider ['raidə] s 1. jeździec 2. (w pojeździe) pasażer/ka 3. rowerzyst-a/ka 4. (w cyrku)' woltyżer/ka 5. (na wyścigach) dżokej 6. pl ~s mar wręgi 7. geol cienki przerost 8. geol grupa pokładów; pokład przewodni 8. handl alonż; przedłużka 9. klauzula dodatkowa; dodatek <poprawka> (do ustawy); zastrzeżenie 10. techn nasadka; (u wagi precyzyjnej) ciężarek przesuwany; konik 11. mat zadanie kontrolne
riderless ['raidəlis] adj (o koniu) bez (swego) jeźdźca
ridge [ridʒ] □ s 1. grzbiet (górski, nosa, łuku itd.); pasmo gór <wzgórz>; krawędź; grzebień; (podłużny) szczyt górski; grań; perć 2. bud kalenica (dachu) 3. rozdział wód 4. skiba; grządka 5. skała podwodna 6. pręga Ⅲ vt 1. bud zakończvć (dach) kalenica 2. z/robić grząd-

ki (a garden w ogrodzie) 3. sadzonkować <flancować> (ogórki itd.) 4. prążkować Ⅲ vi pokry--ć/wać się pręgami zob **ridged**
ridge-board ['ridʒ.bɔ:d] = **ridge-piece**
ridged [ridʒd] □ zob **ridge** v Ⅲ adj prążkowany
ridge-piece ['ridʒ.pi:s], **ridge-pole** ['ridʒ.poul] s bud deska kalenicowa
ridge-tile ['ridʒ.tail] s bud gąsior
ridgeway ['ridʒ.wei] s droga wiodąca grzbietem górskim <granią>
ridgy ['ridʒi] adj (ridgier ['ridʒiə], ridgiest ['ridʒiist]) prążkowany
ridicule ['ridi.kju:l] □ s 1. śmieszność; an object of ~ pośmiewisko; to hold up to ~ wystawi--ć/ać na śmiech; z/robić pośmiewisko (sb, sth z kogoś, czegoś) 2. kpiny; wyśmiewanie się; to pour ~ on sb kpić bezlitośnie <naigrawać się, szydzić, natrząsać się> z kogoś Ⅲ vt wyśmi-ać/ewać; wykpi-ć/wać; ośmiesz-yć/ać; naigrawać się (sb, sth z kogoś, czegoś)
ridiculous [ri'dikjuləs] □ adj 1. śmieszny; zabawny; śmiechu wart; komiczny; to make oneself ~ nara-zić/żać się na śmiech <na kpiny>; pot wygłupi-ć/ać się; to make sb, sth ~ wystawi--ć/ać kogoś, coś na śmiech; z/robić z kogoś, czegoś pośmiewisko; wyśmi-ać/ewać <wykpi-ć/ wać> kogoś, coś 2. bezsensowny; absurdalny Ⅲ s rzeczy śmieszne; from the sublime to the ~ od wzniosłości do śmieszności (tylko jeden krok)
riding[1] ['raidiŋ] □ zob **ride** v Ⅲ s 1. konna jazda 2. aleja do konnej jazdy Ⅲ attr (o kostiumie itd) do konnej jazdy Ⅳ adj jadący; (o człowieku) na koniu <konny, jadący konno>; Little Red Riding Hood Czerwony Kapturek
riding[2] ['raidiŋ] s jednostka administracyjna hrabstwa Yorkshire
riding-boots ['raidiŋ.bu:ts] spl buty z cholewami
riding-breeches ['raidiŋ.britʃiz] spl rajtuzy
riding-habit ['raidiŋ.hæbit] s damski kostium do konnej jazdy; amazonka
riding-master ['raidiŋ.mɑ:stə] s instruktor konnej jazdy
riding-school ['raidiŋ.sku:l] s ujeżdżalnia
riding-whip ['raidiŋ.wip] s harap; szpicruta
rife [raif] adj praed 1. rozpowszechniony; częsty; (o chorobie itd) to be ~ srożyć się; panować; to grow <wax> ~ wzm-óc/agać się; przyb-rać/ ierać na sile; (o pogłosce) to be ~ krążyć 2. bogaty (with sth w coś); to be ~ with sth obfitować w coś; roić się od czegoś
riffle ['rifl] □ s 1. górn próg; listwa przegrodowa; występ (w żłobach do płukania piasku złotodajnego) 2. am wartki nurt Ⅲ vt 1. (o nurcie) płynąć wartko <szybko> 2. przerzucać (kartki książki)
riff-raff ['rif.ræf] s motłoch; hałastra; hołota; tłuszcza; † czerń
rifle[1] ['raifl] vt 1. ograbi-ć/ać; obrabow-ać/ywać 2. przetrząs-nąć/ać
rifle[2] ['raifl] □ vt 1. gwintować (broń) 2. wy/ strzelić (sb do kogoś) 3. zastrzelić 4. rozstrzel--ać/iwać zob **rifling** Ⅲ s 1. gwint (broni palnej) 2. karabin 3. pl ~s wojsk strzelcy
rifle-bird ['raifl.bə:d] s zoo rajski ptak australijski
rifle-bore ['raifl.bɔ:] □ s gwint Ⅲ vt gwintować
rifle-club ['raifl.klʌb] s towarzystwo strzeleckie

rifle-green [ˈraɪflˌgriːn] *s* kolor ciemnozielony

rifleman [ˈraɪflmən] *s* (*pl* **riflemen** [ˈraɪflmən]) strzelec

rifle-pit [ˈraɪflˌpɪt] *s* rów strzelecki

rifle-range [ˈraɪflˌreɪndʒ] *s* 1. zasięg wystrzału karabinowego 2. strzelnica

rifle-shot [ˈraɪflˌʃɔt] *s* 1. zasięg ognia karabinowego; **within** <**out of**> ~ w zasięgu <poza zasięgiem> ognia karabinowego 2. wystrzał z karabinu 3. strzelec; **to be a good** <**bad**> ~ dobrze <źle> strzelać

rifling [ˈraɪflɪŋ] Ⅰ *zob* **rifle²** *v* 2. Ⅲ *s* gwintowanie; gwint

rift [rɪft] Ⅰ *s* 1. szczelina; szpara; rysa; pęknięcie; rozpadlina 2. przejaśnienie <rozdarcie> (w chmurach, we mgle) Ⅲ *vt* rozszczepi-ć/ać; rozłup-ać/ywać Ⅲ *vi* pęk-nąć/ać *zob* **rifted**

rifted [ˈrɪftɪd] Ⅰ *zob* **rift** *v* Ⅲ *adj* pęknięty; popękany

rig¹ [rɪg] Ⅰ *vt* (-gg-) 1. *mar* otaklować <osprzętować> (statek) 2. przygotow-ać/ywać (statek) do rejsu 3. *przen* (*także* ~ **out** <**up**>) wyekwipować w odzież; wystroić; *pot* wysztafirować, wyczupurzyć, wyfiokować 4. s/klecić (budowę) 5. (*zw* ~ **up**) z/montować; ustawi-ć/ać **6.** *lotn* na/regulować wzajemne położenie głównych elementów samolotu *zob* **rigging** Ⅲ *s* 1. *mar* takielunek; osprzęt 2. *przen* wygląd zewnętrzny (człowieka); *pot* (*zw* ~-**out** <-**up**>) wyfiokowanie, wysztafirowanie, wyczupurzenie; **full** ~ strój galowy 3. *techn* instalacja; przybory

rig² [rɪg] Ⅰ *s* 1. psota; kawał 2. szachrajstwo; oszustwo; machinacja 3. *giełd* sztuczna hossa <bessa> Ⅲ *vt* (-gg-) 1. szachrować (**sth w czymś**) 2. wywoł-ać/ywać sztuczną hossę <bessę> (**the market** na rynku)

rigadoon [ˌrɪgəˈduːn] *s* nazwa staroświeckiego tańca

rigger [ˈrɪgə] *s* 1. *mar* specjalista <fachowiec> od spraw takielunku 2. *lotn* mechanik płatowcowy 3. *techn* koło pasowe

rigging [ˈrɪgɪŋ] Ⅰ *zob* **rig¹** *v* Ⅲ *s* 1. *mar* takielunek; osprzęt 2. *lotn* regulacja wzajemnego położenia głównych elementów samolotu 3. *techn* instalacja; przybory

⧫right [raɪt] Ⅰ *adj* 1. (*o linii, kącie*) prosty; **at** ~ **angles** pod kątem prostym; *mar* ~ **sailing** kurs prosto na północ <południe itd.> 2. dobry; właściwy; słuszny; należyty; **he acted a** ~ **part** (on) postąpił słusznie <jak wypadało>; **it is** (**only**) ~ **to tell you** <**that you should know**> __ słuszne jest <jest rzeczą słuszną, trzeba, słuszność wymaga, wypada>, żebym ci powiedział <żebyś wiedział>...; **to do the** ~ **thing** a) postąpić uczciwie b) zrobić to, co wypada <co jest przyjęte, co jest w zwyczaju> 3. poprawny; ścisły; dokładny; pożądany; odpowiedni; należyty; (*o wyrazie itd*) **the** ~ **one** właściwy; trafny; **to be on the** ~ **way to** __ dobrze iść <jechać> do ...; **are we** ~ **for London?** czy dobrze jedziemy do Londynu?; (*o rachunkach, obliczeniach*) **to come** <**be**> ~ zgadzać się; (*o zegarze*) **to be** ~ dobrze iść; pokazywać dokładny czas; **to come** <**turn out**> ~ dobrze się skończyć; **to do sth the** ~ **way** zrobić coś należycie <właściwie, jak należy>; **to get sth** ~ dobrze coś zrozumieć; (*o przedsięwzięciu itd*) **to go** ~ udać

<powieść> się; **to put** ~ a) poprawi-ć/ać (błąd) b) nastawić (zegar/ek) 4. słuszny; prawidłowy; (*o człowieku*) **to be (quite)** ~ mieć (zupełną) rację <słuszność>; (*o wieku człowieka*) **to be on the** ~ **side of forty** <**fifty etc.**> nie mieć czterdziestu <pięćdziesięciu itd.> lat; **to be** ~ **in** __ a) nie po/mylić się w ... (rachubach, przypuszczeniach itd.) b) dobrze zrobić ... (przyjmując, odmawiając, czyniąc coś, nie czyniąc czegoś) 5. (będący) w porządku; w dobrym <normalnym> stanie; **to set** <**put**> **sb** ~ wyprowadzić kogoś z błędu; **to set** <**put**> **sth** ~ naprawi-ć/ać coś; doprowadz-ić/ać coś do porządku <do ładu> 6. zdrów; nie odczuwający żadnych braków; czujący się dobrze; **are you** ~ **now?** a) czy jest ci <wam> dobrze teraz?; czy mogę ci <wam> jeszcze czymś służyć <pomóc>?; czy jeszcze masz <macie> jakieś życzenia? b) czy wyzdrowiałeś <wróciłeś już do zdrowia>?; **I am as** ~ **as a trivet** <**as rain**> a) nic mi nie brakuje; jest mi jak u Pana Boga za piecem b) jestem zdrów jak ryba; **to be** ~ **in one's mind** mieć dobrze w głowie; **not to be** ~ **in one's head** być pomylonym; **to set** <**put**> **sb** ~ przyprowadz-ić/ać kogoś do zdrowia; postawić kogoś na nogi 7. *wykrzyknikowo*: **quite** ~! zupełnie słusznie!; doskonale!; **that's** ~! tak jest!; właśnie!; *pot* ~ **you are!**, ~ **oh!** dobrze!; zgoda!; racja! 8. *w zwrotach*: **all** ~ w porządku; **are you all** ~? a) czy nie brakuje ci <wam> czegoś?; czy masz <macie> wszystko, czego potrzebuje-sz/cie? b) czy ci <wam> się stało coś złego?; mam nadzieję, że ci <wam> się nic złego nie stało; **it's all** ~ **for you to talk** <**laugh**>! dobrze ci mówić <się śmiać>!; **will that be all** ~? czy <tak> będzie dobrze?; *pot* **a bit of all** ~! coś świetnego; **all** ~! dobrze!; zgoda! 9. (*o gatunku towaru*) prawdziwy (jedwab, koniak itd.) 10. (*o brzegu rzeki, ręce, stronie materiału itd*) prawy; (*o śrubie*) prawoskrętny; ~ **side up** prawą stroną na wierzch; *dosł i przen* ~ **arm** prawa ręka; ~ **turn** skręt w prawo; **to put one's** ~ **hand to the work** zabrać się na serio do roboty Ⅲ *adv* 1. (jechać, iść) prosto (**at sb, sth** na kogoś, coś) 2. bezpośrednio; ~ **away** z miejsca; bezzwłocznie; ~ **now** zaraz; już; w tej chwili; ~ **off** z miejsca 3. dokładnie; ściśle; ~ **glad** szczerze ucieszony; zachwycony; ~ **at** <**to**> **the top** u <do> samego szczytu; ~ **behind sb, sth** wprost za kimś, czymś; z tyłu za kimś, czymś; **am** ~ **here** w tym miejscu; właśnie tu; ~ **in the middle** w samym środku; w sam środek; ~ **round** __ dookoła całego ... (domu itd.); ~ **royally** prawdziwie <iście> po królewsku; ~ **through** __ a) przez cały ... (mur itd.) b) przez ... (deskę itd.) na wylot; ~ **to the bottom** prosto na dno; do samego dna; ~ **well** doskonale 4. (*przy tytułach*) wielce (czcigodny itd.); prze(wielebny) 5. słusznie; poprawnie; należycie; dobrze; **everything went** ~ wszystko dobrze poszło; **nothing goes** ~ **with me** nic mi się nie udaje; nie wiedzie mi się; **if I remember** ~ o ile dobrze pamiętam <mnie pamięć nie myli>; **(it) serves you** ~! dobrze ci <wam> tak!; ~ **enough** na pewno; niewątpliwie; rzeczywiście; **to act** ~ dobrze post-ąpić/ępować; **to guess** ~ dobrze zgadnąć 6. w prawo; ~ **and left** na

prawo i na lewo; na wszystkie strony; *wojsk* eyes ~! w prawo patrz!; ~ turn! w prawo zwrot! 7. *wykrzyknikowo*: ~! dobrze!; zgoda!; *wojsk* rozkaz!; tak jest! Ⅲ *s* 1. dobro; prawo; praworządność; ~ and might prawo i pięść; ~ and wrong dobro i zło; to co (jest) słuszne i to co (jest) niesłuszne 2. słuszne <sprawiedliwe> postępowanie; to be in the ~ mieć sprawiedliwość <rację> po swojej stronie; to do sb ~ post-ąpić/ępować sprawiedliwie wobec kogoś; odda-ć/wać komuś sprawiedliwość; by ~s po sprawiedliwości 3. prawo <uprawnienie, tytuł> (to sth do czegoś); racja; przywilej; *hist* Declaration <Bill> of Rights uprawnienia obywatelskie z 1689 r.; by <of> ~ prawnie; by one's own ~ z własnego tytułu; by ~ of _ na zasadzie ...; na podstawie ...; z tytułu ...; by what ~? jakim prawem?; z jakiego tytułu?; z jakiej racji?; it is my ~ to jest moje <mam do tego> prawo; to deny sb the ~ of way nie przepu-ścić/szczać kogoś; zaje-chać/żdżać drogę komuś; ~ of way a) prawo przechodzenia <przejazdu> (przez cudzy grunt) b) (*w przepisach drogowych*) pierwszeństwo 4. *pl* ~s właściwy stan (sprawy itd.); to know the ~s of the case wiedzieć, jak się sprawa przedstawia; to set <put> to ~s doprowadz-ić/ać (coś) do porządku 5. prawa strona; to keep to the ~ trzymać się prawej strony; to take the first <second etc.> turning to the ~ skręc-ić/ać w pierwszą <drugą itd.> przecznicę w prawo 6. *polit* the Rights prawica; prawicowcy Ⅳ *vt* 1. wyprostow-ać/ywać; naprostow-ać/ywać 2. naprawi-ć/ać (krzywdę) 3. wymierz-yć/ać sprawiedliwość (sb komuś) 4. naprawi-ć/ać <s/prostować> (błąd) Ⅴ *vr* ~ oneself 1. odzysk-ać/iwać równowagę; do-jść/chodzić do równowagi 2. z/rehabilitować się Ⅵ *vi* (*także vr* ~ itself <herself>) (*o łodzi, statku*) wyprostow-ać/ywać <naprostow-ać/ywać> się

right-about ['rait-ə,baut] Ⅰ *s wojsk* w tył zwrot; *pot* to send sb to the ~ pos-łać/yłać kogoś do stu diabłów Ⅲ *adv* (obrócić się) w tył; to turn ~ a) *wojsk* z/robić w tył zwrot b) *pot* całkowicie zmieni-ć/ać front c) odwr-ócić/acać się na pięcie

right-angled ['rait,æŋgld] *adj* prostokątny

right-bank ['rait,bæŋk] *adj* prawobrzeżny

right-down ['rait'daun] Ⅰ *adj pot* (*o łajdaku itd*) skończony Ⅲ *adv* 1. szczerze (żałować itd.); naprawdę; nie na żarty; do szczętu; gruntownie

righteous ['raitʃəs] *adj* 1. prawy; cnotliwy 2. sprawiedliwy 3. słuszny

righteousness ['raitʃəsnis] *s* 1. prawość; cnota 2. sprawiedliwość

rightful ['raitful] *adj* 1. (*o spadkobiercy itd*) prawny 2. słuszny 3. prawnie należny 4. (*o postępowaniu*) prawy

right-hand ['rait,hænd] *adj* (*o rękawiczce, stronie, brzegu rzeki itd*) prawy; (*o śrubie*) prawoskrętny; (*o zamku*) prawy; ~ man a) *wojsk* sąsiad z prawej strony b) (*o pomocniku*) prawa ręka

right-handed ['rait'hændid] *adj* 1. (*o człowieku*) posługujący się prawą ręką; praworęki 2. *boks* (*o ciosie*) z prawego 3. (*o narzędziu*) na prawą rękę

right-hander ['rait'hændə] *s* 1. człowiek posługujący się prawą ręką 2. *boks* cios z prawego

right-holder ['rait,houldə] *s* prawn-y/a użytkowni-k/czka

rightist ['raitist] *adj polit* prawicowy; ~ deviation(s) odchyleni-e/a prawicowe

rightly ['raitli] *adv* 1. słusznie; sprawiedliwie 2. należycie; właściwie; ~ informed dobrze poinformowany

right-minded ['rait'maindid] *adj* 1. mający dobre intencje 2. zrównoważony 3. *pot* zdrowy na umyśle

rightness ['raitnis] *s* 1. prawość 2. słuszność (decyzji itd.) 3. trafność (odpowiedzi itd.) 4. ścisłość (obliczenia itd.)

right-wing ['rait,wiŋ] *adj* 1. *polit* prawicowy 2. *wojsk* prawoskrzydłowy

rightwise ['rait,waiz] *adv* (obracać się itd.) w prawo

rigid ['ridʒid] *adj* 1. sztywny; niepodatny 2. (*o zasadach itd*) surowy, twardy 3. (*o człowieku*) nieustępliwy; nieugięty

rigidity [ri'dʒiditi], rigidness ['ridʒidnis] *s* 1. sztywność 2. surowość (zasad itd.) 3. nieustępliwość, nieugiętość

rigmarole ['rigmə,roul] Ⅰ *s* puste gadanie; nonsensy; bajdurzenie; *pot* bajtlowanie Ⅲ *attr* chaotyczny

rigor ['raigɔ:] *s med* 1. dreszcze 2. zesztywnienie

rigorism ['rigə,rizəm] *s* surowość (zasad, stylu itd.)

rigorist ['rigərist] *s* rygoryst-a/ka

rigour ['rigə] *s* 1. surowość (zasad, prawa, klimatu itd.); ostrość (zarządzenia itd.); rygor (dyscypliny) 2. *pl* ~s surowość <trudy> (życia więziennego itd.) 3. ścisłość <dokładność> (doświadczenia, rachunku itd.) 4. = rigor

rile [rail] *vt sl* z/irytować; roz/złościć; roz/drażnić; it ~d me krew mnie zalewała

rill [ril] Ⅰ *s* strumyczek Ⅲ *vi* (*o strumyku*) płynąć

rim [rim] Ⅰ *s* 1. wieniec <obręcz> (koła); rafka (roweru) 2. obręcz; obwódka; oprawa (okularów itd.) 3. obrzeże; brzeg (naczynia) Ⅲ *vt* (-mm-) da-ć/wać obręcz (a wheel kołu) <oprawę (glasses okularom)>

rime¹ [raim] Ⅰ *s* szron Ⅲ *vt* oszroni-ć/ać

rime² [raim] = rhyme

rimer¹ ['raimə] = reamer

rimer² ['raimə] = rhymer

rimester ['raimstə] = rhymester

rimless ['rimlis] *adj* (*o okularach itd*) bez oprawy

rimose ['raimous], rimous ['raiməs] *adj* popękany; porysowany

rimy ['raimi] *adj* oszroniony

rind [raind] Ⅰ *s* kora (rośliny); skórka (owocu, jarzyny, sera, szynki itd.); łupina; łuska (nasienia itd.); skorupa (ziemi) *vt* Ⅲ ob-rać/ierać (owoc, jarzynę itd.)

rinderpest ['rində,pest] *s wet* zaraza bydlęca, księgosusz

ring¹ [riŋ] Ⅰ *s* 1. pierścień, pierścionek; wedding ~ obrączka (ślubna) 2. *bot* pierścień <przyrost> roczny 3. pierścień; koło, kółko; obrączka; krążek; krąg; (*także nose-*~) kółko <pierścień> (zakładan-e/y buhajowi itd. do nozdrzy); to have ~s round the eyes mieć podkrążone oczy; **to make ~s round sb** pozostawi-ć/ać kogoś daleko w tyle (w pracy itd.); *przen* pobić <*pot* zakasować> kogoś 4. koło <krąg> (osób); klika; szajka; banda 5. *ekon* ring 6. *sport* ring; boks 7. **the ~** maklerzy (na wyścigach) 8. arena (cyrku) 9. ucho (kotwicy) 10. skuwka 11. *techn* kołnierz; kabłąk Ⅲ *vt* 1. włożyć/wkładać pierścionek na palec (**sb** komuś); obrączkować (gołębia, drzewo itd.); włożyć/wkładać pierścień do nozdrzy (**a bull** etc. buhajowi itd.); *techn* za-łożyć/kładać skuwkę <na-łożyć/kładać pierścień> (**sth** na coś) 2. (*także* **~ about** <**in, round**>) okrąż-yć/ać); ot--oczyć/aczać Ⅲ *vi* krążyć

ring² [riŋ] *v* (**rang** [ræŋ], **rung** [rʌŋ]) Ⅰ *vi* 1. (*o dzwonie, dzwonku*) za/dzwonić; za/brzmieć; **the bells rang** dzwony biły <rozbrzmiewały>; rozlegał się <słychać było> głos dzwonów; dzwoniono <dzwonili> (**for church** <**mass** etc.> na nabożeństwo <na mszę itd.>); **the words** <**notes** etc.> **still ~ in my ears** te słowa <ta melodia itd.> jeszcze brzmi/ą w moich uszach; dotąd jeszcze słyszę te słowa <tę melodię itd.> 2. (*o człowieku*) za/dzwonić 3. (*o monecie*) za/dźwięczeć (**clear, false** czysto, fałszywie); *przen* (*o wypowiedzi*) brzmieć (szczerze <nieszczerze itd.>) 4. rozbrzmiewać (**with sth** czymś — krzykami itd.); odbijać echem (**with cries** etc. krzyki itd.); **all Europe rang (again) with his fame** jego sława odbiła się echem w całej Europie; **the valley rang with their shouts** cała dolina rozbrzmiewała ich wrzaskiem; ich wrzaski rozlegały się po całej dolinie 5. *w zwrocie*: **my** <**his** etc.> **ears ~** dzwoni <szumi> mi <mu itd.> w uszach Ⅱ *vt* 1. uderzyć <bić> (**the bells** w dzwony); **to ~ the alarm** za/dzwonić na alarm <na trwogę>; **to ~ the bell** za/dzwonić 2. rzuc-ić/ać (monetę) o ladę dla wypróbowania dźwięku 3. (*o zegarze*) wybi-ć/jać <wydzw-onić/aniać> (godziny itd.)

~ again *vi* 1. za/dzwonić (dzwonkiem) <za/telefonować> jeszcze raz <powtórnie> 2. za/grzmieć; huknąć; odbi-ć/jać się głośnym echem

~ down Ⅰ *vt teatr w zwrocie*: **to ~ down the curtain** za/dzwonić na spuszczenie kurtyny Ⅲ *vi* (*o kurtynie*) spa-ść/dać

~ in *vt* 1. przy/witać (kogoś, coś — Nowy Rok itd.) biciem w dzwony; bić w dzwony na powitanie (**a dignitary, the New Year** etc. dostojnika, Nowego Roku itd.) 2. *pot* w/pakować; wkręc-ić/ać (podstępnie); podsu-nąć/wać

~ off *vi* od-łożyć/kładać słuchawkę; s/kończyć rozmowę (telefoniczną); **the phone rang off** przerwano (nam <im itd.>) rozmowę

~ out Ⅰ *vt* bić w dzwony na pożegnanie (**a dignitary, the old year** etc. dostojnika, starego roku itd.) Ⅲ *vi* zabrzmieć; huknąć; zagrzmieć

~ up *vi* 1. *teatr w zwrocie*: **to ~ up the curtain** za/dzwonić na podniesienie kurtyny 2. za/dzwonić <za/telefonować> (**sb, the exchange** do kogoś, do centrali)

zob **ringing** Ⅲ *s* 1. dzwonienie; dzwonek; głos dzwonka; **sb's ~** czyjś sposób dzwonienia; **there was a loud ~ at the door** zadzwoniono głośno <energicznie> do drzwi; **to give sb a ~**

(**up**) za/dzwonić <za/telefonować> do kogoś; **to give two** <**three** etc.> **~s** za/dzwonić dwa <trzy itd.> razy 2. brzmienie (głosu); timbre (głosu); dźwięk <brzęk> (monety) 3. zespół dzwonów (kościelnych)

ring-armour ['riŋ,ɑːmə] *s* kolczuga

ring-bark ['riŋ,bɑːk] *vt ogrodn* obrączkować (drzewo)

ring-bolt ['riŋ,boult] *s* sworzeń z uchem; trzpień z kółkiem

ring-bone ['riŋ,boun] *s wet* narośl kostna na pęcinie konia

ring-burner ['riŋ,bəːnə] *s* palnik (gazowy)

ring-cartilage ['riŋ,kɑːtilidʒ] *s anat* chrząstka obrączkowa

ring-dove ['riŋ,dʌv] *s zoo* grzywacz (gołąb)

ringent ['rindʒənt] *adj bot* paszczękowaty

ringer ['riŋə] *s* 1. dzwonnik 2. dzwonek (urządzenie powodujące automatyczne dzwonienie)

ring-fence ['riŋ,fens] *s* 1. płot 2. *przen* bariera (taryf celnych itd.)

ring-finger ['riŋ,fiŋgə] *s* palec serdeczny

ringing ['riŋiŋ] Ⅰ *zob* **ring²** *v* Ⅲ *adj* 1. (*o głosie*) donośny; dźwięczny; (*o śmiechu*) dźwięczny 2. (*o okrzykach*) huczny; gromki 3. (*o mrozie*) trzaskający; siarczysty

ringleader ['riŋ,liːdə] *s* prowodyr; herszt

ringlet ['riŋlit] *s* 1. *rz* kółeczko 2. loczek; kędzior

ringleted ['riŋlitid] *adj* (*o głowie, włosach*) w loczkach <w kędziorach>

ringman ['riŋmæn] *s* (*pl* **ringmen** ['riŋmen]) makler (na wyścigach)

ringmaster ['riŋ,mɑːstə] *s* aranżer programu (w cyrku)

ring-necked ['riŋ,nekt] *adj zoo* (*o ptaku*) posiadający barwny pierścień na szyi

ring-ouzel ['riŋ,uːzl] *s zoo* drozd obrożny

ring-pigeon ['riŋ,pidʒin] = **ring-dove**

ring-piston ['riŋ,pistn] *s techn* tłok pierścieniowy

ring-snake ['riŋ,sneik] *s zoo* żmija pierścieniowa

ringtail ['riŋ,teil] *s zoo* 1. młody <niedorosły> orzeł przedni 2. samica błotnika zbożowego (ptak drapieżny) 3. szlamik (ptak brodzący) 4. opos, opossum (zwierzę futerkowe)

ring-up ['riŋ,ʌp] *s* telefon (do <od> kogoś); **to give sb a ~** za/dzwonić do kogoś

ringworm [riŋ,wəːm] *s med* grzybica strzygąca; liszaj obrączkowy

rink [riŋk] Ⅰ *s* 1. ślizgawka 2. lodowisko do gry w "curling" *zob* **curling¹** 3. (*także* **skating-~**) tor do jazdy na wrotkach Ⅲ *vi* jeździć na wrotkach

rinse [rins] Ⅰ *vt* płukać; przepłuk-ać/iwać; spłuk-ać/iwać; przemy-ć/wać; (*także* **~ out**) wypłukać (butelkę, usta itd.)

~ away <**out**> *vt* wypłukać (**impurities** nieczystości — z czegoś)

~ down *vt* zapi-ć/jać (**one's food** to, co się zjadło)

zob **rinsing** Ⅲ *s* wypłukanie; **to give sth a ~** wypłukać coś; *sl* **to have a ~** prze/płukać sobie gardło; napić się; pociąg-nąć/ać z butelki

rinsing ['rinsiŋ] Ⅰ *zob* **rinse** *v* Ⅲ *s* 1. wypłukanie 2. *pl* **~s** wypłuczyny

riot ['raiət] Ⅰ *s* 1. rozpusta; rozprzężenie (obyczajów) 2. orgia; wyuzdanie 3. *przen* orgia

(barw itd.) 4. niepohamowanie (uczuć); a ~ of **emotion** wzburzone <rozhukane> uczucia; **to run** ~ a) *myśl* (*o psach*) biec każdy za innym śladem b) (*o roślinach*) wybujać c) *przen* (*o człowieku*) rozbrykać się; szaleć; **his fancy ran** ~ **with him** (on) dał się ponieść fantazji 5. bunt; ruchawka; zakłócenie porządku publicznego; niepokoje; rozruchy; zamieszki; ekscesy; **to read the Riot Act** a) za/grozić (buntownikom) zastosowaniem środków przewidzianych ustawą o buncie b) *przen* zagrozić (niesfornym dzieciom itd.) ▢ *vi* 1. uprawiać rozpustę; hulać 2. wszcz-ąć/ynać bunt; dopu-ścić/szczać się zamieszek <rozruchów> 3. *przen* (*o młodzieży itd*) z/robić harmider; brykać; rozbrykać się 4. uprawiać (**in sth coś**) <oddawać się (**in sth czemuś**)> bez hamulców <namiętnie> *zob* **rioting**
rioter ['raiətə] *s* 1. rozpustni-k/ca; hulaka 2. buntowni-k/ca; uczestni-k/czka rozruchów <zamieszek>
rioting ['raiətiŋ] ▢ *zob* **riot** *v* ▢ *s* 1. bunt; zamieszki; rozruchy 2. udział w zamieszkach <w rozruchach>
riotous ['raiətəs] *adj* 1. rozpustny 2. hałaśliwy; rozbrykany; niesforny 3. buntowniczy; zbuntowany; oporny
riotousness ['raiətəsnis] *s* 1. rozpusta 2. hałaśliwość; rozbrykanie; niesforność 3. buntowniczy nastrój
rip¹ [rip] *v* (**-pp-**) ▢ *vt* 1. s/pruć; odpru-ć/wać; wypru-ć/wać; zerwać/zrywać; roz-erwać/rywać; roz-edrzeć/dzierać; rozci-ąć/nać; **to ~ open** rozpru-ć/wać; roz-erwać/rywać (kopertę itd.) 2. rozłup-ać/ywać 3. rozpiłow-ać/ywać (drzewo) wzdłuż słoja 4. odkry-ć/wać (dach) ▢ *vi* 1. s/pruć <rozpru-ć/wać> się 2. roz-erwać/rywać <roz-edrzeć/dzierać> się 3. (*także* ~ **along**) pędzić (pełną parą, na pełnym gazie); **to let** ~ nie zatrzymywać <nie hamować> (maszyny, samochodu itd.); **to let things** ~ przestać się troszczyć o sprawy; machnąć ręką na wszystko
~ **away** <**off**> *vt vi* 1. odpru-ć/wać <od--erwać/rywać> (się) 2. zerwać/zrywać (kołdrę, okrycie itd.)
~ **out** *vt* wypru-ć/wać
~ **up** *vt* 1. s/pruć; rozpru-ć/wać; roz-erwać/rywać; rozci-ąć/nać; **to ~ up a road** a) z/niszczyć nawierzchnię drogi b) rozkop-ać/ywać drogę 2. otw-orzyć/ierać na nowo (starą ranę) 3. odgrzeb-ać/ywać (wspomnienia) 4. odn-owić/awiać (spór)
zob **ripping** ▣ *s* 1. rozprucie; rozdarcie 2. pęknięcie wzdłuż
rip² [rip] *s* 1. stara szkapa 2. hulaka; rozpustni--k/ca
rip³ [rip] *s* powierzchnia wzburzonej wody (na morzu, jeziorze itd.)
riparian [rai'peəriən] ▢ *adj* nadbrzeżny ▢ *s* właściciel nadbrzeżnego gruntu
rip-cord ['rip,kɔːd] *s lotn* linka wyzwalająca (spadochronu)
ripe [raip] *adj* 1. dojrzały; gotowy (**for sth** do czegoś); (*o kobiecie*) **a** ~ **beauty** dojrzała piękność; **a** ~ **old age** podeszły wiek; ~ **wine** dojrzałe wino; **soon** ~ **soon rotten** co szybko kwitnie, to szybko więdnie; **he is** ~ **for mischief** on coś knuje; **the plan is** ~ **for execu-**

tion plan dojrzał do wykonania; **to become** <**grow**> ~ dojrze-ć/wać; **when the time is** ~ w stosownym czasie 2. (*o serze*) ostry 3. (*o ustach*) jak dojrzałe wiśnie
ripen ['raipən] ▢ *vt* podpędz-ić/ać (rośliny); przyśpiesz-yć/ać dojrzewanie (**a plant** rośliny) ▢ *vi* dojrze-ć/wać
ripeness ['raipnis] *s* dojrzałość
riposte [ri'poust] ▢ *s* 1. *szerm* riposta, szybkie pchnięcie po odparowaniu ciosu 2. riposta, szybka i trafna odpowiedź ▢ *vi* 1. *szerm* ripostować 2. odci-ąć/nać się
ripper ['ripə] *s* 1. rozpruwacz 2. = **rip-saw** 3. *bud* narzędzie dekarskie do zdejmowania stłuczonych płytek łupkowych 4. *sl* pierwszorzędny gość; wdechow-y/a facet/ka; fajn-a/y babka <kociak> 5. *sl* kapitalna <świetna> rzecz; coś znakomitego <byczego>
ripping ['ripiŋ] ▢ *zob* **rip¹** *v* ▢ *adj sl* wdechowy; byczy; pierwszorzędny; kapitalny; świetny
ripple¹ ['ripl] ▢ *s* 1. marszczenie się <falowanie> (powierzchni wody); drobna fala 2. falistość (włosów itd.) 3. szmer (strumyka); pluskanie (wody) 4. szmer (rozmów) 5. kaskada (śmiechu) ▢ *vt* po/marszczyć (powierzchnię wody itd.) ▢ *vi* 1. (*o powierzchni wody*) z/marszczyć się 2. (*o zbożu, włosach itd*) falować 3. (*o strumyku*) szemrać; (*o wodzie itd*) pluskać 4. (*o śmiechu*) sypać się kaskadą *zob* **rippling**
ripple² ['ripl] ▢ *s* dzierglica <rafa> (do czochrania lnu) ▢ *vt* czochrać (len)
rippling ['ripliŋ] ▢ *zob* **ripple¹** *v* ▢ *adj* 1. (*o włosach*) falisty, falujący 2. (*o strumyku*) szemrzący 3. (*o śmiechu*) perlisty
ripply ['ripḷi] *adj* falisty; falujący
rip-rap ['rip,ræp] *s* narzut kamienny (w wodzie)
rip-roaring ['rip,rɔːriŋ] *adj* hałaśliwy; burzliwy
rip-saw ['rip,sɔː] *s* piła wzdłużna <tracka>
Ripuarian [,ripju'eəriən] *adj hist* nadreński
rise [raiz] *v* (**rose**, [rouz], **risen** ['rizn]) ▢ *vi* 1. podn-ieść/osić się; **his voice rose** podniósł głos; zaczął krzyczeć 2. sta-nąć/wać (na nogi); (*o koniu*) sta-nąć/wać dęba; wsta-ć/wać (od stołu, z łóżka, krzesła); (*o włosach*) stanąć (na głowie); (*o publiczności w teatrze*) wsta-ć/wać z krzeseł (**at an actress etc.** na powitanie aktorki itd.); **to** ~ **from the dead** zmartwychwstać 3. *parl* za/kończyć <zam-knąć/ykać> obrady 4. powsta-ć/wać <*przen* (*o naturze ludzkiej itd*) z/buntować się> (**against sb, sth** przeciw komuś, czemuś); **to** ~ (**up**) **in arms** chwy-cić/tać za broń 5. *astr* wzejść/wschodzić; (*o dymie, kurzu itd*) wzn-ieść/osić się; (*o drzewach, wieży itd*) wznosić się, wyrastać; (*o terenie*) podnosić sie; (*o wodzie w rzece*) przyby-ć/wać; (*o rzece*) wezbrać/wzbierać; (*o cieście*) wyr-óść/astać; (*o ptaku*) wzbi-ć/jać się; *przen* (*o człowieku*) wzn-ieść/osić się (**ponad ludzką zawiść** itd.) 6. (*o obrazie, scenie, zajściu itd*) sta-nąć/wać (**before the mind** w wyobraźni) 7. (*o bańkach, bąblach itd*) u/tworzyć się 8. (*o cenach*) podn--ieść/osić się, pójść/iść w górę; wzr-óść/astać, podskoczyć, zwyżkować 9. (*o człowieku*) do-jść/chodzić (do wysokich stanowisk, sławy itd.); **to** ~ **in the world** cieszyć się powodzeniem w życiu; do-jść/chodzić do zaszczytów 10. (*o zainteresowaniu*) wzm-óc/agać się; wzr-óść/astać;

(o *nadziejach*) wzr-óść/astać; **his spirits rose** on się podniósł na duchu <poweselał> 11. wy--jść/chodzić (**to the surface** na powierzchnię wody) 12. (o *rybach*) chwytać 13. sprostać (**to sth** czemuś); **to ~ to the occasion <emergency, requirements>** stanąć na wysokości zadania 14. (o *rzece*) mieć <brać> początek (**from a source** w źródle); wypływać (**from a source** ze źródła); *dosl i przen* mieć (swoje) źródło (**from __ w...**) ‖ **her colour rose** twarz jej pokryła się rumieńcem; Ⅲ *vt* wypł-oszyć/aszać (ptactwo itd.) ‖ **I did not ~ a fish all day** przez cały dzień ani jedna rybka nie brała; **to ~ a ship** zobaczyć statek na horyzoncie *zob* **rising** Ⅲ *s* 1. wschód (słońca); wzn-iesienie/oszenie się; podwyższ-enie/ anie; wzlot; unoszenie się (oparów itd.); podn--iesienie/oszenie się (kurtyny, terenu, poziomu wody, temperatury itd.); przypływ; **to be on the ~** podnosić się; wzrastać 2. wzniesienie <wznoszenie się, wyniosłość> (terenu) 3. strzałka (łuku) 4. awans; poprawa bytu; podniesienie się stopy życiowej; wyższa stopa życiowa; podwyżka (poborów) 5. podniesienie się <wzrost, przy­rost, zwyżka> (wartości, ceny, ilości, napięcia itd.) 6. kariera (męża stanu itd.); dojście do władzy 7. rozkwit (mocarstwa itd.) 8. (u *ryb*) podpływanie do powierzchni 9. *przen* (u *człowieka*) zdradzenie uczuć; wyjście z równowagi; **to get <take> a ~ out of sb** a) wyprowadzić kogoś z równowagi b) naciągnąć kogoś 10. *bud* podstawka <wysokość podstawki> (schodka) 11. początek; źródło; powód; (o *zjawisku itd*) **it has <takes> its ~ in <from>** sth (to) powstaje z czegoś; **to give ~ to sth** s/powodować <wywoł­-ać/ywać, s/prowokować> coś

risen *zob* **rise** *v*

riser ['raizə] *s* 1. **an early ~** człowiek, który wcześnie wstaje, ranny ptaszek 2. *bud* podstawka (schodka); przednóżek; podstopnica 3. *techn* pion 4. *techn* podnośnik

risible ['rizibl] *adj* śmieszny; śmiechu wart

rising ['raiziŋ] Ⅰ *zob* **rise** *v* Ⅱ *s* 1. *astr* wschód (słońca, księżyca) 2. podniesienie (kurtyny itd.) 3. zakończenie <zamknięcie> (obrad) 4. *polit* powstanie 5. wzlot (ptactwa itd.) 6. wzniesienie (terenu) 7. podniesienie się <zwyżka> (cen, temperatury itd.) 8. wezbranie (rzeki) 9. awans; kariera; dojście do władzy 10. rozkwit 11. *med wet* krosta; czyrak 12. *kulin*. zaczynianie (ciasta) Ⅲ *adj* 1. *dosl i przen* wschodzący; (o *poziomach*) podnoszący <wspinający> się; idący w górę; **~ tide** przypływ 2. (o *napięciu itd*) wzrastający 3. (o *łuku*) wspięty 4. (o *sile, intensywności*) wzrastający 5. (o *cenach*) wzrastający, skaczący, zwyżkujący 6. (o *pokoleniu*) młody, dorastający 7. (o *specjaliście, prawniku itd*) dobrze się zapowiadający; nabierający rozgłosu

risk [risk] Ⅰ *s* 1. ryzyko; hazard; naraż-enie/anie się; niebezpieczeństw-o/a; **there is the ~ of __** istnieje niebezpieczeństwo ... (czegoś); **at the ~ of one's life** z narażeniem życia; **at one's own ~** na własne ryzyko; **to run <take> ~s** ryzykować; **to take no ~s** nie ryzykować; **to run <take> the ~ of __** nara-zić/żać się na ... (coś); 2. ubezpieczenie <wysokość ubezpieczenia> 3. osoba ubezpieczona Ⅱ *vt* za/ryzykować; pon-

-ieść/osić ryzyko (**sth** czegoś); nara-zić/żać <od­ważyć> się (**sth na coś**)

riskiness ['riskinis] *s* ryzyko; niebezpieczeństw-o/a

risky ['riski] *adj* (**riskier** ['riskiə], **riskiest** ['ris kiist]) 1. ryzykowny; niebezpieczny; hazardowy 2. (o *dowcipie itd*) drastyczny; pikantny; ryzykowny; niecenzuralny

risotto [ri'zɔtou] *s kulin* risotto

risqué ['riskei] = **risky** 2.

rissole ['risoul] *s kulin* sznycel

rite [rait] *s* obrządek; rytuał; **the conjugal ~** obowiązek <powinność> małżeńsk-i/a; **the ~s of hospitality** nakazy gościnności

ritual ['ritjuəl] Ⅰ *adj* rytualny; przepisany rytuałem; obrzędowy; obrządkowy Ⅱ *s* obrządek; rytuał

ritualism ['ritjuə,lizəm] *s* rytualizm, obrzędowość

ritualist ['ritjuəlist] *s* rytualista, zwolennik obrzędów (religijnych itp.)

ritzy ['ritsi] *adj am pot* wyelegantowany

rival ['raivəl] Ⅰ *s* rywal/ka, współzawodni-k/czka, konkurent/ka; **without a ~** bezkonkurencyjny Ⅱ *adj* rywalizujący; współzawodniczący; współubiegający się; konkurencyjny Ⅲ *vt* (-ll-) 1. rywalizować, współzawodniczyć, współubiegać się, iść w zawody (**sb, sth** z kimś, czymś) 2. *przen* równać się (**sb z kimś**) Ⅳ *vi* (-ll-) (o *dwóch lub więcej stronach*) rywalizować <współzawodni­czyć, konkurować> ze sobą

rivalry ['raivəlri] *s* rywalizacja; współzawodnictwo; **to be in ~ with sb, sth** rywalizować <współzawodniczyć> z kimś, czymś

rive [raiv] *v* (**rived** [raivd], **riven** ['rivn]) Ⅰ *vt* rozłup-ać/ywać; rozszczepi-ć/ać; *przen* rozdzierać (serce) Ⅱ *vi* 1. rozłup-ać/ywać <rozszczepi­-ć/ać> się 2. być podzielonym <rozdartym> **~ away <off>** *vt* od-erwać/rywać

rivel ['rivəl] † *vt vi* (-ll-) z/marszczyć (się)

riven *zob* **rive**

river ['rivə] Ⅰ *s* rzeka Ⅲ *adj* rzeczny

riverain ['rivə,rein] Ⅰ *adj* nadrzeczny; przyrzeczny Ⅲ *s* mieszkan-iec/ka okolic nadrzecznych

river-bank ['rivə'bæŋk] *s* brzeg rzeki

river-basin ['rivə,beisn] *s* dorzecze

river-bed ['rivə,bed] *s* koryto <dno> rzeki <rze­czne>

river-borne ['rivə,bɔːn] *adj* (o *drzewie*) spławiany (rzeką itp.)

river-fish ['rivə,fiʃ] *s* ryba rzeczna

river-god ['rivə,gɔd] *s* bóg <bożyszcze> rzeki

river-head ['rivə,hed] *s* źródło rzeki

river-horse ['rivə,hɔːs] *s zoo* koń rzeczny, hipopotam

riverine ['rivə,rain] *adj* 1. nadrzeczny; przyrzeczny 2. rzeczny

river-sand ['rivə,sænd] *s* piasek rzeczny

riverside ['rivə,said] Ⅰ *s* brzeg rzeki; **on <at> the ~** nad rzeką Ⅲ *attr* (znajdujący się, położony, stojący) nad rzeką

rivet ['rivit] Ⅰ *s techn* nit Ⅲ *vt* (-t-, -tt-) 1. *techn* za/nitować 2. *przen* przyku-ć/wać (**sb's eyes <attention> on <upon> sb, sth** oczy <uwagę> do kogoś, czegoś) 3. zacieśni-ć/ać <s/cementować> (przyjaźń itd.)

riveter ['rivətə] *s* 1. nitowacz (pracownik) 2. nitownica (przyrząd, maszyna)

riviere ['rivi,eə] *s* riwiera, naszyjnik brylantowy

rivulet ['rivjulit] *s* strumyczek

rix-dollar ['riks,dɔlə] *s hist* jednostka monetarna (rozrachunkowa) XVI — XIX w.

roach[1] [routʃ] *s zoo* płoć, płotka (ryba); **as sound as ~** zdrów jak ryba

roach[2] [routʃ] *s mar* wcięcie (żagla)

roach[3] [routʃ] = **cockroach**

road[1] [roud] Ⅰ *s* 1. *mar* (*zw pl*) = **roadstead** 2. droga; szosa; gościniec; (także **high ~**) trakt; **the rule of the ~** przepisy drogowe; **to be in sb's ~** zasł-onić/aniać <zawadzać, być zawadą> komuś; **to be on the ~** a) być w podróży <w drodze, w terenie> b) być komiwojażerem <akwizytorem, agentem podróżującym>; **to get in sb's ~** wejść/wchodzić komuś w paradę; po/mieszać komuś szyki; **to get out of sb's ~** usu-nąć/wać się komuś z drogi; **to take the ~** wyrusz-yć/ać ·w drogę; **by ~** drogą lądową; **on the ~ to __** na drodze do ... (majątku, wyzdrowienia itd.) 3. (*w miastach — przy imionach własnych*) ulica 4. jezdnia 5. *am* kolej żelazna 6. *górn* chodnik Ⅲ *attr* (*o mapie, komunikacji itd*) drogowy; (*o budowie, naprawie, skrzyżowaniu itd*) dróg; **~ transport** transport drogowy <samochodowy>

road[2] [roud] *vt* biec śladem (**the game** zwierzyny)

road-bed ['roud,bed] *s* 1. koryto drogi; podkład drogowy 2. *kolej* podtorze; podkład

road-book ['roud,buk] *s* przewodnik drogowy (po kraju)

road-clearance ['roud,kliərəns] *s auto* skrajnia (pod mostem itd.); prześwit (pod pojazdem)

road-hog ['roud,hog] Ⅰ *s* motocyklista <kierowca> jadący z pominięciem przepisów drogowych; pirat <chuligan> drogowy Ⅲ *vi* (-**gg-**) (*o motocykliście, kierowcy*) je-chać/ździć po piracku <po chuligańsku>

road-house ['roud,haus] *s* gospoda przydrożna

roadless ['roudlis] *adj* bezdrożny

roadman ['roudmən] *s* (*pl* **roadmen** ['roudmən]) robotnik drogowy

road-metal ['roud,metl] *s* szuter

road-sense ['roud,sens] *s* praktyczny zmysł szoferski

roadside ['roud,said] Ⅰ *s* teren przydrożny; brzeg gościńca Ⅲ *attr* przydrożny

roadstead ['roudsted] *s mar* reda

roadster ['roudstə] *s* 1. *mar* statek na redzie 2. *auto* wóz typu sportowego 3. rower spacerowy 4. koń zdatny do dalekich tur

roadway ['roud,wei] *s* jezdnia

road-worthy ['roud,wə:ði] *adj* (*o pojeździe*) nadający się <zdatny> do podróży

roam [roum] Ⅰ *vi* po/wędrować; po/włóczyć się Ⅲ *vt* włóczyć się (**the streets, seas** po ulicach, morzach) Ⅲ *s* wędrówka; włóczęga; **to go for a ~** a) przejść się b) iść/chodzić na włóczęgę

roamer ['roumə] *s* wędrownik; podróżny; włóczęga

roan[1] [roun] Ⅰ *adj* (*o koniu*) dereszowaty; (*o krowie*) krasa Ⅲ *s* deresz (koń); krasula (krowa)

roan[2] [roun] *s* skóra barania (do oprawy książek)

roar [rɔ:] Ⅰ *vi* 1. (*o zwierzęciu, człowieku*) ryknąć, za/ryczeć; **~ with anger** <**laughter** ry-knąć/czeć w gniewie <ze śmiechu>; ryknąć śmiechem 2. (*o człowieku*) wrz-asnąć/eszczeć;

wydzierać <drzeć> się; (*o grzmocie itd*) hu-knąć/czeć; (*o armatach itd*) za/grzmieć; 3. *wet* (*o koniu*) mieć dychawicę świszczącą Ⅲ *vt* grzmiącym <wrzaskliwym> głosem powiedzieć <zaśpiewać> (**sth coś**) Ⅲ *vr w zwrocie*: **to ~ oneself hoarse** wrzeszczeć do ochrypnięcia

~ by *vi* (*o samochodzie, odrzutowcu itd*) minąć <przel-ecieć/atywać> z łoskotem

~ down *vi* zagłusz-yć/ać wrzaskiem

zob **roaring** Ⅳ *s* 1. ryk (zwierzęcia, człowieka wściekłego, cierpiącego itd.); wrzask/i; wydzieranie się; **~s of laughter** huragany śmiechu; **the company was in a ~** towarzystwo ryczało <pokładało się> ze śmiechu; **to set the table <company, house> in a ~** wywoł-ać/ywać wśród zebranych <wśród audytorium> huragany śmiechu <szalony śmiech> 2. huk; grzmot; łoskot; trzask

roaring ['rɔ:riŋ] Ⅰ *zob* **roar** *v* Ⅲ *adj* 1. *pot* (*o interesie*) świetny; (*o firmie*) w stanie rozkwitu 2. *przen* tryskający (zdrowiem, humorem itd.)

roast [roust] Ⅰ *vt* 1. *kulin* u/piec (mięso itd.); zapie-c/kać (potrawę); przypie-c/kać 2. *metalurg* s/prażyć; s/kalcynować 3. palić (kawę itd.) 4. *pot* naciąg-nąć/ać; za/kpić (**sb z** kogoś) Ⅲ *vr* **~ oneself** prażyć się (przy piecu, na słońcu) Ⅲ *vi* u/piec się Ⅳ *adj kulin* pieczony; **~ beef** rostbef; **~ meat** pieczeń Ⅴ *s* 1. *kulin* pieczeń; rostbef; **to rule the ~** rozkazywać; być panem u siebie 2. *metalurg* prażenie; wypalanie

roaster ['roustə] *s* 1. piekarnik; szabaśnik 2. *metalurg* prażalnik; piec do prażenia rud 3. przyrząd do palenia kawy 4. prosię <kurczę itd.> nadające się do pieczenia

roasting-jack ['roustiŋ,dʒæk] *s* automat do obracania rożna

rob [rɔb] *v* (-**bb-**) Ⅰ *vt* 1. okra-ść/dać <obrabow-ać/ywać> (**sb of sth** kogoś z czegoś); **I was ~bed of __** zrabowano mi ...; 2. *górn* zawalać 3. *górn* wybierać Ⅲ *vi* 1. rabować; zajmować się rozbojem 2. prowadzić rabunkową gospodarkę

✦**robber** ['rɔbə] *s* zbój; rozbójnik

robbery ['rɔbəri] *s* rozbój

robe [roub] Ⅰ *s* 1. szata; (*także* **the long ~**) toga (sędziowska itd.); sutanna; **Gentlemen of the Robe** sędziowie i adwokaci; **Master of the Robes** garderobiany królewski 2. kaftanik niemowlęcia Ⅲ *vt* przyoble-c/kać (kogoś) w szatę ceremonialną; **~d in a gown** w todze Ⅲ *vi* wdzi-ać/ewać togę

Robert ['rɔbət] *spr pot* policjant (angielski)

robin ['rɔbin] *s zoo* (*także* **~ redbreast**) rudzik (ptak), raszka; *am* drozd wędrowny

robinia [rə'binjə] *s bot* robinia, grochodrzew

Robin-run-(in)-the-hedge ['rɔbin'rʌn(in)ðə,hedʒ] *s bot* kocimiętka; bluszczyk ziemny

Robin's-eye ['rɔbinz,ai] *s bot* bodziszek cuchnący; pychawiec

roborant ['rɔbərənt] *s med* środek wzmacniający <pokrzepiający, tonizujący>

✦**robot** ['roubɔt] *s* robot; automat; **~ bomb** bomba latająca; **~ weapon** broń samokierowana

robust [rə'bʌst] *adj* krzepki; silny; mocny

robustious [rə'bʌstjəs] *adj* hałaśliwy; krzykliwy; pewny siebie; nachalny

robustness [rə'bʌstnis] *s* krzepkość; siła; moc

roc [rɔk] *s* ptak-olbrzym (występujący w bajkach wschodnich)

rocambole ['rɔkəmˌboul] *s bot* czosnek wężowy

rochet ['rɔtʃit] *s* komża (biskupów i opatów)

▲**rock**[1] [rɔk] *s* 1. skała; głaz; urwisko; **the Rock of Gibraltar** Gibraltar; **Rock of Ages** Chrystus; **~ English** mieszana angielszczyzna, którą mówią na Gibraltarze; **to see ~s ahead** widzieć grożące niebezpieczeństwo; **on the ~s** a) na mieliźnie b) *sl* wypłukany z pieniędzy 2. podłużny twardy cukierek skręcony w laseczkę spiralną 3. = **rock-pigeon**

rock[2] [rɔk] *s hist* kądziel

rock[3] [rɔk] ① *vt* 1. u/kołysać; **to ~ a baby to sleep** ukołysać dziecko do snu; **~ed in security <hopes>** ukołysany <uśpiony> pewnością <nadziejami> 2. bujać na krześle bujającym 3. (*o wybuchu itd*) wstrząs-nąć/ać (**a house** domem itd.) ② *vi* 1. za/kołysać się 2. bujać <huśtać> się (na krześle bujającym) 3. trząść się (ze śmiechu) 4. (*o budynku itd*) za/trząść się (od wybuchu) *zob* **rocking** ③ *vr* **~ oneself** bujać <huśtać> się ④ *s* kołysanie (się)

rock-alum ['rɔkˌæləm] *s chem* ałun rzymski

rock-bottom ['rɔk'bɔtəm] ① *s* 1. skaliste dno (rzeki itd.) 2. *przen* dno (nędzy itd.) ③ *attr* (*o cenach*) ostateczny; najniższy

rock-climbing ['rɔkˌklaimiŋ] *s* wspinaczka górska

rock-crystal ['rɔkˌkristḷ] *s miner* kryształ górski

rock-dove ['rɔkˌdʌv] = **rock-pigeon**

rock-dust ['rɔkˌdʌst] *s* pył kamienny

rocker ['rɔkə] *s* 1. biegun (kołyski); *sl* **off one's ~** kopnięty; stuknięty; niespełna rozumu 2. *górn* stół płuczkowy (do płukania złotego piasku) 3. holenderka (łyżwa) 4. = **rocker-arm**

rocker-arm ['rɔkərˌaːm] *s techn* wahacz; balansjer

rockery ['rɔkəri] = **rock-garden**

rocket[1] ['rɔkit] *s bot* nazwa kilku roślin z rodziny krzyżowych (stulisz lekarski, rukwiel nadmorska itp.)

▲**rocket**[2] ['rɔkit] ① *s* rakieta (ogień sztuczny, sygnał rozpaczy, pocisk itd.); **~ signal** sygnał rakietą; **signal ~** rakieta sygnalizacyjna <do sygnalizowania> ③ *vi* 1. z/bombardować rakietami 2. (*o koniu*) podsk-oczyć/akiwać; rzuc-ić/ać się błyskawicznym ruchem 3. (*o kuropatwie itp*) wzl-ecieć/atywać pionowo w górę

▲**rock-fish** ['rɔkˌfiʃ] *s* (*pl* **~**) ryba przebywająca na skalistym dnie morskim (wargacz, babka itp.)

rock-garden ['rɔkˌgaːdn] *s* ogród skalny

rock-hewn ['rɔkˌhjuːn] *adj* wykuty w skale

rockiness ['rɔkinis] *s* skalistość

rocking ['rɔkiŋ] ① *s zob* **rock**[3] *v* ③ *s* wahanie, kołysanie; ruch wahadłowy ③ *adj* kołyszący <bujający> (się); wahadłowy

rocking-arm ['rɔkiŋˌaːm] *s techn* balansjer; wahacz

rocking-chair ['rɔkiŋˌtʃeə] *s* krzesło <fotel> bujając-e/y; bujak

rocking-horse ['rɔkiŋˌhɔːs] *s* koń na biegunach

rocking-stone ['rɔkiŋˌstoun] *s* chybotliwy głaz

rocking-turn ['rɔkiŋˌtəːn] *s* (*w łyżwiarstwie*) holender

rockling ['rɔkliŋ] *s zoo* ryba wątłuszowata

rock'n-roll ['rɔkn'rɔl] *s* rock and roll (taniec)

rock-oil ['rɔkˌɔil] *s* olej mineralny <skalny>; ropa naftowa

rock-pigeon ['rɔkˌpidʒin] *s zoo* gołąb skalny

rock-rose ['rɔkˌrouz] *s bot* posłonek pospolity

rock-salt ['rɔkˌsɔːlt] *s* sól kamienna

rockslide ['rɔkˌslaid] *s* lawina kamienna; obsunięcie się zbocza górskiego

rock-tar ['rɔkˌtaː] *s* ropa naftowa

rock-whistler ['rɔkˌwislə] *s zoo* świstak

rocky[1] ['rɔki] *adj* (**rockier** ['rɔkiə], **rockiest** ['rɔkiist]) skalisty

rocky[2] ['rɔki] *adj* (**rockier** ['rɔkiə], **rockiest** ['rɔkiist]) chwiejny

rococo [rə'koukou] ① *s* (styl) rokoko ③ *adj* 1. w stylu rokoko 2. przesadnie ozdobny; pretensjonalny

▲**rod** [rɔd] *s* 1. pręt (drewniany, metalowy, mierniczy itp.); różdżka 2. rózga; **spare the ~ and spoil the child** rózeczką Duch Święty dziateczki bić radzi; **to have a ~ in pickle for sb** mieć z kimś na pieńku; **to kiss the ~** potulnie przyj-ąć/mować karę; **to make a ~ for one's own back** samemu bicz na siebie kręcić; **to rule with a ~ of iron** rządzić silną <żelazną> ręką 3. (*także* **fishing-~**) wędka; wędzisko 4. *techn* pręt; wał; drąg, drążek; żerdź 5. miara długości (= 5.0292 m) 6. *anat* pałeczka <pręcik> (w oku) 7. *anat* prącie

rode *zob* **ride** *v*

rodent ['roudənt] ① *adj* (*o zwierzęciu*) szczurowaty ③ *s zoo* gryzoń

rodeo [rou'deiou] *s am* 1. zeganie <zganianie> bydła przez kowbojów 2. zagroda na rancho 3. popisy zręcznościowe kowbojów

rodomontade [ˌrɔdəmɔn'teid] ① *s* fanfaronada; samochwalstwo ③ *vi* fanfaronować; chełpić się

roe[1] [rou] *s zoo* sarna; łania

roe[2] [rou] *s* (*także* **hard ~**) ikra; **soft ~** mlecz (rybi)

roebuck ['rouˌbʌk] *s zoo* kozioł (samiec sarny); rogacz

roed [roud] *adj* (*o śledziu itd*) z ikrą

roe-deer ['rouˌdiə] *s* (*pl* **~**) *zoo* sarna; łania; kozioł (samiec sarny); rogacz

Roentgen, Röntgen ['rɔntgən] *spr* **~ rays** promienie Rentgena <rentgenowskie>

Roentgenogram, Röntgenogram [rɔnt'genəˌgræm] *s* zdjęcie rentgenowskie

roe-stone ['rouˌstoun] *s miner* oolit; ikrowiec

rogation [rou'geiʃən] ① *s* (*zw pl*) kość litania odmawiana podczas Dni Krzyżowych ③ *attr* 1. *kość* **Rogation Days** Dni Krzyżowe; **Rogation Week** tydzień przed Wniebowstąpieniem 2. *bot* **~ flower** krzyżownica

rogue [roug] *s* 1. szelma; łobuz, hultaj; **~s' gallery** album przestępców 2. oszust/ka 3. *żart* (*o dziecku*) figla-rz/rka; gałgan; łobuz; zabijaka; huncwot/ka 4. łazik; włóczęga 5. *zoo* samotnik (słoń itd.) 6. słaba sadzonka 7. leniwy <narowisty> koń wyścigowy

roguery ['rougəri] *s* 1. łajdactwo; gałgaństwo 2. psota

roguish ['rougiʃ] *adj* 1. łotrowski; łajdacki 2. figlarny; psotny; łobuzerski; szelmowski

roguishness ['rougiʃnis] = **roguery**

roil [rɔil] *vt am* 1. z/mącić (wodę itd.) 2. *pot* roz/złościć; z/denerwować; z/irytować

roily ['rɔili] *adj* (*o wodzie*) mętny
roinek ['rɔinik] *s* (*w płd Afryce*) 1. przybysz 2. *hist* żołnierz angielski
roister ['rɔistə] *vi* 1. wyprawiać brewerie 2. hulać *zob* **roistering**
roisterer ['rɔistərə] *s* 1. hulaka 2. awanturni-k/ca
roistering ['rɔistəriŋ] Ⅱ *zob* **roister** Ⅲ *adj* 1. hulaszczy 2. awanturniczy; zgiełkliwy
Roland ['rɔulənd] *spr w zwrocie*: a ~ **for an Oliver** piękne za nadobne
role, rôle [roul] *s* rola; **to play the leading ~** grać główną rolę
↓**roll**[1] [roul] *s* 1. zwój; zwitek; wiązka (słomy, siana) 2. pofałdowanie 3. *bud* woluta 4. rolka (filmu itd.) 5. rulon (papieru) 6. *am* (zwinięty w trąbkę) plik (banknotów) 7. (*także* French ~) bułka; **Swiss** ~ rożek z konfiturą; zwijaniec 8. rejestr; spis; wykaz; katalog (klasowy); lista (obecności, płac itd.); poczet (świętych itd.); **to call the** ~ odczyt-ać/ywać listę obecności <katalog itd.> 9. **the Rolls** archiwa 10. rejestr adwokatów; **to strike sb off the** ~s odebrać komuś prawo do praktyki adwokackiej 11. *sąd* wokanda; **to strike off the** ~ zdjąć z wokandy 12. wyłóg (surduta itd.) 13. *techn* walec; wał, wałek; krążnik; krążek 14. zwał (tłuszczu)
roll[2] [roul] Ⅱ *s* 1. (boczne) kołysanie (statku) 2. kołysanie się; **to walk with a** ~ mieć kołyszący się chód 3. rozkołysanie się <falowanie> (morza) 4. rytmiczny potok (słów) 5. po/toczenie się (piłki itd.) 6. wywracanie oczu; toczenie oczami 7. przewracanie się (dzieci na trawie itd.); tarzanie się (zwierząt w błocie itd.); **we had a** ~ **on the grass** po/przewracaliśmy się na trawie 8. *lotn* beczka 9. werbel; bicie w bęben 10. huk <toczenie się> (grzmotu) Ⅲ *vi* 1. (*o piłce, beczce, kole itd*) po/toczyć <kręcić, obracać, przewalać> się; *przen* **to set a stone** ~**ing** wywołać burzę 2. (*o człowieku*) st-oczyć/aczać się <po/lecieć> na dół; st-oczyć/aczać się <zl-ecieć/aty-wać> (**downhill** z góry; **downstairs** ze schodów) 3. je-chać/ździć (**in a carriage etc.** powozem itd.) 4. opływać (w bogactwa itd.); pławić się (w luksusie) 5. kołysać się w chodzie 6. wywr-ócić/acać się; prze/koziołkować 7. tarzać się; *pot* **to** ~ **in money** tarzać się w złocie 8. (*o dźwięku, huku*) za/grzmieć; hu-knąć/czeć; za/dudnić; odbi-ć/jać się echem; rozle-c/gać się; (*o grzmocie*) prze/toczyć się; (*o echu*) powt-órzyć/arzać się 9. (*o statku*) kołysać się (na falach) 10. (*o samolocie*) z/robić beczkę 11. (*o rzece*) płynąć; toczyć swe wody 12. (*o planetach itd*) posuwać się po firmamencie; odbywać swą drogę 13. (*o morzu*) kołysać się; (*także o terenie*) falować 14. (*o czasie, latach itd*) mijać 15. (*o oczach*) wywr-ócić/acać się 16. (*o dymie*) kłębić się Ⅲ *vt* 1. po/toczyć (beczkę, koło, kulę śnieżną itd.); po/kręcić (**sth** coś, czymś); obr-ócić/acać; przewal-ić/ać; **to** ~ **one's eyes** toczyć oczami, wywracać oczy; **to** ~ **one's r's** wymawiać głoskę r końcem języka z wibracją 2. rzuc-ić/ać <turlać, toczyć> (kulę itd.) 3. to-czyć <kręcić, obracać> (w dłoniach, palcach — kulkę itd.) 4. z/walcować 5. rozwałkow-ać/ywać 6. z/rolować; skręc-ić/ać; zwi-nąć/jać w rolkę <w kabłąk, na drążku itd.> 7. (*o rzece*) toczyć (wody) 8. (*o człowieku pełniącym dwie funkcje,*

posiadającym dwie specjalności) *w zwrocie*: **to be** ... ~**ed into one** być w jednej osobie ... (poetą i filozofem, cieślą i ogrodnikiem itd.)
~ **about** *vt vi* po/toczyć <po/kręcić, po/obracać> (się) tu i tam
~ **along** Ⅱ *vi* 1. (*o pojeździe, człowieku w pojeździe*) przeje-chać/żdżać; je-chać/ździć (naprzód) 2. przewal-ić/ać się Ⅲ *vt* po/toczyć (beczkę itd.) drogą przed siebie
~ **away** Ⅱ *vt* usu-nąć/wać (coś) tocząc <kręcąc, obracając> Ⅲ *vi* oddal-ić/ać <po/toczyć> się (skądś); (*o mgle itd*) rozwi-ać/ewać się; **the smoke** <dust etc.> ~**ed away** kłęby dymu <tumany kurzu itd.> przewal-iły/ały się
~ **back** Ⅱ *vt* odsu-nąć/wać (wóz itd.); odwal-ić/ać (głaz itd.) Ⅲ *vi* (*o wozie itd*) cof-nąć/ać się
~ **by** *vi* 1. przeje-chać/żdżać (w pojeździe) 2. (*o czasie*) mi-nąć/jać; (*o latach itd*) po/toczyć się 3. (*o kłębach dymu itd*) przewal-ić/ać się
~ **down** Ⅱ *vt* spu-ścić/szczać na dół; zwalić Ⅲ *vi* po/toczyć się w dół
~ **in** Ⅱ *vt* wt-oczyć/aczać (beczkę, koło itd.) Ⅲ *vi* 1. (*o pojeździe itd*) wje-chać/żdżać 2. (*o kuli itd*) wpa-ść/dać, wl-ecieć/atywać 3. napły-nąć/wać masowo 4. *pot* położyć/kłaść się spać
~ **off** Ⅱ *vt* odsu-nąć/wać <odwal-ić/ać> na bok (głaz, beczkę itd.) Ⅲ *vi* (*o głazie, beczce, kole itd*) po/toczyć się na bok
~ **on** Ⅱ *vt* rozwałkow-ać/ywać Ⅲ *vi* po/toczyć się dalej; przewal-ić/ać się
~ **out** Ⅱ *vt* 1. wyt-oczyć/aczać (beczkę itd. skądś) 2. rozwałkow-ać/ywać; rozwalcow-ać/ywać 3. recytować (wiersze) Ⅲ *vi* (*o kuli itd*) wyl-ecieć/atywać <po/toczyć się> (skądś)
~ **over** Ⅱ *vt* przewr-ócić/acać; wywr-ócić/acać Ⅲ *vi* przewr-ócić/acać się; przekoziołkow-ać/ywać
~ **up** Ⅱ *vt* zwi-nąć/jać; z/rolować; zawi-nąć/jać (rękawy, pakunek itd.); skręc-ić/ać Ⅲ *vr* ~ **oneself up** 1. zawi-nąć/jać się (w koc itd.) 2. zwi-nąć/jać się (w kłębek) Ⅲ *vi* 1. (*o dymie*) kłębić się 2. (*o storze itd*) zwi-nąć/jać <skręc-ić/ać> się (na drążku itd.) 3. (*o kocie itd*) zwi-nąć/jać się (w kłębek) 4. (*o kuli itd*) doturlać się (dokądś); **to** ~ **up to** __ potoczyć się aż do ... 5. *pot* (*o gościach itd*) przyby-ć/wać (w pojazdach); pokaz-ać/ywać się 6. *pot* (*o ręce itd*) podje-chać/żdżać 7. ze-brać/zbierać <akumulować> się
zob **rolling**
roll-call ['roul͵kɔ:l] *s* 1. odczyt-anie/ywanie listy obecności <spisu> 2. *wojsk* apel
roll-collar ['roul͵kolə] *s* wykładany kołnierz <kołnierzyk>
↓**roller** ['roulə] Ⅱ *s* 1. wałek 2. walec 3. rolka; kółko 4. *techn* krążek; krążnik 5. (*także* ~ **bandage**) bandaż 6. fala; bałwan (morski) 7. *pot zoo* fajfer (gołąb) 8. *zoo* kraska gwarliwa 9. *zoo* trelujący kanarek Ⅲ *attr* 1. *techn* (*o mechanizmie itd*) rolkowy; (*o młynie itd*) walcowy 2. (*o przedmiocie*) na wałku <na kółkach>; ~ **skate** wrotka; ~ **towel** ręcznik na wałku
roller-bearing ['roulə͵beəriŋ] *s techn* łożysko rolkowe

roller-skate ['roulə‚skeit] vi je-chać/ździć na wrotkach

rolley zob rulley

rollick ['rɔlik] Ⓘ s 1. huczna wesołość 2. swawola 3. hulanka Ⓘ vi 1. swawolić; dokazywać 2. hulać 3. świetnie się bawić zob rollicking

rollicker ['rɔlikə] s hulaka

rollicking ['rɔlikiŋ] Ⓘ zob rollick v Ⓘ adj 1. huczny; szumny 2. rozbawiony; w doskonałym humorze

⁌rolling ['rouliŋ] Ⓘ zob roll² v Ⓘ s 1. walcowanie 2. kołysanie się boczne (statku) 3. dudnienie (bębna itd.) Ⓘ adj 1. toczący <przewalający> się; (o maszynie itd) na kołach; przen a ~ stone obieżyświat; niespokojny duch 2. kołyszący się; (o morzu) wzburzony 3. (o krajobrazie) falisty 4. (o dźwięku) grzmiący; dudniący

rolling-mill ['rouliŋ‚mil] s walcownia

rolling-pin ['rouliŋ‚pin] s wałek do ciasta

rolling-stock ['rouliŋ‚stɔk] s tabor kolejowy

roll-top ['roul‚tɔp] attr (o biurku) z żaluzjowym zamknięciem

roly-poly ['rouli'pouli] Ⓘ s (także ~ pudding) legumina Ⓘ adj (o dziecku) pulchny

Romaic [rou'meiik] Ⓘ s język nowogrecki Ⓘ adj nowogrecki

Roman ['roumən] Ⓘ adj 1. rzymski; starorzymski; ~ nose orli nos; druk ~ type antykwa 2. rzymski; papieski; Roman Catholic rzymskokatolicki Ⓘ s Rzymian-in/ka; ~ Catholic człowiek wyznania rzymskokatolickiego

Romance¹ [rə'mæns] Ⓘ s zbior języki romańskie Ⓘ adj romański

romance² [rə'mæns] Ⓘ s 1. romanca (średniowieczna) 2. literacki utwór romantyczny; romans; romantyczna historia 3. romantyczność 4. muz romans 5. romantyczne przeżycia; niezwykłe <wspaniałe> przeżycie 6. zmyślone opowiadanie Ⓘ vi przesadz-ić/ać; pu-ścić/szczać wodze fantazji; fantazjować; wymyśl-ić/ać; koloryzować

romancer [rə'mænsə] s 1. romansopisarz (średniowieczny) 2. blagier/ka; łgarz; deklamator/ka

Romanesque [‚roumə'nesk] Ⓘ adj arch (o stylu) romański Ⓘ s arch styl romański

Romanic [rou'mænik] Ⓘ adj romański Ⓘ s zbior języki romańskie

Romanism ['roumə‚nizəm] s 1. romanizm 2. katolicyzm

Romanist ['roumənist] s 1. romanist-a/ka 2. badacz/ka starożytnego Rzymu <prawa rzymskiego> 2. katoli-k/czka

Romanize ['roumə‚naiz] Ⓘ vt 1. z/romanizować 2. nawr-ócić/acać na wiarę katolicką Ⓘ vi prze-jść/chodzić na katolicyzm

Romansh [rou'mænʃ] s język retoromański

romantic [rə'mæntik] Ⓘ adj romantyczny Ⓘ s romanty-k/czka

romanticism [rə'mænti‚sizəm] s romantyzm

romanticist [rə'mæntisist] s romanty-k/czka (przedstawiciel/ka romantyzmu)

Romany ['rɔməni] Ⓘ s 1. Cygan/ka 2. pl the ~ Cyganie 3. język cygański Ⓘ adj cygański

Rome [roum] spr 1. przysł ~ was not built in a day nie od razu Kraków zbudowano; when in ~ do as the Romans do kiedy wlazłeś mię-

dzy wrony, musisz krakać jak i one 2. Kościół rzymskokatolicki

Romish ['roumiʃ] adj pog katolicki; papistowski

romp [rɔmp] Ⓘ vi baraszkować; swawolić; dokazywać; zbytkować; sl (na wyścigach) to ~ in <home> wygr-ać/ywać <wyprzedz-ić/ać przeciwników> bez wysiłku Ⓘ s 1. swawola; dokazywanie; zbytki; baraszki; sl in a ~ (wygrać itd.) bez wysiłku 2. swawolni-k/ca; hultaj

romper ['rɔmpə] s (także a suit of ~s) kombinezon dziecinny

rompish ['rɔmpiʃ] adj swawolny

rondeau ['rɔndou] s prozod rondo

rondo ['rɔndou] s muz rondo

Roneo ['rouni‚ou] s nazwa firmowa rodzaju powielacza

Röntgen zob Roentgen

Röntgenogram zob Roentgenogram

rood [ru:d] s 1. krzyż; krucyfiks 2. miara powierzchni (= 10,117 ara)

rood-arch ['ru:d‚ɑ:tʃ] s (w kościele) łuk z tęczą

rood-cloth ['ru:d‚klɔθ] s wielkopostna zasłona krucyfiksów kościelnych

rood-screen ['ru:d‚skri:n] s (w kościele) tęcza

roof [ru:f] Ⓘ s 1. dach; przen przykrycie; sklepienie (niebieskie); baldachim (zieleni); ~ garden restauracja na dachu; anat the ~ of the mouth podniebienie 2. wierzch <dach> (autobusu, pociągu itd.); † imperial (omnibusu, dyliżansu) 3. bud górn strop 4. lotn pułap Ⓘ vt 1. (także ~ in <over>) pokry-ć/wać dachem 2. przygarn-ąć/iać (kogoś) zob roofing

roofage ['ru:fidʒ] s pokrycie (dachu)

roofer ['ru:fə] s 1. dekarz; dacharz 2. pot list z podziękowaniem za doznaną gościnność

roofing ['ru:fiŋ] Ⓘ zob roof v Ⓘ s krycie (dachu)

rooinek ['rɔinik] = roinek

rook¹ [ruk] Ⓘ s 1. zoo gawron 2. szuler Ⓘ vt 1. oszuk-ać/iwać 2. przen zedrzeć/zdzierać skórę (sb z kogoś)

rook² [ruk] s szach wieża

rookery ['rukəri] s 1. kolonia gawronów 2. kolonia pingwinów 3. (w mieście) dzielnica ruder

rookie, rooky ['ruki] s sl rekrut

rooklet ['ruklit] s zoo gawronię

rooky zob rookie

room [rum] Ⓘ s 1. miejsce (na coś, dla kogoś); wolna przestrzeń; pomieszczenie; in sb's ~ <in the ~ of sb> w miejsce <zamiast> kogoś; I prefer his ~ to his company wolę go nie widzieć; there is little ~ here tu jest ciasno; there was no ~ for the piano fortepian się nie zmieścił <nie pomieścił>; to give plenty of ~ to _ trzymać się w przyzwoitej odległości <z dala> od ...; to make ~ for _ zrobić miejsce dla ...; ust-ąpić/ępować miejsca <usu-nąć/wać się z drogi> ... (komuś); to take up <much> ~ zaj-ąć/mować miejsce <dużo miejsca> 2. możliwoś-ć/ci (for sth, to do sth czegoś, zrobienia czegoś); sposobność <okazja, pole, powód> (for sth, to do sth do czegoś, do zrobienia czegoś); there is no ~ for hesitation <dispute etc.> nie ma co wahać się <dyskutować itd.>; there is ~ for improvement jest <są> możliwoś-ć/ci ulepszenia; dałoby się (to) ulepszyć; (to) pozostawia niemało do życzenia; there was no ~ for dispute <uneasiness etc.> nie było powodu do sporu <do niepokoju itd.>; **there is** ∼ **to** __ można (by) ... (podyskutować itd.) 3. pokój; sala; izba; pomieszczenie 4. *przen* (zebrane) towarzystwo 5. *pl* ∼*s* mieszkanie; pokoje umeblowane 6. (*w zakładach przemysłowych itp*) pomieszczenie; izba; komora; skład; magazyn; hala (maszyn itp.) Ⅲ *attr* (*o temperaturze itd*) pokojowy Ⅲ *vt* da-ć/wać mieszkanie <odst-ąpić/ępować, wynaj-ąć/mować pokój> (**sb** komuś); przenocować Ⅳ *vi* 1. naj-ąć/mować mieszkanie <pokoje (umeblowane)>; za/mieszkać 2. dzielić mieszkanie <za/mieszkać> (z kimś)

roomer ['rumə] *s* lokator/ka (pokoju umeblowanego)

roomful ['rumful] *s* pełny pokój <pełna sala> (**of people etc.** ludzi itd.)

roominess ['ruminis] *s* przestronność; wielkie rozmiary; duża przestrzeń

rooming-house ['rumiŋˌhaus] *s* (wynajmowane) pokoje umeblowane

room-mate ['rumˌmeit] *s* współlokator/ka; współ-mieszkan-iec/ka

roomy ['rumi] *adj* (**roomier** ['rumiə], **roomiest** ['rumiist]) obszerny; przestronny

roost [ru:st] Ⅰ *s* grzęda (dla kur); *przen* sypialnia; **at** ∼ a) (*o kurze*) na grzędzie b) (*o człowieku*) w łóżku; (*o popełnionym błędzie, zbrodni itd*) **to come to** ∼ mścić się; **curses come to** ∼ przekleństwa spadają na głowę przeklinającego; **to go to** ∼ a) (*o kurze*) pójść/iść do kurnika na noc b) (*o człowieku*) pójść/iść spać Ⅲ *vi* 1. (*o kurze*) si-ąść/edzieć na grzędzie 2. (*o człowieku*) mieszkać Ⅲ *vt pot* przenocować (kogoś)

rooster ['ru:stə] *s zoo* kogut

↑**root**[1] [ru:t] Ⅰ *s* 1. *bot* korzeń; **to take <strike>** ∼ zakorzeni-ć/ać się; **to destroy sth** ∼ **and branch** zniszczyć coś doszczętnie <do cna>; **to lay the axe to <strike at>** the ∼ **of** __ podci-ąć/nać korzenie ... (zła itd.); **to pull up by the** ∼**s** wyr-wać/ywać z korzeniami 2. nasada; korzeń (zęba); korzonek nerwowy; *pl* ∼**s** *geol* korzenie 3. podstawa: istota (sprawy); źródło; ∼ **fallacy <idea, cause>** podstaw-y/a błąd <myśl, przyczyna>; **love of money is the** ∼ **of all evil** żądza pieniędzy tkwi u podstawy <u źródła> wszelkiego zła; **to get at the** ∼ **of things <of the matter>** do-trzeć/cierać do sedna sprawy 4. *mat* pierwiastek 5. *jęz* źródłosłów 6. *muz* ton podstawowy Ⅲ *vi* zakorzeni-ć/ać się Ⅲ *vt* 1. po/sadzić <zasadzić> (rośliny) 2. *przen* (*o strachu itd*) przyku-ć/wać (**to the ground** do ziemi; **to the spot** do miejsca) 3. zakorzeni-ć/ać (rośliny) 4. *przen* wkorzeni-ć/ać, zakorzeni-ć/ać (zasady itd.)

∼ **out** <**up**> *vt* 1. wyr-wać/ywać z korzeniami 2. wykorzeni-ć/ać (zło itd.); wy/tępić; wy-pleni-ć/ać

zob **rooted**

root[2] [ru:t], **rout** [raut] Ⅰ *vt* (*o świni itd*) z/ryć (ziemię) Ⅲ *vi* 1. (*o świni*) z/ryć ziemię 2. (*o człowieku*) grzebać się (**among** <**in**> **papers etc.** w papierach itd.) 3. *sl* (*o kibicach itd*) dopingować (drużynę itd.)

∼ **out** <**up**> *vt* wygrzeb-ać/ywać

root-cap ['ru:tˌkæp] *s bot* czapeczka korzeniowa

root-crop ['ru:tˌkrɔp] *s roln* zbiór roślin okopowych

root-cutter ['ru:tˌkʌtə] *s* maszyna do krajania roślin okopowych

rooted ['ru:tid] Ⅰ *zob* **root**[1] *v* Ⅲ *adj* 1. zakorzeniony; (*o uprzedzeniu, uczuciu itd*) **to be deeply** ∼ tkwić głęboko (**w** kimś, czymś) 2. mający swe źródło (**in sth** w czymś); wywodzący się (**in sth** z czegoś)

rootedness ['ru:tidnis] *s* zakorzenienie (przekonania itd.)

rooter ['ru:tə] *s* 1. zwierzę ryjące 2. *roln* płużek do wyorywania roślin okopowych

rootery ['ru:təri] *s* stos odziomków pod ogród skalny

rootlet ['ru:tlit] *s* korzonek

rooty[1] ['ru:ti] *adj* korzenisty

rooty[2] ['ru:ti] *s sl wojsk* chleb

rope [roup] Ⅰ *s* 1. sznur, sznurek; powróz; lina; **a** ∼ **of onions** wianek cebuli; **a** ∼ **of pearls** sznur pereł; **a** ∼ **of sand** złudzenie; (*o grupie alpinistów*) **on the** ∼ związani liną; **to be on the high** ∼**s** a) być mocno podnieconym b) zachowywać się arogancko; zadzierać nosa; **to give sb** ∼ **<plenty of** ∼**>** da-ć/wać komuś swobodę działania; **give him** ∼ **<plenty of** ∼**, enough** ∼**>** **to hang himself** (on) sam sobie grób kopie; **wire <steel>** ∼ kabel; lina stalowa 2. stryczek; kara stryczka, powieszenie 3. *pl* ∼**s** ring bokserski 4. *mar* olinowanie 5. *przen* arkana (danej dziedziny); **to know the** ∼**s** orientować się; być dobrze zorientowanym; znać swój interes; **to show sb the** ∼**s** pouczyć <wtajemniczyć> kogoś 6. lepkość <kleistość> (zepsutego wina) Ⅲ *vt* 1. z/wiązać; zawiąz-ać/ywać; przywiąz-ać/ywać (**to sth** do czegoś) 2. powstrzym-ać/ywać (konia, żeby nie wygrał w wyścigu) 3. *am* z/łapać (konia) na lasso Ⅲ *vi* 1. (*o płynach*) ciągnąć się 2. (*o dżokeju*) powstrzym-ać/ywać konia, żeby nie wygrał w wyścigu

∼ **in** *vt* 1. ot-oczyć/aczać (jakąś przestrzeń) kordonem 2. wciąg-nąć/ać (w kabałę itd.); zwabi-ć/ać

∼ **off** *vt* odgr-odzić/adzać kordonem

∼ **round** *vt* ot-oczyć/aczać kordonem

rope-dancer ['roupˌda:nsə] *s* linoskocz-ek/ka

rope-dancing ['roupˌda:nsiŋ] *s* ekwilibrystyka na linie

rope-drive ['roupˌdraiv] *s techn* przekładnia linowa

rope-ladder ['roupˌlædə] *s* drabina sznurowa

rope-maker ['roupˌmeikə] *s* powroźnik

rope-making ['roupˌmeikiŋ] *s* powroźnictwo

rope-railway ['roupˌreilwei] *s* = **rope-way**

rope's-end ['roupsˌend] *s mar* chłosta

rope-walker ['roupˌwɔ:kə] *s* = **rope-dancer**

rope-way ['roupˌwei] *s* kolejka linowa

rope-yard ['roupˌjɑ:d] *s* ̩powroźnia

rope-yarn ['roupˌjɑ:n] *s* przędza linowa <do kabli>

ropiness ['roupinis] *s* lepkość <kleistość> płynów

ropy ['roupi] *adj* (**ropier** ['roupiə], **ropiest** ['roupiist]) (*o płynie*) lepki, kleisty

Roquefort ['rɔkfɔ:] *spr* rokfor (gatunek sera)

roquelaure ['rɔkəˌlɔ:] *s hist* płaszcz po kolana noszony w XVIII w.

roquet ['rouki] Ⓘ *s* (*w krokiecie*) s/krokietowanie Ⓘ *vi* s/krokietować

rorqual ['rɔ:kwəl] *s zoo* płetwal

rorty, raughty ['rɔ:ti] *adj sl* wesoły; **a ~ time** świetna <bycza> zabawa

rosace ['rouzeis] *s* 1. rozeta (ozdoba) 2. *arch* okno rozetowe

rosaceae [rou'zeisi:] *spl bot* (rośliny) różowate

rosaceous [rou'zeiʃəs] *adj bot* różowaty

rosary ['rouzəri] *s* 1. różaniec; *rel* koronka 2. rozarium

⧪**rose**[1] [rouz] Ⓘ *s* 1. *bot* róża; **it is not all ~s** to nie sama rozkosz, to ma swoje ciemne strony; **life is not a bed of ~s** życie nie jest romansem; życie to twarda szkoła (jazdy); **no ~ without a thorn** nie ma róży bez kolców; **to gather life's ~s** zgarniać z życia same przyjemności; nie przejmować się; lekko brać życie; *przen* (*o kobiecie*) **the ~ of _** piękność ... (danej miejscowości); **under the ~** (wiadomość podana) pod sekretem 2. róża (emblemat Anglii itd.); **the Golden Rose** róża złota (dawana w darze przez papieża monarchom itd.); *hist* **the Wars of the Roses** wojna Dwu Róż 3. rozeta (ozdoba ubioru) 4. sitko (polewaczki itd.); *techn* sarkacz 5. *med* róża 6. kolor różowy 7. *pl* **~s** rumieńce 8. (*także* **~ diamond**) rozeta (drogi kamień) 9. (*także* **~ window**) okno rozetowe Ⓘ *adj* 1. różowy 2. różany Ⓘ *vt* za/różowić

rose[2] *zob* **rise** *v*

rose-apple ['rouz,æpl] *s bot* drzewo tropikalne rodzaju Eugenia o pięknym listowiu i jadalnych owocach

roseate ['rouziit] = **rose-coloured**

rose-bay ['rouz,bei] *s bot* 1. oleander 2. rododendron 3. wierzbówka

rose-bed ['rouz,bed] *s* klomb róż

rose-beetle ['rouz,bi:tl] *s zoo* złotawiec

rose-bud ['rouz,bʌd] *s* pączek róży

rose-bug ['rouz,bʌg] = **rose-beetle**

rose-bush ['rouz,buʃ] *s* krzew różany

rose-chafer ['rouz,tʃeifə] = **rose-beetle**

rose-colour ['rouz,kʌlə] *s* kolor różowy

rose-coloured ['rouz,kʌləd] *adj* różowy; **to see sth through ~ spectacles, to take a ~ <roseate> view of sth** widzieć coś w różowych barwach, patrzyć na coś przez różowe okulary

rose-engine ['rouz,endʒin] *s techn* rylec do giloszowania, gilosz

rose-leaf ['rouz,li:f] *s* (*pl* **rose-leaves** ['rouz,livz]) płatek róży; *przen* **crumpled ~** drobny zgrzyt

rose-mallow ['rouz,mælou] *s bot* malwa

rosemary ['rouzməri] *s bot* rozmaryn

rose-noble ['rouz,noubl] *s* dawna złota moneta

roseola [rou'ziələ], **rose-rash** ['rouz,ræʃ] *s med* różyczka

rose-tree ['rouz,tri:] *s* krzak róży

rosette [rou'zet] *s* rozeta, rozetka

rose-water ['rouz,wɔ:tə] Ⓘ *s* 1. woda różana 2. *przen* dusery 3. łagodne traktowanie Ⓘ *adj* 1. różany 2. słodki 3. (*o literaturze*) sentymentalny

rosewood ['rouz,wud] *s* palisander

Rosicrucian [,rouzi'kru:ʃən] *s hist* Różokrzyżowiec (członek sekty mistycznej XVII w.)

rosin ['rɔzin] Ⓘ *s* kalafonia Ⓘ *vt* po-trzeć/cierać (smyczek) kalafonią

rosiness ['rouzinis] *s* różowość; różowa barwa

rosolio [rə'zouli,ou] *s* rosolis (rodzaj wódki <likieru>)

roster ['roustə] *s* 1. *wojsk* wykaz dyżurów 2. lista; spis; **by ~** kolejno

rostral ['rɔstrəl] *adj* (*o kolumnie*) rostralny

rostrated ['rɔstreitid] *adj* 1. = **rostral** 2. *zoo* dziobaty, w kształcie dzioba

rostriform ['rɔstri,fɔ:m] *adj* dziobaty; dziobasty

rostrum ['rɔstrəm] *s* (*pl* **rostra** ['rɔstrə], **~s**) 1. (*w staroż. Rzymie*) rostra 2. dziób (statku i ptaka) 3. mównica; trybuna

rosy ['rouzi] *adj* (**rosier** ['rouziə], **rosiest** ['rouziist]) różowy; **to become <turn> ~** za/różowić się

rot [rɔt] *v* (-tt-) Ⓘ *vi* 1. z/gnić; roz-łożyć/kładać <ze/psuć> się; z/butwieć 2. (*o instytucji itd*) pod-upa-ść/dać 3. *sl* za/kpić Ⓘ *vt* 1. s/powodować <wywoł-ać/ywać> rozkład (**sth** czegoś); ze/psuć; s/powodować **wietrzenie** (**rocks** skał) 2. z/niszczyć; z/marnować 3. *sl* naciąg-nąć/ać (kogoś) Ⓘ *s* 1. z/gnicie; rozkład; ze/psucie (się); s/próchnienie 2. *wet* motylica 3. *sl* (*także* **tommy ~**) głupstwa; brednie; bzdury; banialuki 4. (*w sporcie, na wojnie itd*) seria nieoczekiwanych porażek

rota ['routə] *s* kolejność (służby itd.)

Rotarian [rou'teəriən] *s* rotarianin

⧪**rotary**[1] ['routəri] *adj* 1. (*o ruchu, maszynie itd*) obrotowy; rotacyjny; obiegowy; wirowy 2. **Rotary** (*o klubie*) rotariański

Rotary[2] ['routəri] *s* (*także* **~ Club**) klub rotariański

rotate[1] [rou'teit] Ⓘ *vt* 1. obracać 2. kolejno spełniać (funkcje służbowe); zmieniać kolejno; wymieniać; **to ~ the crops** stosować płodozmian Ⓘ *vi* 1. obracać się; wirować 2. zmieniać <luzować> się kolejno

rotate[2] ['routeit] *adj bot* (*o koronie*) kółkowy

⧪**rotation** [rou'teiʃən] *s* 1. ruch obrotowy; rotacja; obracanie się; wirowanie; *fiz* skręcalność 2. *techn* obrót 3. kolejne następstwo; kolejność zmian; **by ~** na przemian; kolejno; na zmianę; **~ of crops** płodozmian

rotational [rou'teiʃnl], **rotative** ['routətiv] *adj* 1. obrotowy; rotacyjny; wirowy 2. zmienny

rotator [rou'teitə] *s* 1. *anat* mięsień skręcający 2. *fiz* układ wirujący 3. = **rotifer**

rotatory [rou'teitəri] *adj* rotacyjny

rotch(e) [rɔtʃ] *s zoo* nurzyk drobny (ptak z rodziny alk)

rote [rout] *s w zwrocie:* **by ~** (umieć itd.) na pamięć; (mówić itd.) z pamięci <bez namysłu, *pot* z głowy>

rot-gut ['rɔt,gʌt] *s pot* kiepski <lichy, niezdrowy> trunek; chara; bimber

rotifer ['rɔtifə] *s* (*pl* **rotifera** [rɔ'tifərə]) *zoo* wrotek

rotogravure [,routə-grə'vjuə] *s druk* rotograwiura, wklęsłodruk

⧪**rotor** ['routə] *s techn* rotor; *elektr* wirnik

rotten ['rɔtn] *adj* 1. zgniły; zepsuty; (będący <znajdujący się>) w rozkładzie <w stanie rozkładu>; spróchniały; (*o owocu*) robaczywy <zrobaczywiały> 2. *wet* motyliczny; chory na motylicę 3. (*o człowieku, społeczeństwie*) zepsuty; zdemoralizowany; skorumpowany; *hist* **~ borough** fikcyjny okręg wyborczy 4. *pot* kiepski; marny;

paskudny; lichy; dziadowski; do niczego; do chrzanu; do kitu; ~ **luck** pech

rottenness [ˈrɔtnnis] *s* 1. zepsucie; rozkład; korupcja 2. kiepski <lichy, marny> poziom <stan>

Rotten Row [ˈrɔtnˈrou] *spr* (*także* the Row) aleja do konnej jazdy w londyńskim Hyde Parku, uczęszczana przez wytworne towarzystwo

rotten-stone [ˈrɔtnˌstoun] *s geol* łupek polerski, trypla

rotter [ˈrɔtə] *s sl* 1. niezdara, niedojda, fajtłapa, safanduła 2. kanalia, drań

rotund [rouˈtʌnd] *adj* 1. okrągły 2. (*o mowie, stylu*) górnolotny; napuszony 3. (*o człowieku*) pulchny; o okrągłych kształtach; pękaty

rotunda [rouˈtʌndə] *s* rotunda

rotundity [rouˈtʌnditi] *s* 1. okrągłość 2. górnolotność <napuszoność> (mowy, stylu) 3. okrągłe kształty; pulchność; pękatość

rouble [ˈruːbl] *s* rubel

roucou [ˈruːkuː] *s* 1. *bot* orlean 2. *chem* barwnik pomarańczowy (otrzymany z owoców orleanu)

roué [ˈruːei] *s* rozpustni-k/ca

rouge[1] [ruːʒ] □ *s* 1. róż; szminka; † barwiczka 2. róż polerski; **jeweller's** ~ czerwień angielska; kolkotar 3. *polit* czerwony; rewolucjonist-a/ka Ⅲ *vt* różować <po/malować, u/szminkować> (twarz) Ⅲ *vi* 1. różować <malować> się 2. za/rumienić się

rouge[2] [ruːʒ] *s sport* szamotanie <przewracanie> się

rouge-et-noir [ˈruːʒ-ei'nwɑː] *s fr* nazwa hazardowej gry w karty

rouge-pot [ˈruːʒˌpɔt] *s* słoik na róż

↑**rough** [rʌf] □ *adj* 1. szorstki; chropowaty; nierówny; (*o tkaninie, wyprawionej skórze itd*) szorstki; gruby; the ~ **side of leather** mizdra 2. (*o kartkach książki*) nie obcięty; z nie obciętymi brzegami 3. *bot* ~ **leaf** liść młodociany 4. (*o terenie*) nierówny; górzysty; surowy; dziki; (*o gościńcu*) wyboisty 5. (*o materiałach, drzewie, kamieniu itd*) surowy; nieobrobiony; (*o ryżu*) nie łuszczony; (*o cennym kamieniu*) nie szlifowany 6. (*o człowieku, zachowaniu itd*) brutalny; ordynarny; prosty; nieokrzesany; gburowaty; grubiański; niedelikatny; niewybredny; (*o głowie*) zmierzwiony. nieuczesany; to have a ~ **time** mieć ciężkie życie; przeży-ć/wać ciężkie chwile; najeść się biedy; (*o losie itd*) it's ~ **on you** <him etc.> karze cię <go itd.> los; ciężki masz <ma itd.> los; to have a ~ **tongue** nie liczyć się ze słowami; a ~ **remedy** koński <drakoński> środek; ~ **handling** z/maltretowanie; brutalne <niedelikatne> obchodzenie się; ~ **house** tumult; zamęt; popychanie się wzajemne; rejwach; chuligaństwo 7. (*o morzu*) wzburzony; burzliwy 8. (*o pogodzie*) słotny; burzliwy; deszczowy; dżdżysty; kiepski; wstrętny; ohydny; (*o klimacie, zimie*) ostry; a ~ **day** nieprzyjemny <paskudny, słotny> dzień 9. *sport* brutalny 10. (*o warunkach życiowych itd*) prymitywny; ~ **and ready** a) prosty; niewyszukany; *pot* od siekiery b) (*o postępowaniu itd*) prosty; niewybredny c) (*o wymierzonej sprawiedliwości*) doraźny d) (*o przedmiocie*) zrobiony <wykonany> na łap cap 11. (*o obliczeniach itd*) przybliżony; pobieżny; powierzchowny; niedokładny; schematyczny; szkicowy; a ~ **draft** szkic napisany na

brudno; a ~ **guess** <estimate> obliczenie na oko <z grubsza>; a ~ **sketch** szkic Ⅲ *adv* 1. szorstko; to travel ~ **and smooth** jeździć dobrymi i kiepskimi drogami 2. ordynarnie; grubiańsko; brutalnie; po chamsku; *przen* bez rękawiczek Ⅲ *s* 1. teren nierówny <górzysty, dziki, surowy> 2. *zbior* przykrości; nieprzyjemności; the ~ **and the smooth** jasne i ciemne strony życia; to take the ~ **with the smooth** umieć pogodzić się z przeciwnościami losu <przyjmować niepowodzenia> 3. łobuz; chuligan; brutal 4. surowy stan (materiału, dzieła sztuki itd.) 5. (*w podkowie*) hacel 6. (*w golfie*) dzika część boiska (z wysoką nie strzyżoną trawą itd.) 7. stan naturalny (surowca itd.); in the ~ nie obrobiony; nie wykończony Ⅳ *vt* 1. (*także* ~ **up**) z/mierzwić (włosy); to ~ **sb up the wrong way** po/głaskać kogoś pod włos 2. podku-ć/wać (konia) ostro <hacelami> 3. *am* z/maltretować; brutalnie po/traktować ‖ **to** ~ **it** zn-ieść/osić niewygody; prowadzić prymitywny tryb życia; zazna-ć/wać biedy <niewygód>

   ~ **down** *vt* z grubsza obr-obić/abiać <osios-ać/ywać>

   ~ **in** *vt* na/szkicować

   ~ **off** *vt* z grubsza obcios-ać/ywać (blok marmuru itd.)

   ~ **up** *vt* z grubsza nastr-oić/ajać (fortepian) *zob* **roughing**

roughage [ˈrʌfidʒ] *s* niestrawne części pożywienia

rough-and-ready [ˈrʌfənˈredi] = **rough and ready** *zob* **rough** *adj* 10.

rough-and-tumble [ˈrʌfənˈtʌmbl] □ *adj* przypadkowy; bezplanowy; chaotyczny; bezładny Ⅲ *s* chaotyczna bójka <bijatyka>; szamotanie się

rough-cast [ˈrʌfˌkɑːst] □ *vt* (**rough-cast, rough-cast**) 1. na/szkicować (plan) 2. o/tynkować; obrzuc-ić/ać tynkiem Ⅲ *s* 1. szkic <zarys> (planu) 2. tynk Ⅲ *adj* o/tynkowany

rough-dry [ˈrʌfˌdrai] *vt* (**rough-dried** [ˈrʌfˌdraid], **rough-dried**; **rough-drying** [ˈrʌfˌdraiiŋ]) wysusz-yć/ać (bieliznę) nie prasując

roughen [ˈrʌfən] □ *vt* wywoł-ać/ywać <wyr-obić/abiać> grubiaństwo <ordynarność, szorstkość> (sb w kimś); z/robić człowieka grubiańskiego <ordynarnego, szorstkiego> (sb z kogoś) Ⅲ *vi* sta-ć/wać się grubiańskim <ordynarnym, szorstkim>; s/tracić ogładę <delikatne cechy>; s/chamieć

rough-footed [ˈrʌfˌfutid] *adj zoo* (*o gołębiu itd*) z obrosłymi nóżkami

rough-grind [ˈrʌfˌgraind] *vt* przyszlifować (z grubsza) *zob* **rough-grinding**

rough-grinding [ˈrʌfˌgraindiŋ] □ *zob* **rough-grind** Ⅲ *s* szlifowanie wstępne

rough-hew [ˈrʌfˌhjuː] *vt* (**rough-hewed** [ˈrʌfˌhjuːd], **rough-hewn** [ˈrʌfˌhjuːn]) z grubsza obcios-ać/ywać *zob* **rough-hewn**

rough-hewn [ˈrʌfˌhjuːn] □ *zob* **rough-hew** Ⅲ *adj* 1. z grubsza obciosany 2. *przen* (*o planie*) naszkicowany w grubszych zarysach 3. (*o człowieku*) od siekiery

rough-hound [ˈrʌfˌhaund] *s zoo* drobny gatunek rekina

rough-house [ˈrʌfˌhaus] □ *s* tumult; rejwach; zamieszanie Ⅲ *vi* z/robić tumult <rejwach, zamieszanie>; popychać się wzajemnie; zachow-ać/

ywać się po chuligańsku Ⅲ *vt* z/maltretować; niedelikatnie <brutalnie> ob-ejść/chodzić się (**sb, sth** z kimś, czymś)

roughing ['rʌfiŋ] Ⅰ *zob* **rough** *v* Ⅲ *s* 1. obróbka zgrubna 2. otynkowanie

roughish ['rʌfiʃ] *adj* 1. (*o człowieku*) gburowaty; nie grzeszący delikatnością <dobrym wychowaniem> 2. (*o morzu*) nie bardzo spokojny 3. (*o pogodzie*) kiepski

rough-legged ['rʌf,legd] *adj* (*o ptaku*) z nóżkami obrosłymi; (*o psie, koniu itd*) z włochatymi łapami <nogami>

roughly ['rʌfli] *adv* 1. brutalnie; szorstko; po grubiańsku 2. po prostacku; w prymitywny sposób 3. z grubsza; w przybliżeniu; ~ **speaking** okrągło biorąc

rough-neck ['rʌf,nek] *s sl* łobuz; chuligan; brutal

roughness ['rʌfnis] *s* 1. szorstkość; chropowatość 2. surowość <dzikość> (krajobrazu itd.) 3. nierówności (terenu); wyboje; zły stan (drogi itd.) 4. brutalność; ordynarność; grubiaństwo; nieokrzesanie; prostactwo 5. burzliwość <wzburzenie> (morza) 6. zły stan (pogody)

rough-rider ['rʌf,raidə] *s* ujeżdżacz koni

roughshod ['rʌf,ʃod] *adj* (*o koniu*) ostro kuty; *przen* **to ride** ~ **over sb** nie oszczędzać kogoś; znęcać się nad kimś

rough-spoken ['rʌf,spoukən] *adj* (*o człowieku*) nie przebierający w słowach; nie liczący się ze słowami

rough-wrought ['rʌf,rɔ:t] *adj* (*o materiale, surowcu itd*) przygotowany do obróbki

roulade [ru:'lɑ:d] *s muz* rulada

rouleau [ru:'lou] *s* (*pl* ~**x** [ru:'louz], ~**s**) rulon pieniędzy

roulette [ru'let] *s* 1. ruleta (gra hazardowa) 2. *mat* cykloida 3. *techn* kółko wyciskowe

Roumanian [ru'meinjən] Ⅰ *adj* rumuński Ⅲ *s* 1. Rumun/ka 2. język rumuński

rounceval ['raunsivəl] *s* (*także* ~ **pea**) duży późny groch

round [raund] Ⅰ *adj* 1. okrągły; kolisty; (*o oczach*) szeroko rozwarty (ze zdumienia); (*o plecach*) przygarbiony; (*o samogłosce*) wymawiany z zaokrągleniem warg; (*o charakterze pisma*) okrągły; zaokrąglony; (*o podróży*) okrężny; *am* w obie strony; *karc* a ~ **game** gra bez partnerów <przy której każdy gra za siebie>; ~ **dance** a) walc b) taniec; ~ **robin** petycja z podpisami umieszczonymi kołem (dla ukrycia kolejności); ~ **towel** ręcznik na wałku; *mar* ~ **turn** pełny obrót liny na słupku; *przen* **to bring sb up with a** ~ **turn** nagle kogoś zatrzymać; **to make** ~ zaokrągl-ić/ać 2. kulisty, sferyczny 3. (*o liczbie, kwocie*) zaokrąglony; równy; **a nice** ~ **sum** niemała suma; okrągła sumka; *pot* ładne pieniądze; **in** ~ **numbers** w przybliżeniu, okrągło 4. (*o stylu*) zaokrąglony; wygładzony; (*o mowie*) potoczysty; płynny 5. (*o kroku*) posuwisty; **at a** ~ **trot** wyciągniętym kłusem 6. (*o głosie*) pełny; miękki 7. (*o opowiadaniu*) podający nagą prawdę; (powiedziany itd.) bez ogródek <bez osłonek>; nie owijający nic w bawełnę; **in** ~ **terms** dosadnie; **to be** ~ **with sb** mówić komuś szczerą prawdę 8. (*o przekleństwie*) siarczysty; (*o wyrażeniu*) dosadny Ⅲ *adv* 1. (obracać się <coś>) w koło; kołem; **all the year** ~ przez cały rok; jak rok długi; od po-

czątku do końca roku; **the clock** ~ a) dwanaście godzin; przez cały dzień b) całą dobę; dzień i noc; **to go** ~ obracać się; krążyć; wirować; **to turn** ~ obr-ócić/acać się; **to turn** ~ **and** ~ wciąż się obracać; opisywać koła 2. (*także* **all** <right> ~; ~ **about**) naokoło; dookoła, dokoła; **all** <right> ~ a) dokolusieńka b) *podając rozmiary*: w obwodzie c) *podając odległość*: w promieniu; **taken all** ~ ogółem wziąwszy; **taking it all** ~ zważywszy wszystkie okoliczności; **all** ~ dla wszystkich; (fundować) całemu towarzystwu <wszystkim (obecnym)>; (częstować) całe towarzystwo <wszystkich (obecnych)>; **glasses** ~! kieliszki dla wszystkich! 3. ze wszystkich stron 4. naokoło (iść, obejść, objechać); **one has to go a long way** ~ trzeba zrobić duże koło <daleko okrążyć, obejść, objechać> 5. do siebie (kogoś zaprosić); **come** ~ **this evening** przyjdź/cie do mnie <do nas> dzisiaj wieczorem; **to order (the car etc.)** ~ kazać (szoferowi itd.) podjechać *Uwaga: nadaje czasownikom specyficzne znaczenie (przy nich podane)* Ⅲ *praep* 1. dookoła <dokoła, naokoło> (kogoś, czegoś); **all** <right> ~, ~ **about** naokoło (kogoś, czegoś); ze wszystkich stron; (*o sklepie itd*) **to be** ~ **the corner** znajdować się za rogiem ulicy <za zakrętem>; **to go** ~ **and** ~ **sth, sb** (wciąż) krążyć dokoła czegoś, kogoś; **to go** ~ **sth** obejść <objechać, opłynąć> coś; **to go** ~ **the corner** skręcić na rogu (ulicy); (*o wozie itd*) wziąć/brać zakręt; 2. (mieć coś) na (sobie); **with a wrapper** ~ **her** zawinięta w szal; z szalem na plecach; 3. *przy podawaniu rozmiarów*: w (pasie, biuście itd.) 4. (chodzić, obnosić coś itd.) po (domach, kawiarniach itd.) 5. (napisać coś) o (czymś) <na temat (czegoś)> 6. *przy oznaczaniu ilości, liczby, kwoty*: **somewhere** ~ mniej więcej; *pot* coś około <jakieś, z>... (x funtów itd.) 7. *przy oznaczaniu terminu w czasie*: około (godziny x); ~ **about two o'clock** gdzieś koło drugiej godziny Ⅳ *s* 1. koło; obwód; kula; zaokrąglenie <zaokrąglona linia> (czegoś) 2. *plast* (pełna) rzeźba; **in the** ~ a) (*o posągu*) w plastycznej postaci b) *przen* (*o łotrze itd*) skończony 3. szczebel (drabiny); pręt (krzesła) 4. zraz (mięsa); kromka (chleba) 5. obrót; krąg; granica; zasięg; cykl; ciąg (czynności); bieg <tryb> (życia itd.); pasmo (przyjemności, przykrości itd.); seria (wizyt itd.); partia (golfa itd.) 6. spacer (okrężny); objazd; **to go for a** ~ przejść <przejechać> się; (*o pogłosce, plotce itd*) **to go the** ~ **of** _ ob-ejść/ chodzić ... (całe miasto itd.); **to make the** ~ **of** _ obje-chać/żdżać ... (kraj, okolicę itd.) 7. tura (inspekcji); (*w szpitalu*) wizyta lekarska; obchód; **to make** <go> **one's** ~**s** a) (*o lekarzu*) odwiedz-ić/ać pacjentów; odby-ć/wać wizyty domowe b) (*o listonoszu*) rozn-ieść/osić pocztę c) (*o wojskowym*) odby-ć/wać inspekcję d) (*o policjancie*) ob-ejść/chodzić swój rejon 8. *boks* runda 9. (*przy częstowaniu towarzystwa*) tura, kolejka; *pot* funda; **I stood a** ~ **of rum** zafundowałem (wszystkim) po porcji rumu 10. *wojsk* salwa 11. *wojsk* (zw **a** ~ **of ammunition**) nabój; **we all fired 10** ~**s** wystrzeliliśmy po 10 naboi każdy 12. *wojsk* porcja (rumu itd.); **they served out a** ~ **of rum** wydano wszystkim po porcji rumu 13. *muz* kanon Ⅴ *vt* 1. zaokrągl-ić/ać (kształt, kąt, granicę, zdanie itd.); wygładz-ić/ać (zdanie, styl); zgi-ąć/nać (ramię); wym-ówić/ awiać (samogłoskę) zaokrąglając wargi; obci-ąć/ nać (**a dog's ears** psu uszy); kaszerować grzbiet (**a book** książki) 2. okrąż-yć/ać; *mar* opły-nąć/ wać (przylądek itd.) 3. *auto* wziąć/brać (zakręt) Ⅵ *vi* 1. zaokrągl-ić/ać się 2. obr-ócić/acać się (**on one's heel** na pięcie) 3. za/denuncjować (**on sb** kogoś); don-ieść/osić 4. napa-ść/dać (słownie) (**on sb** na kogoś)

~ **off** *vt* 1. zaokrągl-ić/ać (kąt, granice majątku, zdanie itd.) 2. za/kończyć (przemówienie, pertraktacje itd.)

~ **out** *vi* zaokrągl-ić/ać się; przyb-rać/ierać zaokrąglone kształty

~ **up** *vt* 1. spędz-ić/ać <zag-nać/aniać> (bydło) 2. napędzać (zwierzynę) 3. z/robić obławę (**thieves etc. na złodziei** itd.)

roundabout ['raund-ə‚baut] Ⅰ *adj* 1. (*o drodze*) okrężny; **in a** ~ **way** okrężną drogą 2. zażywny Ⅲ *s* 1. karuzela; **to lose on the swings what you make on the** ~s wyjść na swoje; wyrówn--ać/ywać straty; odbić sobie na jednym, co się straci na drugim 2. ruch jednokierunkowy 3. *am* krótka marynarka Ⅲ *vi* krążyć

roundel ['raundl] *s* 1. krążek; kółko; tarcza; medalion 2. *lit muz* rondo

roundelay ['raundi‚lei] *s* 1. piosenka z refrenem 2. śpiew ptaka

rounder ['raundə] *s* 1. narzędzie do zaokrąglania; rozwiert 2. *am* nałogow-y/a pija-k/czka <kryminalist-a/ka> 3. *pl* ~s *sport* rodzaj palanta

round-hand ['raund‚hænd] *adj* (*o piśmie*) rondowy

Roundhead ['raund‚hed] *s hist* przezwisko nadawane żołnierzom purytańskim Cromwella

roundhouse ['raund‚haus] *s* 1. *hist* areszt 2. *mar* kajuta oficerska 3. *mar* ustęp oficerski 4. *kolej* parowozownia

roundish ['raundiʃ] *adj* okrągławy

roundly ['raundli] *adv* 1. energicznie; żwawo; w żywym tempie 2. (mówić) bez ogródek <otwarcie, po prostu> 3. okrągło; kulisto

roundness ['raundnis] *s* 1. okrągłość; kulistość 2. okrągłość <gładkość> (zdań); potoczystość (mowy) 3. pełność <miękkość> (głosu)

round-shouldered ['raund‚ʃouldəd] *adj* przygarbiony

roundsman ['raundzmən] *s* (*pl* **roundsmen** ['raundzmən] 1. roznosiciel towarów zamówionych w firmie 2. *am* policjant sprawujący nadzór

round-up ['raund'ʌp] *s* 1. spędzanie <zaganianie> (bydła) 2. obława; łapanka 3. *am* przegląd (prasy itd.)

round-worm ['raund‚wə:m] *s zoo med* glista dżdżownicowata

roup¹ [raup] Ⅰ *s szkoc* aukcja Ⅲ *vt szkoc* sprzeda-ć/wać na licytacji; † z/aukcjonować

roup² [ru:p] *s wet* dyfteryt u drobiu

roupy ['ru:pi] *adj wet* (*o drobiu*) chory na dyfteryt

rouse¹ [rauz] Ⅰ *vt* 1. ruszyć (zwierza); wypłoszyć 2. o/budzić <zbudzić> (**from sleep** ze snu); wyr-wać/ywać (**sb from his meditation etc.** kogoś z zamyślenia itd.); pobudz-ić/ać <zapal-ić/ać, podn-ieść/osić, por-wać/ywać, zagrz-ać/ewać>

(kogoś do czegoś) 3. ożywi-ć/ać; wstrząs-nąć/ać (**sb** kimś) 4. rozdrażni-ć/ać; z/denerwować; s/prowokować 5. wzniec-ić/ać <wzbudz-ić/ać> (uczucia itd.); podsyc-ić/ać (namiętności . itd.) Ⅲ *vr* ~ **oneself** otrząsnąć się Ⅲ *vi* (*zw* ~ **up**) o/budzić <otrząsnąć, ożywi-ć/ać> się *zob* **rousing** Ⅴ *s wojsk* pobudka

rouse² [rauz] † *s* 1. haust 2. toast 3. hulanie

rouse³ [rauz] *vt* po/solić (śledzie)

rouser ['rauzə] *s* 1. pobudka; podnieta 2. *pot* bezczeln-a/e blaga <kłamstwo>

rousing ['rauziŋ] Ⅰ *zob* **rouse¹** *v* Ⅲ *adj* 1. pobudzający; porywający 2. (*o oklaskach*) gromki; gorący; (*o powitaniu*) owacyjny 3. *pot* **a** ~ **lie** bezczelne <oburzające, straszliwe> kłamstwo

roustabout ['raustə‚baut] *s* 1. *am* robotnik portowy 2. *austral* wyrobnik

rout¹ [raut] *s* 1. wesołe towarzystwo; *pot* towarzystwo pod dobrą datą 2. *prawn* zgromadzenie w celach niedozwolonych 3. raut

rout² [raut] Ⅰ *s wojsk* rozgromienie; druzgocąca klęska; **to put an army** <**the enemy**> **to** ~ = **to** ~ *vt* Ⅲ *vt* roz/gromić (**the enemy etc.** nieprzyjaciela itd.); zada-ć/wać druzgocącą klęskę (**an army etc.** armii itd.)

rout³ *zob* **root²**

route [ru:t] Ⅰ *s* 1. marszruta 2. trasa (autobusu, procesji itd.); droga (lotnicza, morska, lądowa); szlak; trakt (handlowy itp.); **en** ~ [ã:'ru:t] po drodze; w czasie podróży 3. program podróży 4. [raut] *wojsk* marsz; **column of** ~ kolumna marszowa Ⅲ *vt* wyznacz-yć/ać żądaną trasę (**a parcel etc.** dla przesyłki itd.)

route-map ['ru:t‚mæp] *s* mapa drogowa

route-march ['ru:t‚ma:tʃ] *s* marsz (wojskowy)

router ['ru:tə] *s* kolec świdra centrującego

routine [ru:'ti:n] *s* 1. zaprowadzony porządek; ustalone formy (urzędowania); normalna <zwykła> procedura; formalizm; **a matter of** ~ sprawa porządkowa; (zwykła) formalność 2. (codzienny, zwyczajny) tok zajęć; ~ **business** <**work**> sprawy <praca> bieżąc-e/a 3. *wojsk* rozkład zajęć <dyżurów>

routinism ['ru:ti‚nizəm] *s* rutynizm

routinist ['ru:tinist] *s* rutynist-a/ka

roux [ru:] *s kulin* zasmażka

rove¹ [rouv] Ⅰ *vt* przewędrować (kraj itd.) 2. wałęsać się <włóczyć się, spacerować> (**the streets etc.** po ulicach itd.) 3. (*o piratach itd*) grasować (**the seas** po morzach) Ⅲ *vi* 1. po/ wędrować; po/włóczyć <tułać, błąkać> się; bujać (po morzach) 2. (*o wzroku*) błądzić; błąkać się *zob* **roving¹** Ⅲ *s w zwrocie*: **to be on the** ~ = **to** ~ *vi* 1.

rove² [rouv] Ⅰ *vt tekst w zwrocie*: **to** ~ **the slivers** = **to** ~ *vi* Ⅲ *vi tekst* z/robić przędzenie wstępne *zob* **roving²** Ⅲ *s tekst* niedoprzęd

rove³ [rouv] = **reeve**

rove-beetle ['rouv‚bi:tl] *s zoo* chrząszcz kusakowaty

rover¹ ['rouvə] *s* 1. wędrowiec; włóczęga 2. starszy harcerz (od 17 lat wzwyż) 3. korsarz; pirat 4. (*w łucznictwie*) cel ustawiony w dowolnej odległości

rover² ['rouvə] *s tekst* niedoprzędzarka

roving¹ ['rouviŋ] Ⅰ *zob* **rove¹** *v* Ⅲ *s* wędrówka;

włóczęga; tułaczka Ⅲ *adj* wędrowny; włóczęgowski; tułaczy
roving² ['rouviŋ] Ⅰ *zob* **rove²** *v* Ⅲ *s* przędzenie
wstępne
row¹ [rou] *s* 1. rząd; szereg; **in a ~** w rzędzie;
rzędem; (*o ludziach, rzeczach*) uszeregowan-i/e;
przen am **a hard ~ to hoe** trudne <nie lada> zadanie 2. (*w nazwach ulic*) **the Row = Rotten Row**
row² [rou] Ⅰ *vt* 1. wprawi-ć/ać w ruch wiosłami; **to ~ a boat** po/wiosłować; **to ~ a fast
stroke** szybko wiosłować; **to ~ a few strokes**
porusz-yć/ać kilka razy wiosłami; **to ~ a race**
wziąć/brać udział w regatach; **to ~ sb across
a river** etc. przeprawi-ć/ać kogoś (łódką) przez
rzekę itd. 2. ścigać się łodziami (**sb z** kimś)
3. (*o łodzi*) *w zwrotach*: **to ~ x oars** być na
x wioseł; **the boat ~s six oars** to jest łódź
sześciowiosłowa <szóstka> Ⅲ *vi* po/wiosłować
~ down *vt* pokon-ać/ywać (przeciwników)
w regatach
~ out *vt w zwrocie*: **to be ~ed out** być wyczerpanym (przy finiszu w regatach)
zob **rowing¹** Ⅲ *s* przejażdżka łodzią; ćwiczenie
wioślarskie; **to go for a ~** a) przejechać się łodzią b) poćwiczyć (na łódce)
row³ [rau] Ⅰ *s* 1. hałas; zgiełk; harmider; awantura; *pot* raban; **to kick up <make> a ~** narobić hałasu; zrobić raban <awanturę>; awanturować się; **what's the ~?** o co chodzi? o co ten
harmider? 2. burda; bójka (uliczna); kłótnia;
to have a ~ with sb po/kłócić się z kimś 3.
bura; nagana; wymów-a/i; **to get into a ~**
dosta-ć/wać burę Ⅲ *vt pot* z/besztać; z/robić
awanturę (**sb** komuś) Ⅲ *vi* po/kłócić się *zob*
rowing²
rowan ['rauən] *s bot* jarzębina
row-boat ['rou,bout] *s* łódź wiosłowa
row-de-dow ['raudi'dau] *s pot* hałas; zgiełk; harmider; raban
rowdiness ['raudinis] *s* hałaśliwość; awanturniczość; chuligaństwo
rowdy ['raudi] Ⅰ *s* awanturni-k/ca; chuligan Ⅲ
adj (**rowdier** ['raudiə], **rowdiest** ['raudiist]) hałaśliwy; zgiełkliwy; awanturniczy; chuligański
rowdy-dowdy ['raudi'daudi] *adj* hałaśliwy; zgiełkliwy
rowdyism ['raudi,izəm] *s* hałasowanie; awanturo-
wanie się; chuligaństwo
rowel ['rauəl] Ⅰ *s* 1. kółko ostrogi 2. zawłoka
(dla konia) Ⅲ *vt* (**-ll-**) 1. spi-ąć/nać (konia)
ostrogami 2. za-łożyć/kładać zawłokę (**a horse**
koniowi)
rowen ['rauən] *s roln* potraw
rowing¹ ['rouiŋ] Ⅰ *zob* **row²** *v* Ⅲ *s* wiosłowanie;
wioślarstwo Ⅲ *attr* wioślarski
rowing² ['rauiŋ] *zob* **row³** *v* Ⅲ *s* z/besztanie; bura
rowing-boat ['rouiŋ,bout] *s* łódź wiosłowa
rowing-club ['rouiŋ,klʌb] *s* klub <towarzystwo>
wioślarski/e
rowlock ['rɔlək] *s wiośl* dulka
royal ['rɔiəl] Ⅰ *adj* 1. królewski; (*o zgodzie itd*)
król-a/owej; *bot* **~ fern** długosz królewski; **~
paper = ~** *s* 3.; **~ stag** jeleń mający od 6 lat
w górę 2. wspaniały; niebywały; kapitalny;
fenomenalny; **in ~ spirits** w fantastycznym
humorze; **to have a ~ time** kapitalnie się za/
bawić Ⅲ *s* 1. *pot* członek rodziny królewskiej

2. **= ~ stag** 3. format papieru (kancelaryjnego,
rysunkowego — 19 na 24 cale; drukarskiego
— 20 na 25 cali)
royalist ['rɔiəlist] *s* rojalist-a/ka
royalty ['rɔiəlti] *s* 1. królewskość 2. władza królewska 3. człon-ek/kowie rodziny królewskiej
4. monarchowie 5. prerogatywy królewskie 6. honorarium autorskie (od egzemplarza) 7. opłata
za nadania górnicze <za prawo eksploatacji gór-
niczej>
rub¹ [rʌb] *v* (**-bb-**) Ⅰ *vt* 1. po/trzeć; otrzeć/ocie-
rać; na-trzeć/cierać; zacierać (**one's hands** ręce
a) dla rozgrzania się b) z radości); **to ~ noses**
a) przy/witać się przez pocieranie nosami; po-
cierać się nosami (z kimś) na powitanie b) być
za pan brat (z kimś); **to ~ sb the wrong way**
po/głaskać kogoś pod włos; *przen* **to ~
shoulders with __** ocierać się o ... (kogoś) 2.
z przymiotnikiem zastosowanym orzecznikowo:
to ~ one's foot etc. sore otrzeć/ocierać sobie
skórę na stopie itd.; **to ~ sth bare** obnaż-yć/ać
coś przez tarcie; o/skrobać coś; **to ~ sth dry**
wy-trzeć/cierać coś do sucha 3. *z przyimkami
przy dopełnieniu dalszym*: **to ~ sth against sth**
trzeć czymś o coś; **to ~ sth into sth** wetrzeć/
wcierać coś w coś; **to ~ sth into a paste**
u/trzeć coś na papkę; **to ~ sth off sth** zetrzeć/
ścierać coś z czegoś; **to ~ sth through sth**
prze-trzeć/cierać coś przez coś; **to ~ sth to
powder** ze-trzeć/ścierać coś na proszek 4. wy/
polerować <wy/czyścić> (metal itd.); *pot* wy/pu-
cować 5. odbi-ć/jać (rysunek itd.) Ⅲ *vi* 1.
(*o kole itd*) ocierać (**against sth** o coś) 2. (*o człowieku*) ocierać się (**against sth** o coś) 3. (*o materiale itd*) ścierać się
~ along *vi* 1. po/radzić sobie jako tako 2.
współżyć (z kimś)
~ away *vt* 1. zetrzeć/ścierać 2. wy-trzeć/
cierać
~ down Ⅰ *vt* 1. oczy-ścić/szczać <wy-trzeć/
cierać> (konia, kogoś itd.) 2. na-trzeć/cierać
(kogoś po kąpieli itd.) Ⅲ *vr* **~ oneself** wy-
-trzeć/cierać się
~ in *vt* wetrzeć/wcierać (maść itd.) ‖ **to ~
it in** wytykać komuś popełniony błąd; stale
komuś coś przypominać <wypominać>; dokuczać komuś z powodu czegoś; **don't ~ it
in!** nie wypominaj mi tego <mego błędu
itd.>!; przestań mi dokuczać z powodu tej
sprawy!
~ off Ⅰ *vt* zetrzeć/ścierać; **to ~ off one's
skin** otrzeć/ocierać sobie skórę Ⅲ *vi* zetrzeć/
ścierać się
~ out *vt* wy-trzeć/cierać; wymaz-ać/ywać
(gumą)
~ over *vt* roz-etrzeć/cierać; **to ~ over a sore
spot with an ointment** roz-etrzeć/cierać maść
po bolącym miejscu; na-trzeć/cierać bolące
miejsce maścią
~ through *vi* po/radzić sobie jakoś
~ together *vt w zwrocie*: **to ~ two things
together** po/trzeć jedną rzecz o drugą
~ up *vt* 1. wy/polerować <wy/czyścić> (metal itd.); *pot* wy/pucować 2. przypomnieć sobie (to, czego się nauczyło); odświeżyć sobie
w pamięci
zob **rubbing** Ⅲ *s* 1. tarcie; nacieranie; **to give**

sth a ~ oczyścić <wyczyścić, wypolerować, *pot* wypucować> coś 2. nierówność kortu (w grze w "bowls"); *przen* **there's the** ~ w tym właśnie sęk <cała trudność>; **the** ~**s and worries of life** kłopoty; zmartwienia życiowe

rub² [rʌb] = **rubber²**

rub-a-dub(-dub) ['rʌbə,dʌb(dʌb)] *s* bębnienie; werbel

rubber¹ ['rʌbə] Ⅰ *s* 1. ścierka (kuchenna itd.) 2. pilnik gładki 3. hamulec (koła) 4. masażyst-a/ka 5. guma ołówkowa; guma 6. kauczuk 7. uszczelka gumowa 8. *pl* ~**s** *am* kalosze 9. *bud* miękka cegła Ⅲ *attr* 1. gumowy 2. kauczukowy; ~ **plant** <**tree**> drzewo kauczukowe; ~ **stamp** pieczątka (firmowa itd.) Ⅲ *vt* o/gumować; powle-c/kać gumą; impregnować Ⅳ *vi am* gapić się

rubber² ['rʌbə] *s karc* rober; **the** ~ (*także* **the rub**) rozstrzygający rober

rubberize ['rʌbə,raiz] = **rubber¹** *vt*

rubber-neck ['rʌbə,nek] *s am sl* 1. gap 2. turysta

rubbing ['rʌbiŋ] Ⅰ *zob* **rub¹** *v* Ⅲ *s* tarcie Ⅲ *attr* 1. tarciowy 2. cierny

rubbish ['rʌbiʃ] Ⅰ *s* 1. nieczystości; śmieci; rumowisko; gruz 2. tandeta 3. głupstwa; nonsensy; brednie; bzdury; **to talk** ~ mówić głupstwa; pleść bzdury Ⅲ *interj* nonsens!

rubbish-bin ['rʌbiʃ,bin] *s* skrzynia <pojemnik> na śmieci

rubbish-heap ['rʌbiʃ,hi:p], **rubbish-shoot** ['rʌbiʃ ,ʃu:t] *s* śmietnik, śmietnisko

rubbishy ['rʌbiʃi] *adj* 1. pełen śmieci, zaśmiecony, śmiecisty 2. tandetny; ~ **stuff** tandeta

rubble ['rʌbl] *s* 1. kamień łamany; tłuczeń; gruz 2. *geol* rumosz

rub-down ['rʌb'daun] *s* nacieranie; **to give sb a** ~ natrzeć kogoś

rube [ru:b] *s sl am* prosta-k/czka wiejsk-i/a

rubefacient [,ru:bi'feiʃənt] *adj med* (*o środku*) wywołujący zaczerwienienie skóry

rubefy ['ru:bi,fai] *vt* (**rubefied** ['ru:bi,faid], **rubefied**; **rubefying** ['ru:bi,faiiŋ]) wywoł-ać/ywać zaczerwienienie skóry (**sb** u kogoś)

rubella [ru:'belə] *s med* różyczka

rubeola [ru:'biələ] *s med* odra

rubescent [ru:'besnt] *adj* czerwonawy; czerwieniejący

rubiaceae [,rubi'eisi,i:] *spl bot* (rośliny) marzankowate

rubicelle ['ru:bi,cel] *s geol* rubicel

Rubicon ['ru:bi,kɔn] *spr w zwrocie:* **to pass** <**cross**> **the** ~ przejść Rubikon; zdecydować się na stanowczy krok

rubicund ['ru:bikənd] *adj* rumiany; czerwony na twarzy

rubidium [ru:'bidiəm] *s chem* rubid

rubiginous [ru:'bidʒinəs] *adj* rdzawy

rubious ['ru:bjəs] *adj* koloru rubinowego, rubinowy

ruble ['ru:bl] = **rouble**

rubric ['ru:brik] *s druk kośc* rubryka

rubricate ['ru:bri,keit] *vt* po/rubrykować

rub-stone ['rʌb,stoun] *s* kamień do ostrzenia

ruby ['ru:bi] Ⅰ *s* 1. rubin; **above rubies** bezcenny 2. kolor rubinowy 3. *med* krosta 4. czerwone wino 5. *przen boks* krew 6. *druk* czcionka wielkości 5,5 pkt <*am* 3,5 pkt> Ⅲ *attr* rubinowy Ⅲ *vt* po/malować na czerwono

ruche [ru:ʃ] *s* kreza

ruck¹ [rʌk] *s* 1. gromada przegrywających (koni w wyścigu, zawodników w biegu) 2. szary tłum

ruck² [rʌk] Ⅰ *s* fałd, fałda; zmarszczka Ⅲ *vt vi* po/fałdować <z/marszczyć> (się)

ruckle ['rʌkl] Ⅰ *s* = **ruck²** *s* Ⅲ *vt vi* (*także* ~ **up**) = **ruck²** *vt vi*

ruckle² ['rʌkl] Ⅰ *s* rzężenie Ⅲ *vi* rzęzić

rucksack ['ruk,sæk] *s* plecak

ruckus ['rʌkəs] *am* = **rumpus**

ruction ['rʌkʃən] *s sl* granda; awantura; piekło

rudbeckia [rʌd'bekjə] *s bot* rudbekia naga, rotacznica

rudd [rʌd] *s zoo* czerwionka, wzdręga (ryba karpiowata)

rudder ['rʌdə] *s* ster

rudder-fish ['rʌdə,fiʃ] *s* nazwa kilku gatunków ryb płynących za śladem statków

rudderless ['rʌdəlis] *adj* (*o statku itd*) pozbawiony <bez> steru

ruddiness ['rʌdinis] *s* 1. rumieńce 2. świeżość <czerstwość> (cery)

▲**ruddy** ['rʌdi] *adj* (**ruddier** ['rʌdiə], **ruddiest** ['rʌd iist]) 1. (*o twarzy*) rumiany; różowy; (*o cerze*) świeży; (*o człowieku*) czerstwy 2. (*o blasku ognia*) czerwony 3. (*o ptakach*) rudy 4. *sl* diabelski; sakramencki

rude [ru:d] *adj* 1. prosty; surowy; prymitywny; niewykształcony; nie ociosany 2. gwałtowny; nagły; *przen* **a** ~ **awakening** gorzkie rozczarowanie 3. (*o zdrowiu*) silny, mocny, krzepki 4. (*o człowieku, zachowaniu, uwagach itd*) niegrzeczny; nieuprzejmy; szorstki; grubiański; obraźliwy; (*o dziecku itd*) źle wychowany; **to be** ~ **to sb** niegrzecznie się zachow-ać/ywać wobec kogoś, być niegrzecznym dla kogoś 5. niedokładny; powierzchowny; przybliżony

rudeness ['ru:dnis] *s* 1. prostota; surowość; prymitywność 2. gwałtowność 3. niegrzeczność; nieuprzejmość; szorstkość, grubiaństwo; brak wychowania

ruderal ['ru:dərəl] *adj bot* rosnący na gruzach <na rumowiskach>

rudiment ['ru:dimənt] *s* 1. szczątek 2. organ szczątkowy 3. *pl* ~**s** początki <podstawy> (dziedziny wiedzy itd.); zasady

rudimental [,ru:di'mentl], **rudimentary** [,ru:di'men təri] *adj* 1. szczątkowy; rudymentarny 2. elementarny; podstawowy

rue¹ [ru:] *s bot* ruta zwyczajna

rue² [ru:] Ⅰ *s* żal; skrucha Ⅲ *vt* żałować (**sth** czegoś); **I** ~ **the day** <**hour**> **when** _ przeklinam <przekląłem> ten dzień <tę godzinę>, w którym/ej ...

rueful ['ru:ful] *adj* smutny; ponury

ruefulness ['ru:fulnis] *s* smutek; ponurość

ruelle [ru:'el] *s* 1. miejsce między łóżkiem a ścianą 2. *hist* alkowa

rufescent [ru:'fesnt] *adj* czerwonawy

ruff¹ [rʌf] *s* 1. kreza 2. (*u ptaka, zwierzęcia*) krawatka 3. gołąb z krawatką

ruff² [rʌf] *s zoo* jazgarz (ryba okuniowata)

ruff³ [rʌf] *s zoo* bojownik, batalion (ptak spokrewniony z bekasem)

ruff⁴ [rʌf] Ⅰ *s* 1. *karc* atut 2. *karc* bicie atutem Ⅲ *vt karc* przebić atutem

⁋ruffed [rʌft] *adj* 1. (*o sukni itd*) z krezą 2. (*o zwierzęciu, ptaku*) z krawatką

ruffian ['rʌfjən] *s* zbój; łotr; chuligan

ruffianism ['rʌfjə‚nizəm] *s* bandytyzm; chuligaństwo

ruffianly ['rʌfjənli] *adj* bandycki; chuligański

ruffle¹ ['rʌfl] □ *vt* 1. roz/czochrać <z/mierzwić> (sb's hair komuś włosy) 2. (*o wietrze*) rozwi-ać/ewać <z/wichrzyć, roz/wichrzyć> (sb's hair komuś włosy); z/marszczyć <wzburz-yć/ać> (the surface of the water powierzchnię wody) 3. (*o ptaku*) nastroszyć (its feathers pióra) 4. ura-zić/żać (sb kogoś; sb's feelings czyjeś uczucia); wzburz-yć/ać; za/mącić (sb's serenity czyjąś pogodę ducha); to ～ sb's temper <sb> z/irytować kogoś 5. z/miąć; z/gnieść; pognieść; z/miętosić 6. ozd-obić/abiać krezą <fryzą, żabotem, mankietem koronkowym> □ *vi* 1. (*o włosach*) roz-czochrać <z/mierzwić> się 2. (*o piórach ptaka*) nastroszyć się 3. (*o morzu*) wzburzyć się □ *s* 1. niepokój; zamieszanie 2. przykrość; kłopot 3. marszczenie <burzenie> się (powierzchni wody) 4. mankiet koronkowy; kreza; żabot; fryza 5. (*u ptaka, zwierzęcia*) krawatka

ruffle² ['rʌfl] *s wojsk* werbel

ruffler ['rʌflə] *s* samochwał; zawadiaka

rufous ['ruːfəs] *adj* rudy; ryży

rug [rʌg] *s* 1. pled 2. dywan, dywanik; kilim; kilimek

Rugbeian [rʌg'biən] *s* uczeń <absolwent> szkoły w Rugby

rugby ['rʌgbi] *s* (*także* ～ football, rugger) *sport* rugby

⁋rugged ['rʌgid] *adj* 1. (*o terenie*) nierówny; (*o gościńcu, drodze*) wyboisty; (*o górach*) dziki; poszarpany; (*o skałach*) urwisty; (*o korze itd*) chropowaty 2. (*o rysach twarzy*) gruby; nieregularny; wyrazisty 3. (*o sposobie bycia*) szorstki; kostyczny; gburowaty; (*o stylu, wierszach*) nie wygładzony; surowy 4. (*o zasadach, nakazach itd*) surowy; bezwzględny 5. (*o trybie życia*) męczący 6. (*o dźwiękach, muzyce*) ostry, rażący 7. (*o pogodzie*) nieprzyjemny

ruggedness ['rʌgidnis] *s* 1. nierówności (terenu); wyboistość (drogi); dzikość (gór itd.); urwistość (skał); chropowatość (powierzchni) 2. ostrość <wyrazistość> (rysów twarzy) 3. szorstkość; kostyczność; brak ogłady; gburowatość 4. surowość

rugger ['rʌgə] = rugby

rugose [ru'gous], **rugous** ['ruːgəs] *adj* pomarszczony; pofałdowany

rugosity [ru'gɔsiti] *s* pomarszczona <pofałdowana> powierzchnia

rugous *zob* rugose

ruin [ruin] □ *s* 1. ruina; upadek; obalenie; zniszczenie; zaprzepaszczenie; zniweczenie; zburzenie; spustoszenie; zagłada; katastrofa; zguba; opłakany stan (budynku itd.); rozwianie <przekreślenie> (nadziei); to bring to ～ zrujnować; doprowadz-ić/ać do upadku <ruiny, zagłady, katastrofy, zguby>; z/niszczyć; zaprzepa-ścić/szczać; to go to ～ z/niszczyć; to lie in ～ leżeć w gruzach; that was his ～ <the ～ of him> to go wykończyło <doprowadziło do upadku, ruiny> 2. (*zw pl*) ruiny; in ～s zniszczony; spustoszony; w gruzach; to lay in ～s obr-ócić/acać w perzynę (miasto, okolicę, kraj) 3. (*o człowieku*)

ruina; cień dawnego człowieka; (*o budynku*) ruina; rudera □ *vt* 1. z/rujnować; z/niszczyć; z/niweczyć; z/burzyć; s/pustoszyć; zaprzepa-ścić/szczać; z/gubić; obal-ić/ać; doprowadz-ić/ać do ruiny <do upadku, zagłady, katastrofy, zguby>; † z/dezolować 2. rozwiać <przekreśl-ić/ać> (nadzieje) 3. uwieść (dziewczynę) □ *vi poet* runąć

ruination [ruiˈneiʃən] *s* ruina; rujnacja; upadek; zguba

ruinous ['ruinəs] *adj* 1. (znajdujący się) w ruinie <w opłakanym stanie>; zniszczony; † zdezolowany; (*o budynku*) walący się 2. rujnujący; zgubny; niszczący

rule [ruːl] □ *s* 1. reguła; przepis; prawidło; prawo; zasada; norma; as a ～ z reguły; zwykle; normalnie; by ～ przepisowo; ～ of thumb ogólna zasada oparta na doświadczeniu <na praktyce>; the ～s and regulations statut; regulamin; the ～(s) of the road przepisy ruchu drogowego; to make it a ～ to do sth a) robić coś z zasady b) regularnie <stale> coś robić 2. rządy; panowanie 3. *kość* reguła 4. *prawn* postanowienie <nakaz> (sądu) 5. *pl* ～s *hist* określona dzielnica, w której więźniowie zatrzymani za nie zapłacone długi mogli wynajmować sobie mieszkania 6. linia, liniał; przymiar 7. *druk* interlinia □ *vt* 1. rządzić (a state, people państwem, narodem); panować (a nation, one's passions etc. nad krajem, swymi namiętnościami itd.) 2. wywierać <mieć> decydujący wpływ (sb, sth na kogoś, coś); kierować (sb, sth kimś, czymś) 3. *prawn* postan-owić/awiać; orze-c/kać 4. po/liniować □ *vi* 1. panować (over a people nad narodem); rządzić <władać> (over a people etc. narodem itd.) 2. (*o cenach*) kształtować się; to ～ high mieć tendencję zwyżkową; zwyżkować; to ～ low mieć tendencję zniżkową; zniżkować ～ off *vt* 1. podkreśl-ić/ać (zestawienie itd.) 2. zam-knąć/ykać (rachunek) ～ out *vt* 1. wyklucz-yć/ać 2. przekreśl-ić/ać *zob* ruling

ruler ['ruːlə] *s* 1. wład-ca/czyni 2. linia, liniał; linijka

ruling ['ruːliŋ] □ *zob* rule *v* □ *s prawn* orzeczenie (sądu); decyzja

rulley ['rʌli], **rolley** ['rɔli] *s* czterokołowy wóz towarowy; platforma

rum¹ [rʌm] *s* 1. rum 2. *am o zabarwieniu ujemnym*: alkohol, trunek

rum² [rʌm] *adj* (rummer ['rʌmə], rummest ['rʌmist]), **rummy** ['rʌmi] *adj* (rummier ['rʌmiə], rummiest ['rʌmiist]) *sl* dziwny; ～ start dziwna historia; ～ customer niepewny <podejrzany> gość <facet>

Rumanian [ru'meinjən] = Roumanian

rumba ['rʌmbə] *s* rumba (taniec)

rumble¹ ['rʌmbl] □ *vi* 1. hu-knąć/czeć; za/dudnić; za/grzmieć 2. (*o wozie itd*) za/turkotać 3. za/burczeć (w brzuchu) ～ along *vi* je-chać/ździć z turkotem <turkocząc, dudniąc> ～ by *vi* przeje-chać/żdżać z turkotem <turkocząc, dudniąc> ～ out <forth> *vt* burknąć <wy/mamrotać> (uwagę itd.) □ *s* 1. huk; dudnienie; grzmot; łoskot 2. turkot 3. burczenie (w brzuchu) 4. miejsce siedzące (dla służącego) <na bagaż> z tyłu wozu <samochodu>

rumble² ['rʌmbl] *vt sl* przejrzeć (kogoś, coś)

rumble-tumble ['rʌmbl'tʌmbl] *s* 1. ciężki pojazd; landara 2. trzęsienie <telepanie> się (przy jeździe po wyboistej drodze itd.)

rumbustious [rʌm'bʌstjəs]\ *adj pot* hałaśliwy; wrzaskliwy; zgiełkliwy

rumen ['ru:mən] *s* (*pl* **rumina** ['ru:mənə]) *zoo* pierwszy żołądek przeżuwacza

rumex ['ru:meks] *s bot* szczaw

ruminant ['ru:minənt] Ⅰ *s zoo* przeżuwacz Ⅱ *adj* 1. (*o zwierzęciu*) przeżuwający 2. (*o człowieku*) zamyślony

ruminate ['ru:mi‚neit] Ⅰ *vi* 1. przeżuwać (pokarm) 2. przemyśleć (**about** <**on, over**> **a plan** etc. plan itd.) Ⅱ *vt* przemyśleć (**sth** coś); przemyśliwać (**sth o czymś**) Ⅲ *adj bot* (*o liściu*) prążkowaty

rumination [‚ru:mi'neiʃən] *s* 1. (*u zwierzęcia*) przeżuwanie 2. (*u człowieka*) przemyśliwanie

rummage ['rʌmidʒ] Ⅰ *s* 1. szperanie; poszukiwani-e/a; przetrząsanie 2. rewizja celna (na statku) 3. graty; starzyzna; ~ **sale** wyprzedaż resztek; † wenta dobroczynna Ⅱ *vt* przetrząs-nąć/ać; przeszuk-ać/iwać; po/szperać <po/gmerać> (**sth w czymś**); po/wywracać; grzebać <szukać> (**one's pockets etc.** w kieszeniach itd.) Ⅲ *vi* grzebać <szukać> (**in one's pockets etc.** w kieszeniach itd.)
~ **out** <**up**> *vt* wygrzeb-ać/ywać

rummer ['rʌmə] *s* szklanica; wielka szklanka

rummy¹ *zob* **rum²**

↑ **rummy²** ['rʌmi] *s karc* remi

rumness ['rʌmnis] *s sl* dziwaczność

rumour ['ru:mə] Ⅰ *s* wieść; pogłoska Ⅱ *vt* pu--ścić/szczać pogłoskę (**sth o czymś**); **it is ~ed that** ... krąży pogłoska, jakoby ...; opowiadają, że ...; **the man is ~ed to have stolen** <**killed** etc.> mówią, że ten człowiek ukradł <zabił itd.>

rump [rʌmp] *s* 1. zad (zwierzęcia); krzyż (wołowy); comber (sarni itd.) 2. *hist* **the Rump** parlament kadłubowy

rumple ['rʌmpl] *vt* 1. z/miąć; z/miętosić; z/marszczyć 2. rozczochrać <z/mierzwić> (włosy)

rumpsteak ['rʌm‚steik] *s kulin* rumsztyk

↑ **rumpus** ['rʌmpəs] *s sl* granda; burda; raban; awantura

rum-runner ['rʌm‚rʌnə] *s am pot* 1. przemytnik alkoholu 2. statek używany do przemytu alkoholu

run [rʌn] *v* (**ran** [ræn], **run**; **running** ['rʌniŋ]) Ⅰ *vi* 1. (*o człowieku, zwierzęciu*) biegać; pędzić; po/biec; po/śpieszyć się; **to ~ to help sb** pośpieszyć komuś na pomoc; **to ~ to meet one's troubles** martwić się zawczasu; **it is so clear that he who ~s may read** to jest łatwo zrozumiałe; jest napisane jak wół 2. (*o pojeździe*) jechać; (*o statku, okręcie*) płynąć; (*o środkach lokomocji*) kursować (**between ... and ...** między ... a ...); (*o przedmiocie, stole, krześle itd*) poruszać się (**on wheels etc.** na kółkach, kołach itd.) 3. (*o życiu itd*) trwać 4. (*o maszynie itd*) działać; funkcjonować; być w ruchu; (*o kole*) obracać się; (*o fabryce*) pracować; być czynnym; *dosł i przen* (*o kuli, życiu itd*) po/toczyć

się; (*o wrzecionie itd*) kręcić się; (*o ogniu, wiadomościach itd*) szerzyć <rozprzestrzeni-ć/ać> się 5. (*o świecy*) lać się; kapać; (*o cieczy*) ciec; lać <sączyć, rozlewać> się; **the streets ran with blood** krew lała się ulicami 6. (*o rzece*) płynąć; (*o piasku itd*) sypać się 7. (*o wierszu*) czytać się potoczyście; **the verse ~s** wiersz jest potoczysty; **his tongue ~s** usta mu się nie zamykają; ǁ **to ~ to extremes** posuwać się do ostateczności 8. ucie-c/kać (**from sb, sth** od kogoś, czegoś <**przed kimś, czymś**>); u/ratować się ucieczką; zbiec; *sl* **to ~ for it** wziąć nogi za pas; *sl* **to cut and ~** zwiać 9. kandydować (**for Parliament** do parlamentu; **for office** na stanowisko) 10. (*o łososiu itd*) płynąć w górę rzeki 11. (*o wekslu, czynszu, umowie itd*) być ważnym (przez określony czas, na dalszy okres czasu) 12. (*o sztuce, filmie*) iść 13. (*o rozmowie*) toczyć się (na jakiś temat) 14. (*o projektach itd*) snuć się (**through** <**in**> **sb's head** komuś po głowie) 15. (*o liczbie, ilości*) wynosić (**to** 5 5); dochodzić (**to __ do ... — danej liczby**) 16. (*o farbie*) puszczać 17. (*o człowieku*) w zwrotach: **he ~s at the mouth** ślina cieknie mu z ust; **he ~s at the nose** kapie mu z nosa; wisi mu pod nosem 18. (*o oczach*) łzawić 19. (*o ranie*) ropieć 20. (*o lodach, galarecie*) rozpły-nąć/wać się 21. (*o linii, korytarzu, łańcuchu górskim itd*) biec, ciągnąć <rozciągać> się, przebiegać 22. (*o treści dokumentu, ustawie itd*) brzmieć; głosić; (*o opowiadaniu itd*) **the story ~s in these words** historia brzmi następująco 23. *z przymiotnikiem, lub przysłówkiem o zastosowaniu orzecznikowym*: **my blood ran cold** zmroziło mi krew w żyłach; (*o źródle itd*) **to ~ dry** wys-chnąć/ychać; *sport* **to ~ first** <**second** etc.> być pierwszym <drugim itd.> na mecie; **to ~ high** a) (*o morzu, umysłach*) być wzburzonym b) (*o namiętnościach*) rozgorzeć c) (*o cenach*) zwyżkować; podn-ieść/osić <podsk-oczyć/akiwać>; (*o wodzie z kurka*) **to ~ hot** być gorącym; **the water ~s hot** (z kurka) idzie gorąca woda; (*o funduszach, zapasach towaru itd*) **to ~ low** <**short**> wyczerp-ać/ywać się; (*o cenach*) **to ~ low** zniżkować, spa-ść/dać; **to ~ mad** z/wariować; oszaleć; (*o przypływie*) **to ~ strong** szybko przybywać; **to ~ wild** z/dziczeć 24. *z przyimkami*: ~ **across**; **to ~ across sb, sth** spot-kać/ykać <napot-kać/ykać> kogoś, coś; ~ **after**; **to ~ after sb** narzucać się komuś; molestować kogoś; ~ **against**; **to ~ against sth** uderzyć się o coś; **to ~ against sb's interests** sprzeciwić się czyimś interesom; ~ **along**; (*o drodze, rowie itd*) **to ~ along sth** ciągnąć się wzdłuż czegoś; ~ **at**; **to ~ at sb** rzucić się na kogoś; ~ **by**; **to ~ by sth** przebie-c/gać obok <mimo> czegoś; ~ **down**; **to ~ down a hill** a) (*o człowieku, zwierzęciu*) zbie-c/gać b) (*o pojeździe*) zje-chać/żdżać z góry <z górki>; **to ~ down the stairs** zbie-c/gać <zl-ecieć/atywać> ze schodów; **a shiver ran down my spine** przebiegł mnie dreszcz; (*o pocie, łzach*) **to ~ down sb's face** płynąć <spływać> komuś po twarzy; (*o cenach, ilościach itd*) **to ~ from ... to __** wahać się między ... a ...; ~ **in** wbie-c/gać; **to ~ in the family** <**in the blood**> być cechą rodzinną; być rodzinnym <dziedzicznym>; ~ **into**; **to ~**

into sb, sth wpa-ść/dać <naje-chać/żdżać> na kogoś, coś; to ~ into a room wbie-c/gać <wl--ecieć/atywać> do pokoju; to ~ into debt <absurdity, a habit> popaść <wpaść> w długi <w absurd, w nałóg>; (o kolorach) to ~ into one another zlewać się; to ~ into hundreds <thousands etc.> iść w setki <tysiące itd.>; (o publikacji) to ~ into x editions osiągnąć x wydań; ~ on; to ~ on sth a) dotyczyć czegoś b) (o dowodzie, twierdzeniu) zależeć od czegoś; ~ out wybie-c/gać (of a room etc. z pokoju itd.); ~ over; to ~ over sb przeje-chać/żdżać kogoś; to ~ over sth a) przeje-chać/żdżać po czymś b) prze-jrzeć/glądać coś c) stre-ścić/szczać; podsumow-ać/ywać d) przebie-c/gać palcami po czymś (po klawiszach); ~ past; to ~ past sb, sth przebie-c/gać <przel-ecieć/atywać> obok <mimo> kogoś, czegoś; to ~ past a signal przejechać <minąć> sygnał; nie zatrzymać się przy sygnale; ~ round obie-c/gać dokoła; ~ through; (o myśli, melodii itd) to ~ through sb's head przy-jść/chodzić komuś do głowy; the thought ran through my head przyszło mi na myśl; to keep ~ning through sb's head nie dawać komuś spokoju; prześladować kogoś; (o cieczy) to ~ through a sieve etc. przecie-c/kać przez sito itd.; to ~ through sth a) przebie-c/gać przez coś b) rzucić okiem na <w> coś; ~ to; to ~ to fat przy/tyć; (o roślinie) to ~ to seed pójść/iść w nasienie; to ~ to ruin popa-ść/dać w ruinę; z/niszczeć; ~ up; to ~ up a hill a) bie-c/gać pod górę b) do/ biec do szczytu góry <górki> c) jechać pod górę d) wjechać na górę; pot wziąć/brać górę; ~ upon; to ~ upon sb natknąć się na kogoś; to ~ upon sth a) wpa-ść/dać na coś b) (o rozmowie) toczyć się na temat czegoś; his mind ran upon different schemes rozmyśliwał o różnych sposobach <planach> □ vt 1. odby-ć/wać (one's <its> course swoją drogę); bie-c/gać <wziąć/brać udział> (a race w wyścigu <w bie­gu>); przebie-c/gać <przeje-chać/żdżać, prze­pły-nąć/wać> (pewną odległość); (o psach) biec (a scent za tropem <za śladem> zwierzyny); (o dziecku itd) biegać <uganiać się> (the streets po ulicach; errands za posyłkami); pobiec <polecieć> (an errand załatwić polecenie <sprawunek itd.>; a message for sb załatwić czyjeś polecenie) 2. s/forsować (blokadę) 3. s/płynąć (the rapids po bystrzu); dosł i przen (o rzece) to ~ blood spłynąć krwią 4. (o pojeździe) jechać z szybkością (x miles x mil) 5. za/polować (the fox etc. na lisa itd.) 6. ścigać się (sb z kimś); (na wyścigu, w biegach) to ~ sb hard <close> biec <jechać> tuż za kimś; przen to be hard ~ być w kłopotach 7. kazać biec (sb komuś); zmu-sić/szać do biegu (sb, a horse etc. kogoś, konia itd.); pu-ścić/szczać (bydło) na trawę 8. pu-ścić/szczać <uruch-omić/amiać> (a train <a boat, a bus etc.> to a place pociąg <statek, autobus itd.> na pewnej trasie), utrzymywać (komunikację pasażerską <towarową> na pewnej trasie) 9. naje-chać/żdżać (a cart etc. into a wall etc. wozem itd. na mur itd.) 10. wprowadz-ić/ać (wóz itd. — do ...); odw-ieźć/ ozić (kogoś do ...); wysterować 11. przekłu-ć/ wać <u/kłuć, przebi-ć/jać, przeszy-ć/wać> (a pin,

sword etc. into — szpilką, szablą itd. ... — coś, kogoś); przepu-ścić/szczać (sth through sth coś przez coś) 12. przemyc-ić/ać (alkohol itd.) 13. prowadzić (instytucję itd.); po/kierować (an enterprise etc. przedsiębiorstwem itd.); być kierownikiem <dyrektorem> (a shop, factory etc. sklepu, fabryki itd.); mieć <prowadzić> (sklep, warsztat itd.); to ~ one's home gospodarować u siebie; to ~ sb mieć wpływ na kogoś; wodzić kogoś za nos; sl to ~ the show a) być głową <kierowni-kiem/czką> (in an institution etc. instytucji itd.) b) trzymać wszystko <insty­tucję, zakład itd.> w garści; trzymać wszystko za łeb <wszystkich za mordę> 14. operować (a machine etc. maszyną itd.); pracować (a machine etc. przy maszynie itd.); posiadać <mieć> (samochód itd.) 15. handl prowadzić (sprzedaż czegoś); mieć na składzie (coś — towar itd.) 16. postawić/stawiać (a candidate czyjąś kandydaturę) 17. pu-ścić/szczać (płyn itd. ze zbiornika <wodę z kranu itd.>); z/lać (roztopiony metal do formy itd.) 18. przeciąg-nąć/ać <wodzić> (sth through sth czymś po czymś); to ~ one's fingers through one's hair przejechać palcami po włosach; to ~ a comb through one's hair przyczesać się; to ~ one's eye along <down, over> sth przesunąć oczami po czymś; to ~ one's finger over sth wodzić palcem po czymś; || to ~ a parallel <simile> too far za daleko posu-nąć/wać porównanie; przesadz-ić/ać w (jakimś) porównaniu; to ~ a temperature dostać gorączki; mieć gorączkę; to ~ sth fine ledwo ledwo coś z/robić <czemuś podołać>

~ about vi biegać tu i tam <na wszystkie strony>
~ across vi przebie-c/gać na drugą stronę
~ along vi 1. biegać sobie; (do dziecka itd) ~ along! pędź!; leć już! 2. jechać <płynąć> sobie
~ away vi 1. ucie-c/kać; to ~ away with the idea that — wbić sobie do głowy <wy­obrazić sobie> że ... 2. por-wać/ywać (with sth coś) 3. (o uczuciach) opanow-ać/ywać <pon-ieść/osić> (with sb kogoś); his temper ran away with him poniósł go gniew; uniósł się gniewem; to let one's feelings ~ away with one da-ć/wać się ponieść swoim uczuciom
~ back vi wr-ócić/acać (biegiem); przybie-c/ gać z powrotem || to ~ back over the past rzuc-ić/ać okiem wstecz
~ down □ vi 1. zbie-c/gać (z góry) 2. (o sprężynie, zegarze itd) rozkręc-ić/ać się; (o akumulatorze itd) wyczerp-ać/ywać się □ vt 1. przeje-chać/żdżać (kogoś) 2. doścignąć (zbiega itd.); wytropić (zbrodniarza itd.) 3. oczerni-ć/ać (kogoś) 4. w stronie biernej: to be <feel> ~ down być <czuć się> wyczerpanym <osłabionym>; he looked ~ down miał wygląd człowieka wyczerpanego <ledwo ży­wego>
~ in □ vi wpa-ść/dać (to see sb do kogoś w odwiedziny) □ vt 1. pot w/pakować (kogoś) do ciupy 2. doszlifow-ać/ywać; do-trzeć/cierać (samochód itd.); (w napisie) "~ning in" „niedotarty"
~ off □ vi ucie-c/kać; pot zwi-ać/ewać □

vt 1. wy/recytować; odczyt-ać/ywać; za/deklamować 2. na/pisać <ułożyć/układać> (artykuł itd.); wy/drukować
~ **on** *vi* 1. po/biec <po/jechać, po/płynąć> dalej 2. ciągnąć się dalej 3. mówić dalej
~ **out** ▯ *vi* 1. (*o człowieku, zwierzęciu itd*) wybie-c/gać; (*o granicach itd*) rozciągać się <sięgać> (dokądś) 2. (*o morzu itd*) cof-nąć/ać się; **the tide is ~ning out** jest odpływ; **the tide has ~ out** jest po odpływie; morze cofnęło się 3. (*o cieczy*) wyl-ać/ewać <rozl-ać/ewać, wysącz-yć/ać> się 4. (*o naczyniu*) być nieszczelnym <dziurawym> 5. (*o okresie, terminie dzierżawy, ważności*) skończyć się; wygasnąć; *przen* **the sands are ~ning out** zbliża się koniec; ostatnia godzina wybiła 6. *karc* (*o graczu*) wypa-ść/dać (z gry); s/kończyć grę 7. (*o zapasach towaru, prowiantu itd*) s/kończyć <wyczerp-ać/ywać> się; **I am ~ning <have ~> out of** __ kończy <skończył> mi się ... (zapas cukru itd.); zaczyna mi brakować <zabrakło mi> ... (węgla itd.) 8. (*o linie, kablu itd*) rozwi-nąć/jać się (do końca) 9. (*o belce, części budynku itd*) wystawać, sterczeć; wychodzić na zewnątrz ▯ *vr* ~ **oneself out** wyczerp-ać/ywać się (biegiem, bieganiem) ▯ *vt* 1. dobie-c/gać do końca (**a race** biegu, wyścigu) 2. (*w krykiecie*) spalić (zawodnika) 3. wypu-ścić/szczać (linę, kabel itd.); wysu-nąć/wać (coś poza pewną linię, granicę)
~ **over** *vi* 1. *pot* skoczyć (**to a shop etc.** do sklepu itd.) 2. (*o cieczy*) przel-ać/ewać się; rozl-ać/ewać się 3. (*o naczyniu*) być przepełnionym; **the pot ran over** wylało się z garnka; wykipiało
~ **round** *vi* przebie-c/gać <skoczyć> (do kogoś)
~ **through** ▯ *vi* przefiltrow-ać/ywać (ciecz) ▯ *vt* przebi-ć/jać (kogoś bagnetem itd.); przeszy-ć/wać (kogoś szablą itd.)
~ **up** ▯ *vi* 1. wybie-c/gać <*pot* sk-oczyć/akać> na górę 2. przybie-c/gać (**to sb** do kogoś) 3. natknąć się (**against difficulties** <**sb** etc.> na trudności <kogoś itd.>); spotkać (**against sb** kogoś) 4. (*o roślinach*) wyr-osnąć/astać 5. (*o cenach*) wzr-osnąć/astać; podn-ieść/osić się; *pot* podskoczyć 6. (*o liczbie, ilości*) do-jść/chodzić (**to** __ **do** ... — pewnej cyfry <wysokości>) 7. (*o rybie*) pły-nąć/wać w górę rzeki 8. *sport* przybie-c/gać do mety (**to sb** tuż po kimś) ▯ *vt* 1. dopu-ścić/szczać do urastania (**an account** <**bills**> rachunku <długów>); **to ~ up bills at the grocer's** <**tailor's** etc.> zadłuż-yć/ać się w sklepie spożywczym <u krawca itd.> 2. podbi-ć/jać <wyśrubow-ać/ywać> (ceny na licytacji) 3. podn-ieść/osić <wywiesić> (flagę) 4. wy/budować w pośpiechu <byle jak> 5. doda-ć/wać (kolumnę cyfr)
zob **running** ▯ *s* 1. bieg; bieganie; bieganina; **at a ~** biegiem; **on the ~** a) (*o człowieku*) (będący) na nogach; w ruchu b) (*o nieprzyjacielu*) w ucieczce; **with a ~** nagle; szybko; **to have a ~** a) pobiegać (dla gimnastyki) b) przejechać się konno (na polowaniu par force); **to have a ~ for one's money** na/cieszyć się za

swoje pieniądze; **nie wyda-ć/wać pieniędzy na** darmo 2. wycieczka (koleją itd.); przejażdżka (rowerowa itp.); przejazd (czas jazdy); **a trial** ~ próbna jazda (lokomotywy, samochodu itd.); **it's an hour's** ~ to jest godzina jazdy (skądś) 3. rozbieg, rozpęd; **to take a** ~ rozpędz-ić/ać się; nab-rać/ierać rozpędu; *sport* wziąć/brać rozbieg 4. trasa; przebieg; tok; ukształtowanie się; układ; sytuacja (rynkowa itd.); *górn* przebieg żyły 5. rytm (wiersza); **to get the** ~ **of sth** zorientować się w czymś; wczuć się w coś 6. (dobra <zła>) passa; **a** ~ **of luck** dobra <szczęśliwa> passa; **a** ~ **of misfortune** zła passa 7. *karc* sekwens 8. okres (urządzania, wystawiania sztuki teatr., wyświetlania filmu itd.); (*o rządzie*) **had a long** ~ a) długo był <utrzym-ał/ywał się> u władzy; (*o ministrze itd*) długo urzędował <miał tekę> b) (*o sztuce*) długo szła; (*o filmie*) długo był wyświetlany; **in the long** ~ ostatecznie; w końcu; wreszcie 9. *muz* rulada; pasaż 9. seria; ciąg; **a** ~ **of pipes** rurociąg; rury; pion 10. *handl bank* run 11. przeciętny typ; norma; **the common** ~ **of man** przeciętny człowiek; **out of the common** ~ nieprzeciętny 12. klasa <kategoria> (towaru) 13. stado (zwierząt, ptaków); ławica (ryb) 14. *górn* **the** ~ **of a mine** urobek surowy; pospółka 15. dostęp <(wolny, swobodny) wstęp> (do czyjegoś domu, ogrodu itd.); **to have the** ~ **of one's teeth** <**knife**> **somewhere** jadać gdzieś bezpłatnie i bez ograniczenia 16. wybieg (dla drobiu); pastwisko (dla owiec); owczarnia 17. zjazd (dla narciarzy); tor (saneczkowy) 18. (*w krykiecie*) punkt (zdobyty przez przebiegnięcie przepisowej odległości) 19. (*w robocie dzianej*) puszczone oczko 20. *lotn* nalot 21. nagły spadek (temperatury, cen itd.); **prices came down with a** ~ ceny nagle spadły 22. zawalenie się (budynku itd.)
run-about ['rʌn-ə,baut] ▯ *s* 1. włóczęga 2. (*samochód*) mikrus 3. mała łódź motorowa 4. *austral* zwierzę pasące się na swobodzie ▯ *adj* włóczęgowski
runagate ['rʌn-ə,geit] † *s* wagabunda, włóczęga
runaway ['rʌn-ə,wei] ▯ *s* 1. zbieg 2. dezerter 3. = ~ **horse** *zob* ~ **attr** 1. 4. wagon <*górn* wózek> który się urwał ▯ *attr* 1. zbiegły (niewolnik); ~ **horse** koń ponoszący (z wędzidłem w zębach); ~ **knock** <ring> zapukanie do drzwi <zadzwonienie> dla figla; ~ **match** małżeństwo pary zbiegłych; ~ **victory** łatwe zwycięstwo 2. (*o wagonie, wózku*) urwany
runcible ['rʌnsibl] *attr* ~ **spoon** widelczyk do pikli
runcinate ['rʌnsi,neit] *adj bot* (*o organic*) haczystodzielny
rundle ['rʌndl] *s* 1. szczebel (drabiny) 2. koło, kółko; tarcza 3. gałka
▮**run-down** ['rʌn'daun] *adj* 1. (*o człowieku*) wyczerpany; *pot* skonany 2. (*o przedmiocie, budynku itd*) w ruinie; walący się 3. (*o zegarze, zegarku*) nie nakręcony
runes [ruːnz] *spl* runy; pismo runiczne
rung[1] [rʌŋ] *s* 1. szczebel (drabiny) 2. laseczka (krzesła itd.) 3. szprycha (koła) 4. *mar* wręga
rung[2] *zob* **ring**[2] *v*
runic ['ruːnik] *adj* runiczny
runlet[1] ['rʌnlit] *s* mała baryłka, beczułka

runlet² ['rʌnlit] *s* strumyczek
runnel ['rʌnl̩] *s* 1. strumyk 2. rynna; ściek
runner ['rʌnə] *s* 1. biegacz/ka; zawodni-k/czka w biegach 2. koń wyścigowy 3. posłaniec; goniec 4. *hist* (*także* **Bow-Street** ~) policjant 5. *am* mechanik; maszynista 6. *zoo* wodnik (ptak) 7. *bot* rozłóg <wąs> (u truskawek itd.) 8. *bot* fasola wielokwiatowa, szablak 9. człowiek <statek> forsujący blokadę; przemytnik 10. (*w robocie dzianej, pończosze itd*) spuszczone oczko 11. biegun (górny kamień młyński) 12. *techn* krążnik; rolka; wirnik (turbiny itd.); *auto* koło jezdne <biegowe> 13. płoza (u sań) 14. ostrze (łyżwy) 15. *mar* lina do podnoszenia ciężarów (za pomocą wielokrążka)
runner-up ['rʌnərʌp] *s* zdobyw-ca/czyni drugiego miejsca (w biegu, konkursie itd.)
▲**running** ['rʌniŋ] □ *rob* run *v* Ⅲ *adj* 1. (będący) w biegu 2. *zoo* (*o ptaku*) biegający 3. (*o wodzie w budynku, jednostce miary* — *metrze, stopie itd, rachunku, wydatkach itd*) bieżący; ~ **commentary** reportaż radiowy; *druk* ~ **title** <headline> żywa pagina 4. *sport* (*o skoku*) z rozbiegiem; (*w piłce nożnej*) ~ **kick** wykop 5. *wojsk* (*o starciu*) ruchomy 6. *kino* (*o zdjęciu*) w ruchu 7. *med* (*o ranie*) ropiejący; (*o oczach*) łzawiący; (*o katarze*) mokry, lejący się 8. (*o stylu*) płynny 9. (*o piśmie*) pochyły; kursywny 10. ciągły; nieustanny, nieustający 11. *wojsk* (*o ogniu artyleryjskim*) zaporowy 12. nieprzerwany; *x* **days** <weeks etc.> ~ *x* dni <tygodni itd.> z rzędu Ⅲ *s* 1. bieg/i; wyścig/i; **to be in** <out of> **the** ~ mieć szanse wygrania <nie mieć widoków na wygranie>; (*dosł w biegach, wyścigu, przen w przedsiębiorstwie*) **to make the** ~ prowadzić; **to take up the** ~ a) *dosł* wysforować się b) *przen* wziąć inicjatywę w swoje ręce; ~ **track** a) tor wyścigowy b) bieżnia 2. bieg <ruch, funkcjonowanie> (maszyny); **in** ~ **order** na chodzie; ~ **gear** podwozie 3. kierownictwo <dyrektorstwo> (instytucji) 4. przemyt· 5. *med* ropienie 6. szlak <przebieg> (linii)
running-board ['rʌniŋˌbɔːd] *s* 1. *auto* stopień 2. (*u lokomotywy, maszyny itd*) pomost obsługi
run-off ['rʌnˌɔf] *s* bieg rozstrzygający
run-out ['rʌnˌaut] *s* (*w piłce nożnej*) wybieg (bramkarza)
runt [rʌnt] *s* 1. rasa drobnego bydła 2. człowiek małego wzrostu; karzeł 3. rasa dużych gołębi
runway ['rʌnˌwei] *s* 1. *myśl* trop 2. *lotn* droga startowa 3. *kolej* tor podjazdowy <bocznicowy> 4. *techn* pochylnia
rupee [ruːˈpiː] *s* rupia
rupture ['rʌptʃə] □ *s* 1· (*także polit*) zerwanie 2. poróżnienie (między przyjaciółmi) 3. *med* pęknięcie; przerwanie; przepuklina 4. *elektr* przebicie izolacji Ⅲ *vt* 1. zerwać/zrywać (stosunki, małżeństwo itd.) 2. *med* przer-wać/ywać (ścięgno, naczynie krwionośne); **to be** ~d mieć przepuklinę; nabawić się przepukliny Ⅲ *vi* (*o błonie itd*) przer-wać/ywać się; pęk-nąć/ać się
rupturewort ['rʌptʃəˌwəːt] *s bot* połonicznik nagi
rural ['ruərəl] *adj* 1. rolny; polny; gospodarski 2. wiejski 3. sielski
▲**ruralize** ['ruərəˌlaiz] □ *vt* nada-ć/wać charakter wiejski (**sb, sth** komuś, czemuś) Ⅲ *vi* s/prostaczeć; s/chłopieć

ruse [ruːz] *s* podstęp; fortel; pułapka
rush¹ [rʌʃ] □ *s* 1. *bot* sit; sitowie; **not worth a** ~ dwóch groszy niewart; ~ **candle** = **rushlight** 2. plecionka (do wyplatania siedzeń krzeseł, rogóżek, mat itd.) Ⅲ *vi* wyplatać (krzesło itd.) sitowiem; pleść (matę itd.) z sitowia
▲**rush²** [rʌʃ] □ *vi* 1. po/gnać; po/gonić; pośpiesz-yć/ać; po/pędzić; po/lecieć; rzuc-ić/ać się; z/robić coś pośpiesznie <zbyt pochopnie, bez zastanowienia>; **to** ~ **to a place** po/gnać <po/pędzić> dokądś; **to** ~ **to conclusions** zbyt pochopnie wyciąg-nąć/ać wnioski 2. (*o rzece*) rwać 3. (*o wietrze*) wtargnąć <wdzierać się> (do pokoju, komina itd.) 4. (*o krwi*) nagle <gwałtownie> napły-nąć/wać (do twarzy, serca itd.); **blood** ~**ed to his face** dostał silnych wypieków; gwałtownie się zaczerwienił 5. *z przyimkami*: ~ **at**; **to** ~ **at sb** rzucić się <napa-ść/dać> na kogoś; ~ **down**; **to** ~ **down the stairs** po/pędzić na dół (ze schodów); zl-ecieć/atywać (biegiem) ze schodów; ~ **for**; **to** ~ **for gold** dać się ponieść <ulec> gorączce złota; ~ **into**; **to** ~ **into** — a) wpa-ść/dać (jak bomba) <wtargnąć> do ... (pokoju itd.) b) niebacznie dać się wciągnąć w ... (kabałę itd.); **to** ~ **into extremes** wpaść w krańcowość; ~ **past**; **to** ~ **past sb, sth** minąć kogoś, coś w galopie; ~ **through**; **to** ~ **through sth** naprędce <pot na chybcika> coś załatwi-ć/ać; zby-ć/wać coś; ~ **up**; **to** ~ **up the stairs** po/pędzić <po/gnać> na górę (po schodach) Ⅲ *vt* 1. popędzać <przynaglać> (kogoś); **to refuse to be** ~**ed** wypraszać sobie popędzanie <przynaglanie>; nie pozw-olić/alać komuś <innym> narzucać sobie tempa 2. zedrzeć/zdzierać (**sb** z kogoś) 3. załatwi-ć/ać <wykon-ać/ywać> (coś) szybko <zbyt szybko, na gwałt, galopem> 4. rzuc-ić/ać się (**sth** na coś); *wojsk* wziąć/brać szturmem; (*o tłumie, publiczności*) **to** ~ **the gates** wedrzeć/wdzierać się (na boisko, do kina, na salę itd.) 5. pośpiesznie <na gwałt, w przyśpieszonym tempie, nie zwlekając> odstawi-ć/ać <odw-ieźć/ozić> (kogoś do szpitala itd.); **to** ~ **a bill through parliament** pośpiesznie uchwal-ić/ać ustawę; **to** ~ **sb through a meal** nie dać komuś spokojnie zjeść; **to** ~ **sth into print** pośpiesznie dać do druku 6. wpląt-ać/ywać (**a country into war etc.** kraj w wojnę itd.); nara-zić/żać (**sb into danger etc.** kogoś na niebezpieczeństwo itd.)

~ **about** *vi* gonić tu i tam
~ **back** *vi* przygnać z powrotem
~ **down** *vi* po/pędzić <po/gnać, zl-ecieć/atywać (biegiem)> na dół
~ **in** *vi* wpa-ść/dać (jak bomba <huragan>); wedrzeć/wdzierać się
~ **out** *vi* wypa-ść/dać (z pokoju itd.)
~ **up** □ *vi* po/pędzić <po/gnać> na górę Ⅲ *vt* 1. pośpiesznie <na gwałt, w gwałtownym tempie> przys-łać/yłać (posiłki, towar itd.) 2. wyśrubow-ać/ywać (ceny)

zob **rushed, rushing** Ⅲ *s* 1. (masowy) pęd; tłok; **there was a** ~ **to** <for> — rzucono się (masowo) na <ku> ...; ~ **hours** godziny szczytu <natężenie ruchu> (w tramwajach, na kolei itd.) 2. gwałtowny <masowy> popyt (na jakiś towar); **a** ~ **order** pilne zamówienie 3. gorączka (złota) 4. silny prąd (rzeki) 5. pośpiech; gwałtowne tempo; **to be in a** ~ śpieszyć się; nie mieć chwili czasu 6. nagły przypływ; napływ

rushed [rʌʃt] Ⅰ *zob* **rush²** *v* Ⅲ *adj* 1. (*o człowieku*) przeciążony pracą 2. (*o pracy*) zrobiony <wykonany> w pośpiechu

rushing ['rʌʃiŋ] Ⅰ *zob* **rush²** *v* Ⅲ *adj* (*o rzece*) rwący; (*o wietrze*) gwałtowny

rushlight ['rʌʃ‚lait] *s* świeczka z knotem z sitowia; *przen* nikłe światło

rushy ['rʌʃi] *adj* (*o terenie*) porosły sitowiem

rusk [rʌsk] *s* sucharek

russet ['rʌsit] Ⅰ *s* 1. samodział brunatnego <szarego> koloru 2. szara reneta Ⅱ *adj* rdzawy; brunatny Ⅲ *vt* po/malować na rdzawo <brunatno> Ⅳ *vi* z/brunatnieć

russety ['rʌsiti] *adj* rdzawy

Russia ['rʌʃə] *spr* ~ **leather** jucht smarowany dziegciem

▲**Russian** ['rʌʃən] Ⅰ *adj* rosyjski Ⅲ *s* 1. Rosjan-in/ka 2. język rosyjski

rust [rʌst] Ⅰ *s* 1. rdza (na żelazie) 2. rdza zbożowa Ⅱ *vi* za/rdzewieć Ⅲ *vt* podda-ć/wać (coś) działaniu rdzy

rust-coloured ['rʌst‚kʌləd] *adj* rdzawy

rust-eaten ['rʌst‚i:tən] *adj* zardzewiały; przeżarty przez rdzę

rustic ['rʌstik] Ⅰ *adj* 1. wiejski; ~ **speech** mowa chłopska, gwara 2. nieociosany; bez ogłady; prostacki Ⅲ *s* 1. wieśnia-k/czka 2. prosta-k/czka

rusticate ['rʌsti‚keit] Ⅰ *vt* 1. nada-ć/wać cechy wiejskie (**sb** komuś) 2. *szk* relegować <wydal-ić/ać> (studenta) na pewien czas Ⅲ *vi* wycof-ać/ywać się na wieś; zaszy-ć/wać się na wsi

rustication [‚rʌsti'keiʃən] *s* 1. życie na wsi 2. *uniw* chwilowe zawieszenie (studenta)

rusticity [rʌs'tisiti] *s* prostactwo; nieokrzesanie; brak ogłady

rustiness ['rʌstinis] *s* zardzewiałość; stan zardzewienia

rustle ['rʌsl] Ⅰ *vi* 1. za/szeleścić; za/szumieć; (*o człowieku*) przej-ść/chodzić z szelestem (**in**

silks etc. jedwabiu itd.) 2. *am* zakrzątnąć się; działać szybko i energicznie 3. *am sl* kraść bydło Ⅲ *vt* 1. za/szeleścić (**sth** czymś) 2. *am sl* u/kraść (krowę, konia itd.) Ⅲ *s* 1. szelest; szeleszczenie 2. *am* krzątanina

rustler ['rʌslə] *s* 1. koniokrad 2. *am sl* człowiek kipiący energią

rustless ['rʌstlis] = **rustproof**

rust-preventive ['rʌst-pri‚ventiv] *adj* (*o farbie itp*) rdzochronny, chroniący przed rdzą

rustproof ['rʌst‚pru:f] *adj* nierdzewny

rusty¹ ['rʌsti] *adj* (**rustier** ['rʌstiə], **rustiest** ['rʌs tiist]) 1. zardzewiały; **to get** ~ za/rdzewieć 2. *przen* (*o człowieku, posiadanych wiadomościach*) zaniedbany 3. rdzawy 4. (*o ubraniu itd*) podniszczony; zrudziały 5. (*o zbożu*) pokryty rdzą zbożową

rusty² ['rʌsti] *adj* (**rustier** ['rʌstiə], **rustiest** ['rʌs tiist]) zjełczały

rut¹ [rʌt] Ⅰ *s* 1. koleina; bruzda; **to move in a** ~ kierować się nawykami <rutyną> 2. wyżłobienie; rowek Ⅲ *vt* (-tt-) po/ryć koleinami <bruzdami>

rut² [rʌt] Ⅰ *s* bekowisko; ruja Ⅲ *vi* (-tt-) bekać <parzyć> się

rutabaga [‚ru:tə'beigə] *s bot* rzepa szwedzka; karpiel

ruth [ru:θ] *s* litość; współczucie

Ruthenian [ru'θi:njən] Ⅰ *s* 1. Ukrain-iec/ka 2. język ukraiński Ⅲ *adj* ukraiński

ruthenium [ru'θi:njəm] *s chem* ruten

ruthless ['ru:θlis] *adj* bezlitosny; niemiłosierny; bezwzględny; srogi

ruthlessness ['ru:θlisnis] *s* bezwzględność; bezlitosne <niemiłosierne> postępowanie

rutty ['rʌti] *adj* (**ruttier** ['rʌtiə], **ruttiest** ['rʌtiist]) poryty koleinami

rye [rai] *s* żyto

rye-bread ['rai‚bred] *s* chleb żytni

rye-grass ['rai‚grɑ:s] *s bot* rajgras

ryepeck ['raipek] *s* pal do przywiązywania łodzi

ryot ['raiət] *s* (*w Indiach*) chłop, wieśniak

S

S, s [es] Ⅰ *s* (*pl* **Ss, S's** ['esiz]) litera s Ⅲ *attr* (*o różnych przedmiotach*) o kształcie *litery* s

's *pot skr* 1. = **God's** *w przestarzałych wykrzyknikach jak:* † **'sblood!** na Boską krew! (na) rany Boskie! 2. = **is, has; he's here** on jest tutaj; **she's gone** ona poszła 3. = **us; let's go** chodźmy

Sabaoth [sæ'beioθ] *s bibl* zastępy niebieskie

sabbatarian [‚sæbə'teəriən] *s* 1. zwolenni-k/czka święcenia sabatu 2. zwolenni-k/czka surowego przestrzegania odpoczynku niedzielnego 3. chrześcijanin członek sekty religijnej święcącej sobotę

sabbatarianism [‚sæbə'teəriə‚nizəm] *s* surowe przestrzeganie odpoczynku niedzielnego

▲**sabbath** ['sæbəθ] *s* 1. (*także* ~ **day**) szabas (u Żydów) 2. (*także* ~ **day**) Dzień Pański; niedziela; **to break the** ~ narusz-yć/ać odpoczynek nie-

dzielny; **to keep the** ~ przestrzegać odpoczynku niedzielnego 3. sabat (czarownic)

sabbath-breaking ['sæbəθ‚breikiŋ] *s* narusz-enie/anie odpoczynku niedzielnego

sabbath-day ['sæbəθ‚dei] *attr w zwrocie:* **a** ~**'s journey** niedaleka <łatwa> podróż

sabbatic(al) [sə'bætik(əl)] *adj* 1. szabasowy 2. sabatowy; ~**al year** a) (*u Żydów*) rok sabatowy b) *am uniw* roczny urlop udzielany profesorowi <pracownikowi naukowemu> dla prac badawczych poza obrębem uczelni

sabbatize ['sæbə‚taiz] Ⅰ *vt* święcić (dany dzień) jako dzień odpoczynku Ⅲ *vi* uroczyście obchodzić <święcić> szabas <niedzielę>

Sabellian [sə'beljən] Ⅰ *s rel* sabelianin Ⅲ *adj* (*o doktrynie itd*) Sabeliusa

sable¹ ['seibl] s 1. zoo soból 2. sobole (futro); in a ~ coat, in ~ coats w sobolach 3. pędzel z sobolich włosów

sable² ['seibl] Ⅰ s 1. poet czarny kolor; herald czerń 2. zoo czarna antylopa 3. pl ~s poet żałoba, strój żałobny Ⅲ adj 1. czarny 2. ciemny; ponury; groźny; **His Sable Majesty** diabeł; szatan

sabot ['sæbou] s 1. sabot (chodak drewniany) 2. techn but (okucie pala wbijanego do ziemi)

sabotage ['sæbə,tɑːʒ] Ⅰ s sabotaż Ⅲ vt sabotować (projekt itd.) Ⅲ vi dokon-ać/ywać sabotażu

saboteur ['sæbə,tə:] s sabotażyst-a/ka

sabre ['seibə] Ⅰ s 1. szabla; a ~ cut a) cięcie szablą b) szrama 2. przen the ~ bagnety; wojsko 3. kawalerzysta; pl ~s oddział kawalerii Ⅲ vt za/rąbać szabl-ą/ami; ciąć <siec> szablami zob **sabred**

sabred ['seibəd] Ⅰ zob **sabre** v Ⅲ adj z szablą u boku; uzbrojony w szablę

sabre-rattling ['seibə,rætliŋ] s pobrzękiwanie szabelką

sabretache ['sæbə,tæʃ] † s wojsk szabeltas (torba husarska)

sabre-tooth ['seibə,tu:θ] s tygrys szablozębny

sabulous ['sæbjuləs] adj (także med) piaszczysty

saburra [sə'bʌrə] s med zamulenie żołądka

sac [sæk] s torba; worek; torbiel; pęcherzyk

saccate ['sækeit] adj torbiasty

saccharate ['sækərit] s chem cukrzan

saccharic [sə'kærik] adj chem (o kwasie) cukrowy

saccharide ['sækərid] s chem sacharyd

sacchariferous [,sækə'rifərəs] adj cukrzany, cukrodajny

saccharify ['sækəri,fai] vt (**saccharified** ['sækəri ,faid], **saccharified**; **saccharifying** ['sækəri,faiiŋ]) chem scukrz-yć/ać

saccharimeter [,sækə'rimitə] s cukromierz, sacharymetr

saccharin ['sækərin], **saccharine¹** ['sækəri:n] s sacharyna

saccharine² ['sækə,rain] adj 1. cukrowy 2. zawierający cukier

saccharose ['sækə,rous] s chem sacharoza

sacciform ['sæksi,fɔ:m] adj torbiasty

saccule ['sækju:l] s med cysta

sacerdotal [,sæsə'doutl] adj kapłański

sachem ['seitʃəm] s 1. wódz indiański 2. przen gruba ryba; ważna osoba

sachet ['sæʃei] s saszetka (z perfumami)

▲**sack¹** [sæk] Ⅰ s 1. worek 2. zwolnienie <pot wylanie> z pracy <z posady>; pot **to give sb** <to get> **the** ~ wylać kogoś <zostać wylanym> (z pracy, posady) 3. (damski) tren 4. (męski, damski) luźny płaszcz, sak Ⅲ vt 1. za/pakować do worków; workować (towar) 2. zw-olnić/alniać <pot wyl-ać/ewać> (z pracy, posady) 3. pot sport pobić (przeciwnika) zob **sacking**

sack² [sæk] s s/plądrowanie (zdobytego miasta); łupież; **to put to** ~ odda-ć/wać na łup Ⅲ vt s/plądrować

sack³ ['sæk] s białe wino z Wysp Kanaryjskich

sackbut ['sækbʌt] † s muz puzon

sackcloth ['sæk,klɔθ] s 1. materiał na worki 2. worek pokutniczy

sackful ['sækful] s (pełny) worek (czegoś); a ~ of coal worek węgla

sacking ['sækiŋ] Ⅰ zob **sack¹** v Ⅲ s materiał na worki

sacral¹ ['seikrəl] adj sakralny

sacral² ['seikrəl] adj krzyżowy

sacrament ['sækrəmənt] s 1. sakrament; rel the Holy <Blessed> Sacrament Przenajświętszy Sakrament 2. komunia (święta) 3. ślubowanie

sacramental [,sækrə'mentl] adj sakramentalny

sacramentals [,sækrə'mentlz] spl sakramentalia

sacramentarian [,sækrəmən'teəriən] s hist sakramentarz

sacrarium [sæ'kreərjəm] s (pl sacraria [sæ'kreərjə]) sanktuarium

▲**sacred** ['seikrid] adj 1. poświęcony (**to a deity, the memory of sb** etc. bóstwu, czyjejś pamięci itd.) 2. (o muzyce, pismach itd) kościelny, religijny 3. (o miejscu, zwierzęciu, drzewie itd) święty; **nothing is** <was> ~ **from him** <them etc.> nie ma <nie było> świętości dla niego <dla nich itd.>; ~ **from outrage** uchroniony od z/bezczeszczenia; **to hold** ~ czcić; rel the **Sacred Heart** Najświętsze Serce Jezusa 4. (o przyrzeczeniu, prawie itd) święty; nienaruszalny

sacredly ['seikridli] adv 1. święcie; z <ze> czcią; z pietyzmem 2. nienaruszalnie

sacredness ['seikridnis] s 1. świętość (przedmiotu itd.) 2. nienaruszalność

sacrifice ['sækri,fais] Ⅰ s 1. rel ofiara; **to kill** <offer> (**an animal** etc.) **as a** ~ zabić <złożyć> (zwierzę itd.) w ofierze 2. poświęcenie; wyrzeczenie się; ofiara; **the great** <last> ~ ofiara życia; **to make a** ~ **of sth** poświęcić coś; ponieść ofiarę <wyrzec się> czegoś; złożyć coś w ofierze; **to make** ~s pon-ieść/osić ofiary; **at the** ~ **of** — z poświęceniem <kosztem>... (czegoś) 3. handl strata (przy transakcji); **to sell at a** ~ sprzeda-ć/wać ze stratą Ⅲ vt 1. złożyć/ składać w ofierze 2. poświęc-ić/ać (**sth** <oneself etc.> **to sth** coś <się itd.> czemuś); wyrze-c/kać się (**sth** czegoś); **to** ~ **accuracy to vividness** poświęc-ić/ać ścisłość dla (uzyskania) barwności (stylu) 3. sprzeda-ć/wać ze stratą Ⅲ vi złożyć/ składać ofiar-ę/y

sacrificial [,sækri'fiʃəl] adj 1. ofiarny; pełen poświęcenia 2. rel (o stole, nożu itd) ofiarny, ofiarniczy

sacrilege ['sækrilidʒ] s świętokradztwo

sacrilegious [,sækri'lidʒəs] adj świętokradzki

sacrilegist [,sækri'lidʒist] s świętokradca

sacring ['seikriŋ] Ⅰ s 1. po/święcenie 2. sakra, wyświęcenie na biskupa 3. namaszczenie (na króla) Ⅲ attr ~ **bell** dzwonek na Podniesienie

sacrist ['seikrist], **sacristan** ['sækristən] s zakrystian, kościelny

sacristy ['sækristi] s zakrystia

sacro-iliac ['sækrou'iljæk] adj anat krzyżowo--biodrowy

sacro-lumbal ['sækrou'lʌmbəl] adj anat krzyżowo--lędźwiowy

sacrosanct ['sækrou,sæŋkt] adj (o osobie, miejscu itd) święty; otoczony najwyższą czcią

sacrum ['seikrəm] s (pl ~s, sacra ['seikrə]) anat kość krzyżowa

sad [sæd] adj (-dd-) 1. smutny; zasmucony; **to**

become ~ zasmuc-ić/ać się; **to look** ~ mieć smutną minę; **to make sb** ~ zasmuc-ić/ać kogoś; **in** ~ **earnest** zupełnie poważnie 2. (*o stracie itd*) bolesny 3. (*o barwach, miejscowości itd*) ponury; posępny 4. (*o stanie itd*) opłakany; godny politowania 5. (*o błędzie*) poważny, gruby 6. (*o produkcji, utworze lit. itd*) słaby; nędzny, lichy 7. (*o pieczywie itd*) zakalcowaty 8. *pot żart* okropn-y/a <straszliw-y/a> (tchórz, flirciarka itd.); *przen* **a** ~ **dog** skończony łotr

sadden ['sædn] Ⅰ *vt* zasmuc-ić/ać Ⅲ *vi* zasmuc-ić/ać się (**at sth** czymś); posmutnieć

saddle ['sædl] Ⅰ *s* 1. siodło; (*u motocykla itd*) siodełko; **to be in the** ~ a) siedzieć na siodle b) *przen* siedzieć mocno w siodle; mieć dobrą pozycję c) *przen* rządzić; **to put the** ~ **on the right** <**wrong**> **horse** skierować zarzuty pod właściwym <mylnym> adresem 2. *geol* przełęcz, siodło; antyklina 3. *kulin* comber; zad (barani) 4. *techn* suport; ślizg; łyżwa; łożysko Ⅲ *vt* 1. o/siodłać (konia) 2. obarcz-yć/ać <obciąż-yć/ać> (**sb with sth, sth on** <**upon**> **sb** kogoś czymś)

saddleback ['sædl,bæk] *s* 1. *bud* dach siodełkowy <dwuspadowy> 2. *geol* antyklina 3. *zoo* wrona siwa 4. *zoo* foka grenlandzka 5. *zoo* gęś siodłata

saddlebacked ['sædl,bækt] *adj* 1. siodłaty 2. (*o dachu*) siodełkowy <dwuspadowy>

saddlebag ['sædl,bæg] *s* 1. skórzana torba przy siodle 2. materiał do robót tapicerskich

saddle-bow ['sædl,bou] *s* łęk

saddle-cloth ['sædl,klɔθ] *s* derka

saddle-fast ['sædl,faːst] *adj* (*o jeźdźcu*) siedzący mocno w siodle

saddle-girth ['sædl,gəːθ] *s* popręg

saddle-horse ['sædl,hɔːs] *s* wierzchowiec; koń wierzchowy <pod wierzch>

saddler ['sædlə] *s* 1. siodlarz; rymarz 2. *am* wierzchowiec, koń pod wierzch

saddlery ['sædləri] *s* 1. siodlarstwo; rymarstwo 2. *zbior* wyroby rymarskie

saddle-tree ['sædl,triː] *s* 1. łęk 2. *bot* tulipanowiec (drzewo)

sadism ['sædizəm] *s* sadyzm

sadist ['sædist] *s* sadyst-a/ka

sadistic [sə'distik] *adj* sadystyczny

sadly ['sædli] *adv* 1. smutno; ze smutkiem 2. opłakanie; w sposób godny politowania 3. bardzo; nader; mocno; wielce; *pot* straszliwie

sadness ['sædnis] *s* smutek

safari [sə'faːri] *s* (*w Afryce*) polowanie; wyprawa łowiecka

safe¹ [seif] *s* 1. kasa ogniotrwała; *bank* safes; schowek; skrytka; ~ **deposit** depozyt bankowy 2. *bank* skarbiec 3. (*także* **meat** ~) lodówka

safe² [seif] *adj* 1. *orzecznikowo:* (przybyć itd.) cało; bez szwanku; w porządku, należycie, szczęśliwie; (chronić, przetrzymać itd.) w bezpiecznym miejscu; ~ **and sound** cało; zdrowo; bez szwanku; nic nie ucierpiawszy; **to be** ~ **from one's enemies** być bezpiecznym od (swych) wrogów; **we are** ~ **from** __ nie grozi nam ...; **to feel** ~ czuć się bezpiecznym; **to see sb** ~ **home** zapewni-ć/ać komuś bezpieczny powrót <odprowadz-ić/ać kogoś> do domu 2. bezpieczny; nie narażony (na nic <na jakiekolwiek niebezpieczeństwo>); zabezpieczony przed nie-

szczęśliwymi wypadkami; (*o broni palnej*) zabezpieczony; (*o miejscu schronienia itd*) pewny; (*o lokacie pieniędzy itd*) pewny; niezawodny; (*o honorze*) uratowany; (*o sumieniu*) spokojny **at a** ~ **distance** w bezpiecznej odległości; **in** ~ **hands** w pewnych rękach; **it is not** ~ **to** __ jest ryzykowne <niebezpieczne>... (coś zrobić); **it is** (**quite**) ~ **to** __ można (zupełnie) śmiało <bez (żadnej) obawy, spokojnie>... (zrobić, powiedzieć itd.); **to be on the** ~ **side** nie być narażonym na niespodzianki; działać na pewniaka; ~ **conduct** list żelazny, glejt 3. (*o zbrodniarzu itd*) unieszkodliwiony; (siedzący) za kratkami; (*o moście, budynku itd*) mocny; pewny; **the child is** ~ a) dziecku nic nie grozi b) dziecku uniemożliwono <uniemożliwiliśmy> psocenie 4. (*o polityku itd*) ostrożny

safeguard ['seif,gaːd] Ⅰ *s* 1. gwarancja, zabezpieczenie 2. ochrona; eskorta Ⅲ *vt* ochr-onić/aniać; stać na straży (**sth** czegoś); zabezpiecz-yć/ać; za/gwarantować *zob* **safeguarding**

safeguarding ['seif,gaːdiŋ] Ⅰ *zob* **safeguard** *v* Ⅲ *s* ochrona Ⅲ *adj* ochronny

safe-keeping ['seif,kiːpiŋ] *s* przechowywanie

safely ['seifli] *adv* 1. bez szwanku; cało; w porządku; należycie 2. bezpiecznie; bez obawy ryzyka; w bezpiecznym miejscu; **I'll see you** ~ **home** odprowadzę cię <panią> do domu 3. spokojnie; bez (jakiejkolwiek) obawy; śmiało

safeness ['seifnis] *s* 1. bezpieczeństwo 2. solidność <moc> (budowy itd.) 3. pewność <niezawodność> (lokaty itd.)

safety ['seifti] Ⅰ *s* 1. bezpieczeństwo; **in** (**a place of**) ~ w bezpiecznym miejscu; ~ **first** a) bezpieczeństwo przede wszystkim b) przepisy ruchu kołowego; **to play for** ~ unikać wszelkiego ryzyka 2. pewność; zabezpieczenie przed nieszczęśliwymi wypadkami 3. (*u broni palnej*) bezpiecznik; (*o broni palnej*) **at** ~ zabezpieczony Ⅲ *attr* (*o urządzeniu, przepisach, współczynniku itd*) bezpieczeństwa; ~ **belt** pas zabezpieczający <bezpieczeństwa> (w samolocie itd.); ~ **catch** bezpiecznik; zapadka zabezpieczająca; ~ **curtain** kurtyna ogniotrwała; ~ **film** film niepalny; ~ **glass** szkło nierozpryskowe; ~ **lamp** lampa górnicza; ~ **lock** zamek wertheimowski; ~ **match** zapałka szwedzka; ~ **pin** zatyczka zabezpieczająca; ~ **razor** maszynka do golenia

safety-pin ['seifti,pin] *s* agrafka

safety-valve ['seifti,vælv] *s* klapa <zawór> bezpieczeństwa; **to sit on the** ~ stosować politykę represji

saffian ['sæfiən] *s* safian

safflower ['sæflauə] *s* *bot* saflor, krokosz farbierski, szafran łąkowy

saffron ['sæfrən] Ⅰ *s* *bot farm kulin* szafran Ⅲ *adj* szafranowy

safranin ['sæfrənin] *s* *chem* safranina

sag [sæg] Ⅰ *vi* (-gg-) 1. obwis-nąć/ać; (*o linie itd*) zwisać; wygi-ąć/nać się 2. przekrzywi-ć/ać się 3. *am* (*o cenach*) spa-ść/dać; zniżkować 4. *mar* zb-oczyć/aczać *zob* **sagging** Ⅲ *s* 1. obwisanie; zwisanie (liny itd.); zwis 2. spadek <zniżka> (cen) 3. *mar* zb-oczenie/aczanie (statku)

saga ['saːgə] *s* saga

sagacious [sə'geiʃəs] *adj* (*o człowieku, umyśle*) bystry, przenikliwy; (*o zwierzęciu*) mądry; (*o* *wypowiedzianej uwadze*) rozsądny; rozważny; (*o planach itd*) roztropny; dalekowzroczny

sagacity ['sə'gæsiti] *s* bystrość; przenikliwość; roz- waga; roztropność; dalekowzroczność; mądrość (zwierzęcia)

sagamore ['sægə,mɔː] *s* wódz indiański

▲**sage¹** [seidʒ] *s bot* szałwia

sage² [seidʒ] Ⅰ *adj* mądry; rozsądny; rozważny Ⅲ *s* mędrzec

sage-brush ['seidʒ,brʌʃ] *s bot* bylica

sage-cheese ['seidʒ,tʃiːz] *s* ser zaprawiony szałwią

sage-cock ['seidʒ,kɔk] *s zoo* amerykańska pardwa

sage-hare ['seidʒ,heə] *s zoo* mały zając amery- kański

sageness ['seidʒnis] *s* mądrość; rozsądek; rozwaga

saggar ['sægə] *s* ogniotrwała skrzynka szamotowa do wypalania wyrobów ceramicznych

sagging ['sægiŋ] Ⅰ *zob* **sag** *v* Ⅲ *adj* obwisły

sagittal ['sædʒitl] *adj anat* strzałkowy

Sagittarius [,sædʒi'teəriəs] *s astr* Łucznik <Strze- lec> (konstelacja i znak zodiaku)

sagittate ['sædʒi,teit] *adj bot* strzałkowaty

sago ['seigou] *s kulin* sago

sago-palm ['seigou,pɑːm] *s bot* sagowiec, palma sagowa

sahaa [sə'hɑː] = **ta-ta**

sahib ['sɑːhib] *s* (*w Indiach*) 1. Pan 2. Europej- czyk

said [sed] *zob* **say** *v*; **the ~** wyżej wymieniony; † rzeczony

sail [seil] Ⅰ *s* 1. żagiel; **a ship under ~** statek żeglujący; **full ~** a) z rozwiniętymi żaglami; na pełnych żaglach b) *przen* pełną parą; co sił; co żywo; **to make ~** płynąć; **to set ~** odpły-nąć/ wać; wy/ruszyć w drogę; **to take in ~** a) skr-ócić/ acać żagle b) *przen* poskr-omić/amiać (swoje) am- bicje 2. (*pl ~*) statek; żaglowiec 3. przejażdżka na żaglowcu <na żaglówce>; **to go for a ~** przejechać się żaglowcem <żaglówką>; podró- żować żaglowcem <żaglówką> 4. *pot* **~s** ża- glownik (marynarz naprawiający żagle) 5. śmi- ga wiatraka 6. *zoo* płetwa <pletwa> grzbietowa (ryby) 7. *zoo* macka (łodzika) Ⅲ *vi* 1. po/że- glować; (*o żaglowcu, parowcu i człowieku*) pły- -nąć/wać po morz-u/ach; (*także* **~ away**) od- pły-nąć/wać <ruszyć (w podróż morską)>; (*o czło- wieku*) podróżować po morz-u/ach <morzem> 2. (*o ptaku*) szybować; (*o obłokach, chmurach*) prze/płynąć, sunąć 3. *sl* **to ~ into sb** z/besztać <skrzyczeć> kogoś Ⅲ *vt* 1. (*o statku*) pły-nąć/ wać (**the seas** po morzach); (*o człowieku*) po- dróżować (**the seas** po morzach); (*o ptaku*) szy- bować (**the sky** w powietrzu <*poet* w przestwo- rzach>) 2. (*o żeglarzu*) prowadzić (**a ship** sta- tek); (*o dziecku*) puszczać (**a toy-boat on the water** statek-zabawkę na wodę)
~ in *vi* zabrać się energicznie do dzieła

sail-arm ['seil,ɑːm] *s* śmiga, skrzydło, ramię (wia- traka)

sail-boat ['seil,bout] *am* = **sailing-boat**

sail-cloth ['seil,klɔθ] *s* płótno żaglowe

sailer ['seilə] *s* żaglowiec; **a fast <slow> ~** szyb- ko <wolno> płynący żaglowiec

sailing ['seiliŋ] Ⅰ *zob* **sail** *v* Ⅲ *s* 1. żeglowanie; żeglarstwo 2. odpłynięcie <wyruszenie> w podróż morską

sailing-boat ['seiliŋ,bout] *s* żaglówka

sailing-master ['seiliŋ,mɑːstə] *s* kapitan jachtu

sailing-ship ['seiliŋ,ʃip], **sailing-vessel** ['seiliŋ,vesl] *s* żaglowiec

sailor ['seilə] *s* marynarz; żeglarz; **~ hat** słomkowy kapelusz z płaskim rondem; **to be a good <bad> ~** dobrze <źle> znosić podróż morską; nie cho- rować <chorować> na chorobę morską

sailoring ['seiləriŋ] *s* żeglarstwo; życie <rzemio- sło> żeglarskie

sailorly ['seilərli] *adj* żeglarski

sailor-suit ['seilə,sjuːt] *s* ubranie marynarskie (dziecka)

sain [sein] † *vt* po/błogosławić

sainfoin ['sein,fɔin] *s bot* esparceta

saint [seint] Ⅰ *s* święty; *rel* **All Saints' Day** Wszystkich Świętych; **~'s day** dzień świętego patrona Ⅲ *attr* [snt] święty; *med* **St. Vitus' dance** [snt'vaitəsiz,dɑːns] taniec św. Wita Ⅲ *vt* kanonizować *zob* **sainted**

sainted ['seintid] Ⅰ *zob* **saint** *v* Ⅲ *adj* 1. święty 2. poświęcony 3. świątobliwy; *pot* **my ~ aunt!** mój ty Boże!

sainthood ['seinthud] *s* świętość

saintlike ['seintlaik], **saintly** ['seintli] *adj* (**saintlier** ['seintliə], **saintliest** ['seintliist]) święty; świąto- bliwy

Saint-Simonism [snt'simə,nizəm] *s polit* saintsimo- nizm

saith [seθ] † (*3 pers sing praes czasownika* **say**) rzecze, powiada; mówi

sake [seik] *s w zwrotach*: **for the ~ of** _ dla ... (kogoś, czegoś); **w imię** ... (czyjeś, czegoś); **przez wzgląd na** ... (kogoś, coś); **for heaven's <God's, pity's, goodness'> ~** na miłość <litość> Boską; **I did it for his ~** zrobiłem to dla <przez wzgląd na> niego; **to talk for talking's ~** ga- dać dla samego gadania

saker ['seikə] *s zoo* raróg (ptak)

saki ['sɑːki] *s zoo* małpeczka białogłowa

salaam [sə'lɑːm] Ⅰ *s* (*na Wschodzie*) niski ukłon Ⅲ *vi* nisko się kłaniać

salable ['seiləbl] = **saleable**

salacious [sə'leiʃəs] *adj* 1. lubieżny 2. (*o książce itd*) sprośny; (*o dowcipie itd*) słony

salaciousness [sə'leiʃəsnis], **salacity** [sə'læsiti] *s* 1. lubieżność 2. sprośny charakter (lektury itd.)

salad ['sæləd] *s* sałata; **fruit ~** mieszanka z kra- janych owoców; *przen* **~ days** zielone <*pot* szczenięce> lata

salad-basket ['sæləd,bɑːskit] *s* koszyk, w którym otrzepuje się z wody wypłukaną sałatę

salad-bowl ['sæləd,boul] *s* salaterka

salad-dressing ['sæləd,dresiŋ] *s kulin* przyprawa majonezowa do sałaty

salad-oil ['sæləd,ɔil] *s* olej jadalny

▲**salamander** ['sælə,mændə] *s* 1. *zoo* salamandra 2. rozpalony pręt służący do zapalania prochu strzelniczego itd. 3. długi pogrzebacz 4. płytka służąca po rozgrzaniu do przyrumienienia ciasta <omletu itd.> z wierzchu; **~ stove** piec koksowy

salamandrine [,sælə'mændrain] *adj* o cechach sa- lamandry

salami [sə'lɑːmi] *s* salami

sal-ammoniac [,sæl-ə'mouniæk] *s chem* salmiak

salangane ['sæləŋ,gein] *s zoo* jerzyk salangana

salariat [sə'leəri,æt] *s* świat urzędniczy

salaried ['sælərid] Ⅰ *zob* **salary** *v* Ⅲ *adj* opłacany, wynagradzany; (o pracowniku) pobierający pensję <wynagrodzenie>

salary ['sæləri] ① s pobory, pensja; wynagrodzenie ⑪ vt **(salaried** ['sælərid], **salaried; salarying** ['sælərɪɪŋ]) płacić pobory <pensję, wynagrodzenie> **(sb komuś)** zob **salaried**

sale [seil] s 1. sprzedaż; **on** <**for**> ~ do sprzedania, na sprzedaż 2. pl ~**s** obr-ót/oty; zbyt (towaru); transakcje; ~**s department** dział handlowy <sprzedaży> (przedsiębiorstwa); ~**s manager** a) kierownik działu sprzedaży b) dyrektor handlowy; ~**s room** salon sprzedaży 3. licytacja, aukcja; **to put up for** ~ wystawi-ć/ać na licytację 4. (także pl ~**s**) wyprzedaż; **at the** ~**s** na wyprzedaży; ~ **price** cena okazyjna <zniżona>

saleable ['seiləbl] adj (o towarze) pokupny; poszukiwany; pot chodliwy; wzięty

saleableness ['seiləblnis] s łatwość zbytu; pokupność

Salem ['seilem] s zbór nonkonformistów <dysydentów>

salep ['sælep] s bot kulin salep

saleratus [ˌsæləˈreitəs] s am dwuwęglan sodowy <potasowy> (składnik proszku do pieczenia)

sale-room ['seilˌrum] s hala licytacyjna <aukcyjna>

saleslady ['seilzˌleidi] am = **saleswoman**

salesman ['seilzmən] s (pl **salesmen** ['seilzmən]) 1. ekspedient sklepowy 2. (zw **a good** ~) człowiek umiejący sprzedawać towar <posiadający podejście kupieckie>; (dobry) kupiec 3. (także **travelling** ~) komiwojażer

salesmanship ['seilzmənʃip] s 1. zdolności kupieckie; umiejętność sprzedawania towaru 2. umiejętność przekonywania

salespeople ['seilzˌpiːpl] spl ekspedienci (sklepowi); personel sklepowy; sprzedawcy

saleswoman ['seilzˌwumən] s (pl **saleswomen** ['seilzˌwimin]) ekspedientka; sklepowa

Salic ['sælik] s prawn kodeks praw salickich

salicin ['sælisin] s chem salicyna, krystaliczny glikozyd

salicyl ['sælisil] s chem salicyl

salicylate [sæ'lisiˌleit] s chem salicylan

salicylic [ˌsæli'silik] adj chem salicylowy

salience ['seiliəns] s 1. występowanie <sterczenie> (**from sth** z czegoś) 2. wydatny rys; wybitna <uderzająca> cecha

saliency ['seiliənsi] = **salience; to give** ~ **to sth** uwydatni-ć/ać coś

salient ['seiliənt] ① adj 1. lit (o zwierzęciu) skaczący; poet (o wodzie) tryskający 2. wystający; sterczący; wysunięty 3. (o rysie, cesze) wydatny; wybitny; uderzający ⑪ s występ; wyskok

saliferous [sæ'lifərəs] adj chem solonośny; obfitujący w <zawierający> sól

salification [ˌsæˌlifiˈkeiʃən] s tworzenie się soli

saligot ['sæliˌgot] s bot orzech wodny

salina [sə'lainə] s 1. złoże soli 2. błota <jeziora> słone 3. salina; żupa solna

▲ **saline** ['seilain] ① adj 1. słony 2. solny 3. (o roztworze itd) soli ⑪ s [sə'lain] 1. = **salina** 2. farm sól przeczyszczająca 3. fizjologiczny roztwór soli

salinity [sə'liniti] s zasolenie; słoność

salinometer [ˌsæliˈnɔmitə] s salinometr; solomierz

saliva [sə'laivə] s ślina

salivary ['sælivəri] adj ślinowy

salivate ['sæliˌveit] ① vi ślinić się ⑪ vt med wywoł-ać/ywać ślinienie się <ślinotok> **(sb u kogoś)**

salivation [ˌsæli'veiʃən] s med ślinotok, ślinienie się

sallenders ['sæləndəz] spl wet (u koni) gruda

sallow¹ ['sælou] s bot iwa; ~ **thorn** rokitnik zwyczajny

sallow² ['sælou] ① adj (o cerze) blady; żółtawy; ziemisty; niezdrowy ⑪ vt nada-ć/wać żółtawy <ziemisty> odcień **(the complexion** cerze) ⑪ vi (o cerze) przyb-rać/ierać żółtawy <ziemisty> odcień

sallowness ['sælounis] s żółtawy <ziemisty> odcień (cery)

sally¹ ['sæli] ① s 1. wojsk wypad <wycieczka> (oblężonych) 2. wycieczka; wybryk; eskapada 3. poryw 4. cięta <dowcipna> uwaga; docinek ⑪ vi **(sallied** ['sælid], **sallied; sallying** ['sæliɪŋ]) 1. wojsk (także ~ **out**) z/robić wypad <wycieczkę> (z oblężonego miasta) 2. (o krwi itd) trys-nąć/kać

~ **out** <**forth**> vi wyrusz-yć/ać (na wycieczkę, w podróż)

sally² ['sæli] s 1. rozkołysanie (się) (dzwonu) 2. uchwyt dla ochrony rąk u liny do dzwonu kościelnego

Sally-lunn ['sæliˌlʌn] s (także ~ **Lunn**) mleczna bułka (podawana na ciepło do podwieczorku)

sally-port ['sæliˌpɔːt] s (w twierdzy) brama wypadowa

salmagundi [ˌsælmə'gʌndi] s kulin siekanina z mięsa i śledzi marynowanych z ostrą przyprawą

salmi ['sælmi] s kulin potrawa z dzikiego ptactwa

salmon ['sæmən] ① s (pl ~) łosoś; ~ **ladder** <**leap, pass**> przepławka ⑪ adj łososiowy; koloru łososiowego

salmon-trout ['sæmən'traut] s zoo łososiopstrąg

Salomonian [ˌsælə'mounjən], **Salomonic** [ˌsælə'mɔnik] adj dost i przen salomonowy

salon ['sælɔ̃ː] s 1. salon; ~ **music** muzyka kameralna 2. **the Salon** salon, doroczna wystawa malarstwa

saloon [sə'luːn] s 1. sala (tańców, bilardowa itd.); zakład (fryzjerski itd.) 2. am bar; szynk; (w Anglii) ~ **bar** salon 1-ej klasy w barze; ~ **keeper** szynka-rz/rka 3. (na statku) salon; ~ **passenger** pasaże-r/ka 1-ej klasy 4. kolej (także ~-**car**, ~--**carriage** salonka; am wagon salonowy (dla podróżnych) 5. (także ~ **car**) limuzyna

Salopian [sə'loupjən] s 1. mieszkan-iec/ka miasta Shrewsbury <hrabstwa Shropshire> 2. wychowanek słynnej szkoły w Shrewsbury

salsify ['sælsifi] s bot kozibród

▲ **salt** [sɔːlt] ① s 1. sól; przen **a grain of** ~ szczypta soli; **he is not worth his** ~ nie ma z niego żadnego pożytku; **in** ~ a) w solance b) posolony; **to eat sb's** ~ być czyimś gościem; **the** ~ **of the earth** elita społeczeństwa; **to eat** ~ **with sb** korzystać z czyjejś gościnności; (przy stole) **to sit above** <**below**> **the** ~ siedzieć na zaszczytnym miejscu <na szarym końcu> 2. dowcip 3. pikanteria 4. (także **an old** ~) (doświadczony) marynarz; wilk morski ⑪ adj (*o potrawie, wodzie, także o cenie itd*) słony; **too** ~ przesolony Ⅲ *attr* 1. (*o kopalni itd*) soli 2. dowcipny 3. (*o opowiadaniu*) słony; drastyczny; pikantny Ⅳ *vt* 1. po/solić; zasolić; nasolić 2. *sl handl* wy/śrubować (ceny); naciągać (rachunki) ‖ *górn sl* **to** ~ **a mine** stworzyć pozory bogatych złóż kruszcu w kopalni *zob* **salted, salting**

saltation [sæl'teiʃən] *s* skok; skakanie; pląsy

saltatory ['sæltətəri] *adj* skaczący; tańczący

salt-box ['sɔːltˌbɔks] *s* puszka na sól

salt-cat ['sɔːltˌkæt] *s* mieszanina (z piasku, soli itd.) dawana gołębiom

salt-cellar ['sɔːltˌselə] *s* solniczka

salted ['sɔːltid] Ⅰ *zob* **salt** *v* Ⅲ *adj* 1. posolony 2. (*o weteranie itd*) zahartowany 3. uodporniony (na jakąś chorobę)

salter ['sɔːltə] *s* solarz

saltern ['sɔːltən] *s* warzelnia soli

salt-free ['sɔːlt'friː] *adj* (*o diecie itd*) bezsolny; pozbawiony soli

Saltigradae ['sɔːltiˌgreidiː] *spl zoo* rodzina pająków skaczących

saltigrade [sɔːltiˌgreid] Ⅰ *adj* skaczący Ⅲ *s zoo* pająk skaczący

saltiness ['sɔːltinis] *s* zasolenie (wody morskiej)

↟**salting** ['sɔːltiŋ] Ⅰ *zob* **salt** *v* Ⅲ solenie; nasalanie

saltire ['sæltaiə] *s herald w zwrocie*: **in** ~ na krzyż

saltish ['sɔːltiʃ] *adj* słonawy

salt-junk ['sɔːltˌdʒʌŋk] *s* solona wołowina

saltless ['sɔːltlis] *adj* niesłony; bez soli; bez smaku; mdły

salt-lick ['sɔːltˌlik] *s myśl* lizawka (miejsce gdzie zwierzyna liże sól)

salt-marsh ['sɔːltˈmɑːʃ] *s* słone błota

salt-mine ['sɔːltˌmain] *s* kopalnia soli; salina; żupa solna

saltness ['sɔːltnis] *s* słoność; zasolenie

salt-pan ['sɔːltˌpæn] *s* panew solna

saltpetre ['sɔːltˌpiːtə] *s chem* saletra potasowa

salt-pit ['sɔːltˌpit] *s* kopalnia soli

salt-spoon ['sɔːltˌspuːn] *s* łyżeczka do soli

salt-spring ['sɔːltˌspriŋ] *s* słone źródło

saltus ['sæltəs] *s* (*pl* ~) przeskok

salt-water ['sɔːltˌwɔːtə] *adj* (*o rybie*) morski

salt-works ['sɔːltˌwəːks] *s* kopalnia soli; salina

saltwort ['sɔːltˌwəːt] *s bot* solanka kolczysta

salty ['sɔːlti] *adj* (**saltier** ['sɔːltiə], **saltiest** ['sɔːl tiist]) 1. (*o potrawie, anegdocie itd*) słony; *geol* (*o pokładach itd*) soli 2. *chem* słonawy

salubrious [sə'luːbriəs] *adj* (*o klimacie itd*) zdrowy; zdrowotny; zbawienny

salubrity [sə'luːbriti] *s* zdrowotność (klimatu itd.)

saluki [sə'luːki] *s* zoo chart perski

salutary ['sæljutəri] *adj* zbawienny; uzdrawiający

salutation [ˌsæljuː'teiʃən] *s* pozdrowienie; przywitanie

↟**salutatory** [sə'ljuːtətəri] *adj* powitalny; (*o formułce itd*) pozdrowienia

salute [sə'luːt] Ⅰ *vt* 1. pozdr-owić/awiać; po/witać; przywitać 2. za/salutować; odda-ć/wać honory (**sb** komuś) 3. przedstawi-ć/ać się (**the eye** oczom); do-jść/chodzić (**the ear** do uszu) Ⅲ *vi* za/salutować Ⅲ *s* 1. pozdrowienie; po/witanie; przywitanie 2. za/salutować; honory wojskowe; **to take the** ~ przyj-ąć/mować honory wojsko-

we; od-ebrać/bierać defiladę; przejść przed frontem kompanii honorowej 3. salut; salwa (powitalna) 4. pocałunek (powitalny, pożegnalny)

salvable ['sælvəbl] *adj* możliwy do uratowania

salvage ['sælvidʒ] Ⅰ *s* 1. (*także* ~ **money**) wynagrodzenie za ocalenie <uratowanie> (mienia, życia) 2. ocalenie; ratownictwo 3. ocalałe <wyratowane> dobra <mienie> 4. złom Ⅲ *attr* (*o łodzi, statku*) ratowniczy Ⅲ *vt* 1. ocal-ić/ać; u-ratować 2. z/regenerować (surowiec) 3. zbierać <gromadzić> (metal) na złom

salvager ['sælvidʒə] *s* ratowni-k/czka

salvarsan ['sælvəsən] *s farm* salwarsan

salvation [sæl'veiʃən] *s* zbawienie; ratunek; **Salvation Army** Armia Zbawienia (organizacja religijna)

salve¹ [sɑːv] Ⅰ *s* 1. maść 2. *przen* balsam Ⅲ *vt* 1. na-trzeć/cierać maścią 2. uspok-oić/ajać (sumienie itd.); **to** ~ **one's conscience** zrobić coś dla spokoju sumienia

salve² [sælv] *vt* ocal-ić/ać; u/ratować

salver ['sælvə] *s* taca

salvia ['sælviə] *s bot* szałwia

salvo¹ ['sælvou] *s* (*pl* ~s) 1. *prawn* zastrzeżenie; zawarowanie 2. *pot* wykręt; wybieg 3. ucieczka; ratunek 4. uczynek spełniony dla uspokojenia wyrzutów sumienia

↟**salvo²** ['sælvou] *s* (*pl* ~s, ~es) 1. *wojsk* salwa 2. burza (oklasków)

salvor ['sælvə] *s mar* ratownik

Sam [sæm] *spr* 1. **Uncle** ~ personifikacja Stanów Zjednoczonych 2. *sl w zwrocie*: **to stand** ~ zapłacić <za/fundować> (trunki itd.) 3. *w zwrocie*: **upon my** ~ słowo daję 4. *wojsk* ~ **Browne** pas oficerski

samara ['sæmərə] *s bot* owoc jesionu, klonu lub wiązu

Samaritan [sə'mæritn] *s* 1. Samarytan-in/ka (mieszkan-iec/ka Samarii) 2. *przen* samarytanin

samarium [sə'meəriəm] *s chem* samar

samba ['sæmbə] *s* samba (taniec)

sambar ['sæmbə] = **sambur**

sambo ['sæmbou] *s* (*pl* ~s, ~es) 1. zambos; Metys/ka 2. *pog* Murzyn

sambur ['sæmbə] *s zoo* jeleń zamieszkujący Azję płd.wsch.

same [seim] Ⅰ *adj* 1. ten sam; **at the** ~ **time** a) w tym samym <w jednym> czasie; zarazem; b) równocześnie c) niezależnie od tego; a jednak; **it comes to the** ~ **thing** wychodzi na jedno; **one and the** ~ jeden i ten sam; **the very** ~ ten sam; **this** <**that**> ~ tenże, taż, toż; właśnie <akurat> ten; *handl* takowy, tenże; **they went to the** ~ **school** oni chodzili do tej samej <do jednej> szkoły 2. taki sam; identyczny; nie zmieniony; bez różnicy; **it's all** <**just**> **the** ~ to nie robi różnicy; to wszystko jedno; **it's all the** ~ **to me** dla mnie to wszystko jedno; mnie to nie robi różnicy; to mi jest obojętne; **much the** ~ a) bardzo podobny b) bez większych zmian; prawie taki sam 3. jednostajny; nie urozmaicony; monotonny Ⅲ *pron* 1. to samo; (*przy życzeniach*) (**the**) ~ **to you** nawzajem 2. *lit bibl handl* tenże; *handl* wyżej wymieniony; wspomniany; rzeczony Ⅲ *adv* tak samo; identycznie; bez zmian; podobnie; **all the** ~ a) (*także* **just the** ~) mimo wszystko, niemniej jednak, tym nie-

mniej b) wszystko jedno c) w każdym razie; tak
czy owak
sameness ['seimnis] *s* 1. identyczność 2. podobieństwo 3. jednostajność
samisen ['semisen] *s* japońska gitara trzystrunowa
samite ['sæmait] *†* *s* *tekst* brokat
samlet ['sæmlit] *s* *zoo* młody łosoś
Sammy ['sæmi] *spr* *pot* żołnierz amerykański (w
czasie I wojny światowej)
Samoyed [,sæmɔi'ed] *s* 1. Samojed/ka 2. pies arktyczny
samp [sæmp] *s* potrawa z kukurydzy
sampan ['sæmpæn] *s* sampan (łódź chińska)
samphire ['sæmfaiə] *s* *bot* koper morski
sample ['sa:mpl] Ⅰ *s* 1. próbka <wzór> (towaru
itd.); **(not) up to ~** (nie)zgodny (jakościowo itd.)
z wzorem 2. przykład Ⅱ *vt* 1. próbować jakości
(**goods** etc. towarów itd.) 2. wziąć/brać próbk-ę/i
(**goods** towarów) 3. da-ć/wać próbk-ę/i (**goods**
towarów) 4. s/kosztować (**sth** czegoś — potrawy
itd.); zakosztować (**sth** czegoś) 5. *statyst* prób-
kować
sample-card ['sa:mpl,ka:d] *s* wzornik
sampler ['sa:mplə] *s* 1. model (pracy itd.) 2. (*w leś-
nictwie*) drzewo modelowe
Samson ['sæmsn] *spr* 1. *przen* siłacz 2. *mar* ~'**s**
post wspornik (pokładu)
samurai ['sæmu,rai] *s* samuraj
sanad ['sænəd] *s* (*w Indiach*) (nadany) przywilej
sanative ['sænətiv] *adj* uzdrawiający
sanatorium [,sænə'tɔ:riəm] *s* (*pl* **sanatoria** [,sænə
'tɔ:riə] sanatorium
sanatory ['sænətəri] = **sanative**
sanbenito [,sænbə'ni:tou] *s* *hist* sanbenito; koszula śmiertelna skazanego przez Inkwizycję
sanctification [,sæŋktifi'keiʃən] *s* 1. uświęc-enie/
anie; poświęcenie (czegoś) 2. oczyszcz-enie/anie
(dusz)
sanctified ['sæŋkti,faid] Ⅰ *zob* **sanctify** Ⅲ *adj* 1.
uświęcony; poświęcony 2. oczyszczony 3. świę-
toszkowaty
sanctify ['sæŋkti,fai] *vt* (**sanctified** ['sæŋkti,faid],
sanctified; sanctifying ['sæŋkti,faiiŋ]) 1. uświęc-
-ić/ać; poświęc-ić/ać 2. *teol* oczy-ścić/szczać (duszę) *zob* **sanctified**
sanctimonious [,sæŋkti'mounjəs] *adj* świętoszko-
waty; ~ **airs** mina świętoszka
sanctimoniousness [,sæŋkti'mounjəsnis], **sanctimony**
['sæŋktiməni] *s* świętoszkostwo
sanction ['sæŋkʃən] Ⅰ *s* 1. sankcja; **moral** ~
przymus moralny 2. u/sankcjonowanie; zatwier-
dz-enie/anie; aprobata Ⅲ *vt* u/sankcjonować;
zatwierdz-ić/ać
sanctity ['sæŋktiti] *s* 1. świętość 2. *pl* **sanctities**
święte obowiązki (rodzinne itp.)
sanctuary ['sæŋktjuəri] *s* 1. *rel* sanktuarium; świątynia 2. rezerwat (przyrody) 3. azyl; **to seek** ~
po/prosić o prawo azylu; **to take** <**seek**> ~ s/ko-
rzystać z prawa azylu
sanctum ['sæŋktəm] *s* (*pl* ~**s**, **sancta** ['sæŋktə])
1. *rel* sanktuarium; miejsce poświęcone; święty
przybytek 2. gabinet, pracownia
▲**sand** [sænd] Ⅰ *s* piasek; *pot* piach; **rope of** ~ złudzenie; **to build on** ~ budować zamki na lodzie
2. *pl* ~**s** piaski; ziarnka piasku; **like the** ~ **on**
the seashore jak piasek morski 3. *pl* ~**s** piasek
w klepsydrze; *przen* czas; **the** ~**s are running**

out koniec (już) bliski; godziny <lata itd.> są po-
liczone 4. *pl* ~**s** plaża; mielizn-a/y; łach-a/y
piaszczyst-a/e 5. *pl* ~**s** piasek pustyni 6. *am pot*
odwaga; energia; wytrzymałość; stanowczość; *pot*
krzepa 7. *med* piasek Ⅲ *vt* 1. posyp-ać//ywać pias-
kiąm 2. doda-ć//wać piasku (**sugar** etc. do cukru
itd.) 3. wy/czyścić <wy/szlifować> piaskiem Ⅲ *vi*
(*także* ~ **up**) zapiaszczyć
sandal[1] ['sændl] *s* 1. sandał 2. rzemyk u obuwia
sandal[2] ['sændl] Ⅰ *s* = **sandalwood** Ⅲ *attr* (*o
olejku itd*) sandałowy
sandalled ['sændld] *adj* 1. (*o człowieku*) w san-
dałach 2. (*o obuwiu*) zawiązywany na rzemyk
sandal-tree ['sændl,tri:] *s* *bot* drzewo sandałowe
sandalwood ['sændl,wud] *s* drewno sandałowe
sandarak ['sændə,ræk] *s* 1. sandaraka, sandarak (żywica) 2. *miner* realgar
sandbag ['sænd,bæg] Ⅰ *s* 1. worek z piaskiem
(używany a) do umacniania pozycji wojskowych
<do zabezpieczenia tam itd. w czasie powodzi>
b) jako balast w aeronautyce c) jako narzędzie
do ogłuszania <do zadawania bolesnych ciosów>)
2. wałek uszczelniający (do okien i drzwi) Ⅲ *vt*
(**-gg-**) 1. um-ocnić/acniać (pozycje wojskowe);
zabezpiecz-yć/ać (tamę itd.) workami z piaskiem
2. ogłusz-yć/ać; zada-ć//wać cios za pomocą worka
z piaskiem (**sb** komuś) 3. uszczelni-ć/ać (okno,
drzwi) wałkiem napełnionym piaskiem
sand-bank ['sænd,bæŋk] *s* łacha piaszczysta; mielizna; ławica piasku
sand-bar ['sænd,ba:] *s* ławica piasku
sand-bath ['sænd,ba:θ] *s* kąpiel <łaźnia> piaskowa
sand-blast ['sænd,bla:st] Ⅰ *s* *techn* strumień piasku Ⅲ *vt* *techn* pu-ścić/szczać strumień piasku
(**a surface, an object** na jakąś powierzchnię,
przedmiot)
sandblasting-machine ['sænd,bla:stiŋ-mə'ʃi:n] *s*
techn piaszczarka
sand-blind ['sænd,blaind] *adj* niedowidzący
▲**sand-box** ['sænd,bɔks] *s* 1. skrzynka z piaskiem
2. piasecznica
sandboy ['sænd,bɔi] *s* *w zwrocie*: **merry as a** ~
wesoły jak ptaszek
sand-crack ['sænd,kræk] *s* *wet* rozpadlina (w kopycie końskim)
sand-dune ['sænd,dju:n] *s* wydma piaszczysta
sand-eel ['sænd,i:l] *s* *zoo* dobijak (ryba)
sanderling ['sændəliŋ] *s* *zoo* piaskowiec (ptak brodzący)
sanders ['sændəz] *s* *bot* drzewo sandałowe, san-
dałowiec
sand-flea ['sænd,fli:] = **chigoe**
sand-fly ['sænd,flai] *s* *zoo* odmiana moskita; *med*
~ **fever** choroba pappataci
sand-glass ['sænd,gla:s] *s* klepsydra (do mierzenia
czasu)
sand-grouse ['sænd,graus] *s* *zoo* stepówka (ptak
pustynno-stepowy)
sand-hopper ['sænd,hɔpə] *s* *zoo* zmieraczek (skorupiak)
Sandhurst ['sændhə:st] *spr* szkoła oficerska w
miejscowości o tej samej nazwie
sandiness ['sændinis] *s* piaszczystość
sandiver ['sændaivə] *s* *hut* glazgal, szumowiny
(przy wyrobie szkła)
sand-launce ['sænd,lɔ:ns] = **sand-eel**

sand-martin ['sænd,mɑ:tin] *s zoo* jaskółka brzegówka

sand-mould ['sænd,mould] *s* forma piaskowa

sand-paper ['sænd,peipə] *s* papier ścierny

sandpiper ['sænd,paipə] *s zoo* brodziec piskliwy

sand-pit ['sænd,pit] *s* piaskarnia, piaskownica

sandshoes ['sænd,ʃu:z] *spl* sandały plażowe

sand-spout ['sænd,spaut] *s* trąba piaskowa

sandstone ['sænd,stoun] *s geol* piaskowiec

sand-storm ['sænd,stɔ:m] *s* samum, burza piaskowa

↑**sandwich** ['sænwidʒ] ① *s* sandwicz; bułka z masłem, przełożona wędliną, serem itd.; kanapka ② *vt* 1. umie-ścić/szczać <wprowadz-ić/ać, wcis-nąć/kać, wtł-oczyć/aczać> (jakiś przedmiot między dwa inne; utwór literacki <muzyczny> między dwa inne o odmiennym charakterze); **to ~ a serious poem** etc. **between** <**in between**> **parodies** etc. wprowadzić poważny wiersz itd. między parodie itd. 2. posadzić <wcisnąć> (człowieka) między dwóch innych

sandwich-board ['sænwidʒ,bɔ:d] *s* tablica reklamowa (noszona na piersiach i plecach przez człowieka-reklamę, zwanego **sandwich-man**)

sandwich-man ['sænwidʒ,mæn] *s* (*pl* **sandwich-men** ['sænwidʒ,men]) człowiek-reklama (obnoszący po ulicach miasta tablice reklamowe zwane **sandwich-boards**)

sandworm ['sænd,wə:m] *s zoo* robak piaskowy

sandwort ['sænd,wə:t] *s bot* piaskowiec macierzankowy

sandy ['sændi] *adj* (**sandier** ['sændiə], **sandiest** ['sændiist]) 1. (*o glebie*) piaszczysty; (*o ścieżce itd*) posypany piaskiem 2. (*o włosach*) rudawy--blond

sane [sein] *adj* 1. (*o człowieku*) przy zdrowych zmysłach 2. (*o opinii, wypowiedzianym zdaniu itd*) rozsądny

sang *zob* **sing** *v*

sangar ['sæŋgə] *s wojsk* (*w Indiach*) kamienne przedpiersie, szaniec

sangaree [,sæŋgə'ri:] *s* napój *z* wina zaprawionego korzeniami

sang-froid ['sã:'frwɑ:] *s* zimna krew

sanguinary ['sæŋgwinəri] *adj* 1. krwawy; ~ **language** mocne, ordynarne wyrazy 2. okrutny; krwiożerczy

sanguine ['sæŋgwin] ① *adj* 1. (*o cerze itd*) rumiany 2. (*o temperamencie*) sangwiniczny; **a man of ~ disposition** sangwinik 3. (*o usposobieniu, nadziejach itd*) optymistyczny; (*o człowieku*) ufny; pełen nadziei; pewny (**of success** etc. powodzenia itd. ② *s plast* sangwina

sanguineness ['sæŋgwinnis] *s* optymizm; ufność

sanguineous [sæŋ'gwiniəs] *adj* 1. krwawy 2. *bot* (*o barwie kwiatu itd*) krwisty; krwistoczerwony 3. sangwiniczny; krwisty

sanguinolent [sæŋ'gwinələnt] *adj med* zabarwiony krwią; zawierający krew

sanhedrim ['sænidrim], **sanhedrin** ['sænidrin] *s* sanhedryn

sanicle ['sænikl] *s bot* żankiel zwyczajny, rannik

sanify ['sæni,fai] *vt* (**sanified** ['sæni,faid], **sanified; sanifying** ['sæni,faiiŋ]) uzdr-owić/awiać

sanitarian [,sæni'teəriən] ① *s* higienist-a/ka ② *adj* zdrowotny

sanitarium [,sæni'teəriəm] *am* = **sanatorium**

sanitary ['sænitəri] *adj* higieniczny; sanitarny; zdrowotny; ~ **towel** podpaska higieniczna

sanitation [,sæni'teiʃən] *s* 1. higiena 2. *zbiór* urządzenia sanitarne; kanalizacja 3. zaprowadz-enie/ anie urządzeń sanitarnych (**of a town** w mieście)

sanity ['sæniti] *s* 1. zdrowie (psychiczne); normalny stan psychiczny 2. rozsądek; umiar

sanjak ['sæn,dʒæk] *s admin* (*w Turcji*) sandżak

sank *zob* **sink** *v*

sans [sænz] † *praep lit* bez; ~ **gêne** ['sã:'ʒein] nieskrępowany, swobodny

Sanscrit ['sænskrit] = **Sanskrit**

sansculottes [,sænzkju'lɔts] *spl hist* sankiuloci

Sanskrit ['sænskrit] ① *s* sanskryt ② *adj* sanskrycki

↑**Santa Claus** ['sæntə'klɔ:z] *s* święty Mikołaj

santonin ['sæntɔnin] *s farm* santonina

Saorstat Eireann ['sei'ɔ:stɑ:θ'eərɑ:n] *s* Republika Irlandzka

sap[1] [sæp] ① *s* 1. sok (*roślin*); *przen* siły żywotne 2. = **sap-wood** ② *vt* (**-pp-**) 1. ściąg-nąć/ać sok (**a plant** z rośliny) 2. *przen* wyczerp-ać/ywać; podkop-ać/ywać (zdrowie, zaufanie itd.)

sap[2] [sæp] ① *s wojsk* podkop; aprosza ② *vt* (**-pp-**) 1. podkop-ać/ywać się (**the enemy's positions** pod pozycje nieprzyjaciela) 2. *przen* podminow-ać/ywać 3. (*o rzece itd*) podmy-ć/ wać

sap[3] [sæp] ① *s sl szk* kujon ② *vi* (**-pp-**) kuć, wkuwać, obkuwać się

sapajou ['sæpə,dʒu:] *s zoo* kapucynka wielkoczoła (małpa)

sapan-wood ['sæpən,wud] *s farb* czerwone drewno drzewa sappan

sap-green ['sæp,gri:n] ① *s* jasnozielony barwik <barwnik> otrzymywany z jagód szakłaku ② *adj* jasnozielony

saphead ['sæp,hed] *s* jołop, jełop; dureń

sapid ['sæpid] *adj* 1. smaczny; przyjemny w smaku 2. (*o rozmowie, lekturze itd*) interesujący, zajmujący; pełen treści

sapidity [sə'piditi] *s* 1. przyjemny smak 2. treściwość

sapience ['seipjəns] *s* (*zw iron*) przemądrzałość

sapient ['seipjənt] *adj* (*zw iron*) przemądrzały

sapiential [sæpi'enʃəl] *adj* (*o księdze*) mądrości

sapless ['sæplis] *adj* (*o roślinie*) pozbawiony soku; suchy; (*o człowieku*) bez życia; bez temperamentu; (*o uwadze, wypowiedzi itd*) banalny; bez treści

sapling ['sæpliŋ] *s* młode drzewo

sapodilla [,sæpə'dilə] *s bot* sączyniec

saponaceous [,sæpou'neiʃəs] *adj* mydlany; mydlasty; przypominający <zawierający> mydło

saponification [sə,pɔnifi'keiʃən] *s* 1. *chem* zmydl--enie/anie 2. *chem* hydroliza

saponify [sə'pɔni,fai] *vt* (**saponified** [sə'pɔni,faid], **saponified; saponifying** [sə'pɔni,faiiŋ]) 1. *chem* zmydl-ić/ać 2. *chem* hydrolizować

saponin ['sæpənin] *s chem* saponina

sapper ['sæpə] *s wojsk* saper

Sapphic ['sæfik] *adj* (*o wierszu itd*) saficki

sapphire ['sæfaiə] ① *s* 1. szafir (kamień i kolor) 2. *zoo* koliber południowoamerykański ② *adj* szafirowy

sapphirine ['sæfi,rain] ① *adj* szafirowy ② *s miner* safiryn

sappiness ['sæpinis] *s* soczystość; obfitość soku
sappy ['sæpi] *adj* soczysty; obfitujący w sok; (*o drewnie*) zielony
saprogenic [,sæprou'dʒenik] *adj* gnilny; powodujący <wywołujący> gnicie
saprophyte ['sæprə,fait] *s biol* saprofit
sapwood ['sæp,wud] *s bot* biel (podkorowa warstwa drzewa)
sar [sɑː] *s zoo* złocianka (ryba)
saraband ['særə,bænd] *s* sarabanda (taniec hiszpański)
Saracen ['særəsn] *s hist* Saracen
Saratoga [,særə'tougə] *spr* (*także* ~ **trunk**) *am* wielki kufer podróżny
sarcasm ['sɑːkəzəm] *s* 1. sarkazm; złośliwość; uszczypliwość 2. (*także* a **piece of** ~) uszczypliwa <złośliwa> uwaga
sarcastic [sɑː'kæstik] *adj* sarkastyczny; uszczypliwy; złośliwy
sarcoma [sɑː'koumə] *s* (*pl* ~**ta** [sɑː'koumətə]) *med* mięsak (nowotwór)
sarcophagus [sɑː'kɔfəgəs] *s* (*pl* ~**es**, **sarcophagi** [sɑː'kɔfə,gai]) sarkofag
sard [sɑːd] *s miner* sard
sardine [sɑː'diːn] *s zoo* sardynka; **packed like** ~**s** ściśnięci jak śledzie w beczce
sardonic [sɑː'dɔnik] *adj* (*o śmiechu*) sardoniczny
sardonyx ['sɑːdəniks] *s miner* sardoniks
saree ['sɑːri] *s* kobieca szata (Hindusek)
sargasso [sɑː'gæsou] *s* (*pl* ~**s**, ~**es**) *bot* gronorost, sargasso
sarge [sɑːdʒ] *sl wojsk* = **sergeant**
sari ['sɑːri] = **saree**
sark [sɑːk] *s szkoc* koszula
Sarmatian [sɑː'meiʃjən] ☐ *s* Sarmata ☐ *adj* sarmacki
sarmentose ['sɑːmen,tous], **sarmentous** [sɑː'mentəs] *adj bot* wiciowaty
sarong ['sɑːrɔŋ] *s* (*u Malajów*) przepaska
sarsaparilla [,sɑːsəpə'rilə] *s bot farm* sarsaparylla, kolcowój lekarski
sarsen ['sɑːsn] *s* głaz
sarsenet ['sɑːsnit] *s tekst* lekka tafta
sartorial [sɑː'tɔːriəl] *adj* krawiecki; (dotyczący) ubioru
sartorius [sɑː'tɔːriəs] *s anat* mięsień najdłuższy uda <krawiecki>
sash[1] [sæʃ] *s* szarfa
sash[2] [sæʃ] *s bud* skrzydło okna zwanego **sash--window**
sashed [sæʃt] *adj* (*o osobie*) z szarfą
sash-window ['sæʃ'windou] *s* okno ze skrzydłami przesuwanymi pionowo
sasin ['sæsin] *s zoo* antylopa indyjska
sassaby [sə'seibi] *s zoo* duża antylopa południowo-afrykańska
sassafras ['sæsəf,ræs] ☐ *s bot farm* sasafras ☐ *attr* (*o oleju itd*) sasafrasowy
Sassenach ['sæsə,næk] *s szkoc irl* Anglik
sassolite ['sæsə,lait] *s miner* sasolin
sat *zob* **sit**
Satan ['seitən] *spr* szatan
satanic [sə'tænik] *adj* szatański
satchel ['sætʃəl] *s* 1. tornister (szkolny) 2. teczka 3. kaletka, torba skórzana na narzędzia przy rowerze

sate[1] [seit] *vt* 1. nasyc-ić/ać; zaspok-oić/ajać (pragnienia itd.) 2. przesyc-ić/ać
sate[2] [seit] = **sat** *zob* **sit**
sateen [sæ'tiːn] *s tekst* satyna (tkanina bawełniana)
sateless ['seitlis] *adj poet* nienasycony
satellite ['sætə,lait] *s* satelita
satiate ['seiʃi,eit] *vt* 1. nasyc-ić/ać; zaspok-oić/ajać (pragnienia itd.) 2. przesyc-ić/ać
satiation [,seiʃi'eiʃən] *s* 1. nasyc-enie/anie; zaspok-ojenie/ajanie (pragnień itd.) 2. sytość 3. przesyt
satiety [sə'taiəti] *s* sytość; **to** ~ do syta
satin ['sætin] ☐ *s* 1. satyna; atłas 2. *bot* miesięcznik 3. *sl* (*także* **white** ~) dżyn ☐ *adj* 1. atłasowy 2. satynowany ☐ *vt* satynować
satinet(te) [,sæti'net] *s tekst* satynka; satyneta
satin-wood ['sætin,wud] *s bot* drzewo atłasowe
satiny ['sætini] *adj* atłasowy
satire ['sætaiə] *s* satyra
satiric(al) [sə'tirik(əl)] *adj* satyryczny
satirist ['sætirist] *s* satyry-k/czka
satirize ['sætə,raiz] *vt* satyryzować; przedstawiać <ujmować> satyrycznie
satisfaction [,sætis'fækʃən] *s* 1. uiszcz-enie/anie <wyrówn-anie/ywanie> (długu); zaspok-ojenie/ajanie (pretensji); zadośćuczynienie <satysfakcja> (za obrazę itd.); zmaz-anie/ywanie (winy); pokuta (za grzechy); spełni-enie/anie (obowiązku); odszkodowanie (za stratę itd.); wynagr-odzenie/adzanie (szkody); **in** ~ **of** __ dla <tytułem> wyrównania... (długu itd.) 2. zadowolenie; satysfakcja; **it is a real** ~ **to see that** __ prawdziwą satysfakcją jest widzieć, że...; **z** prawdziwym zadowoleniem stwierdza się, że...; **to give** ~ **to sb** zadow-olić/alać kogoś; **to my** ~ ku memu zadowoleniu
satisfactory [,sætis'fæktəri] *adj* 1. *teol* pokutniczy 2. zadowalający; należyty 3. dostateczny
satisfy ['sætis,fai] *v* (**satisfied** ['sætis,faid], **satisfied; satisfying** ['sætis,faiiŋ]) ☐ *vt* 1. ui--ścić/szczać <wyrówn-ać/ywać, spłac-ić/ać> (dług); zaspok-oić/ajać (pretensje); zadośćuczynić <da-ć/wać satysfakcję, spłacić dług> (**sb** komuś); zmaz-ać/ywać (winy, grzechy); spełni-ć/ać (obowiązek, warunki itd.); (**just**) **to** ~ **one's conscience** dla uspokojenia <spokoju> sumienia 2. zadow-olić/alać; **that does not** ~ **me** ja się tym nie mogę zadowolić; **to** mnie nie zadawala; *szk uniw* **to** ~ **the examiners** zdać egzamin ze stopniem dostatecznym 3. zaspok-oić/ajać (życzenie, głód, ciekawość itd.); zadośćuczynić <czynić zadość> (**requirements etc.** wymaganiom itd.); spełni-ć/ać (wymagania, prośbę, oczekiwania itd.); odpowiadać (**conditions etc.** warunkom itd.); **to rest satisfied with sth** zadowolić się czymś 4. przekon-ać/ywać (**sb of sth** kogoś o czymś; **that** __ o tym, że ...); **to be satisfied that** __ mieć przekonanie, że... ☐ *vr* ~ **oneself that** __ przekon-ać/ywać się <stwierdzić>, że ... ☐ *vt* 1. da-ć/wać zadowolenie <pełnię zadowolenia> 2. u/czynić pokutę
satrap ['sætrəp] *s dost i przen* satrapa
satrapy ['sætrəpi] *s hist* satrapia
saturable ['sætjurəbl] *adj* nasycalny, dający się nasycić (płynem itd.)
saturant ['sætjuərənt] *s chem* syciwo

saturate ['sætʃə,reit] vt 1. nasyc-ić/ać 2. impregnować; przep-oić/ajać; **to become** ~**d with sth** przesiąk-nąć/ać czymś

╪**saturation** [,sætʃə'reiʃən] s nasycenie; impregnowanie; przepojenie <przesiąknięcie> (czymś)

Saturday ['sætədi] ① s sobota ③ attr sobotni

Saturn ['sætən] spr 1. astr Saturn 2. (u astrologów) ołów

saturnalia [,sætə:'neiljə] spl saturnalie; sing a ~ orgia

saturnalian [,sætə:'neiljən] adj wyuzdany

Saturnian [sæ'tə:njən] ① adj 1. saturnowy; **the** ~ **age** złoty wiek 2. (o wierszu) saturniczny ② s 1. mieszkaniec Saturna 2. pl ~s wiersze saturniczne

saturnine ['sætə:,nain] adj 1. ponury 2. małomówny 3. med ołowiowy

saturnism ['sætə,nizəm] s med ołowica; zatrucie ołowiem

satyr ['sætə] s mitol satyr

satyriasis [,sætə'raiəsis] s med obłęd lubieżny

sauce [sɔ:s] ① s 1. sos; **to serve sb with the same** ~ odpłacić się komuś tą samą monetą <pięknym za nadobne>; przysł **what's** ~ **for the goose is** ~ **for the gander** wart Pac pałaca, a pałac Paca 2. przyprawa 3. am dodatek (do potrawy) z jarzyn, sałaty lub owoców 4. am kompot 5. impertynencja; zuchwalstwo; tupet ② vt 1. kulin przyprawi-ć/ać 2. pol-ać/ewać sosem; doda-ć/wać smaku (**a dish** potrawie); podnosić smak (**a dish** potrawy); doda-ć/wać pikanterii (**a piece of news etc.** wiadomości itd.) 3. sl nagadać impertynencji <okaz-ać/ywać zuchwalstwo, stawiać się> (**sb** komuś)

sauce-alone ['sɔ:s-ə,loun] s bot czosnaczek pospolity

sauce-boat ['sɔ:s,bout] s sosjerka

saucebox ['sɔ:s,bɔks] s impertynent/ka; zuchwalec

saucepan ['sɔ:s pən] s rondel

saucer ['sɔ:sə] s 1. spodek; podstawka; **flying** ~**s** latające talerze <spodki>; ~ **eyes** wybałuszone oczy 2. techn panewka

saucer-eyed ['sɔ:sər,aid] adj z wybałuszonymi oczami

sauciness ['sɔ:sinis] s 1. impertynencja; zuchwalstwo 2. sl szyk (elegancja)

saucy ['sɔ:si] adj (**saucier** ['sɔ:siə], **sauciest** ['sɔ:siist]) 1. impertynencki; zuchwały; sl **to be** ~ zachow-ać/ywać się impertynencko; stawiać się 2. (o uśmiechu itd) szelmowski <łobuzerski> 3. sl szykowny; elegancki

sauerkraut ['sauə,kraut] s kiszona <kwaśna> kapusta

saunter ['sɔ:ntə] ① vi iść/chodzić powolnym krokiem <nie śpiesząc się>; po/włóczyć <przechadzać> się; przen **to** ~ **through life** prowadzić życie beztroskie; nie przemęczać się ② s przechadzka

saunterer ['sɔ:ntərə] s przechadzający się człowiek; spacerowicz

saunteringly ['sɔ:ntəriŋli] adv (iść) swobodnym <powolnym> krokiem <nie śpiesząc się>

saurian ['sɔ:riən] s zoo zwierzę <gad> z rzędu jaszczurek

saury ['sɔ:ri] s zoo ryba z rodziny wręgowcowatych

sausage ['sɔsidʒ] s 1. kiełbasa, kiełbaska 2. (także ~ **balloon**) balon obserwacyjny (na uwięzi)

sausage-meat ['sɔsidʒ,mi:t] s farsz do kiełbas, mielone mięso do wyrobu kiełbas oraz jako nadzienie

sausage-roll ['sɔsidʒ,roul] s pasztecik z kiełbaską <parówką>

sauté ['soutei] adj, smażony; przysmażany; podsmażony

savage ['sævidʒ] ① adj 1. dziki 2. barbarzyński; niecywilizowany 3. niewychowany; ordynarny 4. okrutny; bestialski; bezlitosny 5. pot (o człowieku) wściekły; rozwścieczony; doprowadzony do pasji; **to grow** ~ wście-c/kać się; wpa-ść/dać w szał ② s dzikus/ka; barbarzyńca ③ vt (o znarowionym koniu) rzuc-ić/ać się (**sb** na kogoś); u/gryźć; po/tratować; (o człowieku) napa-ść/dać z furią (**sb** na kogoś)

savageness ['sævidʒnis], **savagery** ['sævidʒri] s 1. dzikość; barbarzyństwo 2. bestialstwo; brutalność

savanna(h) [sə'vænə] s sawanna

savant ['sævənt] s uczony

savate [sə'væt] s boks (na sposób) francuski (z dozwolonym posługiwaniem się nogami i głową)

save[1] [seiv] ① vt 1. u/ratować <u/chronić, ocal-ić/ać> (**sb, sth from** __ kogoś, coś od ...; **sb's life** komuś życie); wybawi-ć/ać; **to** ~ **appearances** zachow-ać/ywać pozory; **to** ~ **one's face** uniknąć kompromitacji <ośmieszenia się, blamażu>; **to** ~ **sb from himself** uratować kogoś przed skutkami jego własnej głupoty; **to** ~ **the goal** obronić bramkę; **you are** ~**d** masz szczęście 2. zbawi-ć/ać (duszę, ród ludzki itd.) 3. za/oszczędzić <oszczędzać> (pieniądze); od-łożyć/kładać (na bok <na czarną godzinę>); ciułać; zaoszczędzić (**one's pains** <**trouble**> sobie trudu; **sb the trouble of** __ komuś trudu ... ; — zrobienia czegoś); ~ **your breath** szkoda słów; **that will** ~ **me** — to mi pozwoli zaoszczędzić ...; na tym zaoszczędzę ...; **to** ~ **meat** <**bread etc.**> **for to-morrow** <**next week etc.**> zostawić (sobie) mięsa <chleba itd.> na jutro <na drugi tydzień itd.>; **you can** ~ **your pains** możesz się nie trudzić <nie fatygować> 4. zysk-ać/iwać (**time, labour etc.** na czasie, robociźnie itd.); unik-nąć/ać straty (**time, expenses etc.** czasu, wydatków itd.); z/robić <uzysk-iwać/ać> oszczędności (**material etc.** materiału itd.); chronić (odzież itd.); **to** ~ **labour** z/racjonalizować pracę 5. zdążyć (na czas) (**sth do czego** <**na coś**>) 6. zastrze-c/gać sobie 7. składać <zbierać> (złom itd.) ② vi (także ~ **up**) oszczędzać; robić oszczędności zob **saving** ③ s 1. oszczędność 2. (w piłce nożnej) obrona bramki

save[2] [seiv] ① praep wyjąwszy, prócz, oprócz; ~ **for** __ poza ... (czymś); pominąwszy <gdyby nie> ... (coś) ② conj chyba że; poza tym, że

save-all ['seiv,ɔ:l] s 1. przyrząd ułatwiający oszczędzanie materiału 2. (na lichtarzu) profitka

saveloy ['sævi,lɔi] s rodzaj suchej kiełbasy

saver ['seivə] s 1. ciułacz/ka; **to be a** ~ robić oszczędności 2. ratowni-k/czka; zbawiciel/ka 3. = save-all 1.

savin ['sævin] ① s bot jałowiec sawina ② attr (o olejku itd) sawinowy

saving ['seiviŋ] ① zob **save**[1] v ② adj 1. zbawczy,

zbawienny 2. oszczędny 3. *prawn* ograniczający; ~ **clause** zastrzeżenie Ⅲ *praep* wyjąwszy; ~ **your reverence** <presence> z przeproszeniem; przepraszam za wyrażenie Ⅳ *s* 1. oszczędność (**in** ... **na** ... — materiale, czasie, robociźnie itd.) 2. oszczędzanie; racjonalizacja 3. *pl* ~**s** oszczędności

savings-bank ['seiviŋz'bæŋk] *s* kasa oszczędności
saviour ['seivjə] *s* zbawiciel
savoir-faire ['sævwɑ:'feə] *s* taktowność, takt
savoir-vivre ['sævwɑ:'vivr] *s* dobre maniery, savoir-vivre
savory ['seivəri] *s bot* cząber
savour ['seivə] Ⅰ *s* 1. smak; posmak 2. odcień; domieszka 3. aromat 4. powab; urok Ⅱ *vi* 1. mieć smak <posmak> (**of sth** czegoś); pachnąć, pachnieć (**of sth** czymś) 2. zdradzać obecność (**of sth** czegoś); graniczyć (**of sth z** czymś); przypominać (**of sth** coś); zakrawać (**of sth na** coś) Ⅲ *vt* delektować się (**sth** czymś)
savouriness ['seivərinis] *s* przyjemny smak <zapach>; aromat; smakowitość
savourless ['seivəlis] *adj* bez smaku
savoury ['seivəri] Ⅰ *adj* 1. smakowity, smaczny 2. aromatyczny 3. (*o potrawie*) pikantny; ~ **omelette** omlet ze szpinakiem <szczypiorkiem itd.> Ⅱ *s kulin* przystawka
savoy [sə'vɔi] *s* kapusta sabaudzka <ogrodowa>
Savoyard [sə'vɔiɑ:d] *s* Sabaudczyk
savvy ['sævi] Ⅰ *vt* (**savvied** ['sævid], **savvied; savvying** ['sæviiŋ]) *sl* kapować; rozumieć Ⅱ *s sl* olej w głowie; rozum
↕**saw**[1] [sɔ:] *v* (*praet* **sawed** [sɔ:d], *pp* **sawed, sawn** [sɔ:n]) Ⅰ *vt* 1. s/piłować; przepiłować; prze-rżnąć/rzynać; *przen* **to** ~ **the air** gestykulować 2. *przen* **to** ~ **wood** zaj-ąć/mować się własnymi sprawami Ⅱ *vi* piłować; rżnąć; *przen* rzępolić (**on the violin** na skrzypcach)
    ~ **off** *vt* odpiłow-ać/ywać; od-erżnąć/rzynać
    ~ **up** *vt* po/rżnąć na kawałki
    Ⅲ *s* piła
saw[2] [sɔ:] *s* powiedzenie
saw[3] *zob* **see**[2]
sawbill ['sɔ:ˌbil] *s zoo* 1. tracz długodzioby 2. momot
sawbones ['sɔ:ˌbounz] *s sl* chirurg; konował
↕**saw-buck** ['sɔ:ˌbʌk] *am* = **saw-horse**
sawder ['sɔ:də] *s w zwrocie*: **soft** ~ komplementy; pochlebstw-o/a
sawdust ['sɔ:ˌdʌst] Ⅰ *s* trociny Ⅱ *vt* posyp-ać/ywać trocinami
sawfish ['sɔ:ˌfiʃ] *s zoo* ryba-piła
saw-fly ['sɔ:ˌflai] *s zoo* błonkówka z rodziny pilarzy
saw-frame ['sɔ:ˌfreim] *s* rama piły
saw-horse ['sɔ:ˌhɔ:s] *s* kozły do rżnięcia drzewa
saw-mill [sɔ:ˌmil] *s* tartak
sawn *zob* **saw**[1] *v*
Sawney ['sɔ:ni] *s* 1. przezwisko Szkot-a/ki 2. jołop, jełop
saw-pit ['sɔ:ˌpit] *s* dół, nad którym tracze przepiłowywują dłużyce na tarcice
saw-set ['sɔ:ˌset] *s techn* rozwieracz (narzędzie do rozwierania zębów piły)
saw-wort ['sɔ:ˌwɔ:t] *s bot* sierpik barwierski
sawyer ['sɔ:jə] *s* 1. tracz 2. zatopione drzewo niebezpieczne dla żeglugi

sax [sæks] *s* narzędzie pracy łupkarza
saxatile ['sæksəˌtail] *adj* (*o zwierzęciu, roślinie*) skalny
saxhorn ['sæksˌhɔ:n] *s muz* sakshorn
saxifrage ['sæksifridʒ] *s bot* skalnica
Saxon ['sæksən] Ⅰ *s* 1. Anglosas 2. język anglosaski Ⅱ *adj* anglosaski
Saxony ['sæksni] *s* rodzaj delikatnej wełny
saxophone ['sæksəˌfoun] *s muz* saksofon
saxpence ['sækspəns] *szkoc żart* = **sixpence**
say [sei] *v* (**said** [sed], **said**; 3 *pers sing praes* **says** [sez]) Ⅰ *vt* powi-edzieć/adać, mówić; wypowi-edzieć/adać; rzec; odm-ówić/awiać (**one's prayers** modlitwy); odpowi-edzieć/adać (**one's lesson** z lekcji); wygł-osić/aszać (**a sermon** kazanie); odprawi-ć/ać (**mass** mszę); **to** ~ **no** a) odm-ówić/awiać b) zaprzecz-yć/ać c) powiedzieć, że nie; **to** ~ **yes** a) zg-odzić/adzać się b) powiedzieć, że tak; **there is much to be said for** __; dużo przemawia za ...; ... nie jest bez racji ...; **there is much to be said on both sides** obie strony mają poniekąd rację; **they** <**he etc.**> **are** <**is**> **said to be** __ mówią o nich <o nim itd.>, że są <jest> ...; **though I** ~ **it who shouldn't** chociaż nie wypada mi zabrać głosu w tej sprawie; **to have nothing to** ~ **for oneself** nie móc nic powiedzieć na swoją obronę; **what did you** ~? a) co powiedziałeś <powiedzieliście>? b) (co) proszę?; **what do you** ~ **to a game of tennis?** co byś <byście> powiedział <powiedzieli> na partię tenisa?; **who shall I** ~? jak nazwisko, proszę?; kogo mam zameldować?; **easier said than done** łatwiej to powiedzieć, niż wykonać; **the less said the better** im mniej słów (na ten temat), tym lepiej; **to** ~ **nothing of** __ pomijając już ...; nie mówiąc już o ...; a co dopiero ...; że nie wspomnę ...; **£100** (~ **one hundred pounds**) 100 funtów (słownie: sto funtów) Ⅱ *vi* od-ezwać/zywać się; powi-edzieć/adać; rzec; mówić; twierdzić; **and so** ~ **all of us** to jest ogólne nasze zdanie; **I said so** a) tak powiedziałem b) mówiłem ci <wam> (że tak będzie); a nie mówiłem?; **I was furious and said so** byłem wściekły i powiedziałem to; **I said to myself** pomyślałem sobie; **it** ~**s so in the book** tak jest w książce napisane; **so he** ~**s, he** ~**s so** tak twierdzi; **so you** ~ takie jest twoje zdanie; **they** ~ **that** __ (ludzie) mówią, że ...; **to** ~ **no more** przestać mówić; zamilknąć; **you don't** ~ **so** nie może być!; **you may well** ~ **so** masz świętą rację; **a goodly number** ~ <**let us** ~> 25 spora liczba, powiedzmy 25; **anybody,** ~ **Paul** ktokolwiek, niech będzie Paweł; ~ **it were true, what then?** niechby to była prawda, no to co <i co wtedy>?; **so to** ~ że tak powiem; jak gdyby; **that goes without saying** to się rozumie (samo przez się); **that is to** ~ __ to jest <to znaczy> ...; **I don't know him, that is to** ~ **not personally** nie znam go, przynajmniej nie osobiście; (*przywołując kogoś*) **I** ~! <*am* ~!> słuchaj/cie!; halo!; (*ze zdziwieniem*) **I** ~! no wiesz <wiecie>!
    ~ **again** *vt* powt-órzyć/arzać
    ~ **on** *vi* mówić dalej; nie przerywać
    ~ **out** *vt* powiedzieć otwarcie <nie krępując się>
    ~ **over** *vt* powt-órzyć/arzać

zob **said, saying** ▣ *s w zwrotach*: **to have no ~ in the matter** nie mieć głosu w tej sprawie; **to have one's ~** wypowi-edzieć/adać się <swoje zdanie>; **to have one's ~ out** powiedzieć, co się ma na sercu; wszystko wygarnąć

↓ **saying** ['seiiŋ] ① *zob* **say** *v* ▣ *s* 1. powiedzenie; *pot* powiedzonko; **as the ~ goes** jak się to mówi; jak mówi przysłowie 2. wypowiedź; **there's no ~ when** <where, how etc.> trudno powiedzieć <trudno przewidzieć, nie wiadomo>, kiedy <gdzie, jak itd.>

scab [skæb] ① *s* 1. strup 2. świerzb; parch 3. łamistrajk ▣ *vi* (-bb-) 1. (*o ranie*) zasklepi-ć/ać się; pokry-ć/wać się strupem 2. łamać strajk

scabbard ['skæbəd] *s* pochwa (miecza); **to throw away the ~** postanowić walczyć do ostatka

scabbard-fish ['skæbəd,fiʃ] *s zoo* łuskopłyń (ryba morska kształtu szabli)

scabbiness ['skæbinis] *s* sparszywienie; parchy; świerzb

scabby ['skæbi] *adj* 1. (*o ranie*) zasklepiony; pokryty strupem 2. świerzbiący; parszywy; sparszywiały

scabies ['skeibi,i:z] *s med* świerzb

scabious ['skeibjəs] *s bot* driakiew gołębia, gwiazdnik

scabrous ['skeibrəs] *adj* 1. chropowaty; szorstki 2. (*o temacie*) śliski, drażliwy; (*o sytuacji*) delikatny; (*o opowiadaniu*) drastyczny; sprośny

scabwort [',skæb,wə:t] *s bot* oman wielki

scad [skæd] *s zoo* ostrolin (ryba z rodziny makrelowatych)

scads [skædz] *spl am sl* 1. forsa 2. mnóstwo, masa, kupa

scaffold ['skæfəld] ① *s* 1. estrada; platforma 2. trybuna 3. szafot 4. rusztowanie 5. kościec ▣ *vt* wzn-ieść/osić rusztowanie (**a building** wokół budynku) *zob* **scaffolding**

scaffolder ['skæfəldə] *s* specjalista od budowy rusztowań

scaffolding ['skæfəldiŋ] ① *zob* **scaffold** *v* ▣ *s* rusztowanie

scalar ['skeilə] *s fiz* skalar

scalariform [skə'læri,fɔ:m] *adj* drabinkowaty, schodkowaty

scalawag ['skælə,wæg] = **scallywag**

scald¹ [skɔ:ld] ① *vt* 1. o/parzyć <sparzyć> (**one's hand etc.** sobie rękę itd.) 2. (*także* **~ out**) wyparz-yć/ać (naczynie itd.) 3. s/pasteryzować (mleko) *zob* **scalding** ▣ *s* oparzenie

scald² [skɔ:ld] *s* skald (staroskandynawski poeta)

scald-head ['skɔ:ld,hed] *s med* grzybica woszczynowa głowy

scalding ['skɔ:ldiŋ] ① *zob* **scald¹** *v* ▣ *s* 1. oparzenie 2. pasterzowanie, pasteryzacja ▣ *adj* 1. (*także* **~-hot**) wrzący 2. (*o łzach*) palący

scale¹ [skeil] ① *s* 1. łuska; *przen* zasłona; **the ~s fell from his eyes** spadła mu zasłona z oczu 2. *dent* kamień nazębny 3. kamień kotłowy 4. zgorzelina 5. trzon <rączka> (brzytwy itd.) ▣ *vt* 1. o/czyścić z łusek (rybę itd.); usu-nąć/wać łuski (**a fish etc.** z ryby itd.) 2. łuskać (migdały itd.) 3. usu-nąć/wać kamień (**sb's teeth** komuś z zębów) 4. odbi-ć/jać kamień (**a boiler** z kotła) ▣ *vi* 1. z/łuszczyć się 2. (*o kotle itd*) okry-ć/wać się kamieniem (kotłowym) *zob* **scaled, scaling¹**

scale² [skeil] ① *s* 1. szala <szalka, talerz> (wagi); **to throw into the ~** rzucić coś na szalę; **to turn the ~** zaważyć na szali 2. *pl* **~s** (*także* **a pair of ~s**) waga; **to hold the ~s even** sprawiedliwie sądzić 3. *pl astr* **Scales** Waga (konstelacja i znak zodiaku) ▣ *vt* z/ważyć ▣ *vi* za/ważyć (*x* kg itd.)

↓ **scale³** [skeil] ① *s* 1. skala; tabela; podziałka; *przen* drabina (społeczna); **a map in the ~ of —** mapa w skali ...; **on a large** <small> (robić coś) na wielką <małą> skalę; **sliding ~** skala ruchoma 2. *muz* gama; **to practise ~s** ćwiczyć gamy 3. *mat* (*także* **~ of notation**) układ (**decimal etc.** dziesiętny itd.) ▣ *vt* 1. wy-jść/chodzić <wedrzeć/wdzierać się> (**a wall** na mur) za pomocą drabiny oblężniczej; **to ~ a mountain** wejść <wyjść> na szczyt góry 2. na/rysować według skali (mapę, plan)

~ down *vt* zmniejsz-yć/ać w skali (rysunek itd.)

~ up *vt* powiększy-yć/ać w skali (rysunek itd.)

zob **scaling²**

scale-beam ['skeil,bi:m] *s* dźwignia <belka> wagi; balansjer

scale-board ['skeil,bɔ:d] *s* cienka deska <plecy> (z tyłu lustra, obrazu)

scaled [skeild] ① *zob* **scale¹** *v* ▣ *adj* łuskowaty; pokryty łuskami

scale-insect ['skeil,insekt] *s zoo* owad z rodziny czerwców

scalene ['skeili:n] *adj* 1. *geom* (*o trójkącie*) nierównoboczny 2. *anat* (*o mięśniu*) pochyły

scaler ['skeilə] *s* 1. oczyszczacz (pracownik) 2. zdzieracz (przyrząd)

scale-winged ['skeil,wiŋgd] *adj zoo* łuskoskrzydły

scaling¹ ['skeiliŋ] ① *zob* **scale¹** *v* ▣ *s* usuwanie zgorzeliny <kamienia kotłowego>; **~ hammer** młotek do usuwania zgorzeliny

scaling² ['skeiliŋ] ① *zob* **scale³** *v* ▣ *s* (*w średniowieczu*) wdzieranie się na mury oblężonego miasta; **~ ladder** drabina oblężnicza

scallion ['skæljən] *s bot* szalotka (mała cebula)

scallop ['skɔləp] ① *s* 1. *zoo* przegrzebek (małż) 2. muszla, muszelka 3. *kulin* panewka 4. fryza ▣ *vt* u/smażyć w muszelce

scallywag ['skæli,wæg] *s* 1. bydlę nie wyrośnięte <drobne>; zwierzę nieudane <zabiedzone, nie dożywione> 2. nicpoń (człowiek)

scalp [skælp] ① *s* skalp; owłosiona skóra głowy; **out for ~s** wojowniczo usposobiony ▣ *vt* 1. o/skalpować 2. zjadliwie s/krytykować ▣ *vi am* dokonywać drobnych spekulacji

scalpel ['skælpəl] *s* nóż chirurgiczny, skalpel

scalper ['skælpə] *s am* drobny spekulant

scaly ['skeili] *adj* (**scalier** ['skeiliə], **scaliest** ['skeiliist]) łuskowaty; łuszczasty

scammony ['skæməni] *s bot* skamonia, powój

scamp¹ [skæmp] *s* łotr; nicpoń; (*pieszczotliwie*) gałgan, hultaj

↓ **scamp²** [skæmp] *vt pot* s/fuszerować, s/partolić; zby-ć/wać (robotę)

scamper¹ ['skæmpə] ① *vi* 1. po/pędzić 2. *przen pot* galopem przejechać <przelecieć> (**through a region** <country etc.> przez okolicę <kraj itd.>); **to ~ through a book** poł-knąć/ykać książkę

~ away <off> pierzch-nąć/ać; zmykać; ucie-c/kać w popłochu; wziąć/brać nogi za pas

III *s* 1. bieganie; gonitwa 2. pierzchnięcie; ucieczka 3. a ~ (**through a book** etc.) pobieżne przeczytanie (książki itd.)

scamper² ['skæmpə] *s pot* fuszer; partacz

scampish ['skæmpiʃ] *adj* łotrowski; hultajski

♦**scan** [skæn] *v* (-nn-) [I] *vt* 1. skandować (wiersz) 2. badać (wzrokiem); pilnie <badawczo> przyglądać się (**sb, sth** komuś, czemuś) 3. przebadać (kolejno) 4. rzucić okiem (**sth na coś**) III *vi* (*o wierszu*) mieć rytm; **to ~ well** dać się skandować

scandal ['skændl] *s* 1. skandal 2. awantura; **to create a ~** zrobić <wszcząć> awanturę 3. zgorszenie 4. obmowa; oszczerstwo; *zbiór* plotki; bajki 5. *sąd* obraza sądu

scandalize¹ ['skændə,laiz] [I] *vt* 1. z/gorszyć 2. obmawiać III *vi* rozsiewać plotki

scandalize² ['skændə,laiz] *vt mar* skr-ócić/acać (żagiel)

scandalmonger ['skændl,mʌŋgə] *s* plotka-rz/rka; bajca-rz/rka; obmówca; oszczerca

scandalous ['skændələs] *adj* 1. skandaliczny; gorszący; haniebny 2. potwarczy; oszczerczy

Scandinavian [,skændi'neivjən] [I] *adj* skandynawski III *s* 1. mieszkaniec <obywatel> Skandynawii; Skandynaw/ka 2. język skandynawski

scandium ['skændjəm] *s chem* skand

scansion ['skænʃən] *s* skandowanie

scansorial [skæn'sɔːrjəl] *adj zoo* (*o ptaku*) łażący

scant [skænt] [I] *adj* ledwo wystarczający; niedostateczny; szczupły; rzadki; skąpy; ubogi; ograniczony; kusy; **~ of breath** a) zadyszany b) astmatyczny; dychawiczny; **to give ~ attention to** — mało uważać <zwracać uwagi> na ...; **with ~ courtesy** nie siląc się na grzeczność III *vt* żałować <skąpić> (**sb sth** komuś czegoś)

scantiness ['skæntinis] *s* niedostatek; ubóstwo (czegoś); ograniczenie (ilościowe)

scantling ['skæntliŋ] *s* 1. † wzór 2. odrobina <minimum> (czegoś) 3. belk-a/i; dyl/e; łat-a/y 4. kętnar, podkład pod beczkę, legar 5. *bud* długi kamień

scanty ['skænti] *adj* (**scantier** ['skæntiə], **scantiest** ['skæntiist]) szczupły; rzadki; skąpy; ubogi; ograniczony; kusy; niewystarczający; za mały

scape¹ [skeip] *s* 1. *arch* słupiec <trzon> (kolumny) 2. *zoo* podstawa czułków (owada) 3. *zoo* stosina (pióra)

scape² [skeip] † = **escape** *s vt*

scapegoat ['skeip,gout] *s przen* kozioł ofiarny

scapegrace ['skeip,greis] *s* urwis; trzpiot; szałaput

scaphocephaly [,skæfə'sefəli] *s anat* łódkogłowie

scaphoid ['skæfoid] *adj anat* łódkowaty

scapula ['skæpjulə] *s* (*pl* **scapulae** ['skæpju,liː], ~**s**) *anat* łopatka

scapular ['skæpjulə] [I] *adj anat* łopatkowy III *s* 1. *kość* szkaplerz 2. *med* opaska barkowa

scapulary ['skæpjuləri] = **scapular** *s* 1.

scar¹ [skaː] [I] *s* 1. blizna; szrama; cięcie; *bot* blizna (po odpadnięciu liścia) 2. zadra; powierzchowne uszkodzenie III *vt* (-rr-) 1. pokiereszować 2. uszkodzić powierzchnię (**sth czegoś**) III *vi* (-rr-) (*także* ~ **over**) zabliźni-ć/ać się *zob* **scarred**

scar² [skaː] *s* urwiste zbocze górskie

searab ['skærəb] *s* skarabeusz

scarabaeid [,skærə'biːd] *s* owad blaszkorogi

scaramouch ['skærə,mautʃ] *s* 1. tchórzliwy pyszałek 2. *żart* nicpoń, śmieciuch

scarce [skeəs] [I] *adj* rzadki; mało obfity; znajdujący się w małej <niedostatecznej> ilości; niewystarczający; rzadko spotykany; **food** <**coal** etc.> **became** ~ da-ł/wał się we znaki <da-ł/wał się odczuć> brak żywności <węgla itd.>; **money** <**labour** etc.> **is** ~ odczuwa się brak pieniędzy <rąk do pracy itd.>; **to make oneself** ~ zmykać; wyn-ieść/osić się III *adv poet lit* = **scarcely**

scarcely ['skeəsli] *adv* ledwo; zaledwie; z trudnością, z trudem; chyba nie; nie bardzo; **he can** ~ **have done that** <**have gone there** etc.> on chyba tego nie zrobił <nie poszedł tam itd.>; wątpię, czy on to zrobił <poszedł tam itd.>; nie wyobrażam sobie, żeby on to zrobił <tam poszedł itd.>; **he** <**I** etc.> **had** ~ **arrived when** — a) ledwo przyjechał/em a już ... b) skoro tylko przyjechał/em zaraz ...; **I** ~ **know what to say** nie bardzo wiem, co powiedzieć

scarcement ['skeəsmənt] *s szkoc* występ (w murze itd.)

scarceness ['skeəsnis], **scarcity** ['skeəsiti] *s* brak; niedostatek; niedobór

♦**scare** [skeə] [I] *vt* prze/straszyć; nastraszyć; zastrasz-yć/ać; siać panikę (**people wśród ludzi**); **to be** ~**d** bać się; **to be** ~**d stiff of** — bać się ... (kogoś, czegoś) jak ognia; **to be** ~**d to death** <**out of one's wits**> być nieprzytomnym ze strachu

~ **away** *vt* odstrasz-yć/ać; s/płoszyć; wypł-oszyć/aszać; przepłoszyć

III *s* panika; (blady) strach; popłoch; **to give sb a** ~ przestraszyć kogoś

scarecrow ['skeə,krou] *s* 1. strach na wróble 2. straszydło

scare-head(ing) ['skeə,hed(iŋ)], **scare-headline** ['skeə,hedlain] *s dzień* sensacyjny <olbrzymi> nagłówek

scaremonger ['skeə,mʌŋgə] *s* panikarz

scaremongering ['skeə,mʌŋgəriŋ] *s* panikarstwo, sianie paniki

scarf¹ [skaːf] *s* (*pl* **scarves** [skaːvz], ~**s**) 1. szalik 2. szarfa; przepaska

scarf² [skaːf] [I] *s bud* złącze na zakładkę <na wcios> III *vt bud* po/łączyć (belki) na zakładkę <na wcios>

scarf-pin ['skaːf,pin] *s* szpilka do krawata

scarf-ring ['skaːf,riŋ] *s* kółko do szalika

scarf-skin ['skaːf,skin] *s anat* naskórek

scarification [,skeərifi'keiʃən] *s* nacinanie skóry; *chir roln* skaryfikacja

scarifier ['skeəri,faiə] *s chir roln* skaryfikator

scarify ['skeəri,fai] *vt* (**scarified** ['skeəri,faid], **scarified; scarifying** ['skeəri,faiiŋ]) 1. *chir* naci-ąć/nać skórę (**sb komuś**), skaryfikować 2. *przen* ura-zić/żać ostrą krytyką 3. *roln* skaryfikować; spulchni-ć/ać ziemię 4. nacinać korę (**a tree drzewa**)

scarious ['skeəriəs] *adj bot* (*o działce kielicha kwiatu*) suchy; błonkowaty

scarlatina [,skaːlə'tiːnə] *s med* szkarlatyna, płonica

scarlet ['skaːlit] [I] *s* szkarłat; purpura III *adj* szkarłatny; purpurowy; **to turn** ~ s/pąsowieć; ~ **fever** a) *med* szkarlatyna, płonica b) *przen* uganianie się za żołnierzami (aluzja do czerwonych mundurów, noszonych dawniej w wojsku ang.); *bot* ~ **runner** <**bean**> fasola wielkokwiatowa, piękny jaś; ~ **woman** nierządnica

scarp [skɑːp] Ⅰ *s* skarpa, szkarpa; urwistość; urwisko Ⅲ *vt* skarpować; nada-ć/wać nachylenie (**sth** czemuś)

scarred [skɑːd] Ⅰ *zob* **scar¹** *v* Ⅲ *adj* z blizną (na twarzy itd.); pokryty bliznami; pokiereszowany; (*o ranie*) ~ **over** zabliźniony

scarves *zob* **scarf¹**

scary ['skɛəri] *adj* 1. straszliwy, straszny 2. bojaźliwy

scathe [skeiθ] Ⅰ *s* † *lit* obrażenie, okaleczenie; **without** ~ bez szwanku; bez uszczerbku; nietknięty Ⅲ *vt* *lit* uszkodzić; okaleczyć; chłostać (biczem satyry) *zob* **scathing**

scatheless ['skeiθlis] *adj* bez szwanku, bez uszczerbku; nietknięty

scathing ['skeiθiŋ] Ⅰ *zob* **scathe** *v* Ⅲ *adj* (*o uwadze, wypowiedzi itp*) zjadliwy; jadowity; cięty

scatology [skæ'tɔlədʒi] *s med* nauka o ekskrementach <kale, stolcu>

scatophagous [skæ'tɔfəgəs] *s* kałożerny (owad itd.)

scatter ['skætə] Ⅰ *vt* rozrzuc-ić/ać; rozsyp-ać/ywać; rozpr-oszyć/aszać; rozpędz-ić/ać; rozprysk-ać/iwać; rozwi-ać/ewać (chmury, nadzieje itd.); posyp-ać/ywać (**sth on the floor, the floor with sth** podłogę czymś) Ⅲ *vi* rozpr-oszyć/aszać <roz-ejść/chodzią, rozwi-ać/ewać> się; (*o dzieciach itd*) rozbie-c/gać się; (*o ptactwie*) rozl-ecieć/atywać się; (*o wojsku*) pójść w rozsypkę, pierzch-nąć/ać *zob* **scattering** Ⅲ *s* 1. rozrzut; zasięg rozrzutu 2. rzadkie ślady

scatter-brain ['skætə,brein] *s pot* roztrzepaniec; postrzeleniec; trzpiot/ka

scatter-brained ['skætə,breind] *adj* roztargniony; *pot* postrzelony; trzpiotowaty; roztrzepany

▲**scattering** ['skætəriŋ] Ⅰ *zob* **scatter** *v* Ⅲ *s* 1. rozpr-oszenie/aszanie; rozwi-anie/ewanie; rozrzut; rozsyp-anie/ywanie; posyp-anie/ywanie (czegoś czymś) 2. odrobina; szczypta; garstka; *pot* kapeczka, kapka

scaup [skɔːp] *s zoo* (*także* ~-**duck**) kaczka hełmiasta

scaur [skɔː] = **scar²**

scavenge ['skævindʒ] *vt* 1. czyścić <zamiatać> (ulice); wywozić nieczystości (**the streets** z ulic) 2. wydal-ić/ać (gazy spalinowe)

scavenger ['skævindʒə] Ⅰ *s* 1. zamiatacz ulic; pracownik <robotnik> zakładu oczyszczania miasta; czyściciel kanałów; ~'s **daughter** nazwa średniowiecznego narzędzia tortur 2. *zoo* owad kałożerny Ⅲ *vi* zamiatać ulice

scavenger-beetle ['skævindʒə,biːtl] *s zoo* grabarz (owad)

scenario [si'nɑːriou] *s* scenariusz

scene [siːn] *s* 1. scena; widownia; *przen* **to quit the** ~ zejść z widowni; przenieść się na tamten <drugi> świat 2. miejsce <teren> (działań wojennych itd.); **the** ~ **of the disaster** miejsce katastrofy; *teatr* **the** ~ **is laid in** _ rzecz dzieje się w ... 3. *teatr* scena <odsłona> (sztuki) 4. obraz <obrazek> (z życia, dzieciństwa itd.) 5. scena; widowisko; awantura 6. *teatr* dekoracja; kulisa; *dosł i przen* **behind the** ~s za kulisami 7. widok; obraz; krajobraz

scene-dock ['siːn,dɔk] *s teatr* kieszeń sceniczna (na przechowywanie dekoracji)

scene-painter ['siːn,peintə] *s* dekorator/ka teatraln-y/a

scenery ['siːnəri] *s* 1. *teatr* dekoracje; oprawa sceniczna 2. krajobraz; widok 3. sceneria; **a change of** ~ zmiana otoczenia <klimatu>

scene-shifter ['siːn,ʃiftə] *s* maszynista teatralny

scenic ['siːnik] *adj* 1. sceniczny 2. teatralny; dramatyczny; przesadny; (obliczony) na pokaz; ~ **railway** kolej górska (w wesołym miasteczku) 3. *mal* rodzajowy

scenography [si'nɔgrəfi] *s* malarstwo perspektywiczne

scent [sent] Ⅰ *vt* 1. z/wietrzyć; *przen* wyczuć instynktownie; po/czuć przez skórę <z/węszyć> (niebezpieczeństwo itd.); **to** ~ **out** zwęszyć; wywęszyć; *pot* wyniuchać 2. (*o zwierzęciu*) **to** ~ **the air** wąchać; węszyć 3. (*o kwiecie, także o padlinie itd*) napełni-ć/ać (powietrze) zapachem; rozsiewać zapach (**the air** w powietrzu) 4. na/perfumować Ⅲ *vi* węszyć *zob* **scented** Ⅲ *s* 1. zapach 2. trop <ślad> (zwierza); *przen* **to put sb off the** ~ zbi-ć/jać kogoś z tropu 3. węch; **to have a** ~ **for** _ mieć dobry nos <mieć nosa> do ... 4. perfumy

scent-bag ['sent,bæg] *s zoo* zbiornik gruczołowy wydzielający substancję wonną

scent-bottle ['sent,bɔtl] *s* 1. flakonik perfum <z perfumami> 2. flakonik na perfumy <do perfum>

scented ['sentid] Ⅰ *zob* **scent** *v* Ⅲ *adj* na/perfumowany; pachnący; *bot* ~ **fern** nerecznica górska (paproć)

scent-gland ['sent,glænd] *s zoo* gruczoł wonny

scentless ['sentlis] *adj* bez <pozbawiony> zapachu, bezwonny

scent-spray ['sent,sprei] *s* rozpylacz do perfum

scepsis ['skepsis] *s filoz* sceptycyzm

sceptic ['skeptik] *s* scepty-k/czka

sceptical ['skeptikəl] *adj* sceptyczny; **to be** ~ **about sth** odnosić się sceptycznie <nie mieć przekonania> do czegoś

scepticism ['skepti,sizəm] *s* sceptycyzm

sceptre ['septə] *s* berło; **to hold** <**wield**> **the** ~ dzierżyć berło

schappe [ʃæp] *s* materiał z jedwabiu odpadkowego

▲**schedule** ['ʃedjuːl] Ⅰ *s* 1. lista; spis; wykaz; zestawienie; tabela 2. załącznik (do ustawy itd.) 3. taryfa (celna, kolejowa itd.) 4. plan; harmonogram; rozkład jazdy; ~ **time** planowy odjazd <przyjazd>; **on** ~, **to** ~ **time** (przyjechać itd.) na czas; ściśle według rozkładu; planowo 5. *handl* nomenklatura Ⅲ *vt* 1. wpis-ać/ywać <wciąg-nąć/ać> na listę; umie-ścić/szczać w wykazie 2. dołącz-yć/ać (do ustawy itd.) 3. za/planować; za/projektować; sporządz-ić/ać rozkład <harmonogram> (**sth** czegoś); **to be** ~d **for sth** mieć coś zrobić <przybyć itd.> według <stosownie do> planu; **the excursion is** ~d **for** _ wycieczka przewidziana jest na ...

schema ['skiːmə] *s* (*pl* ~**ta** [skiː'mætə]) schemat

schematic [skiː'mætik] *adj* schematyczny

scheme [skiːm] Ⅰ *s* 1. układ; porządek (społeczny itd.); system; metoda; **colour** ~ dobór kolorów <barw> 2. plan; projekt; schemat; pro-

gram; koncept; **a clever** ~ chytry <dowcipny>
pomysł 3. machinácja; intryga; knowania; kon-
szachty Ⅲ *vt* u/planować; za/projektować Ⅲ *vi*
intrygować; knuć; spiskować *zob* **scheming**
schemer ['ski:mə] *s* 1. intrygant/ka; matacz 2.
projektant/ka
scheming ['ski:miŋ] Ⅰ *zob* **scheme** *v* Ⅲ *s* intrygi
matactwa; knowania; podziemna robota Ⅲ *adj*
intrygancki
scherzo ['skeətsou] *s muz* scherzo
Schiedam [ski:'dæm] *spr* dżyn holenderski
schipperke ['ʃipəki] *s zoo* rasa psa holenderskiego
schism ['sizəm] *s* 1. schizma; odszczepieństwo 2.
rozłam
schismatic [siz'mætik] Ⅰ *s* schizmatyk; odszcze-
pieniec Ⅲ *adj* 1. schizmatycki; odszczepieńczy
2. rozłamowy
schist [ʃist] *s geol* łupek
schistose ['ʃistous], **schistous** ['ʃistəs] *adj* łupkowy; łupkowaty
schizanthus [skai'zænθəs] *s bot* chilijski kwiat
z rodziny psiankowatych
schizocarp [,skaizou'ka:p] *s bot* rozłupka (rodzaj
owocu)
schizomycetes [,skaizoumai'si:ts] *spl bot* rozprątki
(sinice i bakterie)
schizophrenia [,skitsou'fri:njə] *s med* schizofrenia, rozszczepienie osobowości
schizophrenic [,skitsou'fri:nik] *adj med* schizofre-
niczny
schnapps ['ʃnæps] *s* 1. rodzaj dżynu; *pot* sznaps
2. kieliszek (wódki)
scholar ['skɔlə] *s* 1. ucze-ń/nnica; **all his life he
was a** ~ on się uczył całe życie; **to be an apt
<a poor>** ~ dobrze <kiepsko> się uczyć 2. uczo-
ny; erudyta; (*o człowieku*) **not much of a <no>**
~ nie grzeszący zbytnim wykształceniem 3. *uniw*
stypendyst-a/ka
scholarly ['skɔləli] *adj* uczony
scholarship ['skɔləʃip] *s* 1. wiedza; erudycja 2.
stypendium
scholastic [skə'læstik] Ⅰ *adj* 1. profesorski; nauczycielski; (*o stanowisku itd*) w szkolnictwie;
a ~ **institution** uczelnia; ~ **agency** biuro pośrednictwa dla nauczycieli 2. *filoz* scholastyczny
Ⅲ *s filoz* scholastyk
scholasticism [skə'læsti,sizəm] *s filoz* scholastyka
scholiast ['skouli,æst] *s* scholiasta (interpretator
staroż. pisarzy)
scholium ['skouljəm] *s* (*pl* **scholia** ['skouljə])
scholia (uwaga, interpretacja)
school[1] [sku:l] Ⅰ *s* 1. szkoła; **to go to** ~ chodzić
<uczęszczać> do szkoły; uczyć się; *przen* **to go
to** ~ **to** __ uczyć się od ... (kogoś — grzeczności, fachu itd.); **to keep a** ~ prowadzić szkołę
prywatną; **to leave** ~ ukończyć szkołę 2. nauka
<zajęcia> (w szkole); **Sunday** ~ nauka religii
3. klasa (pomieszczenie i zespół młodzieży) 4.
pl ~**s** średniowieczne uniwersytety 5. wyższa
uczelnia 6. dyscyplina nauki (w wyższej uczelni); **the history** ~ historia; **the mathematical**
~ matematyka 7. *uniw* sala egzaminacyjna 8.
uniw egzamin; **to be in for one's** ~**s** zdawać
(egzaminy) na stopień naukowy 9. szkoła (wy-
bitnego artysty, filozofa itd.) 10. *muz* szkoła
<metoda> (nauki gry na instrumencie) Ⅲ *attr*
(*o młodzieży, życiu, roku, świadectwie itd*)

szkolny; ~ **board** rada <inspektorat> szkoln-a/y;
~ **children** młodzież szkolna; ~ **miss** uczennica; *przen* gąska Ⅲ *vt* 1. pos-łać/yłać (dziecko)
do szkoły 2. wy/szkolić; wy/ćwiczyć; na/uczyć;
wy/kształcić Ⅳ *vr* **to** ~ **oneself to** __ ćwiczyć
się w ... (czymś — w cierpliwości, wytrzymałości
itd.) *zob* **schooling**
school[2] [sku:l] Ⅰ *s* ławica (ryb); stado (wielorybów itd.) Ⅲ *vi* tworzyć <gromadzić się w> ła-
wicę <stado>
school-book ['sku:l,buk] *s* podręcznik szkolny
schoolboy ['sku:l,bɔi] *s* uczeń
school-fellow ['sku:l,felou] *s* kolega szkolny <z ławy szkolnej>
schoolgirl ['sku:l,gə:l] *s* uczennica
schoolgirlish ['sku:l,gə:liʃ] *adj* pensjonarski
schoolhouse ['sku:l,haus] *s* budynek mieszkalny
dyrektora wraz z internatem dla młodzieży
(w angielskich **"public schools"**) *zob* **public** *adj*
schooling ['sku:liŋ] Ⅰ *zob* **school**[1] *v* Ⅲ *s* nauka;
szkolenie; wykształcenie
schoolman ['sku:lmən] *s* (*pl* **schoolmen** ['sku:l
mən]) (*na średniowiecznych uniw.*) scholastyk
school-marm, schoolma'am ['sku:l,ma:m] *s* nauczycielka
schoolmaster ['sku:l,ma:stə] *s* dyrektor szkoły
schoolmate ['sku:l,meit] = **school-fellow**
school-mistress ['sku:l,mistris] *s* 1. dyrektorka
szkoły 2. nauczycielka
school-room ['sku:l,rum] *s* sala szkolna; klasa
school-teacher ['sku:l,ti:tʃə] *s* nauczycielka
school-time ['sku:l,taim] *s* czas <okres> zajęć
szkolnych
schooner[1] ['sku:nə] *s mar* skuner
schooner[2] ['sku:nə] *s* duży kufel
sciagraph ['saiə,gra:f] *s* 1. rentgenogram 2. *arch*
rzut pionowy (budynku)
sciatic [sai'ætik] *adj* (*o nerwie*) kulszowy
sciatica [sai'ætikə] *s med* rwa kulszowa, ischias
science ['saiəns] *s* 1. nauka; **a man of** ~ uczony
2. nauki przyrodnicze; *radio dzien* ~ **correspondent** specjalny korespondent (do spraw nauk
ścisłych i przyrodniczych) 3. umiejętność; fachowość
scienter ['saiəntə] *adv* świadomie
scientific [,saiən'tifik] *adj* 1. naukowy; (dotyczący) nauk przyrodniczych; ~ **instruments**
przyrządy laboratoryjne <precyzyjne> 2. fachowy; umiejętny
scientist ['saiəntist] *s* 1. uczony, naukowiec 2.
przyrodnik
scilicet ['saili,set] *adv* mianowicie, to jest
scilla ['silə] *s bot* cebula morska, cebulica
scimitar ['simitə] *s* bułat (zakrzywiona szabla
turecka)
scintilla [sin'tilə] *s* 1. iskra, iskierka 2. odrobina;
krzta; **not a** ~ ani krzty
scintillant ['sintilənt] *adj* iskrzący się
scintillate ['sinti,leit] *vi* iskrzyć się
scintillation [,sinti'leiʃən] *s* iskrzenie (się)
sciolism ['saiə,lizəm] *s* powierzchowna wiedza
sciolist ['saiəlist] *s* pseudouczony
scion ['saiən] *s* 1. *bot* zraz 2. potomek; latorośl
scirrhus ['sirəs] *s med* rak twardy
scissile ['sisail] *adj* łupliwy
scission ['siʒən] 1. cięcie 2. rozłam (w partii itd.)
scissiparous [si'sipərəs] *adj biol* szczeporodny

scissor ['sizə] vt po/ciąć <wyci-ąć/nać> nożyczkami
~ off vt odci-ąć/nać
~ up vt pociąć, porozcinać nożyczkami
⚡scissors ['sizəz] spl (także a pair of ~) nożyce, nożyczki; ~ and paste kompilacja
sciurine ['saijurin] adj wiewiórczy
Sclav [sklɑːv] = Slav
Sclavonic [sklə'vɔnik] = Slavonic
sclera ['skliərə] s anat twardówka
sclerosis [skliə'rousis] s (pl scleroses [skliə'rou siːz]) med stwardnienie; skleroza
sclerotic [skliə'rɔtik] Ⅰ adj stwardniały; sklerotyczny Ⅲ s = sclera
sclerous ['skliərəs] adj stwardniały
scobs [skɔbz] spl 1. trociny 2. wióry 3. opiłki 4. żużel
scoff¹ [skɔf] Ⅰ s 1. szyderstwo; kpiny; drwin-a/y 2. pośmiewisko Ⅲ vi szydzić <za/drwić, za/kpić, wyśmi-ać/ewać się> (at sb, sth z kogoś, czegoś) zob scoffing
scoff² [scɔf] Ⅰ vt vi sl wci-ąć/nać; wsuwać; zajadać Ⅲ s sl żarcie
scoffing ['skɔfiŋ] Ⅰ zob scoff¹ v Ⅲ adj szyderczy; drwiący
scoffingly ['skɔfiŋli] adv szyderczo; szydząc; drwiąco; drwiąc
scold [skould] Ⅰ s sekutnica; megiera; jędza Ⅲ vi za/gderać; zrzędzić Ⅲ vt z/besztać; skrzyczeć; s/karcić zob scolding
scolding ['skouldiŋ] Ⅰ zob scold v Ⅲ s zbesztanie; bura Ⅲ adj gderliwy; zrzędny
scolex ['skɔleks] s (pl scoleces [skɔ'liːsiːz], scolices ['skɔliˌsiːz]) zoo czerwioch
scoliosis [ˌskɔli'ousis] s med boczne skrzywienie kręgosłupa
scolopendrium [ˌskɔlə'pendriəm] s bot języcznik
scomber ['skɔmbə] s zoo skumbria
sconce¹ [skɔns] s 1. lichtarzyk 2. kinkiet
sconce² [skɔns] s 1. wojsk blokhauz 2. ławka przy kominku
sconce³ [skɔns] Ⅰ s uniw (w Oxfordzie) kara nałożona przez kolegów (w postaci kolejki piwa dla wszystkich) Ⅲ vt u/karać (studenta)
sconce⁴ [skɔns] s pot łeb
scone [skɔn] s trójkątny placuszek z jęczmiennej <pszennej> mąki
scoop [skuːp] Ⅰ s 1. szufelka (sklepowa itd.); szufla (do węgla itd.) 2. czerpak; czerparka 3. kubeł 4. med kiureta; łyżeczkowate naczynie 5. zaczerpnięcie; at <with> one ~ (zaczerpnąć) na raz 6. łyżka; chochla 7. wygrzebany dół 8. sl świetny <kokosowy> interes 9. sl bomba, sensacyjna wiadomość podana ekskluzywnie przez jeden dziennik Ⅲ vt 1. zaczerpnąć (sth czegoś); czerpać; (także ~ out) wygrzeb-ać/ywać; wygarn-ąć/iać; wyb-rać/ierać; wyd/łub-ać/ywać 2. sl (także ~ in) zagarn-ąć/iać (a good profit etc. ciężką forsę itd.) 3. wyprzedz-ić/ać <ubie-c/gać> inne dzienniki w podaniu sensacyjnej wiadomości
scooper ['skuːpə] s 1. naczynie do czerpania; czerpak 2. człowiek czerpiący (wodę itd.) <wybierający, wygrzebujący (ziemię itd.)> 3. przyrząd do wyżłabiania 4. rylec 5. zoo szablodziób (ptak) 6. sl człowiek, który zrobił kokosowy interes 7. sl dziennik, który wyprzedził <ubiegł> inne w podaniu sensacyjnej wiadomości
scoop-net ['skuːpˌnet] s włók (sieć rybacka)

scoop-wheel ['skuːpˌwiːl] s czerparka kołowa
scoot [skuːt] Ⅰ vi (także ~ off <away>) sl drapnąć; zwiać; umknąć, zmykać; czmychnąć Ⅲ vt przepędzić; przegnaḃ Ⅲ s ucieczka; to do a ~ = to ~ vi
scooter ['skuːtə] s 1. hulajnoga 2. motor ~ skuter 3. ślizgacz (do jazdy na wodzie <na lodzie>)
scopa ['skoupə] s (pl scopae ['skoupiː]) zoo grzebyczek (pszczoły)
scopate ['skoupeit] adj zaopatrzony w pęczek włosów <w grzebyczek>
scope¹ [skoup] s 1. cel; meta 2. zasięg; zakres; dziedzina; kompetencja; it falls within the ~ of _ to wchodzi w zakres ...; it is beyond my ~ to przekracza moje kompetencje; wojsk ~ of fire pole obstrzału 3. pole (do działania, do popisu); możliwość (działania itd.); sposobność (for sth do czegoś) 4. swoboda (działania, rozwoju itd.)
scope² [skoup] pot = cystoscope
scopula ['skɔpjulə] s (pl scopulae ['skɔpjuˌliː]) zoo pęczek włosów
scorbutic [skɔː'bjuːtik] adj med szkorbutowy, gnilcowy
scorch [skɔːtʃ] Ⅰ vt przypie-c/kać; przypal-ić/ać; (o słońcu itd) spalić (trawę, plony itd.); (o mrozie) zwarzyć (rośliny); przen ostro s/krytykować; dopie-c/kać <dogryzać> (sb komuś); a wit that ~es zjadliwy dowcip Ⅲ vi 1. (o tkaninie) s/płowieć; wypłowieć 2. pot (o kierowcy, motocykliście, rowerzyście) pędzić po wariacku zob scorched, scorching Ⅲ s 1. poparzenie 2. pot wariacka jazda
scorched ['skɔːtʃt] Ⅰ zob scorch v Ⅲ adj przypalony; (o bieliźnie) przyżółcony, przypalony (żelazkiem); wojsk ~ earth policy taktyka spalonej ziemi (zniszczenia wszystkiego przy odwrocie)
scorcher ['skɔːtʃə] s 1. upalny dzień 2. kierowca <motocyklista, rowerzysta> jadący po wariacku 3. sl coś fantastycznego 4. sl kapitalny facet; szałowa kobieta <pot babka>
scorching ['skɔːtʃiŋ] Ⅰ zob scorch v Ⅲ adj 1. upalny; skwarny; ~ heat skwar; spiekota 2. (o krytyce itd) zjadliwy; ostry
⚡score [skɔː] Ⅰ s 1. karb; nacięcie; rysa; znak; szrama; to make a ~ through sth przekreślić coś 2. linia startu; to go <set> off at ~ ruszyć z kopyta; przen zabrać się z ferworem (with sth do czegoś) 3. rachunek (towaru wziętego na kredyt); to have old ~s to settle with sb mieć z kimś porachunki; to pay one's ~ wyrównać rachunek; przen to pay off old ~s zemścić się; to quit ~s with sb skwitować się z kimś; to run up a ~ brać na kredyt; zaciągać długi; to wipe off ~s spłacić długi 4. wynik (rozgrywki); ilość zdobytych punktów <strzelonych bramek>; karc zapis; no ~ wynik zerowy; to keep ~ notować wyniki; prowadzić zapis 5. muz partytura; zapis (nutowy); muzyka (do filmu) 6. dwadzieścia; two <three etc.> ~ czterdzieści <sześćdziesiąt itd.>; przen ~s of people mnóstwo ludzi; dziesiątki <kilkadziesiąt> osób 7. punkt; racja, wzgląd, tytuł; rejected on the ~ of _ odrzucony z tytułu <racji> ...; you may be easy on that ~ pod tym względem <co do tego> możesz być spokojny

8. *sl* złośliwość; złośliwa uwaga 9. gratka; szczęście; uśmiech losu; **what a ~!** to ci gratka! ⫿ *vt* 1. za/karbować; naci-ąć/nać; po/rysować; pokreślić 2. podkreśl-ić/ać 3. *am* z/besztać; skrzyczeć; natrzeć uszu (**sb** komuś) 4. zapis-ać/ywać; za/notować; *przen* zapamiętać (**sth against sb** komuś coś — obrazę itd.) 5. zdoby-ć/wać (punkt/y w grze); strzel-ić/ać (bramk-ę/i); wygr-ać/ywać (parti-ę/e); *karc* wziąć/brać (lew-ę/y) 6. osiąg-nąć/ać (sukces/y); zdoby-ć/wać (przewagę) 7. (*także* ~ **off**) *sl* a) zakasować (kogoś) b) odpis-ać/ywać punkt/y (**sb** komuś) 8. *muz* sporządz-ić/ać partyturę (**sth** czegoś) ⫿ *vi* 1. zdoby-ć/wać punkt/y (w grze); *karc* wziąć/brać lew-ę/y; (*w piłce nożnej*) strzel-ić/ać bramk-ę/i; **they failed to ~** ani jednej bramki nie strzelili 2. wygr-ać/ywać <dobrze wy-jść/chodzić> (**by sth** na czymś); osiąg-nąć/ać sukces/y

~ **out** *vt* przekreśl-ić/ać

~ **under** *vt* podkreśl-ić/ać

~ **up** *vt* 1. zapis-ać/ywać; za/notować 2. zapamiętać (**sth against sb** coś komuś)

score-board ['skɔ:ˌbɔ:d] *s* tablica wyników (rozgrywek)

scorer ['skɔ:rə] *s* 1. zdobywca (punkt-u/ów w rozgrywce); zawodnik, który strzelił bramk-ę/i 2. (człowiek) prowadzący zapis 3. *karc* notes do zapisów

scoria ['skɔ:riə] *s* (*pl* **scoriae** ['skɔ:riˌi:]) 1. żużel 2. *geol* scoria

scorify ['skɔ:riˌfai] *vt* (**scorified** ['skɔ:riˌfaid], **scorified; scorifying** ['skɔ:riˌfaiiŋ]) żużlić, szlakować

scorn [skɔ:n] ⫿ *s* 1. pogarda; szyderstwo; lekceważenie; **to laugh to ~** wyszydz-ić/ać; wyśmi--ać/ewać; **to think ~ of sb, sth** gardzić kimś, czymś 2. (*o człowieku*) **a ~ to** <**the ~ of**> certain **people** <**everyone etc**> przedmiot pogardy pewnych ludzi <wszystkich itd.> ⫿ *vt* 1. gardzić (**sb, sth** kimś, czymś); czuć pogardę (**sb, sth** dla kogoś, czegoś); **he ~ed lying** <**a lie, to lie**> on nie poniżyłby się do tego, żeby skłamać 2. z/lekceważyć (czyjąś radę itd.)

scornful ['skɔ:nful] *adj* pogardliwy

Scorpio ['skɔ:piˌou] *s astr* Rak (znak zodiaku)

scorpion ['skɔ:pjən] *s* 1. *zoo* skorpion 2. *astr* Scorpion = Scorpio 3. *przen bibl* bicz

scorpion-broom ['skɔ:pjənˌbru:m] *s bot* janowiec

scorpion-fish ['skɔ:pjənˌfiʃ] *s zoo* ryba z rodziny Scorpaenidae

scorpion-fly ['skɔ:pjənˌflai] *s zoo* owad z rzędu Mecoptera

scorpion-grass ['skɔ:pjənˌɡra:s] *s bot* niezapominajka

scorpion-shell ['skɔ:pjənˌʃel] *s zoo* ślimak morski z rodzaju Pterocera

scorpion-spider ['skɔ:pjənˌspaidə] *s zoo* pajęczak z rodziny Thelyphonus

scorpion-thorn ['skɔ:pjənˌθɔ:n] *s bot* odmiana janowca

scorzonera [ˌskɔ:zəˈniərə] *s bot* wężymord

scot¹ [skɔt] *s* podatek (samorządowy); **to pay ~ and lot** a) płacić podatki samorządowe b) *przen* odpłacać z nawiązką (**sb** komuś)

Scot² [skɔt] *s* Szkot/ka

Scotch¹ [skɔtʃ] ⫿ *adj* szkocki; ~ **broth** rosół z baraniny; ~ **fir** sosna zwyczajna; ~ **marriage** ślub

cywilny; ~ **terrier** terier szkocki; ~ **thistle** oset (roślina i emblemat Szkocji); ~ **woodcock** potrawa z jaj smażonych na grzance z sardelą ⫿ *s* 1. język <dialekt> szkocki 2. *pl* **the** ~ Szkoci 3. szkocka whisky 4. whisky 5. porcja whisky (w barze, restauracji itd.)

scotch² [skɔtʃ] † ⫿ *vt* 1. naci-ąć/nać; z/robić nacięci-e/a <szramę> (**sth** na czymś); z/ranić 2. unieszkodliwi-ć/ać (kogoś, coś); udaremni-ć/ać (coś); *przen* ukręc-ić/ać głowę <**pot** łeb> (**sth** czemuś) ⫿ *s* 1. cięcie, nacięcie 2. kreska

scotch³ [skɔtʃ] ⫿ *s* klin; podstawka klinowa (pod koło) ⫿ *vt* zaklinować; za/klinować (koło pojazdu)

Scotchman ['skɔtʃmən] *s* (*pl* **Scotchmen** ['skɔtʃmən]) Szkot

Scotchwoman ['skɔtʃˌwumən] *s* (*pl* **Scotchwomen** ['skɔtʃˌwimin]) Szkotka

scoter ['skoutə] *s zoo* kaczka czarna

scot-free ['skɔtˌfri:] *adj* 1. cały; nietknięty; bez uszczerbku; **to get off** ~ wyjść (z czegoś) cało <bez szwanku>; ujść (czegoś) bezkarnie: **he got off** ~ uszło mu to płazem 2. bezpłatny, gratisowy; **to get sth** ~ dostać coś bezpłatnie

scotia ['skouʃiə] *s arch* żłobek

scotice ['skɔtisi] = **scottice**

Scotism ['skɔtizəm] *s filoz* skotyzm

Scotist ['skɔtist] *s filoz* skotysta (zwolennik skotyzmu)

Scotland ['skɔtlənd] *spr* ~ **Yard** sztab <główna kwatera, władze naczelne> policji śledczej w Londynie

scotoma [skouˈtoumə] *s* (*pl* ~**ta** [skouˈtoumətə]) *med* przerwa w polu widzenia; mroczki

Scots [skɔts] = **Scotch¹, Scottish**

Scotsman ['skɔtsmən] *s* (*pl* **Scotsmen** ['skɔtsmən]) Szkot; **the Flying** ~ pociąg pospieszny <ekspres> Londyn—Edynburg

Scotswoman ['skɔtsˌwumən] *s* (*pl* **Scotswomen** ['skɔtsˌwimin]) Szkotka

Scott [skɔt] *interj* **Great** ~! Boże!

scottice ['skɔtiˌsi:] *adv* po szkocku; w dialekcie szkockim

scotticism ['skɔtiˌsizəm] *s* wyraz <sposób mówienia, wyrażenie> szkocki/e

Scottish ['skɔtiʃ] = **Scotch¹** *adj*

scoundrel ['skaundrəl] *s* łot-r/rzyca; łajda-k/czka; kanalia

scoundrelly ['skaundrəli] *adj* łotrowski, łajdacki

scour¹ ['skauə] ⫿ *vt vi* o/czyścić; wy/szorować; przepłuk-ać/iwać; przemy-ć/wać strumieniem wody; wy/szlamować; odtłu-ścić/szczać (wełnę itd.); *garb* mizdrować (skórę); *med* przeczy-ścić/ szczać (**the bowels** kiszki); **to** ~ **rust** <**a stain etc.**> **away from sth** odczy-ścić/szczać coś z rdzy <z plamy itd.> ⫿ *s* 1. o/czyszczenie 2. przepłuk-anie/iwanie <przemy-cie/wanie> strumieniem wody 3. proszek <płyn itd.> czyszczący <odtłuszczający> 4. *wet* czyszczenie (u zwierząt)

scour² ['skauə] ⫿ *vi* 1. (*także* ~ **about**) biegać na wszystkie strony; grasować 2. robić intensywne poszukiwania (**after sb za** kimś) 3. (*także* ~ **off**) zemknąć/zmykać ⫿ *vt* 1. przeszuk-ać/ iwać <przetrząs-nąć/ać> (**a region, the country etc. for sb** okolicę, kraj itd. w poszukiwaniu kogoś) 2. grasować (**the seas etc.** po morzach itd.)

scourer¹ ['skauərə] *s* 1. czyściciel 2. środek czyszczący; *med* środek przeczyszczający

scourer² ['skauərə] † *s* pirat; napastnik

scourge [skə:dʒ] Ⅰ *s* 1. bicz; *przen* bicz Boży 2. dopust; plaga; *przen* **the white** ~ gruźlica Ⅲ *vt* 1. biczować; *przen* smagać, nękać (krytyką itd.) 2. karać; ciężko doświadcz-yć/ać

▲**scout¹** [skaut] Ⅰ *s* 1. *wojsk* wywiadowca, zwiadowca; szperacz 2. wywiad, zwiady; **on the** ~ na zwiadach 3. samolot wywiadowczy 4. harce-rz/rka, skaut 5. *uniw hist* służący 6. członek obsługi drogowej <pogotowia drogowego> dla automobilistów 7. *am sl* gość, facet 8. (*w krykiecie*) biegacz Ⅲ *vi* z/robić <przeprowadz-ić/ać> wywiad <rekonesans>; (*także* **to be out** ~**ing**) być na zwiadach

scout² [skaut] *s zoo* 1. nurzyk podbielały 2. alka krzywonosa

scout³ [skaut] *vt* odrzuc-ić/ać (propozycję itd.) z pogardą

scout-master ['skaut,mɑ:stə] *s* harcmistrz

scow [skau] *s* łódź płaskodenna

scowl [skaul] Ⅰ *vi* mieć minę nachmurzoną; patrzyć wilkiem (**at sb** na kogoś); rzucać groźne <gniewne> spojrzenia (**at sb** komuś); po/patrzyć spode łba (**at sb** na kogoś)   ~ **down** *vt* onieśmiel-ić/ać (kogoś) groźnym spojrzeniem   *zob* **scowling** Ⅲ *s* nachmurzona mina; groźne <gniewne> spojrzenie

scowling ['skauliŋ] Ⅰ *zob* **scowl** *v* Ⅲ *adj* (*o minie*) nachmurzony; (*o spojrzeniu*) groźny; gniewny

scowlingly ['skauliŋli] *adv* (patrzyć) groźnie <gniewnie>

scrabble ['skræbl] Ⅰ *vt* na/bazgrać Ⅲ *vi* (*także* ~ **about**) grzebać; szukać

scrag [skræg] Ⅰ *s* 1. *pot* chudeusz, chudzielec 2. *sl* (chudy) kark 3. (chuda) część baraniego karku 4. odziomek Ⅲ *vt* (-gg-) 1. skręc-ić/ać kark (**sb** komuś) 2. chwycić za kark; ścisnąć głowę ramieniem (**sb** komuś); z/dusić (**sb** kogoś)

scragginess¹ ['skræginis] *s* chudość

scragginess² ['skræginis] *s* sękatość (drzewa); nierówności (skały)

scraggy¹ ['skrægi] *adj* (**scraggier** ['skrægiə], **scraggiest** ['skrægiist]) chudy

scraggy² ['skrægi] *adj* (**scraggier** ['skrægiə], **scraggiest** ['skrægiist]) (*o drzewie*) sękaty; (*o skale*) poszarpany

scram [skræm] *vi* (-mm-) *am sl* wyn-ieść/osić się; wyrywać (skądś); ~! odwal/cie się!

scramble ['skræmbl] Ⅰ *vi* 1. gramolić <grzebać, telepać, przedzierać, tarabanić> się (na czworakach) 2. (*o grupie dzieci itd*) rzuc-ić/ać się tłumnie (**for sth** na coś); rozdrapywać, wydzierać sobie (**for sth** coś — rozrzucone monety, cukierki itd.) 3. (*o człowieku*) walczyć (**for a living** o byt); ubiegać się <robić starania> (**for a place etc.** o stanowisko itd.) Ⅲ *vt* rzuc-ić/ać (pieniądze itd.) w tłum; **to** ~ **eggs** z/robić jajecznicę; ~**d eggs** jajecznica Ⅲ *s* 1. gramolenie <grzebanie, telepanie, tarabanienie> się 2. popychanie się, szarpanina, wydzieranie sobie <rozdrapywanie> (**for sth** czegoś)

scran [skræn] *s sl* żarcie; resztki pożywienia; **bad**

~ **to you!** żebyś/cie zdechł <zdechli>!; niech cię <was> szlag trafi!

scrannel ['skrænl] † *adj* (*o dźwięku*) słaby, piskliwy

scranny ['skræni] = **scrawny**

scrap¹ [skræp] Ⅰ *s* 1. kawałek; urywek; reszta, resztka; skrawek; świstek <strzęp> (papieru) 2. odrobina; krzta; **not a** ~ ani trochę; ani krzty 3. wycinek (z gazety itd.) 4. *pl* ~**s** resztki; odpadki; zrzynki; strzępy 5. złom; *pot* szmelc 6. wytłoczyny 7. *pl* ~**s** skwarki Ⅲ *adj* odpadowy, odpadkowy Ⅲ *vt* (-pp-) przeznacz-yć/ać do rozbiórki <na złom>; *przen* wybrakować; *pot* wyrzuc-ić/ać na szmelc

scrap² [skræp] Ⅰ *s* 1. *sl* bójka 2. *wojsk* starcie Ⅲ *vi* (-pp-) po/bić się; wziąć/brać się za łby

scrap-book ['skræp,buk] *s* album <zeszyt> na wycinki (z gazet itd.)

scrap-cake ['skræp,keik] *s* wytłoczyny

scrape [skreip] Ⅰ *vt* 1. po/skrobać; po/drapać; **to** ~ **one's boots** zeskrob-ać/ywać błoto z butów; **to** ~ **one's chin** o/golić się; **to** ~ **one's plate** wszystko zeskrob-ać/ywać z talerza; *przen* wyliz-ać/ywać talerz; **to** ~ **acquaintance with sb** zapoznać się bezceremonialnie z kimś; **to** ~ **the fiddle, to** ~ **the bow across the fiddle** rzępolić na skrzypcach 2. otrzeć <zadrasnąć> (**one's knee etc.** sobie kolano itd.) 3. oskrob-ać/ywać 4. za/szurać <za/szurgotać> (**one's feet** nogami) Ⅲ *vi* 1. za/drasnąć (**against sth** coś); zawadz-ić/ać (**against sth** o coś); szur-nąć/ać (**against sth** po czymś) 2. za/zgrzytać <za/chrobotać> (**against sth** o coś) 3. oszczędzać; ciułać grosz ‖ **to bow and** ~ płaszczyć się   ~ **along** *vi* przepychać się przez życie; ledwo wiązać koniec z końcem   ~ **away** <**off**> *vt* zeskrob-ać/ywać; zedrzeć/ zdzierać; zgarn-ąć/iać   ~ **down** *vt* oskrob-ać/ywać   ~ **out** *vt* 1. wyskrob-ać/ywać 2. wydrąż-yc/ać   ~ **through** *vi* 1. przep-chać/ychać się; z trudem prze-jść/chodzić <przedosta-ć/wać się> 2. ledwo zda-ć/wać egzamin   ~ **together** <**up**> *vt* z trudem zebrać <uciułać> (potrzebną kwotę) Ⅲ *s* 1. skrob-nięcie/anie; draśnięcie; **a** ~ **of the pen** pociągnięcie pióra; **bread and** ~ cienko posmarowana kromka chleba; **to give sth a** ~ oskrobać coś 2. szur-nięcie/anie 3. kłopot; *przen* tarapaty; opały; kabała; **to get out of a** ~ uniknąć kłopotu; **to get sb out of a** ~ wyciągnąć kogoś z kabały

scrape-penny ['skreip,peni] *s* dusigrosz; sknera

scraper ['skreipə] *s* 1. skrobak; skrobaczka; zgarniarka 2. golibroda 3. rzępoła 4. dusigrosz

scrap-heap ['skræp,hi:p] *s* stos złomu <odpadków>; *przen* śmietnisko; **to throw sth on the** ~ wy/rzucić coś na śmietnisko <*pot* na szmelc>; pozby-ć/wać się czegoś

scrap-iron ['skræp,aiən], **scrap-metal** ['skræp,metl] *s* złom; żelastwo

▲**scrappy** ['skræpi] *adj* (**scrappier** ['skræpiə], **scrappiest** ['skræpiist]) 1. fragmentaryczny; sklecony; niejednolity 2. (*o mowie itd*) bez związku

scratch¹ [skrætʃ] Ⅰ *vt* 1. po/drapać; po/skrobać; zadrasnąć; (*o ptaku*) grzebać (**the ground** w ziemi); ~ **my back and I'll** ~ **yours** przysługa

za przysługę; ręka rękę myje; **to ~ one's head <nose etc.>** drapać się w głowę <w nos itd.>; **to ~ the surface of sth** a) poskrobać coś po wierzchu b) zrobić coś po łebkach; potraktować coś powierzchownie 2. po/rysować 3. skreśl-ić/ać (nazwisko z listy, zawodnika z konkurencji itd.) 4. ną/bazgrać (parę słów itd.) ⧉ *vi* 1. (*o kocie itd*) drapać 2. (*o piórze itd*) za/skrzypieć 3. (*o człowieku*) wycofać się
~ **along** *vi* jako tako sobie radzić
~ **off** *vt* skreśl-ić/ać, wykreśl-ić/ać
~ **out** *vt* 1. skreśl-ić/ać; wykreśl-ić/ać 2. wy-drap-ać/ywać
~ **through** *vt* skreśl-ić/ać; przekreśl-ić/ać
~ **up** *vt* wygrzeb-ać/ywać
⧉ *s* 1. zadraśnięcie; **a ~ of the pen** pociągnięcie piórem; **covered with ~s** cały podrapany 2. rysa 3. skrobanie; szum (igły gramofonowej); **to give one's head a ~** podrapać się po głowie <w głowę> 4. skrzypnięcie 5. *sport* (*w biegach*) linia startu; **to come (up) to ~** a) stanąć na starcie b) zjawić się punktualnie; nie zrobić zawodu; **to start from ~** zacząć od samego początku <tak jak wszyscy, bez żadnych forów>; (*w handicapie*) ~ **man** zawodnik nie korzystający z forów ⧉ *adj* improwizowany; przypadkowo <naprędce> zebrany; sklecony
Scratch² ['skrætʃ] *s w wyrażeniu:* **Old ~** diabeł
scratch-brush ['skrætʃˌbrʌʃ] *s* szczotka druciana
scratch-cat ['skrætʃˌkæt] *s* megiera
scratcher ['skrætʃə] *s* skrobak; skrobaczka; szczotka druciana
scratch-race ['skrætʃˌreis] *s* bieg bez handicapu
scratch-wig ['skrætʃˌwig] *s* peruka pokrywająca tylko część głowy; tupecik
scratch-work ['skrætʃˌwəːk] *s plast* sgraffito
scratchy ['skrætʃi] *adj* (**scratchier** ['skrætʃiə], **scratchiest** ['skrætʃiist]) 1. (*o rysunku*) kiepski; niedbały; (*o charakterze pisma*) drobny 2. (*o wykonaniu utworu muzycznego*) nierówny; (*o zespole*) niezgrany; źle dobrany 3. (*o piórze*) skrzypiący 4. (*o płycie gramof.*) porysowany 5. (*o tkaninie*) szorstki; gryzący 6. (*o kobiecie*) jędzowata
scrawl [skrɔːl] ⧉ *vt* 1. naprędce <pośpiesznie> napisać 2. na/bazgrać; na/gryzmolić; **to ~ (all over) a sheet of paper** zabazgrać kartkę papieru ⧉ *vi* gryzmolić; bazgrać ⧉ *s* 1. bilecik naprędce <w pośpiechu> napisany 2. *pot* gryzmoły; bazgranina
scrawler ['skrɔːlə] *s pot* bazgracz, gryzmoła
scrawny ['skrɔːni] *adj am* chudy; kościsty
scray [skrei] *s zoo* rybitwa
screak [skriːk] *vi* za/skrzeczeć
scream [skriːm] ⧉ *vt* wrzaskliwym głosem powiedzieć (coś), krzykliwym <wrzaskliwym> tonem wydać (rozkaz) ⧉ *vr w zwrocie:* **to ~ one-self hoarse** krzyczeć do ochrypnięcia ⧉ *vi* 1. krzy-knąć/czeć, zakrzyczeć; ryknąć; wrz-asnąć/eszczeć 2. (*o syrenie fabr.*) zabuczeć; (*o lokomotywie*) przeraźliwie zagwizdać 3. pękać <wyć> (ze śmiechu) *zob* **screaming** ⧉ *s* 1. krzyk; wrzask; pisk; przeraźliwy gwizd; **~s of laughter** wybuchy śmiechu; **~s of pain** wycie z bólu; 2. *sl* rzecz niesamowicie zabawna; heca nie z tej ziemi 3. *sl* zabawny facet
screamer ['skriːmə] *s* 1. krzykacz/ka 2. *zoo* jeżyk

właściwy (ptak) 3. *sl* niesamowity okaz (czegokolwiek); przekomiczn-y/a kawał <sytuacja>
screaming ['skriːmiŋ] ⧉ *zob* **scream** *v* ⧉ *adj* (*o człowieku*) wrzaskliwy; (*o gwizdku*) przeraźliwy; (*o farsie itd*) arcykomiczny
screamingly ['skriːmiŋli] *adv w zwrocie:* ~ **funny** nieprawdopodobnie komiczny <śmieszny>
scree [skriː] *s geol* piarg; osypisko
screech [skriːtʃ] ⧉ *vi* za/skrzeczeć; za/piszczeć ⧉ *vt* powiedzieć <za/śpiewać> skrzeczącym głosem ⧉ *s* skrzeczenie; skrzeczący głos
screech-owl ['skriːtʃˌaul] *s zoo* sówka
screechy ['skriːtʃi] *adj* (*o głosie itd*) skrzeczący
screed [skriːd] *s* 1. tyrada; długa przemowa 2. *bud* łata
▶**screen** [skriːn] ⧉ *s* 1. *arch kość* tęcza 2. parawan, parawanik 3. zasłona; **under the ~ of night** pod osłoną nocy 4. tablica ogłoszeniowa 5. ekran; *przen* kino; ~ **fan** kinoman; ~ **star** gwiazda ekranu 6. *elektr* ekran 7. *techn* ruszt; sito 8. *fot* matówka 9. *górn* przesiewacz; sito ⧉ *vt* 1. osł-onić/aniać; zasł-onić/aniać; ochr-onić/aniać 2. wyświetl-ić/ać na ekranie 3. przesi-ać/ewać 4. s/filmować ⧉ *vi* nadawać się do adaptacji filmowej ‖ **she ~s well** ona dobrze wychodzi na ekranie
~ **off** *vt* odgr-odzić/adzać (parawanem itd.)
zob **screening**
▶**screening** ['skriːniŋ] ⧉ *zob* **screen** *v* ⧉ *spl* ~**s** odsiewki; wysiew
▶**screw** [skruː] ⧉ *s* 1. śruba, śrubka; *techn* **counter <female, nut>** ~ nakrętka; **female** ~ gwint wewnętrzny; **male** ~ a) gwint zewnętrzny b) sworzeń nagwintowany; *przen* **to put on the** ~ przykręc-ić/ać śrubę; **to have a** ~ **loose** mieć niedobrze w głowie; **there's a** ~ **loose** coś jest nie w porządku 2. *techn* ślimak; przenośnik śrubowy 3. śmigło, śmiga 4. obrót (śruby śrubokrętem); **to give a** ~ przykręcić (śrubę) 5. kornecik <rurka papierowa> (na towar — cukierki itd.); zwitek (papieru) 6. kutwa; skenra; liczykrupa 7. *sl* wypłata; zarobki; gaże 8. dychawiczna szkapa 9. *am sl* (egzaminator) piła ⧉ *attr* śrubowy; zaciskowy; (gwint itd.) śruby ⧉ *vt* 1. za/śrubować; przyśrubować; połączyć (deski itd.) śrubami; ześrubować (razem) 2. zacis-nąć/kać <przykręc-ić/ać> śrub-ą/ami; napi-ąć/nać 3. uciskać; wyw-rzeć/ierać ucisk (**people na ludzi**) 4. wykrzywi-ć/ać; wykręc-ić/ać; prze-kręc-ić/ać; **to ~ one's face** wykrzywi-ć/ać twarz; zżymać się ⧉ *vi* 1. kręcić <obracać> się 2. *bil* (*o bili*) za/wirować 3. skąpić; sknerzyć; dusić grosze
~ **back** *vi bil* za/wirować ruchem wstecznym
~ **down** *vt* zaśrubow-ać/ywać; przyśrubow-ać/ywać
~ **off** *vt* odśrubow-ać/ywać
~ **on** *vt* przyśrubować; **his head is ~ed on the right way (on)** ma dobrze w głowie
~ **out** *vt* 1. odśrubow-ać/ywać 2. wycis-nąć/kać; wydu-sić/szać
~ **up** *vt* 1. zaśrubow-ać/ywać; **to ~ up one's courage, to ~ oneself up** zebrać się na odwagę 2. zwi-nąć/jać w trąbkę (papier itd.); zwi-nąć/jać (drut itd.) w spiralę 3. zacis-nąć/kać (wargi); **to ~ up one's eyes** przymruż-yć/ać oczy; **to ~ up one's face** wykrzywiać

twarz; z/robić grymas 4. zwiększyć dyscyplinę (**the staff etc.** wśród personelu itd.); *pot* dokręcić śrubę (**the staff etc.** personelowi itd.) 5. wyśrubow-ać/ywać (czynsze itd.) *zob* **screwed**

screwbolt ['skru:,boult] *s* sworzeń śrubowy (z nakrętką)

screw-cutter ['skru:,kʌtə] *s* gwintownica; gwinciarka

screw-driver ['skru:,draivə] *s* śrubokręt, wkrętak

screwed [skru:d] ① *zob* **screw** .v ③ *adj praed pot* pijany; zalany; zawiany; pod dobrą datą

screw-gear ['skru:,giə] *s techn* mechanizm śrubowy

screw-jack ['skru:,dʒæk] *s techn* dźwignik; podnośnik

screw-nut ['skru:,nʌt] *s* nakrętka

screw-plate ['skru:,pleit] *s techn* gwintownica łopatkowa, gwinciarka

screw-steamer ['skru:,sti:mə] *s* parowiec <statek> śrubowy

screw-thread ['skru:,θred] *s* gwint

screw-wheel ['skru:,wi:l] *s* koło ślimakowe

scribble[1] ['skribl] ① *vt* napredce <pośpiesznie> na/pisać; na/bazgrać; na/gryzmolić ③ *vi* bazgrać; pisać gryzmoły <bezwartościowe utwory literackie, szmirę> ③ *s* 1. bilecik, kilka słów napredce napisanych 2. *pot* bazgranina 3. *pot* gryzmoły, szmira, bezwartościowy utwór literacki

scribble[2] ['skribl] *vt* rozczes-ać/ywać <z/gręplować> (wełnę)

scribbler[1] ['skriblə] *s pot* bazgracz; gryzmoła

scribbler[2] ['skriblə] *s* grępla

scribe [skraib] ① *s* 1. skryba; przepisywacz; pisarz (gminny itd.) 2. *bibl* uczony w piśmie 3. rysik traserski; znacznik ③ *vt* po/znaczyć rysikiem traserskim

scrim [skrim] *s* płótno tapicerskie

scrimmage ['skrimidʒ] ① *s* bójka, bijatyka ③ *vi* uczestniczyć <brać udział> w bójce

scrimp [skrimp] = **skrimp**

scrimshank ['skrim,ʃæŋk] *vi sl wojsk* markierować; wymig-ać/iwać się od służby

scrimshaw ['skrim,ʃɔ:] ① *s* ozdóbki z muszelek <kości słoniowej, zębów wielorybich itd.> wykonywane przez marynarzy ③ *vt* ozd-obić/abiać (muszelkami itd.) ③ *vi* wykonywać ozdóbki z muszelek <kości słoniowej, zębów wielorybich itd.>

scrip[1] [skrip] *s* torba pielgrzyma

scrip[2] [skrip] *s* (*także* ~ **certificate**) bank *handl* świadectwo tymczasowe na akcje

script [skript] *s* 1. rękopis 2. *prawn* oryginał aktu 3. *druk* kursywa 4. scenariusz filmowy; tekst odczytu radiowego <zapowiedzi spikera> 5. opracowanie egzaminacyjne

scriptorium [skrip'tɔ:riəm] *s* (*pl* ~s, **scriptoria** [skrip'tɔ:riə]) (*w klasztorze*) sala, w której sporządzano manuskrypty

scriptural ['skriptʃərəl] *adj* biblijny

scripture ['skriptʃə] *s* (*także* **the Holy Scripture,** **the Scriptures**) Pismo Św.

scripture-reader ['skriptʃə,ri:də] *s* człowiek trudniący się czytaniem Pisma Św. w ubogich domach

scrivener ['skrivnə] *s hist* pisarz, przepisywacz

(dokumentów); notariusz; pośrednik w sprawach pieniężnych <giełdowych>

scrobicular [skrə'bikjulə], **scrobiculate** [skrə'bikjulit], **scrobiculated** [skrə'bikju,leitid]) *adj bot* dołkowaty

scrofula ['skrɔfjulə] *s med* zołzy; skrofuły

scrofulous ['skrɔfjuləs] *adj med* skrofuliczny

scroll [skroul] ① *s* 1. zwitek <zwój> (pergaminu, papieru) 2. krzywa; spirala 3. *arch* woluta; ślimacznica 4. (*w pisaniu*) zakrętas ③ *vt* 1. zwi--nąć/jać 2. ozd-obić/abiać zakrętasem <spiralą itd.> ③ *vi* zwijać się

scroll-saw ['skroul,sɔ:] *s* włośnica (piła)

scroll-work ['skroul,wə:k] *s arch* ślimacznica; woluta

scroop [skru:p] ① *s* zgrzyt; zgrzytanie ③ *vt* za/zgrzytać

scrotal ['skroutl] *adj anat* mosznowy

scrotocele ['skroutou,si:l] *s med* przepuklina mosznowa

scrotum ['skroutəm] *s* (*pl* **scrota** ['skroutə]) *anat* moszna

scrounge [skraundʒ] ① *vt sl* 1. świsnąć; zwędzić 2. wpraszać się (**a dinner etc.** na obiad itd.); przymówić się (**sth** do czegoś) ③ *vi* węszyć poczęstunek; żyć kosztem innych

scrounger ['skraundʒə] *s sl* 1. złodziej/ka 2. pieczenia-rz/rka

▲ **scrub**[1] [skrʌb] ① *vt* (**-bb-**) wy/szorować; wy/czyścić, oczy-ścić/szczać; *chem* przemy-ć/wać ③ *s* 1. *w zwrocie:* **to give a** ~ wy/szorować; wy/czyścić 2. *am pot* zawodnik nie należący do drużyny 3. *am pot* rozgrywka w base-ball w niepełnym składzie 4. *am pot* drużyna zapasowa; rezerwa

scrub[2] [skrʌb] *s* 1. zagajnik; zarośla 2. nie wyrośnięte <skarłowaciałe> drzewo <zwierzę> 3. wytarta szczotka; krótko przystrzyżony wąs; nie ogolona broda; szczeć (na brodzie) 4. niepozorny <drobny> człowieczyna; *przen* karzeł; *obelż* pętak

scrubber ['skrʌbə] *s techn* płuczka; skruber

scrubbing-board ['skrʌbiŋ,bɔ:d] *s* tara (do prania)

scrubbing-brush ['skrʌbiŋ,brʌʃ] *s* szczotka do szorowania

scrub-brush ['skrʌb,brʌʃ] *s am* = **scrubbing--brush**

scrubby ['skrʌbi] *adj* (**scrubbier** ['skrʌbiə], **scrubbiest** ['skrʌbiist]) 1. (*o okolicy*) pokryty zaroślami 2. (*o roślinach, zwierzętach*) nie wyrośnięty, karłowaty, skarłowaciały 3. (*o człowieku*) niepozorny, drobny 4. (*o brodzie*) szczeciniasty 5. marny; nędzny

scrub-team ['skrʌb,ti:m] *s am* drużyna zapasowa, rezerwa

scrub-woman ['skrʌb,wumən] *s* (*pl* **scrub-women** ['skrʌb,wimin]) sprzątaczka

scruff [skrʌf] *s w zwrocie:* **to take <seize> by the** ~ **of the neck** wziąć/brać za kark

scruffy ['skrʌfi] *adj* parszywy

scrummage ['skrʌmidʒ] = **scrimmage**

scrummy ['skrʌmi] = **scrumptious**

scrumptious ['skrʌmpʃəs] *adj sl* byczy; klawy; w dechę; świetny; (*o kobiecie*) szałowa

scrunch [skrʌntʃ] = **crunch**

scruple ['skru:pl] ① *s* 1. *farm* skrupuł (20 g); *przen* odrobina 2. skrupuł; **a man of no** ~s

człowiek bez skrupułów; **to make no ~ to do sth** z/robić coś bez skrupułów <z czystym, ze spokojnym sumieniem>, nie zawahać się coś zrobić Ⅲ *vi* mieć skrupuły <wahać się> **(to do sth** czy coś zrobić); **not to ~ to do sth** nie wahać się czegoś zrobić; zrobić coś bez skrupułów <z czystym, ze spokojnym sumieniem>
scrupulosity [ˌskruːpjuˈlɔsiti] = **scrupulousness**
scrupulous [ˈskruːpjuləs] *adj* 1. skrupulatny; sumienny; pedantyczny; **to be ~ about** <**over, as to**> — być skrupulatnym na punkcie... (czegoś) <w sprawach... (pieniężnych itd.)> 2. (*o pracy itd*) skrupulatny; sumienny; drobiazgowy; dokładny
scrupulousness [ˈskruːpjuləsnis] *s* skrupulatność; sumienność
scrutator [skruːˈteitə] *s* krytyczny obserwator
scrutineer [ˌskruːtiˈniə] *s* skrutator (przy głosowaniu)
scrutinize [ˈskruːtiˌnaiz] *vt* z/badać; podda-ć/wać dokładne-mu/j badaniu <analizie>; badawczo się przy-jrzeć/glądać (**sb's face** komuś) *zob* **scrutinizing**
scrutinizing [ˈskruːtiˌnaiziŋ] Ⓘ *zob* **scrutinize** Ⅲ *adj* badawczy
scrutiny [ˈskruːtini] *s* 1. z/badanie; bliższe rozpatrzenie 2. skrutynium
scry [skrai] *vi* (**scried** [skraid], **scried; scrying** [ˈskraiiŋ]) wróżyć z kuli szklanej
scud [skʌd] Ⓘ *vi* (**-dd-**) 1. po/mknąć; po/pędzić; po/lecieć; sunąć (naprzód) 2. *mar* płynąć z wiatrem Ⅲ *s* 1. pęd; bieg; ucieczka 2. *zbior* chmury pędzone przez wiatr
scuff [skʌf] Ⓘ *vt* 1. mus-nąć/kać 2. zedrzeć/ zdzierać Ⅲ *vi* szurać <powłóczyć> nogami
scuffle¹ [ˈskʌfl] Ⓘ *vi* 1. bić się; popychać <po- turbować> się wzajemnie 2. szurać nogami Ⅲ *s* 1. bójka; popychanie się wzajemne 2. utarczka <starcie> (manifestantów z policją itd.)
scuffle² [ˈskʌfl] Ⓘ *vt* motyczkować; gracowáć Ⅲ *s* motyka; graca
scuffler [ˈskʌflə] *s roln* opielacz; kultywator
scull [skʌl] Ⓘ 1. wiosło (o jednym piórze) 2. wiosło rufowe 3. *sport* skull Ⅲ *vt* poruszać <popychać> (łódź) wiosłem rufowym Ⅲ *vi* wiosłować na skullu
sculler [ˈskʌlə] *s* 1. *sport* skull 2. wiośla-rz/rka (na skullu)
scullery [ˈskʌləri] *s* pomywalnia (naczyń)
scullery-maid [ˈskʌləriˌmeid] *s* pomywaczka
scullian [ˈskʌljən] *s* podkuchenny; pomywacz naczyń
sculp [skʌlp] *pot żart* = **sculpture**
sculpin [ˈskʌlpin] *s zoo* ryba z rodziny głowaczy
sculptor [ˈskʌlptə] *s* rzeźbiarz
sculptress [ˈskʌlptris] *s* rzeźbiarka
sculptural [ˈskʌlptʃərəl] *adj* rzeźbiarski
sculpture [ˈskʌlptʃə] Ⓘ *s* 1. rzeźbiarstwo; skulptura 2. rzeźba Ⅲ *vt* wy/rzeźbić; ozd-obić/abiać rzeźb-ą/ami
sculpturesque [ˌskʌlptʃəˈresk] *adj* rzeźbiarski; (*o piękności itd*) posągowy
scum [skʌm] Ⓘ *s* 1. piana 2. *zbior* szumowiny; męty; *przen* **the ~ of society** męty społeczne; szumowiny 3. zgorzelina; żużel Ⅲ *vt* (**-mm-**) zebrać/zbierać <zd-jąć/ejmować> pianę (**sth**

z czegoś) Ⅲ *vi* (**-mm-**) pienić się; wytw-orzyć/ arzać pianę; pokry-ć/wać się pianą
scumble [ˈskʌmbl] Ⓘ *plast* laserować; s/tonować; z/łagodzić Ⅲ *s plast* laserowanie; laserunek
scummy [ˈskʌmi] *adj* pienisty
scuncheon [ˈskʌntʃən] *s arch* ościeże wewnętrzne ścięte
scunner [ˈskʌnə] Ⓘ *vi* brzydzić się (**at sth** czymś) Ⅲ *vt* wywoł-ać/ywać obrzydzenie <wzbudz-ić/ać odrazę, wstręt> (**sb** w kimś) Ⅲ *s szkoc* odraza; wstręt; **to take a ~ at** <**against**> sth po/czuć odrazę <wstręt> do czegoś
scupper¹ [ˈskʌpə] *s mar* luka odpływowa
scupper² [ˈskʌpə] *vt sl* 1. zaskoczyć i wyrżnąć <wyciąć w pień> (wroga) 2. zat-opić/apiać (okręt)
scurf [skəːf] *s* 1. *med* łupież; parchy; strup 2. grafit (w kotle)
scurfing [ˈskəːfiŋ] *s techn* usuwanie grafitu, odgrafitowanie
scurfy [ˈskəːfi] *adj* pokryty łupieżem <strupami>; sparszały
scurrility [skʌˈriliti] *s* 1. ordynarność; obelżywe <rynsztokowe> wyrazy 2. błazeństw-o/a
scurrilous [ˈskʌriləs] *adj* 1. (*o słowach*) ordynarny; obelżywy; rynsztokowy 2. nieprzyzwoity; sprośny 3. (*o człowieku*) błazeński
scurry [ˈskʌri] Ⓘ *vi* (**scurried** [ˈskʌrid], **scurried; scurrying** [ˈskʌriiŋ]) po/pędzić
~ **away** <**off**> zmykać; rozbie-c/gać się Ⅲ *s* bezładna ucieczka
scurvied [ˈskəːvid] *adj* chory na szkorbut
scurvily [ˈskəːvili] *adv* podle; niegodziwie; (postępować) jak drań
scurviness [ˈskəːvinis] *s* podłość; niegodziwość; *pot* draństwo
scurvy [ˈskəːvi] Ⓘ *adj* (**scurvier** [ˈskəːviə], **scurviest** [ˈskəːviist]) podły; niegodziwy; drański Ⅲ *s med* szkorbut, gnilec
scurvy-grass [ˈskəːviˌgraːs] *s bot* warzucha lekarska
scut [skʌt] *s* (krótki) ogon (u królika, jelenia itd.); omyk (ogon zająca)
scutate [ˈskjuːteit] *adj bot* tarczowaty
scutch [skʌtʃ] Ⓘ *vt* z/międlić (len, konopie); trzepać Ⅲ *s* 1. *roln* klepaczka; trzepadło; cep trzeparski 2. robotnik międlący len <konopie> 3. *zbior* paździerze
scutcheon [ˈskʌtʃən] *s* 1. herb 2. tabliczka z nazwiskiem <z napisem> 3. rozetka <blaszka> zasłaniająca dziurkę od klucza
scutcher [ˈskʌtʃə] = **scutch** *s* 1. 2.
scute [skjuːt] = **scutum**
scutellum [skjuːˈteləm] *s* (*pl* **scutella** [skjuːˈtelə]) 1. *zoo* tarczka 2. *bot* tarczka (ziarniaka trawy itd.)
scutter [ˈskʌtə] *vi* ucie-c/kać; pierzch-nąć/ać; zemknąć/zmykać
scuttle¹ [ˈskʌtl] *s* wiadro na węgiel
scuttle² [ˈskʌtl] Ⓘ *s* 1. *mar* właz; otwór zamykany pokrywą 2. drzwi zapadowe <spustowe> 3. *auto* wręga przednia Ⅲ *vt* przedziurawi-ć/ać; zat-opić/apiać (statek, okręt) przebiwszy otwór (w burcie)
scuttle³ [ˈskʌtl] Ⓘ *vi* ucie-c/kać; zemknąć/zmykać Ⅲ *s* ucieczka; zemknięcie

scuttle-butt ['skʌtl͵bʌt], **scuttle-cask** ['skʌtl͵kɑːsk] *s* beczka na wodę <z wodą> do picia

scutum ['skjuːtəm] *s* (*pl* **scuta** ['skjuːtə]) 1. tarcza 2. *anat* rzepka 3. *zoo* pancerz (żółwia itd.)

scythe [saið] [I] *s* kosa [II] *vt vi* s/kosić

Scythian ['siðiən] *adj* scytyjski

↟ **sea** [siː] [I] *s* 1. morze; **at ~** a) (*o statku, marynarzu*) na morzu; (*o marynarzu*) na rejsie b) *przen* (będący) w kłopocie; zdezorientowany; **beyond the ~(s), across the ~** za morzem; **on the ~** a) po powierzchni morza; na morzu b) na statku <okręcie> c) (*o miejscowości*) nad morzem; **the four ~s** morza otaczające Wielką Brytanię; **the high ~s** otwarte <pełne> morze (poza wodami terytorialnymi); **the seven ~s** oceany; **to follow the ~** być marynarzem; **to go to ~** pójść <wstąpić> do marynarki; **to put to ~** odpłynąć; rozpocząć rejs; **mistress of the ~(s)** władczyni mórz (największa potęga morska) 2. fala; (*o łodzi itd*) **to take a ~** zostać zalanym przez fale; *przen* **half ~s over** podchmielony; **pod dobrą datą** 3. *przen* morze <bezmiar> (kłopotów itd.) [III] *attr* (*o powietrzu, kąpieli, transporcie itd*) morski; (*o poziomie itd*) morza; **Sea Lord** członek Admiralicji

sea-acorn ['siː͵eikɔːn] *s zoo* pąkla (skorupiak)

sea-anemone ['siː-ə͵neməni] *s zoo* ukwiał (polip morski)

sea-angel ['siː͵eindʒəl] = **angel-fish**

sea-ape ['siː͵eip] *s zoo* 1. gatunek rekina 2. wydra morska

seaboard ['siː͵bɔːd] *s* brzeg morski; wybrzeże (morskie)

sea-boat ['siː͵bout] *s* łódź morska; **a good <bad> ~** łódź zdatna <niezdatna> do żeglugi morskiej

sea-borne ['siː͵bɔːn] *adj* przewieziony statkiem; z transportu morskiego; **~ trade** handel morski

sea-breeze ['siː͵briːz] *s* wiatr od morza

sea-calf ['siː͵kɑːf] *s zoo* foka

sea-captain ['siː͵kæptin] *s* kapitan statku morskiego

sea-coast ['siː͵koust] *s* brzeg· morski; wybrzeże (morskie)

seacraft ['siː͵krɑːft] *s* żeglarstwo

sea-dog ['siː͵dɔg] *s* 1. *zoo* foka 2. *przen* wilk morski

sea-elephant ['siː͵elifənt] *s zoo* słoń morski

seafarer ['siː͵fɛərə] *s* żeglarz

seafaring ['siː͵fɛəriŋ] [I] *s* żeglarstwo; podróże morskie [II] *adj* żeglarski

sea-fight ['siː͵fait] *s* bitwa morska

sea-front ['siː͵frʌnt] *s* zabudowania i miejsce spacerów na plaży (plaża z obudowaniami)

sea-gauge ['siː͵geidʒ] *s* 1. wyporność (statku) 2. *mar* sonda

sea-going ['siː͵gouiŋ] *adj* (*o statku*) żeglugi morskiej

sea-green ['siː͵griːn] [I] *s* zieleń morska [II] *adj* koloru zieleni morskiej

sea-gull ['siː͵gʌl] *s zoo* mewa

sea-horse ['siː͵hɔːs] *s zoo* 1. pławikonik (ryba) 2. mors

seakale ['siː'keil] *s bot* modrak morski

sea-king ['siː͵kiŋ] *s hist* wódz Wikingów

↟ **seal**¹ [siːl] [I] *s* 1. *zoo* foka 2. foki (futro); selskiny [II] *vi* za/polować na foki

↟ **seal**² [siːl] [I] *s* 1. pieczątka; pieczęć; **given under**

my hand and ~ przeze mnie podpisany; **to return the ~s** złożyć godność kanclerską; **to set one's ~ to __** za/aprobować ...; **under the ~ of confession** pod tajemnicą spowiedzi; **under the ~ of confidence** <silence, secrecy> w tajemnicy 2. plomba 3. piętno (geniuszu, śmierci itd.) 4. znak; **the ~ of love** widomy znak miłości (całus, dziecko itd.) 5. uszczelnienie; izolacja; zamknięcie wodne <wodoszczelne> [III] *vt* 1. za/pieczętować; opieczętować; *przen* **a ~ed book** zamknięta księga; tajemnica; zagadka; **my lips are ~ed** mam usta zamknięte; nie wolno mi nic powiedzieć <wyjawiać tajemnicy> 2. *wojsk mar* przyjąć (projekt itd.) 3. z/cementować; przypieczętować (czyjś los, coś życiem itd.) 4. za/lakować 5. za/plombować 6. (*także* **~ up**) uszczelni-ć/ać; *techn* zat-kać/ykać (rurę) syfonem, kolankiem itd.

sea-legs ['siː͵legz] *spl w zwrocie:* **to find one's ~** uzyskać wprawę w chodzeniu po kołyszącym się statku

sealer ['siːlə] *s* 1. statek do polowania na foki 2. łowca fok

sealery ['siːləri] *s* 1. teren polowania na foki 2. połów fok

sea-line ['siː͵lain] *s* (*na morzu*) widnokrąg, horyzont

sealing-wax ['siː͵liŋ͵wæks] *s* lak (do pieczęci)

sea-lion ['siː͵laiən] *s zoo* lew morski, uchatka

sealskin ['siːl͵skin] *s* selskiny; futro z fok

seam [siːm] [I] *s* 1. szew 2. blizna 3. spoina; miejsce spojenia; rowek 4. *geol* podkład, złoże [III] *vt* 1. (*także* **~ together** <up>) zszy-ć/wać 2. po/kiereszować; pokry-ć/wać bliznami

seaman ['siːmən] *s* (*pl* **seamen** ['siːmən]) marynarz; żeglarz

seamanlike ['siːmən͵laik] [I] *adj* żeglarski [II] *adv* po żeglarsku <marynarsku>; jak przystało na dobrego żeglarza <marynarza>

seamanship ['siːmənʃip] *s* żeglarstwo; sztuka żeglarska <nawigacyjna>; nauka żeglowania

sea-mark ['siː͵mɑːk] *s* znak nawigacyjny

sea-mew ['siː͵mjuː] *s zoo* mewa

seamless ['siːmlis] *adj* (*o pończoszе, rurze itd*) bez szwu

sea-monster ['siː͵mɔnstə] *s zoo* wąż morski

sea-moss ['siː͵mɔs] *s zoo* mszywioł; mszanka

seamstress ['semstris] *s* szwaczka

seamy ['siːmi] *adj* (*o części ubioru itd*) z widocznym/i szw-em/ami; **the ~ side** odwrotna strona (*przen* medalu itd.)

Seanad Eireann ['sænəd'eərən] *s* senat w Irlandii

séance ['seiɑːns] *s* 1. posiedzenie 2. *spiryt* seans

sea-needle ['siː͵niːdl] = **garfish**

sea-pay ['siː͵pei] *s* gaża marynarza w czasie rejsu

sea-pie ['siː͵pai] *s* 1. pasztet z solonego mięsa 2. *zoo* ostrygojad (ptak)

sea-piece ['siː͵piːs] = **seascape**

sea-pike ['siː͵paik] *s zoo* szczupak morski

seaplane ['siː͵plein] *s* hydroplan

seaport ['siː͵pɔːt] *s* port morski

sear¹ [siə] [I] *adj* 1. zwiędły; uschnięty 2. *przen* (*o wieku*) podeszły [III] *vt* 1. zwarzyć (liście itd.) 2. przypal-ić/ać; osmal-ić/ać

sear² [siə] *s* (*u broni palnej*) zaczep spustowy

search [səːtʃ] [I] *vt* 1. z/rewidować; przetrząsać; przeszuk-ać/iwać; przerzucać; *prawn* przepro-

wadz-ić/ać rewizj-ę/e (**a home etc.** w domu itd.); *pot* ~ **me!** żebyś mnie zabił! (nie wiem itd.) 2. badać <śledzić> (czyjeś oblicze itd.); przenik-nąć/ać; wnik-nąć/ać (**sb's heart** w czyjeś serce); docie-c/kać (**sth** czegoś) 3. sondować (ranę itd.) **III** *vi* 1. z/badać (**into sth** coś) 2. szukać <poszukiwać> (**for sth** czegoś); szperać (**for sth** po czymś)
~ **out** *vt* wyszuk-ać/iwać; wyszperać
zob **searching** **III** *s* 1. poszukiwani-e/a; badania; **in** ~ **of** __ w poszukiwaniu... (czegoś); **to be in** ~ **of sth** poszukiwać czegoś; dociekać czegoś 2. rewizja; szperanie (**for sth** po czymś)
searcher ['sə:tʃə] *s* 1. badacz; poszukiwacz; szperacz 2. (*przy odprawie celnej*) pracownik przeprowadzający rewizję 3. *med* sonda
searching ['sə:tʃiŋ] **III** *zob* **search** *v* **III** *adj* 1. badawczy 2. przenikliwy 3. (*o badaniu, poszukiwaniach itd*) drobiazgowy; dokładny; gruntowny **III** *s w zwrocie:* ~**s of the heart** wyrzuty sumienia; niespokojne sumienie
searchlight ['sə:tʃ‚lait] *s* reflektor
search-warrant ['sə:tʃ‚worənt] *s* *sąd* nakaz przeprowadzenia rewizji
sea-room ['si:‚rum] *s* *mar* przestrzeń dostateczna dla dokonania zwrotu (statku)
sea-rover ['si:'rouvə] *s* korsarz
seascape ['si:‚skeip] *s* *mal* motyw morski; obraz marynistyczny
sea-serpent ['si:‚sə:pənt] *s* *zoo* wąż morski
sea-shell ['si:‚ʃel] *s* muszla, muszelka
seashore ['si:‚ʃɔ:] *s* wybrzeże; brzeg morski
seasick ['si:‚sik] *adj* dotknięty chorobą morską; **to be** ~ chorować na chorobę morską
seasickness ['si:‚siknis] *s* choroba morska
seaside ['si:‚said] *s* wybrzeże; **at the** ~ nad morzem; **to go to the** ~ pojechać <jeździć> nad morze; ~ **resort** nadmorska miejscowość wypoczynkowa; kąpielisko nadmorskie
season ['si:zn] **III** *s* 1. (właściwa) pora; **in** ~ w porę (coś powiedzieć, zrobić itd.) 2. sezon; **in** ~ **and out of** ~ o każdej porze; **oysters** <**strawberries etc.**> **are in** ~ (teraz) jest sezon na ostrygi <truskawki itd.>; **oysters are out of** ~ sezon na ostrygi minął <jeszcze się nie zaczął>; **the holiday** ~ okres świąteczny; *myśl wędk* **close** <**open**> ~ okres zakazanego <dozwolonego> polowania <łowienia (ryb)> 3. okres; pewien (nieokreślony) <jakiś> czas; pewien przeciąg czasu; **to endure for a** ~ trwać (przez) jakiś czas 4. pora roku; (*w krajach tropikalnych*) pora (**dry, rainy** bezdeszczowa, deszczowa) **III** *vt* 1. zaprawi-ć/ać <wdr-ożyć/ażać, przyucz-yć/ać> (**sb to sth** kogoś do czegoś); za/hartować (**sb to sth** kogoś w czymś) 2. przyprawi-ć/ać (potrawę) 3. okra-sić/szać (rozmowę dowcipem itd.); umil-ić/ać, uprzyjemni-ć/ać 4. z/łagodzić (wymiar sprawiedliwości itd.) 5. wy/suszyć (drewno) **III** *vi* 1. (*o drewnie*) wys-chnąć/ychać 2. (*o winie*) wytrawi-ć/ać się *zob* **seasoned, seasoning**
seasonable ['si:z‚nəbl] *adj* 1. (*o pogodzie*) stosowny, odpowiedni; właściwy dla danej pory roku 2. (*o pomocy, poradzie itd*) na czasie; (udzielony) w porę
seasonal ['si:znl] *adj* (*o handlu, robotniku itd*) sezonowy

seasoned ['si:znd] **III** *zob* **season** *v* **III** *adj* 1. zaprawiony; wdrożony; zahartowany; przyuczony; **to get** <**become**> ~ zaprawi-ć/ać <wdr-ożyć/ażać, za/hartować> się 2. (*o potrawie*) przyprawiony (**with sth** czymś) 3. ostry; pikantny; *przen* (*o anegdocie itd*) pikantny; słony 4. (*o drewnie*) suchy; wysuszony 5. (*o winie*) wytrawiony
seasoning ['si:z‚niŋ] **III** *zob* **season** *v* **III** *s* *kulin* przyprawa; przyprawi-enie/anie
season-ticket ['si:zn‚tikit] *s* 1. abonament; karta wstępu 2. bilet okresowy (kolejowy itd.)
sea-squirt ['si:‚skwə:t] *s* *zoo* pochwa morska; żachwa
sea-swallow ['si:‚swolou] *s* *zoo* rybitwa
seat [si:t] **III** *s* 1. siedzenie (sprzęt); krzesło; ławka; siodło; miejsce (kierowcy, pilota, powożącego, pasażera w wagonie itd.); miejsce siedzące; **keep your** ~(**s**) proszę nie wstawać <siedzieć>; (*na kolei*) **take your** ~**s, please!** proszę zająć miejsca; ~ **attendant** bileter/ka; **the** ~**s are uncomfortable** niewygodnie się (tu <tam, na tym itd.>) siedzi; **to buy** <**get**> **two** <**four etc.**> ~**s for** __ kupić <dostać> dwa <cztery itd.> bilety na ... (przedstawienie itd.); **to have a** ~ **in Parliament** <**the Academy etc.**> zasiadać w parlamencie <akademii itd.>; **to lose one's** ~ **in Parliament** nie zostać ponownie wybranym do parlamentu; stracić mandat; **to take a** ~ usiąść, si-ąść/adać; zasi-ąść/adać (na tronie itd.); **to win a** ~ zostać wybranym 2. siedzenie (krzesła itd., spodni oraz *anat*) 3. siedziba (uczelni itd.); siedlisko (choroby itd.); miejsce (czegoś); teren <teatr> (działań wojennych itd.) 4. siedziba, rezydencja 5. sposób siedzenia <trzymania się> (na koniu itd.); **she has a graceful** ~ (ona) jeździ z wdziękiem 6. *techn* łożysko; oprawa; gniazdo **III** *vt* 1. posadzić/sadzać; **to be** ~**ed** usiąść; **please be** ~**ed** proszę siadać <usiąść> 2. usad-owić/awiać; umie-ścić/szczać 3. wyb-rać/ierać (kogoś do parlamentu) 4. (*o pomieszczeniu, przedziale w wagonie itd*) po/mieścić x osób siedzących; **the room** ~**s** <**is** ~**ed for**> **200 persons** w sali jest 200 miejsc siedzących 5. da-ć/wać <zmieni-ć/ać> siedzenie (**a chair etc.** krzesła itd.) 6. zaopat-rzyć/rywać (salę itd.) w krzesła <ławki itd.> 7. *techn* osadz-ić/ać; za-łożyć/kładać; wprawi-ć/ać **III** *vr* ~ **oneself** 1. usiąść, si-ąść/adać 2. zasi-ąść/adać (na urzędzie) 3. usad-owić/awiać się *zob* **seated, seating**
seated ['si:tid] **III** *zob* **seat** *v* **III** *adj* 1. siedzący; **to remain** ~ nie wstawać; siedzieć dalej 2. umiejscowiony
seating ['si:tiŋ] **III** *zob* **seat** *v* **III** *s* 1. wyznaczenie miejsca (**of sb** komuś — przy stole) 2. (*także* ~ **accommodation**) *zbior* miejsca siedzące (w sali itd.) 3. *zbior* materiały tapicerskie (do siedzeń) 4. *techn* łożysko; gniazdo; siodełko 5. *techn* osadzenie
seat-worm ['si:t'wə:m] *s* *pot* owsik
sea-urchin ['si:‚ə:tʃin] *s* *zoo* jeż morski
sea-view ['si:‚vju:] *s* widok na morze
sea-voyage ['si:‚voidʒ] *s* podróż morska
sea-wall ['si:‚wɔ:l] *s* tama
seaward ['si:wəd] **III** *adj* skierowany ku morzu **III** *adv* (*także* ~**s**) ku morzu
seaway ['si:‚wei] *s* 1. droga przebyta przez statek; ślad (statku) na morzu 2. silna fala

seaweed ['si:ˌwi:d] s bot wodorost/y
sea-wind ['si:ˌwind] s wiatr od morza
sea-wolf ['si:ˌwulf] s (pl **sea-wolves** ['si:ˌwulvz])
1. zoo wilk morski (ryba) 2. Wiking
seaworthiness ['si:ˌwə:ðinis] s zdatność do żeglugi
morskiej
seaworthy ['si:ˌwə:ði] adj mar zdatny do żeglugi
sebaceous [si'beiʃəs] adj (o gruczole itd) łojowy,
wydzielający tłuszcz
sebastan, sebasten [si'bæstən] s bot sebastena,
kostliwka
sec [sek] skr pot second²; **half a** ~ chwileczkę!
secant ['si:kənt] Ⅰ adj mat (o linii) sieczny Ⅱ s
mat sieczna
sécateur [ˌsekə'tə:] s (zw pl) ogrodn sekator
secco ['sekou] s ścienne malowidło wykonane
wodnymi farbami na suchym tynku
secede [si'si:d] vi odłącz-yć/ać się; dokon-ać/ywać
secesji
secernent [si'sə:nənt] Ⅰ adj med (o organie) wydzielający Ⅱ s med organ wydzielający
secession [si'seʃən] s secesja
secessionist [si'seʃnist] s secesjonista
seclude [si'klu:d] Ⅰ vt odos-obnić/abniać; od/
izolować; zam-knąć/ykać (kogoś) Ⅱ vr ~ oneself odos-obnić/abniać się; szukać odosobnienia
<samotności> zob **secluded**
secluded [si'klu:did] Ⅰ zob **seclude** Ⅱ adj 1. odosobniony; zaciszny 2. (o człowieku) samotny
seclusion [si'klu:ʒən] s 1. odizolowanie się; odosobnienie; osamotnienie 2. ustronie; zacisze
second¹ ['sekənd] Ⅰ adj 1. drugi; **in the** ~ **place**
po drugie; **to be** ~ **to none** nie ustępować żadnemu (pod względem jakości itd.);
nie być gorszym od któregokolwiek innego; ~
cabin kabina drugiej klasy; ~ **chamber** izba
wyższa; ~ **cousin** kuzyn; plast ~ **distance** drugi plan (obrazu); ~ **floor** a) (w Anglii) drugie
piętro b) am pierwsze piętro; ~ **lieutenant**
podporucznik; ~ **sight** jasnowidztwo; ~ **teeth**
stałe zęby 2. drugi; powtórny, ponowny; nowy;
~ **ballot** przebalotowanie; ~ **thoughts** namysł;
on ~ **thoughts** po namyśle 3. przed przymiotnikiem w stopniu najwyższym: drugi co do <pod
względem> ...; ~ **best** drugi co do jakości <pod
względem doskonałości> (zob **second-best**); ~
largest drugi co do wielkości 4. zastępczy; zapasowy; drugorzędny; podrzędny; ~ **in command**
zastępca dowódcy <przen szefa>; ~ **quality** druga <gorsza> jakość; ~ **team** drużyna zapasowa;
rezerwa; **to play** ~ **fiddle** grać drugie skrzypce;
at ~ **hand** (wiadomość itd.) z drugiej ręki Ⅱ
adv po drugie Ⅲ s 1. (o kimś) drugi; **a good** ~
zawodnik, który dobiegł do mety tuż za pierwszym; **the** ~ **of May** <**June etc.**> drugiego maja
<czerwca itd.> 2. muz drug-i/a głos <partia> 3. pl
~**s** handl towary drugiej jakości 4. handl ~ **of**
a bill <**of exchange**> weksel sekunda, wtóropis
wekslowy 5. (w pojedynku itd) sekundant 6. muz
sekunda Ⅳ vt 1. pop-rzeć/ierać (kogoś, coś —
wniosek, słowa czynami itd.); udziel-ić/ać poparcia (**sb, sth** komuś, czemuś) 2. sekundować (**sb**
komuś) 3. [si'kɔnd] postawić <stawiać> (oficera)
do dyspozycji dowództwa; przen-ieść/osić (urzędnika) do innego działu
second² ['sekənd] s 1. sekunda (miara czasu oraz

kąta); ~ **hand** wskazówka sekundowa 2. chwila,
moment; **in a split** ~ w oka mgnieniu
secondarily ['sekəndərili] adv 1. drugorzędnie 2.
po drugie
secondariness ['sekəndərinis] s drugorzędność
⬆**secondary** ['sekəndəri] Ⅰ adj 1. drugorzędny;
wtórny; dodatkowy; ~ **education** wykształcenie
średnie; ~ **planet** satelita 2. podrzędny; poboczny; mało znaczący 3. geol mezozoiczny 4.
dodatkowy; pomocniczy Ⅲ s 1. zastęp-ca/czyni
2. drugorzędny członek kapituły 3. zoo (u ptaka) lotka drugiego rzędu 4. pl **secondaries** med
przerzuty nowotworowe 5. pl **secondaries** med
objawy wtórne kiły
second-best ['sekənd'best] Ⅰ s a (**poor**) ~ (kiepska) namiastka Ⅲ adj gorszy (z dwóch) Ⅲ adv
w zwrocie: **to come off** ~ ponieść porażkę
second-class ['sekənd'klɑ:s] adj (o wagonie, bilecie itd) drugiej klasy; (o restauracji itd) drugiej
kategorii; (o towarze) w gorszym gatunku
seconde [sə'gɔ:d] s szerm sekunda
seconder ['sekəndə] s członek zgromadzenia popierający stawiany wniosek
second-hand ['sekənd'hænd] Ⅰ adj (o towarze)
używany; okazyjny; komisowy; (o egzemplarzu
książki itd) antykwaryczny; pot (o wiadomości)
z drugiej ręki; ~ **bookshop** antykwariat (książkowy); ~ **shop** sklep komisowy Ⅱ adv (kupić)
w komisie <okazyjnie>
secondly ['sekəndli] adv po drugie
second-mark ['sekəndˌmɑ:k] s znak sekundy (')
second-rate ['sekənd'reit] adj drugorzędny; kiepski
secrecy ['si:krisi] s 1. dyskrecja; dochowanie tajemnicy 2. sekret, tajemnica; **there was no** ~
about the matter nie robiono z tego żadnej
tajemnicy; nie było to tajemnicą; **to tell sb sth**
in ~ powiedzieć komuś coś w sekrecie <tajem-
nicy> 3. skrytość (serca)
secret ['si:krit] Ⅰ adj 1. tajny; trzymany w tajemnicy; **to keep sth** ~ trzymać coś w tajemnicy; nie wyjawiać czegoś; ~ **agent** wywiadowca; tajny agent; ~ **service** wywiad; anat
~ **parts** genitalia, części rodne 2. (o człowieku)
dyskretny; skryty; tajemniczy 3. (o miejscu itd)
ukryty Ⅲ s tajemnica; sekret; **an open** ~ tajemnica poliszynela <publiczna>; **to be in the**
~ być wtajemniczonym; **to do sth in** ~ z/ro-
bić coś w tajemnicy <potajemnie>; **to keep a** ~
dochować tajemnicy; **to let sb into the** ~ dopuścić kogoś do sekretu
secretaire [ˌsekrə'tɛə] = **secretary** s 4.
secretarial [ˌsekrə'tɛəriəl] adj (o czynnościach itd)
sekretarki, sekretarza
secretariate [ˌsekrə'tɛəriət] s 1. sekretariat 2. sekretarstwo
secretary ['sekrətri] s 1. sekreta-rz/rka 2. (w niektórych ministerstwach) minister; sekretarz (stanu, ambasady) 3. druk kursywa 4. sekretarzyk
(mebel)
secretary-bird ['sekrətriˌbə:d] s zoo sekretarz (ptak
żyjący w Afryce)
secretaryship ['sekrətriʃip] s sekretarstwo; **the**
Secretaryship of State urząd <stanowisko> sekretarza stanu
secrete [si'kri:t] vt 1. ukry-ć/wać 2. fizj wydzielać
secretion [si'kri:ʃən] s 1. wydzielina 2. fizj wy-
dzielanie

secretive [si'kri:tiv] *adj* tajemniczy; zakonspirowany

secretory [si'kri:təri] *adj fizj* wydzielniczy

sect [sekt] *s* sekta

sectarian [sek'tɛəriən] ① *adj* sekciarski Ⅲ *s* sekciarz

sectarianism [sek'tɛəriə,nizəm] *s* sekciarstwo

sectary ['sektəri] *s hist* sekciarz; dysydent

sectile ['sektail] *adj* dający się krajać

section ['sekʃən] *s* 1. rozci-ęcie/nanie; sekcja (zwłok) 2. sekcja; odcinek: paragraf; akapit; dział; sektor; segment; część; etap; *druk* = ~-mark; **built in** ~s (budynek) z elementów <do rozbierania> 3. przekrój; profil; przecięcie 4. oddział;. drużyna 5. *am* dzielnica (miasta) 6. *am* przedział (w wagonie sypialnym) 7. (*w klasyfikacji przyrodniczej*) grupa

sectional ['sekʃənl] *adj* 1. klasowy; koteryjny 2. (*o rysunku itd*) w przekroju <w profilu, w przecięciu> 3. (*o żelazie*) profilowany 4. (*o meblu itd*) składany; składający się z oddzielnych części (do rozbierania)

sectionalism ['sekʃənə,lizəm] *s am* partykularyzm

section-mark ['sekʃən,mɑ:k] *s druk* znak §

sector ['sektə] *s* 1. sektor; odcinek 2. okręg 3. *geom* wycinek

secular ['sekjulə] ① *adj* 1. powracający <powtarzający się, przypadający> co sto lat; stuletni 2. wieczny; wiecznotrwały; (*o zwyczaju, drzewie itd*) odwieczny, prastary 4. świecki Ⅲ *s* ksiądz świecki

secularism ['sekjulə,rizəm] *s* 1. etyka materialistyczna 2. polityka <kierunek dążący do> sekularyzacji szkół

secularist ['sekjulərist] *s* 1. zwolennik etyki materialistycznej 2. zwolennik sekularyzacji szkół

secularity [,sekju'læriti] *s* świeckość

secularization ['sekjulərai'zeiʃən] *s* sekularyzacja

secularize ['sekjulə,raiz] *vt* sekularyzować

secund [si'kʌnd] *adj bot* (*o układzie kwiatów itd*) jednostronny

secundine [,sikən'di:n] *s* 1. *bot* wewnętrzna osłona (zalążka) 2. *pl* ~s *anat* łożysko i błony płodowe

secure [si'kjuə] ① *adj* 1. (*o egzystencji, przyszłości*) spokojny, nie budzący obaw 2. (*o człowieku*) pewny (**of** sth czegoś); spokojny (**of** sth o coś) 3. bezpieczny; zabezpieczony (**from** <against> sth od czegoś, przed czymś, przeciwko czemuś) 4. pewny; niezawodny; solidny; solidnie umocowany; mocno przytwierdzony <osadzony> 5. (*o więźniu, niebezpiecznym zwierzęciu*) pod dobrym zamknięciem Ⅲ *vt* 1. zabezpiecz-yć/ać (**sth with** sth coś czymś; **sth** <oneself> **against** sth coś <się> od czegoś, przed czymś, przeciw czemuś) 2. umocow-ać/ywać; przytwierdz-ić/ać; osadz-ić/ać 3. zam-knąć/ykać <za/ryglować, zatarasow-ać/ywać> (drzwi, okno itd.); *chir* podwiąz-ać/ywać (naczynie) krwionośne 4. zam-knąć/ykać <ukry-ć/wać, s/chować, trzymać> w bezpiecznym miejscu <pod dobrym zamknięciem> 5. zapewni-ć/ać (**sb sth** komuś coś) 6. zdoby-ć/wać; uzysk-ać/iwać; zapewni-ć/ać sobie; osiąg-nąć/ać (cel, zwycięstwo itd.) 7. zabezpiecz-yć/ać (zastawem); da-ć/wać gwarancję <zabezpieczenie, kaucję, zastaw> (**a loan** etc. na pożyczkę itd.)

securiform [si'kjuəri,fɔ:m] *adj* siekierowaty

security [si'kjuəriti] *s* 1. bezpieczeństwo; ~ **police** służba bezpieczeństwa; **in** ~ w bezpiecznym miejscu 2. pewność; zaufanie 3. solidność; niezawodność 4. zabezpieczenie; gwarancja; rękojmia; kaucja; zastaw; **to lend on** ~ pożycz-yć/ać pod zastaw 5. poręczyciel; gwarant; **to stand** ~ **for** __ po/ręczyć za ... 6. *pl* **securities** papiery wartościowe

sedan [si'dæn] *s* 1. = **sedan-chair** 2. *auto* sedan, czterodrzwiowy zamknięty samochód osobowy

sedan-chair [si'dæn,tʃɛə] *s* lektyka

sedate [si'deit] *adj* stateczny; ustatkowany; zrównoważony; spokojny

sedateness [si'deitnis] *s* stateczność; ustatkowanie; zrównoważenie; spokój

sedative ['sedətiv] ① *adj* (*o środku*) uspokajający Ⅲ *s* środek uspokajający <uśmierzający>

se defendendo [,si:-di:fen'dendou] *adv* we własnej obronie

sedentary ['sedntəri] *adj* 1. (*o trybie życia, zajęciu oraz o posągu*) siedzący 2. *biol* osiadły

sedge [sedʒ] *s bot* turzyca

sedge-warbler ['sed,wɔ:blə] *s zoo* gajówka (ptak)

sediment ['sedimənt] *s* 1. *także geol* osad 2. *techn* kamień (kotłowy)

sedimentary [,sedi'mentəri] *adj geol* osadowy

sedimentation [,sedimen'teiʃən] *s* osadzanie się; sedymentacja; *med* ~ **rate** opad krwi

sedition [si'diʃən] *s* 1. bunt; rokosz 2. akcja wywrotowa

seditious [si'diʃəs] *adj* 1. buntowniczy 2. wywrotowy

seduce [si'dju:s] *vt* 1. uw-ieść/odzić 2. s/kusić; z/nęcić

seducer [si'dju:sə] *s* uwodziciel

seduction [si'dʌkʃən] *s* 1. uw-iedzenie/odzenie 2. pokusa; poneta; powab

seductive [si'dʌktiv] *adj* kuszący, nęcący

sedulity [si'dju:liti] *s* 1. pilność; staranność 2. skwapliwość

sedulous ['sedjuləs] *adj* 1. pilny; staranny 2. skwapliwy; **to be** ~ **in** __ skwapliwie ... (coś zrobić)

sedulousness ['sedjuləsnis] = **sedulity**

sedum ['si:dəm] *s bot* rozchodnik, sedum

see¹ [si:] *s* biskupstwo; **the Holy See** Stolica Apostolska

see² [si:] *v* (**saw** [sɔ:], **seen** [si:n]) ① *vt* 1. zobaczyć; widzieć; ujrzeć; spostrze-c/gać; zauważyć; **I can't** __ .to read jest mi tu za ciemno do czytania; **I have** <he has etc.> **seen the day** <**time** etc.> **when** __ pamięta/m te czasy kiedy ...; **to let sb** ~ **sth** pokazać coś komuś; **to** ~ **one's way to do sth** widzieć możliwość zrobienia czegoś; potrafić <dać radę> coś zrobić; *przen* **to** ~ **stars** zobaczyć wszystkie gwiazdy (po uderzeniu itd.); **to** ~ **the back of** __ pozbyć się <uwolnić się od> ... (kogoś); **to** ~ **things** miewać widzenia <halucynacje>; być jasnowidzem; **to** ~ **the last of a job** mieć jakąś robotę za sobą; **to** ~ **the last of sb** pozbyć się czyjejś obecności <czyjegoś widoku>; **we haven't seen the last of this** na tym się to nie skończy; **as I** ~ **it** moim zdaniem; ~ **you next week** zobaczymy się w przyszłym tygodniu; ~ **you to-morrow** do jutra! 2. *z rzeczownikiem* <*zaimkiem w bierniku*> *i bezokolicznikiem* **to** ~ **sb do**

sth widzieć, że ktoś coś robi; widzieć kogoś, robiącego coś; **I saw him take the watch** widziałem, że bierze zegarek; widziałem go, jak brał zegarek 3. *z rzeczownikiem <zaimkiem w bierniku> i imiesłowem czynnym*: **to ~ sb doing sth** widzieć, że ktoś coś robi <kogoś, jak coś robi>; być przy tym <być świadkiem tego>, jak ktoś coś robi; **I saw him beating the little boy** widziałem go <byłem przy tym, byłem świadkiem tego>, jak (on) bił małego chłopca 4. *z rzeczownikiem <zaimkiem w bierniku> i imiesłowem biernym*: **to ~ sth done** a) dopilnować, żeby coś zostało zrobione; **~ this package sent to-day** dopilnuj/cie tego, żeby ten pakunek został dzisiaj wysłany <dzisiaj odszedł>; **I'll ~ it sent today** dopilnuję tego <moja w tym głowa>, żeby dzisiaj odszedł b) widzieć, jak się coś robi; **to ~ a ship launched** widzieć, jak się woduje statek c) być świadkiem czegoś, **we saw them arrested** byliśmy świadkami ich aresztowania d) doczekać się czegoś; **I'll ~ you damned first** prędzej się doczekam, że cię szlag trafi 5. odprowadz-ić/ać **(sb home <to the door>** kogoś do domu <do drzwi> 6. *w stronie biernej*: **to be ~n** a) być widzianym; **he was ~n at the concert** widziano go na koncercie; **he was ~n to take the watch** widziano go, jak brał zegarek b) *z czasownikiem can*: być widocznym; **it can be ~n from a great distance** to jest widoczne z wielkiej odległości c) być do oglądania <do zobaczenia>; **I am not fit to be ~n** niestosowne jest, abym się (teraz) pokazał; nie mogę się pokazać; **interesting things to be ~n** ciekawe rzeczy do oglądania <zobaczenia> 7. zwiedz-ić/ać (miasto, muzeum, galerię itd.) 8. z/rozumieć (dowcip itd.); z/orientować <pot połapać> się **(sth w czymś); do you ~ what I mean?** rozumiesz? 9. zauważ-y-ć/ać; spostrze-c/gać; stwierdz-ić/ać; s/konstatować; przekon-ać/ywać się **(sth o czymś); I saw the mistake I had made** zauważyłem <spostrzegłem>, jaki popełniłem błąd; **that remains to be ~n** jeszcze się przekonamy; przyszłość pokaże 10. zapatrywać się **(sth na coś); I don't ~ it that way** ja się inaczej na to zapatruję; **to ~ fit to** — uważać za stosowne ... 11. odwiedz-ić/ać <widywać> (kogoś); bywać **(sb u kogoś); to go <come> and ~ sb** pójść/iść <przy-jść/chodzić> do kogoś; **come and ~ me** przyjdź/cie <wpadnij/cie> do mnie 12. pójść/iść do <poradzić się, zasięg-ną-ć/ać porady u> **(a specialist** specjalisty) 13. przyj-ąć/mować (interesantów); **I can't ~ anyone to-day** dzisiaj nikogo nie mogę przyjąć 14. wyobra-zić/żać sobie; **I can't ~ you doing that** nie wyobrażam sobie, jakbyś ty to robił 15. przeży-ć/wać; zn-ieść/osić 16. dożyć **(sth czegoś); he'll never ~ 40 <50 etc.> again** on już przekroczył 40-kę <50-kę itd.>; **I have <he has etc.> ~n better days** kiedyś mi się <jemu się kiedyś> dobrze powodziło; he **~n better days** to już nie jest takie, jakie było ▯ *vi* 1. widzieć; mieć (dobry, kiepski itd.) wzrok 2. rozumieć; orientować się; **as far as I can ~** o ile (ja) się orientuję; **oh, I ~!** aha!; *pot* takie buty!; **you ~** otóż ...; **you ~ that** — musisz sam przyznać, że... 3. *przed zdaniem pobocznym z if, whether, when, how,*

why, who, what: a) rozumieć b) zobaczyć; przy-jrzeć/glądać <przekon-ać//ywać> się; **it can't be done — I don't ~ why** to jest niemożliwe — nie rozumiem dlaczego; **I must ~ who it is** muszę się przekonać, kto to; **let us ~ why** przekonajmy się, dlaczego; **~ if this tie matches with your suit** przyjrzyj się, czy ten krawat pasuje do twego ubrania 4. (*także* **to ~ to it)** upewni-ć/ać się; uważać (żeby coś się stało); **~ (to it) that they are quite comfortable** upewnij/cie się, czy im niczego nie brakuje; **~ (to it) that we don't miss the last bus** uważaj/cie, żebyśmy się nie spóźnili na ostatni autobus; **I'll ~ to it** moja w tym głowa 5. zastan-owić//awiać się; **let me ~!** niech się zastanowię!; zaraz, zaraz!; chwileczkę! 6. *z przyimkami*: **to ~ about <after, to>** sth zaj-ąć/mować się czymś; dopilnować czegoś; **to ~ into** _ a) przejrzeć ... (the future przyszłę) b) wglądnąć ... (an affair w jakąś sprawę); **to ~ sb off the grounds <premises>** a) odprowadzić kogoś b) dopilnować, żeby ktoś się wyniósł z (czyjejś) posiadłości; **to ~ over** obejrzeć; **to ~ through sth** a) widzieć przez coś b) przejrzeć (tajemnicę, czyjeś zamiary itd.); **to ~ through a person** przejrzeć kogoś; nie da-ć/wać się komuś wprowadzić w błąd c) z/orientować się w czymś ‖ am ~ here! tyl: słuchaj/cie no!; a to co znowu?

~ in *vt* po/witać **(the New Year** Nowy Rok)

~ off *vt* odprowadz-ić/ać (kogoś odjeżdżającego); **to ~ sb off at the station** pożegnać kogoś na dworcu

~ out *vt* odprowadz-ić/ać (kogoś) do drzwi

~ through *vt* 1. przeprowadz-ić/ać (coś) do samego końca 2. dopom-óc/agać **(sb, sth** komuś, czemuś) aż do osiągnięcia celu 3. doczekać się końca **(sth czegoś)**

zob **seeing**

◆**seed** [siːd] ▯ *s* 1. nasienie; (*także pl* **~s)** nasiona; posiew; ziarnko; **to go <run> to ~** iść w ziarno; pójść/iść <róść> w nasienie; *przen* **to sow the ~s of** discord siać niezgodę 2. zarodek 3. *biol fizj* nasienie 4. *bibl lit* potomstwo; plemię ▯ *vi* 1. pójść/iść w nasienie 2. (*o rosnącym zbożu itd*) sypać się ▯ *vt* 1. obsi-ać/ewać (pole itd.) 2. wy/drylować 3. odziarni-ć/ać 4. *sport* odsi-ać/ewać (lepszych graczy)

seed-bag ['siːdˌbæg] *s bot* torebka nasienna

seed-bed ['siːdˌbed] *s ogr* rozsadnik

seed-cake ['siːdˌkeik] *s kulin* placek posypany nasionami (maku, anyżu itd.)

seed-corn ['siːdˌkɔːn] *s* zboże siewne

seed-drill ['siːdˌdril] *s mech* siewnik

seeder ['siːdə] *s* 1. = **seed-drill** 2. *zoo* ikrzak; tarlak 3. przyrząd do drylowania rodzynków itp.

seediness ['siːdinis] *s* 1. podniszczony stan (ubrania) 2. złe samopoczucie

seeding-machine ['siːdiŋ-məˌʃiːn] *s* siewnik mechaniczny

seed-leaf ['siːdˌliːf] *s* (*pl* **seed-leaves** ['siːdˌliːvz]) *bot* liścień

seedless ['siːdlis] *adj* 1. beznasienny 2. (*o rodzynkach itd*) bez pestek

seedling ['siːdliŋ] *s* 1. *ogr* szczep; sadzonka; kiełek 2. *leśn* młode drzewo

seed-pearl ['si:d‚pə:l] *s* drobna perła
seed-plot ['si:d‚plɔt] *s ogr* rozsadnik
seed-potatoes ['si:d-pə'teitouz] *spl* sadzeniaki (kartofle)
seedsman ['si:dzmən] *s* (*pl* **seedsmen** ['si:dzmən]) kupiec prowadzący handel nasionami
seed-time ['si:d‚taim] *s* pora siewu
seed-tree ['si:d‚tri:] *s leśn* nasiennik
seed-vessel ['si:d‚vesl] *s bot ogr roln* nasiennik
seedy ['si:di] *adj* (**seedier** ['si:diə], **seediest** ['si:diist]) 1. (*o roślinie*) z nasieniem 2. (*o ubiorze*) wytarty; podniszczony 3. (*o człowieku*) cierpiący; niedysponowany; **to be** <feel> ~ czuć się kiepsko <nieswojo>; mieć złe samopoczucie 4. (*o człowieku*) chodzący w wytartym ubraniu
▲**seeing** ['si:iŋ] Ⅰ *zob* **see²** Ⅲ *conj* (*zw* ~ **that**) ponieważ; skoro; zważywszy <wobec tego>, że Ⅲ *s* 1‚ wzrok 2. widzenie; zobaczenie; wizja; ~ **is believing** zobaczyć to uwierzyć 3. bystrość umysłu 4. *meteor* widoczność
seek [si:k] *v* (**sought** [sɔ:t], **sought**) Ⅰ *vt* 1. szukać <poszuk-ać/iwać> (**sb, sth** kogoś, czegoś); starać się (**sth** o coś); **to** ~ **one's bed** uda-ć/wać się do łóżka; **to** ~ **pleasure** etc. gonić za przyjemnościami itd.; *mar* **to** ~ **to the shore** s/kierować się ku brzegowi 2. chcieć <potrzebować> (**sth of sb** czegoś od kogoś); **to** ~ **sb's life** nastawać na czyjeś życie 3. żądać (**satisfaction** zadośćuczynienia) 4. (*o psie*) aportować 5. usiłować (**to do sth** coś zrobić) 6. *w zwrocie*: **is** <**was**> **to** ~ a) *w zdaniach przeczących*: jest <był> niedaleki; **it is not far to** ~ a) nie trzeba daleko szukać; b) (*o przyczynie*) to (jest) zupełnie jasne b) *w zdaniach twierdzących*: brakuje <brakowało>; **a leader is yet to** ~ brak przywódcy; **politeness is much** <**rather**> **to** ~ **in him** nie zbywa mu na grzeczności; **his letter is to** ~ **in grammar** jego list nie grzeszy <nie odznacza się> poprawnością gramatyczną 7. przetrząsnąć (**through a place** pomieszczenie) Ⅲ *vi* szukać <poszukiwać> (**after** <**for**> **sb, sth** kogoś, czegoś); gonić (**after sb, sth** za kimś, czymś); dążyć (**after sth** do czegoś); **to be much** <**little**> **sought after** być bardzo <mało> poszukiwanym *zob* **seeking**
~ **out** *vt* odszuk-ać/iwać; odkry-ć/wać; dopa-éć/dać (**sb** kogoś — złoczyńcy); *pot* odgrzeb-ać/ywać
seeker ['si:kə] *s* poszukujący (czegoś); poszukiwacz/ka; dążący (**of sth** do czegoś); goniący (**after sth** za czymś)
seeking ['si:kiŋ] Ⅰ *zob* **seek** Ⅲ *s* poszukiwani-e/a; **the quarrel was none of my** ~ nie ja szukałem zwady
seem [si:m] *vi* 1. *imp* zdawać <wydawać> się; chyba; **it** ~**s to me** (**that**) **it will rain** zdaje <wydaje> mi się, że będzie deszcz; będzie chyba deszcz 2. *imp w zwrocie*: **it** ~**s** a) jak się zdaje, ponoć b) okazuje się; **we are to get a rise, it** ~**s** a) zdaje się <ponoć> mamy dostać podwyżkę; b) okazuje się; że mamy dostać podwyżkę 3. wyda-ć/wać się; wyglądać (na coś); z/robić wrażenie (czegoś); **that does not** ~ **very difficult** to się nie wydaje zbyt trudne; **you** ~ (**to be**) **unwell** wyglądasz na <robisz wrażenie> chorego; zdaje się, że <chyba> jesteś

chory 4. mieć <odn-ieść/osić> wrażenie (że ...); **I** ~ **to have seen you before** mam wrażenie, że pana już gdzieś widziałem; już chyba pana gdzieś widziałem 5. *z przeczeniem*: nie bardzo; niezbyt; raczej nie; jakoś nie; **I don't** ~ **to fancy that** jakoś mi to nie odpowiada; to mi nie bardzo <niezbyt> odpowiada *zob* **seeming**
seeming ['si:miŋ] Ⅰ *zob* **seem** Ⅲ *adj* 1. pozorny 2. widoczny Ⅲ *adv* = **seemingly**
seemingly ['si:miŋli] *adv* 1. pozornie, na pozór 2. widocznie
seemliness ['si:mlinis] *s* 1. stosowność; odpowiedniość 2. uroda
seemly ['si:mli] *adj* (**seemlier** ['si:mliə], **seemliest** ['si:mliist]) 1. właściwy; przyzwoity; (będący) na miejscu; **it is** <**not**> ~ **to** _ wypada <nie wypada> ... (coś z/robić); przystoi <nie przystoi> ... (coś z/robić) 2. przystojny; urodziwy
seen *zob* **see²**
seep [si:p] *vi* przeciekać; sączyć się
seepage ['si:pidʒ] *s* przeciekanie; przesączanie; sączenie się; infiltracja
seer¹ [siə] *s* 1. widz 2. jasnowidz; prorok/ini
seer² [siə] *s* (*w Indiach*) 1. jednostka wagi (= od 8 uncji do 3 funtów, zależnie od okolicy) 2. jednostka objętości (= 1 litr)
seesaw ['si:‚sɔ:] Ⅰ *s* huśtawka (na desce) Ⅲ *adj* huśtawkowy; wahadłowy Ⅲ *adv* 1. (poruszać czymś) do góry i na dół 2. ruchem huśtawkowym <wahadłowym> Ⅳ *vi* 1. huśtać się 2. wahać się Ⅴ *vt* po/ruszać do góry i na dół <ruchem wahadłowym> (**sth** czymś); nada-ć/wać ruch wahadłowy (**sth** czemuś)
seethe [si:ð] *v* (*praet* **seethed** [si:ðd] † **sod** [sɔd], *pp* **seethed**, † **sodden** ['sɔdn]) Ⅰ *vt* u/gotować Ⅲ *vi* 1. (*o cieczach*) za/wrzeć; za/kipieć 2. (*o zbiorowisku ludzi itd*) za/wrzeć, za/kipieć; za/kotłować <za/roić> się; (*o człowieku*) za/wrzeć (**with anger** etc. gniewem <złością> itd.); **Europe was seething with excitement** <**enthusiasm**> podniecenie owładnęło <entuzjazm owładnął> całą Europą
segar [siɡɑ:] *handl* = **cigar**
segment ['seɡmənt] Ⅰ *s* 1. segment <odcinek> (koła, kuli itd.); *elektr* wycinek (komutatora) 2. *zoo techn* pierścień; człon 3. ćwiartka (pomarańczy itd.) Ⅲ *vt* po/dzielić na odcinki <na człony>; rozczłonkow-ać/ywać Ⅲ *vi* po/dzielić się na odcinki <na człony>; rozczłonkow-ać/ywać się
segmental [seɡ'mentl] *adj* odcinkowy
segmentation [‚seɡmen'teiʃən] *s* segmentacja; podział na odcinki; rozczłonkow-anie/ywanie
segregate ['seɡri‚geit] Ⅰ *vt* oddziel-ić/ać; odłącz-yć/ać; roz/segregować Ⅲ *vi* oddziel-ić/ać <odłącz-yć/ać> się Ⅲ *adj* ['seɡriɡit] samotny Ⅳ *s* ['seɡriɡit] oddzielona jednostka
segregation [‚seɡri'ɡeiʃən] *s* oddziel-enie/anie; odłącz-enie/anie; segregacja
seiche [seiʃ] *s geol* periodyczna oscylacja powierzchni wód (jeziora itd.)
Seidlitz ['sedlits] *spr* ~ **powder** proszek musujący
seigneur, seignior ['seinjə] *s hist* pan lenny; senior
seigniorage ['seinjəridʒ] *s hist* 1. uprawnienia pana lennego 2. dochód królewski z mennicy

seigniory ['seinjəri] s hist zwierzchnictwo na prawie lennym
seine [sein] Ⓘ s włók (sieć) Ⓘ vt vi łowić włókiem (ryby)
seise zob **seize**
seisin ['si:zin] = **seizin**
seismic ['saizmik] adj sejsmiczny
seismograph [,saizmə,grɑ:f] s sejsmograf
seismology [saiz'mɔlədʒi] s sejsmologia
seize, seise [si:z] Ⓘ vt 1. prawn da-ć/wać <odda-ć/wać> w posiadanie (**sb of** <**with**> **sth** komuś coś); **to be** <**stand**> ~**d of** _ mieć w posiadaniu... (coś); **być** w posiadaniu... (czegoś) 2. zaj-ąć/mować <s/konfiskować> (towar itd.) 3. za/aresztować (kogoś) 4. (także **to** ~ **hold of**) uchwycić <schwycić, chwy-cić/tać> (**sb, sth by** _ kogoś, coś za ...); zagarn-ąć/iać; (o zwierzęciu) por-wać/ywać; wojsk zdoby-ć/wać (twierdzę); zawładnąć (**sth** czymś); **to be** ~**d with** _ zostać owładniętym <ogarniętym, opanowanym>... (**an idea** etc. ideą itd.); ule-c/gać ... (**dejection, panic** etc. zniechęceniu, panice itd.); dosta-ć/wać ataku ... (**apoplexy, rage** etc. apopleksji, szału itd.); wpa-ść/dać w ... (**a fit of rage** szał); **to be** ~**d with remorse** mieć <poczuć> wyrzuty sumienia; **I was** ~**d with fear** ogarnął mnie strach; **we were** ~**d with a desire to** _ zapragnęliśmy ... (coś uczynić) 5. poj-ąć/mować; uchwycić/chwytać (umysłem, rozumem); z/rozumieć; z/orientować się (**sth** w czymś) 6. (skwapliwie) s/korzystać (**an opportunity, a pretext** ze sposobności, z pretekstu) 7. mar zamocować (linę) Ⓘ vi 1. por-wać/ywać (**upon** <**on**> **sb, sth** kogoś, coś); zawładnąć (**upon** <**on**> **sb, sth** kimś, czymś) 2. (skwapliwie) s/korzystać (**upon** <**on**> **sth** z czegoś) 3. poj-ąć/mować (**upon sth** coś) 4. techn zaci-ąć/nać się; (o hamulcu) za/blokować się; (o tłoku itd) za-trzeć/cierać się
seizin ['si:zin] s prawn 1. władanie majątkiem ziemskim 2. objęcie w posiadanie majątku ziemskiego 3. majątek ziemski
seizure ['si:ʒə] s 1. zajęcie <konfiskata> (towaru, mienia) 2. za/aresztowanie 3. zagarni-ęcie/anie; por-wanie/ywanie; zdoby-cie/wanie; zawładnię-cie (**of sth** czymś) 4. med atak (apopleksji itd.); (nagły) napad; **to have a** ~ dostać apopleksji 5. techn zaci-ęcie/nanie się; zatarcie (tłoka itd.); za/blokowanie (hamulca)
sejant ['si:dʒənt] adj herald w pozycji siedzącej
selachian [si'leikiən] Ⓘ s zoo ryba spodousta Ⓘ adj zoo spodousty
seldom ['seldəm] adv rzadko, z rzadka; **not** ~ nierzadko; ~ **or never** <**if ever**> rzadko albo zgoła nigdy
seldomness ['seldəmnis] s rzadkość (zjawiska itd.)
select [si'lekt] Ⓘ vt wyb-rać/ierać; ob-rać/ierać; wy/selekcjonować zob **selected** Ⓘ adj 1. wybrany; doborowy; selekcyjny 2. (o towarzystwie, klubie itd) ekskluzywny; doborowy; parl ~ **commitee** komisja śledcza Ⓘ spl **the** ~ wybrani; elita
selected [si'lektid] Ⓘ zob **select** v Ⓘ adj wybrany; ~ **passages** wypisy
selection [si'lekʃən] s 1. wybór; wybieranie; dobór; selekcja; **natural** ~ dobór naturalny (w teorii Darwina); sport ~ **match** <**race**> elimi-

nacje 2. pl ~**s** wypisy (z literatury) 3. (na wyścigach) typowanie
◆**selective** [si'lektiv] adj 1. selekcyjny 2. radio selektywny
selectivity [silek'tiviti] s radio selektywność
selectman [si'lektmən] s (pl **selectmen** [si'lektmən]) am radny miejski
selectness [si'lektnis] s wyborna jakość (towaru)
selector [si'lektə] s 1. wybierający; sortowacz; sport członek komisji wybierającej reprezentację sportową 2. techn wybierak; selektor 3. auto przekładnia biegów
selenate ['selənit] s chem selenian
selenic [si'lenik] adj chem selenowy
selenite ['seli,nait] s' 1. chem selenin 2. miner selenit (odmiana gipsu)
selenium [si'li:njəm] s chem selen (pierwiastek)
selenography [seli'nɔgrəfi] s selenografia, opis powierzchni księżyca
self[1] [self] Ⓘ s (pl **selves** [selvz]) 1. jaźń; ja; **my better** ~ lepsza część mojej natury; **my former** ~ to, czym dawniej byłem; **my second** <**other**> ~ mój sobowtór; **the consciousness of** ~ samoświadomość; **the study of** ~ samopoznanie 2. handl = **myself** <**yourself, himself** itd.>; **pay** ~ wypłacić mnie <nam itd.> osobiście; **your good selves** Szanowna Firma; żart **to our noble selves!** wnoszę szlachetne zdrowie wszystkich obecnych!; żeby się nam dobrze powodziło! 3. własny interes; **to have no thought of** ~ nie myśleć o sobie; być bezinteresownym 4. własna osoba; **for** ~ **and** _ dla siebie i ... Ⓘ adj 1. (o kolorze) jednolity; (o kwiecie) jednobarwny 2. (o kolorze) naturalny
self-[2] [self] w złożeniach: samo-; automatycznie
self-abasement ['self-ə'beismənt] s samoupodlenie; samoponiżenie
self-abnegation ['self-əbni'geiʃən] s samozaparcie
self-abuse ['self-ə'bju:s] s samogwałt, onania
self-accusation ['self,ækju'zeiʃən] s samooskarżenie
self-acting ['self'æktiŋ] adj samoczynny; automatyczny
self-adjustable ['self-ə'dʒʌstəbl], **self-adjusting** ['self-ə'dʒʌstiŋ] adj samonastawny
self-admiration ['self,ædmə'reiʃən] s samouwielbienie; samoubóstwienie
self-advertisement ['self-əd'və:tismənt] s autoreklama
self-apparent ['self-ə'pærənt] adj oczywisty
self-assertion ['self-ə'sə:ʃən] s 1. apodyktyczność 2. pewność siebie 3. bronienie <obrona> swych praw
self-assertive ['self-ə'sə:tiv] adj (o człowieku) apodyktyczny; pewny siebie; (o tonie itd) nie znoszący sprzeciwu
self-assumed ['self-ə'sjumd] adj samozwańczy
self-binder ['self'baində] s roln snopowiązałka
self-centred ['self'sentəd] adj egocentryczny
self-closing ['self'klouziŋ] adj zamykający się automatycznie <samoczynnie>
self-collected ['self-kə'lektid] adj (o człowieku) opanowany <spokojny>
self-colour ['self'kʌlə] s 1. kolor jednolity 2. kolor naturalny
self-coloured ['self'kʌləd] adj (o kwiecie) jednolitego koloru

self-command ['self-kə'mɑ:nd] s panowanie nad sobą; spokój

self-communion ['self-kə'mju:njən] s rozmyślanie; skupienie

self-complacency ['self-kəm'pleisnsi] s samozadowolenie

self-complacent ['self-kəm'pleisnt] adj zadowolony z siebie

self-conceit ['self-kən'si:t] s zarozumiałość

self-conceited ['self-kən'si:tid] adj zarozumiały

self-confidence ['self'kɔnfidəns] s 1. wiara w siebie 2. pewność siebie; tupet

self-confident ['self'kɔnfidənt] adj 1. (o człowieku) 1. posiadający wiarę w siebie; ufny w swoje siły 2. pewny siebie; z tupetem

self-conscious ['self'kɔnʃəs] adj nieśmiały; zażenowany; skrępowany; zakłopotany

self-consciousness ['self'kɔnʃəsnis] s nieśmiałość; zażenowanie; skrępowanie; zakłopotanie

self-contained ['self-kən'teind] adj 1. (o człowieku) zachowujący się z rezerwą; nie udzielający się 2. (o przemyśle itd) samowystarczalny; niezależny 3. (o mieszkaniu itd) z osobnym wejściem; (o domu) jednorodzinny 4. (o przyrządzie) stanowiący całość dla siebie; kompletny; scalony 5. wojsk (o jednostce) samodzielny

self-contradictory ['self,kɔntrə'diktəri] adj sprzeczny z samym sobą <wewnętrznie>

self-control ['self-kən'troul] s opanowanie; panowanie nad sobą; zimna krew

self-cooker ['self'kukə] s kuchenka automatyczna <samoobsługowa>

self-cooling ['self'ku:liŋ] s techn chłodzenie własne; samoochładzanie się

self-criticism ['self'kriti,sizəm] s samokrytyka; samokrytycyzm

self-deceit ['self-di'si:t], **self-deception** ['self-di'sepʃən] s okłamywanie <oszukiwanie> samego siebie

self-defence ['self-di'fens] s obrona własna; samoobrona

self-delusion ['self-di'lu:ʒən] s okłamywanie <oszukiwanie> samego siebie; łudzenie się

self-denial ['self-di'naiəl] s zaparcie <wyrzeczenie> się (samego) siebie; samozaparcie; abnegacja

self-dependence ['self-di'pendəns] s niezależność; poleganie na sobie samym

self-dependent ['self-di'pendənt] adj niezależny; **to be** ~ polegać na sobie samym

self-destruction ['self-dis'trʌkʃən] s samobójstwo

self-determination ['self-di,tə:mi'neiʃən] s 1. samookreślenie; samostanowienie (narodu itd.) 2. wolna wola

self-devotion ['self-di,vouʃən] s samopoświęcenie; samoofiara

self-discipline ['self'disiplin] s dyscyplina wewnętrzna

self-distrust ['self-dis'trʌst] s brak wiary w (samego) siebie

self-educated ['self'edju,keitid] adj a ~ man samouk; † autodydakta; ~ artist <teacher etc.> artysta <nauczyciel itd.> samouk

self-effacing ['self-i'feisiŋ] adj skromny; unikający rozgłosu; usuwający się w cień

self-employed ['self-im'plɔid] adj pracujący we własnym przedsiębiorstwie

self-esteem ['self-i'sti:m] s 1. ambicja; poczucie własnej godności 2. miłość własna 3. zarozumiałość

self-evident ['self'evidənt] adj oczywisty

self-excited ['self-ik'saitid] adj elektr samowzbudny

self-explanatory ['self-iks'plænətəri] adj samotłumaczący się

self-feeder ['self'fi:də] s techn zasilacz samoczynny

self-fertilization ['self,fə:tilai'zeiʃən] s bot samozapylanie

self-forgetful ['self-fə'getful] adj bezinteresowny

self-generating ['self'dʒenə,reitiŋ] adj samorodny

self-governing ['self,gʌvəniŋ] adj 1. (o kraju) autonomiczny 2. (o instytucji) samorządowy

self-government ['self'gʌvənmənt] s 1. autonomia 2. samorząd

self-heal ['self'hi:l] s bot główienka pospolita, chmielnik

self-help ['self'help] s samopomoc; ~ **manual** samouczek

selfhood ['selfhud] s rz osobowość

self-ignition ['self-ig'niʃən] s techn samozapłon; zapłon samoczynny

self-importance ['self-im'pɔ:təns] s wysokie mniemanie o sobie; zarozumiałość

self-important ['self-im'pɔ:tənt] adj posiadający wysokie mniemanie o sobie; przekonany o swojej ważności; zarozumiały

self-imposed ['self-im'pouzd] adj (o zadaniu itd) narzucony samemu sobie; podjęty dobrowolnie <z własnej inicjatywy>

self-improvement ['self-im'pru:vmənt] s doskonalenie <douczanie> się; podnoszenie swych kwalifikacji

self-induction ['self-in'dʌkʃən] s elektr samoindukcja; indukcja własna

self-indulgence ['self-in'dʌldʒəns] s pobłażanie samemu sobie

self-inflicted ['self-in'fliktid] adj (o karze) wymierzony <zadany> samemu sobie; (o ranie) zadany samemu sobie

self-instructed ['self-in'strʌktid] = **self-educated**

self-instruction ['self-in'strʌkʃən] s nauka bez nauczyciela <przy pomocy samouczka>; samouctwo; autodydaktyka

self-interest ['self'intrist] s 1. korzyść własna 2. interesowność

self-interested ['self'intristid] adj interesowny; mający własną korzyść na oku

self-invited ['self-in'vaitid] adj nieproszony; a ~ **guest** gość, który się wprosił

selfish ['selfiʃ] adj egoistyczny; samolubny; a ~ **fellow** samolub, sobek, egoista; **to be** ~ być egoist-ą/ką

selfishness ['selfiʃnis] s egoizm, samolubstwo, sobkostwo

selfless ['selflis] adj bezinteresowny

self-justification ['self,dʒʌstifi'keiʃən] s usprawiedliwi-enie/anie się; **in** ~ na swoje usprawiedliwienie

self-knowledge ['self'nɔlidʒ] s samopoznanie

self-loading ['self'loudiŋ] s (w transporcie) samoładujący; wojsk ~ **weapon** broń samopowtarzalna

self-locking ['self'lɔkiŋ] adj techn samozabezpie-
czający, samoblokujący, samozaciskający
self-love ['self'lʌv] s samolubstwo, egoizm
self-made ['self'meid] adj (o człowieku) torujący
sam sobie drogę w życiu; zawdzięczający wszystko samemu sobie
self-mastery ['self'mɑːstəri] s panowanie nad sobą
self-murder ['self'məːdə] s samobójstwo
self-mutilation ['self͵mjuti'leiʃən] s wojsk zadanie
sobie rany; samookaleczenie; samouszkodzenie
self-oiling ['self'ɔiliŋ] s techn oliwienie <smaro-
wanie> samoczynne <automatyczne>
self-opinionated ['self-ə'pinjə͵neitid] adj (o człowieku) zacietrzewiony
self-pity ['self'piti] s litowanie <rozczulanie> się
nad sobą (samym)
self-portrait ['self'pɔːtrit] s 1. mal autoportret 2.
autobiografia
self-possessed ['self-pə'zest] adj spokojny; opanowany
self-possession ['self-pə'zeʃən] s spokój; opanowanie; zimna krew
self-praise ['self'preiz] s wychwalanie się; samochwalstwo
self-preservation ['self͵prezə'veiʃən] s samoobrona; instynkt samozachowawczy
self-propelled ['self-prə'peld] adj techn samobież-
ny, samojezdny, poruszany własnym napędem
self-realization ['self͵riəlai'zeiʃən] s osiągnięcie
szczytu swych możliwości
self-recording ['self-ri'kɔːdiŋ] adj (o aparacie)
samopiszący; samorejestrujący
self-releasing ['self-ri'liːsiŋ] Ⅰ s samowyłącz-enie/
anie; samowyzwalanie Ⅱ adj samowyłączający;
samowyzwalający
self-reliance ['self-ri'laiəns] s niezależność; poleganie na sobie samym; zaufanie do siebie
self-reliant ['self-ri'laiənt] adj niezależny; polega-
jący na sobie samym; mający zaufanie do siebie
self-respect ['self-ris'pekt] s ambicja; miłość własna; poczucie własnej godności
self-restrained ['self-ris'treind] adj opanowany;
powściągliwy
self-restraint ['self-ris'treint] s opanowanie; powściągliwość
self-righteous ['self'raitʃəs] adj faryzeuszowski,
obłudny, fałszywy
self-righting ['self'raitiŋ] adj (o łodzi) prostujący
się automatycznie, niewywrotny
self-rising ['self'raiziŋ] adj kulin rosnący bez
drożdży
self-sacrifice ['self'sækri͵fais] s poświęcenie się;
samoofiara
selfsame ['self͵seim] adj ten sam
self-satisfied ['self'sætis͵faid] adj zadowolony z
siebie
self-seeker ['self'siːkə] s samolub
self-seeking ['self'siːkiŋ] Ⅰ adj samolubny Ⅱ s
samolubstwo
self-service ['self'səːvis] s samoobsługa
self-sown ['self'soun] adj (o roślinie) samowysiany;
samosiewny
self-starter ['self'stɑːtə] s elektr rozrusznik samoczynny; techn urządzenie rozruchowe
self-styled ['self'staild] adj samozwańczy
self-sufficiency ['self-sə'fiʃənsi] s 1. niezależność
(osobista) 2. samowystarczalność 3. próżność

self-sufficient ['self-sə'fiʃənt], self-sufficing ['self-sə
͵faisiŋ] adj 1. niezależny 2. samowystarczalny
3. próżny; zarozumiały
self-suggestion ['self-sə'dʒestʃən] s autosugestia
self-supporting ['self-sə'pɔːtiŋ] adj samowystarczalny; niezależny; będący na własnym utrzymaniu
self-taught ['self'tɔːt] = self-educated
self-tipping ['self'tipiŋ] adj (o wozie itd) samo-
wywrotny; wywracający się samoczynnie
self-will ['self'wil] s upór
self-willed ['self'wild] adj uparty
self-winding ['self'waindiŋ] adj (o zegarze) nakręcany automatycznie
sell [sel] v (sold [sould], sold) Ⅰ vt 1. sprzeda-ć/
wać; zby-ć/wać; goods hard to ~ towar niepokupny <pot niechodliwy>; pot bubel; to ~ bear
spekulować na zniżkę 2. (o kupcu, sklepie) prowadzić (jakiś artykuł) 3. zdradz-ić/ać; sprze-
niewierz-yć/ać się (sb, sth komuś, czemuś) 4. frymarczyć (sth czymś); zaprzeda-ć/wać (coś, się
itd.); to ~ the pass popełni-ć/ać zdradę; dopu-
-ścić/szczać się zdrady 5. sl wystrychnąć na
dudka; nabi-ć/jać w butelkę; wy/kantować; wy/
kiwać 6. am zdoby-ć/wać uznanie <aprobatę>
(a scheme, idea etc. dla projektu, myśli itd.) Ⅱ
vi 1. (o towarze) mieć zbyt; iść; cieszyć się popy-
tem 2. być do sprzedania; building lots to ~
parcele do nabycia 3. (o towarze) być sprzedawa-
nym (at x po x); wheat is ~ing at __ pszenicę
sprzedaje się po... 4. am umieć sprzedawać
 ~ back vt odprzeda-ć/wać
 ~ off Ⅰ vt wyprzeda-ć/wać <zby-ć/wać>
 (resztki itd.) Ⅱ vi z/likwidować przedsiębiorstwo
 ~ out Ⅰ vt wyprzeda-ć/wać; wyzby-ć/wać
 się (a stock of goods etc. zapasu towarów
 itd.); to be sold out of sth już nie mieć
 więcej czegoś na składzie; I am sold out of
 tennis-shoes <pine-apples etc.> nie mam już
 (na składzie) <zabrakło mi> tenisówek <ana-
 nasów itd.> Ⅱ vi 1. z/likwidować przedsiębiorstwo 2. hist sprzeda-ć/wać patent oficerski; wy-jść/chodzić z armii
 ~ up vt z/licytować (dłużnika)
zob selling Ⅱ s pot klapa, zawód; zawiedzione
oczekiwania <nadzieje>; what a ~! ale klapa!
klapa na całego!
seller ['selə] s 1. sprzedaw-ca/czyni 2. ekspedient/
ka (sklepow-y/a) ‖ a good ~ pokupny <pot
chodliwy> towar; atrakcyjny artykuł; a best ~
książka rozchwytywana; bestseller
selling ['seliŋ] Ⅰ s sprzedaż; zbyt Ⅱ attr sprze-
dażny; (o cenie) sprzedaży
seltzer ['seltsə] s (także ~ water) woda sodowa
seltzogene ['seltsə͵dʒiːn] = gasogene
selvage, selvedge ['selvidʒ] s 1. tekst krajka; brzeg
fabryczny (sukna itd.) 2. obwódka; szlak 3. blaszka zamkowa 4. górn kraj <brzeg> żyły
selvagee ['selvədʒiː] s mar (gruba, mocna) lina
selvedge zob selvage
selves zob self
semantic [si'mæntik] adj log jęz semantyczny
semantics [si'mæntiks] s log jęz semantyka
semaphore ['semə͵fɔː] Ⅰ s 1. kolej semafor 2.
wojsk sygnalizator Ⅱ vt vi za/sygnalizować

semasiological [si͵meisiə'lɔdʒikəl] *adj jęz* semazjologiczny

semasiology [si͵meisi'ɔlədʒi] *s jęz* semazjologia

semblance ['semblǝns] *s* 1. poz-ór/ory 2. (zewnętrzny) wygląd

semé(e) ['semei] *adj herald* usiany (**of** <**with**> **sth** (czymś)

semeiology [͵si:mai'ɔlədʒi] = **semiology**

semeiotics [͵si:mai'ɔtiks] = **semiotics**

semen ['si:men] *s fizj* płyn nasienny, nasienie, sperma

semester [si'mestə] *s* semestr, półrocze

semi- ['semi-] *praef* pół-; na wpół-; częściowo...; przy-

semiannual [͵semi'ænjuəl] *adj* półroczny

semibarbarian ['semi-bɑ:'bɛəriən] *adj* półdziki

semibreve ['semi͵bri:v] *s muz* cała nuta

semicircle ['semi͵sə:kl] *s* półkole

semicircular ['semi͵sə:kjulə] *adj* półkolisty

semicolon ['semi'koulən] *s* średnik

semi-demi-semiquaver ['semi͵demi'semi͵kweivə] *s muz* sześćdziesięcioczwórka; (jedna) sześćdziesiątaczwarta (część nuty)

semi-detached ['semi-di'tætʃt] *adj* (*o domu*) bliźniaczy <dwurodzinny>

semidiameter ['semi-dai'æmitə] *s mat* promień

semidiurnal ['semi-dai'ə:nl] *adj* półdobowy

semidome ['semi-doum] *s* półkopuła

semi-final ['semi'fainl] *s sport* półfinał

semifluid ['semi'fluid] *adj* półciekły, półpłynny

semilunar ['semi'lu:nə] *adj* (*także med*) półksiężycowaty

semilune ['semilu:n] *s* półksiężyc

semi-manufactured ['semi͵mænju'fæktʃəd] *adj z rzeczownikiem*: a ∼ **article** półfabrykat; ∼ **goods** półfabrykaty

semi-metallic ['semi-mi'tælik] *adj chem* półmetaliczny

seminal ['seminl] *adj fiz* nasienny; ∼ **principles** zasady brzemienne w skutki; **in the** ∼ **state** w zarodku

seminar ['semi͵nɑ:] *s uniw* seminarium

seminarist ['seminərist] *s* kleryk

seminary ['seminəri] *s* 1. (*także* **theological** ∼) seminarium (duchowne) 2. = **seminar** 3. uczelnia; szkoła ‖ a ∼ **of vice** gniazdo rozpusty

semination [͵semi'neiʃən] *s* 1. wprowadz-enie/anie nasienia; zapł-odnienie/adnianie; inseminacja 2. *bot* rozsiewanie (nasion)

seminiferous [͵semi'nifərəs] *adj* 1. *anat* wytwarzający <doprowadzający> nasienie 2. *bot* nasienny, nasieniowy

semioccasionally ['semi-ə'keiʒnˌli] *adv* od czasu do czasu; dość rzadko

semi-official ['semi-ə'fiʃəl] *adj* półurzędowy; półoficjalny; (*o dzienniku*) inspirowany (przez władze <rząd>)

semiology [͵si:mai'ɔlədʒi] *s* 1. *jęz* semiologia 2. *med* = **symptomatology**

semiotics [͵simai'ɔtiks] *s* 1. *jęz* semiotyka 2. *med* = **symptomatology**

semi-precious ['semi'preʃəs] *adj* (*o kamieniu*) półszlachetny

semiquaver ['semi͵kweivə] *s muz* szesnastka

Semite ['si:mait] *s* Semit-a/ka

Semitic [si'mitik] *adj* semicki

semitone ['semi͵toun] *s* półton

semivowel ['semi'vauəl] *s fonet* samogłoska niezgłoskotwórcza

semi-weekly ['semi'wi:kli] *adj* (*o publikacji*) ukazujący się dwa razy w tygodniu

semolina [͵semə'li:nə] *s* kasza manna; grysik

sempiternal [͵sempi'tə:nl] *adj* wieczny; nieśmiertelny

sempstress ['sempstris] = **seamstress**

sen [sen] *s* sen (moneta)

senary ['si:nəri] *adj mat* szóstkowy (system liczenia *itd.*)

senate ['senit] *s* 1. senat 2. rada zarządzająca

senator ['senətə] *s* senator

senatorial [͵senə'tɔ:riəl] *adj* senatorski

send¹ [send] *v* (**sent** [sent], **sent**) ▯ *vt* 1. pos--łać/yłać; wys-łać/yłać; nada-ć/wać (list *itd.*); wy/ekspediować (towar *itd.*); wyprawi-ć/ać <odprawi-ć/ać> (kogoś dokądś); nas-łać/yłać; skierow-ać/ywać (kogoś do szpitala *itd.*); wyb-rać/ierać (kogoś do parlamentu); **to** ∼ **one's love to sb** (listownie *itd.*) kazać uścisnąć <ucałować> kogoś; zasyłać dużo serdeczności komuś; **to** ∼ **sb to bed** kazać komuś się położyć; *pot* wpakować kogoś do łóżka; **to** ∼ **word** zawiad--omić/amiać; da-ć/wać znać 2. (*o Bogu, Opatrzności*) zesłać/zsyłać (deszcz *itd.*); da-ć/wać (zwycięstwo *itd.*); doświadcz-yć/ać (**pestilence etc.** zarazą *itd.*) 3. *radio* wys-łać/yłać; transmitować; nada-ć/wać 4. wystrzel-ić/ać (pocisk, strzałę *itd.*); **the news sent a shiver down my spine** wiadomość ta przejęła mnie dreszczem (zgrozy); **to** ∼ **sb sprawling** (ciosem) powalić kogoś 5. *z przymiotnikiem*: u/czynić (kogoś jakimś); **to** ∼ **sb mad** <**crazy**> doprowadz-ić/ać kogoś do szału 6. s/powodować; wywoł-ać/ywać; (*o lekarstwie*) **to** ∼ **sb to sleep** s/powodować <wywoł-ać/ywać> u kogoś sen 7. (*o Bogu*) sprawi-ć/ać; zrządz-ić/ać; u/czynić (kogoś jakimś); ∼ **him victorious!** daj mu zwycięstwo! ▯ *vi* 1. pos-łać/yłać wiadomość <posłańca> 2. pos-łać/yłać (**for sb, sth** po kogoś, coś)

∼ **along** *vt* przys-łać/yłać

∼ **away** *vt* 1. od-esłać/syłać; odprawi-ć/ać; wyprawi-ć/ać 2. przeg-nać/onić; wypędz-ić/ać

∼ **back** *vt* 1. od-esłać/syłać (z powrotem) 2. odbi-ć/jać (światło)

∼ **down** *vt* 1. pos-łać/yłać na dół 2. (*z Londynu*) pos-łać/yłać (na prowincję) 3. (*z uniwersytetu*) od-esłać/syłać (za karę) na tymczasowy pobyt poza uczelnią; relegować; wydal-ić/ać 4. s/powodować opadnięcie (**sth** czegoś); (*o wietrze*) zepchnąć/spychać (dym — do komina); (*o lekarstwie itd*) **it sent down my temperature** obniżyło mi temperaturę <gorączkę>

∼ **forth** *vt* 1. wydawać (zapach *itd.*) 2. wys--łać/yłać (promienie *itd.*) 3. *bot* wypu-ścić/szczać (liście *itd.*)

∼ **in** *vt* 1. wpu-ścić/szczać (kogoś — do pokoju *itd.*) 2. pos-łać/yłać (bilet wizytowy, rachunek *itd.*); nad-esłać/syłać (pracę, sprawozdanie. obraz na wystawę *itd.*); **to** ∼ **in one's resignation** poda-ć/wać się do dymisji; z/rezygnować <złożyć/składać rezygnację> (ze stanowiska, z godności *itd.*) 3. poda-ć/wać (posiłek)

~ **off** *vt* 1. wys-łać/yłać (kogoś dokądś; coś — list, pakunek itd.); wy/ekspediować 2. odprowadz-ić/ać kogoś na stację; po/żegnać (kogoś) na dworcu <na lotnisku itd.> ~ **on** *vt* 1. przeadresow-ać/ywać (list itd.); skierow-ać/ywać pod zmienionym adresem 2. pos-łać/yłać dalej (rozkaz itd.) ~ **out** *vt* 1. wys-łać/yłać (listy, sygnały itd.); roz-esłać/syłać (okólniki itd.) 2. wyrzuc-ić/ać (kogoś z domu itd.); (*o lokomotywie, kominie itd*) wypu-ścić/szczać (dym); (*o roślinie*) wypu-ścić/szczać (liście) ~ **round** Ⅰ *vt* pu-ścić/szczać (butelkę itd.) w krąg ~<(wiadomość itd.) w obieg> Ⅱ *vi* pos-łać/yłać (kogoś — posłańca itd.) ~ **through** *vt* przes-łać/yłać (wiadomość, depeszę itd.) ~ **up** *vt* 1. podn-ieść/osić; pu-ścić/szczać w górę; pu-ścić/szczać (kogoś) na górę; wypu-ścić/szczać (balon); rzuc-ić/ać w górę <podrzuc-ić/ać> (piłkę itd.); s/powodować podwyżkę (**the prices** cen); **it sent up my temperature** temperatura <gorączka> zaraz mi podskoczyła 2. poda-ć/wać (posiłek, talerz dla nałożenia potrawy) 3. pos-łać/yłać (towar) z prowincji do Londynu

send² [send] Ⅰ *vi* (**sended** ['sendid], **sended**) *mar* zanurz-yć/ać <wbi-ć/jać> się dziobem w falę Ⅱ *s* zanurz-enie/anie, wbi-cie/janie się (statku) dziobem w falę

sender ['sendə] *s* nadaw-ca/czyni; wysyłając-y/a

send-off ['send'ɔ:f] *s* 1. *pot* pożegnanie 2. (*o prasie itd*) *w zwrocie*: **to give (a play etc.) a good** ~ przyj-ąć/mować (sztukę teatr. itd.) życzliwie <pochlebnie>

senega ['senigə], **seneka** ['senikə] *s* 1. *bot* krzyżownica pospolita 2. *farm* korzeń krzyżownicy

senescence [si'nesns] *s* starzenie się

senescent [si'nesnt] *adj* starzejący się

seneschal ['seniʃəl] *s* zarządca dworu średniowiecznego

sengreen ['sengri:n] *s bot* rojnik pospolity

senile ['si:nail] *adj* starczy; zgrzybiały; *med* ~ **decay** uwiąd starczy

senility [si'niliti] *s* starość; zgrzybiałość

senior ['si:njə] Ⅰ *adj* 1. (*o bracie, studencie, oficerze itd*) starszy; ~ **partner** szef (przedsiębiorstwa) 2. starszy rangą (**to sb** od kogoś); **the Senior Service** angielska marynarka wojenna Ⅱ *s* 1. człowiek w starszym wieku 2. człowiek starszy rangą <stanowiskiem>; człowiek bardziej zasłużony; **to be sb's** ~ **by** *x* **years** być o *x* lat starszym od kogoś; **to be** *x* **years** ~ **to sb** być o *x* lat wyżej (na studiach) od kogoś 3. *uniw* student/ka na ostatnim roku

seniority [ˌsini'ɔriti] *s* starszeństwo

senna ['senə] *s bot* senes; *farm* ~ **leaves** <**pods**> liście <strączki> senesu

sennet ['senit] *s hist* fanfara zapowiadająca uroczyste wejście aktorów na scenę

sennight ['senait] *†* *s* tydzień; **to-morrow** ~ a) od jutra za tydzień b) jutro (minie) tydzień

sennit ['senit], **sinnet** ['sinit] *s mar* plecionka

señor ['senjɔ:] *s* (*pl* ~**es**) *hiszp* (*przed nazwiskami*) pan

señora [se'njɔ:rə] *s hiszp* (*przed nazwiskami*) pani

sensation [sen'seiʃən] *s* 1. uczucie (czegoś); dozna-nie/wanie; wrażenie 2. sensacja; ~ **novel** powieść sensacyjna

sensational [sen'seiʃnł] *adj* sensacyjny

sensationalism [sen'seiʃnəˌlizəm] *s* 1. *filoz* sensualizm 2. pogoń za sensacją

sensationalist [sen'seiʃnəlist] *s* 1. *filoz* sensualista 2. rozsiewacz/ka sensacyjnych wiadomości

sensation-monger [sen'seiʃənˌmʌŋgə] = **sensationalist** *s* 2.

▲**sense** [sens] Ⅰ *s* 1. zmysł 2. *pl* ~**s** rozum; rozsądek; przytomność; **frightened out of one's** ~**s** nieprzytomny ze strachu; **have you taken leave of <are you out of> your** ~**s?** czyś stracił rozum?; **in one's (right)** ~**s** przytomny; przy zdrowych zmysłach; rozsądny; **to come to one's** ~**s** a) oprzytomnieć b) opamiętać się; *pot* przestać szaleć <wygłupiać się> 3. zdolność czucia; **has a plant** ~**?** czy roślina czuje? 4. poczucie (humoru, obowiązku itd.); ~ **of locality** zmysł orientacyjny; **the moral** ~ etyka 5. uczucie (przyjemności, wstydu itd.) 6. rozsądek; rozum; sens; **a man of** ~ człowiek rozsądny <rozumny>; **to make** ~ mieć sens; **it makes no** <**does not make any**> ~ to jest bezsensowne; **to talk** ~ mówić rozsądnie; **what's the** ~ **of doing such things?** co za sens robić takie rzeczy?; **you should have more** ~ **than to say such things** powinieneś mieć na tyle rozumu w głowie, żeby nie mówić takich rzeczy 7. nastrój <nastawienie> (zgromadzenia itd.); **to take the** ~ **of** _ zorientować się w nastroju ... (zebrania itd.) 8. znaczenie; sens; zrozumienie; **in a** ~ w pewnym sensie; poniekąd; **in the legal** ~ w rozumieniu prawa; **in the strict** ~ w ścisłym (tego słowa) znaczeniu; **the literal** <**figurative**> ~ znaczenie dosłowne <przenośne> Ⅱ *vt* 1. odczu-ć/wać <po/czuć, przeczu-ć/wać> instynktownie; wyczu-ć/wać 2. z/orientować się w nastroju <w nastawieniu> (**the meeting etc.** zebrania itd.) 3. *am* z/rozumieć

senseless ['senslis] *adj* 1. nieprzytomny; bez czucia; **to knock sb** ~ ogłusz-yć/ać kogoś 2. bezsensowny; nonsensowny; (będący) bez sensu

senselessness ['senslisnis] *s* bezsensowność; nonsens

sensibility [ˌsensi'biliti] *s* 1. *dosł i przen* wrażliwość (skóry, organu, zmysłu, człowieka na coś) 2. emocjonalność 3. *pl* **sensibilities** delikatność uczuć

sensible ['sensəbl] *adj* 1. odczuwalny; dostrzegalny; postrzegalny; (*o zjawiskach itd*) zmysłowy, poznawalny zmysłami 2. (*o wadze itd*) czuły 3. (*o ilości, różnicy itd*) znaczny; pokaźny; poważny 4. świadomy <świadom> (**of sth** czegoś); **to be** ~ **of** _ a) zda-ć/wać sobie sprawę z ... b) doceniać ... (coś); **to become** ~ **of sth** uzmysł-owić/awiać sobie coś 5. rozsądny; mądry; sensowny; (*o ubiorze itd*) racjonalny; praktyczny

sensibleness ['sensəblnis] *s* rozsądek; roztropność

▲**sensitive** ['sensitiv] Ⅰ *adj* 1. czuciowy (dotyczący) zmysłów; czujący; *bot* ~ **plant** mimoza 2. wrażliwy <czuły, uczulony> (**to sth** na coś); (*o instrumencie*) precyzyjny; ~ **paper** papier światłoczuły 3. obraźliwy; drażliwy ☐ *s* człowiek wrażliwy na wpływy psychiczne

sensitiveness ['sensitivnis], **sensitivity** [,sensi'tiviti] *s* wrażliwość <czułość> (na działanie, wpływ itd.)

sensitize ['sensi,taiz] *vt med* uczul-ić/ać

sensitized ['sensi,taizd] *adj med* uczulony

sensitizer ['sensi,taizə] *s med* czynnik uczulający

sensitometer [,sensi'tomitə] *s opt* czułościomierz

sensorial [sen'sɔːriəl] *adj* czuciowy; (*o zmyśle itd*) czucia

sensorium [sen'sɔːriəm] *s* (*pl* **sensoria** [sen'sɔːriə], **~s**) ośrodek <narząd> zmysłów

sensory ['sensəri] *adj* czuciowy

sensual ['sensjuəl] *adj* 1. czuciowy; zmysłowy 2. sensualistyczny

sensualism ['sensjuə,lizəm] *s* 1. *filoz* sensualizm 2. zmysłowość

sensualist ['sensjuəlist] *s filoz* sensualist-a/ka 2. lubieżni-k/ca

sensuality [,sensju'æliti] *s* zmysłowość

sensualize ['sensjuə,laiz] *vt* wyr-obić/abiać zmysłowość (**sb** w kimś)

sensuous ['sensjuəs] *adj* czuciowy; (dotyczący) zmysłów

sent *zob* **send**[1]

sentence ['sentəns] ☐ *s* 1. sentencja 2. wyrok; kara; **a heavy ~** wysoki wymiar kary; **to be under ~ of death** być skazanym na śmierć; **to do <serve> a ~** odby-ć/wać <odsi-edzieć/adywać> karę; **to pass ~ on sb** skaz-ać/ywać kogoś 3. *gram* zdanie; okres ☐ *vt* skaz-ać/ywać (**to death** <*x* **years' imprisonment etc.**> na karę śmierci <na *x* lat więzienia itd.>)

sententious [sen'tenʃəs] *adj* 1. sentencjonalny 2. moralizatorski

sentience ['senʃəns] *s* 1. wrażliwość **na** bodźce zmysłowe 2. odczuwanie zmysłami; czucie

sentient ['senʃənt] *adj* czujący; odczuwający

sentiment ['sentimənt] *s* 1. uczucie; poryw (duszy); sentyment 2. zdanie, opinia, zapatrywanie 3. toast 4. sentymentalność

sentimental [,senti'mentḷ] *adj* sentymentalny

sentimentalist [,senti'mentəlist] *s* człowiek sentymentalny; uczuciowiec

sentimentalize [,senti'mentə,laiz] ☐ *vi* wykaz-ać/ywać sentymentalność; bawić się w sentymenty ☐ *vt* włożyć/wkładać sentyment (**a work** w utwór)

sentinel ['sentinḷ] ☐ *s* 1. wartownik 2. warta; **to stand ~** stać na warcie; trzymać wartę; pełnić służbę wartowniczą ☐ *vt* (**-ll-**) strzec (**sb, sth** kogoś, czegoś)

sentry ['sentri] = **sentinel** *s*

sentry-box ['sentri,bɔks] *s* budka wartownika

sentry-go ['sentri,gou] *s* stanie na warcie; **to be on ~** stać na warcie

sepal ['siːpəl] *s bot* listek <działka> kielicha

separable ['sepərəbl] *adj* odłączny, rozłączny, możliwy do rozdzielenia; dający się rozdzielić <odłączyć>

separate ['sepə,reit] ☐ *vt* 1. rozdziel-ić/ać; oddziel-ić/ać; rozłącz-yć/ać; odłącz-yć/ać; od-erwać/rywać; odseparow-ać/ywać; wyodrębni-ć/ać; przedziel-ić/ać; odgr-odzić/adzać; rozgr-odzić/adzać; **to ~ milk** odciąg-nąć/ać śmietankę z mleka 2. wy/sortować 3. rozszczepi-ć/ać;

roz-łożyć/kładać (na części składowe) ☐ *vi* 1. rozdziel-ić/ać <oddziel-ić/ać, rozłącz-yć/ać, od­łącz-yć/ać, od-erwać/rywać, odseparow-ać/ywać, wyodrębni-ć/ać, roz-ejść/chodzić> się 2. *prawn* wziąć/brać separację ☐ *adj* ['seprit] 1. oddzielny; odrębny; osobny 2. poszczególny; indywidualny ☑ *s* odbitka (artykułu itd.)

▌**separation** [,sepə'reiʃən] *s* 1. rozdziel-enie/anie; rozdział; oddziel-enie/anie; przedziel-enie/anie; rozgr-odzenie/adzanie; rozłącz-enie/anie, rozłąka; odłącz-enie/anie; od-erwanie/rywanie; odseparow-anie/ywanie; wyodrębni-enie/anie; rozszczepi-enie/anie; **~ allowance** zasiłek wypłacany żonom wojskowych; **~ of milk** odciąg-nięcie/anie śmietanki z mleka 2. *prawn* separacja (małżonków) 3. *górn* sortowanie; wzbogacanie

separatism ['sepərə,tizəm] *s* separatyzm

sèparatist ['sepərətist] *s* separatyst-a/ka

separator ['sepə reitə] *s* 1. *techn* separator, oddzielacz; przekładka; podpórka 2. *górn* wzbogacalnik

sepia ['siːpjə] *s* 1. *zoo* sepia 2. sepia (barwnik)

sepoy ['siːpɔi] *s* sipaj (żołnierz indyjski)

sepsis ['sepsis] *s med* posocznica; zakażenie ogólne

sept [sept] *s zw irl* klan

septal ['septl] *adj anat* przegrodowy

septangle ['sept,æŋgl] *s geom* siedmiokąt, siedmiobok

septangular ['sept,æŋgjulə] *adj* siedmiokątny, siedmioboczny

septate ['septeit] *adj* 1. *anat* (*o organie itd*) podzielony przegrod-ą/ami; poprzegradzany 2. *bot* (*o owocu*) z przegrodami

September [səp'tembə] ☐ *s* wrzesień ☐ *attr* wrześniowy

septenary [sep'tiːnəri] *adj* siódemkowy

septennate [sep'tenit] *s* okres siedmioletni

septennial [sep'teniəl] *adj* (*o okresie, kadencji itd*) siedmioletni

septet(te) [sep'tet] *s muz* septet

▌**septic** ['septik] *adj med* septyczny, zakaźny; posocznicowy

septic(a)emia [,septi'siːmjə] *s med* posocznica

septillion [sep'tiliən] *s* septylion (= 10^{42}; *fr am* = 10^{24})

septuagenarian ['septjuədʒi'neəriən] ☐ *s* sta-rzec/ruszka siedemdziesięcioletni/a <w wieku 70 — 80 lat> ☐ *adj* siedemdziesięcioletni

Septuagesima [,septjuə'dʒesimə] *s kośc* trzecia niedziela przed Wielkim Postem <starozapustna>; Siedemdziesiątnica

septum ['septəm] *s* (*pl* **septa** ['septə]) *anat* przegroda (nosowa itp.); przedział; ściana; *bot* przegroda (w owocu)

septuple ['septjupl] ☐ *adj* siedmiokrotny ☐ *s* siedmiokrotność ☐ *vt* pomn-ożyć/ażać <po­większ-yć/ać> siedmiokrotnie; mnożyć przez siedem

sepulchral [si'pʌlkrəl] *adj* (*o kamieniu, głosie itd*) grobowy

sepulchre ['sepəlkə] ☐ *s* grób ☐ *vt* 1. złożyć/składać do grobu 2. *dosł i przen* być grobem (**sb** dla kogoś)

sepulture ['sepəltʃə] *s* grzebanie (martwych); złożenie/składanie do grobu

sequacious [si'kweiʃəs] *adj* 1. niesamodzielny;

(*o naśladownictwie itd*) niewolniczy 2. (*o argumencie itd*) logicznie powiązany

sequel ['si:kwəl] *s* dalszy ciąg; następstwo; wynik

sequela [si'kwi:lə] *s* (*pl* **sequelae** [si'kwi:li:]) 1. *med* następstwa 2. *log* następstwo 3. *log* wniosek

sequence ['si:kwəns] *s* 1. następstwo; kolejność; porządek (rzeczy); bieg (wydarzeń); *gram* ~ **of tenses** następstwo czasów 2. *muz* sekwencja 3. *karc* sekwens

sequent ['si:kwənt] *adj* 1. następny; następujący; kolejny 2. wynikły (**to** <**on, upon**> **sth** z czegoś)

sequential [si'kwenʃəl] *adj* 1. = **sequent** 2. ciągły

sequester [si'kwestə] □ *vt* 1. oddziel-ić/ać; od-erwać/rywać; od/izolować; odos-obnić/abniać 2. s/konfiskować; na-łożyć/kładać sekwestr (**sb's property** na czyjeś mienie) □ *vr* ~ **oneself** od-erwać/rywać <odseparow-ać/ywać> się □ *vi* (*o wdowie*) z/rezygnować z mienia po mężu *zob* **sequestered**

sequestered [si'kwestəd] □ *zob* **sequester** □ *adj* odosobniony; (*o życiu*) pustelniczy

sequestrate [si'kwestreit] = **sequester** *vt* 2.

sequestration [,si:kwes'treiʃən] *s* 1. odosobnienie 2. sekwestr; konfiskata

sequestrum [si'kwestrəm] *s* (*pl* **sequestra** [si'kwestrə]) *med* martwak; sekwestr

sequin ['si:kwin] *s* cekin

sequoia [si'kwɔiə] *s bot* sosnogron, drzewo mamutowe

seraglio [se'rɑ:li,ou] *s* seraj

serai [se'rai] *s* karawanseraj

serang [sə'ræŋ] *s* bośman malajski

seraph ['serəf] *s* (*pl* ~**im** ['serəfim], ~**s**) seraf, serafin

seraphic [se'ræfik] *adj* seraficki, seraficzny

Serb [sə:b], **Serbian** ['sə:bjən] □ *s* 1. Serb/ka 2. język serbski □ *adj* serbski

Serbo-Croat ['sə:bou'krouət] *s* Serbochorwat/ka

Serbonian [sə:'bounjən] *adj w zwrocie*: ~ **bog** trudna sytuacja

sere[1] [siə] *adj poet* uschnięty; zwiędły

sere[2] [siə] = **sear**[2]

serein [sə'ræn] *s* (*w krajach tropikalnych*) drobny deszcz padający z bezchmurnego nieba

serenade [,seri'neid] □ *s* serenada □ *vt vi* za/śpiewać serenadę (**sb** komuś)

serenader [,seri'neidə] *s* (*człowiek*) śpiewający serenadę

serene [si'ri:n] *adj* 1. jasny; spokojny; pogodny; bezchmurny; *pot* **all** ~ ! wszystko w porządku! 2. (*w tytule*) **His Serene Highness** Jaśnie Oświecony

serenity [si'reniti] *s* spokój; pogoda; łagodne usposobienie; (*w tytule*) **Your Serenity** Wasza Książęca Mość

serf [sə:f] *s hist* chłop pańszczyźniany; poddany; *przen* niewolnik

serfage ['sə:fidʒ], **serfdom** ['sə:fdəm] *s hist* poddaństwo; *przen* niewolnictwo

serge [sə:dʒ] *s tekst* 1. serża (ubraniowa) 2. serża (podszewkowa) przetykana jedwabiem

‡**sergeant** ['sɑ:dʒənt] *s* 1. *wojsk* sierżant 2. sierżant policji 3. *hist* (*także* **serjeant**) adwokat wyższej kategorii

sergeant-at-arms ['sɑ:dʒənt-ət'ɑ:mz] (*pl* **sergeants--at-arms** ['sɑ:dʒənts-ət'ɑ:mz]) *s* funkcjonariusz

dworu <sądu, parlamentu, zarządu miasta> pełniący obowiązki natury porządkowej i reprezentacyjnej na uroczystościach

sergeant-major ['sɑ:dʒənt'meidʒə] *s* (*pl* **sergeants--major** ['sɑ:dʒənts'meidʒə]) *wojsk* starszy sierżant

sergette [sə:'dʒet] *s tekst* cienka serża *zob* **serge**

serial ['siəriəl] □ *adj* 1. seryjny; kolejny; periodyczny; (*o numerze*) porządkowy 2. (*o utworze lit*) wydawany w odcinkach; ~ **rights** prawo przedrukowania w odcinkach; ~ **writer** felietonist-a/ka □ *s* 1. powieść <nowela itd.> wychodząca w odcinkach 2. periodyk

serialize ['siəriə,laiz] *vt* 1. ułożyć/układać seryjnie 2. wyda-ć/wać w odcinkach

seriate ['siəriit], **seriated** ['siəri,eitid] *adj* ułożony seryjnie

seriatim [,siəri'eitim] *adv* kolejno; jedno po drugim; punkt po punkcie; po porządku

sericeous [si'riʃəs] *adj* jedwabisty

seri(ci)culture [,siri(si)'kʌltʃə] *s* hodowla jedwabników

series ['siəri:z] *s* (*pl* ~) seria; szereg; ciąg; łańcuch (wydarzeń); *mat* szereg; *geol* seria, grupa; **in** ~ a) seryjnie b) *elektr* połączony szeregowo

serin ['serin] *s zoo* odmiana kanarka

seringa [si'riŋgə] *s* brazylijskie drzewo kauczukowe

serio-comic ['siəri,ou'kɔmik] *adj* (*o utworze*) humorystyczny z poważną pointą

serious ['siəriəs] *adj* (*o sprawie, minie, chorobie itd*) poważny; (*o namyśle*) gruntowny; **are you** ~? czy mówi-sz/cie poważnie <serio>?; **and now, to be** ~ a teraz żarty na bok

seriousness ['siəriəsnis] *s* powaga; poważny charakter (tematu itd.); **in all** ~ zupełnie poważnie

serjeant ['sɑ:dʒənt] = **sergeant** 3.

serjeant-at-arms ['sɑ:dʒənt-ət'ɑ:mz] = **sergeant--at-arms**

sermon ['sə:mən] □ *s* 1. *kość* kazanie 2. strofowanie □ *vt* strofować; upom-nieć/inać □ *vi dosł i przen* wygl-osić/aszać kazani-e/a

sermonize ['sə:mə,naiz] = **sermon** *v*

serology [siə'rɔlədʒi] *s* serologia

sero-purulent ['siərou'pjuərulənt] *adj med* surowiczo-ropny

serosa [siə'rousə] *s anat* błona surowicza

serosity [siə'rɔsiti] *s* surowica

serotine ['serətin] *s zoo* nietoperz mroczek

serotinous [siə'rɔtinəs] *adj bot* późnokwitnący

serous ['siərəs] *adj med* surowiczy

Serpens ['sə:penz] *spr astr* Wąż (gwiazdozbiór)

serpent ['sə:pənt] *s* 1. *zoo* wąż; *lit* (**the** (**old**) **Serpent** diabeł 2. *astr* **the Serpent** = **Serpens**

serpentary ['sə:pəntəri] = **serpent grass**

serpent-charmer ['sə:pənt'tʃɑ:mə] *s* zaklinacz wężów

serpent-eater ['sə:pənt,i:tə] *s zoo* sekretarz (ptak afrykański)

serpent-grass ['sə:pənt,grɑ:s] *s bot* rdest wężownik

serpentine ['sə:pən,tain] □ *adj* 1. wężowaty; wężykowaty; wijący się; kręty 2. wężowy; (*o chytrości itd*) węża 3. chytry □ *s* 1. *miner* serpentyn 2. *techn* wężownica 3. **the Serpentine** staw w londyńskim Hyde Parku □ *vi* wić się

serpiginous [sə:'pidʒinəs] *adj med* (*o chorobie skóry*) pełzający

serradilla [ˌserəˈdilə] s *bot* seradela

serrate [ˈserit], serrated [seˈreitid] *adj anat bot zoo* ząbkowany; zębaty; żłobkowany; nacinany

serration [seˈreiʃən] s *anat bot zoo* ząbkowanie; żłobkowanie; nacinanie

serrefile [ˈserəˌfail] s (*zw pl*) wojskowi zamykający pochód kolumny

serried [ˈserid] *adj* (*o szeregach wojsk, rzędzie drzew itd*) zwarty

serrulate(d) [ˈseruˌleit(id)] *adj* drobnoząbkowany

serum [ˈsiərəm] s (*pl* ~s, sera [ˈsiərə]) 1. surowica; ~ sickness choroba posurowicza 2. serwatka

serval [ˈsəːvl̩] s *zoo* serwal (zwierzę z rodziny kotów)

servant [ˈsəːvənt] s 1. (*także* domestic ~) słu-żąc-y/a; general ~ pomocnica do wszystkiego; indoor ~ lokaj; kucha-rz/rka; pokoj-owiec/ówka itd.; outdoor ~ parobek; ogrodnik itd.; *wojsk* officer's ~ ordynans; the ~ question problem pomocy <służby> domowej 2. *pl* ~s służba domowa; ~s' hall jadalnia dla służby 3. sługa; public <civil> ~ urzędnik państwowy; człowiek zatrudniony w służbie państwowej; railway company's ~s pracownicy kolejowi; kolejarze; urzędnicy kolejowi; (*w zakończeniu listu*) Your obedient ~ proszę przyjąć wyrazy głębokiego poważania

servant-girl [ˈsəːvəntˌgəːl], servant-maid [ˈsəːvəntˌmeid] s 1. pokojówka 2. pomocnica domowa; służąca

serve [səːv] ① *vt* 1. służyć (sb, sth, one's country etc. komuś, czemuś, krajowi itd.); to ~ one's own interests pamiętać o sobie 2. służyć <być pożytecznym, być pomocnym, przysłużyć się, odda-ć/wać usługi> (sb, sth, society etc. komuś, czemuś, społeczeństwu itd.) 3. służyć (mass do mszy) 4. odby-ć/wać (an office kadencję; one's apprenticeship naukę, praktykę); to ~ one's time odby-ć/wać kadencję; to ~ time <a sentence> odsi-edzieć/adywać karę <wyrok> 5. służyć <odpowiadać> (a <its> purpose jakie-muś <swemu> celowi); służyć (sb as <for> _ komuś za ... — łóżko, poduszkę itd.); nada-ć/wać się (sth do czegoś); zadow-olić/alać; it ~s the turn <need> to spełnia swoje zadanie 6. wy/starczać (sb for _ komuś na ... — jakiś czas) 7. obsłu-żyć/giwać; (*w sklepie*) sprzeda-ć/wać <poda-ć/wać> (customers with goods towary klientom); ekspediować 8. dostarcz-yć/ać (sth czegoś, coś); zaopat-rzyć/rywać (a town etc. with gas etc. miasto itd. w gaz itd.); (*o linii kolejowej itd*) to ~ a region zapewni-ć/ać komunikację w danej okolicy 9. poda-ć/wać (sb with sth komuś coś); to ~ sb with the same sauce odpłacić (się) komuś pięknym za nadobne 10. poda-ć/wać (coś do stołu); tea <dinner etc.> is ~d podwieczorek <kolacja itd.> na stole; meat ~d with vegetables mięso poda-ne/wane z ja-rzynami 11. *prawn w zwrocie:* to ~ a writ <summons> on sb, to ~ sb with a writ <summons> wręcz-yć/ać komuś nakaz sądowy <po-zew> .12. po/traktować; post-ąpić/ępować; (sb well <badly etc.> dobrze <źle itd.> wobec kogoś <z kimś>); ob-ejść/chodzić się (sb well <badly etc.> dobrze <źle itd.> z kimś); it ~s you right

for being so careless masz za to, że jesteś taki niedbały; ~s him right! dobrze mu tak!; to ~ sb a trick <a trick on sb> s/płatać komuś figla 13. (*o ogierze itd*) po/kryć 14. *mar* obwiąz-ać/ywać (koniec liny) 15. *sport w zwrocie:* to ~ a ball za/serwować ② *vi* 1. służyć (u kogoś) 2. zasiadać (on a committee etc. w komitecie itd.); spełniać funkcje (as _ jako...); sprawo-wać urząd 3. służyć w wojsku <w marynarce, milicji> 4. odsi-edzieć/adywać karę 5. obsłu-żyć/giwać; poda-ć/wać (at table do stołu); (*w skle-pie*) ekspediować 6. (*o przedmiocie, okoliczno-ści itd*) po/służyć (as _ za ...); it ~s to show _ to (najlepiej) dowodzi ... 7. nada-ć/wać się 8. *kośc* służyć do mszy 9. *sport* za/serwować 10. (*o pogodzie itd*) być pomyślnym; (*o oko-licznościach itd*) nadarz-yć/ać się; pomyślnie się złoży-ć/składać 11. (*o pamięci*) nie zaw-ieść/odzić

~ out <round> *vt* 1. rozda-ć/wać (prowizję, amunicję itd.) 2. odpłac-ić/ać się (sb for sth komuś za coś)

~ up *vt* poda-ć/wać (potrawę do stołu)

③ s *sport* serwis, *pot* serw

Servian [ˈsəːvjən] = Serbian

service¹ [ˈsəːvis] ① s 1. służba <praca> (with sb u kogoś); to go out to <go into> ~ iść do służ-by <na służbę> 2. służba (państwowa, konsu-larna, w wojsku, marynarce itd.); to do one's ~ odby-ć/wać służbę wojskową 3. urząd; służ-ba (zdrowia itd.); public ~ instytucje uży-teczności publicznej 4. przewóz; transport; bus <railway etc.> ~ komunikacja <połączenie> auto-busow-a/e <kolejow-a/e itd.>; there is a train <steamer etc.> ~ to _ pociągi <statki itd.> kur-sują do ... 5. zaopatrzenie (w wodę, prąd, gaz); instalacja (gazowa, elektryczna); wodociąg 6. (*także* branch of ~) rodzaj broni; the three ~s wojsko, marynarka wojenna i lotnictwo; to en-ter the ~ wstąpić do wojska <do marynarki, lotnictwa>; to quit the ~ zrzucić mundur; *pot* pójść do cywila 7. przysługa; grzeczność; usłu-ga; to do sb a ~ oddać <wyświadczyć> komuś przysługę 8. dyspozycja (czyjaś); rozporządzenie (czyjeś); at your ~! do usług!; I am at your ~ proszę mną rozporządzać; jestem do pańskiej <twojej, waszej> dyspozycji 9. użyteczność, pomoc; can I be of ~? czy mogę w czymś po-móc?; it will be of ~ to się przyda; (*o przed-miocie*) to do ~ odda-ć/wać usługi; służyć 10. *pl* ~s zasługi; to render ~s to a cause odda-ć/wać usługi sprawie; położyć zasługi dla sprawy 11. *kośc* nabożeństwo 12. obsługa (w hotelu itd.) 13. *sport* serwis, *pot* serw 14. *prawn* za-wiadomienie; wręczenie <doręczenie> (nakazu itd.) 15. serwis (stołowy) 16. *mar* obwiązanie (liny, końca liny) 17. dogląd; naprawa wyko-nana w ramach gwarancji itd.; *auto* obsługa ② *attr* 1. służbowy; wojskowy; *wojsk* regula-minowy; przepisowy; fasowany; ~ dress mun-dur zwyczajny (w odróżnieniu od galowego) 2. obsługowy; (*o schodach itd*) dla służby; (*o stacji*) obsługi i napraw (samochodów itd.); *radio* ~ area zasięg prawidłowego odbioru; ~ flat mieszkanie z obsługą i posiłkami dostarcza-nymi przez właściciela domu; ~ hatch okienko do podawania potraw z kuchni ③ *vt* doglądać

(**sth** czegoś — przedmiotu sprzedanego z gwarancją); s/kontrolować; naprawi-ć/ać (samochód, odbiornik radiowy itd. w ramach gwarancji); **to need servicing** wymagać naprawy
service² [ˈsəːvis] s (zw ~-tree) s bot jarzębina
serviceable [ˈsəːvisəbl] adj 1. (o przedmiocie, maszynie itd) nadający się do użytku; w dobrym stanie; pot na chodzie 2. (o człowieku) usłużny; chętny 3. (o przedmiocie, sprzęcie) pożyteczny; użyteczny; przydatny; praktyczny; wygodny 4. (o ubraniu itd) trwały; mocny
serviceableness [ˈsəːvisəblnis] s 1. dobry stan (maszyny itd.) 2. usłużność 3. pożyteczność; użyteczność; praktyczność 4. trwałość (ubrania itd.)
service-line [ˈsəːvisˌlain] s tenis linia serwisowa <pot serwowa>
service-pipe [ˈsəːvisˌpaip] s doprowadzenie (wody, gazu); rura zasilająca
service-tree [ˈsəːvisˌtriː] = **service²**
serviette [ˌsəːviˈet] s serwetka
servile [ˈsəːvail] adj 1. niewolniczy; hist ~ war bunt niewolników 2. służalczy; upadlający <płaszczący> się
servilism [ˈsəːviˌlizəm] s serwilizm
servility [seːˈviliti] s 1. niewolniczość 2. służalczość; upodlenie <płaszczenie> się
servitor [ˈsəːvitə] s 1. † poet sługa 2. hist uniw (w Oxfordzie) stypendysta
servo-control [ˈsəːvouˌkənˈtroul] s techn sterowanie posiłkowe
Servo-Croat [ˈsəːvouˈkrouət] = **Serbo-Croat**
servo-mechanism [ˈsəːvouˈmekəˌnizəm] s serwomechanizm
servo-motor [ˈsəːvouˌmoutə] s auto silnik wykonawczy, siłownik, serwomotor
sesame [ˈsesəmi] s 1. bot sezam; ~ oil olej sezamowy 2. przen sezam; **open** ~! Sezamie, otwórz się!
sesamoid [ˈsesəˌmɔid] □ adj 1. bot łogowaty 2. anat trzeszczkowy; ~ **bone** trzeszczka □ s anat trzeszczka
seseli [ˈsesəli] s bot koprownik
sesqui- [ˈseskwi-] praef półtora-
sesquialteral [ˌseskwiˈæltərəl] adj mat mający się <pozostający> w stosunku (jak) 3 : 2
sesquioxide [ˌseskwiˈɔksaid] s chem tlenek złożony z 3 atomów tlenu i 2 atomów innego pierwiastka
sesquipedalian [ˈseskwipiˈdeiljən] adj żart (o wyrazie) przydługi; (o stylu itd) pedantyczny, ciężki
sessile [ˈsesil] adj bot (o liściu) siedzący
session [ˈseʃən] s 1. sesja; **to be in** ~ obradować 2. uniw trymestr 3. am szkoc rok akademicki 4. prawn rozprawa sądowa o drobne przestępstwa
sesterce [ˈsestəːs], **sestertius** [sesˈtəːʃəs] s (pl **sestertii** [sesˈtəːʃiˌai]) sestercja
sestercium [sesˈtəːʃiəm] s (pl **sestercia** [sesˈtəːʃiə]) tysiąc sestercji
sestet [sesˈtet] s 1. muz sekstet 2. prozod ostatnie dwie zwrotki <6 wierszy> sonetu
sestina [sesˈtiːnə] s prozod sestyna
set¹ [set] v (**set, set; setting** [ˈsetiŋ]) □ vt 1. umie-ścić/szczać; u/sadowić; posadzić/sadzać; postawić/stawiać; położyć/kłaść; **to** ~ **a box on its end** postawić/stawiać <ustawi-ć/ać> skrzy-

nię pionowo; **to** ~ **a hen on eggs** posadzić/sadzać kurę na jajach; **to** ~ **eggs** pod-łożyć/kładać (kurze) jaja (do wysiadywania); **to** ~ **foot** _ stanąć... (gdzieś); **to** ~ **sb on his feet** postawić/stawiać kogoś na nogi; **to** ~ **things one on another** ułożyć/układać rzeczy jedna na drugą 2. ustawi-ć/ać (krzesła itd.); ułożyć/układać; **to** ~ **insects** rozpinać <przyszpilać> owady; **to** ~ **one's hair** ułożyć/układać sobie włosy; **to** ~ **the table** nakry-ć/wać do stołu; **to** ~ **type** złożyć/składać (czcionki do druku) 3. przy-łożyć/kładać (**one's hand to** _ rękę do ... — czegoś); **to** ~ **one's lips to** _ dot-knąć/ykać ustami...; **to** ~ **one's lips to a bugle** <a bugle to one's lips> przy-łożyć/kładać trąbkę do ust; **to** ~ **one's name** <hand, signature> **to a document** podpis-ać/ywać dokument; **to** ~ **one's seal to** _ przybi-ć/jać pieczęć na ...; przen **to** ~ **one's shoulder to the wheel** zabrać się na serio do pracy; przen zakasać rękawy; **to** ~ **one's teeth** zacis-nąć/kać zęby; **to** ~ **one's wits to a question** po/głowić się nad sprawą; **to** ~ **fire to** _ a) zapal-ić/ać ... b) podpal-ić/ać ...; **to** ~ **pen to paper** zacz-ąć/ynać pisać; **to** ~ **spurs to a horse** spi-ąć/nać konia ostrogami; **to** ~ **the axe to** _ ści-ąć/nać siekierą ... (drzewo itd.); **to** ~ **words to music** s/komponować muzykę do słów 4. na/regulować (zegar itd.); nakierow-ać/ywać; zestawi-ć/ać; z/montować; nastawi-ć/ać (zegarek, aparat, pułapkę itd.); złożyć/składać (złamaną kość itd.); **to** ~ **a piano** na/stroić fortepian <pianino>; **to** ~ **a razor · przeciąg-nąć/ać brzytwę na pasku; **to** ~ **a saw** rozw-ieść/odzić piłę; **to** ~ **eyes on sth** zobaczyć coś; **to** ~ **one's affections on sb** pokochać kogoś; zapałać miłością do kogoś; **to** ~ **one's heart** <mind> **on having** <doing etc.> **sth** a) uprzeć się, że się musi coś mieć <zrobić itd.> b) zapragnąć czegoś; **to** ~ **one's hopes on sth** z/wiązać swe nadzieje z czymś; **to** ~ **one's life on a chance** postawić/stawiać życie na jedną kartę; **to** ~ **sail** podn-ieść/osić żagle 5. osadz-ić/ać (brylant itd.); umocow-ać/ywać; wbi-ć/jać (pal do ziemi itd.) 6. doprowadz-ić/ać (do pewnego stanu, porządku); **to** ~ **at liberty** <free> uw-olnić/alniać; **to** ~ **at rest** uspok-oić/ajać; **to** ~ **in motion** <going> pu-ścić/szczać <wprawi-ć/ać> w ruch; uruch-omić/amiać; **to** ~ **in order** u/porządkować; **to** ~ **on fire** a) zapal-ić/ać b) podpal-ić/ać; przen he won't ~ **the Thames on fire** on prochu nie wynajdzie <nie wymyśli>; **to** ~ **people by the ears** <at variance, at loggerheads> po/kłócić ludzi; **to** ~ **right** naprawi-ć/ać (maszynę, stosunki itd.); **to** ~ **sb right** objaśni-ć/ać kogoś; **to** ~ **sb at ease** a) stworzyć komuś atmosferę nieskrępowaną <swobodną> b) rozpr-oszyć/aszać czyjeś obawy; **to** ~ **straight** wyprostow-ać/ywać; na-prostow-ać/ywać; **to** ~ **the table** <company> **laughing** <in a roar> wywoł-ać/ywać ogólny śmiech 7. zasadz-ić/ać <zapędz-ić/ać> (**sb to work** <to doing sth> kogoś do pracy <do robienia czegoś>) 8. da-ć/wać (przykład, zadanie <zagadnienie> do rozwiązania); zada-ć/wać (pytanie); postawić/stawiać (za wzór) 9. ustal-ić/ać (normę, cenę, datę itd.); oznacz-yć/ać (datę itd.); wyznacz-yć/ać (cenę itd.); **to** ~ **a price on sb's**

head na-łożyć/kładać cenę na czyjąś głowę; **to ~ the fashion** wprowadz-ić/ać <zaprowadz-ić/ać, po/dyktować, lansować> modę; **to ~ the pace** nada-ć/wać tempo 10. oprawi-ć/ać; za/inscenizować; da-ć/wać oprawę <tło, ramy> (**sth** czemuś); obsadz-ić/ać <pokry-ć/wać, usiać> (powierzchnię czymś); **to ~ a bed with pansies** obsadz-ić/ać grządkę bratkami; **to ~ a field with daisies** <**the sky with stars**> usiać pole stokrotkami <niebo gwiazdami>; **to ~ gold with gems** oprawi-ć/ać klejnoty w złoto; **to ~ the top of a wall with broken glass** wy-łożyć/kładać szczyt muru odłamkami szkła 11. *z przyimkami przy dopełnieniu dalszym:* **~ against; to ~ one's face against sth** sprzeciw-ić/ać się czemuś; zaj-ąć/mować wrogie stanowisko wobec czegoś; **to ~ sb against** __ wrogo nastawi-ć/ać <uprzedz-ić/ać, zra-zić/żać> kogoś do...; **to ~ sth against sth** a) zestawi-ć/ać <porówn-ać/ywać> coś z czymś b) przeciwstawi-ć/ać coś czemuś; **~ at; to ~ a dog at** __ po/szczuć psa na...; **~ on; to ~ a dog on sb** po/szczuć psa na kogoś; **to ~ sb on sb** pod/judzić kogoś na kogoś <przeciw komuś>; **~ over; to ~ sb over other people** da-ć/wać komuś władzę nad innymi ⟨II⟩ *vi* 1. (*o słońcu itd*) za-jść/chodzić 2. (*o sławie itd*) wygas-nąć/ać 3. osiąg-nąć/ać pełnię rozwoju; (*o ciele*) rozwi-nąć/jać się 4. (*o charakterze, pogodzie itd*) ustal-ić/ać się 5. (*o budowli*) osi-ąść/adać 6. (*o ubiorze*) leżeć (na kimś) 7. (*o twarzy*) z/nieruchomieć 8. (*o twarzy, rysach*) przyb-rać/ierać zacięty wyraz 9. (*o oczach*) stanąć w słup 10. (*o złamanej kości*) zr-osnąć/astać się 11. (*o pączku, owocu*) zawiąz-ać/ywać się 12. (*o mleku*) zsi-ąść/adać się; (*o galarecie*) stanąć; (*o cieczy*) s/krzepnąć; s/tężeć; zastyg-nąć/ać 13. (*o cemencie*) wiązać 14. (*o psie*) wystawi-ć/ać (zwierza) 15. ustal-ić/ać się; wziąć/brać kierunek; (*o wietrze*) dąć w kierunku ...; (*o prądzie*) s/kierować się ku ... 16. (*o morzu*) być w stanie przypływu 17. (*o morzu*) być w stanie odpływu; uby-ć/wać 18. *z przyimkami:* **~ about** zab-rać/ierać się <przyst-ąpić/ępować> (**sth** do czegoś); **to ~ about a piece of work** zab-rać/ierać się <przyst-ąpić/ępować> do zadania <do pracy>; **to ~ about doing sth** zab-rać/ierać się do (zrobienia) czegoś; **to ~ about sb** napa-ść/dać na kogoś; **~ to; to ~ to work etc.** zab-rać/ierać się do dzieła <do pracy, roboty> itd.

~ about *vt* pu-ścić/szczać (pogłoskę itd.)
~ apart *vt* 1. od-łożyć/kładać (pieniądze itd.); za/rezerwować 2. rozdziel-ić/ać; oddziel-ić/ać
~ aside *vt* 1. od-łożyć/kładać (pieniądze) 2. od-łożyć/kładać na bok; wysortow-ać/ywać 3. usu-nąć/wać na bok; po/zostawi-ć/ać na boku; nie uwzględni-ć/ać <nie wziąć/brać pod uwagę> (**sth** czegoś); z/ignorować 4. *prawn* uchyl-ić/ać; odrzuc-ić/ać; unieważni-ć/ać; anulować
~ back *vt* 1. cof-nąć/ać 2. za/hamować; powstrzym-ać/ywać postępy (**sth** czegoś); powstrzym-ać/ywać (kogoś) w postępach 3. *am sl* kosztować; **it ~ me back 100 bucks** kosztowało mnie to 100 dolarów
~ by *vt* od-łożyć/kładać (pieniądze)
~ down ⟨I⟩ *vt* 1. położyć/kłaść; postawić/sta-

wiać 2. (*o pociągu itd*) dow-ieźć/ozić (pasażerów, przesyłki) 3. odstawi-ć/ać; odw-ieźć/ozić (**sb down at his door** kogoś do domu) 4. (*także* **to ~ down in writing**) na/pisać 5. zapis-ać/ywać (kogoś na coś) 6. przypis-ać/ywać (**sth down to sb, sth** coś komuś, czemuś) 7. mieć <wziąć/brać> (**sb down as** __ kogoś za... — artystę itd.) 8. ustal-ić/ać (zasadę, regułę) 9. † *pot* utrzeć nosa (**sb** komuś) ⟨III⟩ *vr* **~ oneself down** poda-ć/wać się (**as** __ za...)

~ forth ⟨I⟩ *vt* przyt-oczyć/aczać <przed-łożyć/kładać> (argumenty itd.); przedstawi-ć/ać; wysu-nąć/wać (teorię itd.) ⟨II⟩ *vi* wyrusz-yć/ać w drogę <wyje-chać/żdżać> (**for** __ do...)
~ forward *vt* 1. wysu-nąć/wać; podsu-nąć/wać (komuś krzesło itd.) 2. wysu-nąć/wać (teorię itd.) 3. posu-nąć/wać <pop-chnąć/ychać> naprzód (zegar, zegarek)
~ in ⟨I⟩ *vi* 1. nasta-ć/wać; zacz-ąć/ynać <rozpocz-ąć/ynać> się; nast-ąpić/ępować; (*o nocy*) zapa-ść/dać 2. (*o pogodzie*) ustal-ić/ać się; **the rain ~ in** rozlało się (na dobre); 3. *mar* (*o przypływie*) zacząć się 4. (*o modzie*) za/panować; (*o stroju, zwyczaju itd*) wejść/wchodzić (w modę) ⟨II⟩ *vt* 1. wmurow-ać/ywać 2. wprawi-ć/ać (szybę itd.) 3. *kraw* wszy-ć/wać
~ off ⟨I⟩ *vt* 1. s/kompensować; wyrówn-ać/ywać 2. uwydatni-ć/ać; podn-ieść/osić 3. ozd-obić/abiać; przyb-rać/ierać (coś czymś) 4. oddziel-ić/ać; wyodrębni-ć/ać 5. wypu-ścić/szczać <wystrzeli-ć/wać> (rakietę itd.) 6. wywoł-ać/ywać (**sb laughing** śmiech u kogoś; **people quarrelling** kłótnię wśród ludzi) ⟨II⟩ *vi* 1. wyrusz-yć/ać w drogę; wyje-chać/żdżać 2. puścić się (**running** biegiem)
~ on ⟨I⟩ *vt* judzić, podjudz-ić/ać ⟨II⟩ *vi* jechać dalej; wyrusz-yć/ać w dalszą drogę
~ out ⟨I⟩ *vt* 1. wystawi-ć/ać (coś przed drzwiami itd.) 2. wy-łożyć/kładać (myśl, teorię, towary na pokaz itd.) 3. upieksz-yć/ać; ozd-obić/abiać, zdobić 4. *druk* spacjować 5. *bud* wysu-nąć/wać ⟨II⟩ *vi* 1. wyrusz-yć/ać (w drogę); wyje-chać/żdżać 2. *mar* (*o odpływie*) zacząć się
~ to *vi* zab-rać/ierać się <przyst-ąpić/ępować> energicznie (do pracy, jedzenia itd.)
~ together *vt* złożyć/składać; zestawi-ć/ać
~ up ⟨I⟩ *vt* 1. umie-ścić/szczać; powiesić/wieszać, zawie-sić/szać; przybi-ć/jać (tabliczkę itd.) 2. ustawi-ć/ać 3. z/montować 4. zaprowadz-ić/ać; za/instalować 5. wystawi-ć/ać (pomnik itd.) 6. za-łożyć/kładać (instytucję, szkołę, przedsiębiorstwo); otw-orzyć/ierać (nowy sklep itd.); z/organizować <u/tworzyć> (komitet itd.); **to ~ up one's abode** __ osiedlić się <zamieszkać> ... (gdzieś) 7. wywoł-ać/ywać (podrażnienie itd.) 8. da-ć/wać start życiowy (**sb** komuś); **to ~ sb up in business** <**as a bookseller, dentist etc.**> da-ć/wać komuś przedsiębiorstwo <księgarnię, gabinet dentystyczny itd.> do prowadzenia na własny rachunek; **to ~ sb up in life** uniezależni-ć/ać kogoś 9. zaopat-rzyć/rywać (**sb in** <**with**> **books etc.** kogoś w książki itd.) 10. wysu-nąć/wać (teorię, propozycję itd.); rościć (pre-

tensje) 11. podn-ieść/osić (krzyk) 12. przy-wr-ócić/acać do zdrowia <dźwignąć> (kogoś) 13. złożyć/składać (rękopis itd.) Ⅲ *vr* to ~ oneself up for __ = to ~ up for __ *zob* ~ *vi* Ⅲ *vi* 1. za-łożyć/kładać własn-e/y przedsiębiorstwo <zakład>; to ~ up for oneself uniezależni-ć/ać się 2. poda-ć/wać się (for a connoisseur etc. za znawcę itd.) *zob* set², setting Ⅲ *s* 1. zestaw; komplet; garnitur; seria; zbiór; zespół (przyrządów); a ~ of apartments mieszkanie umeblowane; a ~ of furniture a) garnitur (klubowy, mebli stołowych itd.) b) umeblowanie; *handl* ~ of exchange komplet weksli; ~ of teeth a) uzębienie b) protezy 2. grupa; zespół (ludzi); koła (literackie, polityczne, sportowe itd.); sfer-a/y (społeczn-a/e); koteria 3. odbiornik (radiowy, telewizyjny) 4. *tenis* set; ~ point punkt decydujący o secie 5. *poet* zachód (słońca) 6. *myśl* (*także* dead ~) wystawianie; *myśl* to make a (dead) ~ at __ a) wystawi-ć/ać... b) *przen* napa-ść/dać <zagiąć parol> na... 7. nastawienie (opinii publicznej i pojedynczego człowieka); prąd; nurt; kierunek 8. układ, konfiguracja 9. ułożenie (draperii, włosów itd.) 10. postawa; sposób trzymania (głowy) 11. fałd, fałda 12. nachylenie; spaczenie; deformacja; odkształcenie; to take a ~ spaczyć <zdeformować> się 13. rozwarcie (zębów piły) 14. górna warstwa tynku, narzut 15. *górn* odrzwia 16. wyląg (w gniеździе) 17. nora (borsuka) 18. *druk* spacjowanie 19. *roln* sadzeniak 20 *ogr* zawiązany owoc 21. *teatr* kino dekorację

set² [set] Ⅰ *zob* set¹ *v* Ⅲ *adj* 1. ustalony; ustanowiony; ~ dinner <affair> uroczyst-y/e obiad <przyjęcie>; ~ forms of prayers (przepisowe) formuły modlitewne; ~ phrase utarte wyrażenie; ~ piece ognie sztuczne zmontowane na rusztowaniu; ~ prices ceny stałe; ~ purpose silne postanowienie; *teatr* ~ scene dekoracje; ~ speech mowa ułożona <przygotowana, napisana>; ~ task <subject> zadan-y/a temat <praca>; ~ time umówiony czas <termin>; of ~ purpose świadomie; celowo; z rozmysłem 2. (*o twarzy*) nieruchomy, znieruchomiały; skupiony; (*o minie*) zawzięty; (*o wzroku*) nieruchomy; (*o uśmiechu*) przylepiony (do twarzy), nie schodzący z ust 3. *techn* (*o śrubie*) dociskowy; ~ nut przeciwnakrętka 4. (*o człowieku*) zbudowany (dobrze, źle itd.) 5. (*o cemencie*) stwardniały; ~ grease smar stały 6. (*o owocu*) zawiązany 7. *sport* (*o zawodniku*) gotowy (do biegu, skoku itd.) 8. zdeterminowany; zdecydowany; my mind is ~ jestem zdecydowany; their minds are ~ on __ oni szukają tylko ... (zabawy itd.); nic innego dla nich nie istnieje, tylko ... (zabawa itd.); to be ~ on sth up-rzeć/ierać się przy czymś; he was ~ on it (on) nie chciał odstąpić od tego; zależało mu na tym; (on) postawił to sobie za punkt honoru 9. zawzięty (against sb na kogoś); he is dead ~ against me on się zawziął na mnie; on mi nie popuści

seta ['siːtə] *s* (*pl* setae ['siːtiː]) *bot zoo* szczecina

setaceous [si'teiʃəs] *adj* 1. szczeciniasty; mający szczecinę 2. szczecinowaty

set-back ['set'bæk] *s* 1. cofnięcie się 2. zahamowanie 3. niepowodzenie 4. nawrót (choroby)

set-down ['set'daun] *s* 1. kurs (w taksówce) 2. upokorzenie 3. (ostra) odprawa; zbesztanie

setiferous [si'tifərəs], setigerous [si'tidʒərəs] = setaceous *adj* 1.

set-off ['set'ɔːf] *s* 1. kontrast 2. (korzystne) tło; ozdoba; uwydatnienie piękności; podkreślenie urody 3. przeciwwaga; kompensata; wyrównanie (długów, pretensji) 4. *bud* odsadzka; występ; uskok 5. wyjazd

seton ['siːtn] *s med wet* sączek z gazy; seton; zawłoka

setose ['siːtous] *adj* 1. szczeciniasty 2. szczecinowaty

set-out ['set'aut] *s* 1. początek; at the first ~ od <z> (samego) początku 2. wyjazd 3. wystawa (towarów) 4. komplet <zestaw> (narzędzi itd.)

set-square ['set,skweə] *s* trójkąt kreślarski; ekierka

sett [set] *s* kamień brukowy; drewniana kostka do brukowania

settee¹ [se'tiː] *s* kanapa; sofa; kozetka

settee² [se'tiː] *s* rodzaj statku żaglowego na Morzu Śródziemnym

setter ['setə] *s* 1. *zoo* seter (pies) 2. nastawiacz; monter; *górn* dyspozytor; przetokowy 3. *techn* rozwieracz (zębów piły)

setter-on ['setər'ɔn] *s* wichrzyciel/ka; podżegacz/ka; podszczuwacz/ka

setterwort ['setə,wəːt] *s bot* ciemiernik, ciemierzyca

setting ['setiŋ] Ⅰ *zob* set¹ *v* Ⅲ *s* 1. umieszcz-enie/anie; postawienie/stawianie; położenie/kładzenie 2. przy-łożenie/kładanie (pieczęci itd.) 3. układ, ułożenie 4. wbi-cie/janie 5. nastawi-enie/anie; na/regulowanie 6. z/montowanie 7. *druk* skład 8. na-łożenie/kładanie (zadania); zada-nie/wanie 9. inscenizacja; tło (opowiadania); otoczenie (siedziby itd.); oprawa 10. złożenie <nastawienie> (kości)

setting-board ['setiŋ,bɔːd] *s* rozpinka, rozpinadło (na owady)

setting-rule ['setiŋ,ruːl], setting-stick ['setiŋ,stik] *s druk* wierszownik

settle¹ [setl] *s* ława ze schowkiem

settle² [setl] Ⅰ *vt* 1. osiedl-ić/ać; u/sadowić; u/lokować; umie-ścić/szczać; za/instalować; s/kolonizować 2. ustal-ić/ać; ustatkować; u/regulować 3. wy/mościć pościelą łóżko <fotel> (an invalid choremu) 4. nasadz-ić/ać; (mocno, trwale, pewnie) osadz-ić/ać 5. uniezależni-ć/ać; zaopat-rzyć/rywać; zapewni-ć/ać byt (one's children etc. dzieciom itd.) 6. załatwi-ć/ać (sprawę, spór, interesanta itd.); u/regulować <u/porządkować> (sprawę); z/likwidować; that ~s it! (w takim razie) sprawa załatwiona! 7. wy/klarować <oczy-ścić/szczać> (ciecz) 8. rozpr-oszyć/aszać (wątpliwości) 9. uspok-oić/ajać (nerwy itd.) 10. ustal-ić/ać <oznacz-yć/ać> (czas, miejsce itd.) 11. rozstrzyg-nąć/ać <rozwiąz-ać/ywać> (kwestię itd.); pokon-ać/ywać (trudnoś-ć/ci) 12. wyrówn-ać/ywać <za/płacić> (rachunek itd.); zaspok-oić/ajać (pretensje) 13. zapis-ać/ywać (an annuity on sb komuś rentę <dożywocie>) Ⅱ *vr* ~ oneself 1. u/sadowić się; wygodnie u/siąść (in an armchair etc. w fotelu itd.) 2. ułożyć/układać się (do snu) Ⅲ *vi* 1. osiedl-ić/ać się; osi-ąść/adać; zamieszk-ać/iwać; za/instalować się 2. usiąść wygodnie; umie-ścić/szczać się 3.

(*o ptaku*) si-ąść/adać 4. u/sadowić się; (*o wietrze, pogodzie itd*) ustal-ić/ać się 5. zab-rać/ierać się poważnie (**to sth** do czegoś) 6. (*o cieczy, kurzu itd*) osi-ąść/adać; osadz-ić/ać się; opa-ść/dać; usta-ć/wać się 7. (*o budynku itd*) osi-ąść/adać; (*o ziemi*) uleżeć się 8. uspok-oić/ajać <u/normować, u/stabilizować> się; (*o sytuacji*) **to ~ into shape** wr-ócić/acać do normalnego porządku 9. (*o statku*) zanurz-yć/ać się 10. wyb-rać/ierać (**upon sb, sth** kogoś, coś); z/decydować się (**upon sb, sth** na kogoś, coś); ustal-ić/ać <oznacz-yć/ać> (**upon a date etc.** datę itd.) 11. zaw-rzeć/ierać ugodę <ułożyć/układać się> (z wierzycielami)

~ down *vi* 1. osiedl-ić/ać się; osi-ąść/adać; zamieszk-ać/iwać 2. zab-rać/ierać się poważnie (**to sth** do czegoś) 3. (*o statku*) zanurz-yć/ać się 4. zasi-ąść/adać (**to** __ do...) 5. ustatkować się; s/poważnieć 6. rozpocz-ąć/ynać uregulowany tryb życia; u/stabilizować <u/normować> się; **to ~ down for life** za-łożyć/kładać własn-y/ą dom <rodzinę>

~ in *vi* za/instalować się

~ up [I] *vt* u/regulować [II] *vi* rozlicz-yć/ać się (z kimś)

zob **settled, settling**

settled ['setld] [I] *zob* **settle²** [II] *adj* niezmienny; pewny; ustalony; trwały; stały; (*o przyzwyczajeniu*) zakorzeniony; (*o postanowieniu*) stanowczy

settlement ['setlmənt] *s* 1. osada 2. kolonia 3. osiedl-enie/anie się 4. osiadanie (budynku); uleżenie się (ziemi) 5. (*o cieczy itd*) osiadanie, opadanie, osadzanie się; sedymentacja 6. załatwi-enie/anie (sprawy, sporu); zaw-arcie/ieranie (umowy itd.); porozumienie; rozstrzyg-nięcie/anie; ustal-enie/anie (daty itd.); **to reach a ~** do-jść/chodzić do porozumienia 7. u/regulowanie <za/płacenie, wyrówn-anie/ywanie> (rachunku); zaspok-ojenie/ajanie (pretensji); rozliczenie; rozrachunek 8. (*na giełdzie*) termin likwidacyjny 9. ugoda; umowa; kontrakt; zapis 10. towarzystwo opieki społecznej działające w ubogich dzielnicach miasta

settler ['setlə] *s* 1. osadni-k/czka; kolonist-a/ka 2. czynnik rozstrzygający <zamykający dyskusję>; rozstrzygający <decydujący, przygważdżający> argument; rozstrzygający <decydujący> cios; rozstrzyg-nięcie/anie 3. *techn* odstojnik, osadnik; dół odstojnikowy

settling ['setliŋ] [I] *zob* **settle²** [II] *s* 1. = **settlement** 2. *pl* **~s** osad, fusy [III] *attr* (*o substancji itd*) klarujący; (*o aparacie*) do klarowania; **~ vat** kadź fermentacyjna

set-to ['set'tu:] *s* (*pl* **set-tos, set-to's**) 1. bójka; bijatyka 2. walka na pięści 3. szamotanie się (kobiet)

set-up ['set,ʌp] *s* 1. ustawi-enie/anie; z/montowanie 2. *am* struktura; budowa; układ 3. *pot* prosta postawa; wyprostowanie ciała 4. sfingowany mecz bokserski

setwall ['set,wɔ:l] *s bot* kozłek

seven ['sevn] *num* [I] *adj* siedem; **a child <boy, girl> of ~** dziecko <chłopiec, dziewczynka> siedmioletnie <siedmioletni/a>; **he <she, it> is ~ (years old)** on <ona, ono> ma siedem lat; **he <she, it> was ~ last birthday** minął mu <jej> siódmy rok; **~ and six** siedem szylingów i sześć pensów; **~ o'clock** siódma godzina; **the ~ deadly sins** siedem grzechów głównych; *zw iron* **the ~ sages** <**wise men**> siedmiu mędrców; **the ~ sleepers** siedmiu braci śpiących; **the ~ wonders of the world** siedem cudów świata [II] *s* 1. siódemka (cyfra, numer obuwia, rękawiczek itd.) 2. (*w krykiecie*) siedem zdobytych punktów

sevenfold ['sevn,fould] [I] *adj* 1. siedmiokrotny 2. siedmioraki [II] *adv* 1. siedmiokrotnie 2. siedmiorako; na siedem (różnych) sposobów

seven-league(d) ['sevn'li:g(d)] *adj* siedmiomilowy; **~ boots** siedmiomilowe buty

sevenpence ['sevnpəns] *s* siedem pensów

sevenpenny ['sevnpəni] *adj* siedmiopensowy

seventeen ['sevn'ti:n] *num* [I] *adj* siedemnaście; **a boy <girl> of ~** chłopak <dziewczyna> siedemnastoletni/a; **he <she, it> is ~ (years old)** on <ona, ono> ma siedemnaście lat [II] *s* siedemnastka (cyfra, numer itd.); **sweet ~** kwiat piękności dziewczęcej

seventeenth ['sevn'ti:nθ] *num* [I] *adj* siedemnasty [II] *s* 1. (jedna) siedemnasta (część) 2. **the ~ of** __ siedemnastego... (lipca itd.)

seventh ['sevnθ] *num* [I] *adj* siódmy [II] *s* 1. (jedna) siódma (część) 2. **the ~ of** __ siódmego... (lipca itd.)

seventh-day ['sevnθ,dei] *adj rel* sobotni; sabatowy; **Seventh-Day Baptist** członek sekty religijnej, obchodzącej sobotę jako dzień świąteczny

seventhly ['sevnθli] *adv* po siódme

seventieth ['sevntiiθ] [I] *adj* siedemdziesiąty [II] *s* (jedna) siedemdziesiąta (część)

seventy ['sevnti] *num* [I] *adj* siedemdziesiąt; **a man <woman> of ~** mężczyzna <kobieta> siedemdziesięcioletni/a; **he <she, it> is ~ (years old)** on <ona, ono> ma siedemdziesiąt lat [II] 1. *s* siedemdziesiątka (cyfra, numer itd.) 2. *pl* **the seventies** siedemdziesiąte lata (któregoś wieku, lub życia człowieka); **he is in his seventies** (on) przekroczył siedemdziesiątkę

sever ['sevə] [I] *vt* 1. odłącz-yć/ać; rozłącz-yć/ać; od-erwać/rywać; roz-erwać/rywać; odciąg-nąć/ać; odrąb-ać/ywać; odłam-ać/ywać 2. przer-wać/ywać; zerwać/zrywać (przyjaźń, stosunki, połączenie itd.) [II] *vi* 1. roz-ejść/chodzić <rozsta-ć/wać> się 2. (*o linie itd*) ur-wać/ywać się

several ['sevrəl] [I] *adj* 1. poszczególny; każdy; osobisty; **each has his ~ point of view** każdy ma swój osobisty pogląd; **the ~ guests brought her presents or flowers** poszczególni goście przynosili jej prezenty lub kwiaty; każdy gość przynosił jej prezent lub kwiaty 2. *po zaimkach osobowych*: swój; **we went our ~ ways** poszliśmy każdy w swoją stronę 3. indywidualny; **collective and ~ responsibility** odpowiedzialność zbiorowa i indywidualna 4. kilku, kilka, kilkoro; **~ boys** kilku chłopców; **~ people** kilkoro ludzi; **~ times** kilka razy [II] *pron* kilku, kilka, kilkoro; sporo, niemało; **I thought there would be no mistakes but on reading the exercise I found ~** myślałem, że nie będzie błędów, ale czytając zadanie znalazłem ich kilka; **many people left but ~ remained** wiele osób odeszło, ale kilka <sporo, niemało> pozostało; **most readers praised the work but there were ~ who criticized it** czytelnicy po większej części chwalili tę pracę, ale było kilku, którzy ją skrytykowali; ~ **of us** kilku <kilka, kilkoro> z nas

severally ['sevrəli] *adv* oddzielnie, osobno; indywidualnie; osobiście; pojedynczo

severalty ['sevrəlti] *s* indywidualne <osobiste> posiadanie; **in** ~ (posiadać) indywidualnie <osobiście>

severance ['sevərəns] *s* 1. odłącz-enie/anie; rozłącz-enie/anie; od-erwanie/rywanie; odci-ęcie/nanie; odrąb-anie/ywanie; odłam-anie/ywanie 2. przerwa; zerwanie/zrywanie 3. ur-wanie/ywanie się

severe [si'viə] *adj* 1. surowy; srogi; (*o klimacie, bólu itd*) ostry; (*o chorobie, próbie itd*) ciężki; (*o stracie itd*) bolesny; dotkliwy; (*o katarze*) silny; (*o ciosie itd*) poważny; (*o współzawodnictwie, walce itd*) zacięty, zawzięty, uporczywy 2. (*o stylu, architekturze itd*) surowy, pozbawiony ozdób <dekoracji, upiększeń>

severely [si'viəli] *adv* 1. surowo; srogo; ostro 2. ciężko; boleśnie 3. zawzięcie, uporczywie; **to be** ~ **ill** być obłożnie <poważnie> chorym *zob* **severe** *adj*

severity [si'veriti] *s* 1. surowość; srogość; ostrość (klimatu, bólu itd.) 2. ciężki stan 3. boleść; dotkliwość; bolesne <dotkliwe> skutki (straty, ciosu) 4. zaciętość <uporczywość> (walki itd.)

severy ['sevəri] *s arch* pole <przęsło> sklepienia

Seville ['sevil] *spr* ~ **orange** gatunek gorzkiej pomarańczy

Sèvres [seivr] *spr* sewrska porcelana

sew [sou] *v* (*praet* **sewed** [soud], *pp* **sewed, sewn** [soun]) Ⅰ *vt* u/szyć Ⅱ *vi* szyć; zaj-ąć/mować się krawiectwem
~ **in** *vt* wszy-ć/wać
~ **on** *vt* przyszy-ć/wać (guzik itd.)
~ **up** *vt* 1. zaszy-ć/wać (rozdarcie, ranę itd.) 2. *sl* wyczerp-ać/ywać <wyk-ończyć/ańczać> (kogoś) 3. *sl* upi-ć/jać, urżnąć/urzynać; **to be** ~**ed up** być urżniętym <ululanym, zalanym>; *sl* **to** ~ **sb up** ululać <urżnąć, zalać> kogoś *zob* **sewing**

sewage ['sjuidʒ] Ⅰ *s* wody ściekowe, ścieki; nieczystości Ⅱ *attr* kanalizacyjny; ~ **farm** gospodarstwo nawożone ściekami; ~ **system** kanalizacja

sewer[1] ['souə] *s* kraw-iec/czyni, krawcowa; szwaczka

sewer[2] ['sju:ə] *s* 1. kanał (ściekowy); ściek; **main** ~ kolektor; *pl* ~**s** kanały; kanalizacja 2. *przen* (*także moral* ~) bagno moralne

sewerage ['sjuəridʒ] *s* 1. kanalizacja 2. = **sewage** *s*

sewerage-man ['sjuəridʒ͵mæn] *s* (*pl* **sewerage-men** ['sjuəridʒ͵men]) kanalarz

sewin ['sju:in] *s zoo* odmiana łososiopstrąga

sewing ['souiŋ] Ⅰ *zob* **sew** Ⅱ *s* u/szycie Ⅲ *attr* (*o przyborach itd*) do szycia; *am* ~ **circle** (*także* ~**-bee**) towarzystwo pań prowadzących zespołowe szycie w celach dobroczynnych

sewing-bee ['souiŋ͵bi:] *am* = **sewing circle** *zob* **sewing**

sewing-machine ['souiŋ-mə͵ʃi:n] *s* maszyna do szycia

sewing-press ['souiŋ͵pres] *s* introligatorska maszyna do szycia

sewn *zob* **sew**

sex [seks] Ⅰ *s* płeć Ⅲ *attr* (*o popędzie itd*) płciowy, seksualny; (*o różnicy itd*) płci

sexagenarian [͵seksədʒi'neəriən] Ⅰ *s* człowiek sześćdziesięcioletni Ⅲ *adj* (*o człowieku*) sześćdziesięcioletni; w wieku 60—70 lat

Sexagesima [͵seksə'dʒesimə] *s kośc* druga niedziela przed Wielkim Postem <Mięsopustna>; Sześćdziesiętnica

sexagesimal [͵seksə'dʒesiməl] Ⅰ *adj* sześćdziesiątkowy Ⅲ *s* ułamek sześćdziesiętny

sexangular [seks'æŋgjulə] *adj* sześciokątny

sexenary [seks'enəri] *adj* sześciokrotny

sexennial [seks'eniəl] *adj* sześcioletni

sexless ['sekslis] *adj* bezpłciowy

sextain ['sekstein] *s* sześciowiersz

sextan ['sekstən] *adj* (*o gorączce*) pojawiający się co szósty dzień

Sextans ['sekstəns] *astr* Sekstans (gwiazdozbiór)

sextant ['sekstənt] *s* 1. *lotn mar* sekstans, sekstant 2. = **Sextans**

sextet(te) [seks'tet] *s muz* sekstet

sextile ['sekstail] *adj* 1. poszóstny 2. *astr* sekstylowy

sextillion [seks'tiljən] *s* sekstylion (= 10^{36}; *am* 10^{21})

sexto ['sekstou] *s* książka o formacie arkusza złożonego w sześcioro

sexton ['sekstən] *s* zakrystian; kościelny

sexton-beetle ['sekstən͵bi:tl] *s zoo* grabarz (owad)

sextuple ['sekstjupl] Ⅰ *adj* sześciokrotny Ⅲ *s* sześciokrotność Ⅲ *vt* pomn-ożyć/ażać <powięks-yć/ać> sześciokrotnie; po/mnożyć przez sześć Ⅳ *vi* pomn-ożyć/ażać <powięks-yć/ać> się sześciokrotnie

sexual ['seksjuəl] *adj* płciowy, seksualny

sexuality [͵seksju'æliti] *s* płciowość, seksualizm

Seym [seim] *s* Sejm (polskie ciało ustawodawcze)

shabbiness ['ʃæbinis] *s* 1. nikczemność (postępowania itd.); niegodziwość; podłość 2. skąpstwo; małostkowość 3. zniszczony stan (ubrania)

shabby ['ʃæbi] *adj* (**shabbier** ['ʃæbiə], **shabbiest** ['ʃæbiist]) 1. (*o postępku itd*) nikczemny; niegodziwy; nędzny; podły; (*o usprawiedliwieniu itd*) kiepski; **a** ~ **trick** podłość; *pot* świństwo 2. (*o człowieku*) skąpy; małostkowy 3. (*o ubraniu itd*) wytarty; zniszczony; podniszczony; wystrzępiony; wyświechtany; sfatygowany; (*o domu itd*) odrapany; (znajdujący się) w opłakanym stanie; (*o mieszkaniu*) ubogi; nędzny 4. (*o człowieku*) (chodzący) w zniszczonym <wyświechtanym> ubraniu

shabby-genteel [͵ʃæbidʒen'ti:l] *adj* (*o człowieku*) usiłujący ukryć swoją biedę <stwarzać pozory zamożności>; pozujący na zamożnego

shabrack ['ʃæbræk] *s* czaprak

shack [ʃæk] *s* chałupa; chata

shackle ['ʃækl] Ⅰ *s* 1. *techn* klamra; kluczka; główica; hak z zatyczką; sprzęgło; jarzmo; ogniwo łącznikowe; kabłąk kłódki 2. izolator antenowy 3. *pl* ~**s** kajdany; *przen* pęta; okowy Ⅲ *vt* 1. zaku-ć/wać w kajdany; na-łożyć/kładać kajdany (*sb* komuś) 2. s/krępować 3. *techn* spi-ąć/nać; sczepi-ć/ać

shad [ʃæd] *s zoo* aloza, złotoś.edź

shaddock ['ʃædək] *s bot* 1. pampelnus (odmiana drzewa pomarańczowego) 2. owoc pampelnusa

shade [ʃeid] Ⅰ *s* 1. cień; *pl* ~**s** *plast* cienie

(obrazu); *pl* ~s cienisty zakątek; (*u starożytnych Greków*) **Shades** Hades, królestwo cieni; *przen* **to throw into the** ~ zaćmi-ć/ewać 2. półmrok; mroczność; mrok 3. *pl* ~s ciemności (nocne) 4. *pl* ~s *sl* winne piwnice; winiarnia; bar 5. odcień (koloru, znaczenia, opinii itd.) 6. odrobina; cząsteczka; kapka; kapeczka; cień (żalu, dezaprobaty itd.) 7. duch; widmo 8. cień; ułuda; złuda 9. abażur; parasolka; zasłona (na oczy); *am* stora 10. klosz 11. (*w teleskopie*) szkiełko ochronne [II] *vt* 1. zasł-onić/aniać (oczy itd.) 2. zacieni-ć/ać; rzuc-ić/ać cień (**the street etc.** na ulicę itd.) 3. za/cieniować; po/kreskować; szrafirować 4. przyciemni-ć/ać; zaćmi-ć/ewać; *przen* zasępi-ć/ać 5. stopniować (barwy) 6. *handl* lekko obniż-yć/ać (ceny) [III] *vi* stopniowo prze-jść/chodzić (**into a colour** w jakiś kolor)

~ **off** *vi* 1. stopniowo zanikać 2. stopniowo prze-jść/chodzić (**into_** w...)

zob **shaded, shading**
shaded ['ʃeidid] [I] *zob* **shade** *v* [II] *adj* 1. zacieniony; cienisty 2. pokreskowany
shadiness ['ʃeidinis] *s* 1. cienistość; zacienienie 2. podejrzany charakter (transakcji, propozycji itd.); **the** ~ **of sb's behaviour** czyjeś podejrzane zachowanie
shading ['ʃeidiŋ] [I] *zob* **shade** *v* [II] *s* 1. zasł-onięcie/anianie; zacieni-enie/anie; ~ **mat** mata inspektowa 2. cieniowanie 3. stopniowanie (barw)
shadow ['ʃædou] [I] *s* 1. *dosł i przen* cień (przedmiotów, drzew, śmierci, sławnego człowieka itd.); **coming events cast their** ~s **before** w powietrzu czuje się wiew nadchodzących wypadków; **he is worn to a** ~ cień z niego pozostał; **there is not a** ~ **of a doubt** nie ma cienia wątpliwości; ~ **cabinet** gabinet opozycyjny, przygotowany na wypadek zmiany rządu; gabinet cieni 2. ciemność; półmrok 3. pozory (wolności itd.) 4. ułuda; mrzonka; **to catch at** ~s gonić za mrzonkami 5. duch; widmo 6. agent śledczy [III] *vt* 1. zacieni-ć/ać 2. szpiegować; śledzić 3. *lit* na/szkicować; przepowi-edzieć/adać
shadow-boxing ['ʃædou,bɔksiŋ] *s boks* walka z fikcyjnym przeciwnikiem jako trening
shadowgraph ['ʃædou,graːf] *s* 1. żywe <chińskie> cienie 2. prześwietlenie, radiogram
shadow-proof ['ʃædou,pruːf] *adj* (*o materiale*) nie przeświecający
shadow-show ['ʃædou,ʃou] *s* chińskie cienie
shadowy ['ʃædoui] *adj* 1. (*o drodze itd*) cienisty; zacieniony; (*o korytarzu itd*) ciemny; nie oświetlony 2. (*o projekcie itd*) niewyraźny 3. (*o uśmiechu itd*) tajemniczy; zagadkowy
shady ['ʃeidi] *adj* (**shadier** ['ʃeidiə], **shadiest** ['ʃeidiist]) 1. cienisty; zacieniony 2. (*o transakcji. zachowaniu itd*) podejrzany; mętny; nieczysty 3. niekorzystny; (*o wieku człowieka*) **on the** ~ **side of sixty etc.** po sześćdziesiątce itd.
shaft [ʃɑːft] *s* 1. drzewce (włóczni itd.) 2. *dosł i przen* strzała; ostrze; ~s **of envy** strzały zazdrości; ~s **of satire** ostrze satyry 3. promień <snop> światła 4. uderzenie pioruna; błyskawica 5. trzonek; stylisko; uchwyt 6. trzon (kolumny, kości długiej, pióra, rośliny itd.) 7. *techn* wał; wałek 8. *górn* szyb; ~ **bottom** podszybie; ~ **hoist** wyciąg szybowy; ~ **landing** pomost szybowy <przyszybowy>; ~ **lining** obudowa szybu; ~ **lock** zastawka szybikowa; ~ **set** wieniec szybowy; ~ **top** nadszybie; ~ **way** przedział szybowy; **ventilating** ~ szyb wentylacyjny 9. komin (fabryczny itp.) 10. dyszel
shaft-horse ['ʃɑːft,hɔːs] *s* koń dyszlowy
shafting ['ʃɑːftiŋ] *s* 1. *techn* linia wału; zespół wałków; pędnia 2. *górn* głębienie szybu
shag[1] [ʃæg] *s* 1. kudły; czupryna 2. rodzaj machorki
shag[2] [ʃæg] *s zoo* kormoran czubaty
shagginess ['ʃæginis] *s* włochatość; kosmatość; krzaczastość; zmierzwienie (włosów, brody)
shaggy ['ʃægi] *adj* (**shaggier** ['ʃægiə], **shaggiest** ['ʃægiist]) 1. włochaty; kudłaty; kosmaty; zarośnięty; zmierzwiony 2. (*o terenie itd*) krzaczasty 3. (*o drzewie*) gałęzisty; rozłożysty
shagreen [ʃæ'griːn] *s garb* szagryn, skóra szagrynowa (tłoczona, farbowana na zielono)
shah [ʃɑː] *s* (*w Persji*) szach
shake [ʃeik] *v* (**shook** [ʃuk], **shaken** ['ʃeikən]) *vt* 1. potrząs-nąć/ać <trząść> (**sb, sth** kimś, czymś); wytrzą-ść/sać; **to** ~ **a carpet** strzep-nąć/ywać, wytrzep-ać/ywać dywan; *pot* **to** ~ **a leg** za/tańczyć; **to** ~ **hands with sb** <**sb's hand, sb by the hand**> poda-ć/wać komuś rękę; uścisnąć/ściskać komuś dłoń; zamieni-ć/ać uścisk ręki z kimś; **to** ~ **hands on sth** z/godzić się na coś; **to** ~ **one's finger** <**fist**> **at sb** po/grozić komuś palcem <pięścią>; **to** ~ **one's head** a) trząść/potrząsać głową b) po/kiwać głową c) potrząsnąć głową na znak odmowy; **to** ~ **one's sides with laughter** trząść się ze śmiechu; *am pot* ~! załóżmy się!; dawaj rękę! 2. wstrząsnąć/ać (**sb, sth** kimś, czymś); za/chwiać (**sth** czymś); podważ-yć/ać; osłabi-ć/ać; nadweręż-yć/ać; **to** ~ **sb's purpose** podważ-yć/ać czyj-ąś/eś decyzję <postanowienie> [II] *vr* ~ **oneself** otrząs-nąć/ać, otrząść się (**free from sth** z czegoś) [III] *vi* za/trząść <za/chwiać> się; za/drżeć; za/dygotać; (*także* **to** ~ **to and fro**) (*o drzewach itd*) za/kołysać się (na wietrze itd.)

~ **down** [I] *vt* strząs-nąć/ać [II] *vi* 1. znaleźć sobie kąt (do spania) <nocleg> 2. za/instalować się; osi-ąść/adać 3. osw-oić/ajać się (**to sth** z czymś)

~ **off** *vt* strząs-nąć/ać; zrzuc-ić/ać z siebie (jarzmo itd.); pozby-ć/wać się (**sb, sth** kogoś, czegoś)

~ **out** *vt* 1. wytrząs-nąć/ać; **to** ~ **sb out of his sleep** (szarpaniem) obudzić <wyrwać> kogoś ze snu; **we could not** ~ **him out of his sleep** nie mogliśmy się go dobudzić 2. rozwi-nąć/jać (żagiel, flagę itd.)

~ **together** *vt* zebrać/zbierać; ~ **yourself together** otrząśnij się; *pot* weź się w kupę; ~ **yourselves together** pozbierajcie się!

~ **up** *vt* potrząs-nąć/ać <wstrząs-nąć/ać> (**a bottle** butelką itd.); wstrząs-nąć/ać (**sb** kimś); prze/trzepać <*pot* wzrusz-yć/ać> (pościel)

[IV] *s* 1. potrząsanie; **to give sth a** ~ potrząsnąć czymś; wytrzepać coś; **a** ~ **of the hand** uścisk ręki; **a** ~ **of the head** kiwanie głową; **in half a** ~, **in two** ~s zaraz, szybko, od razu, natychmiast, migiem; **in two** ~s **of a lamb's** <**duck's**> **tail** w mig 2. drżenie; dygotanie; **all of a** ~ dygocący, dygoczący; **a** ~ **in the voice** drżenie głosu; *pl* **the ~s** dreszcze; febra 3. *am kulin* przyprawione mleko zmieszane z jajkiem 4. pęknięcie w (rosnącym) drzewie 5. *sl w zwrocie*: **he <it> is no great ~s** niewielka z niego <z tego> pociecha; **on <to> niewiele wart/e; he is no great ~s at driving <talking etc.>** on kiepsko prowadzi <przemawia itd.>

shakedown [ˈʃeikˈdaun] *s* 1. kąt (do spania) 2. *am* za/żądanie. pieniędzy; wymusz-enie/anie

shaken *zob* **shake** *v*

shake-out [ˈʃeikˈaut] *s giełd* kryzys godzący w drobnych spekulantów

shakeproof [ˈʃeik͵pruːf] *adj techn* wstrząsoodporny

shaker [ˈʃeikə] *s* 1. **Shaker** człon-ek/kini pewnej sekty religijnej głoszącej ponowne narodzenie Chrystusa 2. naczynie do robienia cocktailu3. wstrząsarka (aparat); wibrator; *górn* przesiewacz; przenośnik wahadłowy

Shak(e)spe(a)rian [ˈʃeiksˈpiəriən] Ⅰ *adj* szekspirowski Ⅲ *s* szekspirolog

shake-up [ˈʃeikˈʌp] *s* 1. przegrupow-anie/ywanie <przetasow-anie/ywanie> (personelu itd.); reorganizacja 2. *pot* zamieszanie

shakily [ˈʃeikili] *adv* 1. na drżących <trzęsących się> nogach 2. drżącą ręką; chwiejnie; niepewnie 3. słabo; drżącym głosem

shakiness [ˈʃeikinis] *s* 1. trzęsienie się; drżenie 2. rozklekotanie <rozchwierutanie> (mebli itd.); zachwianie; nadwerężenie 3. słabość

shako [ˈʃækou] *s* czako (wysoka czapka wojskowa)

shaky [ˈʃeiki] *adj* (**shakier** [ˈʃeikiə], **shakiest** [ˈʃeikiist]) 1. trzęsący się; drżący 2. chwiejny; chwiejący <kiwający> się; niepewny; rozklekotany; rozchwierutany; nadwerężony; zachwiany 3. (*o drzewie*) pęknięty; popękany 4. słaby; **to feel ~** czuć się słabo; **I feel <am> ~ (on my legs)** nogi mi się trzęsą

shale [ʃeil] *s geol* łupek ilasty; iłołupek; **~ oil** olej łupkowy

shall [ʃæl] *v aux* (2. *pers sing praes* **shalt** [ʃælt]; *praet cond* **should** [ʃud], † 2. *pers sing* **shouldst** [ʃudst], **shouldest** [ˈʃudist]) 1. *w 1. pers sing i pl wyraża czas przyszły*: będę, będziemy (robić coś); **we ~ hear about it soon** wkrótce dowiemy się o tym 2. *w 2. i 3. pers sing i pl wyraża wolę lub zamiar mówiącego*: musi-sz/cie, on musi, oni muszą; chcę, żebyś <żebyście, żeby on/i>; **you ~ do it** musi-sz/cie to zrobić; **you ~ not catch me again** (ręczę ci <wam>, że) więcej mnie na tym nie złapie-sz/cie 3. *stosowany w rozkazach*: **you ~ not go there any more <again>** więcej tam nie pójdzie-sz/cie 4. *w pytaniach zadanych dla otrzymania wskazówek, dyrektyw itp. we wszystkich osobach*: mieć; **~ I go?** czy mam iść?; **~ they come in?** czy mają wejść? *zob* **should**

shalloon [ʃəˈluːn] *s tekst* lekki materiał wełniany

shallop [ˈʃæləp] *s* szalupa

shallot [ʃəˈlɔt] *s bot* szalotka

shallow [ˈʃælou] Ⅰ *adj dosł i przen* (*o potoku, umyśle itd*) płytki; (*o zanurzeniu statku*) słaby; (*o przyjaźni itd*) powierzchowny Ⅲ *s* mielizna, odmiel Ⅲ *vt* obniż-yć/ać stan wody (**a lake etc.** w jeziorze itd.); spłyc-ić/ać Ⅳ *vi* (*o jeziorze itd*) z/robić <sta-ć/wać> się płytszym

shallowness [ˈʃælounis] *s dosł i przen* płytkość; powierzchowny charakter (rozmowy itd.)

shalt *zob* **shall**

shaly [ˈʃeili] *adj* łupkowy

sham [ʃæm] Ⅰ *s* 1. udawanie, symulowanie; okłamywanie; blaga; mydlenie oczu 2. pozowanie; poza 3. pozór; **sheet <pillow> ~** kapa 4. udawacz/ka; symulant/ka; komediant/ka Ⅲ *adj* 1. udawany; symulowany; pozorny; upozorowany 2. fałszywy; sztuczny; oszukańczy 3. fikcyjny Ⅲ *vt* (-mm-) uda-ć/wać <symulować> (chorobę itd.); stwarzać pozory (**sth** czegoś) Ⅳ *vi* (-mm-) uda-ć/wać; symulować; u/pozorować; grać komedię; **to ~ dead** uda-ć/wać nieboszczyka; **to ~ ill** symulować chorobę

shaman [ˈʃæmən] *s* szaman

shamanism [ˈʃæmə͵nizəm] *s* szamanizm

shamble [ˈʃæmbl] Ⅰ *vi* powłóczyć nogami Ⅲ *s* (*także* **shambling gait**) powłóczenie nogami

⧙ shambles [ˈʃæmblz] *s* (*pl* ~) 1. jatka 2. *przen* jatki, rzeź

shame [ʃeim] Ⅰ *s* 1. wstyd; hańba; **all the more ~** tym większy wstyd; **for ~!** wstyd!; **I blush for ~** rumienię się ze wstydu; **it's a ~ to __** to wstyd, żeby ...; **~ on you!** wstydź się!; **to my ~ I admit __** ze wstydem przyznaję ...; **to be lost to ~** nie mieć żadnego wstydu; **bring ~ on __** przynosić wstyd ... (komuś); **to put to ~** z/mieszać, † s/konfundować; zawstydz-ić/ać; **without ~** bezwstydny; pozbawiony poczucia wstydu 2. zawstydzenie 3. skandal; **what a ~!** co za skandal! Ⅲ *vt* zawstydz-ić/ać; **to ~ sb into doing sth** zawstydzaniem <apelowaniem do czyjejś ambicji> wymóc na kimś coś <zrobienie czegoś>; **to ~ sb out of doing sth** odwieść kogoś od czegoś apelując do jego poczucia wstydu <zawstydzając go>; tak kogoś zawstydzić, że nie zrobi czegoś Ⅲ *vi* za/wstydzić się

shamefaced [ˈʃeim͵feist] *adj* 1. wstydliwy; nieśmiały; zawstydzony; zakłopotany 2. *poet* skromny; ledwo widoczny

shamefacedness [ˈʃeim͵feistnis] *s* 1. zawstydzenie; zakłopotanie 2. skromność

shameful [ˈʃeimful] *adj* haniebny; sromotny; skandaliczny; niegodziwy

shameless [ˈʃeimlis] *adj* 1. bezwstydny 2. bezczelny

shamelessness [ˈʃeimlisnis] *s* 1. bezwstyd 2. bezczelność

shammer [ˈʃæmə] *s* udawacz/ka; symulant/ka; komediant/ka

shammy [ˈʃæmi] Ⅰ *s* zamsz Ⅲ *attr* zamszowy

shampoo [ʃæmˈpuː] Ⅰ *vt* (*praet* **shampood** [ʃæmˈpuːd], **shampoo'd**, *pp* **shampood, shampoo'd**) u/myć (**one's hair** sobie włosy <głowę>) szamponem Ⅲ *s* 1. szampon 2. u/mycie włosów <głowy> szamponem; **to give sb a ~** u/myć komuś głowę szamponem

shamrock [ˈʃæmrɔk] *s bot* koniczyna biała (*także* jako emblemat Irlandii)

shandrydan [ˈʃændridæn] *s* 1. lekki wóz dwukołowy 2. (stary) klekot; gruchot

shandygaff [ˈʃændi͵gæf] *s* piwo zmieszane z lemoniadą

shanghai [ˈʃæŋˈhai] *vt* upić <uśpić> i załadow-ać/ywać (kogoś) na statek jako członka załogi

shank [ʃæŋk] Ⅰ *s* 1. goleń 2. noga; **on Shank's** <**Shanks's**> **mare** <**pony**> na (własnych) nogach 3. *anat* śródstopie 4. trzon; trzonek; obsada; uchwyt; rączka (narzędzia) 5. (*u pończochy*) łydka 6. *bot* szypułka Ⅲ *vi* (*o kwiecie*) odpa-ść/ dać (od łodygi) Ⅲ *vt* (*w golfie*) uderz-yć/ać (piłkę) tylną częścią kija

shanny ['ʃæni] *s zoo* ślizga ostrogłów (ryba)

shan't [ʃɑ:nt] = **shall not**

shanty¹ ['ʃænti] *s* chata

shanty² ['ʃænti] = **chanty**

shape [ʃeip] *v* (*praet* **shaped** [ʃeipt] *pp* **shaped, shapen** ['ʃeipən]) Ⅰ *vt* 1. nada-ć/wać kształt (**sth** czemuś); modelować; fasonować; wy/ciosać; wy/toczyć; wy/cyzelować; wy/rzeźbić; s/kroić; **to ~ one's course** s/kierować się; wziąć kierunek 2. u/kształtować 3. na/szkicować (plan, projekt); s/formułować (myśl itd.) 4. dostosow--ać/ywać 5. wyobra-zić/żać <wy/imaginować> sobie Ⅲ *vi* 1. przyb-rać/ierać kształt; u/kształtować się 2. rozwijać <zapowiadać> się

~ up *vi w zwrocie*: **to ~** <**be shaping**> **up well** dobrze się zapowiadać

zob **shaped** Ⅲ *s* 1. kształt; forma; **to get into** <**take**> **~** a) u/kształtować się; przyb-rać/ierać kształt/y b) s/konkretyzować się; przyb-rać/ierać realne kształty; **to get out of ~** zniekształc--ić/ać się; s/tracić kształt; **to put into ~** doprowadz-ić/ać do porządku 2. (*u sportowca itd*) forma; kondycja 3. (*u kobiety*) kształty 4. postać; **a monster in human ~** potwór w ludzkim ciele; **in the ~ of ~** pod postacią...; w postaci ... 5. rodzaj; **no overtures in any ~ or form** żadnej zachęty jakiegokolwiek rodzaju <w jakiejkolwiek postaci> 6. postać ludzka; widmo; duch; zjawa 7. *techn* profil 8. forma (do budyniów itd.) 9. model

shaped ['ʃeipt] Ⅰ *zob* **shape** *v* Ⅲ *adj* mający (określony) kształt; **~ like a pear** kształtu <o kształcie, w kształcie> gruszki

shapeless ['ʃeiplis] *adj* bezkształtny; nieforemny; niezgrabny

shapeliness ['ʃeiplinis] *s* kształtność; ładne kształty; zgrabność; *rz* foremność

shapely ['ʃeiplɪ] *adj* (**shapelier** ['ʃeipliə], **shapeliest** ['ʃeipliist]) kształtny; foremny; zgrabny

shapen *zob* **shape** *v*

shaper ['ʃeipə], **shaping-machine** ['ʃeipiŋ-mə'ʃi:n] *s* strug; strugarka poprzeczna

shard [ʃɑ:d], **sherd** [ʃə:d] *s* 1. † *archeol* czerep, skorupa 2. nadlotka (u owada)

share¹ [ʃeə] Ⅰ *s* 1. (wydzielona z całości, należna komuś) część <cząstka>; to co się (komuś) należy; *także handl prawn* udział; **more than one's ~** ponad (przeciętną) miarę; więcej niż się należy; hojnie; **~ and ~ alike** równo <na równe części> (podzielić); w równych częściach (mieć); **the lion's ~** lwia część; **to go ~s in sth** podzielić się czymś 2. zasługa; położone zasługi; **to have a ~ in sth** <**in doing sth**> przyczyni-ć/ać <przy-łożyć/kładać> się do czegoś <do zrobienia czegoś>; uczestniczyć <wziąć/brać udział, partycypować, położyć zasługi, zasłużyć się> w czymś <w zrobieniu czegoś>; **what ~ had he __ ?** jaki był <na czym polegał> jego udział ...? 3. *przen* dola; udział; **it fell to my ~ to __** przypadło mi w udziale ... (coś zro-

bić) 4. *ekon* giełd akcja (towarzystwa akcyjnego) Ⅲ *vt* 1. rozdziel-ić/ać, porozdzielać 2. po/dzielić się (**sth with sb** czymś z kimś); mieć wspólnie (**sth with sb** coś z kimś); używać wspólnie (**sth with sb** czegoś z kimś); **to ~ a room with sb** mieszkać z kimś (w jednym pokoju); **to ~ sb's secrets** być czyimś powiernikiem; **he ~s all my secrets** ja nie mam tajemnic przed nim 3. podzielać (czyjeś zdanie); dzielić (czyjś smutek itd.) Ⅲ *vi* wziąć/brać udział <uczestniczyć, partycypować> (**in sth** w czymś); przyczyni-ć/ać się (**in sth** do czegoś); dzielić (**in sb's grief** <**happiness etc.**> czyjś smutek <czyjąś radość itd.>)

~ out *vt* rozdziel-ić/ać

share² [ʃeə] *s roln* 1. lemiesz 2. łapa (kultywatora)

share-cropper ['ʃeə,krɔpə] *s am* dzierżaw-ca/czyni (gruntu) za połowę plonu

share-holder ['ʃeə,houldə] *s* akcjonariusz/ka

share-list ['ʃeə,list] *s giełd* ceduła kursów akcji

share-pusher ['ʃeə,puʃə] *s* sprzedaw-ca/czyni akcji (najczęściej bezwartościowych)

sharer ['ʃeərə] *s* udziałowiec

shark [ʃɑ:k] Ⅰ *s* 1. *zoo* rekin 2. *przen* rekin (giełdowy itp.); oszust/ka; szuler/ka 3. *am szk uniw* diabelnie zdoln-y/a facet <babka>; **as** Ⅲ *vi* żyć z szulerstwa Ⅲ *vt* 1. oszuk-ać/iwać 2. poż-reć/ erać

shark-moth [ʃɑ:k,mɔθ] *s zoo* motyl nocny z rodziny sówkowatych

shark-oil [ʃ'ɑ:k,ɔil] *s* tran z wątroby rekina

sharp [ʃɑ:p] Ⅰ *adj* 1. (*o narzędziu, szpicu, kącie, konturach itd*) ostry; spiczasty; (*o płaszczyźnie*) spadzisty 2. (*o wzroku*) ostry 3. wyraźny 4. chytry; przebiegły; pozbawiony skrupułów; **~ practice** oszustwo; **he was too ~ for me** przechytrzył mnie 5. (*o kroku itd*) raźny; szybki 6. (*o walce*) zacięty 7. (*o wietrze, mrozie*) ostry; dojmujący, przejmujący; (*o powietrzu*) świeży 8. (*o bólu*) ostry; przeszywający 9. (*o usposobieniu*) popędliwy; gwałtowny; wybuchowy 10. (*o wypowiedzi, uwadze*) ostry; uszczypliwy; złośliwy 11. (*o smaku*) ostry; pikantny 12. (*o dźwięku, gwizdku itd*) przeraźliwy 13. (*o głosie*) piskliwy 14. (*o wzroku*) bystry; (*o uwadze itd*) baczny, pilny; **to keep a ~ watch** <**lookout**> bacznie śledzić; pilnie uważać 15. *fonet* (*o głosce*) bezdźwięczny 16. *muz* (*o tonacji*) z krzyżykiem; podwyższony o pół tonu; **A etc. ~** ais itd. 17. (*o człowieku*) sprytny; inteligentny; *pot* **he is as ~ as a needle** to bardzo bystry facet; **to be ~ at sth** mieć zdolności <*pot* smykałkę> do czegoś Ⅲ *adv* 1. (skręcić) ostro 2. (stanąć) nagle; w miejscu 3. (przyjść, odbyć się itd.) punktualnie; dokładnie z wybiciem godziny 4. śpiesznie; **look ~ !** szybko!; uwijać się (tam)! biegiem!; *pot* migiem! 5. (śpiewać itd.) powyżej tonacji; **to sing ~** fałszować Ⅲ *s* 1. *muz* krzyżyk 2. *muz* nuta z krzyżykiem 3. *fonet* głoska bezdźwięczna 4. *pot* oszust/ka; szuler/ka 5. *żart* znaw-ca/czyni, spec 6. *pl* **~s** mąka razowa Ⅳ *vt* 1. † za/ostrzyć 2. oszuk-ać/iwać 3. *muz* zaopat-rzyć/rywać (nutę) w krzyżyk Ⅴ *vi* 1. oszuk-ać/iwać; grać po szulersku 2. za wysoko za/śpiewać <za/grać>

sharp-edged ['ʃɑːp‚edʒd] *adj* 1. ostry; ostro zakończony; o ostrych krawędziach 2. spadzisty
sharpen ['ʃɑːpən] ⊡ *vt* 1. na/ostrzyć (nóż, narzędzie itd.) 2. wyostrzyć; zaci-ąć/nać <przyci--ąć/nać> w szpic; ostro zakończ-yć/ać; za/temperować (ołówek) 3. zaostrz-yć/ać (apetyt, ciekawość, dowcip itd.) 4. obostrz-yć/ać (przepisy itd.) 5. *kulin* zaprawi-ć/ać (potrawę) dla dodania ostrości 6. = **sharp** *vt* 3. ⊡ *vi* 1. nab-rać/ierać ostrości; sta-ć/wać się ostrym <ostrzejszym> 2. oszuk-ać/iwać; grać po szulersku
sharpener ['ʃɑːpnə] *s* przyrząd <maszyna> do ostrzenia; *techn* (szlifierko-)ostrzarka narzędziowa
sharper ['ʃɑːpə] *s* oszust/ka; szalbie-rz/rka; szuler/ka
sharp-eyed ['ʃɑːp‚aid] *adj* bystrooki
sharp-faced ['ʃɑːp‚feist] *adj* o bystrych rysach
sharpness ['ʃɑːpnis] *s* 1. ostrość 2. świeżość (powietrza) 3. ostrość <uszczypliwość> (wypowiedzi) 4. ostry smak (potrawy) 5. wyrazistość (konturów itd.) 6. bystrość (wzroku) *zob* **sharp** *adj*
sharp-set ['ʃɑːp‚set] *adj* 1. osadzony pod ostrym kątem 2. głodny 3. żądny (**on sth** czegoś) 4. pożądliwy
sharp-shod ['ʃɑːp‚ʃɔd] *adj* (*o koniu*) ostro podkuty; podkuty na ostro
sharp-shooter ['ʃɑːp‚ʃuːtə] *s* doskonały <wyborowy> strzelec
sharp-sighted ['ʃɑːp'saitid] = **sharp-eyed**
sharp-tongued ['ʃɑːp‚tʌŋd] *adj* uszczypliwy; zjadliwy; złośliwy
sharp-witted ['ʃɑːp'witid] *adj* bystry; rozgarnięty
shatter ['ʃætə] ⊡ *vt* 1. z/gruchotać, pogruchotać; roztrzask-ać/iwać; rozwal-ić/ać 2. z/niweczyć <rozwi-ać/ewać, przekreśl-ić/ać> (nadzieje itd.) 3. z/niszczyć (zdrowie); po/szarpać (nerwy) ⊡ *vi* rozbi-ć/jać <rozl-ecieć/atywać> się w kawałki
shave [ʃeiv] *v* (*praet* **shaved** [ʃeivd], *pp* **shaved**, **shaven** [ʃeivn]) ⊡ *vt* 1. o/golić 2. ze/strugać; z/heblować; o/skrobać; *przen* obci-ąć/nać (pozycje budżetowe itd.) 3. o/stryc krótko (trawnik) 4. musnąć; dotknąć w przelocie (**sth** czegoś) 5. *sl* oblupi-ć/ać ⊡ *vi* (*o fryzjerze*) golić; (*o brzytwie*) golić (dobrze, źle itd.)
～ **off** *vt* zgolić
～ **through** *vi* 1. *pot* przemknąć się 2. uniknąć (o włos) nieszczęścia
zob **shaven, shaving** ⊡ *s* 1. ogolenie; **to have a ～** a) o/golić się b) da-ć/wać się ogolić 2. muśnięcie 3. strug 4. oszustwo 5. uniknięcie (o włos) nieszczęścia
shavegrass ['ʃeiv‚grɑːs] *s bot* skrzyp
shave-hook ['ʃeiv‚huk] *s* skrobak
shaveling ['ʃeivliŋ] *s* 1. *uj* klecha; mnich 2. *am* młokos; gołowąs
shaven ['ʃeivn] ⊡ *zob* **shave** *v* ⊡ *adj* 1. (*o człowieku*) z tonsurą 2. (*o trawniku*) strzyżony 3. (*o desce itd*) ostrugany
shaver ['ʃeivə] *s* 1. golarz 2. *pot* chłopak; wyrostek 3. *techn* wiórkarka
Shavian ['ʃeivjən] *adj* (*o stylu itd*) G. B. Shawa; (*o dowcipie itd*) shawowski
shaving ['ʃeiviŋ] ⊡ *zob* **shave** *v* ⊡ *s* 1. golenie 2. struganie; skrobanie; wiórkowanie 3. *pl* ～**s** strużyny; wióry; **iron** ～**s** wióry metalowe (do czyszczenia podłóg), wiórki

shaving-basin ['ʃeiviŋ‚beisn] *s* miseczka do golenia
shaving-block ['ʃeiviŋ‚blɔk] *s* kostka ałunu
shaving-brush ['ʃeiviŋ‚brʌʃ] *s* pędzel do golenia
shaving-glass ['ʃeiviŋ‚glɑːs] *s* lustro <lusterko> do golenia
shaving-stick ['ʃeiviŋ‚stik] *s* mydło do golenia
shaw [ʃɔː] *s poet* las
shawl [ʃɔːl] *s* szal
shawm [ʃɔːm] *s* dawny instrument muzyczny podobny do oboju
shay [ʃei] = **chaise**
she [ʃiː] ⊡ *pron* (*o kobiecie, samicy, lokomotywie itd*) ona; (*o statku, samochodzie itd*) on; (*o państwie itd*) ono ⊡ *s* 1. kobieta 2. samica, samiczka
she- [ʃiː] *w złożeniach oznacza samicę, samiczkę*: -ica; -ka (kocica, kotka)
shea [ʃiː] *s bot* masłosz (drzewo zach. afr.)
sheading ['ʃiːdiŋ] *s* okręg administracyjny wyspy Man
sheaf [ʃiːf] ⊡ *s* (*pl* **sheaves** [ʃiːvz]) 1. snop (zboża) 2. wiązanka (kwiatów na pogrzebie) 3. wiązka <pęk> (rózg liktorskich itd.); plik (listów itd.); (*w balistyce*) snop (torów) ⊡ *vt vi* z/wiązać (zboże) w snopy
sheaf-binder ['ʃiːf‚baində] *s roln* snopowiązałka
▲**shear** [ʃiə] *v* (*praet* **sheared** [ʃiəd], † **shore** [ʃɔː], *pp* **shorn** [ʃɔːn], *rz* **sheared**) ⊡ *vt* 1. (*także* ～ **off**) u/ciąć <ści-ąć/nać> (mieczem itd.) 2. postrzy-c/gać <o/strzyc> (owce, materiał itd.); *przen* ob-edrzeć/dzierać ze skóry; **to be shorn of sth** zostać pozbawionym <odartym z> czegoś; *pot* **a shorn sheep** naiwniak 3. *techn* ścinać ⊡ *vi techn* ule-c/gać ści-ęciu/naniu *zob* **shearing** ⊡ *s* 1. *techn* ścinanie 2. *pl* ～**s** nożyce; ～ **steel** stal nożownicza
shearbill ['ʃiə‚bil] *s zoo* brzytwodziób (ptak z rodziny mew)
shearer ['ʃiərə] *s* postrzygacz (człowiek) 2. *górn* wrębiarka
shear-hulk ['ʃiə‚hʌlk] *s mar* kadłub statku z dźwigiem nożycowym
shearing ['ʃiəriŋ] ⊡ *zob* **shear** *v* ⊡ *s* strzyżenie; postrzyganie; strzyża (owiec)
shearing-machine ['ʃiə‚riŋ-mə'ʃiːn] *s* 1. *techn* nożyce mechaniczne 2. *górn* wrębiarka łukowa 3. *techn* postrzygarka (tkanin)
shear-legs ['ʃiə‚legz] *spl techn* dźwig nożycowy
shearling ['ʃiəliŋ] *s* owca po pierwszej strzyży
shear-water ['ʃiə‚wɔtə] *s zoo* burzyk (ptak)
sheat-fish ['ʃiːt‚fiʃ] *s* (*pl* ～, ～**es**) *zoo* sum
▲**sheath** [ʃiːθ] *s* (*pl* ～**s** [ʃiːðz]) 1. pochwa (miecza, noża itd.) 2. futerał (na parasol itd.); pochwa; pochewka; osłona, osłonka; otoczka; powłoka; torba; **contraceptive** ～ prezerwatywa
sheathe [ʃiːð] *vt* 1. włożyć/wkładać <s/chować> do pochwy; *dosł i przen* **to ～ the sword** s/chować miecz do pochwy; poniechać wojny 2. powle--c/kać; okry-ć/wać *zob* **sheathed, sheathing**
sheathed ['ʃiːðd] ⊡ *zob* **sheathe** ⊡ *adj* (znajdujący się) w pochwie; schowany; osłonięty
sheathing ['ʃiːðiŋ] ⊡ *zob* **sheathe** ⊡ *s* 1. powłoka; osłona; odeskowanie 2. obicie; poszycie
sheave¹ [ʃiːv] *s techn* krążek zblokowany <linowy>; koło pasowe klinowe <linowe>
sheave² [ʃiːv] *vt* z/wiązać (zboże) w snopy

sheaves *zob* **sheaf** *s*

shebang [ʃi'bæŋ] *s am sl* 1. dom 2. dom gry; szulernia 3. sklep 4. zakład 5. *w zwrocie*: **the whole ~** cały kram

shebeen [ʃi'bi:n] *s irl* nielegalny szynk

she'd [ʃi:d] = **she had** <**would**>

shed¹ [ʃed] *vt* (**shed, shed; shedding** ['ʃediŋ]) 1. zrzuc-ić/ać <strząs-nąć/ać> z siebie (odzież itd.); pozby-ć/wać się (**sb, sth** kogoś, czegoś) 2. s/tracić (włosy, zęby, kolegów itd.); **a flower ~s its petals** kwiat traci płatki; **animals ~ their hair** zwierzęta tracą włos <linieją>; **a tree ~s its leaves** drzewo traci liście; **cattle ~ their horns** bydło traci rogi; **fowls ~ their feathers** ptaki tracą pióra; **snakes ~ their skin** węże zrzucają skórę 3. pogubić (**one's luggage etc.** bagaże itd.) 4. lać <wyl-ać/ewać> (wodę itd.); ronić (łzy); przel-ać/ewać (krew) 5. szerzyć, rozszerz-yć/ać; rozsi-ać/ewać; wyda-ć/wać (zapach); wydziel-ić/ać (ciepło); promieniować (**love, warmth etc.** miłością, ciepłem itd.); rzuc-ić/ać (światło, promienie); **to ~ favours on sb** obsyp-ać/ywać kogoś dobrodziejstwami; **to ~ some light on a question** naświetl-ić/ać sprawę; rzuc-ić/ać światło na (jakąś) sprawę

shed² [ʃed] *s* 1. szopa; buda 2. zajezdnia; wozownia

she-devil ['ʃi:ˌdevil] *s* diablica

sheen [ʃi:n] *s* blask; jasność; połysk

sheeny¹ ['ʃi:ni] *s sl pog* Żyd/ówka

sheeny² ['ʃi:ni] *adj* błyszczący; jaśniejący; połyskujący; połyskliwy; z połyskiem

▸**sheep** [ʃi:p] *s* (*pl* **~**) 1. owca; baran; *przen* **a black ~** parszywa <czarna> owca; *bibl* **the ~ and the goats** owce i kozły (dobrzy i źli ludzie); **to cast ~'s eyes at sb** robić słodkie oczy do kogoś; **to follow like ~** iść owczym pędem; **as well be hanged for a ~ as for a lamb** jeżeli już mam wisieć, to niech wiem za co 2. (*zw pl*) *przen żart* owieczka, parafian-in/ka 3. (*o człowieku*) baran 4. = **sheepskin**

sheep-bot ['ʃi:pˌbɔt] *s zoo* giez

sheep-dip ['ʃi:pˌdip] *s* dezynfekująca kąpiel dla owiec

sheep-dog ['ʃi:pˌdɔg] *s zoo* 1. owczarek 2. collie, owczarek szkocki

sheep-farmer ['ʃi:pˌfɑ:mə,] *s* owczarz, hodowca owiec

sheepfold ['ʃi:pˌfould] *s* owczarnia

sheep-hook ['ʃi:pˌhuk] *s* kij pasterski

sheepish ['ʃi:piʃ] *adj* 1. nieśmiały 2. zakłopotany 3. ogłupiały; zbaraniały 4. bojaźliwy

sheepishness ['ʃi:piʃnis] *s* 1. nieśmiałość 2. zakłopotanie 3. zbaraniała mina; ogłupienie 4. bojaźliwość

sheepman ['ʃi:pmən] *s* (*pl* **sheepmen** ['ʃi:pmən]) *am* owczarz; pasterz owiec

sheep-master ['ʃi:pˌmɑstə] = **sheep-farmer**

sheep-run ['ʃi:pˌrʌn] *s* pastwisko <wybieg> dla owiec

sheep's-bit ['ʃi:psˌbit] *s bot* jasieniec piaskowy

sheep's-fescue ['ʃi:psˌfeskju:] *s bot* kostrzewa owcza

sheepshank ['ʃi:pˌʃæŋk] *s mar* węzeł skracający linę

sheep-shearer ['ʃi:pˌʃiərə] *s* postrzygacz owiec

sheep-shearing [ʃi:pˌʃiəriŋ] *s* strzyża (owiec)

sheepskin ['ʃi:pˌskin] *s* 1. barania skóra (do oprawy książek) 2. pergamin 3. *pot* dyplom (dawniej drukowany na baraniej skórze)

sheep-tick ['ʃi:pˌtik] *s zoo* kleszcz owczy

sheep-walk ['ʃi:pˌwɔ:k] = **sheep-run**

sheep-wash ['ʃi:pˌwɔʃ] = **sheep-dip**

sheer¹ [ʃiə] *adj* 1. (*o czynie określonym jako złodziejstwo, nonsens itd*) zwykły, zwyczajny; formalny; czysty; jawny; *często tłumaczone przez przysłówek*: po prostu; **by ~ force** po prostu siłą; **out of ~ malice** tylko przez złośliwość; z samej złośliwości 2. pionowy; prostopadły; stromy 3. (*o tkaninie*) lekki: przejrzysty; przewiewny Ⅲ *adv* 1. całkiem; całkowicie; zupełnie; formalnie; (wyrwany itd.) w całości; bez reszty 2. pionowo; prostopadle; stromo

sheer² [ʃiə] Ⅰ *vi* 1. *mar* schodzić z kursu 2. nagle skręc-ić/ać
  ~ off *vi* odsu-nąć/wać się (**from sb** od kogoś) Ⅲ *s* 1. *mar* wznios pokładu 2. *pl* **~s** *techn* dźwig nożycowy

sheer-hulk ['ʃiəˌhʌlk] = **shear-hulk**

sheer-legs ['ʃiəˌlegz] = **shear-legs**

sheer-strake ['ʃiəˌstreik] *s mar* mocnica burtowa

sheet [ʃi:t] Ⅰ *s* 1. prześcieradło; **as white as a ~** blady jak płótno; **between the ~s** w łóżku; **~s and blankets** pościel 2. arkusz (papieru, blachy itd.); płyta (szklana, azbestowa itd.); (*o książce*) **in ~s** w luźnych arkuszach; **~ glass** szkło płaskie <okienne> 3. kartka (papieru); formularz; zestawienie; wykaz; spis 4. *przen* gazeta; dziennik 5. obszar; wielka przestrzeń; tafla (wody, lodu); pokrywa (śnieżna); pokład; warstwa; **the rain came down in ~s** deszcz lał strugami <strumieniami> 6. *mar* szkot; *przen* **a ~** <**three ~s**> **in the wind** pod dobrą datą; zalany w pestkę Ⅲ *vt* 1. przykry-ć/wać <nakry-ć/wać> prześcieradłem; wy-słać/ścielać prześcieradłem (**a bed** łóżko); okry-ć/wać <nakry-ć/wać> brezentem 2. *przen* zasyp-ać/ywać pokrywą śnieżną; pokry-ć/wać (rzekę) taflą lodu; **~ed rain** ulewny deszcz 3. *mar w zwrocie*: **to ~ home** rozciąg-nąć/ać żagiel *zob* **sheeting**

sheet-anchor ['ʃi:tˌæŋkə] *s* 1. *mar* kotwica zapasowa 2. *przen* (ostatnia) deska ratunku; **that is our ~** cała nasza nadzieja w tym

sheet-copper ['ʃi:tˌkɔpə] *s* blacha miedziana

sheet-glass ['ʃi:tˌglɑ:s] *s* szkło okienne

sheeting ['ʃi:tiŋ] Ⅰ *zob* **sheet** *v* Ⅲ *s* płótno pościelowe

sheet-iron ['ʃi:tˌaiən] = **sheet-steel**

sheet-lead ['ʃi:tˌled] *s* blacha ołowiana

sheet-lightning ['ʃi:tˌlaitniŋ] błyskawica płaska

sheet-metal ['ʃi:tˌmetl] *s* blacha cienka; **~ work** roboty blacharskie

sheet-mill ['ʃi:tˌmil] *s hutn* 1. walcownia blach cienkich 2. walcarka blach cienkich

sheet-steel ['ʃi:tˌsti:l] *s* blacha stalowa cienka

sheet-tin ['ʃi:tˌtin] *s* blacha cynowa

sheet-zinc ['ʃi:tˌziŋk] *s* blacha cynkowa

sheik(h) [ʃeik] *s* szejk

shekel ['ʃekl] *s* 1. sykl <sykiel, szekiel> (moneta) 2. *pl* **~s** pieniądze; bogactwa

sheldrake ['ʃelˌdreik] *s zoo* kazarka (ptak)

shelf [ʃelf] Ⅰ *s* (*pl* **shelves** [ʃelvz]) 1. półka; **on the ~** odłożony na bok <w kąt> (jako niepotrzebny); (*o kobiecie*) **she is on the ~** to stara panna; **to put on the** ~ = **shelve** *vt* 2. występ (w skale), półka; listwa; gzyms 3. rafa, skała podwodna; ława piaszczysta; mielizna Ⅲ *vt* = **shelve**¹

▲**shell** [ʃel] Ⅰ *s* 1. powłoka; osłona; pokrywa; skorupa, skorupka; tarcza (żółwia); pancerz (owada); (*o człowieku zachowującym się z rezerwą*) **to come out of one's** ~ wyjść ze swej skorupy; odtajać; **to retire into one's** ~ zamknąć <zasklepić> się w sobie 2. muszla <muszelka> (małża) 3. łupin-a/ka 4. strączek (grochu itd.) 5. jelec <garda> (szpady) 6. szkielet <ząb> (budynku, projektu itd.); kadłub (statku) 7. trumna tymczasowa <wewnętrzna> 8. lekka łódź wyścigowa 9. *artyl* pocisk; granat 10. łuska <gilza> (naboju) 11. *am* nabój 12. *hutn* rozprysk metalu 13. *szk* klasa średnia 14. pozory 15. = **shell-jacket** Ⅲ *adj* 1. (*o zwierzęciu*) zaopatrzony w skorupę, posiadający muszlę; opancerzony 2. ozdobiony muszelkami Ⅲ *vt* 1. wy/łuskać 2. pokry-ć/wać muszlami 3. *wojsk* ostrzel-ać/iwać; wziąć/brać pod obstrzał artylerii Ⅳ *vi* 1. łuszczyć się 2. wyłuskiwać się
~ **off** *vi* łuszczyć się
~ **out** *vi sl* wy/bulić; za/płacić
zob **shelled**

shellac [ʃe'læk] Ⅰ *s* szelak Ⅲ *vt* (**shellacked** [ʃe'lækt], **shellacked**) powle-c/kać szelakiem

shell-back ['ʃel,bæk] *s sl* stary żeglarz <marynarz>; wilk morski

shell-bark ['ʃel,bɑːk] *s am bot* gatunek leszczyny

shelled [ʃeld] Ⅰ *zob* **shell** *v* Ⅲ *adj* 1. oskorupiony; opancerzony; osłonięty <okryty> twardą powłoką <skorupą> 2. *wojsk* zbombardowany; (znajdujący się) pod obstrzałem artylerii <pod ogniem artyleryjskim>

sheller ['ʃelə] *s techn* łuszczarka

shell-fire ['ʃel,faiə] *s wojsk* ogień artyleryjski

shell-fish ['ʃel,fiʃ] *s* (*pl* ~, ~**es**) skorupiak; mięczak

shell-jacket ['ʃel,dʒækit] *s wojsk* mundur na co dzień

shell-pit ['ʃel,pit] *s wojsk* lej (od pocisku artyleryjskiego)

shell-proof ['ʃel,pruːf] *adj wojsk* pancerny

shell-shock ['ʃel,ʃɔk] *s med* 1. kontuzja 2. nerwica wojenna; uraz <wstrząs> psychiczny w następstwie bombardowania itp.

shell-shocked ['ʃel,ʃɔkt] *adj med* kontuzjowany (podczas wybuchu pocisku)

shell-work ['ʃel,wəːk] *s* ozdoby z muszelek

shelly ['ʃeli] *adj* (*o terenie, wapieniu*) obfitujący w muszle

▲**shelter** ['ʃeltə] Ⅰ *s* 1. schronienie; **to take** ~ s/chronić się; **to take sb under one's** ~ udziel-ić/ać komuś schronienia <azylu>; wziąć kogoś pod swoje <opiekuńcze> skrzydła 2. osłona; ochrona; miejsce schronienia (od deszczu itd.); **to be under** ~ być osłoniętym 3. przytułek 4. schron 5. schronisko 6. budka Ⅲ *vt* 1. u/chronić (**from** _ **od ...** — czegoś, przed ... — czymś) 2. udziel-ić/ać schronienia <przytułku> (**sb** komuś) 3. ochr-onić/aniać <osł-onić/aniać> (**from sth** od czegoś, przed czymś); zabezpiecz-yć/ać <o/bronić> (**from sth** przed czymś) Ⅲ *vi* (*także vr* ~ **oneself**) s/chronić się (**from the rain etc.** przed deszczem itd.) *zob* **sheltered**

sheltered ['ʃeltəd] Ⅰ *zob* **shelter** *v* Ⅲ *adj* 1. osło-

nięty; (znajdujący się) pod osłoną; bezpieczny 2. chroniony; (znajdujący się) pod ochroną

shelterer ['ʃeltərə] *s* obroń-ca/czyni; człowiek chroniący (kogoś, coś)

shelterless ['ʃeltəlis] *adj* zdany na pastwę (losu itd.); bezbronny

sheltie, shelty ['ʃelti] *s* kucyk szetlandzki

shelve¹ [ʃelv] *vt* 1. zaopat-rzyć/rywać (bibliotekę itd.) w półki 2. położyć/kłaść <umie-ścić/szczać> (książki itd.) na pół-ce/kach 3. *przen* włożyć/wkładać <s/chować> (sprawę, prośbę itd.) do szuflady <do akt> 4. pozby-ć/wać się (**sb, sth** kogoś, czegoś); wym-ówić/awiać służbę (**sb** komuś); zwolnić z posady *zob* **shelving**

shelve² [ʃelv] *vi* (*o terenie itd*) opadać

shelves *zob* **shelf** *s*

shelving ['ʃelviŋ] Ⅰ *zob* **shelve**¹ Ⅲ *s* zbiór półki

shemozzle [ʃi'mɔzl] Ⅰ *s sl* bójka; kłótnia Ⅲ *vi sl* zwi-ać/ewać

shenanigan [ʃi'nænigən] *s am pot* szwindel, kant

▲**shepherd** ['ʃepəd] Ⅰ *s* pastuch; *lit i przen* pasterz; ~'**s crook** kij pastuszy; *kulin* ~ **pie** zapiekanka z mięsa i ziemniaków; ~'**s plaid** pled w czarno-białą kratkę Ⅲ *vt* 1. paść <wypasać> (owce) 2. *przen* prowadzić <pilotować> (wycieczkę itd.)

shepherdess ['ʃepədis] *s* pastuszka, pasterka

shepherd's-cress ['ʃepədz,kres] *s bot* chroszcz nagołodygowy

shepherd's-joy ['ʃepədz,dʒɔi] *s bot* australijskie pnącze z rodziny liliowatych

shepherd's-needle ['ʃepədz,niːdl] *s bot* czechrzyca grzebieniowa

shepherd's-purse ['ʃepədz,pəːs] *s bot* tasznik pospolity

shepherd's-rod ['ʃepədz,rɔd] *s bot* szczeć pospolita

sherardizing ['ʃerə,daiziŋ] *s techn* szerardyzacja, cynkowanie dyfuzyjne stali

Sheraton ['ʃerətn] *spr* nazwa surowego stylu meblarskiego z XVIII w.

sherbet ['ʃəːbət] *s kulin* sorbet, szerbet (napój chłodzący)

sherd *zob* **shard**

sherif ['ʃerif] *s* (*w krajach muzułmańskich*) szeryf

sheriff ['ʃerif] *s* (*w Anglii i St. Zjedn.*) szeryf

sheriffalty ['ʃerifəlti], **sheriffdom** ['ʃerifdəm], **sheriffhood** ['ʃerif,huːd], **sheriffship** ['ʃerifʃip] 1. szeryfostwo, urząd szeryfa 2. okręg podległy władzy szeryfa

sherry ['ʃeri] *s* białe wino hiszpańskie; ~ **cobbler** napój chłodzący

sherry-glass ['ʃeri,glɑːs] *s* kieliszek do wina

she's [ʃiːz] = **she has** <**is**>

Shetland ['ʃetlənd] *spr* (*o kucyku, wełnie, koronkach*) szetlandzki

shew [ʃou] = **showed** *zob* **show** *v*

shewbread *zob* **showbread**

shewn [ʃoun] = **shown** *zob* **show** *v*

shibboleth ['ʃibə,leθ] *s* 1. sprawdzian 2. *polit* przestarzałe hasło 3. *polit* zarzucona doktryna

shield [ʃiːld] Ⅰ *s* 1. tarcza; *hist* puklerz; *przen* **the other side of the** ~ odwrotna strona medalu 2. *herald* tarcza herbowa 3. osłona; tarcza; ekran ochronny 4. *zoo* tarcza (owada) 5. *ogr* oczko (do oczkowania roślin) 6. *am* znaczek legitymacyjny policjanta Ⅲ *vt* 1. o/chronić, ochraniać; osł-onić/aniać; zasł-onić/aniać (oczy) 2. *techn* ekranować

shift [ʃift] Ⓘ *vi* 1. przesu·nąć/wać <przen-ieść/ osić> się; zmieni-ć/ać miejsce 2. (*o wietrze*) zmieni-ć/ać kierunek 3. (*o scenie, dekoracjach*) zmieni-ć/ać się 4. (*zw* **to** ~ **for oneself**) samemu sobie radzić; da-ć/wać sobie radę 5. *pot* kręcić; używać wybiegów Ⓘ *vt* 1. przesu-nąć/ wać; przen-ieść/osić; przemie-ścić/szczać; prze-łącz-yć/ać; **to** ~ **the blame on sb** zwal-ić/ać winę na kogoś; **to** ~ **the responsibility etc. on sb** przerzuc-ić/ać odpowiedzialność itd. na kogoś 2. zmieni-ć/ać (kierunek, zdanie, dekoracje teatr., mieszkanie itd.); *am auto* **to** ~ **gears** zmieni-ć/ać bieg

~ **about** *vi* wciąż zmieniać miejsce

~ **off** *vt* zrzuc-ić/ać z siebie (odpowiedzialność); pozby-ć/wać się (**responsibility** odpowiedzialności); **to** ~ **off responsibility on sb** zwal-ić/ać odpowiedzialność na kogoś

~ **round** *vi* 1. zmieni-ć/ać miejsce 2. (*o wietrze*) zmieni-ć/ać kierunek

~ **up** *vt auto* przerzuc-ić/ać bieg na wyższy; wziąć/brać wyższy bieg

zob **shifting** Ⓘ *s* 1. przesunięcie 2. zmiana (po-łożenia, kierunku, bielizny itd.); *roln* ~ **of crops** płodozmian 3. zmiana (robocza); dzień roboczy; brygada zmianowa; szychta; **an 8-hour** ~ 8-godzinna szychta; **to work in** ~**s** pracować na zmiany 4. sposób <rada> (na coś); wyjście (rozpaczliwe itd.); **to make (a** ~ **a)** po/radzić sobie b) *pot* wyn-ieść/osić się; **to make** ~ po/radzić sobie <da-ć/wać sobie radę> (**with sth** z czymś; **without sth** bez czegoś) 5. wybieg; wy-kręt/y, wykręc·enie/anie się (sianem) 6. *bud* mijany układ spoin pionowych (w murze) 7. † koszula damska

shifter [ʃiftə] *s* 1. dniówkarz zmianowy 2. prze-kładacz; przesuwacz 3. *techn* przesuwak; prze-suwnica; dźwignia zmiany biegów

shiftiness [ʃiftinis] *s* 1. fałszywość 2. chytrość

shifting [ʃiftiŋ] Ⓘ *zob* **shift** *v* Ⓘ *s* 1. przesu--nięcie/wanie 2. *auto* zmiana (biegów itd.) Ⓘ *adj* 1. niestały; zmienny; ruchomy; ~ **sand** piasek lotny 2. przesuwalny; do przesuwania

shiftless [ʃiftlis] *adj* niezaradny

shifty [ʃifti] *adj* (**shiftier** [ʃiftiə], **shiftiest** [ʃiftiist]) 1. chytry; przebiegły; *pot* cwany 2. (*o spojrzeniu*) fałszywy; chytry; nie budzący zaufania

shikar [ʃiˈkaː] Ⓘ *s* (*w Indiach*) polowanie Ⓘ *vt* za/polować (**sth** na coś)

shikaree [ʃiˈkæri] *s* (*w Indiach*) tubylczy myśliwy

shillelagh [ʃiˈleilə] *s irl* pałka z tarniny <dębu>

shilling [ʃiliŋ] *s* szyling; **a** ~ **in the pound** 5%; **a** ~**'s worth** za jednego szylinga (towaru); **to come** <**turn up**> **like a bad** ~ zwalić się (ko-muś) na głowę; **to take the King's** <**Queen's**> ~ wstąpić do wojska

shilly-shally [ʃiliˌʃæli] Ⓘ *adv* niezdecydowanie Ⓘ *adj* niezdecydowany Ⓘ *s* 1. niezdecydowanie; brak decyzji 2. człowiek niezdecydowany <chwiejny> Ⓘ *vi* (**shilly-shallied** [ʃiliˌʃælid], **shilly-shallied, shilly-shallying** [ʃiliˌʃæliiŋ]) wa-hać się; nie móc się zdecydować

shim [ʃim] Ⓘ *s* klin; podkładka Ⓘ *vt* (**-mm-**) za/ klinować; da-ć/wać podkładkę (**sth** pod coś)

shimmer [ʃimə] Ⓘ *vi* za/migotać; za/błyszczeć; za/lśnić; za/iskrzyć się Ⓘ *s* migotanie; blask; lśnienie

shimmy[1] [ʃimi] *s dziec* koszulka

shimmy[2] [ʃimi] *s* shimmy (taniec)

shin [ʃin] Ⓘ *s anat* goleń; *kulin* ~ **of beef** pręga (mięso wołowe z nogi) Ⓘ *vt* (**-nn-**) 1. wdrap--ać/ywać <wspi-ąć/inać> się (**up a tree etc.** na drzewo itd.) 2. *am pot w zwrocie*: **to** ~ **it** zwi--ać/ewać; ucie-c/kać 3. kop-nąć/ać **w goleń** ~ **off** *vi am pot* zwi-ać/ewać; ucie-c/kać

shin-bone [ʃinˌboun] *s anat* przednia krawędź kości goleniowej; *pot* goleń

shindy [ʃindi] *s pot* awantura; hałas; **to kick up a** ~ z/robić grandę

shine [ʃain] Ⓘ *vi* (**shone** [ʃon], **shone**) 1. za/świe-cić (się); za/jaśnieć; za/błyszczeć 2. (*o twarzy itd*) rozpromieni-ć/ać się <promienieć> (**with joy etc.** radością itd.) 3. oświetl-ić/ać (**on** <**upon**> **sth** coś); (*o świetle, blasku*) pa-ść/dać (na coś) Ⓘ *vt* (**shined** [ʃaind], **shined**) *pot* (*także* ~ **up**) wy/pucować; o/czyścić (do połysku) Ⓘ *s* 1. jas-ność; blask; **rain or** ~ bez względu na pogodę; **to put a good** ~ **on sth** dobrze wyczyścić <wy-pucować> coś; **to take the** ~ **out of** _ a) przy-ciemni-ć/ać <pozbawi-ć/ać blasku>... (coś) b) zaćmi-ć/ewać ... (kogoś) 2. *sl* granda; hałas; awantura 3. *am sl* sympatia; **to take a** ~ **to sb** poczuć sympatię do kogoś; **he took a** ~ **to you** przypadłaś mu do serca

shiner [ʃainə] *s sl* 1. (złota) moneta; funt ster-ling <szterling> 2. *pl* ~**s** forsa, pieniądze 3. *am sl* podbite oko

▲**shingle**[1] [ʃiŋgl] Ⓘ *s* 1. gont 2. *am* tablica (fir-mowa); wywieszka 3. strzyżenie (włosów) na garsonkę <chłopczycę> Ⓘ *vt* 1. po/kryć gon-tami 2. o/strzyc (włosy) na garsonkę <chłop-czycę>

shingle[2] [ʃiŋgl] *s* kamyk

shingles [ʃiŋglz] *spl med* półpasiec (choroba)

shingly [ʃiŋgli] *adj* (*o plaży itd*) kamienisty; żwi-rowaty

shin-guard [ʃinˌgaːd] *s* nagolennik

shinto [ʃintou] *s* 1. *rel* (*w Japonii*) sinto 2. *rel* (*w Japonii*) sintoizm

shinty [ʃinti] *s sport* odmiana hokeja

shiny [ʃaini] *adj* (**shinier** [ʃainiə], **shiniest** [ʃainiist]) błyszczący; świecący; wypolerowany *pot* wypucowany; **to be** ~ świecić się, błysz-czeć

▲**ship** [ʃip] Ⓘ *s* 1. statek; okręt; ~**'s biscuit** su-char; ~**'s boy** majtek; *przen* ~**s that pass in the night** przelotne znajomości; **the** ~ **of the desert** okręt pustyni, wielbłąd; **the** ~**'s company** załoga; **to take** ~ zaokrętować się; wsiąść na statek; **when my** ~ **comes home** kiedy się wzbogacę 2. *sl* łódź wyścigowa, wyścigówka 3. *am* samolot Ⓘ *vt* (**-pp-**) 1. za/ładować (towary) na statek; frachtować, za/okrętować; (*o statku, łodzi*) **to** ~ **water** <**a sea**> zostać zatopionym przez fale 2. pos-łać/yłać (towary) (morzem lub lądem); spediować 3. *mar* wprawi-ć/ać <wsta-wi-ć/ać> (ster, śrubę itd.); **to** ~ **oars** s/chować <wciąg-nąć/ać> wiosła (do łodzi) Ⓘ *vi* (**-pp-**) za-okrętować się *zob* **shipping**

shipboard [ʃipˌboːd] *s* pokład; **on** ~ na pokła-dzie; na statku

ship-broker ['ʃip,broukə] s makler okrętowy

↓**shipbuilding** ['ʃip,bildiŋ] Ⅰ s okrętownictwo, budownictwo okrętowe Ⅲ attr (o przemyśle itd) stoczniowy; okrętowy

ship-chandler ['ʃip,tʃɑːndlə] s dostawca okrętowy

shipload ['ʃip,loud] s (pełny) statek (towarów, pasażerów)

shipmaster ['ʃip,mɑːstə] s kapitan statku handlowego

shipmate ['ʃip,meit] s towarzysz z rejsu

shipment ['ʃipmənt] s 1. za/ładowanie <za/ładunek> (towarów na statek); za/okrętowanie (pasażerów) 2. wysyłka; ekspedycja (towaru) 3. przesyłka 4. fracht

ship-money ['ʃip,mʌni] s hist podatek na budowę floty wojennej

shipowner ['ʃip,ounə] s mar armator; właściciel okrętu

shipper ['ʃipə] s 1. nadawca ładunku; frachtujący; mar załadowca 2. spedytor

↓**shipping** ['ʃipiŋ] Ⅰ zob ship v Ⅲ s 1. za/ładowanie; załadunek; za/okrętowanie 2. żegluga; usługi żeglugowe i transport morski 3. flota handlowa; statki; tonaż 4. wysyłka; ekspedycja Ⅲ adj 1. (o drogach itd) morski; (o linii itd) okrętowy 2. (o dokumentach itd) przewozowy; spedycyjny; załadowczy; ładunkowy; the ~ trade żegluga

shipshape ['ʃip,ʃeip] Ⅰ adj praed staranny; uporządkowany; (znajdujący się) we wzorowym porządku Ⅲ adv starannie; we wzorowym porządku

shipway ['ʃip,wei] s mar pochylnia

shipworm ['ʃip,wəːm] s zoo świdrak okrętowy

shipwreck ['ʃip,rek] Ⅰ s 1. rozbicie statku; katastrofa morska <na morzu> 2. przen klęska; zniweczenie <przekreślenie, rozwianie> (nadziei itd.) Ⅲ vt 1. rozbi-ć/jać (statek); s/powodować rozbicie (a craft statku); (o statku) to be ~ed rozbi-ć/jać się 2. przen z/niszczyć; z/niweczyć; obr-óció/acać w niwecz Ⅲ vi ulec rozbiciu; rozbić się

shipwright ['ʃip,rait] s 1. właściciel stoczni 2. cieśla okrętowy

shipyard ['ʃip,jɑːd] s stocznia

shire ['ʃaiə] s hrabstwo; the ~s hrabstwa środkowe Anglii; ~ horse koń pociągowy

shirk [ʃəːk] Ⅰ vt uchyl-ić/ać się (sth od czegoś); pot wykręc-ić/ać <wymig-ać/iwać> się (sth od czegoś) Ⅲ s człowiek uchylający się od pracy <od spełnienia obowiązków itd.>; pot obijacz; bumelant/ka; nierób

shirker ['ʃəːkə] s = shirk s

shir(r) [ʃəː] Ⅰ s 1. guma (na podwiązki itd.) 2. gumka (okrągła — do kapeluszy itd.) 3. marszczenie (się) (materiału przy szyciu) Ⅲ vt (przy szyciu) z/marszczyć; z/robić zakładki (sth na czymś)

shirt [ʃəːt] s 1. koszula (męska); przysł near is my ~ but nearer is my skin bliższa koszula ciału; sl to get sb's ~ off wyprowadzić kogoś z równowagi; zdenerwować kogoś; to give sb a wet ~ wymęczyć <zmordować> kogoś; sl to keep one's ~ on nie denerwować się; to put one's ~ on sth założyć się o ostatnią złotówkę o coś 2. bluzka damska ze sztywnym kołnierzem i mankietami

shirt-blouse ['ʃəːt,blauz] s am bluzka damska

shirt-front ['ʃəːt,frʌnt] s gors

shirting ['ʃəːtiŋ] s materiał/y koszulow-y/e <na koszule>

shirt-maker ['ʃəːt,meikə] s bieliźniarz, bieliźniarka

shirt-sleeves ['ʃəːt,sliːvz] spl rękawy od koszuli; in one's ~ bez marynarki; w samej koszuli

shirty ['ʃəːti] adj sl wściekły; zły; to get ~ wściec się; to be ~ ciskać się

shit [ʃit] Ⅰ s wulg gówno Ⅲ vi (-tt-) wulg wysrać się; srać

shiver[1] ['ʃivə] Ⅰ vi za/drżeć (with cold etc. z zimna itd.); za/dygotać; mieć dreszcze; za/trząść się Ⅲ s drżenie; dreszcz; it gave me the ~s ciarki przeszły mi po plecach; to have the ~s trząść się; dygotać

shiver[2] ['ʃivə] Ⅰ s odłamek; kawałek; to break into ~s rozbić (się) na (drobne) kawałki Ⅲ vt vi rozbi-ć/jać (się) na (drobne) kawałki; ~ my timbers niech mnie diabli wezmą

shivery ['ʃivəri] adj 1. drżący; trzęsący się 2. wywołujący dreszcze

shoal[1] [ʃoul] Ⅰ adj płytki Ⅲ s 1. mielizna; ławica; rafa, skała podwodna 2. pl ~s przen ukryte niebezpieczeństwa Ⅲ vi (o wodzie) sta-ć/wać się coraz płytszym Ⅳ vt spłyc-ić/ać; z/robić płytkim

shoal[2] [ʃoul] Ⅰ s stado <ławica> (ryb); tłum (ludzi); masa <powódź> (listów itd.) Ⅲ vi gromadzić się w ławice <w stada>

↓**shock**[1] [ʃɔk] Ⅰ s 1. siła uderzenia (przy zderzeniu itd.); (także geol) wstrząs 2. wojsk starcie; ~ troops oddział/y szturmow-y/e 3. cios; zderzenie; uderzenie 4. med wstrząs (psychiczny); szok (nerwowy) 5. elektr porażenie; to get a ~ dozna-ć/wać porażenia Ⅲ vt 1. wstrząs-nąć/ać (sb kimś); wywoł-ać/ywać wstrząs (sb u kogoś) 2. z/gorszyć; oburz-yć/ać; to be ~ed z/gorszyć <oburz-yć/ać> się (at <by> sth czymś); I was ~ed to hear — oburzyłem się na wiadomość o ... 3. razić (kogoś, czyjeś ucho itd.) 4. med w zwrocie: to be ~ed dozna-ć/wać wstrząsu (psychicznego) <szoku (nerwowego)> 5. elektr porazić (prądem) Ⅲ vi zderz-yć/ać się zob shocking

shock[2] [ʃɔk] Ⅰ s kopka (12 snopków) Ⅲ vt ustawi-ć/ać (snopy) w kopki

shock[3] [ʃɔk] s (także a ~ (head) of hair) kudłata <skudlona> czupryna

shock-absorber ['ʃɔk-əb,sɔːbə] s auto amortyzator (wstrząsów); tłumik drgań

shocker ['ʃɔkə] s 1. pot coś ohydnego <skandalicznego>; ohyda; (istny) skandal 2. groszowa książka sensacyjna

shocking ['ʃɔkiŋ] Ⅰ zob shock[1] v Ⅲ adj 1. oburzający; skandaliczny 2. (o wiadomości itd) wstrząsający 3. (o zachowaniu itd) nie na miejscu; niestosowny; pot something ~ coś okropnego; he swore something ~ klął na czym świat stoi 4. (o pogodzie itd) okropny; wstrętny; niemożliwy Ⅲ adv pot diablo, okropnie

shockingly ['ʃɔkiŋli] adv skandalicznie; okropnie; niemożliwie

shock-worker ['ʃɔk,wəːkə] s przodowni-k/ca pracy

shod zob shoe v

shoddiness ['ʃɔdinis] s kiepska <licha> jakość (towaru)

shoddy ['ʃɔdi] Ⅰ s 1. wełna odpadkowa 2. guma regenerowana 3. materiał z wełny odpadkowej 4. towary wysortowane; buble; ramsz; tandeta; *pot* lipa Ⅱ *adj* (**shoddier** ['ʃɔdiǝ], **shoddiest** ['ʃɔdiist]) *pot* (*o towarze*) lipny; wysortowany; tandetny

shoe [ʃu:] Ⅰ s 1. półbucik; bucik, but; trzewik; **canvas** ~s tenisówki; **dead man's** ~s spadek <miejsce> po kimś; **that's another pair of** ~s to inna para kaloszy; **wooden** ~s drewniaki; **to be in sb's** ~s znaleźć się <być> w czyjejś skórze; **to die in one's** ~s umrzeć śmiercią gwałtowną <przez powieszenie>; **to put the** ~ **on the right foot** winić kogo trzeba; **to shake in one's** ~s trząść się ze strachu; **to step into sb's** ~s zająć miejsce po kimś; **that's where the** ~ **pinches!** tu go boli!; w tym sęk!; **with no** ~s **on** boso, na bosaka 2. podkowa 3. *auto* szczęka (hamulca) 4. *górn* but obudowy opuszczanej (szybu) 5. *techn* klocek cierny 6. *techn* ślizg, ślizgacz (łyżwowy) 7. *techn* okucie; obręcz (koła); nasada metalowa; but (pala); okucie (płozy sań) 8. *bud* łożysko drzwi wahadłowych 9. *bot* ~s **and stockings** komonica Ⅲ *vt* (**shod** [ʃɔd], **shod**) 1. obu-ć/wać; well **shod** dobrze <ładnie> obuty; w ładnych <zgrabnych> butach 2. podku-ć/wać (konia) 3. *techn* okuć-/wać (pal itd.)

shoeblack ['ʃu:ˌblæk] s czyścibut, pucybut
shoe-brush ['ʃu:ˌbrʌʃ] s szczotka do butów
shoe-buckle ['ʃu:ˌbʌkl] s sprzączka u buta
shoe-horn ['ʃu:ˌhɔ:n] s łyżka do butów
shoe-lace ['ʃu:ˌleis] s sznurowadło
shoe-leather ['ʃu:ˌleðǝ] s skóra na podeszwy; **as good a man as ever trod** ~ lepszy od niego człowiek jeszcze się nie narodził; nie ma lepszego człowieka
shoemaker ['ʃu:ˌmeikǝ] s szewc
shoemaking ['ʃu:ˌmeikiŋ] s szewstwo
shoe-string ['ʃu:ˌstriŋ] s 1. sznurowadło 2. *am* niewielki kapitał zakładowy przy uruchomieniu przedsiębiorstwa
shoe-thread ['ʃu:ˌθred] s *szew* dratwa
shone *zob* **shine** *v*
shoo [ʃu:] Ⅰ *interj* sz!, a kysz! Ⅱ *vt* wypł-oszyć/aszać (ptactwo)
~ **away** przeg-onić/aniać
shook¹ *zob* **shake** *v*
shook² [ʃuk] Ⅰ s *zbior* klepki na beczkę Ⅲ *vt* złożyć/składać (beczkę) z klepek
shoot [ʃu:t] *v* (**shot** [ʃɔt], **shot**) Ⅰ *vt* 1. spły-nąć/wać <mknąć> (**the rapids** po bystrzynie); przem-knąć/ykać (**a bridge** pod mostem); **to** ~ **Niagara** a) stanąć nad przepaścią b) igrać ze śmiercią; **to** ~ **the moon** a) wyprowadz-ić/ać się ukradkiem (nie zapłaciwszy czynszu) b) wyn-ieść/osić ukradkiem meble w nocy dla uniknięcia sekwestru 2. cis-nąć/kać <rzuc-ić/ać> (**sth** coś, czymś); zsyp-ać/ywać; zwal-ić/ać; spu-ścić/szczać; *pot* wywal-ić/ać <wyrzuc-ić/ać, zrzuc-ić/ać> (śmieci, gruz itd.); *sl* wy/rzygać 3. wypu-ścić/szczać (strzałę); wystrzelić (**a missile** pocisk; **a gun** ze strzelby); miotać (**sth** coś, czymś); **to** ~ **a glance at sb** przeszy-ć/wać kogoś wzrokiem; **to** ~ **a match** wziąć/brać udział w konkursie strzeleckim; **to** ~ **one's way out of** <**into**> __ strzałami u/torować sobie wyjście ... (skądś) <dro-

gę ... (dokądś)>; *sl* **to** ~ **the cat** wyrzygać się; **to** ~ **the dice** rzuc-ić/ać kości 4. (*także* **to** ~ **sb dead**) zastrzelić <trafić> (kogoś); rozstrzelać; **to** ~ **sb in** __ postrzelić kogoś w ... (rękę itd.); **I'll be shot if** __ niech trupem padnę <niech mnie kule biją>, jeżeli ... 5. ustrzelić; upolować; strzel-ić/ać (**lions etc.** do lwów itd.); polować (**lions etc.** na lwy itd.) 6. zasu-nąć/wać (rygiel itd.) 7. *fot* z/robić zdjęcie (**sth** czegoś); s/fotografować; *kino* s/filmować; nakręc-ić/ać (scenę itd.) 8. *sport* (*w piłce nożnej*) strzel-ić/ać (gola <bramkę>) 9. ocios-ać/ywać <strugać> (kant deski) Ⅲ *vi* 1. po/pędzić; rzuc-ić/ać się <po-lecieć> (na oślep); po/mknąć; przem-knąć/ykać; mig-nąć/ać; (*o piłce, kuli*) mus-nąć/kać ziemię (po odbiciu się) 2. strzel-ić/ać (z łuku, armaty, ze strzelby itd.); urządz-ić/ać strzelaninę; polować 3. (*o bólu*) rwać; za/kłuć 4. (*o roślinie*) wypu-ścić/szczać pęd/y; za/kiełkować 5. *am sl wykrzyknikowo* ~! no, jazda!; mów/cie!; gadaj/cie! 6. *z przyimkami:* ~ **down;** **to** ~ **down a hill etc.** zlecieć <ześliznąć się> z górki itd.; ~ **through; to** ~ **through sth** a) przestrze˙ić coś b) przeniknąć przez coś; ~ **up; to** ~ **up a hill** wlecieć pędem <*pot* migiem> na górę
~ **ahead** *vi sport* zdystansować wszystkich; wysunąć się na czoło
~ **away** Ⅰ *vt* 1. (*o pocisku*) od-erwać/rywać (**sb's arm etc.** komuś rękę itd.) 2. (*o strzelcu*) wystrzel-ić/ać (całą amunicję itd.) Ⅲ *vi pot*
~ **away!** gadaj/cie!
~ **down** *vt* 1. zestrzelić; ustrzelić 2. zastrzelić; s/kosić ogniem karabinowym
~ **forth** *vi* (*o roślinie*) wypu-ścić/szczać pęd/y
~ **in** *vi* wpa-ść/dać jak bomba (do pokoju itd.)
~ **off** Ⅰ *vi* pomknąć; popędzić Ⅲ *vt* (*o pocisku*) od-erwać/rywać (**sb's arm etc.** komuś rękę itd.)
~ **out** Ⅰ *vi* 1. wyl-ecieć/atywać (jak z procy) 2. wysuwać się; występować; sterczeć Ⅲ *vt* 1. wyrzuc-ić/ać; miotać (**sth** coś, czymś); wysu-nąć/wać 2. (*o drzewie itd*) wypu-ścić/szczać (gałęzie) 3. wystrzelać (wszystką zwierzynę)
~ **up** Ⅰ *vi* 1. strzel-ić/ać w górę 2. wzn-ieść/osić się lotem strzały 3. (*o cenach*) pod/skoczyć 4. (*o roślinie, dziecku*) szybko wy/rosnąć <rozwi-nąć/jać się> Ⅲ *vt am* s/terroryzować wystrzałami <strzelaniną> (ludność itd.)
zob **shooting, shot²** Ⅲ s 1. *bot* pęd; odrośl; kiełek 2. (*w rzece*) progi; bystrzyna 3. zsyp; zsuwnia 4. wodotrysk 5. polowanie 6. teren łowiecki 7. konkurs strzelecki 8. *techn* przewał, przelew 9. *geol* bogata część złoża (rudy) 10. rwący <przeszywający> ból 11. hałda; miejsce składania śmieci <gruzu> 12. wyprawa myśliwska; *pot* **the whole** ~ cał-a/y paczka <kram>
shooter ['ʃu:tǝ] s 1. strzelec; myśliwy 2. *am* rewolwer <karabin> (x-strzałowy); **six** <**eight etc.**> ~ broń sześciostrzałowa <ośmiostrzałowa itd.>; rewolwer sześciostrzałowy <ośmiostrzałowy itd.> 3. (*w krykiecie*) piłka mknąca błyskawicznie po powierzchni trawnika
shooting ['ʃu:tiŋ] Ⅰ *zob* **shoot** *v* Ⅲ *attr* (*o konkursie itd*) strzelecki; (*o sezonie itd*) łowiecki;

(*o ubiorze itd*) myśliwski; ~ **war** prawdziwa wojna (w odróżnieniu od zimnej wojny) Ⅲ *adj* 1. mknący; pędzący; (*o piłce krykietowej*) mknący błyskawicznie po powierzchni trawnika; ~ **star** spadająca gwiazda 2. tryskający 3. *bot* kiełkujący 4. (*o bólu*) rwący; przeszywający

shooting-box ['ʃuːtiŋ,bɔks] *s* domek myśliwski
shooting-gallery ['ʃuːtiŋ,gæləri] *s* strzelnica (jarmarczna)
shooting-iron ['ʃuːtiŋ,aiən] *s sl* spluwa, strzelba
shooting-jacket ['ʃuːtiŋ,dʒækit] *s* kurtka myśliwska
shooting-match ['ʃuːtiŋ,mætʃ] *s* konkurs strzelecki
shooting-party ['ʃuːtiŋ,pɑːti] *s* polowanie; wyprawa łowiecka
shooting-plane ['ʃuːtiŋ,plein] *s stol* strug, hebel
shooting-range ['ʃuːtiŋ,reindʒ] *s wojsk* strzelnica
shooting-stick ['ʃuːtiŋ,stik] *s* krzesełko laskowe myśliwego
shop [ʃɔp] Ⅰ *s* 1. sklep; magazyn; **to shut up** ~ a) zwi-nąć/jać interes <przedsiębiorstwo> b) machnąć na wszystko ręką; dać za wygraną 2. warsztat; pracownia; dział <oddział> (fabryki); **assembly** ~ montownia; **black** <**blacksmith's**> ~ kuźnia; **fitter's** ~ ślusarnia; **repair** ~ warsztat naprawczy 3. *sl* instytucja; zakład; *szk* buda; **the other** ~ tamci (konkurenci) 4. zajęcie zawodowe, zawód; **to sink the** ~ zapom-nieć/inać (na chwilę) o sprawach zawodowych; **to talk** ~ mówić o sprawach zawodowych 5. *sl* teatr 6. *sl teatr* engagement, umowa o występy ‖ *sl* **all over the** ~ wszędzie; (porozrzucany) po całym pokoju <mieszkaniu itd.>; w nieładzie; gdzie popadnie; **to come to the wrong** ~ zwrócić się pod niewłaściwy adres Ⅲ *vi* (**-pp-**) 1. z/robić <porobić> zakupy; iść/chodzić po <załatwi-ć/ać, pozałatwiać> sprawunki 2. ob-ejść/chodzić sklepy <magazyny> dla zorientowania się w cenach <w gatunkach towaru itd.> Ⅲ *vt* (**-pp-**) 1. *sl* zam-knąć/ykać w ciupie 2. zdra-dz-ić/ać (wspólnika) *zob* **shopping**
shop-assistant ['ʃɔp-ə,sistənt] *s* ekspedient/ka; sprzedaw-ca/czyni
shop-bell ['ʃɔp,bel] *s* dzwonek automatyczny u drzwi sklepowych
shop-boy ['ʃɔp,bɔi] *s* ekspedient; sprzedawca; † subiekt
shop-girl ['ʃɔp,gəːl] *s* ekspedientka; sprzedawczyni
shopkeeper ['ʃɔp,kiːpə] *s* kup-iec/cowa; sklepi-ka-rz/rka; **a nation of** ~**s** naród kramarzy
shop-lifter ['ʃɔp,liftə] *s* złodziej/ka kradnąc-y/a towary wystawione w domach towarowych
shopman ['ʃɔpmən] *s* (*pl* **shopmen** ['ʃɔpmən]) 1. kupiec; sklepikarz 2. ekspedient; sprzedawca 3. warsztatowiec
shopper ['ʃɔpə] *s* klient/ka; kupując-y/a (w sklepie); człowiek załatwiający sprawunki <zakupy>
shopping ['ʃɔpiŋ] Ⅰ *zob* **shop** *v*; **to go** ~ pójść/ iść po zakupy; po/załatwiać sprawunki Ⅲ *s* sprawunki; zakupy Ⅲ *attr* (*o dzielnicy itd*) sklepowy, sklepów; (*o koszu, torbie, siatce itd*) na sprawunki; na zakupy; ~ **centre** centrum handlowe (miasta); ~ **street** ulica centrum handlowego <przy której skoncentrowane są sklepy>
shoppy ['ʃɔpi] *adj* 1. (*o rozmowie itd*) dotyczący spraw zawodowych 2. (*o człowieku*) kupiecko

nastawiony; o mentalności kupieckiej <kramarskiej>
shop-soiled ['ʃɔp,sɔild] *adj* (*o towarze, artykule*) przybrudzony i przeceniony
shop-steward ['ʃɔp,stjuəd] *s* kierownik warsztatu
shop-walker ['ʃɔp,wɔːkə] *s* nadzorca w sklepie wielobranżowym <w · domu towarowym>
shop-window ['ʃɔp,windou] *s* wystawa sklepowa; okno wystawowe; **in the** ~ na wystawie
shop-worn ['ʃɔp,wɔːn] = **shop-soiled**
shore[1] [ʃɔː] Ⅰ *s* brzeg (morza, jeziora); wybrzeże; **distant** ~**s** dalekie kraje; **in** ~ przy brzegu; **off** ~ z dala od wybrzeża; na pełnym morzu; *mar* **on** ~ na lądzie; **to go on** ~ wy/lądować; zejść/schodzić na ląd; ~ **leave** pozwolenie zejścia na ląd, przepustka Ⅲ *vt* wysadz-ić/ać na ląd
shore[2] [ʃɔː] Ⅰ *s* podpora; stempel Ⅲ *vt* (*zw* ~ **up**) pod-eprzeć/pierać stemplami
shore[3] *zob* **shear** *v*
shoreward ['ʃɔːwəd] *adv* ku brzegowi <lądowi>;· (płynąć itd.) do brzegu
shorn *zob* **shear** *v*
short [ʃɔːt] Ⅰ *adj* 1. (*przy określaniu długości, odległości*) krótki; (*o ubiorze*) przykrótki; (*o czasie trwania, spisie, opisie itd*) krótki; niedługi; (*o terminie*) krótki; niedaleki; (*o wekslu, pożyczce itd*) krótkoterminowy; **a** ~ **cut** skrót; **a** ~ **distance, a** ~ **way off** niedaleko; *mar* ~ **sea** krótka fala; ~ **story** nowela; **something** ~, **a** ~ **drink, a** ~ **one** kieliszek czegoś; **of** ~ **duration** krótkotrwały; **to get** <**grow, become**> ~ skr-ócić/acać się; sta-ć/wać się krótszym; s/kurczyć się; **to have but a** ~ **life** mieć krótki żywot; być krótkotrwałym; **to make** ~ **work of** sth szybko <*pot* migiem, raz dwa> coś załatwić; rozprawi-ć/ać się szybko z czymś; **to take** ~ **views** nie patrzeć w przyszłość; **a** ~ **time ago** niedawno temu; **at** ~ **range** a) na krótką metę b) z bliska; **for a** ~ **time** na krótko; **in a** ~ **time** wkrótce; niedługo, niezadługo 2. (*o człowieku*) niski, niewysoki, niskiego wzrostu 3. (*o stylu*) zwięzły 4. (*o wypowiedzi*) krótki; szorstki; lakoniczny; bezceremonialny; (*o tonie*) suchy; oschły; (*o człowieku*) nieuprzejmy 5. (*o usposobieniu*) porywczy 6. (*o godzinie, metrze, kilogramie itd*) niecały; (*o ważonym, wydzielanym towarze itd*) nie doważony; brakujący; **to get** ~ **weight** zostać oszukanym <dać się oszukać> na wadze; **to give** ~ **weight** nie dowa-żać; okra-ść/dać na wadze; **to give** ~ **measure** okra-ść/dać na miarze <przy mierzeniu materiału> 7. (*o zapasach towaru itd*) szczupły; ograniczony; skąpy; niewystarczający; **coal** <**sugar etc.**> **is in** ~ **supply** węgla <cukru itd.> brakuje; **to run** ~ zabraknąć; brakować; **our tea has run** ~ zabrakło nam <wyczerpał się nam zapas> herbaty 8. (*o człowieku*) odczuwający brak (czegoś); **to be** <**to have run**> ~ **of** sth odczuwać brak <nie mieć> czegoś; **I am** <**have run**> ~ **of money** brak mi pieniędzy; **I am two shillings** <**one pound etc.**> ~ brakuje mi dwóch szylingów <jednego funta itd.>; **we are** <**have run**> ~ **of work** nie mamy co robić; **we were** <**had run**> ~ **of hands** zabrakło <brakowało> nam rąk do pracy; mieliśmy luki personalne; **to be** ~ **of breath** mieć krótki oddech; być zadyszanym;

mieć zadyszkę; (*o kasjerze*) **to be** ~ mieć manko (kasowe); *karc* **to be** ~ **of** _ mieć renons w ...; **to run** ~ **of sth** stanąć wobec braku czegoś; **we ran** ~ **of tea** zabrakło <brakowało> nam herbaty 9. (*o rzeczy, pojęciu, utworze itd*) *w zwrotach*: **to be little** <not far> ~ **of** _ być niemal że ...; graniczyć z ...; **it is little** ~ **of a swindle** to graniczy z oszustwem 10. *w zwrocie*: **nothing** ~ **of** _ tylko <jedynie> ...; nic (innego) <chyba> tylko ...; **nothing** ~ **of brute force could tear him away** tylko <jedynie> siłą można go było oderwać 11. *kulin* (*o ciastku itd*) kruchy 12. *giełd* (*o transakcji*) blankowy Ⅲ *adv* 1. (ubrany itd.) krótko 2. nagle; **to cut sth** ~ a) przerwać coś b) zaprzestać czegoś; **to stop** <pull up> ~ a) stanąć nagle; stanąć w miejscu b) (*w czasie mowy*) urwać; **to take sb up** ~ przerwać komuś (mówiącemu); **he was taken up** ~ nagle mu się zachciało; *pot* przypiliło go 3. za krótko; nie docierając <nie dotarłszy> do celu; **to fall** ~ a) (*o pocisku itd*) nie donieść; nie dotrzeć do celu b) (*o człowieku*) zawieść; nie stanąć na wysokości zadania c) (*o pogodzie*) nie dopisać d) (*o sprawie*) nie zakończyć się pomyślnie; **to fall** ~ **of expectations** zawieść oczekiwania <nadzieje>; ~ **of** z wyjątkiem; z wyłączeniem; wyjąwszy; prócz; **everything** ~ **of war** <murder, crime etc.> wszystko z wyjątkiem <prócz> wojny <mordu, zbrodni itd.> 4. *giełd* (sprzeda-ć/wać) blankowo; bez pokrycia Ⅲ *s* 1. skrót; skrócenie; **for** ~ a) dla krótkości b) w zdrobnieniu; **in** ~ krótko mówiąc; **"phone is** ~ **for "telephone" "phone"** to skrót od **"telephone"** 2. *prozod* krótka zgłoska <sylaba> 3. *fonet* krótka samogłoska 4. *druk* znak krótkości 5. *pl* ~s szorty 6. *handl* manko (kasowe); brak 7. *giełd* blankista 8. *giełd* spekulant na zniżkę 9. *pot elektr* zwarcie, krótkie spięcie 10. *kino* film krótkometrażowy Ⅳ *vt pot elektr* zewrzeć/zwierać

shortage ['ʃɔ:tidʒ] *s* brak; niedobór; deficyt; **cash** ~ manko (kasowe)

shortbread ['ʃɔ:t,bred], **shortcake** ['ʃɔ:t,keik] *s* kruche ciasto

short-circuit ['ʃɔ:t'sə:kit] Ⅰ *s elektr* zwarcie, *pot* krótkie spięcie Ⅲ *vt elektr* wywoł-ać/ywać <s/powodować> zwarcie *pot* krótkie spięcie (**the line** na linii); zewrzeć/zwierać (obwód itd.)

shortcoming ['ʃɔ:t'kʌmiŋ] *s* 1. wada; słaba strona; niedociągnięcie; brak, braki; **it has its** ~s to ma swoje braki <ujemne strony> 2. brak, niedobór; *handl* manko; ~ **in cash etc.** brak gotówki itd.

short-dated ['ʃɔ:t'deitid] *adj* (*o wekslu itd*) krótkoterminowy; (*o bilecie kolejowym*) o krótkim terminie ważności

shorten ['ʃɔ:tn] Ⅰ *vt* 1. skr-ócić/acać; obci-ąć/nać 2. włożyć/wkładać (dziecko) do poduszki <do be-cika> 3. *kulin* doda-ć/wać tłuszczu (**flour paste** do ciasta — żeby było kruche) Ⅲ *vi* skr-ócić/acać się; z/maleć; **the days are** ~ing ubywa dnia

shorthand ['ʃɔ:t,hænd] *s* stenografia; ~ **writing** stenografowanie

short-handed ['ʃɔ:t'hændid] *adj* (*o przedsiębiorstwie*) cierpiący na brak pracowników; mający niedobory <braki> personalne; **we are** ~ brak nam <potrzebujemy> rąk do pracy

shorthorn ['ʃɔ:t,hɔ:n] *s zoo* wół <byk, krowa> angielskiej rasy bydła krótkorogiego

short-leg ['ʃɔ:t,leg] (*w krykiecie*) pozycja jednego z członków drużyny atakującej

♦**short-lived** ['ʃɔ:t'livd] *adj* krótkotrwały; przemijający; przelotny

shortly ['ʃɔ:tli] *adv* 1. niebawem; wkrótce; wnet; zaraz; ~ **after** a) wkrótce potem b) wkrótce <krótko, zaraz> po (czymś); ~ **before** a) krótko przedtem b) krótko przed (czymś) 2. (opowiedzieć itd.) w krótkich słowach <pokrótce> 3. (odpowiedzieć itd.) sucho <lakonicznie>

shortness ['ʃɔ:tnis] *s* 1. krótkość; ~ **of breath** krótki oddech; zadyszka; ~ **of sight** <memory> krótk-i/a wzrok <pamięć> 2. krótkotrwałość 3. oschłość; bezceremonialne obejście 4. braki (aprowizacyjne, pieniężne itd.) 5. kruchość (metalu) na gorąco

short-notice ['ʃɔ:t,noutis] *attr* (*o pożyczce itd*) krótkoterminowy

short-sighted ['ʃɔ:t'saitid] *adj* (*o człowieku*) *dosł i przen* krótkowzroczny; *dosł* o krótkim wzroku; *przen* mało przewidujący

short-sightedness ['ʃɔ:t'saitidnis] *s med* miopia, krótki wzrok; *dosł i przen* krótkowzroczność

short-spoken ['ʃɔ:t'spoukən] *adj* wyrażający się lakonicznie <oschle>

short-statured ['ʃɔ:t'stætʃəd] *adj* niskiego wzrostu

short-tempered ['ʃɔ:t'tempəd] *adj* popędliwy; zapalczywy; krewki

short-term ['ʃɔ:t,təːm] *attr* (*o kredycie itd*) krótkoterminowy

short-waisted ['ʃɔ:t'weistid] *adj* (*o osobie*) o krótkim stanie

short-winded ['ʃɔ:t'windid] *adj* (*o człowieku*) cierpiący na duszność; (*o koniu*) dychawiczny

♦**shot**¹ [ʃɔt] Ⅰ *s* 1. kula armatnia; pocisk; *przen* **a** ~ **in the locker** a) coś w zapasie <w zanadrzu> b) wyjście c) gotówka w kieszeni 2. (*pl* ~) kulka śrutu; śrut 3. strzał; **to fire a** ~ wystrzelić; **like a** ~ lotem strzały; piorunem; **he was off like a** ~ pomknął jak strzała; **in** <out of> ~ w zasięgu <poza zasięgiem> strzału; **not by a long** ~ a) bynajmniej b) daleko (ci <mu itd.>) do tego c) *pot* ani mi <mu itd.> się śni 4. docinek (**at sb** pod czyimś adresem) 5. próba; **a long** ~ trudne przedsięwzięcie; **to have** <take, try> **a** ~ s/próbować; **to make a good** <bad> ~ a) trafić <spudłować, nie trafić> b) zgadnąć <nie zgadnąć> 6. *sport* (*w piłce nożnej*) strzał <próba strzału> (**do bramki**) 7. *kino fot* zdjęcie 8. *pot* zastrzyk (morfiny itd.); dawka (kokainy itd.) 9. *pot* łyk (wódki itd.) 10. *górn* strzał 11. strzelec; **to be a good** <bad> ~ dobrze <źle> strzelać; *pot* **a big** ~ gruba ryba; ważna osoba Ⅲ *vt* (-tt-) za/ładować (broń)

shot² [ʃɔt] Ⅰ *zob* shoot *v* Ⅲ *adj* (*o jedwabiu itd*) mieniący się

shot³ [ʃɔt] *s* (przypadająca na kogoś) część rachunku (w restauracji itd.); **to pay one's** ~ zapłacić swoją część rachunku

shotgun ['ʃɔt,gʌn] *s* dubeltówka; śrutówka

should [ʃud] *v aux* (2. *pers sing* **shouldst** [ʃudst]) 1. *w 1. pers stosowany jest w okresach warunkowych nierzeczywistych*: **I** ~ **do it if I knew how** zrobiłbym to, gdybym umiał; **I** ~ **not have done that if I had known** nie zrobiłbym był tego, gdybym był wiedział 2. *w 2. i 3. pers z in- wersją na oznaczenie warunku*: ~ **the occasion arise** gdyby się nadarzyła sposobność; ~ **you meet him** gdybyś go spotkał 3. *w mowie zależ- nej stosowany jest w zdaniach pobocznych za- miast używanego w mowie wprost* **shall,** *gdy zdanie główne zawiera czas przeszły* past: **I said I** ~ **be there** powiedziałem, że tam będę 4. *jako odpowiednik trybu łączącego*: **it is good that you** ~ **know** dobrze jest, żebyś wiedział 5. *przy wszystkich osobach*: powinien; **you** ~ **not say** <**have said**> **that** nie powinieneś był tego mówić 6. *służy do wyrażania przypuszczenia*: **he** ~ **be home by now** chyba już jest w domu; **I** ~ **say** <**think**> **so** chyba tak ‖ *z oburzeniem*: **I** ~ **say** <**think**> **not** w żadnym wypadku, nigdy w życiu

⊧**shoulder** ['ʃouldə] Ⅰ *s* 1. ramię; *pl* ~**s** barki; plecy; **he has broad** ~**s** a) on jest barczysty b) *przen* on się nie boi odpowiedzialności <pra- cy>; *wojsk* **to bring the gun to the** ~ złożyć/ składać się; **to give the cold** ~ **to sb** przyjąć kogoś oziębie; **to lay the blame on the right** ~**s** winić właściwego winowajcę; **to stand head and** ~**s above** — przewyższać o głowę ...; ~ **to** ~ **ramię** przy ramieniu; **straight from the** ~ a) (uderzyć) z całych sił <z rozmachem> b) (po- wiedzieć) prosto z mostu <nie owijając w ba- wełnę> 2. *kulin* łopatka; ~ **of mutton** ćwiartka baraniny 3. skarpa, szkarpa; wyskok; występ (skalny itd.); stopień 4. *bud* mur wsporny 5. *techn* krawędź; kołnierz; obsada; nasada Ⅱ *vt* 1. pch-nąć/ać <rozpychać> ramionami; **to** ~ **one's way** przep-chnąć/ychać się 2. wziąć/brać na swe barki (ciężar, odpowiedzialność itd.) 3. wziąć/brać na ramię (broń) Ⅲ *vi* pchać <roz- pychać> się

shoulder-belt ['ʃouldə,belt] *s* 1. pendent; † ban- dolet 2. szelka (plecaka, tornistra)

shoulder-blade ['ʃouldə,bleid] *s anat* łopatka

shoulder-high ['ʃouldə'hai] *adj* sięgający do ra- mion; **the snow was** ~ śnieg sięgał do ramion

shoulder-strap ['ʃouldə,stræp] *s* 1. naramiennik 2. rzemień (tornistra itd.) 3. ramiączko (koszuli itd.)

shout [ʃaut] Ⅰ *s* 1. krzyk; wrzask; ryk; larum 2. okrzyk (radości itd.) 3. *sl* kolej na zamówienie (piwa itd.) dla całego towarzystwa; **my** ~**!** na mnie kolej!; teraz ja funduję! Ⅲ *vi* krzy-knąć/ czeć; wrz-asnąć/eszczeć; ry-knąć/czeć; *pot* drzeć się; **to** ~ **at sb** skrzyczeć kogoś; **to** ~ **for sth** wrzeszcząc <z wrzaskiem> za/żądać czegoś; **to** ~ **with laughter** ryczeć ze śmiechu Ⅲ *vr* ~ **oneself** *w zwrocie*: **to** ~ **oneself hoarse** krzy- czeć <wrzeszczeć, drzeć się> aż do ochrypnięcia Ⅳ *vt* wrzaskiem wyra-zić/żać (aprobatę itd.); wrzaskliwym głosem <wrzaskliwie, z wrzaskiem> wyda-ć/wać (rozkaz)

~ **down** *vt* wygwizdać (aktora itd.)

~ **out** Ⅰ *vi* 1. krzy-knąć/czeć 2. wykrzyk-nąć/ iwać Ⅲ *vt* wykrzyk-nąć/iwać (rozkaz, jakieś wyrazy itd.)

zob **shouting**

shouter ['ʃautə] *s* krzykacz/ka; człowiek krzyczący <wrzeszczący>

shouting ['ʃautiŋ] Ⅰ *zob* **shout** *v* Ⅲ *s* 1. krzyk/i; wrzask/i; larum; **it's all over but the** ~ właści- wie jest już po wszystkim, ale echa jeszcze nie przebrzmiały 2. okrzyki

shove¹ [ʃʌv] Ⅰ *vt* 1. pchnąć, pop-chnąć/ychać; posu-nąć/wać; **to** ~ **one's way, to** ~ **by** <**past, through**> przepychać się 2. *pot* w/pakować <we- pchnąć/wpychać, wcis-nąć/kać, wsadz-ić/ać> (coś do szafy itd.); **to** ~ **sth on to sb** zepchnąć coś na kogoś

~ **about** *vt* popychać na wszystkie strony

~ **along** Ⅰ *vt* popychać naprzód <przed sie- bie> Ⅲ *vi* przepychać się z trudem

~ **aside** *vt* od-epchnąć/pychać <odsu-nąć/wać> na bok

~ **away** *vt* od-epchnąć/pychać <odsu-nąć/wać> od siebie

~ **back** *vt* pop-chnąć/ychać <odsu-nąć/wać> do tyłu

~ **down** *vt* zepchnąć/spychać; zsu-nąć/wać

~ **forward** *vt* wyp-chnąć/ychać

~ **off** Ⅰ *vt* 1. od-epchnąć/pychać (łódź) od brzegu 2. *pot* zd-jąć/ejmować <zrzuc-ić/ać> (płaszcz itd.) Ⅲ *vi pot* oddal-ić/ać się; wy- rusz-yć/ać

~ **on** *vt* nasu-nąć/wać <wcis-nąć/kać> (kape- lusz itd.)

~ **out** *vt* wyp-chnąć/ychać; wysu-nąć/wać

Ⅲ *s* pchnięcie; **to give sb a** ~ popchnąć kogoś; **to give sb a** ~ **off** a) *dosł* popchnąć kogoś b) *przen* dać komuś start życiowy

shove² [ʃʌv] *s* paździerze (konopne)

shove-halfpenny ['ʃʌv,heipni] = **shovelboard**

⊧**shovel** ['ʃʌvl] Ⅰ *s* szufla, szufelka; łopata; **steam** <**power**> ~ koparka; ładowarka; ~ **hat** kape- lusz z szerokim rondem noszony przez anglikań- skich duchownych Ⅱ *vt* (**-ll-**) szuflować; prze- rzuc-ić/ać <zebrać/zbierać, za/ładować, wyłado- wać> szuflą <łopatą>; *pot* **to** ~ **food into one's mouth** jeść łapczywie; pakować <ładować> je- dzenie do ust

shovelboard ['ʃʌvl,bɔ:d] *s* gra polegająca na tra- fianiu krążkami (dawniej monetami) w oznaczo- ne cyframi pola

shovelful ['ʃʌvlful] *s* (pełna, jedna) szufla, szu- felka <łopata> (czegoś)

shoveller ['ʃʌvələ] *s zoo* płaskonos (kaczka)

⊧**show** [ʃou] *v* (*praet* **showed** [ʃoud], *lit* **shewed** [ʃoud], **shew** [ʃju], *pp* **shown** [ʃoun], **showed,** *lit* **shewed, shewn** [ʃoun]) Ⅰ *vt* 1. pokaz-ać/ ywać (**sb sth, sth to sb** coś komuś); **I** <**he etc.**> **was shown** — pokazano mi <mu itd.> ...; **he has nothing to** ~ **for it** on nic nie wskórał <nie ma żadnych wyników, nie ma czym się pochwalić>; **to** ~ **a leg** wsta-ć/wać z łóżka; (*o materiale*) **to** ~ **dirt** brudzić się; **to** ~ **one's face** <**head**> zjawi-ć/ać się; *przen* **to** ~ **one's teeth** pokaz- -ać/ywać pazury; **to** ~ **sb the door** pokaz-ać/ ywać komuś drzwi; wyrzuc-ić/ać kogoś za drzwi 2. wystawi-ć/ać na pokaz (towar itd.); wysta- wi-ć/ać na wystawie (obraz, rzeźbę itd.) 3. wy- świetl-ić/ać (film) 4. okaz-ać/ywać (bilet, legi- tymację, wdzięczność, zainteresowanie itd.); prze- jawi-ć/ać 5. (*o dziele sztuki, ilustracji, wykresie itd*) przedstawiać 6. (*o zegarze, liczniku itd*) po- kazywać, wskazywać 7. (*o zestawieniu, bilansie itd*) wykaz-ać/ywać (**sth** na coś); wskaz-ać/ywać (**sth** na coś); zdradzać (braki, dążności itd.) 8. za/prowadzić (**sb to a place etc.** kogoś dokądś itd.; **sb upstairs** kogoś na górę); sprowadz-ić/ać (**sb downstairs** kogoś na dół); wprowadz-ić/ać (**sb into** — kogoś.

do ... — pokoju itd.); oprowadz-ić/ać (**sb round a museum** etc. kogoś po muzeum itd.); **to ~ sb the way** a) pokaz-ać/ywać komuś drogę; za/prowadzić kogoś b) u/torować drogę komuś <dla następców itd.> 9. dowodzić <być dowodem> (**a quality** etc. zalety itd.); **it ~s how little you know** to dowodzi, jak mało umiesz <jak słabo się orientujesz>; **to ~ fight** okaz-ać/ywać gotowość do walki (o swe przekonania itd.); nie podda-ć/wać się łatwo; **to ~ one's hand** a) pokaz--ać/ywać rękę b) odkry-ć/wać karty c) zdradz-ić/ać swe zamiary; **to ~ signs of** _ zdradzać ... (uczucia itd.) 10. uwydatni-ć/ać (urodę, wiek itd.) 11. za/demonstrować; udow-odnić/adniać <wykaz-ać/ywać> (**sth** coś; **that sth is** <**sth to be**> _ że coś jest ...) Ⅲ _vr_ **~ oneself** pokaz-ać/ywać się; **to ~ oneself (to be)** _ okaz--ać/ywać się ... (dobrym, głupim itd.); **to ~ itself** a) (o _widoku itd_) ukaz-ać/ywać <odsł-onić/aniać> się b) (o _tajemnicy itd_) wy-jść/chodzić na jaw Ⅲ _vi_ 1. pokaz-ać/ywać <ukaz-ać/ywać> się; być widocznym; **it ~s** <**showed**> (to) widać <było widać>; **does the stain** <**darn** etc.> **~?** czy widać plamę <cerę itd.>? 2. wypa-ść/dać (**well** <**poorly** etc.> dobrze <kiepsko itd.>) 3. wyglądać (**to advantage** etc. korzystnie itd.)

~ down Ⅱ _vt_ sprowadz-ić/ać (kogoś) na dół Ⅲ _vi_ odkry-ć/wać karty; położyć/kłaść karty na stół

~ in _vt_ wprowadz-ić/ać <wpu-ścić/szczać> (kogoś)

~ off Ⅱ _vt_ 1. uwydatni-ć/ać 2. wystawi-ć/ać na pokaz 3. popis-ać/ywać się (**sth** czymś) Ⅲ _vi_ paradować; pozować; chcieć <starać się> imponować <wyw-rzeć/ierać wrażenie>; szukać aplauzu <oklasków>

~ out _vt_ wyprowadzić (kogoś) z domu <za drzwi>

~ round _vt_ oprowadz-ić/ać; pokaz-ać/ywać miasto <muzeum itd.> (**sb** komuś)

~ up Ⅱ _vt_ 1. _szk_ pokaz-ać/ywać (zadanie nauczycielowi itd.) 2. z/demaskować; odsł-onić/aniać; wyjawi-ć/ać Ⅲ _vi_ 1. ukaz-ać/ywać <za-rysow-ać/ywać> się 2. zdradz-ić/ać się 3. spis--ać/ywać się 4. _pot_ pokaz-ać/ywać się (na zebraniu itd.); zjawi-ć/ać się

zob **showing** Ⅳ _s_ 1. pokaz-anie/ywanie; **to vote by ~ of hands** głosować przez podniesienie ręki 2. wystawa; pokaz; pochód; **to be on ~** być wystawionym; **the Lord Mayor's Show** doroczny pochód z żywymi obrazami, odbywający się po wyborze nowego burmistrza Londynu 3. pozory zewnętrzne; wygląd; **to make a ~ of** _ udawać ... (coś) 4. pokaz (siły itd.); ostentacja; pompa; parada; widowisko; **to make a ~ of sth** popis-ać/ywać się czymś; **to make a good ~ of** sth popisać się czymś; dobrze się spisać; **to make a poor ~ of** sth nie popisać się czymś; źle się spisać 5. _teatr_ przedstawienie 6. _pot_ kram; impreza; zabawa; **to give away the ~** wydać wszystko; zdradzić tajemnicę; **to run** <**boss**> **the ~** mieć władzę w (swoich) rękach; stać na czele; rządzić <panoszyć się; mieć ostatnie słowo 7. możność <sposobność, szansa> wypowiedzenia się <dojścia do słowa, pokazania, do czego jest się zdolnym>; **to give sb a fair ~** dać komuś szansę (wykazania zdolności itd.) 8. _fizj_ krwa-

wienie surowicze poprzedzające poród lub miesiączkę 9. _fizj_ menstruacja Ⅴ _attr_ (o _artykule handlu_) pokazowy; wzorcowy; (o _utworze muz._ _itd_) popisowy; **a ~ pupil** uczeń będący chlubą szkoły

show-boat ['ʃou̯ˌbout] _s am_ teatr pływający (na rzece Missisipi)

show-box ['ʃou̯ˌbɔks] _s_ skrzynka <kaseta> z wzorami <wystawowa>

showbread, shewbread ['ʃou̯ˌbred] _s rel_ chleb pokładowy wystawiany w świątyni żydowskiej w starożytności

showcard ['ʃou̯ˌkɑːd] _s_ 1. plakat 2. etykieta

show-case ['ʃou̯ˌkeis] _s_ gablota, gablotka

show-down ['ʃou̯ˌdaun] _s_ 1. odkrycie <odsłonięcie> kart 2. wyjawi-enie/anie zamiarów; _przen_ gra w otwarte karty

shower[1] ['ʃou̯ə] _s_ 1. demonstrator 2. (_na wystawie_) wystawca

shower[2] ['ʃau̯ə] Ⅰ _s_ 1. przelotny deszcz; **heavy ~** krótkotrwała ulewa 2. chmura (pyłu) 3. = **shower-bath** 4. _przen_ deszcz (zaszczytów itd.); grad (kamieni, pocisków itd.); powódź (listów itd.); lawina <stek> (obelg itd.); **~ party** przyjęcie zobowiązujące do przyniesienie ze sobą prezentu Ⅲ _vt_ 1. zl-ać/ewać 2. zasyp-ać/ywać (**questions, telegrams, blows** etc. **on sb** kogoś pytaniami, telegramami, razami itd. <lawiną, powodzią, gradem pytań, telegramów, razów itd.>); obsyp-ać/ywać (**presents, stones, caresses** etc. **on sb** kogoś prezentami, kamieniami, pieszczotami itd.); **to ~ attentions on sb** nadskakiwać komuś Ⅲ _vi_ 1. (o _deszczu_) padać przelotnie, po/kropić 2. (o _telegramach, zaproszeniach, razach itd_) sypać się (lawiną, gradem)

shower-bath ['ʃau̯əˌbɑːθ] _s_ (_pl_ **~s** ['ʃau̯əˌbɑːðz]) tusz, prysznic

showery ['ʃau̯əri] _adj_ (o _pogodzie_) deszczowy; (o _dniu, okresie_) przelotnych deszczów

show-girl ['ʃou̯ˌgəːl] _s teatr_ statystka

showing ['ʃou̯iŋ] Ⅱ _zob_ **show** Ⅲ _s_ 1. pokaz-anie/ywanie (komuś czegoś) 2. pokaz; wystawa 3. przedstawi-enie/anie (dowodów sprawy itd.); **on his own ~** jak (on) sam twierdzi

showman ['ʃou̯mən] _s_ (_pl_ **showmen** ['ʃou̯mən]) 1. właściciel menażerii <widowiska> 2. człowiek umiejący przedstawiać zalety posiadanych towarów <zachwalać swój towar> 3. człowiek umiejący przedstawiać siebie w korzystnym świetle

showmanship ['ʃou̯mənʃip] _s_ 1. umiejętność przedstawiania zalet posiadanych towarów 2. umiejętność przedstawiania siebie w korzystnym świetle

shown _zob_ **show** _v_

show-place ['ʃou̯ˌpleis] _s_ (o _miejscowości_) atrakcja turystyczna <krajoznawcza>

show-room ['ʃou̯ˌruːm] _s_ salon wystawowy

show-window ['ʃou̯ˌwindou] _s_ wystawa sklepowa

showy ['ʃou̯i] _adj_ (**showier** ['ʃou̯iə], **showiest** ['ʃou̯iist]) paradny; efektowny; krzykliwy; pretensjonalny

showy-flowered ['ʃou̯i'flau̯əd] _adj_ bogato ukwiecony

showy-leaved ['ʃou̯i'liːvd] _adj_ o barwnym listowiu

shrammed [ʃræmd] _adj dial_ uświerknięty, skostniały (z zimna)

shrank _zob_ **shrink** _v_

shrapnel ['ʃræpnḷ] _s_ szrapnel

shred [ʃred] Ⅰ s 1. strzęp; **to tear to ~s** a) rozerwać <potargać, poszarpać> na strzępy b) odsądzić od czci i wiary c) zbić <obalić> (czyjeś dowody); **without a ~ of clothing on him** nagusieńki 2. odrobina, krzta Ⅱ vt _(-dd-) 1. wy/strzępić 2. pociąć <potargać> na strzępy 3. po/szatkować

shredder ['ʃredə] s 1. (o aparacie) rozdrabniacz, szarpak 2. szatkownica

shreddy ['ʃredi] adj strzępiasty; (o ubraniu itd) w strzępach

shrew [ʃruː] s 1. (o kobiecie) sekutnica; złośnica; jędza 2. = **shrew-mouse**

shrewd [ʃruːd] adj 1. (o człowieku) bystry; przenikliwy; sprytny; przebiegły 2. (o zimnie) przenikliwy 3. (o bólu) ostry; przeszywający 4. (o ciosie) bolesny; dotkliwy 5. (o uwadze) trafny

shrewdness ['ʃruːdnis] s bystrość; bystry sąd; przenikliwość; spryt; przebiegłość

shrewish・ ['ʃruːiʃ] adj kłótliwy; swarliwy; jędzowaty

shrew-mouse ['ʃruːˌmaus] s (pl shrew-mice ['ʃruːmais]) zoo sorek; ryjówka

shriek [ʃriːk] Ⅰ vi wrz-asnąć/eszczeć; za/piszczeć; **to ~ with laughter** wyć ze śmiechu Ⅲ vt krzy-knąć/czeć, wykrzyknąć (coś); **to ~ an alarm** krzyknąć na alarm
   ~ out vt wywrz-eszczeć/askiwać (rozkaz, ostrzeżenie itd. — w przystępie szału, w przerażeniu, w obliczu katastrofy itd.)
   Ⅲ s wrzask; pisk; przeraźliwy gwizd (lokomotywy itd.); **~s of laughter** wybuchy <salwy> śmiechu

shrievalty ·['ʃriːvəlti] = **sheriffalty**

shrift [ʃrift] s ostatnia spowiedź skazańca; **to give short ~ to sb** rozprawi-ć/ać się krótko z kimś

shrike [ʃraik] s zoo dzierzba (ptak)

shrill [ʃril] Ⅰ adj (o głosie, dźwięku) ostry; piskliwy; przenikliwy; przeraźliwy Ⅲ adv = **shrilly** Ⅲ s ostry <przenikliwy> dźwięk Ⅳ vi 1. za/piszczeć 2. (o pisku itp) rozle-c/gać się; przeszy-ć/wać powietrze

shrilly ['ʃrili] adv ostro; piskliwie; przenikliwie; przeraźliwie

shrimp [ʃrimp] Ⅰ s 1. zoo krewetka 2. przen drobny człowieczek Ⅲ vi łowić krewetki

shrine [ʃrain] Ⅰ s 1. relikwiarz 2. grób świętego 3. świątynia 4. kaplica, kapliczka Ⅲ vt = **enshrine**

shrink [ʃriŋk] v (praet shrank [ʃræŋk], shrunk [ʃrʌŋk], pp shrunk, shrunken ['ʃrʌŋkən]) Ⅰ vi 1. s/kurczyć <zbie-c/gać> się; (o drewnie itd) zeschnąć/zsychać się; z/maleć 2. wzdragać się (from sth przed czymś); wzbraniać się (from doing sth od czegoś); cof-nąć/ać się (from sth przed czymś); **to ~ into oneself** zam-knąć/ykać się w sobie Ⅲ vt z/dekatyzować (materiał) Ⅲ s skurczenie; skurcz; techn osiadanie (ziemi itd.)

┊shrinkage ['ʃriŋkidʒ] s 1. s/kurczenie się 2. techn osiadanie, osiad 3. techn skurcz 4. ubytek <zanikanie> (towaru)

shrinkproof ['ʃriŋkˌpruːf] adj techn niekurczliwy

shrive [ʃraiv] v (praet shrived [ʃraivd], shrove [ʃrouv], pp shrived, shriven [ʃrivn]) Ⅰ vt † wy/spowiadać; rozgrzesz-yć/ać Ⅲ vr ~ **oneself** wy/spowiadać się zob **shrove**

shrivel ['ʃrivl] v (-ll-) Ⅰ vi wys-chnąć/ychać, us-chnąć/ychać; po/marszczyć <zeschnąć/zsychać> się Ⅲ vt wysusz-yć/ać; spal-ić/ać; po/marszczyć; ściąg-nąć/ać

shriven zob **shrive**

shroff [ʃrof] s (w krajach wschodnich) 1. bankier 2. specjalista do wykrywania fałszywych monet

shroud [ʃraud] Ⅰ s 1. całun; kir 2. przen osłona; zasłona; **wrapped in a ~ of mystery** okryty tajemnicą 3. mar wanta, więź boczna 4. techn osłona; obudowa; płaszcz; pochwa; zbrojenie; obręcz Ⅲ vt 1. okry-ć/wać całunem 2. osł-onić/aniać

shrove [ʃrouv] Ⅰ zob **shrive** Ⅲ s **Shrove Tuesday** tłusty wtorek (przed Popielcem)

Shrovetide ['ʃrouvˌtaid] s ostatki

shrub¹ [ʃrʌb] s krzew, krzak

shrub² [ʃrʌb] s (także **rum-~**) napój wzmacniający składający się z soku owocowego i rumu

shrubbery ['ʃrʌbəri] s 1. zbiór zagajnik; zarośla; krzaki 2. bot zbiór <kolekcja> krzewów

shrubby ['ʃrʌbi] adj porosły krzewami; krzewiasty

shrug [ʃrʌg] v (-gg-) Ⅰ vi wzrusz-yć/ać ramionami Ⅲ vt wzrusz-yć/ać (one's shoulders ramionami) Ⅲ s wzrusz-enie/anie ramionami; **with a ~** (powiedział, odszedł itd.) wzruszywszy ramionami

shrunk zob **shrink** v

shrunken zob **shrink** v

shuck [ʃʌk] Ⅰ s am łuska; łupina Ⅲ vt am łuskać

shucks [ʃʌks] interj am sl też coś!; także coś!; gadanie!

shudder ['ʃʌdə] Ⅰ vi wzdryg-nąć/ać się; **I ~ to think _** ciarki mnie przechodzą <drżę> na (samą) myśl o ...; (sama) myśl o ... przyprawia mnie o dreszcz zgrozy; **to ~ with cold** dygotać z zimna Ⅲ s dreszcz

shuffle ['ʃʌfl] Ⅰ vt 1. szurać <powłóczyć> (one's feet nogami); wlec (one's feet nogi za sobą) 2. po/mieszać; wymieszać; karc po/tasować; przen **to ~ the cards** a) zmienić kierunek <taktykę> b) dokonać przesunięć personalnych Ⅱ vi 1. iść wlokąc nogi za sobą; szurać nogami 2. wahać się; być niezdecydowanym; kręcić; wykręcać się; **to ~ through one's work** zby-ć/wać robotę
   ~ in vi wejść/wchodzić wlokąc nogi za sobą
   ~ off Ⅰ vt dosł i przen zrzuc-ić/ać z siebie (coś — odzież, odpowiedzialność itd.) Ⅲ vi od-ejść/chodzić wlokąc nogi za sobą
   ~ on vt narzuc-ić/ać na siebie
   ~ out vi wy-jść/chodzić wlokąc nogi za sobą zob **shuffling** Ⅲ s 1. szuranie <powłóczenie> nogami 2. po/mieszanie; wymieszanie; karc tasowanie; przen przesunięcia personalne 3. wykręt/y; krętactwo

shuffle-board ['ʃʌflˌbɔːd] = **shovelboard**

shuffler ['ʃʌflə] s krętacz/ka

shuffling ['ʃʌfliŋ] Ⅰ zob **shuffle** v Ⅲ adj (o tłumaczeniu) wykrętny; (o odpowiedzi itd) wymijający; **a ~ excuse** wykręt; **a ~ person** krętacz/ka

shufflingly ['ʃʌfliŋli] adv 1. (iść itd.) wlokąc nogi za sobą 2. (mówić itd.) wymijająco

shun¹ [ʃʌn] vt (-nn-) unikać <wystrzegać się> (sb, sth kogoś, czegoś); **to ~ everybody** unikać <stronić od> ludzi

'shun² [ʃʌn] sl wojsk = **attention** interj

shunt [ʃʌnt] ⬜ *vt* 1. *kolej* przetaczać (wagony itd.) 2. *elektr* bocznikować 3. włożyć/wkładać (podanie, projekt itd.) do szuflady; *pot* spławi--ć/ać ⬜ *s* 1. *kolej* przetaczanie 2. *elektr* bocznik

shunter [ˈʃʌntə] *s kolej* manewrowy; ustawiacz

shunting-yard [ˈʃʌntiŋˌjaːd] *s* dworzec przetokowy <rozrządczy>

shut¹ [ʃʌt] *v* (**shut, shut; shutting** [ˈʃʌtiŋ]) ⬜ *vt* 1. zam-knąć/ykać; **to ~ one's ears to sth** zatykać uszy na coś; nie chcieć słyszeć czegoś; **to ~ one's eyes to sth** przym-knąć/ykać na coś oczy; **to ~ sb out of the room** wyrzucić kogoś za drzwi; **to ~ sb's mouth** zam-knąć/ykać komuś usta; **to ~ the door upon sth** nie chcieć wiedzieć o czymś 2. zat-kać/ykać <za/tarasować> (otwór itd.) 3. przytrzasnąć <przyciąć> (**one's finger** <**dress etc.**> **in the door** sobie palec <suknię itd.> drzwiami) ⬜ *vi* zam-knąć/ykać się; da-ć/wać się zamknąć

~ down ⬜ *vi* zamykać się przez spuszczenie zasłony itd. ⬜ *vt* 1. spu-ścić/szczać (zasłonę, przykrywę, okno opuszczane — *zob* **sash window**) 2. zam-knąć/ykać (fabrykę itd.)

~ in *vt* 1. zam-knąć/ykać (kogoś w pokoju itd.) 2. (*o górach, ogrodzeniu itd*) otaczać 3. (*o wojsku itd*) okrąż-yć/ać

~ off *vt* 1. zam-knąć/ykać kurek (**the water** <**gas**> od wody <gazu>); wyłącz-yć/ać (prąd); zam-knąć/ykać dopływ (**the steam** pary) 2. odci-ąć/nać <odizolow-ać/ywać> (kogoś od świata)

~ out *vt* 1. zasł-onić/aniać (widok, światło itd.) 2. wyklucz-yć/ać (możliwość itd.) 3. od-gr-odzić/adzać 4. zostawi-ć/ać (kogoś) na ulicy; nie wpu-ścić/szczać (kogoś) do domu (na noc itd.); zam-knąć/ykać bramę przed nosem (**sb** komuś)

~ to ⬜ *vt* zatrzas-nąć/kiwać (drzwi itd.) ⬜ *vi* zatrzas-nąć/kiwać się

~ up ⬜ *vt* 1. pozamykać <zaryglować> drzwi i okna (**a house** domu) 2. zam-knąć/ykać (kogoś w więzieniu, w zakładzie, w klasztorze itd.); **to ~ up shop** a) zam-knąć/ykać (chwilowo) sklep b) *pot* zwi-nąć/jać <z/likwidować> interes 3. zat-kać/ykać; za/tarasować; zamurow-ać/ywać 4. s/chować (do pudełka itd.) 5. *pot* zam-knąć/ykać gębę (**sb** komuś) ⬜ *vi* zamilknąć; przestać mówić; *pot* **~ up!** cicho bądź!; zamknij buzię <gębę>!; *wulg* stul pysk! ⬜ *adj* 1. (*także fonet*) zamknięty 2. *dial w zwrocie*: **to be** <**get**> **~ of sth** uw-olnić/alniać się od czegoś

shut-down [ˈʃʌtˈdaun] *s* zamknięcie (zakładu pracy)

shute [ʃuːt] *s techn* zsyp; zsuwnia

shut-eye [ˈʃʌtˌai] *s pot* drzemka

shut-in [ˈʃʌtˈin] *s* pacjent/ka <starusz-ek/ka> nie wychodząc-y/a z domu

shut-out [ˈʃʌtˈaut] *attr karc* (*o licytacji*) zamykający

shutter [ˈʃʌtə] ⬜ *s* 1. żaluzja; zasłona; przesłona; **to put up the ~s** a) zam-knąć/ykać chwilowo sklep b) zwi-nąć/jać <z/likwidować> interes 2. okiennica 3. *fot* migawka; **diaphragm ~** przesłona; **~ release** wyzwalacz <spust> migawki ⬜ *vt* 1. spu-ścić/szczać żaluzję (**a shop etc.** sklepu itd.) 2. zam-knąć/ykać; za/ryglować

shuttle [ˈʃʌtl] *s tk* czółenko; **~ movement** ruch posuwisto-zwrotny <wahadłowy>; **~ service** komunikacja podmiejska; **~ train** pociąg podmiejski

shuttlecock [ˈʃʌtlˌkɔk] *s* wolant (gra)

shy¹ [ʃai] ⬜ *adj* (*comp* **shyer** [ˈʃaiə], **shier** [ˈʃaiə], *sup* **shyest** [ˈʃaiist], **shiest** [ˈʃaiist]) 1. trwożliwy; płochliwy; (*o człowieku*) bojaźliwy; nieśmiały; **to be ~ of ___** unikać... (kogoś, towarzystwa itd.); **to be** <**fight**> **~ of ___** wystrzegać się... (czegoś); unikać ... (**doing sth** robienia czegoś) 2. trudny do uchwycenia; nieuchwytny 3. *sl* stratny; poszkodowany; **I was two bob ~** a) straciłem <byłem stratny> dwa szylingi b) zabrakło <brakowało> mi dwóch szylingów ⬜ *vi* (**shied** [ʃaid], **shied; shying** [ˈʃaiiŋ]) 1. s/płoszyć się (**at sth** czymś); (*o człowieku*) zlęknąć/lękać się (**at sth** czegoś) 2. żachnąć się (**at a proposal** na jakąś propozycję)

shy² [ʃai] *v* (**shied** [ʃaid], **shied; shying** [ˈʃaiiŋ]) ⬜ *vt pot* cis-nąć/kać <rzuc-ić/ać> (**a stone etc. at sth** kamień <kamieniem> itd. w coś) ⬜ *vi* rzuc-ić/ać (kulą itd.) do celu ⬜ *s* 1. rzut (kamieniem itd.); rzucenie; ciśnięcie; (*na jarmarkach itd*) strzał (piłką <kulą> do celu) 2. docinek; przytyk; **to have a ~ at sb** dociąć komuś 3. próba; **to have a ~ at sth** spróbować czegoś

shyer [ˈʃaiə] *s* płochliwy <bojaźliwy> koń

shyness [ˈʃainis] *s* płochliwość; bojaźliwość; nieśmiałość

shyster [ˈʃaistə] *s am sl* pokątny adwokat; podejrzany typ; kanciarz

si [siː] *s muz* nuta H

siamang [ˈsaiəmæŋ] *s zoo* siamang (małpa)

Siamese [ˌsaiəˈmiːz] ⬜ *adj* syjamski ⬜ *s* 1. Syjam-czyk/ka 2. język syjamski

Siberian [saiˈbiəriən] ⬜ *s* Syberyj-czyk/ka ⬜ *adj* syberyjski

sibilant [ˈsibilənt] ⬜ *adj* (*także fonet*) syczący; *med* świszczący ⬜ *s fonet* głoska trąca <szczelinowa>

sibilate [ˈsibiˌleit] *vt fonet* wym-ówić/awiać (głoskę) syczącą

sibilation [ˌsibiˈleiʃən] *s* syczenie, syk

sibling [ˈsibliŋ] *s* 1. brat 2. siostra 3. *pl* **~s** rodzeństwo

sibyl [ˈsibil] *s* Sybilla

sibylline [siˈbilain] *adj* sybilliński

siccative [ˈsikətiv] ⬜ *adj* 1. wysuszający; przyśpieszający schnięcie 2. szybko schnący ⬜ *s* sykatywa

sice¹ [sais] *s* szóstka (na kostce do gry)

sice² [sais] *s* (*w Indiach*) stajenny

Sicilian [siˈsiljən] ⬜ *adj* sycylijski; *hist* **~ Vespers** nieszpory sycylijskie ⬜ *s* Sycylij-czyk/ka

sick¹ [sik] ⬜ *adj* 1. chory (**of sth** na coś); *wojsk* **to go** <**report**> **~** zameldować się jako chory 2. (*o człowieku*) mający nudności <mdłości>; **to be ~** z/wymiotować; **to feel ~** mieć nudności; po/czuć mdłości; **I felt** <**turned**> **~, it made me ~** miałem <dostałem> mdłości; nudziło mnie; było mi niedobrze; zbierało mi się na wymioty; **to make sb ~** przyprawi-ć/ać kogoś o mdłości 3. (*o wyglądzie*) chorowity; (*o cerze*) niezdrowy 4. (*także* **~ at heart**) zniechęcony; zdegustowany; przybity 5. znudzony; *pot* **he makes me ~** on mnie nudzi <męczy, zadręcza>;

nie mam do niego cierpliwości; **to be ~ of sth** mieć obrzydzenie do czegoś; **I'm ~ and tired <~ of it>** mam tego dosyć <powyżej uszu>; **to** mnie zaczyna nudzić <bokiem wyłazić>; **to mi** zbrzydło; obrzydzenie mnie bierze; **I'm ~ and tired of telling you __** już mi zbrzydło ciągłe powtarzanie ...; nie chce mi się już powtarzać ... 6. stęskniony; **to be ~ for sb, sth** tęsknić <stęsknić się> za kimś, czymś 7. *mar* wymagający naprawy <remontu> ⅢI *s zbior* **the ~** chorzy ⅢI *attr* (*o urlopie, zasiłku itd*) chorobowy; (*o izbie itd*) chorych; (*o łóżku itd*) chorego; pacjenta **sick²** [sik] *w zwrocie:* **~ him!** bierz/cie go!; huzia!

sick-allowance ['sik-ə,lauəns] = **sick-benefit**
sick-bay ['sik,bei] *s mar* izba chorych; ambulatorium <szpital> pokładow-e/y
sick-bed ['sik,bed] *s* łóżko chorego; *lit* łoże boleści <choroby, cierpienia>
sick-benefit ['sik'benifit] *s* zasiłek chorobowy; **~ fund** fundusz zapomogowy na wypadek choroby
sick-call ['sik,kɔːl] *s* 1. *wojsk mar* zbiórka chorych przed wizytą lekarską 2. wezwanie księdza do chorego 3. odwiedz-enie/anie chorego
sicken ['sikən] ⅠI *vt* 1. przyprawi-ć/ać o mdłości 2. oburz-yć/ać; wywoł-ać/ywać obrzydzenie (**sb** u kogoś) 3. zohydz-ić/ać (**sb of sth** komuś coś); obrzydz-ić/ać (**sb of sth** komuś coś); zniechęc-ić/ać (**of sth** do czegoś) ⅢI *vi* 1. za/chorować; zasłabnąć 2. *w formie* continuous: **to be ~ing for an illness** a) mieć chorobę w stadium inkubacji b) wykazywać oznaki zbliżającej się choroby 3. mieć nudności; dosta-ć/wać mdłości 4. zniechęc-ić/ać się (**of sth** do czegoś); mieć dosyć (**of sth** czegoś) *zob* **sickening**
sickener ['sikənə] *s* coś obrzydliwego; ohyda
sickening ['sikəniŋ] ⅠI *zob* **sicken** ⅢI *adj* 1. obrzydliwy; przyprawiający o mdłości 2. (*o widoku itd*) ściskający serce
sick-headache ['sik'hedẹik] *s med* migrena; ból głowy z wymiotami
sickish ['sikiʃ] *adj* **~ feeling** lekkie mdłości
⯈ **sicklę** ['sikl] *s* sierp
sick-leave ['sik,liːv] *s* urlop chorobowy; zwolnienie lekarskie
sickle-bill ['sikl,bil] *s zoo* ptak o sierpowatym dziobie
sickle-feather ['sikl,feðə] *s zoo* środkowe pióro sierpowe (w ogonie koguta)
sickle-shaped ['sikl,ʃeipt] *adj* sierpowaty; w kształcie sierpa
sickliness ['siklinis] *s* 1. chorowitość; słabowitość 2. niezdrowy wygląd 3. ckliwość
sick-list ['sik,list] *s wojsk* lista chorych; **to be on the ~** chorować; być zameldowanym jako chory
sickly ['sikli] *adj* (**sicklier** ['siklis] *sickliest* ['sikliist]) 1. chorowity; słabowity 2. (*o wyglądzie, cerze, klimacie itd*) niezdrowy 3. omdlewający 4. sentymentalny; ckliwy; przyprawiający o mdłości 5. (*o smaku*) mdły
sickness ['siknis] *s* 1. choroba 2. nudności 3. wymioty
sick-nurse ['sik'nəːs] *s* pielęgniarka
sick-parade ['sik-pə,reid] *s wojsk* wizyta lekarska
sick-room ['sik,ruːm] *s* pokój chorego

sick-ward ['sik,wɔːd] *s* izba chorych
side [said] ⅠI *s* 1. bok (człowieka, przedmiotu, figury geom.); **to get to one ~** usu-nąć/wać się na bok; **to put on one ~** odłożyć <odsunąć> na bok; *przen* **to shake <split> one's ~s** pękać ze śmiechu; **at my <his etc.> ~** obok mnie <niego itd.>; **by my ~** przy mnie <sobie>; **by the ~ of __** przy ... (kimś); **on the ~** ubocznie; **~ by ~** jeden przy drugim; obok siebie; ramię przy ramieniu 2. strona (prawa, ciemna, południowa itd.); **from all ~s** ze wszystkich stron; zewsząd; *sport* **off ~** na pozycji spalonej; **on all ~s** a) ze wszystkich stron b) na wszystkie strony; **on this ~ the grave** póki żyję; **on this ~ the Alps** po tej stronie Alp; (*w napisie*) **"this ~ up" "góra"** 3. *w zwrotach przymiotnikowych:* **on the fat ~** tęgawy; **on the lean ~** raczej szczupły; **on the long ~** dlugawy; **on the short ~** przykrótki; **the weather is on the cool ~** jest chłodnawo; **to be on the safe ~** dla pewności; dla bezpieczeństwa; żeby nie było żadnej niespodzianki; żeby się nie narażać 4. (*o wieku człowieka*) *w zwrocie:* **to be on the right <wrong, shady> ~ of __** nie mieć jeszcze <mieć przekroczoną> ... (siedemdziesiątkę itd.) 5. strona <aspekt> (sprawy, przedsięwzięcia itd.) 6. strona (w sporze); **to have sb on one's ~** mieć kogoś po swojej stronie; **to take the ~ of __** sta-nąć/wać po stronie ... (czyjejś); pop-rzeć/ierać ... (kogoś) 7. *przy określaniu pokrewieństwa:* strona (matki, ojca); **on the father's <mother's> ~** ze strony ojca <matki>; **po mieczu · po kądzieli** 8. *sport* drużyna 9. boczna ściana 10. stok (góry) 11. *mar* burta 12. *sl* zadzieranie nosa; **to have too much ~** dmuchać powyżej dziurek nosa; **to put on ~** robić z siebie wielkiego; zadzierać nosa ⅢI *attr* 1. boczny 2. (*o zajęciu, zarobku, sprawie itd*) uboczny; poboczny ⅢI *vi* być <sta-nąć/wać> po stronie (**with sb** czyjejś) *zob* **siding**
side-arms ['said,aːmz] *spl* 1. biała broń 2. broń noszona u boku (bagnet, szabla, *am także* rewolwer)
sideboard ['said,bɔːd] *s* kredens
side-box ['said,bɔks] *s teatr* loża boczna
sideburns ['said,bəːnz] *spl am* bokobrody, baczki
side-car ['said,kaː] *s* przyczepa do motocykla
side-comb ['said,koum] *s* wpinany grzebyk (do przytrzymywania włosów)
side-dish ['said,diʃ] *s kulin* przystawka
side-drum ['said,drʌm] *s* mały bęben
side-glance ['said,glaːns] *s* ukośne spojrzenie
side-light ['said,lait] *s* 1. boczne światło 2. uboczna okoliczność rzucająca pewne światło na sprawę
side-line ['said,lain] *s sport* linia autowa
sideling ['saidliŋ] ⅠI *adj* (*o ruchu*) boczny; na bok ⅢI *adv* = **sidelong** *adv*
sidelong ['said,lɔŋ] ⅠI *adj* (*o spojrzeniu*) ukośny ⅢI *adv* (posuwać się) bokiem
side-note ['said,nout] *s* uwaga na marginesie
side-on ['said'ɔn] *adj* (*o zderzeniu*) z boku
sidereal [sai'diəriəl] *adj astr* gwiezdny; syderalny
siderite ['saidə,rait] *s miner* syderyt
siderography [,saidə'rɔgrəfi] *s* stalorytnictwo
siderosis [,sidə'rousis] *s med* żelazica, pylica żelazna

siderurgy [ˌsaidəˈrəːdʒi] *s* metalurgia stali; hutnictwo stalowe

side-saddle [ˈsaidˌsædl] Ⅰ *s* damskie siodło Ⅲ *adv* (jeździć) po damsku

side-show [ˈsaidˌʃou] *s* występy artystyczne towarzyszące głównemu przedstawieniu

side-slip [ˈsaidˌslip] Ⅰ *s* 1. *lotn* poślizg; lot ślizgowy 2. *auto* poślizg boczny; zarzuc-enie/anie Ⅲ *vi* (**-pp-**) 1. *lotn* wykon-ać/ywać poślizg <zrobić ślizg> na skrzydle; wpa-ść/dać w poślizg 2. *auto* zarzuc-ić/ać; **the car ∼ped** wóz zarzucił

sidesman [ˈsaidzmən] *s* (*pl* **sidesmen** [ˈsaidzmən]) pomocnik prowizora kościelnego

side-splitting [ˈsaidˌsplitiŋ] *adj* taki komiczny, że można pęknąć <boki zrywać> ze śmiechu

side-step [ˈsaidˌstep] Ⅰ *s* 1. krok w bok 2. stopień z boku pojazdu Ⅲ *vi* (**-pp-**) usu-nąć/wać się <odsk-oczyć/akiwać> na bok Ⅲ *vt* (**-pp-**) unik-nąć/ać (**sth** czegoś)

side-stroke [ˈsaidˌstrouk] *s* pływanie na boku; styl boczny

side-track [ˈsaidˌtræk] Ⅰ *s* bocznica; boczny tor Ⅲ *vt* 1. pu-ścić/szczać (pociąg) na boczny tor 2. *przen* za/blokować (sprawę); skierow-ać/ywać (sprawę) na ślepy tor

side-view [ˈsaidˌvjuː] *s* widok <zdjęcie> (budynku itd.) z boku; *bud* rzut boczny

side-walk [ˈsaidˌwɔːk] *s* *am* chodnik

sideward [ˈsaidwəd] *adj* boczny

sidewards [ˈsaidwədz], **sideways** [ˈsaidweiz] *adv* bokiem

side-whiskers [ˈsaidˌwiskəz] *spl* bokobrody

sidewise [ˈsaidˌwaiz] = **sidewards**

sidi [ˈsiːdi] *s* Murzyn

sidi-boy [ˈsiːdiˌbɔi] *s* Murzyniątko

siding [ˈsaidiŋ] Ⅰ *zob* **side** *v* Ⅲ *s* boczny tor; bocznica

sidle [ˈsaidl] *vi* iść/chodzić <przesu-nąć/wać się> bokiem

∼ **in** *vi* wejść/wchodzić bokiem

∼ **out** *vi* wy-jść/chodzić bokiem

sidy [ˈsaidi] *adj pot* zarozumiały; zadzierający nosa

siege [siːdʒ] Ⅰ *s* oblężenie; **to lay ∼ to** _ przyst-ąpić/ępować do oblężenia … (miasta); **to raise the ∼** odst-ąpić/ępować od oblężenia Ⅲ *vt* oble-c/gać

siege-artillery [ˈsiːdʒ-aːˌtiləri] *s* artyleria oblężnicza

siege-basket [ˈsiːdʒˌbaːskit] *s* *wojsk* kosz szańcowy

siege-piece [ˈsiːdʒˌpiːs] *s* działo oblężnicze

siege-train [ˈsiːdʒˌtrein] *s* artyleria i maszyny oblężnicze

sienna [siˈenə] *s* sjena

siesta [siˈestə] *s* sjesta

sieve [siv] Ⅰ *s* 1. sito; przetak; rzeszoto 2. *przen* gaduła Ⅲ *vt vi* przesi-ać/ewać

sieve-plate [ˈsivˌpleit] *s* *bot* blaszka sitowa

sift [sift] Ⅰ *vt* 1. *dosł i przen* przesi-ać/ewać (mąkę, piasek, fakty, okoliczności itd.) 2. *przen* podda-ć/wać dokładnemu badaniu Ⅲ *vi* (*o świetle itd*) przedzierać się

sifter [ˈsiftə] *s* 1. przesiewacz (człowiek) 2. sito, sitko; przesiewacz

sigh [sai] Ⅰ *vi* westchnąć/wzdychać; **to ∼ for** <**after**> **sth** wzdychać za czymś; tęsknić do czegoś Ⅲ *s* westchnienie; poszept (wiatru)

sight [sait] Ⅰ *s* 1. wzrok; **a good** <**bad**> ∼ dobry <słaby> wzrok; dobre <kiepskie> oczy; **loss of** ∼ utrata wzroku; **long** ∼ dalekowzroczność, † dalekowidztwo; **near** <**short**> ∼ krótkowzroczność; † krótkowidztwo; **second** ∼ jasnowidzenie; *przen* **short** ∼ krótkowzroczność; **to have a long** <**short**> ∼ być dalekowidzem <krótkowidzem> 2. widzenie; zobaczenie; spostrzeżenie; **to catch** <**get**> (**a**) ∼ **of** _ (zdołać) zobaczyć …; spostrzec …; zauważyć …; ujrzeć …; **to lose** _ ∼ **of** _ stracić z oczu …; **at first** ∼ na pierwszy rzut oka; **love at first** ∼ miłość od pierwszego wejrzenia; **at** ∼ a) (czytać, grać z nut) bez przygotowania b) *handl* (płatny) za okazaniem, awista; ∼ **bill** weksel płatny za okazaniem; **at x days'** ∼ w x dni po okazaniu; **at the** ∼ **of** _ na widok … (czegoś); ujrzawszy … (coś); **by** ∼ (znać kogoś) z widzenia; *am* ∼ **unseen** (kupować) nie obejrzawszy <bez obejrzenia, na ślepo> 3. widok; **a** ∼ **for sore eyes** widok, który cieszy serce <który warto zobaczyć>; **a** ∼ **to be seen** widok godny zobaczenia; **I hate the** ∼ **of** _ nie znoszę widoku …; nie mogę patrzyć na …; **it was a** ∼ było na co patrzyć; **the end is in** ∼ zbliża się koniec; **the end is not in** ∼ nie widać końca 4. zasięg wzroku; **to be in** <**within**> ∼ a) (*o wydarzeniu itd*) być bliskim <niedalekim> b) (*o człowieku itd*) być w miejscu, skąd już widać (**of sth** coś); **to come into** ∼ ukaz-ać/ywać się; **to keep out of** ∼ chować się; trzymać się w ukryciu; **to keep sb** <**sth**> **in** ∼ nie tracić kogoś <czegoś> z oczu; wciąż mieć kogoś <coś> na widoku; **to put sth out of** ∼ ukryć coś; **to sink out of** ∼ znik--nąć/ać na horyzoncie; **out of my** ∼! precz z moich oczu!; **out of** ∼ niewidoczny; ukryty; *przen* nieosiągalny; **out of** ∼ **out of mind** co z oczu, to i z serca; **within** ∼ widoczny 5. *techn wojsk* celowanie; namiar; **to take a** ∼ na/celować; wycelować 6. *pl* ∼**s** przyrząd celowniczy 7. *przen* widowisko; **he looks** <**looked**> **a perfect** ∼ strach <strach było> patrzyć na niego; **to make a** ∼ **of oneself** zrobić z siebie widowisko 8. *pl* ∼**s** osobliwości (miasta itd.) 9. *pot w zwrocie*: **a** ∼ a) dużo; grubo; znacznie; o całe niebo b) mnóstwo (ludzi, pieniędzy itd.); kupa (forsy itd.) Ⅱ *vt* 1. zobaczyć; dostrze-c/gać 2. na/celować; na/mierzyć 3. zaopat-rzyć/rywać (broń, lunetę) w przyrząd celowniczy *zob* **sighting**

sighting [ˈsaitiŋ] Ⅰ *zob* **sight** *v* Ⅲ *s* celowanie; *wojsk* ∼ **notch** szczerbina celownika

sightless [ˈsaitlis] *adj* 1. ślepy, niewidomy 2. *poet* niewidzialny

sightlessness [ˈsaitlisnis] *s* ślepota

sightliness [ˈsaitlinis] *s* uroda, urodziwość; *lit* nadobność

sightly [ˈsaitli] *adj* nadobny; urodziwy; przyjemny <miły> dla oka

sightseer [ˈsaitˌsiə] *s* turyst-a/ka; zwiedzający; wycieczkowicz/ka; krajoznawca

sigillate [ˈsidʒilit] *adj bot* (*o kłączu itd*) posiadający znakowania kształtu pieczęci

sigma [ˈsigmə] *s gr litera* sigma

sigmatic [sigˈmætik] *adj gram* sygmatyczny

sigmoid [ˈsigmɔid] Ⅰ *s anat* esica (jelito) Ⅲ *adj* w kształcie litery S; *także anat* esowaty

sign [sain] Ⅰ *s* 1. znak; skinienie; **as a** ∼ **of** _ na znak ... (czegoś); **by ~s** (mówić itd.) na migi; **to make a ~ to sb** a) da-ć/wać znak komuś b) skinąć na kogoś; **to make no ~** a) nie dawać znaku życia b) nie protestować; **to make the ~ of the cross** przeżegnać się; **~ manual** podpis 2. oznaka <dowód> (siły, słabości, strachu, dobrego wychowania itd.); (zły, dobry) omen; wskazówka; objaw <symptom> (choroby itd.); **there is little ~ of it** niewiele na to wskazuje; są jedynie słabe oznaki tego; **to give no ~ of** _ nie wskazywać na ...; nie zdradzać ... (obawy itd.) 3. ślad; **there is no ~ of** _ nie ma ani śladu ...; zaginął wszelki ślad po ... 4. godło (oberży itd.); szyld; wywieszka; napis (na tablicy itd.); reklama (neonowa itd.); znak drogowy <regulujący ruch uliczny itd.> 5. _mat bot muz_ znak (pisemny); symbol 6. _med_ objaw (choroby itd.) 7. _wojsk_ hasło; **~ and countersign** hasło <parol> i odzew Ⅲ _vt_ 1. po/znaczyć; po/znakować 2. podpis-ać/ywać 3. pokaz-ać/ywać (coś) znakiem; **to ~ assent** da-ć/wać potwierdzający znak <znak aprobaty> Ⅲ _vr_ **~ oneself** (_o pisarzu, dziennikarzu itd_) podpisywać się; używać pseudonimu Ⅳ _vi_ 1. podpis-ać/ywać się 2. da-ć/wać znak/i (**to sb** komuś); porozumie-ć/wać się na migi (**to sb z** kimś); skinąć (**to sb** na kogoś); znakiem <gestem> nakaz-ać/ywać (**for sth** coś) <za/żądać (**for sth** czegoś)>

~ away _vt_ po/darować (notarialnie)

~ off _vi_ 1. (_w fabryce_) podpis-ać/ywać się przy wychodzeniu 2. _am_ wycof-ać/ywać się (z zobowiązania, ze stowarzyszenia itd.) 3. _radio_ nada-ć/wać sygnał zakończenia transmisji <programu>

~ on Ⅰ _vt_ za/angażować, przyj-ąć/mować do pracy Ⅱ _vi_ 1. naj-ąć/mować się do pracy 2. (_w fabryce_) podpis-ać/ywać się przy przyjściu do pracy

~ up _vi_ zapis-ać/ywać się (**for a course etc.** na kurs itd.)

signal¹ ['signl] _adj_ 1. świetny; doskonały; (_o przykładzie itd_) znakomity; niezwykły 2. (_o klęsce_) druzgocący; walny 3. (_o łajdaku itd_) ostatniego rzędu 4. sygnalizacyjny 5. sygnałowy

signal² ['signl] Ⅰ _s_ 1. sygnał; znak 2. _techn_ urządzenie sygnalizacyjne; sygnalizator 3. _pl_ **~s** _wojsk_ służba łączności Ⅱ _vt_ (-ll-) za/sygnalizować; da-ć/wać sygnały (**sth** czegoś, **do** czegoś) Ⅲ _vi_ (-ll-) za/sygnalizować; da-ć/wać sygnał/y _zob_ **signalling**

signal-book ['signl,buk] _s_ klucz szyfrowy

signal-box ['signl,boks] _s kolej_ posterunek nastawczy

signalize ['signə,laiz] Ⅰ _vt_ uświetni-ć/ać; u/czynić pamiętnym Ⅱ _vr_ **~ oneself** wyróżni-ć/ać się

signaller ['signələ] = **signal-man**

signal-light ['signl,lait] _s_ sygnał świetlny; światło sygnalizacyjne

signalling ['signəliŋ] Ⅰ _zob_ **signal²** _v_ Ⅱ _s_ sygnalizacja Ⅲ _attr_ sygnalizacyjny

signal-man ['signlmən] _s_ (_pl_ **signal-men** ['signlmən]) sygnalista

signalment ['signəlmənt] _s_ rysopis (osoby)

signatory ['signətəri] _s_ sygnatariusz/ka; **~ of a convention etc.** strona podpisująca umowę itd.

signature ['signitʃə] _s_ 1. podpis; (_na dokumencie państwowym_) sygnatura; _bank handl_ **~ book**

wzory podpisów 2. _farm druk_ sygnatura 3. _muz_ klucz; oznaczenie tonacji

sign-board ['sain,bɔːd] _s_ szyld; wywieszka; napis (na tablicy itd.)

signer ['sainə] _s_ podpisan-y/a; _am_ **the Signers** ci, którzy podpisali deklarację niepodległości St. Zjedn. w 1776 r.

signet ['signit] _s_ 1. prywatna pieczątka 2. dawna pieczęć królewska; _szkoc_ **writer to the ~** adwokat

signet-ring ['signit,riŋ] _s_ sygnet

significance [sig'nifikəns] _s_ 1. znaczenie; ważność; doniosłość; **of no ~** błahy; (będący) bez znaczenia; **it is of no ~ to** nie ma znaczenia 2. wyraz (twarzy)

significant [sig'nifikənt] _adj_ 1. znaczący 2. istotny; ważny; doniosły; **the only ~ event** jedyny ważniejszy wypadek

signification [,signifi'keiʃən] _s_ znaczenie

significative [sig'nifi,keitiv] _adj_ wskazujący (**of sth** na coś); dowodzący (**of sth** czegoś)

signify ['signi,fai] _v_ (**signified** ['signi,faid], **signified; signifying** ['signi,faiiŋ]) Ⅰ _vt_ 1. oznaczać; znaczyć; **what does this ~?** co to znaczy?; jakie to ma znaczenie? 2. wyra-zić/żać Ⅱ _vi_ znaczyć; posiadać ważność <doniosłość, znaczenie>; **it does not ~** to nic nie znaczy; to nie ma żadnego znaczenia

signor ['siːnjɔ:] _s_ (_pl_ **~i** ['siːnjɔːˌriː], **~s**) (_o Włochu_) pan

signora [siːˈnjɔːrə] _s_ (_pl_ **signore** [siːˈnjɔːre] (_o Włoszce_) pani

signorina [,siːnjɔːˈriːnə] _s_ (_pl_ **signorine** [,siːnjɔːˈriːne]) (_o Włoszce_) panna

sign-painter ['sain,peintə] _s_ malarz szyldów

sign-post ['sain,poust] _s_ 1. drogowskaz 2. słup ze znakiem drogowym

silage ['sailidʒ] Ⅰ _s_ 1. silosowanie 2. kiszonka Ⅱ _vt_ za/silosować

silence ['sailəns] Ⅰ _s_ milczenie; cisza; **~ gives consent** milczenie jest oznaką zgody; **to keep** <**break**> **~** zachow-ać/ywać <przer-wać/ywać> milczenie; **to pass over in ~** przemilczeć; pominąć milczeniem; _przen_ **to put sb to ~** zamknąć komuś usta; **in ~** a) milcząco b) bezgłośnie c) _przen_ w ciszy serca d) bez narzekania Ⅱ _vt_ 1. ucisz-yć/ać; uspok-oić/ajać 2. nakaz-ać/ywać milczenie <_przen_ zam-knąć/ykać usta> (**sb** komuś); _przen_ zmu-sić/szać do milczenia (artylerię nieprzyjaciela itd.) 3. s/tłumić dźwięk (**sth** czegoś) Ⅲ _interj_ proszę o ciszę!; cisza!; spokój!

silencer ['sailənsə] _s_ 1. _techn muz_ tłumik (dźwięku) 2. argument, na który nie ma odpowiedzi 3. _boks_ skuteczny cios

◄**silent** ['sailənt] _adj_ 1. milczący; **to become ~** zamilknąć; **to be ~** a) (_o człowieku_) milczeć b) (_o maszynie itd_) chodzić bezgłośnie; **to be ~ about sth** nie wspominać o czymś; **to keep ~** milczeć; zachow-ać/ywać milczenie; _rel_ **~ order** zakon milczący 2. (_o maszynie, krokach itd_) bezgłośny, cichy; _handl_ **~ partner** cichy wspólnik; (_w więzieniu_) **~ system** zakaz rozmawiania 3. _jęz_ (_o literaturze_) niemy

silesia [sai'liːzjə] _s tekst_ perkalina

Silesian [sai'liːzjən] Ⅰ _adj_ śląski Ⅱ _s_ Śląza-k/czka

silex ['saileks] _s miner_ kwarc; krzemień

silhouette [ˌsiluˈet] Ⅰ s sylweta, sylwetka Ⅲ vt przedstawi-ć/ać w sylwecie <w sylwetce>; na/rysować <na/malować> sylwetkę (sb czyjąś); to be ~d — rysować się ... (na tle czegoś)

silica [ˈsilikə] s chem krzemionka; dwutlenek krzemu

silicate [ˈsilikit] s chem krzemian

silicated [ˈsiliˌkeitid] adj impregnowany krzemianem

siliceous [siˈliʃəs] adj krzemionkowy

silicic [siˈlisik] adj (o kwasie) krzemowy

silicon [ˈsilikən] s chem krzem

siliqua [ˈsilikwə] s (pl siliquae [ˈsiliˌkwiː], silique [siˈliːk]) s bot strąk, strączek

siliquose [ˈsiliˌkwous] adj strączkowy

⧫**silk** [silk] Ⅰ s 1. jedwab 2. jedwabna toga (adwokatów mających tytuł doradców królewskich); to take ~ zostać adwokatem z tytułem doradcy królewskiego 3. pot zbior adwokaci doradcy królewscy Ⅲ adj 1. (o materiale itd) jedwabny; ~ hat cylinder 2. (o przemyśle) jedwabniczy Ⅲ vt pokry-ć/wać jedwabiem

silken [ˈsilkən] adj jedwabisty; atłasowy

silkiness [ˈsilkinis] s jedwabistość

silk-mill [ˈsilkˌmil] s przędzalnia jedwabiu

silk-stocking [ˈsilkˌstɔkiŋ] adj am 1. wytworny; arystokratyczny 2. bogaty

silkworm [ˈsilkˌwəːm] s zoo jedwabnik

silky [ˈsilki] adj (silkier [ˈsilkiə], silkiest [ˈsilkiist]) 1. jedwabisty; atłasowy 2. jedwabny

sill [sil] s 1. próg 2. parapet (okienny) 3. górn podkład; próg; spąg

sillabub [ˈsiləˌbʌb] s kulin rodzaj słodkiej galarety ze śmietanki i wina

siller [ˈsilə] s szkoc srebro; pieniądze

Sillery [ˈsiləri] s gatunek szampana

silliness [ˈsilinis] s brak rozsądku; bezmyślność; niemądre zachowanie

silly [ˈsili] Ⅰ adj (sillier [ˈsiliə], silliest [ˈsiliist]) 1. głupi; niemądry; nierozsądny; pot durny; a ~ thing głupstwo; pot ~ ass bałwan, osioł, idiot-a/ka; ~ boy głuptas; (w prasie) the ~ season sezon ogórkowy 2. ogłupiały; odurzony; to knock sb ~ ogłuszyć kogoś Ⅲ s głuptas; osioł

silo [ˈsailou] Ⅰ s roln silos Ⅲ vt roln za/silosować

silt [silt] Ⅰ s muł; szlam; ił; geol nanos; osad Ⅲ vt (zw ~ up) zamul-ić/ać Ⅲ vi zamul-ić/ać się

Silurian [saiˈljuəriən] Ⅰ adj geol sylurski Ⅲ s geol formacja sylurska

silvan, sylvan [ˈsilvən] adj 1. (o jagodzie itd) leśny 2. (o terenie itd) lesisty; zalesiony

⧫**silver** [ˈsilvə] Ⅰ s 1. srebro 2. pieniądze 3. srebro stołowe; ozdobne przedmioty ze srebra Ⅲ adj 1. srebrny 2. srebrzysty; ~ paper staniol, cynfolia; kulin ~ side górna strona pieczeni wołowej; kino the ~ screen ekran; the ~ streak kanał La Manche Ⅲ vt posrebrz-yć/ać

silver-bath [ˈsilvəˌbaːθ] s fot 1. azotan srebra 2. miska do kąpieli z azotanu srebra

silverer [ˈsilvərə] s posrebrzacz; pobielacz

silver-fish [ˈsilvəˌfiʃ] s (pl ~) zoo 1. bezbarwna złota rybka 2. rybik, cukrowiec (owad)

silver-foil [ˈsilvəˌfoil] s srebro w arkuszach

silver-gilt [ˈsilvəˈgilt] adj posrebrzany

silver-grey [ˈsilvəˈgrei] adj srebrzysty

silver-haired [ˈsilvəˈhɛəd] adj siwy; siwowłosy

silver-leaf [ˈsilvəˈliːf] = silver-foil

silver-mounted [ˈsilvəˌmauntid] adj w srebrnej oprawie

silver-plate [ˈsilvəˈpleit] s zbior srebro stołowe; ozdobne przedmioty ze srebra

silver-plated [ˈsilvəˈpleitid] adj posrebrzany

silversmith [ˈsilvəˌsmiθ] s złotnik

silver-tongued [ˈsilvəˈtʌŋd] adj wymowny, elokwentny

silver-ware [ˈsilvəˌwɛə] s srebro stołowe

silver-weed [ˈsilvəˌwiːd] s bot pięciornik srebrzysto-biały

simian [ˈsimiən] Ⅰ adj małpi Ⅲ s zoo małpa

similar [ˈsimilə] adj 1. podobny; ~ in shape <colour etc.> podobny pod względem kształtu <barwy itd.>; podobnego kształtu <zabarwienia itd.> 2. przy rzeczownikach w pl: podobn-i/e do siebie

similarity [ˌsimiˈlæriti] s podobieństwo

simile [ˈsimiˌliː] s porównanie

similitude [siˈmiliˌtjuːd] s 1. podobieństwo 2. porównanie

simmer [ˈsimə] Ⅰ vi 1. gotować <dusić> się na wolnym ogniu 2. za/kipieć (ze złości); z trudem opanow-ać/ywać (with anger <laughter> gniew <śmiech>) Ⅲ vt gotować <dusić> na wolnym ogniu Ⅲ s gotowanie na wolnym ogniu; at a <on the> ~ a) w punkcie wrzenia b) (po zagotowaniu) na wolnym ogniu

simnel-cake [ˈsimnlˌkeik] s kulin zapiekana legumina (podawana w czasie świąt Wielkanocnych i Bożego Narodzenia oraz w śródpościu)

simoniac [saiˈmouniˌæk] s świętokupca; symoniak

simoniacal [ˌsaiməˈnaiəkəl] adj symoniacki

simony [ˈsaiməni] s symonia; świętokupstwo

simoom [siˈmuːm] s samum

simp [simp] s pot prostaczek

simper [ˈsimpə] Ⅰ vi uśmiechać się sztucznie <wymuszenie, głupawo>; wdzięczyć się Ⅲ s sztuczny <wymuszony, głupawy> uśmiech; wdzięczenie się

simple [ˈsimpl] Ⅰ adj 1. prosty; niezłożony; pojedynczy; nieskomplikowany; zwykły 2. naturalny; bez afektacji; szczery; prostoduszny 3. naiwny 4. głupkowaty 5. (o kłamstwie, kradzieży itd) zwyczajny; ~ madness czyste szaleństwo; the ~ truth szczera prawda 6. (o posiłku, pomieszczeniu itd) skromny Ⅲ s farm lek prosty, naturalny

simple-hearted [ˈsimplˈhaːtid] adj prostoduszny; naiwny

simple-minded [ˈsimplˈmaindid] adj naiwny; łatwowierny; dziecinny

simpleton [ˈsimpltən] s prostaczek; głuptas; pot kiep

simplicity [simˈplisiti] s 1. prostota 2. nieudawana prostota; naiwność 3. łatwość (zadania itd.) 4. prostota <naturalność, niewyszukaność> (stylu itd.)

simplification [ˌsimplifiˈkeiʃən] s upr-oszczenie/aszczanie; ułatwi-enie/anie

simplify [ˈsimpliˌfai] vt (simplified [ˈsimpliˌfaid], simplified; simplifying [ˈsimpliˌfaiiŋ]) upr-ościć/aszczać; ułatwi-ć/ać

simplism [ˈsimplizəm] s udawana prostota

simply [ˈsimpli] adv 1. prosto; łatwo; po prostu;

we ~ have to __ a) musimy po prostu ... b) musimy koniecznie ... 2. tylko

simulacrum [ˌsimju'leikrəm] *s* (*pl* **simulacra** [ˌsimju'leikrə]) upozorowanie; udawanie

simulant ['simjulənt] *adj* udający (**of sth** coś); *bot* imitujący (**of sth** coś)

simulate ['simjuˌleit] *vt* udawać, symulować; s/fingować; u/pozorować; upod-obnić/abniać się (**sb do kogoś**)

simulation [ˌsimju'leiʃən] *s* udawanie, symulowanie; s/fingowanie; upozorowanie; pozory; upod-obnienie/abnianie się

simultaneity [ˌsiməltə'niəti] *s* równoczesność

▲**simultaneous** [ˌsiməl'teinjəs] *adj* równoczesny, jednoczesny

simultaneousness [ˌsiməl'teinjəsnis] = **simultaneity**

sin [sin] I *s* grzech; *pot* like ~ jak cholera; jak (wszyscy) diabli III *vi* (-nn-) z/grzeszyć; popełni-ć/ać grzech

sinapism ['sinəˌpizəm] *s med* plaster gorczyczny

since [sins] I *adv* 1. (*także* ever ~) od tego czasu; w międzyczasie 2. *po wymienionym okresie czasu:* ... temu; przed ...; **long ~** dawno temu; już dawno; już od dawna; **several years ~** kilka lat temu; przed kilkoma laty III *praep* od (oznaczonego czasu); ~ **Monday** od poniedziałku; ~ **when?** odkąd?; ~ **then** od tego czasu III *conj* 1. odkąd <*pot* od czasu jak> (coś się stało); ~ **you went** odkąd odszedłeś 2. ponieważ; jako że; skoro; wobec tego, że

sincere [sin'siə] *adj* szczery

sincerity [sin'seriti] *s* szczerość

sincipital [sin'sipitl] *adj* (dotyczący) przodu głowy

sinciput ['sinsiˌpʌt] *s anat* przednia (górna) część głowy

sine[1] [sain] *s mat* sinus

sine[2] ['saini] *praep w zwrotach:* ~ **die** ['daii:] bezterminowo; ~ **qua non** [kwei'nɔn] konieczny (niezbędny) warunek

sinecure ['sainiˌkjuə] *s* synekura

sinew ['sinju:] I *s* 1. *anat* ścięgno 2. *pl* ~s muskulatura 3. *przen* moc; siła; energia; **the ~s of war** machina wojenna III *vt* być podstawą (**sth** czegoś); warunkować

sinewless ['sinjulis] *adj* słaby

sinewy ['sinjui] *adj* 1. (*o mięsie*) żylasty 2. (*o człowieku*) muskularny; mocny

sinful ['sinful] *adj* grzeszny

sinfulness ['sinfulnis] *s* 1. grzech, grzeszność 2. zbrodniczy <przestępczy> charakter (czynu)

sing [siŋ] *v* (**sang** [sæŋ], **sung** [sʌŋ]) I *vi* 1. za/śpiewać (**to sb** komuś; **to the piano etc.** przy akompaniamencie fortepianu <akompaniując sobie na fortepianie>) 2. *przen* (*o pocisku itd*) za/świszczeć; bzyknąć; (*o wietrze*) za/wyć; zawodzić; (*o czajniku*) za/syczeć, za/szumieć; **my ears are ~ing** dzwoni mi w uszach; **to ~ small** spuścić z tonu III *vt* 1. za/śpiewać (piosenkę itd.); odśpiewać (hymn itd.); **to ~ a baby to sleep** za/śpiewać dziecku do snu; uśpić dziecko śpiewaniem; **to ~ another song** <**tune**> zmienić ton; *przen* inaczej zaśpiewać; **you are always ~ing the same song** wciąż (jedno i) to samo powtarzasz <*pot* pleciesz>; *pot* wciąż ta sama piosenka 2. wyśpiew-ać/ywać; wychwalać; sławić, wysławiać; opiewać (czyjąś sławę itd.)

~ **in** *vt* po/witać śpiewem (Nowy Rok)

~ **out** I *vt* po/żegnać śpiewem (stary rok) III *vi* głośno za/wołać

~ **up** *vi* głośno <ochoczo> za/śpiewać

zob singing III *s* 1. śpiew, śpiewanie 2. świst (kuli itd.)

singe [sindʒ] *vt* (*p praes* **singeing** ['sindʒiŋ]) osmal-ić/ać; opal-ić/ać (**one's hair etc.** sobie włosy itd.; **a chicken etc.** kurczę itd.); przypal-ić/ać

singer ['siŋə] *s* 1. śpiewa-k/czka 2. *poet* piewca

Singhalese [ˌsiŋgə'li:z] I *adj* cejloński III *s* Cejlończyk

singing ['siŋiŋ] I *zob* **sing** *v* III *s* 1. śpiew 2. świst (kuli itd.) III *attr* (*o nauczycielu, lekcji itd*) śpiewu

▲**single** [siŋgl] I *adj* 1. pojedynczy; jednoosobowy; **every ~** każdy bez wyjątku; **every ~ day** dzień w dzień; ~ **combat** pojedynek; ~ **eye-glass** monokl; **to walk in ~ file** iść gęsiego <rzędem> 2. jeden; jeden jedyny; (*w pytaniach*) choćby jeden; **all inspired by a ~ thought** wszyscy ożywieni tylko jedną myślą; **can a ~ instance be mentioned?** czy można przytoczyć choćby jeden przykład?; **not a ~** ani jeden; **not a ~ farthing** ani grosza; **not a ~ person** ani żywej duszy; **with a ~ eye** szczerze; bez ukrytej myśli 3. wyróżniający się; **the most important ~ event** stanowczo <bezsprzecznie> najważniejszy wypadek 4. samotny 5. kawalerski; **to be ~** być kawalerem <nieżonatym, panną, niezamężną>; **to remain ~** nie wychodzić za mąż; nie żenić się; *żart* ~ **blessedness** kawalerski stan 6. szczery; uczciwy; prosty 7. (*o bilecie kolejowym*) w jedną stronę III *s* 1. *tenis* gra pojedyncza 2. *kolej* bilet w jedną stronę III *vt* *roln* po/przerywać (buraki itd.); przerzedz-ić/ać

~ **out** *vt* wyb-rać/ierać; wyróżni-ć/ać

single-acting ['siŋglˌæktiŋ] *adj techn* działający jednostronnie <pojedynczo>

single-barrelled ['siŋglˌbærəld] *adj* (*o strzelbie*) jednolufowy, o jednej lufie; **a ~ gun** jednorurka

single-breasted ['siŋglˌbrestid] *adj* (*o marynarce, płaszczu*) jednorzędowy

single-decker ['siŋglˌdekə] *s* 1. *mar* statek jednopokładowy 2. *lotn* monoplan, jednopłatowiec

single-entry ['siŋglˌentri] *adj* (*o księgowości*) pojedynczy, uproszczony

single-eyed ['siŋglˌaid] *adj* 1. jednooki 2. *przen* szczery; uczciwy 3. dążący do jednego (tylko) celu

single-handed ['siŋglˌhændid] I *adj* (działający) na własną rękę <bez niczyjej pomocy, w pojedynkę> III *adv* (działając) na własną rękę <bez niczyjej pomocy, w pojedynkę>

singlehearted ['siŋglˌhɑ:tid], **single-minded** ['siŋgl'maindid] *adj* szczery; uczciwy; prostolinijny

singleness ['siŋglnis] *s* 1. jedność; zgodność; ~ **of purpose** jedność <wspólność> celu 2. szczerość; uczciwość 3. stan kawalerski; panieństwo

single-phase ['siŋglˌfeiz] *adj* jednofazowy

single-scull ['siŋglˌskʌl] *vt* 1. wiosłować w pojedynkę obydwoma wiosłami (**a boat** na łodzi) 2. poruszać (czółno) jednym wiosłem

single-seater ['siŋglˌsi:tə] *s* jednoosobowy (wóz, samolot); jednomiejscowy

single-stick ['siŋglˌstik] *s szerm* palcat

singleton [ˈsiŋgltən] *s karc* wicerenons; singel;
a ~ lead wyjście z wicerenonsu <singla>
single-track [ˈsiŋglˌtræk] *adj* 1. *(o kolei)* jednotorowy 2. *(o umyśle)* ciasny
singly [ˈsiŋgli] *adv* pojedynczo; osobno; z osobna; oddzielnie; w pojedynkę; indywidualnie
singsong [ˈsiŋˌsɔŋ] ① *s* 1. monotonny śpiew 2.
śpiewny sposób mówienia <akcent> 3. zaimprowizowany koncert (towarzyski); wspólne śpiewanie ③ *adj* 1. monotonny 2. *(o akcencie, sposobie
mówienia)* śpiewny ③ *vt* za/recytować <wy/re-
cytować, powiedzieć> monotonnym głosem ④ *vi*
mówić śpiewnie
singular [ˈsiŋgjulə] ① *adj* 1. *gram (o liczbie)* pojedynczy 2. pojedynczy; indywidualny; wzięty
z osobna; jednostkowy 3. osobliwy; szczególny;
dziwny; niezwykły ③ *s gram* liczba pojedyncza;
wyraz w liczbie pojedynczej
singularity [ˌsiŋgjuˈlæriti] *s* osobliwość; cecha szczególna; niezwykłość; dziwaczność
Sinhalese [ˌsinhəˈliːz] = **Singhalese**
sinister [ˈsinistə] *adj* 1. *herald* lewy (na tarczy;
prawy od strony patrzącego) 2. ponury; groźny
3. złowieszczy, złowrogi; złowróżbny
sinistral [ˈsinistrəl] *adj* lewostronny; lewoskrętny
sink [siŋk] *v (praet* **sank** [sæŋk], **sunk** [sʌŋk] *pp*
sunk, sunken [sʌŋkən]) ① *vi* 1. za/tonąć; za/to-
pić <pogrąż-yć/ać> się; **here goes, ~ or swim!**
było nie było!; raz kozie śmierć! 2. ugrz-ąźć/
ęzać, ugrzęznąć 3. wryć się **(into the memory**
w pamięć) 4. *dosł i przen* zagłębi-ć/ać się **(in
oneself** w sobie; **into a chair** w fotelu) 5. ob-
niż-yć/ać <zapa-ść/dać> się; opa-ść/dać; *(o słońcu)* zachodzić; znik-nąć/ać; *(o budynku)* osi-ąść/
adać; *(o burzy)* ucisz-yć/ać się; *(o człowieku)*
ugi-ąć/nać się (pod ciężarem itd.); *(o cenach)*
spa-ść/dać; zniżkować; **her eyes sank** spuściła
oczy, opuściła wzrok; **his eyes <cheeks> have
sunk** oczy <policzki> mu się zapadły; **my heart
sank** a) serce mi we mnie zamarło; zrobiło mi się
słabo b) brakło mi odwagi; **my spirits sank** ogar-
nęło mnie przygnębienie 6. o/słabnąć; s/tracić na
sile <wartości>; uby-ć/wać; niknąć; zanikać;
z/maleć; *(o pacjencie)* ginąć w oczach; **to ~ in
sb's estimation** stracić w czyichś oczach 7. pogrą-
żać się **(into sleep** <silence etc.> we śnie <w mil-
czeniu itd.>) ③ *vt* 1. zat-opić/apiać 2. obniż-yć/
ać; spu-ścić/szczać na dół; zanurz-yć/ać; po-
głębi-ć/ać 3. wbi-ć/jać (do ziemi); wkop-ać/ywać
4. opu-ścić/szczać (głowę) 5. wykop-ać/ywać
(studnię, szyb) 6. ukry-ć/wać <utrzymywać w ta-
jemnicy> (swoje nazwisko, jakiś fakt itd.); przemilczeć 7. wy/ryć 8. za/inwestować 9. z/amor-
tyzować <um-orzyć/arzać> (pożyczkę itd.); **to ~
differences** pogodzić się ‖ **let's ~ shop!** zapom-
nijmy <nie wolno teraz mówić> o sprawach zawodowych! ③ *vr* **~ oneself** zapom-nieć/inać
o sobie
~ in *vi (o cieczy)* wsiąk-nąć/ać
zob **sinking** ③ *s* 1. zlew 2. ściek; kloaka; *przen*
a ~ of iniquity bagno, gniazdo rozpusty 3. *teatr*
trap (podłogi scenicznej); zapadnia
sinker [ˈsiŋkə] *s* 1. *wędk* ciężarek przytrzymujący
żyłkę wędkarską na pewnej głębokości przy łowieniu ryb dennych 2. zakalcowaty placek
sinking [ˈsiŋkiŋ] ① *zob* **sink** *v* ③ *s* 1. wy/kopanie
(studni) 2. amortyzacja 3. omdlewanie ④ *adj*

(o uczuciu) omdlenia; **with a ~ heart** z zamie-
rającym sercem
sinking-fund [ˈsiŋkiŋˌfʌnd] *s* fundusz amortyzacyjny
sinless [ˈsinlis] *adj* bezgrzeszny
sinner [ˈsinə] *s* grzeszni-k/ca
Sinn Fein [ˈʃinˈfein] *s* irlandzki ruch niepodległo-
ściowy
Sinn Feiner [ˈʃinˈfeinə] *s* bojowni-k/czka o niezależność Irlandii
sin-offering [ˈsinˌɔfəriŋ] *s* ofiara pokutna
sinologist [siˈnɔlədʒist] *s* sinolog
sinology [siˈnɔlədʒi] *s* sinologia
sinter [ˈsintə] ① *s* 1. *geol* tuf 2. nawar ③ *vt* spie-
kać (rudę)
sinuate [ˈsinjuit] *adj bot (o liściu)* zatokowy, kręty, spiralny
sinuosity [ˌsinjuˈɔsiti] *s* 1. krętość (drogi); zakręt
2. falistość (terenu itd.)
sinuous [ˈsinjuəs] *adj* 1. kręty; wijący się 2. falisty
sinus [ˈsainəs] *s (pl ~es, **sinus** [ˈsainəz]) 1. *anat*
zatoka 2. *mat* sinus
Sioux [suː] *s (pl ~ [suːz]) Siuks
sip [sip] ① *vt vi* (**-pp-**) popijać (małymi łykami)
③ *s* mały łyk
siphon [ˈsaifən] ① *s* 1. syfon (na wodę sodową)
2. lewar hydrauliczny; rura przelewowa <zgięta>
③ *vt* 1. przel-ać/ewać syfonem 2. ssać; zasysać
siphonet [ˌsifəˈnet], **siphuncle** [ˈsaifʌŋkl] *s zoo*
ssawka (owada)
sippet [ˈsipit] *s* 1. grzanka 2. maczanka
sir [səː] ① *s* 1. *(bez imienia) wyraz używany przy
zwracaniu się* a) *do przełożonego:* proszę pana!
b) *(w pewnych sferach) do ojca:* proszę ojca!
c) *żołnierza do oficera lub oficera do przełożonego:* panie poruczniku <kapitanie itd.> 2. tytuł
należny członkom szlachty angielskiej, stosowany
przy imieniu 3. *w korespondencji stosowany przy
formułce:* (**Dear**) **~** Szanowny Panie 4. *w użyciu wykrzyknikowym oznacza niezadowolenie,
oburzenie itp.:* mój Panie!; Panie Szanowny! ③
vt tytułować (kogoś) mianem "Sir"
sircar [ˈsəːkə] *s* 1. rząd (Indii) 2. władz-a/e 3. indyjski urzędnik
sirdar [ˈsəːdɑː] *s* 1. *(w Indiach)* dowódca 2. *hist*
(oficer angielski) głównodowodzący (armii egip-
skiej)
sire [ˈsaiə] ① *s* 1. *poet* ojciec 2. *roln* rozpłodnik ③
vt spłodzić
siren [ˈsaiərin] *s* 1. *mitol* syrena 2. kobieta demon;
kusicielka
sirenian [saiəˈrinjən] *spl zoo* syrena
siriasis [siˈraiəsis] *s* udar <porażenie> słoneczn-y/e
Sirius [ˈsiriəs] *s astr* Syriusz
sirloin [ˈsəːlɔin] *s kulin* krzyżowa, krzyżówka (polędwica wołowa)
sirocco [siˈrɔkou] *s* sirocco
sirrah [ˈsirə] *s wyraz stosowany w gniewie lub pogardliwie:* Mocium Panie!
sisal [ˈsaisəl] *s bot* sizal; **~ fibre** włókno sizalowe
siskin [ˈsiskin] *s zoo* czyż, czyżyk
sis(s) [sis] *s pot* siostrzyczka
sissy [ˈsisi] *s* 1. *am* siostrzyczka 2. zniewieściały
chłopak <mężczyzna>
sister [ˈsistə] ① *s* 1. siostra; **full ~** rodzona siostra; *mitol* **the Fatal Sisters** Parki 2. siostra; za-

konnica 3. (*w szpitalach*) siostra (przełożona) Ⅲ
attr (*o statku itd*) bliźniaczy

sisterhood ['sistə,hud] *s* 1. siostrzeństwo; **to live
in loving ~** żyć jak kochające się siostry 2. zakon żeński; wspólnota kobieca

sister-in-law ['sistərin,lɔ:] *s* (*pl* **sisters-in-law** ['sis
təzin,lɔ:]) szwagierka; bratowa; szwagrowa

sisterliness ['sistəlinis] *s* siostrzana miłość

sisterly ['sistəli] *adj* siostrzany; (*o miłości itd*) rodzonej siostry; **in a ~ way** po siostrzanemu

Sistine ['sistain] *adj* (*o Madonnie, kaplicy*) sykstyńska

Sisyphean [,sisi'fiən] *adj* syzyfowy; *przen* **~ labours** syzyfowa praca

⬆**sit** [sit] *v* (**sat** [sæt], **sitting** ['sitiŋ]) Ⅰ *vi*
1. usiąść/siadać; siedzieć; przesiadywać; **to ~
at home** a) nie wychodzić z domu b) nie wyjeżdżać za granicę c) nic nie robić; nie pracować; **to ~ for an examination** zdawać egzamin; przystąpić do egzaminu; **to ~ for fellowship** zdawać egzamin kandydacki (na aspiranturę <na stypendium>); (*o potrawie*) **to ~ heavy
on the stomach** leżeć w żołądku; **to ~ in judgment** wydawać sąd/y (o drugich); *sl* **to ~ on sb**
zbesztać kogoś; utrzeć komuś nosa; **to ~ over
sth** siedzieć przy <nad> czymś; **to ~ tight** nie
ust-ąpić/ępować; nie da-ć/wać się zbić z tropu;
to ~ under _ a) studiować pod kierunkiem ...
(czymś) b) należeć do parafii ... (czyjejś); słuchać kazań ... (czyichś) 2. pozować; **to ~ for
a portrait** <**statue**> pozować do portretu <rzeźby>; **to ~ for an artist** pozować artyście 3. zasiadać (**on a committee** w komitecie; **in Parliament** w parlamencie); być posłem (**for a
constituency** okręgu wyborczego) 4. obradować; deliberować; mieć sesję <rozprawę> rozpatrywać (**on a question** sprawę) 5. (*o ptaku*)
si-ąść/adać; siedzieć; **to shoot a bird** <**hare**>
while ~ting strzelić do siedzącego ptaka <zająca> 6. (*o kurze*) wysiadywać (**on eggs** jaja) 7.
(*o radości*) malować się (na twarzach) 8. (*o wietrze*) wiać (skądś); *przen* **to know how the wind
~s** wiedzieć, skąd wiatr wieje; **~s the wind
there?** a więc to tak? a więc o to chodzi; *pot*
takie buty! 9. (*o przymiocie*) pasować (**on sb** do
kogoś); **her imperiousness ~s** well on her jest
jej do twarzy z tym władczym tonem; **their
principles ~ loosely on them** oni niewiele sobie robią z głoszonych przez siebie zasad <nie
przejmują się głoszonymi przez siebie zasadami>
10. (*o ubiorze*) leżeć (dobrze, źle) Ⅲ *vt* 1. siedzieć (**a horse** na koniu) 2. posadzić/sadzać Ⅲ
vr **~ oneself** usiąść/siadać

~ back *vi* odchyl-ić/ać się (do tyłu); wyprostować się (na krześle)

~ down *vi* 1. usiąść/siadać 2. przyst-ąpić/ępować do oblężenia (**before a town** miasta)
3. nie za/reagować (**under an insult** na zniewagę) ‖ *am* **to ~ down hard on sth** ostro
się sprzeciwi-ć/ać czemuś

~ on *vi* siedzieć dalej; siedzieć bez końca

~out Ⅰ *vi* siedzieć na zewnątrz <przed domem,
pod gołym niebem>; przewietrzyć się Ⅲ *vt*
1. nie wziąć/brać udziału (**sth** w czymś);
przesiedzieć (taniec) 2. wysiedzieć do końca
(**a lecture etc.** odczytu itd.) 3. *w zwrocie*:
to ~ sb out a) przetrzym-ać/ywać kogoś b)

siedzieć dotąd, aż ktoś pójdzie <aż do czyjegoś odejścia>

~ through *vt* = **~ out** *vt* 2.

~ up *vi* 1. siedzieć prosto; *pot* **to make sb
~ up** a) da-ć/wać komuś szkołę <bobu> b)
zastrzelić kogoś (wiadomością itd.); *przen* **to
~ up and take notice** nadstawić ucha 2.
podu-ieść/osić się (w łóżku); wyprostować się
(na krześle) 3. czuwać (do późna w nocy);
późno się kłaść spać; czuwać (**with** ... przy
... — **pacjencie, zmarłym**); czekać (w nocy)
(**for sb** na czyjeś przybycie) *zob* **sitting**

sit-down [,sit'daun] *attr* **~ strike** strajk okupacyjny

⬆**site** [sait] Ⅰ *s* 1. umiejscowienie; położenie (miasta, budynku itd.); teren; miejsce; punkt; miejscowość; okolica (miasta itd.) 2. parcela (budowlana) Ⅲ *vt* umiejsc-owić/awiać; ob-rać/ierać
<wyznacz-yć/ać> miejsce (**a building etc.** na budynek itd.)

sitfast ['sit,fa:st] *s wet* stwardnienie (na końskim
grzbiecie)

sith [siθ] Ⅰ *adv poet* odkąd Ⅲ *conj poet* ponieważ; skoro

sitiology [,siti'ɔlədʒi], **sitology** [si'tɔlədʒi] *s* dietetyka

⬆**sitter** ['sitə] *s* 1. siedzący (człowiek, pasażer itd.)
2. model/ka 3. kwoka 4. *myśl* zwierzyna nie będąca w ruchu 5. *przen sl* łatwa rzecz; **it's a ~**
nie ma nic łatwiejszego 6. *sl* łatwizna; (*w piłce nożnej*) łatwy strzał

sitter-in ['sitər'in] *s* osoba wynajęta do pilnowania dziecka w czasie chwilowej nieobecności rodziców

sitting ['sitiŋ] Ⅰ *zob* **sit** Ⅲ *s* 1. posiedzenie; sesja 2. posiedzenie (czas pozowania do portretu
itd.) 3. porcja jaj do wylęgu 4. posiedzenie (okres
trwania czynności); **at one ~** za jednym posiedzeniem <zamachem>; naraz 5. zarezerwowane
miejsce w ławce kościelnej

sitting-room ['sitiŋ,ru:m] *s* 1. bawialnia, salon 2.
miejsce do siedzenia 3. *zbior* miejsca siedzące

situate ['sitjuit] Ⅰ *adj* umieszczony; położony Ⅲ
vt ['sitju,eit] umie-ścić/szczać *zob* **situated**

situated ['sitju,eitid] Ⅰ *zob* **situate** *v* Ⅲ *adj* 1.
umieszczony; położony; stojący; znajdujący się
2. (*o człowieku*) sytuowany 3. (*o człowieku*) znajdujący się w sytuacji <położeniu> (**badly** krytyczn-ej/ym; **awkwardly** przykr-ej/ym itd.); **thus
~** będąc w takim położeniu <w takiej sytuacji>

situation [,sitju'eiʃən] *s* 1. położenie 2. sytuacja
3. stanowisko; posada; zajęcie 4. *handl* koniunktura

sitz-bath ['sits,ba:θ] *s* nasiadówka

six [siks] *num* Ⅰ *adj* sześć; **it is ~** jest szósta
godzina; **to be ~** mieć sześć lat; **a boy** <**girl**>
of ~ chłopiec <dziewczynka> sześcioletni/a; **one**
<**two etc.**> **and ~** jeden <dwa itd.> szyling/i
i sześć pensów; **it's ~ of one ~ and half a
dozen of the other** nie ma żadnej różnicy; **to
~** jest wszystko jedno Ⅲ *s* 1. szóstka; **at ~es and
sevens** w nieładzie; w całkowitym <zupełnym>
bałaganie; do góry nogami 2. *pl* **~es** świeczki
w paczkach po 6 szt na 1 funt

sixain ['siksein] *s* sześciowiersz

sixfold ['siks,fould] Ⅰ *adj* 1. sześciokrotny 2. sześćioraki III *adv* 1. sześciokrotnie 2. sześciorako; sześćnasób

six-footer ['siks'futə] *s* człowiek mający 6 stóp wzrostu

sixish ['siksiʃ] *adv* około sześciu; mniej więcej <ze> sześć; około godz. 6-ej

sixpence ['sikspəns] *s* 1. sześć pensów; pół szylinga 2. moneta sześciopensowa; **he hadn't a ~** nie miał w kieszeni ani grosza

sixpenno'th ['sikspənəθ] = **sixpennyworth**

sixpenny ['sikspəni] *adj* sześciopensowy; *przen* taniutki

sixpennyworth ['siks,peni,wə:θ] *s* za 6 pensów (czegoś)

six-shooter ['siks'ʃu:tə] *s* sześciostrzałowy (rewolwer)

sixteen ['siks'ti:n] *num adj* szesnaście; **to be ~** mieć 16 lat; **a boy** <**girl**> **of ~** chłopak <dziewczyna> szesnastoletni/a

sixteenth ['siks'ti:nθ] *num* I *adj* szesnasty III *s* 1. (jedna) szesnasta (część) 2. szesnasty dzień miesiąca 3. *muz* szesnastka

⬆ **sixth** [siksθ] *num* I *adj* szósty III *s* 1. (jedna) szósta (część) 2. szósty dzień miesiąca 3. *szk* szósta klasa

sixtieth ['sikstiiθ] *num* I *adj* sześćdziesiąty III *s* (jedna) sześćdziesiąta (część)

sixty ['siksti] *num* I *adj* sześćdziesiąt; **to be ~** mieć 60 lat; **a man of ~** człowiek sześćdziesięcioletni III *s pl* **the sixties** lata sześćdziesiąte (danego wieku, czyjegoś życia)

sizable ['saizəbl] *adj* 1. sporych rozmiarów; spore-j/go wysokości <wzrostu> 2. pojemny

sizar ['saizə] *s uniw* (*w Cambridge i w Dublinie*) student płacący obniżone opłaty

sizarship ['saizəʃip] *s uniw* (*w Cambridge i w Dublinie*) prawo płacenia obniżonych opłat

size¹ [saiz] I *s* 1. *hist* urzędowy wzorzec wag i miar 2. *uniw* (*w Cambridge*) porcja jedzenia wydawana ze spiżarni uczelnianej 3. rozmiar/y; wielkość; objętość; wymiar; sortyment (węgla itd.); **to be the ~ of** — być tej wielkości co <takim dużym jak> ... (coś); *przen pot* **that's about the ~ of it** tak się rzecz <sprawa> przedstawia 4. wzrost; wysokość; **they are of a ~** mają ten sam wzrost 5. numer (koszuli, bucika, rękawiczek itd.); **what ~ do you take?** jaki numer pan/i nosi? 6. format 7. kaliber III *vt* 1. sortować według rozmiarów <wielkości>; *wojsk* ustawi-ć/ać według wzrostu 2. kalibrować; cechować III *vi uniw* zam-ówić/awiać porcję jedzenia
~ up *vt* 1. ustal-ić/ać wielkość <rozmiary, objętość, format, kaliber> (**sth** czegoś) 2. oceni-ć/ać (sytuację, wartość człowieka itd.)

size² [saiz] I *s* klej III *vt* s/kleić

sizeable ['saizəbl] = **sizable**

sizer ['saizə] *s* 1. przesiewacz 2. klasyfikator

sizzle ['sizl] I *vi* 1. za/skwierczeć 2. (*o aparacie radiowym*) wydawać trzaski III *s* 1. skwierk, skwierczenie 2. *radio* trzaski

sjambok ['ʃæmbɔk] I *s* bicz ze skóry hipopotama <nosorożca> III *vt* wy/chłostać biczem ze skóry hipopotama <nosorożca>

skald [skɔ:ld] *s* skald

skat [skæt] *s karc* skat

skate¹ [skeit] *s zoo* ryba z rodzaju rai

skate² [skeit] I *s* 1. łyżwa 2. wrótka III *vi* jeździć na łyżwach <na wrotkach>; *przen* **to ~ over thin ice** a) poruszyć śliski temat b) narażać się na niebezpieczeństwo

skater ['skeitə] *s* 1. łyżwia-rz/rka 2. wrotka-rz/rka

skating-rink ['skeitiŋ,riŋk] *s* 1. lodowisko; tor łyżwiarski 2. tor do jazdy na wrotkach

skedaddle [ski'dædl] I *vi pot* u'cie-c/kać w popłochu; zwi-ać/ewać III *s pot* ucieczka; popłoch

skein [skein] *s* 1. motek (przędzy itd.) 2. gmatwanina; plątanina; zawiłości <powikłania> (w polityce itd.) 3. stado dzikich gęsi

skeletal ['skelətl] *adj* szkieletowy; kościotrupi

skeleton ['skelitn] *s* 1. szkielet; kościec; kościotrup; **~ at the feast** zmora <strapienie> psując-a/e zabawę; **~ in the cupboard** przykra tajemnica rodzinna; **~ key** wytrych 2. szkielet <ogólne ramy, ząb, szkic, zarys> (projektu itd.) 3. *wojsk* kadra

skeletonize ['skelit,naiz] *vt* 1. s/preparować (zwierzę, roślinę) 2. na/szkicować w ogólnym zarysie 3. z/redukować do minimum

skelp [skelp] I *vt szkoc* da-ć/wać klapsa (**sb** komuś) III *s szkoc* klaps

skene [ski:n] *s* nóż-sztylet (jako część szkockiego stroju narodowego)

skep [skep] *s* 1. kosz 2. (*w pszczelarstwie*) koszka, dzion

skerry ['skeri] *s szkoc* skalista wysepka

sketch [sketʃ] I *s* 1. szkic; zarys 2. *teatr* skecz III *vt* na/szkicować; przedstawi-ć/ać w ogólnych zarysach

sketch-book ['sketʃ,buk] *s* szkicownik

sketch-map ['sketʃ,mæp] *s* mapa konturowa

sketchy ['sketʃi] *adj* (**sketchier** ['sketʃiə], **sketchiest** ['sketʃiist]) szkicowy; fragmentaryczny; dający ogólny zarys; przedstawiający w ogólnym zarysie

⬆ **skew** [skju:] I *adj* skośny; ukośny; pochyły III *adv* ukośnie; na ukos III *s* skośność

skew-bald ['skju:,bɔ:ld] *adj* (*o koniu*) łaciaty

skewer ['skjuə] I *s* 1. szpikulec 2. *żart* szabla; szpada III *vt* 1. nadzi-ać/ewać na szpikulec 2. przebi-ć/jać; przeszy-ć/wać

skew-eyed ['skju:,aid] *adj* zezowaty

⬆ **ski** [ski:] I *s* narta III *vi* (**ski'd** [ski:d], **ski'd; skiing** ['ski:iŋ]) po/jechać <jeździć> na nartach *zob* **skiing**

skiagram ['skaiə,græm] = **sciagram**

skiagraph ['skaiə,grɑ:f] = **sciagraph**

skiagraphy [skai'ægrəfi] = **sciagraphy**

ski-boots ['ski:,bu:ts] *spl* buty narciarskie

ski'd *zob* **ski** *v*

⬆ **skid** [skid] I *s* 1. *techn* płozy (pod maszynę); prowadnica; ześlizg; pochylnia; zsuw; listwa; kloc; kętnar; *pot* **to put the ~s under sb** spławić kogoś; *am sl przen* **on the ~s** na równi pochyłej; na drodze do nieszczęścia 2. trzewik <klocek> hamulcowy 3. *auto* poślizg; *lotn* **to go into a ~** wejść w poślizg 4. *lotn* płoza ogonowa III *vi* (**-dd-**) 1. poślizgnąć <ślizgać> się 2. mieć poślizg; **the car ~ded** zarzuciło samochód III *vt* (**-dd-**) 1. za/hamować 2. za/klinować 3. ustawi-ć/ać na płozach <na pochylni>

skidproof ['skid,pru:f] *adj* przeciwślizgowy

skier ['ski:ə] *s* narcia-rz/rka

skiff [skif] *s sport* skiff

skiing ['skiiŋ] ① *zob* **ski** *v* ③ *s* sport narciarski, narciarstwo; jazda na nartach
ski-jump ['ski:ˌdʒʌmp] *s* skok narciarski
skilful ['skilful] *adj* zręczny; wprawny; **to be ~ at <in>** sth robić coś zręcznie; mieć wprawę w czymś
skill [skil] ① *s* zręczność; wprawa ③ *vi* † *tylko w 3 pers*; **it ~s not** — a) na nic to ... (że) b) to nie stanowi różnicy; **what ~ it _?** jakie to ma znaczenie <co z tego> ... (że)? *zob* **skilled**
skilled [skild] *adj* 1. (*o robotniku*) wykwalifikowany 2. (*o pracy*) wykonany fachowo
skill-less ['skillis] *adj* niezręczny; niewprawny
skillet ['skilit] *s* rynka, rynienka; rondel (o trzech nóżkach i długiej rączce)
skilly ['skili] *s* cienka zupa <polewka, owsianka> (podawana w więzieniach itd.)
skim [skim] *v* (-mm-) ① *vt* 1. zebrać/zbierać śmietankę (**milk** z mleka); zgarn-ąć/iać pianę (**sth** z czegoś); *przen* **to ~ the cream off sth** zebrać/zbierać śmietankę z czegoś 2. szumować (rosół, roztopiony metal itd.) 3. mus-nąć/kać 4. ślizgać się (**a surface etc.** po jakiejś powierzchni itd.) 5. przerzuc-ić/ać <przeczytać pobieżnie> (książkę itd.) ③ *vi* 1. ślizgać się (**over the surface of sth** po powierzchni czegoś) 2. przerzuc-ić/ać <przeczytać pobieżnie> (**over <through> a list etc.** spis itd.)
skimble-skamble ['skimbl'skæmbl] *adj* chaotyczny
skimmer ['skimə] *s* 1. warzecha; cedzidło 2. *zoo* brzytwodziób (ptak)
skim-milk ['skimˌmilk] *s* mleko zbierane
skimming-dish ['skimiŋˌdiʃ] *s sl* 1. płaskodenny jacht wyścigowy 2. ślizgacz (łódź)
skimp [skimp] ① *vt* wydzielać (**sb in sth** komuś coś); skąpić <żałować> (**sb in sth** komuś czegoś) ③ *vi* skąpić; sknerzyć; żałować *zob* **skimping**
skimpiness ['skimpinis] *s* skąpość; brak; niedostatek
skimping ['skimpiŋ] ① *zob* **skimp** ③ *adj* skąpy ③ *s* skąpstwo; sknerstwo
skimpy ['skimpi] *adj* (**skimpier** ['skimpiə], **skimpiest** ['skimpiist]) skąpy; kusy; niewystarczający
▲**skin** [skin] ① *s* 1. *anat* skóra; **outer ~** naskórek; **stripped to the ~** rozebrany do naga; **to escape by <with> the ~ of one's teeth** uniknąć nieszczęścia o (mały) włos; **to get under sb's ~** działać komuś na nerwy; *przen* **to have a thick <thin> ~** być gruboskórnym <wrażliwym>; **to save one's ~** wyjść cało (z opresji, z wypadku itd.); **to wear sth next (to) one's ~** nosić coś na gołym ciele; wdziewać coś na gołe ciało 2. cera (**fair <dark>** biała <ciemna>) 3. skóra <skórka> (zwierzęcia); futro <futerko> (królicze itd.) 4. bukłak (pojemnik skórzany na wino itd.); szawłok 5. łupina; skórka (pomarańczy itp.) 6. skórka (z kiełbasy) 7. kożuszek (na mleku itd.) 8. powłoka; otulina; *elektr* **~ effect** naskórkowość 9. *mar* poszycie (statku) 10. *am* oszust/ka 11. *am* sknera; kutwa ③ *attr* (*o chorobach itd*) skórny; (*o kremie itd*) do skóry ③ *vt* (-nn-) 1. ob-edrzeć/dzierać ze skóry (**an animal etc.** zwierzę itd.) 2. zadrasnąć (**one's foot etc.** sobie nogę itd.) 3. ob-rać/ierać (owoc itd.); wy-łusk-ać/iwać (fasolę itd.) 4. *sl przen* zedrzeć/zdzierać, z/łupić skórę (**sb** z kogoś); obr-obić/abiać (**sb, sth** kogoś, coś); **to keep one's eyes**

~ned mieć oczy otwarte ④ *vi* (-nn-) 1. (*o wężu itd*) s/tracić skórę 2. (*o ranie*) zasklepi-ć/ać się 3. um-knąć/ykać
skin-bound ['skinˌbaund] *adj* 1. z napiętą skórą 2. *med* zrośnięty ze skórą; odnoszący się do twardzizny skóry 3. (*o książce*) oprawiony w skórę
skin-dealer ['skinˌdi:lə] *s* futrzarz
skin-deep ['skin'di:p] *adj* powierzchowny
skin-dresser ['skinˌdresə] *s* białoskórnik
skinflint ['skinˌflint] *s sl* kutwa; sknera; skąpiec
skinful ['skinful] *s* 1. (pełny) bukłak (wina itd.) 2. *pot* pełny brzuch <żołądek>
skin-game ['skinˌgeim] *s sl* szwindel; szachrajstwo; oszustwo
skin-grafting ['skinˌgrɑ:ftiŋ] *s* przeszczepianie skóry
skin-lotion ['skinˌlouʃən] *s* płyn do zmywania skóry; płyn oczyszczający (do twarzy)
▲**skinner** ['skinə] *s* (*w nazwie gildii londyńskiej*) futrzarz
skinny ['skini] *adj* (**skinnier** ['skiniə], **skinniest** ['skinniist]) chudy
skin-tight ['skinˌtait] *adj* (*o ubiorze*) obcisły
▲**skip¹** [skip] *v* (-pp-) ① *vi* 1. sk-oczyć/akać; podskakiwać; po/brykać 2. za/bawić się skakanką 3. *przen* przeskakiwać (z tematu na temat) 4. *am pot* zwi-ać/ewać ③ *vt* przesk-oczyć/akiwać; opu-ścić/szczać; pomi-nąć/jać
~ over *vi* 1. przeje-chać/żdżać się (dokądś) 2. skoczyć (do sklepu itd.)
③ *s* skok; (lekki) podskok
skip² [skip] *s górn* 1. skip 2. kubeł 3. wóz-wywrotka
skip³ [skip] *s* kapitan drużyny w grze w "bowls"
skip-jack ['skipˌdʒæk] *s* 1. zabawka sprężynowa 2. *zoo* owad sprężykowaty 3. *zoo* ryba latająca
skipper¹ ['skipə] *s* 1. dziecko bawiące się skakanką 2. = **skip-jack** 2.
skipper² ['skipə] *s* kapitan statku handlowego; **~'s daughters** grzywiaste fale
skipping-rope ['skipiŋˌroup] *s* skakanka
skirl [skə:l] ① *vi* szkoc za/piszczeć; wyda-ć/wać piskliwe dźwięki (jak przy grze na dudach) ③ *s* szkoc piskliwe dźwięki (jak przy grze na dudach lub kobzie)
skirmish ['skə:miʃ] ① *s* potyczka; utarczka ③ *vi* st-oczyć/aczać potyczkę; mieć utarczkę
skirmisher ['skə:miʃə] *s* strzelec biorący udział w potyczce <utarczce>
skirt [skə:t] ① *s* 1. poła (surduta itd.) 2. spódnica, spódniczka; **divided ~** spódnica-spodnie do jazdy rowerowej 3. *sl* kobieta, dziewczyna, *przen* spódniczka; **a bit of ~** kociak, babka 4. (*zw pl*) peryferie; skraj; brzeg ③ *vt* iść <jechać, ciągnąć się> skrajem <brzegiem> (**a forest etc.** lasu itd.); okrąż-yć/ać ④ *vi* 1. (*o statku*) pły-nąć/wać (**along the coast** wzdłuż brzegu) 2. (*o ścieżce, drodze itd*) ciągnąć się <przebiegać> (**along _** wzdłuż <skrajem>... — czegoś) *zob* **skirted, skirting**
skirted ['skə:tid] ① *zob* **skirt** *v* ③ *adj* (*o kobiecie*) w spódniczce
skirting ['skə:tiŋ] ① *zob* **skirt** *v* ③ *s* 1. materiał na spódnice 2. *arch* plinta
skirting-board ['skə:tiŋˌbɔ:d] *s* 1. listwa (przy podłodze) 2. = **skirting** *s* 2.
skit¹ [skit] *s* satyra; burleska

skit² [skit] *s pot* natłok; *pl* ~s mnóstwo; kupa
skitter ['skitə] *vi* (*o ptakach*) mus-nąć/kać wodę rozbryzgując ją w locie
skittish ['skitiʃ] *adj* 1. (*o koniu*) płochliwy; bojaźliwy; narowisty 2. (*o dziewczynie*) figlarny; filuterny; kokieteryjny; kapryśny
skittishness ['skitiʃnis] *s* 1. (*u konia*) płochliwość; bojaźliwość; narowistość 2. (*u dziewczyny*) figlarność; filuterność; kokieteria; kapryśność
skittle ['skitl] 🗆 *s* 1. (*także* ~-pin) kręgiel; *pl* ~s gra w kręgle; **life is not all beer and ~s** życie nie jest romansem 2. *pl* ~s! bzdury! 🗆 *vt* (*w krykiecie*) *w zwrocie*: **to ~ out a team** spalić z łatwością wszystkich graczy po kolei
skittle-alley ['skitl.æli] *s* kręgielnia
skive [skaiv] *vt garb* mizdrować
skiver ['skaivə] *s garb* mizdrownik
skivvy ['skivi] *s pot* kuchta
skrimshank(er) ['skrim.ʃæŋk(ə)] = **scrimshank(er)**
skua ['skju:ə] *s zoo* wydrzyk (ptak)
skulk [skʌlk] *vi* 1. u/kryć <ukrywać> się 2. czaić się; czyhać; czatować; podkra-ść/dać się 3. *pot* obijać się; uchylać się od pracy
~ **in** *vi* wkra-ść/dać się
~ **out** *vi* wykra-ść/dać się; wym-knąć/ykać się cichaczem
skulker ['skʌlkə] *s pot* obijacz, bumelant
skull [skʌl] *s anat* czaszka; ~ **and cross-bones** trupia główka i piszczele
skull-cap ['skʌl.kæp] *s* 1. mycka; piuska 2. jarmułka
⫯**skunk** [skʌŋk] 🗆 *s* 1. *zoo* śmierdziel, skunks 2. skunksy (futro) 3. nędzna kreatura 🗆 *vt am* sromotnie pobić <rozgromić> (przeciwnika)
⫯**sky** [skai] *s* 1. niebo; *pl* **skies** niebiosa; **to laud** <**praise**> **to the skies** wynosić pod niebiosa; **under the open** ~ pod gołym niebem 2. (*także pl* **skies**) klimat; **try what a warmer** ~ <**warmer skies**> **will do for you** proszę spróbować cieplejszego klimatu
sky-blue ['skai'blu:] 🗆 *s* szafir ·(kolor) 🗆 *adj* szafirowy, koloru szafirowego
skyer ['skaiə] *s* (*o piłce kopniętej wysoko w górę*) świeca
sky-high ['skai'hai] *adv* pod chmury; do samego nieba; zawrotnie wysoko
skylark ['skai.la:k] 🗆 *s zoo* skowronek 🗆 *vi* swawolić; dokazywać
skylight ['skai.lait] *s bud* świetlik (w połaci dachowej)
skyline ['skai.lain] *s* profil <sylwetka> (miasta, gór itd.) na tle nieba
⫯**sky-pilot** ['skai'pailət] *s* 1. *sl* ksiądz; pastor 2. *lotn* pilot
sky-rocket ['skai.rɔkit] 🗆 *s* rakieta 🗆 *vi* nagle wyr-osnąć/astać <wystrzelić w górę>; (*o cenach*) podsk-oczyć/akiwać w zawrotnym tempie
sky-sail ['skai.seil] *s mar* żagiel styczny (trapez)
skyscape ['skai.skeip] *s plast* chmury (jako motyw malarski)
skyscraper ['skai.skreipə] *s* drapacz chmur
skywards ['skaiwədz] *adv* ku niebu
skyway ['skai.wei] *s* droga powietrzna
sky-writing ['skai.raitiŋ] *s* reklama lotnicza
⫯**slab** [slæb] 🗆 *s* 1. płyta, płytka (kamienna itd.) 2. obladra (deska boczna z kloca) 3. kromka (chleba); kawałek (placka) 🗆 *vt* (**-bb-**) 1. ciąć

(kamień itd.) na ↘płyty 2. od-erżnąć/rzynać obladry (**a log** z kloca)
slack [slæk] 🗆 *adj* 1. opieszały; ospały; niedbały; rozleniwiony; leniwy; (*o dyscyplinie*) rozprzężony; ~ **hours** godziny słabego ruchu; **the ~ season** martwy sezon; **trade** <**business**> **is** ~ jest zastój w interes-ie/ach 2. luźny; słaby; wiotki; obwisły; sflaczały; (*o linie, pasie transmisyjnym itd.*); wolny; nie napięty; słabo napięty; (*o dętce, oponie*) nie napompowany; miękki; (*o śrubie, nakrętce itd*) nie dokręcony; rozkręcony; **to keep a ~ hand on** ~ słabą ręką trzymać ... (podwładnych) 3. (*o wapnie*) gaszony 4. (*o pogodzie*) rozleniwiający 5. (*o pieczywie itd*) nie dopieczony; zakalcowaty 🗆 *s* 1. (*u liny itd*) zwis; **haul in** <**take up**> **the** ~ napi-ąć/nać 2. bezczynność; leniuchowanie; **to have a** ~ poleniuchować 3. miał węglowy 4. *dial* zuchwalstwo; impertynencja 5. *pl* ~s *sl* spodnie (marynarskie) 🗆 *vi* 1. obluzować <rozluźni-ć/ać, odpręż-yć/ać> się 2. (*o wapnie*) u/gasić się 3. (*o człowieku*) opu-ścić/szczać <zaniedb-ać/ywać, rozleniwi-ć/ać> 🗆 *vt* 1. zw-olnić/alniać (tempo pracy itd.) 2. obluźni-ć/ać; odpręż-yć/ać; popu-ścić/szczać (**sth** czegoś — cugli itd.) 3. u/gasić (wapno)
~ **off** 🗆 *vt* zmniejsz-ać/yć (ciśnienie itd.) 🗆 *vi* 1. osłabnąć 2. zmniejsz-yć/ać <z/redukować> szybkość 3. opu-ścić/szczać się; zaniedb-ać/ywać się w pracy
~ **up** *vi* (*o pociągu itd*) zw-olnić/alniać bieg
slacken ['slækən] 🗆 *vi* 1. (*także* ~ **off** <**up**>) opu-ścić/szczać <zaniedb-ać/ywać> się; rozleniwi-ć/ać się; z/gnuśnieć 2. (*o linie itd*) obluzować <rozluźni-ć/ać, odpręż-yć/ać> się 3. słabnąć; s/tracić na sile <intensywności>; (*o interesach*) iść słabo; być w zastoju; (*o szybkości, tempie itd*) spa-ść/dać; zmniejsz-yć/ać się; z/maleć 🗆 *vt* 1. zw-olnić/alniać (tempo itd.); przyhamować; przytłumić 2. obniż-yć/ać; zmniejsz-yć/ać (napięcie itd.) 3. rozluźni-ć/ać; odpręż-yć/ać; popu-ścić/szczać (**sth** czegoś) 4. z/łagodzić
slacker ['slækə] *s* próżnia-k/czka
slackness ['slæknis] *s* 1. opieszałość; niedbalstwo; opuszcz-enie/anie <zaniedb-anie/ywanie> się; rozleniwi-enie/anie (się) 2. rozprzężenie 3. odprężenie; rozluźnienie 4. zmniejszenie (napięcia); osłabienie (natężenia) 5. *handl* zastój
slade [sleid] *s* kotlina
slag [slæg] 🗆 *s* żużel 🗆 *vt* (**-gg-**) odżużl-ić/ać 🗆 *vi* (**-gg-**) pozostawiać żużel
slaggy ['slægi] *adj* żużlowaty
slain *zob* **slay²**
slake [sleik] 🗆 *vt* 1. u/gasić (pragnienie itd.); *przen lit* zaspok-oić/ajać (żądzę itd.) 2. u/gasić (wapno) 🗆 *vi* 1. o/słabnąć 2. z/gasnąć; (*o wapnie*) zagasać/gasnąć
slalom ['sleiləm] *s sport* slalom
slam [slæm] *v* (**-mm-**) 🗆 *vt* 1. zatrzas-nąć/kiwać (drzwi, pokrywkę, wieko itd.); trzas-nąć/kać (**the door etc.** drzwiami itd.) 2. (*także* ~ **down**) zam-knąć/ykać (pokrywę, wieko itd.) z trzaskiem; cis-nąć/kać (książkę itd.) z trzaskiem <hukiem> 3. *sl* pobić na głowę <rozn-ieść/osić> (przeciwników) 🗆 *vi* zatrzas-nąć/kiwać się 🗆 *s* trzask (zamykających się gwałtownie drzwi itd.) 2. *karc* szlem
slander ['sla:ndə] 🗆 *s* zniesławienie; oszczer-

stwo-o/a; potwarz; obmowa III *vt* zniesławi-ć/ać;
rzuc-ić/ać oszczerstw-o/a (**sb** na kogoś); obm-
-ówić/awiać
slanderer ['slɑːndərə] *s* oszczerca, potwarca
slanderous ['slɑːndərəs] *adj* oszczerczy
slang [slæŋ] I *s* gwara; żargon III *adj* gwarowy;
(*o wyrazie itd*) z żargonu, żargonowy III *vt* z/ru-
gać
slanguage ['slæŋwidʒ] = **slang** *s*
slangy ['slæŋi] *adj* 1. (*o wyrazie itd*) gwarowy;
z żargonu, żargonowy 2. (*o człowieku*) lubujący
się w mowie gwarowej; rubaszny
slank [slæŋk] *zob* **slink¹**
slant [slɑːnt] I *vt* nachyl-ić/ać; nada-ć/wać kierunek <położenie> ukośn-y/e (**sth** czemuś) III *vi*
być nachylonym <ukośnym, skośnym> III *s* 1. skos;
pochyłość; nachylenie; stok; *górn* upadowa; on
the ~ ukośny, skośny, pochylony, nachylony;
mar a ~ of wind lekki wiatr, (pomyślna) bryza
2. *am* punkt widzenia; zapatrywanie IV *adj* pochyły; pochylony; ukośny; skośny
slantendicular, slantindicular [ˌslɑːntin'dikjulə],
slantingdicular [ˌslɑːntiŋ'dikjulə] *adj żart sl*
skośny, ukośny
slantwise ['slɑːntwaiz] *adv* pochyło; ukośnie; skośnie; na ukos
slap [slæp] I *s* 1. klaps; *pot* a ~ in the eye
a) niepowodzenie; zawód; rozczarowanie b) policzek (wymierzony komuś); *przen* a ~ in the
face policzek 2. poklep-anie/ywanie III *vt* (-pp-)
1. da-ć/wać klapsa (**sb** komuś); to ~ sb in the
face uderz-yć/ać w twarz <s/policzkować> kogoś;
wymierz-yć/ać komuś policzek 2. po/klepać, poklepywać
~ down *vt* cis-nąć/kać; rzuc-ić/ać z trzaskiem
zob **slapping** III *adv w zwrotach*: to hit ~ in
<on> — uderz-yć/ać <trafi-ć/ać> prosto w ... (nos
itd.); to run ~ into sb, sth natknąć się na kogoś, coś
slap-bang ['slæpˌbæŋ] *adv* 1. z rozpędu; prosto
w (kogoś, coś) 2. z hałasem
slapdash ['slæpˌdæʃ] I *adv* byle jak; *pot* na kolanie III *adj* (*o pracowniku*) niedbały; niestaranny; in a ~ manner byle jak; byle zbyć; *pot*
na kolanie III *vt vi* napisać <zrobić> (coś) na
kolanie IV *s* rzecz zrobiona na kolanie <na-
prędce>
slapjack ['slæpˌdʒæk] *s* rodzaj placka miodowego
slapping ['slæpiŋ] I *zob* **slap** *v* III *adj* 1. pierwszorzędny 2. duży; olbrzymi
slap-stick ['slæpˌstik] *s* drewniany pałasz (błazeński); ~ comedy bufonada
slap-up ['slæpˈʌp] *adj* pierwszorzędny; szykowny
pot byczy
slash [slæʃ] I *vt* 1. ciąć <rąbać> (pałaszem itd.)
2. walić; chłostać; smagać 3. ostro <zjadliwie>
s/krytykować; napa-ść/dać (**sb** na kogoś) 4. ob-
ci-ąć/nać (płace, dłużyzny itd.) 5. z/robić wy-
cięci-e/a (**sth** w czymś — stroju itd.) 6. trzas-
-nąć/kać (a whip z bicza) 7. wyci-ąć/nać drzewa
(a forest w lesie) III *vi* walić na prawo i na
lewo *zob* **slashing** III *s* 1. cięcie; kresa; szrama
2. przecięcie; wycięcie (w stroju) 3. wyrąb
slasher ['slæʃə] *s* 1. *pot* bokser walący na oślep
2. *lit* zjadliwy krytyk
slashing ['slæʃiŋ] I *zob* **slash** *v* III *adj* 1. (*o kry-*

tyce) zjadliwy 2. (*o deszczu itd*) zacinający; sie-
kący; smagający 3. *pot* pierwszorzędny
slat¹ [slæt] *s* listewka
slat² [slæt] *vi* (-tt-) łopotać
slate¹ [sleit] I *s* 1. łupek 2. łupkówka, dachówka
łupkowa; *pot* to have a ~ loose nie mieć piątej
klepki; mieć niedobrze w głowie 3. tabliczka
łupkowa <szyfrowa> (do pracy w szkole itd.);
to clean the ~ a) puścić w niepamięć to, co
minęło b) skreślić <darować> (zaległe zobowiązania itd.); to have a clean ~ nie mieć nic
na sumieniu; to start with a clean ~ zacząć od
nowa 4. *am* spis kandydatów (na stanowiska
rządowe itd.) III *adj* 1. łupkowy; szyfrowy 2.
ciemnoszary III *vt* 1. po/kryć łupkiem 2. *am*
zapis-ać/ywać <wciąg-nąć/ać> na listę kandydatów (na stanowiska rządowe itd.)
slate² [sleit] *vt pot* 1. zjechać, objechać <ostro
skrytykować> (autora itd.) 2. z/rugać
slate-blue ['sleit'bluː] *adj* 1. ciemnobłękitny 2.
szaroniebieski
slate-club ['sleitˌklʌb] *s* towarzystwo wzajemnej
pomocy; kasa zapomogowa
slate-coloured ['sleitˌkʌləd] *adj* ciemnoszary
slate-pencil ['sleit'pensl] *s* rysik; szyfer
slate-quarry ['slet'kwɔri] *s* łupkarnia; łomy łup-
kowe
slater ['sleitə], **slate-worker** ['sleitˌwəːkə] *s* łup-
karz, dekarz kryjący dachówkami łupkowymi
slather ['slæðə] *spl am sl* kupa; jak lodu; do diabła
i trochę; mnóstwo; dużo
slatted ['slætid] *adj* (zrobiony itd.) z listewek
slattern ['slætən] *s* brudas; niechluj; flejtuch;
flądra; kocmołuch
slatternly ['slætənli] *adj* niechlujny; brudny
slaty ['sleiti] *adj* 1. łupkowaty 2. ciemnoszary
slaughter ['slɔːtə] I *s* 1. ubój <bicie> (zwierząt
rzeźnych) 2. rzeź; masowy mord; masakra; *przen*
jatki III *vt* 1. bić (zwierzęta rzeźne); za-rżnąć/
rzynać 2. sprawi-ć/ać rzeź; z/robić masakrę
(people wśród ludzi); z/masakrować; wymordo-
wać 3. *handl* sprzeda-ć/wać za bezcen
slaughterer ['slɔːtərə] *s* 1. rzeźnik 2. *przen* siepacz
slaughter-house ['slɔːtəˌhaus] *s* (*pl* ~s ['slɔːtə
ˌhauziz]) rzeźnia; † jatki
slaughterman ['slɔːtəmən] *s* (*pl* **slaughtermen**
['slɔːtəmən]) rzeźnik
slaughterous ['slɔːtərəs] *adj* morderczy
Slav [slɑːv] I *s* Słowian-in/ka III *adj* słowiański
slave [sleiv] I *s* niewolni-k/ca; a ~ to a passion
ofiara <niewolnik> nałogu; to be a ~ of fashion
niewolniczo przestrzegać <trzymać się> mody;
white ~s białe niewolnice; *am* ~ States stany,
w których niewolnictwo było urzędowo dopuszczalne III *vi* pracować jak niewolnik; harować;
tyrać; zamęczać <zapracowywać> się
slave-dealer ['sleivˌdiːlə] *s* handlarz niewolnikami
slave-driver ['sleivˌdraivə] *s* 1. poganiacz <dozor-
ca> niewolników 2. wyzyskiwacz
slave-grown ['sleivˌgroun] *adj* (*o produkcie*) pracy
niewolniczej
slave-holder ['sleivˌhouldə] *s* posiadacz niewolników
slave-hunter ['sleivˌhʌntə] *s* człowiek trudniący
się łapaniem niewolników
slave-owner ['sleivˌounə] = **slave-holder**

slaver¹ ['sleivə] = **slave-dealer; white** ~ handlarz żywym towarem
slaver² ['sleivə] Ⅰ s 1. ślina 2. *przen* przypochlebianie <podlizywanie> się Ⅲ *vi* ślinić się Ⅲ *vt* poślinić
slavery ['sleivəri] s 1. niewolnictwo; **white** ~ handel żywym towarem; **to sell into** ~ sprzedać w niewolę 2. praca niewolnicza; katorga
slave-ship ['sleiv‚ʃip] s statek do przewozu niewolników
slave-trade ['sleiv‚treid] s handel niewolnikami
slave-trader ['sleiv‚treidə] = **slave-dealer**
slavey ['slævi] s sl pokojówka
Slavic ['slævik] = **Slavonic**
slavish ['sleiviʃ] adj niewolniczy
Slavonian [slə'vɔnjən] Ⅰ adj południowosłowiański Ⅲ mieszkaniec Slawonii (wschodniej części Chorwacji)
Slavonic [slə'vɔnik] Ⅰ adj słowiański Ⅲ s język słowiański; **Old Church** ~ język staro-cerkiewno-słowiański
Slavophile ['slɑ:və‚fil] s słowianofil
Slavophobe ['slɑ:və‚foub] s słowianożerca
slaw [slɔ:] s *kulin* sałatka z kapusty
slay¹ [slei] s tk płocha
slay² [slei] vt (**slew** [slu:], **slain** [slein]) zabi-ć/jać; uśmierc-ić/ać
sleazy ['sli:zi] adj (*o tkaninie*) lichy, marny
sled [sled] Ⅰ s sanie, saneczki Ⅲ vi (-dd-) 1. po/jechać <jeździć> saniami <na saniach> 2. saneczkować (się)
sledding ['slediŋ] Ⅰ zob sled v Ⅲ s 1. jazda saniami; saneczkowanie; *przen* **hard** ~ niepomyślne okoliczności; trudna sytuacja 2. sanna
sledge¹ [sledʒ] = **sled**
sledge² [sledʒ], **sledge-hammer** ['sledʒ‚hæmə] s młot kowalski (oburęczny); ~ **blow** <argument> cios <argument> druzgocący
sleek [sli:k] Ⅰ adj 1. gładki; (*o fryzurze*) ulizany, przylizany 2. lśniący 3. ugrzeczniony Ⅲ vt 1. wygładz-ić/ać 2. doprowadz-ić/ać do połysku; u/czynić lśniącym
sleekness ['sli:knis] s 1. gładkość 2. lśnienie, połysk
sleep [sli:p] v (**slept** [slept], **slept**) Ⅰ vi 1. spać; **I haven't slept a wink** nie zmrużyłem oka; **to** ~ **like a log** spać jak zabity; **to** ~ **over sth** od-łożyć/kładać coś (decyzję itd.) do jutra; pomyśleć jeszcze o czymś 2. przenocować (gdzieś) Ⅲ vt 1. spać (**the** ~ **of the just** snem sprawiedliwego) 2. (*o hotelu itd*) po/mieścić na noc <przyjąć> (pewną ilość osób) Ⅲ vr ~ **oneself** *w zwrocie:* **to** ~ **oneself sober** spać aż do wytrzeźwienia
  ~ **away** vt przes-pać/ypiać (godziny, młodość itd.)
  ~ **in** vi spać/sypiać w miejscu <w zakładzie> pracy
  ~ **off** vt przes-pać/ypiać (zdenerwowanie, migrenę itd.)
  ~ **on** vi spać dalej
  ~ **out** vi spać poza domem; nie wr-ócić/acać na noc do domu
  zob **sleeping** Ⅳ s 1. sen; spanie; **a short** ~ drzemka; **the last** ~ wieczny sen; **I fell into a deep** ~ zapadłem w głęboki sen; **I (he etc.) can't get to** ~ nie mogę (on nie może itd.) za-

snąć; **overcome with** ~ zmorzony snem; **to get a** ~ przespać się; **to go <drop off> to** ~ zasnąć, us-nąć/ypiać; (*o kończynie*) **to go to** ~ ścierpnąć; zdrętwieć; **to have one's** ~ **out** wys-pać/ypiać się; **to put to** ~ uśpić; ululać (dziecko); **to put sb's vigilance to** ~ uśpić czyjąś czujność; **to send to** ~ uśpić/usypiać; sprowadzać sen; **to talk in one's** ~ mówić przez sen; **in one's** ~ we śnie; **przez sen**
↟**sleeper** ['sli:pə] s 1. śpiący, człowiek zażywający snu <pogrążony we śnie>; **to be a light <heavy>** ~ mieć czujny <twardy> sen 2. *kolej* próg; podkład 3. wagon sypialny
sleepiness ['sli:pinis] s senność; ospałość
sleeping ['sli:piŋ] Ⅰ zob sleep v Ⅲ adj 1. (*o człowieku*) śpiący, zażywający snu, pogrążony we śnie; **let** ~ **dogs lie** nie wywoływać wilka z lasu; nie budzić licha 2. (*o kończynie*) zdrętwiały; ścierpnięty 3. *handl* ~ **partner** cichy wspólnik Ⅲ s spanie, sen; **when** ~ w czasie snu; we śnie Ⅳ attr (*o miejscu itd*) do spania; ~ **accommodation** nocleg; ~ **apartments** pokoje sypialne; † dormitoria; ~ **draught** środek nasenny; *med* ~ **sickness** śpiączka afrykańska
sleeping-bag ['sli:piŋ‚bæg] s śpiwór
sleeping-car ['sli:piŋ‚kɑ:] s wagon sypialny
sleepless ['sli:plis] adj 1. bezsenny 2. czujny
sleeplessness ['sli:plisnis] s 1. bezsenność 2. czujność
sleep-walker ['sli:p‚wɔ:kə] s lunaty-k/czka, somnambuli-k/czka
sleep-walking ['sli:p‚wɔ:kiŋ] s lunatyzm, somnambulizm
sleepy ['sli:pi] adj (**sleepier** ['sli:piə], **sleepiest** ['sli:piist]) 1. senny; śpiący; **I get** ~ ogarnia mnie senność; *med* ~ **sickness** letargiczne zapalenie mózgu 2. (*o owocu*) gąbczasty, nadwiędnięty
sleepyhead ['sli:pi‚hed] s śpio-ch/szka
sleet [sli:t] Ⅰ s deszcz ze śniegiem Ⅲ v imp **it** ~s pada deszcz ze śniegiem
sleety ['sli:ti] adj (*o dniu itd*) kiedy pada deszcz ze śniegiem; **it was a** ~ **day** padał deszcz ze śniegiem
sleeve [sli:v] s 1. rękaw; **to roll up one's** ~s zakas-ać/ywać rękawy; *przen* **to have sth up one's** ~ mieć coś w zanadrzu; **to laugh up <in> one's** ~ śmiać się w kułak 2. *techn* tulejka; nasuwka; mufka; łuska; panewka 3. = **wind-sock**
sleeve-coupling ['sli:v‚kʌpliŋ] s techn sprzężenie mufkowe, złącze nasuwkowe
sleeved [sli:vd] adj (*o ubiorze*) z rękawami
sleeve-fish ['sli:v‚fiʃ] s zoo mątwa
sleeveless ['sli:vlis] adj (*o ubiorze*) bez rękawów
sleeve-nut ['sli:v‚nʌt] s techn nakrętką złączowa
sleeve-valve ['sli:v‚vælv] s zawór tulejowy
sleigh [slei] Ⅰ s sanie, saneczki Ⅲ vi 1. po/jechać <jeździć> saniami <na saniach> 2. saneczkować (się) zob **sleighing**
sleigh-bell ['slei‚bel] s dzwoneczek przy saniach
sleighing ['sleiiŋ] Ⅰ zob sleigh v Ⅲ s 1. jazda saniami <na saniach> 2. saneczkowanie (się)
sleight [slait] s zręczność; ~ **of hand** żonglerstwo; kuglarstwo; sztuczki kuglarskie <magiczne>; hokus-pokus
slender ['slendə] adj 1. wysmukły; wiotki; cienki;

szczupły 2. znikomy; nikły; skąpy; skromny 3. (*o nadziei, znajomości itd*) słaby; niewielki
slenderness ['slendənis] *s* 1. wysmukłość; wiotkość; cienkość; szczupłość 2. znikomość; nikłość
slept *zob* **sleep** *v*
sleuth [slu:θ] ⊡ *s* 1. pies policyjny 2. detektyw; tajny agent ⊞ *vt* tropić; śledzić ⊠ *vi* uprawiać zawód detektywa
sleuth-hound ['slu:θ,haund] *s* 1. pies policyjny 2. *przen* detektyw
slew[1], **slue** [slu:] ⊡ *vt* (*także* ~ **round**) obr-ócić/acać ⊞ *vi* (*także* ~ **round**) obr-ócić/acać się; zat-oczyć/aczać łuk ⊠ *s* obrót (wokół osi)
slew[2] *zob* **slay**[2]
sley [slei] = **slay**[1]
slice [slais] ⊡ *s* 1. kromka (chleba); płat <płatek, kawałek> (mięsa, owocu itd.); plasterek (cytryny itd.) 2. (oderwana) część (terytorium państwa itd.) 3. udział (w zyskach itd.) 4. szeroki nóż <łopatka> (do ryby, tortu itd.) 5. szpachla ⊞ *vt* 1. po/krajać, po/ciąć na płatki 2. przeci-ąć/nać 3. *sport* ści-ąć/nać (piłkę rakietą); *wiośl* ści-ąć/nać (wodę)
⧴**slick** [slik] ⊡ *adj* 1. zręczny; zgrabny 2. gładki 3. schludny ⊞ *adv* 1. zręcznie; zgrabnie; gładko; **he hit him** ~ **in the eye** trafił go <*pot* rąbnął> w samo oko 2. całkowicie 3. szybko ⊠ *s* gładk-ie/a miejsce <powierzchnia> ⊠ *vt* 1. wy/czyścić; wy/polerować 2. doprowadz-ić/ać do porządku; uporządkow-ać/ywać
slicker ['slikə] *s* deszczowiec; płaszcz nieprzemakalny <deszczowy>
⧴**slide** [slaid] *v* (**slid** [slid], **slid**) ⊡ *vi* pośliznąć <ślizgać> się; ślizgać się na lodzie; sunąć; posuwać się; ześliz-nąć/giwać się (**off sth** z czegoś; **down sth** po czymś); *przen* prześliznąć się (**over a delicate subject** po drażliwym temacie); **we went sliding** poszliśmy na ślizgawkę; **to let things** ~ zobojętnieć na wszystko; **to** ~ **into sin** st-oczyć/aczać się na drogę grzechu <występku> ⊞ *vt* posu-nąć/wać
~ **away** <**by**> *vi* przemi-nąć/jać
~ **down** *vi* ześliz-nąć/giwać się
~ **out** *vi* wyśliz-nąć/giwać się
zob **sliding** ⊠ *s* 1. ślizgawka 2. tor bobslejowy 3. poślizgnięcie (się); poślizg 4. prowadnica ślizgowa 5. *techn* wodzik; suwak 6. zsuwnica; ześlizg (ładunkowy) 7. przeźrocze 8. szkiełko mikroskopowe (podstawkowe); preparat mikroskopowy 9. *fot* kaseta 10. *muz* glissando, *pot* glis 11. suwak puzonu 12. *techn* suport 13. *geol* obsunięcie; ześlizg
slide-bar ['slaid,ba:] *s* szyna ślizgowa
slide-block ['slaid,blok] *s techn* wodzik
slider ['slaidə] *s* 1. *techn* wodzik; suwak 2. ześlizg dla dzieci
slide-rest ['slaid,rest] *s techn* suport
slide-rule ['slaid,ru:l] *s mat* suwak logarytmiczny
slide-valve ['slaid,vælv] *s techn* zawór suwakowy
sliding ['slaidiŋ] ⊡ *zob* **slide** *v* ⊞ *adj* ślizgowy; przesuwalny, przesuwny; ~ **doors** drzwi przesuwane na rolkach; ~ **scale** skala ruchoma <zmienna>; *wiośl* ~ **seat** ruchome siodełko
slight [slait] ⊡ *adj* 1. drobny; mały; **not the** ~**est trace** ani śladu 2. wiotki; cienki; szczupły 3. lekki 4. nieznaczny; pewien; niejaki 5. powierzchowny; pobieżny ⊞ *vt* z/lekceważyć; po/

traktować lekceważąco <z lekceważeniem>; mieć za nic; z/robić afront (**sb komuś**) ⊠ *s* lekceważenie; **to put a** ~ **on** _ z/lekceważyć ...
slightness ['slaitnis] *s* 1. wiotkość; szczupłość 2. małe znaczenie; znikomość
slily ['slaili] = **slyly**
slim [slim] ⊡ *adj* (**-mm-**) 1. szczupły; wątły 2. (*o możliwości, nadziei itd*) słaby 3. (*o człowieku*) chytry; przebiegły ⊞ *vt* (**-mm-**) 1. u/czynić szczupłym <szczuplejszym>; odchudz-ić/ać 2. (*o ubiorze itd*) nada-ć/wać szczuplejszy wygląd (**sb komuś**); wyszczupl-ić/ać ⊠ *vi* (**-mm-**) wy/szczupleć; odchudz-ić/ać się *zob* **slimming**
slime [slaim] ⊡ *s* 1. szlam; muł 2. zawiesina 3. śluz ⊞ *vt* 1. zamul-ić/ać 2. pokry-ć/wać śluzem 3. zwilż-yć/ać śliną; obślini-ć/ać ⊠ *vi* z przyimkami: ~ **out**; **to** ~ **out of sth** wyśliznąć <wywi-nąć/jać> się z czegoś; ~ **through**; **to** ~ **through sth** prześliznąć się przez coś
sliminess ['slaiminis] *s* 1. szlamowatość; mulistość 2. śluzowatość; śliskość 3. obleśność 4. służalczość; płaszczenie się
slimming ['slimiŋ] *s* ⊡ *zob* **slim** *v* ⊞ *s* odchudz-enie/anie (się); ~ **diet** kuracja odchudzająca; ~ **exercises** ćwiczenia odchudzające
slimness ['slimnis] *s* 1. szczupłość; wątłość 2. chytrość; przebiegłość
slimy ['slaimi] *adj* (**slimier** ['slaimiə], **slimiest** ['slaimiist]) 1. szlamowaty; mulisty 2. śluzowaty; śliski 3. obleśny 4. służalczy; płaszczący się
sling[1] [sliŋ] ⊡ *s* 1. proca 2. temblak; **with one's arm in a** ~ z ręką na temblaku 3. pas; rzemień; szelka 4. *techn* pętla; strop (ładowniczy) ⊞ *vt* (**slung** [slʌŋ], **slung**) 1. wy/strzelić z procy; rzuc-ić/ać <cis-nąć/kać> (**sth coś, czymś**); **to** ~ **words** rozprawiać; perorować; *sl* **to** ~ **one's hook** wyn-ieść/osić <odwalić> się 2. zawie-sić/szać na pasie <rzemieniu, szelce, pętli, stropie> 3. przewie-sić/szać 4. zarzuc-ić/ać (**one's coat etc. over one's shoulder** sobie płaszcz na ramię) 5. podn-ieść/osić <podciąg-nąć/ać> rzemieniem <pasem, liną, na pętli itd.>
~ **out** *vt* wyrzuc-ić/ać za drzwi (kogoś)
sling[2] [sliŋ] *s am* słodzony i zaprawiony korzeniami napój z rumu, dżynu lub wódki
slinger ['sliŋə] *s* procarz
sling-shot ['sliŋ,ʃot] *s am* katapulta
slink[1] [sliŋk] *vi* (**slunk** [slʌŋk], **slunk**) skradać <podkradać> się
~ **in** *vi* przekra-ść/dać się
~ **out** *vi* wyn-ieść/osić się chyłkiem
slink[2] [sliŋk] *s* poroniony płód; nie donoszone cielę
⧴**slip** [slip] *v* (**-pp-**) ⊡ *vi* 1. pośliznąć <przesu-nąć/wać> się; **to** ~ **into sth** wśliz-nąć/giwać <wsu-nąć/wać, przem-knąć/ykać> się do czegoś; **to** ~ **off sth** ześliz-nąć/giwać <zsu-nąć/wać> się z czegoś; **to** ~ **through sth** przem-knąć/ykać się przez coś; **to** ~ **through one's fingers** <**from one's hands**> wyśliznąć się komuś z rąk 2. (*o pętli, węźle itd*) rozwiąz-ać/ywać <rozsupłać> się 3. (*o zasuwie itd*) wejść/wchodzić, wleźć/właźić 4. niepostrzeżenie wpa-ść/dać (w nałóg itd.) 5. *pot* skoczyć (dokądś po coś) 6. popełni-ć/ać gafę; powiedzieć głupstwo; z/robić błąd; **to let** ~ a) spu-ścić/szczać (z uwięzi); b) prze-

pu-ścić/szczać (okazję itd.); wypu-ścić/szczać (z rąk); **I let ~ a remark** wymknęła mi się uwaga **Ⅲ** *vt* 1. wysu-nąć/wać <wym-knąć/ykać> się (**sth z czegoś; sb komuś**) 2. (*o psie itd*) zerwać/zrywać się (**its chain z łańcucha**) 3. ujść/ uchodzić (**sb's memory** <**notice**> czyjejś pamięci <uwagi>) 4. spu-ścić/szczać (psa) ze smyczy 5. (*o zwierzęciu*) po/ronić (młode) 6. zasu-nąć/wać (zasuwę itd.); wsu-nąć/wać (**sth into one's pocket etc.** coś do kieszeni itd.) 7. odczepi-ć/ać (wagon itd.)

~ **along** *vi sl* smarować; pędzić

~ **away** *vi* 1. (*o człowieku*) wyn-ieść/osić się <od-ejść/chodzić> po cichu <cichaczem>; um-knąć/ykać 2. (*o wrażeniu, uczuciu itd*) przemi-nąć/jać; *pot* (*o czasie*) ucie-c/kać

~ **by** *vi* (*o czasie*) przemi-nąć/jać, ucie-c/kać

~ **down** *vi* ześliz-nąć/giwać <zsu-nąć/wać> się; spa-ść/dać

~ **in** *vi* wśliz-nąć/giwać <wsu-nąć/wać, wkra­-ść/dać> się

~ **off** **Ⅰ** *vt* zd-jąć/ejmować <zrzuc-ić/ać z sie­bie> (ubranie itd.) **Ⅱ** *vi* ześliz-nąć/giwać <zsu-nąć/wać> się; spa-ść/dać

~ **on** *vt* wdzi-ać/ewać; włożyć/wkładać na siebie

~ **out** *vi* wym-knąć/ykać się

~ **over** **Ⅰ** *vi* (*o części garderoby*) wciągać się (przez głowę) **Ⅱ** *vt pot* w zwrocie: **to ~ one over on sb** nabi-ć/jać kogoś w butelkę

~ **round** *vi pot* skoczyć (do sklepu itd.)

~ **through** *vi* przem-knąć/ykać się; prześliz-nąć/giwać się

~ **up** *vi* 1. po/mylić się; popełni-ć/ać gafę 2. (*o planie itd*) nie uda-ć/wać się

Ⅲ *s* 1. *przen* poślizgnięcie <potknięcie> się; błąd; pomyłka; powinięcie się nogi; **a ~ of the tongue** lapsus; przejęzyczenie się; **he made a ~** powinęła mu się noga; **there's many a ~ 'twixt the cup and the lip** między ustami a brzegiem pucharu; nie mów hop, póki nie przeskoczysz; **to give sb the ~** um-knąć/ykać <wym-knąć/ykać się> komuś 2. *techn* buksowanie (kół); poślizg (pasa); skok (śruby) 3. *geol* osuwisko; przesunięcie (się) (warstwy) 4. smycz 5. poszewka 6. hal-^ ka; kombinacja 7. dziecinny fartuszek 8. *pl* ~s majteczki kąpielowe, kąpielówki; slipy 9. *teatr* ~s kulisy 10. *ogr* odkład; szczepek; latorośl; *przen* **a ~ of a boy** <**girl**> wątł-y/e młodzieniec <dziewczę>; młodzieniaszek <dzierlatka> 11. *zoo* mała flądra 12. wąski pas (ziemi itd.); listwa 13. alonż; przedłużek; odcinek; druk; formularz; **pay ~** karta płacy 14. kartka; świstek (papieru); *druk* korekta <odbitka> w szpalcie 15. laufer, wąska ozdobna serwetka na stole 16. *mar* sztapel 17. (*w krykiecie*) biegacz 18. glinka garncarska

slip-carriage ['slip,kærɪdʒ] *s kolej* wagon pociągu pośpiesznego odczepiany w czasie jazdy na stacji, na której, pociąg nie staje

slip-cover ['slip,kʌvə] *s* pokrowiec (na meble)

slip-knot ['slip,nɒt] *s* pętla (do zaciskania)

slip-over ['slip'ouvə] *s* sweter (do wkładania przez głowę)

slipper ['slipə] **Ⅰ** *s* 1. pantofel; *zoo* ~ **animalcule** pantofelek 2. ślizgacz 3. trzewik hamulco

wy 4. basen (dla chorego) **Ⅱ** *vt sl* s/prać <zdzie­lić> (kogoś) pantoflem *zob* **slippered**

slippered ['slipəd] **Ⅰ** *zob* **slipper** *v* **Ⅱ** *adj* (*o człowieku*) w pantoflach

slipperiness ['slipərinis] *s* 1. śliska powierzchnia (terenu itd.) 2. chytrość; krętactwo

slipperwort ['slipə,wə:t] *s bot* pantofelnik

↑**slippery** ['slipəri] *adj* (**slipperier** ['slipəriə], **slipperiest** ['slipəriist]) 1. śliski 2. niepewny; ryzykowny; niebezpieczny 3. nieczysty; nieuczciwy; nierzetelny 4. (*o temacie itd*) delikatny; drażliwy; śliski 5. (*o człowieku*) chytry; wykrętny

slippy ['slipi] *adj* (**slippier** ['slipiə], **slippiest** ['slipiist]) *pot* śliski; **to be** <**look**> ~ pośpieszyć <uwi-nąć/jać> się

slip-ring ['slip,riŋ] *s techn* pierścień kontaktowy

slipshod ['slip,ʃɒd] *adj* 1. (*o człowieku*) w przydeptanym obuwiu 2. niedbały; niestaranny; niechlujny; nieporządny

slipslop ['slip,slɒp] *s* 1. lura 2. sentymentaln-a/e pisanina <gadanie>

slip-stream ['slip,stri:m] *s lotn* strumień zaśmigłowy

slip-up ['slip'ʌp] *s* 1. błąd; gafa 2. niepowodzenie; fiasko

slipway ['slip,wei] *s* pochylnia

↑**slit** [slit] *v* (**slit, slit; slitting** ['slitiŋ]) **Ⅰ** *vt* 1. rozci-ąć/nać; naci-ąć/nać; rozpłatać; rozszczepi-ć/ać; rozpru-ć/wać; *pot* **to ~ sb's nose** rozwalić komuś nos **Ⅱ** *vi* pęk-nąć/ać; roz-edrzeć/ dzierać się wzdłuż **Ⅲ** *s* szczelina; szpara; rozcięcie; rowek; nacięcie

slither ['sliðə] *vi* pośliznąć <ślizgać> się

slitter ['slitə] *s* 1. kilof 2. *techn* dłutownica

slitting-mill ['slitiŋ,mil] *s* przecinalnia (metali)

sliver ['slivə] **Ⅰ** *vt* rozłup-ać/ywać; rozci-ąć/nać na pasy **Ⅱ** *s* 1. płat <płatek> (ryby — na przynętę itd.) 2. (wycięty) pas 3. drzazga

slobber ['slɒbə] **Ⅰ** *vt* 1. oślini-ć/ać 2. s/partaczyć 3. s/fuszerować; z/robić byle zbyć **Ⅱ** *vi* 1. po/ ślinić się 2. rozczul-ić/ać <roztkliwi-ć/ać> się **Ⅲ** *s* 1. ślina (cieknąca z ust) 2. rozczul-enie/anie <roztkliwi-enie/anie> się

slobberer ['slɒbərə] *s* człowiek śliniący się

slobbery ['slɒbəri] *adj* 1. śliniący się; zaśliniony; 2. *przen* partacki

sloe [slou] *s bot* tarnina, śliwa tarnina; tarń

sloe-gin ['slou,dʒin] *s* tarniówka (wódka)

slog [slɒg] *v* (**-gg-**) **Ⅰ** *vt* wal-nąć/ić <rąbnąć, grzmo-tnąć/cić, okładać> (kogoś) **Ⅱ** *vi* 1. wal-nąć/ić; rąbnąć; grzmo-tnąć/cić 2. (*także* ~ **away**) mozolić się <ślęczeć> (**at sth nad czymś**); zaharowywać się (**at sth czymś**)

slogan ['slougən] *s* 1. okrzyk wojenny <bojowy> 2. hasło (polityczne itd.); slogan 3. transparent

slogger ['slɒgə] *s* człowiek intensywnie pracujący; *szk* kujon

sloid, sloyd [slɔid] *s* slojd, praca domowa i szkolna typu rzemieślniczo-gospodarskiego

sloop [slu:p] *s mar* mały statek jednożaglowy; ~ **of war** korweta

slop¹ [slɒp] **Ⅰ** *s* 1. rozlan-y/a <rozbryzgan-y/a> płyn <ciecz>; kałuża 2. *pl* ~s brudna woda (po myciu); pomyje 3. (*o jedzeniu*) pomyje; breja; (*o napoju*) lura 4. *pl* ~s sentymentalność, ckliwość **Ⅲ** *vt* (**-pp-**) 1. rozl-ać/ewać; porozlewać; rozprysk-ać/iwać **Ⅲ** *vi* (**-pp-**) (*także* ~ **over**)

1. przel-ać/ewać się (przez wierzch); rozl-ać/ewać <rozbryz-nąć/gać> się 2. roztkliwi-ć/ać się
slop² [slɔp] *s* 1. kitel, bluza, chałat 2. *pl* ~s odzież <pościel> fasowana przez marynarza 3. *pl* ~s szerokie spodnie 4. *pl* ~s tania konfekcja
slop³ [slɔp] *s sl* glina, policjant
slop-basin [ˈslɔp,beisn] *s* miska <cebrzyk> do mycia <zmywania> naczyń
slope¹ [sloup] Ⅱ *s* 1. pochyłość; pochylenie; nachylenie <wzniesienie> (terenu itd.); ukos; spad; spadek; spadzistość; with a ~ pochyło; *wojsk* (*o broni*) at the ~ na ramię <ramieniu> 2. stok; skarpa, szkarpa; zbocze; *górn* pochyłość; wyrobisko pochylne; *geol* skłon Ⅲ *vt* 1. pochyl-ić/ać; nachyl-ić/ać 2. skarpować; ści-ąć/nać ukośnie <skośnie> 3. *wojsk* ~ arms! na ramię broń! Ⅲ *vi* być pochylonym <ukośnym, skośnym>; mieć nachylenie
~ down *vi* (*o terenie itd*) opadać stokiem
~ up *vi* (*o terenie itd*) wznosić się stokiem
zob sloped, sloping
slope² [sloup] *vi* 1. *sl w zwrocie*: to ~ off wynieść <wulg odwalić> się 2. *w zwrocie*: to ~ about łazikować; wałęsać się
sloped [sloupt] Ⅱ *zob* slope¹ *v* Ⅲ *adj* pochyły; ukośny, skośny
sloping [ˈsloupiŋ] Ⅱ *zob* slope¹ *v* Ⅲ *adj* pochyły; ukośny, skośny; (*o ramionach*) spadzisty
slop-pail [ˈslɔp,peil] *s* wiadro na brudną wodę <na pomyje>
sloppiness [ˈslɔpinis] *s* 1. błotnistość (drogi itd.) 2. rozlane piwo <plamy z rozlanego płynu> (na stole); kałuże (na podłodze itd.) 3. zaniedbanie (człowieka); niedbały stan (ubrania itd.); *pot* rozmamranie 4. niedbałe <niechlujne> wykonanie (pracy itd.) 5. niedopasowanie (ubioru) 6. sentymentalność; ckliwość
sloppy [ˈslɔpi] *adj* (**sloppier** [slɔpiə], **sloppiest** [ˈslɔpiist]) 1. (*o drodze itd*) błotnisty 2. (*o śniegu*) na pół roztopiony 3. (*o podłodze, stole itd*) pochlapany; nie wytarty 4. (*o człowieku*) rozlazły; zaniedbany; *pot* rozmamrany 5. (*o pracy*) niedbały; niestaranny; sfuszerowany 6. (*o ubiorze*) nie dopasowany 7. (*o powieści itd*) sentymentalny, ckliwy; rzewny
slop-room [ˈslɔp,rum] *s mar* skład odzieżowy
slop-shop [ˈslɔp,ʃɔp] *s* skład z konfekcją
slosh [slɔʃ] = slush *s*
slot¹ [slɔt] Ⅱ *s* 1. szczelina; (podłużny) otwór; rozcięcie 2. przecięcie; nacięcie; wcięcie; żłobek 3. otwór na monetę (w automacie) 4. otwór w podłodze sceny na dekorację Ⅲ *vt* (-tt-) 1. wyci-ąć/nać szczelinę <otwór> (**sth** w czymś) 2. rozci-ąć/nać; naci-ąć/nać 3. wyżł-obić/abiać
slot² [slɔt] *s* ślad <trop> (zwierzyny)
slot³ [slɔt] *s dial* zasuwa; rygiel
sloth [slouθ] *s* 1. lenistwo; gnuśność 2. *zoo* leniwiec
sloth-bear [ˈslouθ,beə] *s zoo* wargacz (niedźwiedź indyjski)
slothful [ˈslouθful] *adj* leniwy; gnuśny
slot-machine [ˈslɔt-mə,ʃiːn] *s* automat (do sprzedawania czekoladek, papierosów itd.)
slot-meter [ˈslɔt,miːtə] *s* licznik automatyczny (działający po włożeniu monety do otworu)
slouch [slautʃ] Ⅱ *s* 1. niedbała postawa; ociężały chód; rozlazłość; przygarbienie 2. zagięcie w dół

jednej połowy ronda (kapelusza) 3. *sl* człowiek nieruchawy; niezdara; ciamajda; wałkoń; he is no ~ to jest zuch 4. *sl* dziadowska robota 5. *sl* dziadowskie przedstawienie; this show is no ~ to jest fajne <klawe> przedstawienie Ⅲ *vi* 1. garbić się; trzymać się niedbale 2. iść ociężale; to ~ about łazić tu i tam Ⅲ *vt* zagi-ąć/nać w dół jedną połowę ronda (one's hat kapelusza) *zob* slouching
slouch-hat [ˈslautʃ,hæt] *s* kapelusz z jedną połową ronda zagiętą w dół
slouching [ˈslautʃiŋ] Ⅱ *zob* slouch *v* Ⅲ *adj* przygarbiony; rozlazły; ociężały; nieruchawy
slough¹ [slau] *s* bagno; trzęsawisko; *przen* the Slough of Despond bagno moralne
slough² [slʌf] Ⅱ *s* 1. *zoo* wylina (skóra lub naskórek zrzucone podczas lenienia) 2. *med zbior* martwicze części tkanek Ⅲ *vi* 1. (*także* ~ off <away>) lenieć, linieć 2. *med* tworzyć martwicze części Ⅲ *vt* 1. (*o wężu*) zrzuc-ić/ać (skórę) 2. *przen* (*o człowieku*) pozby-ć/wać się (a habit etc. nałogu itd.)
sloughy¹ [ˈslaui] *adj* bagnisty
sloughy² [ˈslʌfi] *adj* pokryty strupami
Slovak [ˈslouvæk] *s* 1. Słowa-k/czka 2. język słowacki
sloven [ˈslʌvn] *s* 1. brudas; niechluj; (*o kobiecie*) flądra; flejtuch; kocmołuch 2. partacz; fuszer
Slovene [ˈslouviːn] *s* Słowen-iec/ka
Slovenian [slouˈviːniən] Ⅱ *s* 1. = Slovene 2. język słoweński Ⅲ *adj* słoweński
slovenliness [ˈslʌvnlinis] *s* 1. niechlujstwo 2. partactwo; partacka robota; fuszerka
slovenly [ˈslʌvnli] *adj* 1. niechlujny 2. partacki; fuszerski
slow [slou] Ⅱ *adj* 1. powolny; wolny; ~ of wit tępy; ~ motion zwolnione tempo; ~ train pociąg osobowy; he was not ~ in answering z miejsca odpowiedział; it is ~ work to idzie powoli; it was not ~ in coming nie dało na siebie długo czekać; ~ and steady wins the race śpiesz się powoli; gdy się człowiek śpieszy, to się diabeł cieszy; to be a ~ runner nie móc <nie umieć> szybko biegać; to be a ~ thinker wolno <powoli> myśleć; to be ~ of speech a) mówić powoli b) nie umieć się wygadać; nie mieć daru wymowy; to be ~ to do sth <in doing sth> zwlekać <ociągać się> z robieniem czegoś; nie kwapić się do robienia czegoś 2. nieskory (to sth do czegoś) 3. ślamazarny; niemrawy; opieszały; ospały; leniwy 4. (*o zegarku*) to be ~ (x minutes) spóźniać się (o x minut) 5. (*o przedstawieniu itd*) nudny 6. (*o boisku, bilardzie itd*) kiepski, (znajdujący się) w kiepskim stanie 7. tępy; niepojętny 8. (*o truciźnie, leku itd*) wolno <powoli> działający Ⅲ *adv* powoli; wolno; to go ~ a) posuwać się <iść, jechać> powoli; nie śpieszyć się b) zw-olnić/alniać tempo c) (*o zegarze*) spóźniać się; to go ~ with sth oszczędzać coś; nie szafować czymś Ⅲ *vt* (*także* ~ down <up, off>) zw-olnić/alniać bieg <zmniejsz-yć/ać szybkość> (a train etc. pociągu itd.) Ⅳ *vi* zw-olnić/alniać; za/hamować; przy/hamować
slow-burning [ˈslou,bəːniŋ] *adj* wolnotlący
slow-coach [ˈslou,koutʃ] *s* 1. ślamazara 2. tępak; tuman 3. zacofaniec

slow-going ['slou͵gouiŋ] *adj* powolny
slowly ['slouli] *adv* powoli; wolno; w wolnym <zwolnionym> tempie
slow-match ['slou͵mætʃ] *s* lont wolnotlący
slow-motion ['slou͵mouʃən] *attr* (*o filmie*) puszczony w zwolnionym tempie
slowness ['slounis] *s* 1. powolność; ociąganie się; ślamazarność; niemrawość; opieszałość; ospałość 2. tępota 3. spóźnianie się (zegara)
slow-witted ['slou'witid] *adj* tępy
slow-worm ['slou͵wə:m] *s zoo* padalec
sloyd *zob* **sloid**
slub [slʌb] *s tekst* kosmyk, kiść; przędza wstępna
slubber ['slʌbə] Ⅰ *vt* 1. s/partaczyć; zby-ć/wać (robotę) 2. za/brudzić Ⅲ *vi* po/ślinić się
sludge [slʌdʒ] *s* 1. muł; szlam 2. *zbior* odpady 3. *zbior* ścieki 4. kra
sludgy ['slʌdʒi] *adj* 1. mulisty; szlamowaty 2. (*o morzu, rzece*) pokryty krą
slue *zob* **slew¹**
slug¹ [slʌg] Ⅰ *s* 1. *zoo* ślimak nagi 2. *przen* leniuch; leń; próżniak Ⅲ *vi* (-gg-) z/niszczyć <wy/tępić> ślimaki (w ogrodzie)
slug² [slʌg] *s* 1. kula; bryłka 2. *druk* wiersz odlany na linotypie 3. żeton <krążek> do wkładania do automatu
slug³ [slʌg] = **slog**
slug-a-bed ['slʌgə͵bed] *s przen* śpioch
sluggard ['slʌgəd] *s* próżniak; leń
sluggish ['slʌgiʃ] *adj* 1. leniwy; powolny; ospały; niemrawy 2. (*o obiegu krwi*) zwolniony
sluggishness ['slʌgiʃnis] *s* lenistwo; powolność; ospałość
sluice [slu:s] Ⅰ *s* 1. śluza; upust 2. stawidło 3. *górn* ściek, rynna 4. przemywanie; płukanie Ⅲ *vt* 1. z/budować śluzy (**a waterway** na szlaku wodnym) 2. spu-ścić/szczać wodę (**a pond etc.** ze stawu itd.) 3. zal-ać/ewać; spłuk-ać/iwać Ⅲ *vi* chlus-nąć/tać
sluice-gate ['slu:s͵geit] *s* brama śluzy
sluice-valve ['slu:s͵vælv] *s* zasuwa (śluzy)
sluice-way ['slu:s͵wei] *s* kanał
slum¹ [slʌm] Ⅰ *s* dzielnica ruder zamieszkała przez ludność ubogą oraz męty społeczne Ⅲ *vi* (-mm-) odwiedz-ić/ać ubogich (w celach dobroczynnych)
slum² [slʌm] *s* muł wiertniczy; szlamowiny
slumber ['slʌmbə] Ⅰ *vi* przespać się; zdrzemnąć się, po/drzemać
∼ **away** *vt* przesypiać; **to** ∼ **away the golden hours** przesypiać cenny czas
Ⅲ *s* (*także pl* ∼s) (spokojny) sen; drzemka
slumberer ['slʌmbərə] *s* człowiek zażywający snu <pogrążony we śnie>
slumberous ['slʌmbərəs] *adj* śpiący; senny
slum-clearance ['slʌm͵kliərəns] *s* usuwanie <burzenie> ruder miejskich
slummock ['slʌmək] Ⅰ *vt pot* op-chać/ychać się (**sth** czymś) Ⅲ *vi pot* żarłocznie jeść
slummy ['slʌmi] *adj* (**slummier** ['slʌmiə], **slummiest** ['slʌmiist]) ruderowaty; (*o dzielnicy miasta*) ubogi; nędzny
slump [slʌmp] Ⅰ *vi* 1. (*o cenach, kursach giełdowych itd*) nagle <gwałtownie> spa-ść/dać; (*o sytuacji ekon*) załam-ać/ywać się; gwałtownie zaostrzyć się; **the stock** ∼**ed** nastąpił krach 2. opa--ść/dać <osu-nąć/wać się> (na krzesło itd.) 3. za-

pa-ść/dać się (w błocie itd.) Ⅲ *s* kryzys (ekonomiczny); nagły <gwałtowny> spadek (cen, popytu, kursów); krach; zastój
slung *zob* **sling¹** *v*
slunk *zob* **slink¹**
slur [slə:] Ⅰ *s* 1. plama (na honorze); zmaza; **to put a** ∼ **on sb** a) oczerni-ć/ać kogoś b) ubli-ż-yć/ać <uchybi-ć/ać> komuś; **it is no** ∼ **upon his reputation** to mu nie ubliża 2. zl-anie/ewanie (się) (głosek w mowie, liter w piśmie, nut w muzyce); niewyraźne wymawianie 3. *muz* łuk legatowy Ⅲ *vt* (-rr-) 1. niewyraźnie mówić <wymawiać, pisać>; poł-knąć/ykać (słowa, głoski); za/bełkotać 2. *muz* przechodzić od nuty do nuty łącznie <bez przerywania>; grać legato (**sth** coś) 3. za/tuszować; prześliz-nąć/giwać się (**a fact, details** etc. po okoliczności, szczegółach itd.); pomi-nąć/jać <zby-ć/wać> drobną wzmianką <kilkoma słowami> 4. zamaz-ać/ywać 5. oczerni-ć/ać Ⅲ *vi* (-rr-) zamaz-ać/ywać się; **to** ∼ **over sth** z/bagatelizować <z/lekceważyć> coś; pobieżnie wspomnieć o czymś
♦**slurry** ['slə:ri] *s* 1. rozrzedzona zaprawa; papka 2. muł płuczkowy
♦**slush** [slʌʃ] Ⅰ *s* 1. na pół stajały śnieg 2. grząskie błoto; muł; breja 3. smar 4. *przen* sentymentalne bzdurki Ⅲ *vt* zabłocić; zawalać; zasmarować Ⅲ *vi* brnąć w błocie <w mokrym śniegu>
slushy ['slʌʃi] *adj* (**slushier** ['slʌʃiə], **slushiest** ['slʌʃiist]) 1. grząski 2. dżdżysty; czułostkowy
slut [slʌt] *s* 1. flądra; flejtuch; brudas; kocmołuch 2. *żart* dziewczyna
sluttish ['slʌtiʃ] *adj* niechlujny; brudny
sly [slai] Ⅰ *adj* (**slyer** ['slaiə], **slyest** ['slaiist]) 1. chytry; przebiegły; szczwany; *przen* ∼ **dog** cwaniak 2. szelmowski; figlarny; łobuzerski Ⅲ *s w zwrocie*: **on the** ∼ po cichu; w tajemnicy
slyboots ['slai͵bu:ts] *s pot* figlarz; urwis
slyly ['slaili] *adv* chytrze
slyness ['slainis] *s* 1. chytrość; przebiegłość 2. szelmostwo; łobuzerstwo
slype [slaip] *s* przejście <korytarz> (z katedry do dziekanii <z transeptu do kapituły>)
smack¹ [smæk] Ⅰ *s* 1. smak 2. posmak; *przen* oznaka; objaw; zadatki; **to have in one a** ∼ **of** _ mieć w sobie coś z ... (aktora itd.); (*o potrawie itd*) **to have a** ∼ **of**_ trącić ... (czosnkiem itd.) 3. kapka; domieszka Ⅲ *vi* 1. trącić (**of sth** czymś); mieć posmak (**of sth** czegoś) 2. zakrawać (**of sth** na coś)
smack² [smæk] Ⅰ *vt* trzas-nąć/kać (**a whip** z bicza); mlasnąć/kać <cmok-nąć/ać> (**one's tongue** <**lips**> językiem <wargami>); klap-nąć/ać (**sth** czymś); plasnąć; chlas-nąć/tać; da-ć/wać klapsa (**sb** komuś); wy/trzepać (**sb's bottom** komuś siedzenie); palnąć (**sb's face** kogoś w twarz) Ⅲ *vi* (*o biczu itd*) trzas-nąć/kać; (*o mlaśnięciu, cmoknięciu itd*) da-ć/wać się słyszeć Ⅲ *s* 1. trzask, trzaskanie; .mla-śnięcie/skanie; cmok-nięcie/anie; plaśnięcie; palnięcie; *pot* **to have a** ∼ **at sth** popróbować <spróbować> czegoś 2. klaps; **a** ∼ **in the face** uderzenie <*pot* trzepnięcie> w twarz; policzek 3. głośny całus Ⅳ *adv* chlast; bęc; **I hit him** ∼ **in the nose** walnąłem go w sam nos
smack³ [smæk] *s* statek jednomasztowy; kuter rybacki

smacker ['smækə] *s sl* 1. głośny całus 2. głośny klaps 3. okaz (wielki, tęgi, potężny) 4. *am* dolar

▲small [smɔ:l] Ⅰ *adj* 1. mały; niewielki; drobny; (*o dochodach itd*) skromny; (*o głosie*) cienki; (*o zbiorowisku*) nieliczny; (*o ubraniu*) ciasny; *pot* ~ **beer** cienkusz; *druk* ~ **capitals** kapitaliki; ~ **change** drobne (pieniądze); ~ **farmer** małorolny (gospodarz); ~ **hours** wczesne godziny ranne; *anat* ~ **intestine** jelito cienkie; ~ **Latin** znikoma znajomość łaciny; *przen* ~ **potatoes** człowiek bez znaczenia; pionek; ~ **talk** rozmowa o drobiazgach; *przen* **the still** ~ **voice** głos sumienia; **to feel** ~ czuć się pokornym; **to look** ~ mieć minę speszoną; **to think no** ~ **beer of oneself** mieć wysokie wyobrażenie o sobie; **and** ~ **blame to him** i nie można <nie ma co> mu się dziwić; **in a** ~ **way** na małą skalę; w skromnym zakresie (żyć itd.); **in** ~ **numbers** nielicznie; **of** ~ **duration** krótkotrwały; ~ **wonder** nic dziwnego, *pot* nie dziwota 2. *z zaprzeczeniem*: niemały 3. nieznaczny; bagatelny 4. nieszlachetny; małostkowy; marny; podły Ⅱ *s* 1. *w zwrocie*: **great and** ~ wielcy i mali (tego świata) 2. *w zwrocie*: **in the** ~ **of the back** (bóle) w pasie <w krzyżach> 3. *pl* ~**s** węgiel drobny 4. *pl* ~s *uniw* egzamin wstępny 5. *pl* ~s krótkie spodnie Ⅲ *adv* 1. (pisać) drobnym pismem; (pokrajać, porąbać itd.) drobno <na drobne kawałki> 2. (mówić) po cichu; *przen* **to sing** ~ a) cienko śpiewać b) spuścić z tonu; **to think** ~ **of sb** lekceważyć kogoś

smallage ['smɔ:lidʒ] *s bot* selery zwyczajne

small-arms ['smɔ:l'ɑ:mz] *spl* broń ręczna

small-bore ['smɔ:l'bɔ:] *adj* małokalibrowy

small-clothes ['smɔ:l'klouðs] *spl* krótkie spodnie

small-holder ['smɔ:l,houldə] *s* (gospodarz) małorolny

small-minded ['smɔ:l'maindid] *adj* małostkowy

smallness ['smɔ:lnis] *s* 1. drobne rozmiary 2. skromność (dochodów itd.) 3. małostkowość

smallpox ['smɔ:l,pɔks] *s med* ospa

small-sword ['smɔ:l,sɔ:d] *s* rapier

small-wares ['smɔ:l,weəz] *s zbior* pasmanteria

smalt ['smɔ:lt] *s* smalta (rodzaj szkła)

smaltine ['smɔ:ltain], **smaltite** ['smɔ:ltait] *s miner* smaltyn

smarmy ['smɑ:mi] *adj* przymilny; przypochlebny; *pot* lizusowski

smart [smɑ:t] Ⅰ *s* piekący ból Ⅱ *vi* 1. boleć; piec; szczypać; (*o pokrzywie*) parzyć; **my eyes** ~ oczy mnie pieką; szczypie mnie w oczy; **my finger** ~s **from a cut** boli mnie skaleczony palec 2. cierpieć (ból fizyczny) 3. boleśnie odczu-ć/wać (**from** <**under**> **an insult etc.** obelgę itd.); **I** ~ed **under the disappointment** bolesny był dla mnie ten zawód; **to** ~ **under an injustice** czuć w sercu żal z powodu doznanej krzywdy 4. pokutować; drogo okupić (**for sth** coś); **you shall** ~ **for this** drogo zapłacisz za to; nie ujdzie ci to płazem; ja ci tego nie zapomnę Ⅲ *adj* 1. (*o bólu itd*) ostry; piekący 2. (*o uderzeniu itd*) silny, mocny 3. (*o ruchu, tempie itd*) żwawy; szybki 4. dowcipny 5. żywy; szybki; bystry 6. rozgarnięty 7. wytworny; elegancki; zgrabny; zręczny; kokieteryjny; szykowny; strojny; wymuskany; **the** ~ **set** wytworne towarzystwo

8. sprytny; chytry; *pot* **kuty na cztery nogi**; *iron* ~ **alec(k)** Jędrek-mędrek Ⅳ *adv* zgrabnie

smarten ['smɑ:tn] *vt* 1. ożywi-ć/ać; rozruszać 2. dodać/wać szyku (**sb, sth** komuś, czemuś)

smart-money ['smɑ:t,mʌni] *s* 1. okup; odstępne 2. pensja inwalidzka

smartness ['smɑ:tnis] *s* 1. żywość; bystrość; dowcip 2. zręczność; spryt 3. elegancja; szyk; zgrabność; zgrabny fason <krój itd.>; strojność

smarty ['smɑ:ti] Ⅰ *s* spryciarz, frant, cwaniak Ⅱ *adj* 1. chytry 2. przemądrzały

▲smash [smæʃ] Ⅰ *vt* 1. rozbi-ć/jać; rozwal-ić/ać; po/tłuc; roztrzaskać; z/gruchotać; z/druzgotać; z/miażdżyć; obal-ić/ać (teorię, argumenty); **to** ~ **open** rozwalić (skrzynię itd.); wywal-ić/ać (drzwi) 2. walnąć <palnąć, wyrżnąć, grzmotnąć> (**sth against** _ czymś o ...) 3. z/rujnować (konkurenta itd.); zetrzeć (na proch) <znieść, roz-n-ieść/osić, rozgromić> (nieprzyjaciela itd.) 4. *tenis* ści-ąć/nać <odbi-ć/jać> (piłkę) smashem <smeczem> Ⅱ *vi* 1. uderz-yć/ać się; rozbi-ć/jać się <walnąć, grzmotnąć> (o coś); rąbnąć (**into sth** w coś) 2. rozl-ecieć/atywać się 3. upa-ść/dać; runąć; z/bankrutować 4. wypu-ścić/szczać fałszywy bilon 5. *tenis* ści-ąć/nać piłkę; odbi-ć/jać piłkę smashem <smeczem> ~ **in** *vt* wgni-eść/atać <rozwalić> (skrzynię itd.); wybi-ć/jać pokrywkę (**a box** skrzyni <paki>); wywal-ić/ać (drzwi) *zob* **smashing** Ⅲ *s* 1. rozbicie; roztrzaskanie; z/druzgotanie; **to go** <**come**> **to** ~ a) rozbi-ć/jać, <rozwalić, roztrzaskać, rozl-ecieć/atywać> się b) (*o planie itd*) runąć; upaść sromotnie c) (*o człowieku, przedsiębiorstwie itd*) z/bankrutować 2. uderzenie; druzgocący cios; grzmotnięcie 3. katastrofa; zderzenie 4. upadek; runięcie; bankructwo; krach; klęska; rozgromienie 5. *am* napój z koniaku i mięty z lodem 6. *sl* fałszywa moneta 7. *tenis* ścięcie (piłki), smash, smecz Ⅳ *adv w zwrotach*: **to go** ~ a) upa-ść/dać; runąć b) z/bankrutować; **to go** ~ **into sth** wyrżnąć <grzmotnąć> w coś

smasher ['smæʃə] *s* 1. łamacz (człowiek lub maszyna) 2. *pot* druzgocący cios; cięta odpowiedź; przytłaczający argument <zamykający wszelką dyskusję> 3. fałsze-rz/rka

▲smashing ['smæʃiŋ] Ⅰ *zob* **smash** *v* Ⅱ *adj* 1. druzgocący; miażdżący 2. *pot* świetny; wspaniały; kapitalny

smatterer ['smætərə] *s* dyletant; niedouk, ignorant, laik

smattering ['smætəriŋ] *s* powierzchowna znajomość (jakiejś dziedziny); jakie takie <*pot* blade, zielone> pojęcie (**of sth** o czymś); **I have a** ~ **of** _ coś nieco umiem z ... (chemii itd.); liznąłem trochę ... (angielszczyzny itd.)

▲smear [smiə] Ⅰ *s* 1. plama; zamazanie; maźnięcie 2. *med* rozmaz Ⅱ *vt* 1. po/mazać; po/smarować; powle-c/kać 2. rozmaz-ać/ywać; rozbabrać; po/walać; za/walać; po/plamić; *pot* za/paćkać

smeary ['smiəri] *adj* 1. *pot* zapaćkany 2. mazisty

smectile ['smektail] *s miner* ziemia walkierska

smeech [smi:tʃ], **smitch** [smitʃ] *s dial* swąd

smell [smel] Ⅰ *s* 1. powonienie; węch 2. zapach; woń; aromat; swąd; zaduch; odór; smród 3. *pot* **to take a** ~ **at sth** powąchać coś Ⅱ *vi* (*praet* **smelt** [smelt], **smelled** [smeld], *pp* **smelt, smelled**)

1. za/pachnieć; mieć zapach; wonieć; *dosł i przen* trącić <zalatywać> (of sth zapachem czegoś <czymś>; of heresy etc. herezją itd.); to ~ nice przyjemnie pachnieć, mieć przyjemny zapach; to ~ of sth pachnieć czymś; he smelt of alcohol czuć było od niego alkohol; *przen* (*o utworze lit.*) to ~ of the lamp być wypoconym; to ~ of the shop wyrażać się zbyt fachowo 2. mieć niemiły zapach; wydawać <roztaczać> przykr-ą/y woń <odór>; cuchnąć; śmierdzieć; *pot* zajeżdżać (of sth czymś); his breath ~s czuć mu z ust 3. (*o zwierzęciu itd*) mieć powonienie <węch> 4. powąchać; węszyć <obwąchiwać> (at sth coś) Ⅲ *vt* (*praet* smelt [smelt], smelled [smeld], *pp* smelt, smelled) 1. po/czuć zapach (sth czegoś); I can't <don't> ~ anything nic nie czuję 2. po/wąchać; wdychać zapach (sth czegoś) 3. z/wietrzyć; wyczu-ć/wać (niebezpieczeństwo itd.)

~ about *vi* węszyć (wkoło); obwąchiwać

~ out *vt* z/wietrzyć (zwierza itd.); zwąchać; wywęszyć (tajemnicę itd.)

~ round *vi* = ~ about

smeller ['smelə] *s* 1. wąchacz, kiper 2. *sl* nos 3. uderzenie w nos

smell-feast ['smel,fi:st] *s* pieczeniarz

smelliness ['smelinis] *s* smród

smelling-bottle ['smeliŋ,bɔtl] *s* flakon z solami trzeźwiącymi

smelling-salts ['smeliŋ,sɔ:lts] *spl* sole trzeźwiące

smelly ['smeli] *adj* (smellier ['smeliə], smelliest ['smeliist]) cuchnący; śmierdzący

smelt¹ [smelt] *vt* s/topić <wyt-opić/apiać> (metal) *zob* smelting

smelt² [smelt] *s zoo* stynka (ryba)

smelt³ *zob* smell *v*

smelter ['smeltə] *s* hutnik, wytapiacz metali

↑**smelting** ['smeltiŋ] Ⅰ *zob* smelt¹ *v* Ⅲ *s* wytop, wytapianie (metali); ~ works huta

smelting-furnace ['smeltiŋ,fə:nis] *s* piec hutniczy, wysoki piec

smew [smju:] *s zoo* tracz (ptak)

smilax ['smailæks] *s bot* kolcowój

smile [smail] Ⅰ *vi* uśmiech-nąć/ać się (on <upon, at> sb do kogoś; at sth na coś); Fortune has always ~ed on him szczęście mu zawsze sprzyjało; keep smiling nie trać/cie pogody ducha; to make sb ~ wywoł-ać/ywać uśmiech u kogoś Ⅲ *vt* 1. uśmiech-nąć/ać się (a bitter <ironical, gracious etc.> ~ gorzko <ironicznie, łaskawie itd.>) 2. wyra-zić/żać uśmiechem (wdzięczność, zgodę itd.); to ~ a welcome to sb przywitać kogoś (z) uśmiechem

~ away *vt* rozpr-oszyć/aszać uśmiechem (czyjeś obawy itd.)

zob smiling Ⅲ *s* uśmiech; to be all ~s promienieć uśmiechem; być rozpromienionym; to give sb a ~ uśmiechnąć się do kogoś

smiling ['smailiŋ] Ⅰ *zob* smile *v* Ⅲ *adj* uśmiechnięty; z uśmiechem (na ustach)

smilingly ['smailiŋli] *adv* uśmiechając się; z uśmiechem (na ustach)

smirch [smə:tʃ] Ⅰ *vt* za/plamić, poplamić; powalać, za/walać; za/brudzić, pobrudzić Ⅲ *s* plama

smirk [smə:k] Ⅰ *vi* uśmiechać się z afektacją <głupio> Ⅲ *s* uśmiech afektowany <wymuszony, głupi>

smitch *zob* smeech

smite [smait] *v* (smote [smout], smitten ['smitn]) Ⅰ *vt* 1. uderz-yć/ać; po/razić; wal-nąć/ić; grzmo-tnąć/cić; to ~ the enemy hip and thigh zada-ć/wać nieprzyjacielowi sromotną <druzgocącą> klęskę; pobić wroga na głowę; rozgromić, rozbić doszczętnie 2. u/karać 3. (*o chorobie, nieszczęściu*) nawiedz-ić/ać; dotknąć; his conscience smote him miał wyrzuty sumienia 4. (*o myśli itd*) nagle przyjść do głowy (sb komuś); to be smitten with — przejąć się ... (czymś); dozna-ć/wać silnego <wstrząsającego> wrażenia wskutek ... (czegoś); he was smitten with her on się w niej zadurzył; smitten with terror przejęty strachem; przerażony; smitten with desire opanowany <owładnięty> pragnieniem <żądzą>

~ off *vt lit* ści-ąć/nać (sb's head komuś głowę)

Ⅲ *s pot* 1. cios; uderzenie 2. *w zwrocie:* to have a ~ at sth spróbować czegoś

smith [smiθ] Ⅰ *s* kowal Ⅲ *vt* kuć Ⅲ *vi* zajmować się kowalstwem

smithereens ['smiðə'ri:nz] *spl* drobne kawałki; to break a plate <glass etc.> to ~ roztrzaskać talerz <szklankę itd.> na kawałeczki <*pot* w drobny mak>

smithery ['smiðəri] *s* 1. praca <robota> kowalska 2. kuźnia

Smithfield ['smiθ,fi:ld] *spr* nazwa londyńskiego targu mięsnego

smithy ['smiθi] *s* kuźnia

smitten *zob* smite *v*

smock [smɔk] Ⅰ *s* 1. † koszula damska 2. fartuszek dziecięcy 3. chałat; bluza robocza; kitel Ⅲ *vt* ozd-obić/abiać plisą *zob* smocking

smock-frock ['smɔk,frɔk] *s* chałat; bluza robocza; kitel

smocking ['smɔkiŋ] Ⅰ *zob* smock *v* Ⅲ *s* plisowanie; marszczenie (rękawa, kołnierzyka, bluzki itd.)

smock-mill ['smɔk,mil] *s* wiatrak z obracającą się górną częścią

↑**smoke** [smouk] Ⅰ *s* 1. dym; to end <go up> in ~ spalić na panewce, rozwiać się 2. kopeć 3. *z przedmikiem* <*rodzajnikiem*>: a ~ zapalenie <wypalenie> papierosa <cygara, fajki>; to have a ~ zapalić <wypalić> papierosa <cygara, fajkę> 4. *sl* papieros, coś do zakurzenia Ⅱ *vi* 1. dymić <kurzyć> się; parować; the horse was smoking kurzyło się z konia; the meat was smoking mięso parowało 2. za/palić papierosa <cygaro, fajkę>; palić papierosy <opium itd.>; *pot* za/kurzyć 3. kopcić 4. (*o fajce*) ciągnąć 5. *sl* za/czerwienić się Ⅲ *vt* 1. u/wędzić 2. okopcić (szkło itd.); zakopcić (sufit itd.); odymi-ć/ać (roślinę itd.) 3. zapalić (papierosa itd.); palić (papierosy itd.) 4. s/penetrować (co się dzieje) 5. domyśl-ić/ać się; podejrzewać 6. wyśmi-ać/ewać Ⅳ *vr* ~ oneself — doprowadzić się przez nadmierne użycie nikotyny do ... (nienormalnego stanu); to ~ oneself into tranquility uspokoić się przez wypalenie <wrócić do równowagi po wypaleniu> papierosa <fajki itd.>; to ~ oneself sick <stupid> rozchorować się <otumanieć> od nadmiaru nikotyny

~ out *vt* 1. wykurzyć (lisa itd.) 2. wypalić do końca· <dopalić> (cygaro itd.) *zob* smoking

smoke-black ['smouk͵blæk] *s* sadza
smoke-board ['smouk͵bɔːd] *s* zasłona od dymu na przodzie kominka
smoke-bomb ['smouk͵bɔm] *s* bomba dymna
smoke-box ['smouk͵bɔks] *s kolej* komora dymowa (lokomotywy)
smoke-cloud ['smouk͵klaud] *s* chmura dymu
smoke-consumer ['smouk-kən͵sjuːmə] *s techn* dymochłon
smoke-dried ['smouk͵draid] *adj* wędzony
smoke-house ['smouk͵haus] *s* wędzarnia
smokeless ['smouklis] *adj* bezdymny
smoker ['smoukə] *s* 1. (człowiek) palący, palacz/ka; **are you a ~?** czy pan/i pali?; **I am not a heavy ~** niedużo palę; **~'s heart** <throat> schorzenie serca <gardła> spotykane u palaczy 2. wędzarz 3. *kolej* przedział dla palących 4. koncert, na którym wolno palić
smoke-room ['smouk͵rum] = **smoking-room**
smoke-screen ['smouk͵skriːn] *s* zasłona dymna
smoke-stack ['smouk͵stæk] *s* komin (fabryczny, lokomotywy; *am* statku parowego)
smokiness ['smoukinis] *s* zadymienie
smoking ['smoukiŋ] Ⅰ *zob* smoke *v* Ⅲ *adj* (*o przyborach itd*) dla palących Ⅲ *s* palenie (tytoniu); **no ~** palenie wzbronione
smoking-car ['smoukiŋ͵kaː], **smoking-carriage** ['smoukiŋ͵kæridʒ] *s* wagon dla palących
smoking-compartment ['smoukiŋ-kəm͵paːtmənt] *s* przedział dla palących
smoking-concert ['smoukiŋ͵kɔnsət] *s* koncert podczas którego dozwolone jest palenie
smoking-jacket ['smoukiŋ͵dʒækit] *s* bonżurka
smoking-room ['smoukiŋ͵rum] *s* palarnia
smoky ['smouki] *adj* (**smokier** ['smoukiə], **smokiest** ['smoukiist]) 1. dymiący; kopcący 2. zadymiony; zakopcony; czarny od dymu 3. (*o smaku itd*) dymu
smolt [smoult] *s* łosoś jednoroczny
⁋**smooth** [smuːð] Ⅰ *adj* 1. gładki; wygładzony; (*o drodze*) równy; (*o morzu*) spokojny; **to make ~** wygładz-ić/ać; wyrówn-ać/ywać; **to make things ~ for sb** ułatwi-ć/ać komuś zadanie; pomóc w załatwieniu spraw itd.; **I am in ~ water now** mam przeszkody za sobą 2. (*o mechanizmie*) funkcjonujący <pracujący> gładko <cicho, sprawnie> 3. (*o winie, głosie, usposobieniu*) łagodny 4. (*o sposobie mówienia*) przymilny; pełen słodyczy; Ⅲ *adv* gładko Ⅲ *vt* wy/gładzić; równać; wyrówn-ać/ywać; ze/strugać; rozchmurzyć (czoło)
~ away *vt* usu-nąć/wać (przeszkody, trudności itd.)
~ down Ⅰ *vt* wy/gładzić Ⅲ *vi* (*o morzu, gniewie*) uspok-oić/ajać się
~ out *vt* wygładz-ić/ać
~ over *vt* 1. wygładz-ić/ać; wyrówn-ać/ywać 2. z/łagodzić
smooth-bore ['smuːð͵bɔː] *adj* (*o strzelbie*) o gładkiej lufie
smooth-chinned ['smuːð͵tʃind] *adj* 1. (starannie) ogolony 2. bez zarostu
smooth-faced ['smuːð͵feist] *adj* 1. gładki; o gładkiej powierzchni 2. (*o człowieku*) o słodkiej minie 3. gładko ogolony
smoothing-iron ['smuːðiŋ͵aiən] *s* żelazko do prasowania

smoothing-plane ['smuːðiŋ͵plein] *s* strug, gładzik; gładzidło
smoothness ['smuːðnis] *s* 1. gładkość 2. spokój (morza) 3. sprawne funkcjonowanie (maszyny) 4. słodycz (w postępowaniu); *iron* słodkie słówka
smooth-spoken ['smuːð͵spoukən] *adj* (*o człowieku*) operujący słodkimi słówkami
smooth-tempered ['smuːð͵tempəd] *adj* łagodny
smooth-tongued ['smuːð͵tʌŋgd] = **smooth-spoken**
smote *zob* **smite** *v*
smother ['smʌðə] Ⅰ *vt* 1. za/dusić 2. s/tłumić; przytłumić 3. s/tłamsić 4. obsyp-ać/ywać (darami itd.) zasyp-ać/ywać (pieszczotami); **to ~ with kisses** pokry-ć/wać pocałunkami; wycałować; obcałow-ać/ywać 5. (*zw* **~ up**) za/tuszować (skandal itd.); prze-jść/chodzić do porządku (**sth nad czymś**); pomi-nąć/jać 6. pokry-ć/wać; okry-ć/wać; zakutać (w futra itd.); obl-ać/ewać (śmietanką, sosem itd.); **to be ~ed in sth** znikać <być niewidocznym> pod czymś (śniegiem itd.) <w czymś (tumanie kurzu itd.)> Ⅲ *s* gęsta chmura dymu; tuman kurzu; przytłumiony ogień; **from the smoke into the ~** z deszczu pod rynnę
smoulder ['smouldə] Ⅰ *vi* 1. tlić się 2. *przen* (*o uczuciach* <*pragnieniu*> *zemsty itd*) tlić się; nurtować (**in sb's heart** <mind> kogoś) Ⅲ *s* tlący się ogień
smudge¹ [smʌdʒ], **smutch** [smʌtʃ] Ⅰ *s* plama, plamka; brud; kleks Ⅰ *vt* po/plamić; z/brukać; za/brudzić; *pot* u/paćkać
smudge² [smʌdʒ] *s* gęsty dym (dla ochrony przed komarami)
smudgy ['smʌdʒi] *adj* (**smudgier** ['smʌdʒiə], **smudgiest** ['smʌdʒiist]) poplamiony; zabrudzony; usmarowany; *pot* upaćkany
smug [smʌg] Ⅰ *adj* 1. zadowolony z siebie 2. kołtuński; filisterski; drobnomieszczański Ⅲ *s sl uniw* 1. student aspołeczny 2. student nie interesujący się sportami
smuggle ['smʌgl] Ⅰ *vt* przemyc-ić/ać Ⅲ *vi* trudnić się przemytnictwem
smuggler ['smʌglə] *s* przemytnik
smugly ['smʌgli] *adv* 1. z miną zadowoloną 2. po filistersku; na sposób drobnomieszczański
smugness ['smʌgnis] *s* 1. zadowolenie z siebie 2. filisterstwo; kołtuneria; zapatrywania drobnomieszczańskie
smut [smʌt] Ⅰ *s* 1. pyłek sadzy 2. plamka (brudu) 3. *bot* śnieć (na zbożu) 4. *bot* głownia 5. sprośności; tłuste kawały Ⅱ *vt* (**-tt-**) po/plamić; za/brudzić Ⅲ *vi* (**-tt-**) (*o zbożu*) pokryć się śniecią
smutch *zob* **smudge**¹
smuttiness ['smʌtinis] *s* 1. poplamienie 2. sprośność 3. *bot* zaśniecenie
smutty ['smʌti] *adj* (**smuttier** ['smʌtiə], **smuttiest** ['smʌtiist]) 1. poplamiony; zabrudzony sadzą 2. sprośny 3. *bot* zaśniecony
snack [snæk] *s* 1. udział; (przypadająca komuś) część; **~s!** dzielimy się!; **to go ~s** podzielić się 2. przekąska; **to have a ~** przekąsić; **~ bar** bufet
snaffle¹ ['snæfl] *s* uzda; tręzla; **to ride sb on the ~** obchodzić się łagodnie z kimś; oszczędzać kogoś
snaffle² ['snæfl] *vt sl* zwędzić; buchnąć; ukraść
snag [snæg] Ⅰ *s* 1. pniak 2. (*w żegludze*) karpa;

rafa 3. przeszkoda 4. haczyk; kruczek 5. pieniek (zęba) Ⅲ *vt* (-gg-) 1. na-trafić <naje-chać/żdżać> na przeszkodę 2. oczy-ścić/szczać (rzekę itd.) z karp <(pole itd.) z pniaków>

snaggy ['snægi] *adj* (**snaggier** ['snægiǝ], **snaggiest** ['snægiist]) 1. sękaty 2. (*o polu itd*) pokryty pniakami 3. (*o rzece*) usiany karpami

snail [sneil] Ⅰ *s* 1. ślimak; **at a ~'s pace** w żółwim <ślimaczym> tempie; żółwim krokiem 2. *techn* koło ślimakowe Ⅲ *vi* zbierać ślimaki Ⅲ *vt* oczy-ścić/szczać (ogród) ze ślimaków

snail-fish ['sneil‚fiʃ] *s zoo* dennik (ryba)

snail-like ['sneil‚laik] *adj* ślimaczy

▲**snake** [sneik] Ⅰ *s* wąż; *przen* (*o człowieku*) żmija; **a ~ in the grass** ukryte niebezpieczeństwo; zamaskowany wróg; **to raise <wake> ~s** wywoływać burzę; **to see ~s** wid-zieć/ywać białe myszki (przy delirium tremens); **~!** psiakrew! Ⅲ *vi* wić się

snake-charmer ['sneik‚tʃɑːmǝ] *s* zaklinacz wężów

snake-fence ['sneik‚fens] *s am* ogrodzenie z kloców ustawionych zygzakiem

snake's-head ['sneiks‚hed] *s bot* szachownica kostkowata

snake's-weed ['sneiks‚wiːd] *s bot* rdest wężownik

snaky ['sneiki] *adj* 1. (*o terenie*) obfitujący w węże <żmije> 2. (*o jadzie itd*) żmii 3. *przen* żmijowaty

▲**snap** [snæp] *v* (-pp-) Ⅰ *vi* 1. (*o psie*) chap-nąć/ać <chwy-cić/tać, łapać> zębami (**at sth** coś) 2. (*o człowieku*) skwapliwie skorzystać (**at an offer** <**an opportunity etc.**> z propozycji <ze sposobności itd.>) 3. (*także* ~ **out**) warknąć (**at sb** na kogoś) 4. trzas-nąć/kać; kłap-nąć/ać; (*o zamku itd*) zatrzas-nąć/kiwać się 5. (*także* ~ **asunder**) (*o linie itd*) ur-wać/ywać się; pęk-nąć/ać; trzas--nąć/kać ‖ *am sl* **to ~ into it** żywo się poruszać; **to ~ out of it** a) pozbyć się (nałogu itd.) b) otrząsnąć się z przygnębienia c) nagle zmienić sposób postępowania Ⅲ *vt* 1. (*o psie*) chap-nąć/ać <chwy-cić/tać> zębami; capnąć; por-wać/ ywać 2. trzas-nąć/kać (**a whip** z bicza); strzel--ić/ać (**a pistol** z pistoletu); *przen* **to ~ one's fingers** strzel-ić/ać palcami; **to ~ one's teeth** kłap-nąć/ać zębami; **to ~ one's fingers at sth** a) strzel-ić/ać z palców <*pot* pstryk-ać/nąć palcami> na znak lekceważenia czegoś b) kpić sobie z czegoś 3. *fot* z/robić zdjęcie migawkowe (**sb, sth** kogoś, czegoś); *pot* pstryk-nąć/ać (**sth** coś) 4. z/łamać 5. (*także* ~ **out**) powiedzieć sucho <oschle> 6. szybko <nagłym ruchem> coś zrobić

~ **back** *vi* odsk-oczyć/akiwać

~ **off** Ⅰ *vi* 1. odgry-źć/zać; *przen* **to ~ off sb's nose** <**head**> przer-wać/ywać komuś (mowę) bez ceremonii <gniewnie> 2. odłam--ać/ywać Ⅲ *vi* odłam-ać/ywać się; od-erwać/ rywać się

~ **on** *vt* nagłym ruchem nacis-nąć/kać (hamulec itd.)

~ **out** *vt przen* (*o człowieku*) warknąć

~ **to** Ⅰ *vt* zatrzas-nąć/kiwać Ⅲ *vi* 1. za-trzas-nąć/kiwać się 2. (*o sprężynie itd*) zask-oczyć/akiwać

~ **up** *vt* 1. chap-nąć/ać; por-wać/ywać; capnąć; (*o grupie osób, zwierząt*) wyrywać sobie (nawzajem) 2. szybko <skwapliwie> skorzy-

stać (**sth** z czegoś) 3. skrzyczeć <ofuknąć> (kogoś)

Ⅲ *s* 1. chapnięcie 2. trzask; trzaśnięcie; **I heard a ~** słyszałem, że coś trzasnęło 3. zatrzaśnięcie się 4. zameczek (u bransoletki itd.); zatrzask 5. strzelanie <*pot* pstrykanie> palcami 6. ostry <suchy, oschły> ton 7. *teatr* chwilowe engagement 8. nagłe oziębienie 9. żywość 10. kruch-e/y ciastko <placek> 11. *fot* zdjęcie (migawkowe) 12. dziecinna gra w karty wymagająca szybkiej orientacji 13. *am pot* **soft ~** łatwa rzecz Ⅳ *attr* nagły; zaskakujący; **~ shot** strzał na ślepo Ⅴ *adv w zwrocie:* **to go ~** trzasnąć; pęknąć; złamać się

snap-bolt ['snæp‚boult] *s* zatrzask (zasuwa ze sprężyną)

snapdragon ['snæp‚drægǝn] *s* 1. *bot* lwia paszcza, wyżlin 2. zabawa (popularna w okresie Bożego Narodzenia) polegająca na wychwytywaniu rodzynków z płonącego rumu i zjadaniu ich na gorąco

snap-lock ['snæp‚lɔk] *s* zatrzask (zamek automatyczny)

snappish ['snæpiʃ] *adj* 1. (*o psie*) zły 2. (*o człowieku*) zgryźliwy; kostyczny

snappy ['snæpi] *adj* (**snappier** ['snæpiǝ], **snappiest** ['snæpiist]) 1. zgryźliwy; kostyczny 2. żwawy; prędki; **make it ~!** żywo!; żywiej! 3. (*o stylu itd*) żywy

snapshot ['snæp‚ʃɔt] Ⅰ *s fot* zdjęcie migawkowe Ⅲ *vt* (-tt-) *fot* zdj-ąć/ejmować (kogoś, coś) Ⅲ *vi* (-tt-) zrobić zdjęcie migawkowe

▲**snare** [sneǝ] Ⅰ *s* 1. pułapka; sidła; sieci 2. *chir* pętla do usuwania polipów Ⅲ *vt* 1. z/łapać w sidła 2. usidl-ić/ać; zastawi-ć/ać sidła <sieci> (**animals** na zwierzęta; *przen* **sb** na kogoś)

snarl[1] [snɑːl] Ⅰ *vi* (*o psie*) za/warczeć; (*o człowieku*) warknąć; burknąć; mówić opryskliwie

~ **out** *vt* burknąć; warknąć

Ⅲ *s* warczenie (psa); warkliwe <opryskliwe> odezwanie się

snarl[1] [snɑːl] Ⅰ *s* 1. węzeł, węzełek 2. zaplątanie; zagmatwanie Ⅲ *vt* 1. zawęźlić 2. zaplątać; zagmatwać; **a ~ed skein** skomplikowana <zagmatwana> sprawa <historia>

snatch [snætʃ] Ⅰ *vt* chwy-cić/tać; por-wać/ywać; z/łapać; wyr-wać/ywać; skwapliwie s/korzystać (**an offer** <**opportunity etc.**> z propozycji <ze sposobności itd.>); naprędce zjeść <połknąć> (posiłek); **to ~ a few hours'** <**some moments'**> **rest** urwać sobie parę godzin <chwil> odpoczynku; *pot* odsapnąć; **to ~ a kiss** skraść całusa Ⅲ *vi* chwytać <łapać> (**at sth** coś); rwać się (**at sth** do czegoś); skwapliwie · skorzystać (**at an opportunity etc.** ze sposobności itd.) Ⅲ *s* 1. chwytanie <łapanie> (**at sth** czegoś); **to make a ~ at sth** chwytać <łapać> coś; wyrywać się do czegoś 2. urywek <strzęp> (piosenki, rozmowy itd.) 3. krótki okres czasu; **in** <**by**> ~**es** urywkowo; zrywami; dorywczo; ~**es of sleep** krótkie chwile snu; przerywany sen

snatchy ['snætʃi] *adj* urywkowy, wyrywkowy

▲**sneak** [sniːk] Ⅰ *vi* 1. podkra-ść/dać <zakra-ść/dać> się; chyłkiem się przedosta-ć/wać 2. don-ieść/ osić <po/skarżyć> (**on sb** na kogoś) 3. wykręc-ić/ać się (**out of sth** od czegoś) Ⅲ *vt pot* zwędzić

~ **away** <**off, out**> *vi* wym-knąć/ykać się; chyłkiem wy-jść/chodzić

~ **in** *vi* wkra-ść/dać <zakra-ść/dać> się; chyłkiem wejść/wchodzić

zob **sneaking** ⫿Ⅲ⫿ *s* 1. nędzna kreatura; *pot* kanalia 2. donosiciel/ka; skarżypyta 3. złodziej/ka

sneakers ['sni:kəz] *spl* trzewiki na gumowych podeszwach; trampki; pionierki

sneaking ['sni:kiŋ] ⫿Ⅰ⫿ *zob* **sneak** *v* ⫿Ⅲ⫿ *adj* 1. utajony; ukryty; niewyznany; zaczajony 2. płaszczący <podchlebiający, podlizujący> się

sneek [sni:k] ⫿Ⅰ⫿ *s szkoc* klamka ⫿Ⅲ⫿ *vt* zam-knąć/ykać na klamkę

sneer [sniə] ⫿Ⅰ⫿ *vi* za/szydzić <za/drwić, naigrawać się> (**at sb, sth** z kogoś, z czegoś) ⫿Ⅱ⫿ *s* 1. szyderczy uśmiech 2. szyderstwo <szydercza uwaga> (**at sb** pod czyimś adresem)

sneeringly ['sniəriŋli] *adv* szyderczo

sneeze [sni:z] ⫿Ⅰ⫿ *vi* 1. kich-nąć/ać 2. *przen* kichać (**at sth** na coś); z/lekceważyć (**at sb, sth** kogoś, coś); po/gardzić (**at sth** czymś); **not to be ~d at** nie do pogardzenia; **he is not to be ~d** nie można go lekceważyć *zob* **sneezing** ⫿Ⅱ⫿ *s* kichnięcie

sneezewort ['sni:z,wə:t] *s bot* kichawiec

sneezing ['sni:ziŋ] ⫿Ⅰ⫿ *zob* **sneeze** *v* ⫿Ⅱ⫿ *s* kichanie ⫿Ⅲ⫿ *attr* ~ **gas** <**powder**> gaz <proszek> wywołujący kichanie

snick [snik] ⫿Ⅰ⫿ *vt* 1. naci-ąć/nać; na/karbować 2. (*w krykiecie*) odchyl-ić/ać palantem (bieg piłki) ⫿Ⅱ⫿ *s* nacięcie; karb

snicker ['snikə] ⫿Ⅰ⫿ *vi* 1. = **snigger** *v* 2. (*o koniu*) prych-ać/nąć; parsk-nąć/ać ⫿Ⅱ⫿ *s* 1. = **snigger** *s* 2. prychanie; parskanie

snickersnee ['snikə'sni:] *s żart* (duży) nóż; *pot* majcher

⧫**snide** [snaid] ⫿Ⅰ⫿ *adj sl* lipny; fałszywy ⫿Ⅱ⫿ *s* 1. fałszywa moneta 2. tombak

Snider ['snaidə] *spr* nazwa fabryczna modelu karabinu

⧫**sniff** [snif] ⫿Ⅰ⫿ *vt* 1. po/wąchać 2. po/czuć zapach (**sth** czegoś); *przen* wyczu-ć/wać w powietrzu (niebezpieczeństwo itd.); zwąchać, zwęszyć; z/wietrzyć nosem ⫿Ⅱ⫿ *vi* 1. pociąg-nąć/ać nosem 2. prych-nąć/ać pogardliwie (**at sb** na kogoś) 3. po/wąchać (**at sth** coś); (*o psie*) obwąch-ać/iwać (**at sb's calves** etc. czyjeś łydki itd.)

sniffy ['snifi] *adj* (**sniffier** ['snifiə], **sniffiest** ['snif iist]) 1. pogardliwy 2. (lekko) cuchnący, trącący przykrym zapachem

snigger ['snigə] ⫿Ⅰ⫿ *vi* za/chichotać ⫿Ⅱ⫿ *s* chichot

snip [snip] ⫿Ⅰ⫿ *vt* (**-pp-**) po/ciąć (nożyczkami); *pot* ciach-nąć/ać

~ **off** *vt* odci-ąć/nać

⫿Ⅱ⫿ *s* 1. cięcie <*pot* ciachnięcie> (nożyczkami) 2. ścinek, skrawek, obrzynek 3. *pot* krawiec 4. *pl* ~**s** nożyce blacharskie 5. *sl* murowana wygrana 6. *sl* fantastyczna <bajeczna> okazja

snipe [snaip] ⫿Ⅰ⫿ *s* 1. (*pl* ~) *zoo* bekas; słonka; kszyk 2. *am* niedopałek 3. strzał z zasadzki <ukrycia> ⫿Ⅱ⫿ *vi* 1. za/polować na bekasy <słonki> 2. strzel-ić/ać z zasadzki (**at sb** do kogoś) ⫿Ⅲ⫿ *vt* ustrzelić <postrzelić> z zasadzki

sniper ['snaipə] *s* zaczajony strzelec wyborowy

snipper ['snipə] *s pot* 1. nędzny krawiec 2. *pl* ~**s** nożyce, nożyczki

snippersnapper ['snipə'snæpə] = **whippersnapper**

snippet ['snipit] *s* 1. skrawek, ścinek, obrzynek 2. urywek, fragment, strzęp (wiadomości itd.)

snippety ['snipiti] *adj* urywkowy

snippy ['snipi] *adj* (**snippier** ['snipiə], **snippiest** ['snipiist]) 1. oschły; nieuprzejmy; opryskliwy, burkliwy 2. lakoniczny; krótki; (zbyt) zwięzły 3. urywkowy

snip-snap-snorum ['snip-snæp'snɔ:rəm] *s* dziecinna gra w karty

snipy ['snaipi] *adj* 1. *zoo* bekasi, (*o dziobie itd*) bekasa 2. (*o okolicy*) obfitujący w bekasy

snitch [snitʃ] ⫿Ⅰ⫿ *s sl* 1. nochal; nos 2. kapuś; donosiciel/ka ⫿Ⅱ⫿ *vi sl* sypać; donosić

snivel ['snivl] ⫿Ⅰ⫿ *s* 1. smark 2. pochlipywanie; biadolenie 3. udawane rozczulanie się ⫿Ⅱ⫿ *vi* (**-ll-**) 1. być <chodzić> zasmarkanym 2. pochlipywać; pociągać nosem; biadolić; (*o dziecku itd*) beczeć 3. udawać rozczulenie

sniveller ['snivlə] *s* 1. beksa 2. człowiek udający rozczulenie

snob [snɔb] *s* snob

snobbery ['snɔbəri] *s* snobizm

snobbish ['snɔbiʃ] *adj* snobistyczny

snood [snud] *s.* 1. *szkoc lit* siatka <wstążka> do włosów (dawniej oznaka panieństwa) 2. linka do haczyka przy głównej linie (w rybołówstwie morskim)

snook[1] [snu:k] *s przen* zagranie na nosie; **to cock** <**cut, make**> **a** ~ **at sb** zagrać komuś na nosie

snook[2] [snu:k] *s zoo* belona (ryba)

snooker ['snu:kə] *s bil* piramida z 22 bil o różnych barwach

snoop [snu:p] ⫿Ⅰ⫿ *vt am sl* zwędzić; buchnąć; ukraść ⫿Ⅱ⫿ *vi am sl* wtykać nos w cudze sprawy; mieszać się do nieswoich spraw

snooze [snu:z] ⫿Ⅰ⫿ *vi pot* zdrzemnąć się; uci-ąć/nać sobie drzemkę ⫿Ⅱ⫿ *s pot* drzemka

snore [snɔ:] ⫿Ⅰ⫿ *vi* za/chrapać ⫿Ⅱ⫿ *vr w zwrotach*: **to ~ oneself awake** zbudzić się własnym chrapaniem; **to ~ oneself into a nightmare** mieć mary senne wywołane własnym chrapaniem

snore-piece ['snɔ:pi:s] *s* (*u pompy*) kosz; sarkacz

snort [snɔ:t] ⫿Ⅰ⫿ *vi* parsk-nąć/ać; prych-nąć/ać; sap-nąć/ać, zasapać ⫿Ⅱ⫿ *vt w zwrocie*: **to ~ defiance** parsk-nąć/ać wyzywająco <prowokacyjnie> ⫿Ⅲ⫿ *s* parsk-nięcie/anie

snorter ['snɔ:tə] *s* 1. człowiek <zwierzę> parskając-y/e 2. *sl* coś kapitalnego <świetnego, byczego> 3. *mar* sztorm

snot [snɔt] *s pot* smark, gil, glut

snot-rag ['snɔt,ræg] *s sl* smarkatka; chusteczka do nosa

snotty ['snɔti] ⫿Ⅰ⫿ *adj* 1. zasmarkany 2. smarkaty 3. *pot* zły; w złym humorze ⫿Ⅱ⫿ *s pot* = **midshipman**

⧫**snout** [snaut] *s* 1. pysk; ryj 2. *techn* dysza; otwór (rury itd.); wlot 3. *geol* wrota <brama> (lodowcow-e/a)

snouty ['snauti] *adj* ryjkowaty; ryjowaty

⧫**snow**[1] [snou] ⫿Ⅰ⫿ *s* 1. śnieg; **Snow White** Królewna Śnieżka 2. *poet* biel 3. *kulin* pianka 4. *sl* kokaina ⫿Ⅱ⫿ *vi* (*o śniegu*) padać; prószyć; sypać ⫿Ⅲ⫿ *vt* przyprószyć bielą <siwizną>

~ **in** <**under**> *vt* zasyp-ać/ywać śniegiem

snow[2] [snou] *s mar* dwumasztowiec

snowball ['snou,bɔ:l] ⫿Ⅰ⫿ *s* 1. kula śnieżna; **to play at ~s** bawić się w śnieżki 2. fundusz, do którego każdy udziałowiec werbuje kilku innych 3. *kulin* legumina z jabłek w ryżu III *vt* obrzuc--ić/ać kulami śnieżnymi III *vi* rosnąć jak tocząca się kula śnieżna; *przen* rosnąć lawiną

snowball-tree ['snoubɔ:l,tri:] *s bot* buldeneż (odmiana kaliny)

snow-bank ['snou,bæŋk] *s* zaspa śnieżna

snow-berry ['snou,beri] *s bot* śnieguliczka biała

snow-bird ['snou,bə:d] *s zoo* zięba amerykańska

snow-blind ['snou'blaind] *adj* cierpiący na śnieżną ślepotę

snow-blindness ['snou'blaindnis] *s* śnieżna ślepota

snow-boot ['snou,bu:t] *s* śniegowiec

snow-bound ['snou,baund] *adj* zasypany śniegiem; odcięty <unieruchomiony> przez zaspy śnieżne

snow-broth ['snou,brɔθ] *s* na pół stajały śnieg

snow-capped ['snou,kæpt] *adj* (*o szczycie górskim*) ośnieżony

snow-drift ['snou,drift] *s* zaspa śnieżna

snow-drop ['snou,drɔp] *s bot* śnieżyczka; przebiśnieg

snow-fall ['snou,fɔ:l] *s* opad śnieżny

snow-field ['snou,fi:ld] *s* pole śnieżne

snowflake ['snou,fleik] *s* płatek śniegu

snow-goose ['snou,gu:s] *s* (*pl* **snow-geese** ['snou,gi:s]) *zoo* gęś arktyczna

snow-grouse ['snou,graus] = **ptarmigan**

snow-line ['snou lain] *s* granica wiecznych śniegów

snow-man ['snou,mæn] *s* (*pl* **snow-men** ['snou,men] *s* bałwan śniegowy

snow-plough ['snou,plau] *s techn* pług odśnieżny <śnieżny>

snow-scape ['snou,skeip] *s* śnieg (jako motyw malarski)

snow-shoe ['snou,ʃu:] *s* rak (przyrząd do chodzenia po śniegu)

snow-slide ['snou,slaid], **snow-slip** ['snou,slip] *s* lawina śnieżna

snow-storm ['snou,stɔ:m] *s* śnieżyca; zamieć; zawieja; zadymka

snow-white ['snou'wait] *adj* śnieżnobiały

snow-wreath ['snou,ri:ð] *s* zaspa śnieżna

↑**snowy** ['snoui] *adj* śnieżny, śniegowy

snub¹ [snʌb] I *vt* (**-bb-**) 1. z/robić afront (**sb** komuś) 2. przyw-ieść/odzić (kogoś) do porządku; *pot* da-ć/wać po nosie, utrzeć/ucierać nosa (**sb** komuś) III *s* afront; ostra odprawa

snub² [snʌb] *adj* (*o nosie*) zadarty

snub-nosed ['snʌb,nouzd] *adj* perkaty; z zadartym nosem

snuff¹ [snʌf] I *vi* 1. = **sniff** *vi* 2. zaży-ć/wać tabaki; niuchać tabakę III *s* tabaka; **to take ~** zaży-ć/wać tabaki; niuchać tabakę; *sl* **to be up to ~** nie być naiwniakiem <frajerem>; *przen* **to give sb ~** zmyć komuś głowę

snuff² [snʌf] I *s* upalony knot świecy III *vt* utrzeć/ucierać knot u świecy

~ out I *vt* 1. utrzeć/ucierać <objaśni-ć/ać> (świecę) 2. z/gasić (świecę) palcami 3. rozwi-ać/ewać (nadzieje) 4. ostudz-ić/ać (zapał) 5. trzymać <s/chować> pod korcem (projekt itd.) III *vi sl* wykitować; odwalić kitę; umrzeć

snuff-and-butter ['snʌfənd,bʌtə] *adj* śniady; brązowo-żółty

snuff-box ['snʌf,bɔks] *s* tabakierka

snuff-colour ['snʌf,kʌlə] *s* kolor tabaczkowy

snuff-coloured ['snʌf,kʌləd] *adj* tabaczkowy

snuffer ['snʌfə] *s* człowiek zażywający tabaki

snuffers ['snʌfəz] *spl* ucieradło <szczypce> (do objaśniania <ucierania> świec)

snuffer-tray ['snʌfə,trei] *s* tacka na ucieradło <szczypce> do świec

snuffle ['snʌfl] I *vi* 1. sapać (przez zatkany nos); mieć zatkany nos 2. mówić przez nos 3. mówić płaczliwym głosem 4. mówić obłudnie III *vt* (*także* **~ out**) wypowi-edzieć/adać płaczliwym głosem <obłudnie> (modlitwę) III *s* 1. sapanie (przez zatkany nos) 2. płaczliwy ton (obłudnika) 3. *pl* **~s** katar; **to have the ~s** mieć zatkany nos

snuffler ['snʌflə] *s* 1. człowiek sapiący <mówiący> przez zatkany nos 2. człowiek mówiący płaczliwym głosem 2. obłudni-k/ca

snuffy ['snʌfi] *adj* (**snuffier** ['snʌfiə], **snuffiest** ['snʌfiist]) zatabaczony

snug [snʌg] I *adj* (**-gg-**) 1. (*o statku*) osłonięty; (znajdujący się) w zaciszu 2. wygodny; komfortowy; przytulny; przyjemny; dający uczucie rozkoszy <błogości>; **as ~ as a bug in a rug** jak u Pana Boga za piecem; **to make oneself ~** wygodnie się usadowić <ulokować> 3. (*o uposażeniu itd*) skromny, ale wystarczający; niemały 4. (*o dochodzie*) niezgorszy 5. (*o kolacji itd*) przyjemny; udany 6. (*o ubiorze*) obcisły 7. ukryty; **to keep sth ~** utrzymywać coś w tajemnicy III *vi* (**-gg-**) przytul-ić/ać się III *vt* (**-gg-**) ułożyć/układać wygodnie, otul-ić/ać

snuggery ['snʌgəri] *s* 1. przytulny kąt; ustronie; *przen* gniazdko 2. (*w barze*) salonik dla wybranych gości

snuggle ['snʌgl] I *vi* przy/tulić się (**to sb** do kogoś) III *vt* przytulić (do siebie itp.)

~ down *vi* skulić się

snugness ['snʌgnis] *s* 1. przytulna <przyjemna> atmosfera (pokoju itd.) 2. wygoda; komfort

so [sou] I *adv* 1. tak; w ten sposób; **and ~ ...** i tak...; **and ~ on** <**forth**> i tak dalej; itd.; **as ... ~ __** jak ... tak też <tak samo i>...; *pot* **ever ~** bardzo; **ever ~ much** <**many**> strasznie dużo; bez liku; **I'm ~** <**ever ~**> **glad!** strasznie <ogromnie> się cieszę!; **how ~?** jak to? jakim cudem?; **is that ~?** naprawdę?; **not ~** inaczej; it**'s** (**only**) **~ much rubbish** <**nonsense etc.**> to są same <to wszystko> śmieci <bzdury itd.>; **~ much for __** tyle o ...; to by było wszystko, jeżeli chodzi o ...; **~ much ~** tak dalece; do tego stopnia; **more** <**less**> **~** w większym <mniejszym> stopniu; **or ~** mniej więcej; jakieś; **10 minutes or ~** jakieś 10 minut; **quite** <**just**> **~!** właśnie!; tak, tak!; **~, ~ long as __, ~ that __** byle tylko ...; pod warunkiem, że ...; z tym (jednak), że ...; **~** <**~ long as, ~ that**> it**'s done** byle to było zrobione; **~ as to __** tak, żeby ...; **~ as not to __** tak, żeby nie ...; **~ far** a) (aż) tak daleko b) tak dalece c) dotąd d) dotychczas e) do tego stopnia; **in ~ far** o tyle; **~ long!** do widzenia!; tymczasem <na razie>, do widzenia <do zobaczenia>!; **~ many** tyle, tylu; **~ much** tyle; **~ to say** <**speak**> że tak powiem; jak gdyby; **why ~?** dlaczegóż to?; a czemuż to? 2. *przed przymiotnikiem*: taki (duży, uprzejmy, zagniewany itd.); **not ~ very bad** nawet nie najgorszy; znośny 3. *w zdaniu uzupełnia-*

jącym z inwersją: także, też, również; I knew <know> it and ~ did <does> he wiedziałem <wiem> o tym i on też 4. *w zdaniu uzupełniającym bez inwersji:* tak też i ... (jest <było, będzie>); I am told you liked it _ ~ I did słyszę, że się panu podobało — a podobało mi się; I said he's crazy and ~ he is powiedziałem, że ma bzika, tak też i jest 5. *w zdaniu potwierdzającym:* rzeczywiście; it'll be lovely _ ~ it will będzie bardzo przyjemnie — rzeczywiście (będzie); it's cold to-day _ ~ it is zimno jest dzisiaj — rzeczywiście (zimno); ·~ they say tak powiadają; (*w zdziwieniu, z niedowierzaniem*) you don't say ~! coś takiego! 6. ~ ~ = so-so Ⅱ *conj* więc; a więc; it may rain, ~ I'm taking my raincoat może lać, więc biorę płaszcz nieprzemakalny; ~ there you are! a) a więc jesteś! b) no więc widzisz (stało się, sprawdziło się)!; ~ what? no to co (z tego)? Ⅲ *interj* tak to!; no, no! Ⅳ *pron w równoważnikach zdań po czasownikach:* believe, say, suppose, tell, think *itd:* to; tak; że tak; *w zdaniu przeczącym:* tego; tak; że nie; I think ~ myślę <sądzę>, że tak; I don't think ~ myślę <sądzę>, że nie; who said ~ ? kto to mówił?; I didn't say ~ ja tego nie mówiłem; I told you ~ mówiłem, że tak będzie; a mówiłem!

soak [souk] Ⅰ *vt* 1. wy/moczyć, maczać; rozm-oczyć/aczać; namoczyć; (*o deszczu itd*) przemoczyć; ~ed to the skin przemoknięty do nitki; to get ~ed (through) z/moknąć (na deszczu) 2. nasyc-ić/ać; impregnować 3. *pot* sprać; z/bić; 4. *sl* zedrzeć/zdzierać (**sb** z **kogoś**) Ⅱ *vi* 1. za/moczyć się; zamoknąć; namoknąć 2. nasiąk-nąć/ać (**in sth** czymś) 3. przesiąk-nąć/ać (**into sth** do czegoś; **through sth** przez coś) 4. (*o człowieku*) upijać <zapijać> się; *pot* chlać; trąbić ~ in Ⅰ *vi* wsiąk-nąć/ać Ⅲ *vt* wchł-onąć/aniać; nasiąk-nąć/ać (**a liquid** płynem) ~ through *vi* 1. przesiąk-nąć/ać; przem-oknąć/akać 2. zmoknąć (na deszczu) ~ up *vt* wchł-onąć/aniać *zob* **soaked, soaking** Ⅲ *s* 1. kąpiel <płyn>, w któr-ej/ym coś się moczy; to put in ~ wymoczyć 2. *pot* pijatyka; popijawa 3. pijak; *pot* moczymorda

soakage ['soukidʒ] *s* woda zaskórna

soaked [soukt] Ⅰ *zob* soak *v*; ~ wet przemoczony do nitki Ⅲ *adj* przemoczony; zmoknięty

soaker ['soukə] *s* 1. pijak; bibosz 2. *pot* ulewa

soaking ['soukiŋ] Ⅰ *zob* soak *v* Ⅱ *s* 1. kąpiel <płyn>, w któr-ej/ym coś się moczy 2. moczenie; nasycanie; to get a ~ zmoknąć <przemoknąć> do nitki 3. nasiąkanie 4. *pot* cięgi, baty 5. *pl* ~s woda zaskórna

so-and-so ['souənsou] *s* 1. ten a ten; taki a taki; **Mr So-and-so** pan X; pan ten a ten 2. to a to; jedno, drugie, trzecie, dziesiąte 3. tak a tak

soap [soup] Ⅰ *s* mydło; **soft** ~ a) płynne <szare> mydło b) *przen* pochlebstwa; wazelina; to give **sb soft** ~ nadskakiwać komuś Ⅱ *attr* (*o proszku itd*) mydlany; (*o przemyśle itd*) mydlarski; *am radio* ~ opera programy reklamowe; radioreklama Ⅲ *vt* 1. namydl-ić/ać 2. myć mydłem 3. *przen* pochlebiać (**sb** komuś)

soap-ball ['soup,bɔ:l] *s* mydełko okrągłe

soap-bark ['soup,ba:k] *s* kora mydłokowa

soap-berry ['soup,beri] *s bot* mydleniec właściwy

soap-boiler ['soup,bɔilə] *s* mydlarz

soap-boiling ['soup,bɔiliŋ] *s* mydlarstwo; produkcja mydła

soap-box ['soup,bɔks] *s* 1. skrzynia <paka> na mydło (w dostawie hurtowej) 2. zaimprowizowana mównica; ~ orator mówca uliczny; agitator; krzykacz

soap-bubble ['soup,bʌbl] *s* bańka mydlana; to blow ~s puszczać bańki mydlane

soap-dish ['soup,diʃ] *s* mydelniczka

soap-root ['soup,ru:t] *s farm* korzeń mydlnicy, mydlik

soap-stone ['soup,stoun] *s miner* steatyt

soap-suds ['soup,sʌdz] *spl* mydliny

soap-works ['soup,wə:ks] *s* mydlarnia

soapwort ['soup,wə:t] *s bot* mydlnik, mydlnica lekarska

soapy ['soupi] *adj* (**soapier** ['soupiə], **soapiest** ['soupiist]) 1. mydlany 2. pokryty mydłem 3. zawierający mydło 4. (*o człowieku, głosie, słowach itd*) słodki; przymilny

soar [sɔ:] *vi* 1. wzn-ieść/osić się; wzbi-ć/jać się (w powietrze); 2. *przen* osiąg-nąć/ać wyżyny (sławy itd.) 3. (*o cenach*) pójść/iść w górę; podskoczyć; you ~ too high za wysoko sięgasz; masz wygórowane ambicje 2. unosić się wysoko; szybować; bujać (w powietrzu) *zob* **soaring**

soaring ['sɔ:riŋ] Ⅰ *zob* soar Ⅱ *s* 1. wzn-iesienie/ oszenie się; wzbi-cie/janie się (w powietrze) 2. zwyżka (cen); skok (w cenach) 3. unoszenie się, szybowanie <bujanie> w powietrzu Ⅲ *adj* 1. wysoki; strzelisty; niebotyczny; podniebny 2. (*o cenach itd*) rosnący; horrendalny 3. (*o stylu itd*) górnolotny 4. unoszący się <szybujący, bujający> w powietrzu

sob [sɔb] *v* (-**bb**-) Ⅰ *vi* za/szlochać; za/łkać ~ out *vt* powiedzieć <wymówić> (coś) szlochając; przerywać (opowiadanie itd.) szlochami; to ~ one's heart out zanosić się płaczem <od płaczu> Ⅲ *s* szloch; *pl* ~s szlochanie; łkanie

sober ['soubə] Ⅰ *adj* 1. trzeźwy; as ~ as a judge a) zupełnie trzeźwy b) śmiertelnie poważny; z kamienną twarzą 2. nie nadużywający alkoholu; wstrzemięźliwy 3. stateczny; spokojny; zrównoważony; trzeźwo myślący 4. rzeczowy; realny; in ~ earnest zupełnie poważnie 5. (*o kolorach itd*) spokojny; dyskretny; stonowany 6. (*o oszacowaniu, ocenie*) nieprzesadny; umiarkowany 7. (*o fakcie*) rzeczywisty; in ~ fact całkiem realnie Ⅲ *vt* 1. (*także:* ~ down) wytrzeźwi-ć/ać; otrzeźwi-ć/ać 2. stonować (kolor, barwę) Ⅲ *vi* (*także:* to ~ down) 1. wytrzeźwieć; otrzeźwieć 2. opanować się 3. ustatkować się

sober-minded ['soubə,maindid] *adj* stateczny; rozważny; trzeźwo myślący; zrównoważony

soberness ['soubənis] *s* 1. trzeźwość 2. wstrzemięźliwość 3. stateczność; zrównoważenie; spokój

sobersides ['soubə,saidz] *s pot* człowiek poważny <stateczny, zrównoważony>

sober-suited ['soubə,sju:tid] *adj poet* skromnie ubrany

sobriety [sou'braiəti] = **soberness**

sobriquet ['soubri,kei] *s* przydomek

sob-stuff ['sɔb,stʌf] *s am sl* ckliwe piśmidło

so-called ['sou'kɔ:ld] *adj* tak zwany

soc(c)age ['sɔkidʒ] *s hist* dzierżawa na prawie feudalnym

soccer ['sɔkə] *s sl* sport piłkarski; piłka nożna ⦗III⦘ *attr* piłkarski; (*o meczu itd*) piłki nożnej

sociable ['souʃəbl] ⦗I⦘ *adj* 1. (*o człowieku, grze, zebraniu itd*) towarzyski 2. (*o zebraniu itd*) przyjacielski, przyjaciół; *am* ~ **evening** wieczór <zebranie> towarzyski/e 3. *zoo* stadny; gromadny ⦗III⦘ *s* 1. kozetka 2. powóz z siedzeniami naprzeciw siebie 3. trycykl na dwie osoby siedzące obok siebie 4. *am* wieczorek towarzyski

⦙social ['souʃəl] ⦗I⦘ *adj* 1. (*o człowieku, zebraniu itd*) towarzyski 2. *zoo* stadny; gromadny 3. socjalny; społeczny; **our** ~ **superiors** <**inferiors**> ludzie wyżej <niżej> od nas stojący w hierarchii społecznej; ~ **democrat** socjaldemokrata; ~ **science** socjologia; ~ **welfare** <**insurance**> ubezpieczenia społeczne; ~ **worker** społeczni-k/ca ⦗III⦘ *s* zebranie towarzyskie

socialism ['souʃə,lizəm] *s* socjalizm

⦙socialist ['souʃəlist] ⦗I⦘ *s* socjalista ⦗II⦘ *adj* socjalistyczny

socialistic [,souʃə'listik] *adj* socjalistyczny

socialite ['souʃə,lait] *s am* człowiek należący do eleganckiego świata <zajmujący wysokie stanowisko>

sociality [,souʃi'æliti] *s* 1. instynkt społeczny <stadny, gromadny> 2. towarzyskość

socialization [,souʃəlai'zeiʃən] *s* socjalizacja

socialize ['souʃə,laiz] ⦗I⦘ *vt* uspołeczni-ć/ać; upaństw-owić/awiać ⦗II⦘ *vi am sl* obcować

society [sə'saiəti] *s* 1. społeczeństwo 2. towarzystwo 3. (*wytworne*) towarzystwo; *dzien* ~ **news** kronika towarzyska 4. społeczność; **the Society of Jesus** zakon Jezuitów; jezuici 5. *handl* towarzystwo; spółka; **co-operative** ~ spółdzielnia spożywców

Socinian [sou'siniən] ⦗I⦘ *adj* socyniański ⦗II⦘ *s* socynianin

sociological [,souʃə'lɔdʒikəl] *adj* socjologiczny

sociologist [,sousi'ɔlədʒist] *s* socjolog

⦙sociology [,sousi'ɔlədʒi] *s* socjologia

⦙sock¹ [sɔk] *s* 1. (*handl pl* **sox** [sɔks]) skarpet(k)a; *przen* **to pull up one's** ~**s** zebrać się w sobie; *pot* wziąć się w garść <w kupę>; **put a** ~ **in it!** ciszej! 2. wkładka do buta 3. (*u staroż. Rzymian*) sznurowany sandał <trzewik>

sock² [sɔk] ⦗I⦘ *vt pot* 1. cis-nąć/kać (**sth at sb** czymś w kogoś) 2. walnąć <trafić> (**sb w kogoś**) ⦗II⦘ *s pot* kułak; szturchaniec; **to give sb** ~**s** dać komuś łupnia ⦗III⦘ *adv* (trafić kogoś) prosto <z całych sił> (w oko, w nos itd.)

sock³ [sɔk] *s szk sl* słodycze, smakołyki

sockdolager, sockdologer [sɔk'dɔlədʒə] *s sl* 1. decydujący cios 2. argument rozstrzygający 3. rzecz kolosalna

socker ['sɔkə] = **soccer**

socket ['sɔkit] *s* 1. wklęsłość; dół; wydrążenie 2. oprawka (żarówki itd.) 3. *anat* oczodół 4. *anat* zębodół 4. *techn* gniazdko; łożysko; mufka; pochwa; tuleja; *stol* wczep

socket-joint ['sɔkit,dʒɔint] *s stol* łączenie na duszę i wpust; *techn* połączenie nasuwkowe <przegubowe>

socket-pipe ['sɔkit,paip] *s techn* mufka; tuleja

sockeye ['sɔk,ai] *s zoo* nerka (ryba łososiowata)

socle ['sɔkl] *s* cokół; postument

sod¹ [sɔd] ⦗I⦘ *s* 1. darń; darnina; ~ **spade** darniówka (łopata); **under the** ~ pod ziemią; *przen* w grobie 2. grudka darniny ⦗II⦘ *vt* (-dd-) darniować; obłożyć/okładać darniną

sod² *zob* **seethe**

sod³ [sɔd] *s wulg* 1. sodomita 2. skurwysyn

⦙soda ['soudə] *s* 1. (*także* **washing** ~) soda (do prania); **baking** ~ soda oczyszczona; **caustic** ~ soda żrąca 2. woda sodowa

soda-ash ['soudə,æʃ] *s chem* węglan sodowy

soda-fountain ['soudə,fauntin] *s* 1. zbiornik <pojemnik> na wodę sodową 2. budka z wodą sodową 3. *am* bar z wodą sodową, napojami bezalkoholowymi i przekąskami

sodality [sou'dæliti] *s* sodalicja; bractwo <stowarzyszenie> (religijne)

soda-water ['soudə,wɔ:tə] *s* woda sodowa

sodden¹ ['sɔdn] ⦗I⦘ *adj* 1. rozmokły; przemokły; *pot* (*o człowieku*) przemoczony 2. (*o pieczywie*) nie wypieczony; zakalcowaty 3. *pot* (*o człowieku*) przepity ⦗II⦘ *vt* rozm-oczyć/aczać; przem-oczyć/aczać ⦗III⦘ *vi* rozmoknąć; przem-oknąć/akać

sodden² *zob* **seethe**

soddy ['sɔdi] *adj* darniowy

sodic ['sɔdik] *adj chem* sodowy

⦙sodium ['soudjəm] *s chem* sod; ~ **bicarbonate** dwuwęglan sodowy; ~ **carbonate** węglan sodowy; ~ **nitrate** azotan sodowy; ~ **sulphate** siarczan sodowy

sodomite ['sɔdə,mait] *s* 1. sodomita 2. pederasta

sodomy ['sɔdəmi] *s* 1. sodomia 2. pederastia

soever [sou'evə] *lit przyrostek stojący niekiedy oddzielnie*: **what end** ~ jakikolwiek cel

sofa ['soufə] *s* sofa; ~ **bed** kanapa-łóżko; amerykanka

soffit ['sɔfit] *s arch* sklepienie

⦙soft [sɔft] ⦗I⦘ *adj* 1. (*o przedmiocie w dotyku, a także o węglu, drewnie, wodzie, sercu itd*) miękki; ~ **to the touch** miękki w dotyku; **to go** ~ z/mięknąć; *med* ~ **corn** bolesne, wilgotne miejsce między palcami u nóg; ~ **goods** tekstylia 2. delikatny; **the** ~**er sex** płeć słaba <piękna> 3. (*o głosie, muzyce itd*) cichy; przyciszony; ~ **nothings** <**things, words**> pieszczotliwe słowa; czułe słówka 4. (*o usposobieniu, postępowaniu, winie, klimacie, świetle, wietrze itd*) łagodny; (*o człowieku*) zbyt wyrozumiały 5. (*o kolorach*) stonowany; łagodny 6. *fonet* (*o głoskach*) miękki 7. *fonet* dźwięczny 8. (*o napoju*) bezalkoholowy 9. (*o śnie*) spokojny 10. *pot* (*o człowieku*) miękki; słaby; sflaczały; zniewieściały 11. *pot* (*o człowieku*) głupi 12. *sl* (*o posadzie, trybie życia*) wygodny 13. *pot* zakochany (**on sb** w kimś); **to be** ~ **on sb** bujać <kochać> się w kimś 14. czuły; **to have a** ~ **spot in one's heart for sb** mieć słabość do kogoś ⦗III⦘ *s* 1. głupi <zidiociały> człowiek 2. miękkie miejsce (w czymś) 3. *fonet* miękka spółgłoska ⦗III⦘ *adv* cicho ⦗IV⦘ *interj* 1. cicho!; ciszej!; cichutko! 2. powoli!; wolnego!

soft-boiled ['sɔft,bɔild] *adj* (*o jajku*) ugotowany na miękko

⦙soften ['sɔfn] *vt* 1. zmiękcz-yć/ać 2. osłabi-ć/ać 3. z/łagodzić 4. rozrzewni-ć/ać 5. stonować (kolory) ⦗II⦘ *vi* 1. z/mięknąć 2. z/łagodnieć 3. rozrzewni-ć/ać się *zob* **softening**

softener ['sɔfnə] *s* środek zmiękczający

softening ['sɔfniŋ] ⬜ *zob* **soften** ⬛ *s* zmiękczanie; mięknięcie; *med* ~ **of the brain** rozmiękczenie mózgu

soft-eyed ['sɔft'aid] *adj* o łagodnym spojrzeniu

soft-grass ['sɔft‚grɑ:s] *s bot* kłosówka miękka

soft-headed ['sɔft'hedid] *adj* przygłupi; głupkowaty; zidiociały

soft-hearted ['sɔft'hɑ:tid] *adj* (*o człowieku*) o miękkim sercu

softish ['sɔftiʃ] *adj* miękkawy

soft-pedal [‚sɔft'pedl] *vi* (-ll-) 1. (grając na fortepianie) naciskać lewy pedał <tłumić pedałem> 2. *sl przen* stłumić; przytłumić; stonować

soft-sawder ['sɔft'sɔ:də], **soft-soap** ['sɔft‚soup] *vt* pochlebiać (**sb** komuś)

soft-spoken ['sɔft'spoukən] *adj* (*o człowieku*) o łagodnym głosie

soft-witted ['sɔft'witid] *adj* zidiociały

softy ['sɔfti] *s* 1. głupiec; głuptas 2. człowiek głupio sentymentalny

soggy ['sɔgi] *adj* (**soggier** ['sɔgiə], **soggiest** ['sɔgiist]) 1. rozmokły; mokry 2. (*o pieczywie*) nie wypieczony 3. (*o powietrzu*) przesycony wilgocią

Soho [sou'hou] *spr* (*w Londynie*) dzielnica restauracji cudzoziemskich i cyganerii

soil[1] [sɔil] *s* 1. gleba; ziemia 2. rola 3. kraj; **one's native** ~ ojczyzna

soil[2] [sɔil] ⬜ *s* plama; brud ⬛ *vt* za/brudzić; po/walać; po/plamić; s/plamić; zasmarować; usmarować; *przen* **to** ~ **one's hands** s/plamić sobie ręce; ~**ed dove** córa Koryntu ⬛ *vi* za/brudzić <po/plamić> się

soil[3] [sɔil] *vt* karmić (bydło) zieloną paszą

soilless ['sɔillis] *adj* nie splamiony; bez plamy

soil-pipe ['sɔil‚paip] *s* rura odwadniająca; dren

soirée ['swɑ:rei] *s* zebranie towarzyskie; przyjęcie wieczorek muzyczny <literacki>

sojourn ['sɔdʒə:n] ⬜ *vi* za/bawić; przebywać; zatrzym-ać/ywać się (gdzieś) ⬛ *s* pobyt

sojourner ['sɔdʒə:nə] *s* gość

sol[1] [sɔl] *spr żart* słońce

sol[2] [sɔl] *s muz* dźwięk g

sola[1] ['soulə] *s bot* żywopłon szorstkoowocowy; ~ **topi** hełm tropikalny

sola[2] ['soulə] *attr handl* ~ **bill of exchange** sola weksel

solace ['sɔləs] ⬜ *s* pocieszenie; pociecha; ulga; **to derive** ~ **from sth** pociesz-yć/ać się czymś; zna-leźć/jdować pociechę w czymś ⬛ *vt* pociesz-yć/ać (kogoś); sprawi-ć/ać ulgę (**sb's pain** komuś w bólu) ⬛ *vr* ~ **oneself** pociesz-yć/ać się; zna-leźć/jdować pociechę <ulgę> (**with sth** w czymś)

solan ['soulən] *s zoo* (*także* ~**-goose**) głuptak

solanaceae [‚soulə'neisi‚i:] *spl bot* (rośliny) psiankowate

solanum [sou'leinəm] *s bot* psianka

solar ['soulə] *adj* słoneczny; *anat* ~ **plexus** splot trzewny <słoneczny>

solarium [sou'leəriəm] *s* (*pl* **solaria** [sou'leəriə]) solarium (miejsce kąpieli słonecznych)

solarize ['soulə‚raiz] *vt fot* przeeksponować

solatium [sou'leiʃjəm] *s* (*pl* **solatia** [sou'leiʃjə]) kompensata, wynagrodzenie (szkody)

sold *zob* **sell** *v*

solder ['sɔldə] ⬜ *s* lut; cyna (do lutowania); lutowanie ⬛ *vt* spawać; za/lutować

solderer ['sɔldərə] *s* spawacz/ka

soldering-iron ['sɔldəriŋ‚aiən] *s* kolba lutownicza

soldier ['souldʒə] ⬜ *s* 1. żołnierz; **old** ~ weteran; **private** <**common**> ~ szeregowiec; ~ **of fortune** najemni-k/ca; **to go for a** ~ wstąpić do wojska 2. wojak 3. wódz 4. *sl mar* markierant 5. *sl* pikling, śledź wędzony ⬛ *attr* żołnierski; wojowniczy; *zoo* ~ **ant** mrówka żołnierz; *zoo* ~ **beetle** omomiłek (owad); *zoo* ~ **crab** krab pustelnik; *bot* ~ **orchis** storczyk kukawka ⬛ *vi* 1. służyć w wojsku; **to be tired of** ~**ing** mieć dosyć wojaczki; **to go** ~**ing** pójść na wojaczkę 2. *sl mar* markierować; wykręcać się od roboty; obijać się; nie przemęczać się

soldierlike ['souldʒə‚laik], **soldierly** ['souldʒəli] *adj* żołnierski

soldiery ['souldʒəri] *s zbior* żołnierze; żołnierstwo; żołdactwo; soldateska; wojsko

sole[1] [soul] ⬜ *s* 1. *anat* podeszwa, część spodnia stopy 2. stopa (u nogi, skarpetki, pończochy) 3. podeszwa, zelówka; **inner** ~ wyściółka do obuwia 4. *techn* podstawa; stopa; *górn* spąg ⬛ *vt* podzelow-ać/ywać

sole[2] [soul] *s zoo* sola (ryba)

sole[3] [soul] *adj* 1. jedyny; wyłączny 2. *prawn* (*o kobiecie*) niezamężna; samotna

solecism ['sɔli‚sizəm] *s* 1. solecyzm, błąd językowy <składniowy, gramatyczny> 2. gafa

solemn ['sɔləm] *adj* 1. uroczysty, solenny 2. poważny 3. namaszczony

solemnity [sə'lemniti] *s* 1. uroczysty obrzęd 2. uroczystość; uroczyste święto 3. powaga

solemnization ['sɔləmnai'zeiʃən] *s* 1. uroczysty obchód (dnia, święta) 2. uroczyste dopełnienie (ślubu, obrzędu itd.)

solemnize ['sɔləm‚naiz] *vt* 1. uroczyście obchodzić (dzień, święto) 2. uroczyście dokon-ać/ywać (**sth** czegoś — ślubu, obrzędu itd.)

solen. ['soulən] *s zoo* okładniczka (mięczak)

solenoid ['souli‚nɔid] *s elektr* solenoid

sol-fa [sɔl'fɑ:] ⬜ *s muz* solfeż ⬛ *vi muz* solfemizować

solfatara [‚sɔlfə'tɑ:rə] *s geol* solfatara

solfeggio [sɔl'fedʒi‚ou] *s* (*pl* **solfeggi** [sɔl'fedʒi]) *muz* solfeż

solicit [sə'lisit] ⬜ *vt* 1. prosić (**sb for sth, sth from sb** kogoś o coś; **a favour etc. of sb** kogoś o grzeczność <o wyświadczenie przysługi>); upraszać; zwr-ócić/acać się (**sb for sth** do kogoś o coś); nagabywać; molestować; narzucać się (**sb komuś**) 2. ubiegać się <robić starania> (**sth** o coś) 3. przyciągać (czyjąś uwagę) ⬛ *vi* (*o prostytutce*) zaczepiać mężczyzn na ulicy

solicitation [sə‚lisi'teiʃən] *s* 1. prośba 2. *zbior* zachody; starania 3. zaczepianie mężczyzn w celach nierządu

solicitor [sə'lisitə] *s* 1. doradca prawny 2. **the Solicitor General** państwowy radca prawny 3. *am* agent firmowy; akwizytor

solicitous [sə'lisitəs] *adj* 1. pragnący, spragniony; **to be** ~ **of sth** <**to do sth**> pragnąć <chcieć> czegoś <coś zrobić>; rwać się do czegoś <do tego, żeby coś zrobić> 2. staranny; pieczołowity; troskliwy; **to be** ~ **for** _ troszczyć się o ...

(coś) 3. zatroskany; niespokojny; **to be ~ about** <concerning> sth niepokoić się o coś

solicitude [sə'lisi,tju:d] s troska; troskliwość; staranność; pieczołowitość

↯**solid** ['solid] ① adj 1. (o ciele fizycznym) stały; (o płynie, gazie) **to become ~** zestal-eć/ać się; prze-jść/chodzić w stan stały; s/krzepnąć; s/tężeć 2. lity; masywny; (o gumie itd) pełny 3. nieprzerwany; **two ~ hours** <days etc.> pełne <bite> 2 godziny <dni itd.> 4. solidny; trwały; mocny 5. (o kolorach itd) jednolity 6. (o człowieku, firmie itd) solidny; rzetelny; zasługujący na zaufanie 7. druk solutowy 8. (o działaniu itd) jednomyślny; jednolity; niepodzielny; **to be ~ for_** mamy murem <jak jeden mąż> za ... (kimś) 9. mat bryłowaty; sześcienny; trójwymiarowy; **a ~ figure** bryła 10. stereometryczny; **~ geometry** stereometria ③ s 1. ciało stałe 2. bryła 3. pl **~s** pożywienie w stanie stałym <w kostkach>

solidarity [,soli'dæriti] s solidarność

solid-hoofed ['solid,hu:ft] adj zoo jednokopytny

solidification [sə,lidifi'keiʃən] s zestal-enie/anie; s/tężenie; s/krzepnięcie, zgęszczenie

solidify [sə'lidi,fai] v (**solidified** [sə'lidi,faid], **solidified; solidifying** [sə'lidi,faiiŋ]) ① vt stężać; zestal-ić/ać ③ vi s/tężeć; zestal-ić/ać się; s/krzepnąć

solidity [sə'liditi] s 1. solidność; trwałość; moc 2. masywność 3. rzetelność

solidungular [,soli'dʌŋgjulə], **solidungulate** [,soli'dʌŋgjulit] adj zoo jednokopytny

solidus ['solidəs] s (pl **solidi** ['soli,dai]) 1. moneta starorzymska 2. druk kreska pochyła (np. 7/6 = 7 szylingów i 6 pensów)

soliloquize [sə'lilə,kwaiz] vi mówić do siebie

soliloquy [sə'lilə,kwi] s 1. monolog 2. mówienie do siebie

soliped ['soli,ped] ① s zwierzę jednokopytne ③ adj zoo jednokopytny

solitaire [,soli'teə] s 1. soliter (klejnot) 2. pasjans 3. gra rozrywkowa na jedną osobę 4. odludek

solitary ['solitəri] ① adj 1. samotny; odosobniony; **not a ~ one** ani jeden; ani na lekarstwo; **~ confinement** osadzenie w samotnej celi 2. (o miejscowości) ustronny; odludny 3. pojedynczy; odosobniony; wyjątkowy ③ s 1. odludek; samotnik 2. pustelnik; eremita 3. = **~ confinement**

solitude ['soli,tju:d] s 1. samotność; osamotnienie 2. pustynia

solmizate ['solmi,zeit] vi muz solfemizować

solmization [,solmi'zeiʃən] s muz solfemizacja

solo ['soulou] ① s 1. (pl także **soli** ['soulai]) muz solo 2. karc gra w pojedynkę przeciw trzem kontrpartnerom 3. lotn lot w pojedynkę ③ adj 1. (o motocyklu itd) jednoosobowy 2. lotn (o locie) w pojedynkę ③ adv lotn (latać) w pojedynkę

soloist ['soulouist] s muz solist-a/ka

Solomon ['soləmən] spr **~'s seal** a) gwiazda sześcioramienna b) bot kokoryczka

solstice ['solstis] s astr przesilenie dnia z nocą

↯**soluble** ['soljubl] adj 1. rozpuszczalny 2. (o zagadce itd) (możliwy) do rozwiązania

solus ['souləs] adj praed (f **sola** ['soulə]) sam jeden; teatr sam; żart sam jeden, osamotniony

solute [sə'lju:t] s chem substancja rozpuszczona

↯**solution** [sə'lu:ʃən] s 1. rozłączenie; rozdzielenie; med przerwa (ciągłości itd.); rozłożenie 2. chem rozpuszczenie 3. chem roztwór; rozczyn 4. rozwiązanie (zagadki, problemu itd.); zlikwidowanie (trudności itd.) 4. (także **rubber ~**) płynna guma 5. fiz rozkład

solvable ['solvəbl] adj 1. rozpuszczalny 2. rozwiązalny

solvate ['solveit] s chem solwat (roztwór)

solvation [sol'veiʃən] s chem solwatyzacja (połączenie chemiczne ciała rozpuszczanego z rozpuszczalnikiem)

solve [solv] vt rozwiąz-ać/ywać (węzeł, zagadkę, kwestię itd.); **to ~ a difficulty** znaleźć wyjście z trudności

solvency ['solvənsi] s wypłacalność

solvent ['solvənt] ① adj 1. handl wypłacalny 2. chem rozpuszczający ③ s chem rozpuszczalnik

sombre ['sombə] adj 1. ciemny; mroczny 2. ponury; posępny 3. smutny; przygnębiony

sombrero [som'breərou] s sombrero

some [sʌm] ① pron 1. gdy zastępuje rzeczownik w liczbie mnogiej: a) niektó-rzy/re; **~ of the pictures were very good** niektóre z tych obrazów były bardzo dobre; **~ praised it and ~ disapproved** niektórzy to chwalili, a niektórzy ganili b) kilk-u/a; **he asked for apples and I gave him ~** prosił o jabłka i dałem mu kilka c) ta-cy/kie; **most spectators wept but I saw ~ who laughed** widzowie przeważnie płakali, ale widziałem takich, którzy się śmiali d) nie tłumaczy się: **let's buy ~ cigarettes — I have ~** kupmy papierosy — ja mam 2. gdy zastępuje rzeczownik w liczbie pojedynczej: a) trochę; **he needed black paint so I gave him ~** (on) potrzebował czarnej farby, więc mu dałem trochę b) nie tłumaczy się: **if you want any sugar I'll bring you ~** jeżeli chcesz cukru, to ci przyniosę 3. część; **~ of the audience left the room** część audytorium wyszła; **~ of the iron is rusty** część tego żelaza zardzewiała ③ adj 1. przed rzeczownikiem policzalnym <jednostkowym> w liczbie pojedynczej: jakiś; pewien; niejaki; **~ fool has opened the tap** jakiś idiota odkręcił kurek 2. przed rzeczownikiem niepoliczalnym <niejednostkowym> w liczbie pojedynczej: a) nie tłumaczy się: **I need ~ water** potrzebuje wody b) trochę; nieco; **I can give you ~ water** mogę ci dać trochę wody 3. przed rzeczownikiem w liczbie mnogiej: a) nie tłumaczy się: **I saw ~ people walking in** widziałem ludzi wchodzących b) kilku, kilka, kilkoro; **~ years ago** kilka lat temu c) niektó-rzy/re; **~ people liked it** niektórym ludziom <byli tacy, którym> to się podobało 4. (także **~ ... or other**) któryś; **I read it in ~ paper (or other)** czytałem to w którejś <jakiejś> gazecie; **~ day he'll turn up** któregoś dnia on się tu zjawi; **~ time** kiedyś 5. sporo, niemało; **we had ~ trouble with him** mieliśmy z nim niemało kłopotu 6. jednak <przynajmniej, przecież> jakiś ...; **that's ~ consolation** w tym przynajmniej jest <przecież jest> jakaś pociecha 7. am sl nie byle jaki; **that was ~ performance** to było nie byle jakie przedstawienie 8. z naciskiem na **~**: choć trochę; **have ~ consideration for his age** zważ/cie choć trochę na jego wiek Ⅲ *adv* 1. około; mniej więcej; z; jakieś; **we walked ~ twenty miles** szliśmy około <mniej więcej, z, jakieś> 20 mil 2. *sl* bardzo; niemało; **he fretted ~ on** się bardzo denerwował

somebody ['sʌmbədi] Ⅰ *s* ktoś (ważny); ważna osoba; **here he is (a) ~ but there he is nobody** tutaj on jest kimś, ale tam nikim nie jest <jest zerem> Ⅱ *pron* ktoś

somehow ['sʌm,hau] *adv* jakoś; w jakikolwiek sposób; w jakiś sposób; **~ or other** a) jakoś; w jakikolwiek sposób; tak czy inaczej b) w jakiś dziwny <niewytłumaczony> sposób

someone ['sʌm,wʌn] = **somebody** *pron*

somersault ['sʌmə,sɔːlt] Ⅰ *s* koziołek; *sport* salto; **to turn a ~** przekoziołkować; **to turn ~s** koziołkować; robić <*pot* fikać> koziołki Ⅲ *vi* przekoziołkować

somerset ['sʌməsit] = **somersault**

Somerset House ['sʌməsit,haus] *spr* archiwum londyńskie

something ['sʌmθiŋ] Ⅰ *s* 1. coś; **~ or other** coś; coś tam (nie wiem co); **~ or other went wrong** coś się zepsuło, nie wiem co; **~ else** coś innego; *przed przymiotnikiem:* **~ good** <**interesting** etc.> coś dobrego <ciekawego itd.>; (*o kimś*) **to be ~ in** <**at**> **the ... Office** być czymś <zajmować jakieś stanowisko> w urzędzie; (*o kimś*) **to be ~ of a painter** <**botanist, chemist** etc.> znać się trochę na malarstwie <na botanice, chemii itd.>; **a little ~** odrobina czegoś; **to be ~ of a specialist** <**hero** etc.> być w pewnym sensie <w pewnej mierze, do pewnego stopnia> specjalistą <bohaterem itd.>; (*o czymś*) **to be ~** coś znaczyć; **it is ~ to have climbed so high** to coś znaczy, kiedy się ktoś wspiął tak wysoko; **~ of a sensation** <**an improvement** etc.> pewna sensacja <pewien postęp itd.>; **... or ~** ... czy coś takiego; **he broke his arm or ~** złamał sobie rękę czy coś takiego 2. (*o człowieku*) coś lepszego; ważna osoba; **he thinks himself ~** uważa się za coś lepszego <za ważną osobę> 3. coś niecoś; **having seen it I can say ~ about it** ponieważ widziałem to, mogę coś niecoś na ten temat powiedzieć Ⅱ **to be seeing ~ of sb** widywać kogoś; spotykać się z kimś Ⅲ *adv* nieco; trochę; odrobinę; **they were ~ more cordial than the day before** byli nieco serdeczniejsi niż poprzedniego dnia; **~ like __** a) jak gdyby ... b) (*przed liczbą, terminem*) około ...; mniej więcej ...; **it's ~ like 6 o'clock** jest mniej więcej szósta c) *sl z naciskiem na* like: prawdziwy; co się zowie; **that's ~ like** singing to jest prawdziwy śpiew; *pot* to się nazywa śpiew

sometime ['sʌm,taim] Ⅰ *adv* kiedyś Ⅱ *adj praed* były

sometimes ['sʌmtaimz] *adv* czasami, czasem; niekiedy; od czasu do czasu

someway ['sʌm,wei] *adv* jakoś; **~ or other** jakoś tam

somewhat ['sʌm,wɔt] Ⅰ *adv* nieco; **it is ~ hazy** to jest nieco mgliste Ⅱ *pron* **~ of a __** niejaki; w pewnym sensie; do pewnego stopnia; **he is ~ of an artist** on jest niejako <poniekąd, do pewnego stopnia> artystą; on zakrawa na artystę

somewhere ['sʌm,wɛə] *adv* 1. gdzieś; **~ else** gdzie indziej 2. około; mniej więcej; **she was ~ about**

70 when she died miała około <*pot* gdzieś, coś, koło> 70 lat, kiedy zmarła; **~ about** <**round**> **six o'clock** około szóstej (godziny)

somite ['soumait] *s zoo* segment, metamer

somnambulism [sɔm'næmbju,lizəm] *s* somnambulizm, lunatyzm

somnambulist [sɔm'næmbjulist] *s* lunaty-k/czka, somnambuli-k/czka

somniferous [sɔm'nifərəs] *adj* (*o środku*) nasenny

somnolence ['sɔmnələns] *s* 1. senność; ospałość 2. *med* śpiączka

somnolent ['sɔmnələnt] *adj* 1. senny; ospały; śpiący 2. *med* wykazujący objawy śpiączki

son [sʌn] *s* syn; potomek; **my ~!** synu!; **The Son of God** Syn Boży; **The Son of Man** Syn Człowieczy; *żart* **you old ~ of a gun** ty łobuzie <draniu>!

sonant ['sounənt] Ⅰ *adj* (*o głosie*) dźwięczny Ⅲ *s fonet* 1. sonant 2. głoska dźwięczna

sonata [sə'nɑːtə] *s muz* sonata

▲**song** [sɔŋ] *s* 1. śpiew; **to burst forth into a ~** zaśpiewać 2. *muz* pieśń, piosenka; **it's nothing to make a ~ about** to nie ma znaczenia; nie ma nawet o czym mówić; **to buy** <**get**> **something for a** <**for an old**> **~** naby-ć/wać <kup-ić/ować> coś za bezcen <za pół darmo> 3. poezja 4. pieśń nabożna; *bibl* **the Song of Songs** Pieśń nad Pieśniami

song-bird ['sɔŋ,bəːd] *s* ptak śpiewający

song-book ['sɔŋ,buk] *s* zbiór pieśni; śpiewnik

songless ['sɔŋlis] *adj* (*o ptaku*) nie śpiewający

songster ['sɔŋstə] *s* 1. śpiewak; piosenkarz 2. piewca 3. poeta 4. ptak śpiewający

songstress ['sɔŋstres] *s* 1. śpiewaczka; pieśniarka 2. poetka

song-thrush ['sɔŋ,θrʌʃ] *s zoo* drożdzik (ptak)

▲**sonic** ['sɔnik] *adj* dźwiękowy; **~ mine** mina akustyczna

soniferous [sə'nifərəs] *adj* 1. wydający dźwięk 2. dźwięczny; brzmiący

son-in-law ['sʌnin,lɔ] *s* (*pl* **sons-in-law** ['sʌnzin,lɔ]) zięć

sonnet ['sɔnit] *s* sonet

sonneteer [,sɔni'tiə] *s* sonecista

sonny ['sʌni] *s* synuś, synek

sonometer [sou'nɔmitə] *s akust* sonometr

sonority [sə'nɔriti] *s akust* dźwięczność

sonorous [sə'nɔːrəs] *adj* 1. *fonet* dźwięczny 2. (*o głosie*) donośny 3. (*o stylu itd*) górnolotny, szumny

sonsy ['sɔnsi] *adj* (**sonsier** ['sɔnsiə], **sonsiest** ['sɔnsiist]) *szkoc* hoży

soojee ['suːdʒi] *s* (*w Indiach*) mąka pszenna

soon [suːn] *adv* 1. niebawem; prędko; wnet; wkrótce; zaraz; nie(za)długo; **how ~?** kiedy?; czy <jak> prędko?; **how ~ will you be ready?** kiedy <czy wnet> będziesz gotów? 2. wcześnie; **as ~ as** skoro tylko; ledwo; zaledwie; **as ~ as possible** jak najwcześniej; **no ~er than** ledwo; zaledwie; **no ~er had we started than it began to rain** ledwo ruszyliśmy, zaczęło lać; **no ~er said than done** jak się rzekło, tak się stało; **~er or later** prędzej czy później; **the ~er the better** im wcześniej tym lepiej; **least said ~est mended** im mniej słów, tym lepiej 3. chętnie; **I would as ~ __, I would ~er __** chętniej bym ...; wolałbym ...; raczej bym ...; już prędzej bym ...

soot [sut] Ⅰ s sadz-a/e; kopeć; *med* ~ **cancer** rak kominiarzy Ⅲ *vt* 1. pokry-ć/wać <u/smarować> sadzą 2. użyźni-ć/ać sadzami (glebę) 3. (*także* ~ **up**) okopc-ić/ać; zakopcić

sooth [suːθ] s prawda; **in (good)** ~ naprawdę; ~ **to say** prawdę mówiąc

soothe [suːð] *vt* 1. uspok-oić/ajać; ucisz-yć/ać 2. uśmierz-yć/ać (ból); u/koić 3. schlebi-ć/ać (**sb, sb's vanity** komuś, czyjejś próżności) *zob* **soothing**

soother ['suːðə] s smoczek

soothing ['suːðiŋ] Ⅰ *zob* **soothe** Ⅲ *adj* uspokajający; uśmierzający, kojący

soothsayer ['suːθˌseiə] s wróżbia-rz/rka

soothsaying ['suːθˌseiiŋ] s wróżenie; wróżbiarstwo

sootiness ['sutinis] s okopcenie

sooty ['suti] *adj* (**sootier** ['sutiə], **sootiest** ['sutiist]) 1. zakopcony; okopcony; czarny od sadzy 2. czarny jak sadza

sop [sɔp] Ⅰ s 1. maczanka; ~ **in the pan** bułka maczana w mleku i smażona; grzanka 2. okup; łapówka; *przen* **to throw a** ~ **to Cerberus** okupić się Ⅲ *vt* (**-pp-**) maczać (chleb w sosie itd.) Ⅲ *vi* (**-pp-**) (*także* **to be** ~ **ping (wet)**) być przemoczonym, ociekać (**wodą**)
~ **up** *vt* wy-trzeć/cierać (rozlany płyn)

sophism ['sɔfizəm] s sofizmat

sophist ['sɔfist] s sofista

sophister ['sɔfistə] s 1. *uniw* (*w Oxfordzie i Cambridge*) student/ka drugiego lub trzeciego roku 2. *uniw* (*w Trinity College i niektórych uczelniach amerykańskich*) student/ka trzeciego lub czwartego roku

sophistic(al) [sə'fistik(əl)] *adj* 1. sofistyczny; wykrętny 2. sofizmatyczny

sophisticate [sə'fistiˌkeit] Ⅰ *vt* 1. s/fałszować 2. przekręc-ić/ać (tekst itd.) 3. przetykać (temat itd.) sofizmatami Ⅲ *vi* bawić się w sofizmaty; mówić wykrętnie *zob* **sophisticated**

▲**sophisticated** [sə'fistiˌkeitid] Ⅰ *zob* **sophisticate** Ⅲ *adj* 1. przemądrzały 2. (*o stylu itd*) wyrafinowany; wyszukany; wymyślny 3. (*o człowieku*) doświadczony; bywały 4. (*o młodej kobiecie*) uświadomiona

sophistication [səˌfistiˈkeiʃən] s 1. sofistyka 2. przemądrzałość 3. fałszowanie 4. doświadczenie (życiowe)

sophistry ['sɔfistri] s sofistyka

sophomore ['sɔfəˌmɔː] s *am uniw* student/ka drugiego roku

soporific [ˌsoupəˈrifik] Ⅰ *adj* 1. *farm* nasenny, wywołujący sen 2. śpiączkowy Ⅲ s środek nasenny

soporiferous [ˌsoupəˈrifərəs] *adj* wywołujący głęboki sen

soppy ['sɔpi] *adj* (**soppier** ['sɔpiə], **soppiest** ['sɔpiist]) 1. (*o terenie itd*) podmokły, rozmokły 2. (*o człowieku*) sflaczały; bez energii; bez ikry 3. (*o utworze lit.*) sentymentalny; ckliwy 4. *pot* zadurzony <zakochany> (**on sb** w kimś)

▲**soprano** [sə'prɑːnou] s (*pl* ~, **soprani** [sə'prɑːni]) *muz* sopran; ~ **voice** głos sopranowy, sopran

sorb [sɔːb] s *bot* jarzębina

sorbet ['sɔːbət] s sorbet (napój orzeźwiający)

sorcerer ['sɔːsərə] s czarodziej; czarnoksiężnik

sorceress ['sɔːsəris] s czarodziejka

▲**sorcery** ['sɔːsəri] s czary

sordid ['sɔːdid] *adj* 1. brudny; nędzny; plugawy; obskurny; wstrętny 2. podły; nikczemny 3. skąpy

sordidness ['sɔːdidnis] s 1. brud; nędza; plugastwo; obskurny <wstrętny> wygląd 2. podłość; nikczemność 3. skąpstwo

sordin [sɔːˈdiːn], **sordino** [sɔːˈdiːnou] s *muz* surdynka; tłumik

▲**sore** [sɔː] Ⅰ s 1. *med* owrzodzenie; rana; ból; otarcie; otarte miejsce 2. przykre wspomnienie; **to re-open old** ~**s** odśwież-yć/ać <odnawiać, otwierać> stare rany Ⅲ *adj* 1. (*o miejscu na ciele, części ciała*) chory, bolący; bolesny; otarty; **I am** ~ **all over** wszystko mnie boli; **I had a** ~ **foot** otarłem sobie stopę; **I have a** ~ **throat** <**head**> gardło <głowa> mnie boli; **a sight for** ~ **eyes** widok zachwycający <od którego serce rośnie>; *przen* **like a bear with a** ~ **head** w złym <*pot* morderczym> nastroju; *przen* **sb's** ~ **spot** czyjeś czułe miejsce 2. rozdrażniony <strapiony> (**about sth** czymś); zły (**about sth** o coś); **to get** ~ roz/gniewać <ze/złościć> sie 3. (*o temacie*) drażliwy 4. zmartwiony; ~ **at heart** niepocieszony 5. (*o strapieniu, potrzebie, pokusie itd*) wielki; ciężki; srogi; okrutny Ⅲ *adv lit* wielce; srodze; okrutnie

sorely ['sɔːli] *adv* bardzo; wielce; srodze; okrutnie

soreness ['sɔːnis] s 1. ból; boleść 2. strapienie 3. złość; irytacja; rozdrażnienie 4. uczucie żalu; uraza

sorghum ['sɔːɡəm] s sorgo (proso afrykańskie)

sorites [sə'raitiːz] s *log* soryt (wniosek łańcuchowy)

sorority [sə'rɔriti] s *am* żeńskie koło studenckie

▲**sorrel¹** ['sɔrəl] s *bot* szczaw

sorrel² ['sɔrəl] Ⅰ *adj* gniady Ⅲ s 1. gniadosz (koń) 2. jeleń dwulatek

sorrow ['sɔrou] Ⅰ s 1. smutek 2. żal Ⅲ *vi* 1. za smucić się (**at** <**over, for**> **sth** czymś) 2. opłakiwać (**after** <**for**> **sb, sth** kogoś, coś)

sorrowful ['sɔrouful] *adj* 1. smutny; zasmucony; pogrążony w smutku 2. (*o wieści, spojrzeniu itd*) smutny; pełen smutku; bolesny; żałosny

sorrowfully ['sɔroufuli] *adv* ze smutkiem; żałośnie

sorrow-stricken ['sɔrouˌstrikən] *adj* pogrążony w smutku

sorry ['sɔri] *adj* (**sorrier** ['sɔriə], **sorriest** ['sɔriist]) 1. *praed* zmartwiony; **to be** ~ **about sth** zmartwić się czymś <wiadomością o czymś>; **I am** ~ **about that** <**to hear that**> bardzo mi przykro; wielka szkoda; **to be** ~ **for sth** żałować czegoś (popełnienia czynu itd.); **to be** ~ **for sb** żałować kogoś; **I am** ~ **for you** żal mi ciebie; **to be** ~ **to do sth** niechętnie <z przykrością> coś z/robić; **I am** ~ **to say** z przykrością donoszę; niestety muszę powiedzieć; **we were** <**not**> ~ **to leave** przykro nam było <nie żal nam było> odejść; **I am** ~ **!** (*także* ~ **!**) przepraszam; **I'm so** <**awfully**>~ bardzo przepraszam; *przy odmowie:* **I'm** ~ niestety 2. kiepski; marny; lichy; nędzny 3. smutny; żałosny; **to make a** ~ **appearance** żałośnie wyglądać <przedstawiać się>

sort¹ [sɔːt] s 1. rodzaj; gatunek; klasa; **all** ~**s of people** <**things**> wszelkiego rodzaju ludzie <rzeczy>; **and all that** ~ **of thing** itd., itp.; **of**

all ~s wszelkiego rodzaju <gatunku>; a ~ of __ jakiś tam ... (agent, magik itd.); coś w rodzaju ... (agenta, magika itd.); **after a ~** poniekąd; w pewnej mierze; **did you mean something of this ~?** czy pan/i miał/a na myśli coś w tym rodzaju? <coś takiego?>; **nothing of the ~** nic podobnego; **what ~ of ... is it?** jaki to ...?: *pot* **these ~ of people** <things> tego rodzaju ludzie <rzeczy> 2. rodzaj <pokrój> (człowieka);**a mam of this ~** człowiek tego pokroju; **what ~ of fellow is he?** jaki to człowiek? 3. *pot* facet; gość; chłop; **he's not a bad ~** to jest porządny gość <facet, chłop> 4. *druk* asortyment (czcionek) 5. *w wyrażeniach o charakterze przydawki:* a) **of a ~**, **of ~s** uchodzący za ... (coś); mający być ... (czymś); **tea of a ~ <of ~s** coś, co uchodzi <uchodziło> za herbatę; coś co ma <miało> być herbatą; niby to herbata b) *handl* różny; rozmaity; mieszany; asortymentowy; **nibs <buttons, nails etc.> of ~s** stalówki <guziki, gwoździe itd.> mieszane <asortymentowe> 5. *przed czasownikiem: pot* **~ of __** jak gdyby ...; **he ~ of hesitated** on się jak gdyby zawahał; **I ~ of felt it** jak gdybym to czuł przez skórę ‖ **out of ~s** nie w humorze; niedysponowany; **to be out of ~s** czuć się niedobrze

sort² [sɔ:t] □ *vt* po/sortować; ułożyć/układać według gatunków <wielkości itd.>; u/porządkować □ *vi* zgadzać się <licować> **(with sth z czymś)**
    ~ out <over> *vt* wysortow-ać/ywać

sorter ['sɔ:tə] *s* sortownik (robotnik i przyrząd); braka-rz/rka

⧫**sortie** ['sɔ:ti] *s wojsk* wycieczka (oblężonych); wypad; *lotn* operacja, lot bojowy

sortilege ['sɔ:tilidʒ] *s* 1. rzucanie losów 2. *zbior* czary

sortition [sɔ'tiʃən] *s* rzucanie losów

sorus ['sɔ:rəs] *s (pl* **sori** ['sɔ:rai]) *bot* kupki (skupienia zarodni u paproci)

SOS ['esou'es] *s* sygnał rozpaczy; wołanie o ratunek

so-so ['sousou] □ *adj praed* jaki taki; taki sobie; znośny □ *adv* jako tako; znośnie; tak sobie

sot [sɔt] □ *s* opój □ *vi* (-tt-) pić <upijać się> nałogowo

sottish ['sɔtiʃ] *adj* otępiały <ogłupiały> przez nadużywanie alkoholu

sotto voce ['sɔtou'voutʃi] *adv wł* półgłosem

sou [su:] *s* grosz; sou (moneta francuska); miedziak; *przen* parę groszy; **not to have a ~** nie mieć grosza przy duszy

soubrette [su:'bret] *s* subretka

souchong ['su:'ʃɔŋ] *s (także ~ tea)* wyborowa czarna herbata

Soudanese [ˌsu:də'ni:z] □ *adj* sudański □ *s* Sudańczyk

souffle ['su:fl] *s med* szmer łagodny <chuchający, osłuchowy>; podmuch

soufflé ['su:flei] *s kulin* suflet

sough [sau] □ *vi* szumieć; szeleścić □ *s* szum; szelest

sought *zob* seek

soul [soul] *s* 1. dusza; *rel* **All Souls' Day** Dzień Zaduszny; **cure of ~s** duszpasterstwo; **departed ~s** zmarli; **heart and ~** całą duszą; **I daren't <couldn't> call my ~ my own** byłem w całko-

witej niewoli; **to keep body and ~ together** wegetować; **upon my ~!** jak pragnę żyć!; *pot* jak Boga kocham!; **with all my ~** z całego serca (rad); z największą gotowością 2. istota (człowieka); **my whole ~ revolted from it** cała moja istota buntowała się przeciw temu 3. *przen* dusza (zebrania, towarzystwa, przedsiębiorstwa itd.) 4. uosobienie (spokoju itd.) 5. dusza (człowiek, osoba); **a dull ~** nudziarz; **poor ~!** biedaczysko!; biedactwo!; **be a good ~ and __** bądź taki kochany i ...; **he's a good ~** to poczciwa dusza <poczciwina>: **the ship went down with 60 ~s on board** statek zatonął z sześćdziesięcioma ludźmi pasażerów i załogi; **not a ~** ani żywej duszy 6. ochota <skłonność> **(for sth do czegoś)**

soulful ['soulful] *adj* 1. pełny uczucia 2. *uj* sentymentalny

soulless ['soullis] *adj* bezduszny

⧫**sound¹** [saund] □ *s* 1. dźwięk; głos; odgłos; **within the ~ of __** w zasięgu głosu <dźwięku>...; **with the ~ of __** przy dźwiękach... 2. szmer; szum; **we didn't hear a ~** najmniejszego szmeru nie było słychać 3. brzmienie; **I didn't like the ~ of it** nieprzyjemnie mi to brzmiało (w uszach) 4. *muz* ton 5. *fonet* głoska □ *attr* dźwiękowy; (pochłanianie, ściszanie itd.) dźwięków: akustyczny; **~ power** natężenie dźwięku □ *vi* 1. za/brzmieć; rozle-c/gać się; da-ć/wać się słyszeć; **the bell ~ed** dał się słyszeć <usłyszano> głos dzwonka; **the trumpets ~ed** rozległy się dźwięki trąb 2. mieć brzmienie (miłe, fałszywe itd.); brzmieć **(queer <true, hollow etc.>** dziwnie <prawdziwie, pusto itd.>); wydawać dźwięk <odgłos>; (*o brzmieniu*) sprawiać <czynić> wrażenie; **it ~s as if it were raining** mam wrażenie, że deszcz pada; **it ~ed queer to me** brzmiało to dziwnie w moich uszach 3. wydawać się; **it ~ed to me like __** wydawało mi się, że...; **it ~s feasible** wydaje się, że to jest wykonalne □ *vt* 1. uderz-yć/ać **(the bell** w dzwon); za/grać **(the trumpet, the horn etc.** na trąbce <rogu itd.>); (trąbką itd.) da-ć/wać sygnał **(the retreat etc.** do odwrotu itd.); **to ~ sb's praises** wychwalać kogoś; **to ~ the alarm** bić <uderzyć> na trwogę <alarm>; zaalarmować wszystkich <okolicę itd.> 2. *fonet* wymawiać (jakąś literę wyrazu); **h <t etc.> is not ~ed in __** litery h <t itd.> nie wymawia się w... 3. ostuk-ać/iwać; opuk-ać/iwać *zob* **sounding¹**

sound² [saund] □ *adj* 1. zdrowy, zdrów; cieszący się dobrym zdrowiem; krzepki; *przysł* **a ~ mind in a ~ body** w zdrowym ciele zdrowy duch; **~ as a bell** zdrów jak ryba; **~ in life and limb** zdrów i cały 2. (*o przedmiocie*) w dobrym stanie; nie uszkodzony; (*o maszynie itd*) na chodzie 3. (*o wniosku, argumencie itd*) rozsądny; trafny; mądry; logiczny 4. (*o linii postępowania itd*) ostrożny; pewny 5. *handl* mocny; solidny; wypłacalny 6. (*o śnie*) głęboki; **to be a ~ sleeper** mieć dobry sen; dobrze sypiać 7. (*o biciu, laniu, batach*) solidny, tęgi; **to give sb a ~ thrashing** porządnie <solidnie> kogoś sprać; sprawić komuś solidne lanie <tęgie baty> □ *adv w zwrocie:* **to be ~ asleep** twardo spać; być pogrążonym w głębokim śnie

sound³ [saund] Ⓘ *vt* 1. *mar* wy/sondować; z/mierzyć głębokość (**the sea** etc. morza itd.) 2. *med* sondować Ⓘ *vi* 1. z/robić pomiary głębokości 2. (*o wielorybie itd*) nurkować ~ **out** *vt* wy/sondować <wy/badać> (kogoś) *zob* **sounding²** Ⓘ *s med mar* sonda; *med* zgłębnik

sound⁴ [saund] *s* 1. *geogr geol* cieśnina 2. *zoo* pęcherz pławny (ryby)

sound-board ['saund,bɔ:d] *s* 1. (*w fortepianie*) płyta rezonansowa 2. daszek (nad kazalnicą); odgłośnik

sound-box ['saund,bɔks] *s* 1. głowica akustyczna <*pot* główka> (gramofonu) 2. pudło rezonansowe (instrumentu muz.)

sounder¹ ['saundə] *s telegr* stukawka

sounder² ['saundə] *s mar* sonda ultradźwiękowa; echosonda

sound-film ['saund,film] *s* film dźwiękowy

sounding¹ ['saundiŋ] Ⓘ *zob* **sound¹** *v* Ⓘ *adj* 1. brzmiący (głośno, cicho itd.); dźwięczny 2. głośny 3. (*o frazesach, tytułach itd*) szumny 4. (*o obietnicach itd*) pusty

▲**sounding²** ['saundiŋ] Ⓘ *zob* **sound³** *v* Ⓘ *s* 1. *mar* sondowanie 2. *pl* ~**s** z/badanie głębiny morskiej; **to take** ~**s** sondować dno morza

sounding-balloon ['saundiŋ-bə,lu:n] *s* balonik do badania prądów atmosferycznych

sounding-board ['saundiŋ,bɔ:d] = **sound-board**

sounding-lead ['saundiŋ,led] *s mar* pogłębiacz (sondy)

sounding-line ['saundiŋ,lain] *s mar* lina sondy

soundless¹ ['saundlis] *adj* bezdźwięczny

soundless² ['saundlis] *adj* (*o morzu*) niezgłębiony

soundness ['saundnis] *s* 1. normalny <zdrowy> stan (człowieka, organizmu itd.); zdrowie 2. dobry stan (towaru, maszyny itd.) 3. mądrość <trafność, logiczność> (argumentu, wniosku) 4. solidność <wypłacalność> (firmy itd.)

sound-proof ['saund,pru:f] *adj* nie przepuszczający dźwięku

sound-track ['saund,træk] *s* film ścieżka dźwiękowa

sound-wave ['saund,weiv] *s* fala dźwiękowa <akustyczna>

soup [su:p] *s* zupa; (*także* **clear** ~) rosół; bulion; ~ **in cakes** zupa w kostkach; *pot przen* **in the** ~ w kłopotach; w tarapatach; w opałach

soup-kitchen ['su:p,kitʃin] *s* bezpłatna jadłodajnia <garkuchnia>

soup-ladle ['su:p,leidl] *s* łyżka wazowa

soup-plate ['su:p,pleit] *s* głęboki talerz

soup-square ['su:p,skweə] *s* zupa w kostce

soup-ticket ['su:p,tikit] *s* bloczek do bezpłatnej jadłodajni <garkuchni>

soup-tureen ['su:p-tə,ri:n] *s* waza

sour ['sauə] Ⓘ *adj* 1. kwaśny; skwaśniały; *dosł i przen* (*o smaku, uwadze, tonie itd*) cierpki; ~ **cream** (kwaśna) śmietana; ~ **milk** kwaśne <zsiadłe> mleko; **to turn** ~ skwaśnieć 2. (*o odezwaniu się*) szorstki 3. *roln* (*o glebie*) kwaśny 4. (*o człowieku*) zgorzkniały Ⓘ *vt* 1. zakwa-sić/szać 2. s/kwasić 2. napełni-ć/ać (kogoś) goryczą Ⓘ *vi* 1. s/kwaśnieć; (*o mleku*) zsi-ąść/adać się 2. (*o człowieku*) zgorzknieć *zob* **soured** Ⓘ *s* 1. kwas, kwaśność 2. *przen* gorycz (życia itd.)

▲**source** [sɔ:s] *s* 1. *dosł i przen* źródło (rzeki, wiado-

mości, zła itd.) 2. początek; pochodzenie; **the river takes its** ~ **at** _ rzeka bierze początek w... (miejscowości) 3. źródła (do pracy literackiej, naukowej)

source-book ['sɔ:s,buk] *s* zbiór źródeł <materiał źródłowy> do historii (miejscowości, okresu itd.)

sourdine [suə'di:n] *s muz* surdyna, surdynka; tłumik

sourdough ['sauə,dou] *s* 1. zakwas 2. *am* weteran z okresu gorączki złota na Alasce

soured ['sauəd] Ⓘ *zob* **sour** *v* Ⓘ *adj* zgorzkniały

sourish ['sauəriʃ] *adj* kwaskowaty

sourness ['sauənis] *s* 1. kwaśny smak 2. cierpkość 3. *przen* zgorzkniałość

sour-sweet ['sauə,swi:t] *adj* kwaśnosłodki

souse¹ [saus] *s* 1. marynata 2. marynowane mięso 3. zanurzenie (w wodzie itd.); kąpiel 4. skok do wody 5. przemoczenie; **we got a** ~ zmokliśmy; przemokliśmy 6. pijatyka; libacja; *pot* biba 7. *am* bibosz; birbant; hulaka Ⓘ *vt* 1. za/marynować; po/trzymać w marynacie 2. wrzuc-ić/ać do wody 3. zanurz-yć/ać 4. przem-oczyć/akać; **to** ~ **water over sb, sth** lać wodę na <obl-ać/ewać wodą> kogoś, coś Ⓘ *vi* 1. marynować się 2. sk-oczyć/akać do wody 3. wpa-ść/dać do wody 3. przem-oknąć/akać *zob* **soused**

souse² [saus] Ⓘ *vi* 1. (*o jastrzębiu itd*) rzuc-ić/ać się (na zdobycz) 2. *lotn* pikować Ⓘ *adv* nagle; **he came** ~ **into our midst** wpadł nagle między nas

soused [saust] Ⓘ *zob* **souse¹** *v* Ⓘ *adj sl* zalany; wstawiony; upity

soutane [su:'ta:n] *s* sutanna

souteneur [,su:tə'nə:] *s* sutener

south [sauθ] Ⓘ *adv* ku południowi, na południe, w kierunku południowym Ⓘ *s* południe (kraju, Europy, St. Zjedn. itd.) Ⓘ *adj* południowy; **the South Sea** Południowy Pacyfik Ⓘ *vi* 1. po-su-nąć/wać się ku południowi 2. (*o księżycu*) prze-jść/chodzić przez południk *zob* **southing**

South-African ['sauθ'æfrikən] *adj* południowo-afrykański

South-American ['sauθ-ə'merikən] *adj* południowo-amerykański

south-bound ['sauθ,baund] *adj* jadący <płynący, lecący> na południe

southdown ['sauθ,daun] *s* angielska rasa owiec bezrogich z krótką wełną

south-east ['sauθ'i:st] Ⓘ *adj* południowo-wschodni Ⓘ *adv* ku południowemu wschodowi Ⓘ *s* południo-wschód; południowy wschód

south-easter ['sauθ'i:stə] *s* wiatr południowo-wschodni

south-easterly ['sauθ'i:stəli], **south-eastern** ['sauθ'i:stən] *adj* południowo-wschodni

southern ['sʌðən] Ⓘ *adj* (*o okolicy, kraju, półkuli itd*) południowy Ⓘ *s* = **southerner**

southerner ['sʌðənə] *s* 1. południowiec 2. (*am* **southener**) mieszkaniec południowego stanu USA

southernmost ['sʌðən,moust] *adj* wysunięty najdalej na południe

southernwood ['sʌðən,wud] *s bot* bylica boże drzewko

southing ['sauθiŋ] Ⓘ *zob* **south** *v* Ⓘ *s mar* różnica w szerokości geograficznej powstająca w miarę posuwania się na południe southron ['sʌðrən] s szkoc 1. południowiec 2. Anglik

southward ['sauθwəd] Ⅰ adj (o kierunku itd) południowy Ⅲ adv = southwards Ⅲ s południe (strona świata)

southwards ['sauθwədz] adv (jadący itd.) na południe <ku południowi>

south-west ['sauθ'west] Ⅰ adj południowo-zachodni Ⅲ adv ku południowemu zachodowi Ⅲ s południowy zachód; południo-zachód

south-wester ['sauθ'westə] s 1. wiatr południowo-zachodni 2. mar zw sou'wester ['sau'westə]) ziudwestka

south-westerly ['sauθ'westəli], south-western ['sauθ 'westən] adj południowo-zachodni; (o wietrze) wiejący z południowego zachodu

souvenir ['su:və,niə] s 1. pamiątka 2. drobny upominek

sou'wester zob south-wester

sovereign ['sɔvrin] Ⅰ s 1. monarcha; król; władca 2. suweren (moneta); funt szterling; half ~ 10 szylingów Ⅲ adj 1. (o władzy itd) najwyższy 2. wszechwładny; samowładny; monarszy; our ~ Lord miłościwie nam panujący 3. (o prawach itd) suwerenny; nieograniczony 4. skrajny; with ~ contempt z najwyższą pogardą 5. (o leku itd) znakomity; niezastąpiony

sovereignty ['sɔvrənti] s 1. najwyższa władza; wszechwładza 2. suwerenność 3. zwierzchnictwo

Soviet ['souvjet] Ⅰ s 1. rada (organ władzy państwowej w ZSRR); the Union of ~ Socialist Republics Związek Socjalistycznych Republik Rad 2. obywatel radziecki Ⅲ attr radziecki; ~ Government rząd radziecki; ~ Power władza radziecka; ~ man = ~ s 2.; the ~ Union Związek Radziecki

sovietism ['souvje,tizəm] s zaprowadzenie ustroju rad

sovietize ['souvje,taiz] vt zaprowadz-ić/ać ustrój rad

▲sow¹ [sau] s 1. zoo maciora; locha; to get the wrong <right> ~ by the ear zwrócić się pod niewłaściwym <właściwym> adresem 2. metal kanał spustowy (do surówki)

sow² [sou] vt (praet sowed [soud], pp sowed, sown [soun]) po/siać; wysi-ać/ewać; zasi-ewać/ać; to ~ a field with wheat <rye etc.> obsi-ać/ewać pole pszenicą <żytem itd.>; he who ~s the wind must reap the whirlwind kto sieje wiatr, ten zbiera burzę; przen to ~ terror <the seeds of dissention> siać postrach <niezgodę>; zob sowing, sown

sowar [sə'wɑ:] s (w Indiach) 1. kawalerzysta 2. policjant konny

sowbread ['sau,bred] s bot cyklamen europejski

sower ['souə] s siewca

sowing ['souiŋ] Ⅰ zob sow² Ⅲ s siew; zasiew/y; ~ time pora zasiewów

sowing-machine ['souiŋ-mə,ʃi:n] s mech roln siewnik

sown [soun] Ⅰ zob sow² Ⅲ adj 1. posiany 2. obsiany 3. usiany (o łące — kwiatami, o niebie — gwiazdami itd.)

sow-thistle ['sau,θisl] s bot mlecz

soy [sɔi] s kulin (w Chinach i Japonii) sos z fasoli sojowej

soya-bean ['sɔiə,bi:n], soybean ['sɔi,bi:n] s bot soja; fasola sojowa; ~ oil olej sojowy

sozzled ['sɔzld] adj sl ululany, zalany; pijany w sztok

spa [spɑ:] s 1. zdrój 2. miejscowość kuracyjna <kąpielowa>; zdrojowisko

▲space [speis] Ⅰ s 1. przestrzeń; into ~ a) w pustą przestrzeń b) w przestrzeń kosmiczną; outer ~ przestrzeń kosmiczna <międzyplanetarna> 2. odstęp (między ustawionymi przedmiotami itd.) 3. miejsce (zajmowane w przestrzeni); obszar; teren, strefa 4. przeciąg (czasu); okres; ciąg; in <within> the ~ of 10 minutes w ciągu <w przeciągu> 10 minut 5. pewien <jakiś> czas; for a ~ na <przez> pewien czas 6. druk spacja 7. (w maszynie do pisania) wierszak 8. (przy pisaniu na maszynie) odstęp Ⅲ vt 1. (także ~ out) rozstawi-ć/ać 2. druk (także ~ out) spacjować 3. robić odstępy (the lines etc. między wierszami itd.)

space-bar ['speis,bɑ:] s (u maszyny do pisania) odstępnik

spaceless ['speislis] adj bezkresny

space-lines ['speis,lainz] spl rz druk interlinie

spacer ['speisə] s 1. = space s 6. 2. = space-bar 3. techn przekładka; rozpórka; odstępnik

space-writer ['speis,raitə] s dziennikarz płatny od wiersza

spacing ['speisiŋ] Ⅰ zob space v Ⅲ s druk spacjowanie; ~ strip wzornik, szablon

spacious ['speiʃəs] adj obszerny; przestronny

spade [speid] Ⅰ s łopata; to call a ~ a ~ nazywać rzeczy po imieniu Ⅲ vt kopać (ziemię)

spadeful ['speidful] s (pełna) łopata (ziemi itd.)

spades [speidz] spl karc piki

spade-work ['speid,wə:k] s 1. roboty ziemne 2. przen (gruntowna) praca przygotowawcza (do wykonania jakiegoś przedsięwzięcia)

spadger ['spædʒə] s sl wróbel

spadille [spə'dil] s karc (w lombrze) spadilla (as pikowy)

spadix ['speidiks] s (pl spadices [spei'daisi:z]) bot kolba (kukurydzy itd.)

spado ['speidou] s prawn impotent

spaghetti [spə'geti] s kulin spaghetti

spake zob speak

▲spall [spɔ:l] Ⅰ vt vi rozbi-ć/jać (rudę) Ⅲ s 1. odprysk; odłamek 2. okruch

spalpeen [spæl'pi:n] s irl nicpoń

span¹ [spæn] Ⅰ s 1. piędź (ok. 229 mm) 2. prześwit; rozpiętość (mostu, skrzydeł itd.) 3. przęsło 4. spad (dachu) 5. hangar <cieplarnia, hala> z dwuspadowym dachem; ~ roof dach dwuspadowy 6. (krótki) okres; przestrzeń <długość> (życia itd.) 7. rozciągłość; zasięg 8. mar rozpiętość mostu 9. zaprząg, zaprzęg Ⅲ vt (-nn-) 1. przekraczać 2. sięgać (sth od końca do końca czegoś) 3. (o moście) łączyć brzegi (a river etc. rzeki itd.); a bridge ~ed the river przez rzekę przerzucono most 4. (o pamięci) obejmować (a period dany okres) 5. z/mierzyć <ob-jąć/ej-mować> dłonią <ręką>; z/mierzyć <oceni-ć/ać> (odległość, przestrzeń itd.) okiem 6. poruszać się w jednakowych odstępach czasu <miarowo>

span² zob spin v

spancel ['spænsl] Ⅰ s pęta Ⅲ vt s/pętać

spandrel ['spændrl] s bud pachwina łuku

spangle ['spæŋgl] ① *s* błyskotka; świecidełko ③
vt ozd-obić/abiać <usiać> błyskotkami <świeci-
dełkami> ④ *vi* pobłyskiwać; świecić <mienić>
się

Spaniard ['spænjəd] *s* Hiszpan/ka

spaniel ['spænjəl] *s* 1. *zoo* spaniel (pies) 2. *przen*
pochlebca; służalec; płaszczący się człowiek

◆**Spanish** ['spæniʃ] ① *adj* hiszpański; *bot* ~ chestnut kasztan jadalny; *zoo* ~ fly mucha hiszpańska, kantaryda ③ *s* język hiszpański

spank ['spæŋk] ① *vt* 1. z/bić <*pot* s/tłuc> (kogoś);
da-ć/wać klapsa <sprawi-ć/ać lanie> (**sb** komuś)
2. poganiać batem (konia) ③ *vi* (*zw* ~ **along**)
pędzić <rwać> naprzód *zob* **spanking** ④ *s* klaps;
uderzenie; kuksaniec

spanker ['spæŋkə] *s* 1. bystry koń 2. *pot* kapitalny człowiek 3. *pot* coś świetnego <kapital-
nego, pierwszorzędnego> 4. *mar* brygantyna

spanking ['spæŋkiŋ] ① *zob* **spank** *v* ③ *adj* 1. *pot*
świetny; pierwszorzędny; kapitalny 2. (*o kłusie*)
rączy 3. (*o wietrze*) silny; porywisty ④ *s* lanie
(sprawiane niegrzecznemu dziecku itd.)

spanless ['spænlis] *adj lit* bezkresny

spanner ['spænə] *s* 1. *techn* klucz (płaski) do na-
krętek 2. *techn* poprzeczka

span-worm ['spæn,wə:m] *s zoo* miernica (gąsienica)

spar[1] [spa:] ① *s* 1. pal 2. *mar* część omasztowania (maszt, reja, bom) 3. *bud* krokiew ③ *vt*
(-rr-) 1. opałować (grunt) 2. *mar* zaopat-rzyć/ry-
wać (statek) w omasztowanie

spar[2] [spa:] *s miner* szpat, spat

spar[3] [spa:] ① *vi* (-rr-) 1. wykonywać ruchy
bokserskie (w walce treningowej) 2. zamierz-yć/
ać <zamachnąć> się (**at sb** na kogoś); wyko-
-nać/ywać ruch zadania ciosu pięścią 3. *przen*
docinać (**at each other** sobie wzajemnie); prze-
komarzać się 4. (*o kogutach*) walczyć ze sobą;
bić się *zob* **sparring** ③ *s* 1. zaczepny ruch (pięścią) 2. mecz bokserski 3. sprzeczka, spór 4. walka kogutów

sparable ['spærəbl] *s* sztyft (szewski)

spar-buoy ['spa:,bɔi] *s mar* boja <pława> drążko-
wa

spar-deck ['spa:,dek] *s mar* spardek

spare [speə] ① *vt* 1. za/oszczędzić <oszczędz-ić/
ać>, po/żałować (**sth** czegoś) 2. ob-ejść/chodzić
<oby-ć/wać> się (**sb, sth** bez kogoś, czegoś);
odst-ąpić/ępować (bez uszczerbku dla siebie);
mieć na zbyciu; **to have no ... to** ~ nie mieć
... (czegoś) w nadmiarze <do stracenia, wolne-
go>; **a ticket** <**postage stamp etc.**> **to** ~ bilet
<znaczek pocztowy itd.> zbywający <na zbyciu>;
enough and to ~ w nadmiarze; **have you any
tobacco** <**post-cards etc.**> **to** ~? czy zostało ci
trochę tytoniu <kilka pocztówek itd.>?; **I have
(got) some sugar** <**cigars etc.**> **to** ~ zostało mi
jeszcze trochę cukru <kilka cygar itd.>; **I
couldn't** ~ **the time to** __ nie miałem <nie zna-
lazłem> czasu na to, żeby ... 3. da-ć/wać <po-
darować, poświęc-ić/ać> (**sb sth** komuś coś);
użycz-yć/ać <pożycz-yć/ać> (**sb sth** komuś coś)
4. oszczędz-ić/ać (**sb** kogoś; **sb sth** komuś czegoś); darow-ać/ywać (**sb's life** komuś życie)
5. u/szanować; zważać <**sb's feelings** na czyjeś
uczucia> ③ *vi* z/robić oszczędności *zob* **sparing**
④ *adj* 1. oszczędny; skromny (posiłek itd.) 2.

skąpy (**of speech etc.** w słowach itd.) 3. (*także*
of ~ **frame** <**build**>) szczupły 4. zbywający;
niepotrzebny; wolny 5. zapasowy; rezerwowy
④ *s techn* część zapasowa

sparely ['speəli] *adv* oszczędnie

spareness ['speənis] *s* szczupłość; niedostatek

spare-rib ['speə,rib] *s kulin* kotlet schabowy

sparing ['speəriŋ] ① *zob* **spare** *v* ③ *adj* oszczędny; wstrzemięźliwy; **to be** ~ **of** <**with**> __
oszczędzać ... (czegoś); nie szafować ... (czymś)

sparingly ['speəriŋli] *adv* oszczędnie; skromnie;
wstrzemięźliwie

◆**spark**[1] [spa:k] ① *s* 1. iskra 2. *przen* iskierka
(życia, zainteresowania itd.); odrobina; **to strike**
~**s out of sb** wykrzes-ać/ywać coś z kogoś 3.
pot **Sparks** przezwisko radionadawcy ③ *vi*
iskrzyć się ④ *vt* wywoł-ać/ywać iskrę (**sth** w
czymś)

spark[2] [spa:k] ① *s* 1. strojniś; fircyk 2. lekkoduch; *pot* letkiewicz ③ *vi* paradować

spark-arrester ['spa:k-ə,restə] *s techn* iskrochron;
kolej odiskrownik

spark-coil ['spa:k,kɔil] *s techn* cewka indukcyjna
(obwodu zapłonowego <iskrownika>)

spark-gap ['spa:k,gæp] *s techn* iskiernik; przerwa
iskrowa

sparking-plug ['spa:kiŋ,plʌg] *s techn* świeca (za-
płonowa)

sparkle ['spa:kl] ① *s* 1. iskierka 2. błysk; połysk;
ognie (w oczach, w brylancie itd.); iskrzenie
się (oczu) 3. musowanie (wina) 4. iskra <prze-
błysk> (dowcipu) ③ *vi* 1. za/iskrzyć się, skrzyć
się 2. (*o klejnotach*) rzucać ognie 3. (*o winie*)
musować *zob* **sparkling**

sparkler ['spa:klə] *s pot* brylant

sparkless ['spa:klis] *adj* nie iskrzący się

sparkling ['spa:kliŋ] ① *zob* **sparkle** *v* ③ *adj* 1.
iskrzący <błyszczący> (się); połyskujący 2. (*o
klejnocie*) rzucający ognie 3. (*o winie*) musujący

◆**spark-plug** ['spa:k,plʌg] = **sparking-plug**

sparring ['spa:riŋ] ① *zob* **spar** *v* ③ *s boks* sparring; ~ **partner** partner <trener> boksera w
walce treningowej

◆**sparrow** ['spærou] *s zoo* wróbel

sparrow-bill ['spærou,bil] = **sparable**

sparrow-grass ['spærou,gra:s] *s sl* = **asparagus**

sparrow-hawk ['spærou,hɔ:k] *s zoo* krogulec

sparry ['spa:ri] *adj miner* szpatowy, spatowy

sparse [spa:s] *adj* rzadki; rzadko rozsiany

Spartan ['spa:tən] ① *s* Spartan-in/ka ③ *adj* spar-
tański

spasm ['spæzəm] *s med* 1. spazm; skurcz; kurcz
2. napad; atak; paroksyzm

spasmodic ['spæz'mɔdik] *adj* spazmatyczny

spastic ['spæstik] *adj med* kurczowy, spastyczny

spat[1] *zob* **spit**[2] *v*

spat[2] [spæt] ① *s zoo* 1. ikra ostryg <małżów itd.>
2. *zbior* młode ostrygi ③ *vi* (-tt-) (*o małżach*)
złożyć/składać ikrę

◆**spat**[3] [spæt] *s* (*zw pl*) kamasz

spat[4] [spæt] ① *s* 1. sprzeczka 2. klaps; lekkie
uderzenie ③ *vi* (-tt-) 1. po/sprzeczać się 2. za/
tupotać

spatchcock ['spætʃ,kɔk] ① *s* drób świeżo bity
i pieczony na ruszcie ③ *vt* 1. u/piec na ruszcie
(świeżo bity drób) 2. *pot* naprędce wpis-ać/ywać

<doda-ć/wać> (słowa, zdanie itd.) do telegramu <do sprawozdania itd.>

spate [speit] *s* 1. nagły przypływ wody w rzece; wezbrana woda; wezbranie wód; wylew; **the river is in a** ~ rzeka (gwałtownie) wezbrała <wylała> 2. ulewa 3. *przen* natłok <nawał, powódź> (spraw itd.)

spathe [speið] *s bot* pochwa (kwiatu)

spathous ['speiθous] *adj bot* pochwiasty, pochewkowy

↓**spatial** ['speiʃəl] *adj* przestrzenny

spattee [spə'ti:] *s* sztylpa

spatter ['spætə] ① *vt* 1. obryzg-ać/iwać <oprysk--ać/iwać> (**sb with mud, mud over sb** kogoś błotem) 2. *przen* oczerni-ć/ać; szkalować ③ *vi* bryz--gać/nąć; prys-kać/nąć; (*o deszczu*) kapać ③ *s* 1. bryzganie; rozprysk-anie/iwanie 2. bryzg; (rozpryskane) błoto; krople (deszczu) 3. szum (deszczu itd.)

spatterdash ['spætə,dæʃ] *s* (*zw pl*) getr; sztylpa

spatula ['spætjulə] *s* (*pl* **spatulae** ['spætju,li:]) 1. szpachla, szpachelka 2. *przen* szpatułka; łopatka; gładzik

spatule ['spætju:l] *s zoo* szpachlowate zakończenie sterówki ptaka

spavin ['spævin] *s wet* łogawizna

spavined ['spævind] *adj* (*o koniu*) łogawy; *pot* kulawy

spawn [spɔ:n] ① *s* 1. ikra; skrzek 2. *przen* nasienie 3. **mushroom** ~ grzybnia ③ *vt* 1. złożyć/składać (ikrę, jaja) 2. z/rodzić; s/płodzić ③ *vi* 1. złożyć/składać ikrę <jaja>, ikrzyć się, trzeć się 2. mnożyć się

spawning-ground ['spɔ:niŋ,graund] *s zoo* tarlisko

spawning-season ['spɔ:niŋ,si:zn] *s zoo* tarło

spay [spei] *vt* wy/kastrować (samicę); usu-nąć/wać jajniki (**a female animal** samicy)

speak [spi:k] *v* (*praet* **spoke** [spouk], † **spake** [speik], *pp* **spoken** ['spoukən]) ① *vi* 1. mówić (**to sb** do kogoś; **with sb** z kimś; **about** <**of**> **sth** o czymś; **to oneself** do siebie); **to** ~ **at sb** mówić pod czyimś adresem; **to** ~ **for oneself** mówić za siebie <we własnym imieniu>; **to** ~ **for sb** a) przem-ówić/awiać <wstawi-ć/ać się> za kimś b) świadczyć (dobrze, źle) o kimś; **to** ~ **ill of sb** obm-ówić/awiać kogoś; **to** ~ **well for sth** dobrze świadczyć o czymś; (*o rzeczy, pojęciu itd*) **to** ~ **of sth** dowodzić czegoś; świadczyć o czymś; (*o człowieku*) **to** ~ **to sth** po/świadczyć o czymś; **I can** ~ **to his having said that** mogę poświadczyć, że on to mówił; **any ... to** ~ **of** a) *przy s sing*: nadzwyczajny; niezwykły; **he hasn't any talent to** ~ **of** nie ma nadzwyczajnego talentu b) *przy spl*: dużo; **I have no French books to** ~ **of** nie mam dużo francuskich książek; **nothing to** ~ **of** nic szczególnego <godnego wzmianki> 2. przem-ówić/awiać; po/rozmawiać; od-ezwać/zywać <rozmówić> się; zwr-ócić/acać się (**to sb** do kogoś); **such things** ~ **for themselves** takie rzeczy mówią (same) za siebie; **the portrait** ~**s** portret żyje; **to know sb to** ~ **to** znać kogoś na tyle, żeby móc się do niego z czymś zwrócić 3. przem-ówić/awiać (publicznie); mie-ć/wać <wygł-osić/aszać> przemówieni-e/a; zab-rać/ierać głos 4. (*o człowieku, armatach itd*) od-ezwać/zywać się; (*o instrumencie muz.*) za/brzmieć 5. (*o psie*) za/szczekać 6.

(*o niemowie*) porozumie-ć/wać się (**na** migi) ③ *vt* 1. mówić, powi-edzieć/adać; wypowi-edzieć/adać (**some words, one's mind etc.** kilka słów, swoje zdanie itd.); *mar* **to** ~ **a ship** porozumie-ć/wać się ze statkiem 2. mówić <władać> (**a language** językiem) 3. świadczyć (**affection, hatred etc.** o miłości, nienawiści itd.); wskazywać (**sth na** coś); zdradzać (uczucia, nastawienie itd.)

~ **on** *vi* mówić dalej; nie przerywać sobie

~ **out** ① *vi* 1. mówić głośno <wyraźnie> 2. mówić otwarcie <bez ogródek> ③ *vt* wypowi-edzieć/adać (swoje myśli itd.)

~ **up** *vi* 1. mówić głośno <głośniej, wyraźnie> 2. chwalić <wychwalać> (**for sb** kogoś)

zob **speaking, spoken**

speak-easy ['spi:k,i:zi] *s am* (*w czasach prohibicji*) tajny bar

speaker ['spi:kə] *s* 1. (człowiek) mówiący <przemawiający>; mówca; **a fluent** ~ człowiek ze swadą 2. osoba mówiąca <władająca> (**of a language** obcym językiem); **to be a** ~ **of French** <**Spanish etc.**> mówić po francusku <hiszpańsku itd.>; władać językiem francuskim <hiszpańskim itd.> 3. *kino* film mówiony 4. *radio* głośnik 5. **Speaker** przewodniczący (w Izbie Gmin, *am* Izbie Reprezentantów itp.)

Speakership ['spi:kəʃip] *s* stanowisko przewodniczącego w Izbie Gmin <*am* Reprezentantów>

speakie ['spi:ki] *s am pot* film mówiony

speaking ['spi:kiŋ] ① *zob* **speak** *v*; **roughly** ~ z grubsza; w przybliżeniu; **strictly** <**honestly, generally**> ~ ściśle <szczerze, ogólnie> mówiąc <biorąc> ③ *s* 1. rozmawianie; przemawianie; **public** ~ a) krasomówstwo b) przemawianie na zebraniach; **they are again on** ~ **terms** oni <one> się godzi-li/ły; **they are no longer on** ~ **terms** oni <one> przesta-li/ły ze sobą rozmawiać <odzywać się do siebie>; **we are on** ~ **terms** <**acquaintances**> znamy się na tyle, że rozmawiamy ze sobą ③ *adj* 1. (*o człowieku, lalce itd*) mówiący 2. (*o oczach itd*) pełen wyrazu 3. (*o portrecie*) żywy, jak żywy 4. (*o podobieństwie*) uderzający

speaking-trumpet ['spi:kiŋ,trʌmpit] *s* tuba

speaking-tube ['spi:kiŋ,tju:b] *s* tuba (do rozmów między piętrami budynku itd.)

spear [spiə] ① *s* 1. włócznia; dzida; pika; kopia; † **on the** ~ **side** po mieczu 2. harpun 3. = **spearman** ③ *vt* 1. zaklu-ć/wać <przebi-ć/jać> włócznią <dzidą, piką, kopią> 2. z/łowić (rybę) harpunem ③ *vi bot* (*o kiełku*) wyrastać brzeszczowato

speargrass ['spiə,gra:s] *s bot* perz

↓**spearhead** ['spiə,hed] *s* 1. grot 2. *wojsk* czołówka

spearman ['spiəmən] *s* (*pl* **spearmen** ['spiəmən]) 1. *poet* włócznik 2. harpunnik

spearmint ['spiə,mint] *s bot* mięta zielona

spearshaft ['spiə,ʃa:ft] *s* drzewce (włóczni)

spearwort ['spiə,wə:t] *s bot* jaskier

spec [spek] *skr pot* speculation

special ['speʃəl] *adj* 1. specjalny; ~ **case** a) wyjątek b) *prawn* pisemne oświadczenie procesujących się stron o tym, że uznają stan faktyczny; ~ **constable** obywatel powoływany do służby w policji w nagłych wypadkach; (*o liście*) ~ **delivery** express; *kośc* ~ **licence** indult 2.

osobliwy 3. szczególny 4. (*także* **especial**) wyjątkowy 5. zawodowy; **a ~ subject** <**work**> specjalność (czyjaś); specjalizacja 6. (*o pociągu itd*)
dodatkowy 7. (*o wydaniu gazety*) nadzwyczajny
8. ulubiony ③ *s* 1. nadzwyczajne wydanie gazety 2. pociąg dodatkowy 3. = **~ constable** *zob*
special *adj*
specialism ['speʃə,lizəm] *s* specjalność (czyjaś);
specjalizacja
specialist ['speʃəlist] *s* specjalist-a/ka
specialistic [,speʃə'listik] *adj* specjalistyczny
speciality [,speʃi'æliti] *s* 1. specjalność 2. cecha
szczególna 3. szczególny wypadek
specialization [,speʃəlai'zeiʃən] *s* specjalizacja;
wyspecjalizowanie się
specialize ['speʃə,laiz] ① *vt* 1. ogranicz-yć/ać 2.
wyszczególni-ć/ać 3. przeznacz-yć/ać do specjalnego celu 4. wy/specjalizować (**one's studies
in** _ się w ...) ③ *vi* wy/specjalizować się
specially ['speʃəli] *adv* 1. specjalnie 2. szczególnie, zwłaszcza 3. osobliwie
specialty ['speʃəlti] *s* 1. specjalność; (*o towarze*)
~ goods specjalność (firmy); **~ store** sklep
z wyrobami specjalnymi 2. umowa w formie
uroczystej 3. specjalizacja; specjalność; fach
speciation [,spi:ʃi'eiʃən] *s biol* specjacja (powstawanie gatunków)
specie ['spi:ʃi:] *s* bilon; *zbiór* monety; *przen*
brzęcząca moneta
species ['spi:ʃi:z] *s* (*pl* **~**) 1. gatunek; rodzaj;
a ~ of tea <**rum etc.**> coś w rodzaju herbaty
<rumu itd.>; pewnego rodzaju herbata <rum itd.>;
the human <**the, our**> **~** rodzaj <ród> ludzki
2. *bot zoo* gatunek; **the origin of ~** pochodzenie
gatunków 3. *pl* **~** *teol* postacie (eucharystii)
◄**specific** [spi'sifik] ① *adj* 1. wyraźny; określony;
ściśle określony; specjalny 2. (*o cesze, różnicy,
ciężarze itd*) gatunkowy, właściwy 3. specyficzny; swoisty; własny; charakterystyczny; szczególny ③ *s farm* specyfik
◄**specification** [,spesifi'keiʃən] *s* 1. s/precyzowanie
2. specyfikacja; wykaz; spis; wyszczególni-enie/
anie; (dokładny, szczegółowy) opis 3. *pl* **~s** dokumentacja (budowy itd.)
specify ['spesi,fai] *vt* (**specified** ['spesi,faid],
specified; specifying ['spesi,faiiŋ]) 1. sporządz-
-ić/ać specyfikację <wykaz, opis> (**sth** czegoś)
2. wyszczególni-ć/ać; wymieni-ć/ać (kolejno) 3.
s/precyzować; s/konkretyzować 4. uwzględni-ć/ać
w dokumentacji
specimen ['spesimin] *s* 1. okaz; jednostka; egzemplarz 2. przykład; wzór 3. próba (krwi itd.);
próbka; próbna odbitka 4. egzemplarz okazowy
5. *pot* (*o człowieku*) typ; **what a ~!** co za typ!
speciology ['spi:ʃi,olədʒi] *s* nauka o pochodzeniu
gatunków
speciosity [,spi:ʃi'ositi] = **speciousness**
specious ['spi:ʃəs] *adj* mający <posiadający> pozory słuszności <prawdy>; pozornie słuszny
<prawdziwy>; niby prawdziwy; zwodniczy;
zdradliwy
speciousness ['spi:ʃəsnis] *s* pozory słuszności <praw-
dziwości>; zwodniczy charakter (wypowiedzi itd.)
speck¹ [spek] ① *s* 1. plamka; cętka; punkcik;
skaza 2. pyłek; ziarnko; kruszyna, odrobina,
zdziebło ③ *vt* po/cętkować; po/kropkować, wy-
kropkować; u/pstrzyć, popstrzyć

speck² [spek] *s am płd afr* boczek; słonina; tłuszcz
(wieloryba, foki itd.)
speckle ['spekl] ① *s* plamka; cętka ③ *vt* u/
pstrzyć, popstrzyć; po/cętkować *zob* **speckled**
speckled ['spekld] ① *zob* **speckle** *v* ③ *adj* upstrzony; cętkowany; w cętki; w plamki; plamisty
speckless ['speklis] *adj* bez skazy; nienaganny;
nienagannej czystości
specs [speks] *skr pot* **spectacles** *zob* **spectacle**
spectacle ['spektəkl] *s* 1. (*także przen*) widowisko;
spektakl; **to make a ~ of** robić z siebie
widowisko 2. *pl* **~s** (*także* **a pair of ~s**) okulary; *przen* **rose-coloured ~s** różowe okulary
spectacle-case ['spektəkl,keis] *s* futerał <etui> na
okulary
spectacled ['spektəkld] *adj* (*o człowieku*) w okularach
spectacle-frame ['spektəkl,freim] *s* oprawa okularów
◄**spectacular** [spek'tækjulə] *adj* 1. widowiskowy;
popisowy 2. teatralny 3. okazały; efektowny
spectator [spek'teitə] *s* 1. widz 2. naoczny świadek
(wypadku itd.)
spectatress ['spektətris] *s* 1. kobieta-widz 2. (kobieta) naoczny świadek (wypadku itd.)
spectral ['spektrəl] *adj* 1. *fiz* spektralny; widmowy 2. widmowy; upiorny
spectre ['spektə] *s* widmo; upiór
spectrograph ['spektrə,gra:f] *s fiz* spektrograf
spectroscope ['spektrə,skoup] *s fiz* spektroskop
spectrum ['spektrəm] *s* (*pl* **spectra** ['spektrə], **~s**)
fiz widmo
spectrum-analysis ['spektrəm-ə,nælisis] *s fiz* analiza widmowa
specular ['spekjulə] *adj* 1. zwierciadlany; lustrzany; **~ iron** błyszcz żelaza, hematyt krystaliczny
2. zwierciadłowy; lustrowy 3. wziernikowy
specularite ['spekjulə,rait] *s miner* odmiana he-
matytu
speculate ['spekju,leit] *vi* 1. rozmyślać (**on** <**upon,
about**> **sth** o <nad> czymś); rozważać (**on** <**upon,
about**> **sth** coś) 2. spekulować <dokon-ać/ywać
spekulacji> (**in sth** czymś)
speculation [,spekju'leiʃən] *s* 1. rozmyślanie 2.
domysł 3. spekulacja; **to buy on ~** <*pot* **on
spec**> kup-ić/ować z ryzykiem <na ryzyko>
speculative ['spekjulətiv] *adj* 1. *filoz* spekula-
tywny 2. teoretyczny 3. spekulacyjny
speculator ['spekju,leitə] *s* spekulant/ka
speculum ['spekjuləm] *s* (*pl* **specula** ['spekjulə],
~s) 1. *med* wziernik 2. *fiz* zwierciadło wklęsłe
sped *zob* **speed** *v*
speech [spi:tʃ] *s* 1. mowa; **a figure of ~** zwrot
retoryczny; **a ready flow of ~** swada, *gram*
direct ~ mowa wprost <niezależna>; *gram*
indirect <**reported, oblique**> **~** mowa nie wprost
<zależna, przytoczona>; *przen* **fair ~es** piękne
słowa; **manner of ~** sposób mówienia, *gram*
parts of ~ części mowy; **his ~ is indistinct**
on niewyraźnie mówi; **slow of ~** wolno mówiący
2. mowa; przemówienie; **the Speech from the
Throne** mowa tronowa; **to deliver** <**make**> **a ~**
wygłosić przemówienie; przemówić 3. język (narodu) 4. *muz* brzmienie (instrumentu)
speech-day ['spi:tʃ,dei] *s szk* dzień rozdawania
nagród
◄**speechify** ['spi:tʃi,fai] *vi* (**speechified** ['spi:tʃi,faid],

speechified; speechifying [ˈspiːtʃiˌfaiiŋ]) perorować

speechless [ˈspiːtʃlis] *adj* 1. (*o stworzeniu*) nie obdarzony mową 2. (*o człowieku*) niemy <oniemiały> (**with terror** etc. ze strachu itd.) 3. (*o uczuciu itd*) nieopisany; niewypowiedziany; niewymowny 4. *sl* zalany do nieprzytomności

speed [spiːd] Ⅰ *s* 1. szybkość; prędkość; **to reduce** ~ zw-olnić/alniać; za/hamować; **at full** ~ z maksymalną szybkością; pełną parą; *pot* na cały regulator; **to go full** ~ pędzić (galopem); **with all** ~ jak najśpieszniej; nie tracąc ani chwili 2. *techn* bieg (silnika) 3. † powodzenie; **good** ~! powodzenia!; pomyślności! 4. *fot* siła światła (soczewki); czułość (płyty, filmu) Ⅱ *vi* (**sped** [sped], **sped**) 1. po/śpieszyć się; po/pędzić; po/mknąć 2. przem-knąć/ykać; przel-ecieć/atywać Ⅲ *vt* (**sped** [sped], **sped**) 1. odprawi--ć/ać <wyprawi-ć/ać> (gości itd.) 2. † *w zwrocie*: **God** ~ **you**! szczęść Boże! 3. (**speeded** [ˈspiːdid], **speeded**) regulować szybkość (**an engine** etc. maszyny itd.)
~ **up** *vt* przyśpiesz-yć/ać

speed-boat [ˈspiːdˌbout] *s* ślizgacz (łódź motorowa)

speed-cop [ˈspiːdˌkɔp] *s am* policjant drogowy

speeder [ˈspiːdə] *s techn* przyrząd do regulowania szybkości

♦ **speedily** [ˈspiːdili] *adv* w wielkim pośpiechu; szybko

speed-limit [ˈspiːdˌlimit] *s* szybkość maksymalna

speedometer [spiˈdɔmitə] *s techn* szybkościomierz, prędkościomierz

speedster [ˈspiːdstə] *s* samochód wyścigowy

♦ **speed-up** [ˈspiːdˈʌp] *attr* (*o systemie*) przyśpieszania produkcji

speedway [ˈspiːdˌwei] *s* 1. tor żużlowy; żużel 2. *am* autostrada

speedwell [ˈspiːdˌwel] *s bot* przetacznik

speedy [ˈspiːdi] *adj* (**speedier** [ˈspiːdiə], **speediest** [ˈspiːdiist]) pośpieszny; szybki; prędki; rychły; bezzwłoczny

spell[1] [spel] *s zbior* czary; urok; siła przyciągania; **to break the** ~ a) rozwiać urok b) zepsuć nastrój c) przełamać passę; **to cast a** ~ **over** <on> _ za/czarować ...; urze-c/kać ...; **under a** ~ zaczarowany; oczarowany; pod urokiem

♦ **spell**[2] [spel] *vt* (*praet* **spelt** [spelt], **spelled** [spelt], *pp* **spelt**, **spelled**, **spelling** [ˈspeliŋ]) 1. prze/sylabizować; prze/literować; poda-ć/wać (wyraz) po jednej literze 2. na/pisać ortograficznie <poprawnie, bez błędu>; **how do you** ~ **it?** jak się to pisze? 3. (*o literach wyrazu*) czytać się; **b-a-t** ~**s bat** b-a-t czyta się „bat" 4. znaczyć; być równoznacznym (**sth** z czymś); pociąg-nąć/ać za sobą; **this weather** ~**s ruin to us** ta pogoda to katastrofa dla nas; **to** ~ **backwards** a) poda-ć/wać litery wyrazu w odwrotnym porządku b) *przen* opacznie wy/tłumaczyć <przekręc-ić/ać> (coś)
~ **out** <over> *vt* z mozołem odczyt-ać/ywać <odcyfrow-ać/ywać>
zob **spelling**

spell[3] [spel] Ⅰ *vt rz* zast-ąpić/ępować <z/luzować> (kogoś w pracy itd.) Ⅱ *s* 1. okres <przeciąg> czasu; pewien czas (spędzony przy jakimś zajęciu); **a** ~ **of bad luck** pechow-y/a okres <passa>; **he did a** ~ **of gardening** a) pracował przez

pewien czas jako ogrodnik b) podłubał trochę w (swoim) ogrodzie; (*o grupie osób*) **to take** ~**s** zastępować się (przy danej pracy); pracować na zmianę 2. *meteor* okres (pogody, deszczu itd.) 3. krótki czas; chwila; moment; **he will come in a** ~ on niedługo przyjdzie; **wait a** ~ zaczekaj trochę 4. *górn* szychta

spell-binder [ˈspelˌbaində] *s am* mówca urzekający audytorium swoją wymową

spell-bound [ˈspelˌbaund] *adj* oczarowany; urzeczony; zahipnotyzowany

speller [ˈspelə] *s* 1. *w zwrotach:* **to be a bad** ~ pisać z błędami ortograficznymi; nie znać ortografii; **to be a good** ~ pisać ortograficznie <poprawnie> 2. podręcznik pisowni

spelling [ˈspeliŋ] Ⅰ *zob* **spell**[2] Ⅲ *s* ortografia; pisownia

spelling-bee [ˈspeliŋˌbiː] *s* konkurs poprawnej pisowni

spelling-book [ˈspeliŋˌbuk] *s* podręcznik ortografii

spelt[1] [spelt] *s bot* pszenica orkisz

spelt[2] *zob* **spell**[2]

spelter [ˈspeltə] *s handl* cynk

spencer[1] [ˈspensə] *s* spencer

spencer[2] [ˈspensə] *s mar* statek trójmasztowy

spend [spend] *v* (**spent** [spent], **spent**) Ⅰ *vt* 1. spędz-ić/ać (czas) 2. wyda-ć/wać (pieniądze) 3. zuży-ć/wać (czas, pieniądze, energię itd.); s/trawić <z/marnować> (czas); s/tracić (czas, pieniądze); poświęc-ić/ać (czas, pieniądze, siły itd.) (**on sth** czemuś, na coś); **to** ~ **one's blood** przel-ać/ewać krew; **to** ~ **one's breath** mówić na wiatr 4. wyczerp-ać/ywać (energię, środki itd.) Ⅲ *vr* ~ **oneself** wyczerp-ać/ywać się; **the storm** <**his anger** etc.> **will soon** ~ **itself** burza <jego gniew itd.> wkrótce się wyładuje Ⅲ *vi* 1. wyda-ć/wać pieniądze 2. zużywać <kończyć> się; (*o świecach itd*) spalać się 3. *zoo* ikrzyć się; złożyć/składać ikrę *zob* **spent**

spending-money [ˈspendiŋˌmʌni] *s* kieszonkowe (pieniądze); pieniądze na drobne wydatki <żart na szpilki>

spendthrift [ˈspendˌθrift] Ⅰ *s* rozrzutni-k/ca; marnotraw-ca/czyni Ⅲ *adj* rozrzutny

spent [spent] Ⅰ *zob* **spend** Ⅲ *adj* 1. wyczerpany; zużyty; skończony; wyładowany; wygasły; (*o okresie czasu*) **to be** (**far**) ~ zbliżać się do końca 2. *sport* spalony 3. (*o rybie*) po tarle

sperm[1] [spəːm] *s fizj* sperma, nasienie

sperm[2] [spəːm] = **sperm-whale**

♦ **sperm**[3] [spəːm] *skr* **spermaceti**

spermaceti [ˌspəːməˈseti] *s zoo* olbrot <spermacet> (substancja z głowy kaszalota używana w kosmetyce)

spermary [ˈspəːməri] *s anat* męski gruczoł nasienny

spermatic [spəˈmætik] *adj fizj* nasienny

spermatoblast [ˈspəːmətouˌblaːst] *s biol* spermatoblast

spermatogenesis [ˌspəːmətouˈdʒenisis] *s biol* spermatogeneza, rozwój plemników

spermatology [ˌspəːməˈtɔlədʒi] *s bot* spermatologia

spermatorrhoea [ˌspəːmətouˈriə] *s med* nasieniotok

spermatozoa [ˌspəːmətouˈzouə] *spl biol* spermatozoa

sperm-whale ['spə:m,weil] *s zoo* kaszalot (wielo-ryb)

spew, spue [spju:] [I] *vt* (*także* ~ out) z/wymio-tować; *pot* wy/rzygać; zrzygać; porzygać [II] *vi* (*także* ~ out) z/wymiotować; *pot* wy/rzygać <zrzygać, porzygać> się

sphacelate ['sfæsi,leit] [I] *vi med* ule-c/gać zgo-rzeli [II] *vt* s/powodować zgorzel (sth czegoś)

sphacelation [,sfæsi'leiʃən], **sphacelus** ['sfæsələs] *s med* zgorzel

▶**sphagnum** ['sfægnəm] *s* (*pl* **sphagna** ['sfægnə], ~s) *bot* torfowiec

sphenoid ['sfi:nɔid] [I] *adj anat* klinowy [II] *s anat* kość klinowa

sphere [sfiə] *s* 1. *geom* kula; **the doctrine of the** ~ a) geometria przestrzenna, stereometria b) trygonometria sferyczna 2. kula; globus; ciało kuliste; balon; gałka 3. *astr* kula ziemska; ciało niebieskie 4. *poet* niebo 5. sfera (wpływów itd.); dziedzina; otoczenie; zakres; **he is quite in his** ~ (on) jest w swoim żywiole 6. kompetencja; **that is beyond his** ~ a) to nie leży w jego kompetencjach <przekracza jego kompetencje> b) to przekracza jego horyzonty myślowe

spheric ['sferik] *adj poet* niebieski

▶**spherical** ['sferikəl] *adj* sferyczny; kulisty

sphericity [sfe'risiti] *s* kulistość

spherics ['sferiks] *s* 1. geometria przestrzenna, stereometria 2. trygonometria sferyczna

spheroid ['sfiərɔid] *s geom* sferoida

spheroidal [sfiə'rɔidl] *adj* sferoidalny

spherometer [sfiə'rɔmitə] *s fiz* sferometr

spherule ['sferju:l] *s* kuleczka

spherulite ['sferju,lait] *s miner* sferolit, nerkowiec

sphincter ['sfiŋktə] *s anat* zwieracz

sphinx [sfiŋks] *s* (*pl* ~es, **sphinges** ['sfindʒi:z]) 1. *mitol* **Sphinx** Sfinks 2. sfinks 3. *zoo* sfinks (motyl)

sphinxlike ['sfiŋks,laik] *adj* (*o uśmiechu itd*) za-gadkowy

sphragistics [sfræ'dʒistiks] *s* sfragistyka

sphygmograph ['sfigmə,grɑ:f] *s* sfigmograf (przy-rząd do zapisywania tętna)

sphygmus ['sfigməs] *s* puls

spice [spais] [I] *s* 1. *zbior* korzenie (wonne); *pot przen* **sugar and** ~ **and all that's nice** cud, miód, ultramaryna 2. przyprawa 3. *przen* dodatek; po-smak; odcień 4. pikantność [II] *vt* 1. *kulin* zapra-wi-ć/ać (potrawę) 2. *przen* zaprawi-ć/ać <zabawi--ć/ać> (żartem, kpiną itd.); nada-ć/wać posmaku (skandalu itd.) *zob* **spiced**

spice-bush ['spais,buʃ] *s bot* drzewo benzoesowe

spiced [spaist] [I] *zob* **spice** *v* [II] *adj* 1. (*o potra-wie*) ostry; pikantny 2. aromatyczny

spicery ['spaisəri] *s zbior* korzenie (wonne); przy-prawy

spiciness ['spaisinis] *s* 1. ostrość <pikantność> (po-trawy) 2. pikanteria

spick [spik] *adj w zwrocie:* ~ **and span** nowiut-ki; czyściutki; jak z pudełka <spod igły>

spicule ['spikju:l] *s* 1. drzazga 2. *bot zoo* kolec

spicy ['spaisi] *adj* (**spicier** ['spaisiə], **spiciest** [spaisiist]) 1. (*o potrawie*) ostry; pikantny 2. aromatyczny 3. (*o opowiadaniu*) pikantny; dra-styczny

▶**spider** ['spàidə] *s* 1. *zbo* pająk 2. trójnóg 3. *techn* uchwyt linowy

spider-crab ['spaidə,kræb] *s zoo* krab pająkowaty

spiderlike ['spaidə,laik] *adj* pająkowaty

spider-line ['spaidə,lain] *s* (*w teleskopie itd*) linia w _polu widzenia

spider-monkey ['spaidə,mʌŋki] *s zoo* małpa sze-rokonosa grupy Cebidae

spider-orchis ['spaidəɔ:kis] *s bot* dwulistnik, dwu-list (storczyk)

spider-wasp ['spaidə,wɔsp] *s zoo* nastecznik (owad zaopatrzony w żądło)

spider-web ['spaidə,web] *s* pajęczyna

spiderwort ['spaidə,wə:t] *s bot* dobownik, trzy-krotka

spidery ['spaidəri] *adj* pająkowaty

spiegeleisen ['spi:gl,aizən] *s metalurg* surówka zwierciadlista

spiel [spi:l] [I] *s sl* 1. mowa; gadka; przemówie-nie 2. opowiadanie [II] *vi sl* trzymać mowę; (dłu-go) gadać; przemawiać [III] *vt sl* wygadać; wy-paplać

spigot ['spigət] *s* 1. *techn* czop; zatyczka; trzpień; tuleja 2. kurek (beczki)

▶**spike** [spaik] [I] *s* 1. kolec; ostrze; szpic 2. gwóźdź 3. hacel 4. kołek 5. *kolej* hak szynowy 6. *bot* kolec 7. *bot* lawenda; ~ **oil** olejek lawendowy 8. *pot* zajadł-y/a anglikan-in/ka [II] *vt* 1. zabi-ć/ jać gwoździami; za/kołkować 2. nabi-ć/jać <na-jeż-yć/ać> kołkami <kolcami> 3. zagw-oździć/ ażdżać (armatę); *przen* **to** ~ **sb's guns** po/krzy-żować czyjeś <komuś> plany 4. przebi-ć/jać (ostrzem) *zob* **spiked**

spiked [spaikt] [I] *zob* **spike** *v* [II] *adj* 1. *sport* (*o butach*) z kolcami 2. *bot* kolczasty

spikenard ['spaikna:d] *s bot* spikanard (ziele)

spiky ['spaiki] *adj* (**spikier** ['spaikiə], **spikiest** ['spaikiist]) 1. kolczasty 2. najeżony <nabity> kolcami 3. *pot* (*o anglikaninie*) zajadły

spile [spail] *s* 1. zatyczka; czop 2. pal

spiling ['spailiŋ] *s* 1. *zbior* pale 2. *mar* brzeżne zagięcie deski w kadłubie statku

spill[1] [spil] *v* (*praet* **spilt** [spilt], **spilled** [spild], *pp* **spilt**, **spilled**) [I] *vt* 1. rozl-ać/ewać; rozsyp--ać/ywać (sól itd.); **it's no use crying over spilt milk** szkoda twoich łez; co się stało, to się nie odstanie; **to** ~ **money** roz/trwonić pieniądze; *am sl* **to** ~ **the beans** wypaplać tajemnicę 2. przel-ać/ewać (krew) 3. (*o koniu*) zrzuc-ić/ać (jeźdźca); (*o woźnicy*) wysyp-ać/ywać <*pot* wy-wal-ić/ać> (pasażerów — do rowu itd.) 4. *mar* brasować żagiel do kursu na wiatr [II] *vi* 1. wyl--ać/ewać <przel-ać/ewać, rozl-ać/ewać> się 2. wysyp-ać/ywać się [III] *s* upadek; **to have a** ~ spa-ść/dać; wypa-ść/dać; *pot* wyl-ecieć/atywać

spill[2] [spil] *s* fidybus, zwitek papieru do zapa-lania świec itd.

spiller ['spilə] *s* siepacz

spillikins ['spilikinz] *spl* kardynały (gra w dre-wienka)

spillway ['spil,wei] *s* przelew (ze stawu itd.)

spilt *zob* **spill**[1] *v*

▶**spin** [spin] *v* (*praet* **spun** [spʌn], **span** [spæn], *pp* **spun; spinning** ['spiniŋ]) [I] *vt* 1. u/prząść; *dosł i przen* snuć (przędzę, opowiadanie) 2. uło-żyć/układać <komponować, na/pisać, opowi--edzieć/adać> (historię itd.) 3. pu-ścić/szczać (w ruch obrotowy) (**a top** etc. bąka itd.); za/bawić się (**a top** bąkiem); obr-ócić/acać (**sb, sth** kogoś, coś, kimś, czymś); **to** ~ **a coin** a) rzuc-ić/ać w górę <podrzuc-ić/ać> monetę (nadając jej ruch wirowy) b) nada-ć/wać monecie ruch wirowy (na stole, podłodze itd.) 4. *wędk* łowić ryby na błyszczkę <na spinning> (**a stream** etc. w potoku itd.) 5. *sl* obl-ać/ewać (kogoś przy egzaminie) III *vi* 1. za/kręcić <obr-ócić/acać> się; za/wirować; opis-ać/ywać kr-ąg/ęgi; *lotn* opa-ść/dać korkociągiem; **my head is** ~**ning** kręci mi się w głowie; **the blow sent him** ~**ning** od tego uderzenia zatoczył się 2. *techn* buksować 3. *sl* obl-ać/ewać egzamin

~ **along** *vi* (*o pojeździe*) mknąć; pędzić

~ **out** *vt* 1. rozciąg-nąć/ać; wydłuż-yć/ać 2. s/tracić <z/marnować> (czas)

~ **round** *vi* 1. obracać się; wirować 2. odwr--ócić/acać się szybko

zob **spinning** III *s* 1. wirowanie; ruch wirowy 2. *lotn* korkociąg 3. przejażdżka (rowerem, samochodem itd.)

spinach, spinage ['spinidʒ] *s bot* szpinak

↟**spinal** ['spainl] *adj anat* rdzeniowy; kręgowy; pacierzowy; (*o skrzywieniu itd*) kręgosłupa; ~ **column** kręgosłup; stos kręgowy <pacierzowy>; ~ **cord** rdzeń kręgowy

↟**spindle** ['spindl] III *s* 1. wrzeciono 2. *techn* oś; wał; trzpień 3. miara długości przędzy wełnianej (= 13826 m) 4. *am* szpikulec <drut> do nabijania bloczków kasowych itd. III *vi* (*także* ~ **up**) (*o roślinie*) strzel-ić/ać <wystrzelić> w górę

spindle-shanked ['spindl,ʃæŋkt] *adj* laskonogi

spindle-shanks ['spindl,ʃæŋks] *spl* człowiek o długich i cienkich nogach

spindle-shaped ['spindl,ʃeipt] *adj* wrzecionowaty

spindle-tree ['spindl,tri:] *s bot* trzmielina europejska (drzewo)

spindly ['spindli] = **spindle-shaped**

spindrift ['spin,drift] *s* pył wodny

spine [spain] *s* 1. *anat* kręgosłup 2. grzbiet (książki, pasma górskiego itd.) 3. *bot* kolec; cierń

spined ['spaind] *adj* 1. kręgowy 2. kolczasty; ciernisty

spinel [spi'nel] *s miner* spinel

spineless ['spainlis] *adj* 1. bezkręgowy 2. *przen* (*o człowieku*) bez kręgosłupa 3. *bot zoo* bez kolców

spinet [spi'net] *s muz* szpinet

spinnaker ['spinəkə] *s mar* spinaker (żagiel)

↟**spinner** ['spinə] *s* 1. prząd-ek/ka 2. *techn* prząśnica 3. *zoo* gruczoł przędny (u pająka itd.)

spinneret ['spinə,rət] = **spinner** 3.

spinney ['spini] *s* lasek; zarośla

spinning ['spiniŋ] III *zob* **spin** *v* III *s* 1. przędzenie; *zoo* ~ **gland** = **spinner** 3. 2. wirowanie 3. *wędk* łowienie ryb na błyszczkę <na spinning> III *adj* 1. przędzalniczy; przędzalniany 2. wirowy

spinning-factory ['spiniŋ,fæktəri] *s* przędzalnia

spinning-jenny ['spiniŋ,dʒeni] *s* przędzarka (maszyna)

spinning-wheel ['spiniŋ,wi:l] *s* kołowrotek

spinster ['spinstə] III *s* 1. panna 2. stara panna III *attr* (*o kobiecie*) niezamężna (**aunt** etc. ciotka itd.)

spinsterhood ['spinstəhud] *s* staropanieństwo

spinule ['spinju:l] *s* (drobny) kolec

spiny ['spaini] *adj* (**spinier** ['spainiə], **spiniest** ['spainiist]) 1. kolczasty 2. *przen* (*o zagadnieniu itd*) drażliwy

spiraea [spai'riə] *s bot* spirea, tawuła

↟**spiral** ['spaiərəl] III *adj* spiralny; śrubowaty; kręty; wężykowaty; ślimakowaty; ~ **balance** waga sprężynowa; *anat* ~ **organ** narząd spiralny III *s* 1. spirala; zwój spiralny; krzywa zwojowa; **in a** ~ spiralnie; w formie spiralnej; korkociągiem 2. ruch spiralny 3. *lotn* spirala (figura akrobacji) 4. (*u zegara*) sprężyna włosowa, włos III *vi* (-ll-) wykonywać ruch spiralny; poruszać się ruchem spiralnym <po spirali>

spirant ['spaiərənt] III *adj fonet* szczelinowy, trący III *s* spirant, spółgłoska szczelinowa <trąca>

spire¹ ['spaiə] III *s* 1. *arch* strzelist-e/y zakończenie <dach> wieży; iglica 2. *bot* łodyga 3. *bot* strzała (drzewa) III *vi* wznosić się strzeliście III *vt* nada-ć/wać strzeliste zakończenie (**sth** czemuś)

spire² ['spaiə] *s* zwój; gwint

spirelet ['spaiəlit] *s arch* wieżyczka na dachu

spirit ['spirit] III *s* 1. duch (człowieka); dusza; **vexed in** ~ z żalem w duszy 2. duch, istota nadprzyrodzona; *rel* **the Holy Spirit** Duch Święty 3. intelekt; umysł; człowiek; postać (ludzka); **a noble** ~ szlachetna postać 4. duch; zjawa 5. wróżka; krasnoludek; *pl* ~s duchy 6. *przen* serce; *bibl* **poor in** ~ ubogiego serca; ubogi duchem 7. charakter; energia; odwaga; żywość; zapał; **with** ~ energicznie; żywo; z zapałem 8. (*o człowieku*) dusza (zespołu, zebrania itd.) 9. duch (czasu itd.); nastawienie; **a kindly** ~ życzliwość; **a** ~ **of mischief** złośliwy zamiar; **public** ~ nastawienie obywatelskie 10. duch (przepisów itd.); zrozumienie; właściwy sens, kwintesencja; **to take sth in the proper** <**wrong**> ~ przyjąć coś we właściwym <w niewłaściwym> duchu <zrozumieniu, sensie>; interpretować coś właściwie <niewłaściwie> 11. duch (panujący w wojsku itd.); nastrój; humor; otucha; **animal** ~s zapał; optymizm; werwa; animusz; **in high** ~s podniecony; w doskonałym humorze; **in low** ~s przygnębiony; w złym humorze; **to keep up one's** ~s nie tracić otuchy 12. *pl* ~s napój alkoholowy; alkohol; wódka 13. spirytus 14. *chem* roztwór; olejek III *vt* (*także* ~ **up**) doda-ć/wać otuchy (**sb** komuś); natchnąć duchem

~ **away** <**off**> *vt* por-wać/ywać (jakby) przy pomocy czarów

~ **on** *vt* zachęc-ić/ać; doda-ć/wać animuszu <otuchy> (**sb** komuś)

zob **spirited**

spirited ['spiritid] III *zob* **spirit** *v* III *adj* pełen werwy <animuszu, zapału>; ożywiony; śmiały; ognisty; porywający; (*o utworze literackim*) napisany z zacięciem

spiritedly ['spiritidli] *adv* z werwą; z zapałem; z żarem; z ożywieniem; śmiało; ogniście; porywająco; (napisać utwór) z zacięciem

spiritism ['spiri,tizəm] *s* spirytyzm

spiritist ['spiritist] *s* spirytyst-a/ka

spiritistic [,spiri'tistic] *adj* spirytystyczny

spirit-lamp ['spirit,læmp] *s* lampa spirytusowa

spiritless ['spiritlis] *adj* 1. nie uduchowiony 2.

(*o stylu itd*) bez zacięcia literackiego 3. (*o ze-braniu itd*) ospały 4. (*o człowieku*) bez zapału <życia, energii, werwy>; zobojętniały; zniechęcony; przygnębiony; przygaszony 5. (*o człowieku*) bezduszny

spiritlessly ['spiritlisli] *adv* 1. bez życia <zapału, energii>; ospale; ślamazarnie; obojętnie 2. bezdusznie 3. delikatnie; miękko

spirit-level ['spirit,levl] *s geod* poziomnica; libella

spirit-rapper ['spirit,ræpə] *s* spirytyst-a/ka (wywołując-y/a duchy)

spirit-rapping ['spirit,ræpiŋ] *s* wywoływanie duchów

spirit-stove ['spirit,stouv] *s* maszynka spirytusowa

spiritual ['spiritjuəl] ☐ *adj* 1. duchowy; (*o sprawach itd*) ducha 2. natchniony 3. (*o władzach, członkach parlamentu itd*) duchowny ☐ *s* (*także* Negro ∼) pieśń nabożna Murzynów amerykańskich

spiritualism ['spiritjuə,lizəm] *s* 1. *filoz* spirytualizm 2. spirytyzm

spiritualist ['spiritjuəlist] *s* 1. *filoz* spirytualist-a/ka 2. spirytyst-a/ka

spiritualistic [,spiritjuə'listik] *adj* 1. *filoz* spirytualistyczny 2. spirytystyczny

spirituality [,spiritju'æliti] *s* 1. duchowość 2. (*zw pl* **spiritualities**) dobra kościelne

spiritualize ['spiritjuə,laiz] *vt* uduch-owić/awiać

spirituous ['spiritjuəs] *adj* alkoholowy; zawierający alkohol

spiritus ['spiritəs] = **spirit** *s* 13.

spirivalve [,spaiərə'vælv] *adj zoo* małż o spiralnej muszli

spirochaeta [,spaiərou'ki:tə] *s bakt* krętek

spirometer [,spaiə'rɔmitə] *s med* spirometr; oddechomierz

spirt [spə:t] ☐ *vi* trys-nąć/kać; bluz-nąć/gać; sik-nąć/ać ☐ *vt* pu-ścić/szczać strumień (**a liquid etc.** płynu itd.); sik-nąć/ać <bluz-nąć/gać> (**sth czymś**) ☐ *s* strumień <fontanna> (płynu itd.)

spiry ['spaiəri] *adj* 1. strzelisty 2. (*o mieście itd*) o licznych strzelistych wieżach

spit[1] [spit] ☐ *s* 1. szpikulec rożna 2. *geogr* cypel; klin (ziemi występujący z brzegu <wrzynający się w morze>); ława piaszczysta; mierzeja ☐ *vt* (-tt-) 1. przebi-ć/jać (mięso) szpikulcem; nadzi-ać/ewać na szpikulec rożna 2. przebi-ć/jać <przekłu-ć/wać> (kogoś szablą itd.)

spit[2] [spit] *v* (*praet* **spat** [spæt], † **spit**, *pp* **spat**, † **spit**; **spitting** ['spitiŋ]) ☐ *vt* s/plunąć <pluć> (**blood etc.** krwią itd.); wyplu-ć/wać ☐ *vi* 1. s/plunąć <pluć> (**at** <**upon**> **sb, sth** na kogoś, coś); *przen* z/lekceważyć (**at sb, sth** kogoś, coś); pogardz-ić/ać (**at sb, sth** kimś, czymś) 2. parsk-nąć/ać; prych-nąć/ać; fuk-nąć/ać 3. za/skwierczeć 4. (*o deszczu*) popadywać; pokrapywać; mżyć

∼ **out** *vt* wyplu-ć/wać; *przen* miotać (**oaths, threats etc.** przekleństwa, pogróżki itd.); *sl* ∼ **it out!** a) gadajże!; gadajcież! b) śpiewaj/cie głośniej!

☐ *s* 1. ślina; plwocina; *wojsk* ∼ **and polish** czyszczenie; *pot* pucowanie; *pot przen* **the very** <**dead**> ∼ **of one's father** (żywe) odbicie ojca; 2. rzadkie krople <pokrapywanie> (deszczu); mżawka *zob* ∼ *vi* 4. 3. drobny śnieg

spitchcock ['spitʃ,kɔk] ☐ *s* rozpłatany i smażony węgorz ☐ *vt* rozpłatać i usmażyć (rybę itd.)

spite [spait] ☐ *s* niechęć; uraza; złość; złośliwość; chęć dokuczenia; **in** ∼ **of** _ pomimo ... (czegoś); **wbrew** ... (czemuś); **out of** ∼ przez złość; **to have a** ... ∼ **against sb** mieć <żywić> urazę do kogoś; czuć niechęć do kogoś ☐ *vt* z/robić na złość <dokucz-yć/ać> (**sb** komuś); **to cut off one's nose to** ∼ **one's face** samemu sobie zrobić na złość, byle drugiemu dokuczyć

spiteful ['spaitful] *adj* 1. złośliwy; dokuczliwy 2. zacięty; zawzięty; mściwy

spitefulness ['spaitfulnis] *s* 1. niechęć; złość, złośliwość; chęć dokuczania; dokuczliwość 2. zaciętość; zawziętość; mściwość

spitfire ['spit,faiə] *s* 1. złośni-k/ca; cholery-k/czka; sekutni-k/ca 2. *lotn* **Spitfire** typ myśliwca

spittle ['spitl] *s* ślina; plwocina

spittoon [spi'tu:n] *s am* spluwaczka

spitz [spits] *s zoo* szpic (rasa psa)

spiv [spiv] *s sl* spekulant/ka (na czarnym rynku)

splanchnic ['splæŋknik] *adj anat* trzewny

splanchnology ['splæŋk,nɔlədʒi] *s* nauka o trzewiach

splash [splæʃ] ☐ *vt* 1. obryzg-ać/iwać; oprysk-ać/iwać; ochlap-ać/ywać 2. plus-nąć/kać <bryz-nąć/gać, pryskać, chlap-nąć/ać> (**water etc.** wodą itd.); **to** ∼ **one's way across a pond** <**river, mud etc.**> prze-jść/chodzić <przeje-chać/żdżać> przez staw <rzekę, błoto itd.> pluskając <bryzgając> na wszystkie strony 3. rozbryz-gać/iwać; rozchlap-ać/ywać 4. upstrzyć <usiać> (plamami, kwiatami itd.) ☐ *vi* 1. rozbryz-nąć/giwać <rozprysk-ać/iwać> się 2. plus-nąć/kać (**into the water** do wody); pluskać się (**in the water** w wodzie) 3. przej-ść/chodzić <przeje-chać/żdżać> (**through** _ przez ...) pluskając <bryzgając> na wszystkie strony ☐ *s* 1. plusk; pluskanie 2. roz/bryzg; plama (z błota itd.) 3. kapka (wody sodowej do whisky itd.) 4. plamka; łata (kolorowa) 5. sensacja; **to make a** ∼ wzbudz-ić/ać sensację 6. puder do twarzy

splash-board ['splæʃ,bɔ:d] *s auto* błotnik

splasher ['splæʃə] *s* 1. *auto* osłona przeciwbryzgowa (na błotniku) 2. (*u lokomotywy*) błotnik 3. płyta chroniąca ścianę od odprysków (wody itd.)

splashy ['splæʃi] *adj* 1. pluskający 2. obryzgany 3. błotnisty; kałużysty 4. *plast* (*o obrazie*) w barwne plamy

splatter ['splætə] ☐ *vt* 1. obryzg-ać/iwać 2. bełkotać <mamrotać> (**a language w** jakimś języku) ☐ *vi* 1. pluskać 2. bełkotać; mamrotać

splatterdash ['splætə,dæʃ] = **spatterdash**

splay [splei] ☐ *vt* 1. *bud* rozglifi-ć/ać (framugę) 2. *med* zwichnąć; wywichnąć; wykręcić ☐ *vi bud* rozglifi-ć/ać się ☐ *s bud* 1. glif <rozglifienie> (ukośne rozszerzenie muru we framudze okna <drzwi>) 2. pochylenie ☐ *adj* ukośnie ścięty; ∼ **mouth** wykrzywione <rozwarte> usta

splay-foot ['splei,fut] *s* płaska stopa

spleen [spli:n] *s* 1. *anat* śledziona 2. chandra; ponury nastrój; zły humor; przygnębienie; splin; złość; **to vent one's** ∼ **upon sb** wyładować złość na kimś

spleenful ['spli:nful] *adj* 1. śledzienniczy 2. w złym humorze; zły

spleenwort ['spli:n,wə:t] *s bot* zanokcica (paproć)

splendent ['splendənt] *adj* lśniący; błyszczący

splendid ['splendid] *adj* 1. wspaniały; znakomity; świetny; okazały 2. doskonały

splendiferous [splen'difərəs] *adj pot* świetny; pierwszorzędny

splendour ['splendə] *s* wspaniałość; okazałość; świetność; przepych

splenetic [spli'netik] ▯ *adj* 1. *anat* śledzionowy 2. śledzienniczy; rozdrażniony; zły; w złym humorze ▯▯ *s farm* lekarstwo na śledzionę

splenic ['splenik] *adj anat* śledzionowy

splenitis [spli'naitis] *s med* zapalenie śledziony

splice [splais] ▯ *vt* 1. *mar* spl-eść/atać (końce liny) 2. *stol* po/łączyć (belki itd.) na zakładkę 3. *pot* s/kojarzyć węzłem małżeńskim ▯▯ *s* 1. splot <po-łączenie> (lin itd.) 2. złącze; miejsce połączenia

spline [splain] ▯ *s* 1. rowek; wyżłobienie 2. klin; zawłoka 3. deszczułka ▯▯ *vt* za/klinować

splint [splint] ▯ *s* 1. *chir* szyna; łubki 2. łub 3. *anat* (*także* ~-bone) kość strzałkowa; strzałka 4. (*u konia*) kostniak 5. drzazga; wiór ▯▯ *vt chir* wziąć/brać (złamaną kość) na szynę; unieruch--omić/amiać za pomocą szyny

splint-coal ['splințkoul] *s górn* 1. węgiel splintowy 2. łupek węglowy

▲**splinter** ['splintə] ▯ *s* 1. szczepka; drzazga 2. odłamek; odprysk ▯▯ *vt* rozszczepi-ć/ać; rozłup--ać/ywać; łupić ▯▯▯ *vi* rozszczepi-ć/ać <rozłup--ać/ywać, rozprysk-ać/iwać> się

splinter-bar ['splintə̦bɑ:] *s* 1. (*u wozu*) orczyk 2. trawers (wozu)

splinter-bone ['splintə̦boun] = **splint** *s* 3.

splinter-proof ['splintə̦pru:f] *adj* niełupliwy; (*o szkle itd*) nie rozpryskujący się; nierozpryskowy

splintery ['splintəri] *adj* łupliwy

split[1] [split] *v* (**split, split; splitting** ['splitiŋ]) ▯ *vt* 1. rozszczepi-ć/ać; rozłup-ać/ywać; rozpłat--ać/ywać; rozdw-oić/ajać; rozciąg-nąć/ać; roz-rąb-ać/ywać; roz-edrzeć/dzierać; roz-łożyć/kła-dać na części; rozbi-ć/obnić/abniać; przepoł-owić/awiać; **to ~ an apple** przekroić jabłko na pół; **to ~ one's sides with laughter** pękać ze śmiechu; **to ~ the atom** rozbi-ć/jać atom; **to ~ the difference** wy/pośrodkować różnicę (w cenie itd.); z/godzić się krakowskim targiem 2. roz-dziel-ić/ać; po/dzielić (na części); po/dzielić się (**the profits etc.** dochodem itd.); s/powodować rozłam <doprowadz-ić/ać do rozłamu> (**a party etc.** w partii itd.); **to ~ a vote** po/dzielić głosy (przez wprowadzenie nowej kandydatury); **to ~ one's vote** głosować równocześnie na kilku kandydatów <na kilka różnych partii>; **to ~ hairs** dzielić włos na części; **to ~ sb's ears** ogłusz--yć/ać kogoś 3. *garb* dwoić (skórę); **to ~ a hide** rozdwoić <przepołowić> skórę ▯▯▯ *vi* 1. rozszcze-pi-ć/ać <rozłup-ać/ywać, łupać> się 2. pęk-nąć/ać; roz-edrzeć/dzierać <rozdw-oić/ajać, rozbi-ć/jać> się (**in two** na dwie części <na dwoje>); **to ~ open** pęk-nąć/ać; roztworzyć się; **my head is** <was> **~ting** pęka <pękała> mi głowa (z bólu); **to ~ with laughter** pękać ze śmiechu 3. (*o ciele kolektywnym*) po/dzielić się (**on a question** w jakiejś sprawie); nie zgadzać się; mieć odmienne zdania 4. zdrądz-ić/ać (**on an accomplice** wspólnika przestępstwa); don-ieść/osić (**on sb** na kogoś)

~ off ▯ *vt* odłup-ać/ywać ▯▯ *vi* odszczepi--ć/ać się

~ up ▯ *vt* roz-łożyć/kładać (**into** _ na ...) ▯▯ *vi* 1. roz-łożyć/kładać się; pęk-nąć/ać 2. po/dzielić <rozdziel-ić/ać> się

zob **split**[2], **splitting** ▯▯▯ *s* 1. pęknięcie; rysa; szczelina; rozdarcie; rozszczepienie; rozpad 2. rozłam; rozdział; podział 3. *garb* dwoina 4. łub 5. *pot* ćwierć <pół> butelki (wody mineralnej itd.); pół porcji (napoju alkoholowego) 6. *pl* ~s (*w akrobacji, tańcu*) szpagat

▲**split**[2] [split] ▯ *zob* **split**[1] *v* ▯▯ *adj* 1. rozszcze-piony; **a ~ second** oka mgnienie; **in a ~ second** w ułamku sekundy; *gram* **~ infinitive** umieszczenie przysłówka między "to" a bez-okolicznikiem, np.: **to ~ fully understand** w pełni zrozumieć; **~ key** klucz francuski; **~ peas** łupany groch; *med* **~ mind** schizofrenia; *psych* **~ personality** rozdwojenie osobowości; *techn* **~ pin** zatyczka; zawleczka; **~ ring** kółko na klucze 2. ułamkowy; częściowy; podzielony

splitter ['splitə] *s* rozłupywacz (kamienia itd.)

splitting ['splitiŋ] ▯ *zob* **split**[1] *v* ▯▯ *adj* (*o bólu*) ostry; rozsadzający; **a ~ headache** silny <ostry, rozsadzający> ból głowy ▯▯▯ *s* rozszczepianie; *med* rozcinanie

splodge [splɔdʒ], **splotch** [splɔtʃ] ▯ *s* plama ▯▯ *vt* 1. po/plamić; pokry-ć/wać plamami 2. za/bazgrać; za/paćkać

splotchy ['splɔtʃi] *adj* poplamiony; pokryty plamami; zabazgrany; zapaćkany

splurge [splə:dʒ] ▯ *s pot* chęć <próba> za/impo-nowania ▯▯ *vi* chcieć <usiłować> imponować

splutter ['splʌtə] = **sputter**

Spode [spoud] *spr* marka wykwintnej porcelany

spoffish ['spɔfiʃ] *adj pot* 1. natrętny 2. ruchliwy

spoil [spɔil] ▯ *s* 1. (*zw pl* ~s) łup; zdobycz; trofeum (wojenne) 2. *polit* ob-jęcie/ejmowanie stanowisk państwowych przez stronników zwy-cięskiej partii 3. wykopana ziemia (przy budowie itd.); gruz; *górn* odpady; skała płonna ▯▯ *vt* (*praet* **spoilt** [spɔilt], **spoiled** [spɔilt], *pp* **spoilt, spoiled**) 1. † *lit* (spoiled, spoiled) ogra-bi-ć/ać <okra-ść/dać> (**sb of sth** kogoś z czegoś) 2. (spoiled, spoiled) popsuć; ze/psuć; uszk-odzić/adzać; nadweręż-yć/ać; z/niszczyć; z/marnować; o/kalecz-yć/ać; **to ~ one's eyes** ze/psuć sobie oczy; **to ~ sb's dinner** <breakfast etc.> ze/psuć komuś obiad <śniadanie itd.>; od-ebrać/bierać komuś apetyt; **to ~ the fun** ze/psuć zabawę 3. (spoilt, spoilt) ze/psuć <rozpieszczać> (dziecko itd.) 4. *sl* (spoiled, spoiled) zeszpec-ić/ać <zama-low-ać/ywać, wykończ-yć/ać, skaleczyć, zabić> (kogoś) ▯▯▯ *vi* 1. (spoiled, spoiled) ze/psuć <po-psuć> się; z/niszczeć 2. *w formie continuous*: **to be ~ing for sth** palić <rwać> się do czegoś

spoilage ['spɔilidʒ] *s* odpadki; braki (w produk-cji); *druk* makulatura

spoiler ['spɔilə] *s* psotnik

spoilsman ['spɔilzmən] *s* (*pl* **spoilsmen** ['spɔilz mən]) *polit* stronnik zwycięskiej partii doma-gający się stanowiska państwowego <nagrodzony stanowiskiem państwowym>

spoil-sport ['spɔil̦spɔ:t] *s* człowiek psujący innym zabawę

spoilt *zob* **spoil** *v*

spoke[1] *zob* **speak**

spoke² [spouk] ⊡ s 1. szprycha (koła) 2. szczebel (drabiny) 3. drąg do hamowania; **to put a ~ in sb's wheel** popsuć komuś szyki ⊞ vt 1. zaopat-rzyć/rywać (koło) w szprychy 2. za/hamować drągiem

spoke-bone ['spouk,boun] s anat kość promieniowa <szprychowa>

spoken ['spoukən] ⊡ zob **speak** ⊞ adj mówiony; ustny

spokeshave ['spouk,ʃeiv] s stol ośnik

spokesman ['spouksmən] s (pl **spokesmen** ['spouksmən]) orędownik; rzecznik

spokewise ['spoukwaiz] adv promienisto

spoliate ['spouli,eit] vt z/łupić; ograbi-ć/ać; obrabow-ać/ywać

spoliation [,spouli'eiʃən] s 1. grabież; rabunek; ograbi-enie/anie (neutralnych statków przez państwa wojujące) 2. z/niszczenie <s/fałszowanie> dokumentów <aktów urzędowych>

spoliator ['spouli,eitə] s łupieżca

spondaic [spɔn'deiik] adj (o wierszu) spondaiczny

spondee ['spɔndi:] s prozod spondej

spondyl(e) ['spɔndil] s anat kręg

sponge [spʌndʒ] ⊡ s 1. gąbka; przen **to pass the ~ over sth** pu-ścić/szczać coś w niepamięć; przen **to throw** <pot **chuck**> **up the ~** podda-ć/wać się; uzna-ć/wać się za pokonanego 2. wycieradło; wojsk wycior (armatni) 3. = **~-cake** 4. = **~-bath** 5. tampon 6. wytarcie gąbką; **to give sth a ~** wy-trzeć/cierać coś gąbką 7. (o człowieku) pieczeniarz; darmozjad; pasożyt 8. sl pija-k/czka 9. techn powłoka galwaniczna gąbczasta ⊞ vt 1. wy-trzeć/cierać (gąbką itd.) 2. zmy-ć/wać; obmy-ć/wać 3. wyłudz-ić/ać; wpr-osić/aszać się (**a dinner etc.** na obiad itd.) ⊞ vi 1. łowić gąbki 2. wessać/wsysać; wchł-onąć/aniać 3. wpr-aszać/osić się; żyć kosztem (**on sb** czyimś); wyłudz-ić/ać (**on sb for sth** coś od kogoś)
~ down vt obmy-ć/wać
~ off <out> vt wy-trzeć/cierać (gąbką itd.)
~ up vt 1. wessać/wsysać; wchł-onąć/aniać 2. wy-trzeć/cierać (gąbką)

sponge-bath ['spʌndʒ,ba:θ] s płaska wanna do natrysków

sponge-cake ['spʌndʒ,keik] s biszkopt

sponge-cloth ['spʌndʒ,klɔθ] s frot (materiał na ręczniki)

sponger ['spʌndʒə] s 1. poławiacz/ka gąbek 2. pieczeniarz; darmozjad; pasożyt

spongiform ['spʌndʒi,fɔ:m] adj gąbczasty

sponginess ['spʌndʒinis] s gąbczastość; porowatość

sponging-house ['spʌndʒiŋ,haus] s hist prowizoryczne więzienie dla niewypłacalnych dłużników

spongy ['spʌndʒi] adj (**spongier** ['spʌndʒiə], **spongiest** ['spʌndʒiist]) gąbczasty; porowaty

sponsion ['spɔnʃən] s rękojmia; poręka

sponson ['spɔnsn] s mar występ <wystająca platforma> (u burty statku); barbeta burtowa

sponsor ['spɔnsə] ⊡ s 1. ojciec <matka> chrzestn-y/a; **to stand ~ to a child** trzymać dziecko do chrztu 2. poręczyciel/ka; **to stand ~ for sb** ręczyć za kogoś 3. wnioskodaw-ca/czyni 4. członek towarzystwa <klubu itd.> wprowadzający (kandydata, gościa itd.) 5. handl osobnik finansujący reklamę (radiową itp.); firma <instytu-

cja itd.> finansująca program radiowy ⊞ vt 1. trzymać do chrztu 2. ręczyć (**sb za kogoś**); odpowiadać (**sth za coś**); **to be ~ed by** __ znajdować się pod opieką <zarządem> ... (czy-jąś/imś) 3. wyst-ąpić/ępować (**a motion** z wnioskiem) 4. przedstawi-ć/ać (program radiowy itd.) publiczności <radiosłuchaczom itd.> 5. s/finansować

sponsorship ['spɔnsəʃip] s 1. funkcja <występowanie w charakterze> ojca <matki> chrzestne-go/j 2. poręka; poręczenie 3. handl finansowanie reklamy zob **sponsor** s 5.

spontaneity [,spɔntə'ni:iti] s spontaniczność <samorzutny charakter> (demonstracji itd.)

spontaneous [spɔn'teinjəs] adj 1. spontaniczny; samorzutny; dobrowolny 2. (o ruchu itd) mechaniczny; odruchowy 3. samoistny; techn **~ combustion** samozapłon; biol **~ generation** samorództwo; med **~ pneumothorax** odma samoistna

spontoon [spɔn'tu:n] s hist szponton (rodzaj halabardy)

spoof [spu:f] ⊡ s sl naciąganie; nabijanie w butelkę; kant; szachrajstwo; oszustwo ⊞ attr (o fakcie, dowodzie itd) spreparowany; sfabrykowany ⊞ vt sl naciąg-nąć/ać; nabi-ć/jać w butelkę; wy/kantować; o/szachrować; oszuk-ać/iwać

spoofer ['spu:fə] s sl kanciarz; szachraj; oszust

spook [spu:k] s żart duch; zjawa

spooky ['spu:ki] adj 1. (o opowiadaniu itd) o duchach 2. (o domu itd) nawiedzany przez duchy; **the house is ~** w tym domu straszy

spool [spu:l] ⊡ s 1. szpulka 2. cewka 3. bęben ⊞ vt 1. nawi-nąć/jać 2. (także ~ off) odwi-nąć/jać

spooler ['spu:lə] s techn nawijarka cewkowa

spoon¹ [spu:n] ⊡ s 1. łyżka; **to be born with a silver ~ in one's mouth** urodzić się w czepku 2. wygięte <wklęsłe> pióro wiosła 3. jeden z kijów do gry w golfa 4. = **~-bait** ⊞ vt 1. jeść łyżką; czerpać 2. podbi-ć/jać (piłkę) w górę 3. wędk łowić na targlicę
~ off vt zebrać/zbierać łyżką (śmietankę itd.)
~ out vt wyb-rać/ierać <wyczerp-ać/ywać> łyżką
~ up vt 1. jeść łyżką 2. czerpać <wyczerpywać> łyżką 3. zebrać/zbierać łyżką (rozlany płyn) 4. (w golfie, krykiecie) podbi-ć/jać (piłkę) w górę

spoon² [spu:n] ⊡ s sl 1. głupek 2. człowiek głupio <ślepo> zakochany; **to be ~s on sb** durzyć się w kimś ⊞ vt sl durzyć <bujać> się (**sb w kimś**); umizgać się (**sb do kogoś**) ⊞ vi sl bujać <kochać> się

spoon-bait ['spu:n,beit] s wędk targlica

spoonbill ['spu:n,bil] s zoo warzęcha biała (ptak)

spoondrift ['spu:ndrift] = **spindrift**

spoonerism ['spu:nə,rizəm] s przestawienie początkowych liter <głosek, zgłosek> zespołu wyrazów np. **blushing crow** zamiast **crushing blow**

spoon-fed ['spu:n,fed] adj 1. (o dziecku) karmiony łyżeczką 2. przen (o dziecku) rozpieszczony 3. (o przemyśle) subwencjonowany; popierany przez państwo 4. (o uczniu) kształcony drogą systematycznego dawkowania wiedzy

spoonful ['spu:nful] s (pełna) łyżka (jedzenia, lekarstwa itd.)

spoon-meat ['spu:n,mi:t] s płynne pożywienie

spoon-net ['spu:n‚net] s podrywka (sieć)

▲**spoony** ['spu:ni] ① *adj* (**spoonier** ['spu:niə], **spooniest** ['spu:niist]) *sl* 1. głupkowaty; głupawy 2. zabujany; głupio zakochany ② *s sl* głupek

spoor [spuə] ① *s* ślad <trop> (zwierza) ② *vt* tropić (zwierza)

sporadic [spə'rædik] *adj* sporadyczny; rzadki; rzadko zdarzający się

sporangium [spə'rændʒiəm] *s* (*pl* **sporangia** [spə'rændʒiə], ~s) *bot* zarodnia

spore [spɔ:] *s* 1. *bot* spora, zarodnik; zarodek 2. *biol* zarodek 3. *przen* zarodek, nasienie

sporran ['spɔrən] *s* skórzana torba (stanowiąca część szkockiego stroju narodowego)

sport [spɔ:t] ① *vi* 1. za/bawić <rozerwać> się, po/figlować; po/dokazywać 2. za/bawić się (**with sb** kimś); igrać (**with sb z** kimś); za/kpić <za/drwić> (**with sb z** kogoś) 3. *bot zoo* wyda-ć/wać nietypową <anormalną> jednostkę 4. *bot zoo* odbie-c/gać od normy ② *vt* mieć na sobie; paradować (**sth** w czymś); popisywać się (**sth** czymś); wystawi-ć/ać na pokaz; chlubić się własnością <posiadaniem> (**sth** czegoś) *zob* **sporting** ③ *s* 1. zabawa; żarty; **it's great** ~ **to** bardzo zabawne; **to be the** ~ **of Fortune etc.** być igraszką fortuny itd.; **to make** ~ **of sb** za/żartować z kogoś; u/śmiać się czyimś kosztem; **to make** ~ **of sth** za/bawić się czymś; po/traktować coś jako zabawę; **in** ~ (powiedzieć itd.) żartem <dla zabawy, *pot* dla hecy> 2. (*o zadaniu itd*) zabawka, łatwizna 3. rozrywka 4. sport (*zw* łowiectwo, wędkarstwo, wyścigi konne); **aquatic** ~**s** sporty wodne; **to have good** ~ wrócić z pełną torbą zwierzyny <z pełnym koszem ryb> 5. *pl* ~**s** lekkoatletyka 6. *pl* ~**s** zawody lekkoatletyczne 7. *bot zoo* nietypowa <anormalna> jednostka 8. *pot* (*o człowieku*) porządny gość <facet, chłop>; **be a** ~ a) bądź/cie tak dob-ry/rzy b) nie zrób/cie mi zawodu *zob* **sports**

sportful ['spɔ:tful] *adj* figlarny

▲**sporting** ['spɔ:tiŋ] ① *zob* **sport** *v* ② *adj* 1. rozmiłowany w sportach (*zob* **sport** *s* 4.); **a** ~ **man** a) sportowiec b) miłośnik sportów c) amator wyścigów konnych 2. (*o człowieku*) posiadający przymioty prawdziwego sportowca; postępujący po sportowemu 3. (*o zachowaniu itd*) godny prawdziwego sportowca 4. (*o okazji, sposobności, ofercie*) uczciwy; rzetelny; **to give sb a** ~ **chance** postąpić z kimś rzetelnie; dać komuś możność bronienia się 5. *handl* (*o artykułach, przyborach itd*) sportowy

sportingly ['spɔ:tiŋli] *adv* uczciwie; rzetelnie

sportive ['spɔ:tiv] *adj* żartobliwy

sports [spɔ:ts] ① *s zob* **sport** *s* ② *attr* sportowy; ~ **car** samochód wyścigowy; ~ **field** plac gier; boisko; ~ **jacket** marynarka sportowa

sportsman ['spɔ:tsmən] *s* (*pl* **sportsmen** ['spɔ:tsmən]) 1. sportowiec; myśliwy; wędkarz; amator wyścigów konnych 2. człowiek posiadający przymioty prawdziwego sportowca <postępujący po sportowemu, uczciwie, rzetelnie>

sportsmanlike ['spɔ:tsmən‚laik] *adj* (*o zachowaniu*) godny prawdziwego sportowca

sportsmanship ['spɔ:tsmənʃip] *s* 1. wyrobienie sportowe 2. rzetelny sposób postępowania

sportswoman ['spɔ:ts‚wumən] *s* (*pl* **sportswomen** ['spɔ:ts‚wimin]) sportsmenka

sporule ['spɔ:rju:l] = **spore**

▲**spot** [spɔt] ① *s* 1. miejscowość; miejsce; *przen* **a tender** ~ czułe miejsce; bolączka; **on the** ~ a) na miejscu b) natychmiast; **a young man on the** ~ rozgarnięty młodzieniec; *am sl* **to put sb on the** ~ a) załatwić się z kimś b) położyć kogoś trupem 2. plama, plamka; punkt, punkcik; kropka; *pl* ~**s** (*w deseniu*) groszek; *przen* **a** ~ **on sb's reputation** cień na czyjejś reputacji; *przen* **can the leopard change his** ~**s?** czy wilk może stać się owcą? 3. skaza; znamię; znak 4. krosta; *pot* pryszcz 5. krzta; *sl* kapka; odrobina; **a** ~ **of leave** króciutki urlop; **a** ~ **of lunch** skromny obiadek; **a** ~ **of whisky** kapka whisky 6. kłopot; kłopotliwe położenie 7. *zoo* biały gołąb z plamką na czole 8. *zoo* nazwa kilku gatunków ryb nakrapianych 9. *pot* (*na wyścigach*) wytypowany zwycięzca ② *attr handl* (*o zamówieniu*) do wykonania natychmiast; (*o towarze*) na składzie; do natychmiastowej dostawy; ~ **cash** transakcja gotówkowa ③ *vt* (**-tt-**) 1. po/znaczyć kropkami; nakr-opić/apiać; po/cętkować 2. po/plamić; za/brudzić 3. spostrze-c/gać; dostrze-c/gać; rozezna-ć/wać; zauważyć; z/orientować się (**sth** w czymś) 4. pozna-ć/wać; rozpozna-ć/wać 5. zapowi-edzieć/adać z góry; *pot* wy/typować *zob* **spotted**

spotless ['spɔtlis] *adj* nieskazitelny; bez skazy; nienagannej czystości

spotlessness ['spɔtlisnis] *s* nieskazitelność; nienaganna czystość

spotlight ['spɔt‚lait] *s* 1. *teatr* światło reflektorów; **to be in** <**hold**> **the** ~ być w centrum <być ośrodkiem> powszechnego zainteresowania; zwracać na siebie powszechną uwagę 2. reflektor

▲**spotted** ['spɔtid] ① *zob* **spot** *v* ② *adj* cętkowany; kropkowany; nakrapiany; plamisty; w plamki; w kropki; groszkowany; *med* ~ **fever** a) zapalenie opon mózgowych b) tyfus plamisty

spotter ['spɔtə] *s* 1. *wojsk lotn* wywiadowca 2. *am* prywatny detektyw; *pot* wtyczka

spotty ['spɔti] *adj* (**spottier** ['spɔtiə], **spottiest** ['spɔtiist]) 1. cętkowany; kropkowany; nakrapiany; w plamki; w kropki; łaciaty 2. pokryty krostami; krostowaty; *pot* opryszczony

spouse [spauz] *s* małżon-ek/ka

spout [spaut] ① *vt* 1. chlus-nąć/tać <bluz-nąć/gać, sik-nąć/ać> (**sth** czymś); pu-ścić/szczać strumień <strugę, fontannę> (**water etc.** wody itd.); **the whale** ~**s water** wieloryb wyrzuca w górę fontannę wody; **the wound** ~**ed blood** krew chlus-nęła/tała z rany 2. wy/recytować; za/deklamować 3. *sl* zastawi-ć/ać (w lombardzie) ② *vi* trys-nąć/kać; chlus-nąć/tać; bluz-nąć/gać; sik-nąć/ać ③ *s* 1. rura spustowa, spustnica 2. otwór wylotowy <wypływowy> (rynny itd.) 3. dziób (dzbanka, czajnika, polewaczki itd.) 4. rynienka (u różnych maszyn itd.) 5. ześlizg <dźwig towarowy> w lombardzie; (*o przedmiocie*) **up the** ~ zastawiony; w lombardzie

sprag [spræg] ① *s* 1. klin (do hamowania wozu) 2. *górn* rozpora ② *vt* (**-gg-**) *górn* rozpierać (za pomocą rozpór)

sprain [sprein] ⊥ *vt* zwichnąć Ⅲ *s* zwichnięcie (**of one's ankle** etc. sobie nogi w kostce itd.)

spraints [spreints] *spl* łajno wydry

sprang *zob* **spring** *v*

sprat [spræt] *s* 1. *zoo* szprot, szprotka; *przen* **to throw <risk>** a ~ **to catch a whale <a mackerel, a herring>** za/ryzykować drobiazg w nadziei wielkiego zysku 2. *żart* brzdąc; bąk; berbeć; pędrak

sprat-day ['spræt,dei] *s* dzień rozpoczęcia sezonu połowu szprotów (9 listopada)

sprawl [sprɔ:l] ⊥ *vi* 1. rozwalać się; leżeć rozwalonym; **to send sb** ~ **ing** powalić <rozłożyć> kogoś mocnym uderzeniem; **I went** ~ **ing** wywaliłem <rozciągnąłem> się jak długi; rąbnąłem się; rymnąłem 2. (*o roślinie itd*) rozr-osnąć/astać <rozkrzewi-ć/ać> się *zob* **sprawling** Ⅲ *s* rozwalanie się; **in a** ~ rozwalony

sprawling ['sprɔ:liŋ] ⊥ *zob* **sprawl** *v* Ⅲ *adj* 1. rozwalony 2. rozlazły; **a** ~ **handwriting** niewyraźny charakter pisma; *pot* kulfony, kulasy

↓**spray**[1] [sprei] ⊥ *s* 1. pył wodny 2. rozpylona ciecz 3. rozpylacz; opryskiwacz Ⅲ *vt* 1. rozpyl-ić/ać 2. oprysk-ać/iwać

spray[2] [sprei] *s* gałązka

sprayer ['spreiə] *s* 1. rozpylacz 2. opryskiwacz (przyrząd)

spread[1] [spred] *v* (**spread, spread**) ⊥ *vt* 1. rozciąg-nąć/ać; rozpo-strzeć/ścierać; roz-ścielać/esłać; rozprzestrzeni-ć/ać; **to** ~ **the table <the cloth>** a) nakry-ć/wać do stołu b) zastawi-ć/ać stół 2. roz-łożyć/kładać; **to** ~ **a net** zastawi-ć/ać sieci 3. rozwi-nąć/jać (żagle itd.) 4. rozpowszechni-ć/ać 5. rozsyp-ać/ywać; rozrzuc-ić/ać; rozsia-ć/ewać; usiąć; rozszerz-yć/ać <pu-ścić/szczać w obieg; w krąg> (wiadomość itd.); głosić 6. po/smarować (chleb masłem, ranę maścią itd.); rozsmarow-ać/ywać (masło, maść itd.); powle-c/kać (coś czymś); rozl-ać/ewać (wodę itd.) 7. *fonet* spłaszcz-yć/ać (wargi) ‖ *am* **to** ~ **on the records** zapis-ać/ywać Ⅲ *vr* ~ **oneself** 1. mieć szeroki gest; *pot* wysadz-ić/ać się 2. puszyć <nadymać> się 3. rozwodzić się (**on sth** nad czymś) Ⅲ *vi* 1. rozciąg-nąć/ać <słać> się; pokry-ć/wać (**on <over> sth** coś); sięg-nąć/ać (dokądś) 2. rozszerz-yć/ać <szerzyć, rozl-ać/ewać> się 3. roz-ejść/chodzić się 4. rozwi-nąć/jać się 5. rozpowszechni-ć/ać się 6. roz-leźć/łazić się 7. (*o ogniu itd*) przerzuc-ić/ać się; ogarn-ąć/iać <ob-jąć/ejmować> (**to other buildings** etc. inne budynki itd.) 8. rozprys-nąć/kiwać się *zob* **spread**[2] Ⅳ *s* 1. rozciąg-nięcie/anie; roz-esłanie/syłanie; rozpo-starcie/ścieranie; roz-łożenie/kładanie; rozłożystość (drzewa) 2. rozwi-nięcie/janie; rozwój 3. rozpiętość; zasięg 4. rozpowszechni-enie/anie; rozsi-anie/ewanie, sianie; rozszerz-enie/anie, szerzenie; rozgł-oszenie/aszanie, głoszenie 5. szerokość 6. przestrzeń 7. rozprysk 8. uczta; przyjęcie; *pot* wyżerka 9. *am* coś do posmarowania kromki chleba (masło, pasta, dżem itd.) 10. kapa 11. *dzien* duże ogłoszenie 12. *am handl* różnica między ceną fabryczną a sprzedażną 13. *handl* rozpiętość (cen, kursów itd.)

spread[2] [spred] ⊥ *zob* **spread**[1] *v* Ⅲ *adj* rozposstarty; ~ **eagle** a) orzeł z rozpostartymi skrzydłami b) *pot* rozpłatany i smażony drób c) *mar* (*o marynarzu*) zawieszony w powietrzu za karę

z rozpostartymi rękami i nogami; ~ **table** zastawiony stół

spread-eagle ['spred,i:gl] ⊥ *adj* (*o przemówieniu itd*) bombastycznie patriotyczny Ⅲ *vt* 1. zawiesić (marynarza) za karę z rozpostartymi rękami i nogami 2. rozciąg-nąć/ać

spread-eagleism [,spred'i:gə,lizəm] *s am* szowinizm; patriotyzm wyrażany bombastycznymi przemówieniami

spreader ['spredə] *s* 1. *techn* rozpórka; rozszerzacz 2. *roln* roztrząsacz (do obornika) 3. powlekarka (do gumy itd.) 4. sitko (polewaczki) 5. rozpryskiwacz (przyrząd)

spree [spri:] ⊥ *s* hulanka; *pot* biba;· popijawa; **to be on the** ~ hulać; **to go on the** ~ zabawi-ć/ać się, po/hulać; *pot* wypu-ścić/szczać się; **to have a** ~ pohulać Ⅲ *vi* po/hulać

sprig [sprig] ⊥ *s* 1. gałązka 2. ozdoba <wzór> w kształcie gałązki 3. kołek (szewski itp.) 4. młodzieniaszek 5. latorośl, potomek Ⅲ *vt* (**-gg-**) 1. ozd-obić/abiać wzorem gałązkowym 2. przy/ kołkować (podeszwę itd.)

sprightliness ['spraitlinis] *s* 1. żywość; żwawość 2. wesołość 3. lotność <błyskotliwość> (umysłu)

sprightly ['spraitli] *adj* (**sprightlier** ['spraitliə], **sprightliest** ['spraitliist]) 1. żywy, żwawy 2. wesoły 3. (*o umyśle*) lotny; błyskotliwy

sprigtail ['sprig,teil] *s zoo* rożeniec (kaczka)

↓**spring** [spriŋ] *v* (**sprang** [spræŋ], **sprung** [sprʌŋ]) ⊥ *vi* 1. sk-oczyć/akać; **to** ~ **over a fence** prze/ skoczyć przez płot; **to** ~ **to one's feet** skoczyć <zerwać się> na równe nogi 2. rzuc-ić/ać się (**at sb, sth** na kogoś, coś); **to** ~ **to sb's aid** rzuc-ić/ać się komuś na pomoc; **to** ~ **to sb's throat** rzuc-ić/ać się komuś do gardła 3. sprężynować; (*o drucie stalowym, gałęzi itd*) odpręż-ać/yć się; nagle <gwałtownie> się wy/prostować <odgi-ąć/nać, podn-ieść/osić>; **to** ~ **open** nagle się otw-orzyć/ierać 4. (*o wodzie itd*) trys-nąć/kać, bić, wypły-nąć/wać; (*o krwi*) uderz-yć/ać (**do** głowy) 5. ukaz-ać/ywać <pojawi-ć/ać> się; na/rodzić się; powsta-ć/wać 6. pochodzić; być potomkiem (**from noble stock** zacnego rodu) 7. wynik-nąć/ać; **what will** ~ **from all** **this**? co z tego wszystkiego wyniknie?; jaki będzie wynik tego wszystkiego?; czym się to wszystko skończy? 8. (*o roślinach*) pu-ścić/szczać pączki <pędy> 9. wykrzywi-ć/ać <s/paczyć> się 10. pęk-nąć/ać; roz-erwać/rywać się; eksplodować Ⅲ *vt* 1. stwierdzić pęknięcie (**sth** czegoś); **I have sprung my racket** pękła mi rakieta 2. rusz-yć/ać (zwierza); s/płoszyć (ptactwo) 3. zw-olnić/alniać sprężynę (**sth** czegoś); **to** ~ **a trap** spu-ścić/szczać pułapkę 4. zask-oczyć/akiwać <*pot* zastrzelić> (**a new theory <proposition etc.> on sb** kogoś nową teorią <propozycją itd.>); nieoczekiwanie zwr-ócić/acać się (**a question** <**a request> on sb** z zapytaniem <prośbą> do kogoś); **to** ~ **a surprise on sb** zask-oczyć/akiwać <wprawi-ć/ać w zdumienie> kogoś; z/robić komuś niespodziankę 5. *auto* zawie-sić/szać na resorach <zaopat-rzyć/rywać w resory> (pojazd itd.) 6. wysadz-ić/ać, roz-erwać/rywać (minę itd.); s/powodować wybuch <eksplozję> (**a mine** etc. miny itd.) ‖ (*o dachu, pojemniku, statku itd*) **to** ~ **a leak** przedziurawić się; zacz-ąć/ynać przeciekać; (*o dachu*) zaciekać

~ **aside** <away> vi odsk-oczyć/akiwać
~ **back** vi 1. odsk-oczyć/akiwać do tyłu 2.
(o gałęzi itd) nagle odgi-ąć/nać <wypro-
stow-ać/ywać> się
~ **down** vi sk-oczyć/akać w dół; zesk-oczyć/
akiwać
~ **out** vi wysk-oczyć/akiwać
~ **up** vi 1. podsk-oczyć/akiwać 2. (o człowieku, wietrze itd) zerwać/zrywać się 3.
(o zbożu itd) za/kiełkować 4. ukaz-ać/ywać
się; powsta-ć/wać; z/rodzić się
zob **sprung** Ⅲ s 1. skok; **to give a sudden** ~
raptownie <nagle> skoczyć; **to take a** ~ skoczyć
2. wiosna; **in** ~ na wiosnę; wiosną; wiosenną
porą 3. źródło; zdrój; **hot** ~ cieplica 4. sprężyna; resor; pl ~**s** resorowanie; przen elastyczność; sprężystość; prężność 5. odskok 6. źródło
<początek> (zwyczaju itd.) 7. wygięcie; wykrzy-
wienie; wypaczenie 8. szczelina; pęknięcie 9.
mar cuma Ⅳ attr 1. wiosenny; roln jary 2.
ιprężynowy; ~ **balance** waga sprężynowa, bezmian; ~ **bed** <mattress> materac sprężynowy;
~ **lock** zatrzask sprężynowy 3. źródlany
spring-board ['spriŋ,bɔ:d] s trampolina
springbok ['spriŋ,bɔk] s 1. zoo gazela południowo-
afrykańska 2. żart **the Springboks** sportowa ekipa
południowoafrykańska
spring-carriage ['spriŋ'kæridʒ] s wóz na resorach
springe [sprindʒ] s potrzask; samołówka; pułapka; sidła
springed [spriŋd] adj resorowany, na resorach
▲**springer** ['spriŋə] s 1. sport skoczek 2. zoo odmiana spaniela 3. = **springbok** 4. arch wez-
głownik
spring-grass ['spriŋ,grɑ:s] s bot tomka wonna
spring-gun ['spriŋ,gʌn] s pułapka-samostrzał
spring-halt ['spriŋ,hɔ:lt] s wet szpat
springlet ['spriŋlit] s źródełko
spring-tail ['spriŋ,teil] s zoo skoczogon
springtide ['spriŋ,taid], **springtime** ['spriŋ,taim]
Ⅰ s wiosna Ⅲ adj wiosenny
spring-wheat ['spriŋ'wi:t] s bot pszenica jara
springy ['spriŋi] adj (**springier** ['spriŋiə], **spring-
iest** ['spriŋiist]) elastyczny; sprężysty; prężny;
podatny
sprinkle ['spriŋkl] Ⅰ vt 1. po/kropić <skropić>
(**sth with water etc.** coś wodą itd.) 2. rozprysk-
ać/iwać (wodę itd.); sprysk-ać/iwać; popryskać;
zr-osić/aszać 3. posyp-ać/ywać (**sth with sand
etc.** coś piaskiem itd.); usiać <upstrzyć> (coś
czymś) 4. rozsyp-ać/ywać (sól itd.) 5. jaspisować
(brzegi książki) Ⅲ vi po/kropić; pokrapywać
zob **sprinkling** Ⅲ s 1. pokropienie <pokrapywa-
nie, rzadkie krople> (deszczu itd.); sprysk-anie/
iwanie 2. posyp-anie/ywanie drobną ilością (**of
sugar** <salt etc.> cukru <soli itd.>) 3. szczypta;
odrobina; **there was a** ~ **of snow** poprószyło
trochę śniegiem 3. jaspisowanie (brzegów książki)
sprinkler ['spriŋklə] s 1. polewaczka; rozpryskiwacz 2. kośc kropidło
sprinkling ['spriŋkliŋ] Ⅰ zob **sprinkle** v Ⅲ s =
sprinkle s
sprint [sprint] Ⅰ s sport sprint; bieg krótki Ⅲ vi
1. biec; sprintować 2. sport biegać na krótkich
dystansach; uprawiać <trenować> sprint <bieg
krótki>
sprinter ['sprintə] s sport sprinter/ka

sprit [sprit] s mar rozprze (drzewce służące do
rozpinania żagla)
sprite [sprait] s elf, krasnoludek
spritsail ['sprit,seil] s mar 1. żagiel rozprzowy 2.
ożaglowanie rozprzowe
▲**sprocket** ['sprɔkit] s 1. techn ząb koła zębatego
2. techn koło zębate łańcuchowe
sprout [spraut] Ⅰ s bot kiełek; odrośl; bot **Brussels** ~**s** kapusta brukselska; brukselka Ⅲ vi za/
kiełkować; odr-osnąć/astać; wyr-osnąć/astać Ⅲ
vt wypu-ścić/szczać (pędy, liście itd.); **the young
bull** ~**ed horns** byczkowi wyrosły rogi; **the
young man had** ~**ed a moustache** młodzieńcowi
wyrosły wąsy
spruce[1] [spru:s] Ⅰ adj wymuskany; schludny;
czyściutki Ⅲ vt wy/stroić; wymuskać Ⅲ vr ~
oneself (także ~ **oneself up**) wy/elegantować
się
▲**spruce**[2] [spru:s] s 1. bot świerk 2. drewno świer-
kowe
spruce-beer ['spru:s,biə] s piwo warzone na pę-
dach świerkowych
spruceness ['spru:snis] s czystość; schludność;
wymuskany wygląd
sprue[1] [spru:] s metal lej wylotowy <odlewniczy>
sprue[2] [spru:] s med (w krajach tropikalnych)
choroba sprue (rodzaj biegunki)
sprung [sprʌŋ] Ⅰ zob **spring** v Ⅲ adj 1. =
springed 2. am pot podchmielony; wstawiony
spry [sprai] adj (**spryer** ['spraiə], **spryest** ['sprai
ist]) rześki; żwawy; **look** ~**!** prędzej!; żywiej!
spud [spʌd] s 1. rydel; łopata, łopatka 2. pot
człowiek pękaty 3. sl kartofel, ziemniak
spuddy ['spʌdi] adj pękaty
spue zob **spew**
spume [spju:m] Ⅰ s lit piana Ⅲ vi lit pienić się
spumescent [spju:m'esnt], **spumous** ['spju:məs],
spumy ['spju:mi] adj lit spieniony; pieniący się
▲**spun** [spʌn] Ⅰ zob **spin** v Ⅲ adj uprzędzony; ~
cotton przędza (bawełniana); ~ **glass** włókno
szklane; ~ **gold** <silver> złote <srebrne> nici
spunk [spʌŋk] s pot 1. odwaga; **to have** ~ mieć
odwagę; być odważnym; **to put** ~ **into sb**
natchnąć kogoś odwagą; doda-ć/wać komuś ducha; pot z/dopingować kogoś 2. am irytacja;
gniew
spunky ['spʌŋki] adj (**spunkier** ['spʌŋkiə],
spunkiest ['spʌŋkiist]) pot 1. odważny 2. am
burkliwy
▲**spur** [spə:] Ⅰ s 1. ostroga; **to need the** ~ wymagać popędzania; **to set** ~**s to** _ spiąć ostrogami ...; hist przen **to win one's** ~**s** a) zdoby-
-ć/wać ostrogi b) zdoby-ć/wać sławę 2. bodziec;
podnieta; zachęta; impuls; **on the** ~ **of the
moment** spontanicznie; pod wpływem chwilowego
impulsu; bez namysłu; **to give a** ~ **to sb** pod-
niec-ić/ać kogoś; doda-ć/wać bodźca komuś 3.
under the ~ **of poverty** nękany ubóstwem 3.
ostroga (koguta, kwiatu) 4. odnoga (górska);
szczyt 5. geol odnoga żyły (minerału) 6. stol
zastrzał Ⅲ vt (-rr-) 1. spi-ąć/nać ostrogami;
przen **to** ~ **a willing horse** niepotrzebnie popędzać gorliwego pracownika 2. (także ~ **on**)
zachęc-ić/ać; pobudz-ić/ać; podnieci-ć/ać; za-
grz-ać/ewać (kogoś do czegoś); doda-ć/wać bodźca (**sb** komuś); przynagl-ić/ać; popędz-ić/ać 3.
przypi-ąć/nać ostrogi (**sb** komuś); ~**red boots** bu-

ty z ostrogami ⟦Ⅲ⟧ *vi* (**-rr-**) 1. po/pędzić; po/mknąć
2. po/śpieszyć się

~ **on** *vi* po/pędzić; po/mknąć

spurge [spə:dʒ] *s bot* wilczomlecz

spur-gear ['spə:ˌgiə] *s techn* 1. przekładnia zębata walcowa 2. koło zębate walcowe o zębach prostych

spurious ['spjuəriəs] *adj* 1. (*o dokumencie itd*) podrobiony; fałszywy; nieprawdziwy; nieautentyczny 2. udawany; symulowany 3. rzekomy

spuriousness ['spjuəriəsnis] *s* 1. fałszywość; nieprawdziwość; nieautentyczność 2. udawanie; symulowanie 3. rzekomość

spurn [spə:n] ⟦Ⅰ⟧ *vt* 1. odtrąc-ić/ać nogą 2. odrzuc-ić/ać z pogardą 3. po/traktować z pogardą 4. wzgardzić (**sth** czymś) ⟦Ⅲ⟧ *s* 1. odtrącenie (czegoś) nogą 2. pogardliwe odrzucenie (propozycji itd.); pogardliwa odprawa

spurrier ['spə:riə] *s* fabrykant ostróg

spurt [spə:t] ⟦Ⅰ⟧ *vt* wypu-ścić/szczać strugę (**a liquid** płynu); trys-nąć/kać <sik-nąć/ać, bluz-nąć/gać> (**sth** czymś) ⟦Ⅱ⟧ *vi* 1. trys-nąć/kać; sik-nąć/ać; bluz-nąć/gać 2. z/robić <zdoby-ć/wać się na> wysiłek ⟦Ⅲ⟧ *s* 1. struga; fontanna 2. nagły krótkotrwały wysiłek; zryw; *sport* spurt; **to put a ~ on** po/śpieszyć się 3. wybuch (gniewu itd.)

spur-wheel ['spə:ˌwi:l] = **spur-gear**

sputter ['spʌtə] ⟦Ⅰ⟧ *vi* 1. pryskać śliną (przy mówieniu) 2. mówić niewyraźnie (wskutek podniecenia) 3. (*o ogniu*) trzeszczeć ⟦Ⅱ⟧ *vt* powi-edzieć/adać <mówić> (coś) bełkocąc (w podnieceniu) ⟦Ⅲ⟧ *s* 1. trzask (ognia) 2. pryskanie śliną (przy mówieniu) 3. bełkot (wywołany podnieceniem)

sputum ['spju:təm] *s* (*pl* **sputa** ['spju:tə]) plwocina

spy [spai] ⟦Ⅰ⟧ *s* 1. szpieg; ~ **system** system szpiegowski; **to play the ~ on sb** szpiegować kogoś 2. tajny agent; *pot* tajniak ⟦Ⅲ⟧ *vt* (**spied** [spaid], **spied; spying** ['spaiiŋ]) dostrze-c/gać; zauważ-yć/ać; wypatrzyć ⟦Ⅲ⟧ *vi* (**spied** [spaid], **spied; spying** ['spaiiŋ]) szpiegować (**upon sb, sb's movements** kogoś, czyjeś ruchy); **to ~ into a secret** starać się <usiłować> zgłębić tajemnicę ~ **out** *vt* wy/szpiegować; wy/badać

spyglass ['spaiˌgla:s] *s* luneta; mały teleskop

spyhole ['spaiˌhoul] *s* wziernik; judasz (w drzwiach)

squab [skwɔb] ⟦Ⅰ⟧ *adj* pękaty; krótki a gruby; przysadkowaty; przysadzisty ⟦Ⅱ⟧ *s* 1. człowiek pękaty <krótki a gruby, przysadkowaty>; tłuścioch; kulfon 2. nieopierzony gołąb 3. taboret wyściełany; puf

squabble ['skwɔbl] ⟦Ⅰ⟧ *vi* po/kłócić <po/sprzeczać, *pot* po/handryczyć> się ⟦Ⅱ⟧ *vt druk* naruszyć skład przez potrącenie ⟦Ⅲ⟧ *s* kłótnia; sprzeczka

squabbler ['skwɔblə] *s* człowiek kłótliwy; kłótnik

squabby ['skwɔbi] *adj* pękaty; krótki a gruby; przysadkowaty; przysadzisty

squab-chick ['skwɔbˌtʃik] *s* nieopierzone pisklę

squab-pie ['skwɔbˌpai] *s kulin* 1. pasztet z gołębia 2. zapiekany pasztet z baraniny, wieprzowiny, jabłek i cebuli

squad [skwɔd] *s* 1. *wojsk* oddział; ~ **drill** musztra rekrucka; **the awkward ~** a) oddział rekrutów b) *przen zbior* nowicjusze 2. brygada (robocza) 3. **the Flying Squad** lotna brygada (policji) 4. *am sport* drużyna, ekipa 5. *zbior* grupa osób

squadron ['skwɔdrən] ⟦Ⅰ⟧ *s* 1. *wojsk* szwadron 2. *lotn mar* eskadra ⟦Ⅱ⟧ *vt* po/dzielić na szwadrony <na eskadry>; ustawi-ć/ać <u/szykować> szwadronami <eskadrami>

squadron-leader ['skwɔdrənˌli:də] *s* 1. major lotnictwa 2. dowódca eskadry

squailer ['skweilə] *s* pałka do rzucania na wzór bumerangu

squails [skweilz] *spl* gra podobna do "**shove-halfpenny**" *zob* **shove**

squalid ['skwɔlid] *adj* brudny; nędzny; plugawy

squalidity [skwɔ'liditi], **squalidness** ['skwɔlidnis] = **squalor**

squall[1] [skwɔ:l] ⟦Ⅰ⟧ *vi* wrzeszczeć; drzeć <wydzierać> się ⟦Ⅱ⟧ *vt* wywrzaskiwać (piosenki itd.) ⟦Ⅲ⟧ *s* wrzask/i; wydzieranie się

squall[2] [skwɔ:l] *s mar* szkwał; nawałnica; *przen* **look out for ~s!** uważaj, bo będzie źle!

squally ['skwɔ:li] *adj* (*o pogodzie*) sztormowy

squaloid ['skweilɔid] *adj zoo* żarłaczowaty

squalor ['skwɔlə] *s* brud; nędza; plugastwo

squama ['skweimə] *s* (*pl* **squamae** ['skweimi:]) *bot zoo* łuska

squamate ['skweimeit] *adj bot zoo* łuskowy

squamation [skwei'meiʃən] *s zoo* układ łusek (u ryby itd.)

squamose ['skweimous], **squamous** ['skweiməs] *adj bot zoo* łuskowaty; łuszczasty

squander ['skwɔndə] *vt* roz/trwonić; z/marnotrawić; z/marnować (czas)

squanderer ['skwɔndərə] *s* rozrzutni-k/ca; marnotraw-ca/czyni

square [skwɛə] ⟦Ⅰ⟧ *s* 1. kwadrat; czworobok; kratka <pole> (szachownicy); kwadracik; **a ~ of glass** kwadratowa szybka; **to form into a ~** ustawić się w czworobok 2. skwer; plac 3. blok (budynków zamkniętych czterema ulicami) 4. węgielnica; kątownik; przykładnica; **on the ~** prostokątny; **out of ~** nieprostokątny; **to cut a pane <some cloth etc.> on the ~** u/ciąć szybę <materiał itd.> pod kątem prostym 5. wzór; **on <by> the ~** wzorowo; uczciwie; rzetelnie 6. *mat* kwadrat; **to bring <raise> to a ~** podn-ieść/osić do kwadratu 7. (kwadratow-y/a) szalik <chustka na głowę, kapa> ⟦Ⅱ⟧ *adj* 1. kwadratowy 2. prostokątny; czworokątny; czworoboczny; czworograniasty; **a table with ~ corners** stół prostokątny; **~ with _** prostopadły <równoległy> do ...; **the picture is not ~ with the ceiling** obraz wisi krzywo 3. *mat* kwadratowy; podniesiony do kwadratu; w kwadracie; **4 ~ feet** <yards etc.> 4 stopy <jardy itd.> kwadratowe; **3 ~ is 9** 3 do kwadratu równa się 9; ~ **measure** miara powierzchni; *mat* ~ **root** pierwiastek 4. (*o grze itd*) na cztery osoby; w czworo (partnerów); w czwórkę; (*o tańcu*) w cztery pary 5. kanciasty; **a man of ~ frame** barczysty <dobrze zbudowany> mężczyzna; (*w sukience itd*) **a ~ neck** prostokątn-e/y wycięcie <dekolt>; ~ **toes** ścięte szpice (u butów) 6. uporządkowany; wyrównany; **to be ~ with all the world** być w zgodzie ze wszystkimi <z całym światem>; **to be ~ with sb** być skwitowanym <kwita> z kimś; **to get ~ with sb** rozliczyć się z kimś; **to get things ~** uporządkować swoje sprawy; **we'll call it ~** będziemy kwita <skwitowani> 7. (*o odmowie*) kategoryczny 8. (*o posiłku*) solidny

9. (*o postępowaniu*) uczciwy; rzetelny; sprawiedliwy; **to play a ~ game** grać w otwarte karty; **we gave him a ~ deal** postąpiliśmy sprawiedliwie z nim Ⅲ *vt* 1. nada-ć/wać kształt kwadratowy <prostokątny> **(sth czemuś)**; *stol* kantować; **to ~ one's shoulders** rozprostow-ać/ywać ramiona 2. *stol* o/ciosać <o/kantować> (dłużycę itd.) 3. dostosow-ać/ywać; uzg-odnić/adniać (coś z czymś) 4. uporządkow-ać/ywać <załatwi-ć/ać, pozałatwiać> (sprawy); wyrówn-ać/ywać (rachunki, wynik rozgrywki itd.); *dosł i przen* **to ~ accounts with sb** policzyć się <porachować się, załatwi-ć/ać porachunki> (z kimś) 5. *pot* po/smarować <da-ć/wać w łapę> **(sb komuś)** 6. *mat* podn-ieść/osić do kwadratu 7. *dosł i przen* rozwiąz-ać/ywać kwadraturę **(the circle** koła) 8. przy--łożyć/kładać kątownicę **(sth do czegoś)**; z/badać kątownicą Ⅳ *vi* 1. zna-leźć/jdować się <sta--nąć/ć, leżeć> pod kątem prostym <równolegle> **(with _ do ...)** 2. zgadzać się <być w zgodzie> **(with _ z ...)** 3. wyrówn-ać/ywać grę **(with one's opponent** z przeciwnikiem)

~ up Ⅰ *vt stol* o/kantować; obci-ąć/nać (deskę) pod kątem prostym Ⅲ *vi* 1. rozlicz-yć/ać się <rozrachować się, załatwi-ć/ać rachunki> z kimś; *przen* policzyć się <porachować się, załatwi-ć/ać porachunki> z kimś 2. na-trzeć/ cierać <rzuc-ić/ać się> z pięściami **(to sb na kogoś)** 3. przyj-ąć/mować pozycję gotową do walki na pięści **(to sb wobec kogoś)**

Ⅴ *adv* 1. (wisieć, leżeć, stać itd.) pod kątem prostym **(to <with> sth do czego)** 2. (uderzyć, trafić itd.) w sam (środek) <w samą (twarz), w samo (sedno)> 3. (postępować itd.) rzetelnie <uczciwie, sprawiedliwie>

square-built ['skwɛə'bilt] *adj* barczysty; mocno <silnie> zbudowany

square-cut ['skwɛə'kʌt] *adj* (*o sukience itd*) z prostokątnym wycięciem <dekoltem>

square-head ['skwɛə'hed] *s am pot* 1. nazwa nadawana Amerykanom pochodzenia skandynawskiego 2. Niem-iec/ka

square-jawed ['skwɛə'dʒɔ:d] *adj* (*o człowieku*) z kwadratową szczęką

squareness ['skwɛənis] *s* 1. kwadratowy <prostokątny> kształt 2. uczciwość; rzetelność; sprawiedliwe traktowanie

square-rigged ['skwɛə'rigd] *adj mar* (*o statku*) z o-sprzętem rejowym

▲**square-toed** ['skwɛə'toud] *adj* (*o bucie*) ze ściętym szpicem

square-toes ['skwɛə,touz] *s pot* piła; pedant/ka; formalist-a/ka

▲**squarish** ['skwɛəriʃ] *adj* krępy

squarson ['skwɑ:sn] *s żart* pastor-dziedzic

squash¹ [skwɔʃ] Ⅰ *vt* 1. zgni-eść/atać; z/miażdżyć; wygni-eść/atać (cytrynę itd.); rozgni-eść/ atać 2. zdławić <zdusić, stłumić> (powstanie itd.) 3. zam-knąć/ykać usta **(sb komuś)**; s/peszyć; *pot* zatkać Ⅲ *vi* gnieść <s/tłoczyć> się Ⅲ *s* 1. miazga; miąższ; zgnieciona masa <rzecz> 2. napój z soku wygniecionego owocu 3. tłok; ścisk 4. głuchy odgłos spadającego miękkiego przedmiotu

▲**squash²** [skwɔʃ] *s bot* dynia

squash-hat ['skwɔʃ'hæt] *s* miękki kapelusz filcowy

squash-rackets ['skwɔʃ'rækits] *spl* gra w piłkę odbijaną o mur rakietami.

squashy ['skwɔʃi] *adj* **(squashier** ['skwɔʃiə], **squashiest** ['skwɔʃiist]) gąbczasty

squat [skwɔt] Ⅰ *vi* (-tt-) 1. kucać 2. siedzieć po turecku; **he is ~ting over there** (on) przykucnął tam 3. (*o zwierzęciu*) przy/cupnąć 4. osiedl-ić/ać się **(upon a piece of land** na nie swoim gruncie); przywłaszcz-yć/ać sobie **(upon a piece of ground** grunt)

~ down *vi* 1. przykucnąć 2. usiąść po turecku 3. *pot* klapnąć, usiąść

Ⅲ *adj* 1. przykucnięty 2. przysadkowaty; pękaty; krępy 3. (*o budynku, wieży*) przysadzisty; niski i szeroki

squatter ['skwɔtə] *s* 1. (*w Australii*) gospodarz (zwłaszcza posiadający prawo wypasu na gruncie rządowym na dogodnych warunkach) 2. osadni-k/czka zajmując-y/a grunt samowolnie 3. lokator/ka zajmując-y/a lokal bezprawnie

squaw [skwɔ:] *s* skwaw (żona Indianina)

▲**squawk** [skwɔ:k] Ⅰ *s* skrzekliwy głos (niektórych ptaków itd.) Ⅲ *vi* wyda-ć/wać skrzekliwy głos

squawman ['skwɔ:mən] *s* (*pl* **squawmen** ['skwɔ: mən]) biały ożeniony z Indianką

squeak [skwi:k] Ⅰ *vi* 1. za/piszczeć; za/kwiczeć 2. za/skrzypieć; zazgrzytać, zgrzyt-nąć/ać 3. *sl* don-ieść/osić (na kogoś); zdradz-ić/ać tajemnicę Ⅲ *s* (krótki) pisk; kwik; *przen* **a narrow ~** uniknięcie nieszczęścia o mały włos

squeaker ['skwi:kə] *s* 1. piszczący człowiek 2. pisklę 3. prosię 4. donosiciel/ka 5. piszcząca zabawka

squeaky ['skwi:ki] *adj* **(squeakier** ['skwi:kiə], **squeakiest** ['skwi:kiist]) 1. piskliwy 2. skrzypiący

squeal [skwi:l] Ⅰ *vi* 1. za/piszczeć; za/kwiczeć; za/skowyczeć; *sl* **to make sb ~** za/szantażować kogoś 2. *sl* utyskiwać; lamentować; biadolić 3. *sl* don-ieść/osić <z/robić donos> (na kogoś) Ⅲ *vt* (*także* **~ out**) powiedzieć (coś) piskliwym głosem Ⅲ *s* kwiczenie, kwik; pisk; skowyt

squealer ['skwi:lə] *s* 1. człowiek mówiący piskliwym głosem 2. *sl* człowiek utyskujący <lamentujący; biadolący> 3. *sl* donosiciel/ka 4. pisklę 5. prosię

squeamish ['skwi:miʃ] *adj* 1. (*o żołądku*) delikatny; wrażliwy; (*o człowieku*) mający skłonności do nudności; **I feel ~** nudzi mnie; niedobrze mi 2. wybredny 3. przeczulony na punkcie uczciwości <przyzwoitości>

squeamishness ['skwi:miʃnis] *s* 1. delikatność; wrażliwość 2. przeczulenie na punkcie uczciwości <przyzwoitości>

squeegee ['skwi:dʒi:], **squilgee** ['skwil'dʒi:] Ⅰ *s* wycieraczka gumowa Ⅲ *vt* wy-trzeć/cierać wycieraczką gumową

squeezable [skwi:zəbl] *adj* 1. ściśliwy 2. (*o człowieku*) o słabej woli; bez charakteru

▲**squeeze** [skwi:z] Ⅰ *vt* 1. ścis-nąć/kać; wycis-nąć/ kać; wyż-ąć/ymać; zgni-eść/atać 2. uścisnąć/ściskać **(sb's hand etc.** komuś rękę itd.); przycis--nąć/kać; zacis-nąć/kać; **to ~ into sth** wcis-nąć/ kać do czegoś; **to ~ out of sth** wycis-nąć/kać z czegoś; **to ~ through** _ przepu-ścić/szczać przez ... (sito itd.); **to ~ to death** zadusić 3. przecis-nąć/kać; przep-chnąć/ychać; **to ~ one's way through the crowd** u/torować sobie drogę <przecisnąć się> przez tłum 4. uciskać (naród itd.) 5. sporządz-ić/ać odcisk **(a coin etc.** monety itd.)

Ⅲ vi 1. (także ~ together) ścis-nąć/kać <ścieśni-ć/ać, gnieść> się 2. karc grać na zrzutkę przymusową
~ in vi wcis-nąć/kać się (do środka)
Ⅲ s 1. ściśnięcie <uścisk> (dłoni); uszczypnięcie; a ~ of lemon <orange etc.> parę kropli soku wyciśniętych z cytryny <z pomarańczy itd.> 2. ścisk; tłok 3. objęcie (ramionami) 4. odcisk (pieczęci itd.)

squeezer ['skwiːzə] s 1. wyżymaczka; techn wytłaczarka; gniotownik; zgniatacz 2. karta do gry z wyciśniętą w rogu wartością

squelch [skweltʃ] Ⅰ s pot 1. chlupanie, chlupotanie 2. druzgocący cios 2. uwaga <odpowiedź> wywołująca zakłopotanie Ⅲ vi pot chlup-nąć/ać, chlupotać Ⅲ vt pot 1. zadept-ać/ywać 2. s/tłamsić; z/dusić; z/dławić; s/tłumić 3. zmieszać (kogoś); zam-knąć/ykać usta (sb komuś)

▲**squib** [skwib] Ⅰ s 1. szmermel; fajerwerk 2. górn zapalnik 3. satyra; paszkwil Ⅲ vt (-bb-) chlostać biczem satyry; wyszydz-ić/ać

squid [skwid] Ⅰ s 1. zoo kałamarnica (ryba) 2. przynęta z kałamarnicy Ⅲ vi (-dd-) łowić na kałamarnicę

squiffed [skwift] = squiffy

squiffer ['skwifə] s sl harmonia; akordeon

squiffy ['skwifi] adj (squiffier ['skwifiə], squiffiest ['skwifiist]) sl podchmielony; lekko zawiany

squiggle ['skwigl] Ⅰ vi wić się Ⅲ s 1. wicie się 2. zakrętas

squilgee zob squeegee

squill [skwil] s bot farm cebula morska, oszloch

squinancywort ['skwinənsiˌwəːt] s bot marzanka pagórkowa

squinch [skwintʃ] s arch kozub

▲**squint** [skwint] Ⅰ adv ukośnie, na ukos Ⅲ adj 1. zezowaty 2. ukośny Ⅲ vi 1. zezować 2. patrzeć z ukosa <rzucać ukośne, ukradkowe spojrzenia> (at sb, sth na kogoś, coś) 3. zatrącać (towards revolt etc. buntem itd.) Ⅳ vt 1. mrugać (one's eyes oczami) 2. z/mrużyć, przymrużyć (oczy) Ⅴ s 1. zez 2. ukośne <ukradkowe> spojrzenie 3. pot spojrzenie; to have a ~ at sth przyjrzeć się czemuś 4. tendencja <skłonność> (to <towards> sth do czegoś)

squint-eyed ['skwintˌaid] adj 1. zezowaty 2. złośliwy

squire ['skwaiə] Ⅰ s 1. hist giermek 2. dziedzic; właściciel ziemski 3. najbardziej wpływowy właściciel dóbr (ziemskich) w danej miejscowości 4. (także a ~ of dames) bawidamek, szarmant 5. am sędzia pokoju Ⅲ vt towarzyszyć <asystować> (a lady kobiecie)

squirearchy ['skwaiərɑːki] s klasa obszarników

squireen [ˌskwaiə'riːn] s irl drobny właściciel ziemski

squirm [skwəːm] Ⅰ vi wić <zwijać, kręcić, skręcać> się (z bólu); nie móc sobie miejsca znaleźć; cierpieć katusze; płonąć (ze wstydu) Ⅲ s wicie się

squirrel ['skwirəl] s zoo ẃiewiórka

squirrel-monkey ['skwirəl'mʌŋki] s zoo saimiri (małpa amerykańska)

squirt [skwəːt] Ⅰ vt 1. pu-ścić/szczać strugę (a liquid cieczy) 2. strzyk-nąć/ać Ⅲ vi trys-nąć/kać;

sik-nąć/ać Ⅲ s 1. struga (płynu) 2. med strzykawka 3. pot zarozumialec

squish [skwiʃ] s szkoc pot dżem pomarańczowy

squit [skwit] s sl gówniarz

▲**stab** [stæb] v (-bb-) Ⅰ vt 1. pchnąć nożem <sztyletem>; u/kłuć; dosł i przen to ~ sb in the back wbić komuś nóż w plecy; przen to ~ sb to the heart z/ranić komuś serce; to ~ to death zasztyletować; zakłuć; zadźgać 2. bud naci-ąć/nać (powierzchnię cegieł) pod tynk Ⅲ vi 1. zamierzyć się nożem (at sb na kogoś) 2. szargać <godzić w> (at sb's reputation czyjeś dobre imię) Ⅲ s 1. pchnięcie nożem <sztyletem>; zakłucie; zasztyletowanie; pchnięcie a ~ in the back nóż w plecy 2. (także ~ wound) rana kłuta 3. kłujący ból 4. am próba; to have a ~ spróbować

stabber ['stæbə] s 1. morder-ca/czyni 2. zamachowiec

▲**stability** [stə'biliti] s 1. stałość; trwałość; lotn stateczność 2. moc 3. stanowczość 4. równowaga

stabilization [ˌsteibilai'zeiʃən] s stabilizacja; ustabilizowanie

stabilize ['steibiˌlaiz] vt u/stabilizować

stabilizer ['steibiˌlaizə] s techn stabilizator

▲**stable**[1] ['steibl] adj 1. stały; trwały; unieruchomiony 2. mocny 3. stanowczy

stable[2] ['steibl] Ⅰ s 1. stajnia; przen Augean ~s stajnia Augiasza 2. stadnina Ⅲ vt trzymać (konie) w stajni Ⅲ vi 1. (o koniach) stać w stajni 2. przen (o człowieku) popasać zob stabling

stable-boy ['steiblˌbɔi] s stajenny

stable-companion ['steibl-kəm'pænjən] s 1. koń z tej samej stajni <stadniny> 2. towarzysz (z jednego klubu, z tej samej organizacji)

stableman ['steiblmən] s (pl stablemen ['steiblmən]) stajenny

stabling ['steibliŋ] Ⅰ zob stable[2] v Ⅲ s 1. stajnia 2. trzymanie (konia) w stajni

▲**stack** [stæk] Ⅰ s 1. stóg (siana, słomy); sterta 2. pot kupa (roboty itd.); mnóstwo; stosy 3. pl ~s regał; półki na książki 4. miara kubiczna <objętości> drzewa opałowego <węgla> (= 108 stóp^3) 5. komin 6. skupienie kominów 7. wojsk kozły 8. (u wybrzeży Szkocji) wysoka odosobniona skała Ⅲ vt 1. ułożyć/układać (siano, słomę) w stóg 2. na/gromadzić 3. wojsk ustawi-ć/ać (broń) w kozły

stack-funnel ['stækˌfʌnl] s otwór wentylacyjny w stogu <stercie> (siana, słomy)

stack-stand ['stækˌstænd] s podstawa sterty

stactometer [stæk'tɔmitə] s kroplomierz

stadium ['steidjəm] s (pl stadia ['steidjə], ~s) sport 1. stadion 2. stadium (choroby itd.)

staff [stɑːf] Ⅰ s 1. kij; pałka; laska; przen podpora (starości itd.) 2. berło; kość pastoral ~ pastorał 3. drzewce 4. tyczka miernicza 5. mar drzewce (bandery) 6. kolej berło (dawniej wręczane maszyniście na znak, że może ruszać) 7. wojsk sztab; ~ officer <sergeant> oficer <sierżant> sztabowy 8. personel; to be on the ~ of __ pracować w ... 9. (pl staves [steivz]) muz pięciolinia Ⅲ vt obsadzić personelem (an institution etc. instytucję itd.)

stag [stæg] s 1. zoo jeleń 2. wy/kastrowane zwierzę 3. wół 4. giełdziarz spekulujący nowo emitowanymi akcjami 5. sl giełd spekulant przeprowadzający dorywcze transakcje 6. am samiec 7.

am (*na zabawie*) mężczyzna bez partnerki 8. *am* (*także* ~ party) = **stag-party**

stag-beetle ['stæg'biːtl] *s zoo* jelonek (owad)

↕ **stage** [steidʒ] Ⅰ *s* 1. rusztowanie; pomost; platforma; **hanging** ~ rusztowanie wiszące 2. stolik (mikroskopu) 3. estrada; *teatr* scena; deski sceniczne; *przen* teatr; sztuka dramatyczna; zawód aktorski 4. *przen* scena (zajścia itd.); arena; pole działania 5. stadium; faza; punkt (krytyczny itp.); okres; **at this** ~ a) w tym stanie rzeczy b) w tym momencie 6. etap (podróży itd.) 7. postój (dyliżansów); stacja pocztowa 8. *przen* etap (życia itp.) 9. *geol* piętro 10. *geol* stadium; faza 11. *górn* nadszybie 12. *am* dyliżans Ⅲ *attr* 1. sceniczny; teatralny; ~ **door** wejście dla aktorów; ~ **fright** trema; ~ **manager** reżyser; ~ **right** prawo wystawiania (sztuki) na scenie; ~ **whisper** szept sceniczny 2. reżyserski Ⅲ *vt* 1. wystawi-ć/ać na scenie 2. za/inscenizować Ⅳ *vi* (*o sztuce*) *w zwrocie*: **to ~ well <badly>** nadawać <nie nadawać> się do wystawiania na scenie *zob* **staging**

stage-coach ['steidʒ,koutʃ] *s* dyliżans

stagecraft ['steidʒ,krɑːft] *s* technika teatralna

stager ['steidʒə] *s* (*zw* old ~) *pot* stary wyjadacz; doświadczony gość; bywalec

stage-struck ['steidʒ,strʌk] *adj* rozmiłowany w teatrze

stagey ['steidʒi] = **stagy**

staggard ['stægəd] *s* czteroletni jeleń

stagger ['stægə] Ⅰ *vi* 1. zataczać <słaniać> się; chwiać się; niepewnie stać na nogach; iść chwiejnym krokiem 2. za/wahać się; *przen* chwiać się Ⅲ *vt* 1. osz-ołomić/ałamiać; ogłusz-yć/ać; wstrząs-nąć/ać (**sb** kimś); **he was ~ed by the news** wiadomość ta podziałała na niego jak uderzenie obuchem w głowę 2. zdumie-ć/wać 3. ułożyć/układać w szachownicę <naprzemiennie, zygzakowato>; ustopniować Ⅲ *s* zataczanie się; chwiejny <niepewny> chód <krok> 2. *pl* ~**s** *wet* kołowacizna; † kołowrót; kręcik 3. *pl* ~**s** zawrót głowy 4. *lotn* przodowanie (skrzydła dwupłatowca)

staggered *zob* **stagger** *vt*; ~ **holidays** nierównomierny rozkład urlopów zapobiegający ich nasileniu; ~ **time-table** niejednoczesny rozkład godzin pracy

staggerer ['stægərə] *s* 1. *pot* człowiek zataczający się 2. zdarzenie <wiadomość> oszałamiając-e/a <wstrząsając-e/a>; *przen* uderzenie obuchem w głowę 3. argument ostateczny; argument rozstrzygający <uniemożliwiający> dalszy spór

stag-horn ['stæg,hɔːn] *s* 1. *bot* odmiana paproci tropikalnej 2. *bot* widłak wroniec 3. róg jeleni

staghound ['stæg,haund] *s* pies gończy tresowany do polowania na jelenia

stag-hunting ['stæg,hʌntiŋ] *s* polowanie par force na jelenia

staginess ['steidʒinis] *s* teatralność

staging ['steidʒiŋ] Ⅰ *zob* **stage** *v* Ⅲ *s* 1. *teatr* inscenizacja; za/inscenizowanie 2. powożenie <jazda, jeżdżenie> dyliżansem 3. rusztowanie

stagnancy ['stægnənsi] *s* 1. stagnacja; zastój; bezruch 2. *przen* bezwładność; ociężałość

stagnant ['stægnənt] *adj* 1. (*o wodzie*) stojący 2. *ekon* (będący) w zastoju; martwy 3. ospały; inercyjny; *przen* bezwładny; ociężały; zaśniedziały

stagnate ['stægneit] *vi* 1. (*o wodzie*) stać, nie płynąć 2. (*o handlu itd*) być w zastoju <w stagnacji>; być martwym 3. być inercyjnym <ospałym>; śniedzieć

stagnation [stæg'neiʃən] *s* stagnacja; zastój; marazm; bezruch; ospałość

stagnicolous [stæg'nikələs] *adj* bagienny; żyjący w bagnach <w stojących wodach>

stag-party ['stæg,pɑːti] *s* zabawa <przyjęcie> samych mężczyzn, *pot* wieczór kawalerski

stagy ['steidʒi] *adj* 1. teatralny 2. aktorski 3. sztuczny; afektowany; nienaturalny

staid [steid] *adj* stateczny; poważny; zrównoważony

staidness ['steidnis] *s* stateczność; powaga; zrównoważenie

stain [stein] Ⅰ *vt* 1. po/plamić; za/brudzić; po/walać; zbroczyć krwią; *przen* s/plamić <zaszargać> (reputację itd.) 2. u/farbować; za/barwić (preparat pod mikroskopem itd.); po/kolorować; ~**ed glass** witraż Ⅲ *vi* 1. (*o farbowanych tkaninach itd*) po/plamić; po/brudzić; po/walać; po/farbować, puszczać farbę 2. (*o bieliźnie itd*) plamić <brudzić, walać> się; zabarwi-ć/ać się Ⅲ *s* 1. kleks; *dosł i przen* plama; skaza; ~ **remover** środek do wywabiania plam; wywabiacz 2. farba; barwnik

stainer ['steinə] *s* farbiarz

stainless ['steinlis] *adj* 1. *dosł i przen* niesplamiony; bez skazy; nieskazitelny 2. (*o materiale itd*) nie plamiący się 3. (*o stali*) nierdzewny

stair [steə] *s* 1. schodek 2. *pl* ~**s** schody; **winding** ~**s** schody kręcone <kręte, spiralne>; **moving** ~**s** schody ruchome; **below** ~**s** a) w suterenie b) w pomieszczeniach dla służby c) wśród służby; **down** <**up**> ~**s** a) (schodami) na dół <na górę> b) na dole <na górze>

stair-baluster ['steə,bæləstə] *s* balasek u poręczy

stair-carpet ['steə,kɑːpit] *s* chodnik na schodach

staircase ['steə,keis] *s* schody; klatka schodowa; **corkscrew** ~ schody kręcone <kręte, spiralne>

stair-head ['steə,hed] *s* podest

stair-rail ['steə,reil] *s* poręcz

stair-rod ['steə,rɔd] *s* pręt przytrzymujący chodnik na schodach

stairway ['steə,wei] *s* klatka schodowa

staith(e) [steið] *s kolej* rampa <pomost> załadowcz-a/y (na węgiel); *mar* portowy <nadbrzeżny> pomost załadowczy

stake [steik] Ⅰ *s* 1. słup, słupek; pal, palik; żerdź; kołek; pręt (mierniczy itp.) 2. słup przy stosie całopalnym 3. *dosł i przen* stos całopalny; **to suffer** <**perish**> **at the** ~ zginąć na stosie 4. kowadełko blacharskie 5. *dosł i przen* stawka; ryzyko; **to be at** ~ a) wchodzić w grę; **great sums are at** ~ wielkie sumy wchodzą w grę b) być zagrożonym; **my** <**his etc.**> **life is** <**was**> **at** ~ życie moje <jego itd.> jest <było> zagrożone; (tu) chodzi/ło o (moje <jego itd.>) życie c) (*o pieniądzach*) być zaangażowanym (w przedsiębiorstwie itd.), (*o człowieku*) **to have a** ~ **in sth** być zaangażowanym <finansowo zainteresowanym> w czymś; mieć kapitał zaangażowany w czymś 6. *pl* ~**s** pula; suma stawek 7. nagroda (na wyścigach) Ⅲ *vt* 1. wzm-ocnić/acniać <zabezpiecz-yć/ać, pod-eprzeć/pierać> kołkami <słupkami, palami> 2. (*także* **to ~ off**

<out>) palikować; kołkować; wyznacz-yć/ać granicę (**a claim etc.** terenu złotodajnego itd.) 3. uwiązać <przywiązać> (do pala) 4. wbi-ć/jać na pal 5. postawić/stawiać (sumę pieniędzy); za/ryzykować (kwotę); **I'll ~ anything you like** pójdę o każdą stawkę

stake-money ['steik,mʌni] *s* pula

stake-net ['steik,net] *s ryb* sieć rozciągnięta

Stakhanovite ['stækhɑːnə,vait] *s* stachanowiec

stalactite ['stæləkˌtait] *s miner* stalaktyt

Stalag ['stæ,læg] *s* (*w II wojnie światowej*) stalag

stalagmite ['stæləgˌmait] *s miner* stalagmit

stale¹ [steil] ① *adj* 1. nieświeży; zastarzały 2. nienowy; zleżały; zestarzały; (*o wiadomości, dowcipie*) stary; oklepany 3. zużyty 4. (*o chlebie*) czerstwy 5. (*o powietrzu*) stęchły 6. (*o piwie itd*) zwietrzały 7. *prawn* przedawniony 8. (*o sportowcu*) przetrenowany 9. *handl* (*o rynku*) w zastoju; w stagnacji 10. (*o człowieku*) pozbawiony energii; przemęczony; *pot* wypompowany ③ *vt* z/banalizować (dowcip itd.) ④ *vi* 1. s/tracić świeżość; zestarzeć się 2. zużyć się 3. (*o chlebie*) sczerstwieć 4. (*o piwie itd*) z/wietrzeć 5. (*o sportowcu*) przetrenow-ać/ywać się 6. (*o człowieku*) przemęcz-yć/ać się

stale² [steil] ① *s* mocz bydlęcy ④ *vi* odda-ć/wać mocz

stalemate ['steil'meit] ① *s szach* pat; *przen* martwy punkt; sytuacja bez wyjścia ④ *vt szach* doprowadz-ić/ać (przeciwnika) do pata; *przen* doprowadz-ić/ać (coś, sprawę) do martwego punktu

staleness ['steilnis] *s* 1. nieświeży stan (czegoś) 2. czerstwość (chleba) 3. zwietrzałość (piwa itd.) 4. stęchłość (powietrza) 5. nieaktualność (wiadomości itd.) 6. zbanalizowanie <oklepanie> (dowcipu) 7. przemęczenie

stalk¹ [stɔːk] *s* 1. *bot* łodyga; badyl 2. *bot* źdźbło 3. *bot* szypułka 4. trzon 5. nóżka (kieliszka) 6. komin (fabryczny)

stalk² [stɔːk] ④ *vi* 1. chodzić godnie <uroczyście, majestatycznie>; *przen* iść dumnym krokiem 2. *przen* (*o zarazie, głodzie itd*) grasować; panować ④ *vt łow* podkradać się (**game** pod zwierza); podchodzić ④ *s* 1. chód pełen godności <majestatyczny>; *przen* dumny krok 2. sztywne kroki 3. *łow* podkradanie się (pod zwierza); podchodzenie

stalker ['stɔːkə] *s* myśliwy podkradający się pod <podchodzący> zwierza

stalk-eyed ['stɔːkˌaid] *adj zoo* słupkooki

stalking-horse ['stɔːkiŋˌhɔːs] *s* 1. *łow* koń zasłaniający podkradającego się człowieka 2. *przen* płaszczyk; pozór; pretekst

stalky ['stɔːki] *adj* 1. badylasty 2. *sl* chytry; przebiegły

stall¹ [stɔːl] *s* wspólnik złodzieja (odciągający uwagę okradanego i pomagający złodziejowi w ucieczce)

stall² [stɔːl] ① *vi am* za/stosować taktykę wymijającą; odpowi-edzieć/adać wymijająco; *pot* zawracać głowę, bujać

~ **off** *vt sl* 1. spławi-ć/ać <zwodzić, zby-ć/wać> (kogoś) 2. wystrychnąć na dudka; wyprowadz-ić/ać w pole

④ *s* taktyka wymijająca, *pot* zawracanie głowy

stall³ [stɔːl] ① *s* 1. przegroda (w stajni) 2. stra-

gan; kram; buda (jarmarczna) 3. stoisko (na wystawie itd.); kiosk 4. stalla (w kościele) 5. *przen* godność kanonika 6. *teatr* fotel parterowy 7. (*także* **finger-~**) paluch <ochrona> (na chory palec) 8. *górn* ubierka filarowa 9. *górn* komora 10. *górn* przodek 11. *am* pretekst; wymówka 12. *lotn* utrata szybkości ⑪ *vt* 1. umie-ścić/szczać <postawić> (konia itd.) w stajni; zapędz-ić/ać (konia itd.) do stajni 2. po/przegradzać (stajnię); zaopat-rzyć/rywać (stajnię) w przegrody 3. *auto* za/blokować (silnik) ⑪ *vi* 1. (*o pojeździe*) ugrząść 2. (*o samolocie*) s/tracić szybkość *zob* **stalled**

stallage ['stɔːlidʒ] *s* miejsce na <opłata za> stragan <kram, budę jarmarczną, stoisko wystawowe, kiosk>

stalled [stɔːld] ① *zob* **stall**³ *v* ⑪ *adj* 1. (*o stajni*) poprzegradzany 2. (*o koniu itd*) postawiony w przegrodzie (stajennej) 3. (*o pojeździe*) uwięziony <unieruchomiony> (w błocie, w śniegu) 4. (*o silniku*) zablokowany

stallion ['stæljən] *s zoo* ogier

stalwart ['stɔːlwət] ① *adj* 1. silny; rosły 2. dzielny; mężny 3. zdecydowany; (*o człowieku*) z charakterem ⑪ *s* 1. człowiek silny <rosły> 2. wierny zwolennik stronnictwa <partii itd.>

stalwartness ['stɔːlwətnis] *s* 1. silna budowa ciała 2. dzielność; męstwo 3. zdecydowany; silny charakter

stamen ['steimen] *s bot* pręcik

stamened ['steimend] *adj bot* zaopatrzony w pręcik/i

stamina ['stæminə] *s* 1. *zbior* siły życiowe 2. wigor 3. wytrzymałość; wytrwałość

staminal ['stæminəl] *adj* 1. *bot* pręcikowy 2. (*o człowieku*) pełen wigoru 3. (*o człowieku*) wytrzymały; wytrwały

stammer ['stæmə] ① *vi* 1. jąkać się 2. zająkiwać się ⑪ *vt* (*także* **to ~ out** <**through**>) wyjąk-ać/iwać; mówić <wypowi-edzieć/adać> zająkując się ⑪ *s* jąkanie się; zająkiwanie się

stammerer ['stæmərə] *s* jąkała

stamp [stæmp] ① *vt* 1. o/stemplow-ać/ywać; o/pieczętow-ać/ywać; wybi-ć/jać stempel <znak itd.> (**sth** na czymś); przybi-ć/jać <odbi-ć/jać> pieczątkę (**a document** na dokumencie); *pot* podbi-ć/jać 2. nalepi-ć/ać znaczek pocztowy (**a letter etc.** na list itd.) 3. ofrankow-ać/ywać (list itd.) 4. wycis-nąć/kać; wy/tł-oczyć/aczać (monetę, medal, skórę); wy/bić (monetę) 5. z/miażdżyć; rozbi-ć/jać; roz-etrzeć/cierać na proch 6. z/matrycować 7. wycis-nąć/kać piętno (**sth** na czymś); charakteryzować 8. wra-zić/żać (**on the mind** <**memory**> w umysł <pamięć>) 9. tup-nąć/ać (**one's foot** nogą); **to ~ flat** rozdept-ać/ywać; zadept-ać/ywać 10. wytł-oczyć/aczać (**from metal sheets** z blachy) ⑪ *vi* 1. tupać; **to ~ with rage** tupać nogami ze złości 2. ciężko stąpać 3. *am* wściekać się

~ **about** *vi* dreptać

~ **down** *vt* rozdept-ać/ywać; zdeptać

~ **out** *vt* 1. s/tłumić (bunt itd.) 2. s/tłumić <u/gasić, zadept-ać/ywać> (ogień) 3. opanow-ać/ywać <z/likwidować> (epidemię itd.)

⑪ *s* 1. pieczęć; pieczątka 2. stempel; cecha 3. matryca 4. znaczek (pocztowy); znaczek stemplowy (do opłat skarbowych); **Stamp Act** usta-

wa o opłatach stemplowych (w koloniach amerykańskich) 5. datownik; kasownik (pocztowy) 6. piętno (geniuszu itd.); oznaka; cecha 7. pokrój (człowieka); **men of that** ~ ludzie tego pokroju 8. tup-nięcie/anie (**of the foot** nogą); tętent 9. *górn* tłuk; tłuczarka; baba; kafar
stamp-album ['stæmp,ælbəm] *s* album na znaczki pocztowe, klaser
stamp-collecting ['stæmp-kə'lektiŋ] *s* filatelistyka
stamp-collector ['stæmp-kə,lektə] *s* zbieracz <kolekcjoner> znaczków pocztowych; filatelista
stamp-dealer ['stæmp,di:lə] *s* kupiec handlujący znaczkami pocztowymi
stamp-duty ['stæmp,dju:ti] *s* opłata stemplowa
stampede [stæm'pi:d] Ⓘ *s* 1. (masowy) paniczny pęd (do czegoś) 2. panika; popłoch 3. paniczna ucieczka Ⓘ *vi* 1. pędzić tabunem <w rozsypce, w panicznym strachu> 2. podda-ć/wać się panice 3. (*o masie, tłumie*) rzuc-ić/ać się (ku drzwiom itd.) Ⓘ *vt* siać <wywoł-ać/ywać> panikę (**a crowd** w tłumie)
stamper ['stæmpə] *s* 1. pracowni-k/ca stemplując-y/a 2. *techn* ubijarka
stamp(ing)-die ['stæmp(iŋ),dai] *s* matryca
stamp(ing)-machine ['stæmp(iŋ)mə,ʃi:n] *s* = **stamper** 2.
stamp(ing)-mill ['stæmp(iŋ),mil] *s techn* kruszarka
stamping-press ['stæmpiŋ,pres] *s techn* wytłaczarka
stamp-machine ['stæmp-mə'ʃi:n] *s* 1. = **stamper** 2. 2. rozdzielnik <rozdzielacz> automatyczny znaczków pocztowych
stance [stæns] *s sport* pozycja przy uderzaniu piłki
stanch[1] [sta:ntʃ], **staunch** [stɔ:ntʃ] *vt* za/tamować (krew), tamponować (**a cut, a wound** ranę)
stanch[2] *zob* **staunch**[2]
stanchion ['sta:nʃən] Ⓘ *s* stojak; słup; podpora; *bud* stempel; *mar* podpora pokładowa Ⓘ *vt* 1. przywiąz-ać/ywać (zwierzę) do słupa 2. pod-eprzeć/pierać (belkę itd.)
⧫**stand** [stænd] *v* (**stood** [stud], **stood**) Ⓘ *vi* 1. stać; ~ **and deliver!** pieniądze albo życie!; (**drops of**) **sweat stood on his forehead** czoło miał zroszone potem; **his hair stood on end** włosy mu się zjeżyły <*pot* stanęły dęba> (ze strachu); **it ~s to reason** to jest jasne <zrozumiałe>; *rozkazująco*: ~! stać!; **tears stood in everybody's eyes** wszyscy mieli łzy w oczach; **to** ~ **alone** a) stać samotnie; być odosobnionym b) nie mieć żadnego poparcia c) nie mieć równego sobie; **to** ~ **firm** <**fast**> nie odst-ąpić/ępować (od swego zdania itd.); **to** ~ **looking** gapić się; **to** ~ **talking** <**arguing etc.**> stać i gadać <kłócić się itd.>; **you haven't a leg to** ~ **on** a) nie masz żadnego wytłumaczenia b) jesteś całkowicie pogrzebany 2. mieć ... wzrostu; **he stood six foot three** on miał 6 stóp i 3 cale (wzrostu) 3. zosta-ć/wać, pozosta-ć/wać (w mocy <bez zmian>); obowiązywać; **the agreement** ~s umowa stoi; (*o uwadze, przepisie itd*) **to** ~ **good** a) obowiązywać b) mieć zastosowanie 4. być <zna-leźć/jdować się> (w potrzebie, uciążliwym położeniu itd.); (*o cenach*) stać (nisko, wysoko itd.); (*o sprawach, rachunkach itd*) przedstawiać się; **how do we** ~? jak się przedstawiają nasze rachunki?; **I must know where I** ~ muszę wiedzieć na

czym stoję; **I** ~ **corrected** przyznaję się do pomyłki; przepraszam za pomyłkę; **to** ~ **in awe of sb, sth** bać <obawiać> się kogoś, czegoś; **to** ~ **prepared** być gotowym (do walki itd.; do zrobienia czegoś; zrobić coś); **to** ~ **well with sb** być dobrze widzianym przez kogoś 5. (*o psie*) wystawi-ć/ać (zwierzynę) 6. sta-nąć/wać; zatrzym-ać/ywać się 7. (*o budynku itd*) po/stać <wytrzym-ać/ywać> (przez dany okres czasu); **to** ~ **fast** <**firm**> wytrzym-ać/ywać; nie podda-ć/wać się; nie ust-ąpić/ępować; utrzym-ać/ywać się 8. *(o płynie)* ustać się 9. wsta-ć/wać <powsta-ć/wać> (z krzesła) 10. *z przyimkami*: ~ **against; to** ~ **against sth** a) sprzeciwi-ć/ać się <stawiać opór> czemuś b) zwalczać coś; ~ **at;** (*o termometrze itd*) **to** ~ **at *x* degrees** wskazywać *x* stopni; (*o papierach wartościowych*) **to** ~ **at £*x* etc.** być kotowanym po *x* funtów itd.; (*o pozycjach w bilansie itd*) **to** ~ **at £*x* etc.** być zapisanym <figurować> z wartością *x* funtów itd.; ~ **by; to** ~ **by sb, sth** pop-rzeć/ierać kogoś, coś; **to** ~ **by sb** stać po stronie czyjejś; **to** ~ **by terms** <**one's promise etc.**> dotrzym-ać/ywać warunków <obietnicy itd.>; ~ **for** a) znaczyć; zastępować; **P.O.** ~s **for "postal order"** P.O. znaczy "przekaz pocztowy" b) popierać; być zwolennikiem (**for sth** czegoś) c) kandydować (**for Parliament** do parlamentu) d) znosić <tolerować> (**for such conduct etc.** takie zachowanie itd.); ~ **from; am sl to** ~ **from under** uchronić się od nieszczęścia; ~ **on; to** ~ **on ceremony** robić ceremonie; ~ **over; to** ~ **over sb** stać nad kimś; pilnować kogoś; ~ **to; to** ~ **to it that** __ utrzymywać <twierdzić> że ...; **to** ~ **to one's duty** spełni-ć/ać swój obowiązek; **to** ~ **to one's post etc.** nie opu-ścić/szczać stanowiska <posterunku itd.>; **to** ~ **to one's promise etc.** dotrzym-ać/ywać obietnicy itd.; *mar* **to** ~ **to sea** wypły-nąć/wać na pełne morze; ~ **upon** = ~ **on** 11. *przed bezokolicznikiem w zwrotach*: **to** ~ **to win** <**lose**> mieć szanse wygrania <mieć coś do stracenia> Ⓘ *vt* 1. postawić/stawiać 2. wytrzym-ać/ywać (trudy, krytykę itd.); zn-ieść/osić (ból itd.); być wytrzymałym (**heat** <**fatigue etc.**> na upał <zmęczenie itd.>); ścierpieć <zn-ieść/osić> (pewnych ludzi, sposób zachowania się itd.); **to** ~ **one's ground** nie cofać się; nie podda-ć/wać się; utrzym-ać/ywać się na pozycjach 3. *pot* za/fundować <postawić> (**sb a drink etc.** komuś wódkę itd.); **I stood myself a bottle of wine** zafundowałem sobie butelkę wina; **to** ~ **treat** po/częstować swoich towarzyszy
~ **about** *vi* (*o kilku osobach*) stać w pobliżu <tu i tam>
~ **aside** *vi* 1. stać na boku <uboczu> 2. odsu-nąć/wać się na bok
~ **away** *vi* odsu-nąć/wać <cof-nąć/ać> się
~ **back** *vi* 1. cof-nąć/ać się 2. (*o budynku*) być cofniętym (od ulicy itd.)
~ **by** *vi* 1. być <stać> w gotowości 2. słuchać dalej (radia); za/czekać na dalszy ciąg (audycji); ~ **by for the news** za chwilę (po-damy) wiadomości 3. (*o fabryce, maszynach itd*) stać 4. (*o człowieku*) stać <przyglądać się> bezczynnie
~ **down** *vi* 1. *sąd* (*o świadku*) odejść <wrócić

na swoje miejsce> 2. wycof-ać/ywać się (z czegoś)

~ **forward** <**forth**> *vi wojsk* wystąpić z szeregów; wy-jść/chodzić <wysu-nąć/wać się> naprzód

~ **in** *vi* 1. przyłącz-yć/ać się (**with the others** do innych); solidaryzować się (**with the others** z innymi); uczestniczyć; *pot* pójść do spółki 2. *mar* mieć kurs (**for a port** <**for land**> na port <na ląd>) 3. *teatr* zastępować aktora 4. kosztować (*x* funtów) 5. *am* mieć protekcję (**with sb** u kogoś)

~ **off** *vi* 1. trzymać się na uboczu 2. oddal-ić/ać się 3. *w zwrocie*: **to ~ off and on** lawirować

~ **on** *vi mar* trzymać dalej ten sam kurs

~ **out** *vi* 1. wycof-ać/ywać się 2. trzymać się z dala 3. sprzeciwi-ć/ać się (**against sth** czemuś); zwalcz-yć/ać (**against sth** coś) 4. kontrastować (**against sth** z czymś); odbi-ć/jać (**against sth** od czegoś) 5. wyst-ąpić/ępować <zarysow-ać/ywać się> (**in relief** na tle czegoś) 6. odznacz-yć/ać się; wyróżni-ć/ać się; rzucać się w oczy 7. *mar* wypły-nąć/wać (**to sea** na pełne morze)

~ **over** *vi* zalegać; być w zawieszeniu; (*o zapłacie itd*) wisieć

~ **to** *vi* być w pogotowiu; *wojsk* ~ **to!** do broni!

~ **up** *vi* 1. sta-nąć/wać; powsta-ć/wać z miejsc/a; podn-ieść/osić się (z krzes-ła/eł) 2. wzn-ieść/osić się 3. powsta-ć/wać (**against sth** przeciw czemuś); sprzeciwi-ć/ać się (**against sth** czemuś); stawi-ć/ać opór (**against sth** czemuś) 4. sta-nąć/wać w obronie <bronić> (**for sth** czegoś) 5. stawi-ć/ać czoło (**to sth** czemuś); nie ust-ąpić/ępować (**to sth** przed czymś); wytrzym-ać/ywać (**to sth** coś); **to ~ up to sb** nie da-ć/wać się zastraszyć przez kogoś

zob **standing** Ⅲ *s* 1. unieruchomienie; † **to be at a ~** utknąć; **to bring to a ~** zatrzym-ać/ywać; **to come to a ~** sta-nąć/wać 2. zajęt-e/a stanowisko <pozycja>; **to make a ~ against sb, sth** a) op-rzeć/ierać się <stawi-ć/ać opór> komuś, czemuś b) zwalczać kogoś, coś; **to make a ~ for sth** sta-nąć/wać w obronie czegoś; **to take a ~** zaj-ąć/mować stanowisko; **to take one's ~ on sth** opierać się na czymś (w dyskusji) 3. stolik; półka; etażerka; wieszak; umywalka; stojak; statyw; podstawa (lampy, mikroskopu itd.); piedestał; cokół 4. stragan; stoisko 5. miejsce postoju <postój> (dorożek itd.) 6. estrada; platforma 7. *sąd* miejsce dla świadka składającego zeznania 8. *am roln* zbiór na pniu (zboża, koniczyny itd.) 9. *leśn* drzewostan 10. *teatr* okres pobytu (gdzieś) w czasie objazdu <występów gościnnych> 11. (*na wyścigach itd*) trybuna 12. *wojsk* ~ **of arms** komplet uzbrojenia <pełne wyposażenie> (żołnierza) 13. *wojsk* ~ **of colours** flaga

▴**standard** [ˈstændəd] Ⅰ *s* 1. sztandar; flaga; proporzec (pułku kawalerii itd.) 2. wzorzec; norma; ~ **pound** <**yard**> funt <jard> wzorcowy <urzędowy> 3. miernik; kryterium 4. standard; poziom; stopa (życiowa itd.); **up to ~** a) na odpowiednim poziomie; odpowiadający wyma-

ganiom b) zgodny z wzorem 5. klasa (w szkole podstawowej) 6. jakość; wartość 7. *fin* standard <parytet> (złota, srebra itd.); próba 8. wzorcowa miara desek (3 cale × 9 × 12 stóp) 9. *techn* podstawa; stojak; kadłub; rama 10. pion (wodociągowy, gazowy); rura wznośna 11. drzewo rosnące osobno 12. *ogr* krzew pienny <sztamowy> Ⅲ *adj* 1. wzorcowy; standardowy; znormalizowany; typowy; zgodny z przyjętą normą; normalny; klasyczny; ogólnie obowiązujący; urzędowy 2. *techn* stojący (na podstawie, stojaku itd.) 3. *ogr* (*o krzewie*) pienny <sztamowy>

standard-bearer [ˈstændədˌbɛərə] *s wojsk* chorąży

standardization [ˌstændədaiˈzeiʃən] *s* 1. standaryzacja; normalizacja, znormalizowanie; ujednolicenie 2. cechowanie; wzorcowanie

standardize [ˈstændəˌdaiz] *vt* 1. standaryzować; z/normalizować; ujednolic-ić/ać 2. cechować

stand-by [ˈstændˌbai] Ⅰ *s* 1. *przen* oparcie <podpora> (rodziny, instytucji itd.) 2. zapas; rezerwa Ⅲ *adj* zapasowy; rezerwowy

stander [ˈstændə] *s* osoba stojąca

stander-by [ˌstændəˈbai] *s* widz; świadek

stand-in [ˈstændˌin] *s kino* aktor podstawiony

▴**standing** [ˈstændiŋ] Ⅰ *zob* **stand** *v* Ⅲ *adj* 1. (*o człowieku, pozycji, przedmiocie, wodzie itd*) stojący; **to be left ~** zostać tam gdzie się stało <na miejscu>; **all ~** tak jak stał 2. (*o zbożu*) na pniu 3. (*o drzewach*) rosnący; nie ścięty 4. (*o przedmiocie, maszynie itd*) pionowy 5. (*o komitecie, klienteli, przepustce, armii itd*) stały; *parl* ~ **orders** regulamin 6. (*o regule itd*) niezmienny; nienaruszalny; obowiązujący 7. (*o kosztach*) bieżący 8. (*o dowcipie*) tradycyjny; niezawodnie wywołujący śmiech Ⅲ *s* 1. stanie (w miejscu); ~ **room** miejsce dla pasażerów <publiczności itd.> stojąc-ych/ej; miejsca stojące; ~ **jump** skok z miejsca 2. przystawanie; czas postoju 3. pozycja (społeczna); stanowisko; powaga; znaczenie; poważanie; reputacja; **people of good ~** ludzie cieszący się poważaniem <mający znaczenie>; ludzie na stanowiskach; **the ~ of a business firm** reputacja, jaką firma się cieszy 4. czas trwania; **of long ~** a) długoletni; długotrwały; datujący się od dawnych czasów; trwający od dawna; stary b) (*o przyjaźni*) wypróbowany; **of x years' ~** x-letni

standish [ˈstændiʃ] *s* † kałamarz

standoffish [ˈstændˈɔːfiʃ] *adj* (*o człowieku*) sztywny; trzymający się z rezerwą; (*o zachowaniu*) zimny

standoffishness [ˈstændˈɔːfiʃnis] *s* rezerwa (w zachowaniu)

stand-patter [ˈstændˌpætə] *s am sl* (*zw polit*) zagorzały zwolennik

stand-pipe [ˈstændˌpaip] *s* pion wodociągowy; rura wznośna

standpoint [ˈstændˌpoint] *s* punkt widzenia <zapatrywania>; stanowisko (zajmowane w jakiejś sprawie)

standstill [ˈstændˌstil] *s* 1. unieruchomienie; martwy punkt; **to be at a ~** nie ruszać się z miejsca; nie posuwać się naprzód; stać w miejscu; ~ **order** zakaz przenoszenia (się) z miejsca na miejsce; **to bring to a ~** zatrzymać; **to come to a ~** a) stanąć b) stanąć w martwym punk-

cie; *auto* **to start from a** ~ ruszyć z miejsca
2. zastój; przestój; **business is <was> at a** ~
jest <był> zastój w interesach
stand-up ['stænd‚ʌp] *adj* 1. (*o kołnierzyku*) stojący
2. (*o bufecie*) stojący; (*o posiłku*) na stojąco 3.
(*o boju*) regularny; *przen* **a** ~ **fight** walka na
noże
stang [stæŋ] *s* słup; pal
Stanhope ['stænəp] *spr* 1. lekki powozik 2. *druk*
~ **press** ręczna prasa
staniel ['stænjəl] *s zoo* pustułka (ptak sokołowaty)
stank *zob* **stink**
stannary ['stænəri] *s* kopalnia cyny; **the Stanna-
ries** okręg kopalń cyny w płd. Anglii
stannic ['stænik] *adj chem* cynowy
stanniferous [stæ'nifərəs] *adj* zawierający cynę
stannite ['stænait] *s miner* stannin
stanza ['stænzə] *s prozod* strofa
stapedial [stə'pi:djəl] *adj anat* strzemienny; odnoszący się do strzemiączka
staphyle ['stæfili] *s anat* języczek (podniebienny)
staphylococcus [‚stæfilə'kokəs] *s* (*pl* **staphylococci**
[‚stæfilə'koksai]) *biol* gronkowiec
staple[1] ['steipl] Ⅰ *s* 1. klamra; *bud* ankra; zwora
2. skobel 3. spinka 4. *introl* drut do broszuro-
wania Ⅲ *vt* 1. sp-oić/ajać klamrą; *bud* ankrować 2. spi-ąć/nać 3. *introl* broszurować *zob*
stapling
staple[2] ['steipl] Ⅰ *s* 1. *hist* rynek 2. ważny
<główny> artykuł handlu 3. podstawowy przed-
miot; **the** ~ **of sb's conversation** główny temat
czyichś rozmów 4. surowiec 5. włókno Ⅲ *adj*
podstawowy; główny Ⅲ *vt* s/klasyfikować (wełnę itd.)
staple-press ['steipl‚pres] = **stapling machine** *zob*
stapling
stapler ['steiplə] *s* sortowacz (wełny itd.)
stapling ['steipliŋ] Ⅰ *zob* **staple**[1] *v* Ⅲ *s* broszuro-
wanie Ⅲ *attr* ~ **machine** maszyna do broszu-
rowania
↟**star** [sta:] Ⅰ *s* 1. gwiazda; **shooting** ~ spadająca
gwiazda; meteoryt; *wojsk* ~ **shell** rakieta oświetlająca; *am* **the Stars and Stripes** gwiaździsty
sztandar, flaga St. Zjedn.; *przen* **his** ~ **has set**
jego gwiazda zbladła; **you may thank your** ~**s
that** __ masz wielkie szczęście <dziękuj Bogu>
że ...; *przen* (*przy uderzeniu w głowę*) **to see**
~**s** zobaczyć wszystkie gwiazdy; *bot* ~ **of
Bethlehem** śniedek 2. *druk* gwiazdka; odsyłacz
3. strzałka (na łbie końskim) 4. gwiazda orderu;
gwiazdka oznaczająca rangę oficerską 5. gwiazda ekranu <literatury itd.>; ~ **performance**
przedstawienie najwyższej kategorii <klasy>; ~
system system posługiwania się gwiazdą (ekranu
itd.) przy słabym zespole aktorskim; ~ **turn**
popisowy występ aktor-a/ki; główna atrakcja
(wieczoru itd.) Ⅲ *adj* gwiezdny Ⅲ *vt* (-rr-) 1.
usi-ać/ewać <wysadz-ić/ać> gwiazdami; wygwie-
-ździć/żdżać 2. *druk* zaopat-rzyć/rywać w gwiaz-
dkę 3. *teatr* da-ć/wać główną rolę (**sb** komuś)
Ⅳ *vi* (-rr-) wyst-ąpić/ępować w głównej roli
zob **starred**
starboard ['sta:bəd] Ⅰ *s mar* sterbort, sterburta,
prawa burta Ⅲ *vi mar* sterować w prawo
starch [sta:tʃ] Ⅰ *s* 1. krochmal; skrobia 2. sztywność w zachowaniu; **to take the** ~ **out of sb**
utrzeć komuś nosa Ⅲ *vt* na/krochmalić

starchiness ['sta:tʃinis] = **starch** *s* 2.
starchy ['sta:tʃi] *adj* 1. nakrochmalony; usztyw-
niony 2. (*o zachowaniu*) sztywny
star-connection ['sta:-kə‚nekʃən] *s elektr* połączenie gwiazdowe
stare [steə] Ⅰ *vi* 1. wytrzeszcz-yć/ać oczy <pa-
trzeć wytrzeszczonymi oczami> (**at sb, sth** na
kogoś, coś); utkwić wzrok (**at sb, sth** w kimś,
czymś); bezczelnie patrzyć (**at sb** na kogoś) 2. wytrzeszcz-yć/ać oczy ze zdumienia; **to
make people** ~ wywoł-ać/ywać powszechne
zdumienie 3. gapić się; patrzyć bezmyślnie w
przestrzeń Ⅲ *vt* 1. patrzyć (**sb in the face** komuś prosto w oczy); *przen* **ruin** ~**d him in the
face** stanął <stał> w obliczu ruiny 2. obruc-ić/ać
surowym spojrzeniem; **to** ~ **sb out of countenance <into silence>** onieśmiel-ić/ać kogoś surowym spojrzeniem; **to** ~ **sb up and down**
z/mierzyć kogoś wzrokiem *zob* **staring** Ⅲ *s*
utkwiony wzrok; wytrzeszczone oczy; zagapione
spojrzenie; **a** ~ **of astonishment <horror>** zdu-
mione <przerażone> spojrzenie; **to give sb a** ~
a) spojrzeć na kogoś ze zdziwieniem b) wytrze-
szczyć oczy na kogoś
starer ['steərə] *s* gap
starfinch ['sta:‚fintʃ] *s zoo* pleszka rudogon (ptak)
starfish ['sta:‚fiʃ] *s zoo* rozgwiazda, gwiazda morska
star-gazer ['sta:‚geizə] *s* 1. *żart* badacz gwiazd;
astronom; astrolog; † gwiaździarz 2. wróżbita
3. marzyciel; *pot* człowiek <facet> nie z tej
planety
staring ['steəriŋ] Ⅰ *zob* **stare** *v* Ⅲ *adj* 1. gapiący
się; zagapiony 2. rzucający się w oczy; (*o kolorach*) krzykliwy; jaskrawy
star-jelly ['sta:‚dʒeli] *s bot* trzęsidło, galaretnica
(mikroskopijna roślina z gromady wodorostów)
stark [sta:k] Ⅰ *adj* 1. *lit* sztywny; zesztywniały
2. † *poet* silny; mocny 3. *poet* zdeterminowany;
nieugięty 4. zupełny; całkowity; kompletny; absolutny; ~ **madness** czyste <istne> szaleństwo;
~ **nonsense** skończony nonsens 5. = ~ **naked**
zob ~ *adv* Ⅲ *adv* w zwrotach: ~ **naked** zupełnie nagi; nagusieńki; golusieńki; nagi <goły>
jak go Pan Bóg stworzył; ~ **mad** kompletnie
zwariowany
starkness ['sta:knis] *s* 1. sztywność; zesztywnienie
2. całkowitość 3. nagość
starless ['sta:lis] *adj* bezgwiezdny
starlet ['sta:lit] *s* 1. gwiazdka 2. młodziutka
gwiazda filmowa
starlight ['sta:‚lait] Ⅰ *s* światło gwiazd Ⅲ *attr*
wygwieżdżony; gwiaździsty; gwiezdny
starling[1] ['sta:liŋ] *s zoo* szpak
starling[2] ['sta:liŋ] *s techn* izbica
starlit ['sta:‚lit] *adj* wygwieżdżony; gwiaździsty;
rozgwieżdżony
starred [sta:d] Ⅰ *zob* **star** *v* Ⅲ *adj* 1. wygwieżdżony; gwiaździsty; usiany gwiazdami 2. *druk*
oznaczony gwiazdką
starry ['sta:ri] *adj* (**starrier** ['sta:riə], **starriest**
['sta:riist]) 1. wygwieżdżony; gwiaździsty; usia-
ny gwiazdami 2. *lit* (*o oczach*) błyszczący, promienny 3. *bot* gwiazdowaty
star-spangled ['sta:‚spæŋgld] *adj* usiany gwiazdami; **the** ~ **banner** gwiaździsta flaga St. Zjedn.
start [sta:t] Ⅰ *vi* 1. wzdryg-nąć/ać się; drg-nąć/ać

2. zerwać/zrywać się (z miejsca); skoczyć; podskoczyć 3. (o oczach) wy-jść/chodzić na wierzch,
his eyes were ~ing out of his head oczy wyszły
mu na wierzch 4. (o łzach) polać się; napłynąć
(do oczu) 5. (o śrubach, deskach itd) rozluźni-ć/
ać się; puścić/puszczać, popuszczać 6. rusz-yć/ać
(z miejsca); wyrusz-yć/ać, rusz-yć/ać **(on a
journey** w drogę); odje-chać/żdżać; **to ~ on
a flight** odl-ecieć/atywać 7. zacz-ąć/ynać <roz-
pocz-ąć/ynać> się **(with sth** od czegoś) 8. zacz-
-ąć/ynać <rozpocz-ąć/ynać>; **he ~ed as a
shoeblack** rozpoczął karierę jako czyścibut; **to
~ at the beginning in life** zacz-ąć/ynać od samego początku karierę życiową; **to ~ by doing
sth** zacz-ąć/ynać od z/robienia czegoś; **to ~ on
<upon> a new enterprise etc.** uruch-omić/amiać
nowe przedsiębiorstwo itd.; **to ~ on <upon>
a task** pod-jąć/ejmować się jakiegoś zadania;
to ~ with najpierw; przede wszystkim; w pierwszym rzędzie; na samym początku 9. *sport*
startować 10. uruch-omić/amiać <za-łożyć/kładać>
(in business przedsiębiorstwo) ⫿ *vt* 1. zacz-ąć/
ynać; rozpocz-ąć/ynać; nawiąz-ać/ywać (rozmowę); porusz-yć/ać **(temat)**; zab-rać/ierać się
(doing <to do> sth do robienia czegoś); napocz-
-ąć/ynać 2. pu-ścić/szczać (w ruch); **to ~ a
horse at a trot** pu-ścić/szczać konia biegiem; **to
~ a machine** uruch-omić/amiać maszynę; za-
pal-ić/ać (silnik) 3. *sport* da-ć/wać sygnał do
biegu **(racers** zawodnikom) 4. wypł-oszyć/aszać
(zwierzynę) 5. podn-ieść/osić (wątpliwości); zwr-
-ócić/acać uwagę **(difficulties** na trudności) 6.
uruch-omić/amiać (przedsiębiorstwo itd.); za-
-łożyć/kładać (instytucję itd.); otw-orzyć/ierać
(szkołę itd.) 7. rozpal-ić/ać (ogień) 8. wywoł-ać/
ywać <wzniec-ić/ać> (pożar) 9. zal-ać/ewać (pompę) 10. umożliwi-ć/ać **(sb on a career** komuś
zrobienie kariery; **sb in business** komuś uruchomienie przedsiębiorstwa); **to ~ sb doing sth**
sprowokować kogoś do czegoś; **to ~ sb coughing,
laughing etc.** wywołać u kogoś kaszel, śmiech itd.
11. rozluźni-ć/ać (śruby, deski itd.)
   ~ aside *vi* odsk-oczyć/akiwać na bok
   ~ back *vi* 1. odsk-oczyć/akiwać do tyłu; cof-
-nąć/ać się 2. rusz-yć/ać w drogę powrotną
   ~ forward *vi* rusz-yć/ać naprzód
   ~ in *vi* pot zacz-ąć/ynać <rozpocz-ąć/ynać>
(on sth coś)
   ~ off ⫿ *vi* 1. zacz-ąć/ynać się **(with sth** od
czegoś) 2. wyrusz-yć/ać <rusz-yć/ać> **(on a
journey** w podróż <w drogę>) ⫿ *vt* pu-ścić/
szczać biegiem (konia)
   ~ out *vi* 1. wyrusz-yć/ać **(on a journey** w podróż)
2. zab-rać/ierać się **(to do sth** do robienia
czegoś)
   ~ up ⫿ *vi* 1. podskoczyć; zerwać/zrywać się
2. (o roślinach itd) wyr-ość/astać 3. (o trudnościach itd) wył-onić/aniać się; powsta-ć/
wać 4. zacz-ąć/ynać <rozpocz-ąć/ynać> **(on
sth** coś) 5. (o silniku) ruszyć ⫿ *vt* pu-ścić/
szczać w ruch (silnik)
zob **starting** ⫿ *s* 1. wzdrygnięcie się; drgnięcie;
wstrząs; **to give a ~** wzdrygnąć się, drgnąć; **to
give sb a ~** przestraszyć kogoś; **you gave me
a ~** przestraszyłeś mnie 2. *pl* **~s** nieregularne
ruchy; zrywy; **by fits and ~s** dorywczo; sporadycznie; zrywami; w rozmaitych odstępach cza-

su 3. początek; rozpoczęcie; **he gave his son a
~** umożliwił synowi rozpoczęcie kariery; **he
made a fresh ~** rozpoczął od nowa; **at the ~**
na początku, początkowo 4. rozpoczęcie podróży; wyruszenie; wyjazd; odlot (samolotu); odpłynięcie (statku); **to make an early ~** wcześnie
wyruszyć 5. *sport* start 6. *sport* for 7. przewaga;
he got the ~ of the others osiągnął przewagę
nad innymi; wyprzedził <prześcignął> innych ‖
pot **a rum ~** dziwn-y/a wypadek <okoliczność>
starter [ˈstɑːtə] *s* 1. startujący; zawodnik na starcie 2. *sport* starter (osoba dająca sygnał startu)
3. *auto* starter; *(przy motocyklu i skuterze)* **~
pedal** pedał starteru
▮**starting** [ˈstɑːtiŋ] ⫿ *zob* **start** *v* ⫿ *adj* 1. początkowy 2. startowy
starting-gate [ˈstɑːtiŋˌgeit] *s (na wyścigach)* bariera startowa
starting-point [ˈstɑːtiŋˌpɔint] *s* punkt wyjścia
starting-post [ˈstɑːtiŋˌpoust] *s* miejsce startowe
(na wyścigach konnych)
startle [ˈstɑːtl] ⫿ *vt* 1. przestrasz-yć/ać; zask-
-oczyć/akiwać 2. wywoł-ać/ywać wstrząs **(sb
u kogoś); wstrząs-nąć/ać (sb** kimś) ⫿ *vi* przestraszyć się *zob* **startling**
startler [ˈstɑːtlə] *s pot* sensacja
startling [ˈstɑːtliŋ] ⫿ *zob* **startle** *v* ⫿ *adj* wstrząsający
▮**starvation** [stɑːˈveiʃən] *s* 1. głód; przymieranie
głodem; **~ wages** płace głodowe 2. wygłodzenie
starve [stɑːv] ⫿ *vi* 1. głodować; cierpieć <znosić>
głód; przymierać głodem; nie dojadać; *przen*
to be (simply) starving (formalnie) umierać
z głodu; być głodnym jak wilk; **to ~ to death**
um-rzeć/ierać z głodu <śmiercią głodową>; *dosł
i przen* **to ~ with cold** um-rzeć/ierać z zimna
2. być spragnionym <łaknąć, pożądać> **(for
friendship etc.** przyjaźni itd.) 3. (o roślinie)
us-chnąć/ychać /marnieć ⫿ *vt* 1. zagł-odzić/
adzać; za/morzyć głodem; *(także* **to ~ out)** wy/
głodzić, zmusić głodem **(into submission <sur-
render>** do uległości <do poddania się) 2. mo-
rzyć <nękać> (głodem, zimnem itd.)
starveling [ˈstɑːvliŋ] ⫿ *s* zagłodzon-y/e człowiek
<stworzenie>; głodomór ⫿ *adj* 1. zagłodzony;
głodny 2. *przen* biedny; nędzny
stasis [ˈsteisis] *s med* zastój
▮**state** [steit] ⫿ *s* 1. stan; **~ of mind** nastrój; **the
married ~** małżeństwo; stan małżeński; **the
single ~** bezżeństwo (stan kawalerski, panieński); **what a ~ you are in** <the child is in>!
w jakim ty jesteś <to dziecko jest> stanie!; jak
ty wyglądasz <to dziecko wygląda>! 2. podniecenie; niepokój; **he <she> is in quite a <in a
great> ~ (about it)** on <ona> jest (tym) mocno
zdenerwowan-y/a 3. (*zw* **the State)** państwo 4.
polit stan; **the Slave States** stany Ameryki Płn.,
w których kwitło niewolnictwo; **the United States
<pot the States>** Stany Zjednoczone 5. *pl* **~s**
ciała ustawodawcze na wyspach Jersey i Guernsey 6. stanowisko; zajęcie; godność; **persons in
every ~ of life** ludzie wszystkich sfer 7. pompa; parada; (o szatach itd) **of ~** uroczysty;
(o zwłokach) **to lie in ~** być wystawionym na
widok publiczny; **to live in ~** otaczać się wielką
pompą; prowadzić wielkopański tryb życia; **in
~** uroczyście; paradnie; z wielkim ceremonia-

łem 8. odbitka (sztychu itd.) zrobiona w czasie jego wykonywania ⟦III⟧ *adj* 1. państwowy; *am* **State Department** Ministerstwo Spraw Zagranicznych 2. (*o dokumencie*) urzędowy 3. (*o procesie więźnia*) polityczny 4. (*o administracji, prawie, zakresie władzy itd*) stanu, stanowy 5. (*o przedmiotach, apartamentach itd*) paradny; używany przy wystąpieniach uroczystych <przy stosowaniu wielkiego ceremoniału> ⟦III⟧ *vt* 1. wyra-zić/żać; wypowi-edzieć/adać; ogł-osić/aszać; oznajmi-ć/ać; zaznacz-yć/ać; oświadcz-yć/ać; poda-ć/wać (szczegóły itd.) 2. stwierdz-ić/ać; s/konstatować 3. przedstawi-ć/ać (sprawę itd.) 4. oznacz-yć/ać <wyznacz-yć/ać, ustal-ić/ać, określ-ić/ać> (datę, godzinę itd.) 5. *mat* wyra-zić/żać wzorem matematycznym

statecraft ['steit,krɑːft] *s* dyplomacja; umiejętność kierowania nawą państwową

stateless ['steitlis] *adj* bez narodowości; bez przynależności państwowej

stateliness ['steitlinis] *s* 1. wspaniałość; okazałość; majestat 2. godność; duma

stately ['steitli] *adj* 1. wspaniały; okazały; majestatyczny 2. pełen godności; godny; dumny

statement ['steitmənt] *s* 1. wyrażanie <wypowiadanie> się 2. oznajmienie; oświadczenie; wypowiedź; deklaracja; komunikat; exposé 3. poda-nie/wanie <przedstawi-enie/anie> (faktów itd.) 4. zeznani-e/a 5. zestawienie; wykaz; raport; wyciąg (rachunku)

state-room ['steit,ruːm] *s* 1. sala recepcyjna 2. (*na statku*) luksusowa kabina

statesman ['steitsmən] *s* (*pl* **statesmen** ['steitsmən]) mąż stanu; polityk

statesmanlike ['steitsmən,laik] *adj* godny prawdziwego męża stanu; **in a ~ manner** jak przystało na męża stanu

statesmanship ['steitsmənʃip] *s* polityka godna wielkiego męża stanu; zalety właściwe prawdziwemu mężowi stanu; umiejętność kierowania nawą państwową

▲**static(al)** ['stætik(əl)] *adj* 1. statyczny 2. nieruchomy 3. unieruchomiony

statics ['stætiks] *s* 1. *fiz* statyka 2. *spl radio* zakłócenia (atmosferyczne)

▲**station** ['steiʃən] ⟦I⟧ *s* 1. stanowisko; pozycja; miejsce; punkt (opatrunkowy itd.); pogotowie (ratunkowe itd.); *wojsk lotn* **action ~s!** przygotować się do skoku!; **broadcasting** <**wireless**> ~ radiostacja; rozgłośnia; **TV** ~ stacja telewizji; **naval** ~ baza floty wojennej 2. dworzec kolejowy; stacja 3. przystanek (kolejowy, autobusowy itd.) 4. stan (społeczny); godność 5. (*w Indiach*) placówka (wojskowa) 6. (*w Australii*) ferma owcza 7. *rel* stacja (**of the Cross** Drogi Krzyżowej) 8. *zoo bot* stanowisko 9. punkt geodezyjny ⟦II⟧ *vt* 1. postawić/stawiać; wyznacz-yć/ać stanowisko (**sb** komuś); rozstaw-ić/ać (wojsko); wystawi-ć/ać (wartę); *wojsk* **to be ~ed at** — być stacjonowanym <stacjonować> w ... (danej miejscowości) ⟦III⟧ *vr* ~ **oneself** zaj-ąć/mować stanowisko

▲**stationary** ['steiʃənəri] *adj* 1. stacjonarny; stały; nieruchomy; niezmienny 2. *med* (*o chorobie*) miejscowy 3. *med* (*o powietrzu w płucach*) zalegający 4. *wojsk* (*o wojnie*)· pozycyjny

station-bill ['steiʃən,bil] *s mar* wykaz stanowisk wyznaczonych poszczególnym członkom załogi

stationer ['steiʃnə] *s* właściciel sklepu z przyborami piśmiennymi <składu materiałów piśmiennych, biurowych>; **at the ~'s** w składzie papieru <materiałów piśmiennych>

▲**stationery** ['steiʃnəri] *s* 1. *zbior* materiały piśmienne 2. papier listowy

station-house ['steiʃən,haus] *s* 1. areszt 2. komisariat, posterunek

station-master ['steiʃən,mɑːstə] *s* naczelnik <zawiadowca> stacji

statist ['steitist] = **statistician**

statistic(al) [stə'tistik(əl)] *adj* statystyczny

statistician [,stætis'tiʃən] *s* statystyk

statistics [stə'tistiks] *s* statystyka

stator ['steitə] *s elektr* stojan

statoscope ['stætə,skoup] *s meteor lotn* statoskop

statuary ['stætjuəri] ⟦I⟧ *adj* rzeźbiarski ⟦II⟧ *s* 1. rzeźba 2. rzeźbiarstwo 3. *zbior* rzeźby 4. rzeźbiarz

statue ['stætjuː] *s* posąg; statua

statuesque [,stætju'esk] *adj* posągowy

statuette [,stætju'et] *s* statuetka, posążek

stature ['stætʃə] *s* 1. wzrost; postawa; **of short ~** niskiego wzrostu 2. *przen* rodzaj <kaliber> (człowieka)

status ['steitəs] *s* stan (prawny, cywilny, moralny, społeczny); położenie; sytuacja; ~ **quo** ['steitəs 'kwou] status quo; istniejący stan rzeczy

statute ['stætjuːt] *s* 1. ustawa; prawo; nakaz; ~ **law** prawo pisane 2. *pl* ~**s** statut; regulamin 3. przepis regulaminowy

statute-book ['stætjuːt,buk] *s* kodeks

▲**statutory** ['stætjutəri] *adj* 1. ustawowy 2. statutowy

▲**staunch¹** *zob* **stanch¹**

staunch² [stɔːntʃ], **stanch** [stɑːntʃ] *adj* 1. wierny; oddany; lojalny 2. zagorzały

staurolite ['stɔːrə,lait] *s miner* staurolit

stave [steiv] ⟦I⟧ *s* 1. klepka 2. pręt (krzesła itd.) 3. szczebel (drabiny) 4. kij 5. *prozod* stanca 6. *muz* pięciolinia 7. *muz* takt ⟦II⟧ *vt* (*praet* **staved** [steivd], **stove** [stouv], *pp* **staved**, **stove**) 1. zbi-ć/jać (**a barrel** beczkę) 2. = ~ **in** ~ **in** *vt* 1. wybić <wywalić> dziurę (**a barrel** w beczce); otw-orzyć/ierać (beczkę) 2. wgni-eść/atać (chłodnicę samochodu itd.); rozwal-ić/ać ~ **off** *vt* 1. odwr-ócić/acać (cios, nieszczęście); odsu-nąć/wać od siebie <oddal-ić/ać, zażegn-ać/ywać> (niebezpieczeństwo itd.); u/chronić się (**a danger etc.** przed niebezpieczeństwem itd.); zapobie-c/gać (**a disaster** nieszczęściu) 2. *przen* oszuk-ać/iwać (głód)

staves *zob* **staff¹** 10.

stavesacre ['steivz,eikə] *s bot* ostróżka

▲**stay¹** [stei] ⟦I⟧ *s* 1. pobyt 2. zawieszenie <wstrzym-anie/ywanie, odroczenie/aczanie> (wykonania wyroku itd.) 3. *lit* zwłoka; za/hamowanie 4. wytrzymałość 5. podpora; podpórka; *przen* podpora (starości) 6. *pl* ~**s** gorset ⟦II⟧ *vt* 1. powstrzym-ać/ywać; zatrzym-ać/ywać; za/hamować; za/tamować 2. zawie-sić/szać 3. odr-oczyć/aczać 4. oszuk-ać/iwać (**one's stomach** głód) 5. pod-eprzeć/pierać; wzm-ocnić/acniać; podmurow-ać/ywać 6. wytrzym-ać/ywać; przetrzym-ać/ywać 7. *pot* zosta-ć/wać **(to dinner <supper>** na obiad <na kolację>) Ⅲ *vi* 1. po/zostać, pozostawać; by-ć/wać; **has come to ~** a) *(o człowieku)* przyjechał na stałe <na stały pobyt>; osiedlił się b) *(o zjawisku itd)* pozostanie na zawsze <na stałe>; **~ at home** siedzieć <przesiadywać> w domu; **~ in bed** leżeć <wylegiwać się> w łóżku 2. zatrzym-ać/ywać się (w hotelu, u kogoś); prze/nocować 3. z/robić sobie przerwę; przerwać sobie (pracę itd.) **~!** zaczekaj!; zaraz!; chwileczkę! 4. wytrzym-ać/ywać tempo (wyścigu itd.); **~ing power** wytrzymałość

~ **away** *vi* nie przyby-ć/wać; nie pokaz-ać/ywać się; † absentować się

~ **in** *vi* pozostawać w domu; nie wychodzić z domu

~ **on** *vi* przedłuż-yć/ać swój pobyt; pozosta-ć/wać <siedzieć> nadal (gdzieś)

~ **out** *vi* pozosta-ć/wać poza domem; nie wr-ócić/acać

~ **up** *vi* 1. stać; nie siadać 2. czuwać; nie kłaść się spać; czekać (do późna w nocy)

stay² [stei] Ⅰ *s mar* 1. sztag 2. karnat; uwięź; wanta Ⅱ *vt mar* wzm-ocnić/acniać (maszt) sztagami

stay-anchor ['stei,æŋkə] *s bud* ankra

stay-at-home ['steiət,houm] *s* domator

stay-bolt ['stei,boult] *s mar* śruba kotwowa

stayer ['steiə] *s sport* wytrzymały zawodnik

stay-in ['stei,in] *attr w zwrocie:* ~ **strike** strajk okupacyjny

stay-lace ['stei,leis] *s* tasiemka do sznurowania gorsetu

stay-maker ['stei,meikə] *s* gorsecia-rz/rka

stay-rod ['stei,rod] *s* podpora, podpórka

staysail ['steisl] *s mar* sztagzel

stead [sted] *s lit* 1. miejsce; **in sb's ~** (przyjść itd.) na miejsce kogoś innego 2. pożytek; **to stand sb in good ~** bardzo się komuś przydać; okazać się bardzo pożytecznym dla kogoś

steadfast ['stedfəst] *adj* 1. mocny; solidny 2. pewny; niezawodny 3. niezachwiany; nieugięty; wytrwały; a ~ **gaze** wlepiony <utkwiony> wzrok

steadfastness ['stedfəstnis] *s* 1. solidność 2. nieugiętość 3. stałość

steadiness ['stedinis] *s* 1. solidność; pewność; niezawodność 2. pilność; sumienność 3. wytrwałość 4. stałość 5. równomierność; jednostajność 6. ustatkowanie; powaga

steading ['stediŋ] *s* gospodarstwo (rolne)

steady ['stedi] Ⅰ *adj* 1. mocny; silny; **his hand is not ~** ręka mu się trzęsie; *(o przedmiocie)* **to be ~** mocno stać; nie chwiać się; *mar* **to keep a boat ~** nie zmieniać kursu; **to keep ~** nie ruszać się; mocno stać w miejscu; **to keep sth ~** mocno coś trzymać; **to make ~** umocować; *(o człowieku)* **not ~ on his legs** na niepewnych nogach 2. solidny; pewny; niezawodny 3. *(o meblu itd)* nie chwiejący się 4. równomierny; jednostajny; miarowy; stały 5. trwały; ustalony; ustabilizowany 6. pilny; solidny; sumienny 7. ustatkowany; poważny 8. wytrwały 9. *wykrzyknikowo:* ~! uwaga!; ostrożnie!; *(także* ~ **now!)** przestań (się wygłupiać)! Ⅱ *vt* 1. umocować; mocno ustawi-ć/ać <osadz-ić/ać>; zapewni-ć/ać równowagę **(sth** czemuś); ustabilizować 2. uspok-oić/ajać (nerwy) 3. ustatkować Ⅲ

vi 1. przy-jść/chodzić do równowagi; odzysk-ać/iwać równowagę 2. ustal-ić/ać się 3. *(także* **to ~ down)** ustatkować się Ⅳ *s* 1. oparcie (dla ręki) 2. *am sl* stał-y/a facet <babka>; stała sympatia

steak [steik] *s* 1. *kulin* plat mięsa <ryby> (do smażenia) 2. zraz; kotlet (wieprzowy); **Hamburg ~** kotlet siekany 3. befsztyk; stek; antrykot

steal [sti:l] *v* (**stole** [stoul], **stolen** ['stoulən]) Ⅰ *vt* 1. s/kraść; ukraść; wykra-ść/dać; por-wać/ywać 2. ukradkiem <ukradkowo, potajemnie> coś zrobić; **to ~ a glance** spojrzeć ukradkiem; **to ~ a march on _** wyprzedz-ić/ać <pozostawi-ć/ać w tyle>... Ⅲ *vi* 1. kraść 2. skradać <podkradać, zakradać> się 3. *(o uczuciach itd)* owład-nąć/ać **(over sb** kimś)

~ **along** *vi* posu-nąć/wać się ukradkiem <potajemnie>

~ **away** *vi* wyn-ieść/osić się ukradkiem <potajemnie>; wym-knąć/ykać się

~ **in** *vi* wślizgnąć się ukradkiem <potajemnie>

~ **out** *vi* wyśliznąć <wyn-ieść/osić> się ukradkiem <potajemnie>; wym-knąć/ykać się

Ⅲ *s am* 1. kradzież 2. ukradziony przedmiot

stealth [stelθ] *s w zwrocie:* **by ~** ukradkiem, ukradkowo

stealthily ['stelθili] *adv* ukradkiem, ukradkowo; potajemnie; skrycie

stealthy ['stelθi] *adj* ukradkowy; potajemny

▲**steam** [sti:m] *s* 1. para (wodna); **back ~** przeciwpara; **dry <wet, overheated, dead> ~** para sucha <mokra, przegrzana, zużyta>; **to get up <raise> ~** a) wytw-orzyć/arzać parę b) *przen* zebrać siły <energię>; **to let <blow> off ~** a) wypuścić parę b) *przen* wykrzyczeć się; wyładować się 2. *przen* energia; siły Ⅲ *vt* 1. u/gotować na <w> parze 2. odparow-ać/ywać; podda-ć/wać działaniu pary; **to ~ (an envelope etc.) open** otworzyć (kopertę itd.) nad parą Ⅲ *vi* 1. parować; dymić (się); 2. wytw-orzyć/arzać parę 3. być poruszanym parą 4. *(o parowozie)* jechać; *(o parowcu itd)* ply-nąć/wać

~ **ahead** *vi* 1. robić wielkie postępy 2. energicznie iść naprzód

~ **away** <**off**> *vi* *(o parowozie)* odje-chać/żdżać; *(o parowcu)* odpły-nąć/wać

~ **up** *vi* 1. wytw-orzyć/arzać parę (w kotłach) 2. pokry-ć/wać się parą; *(o szybie)* s/potnieć 3. *przen* rozwi-nąć/jać wielką energię <*pot* parę>

steam-bath ['sti:m,ba:θ] *s* kąpiel parowa, parówka

steamboat ['sti:m,bout] *s* statek parowy, parowiec

steam-boiler ['sti:m,bɔilə] *s techn* kocioł parowy

steam-box ['sti:m,bɔks], **steam-chamber** ['sti:m,tʃeimbə], **steam-chest** ['sti:m,tʃest] *s techn* zbiornik pary; skrzynia zaworowa <suwakowa>

steam-coal ['sti:m,koul] *s górn* węgiel bunkrowy

steam-crane ['sti:m,krein] *s techn* żuraw parowy

steam-engine ['sti:m,endʒin] *s* maszyna parowa

steamer ['sti:mə] *s* 1. statek parowy, parowiec 2. sikawka parowa 3. kocioł do gotowania potraw na parze

steam-gauge ['sti:m,geidʒ] *s fiz* manometr

steam-hammer ['sti:m'hæmə] *s techn* młot parowy

steam-heating ['sti:m,hi:tiŋ] *s* ogrzewanie parą

steam-jacket ['sti:m,dʒækit] *s techn* płaszcz parowy

steam-kettle ['sti:m,ketl] s inhalator

steam-navvy ['sti:m,nævi] s techn czerparka parowa

steam-plough ['sti:m,plau] s techn pług parowy

steam-power ['sti:m,pauə] s siła parowa

steam-roller ['sti:m'roulə] s walec parowy

steamship ['sti:m,ʃip] s statek parowy

steam-shovel ['sti:m,ʃʌvl] s techn ekskawator

steam-thresher ['sti:m,θreʃə] s młocarnia parowa

steam-tight ['sti:m,tait] adj paroszczelny

steam-tug ['sti:m,tʌg] s holownik parowy

steamy ['sti:mi] adj 1. napełniony <nasycony> parą 2. (o szybie okiennej itd) pokryty parą, spotniały

stearate ['stiə,reit] s chem stearynian

stearic [sti'ærik] adj chem stearynowy

stearin ['stiərin], **stearine** ['stiə,ri:n] s chem stearyna

steatite ['stiə,tait] s miner steatyt; talk

steatoma [,stiə'toumə] s med kaszak

steatosis [,stiə'tousis] s med złojowacenie, stłuszczenie

steed [sti:d] s poet rumak

steel [sti:l] Ⓘ s 1. stal; przen **a grip of** ~ żelazna ręka; żelazne kleszcze; **cold** ~ szabla; szpada: sztylet; nóż; wojsk biała broń 2. poet miecz; **an enemy worthy of one's** ~ godny przeciwnik 3. stalka (do gorsetu) 4. krzesiwo Ⓘ adj stalowy, ze stali; ~ **engraving** staloryt; ~ **foundry** stalownia Ⓘ vt 1. powle-c/kać stalą 2. nadsztukow-ać/ywać (żelazo) stalą; † nastal-ić/ać 3. za/hartować; **to** ~ **oneself** <one's heart> **against sth** uzbr-oić/ajać <uodp-ornić/arniać> się przeciw czemuś; przen **to** ~ **oneself** <one's heart> **to do sth** uzbroić się w męstwo przed zrobieniem czegoś

steel-blue ['sti:l'blu:] Ⓘ s kolor stalowoniebieski Ⓘ adj stalowoniebieski

steel-clad ['sti:l,klæd] adj 1. pancerny; opancerzony 2. hist (o rycerzu) zakuty w stal

steel-grey ['sti:l'grei] adj stalowoszary

steelon ['sti:lɔn] s stylon

steel-plated ['sti:l,pleitid] = **steel-clad** 1.

steel-rimmed ['sti:l,rimd] adj (o okularach) w stalowej oprawie

steelwork ['sti:l,wə:k] s 1. zbior przedmioty ze stali 2. bud konstrukcja stalowa

steelworks ['sti:l,wə:ks] s stalownia

steely ['sti:li] adj 1. twardy jak stal 2. srogi; nieugięty; zimny jak stal

steelyard ['sti:l,ja:d] s waga pozioma z przesuwanym ciężarkiem, bezmian

steenbok ['sti:n,bɔk] s zoo mała antylopa południowoafrykańska

steening ['sti:niŋ] s ocembrowanie

steep¹ [sti:p] Ⓘ adj 1. stromy; urwisty; spadzisty 2. nagły; ostry; gwałtowny 3. pot (o opowiadaniu) nieprawdopodobny 4. (o twierdzeniu) krańcowy; przesadny; (o cenie, wymaganiach) wygórowany; **that's rather** ~! tego już za wiele!; **it's a bit** ~ **that** __ **to** (już) zbytnie wymagania, żeby ... Ⓘ s urwisko

steep² [sti:p] Ⓘ vt 1. za/moczyć; rozmiękcz-yć/ać; wy/macerować; chem ługować 2. nasyc-ić/ać; impregnować Ⓘ vr ~ **oneself** pogrąż-yć/ać się; **to** ~ **oneself in drink** rozpijać się; ~**ed in preju-**

dice etc. pogrążony <tkwiący> w przesądach itd. Ⓘ vi 1. moczyć się; namakać 2. zaparzać się

steepen ['sti:pən] Ⓘ vt gwałtownie podn-ieść/osić <podwyższ-yć/ać> Ⓘ vi stromo <gwałtownie> się podnosić

steeple ['sti:pl] s 1. wieża (strzelista) 2. iglica (wieży)

steeplechase ['sti:pl,tʃeis] s sport steeplechase, bieg terenowy z przeszkodami

steeplejack ['sti:pl,dʒæk] s robotnik pracujący przy budowie kominów fabrycznych <naprawie wież kościelnych itd.>

steepness ['sti:pnis] s 1. stromość; spadzistość 2. strome wzniesienie

steer¹ [stiə] s zoo (młody) wół

steer² [stiə] Ⓘ vt 1. sterować (**a ship** statkiem); prowadzić (statek); **to** ~ **a course** a) mar płynąć b) przen postępować; **to** ~ **one's course for** __ po/płynąć <po/jechać, pójść/iść, s/kierować się> do ... 2. kierować (**a motor-car etc.** samochodem itd.); prowadzić 3. przen s/kierować (kogoś dokądś) Ⓘ vi 1. sterować statkiem; **to** ~ **clear of sb, sth** omi-nąć/jać <unik-nąć/ać> kogoś, czegoś; trzymać się z dala od kogoś, czegoś 2. skierować się <podąż-yć/ać> (**for the station etc.** w stronę stacji itd.) 3. (o statku, samolocie itd) reagować na ster; **the boat** ~**s easily** łódź jest łatwa <lekka> w sterowaniu

steerage ['stiəridʒ] s 1. sterowanie 2. (na statkach pasażerskich) 3-cia <4-ta> klasa (dla ubogich emigrantów); ~ **passengers** pasażerowie 3-ej <4-ej> klasy; **they went** ~ pojechali 3-cią <4-tą> klasą 3. hist (na okręcie wojennym) pomieszczenie dla młodszych oficerów

steerage-way ['stiəridʒ,wei] s mar szybkość potrzebna do sterowania statkiem

steering-gear ['stiəriŋ,giə] s mar urządzenie <mechanizm> sterow-e/y

steering-wheel ['stiəriŋ,wi:l] s 1. mar koło sterowe 2. auto kierownica 3. lotn wolant koła sterowego 4. (w rowerze itd) koło przednie <kierownicze>

steersman ['stiəzmən] s (pl **steersmen** ['stiəzmən]) sternik

steeve [sti:v] Ⓘ s mar nachylenie dziobaka Ⓘ vt mar za/ładować (statek) za pomocą dziobaka

steinbock ['stainbɔk] s zoo mała antylopa płd. afrykańska

stela ['sti:lə] s (pl **stelae** ['sti:li:]) archeol gr stela

stellar ['stelə] adj gwiezdny

stellate ['steleit] adj bot gwiazdowaty

stellenbosh ['stelən,bɔʃ] vt sl wojsk przen-ieść/osić (niezdolnego starszego oficera na mniej odpowiedzialne stanowisko)

stellulate ['stelju,leit] adj bot gwiazdowaty

stem¹ [stem] Ⓘ s 1. bot pień (drzewa); łodyga (trawy itd.); szypułka (owocu) 2. trzon, trzonek 3. nóżka (kieliszka) 4. cybuch (fajki) 5. muz laska u nuty (niepełnej) 6. ród 7. gram temat (wyrazu) 8. (u zegarka) nakrętka 9. mar dziobnica; **from** ~ **to stern** od końca do końca (statku); od dziobu do rufy Ⓘ vt (-mm-) usu-wać/nać <od-erwać/rywać> łodygi <szypułki> (**leaves etc.** z liści itd.) Ⓘ vi (-mm-) 1. pochodzić <wywodzić się> (skądś, z czegoś) 2. am wywodzić swój ród (**from** __ od ...)

stem² [stem] vt (-mm-) 1. za/tamować; powstrzym-ać/ywać 2. ogrobl-ić/ać; wybudować tamę (a river na rzece) 3. przeciwstawi-ć/ać się (sth czemuś); zwalcz-yć/ać; to ~ the current iść <płynąć> pod prąd <przeciw prądowi>

stemma ['stemə] s (pl ~ta ['stemətə]) 1. zoo przyoczko 2. drzewo genealogiczne

Sten [sten] spr sten, lekki pistolet maszynowy

stench [stentʃ] s smród; odór; fetor; swąd

stencil ['stensl] ☐ vt (-ll-) 1. po/znaczyć <wy/malować> przez szablon <patron> 2. z/matrycować (tekst itd. na maszynie do pisania) ☐☐ s 1. szablon; patron 2. matryca (woskowa do powielania)

stenocardia ['stenou,kɑ:diə] s med stenokardia, dusznica bolesna

stenographer [ste'nɔgrəfə] s stenograf, stenografist-a/ka

stenographic(al) ['stenə'græfik(əl)] adj stenograficzny

stenography [ste'nɔgrəfi] s stenografia

stenosis [ste'nousis] s (pl stenoses [ste'nousi:z]) med zwężenie

stentorian [sten'tɔ:riən] adj (o głosie) stentorowy <donośny, tubalny>

⬆**step** [step] ☐ s 1. krok; a long ~ towards __ wielki <poważny> krok w kierunku ...; I heard a ~ słyszałem (czyjeś) kroki; mind <watch> your ~! uważaj!; bądź ostrożny!; to keep <break> ~ iść 'nie iść' w nogę; to keep ~ with sb dotrzym-ać/ywać kroku komuś; to take a ~ back zrobić krok wstecz; cofnąć się o krok; to take a ~ forward zrobić <postąpić> krok naprzód; posunąć się o krok; to take ~s to __ przedsię-wziąć/brać kroki ażeby ...; to turn one's ~s towards __ skierować się <swe kroki> ku ...; ~ by ~ krok po kroku; stopniowo; within a ~ of sb, sth o krok od kogoś, czegoś; not to move a ~ nie ruszyć się krokiem 2. chód; a light ~ lekki chód 3. pl ~s ślady stóp; to tread in the ~s of iść śladem <za przykładem> ... (czyimś) 4. krok w tańcu; pas; takt; tempo; quick ~ przyśpieszone tempo; in <out of> ~ w takt <nie w takt> muzyki 5. dosł i przen stopień (schodów, powozu, starszeństwa, pokrewieństwa itd.); schodek; szczebel (drabiny); a pair <set> of ~s drabina rozkładana; to get one's ~ awansować 6. stol gniazdo 7. techn łożysko 8. elektr synchronizm 9. muz stopień ☐☐ vi (-pp-) 1. kroczyć; zrobić krok; stąpać; iść; ~ this way proszę tędy; (o koniu) to ~ high biec z wysokim wykrokiem; to ~ lightly mieć lekki chód; to ~ short skr-ócić/acać krok; am ~ lively! żywiej!; prędzej! 2. z przyimkami: ~ across; to ~ across the street etc. przejść przez ulicę itd.; ~ down; to ~ down a ladder zejść z drabiny; ~ into; to ~ into __ wejść/wchodzić <wkr-oczyć/aczać> do ... (pokoju itd.); to ~ into a job <a fortune> ob-jąć/ejmować posadę <majątek>; ~ off; to ~ off the grass etc. zejść z trawnika itd.; ~ on; to ~ on sth nastąpić na coś; am pot auto to ~ on the gas dodać gazu; ~ out; to ~ out of sb's way zejść/schodzić komuś z drogi; ~ over; to ~ over sth przekroczyć coś (przeszkodę itd.); ~ up; to ~ up a ladder wejść po drabinie ☐☐☐ vt (-pp-) 1. odmierz-yć/ać krokami (pewną odległość) 2. za/tańczyć (menueta itd.) 3. mar ustawi-ć/ać (maszt)

~ aside vi odsu-nąć/wać się na bok

~ back vi cof-nąć/ać się

~ down ☐ vi zejść/schodzić na dół ☐☐ vt elektr obniż-yć/ać (napięcie)

~ forward vi wyst-ąpić/ępować naprzód

~ in vi wejść/wchodzić

~ off ☐ vi 1. zacz-ąć/ynać (with the left foot od lewej nogi) 2. zejść/schodzić; am pot this is where you ~ off! dość tego! ☐☐ vt odmierz-yć/ać krokami (a distance pewną odległość)

~ out vi 1. wy-jść/chodzić (na chwilę) 2. przyspiesz-yć/ać kroku

~ outside vi wy-jść/chodzić

~ up ☐ vi 1. wejść/wchodzić na górę 2. pod-ejść/chodzić (bliżej) ☐☐ vt 1. elektr podwyż-sz-yć/ać (napięcie) 2. am podn-ieść/osić (poziom czegoś)

stepbrother ['step,brʌðə] s brat przyrodni

stepchild ['step,tʃaild] s pasierb/ica

stepdaughter ['step,dɔ:tə] s pasierbica

step-down ['step,daun] attr elektr ~ transformer transformator obniżający napięcie

stepfather ['step,fɑ:ðə] s ojczym

stephanotis [,stefə'noutis] s bot roślina trójlistna o wonnych kwiatach uprawiana na Madagaskarze

step-in ['step'in] attr (o kombinezonie itd) do wdziewania przez nogi

step-ladder ['step,lædə] s drabina składana

stepmother ['step,mʌðə] s macocha

stepmotherly ['step,mʌðəli] adj macoszy

stepney ['stepni] ✝ s auto koło zapasowe

steppe [step} s step

stepping-stone ['stepiŋ,stoun] s 1. odskocznia (do czegoś lepszego) 2. pl ~s kamienie umożliwiające przejście przez rzekę <błoto itd.>

stepsister ['step,sistə] s siostra przyrodnia

stepson ['step,sʌn] s pasierb

step-up ['step,ʌp] attr elektr ~ transformer transformator podnoszący napięcie elektryczne

stercoraceous [,stə:kə'reiʃəs], **stercoral** ['stə:kərəl] adj med kałowy

stere ['stiə] s metr kubiczny <sześcienny>; pot kubik (drewna)

stereo ['stiəri,ou] adj pot stereophonic

stereochemistry [,stiəriou'kemistri] s stereochemia

stereochromy [,stiəriou'kroumi] s stereochromia

stereography [,stiəri'ɔgrəfi] s stereografia

stereometry [,stiəri'ɔmitri] s stereometria

stereophonic [,stiəriə'fɔnik] adj stereofoniczny

stereoscope ['stiəriə,skoup] s opt stereoskop

stereotomy [,stiəri'ɔtɔmi] s geom stereotomia (nauka o bryłach)

stereotype ['stiəriə,taip] ☐ s druk stereotyp ☐☐ adj stereotypowy; szablonowy ☐☐ vt 1. s/kopiować ze stereotypu 2. przen po/traktować <załatwi-ć/ać> stereotypowo <szablonowo>

sterile ['sterail] adj 1. dosł i przen jałowy; wyjałowiony 2. wysterylizowany; aseptyczny; sterylny 3. bezpłodny 4. (o stylu) suchy; bez polotu

⬆**sterility** [ste'riliti] s 1. jałowość 2. bezpłodność; bezdzietność

sterilization [,sterilai'zeiʃən] s sterylizacja; wyjał-owienie/awianie

sterilize ['steri,laiz] vt wy/sterylizować; wyjał-owić/awiać

sterilizer ['steri,laizə] s sterylizator
sterlet ['stə:lit] s zoo sterlet (ryba)
sterling ['stə:liŋ] Ⓘ s 1. moneta <złoto> pełnowartościow-a/e <ustawowej próby> 2. (funt) szterling Ⓘ adj przen (o człowieku) wartościowy; solidny; rzetelny; pewny; niezawodny
stern¹ [stə:n] adj surowy; srogi; **the ~er sex** płeć męska
stern² [stə:n] s 1. mar rufa; **~ chase** pościg ślad w ślad <trop w trop>; **~ foremost** rufą do przodu 2. zad (zwierzęcy) 3. ogon (psa myśliwskiego itd.)
sternal ['stə:nl] adj anat mostkowy
stern-board ['stə:n,bɔ:d] s mar płynięcie do tyłu; cofanie się
stern-fast ['stə:n,fa:st] s mar cuma rufowa
sternness ['stə:nnis] s surowość; srogość
stern-post ['stə:n,poust] s mar tylnica, stewa rufowa
stern-sheets ['stə:n,ʃi:ts] spl mar (w łodzi, szalupie) rufa
sternum ['stə:nəm] s (pl **sterna** [stə:nə]) anat mostek
sternutation [,stə:nju'teiʃən] s kichanie, kichnięcie
sternutatory [,stə:nju'teitəri] Ⓘ s środek wywołujący kichanie Ⓘ adj wywołujący kichanie
stern-way ['stə:n,wei] s mar ruch wsteczny (statku)
stern-wheel ['stə:n,wi:l] s mar koło rufowe (dawnego parowca)
stertorous ['stə:tərəs] adj (o oddechu) hałaśliwy; med charczący; chrapliwy
stet [stet] s druk znak korektorski oznaczający: zostaje
stethoscope ['steθə,skoup] s med stetoskop; pot słuchawka (lekarska)
stetson ['stetsn] s miękki kapelusz filcowy z szerokim rondem
stevedore ['sti:vi,dɔ:] s robotnik portowy; sztauer
stew¹ [stju:] Ⓘ s 1. kulin gulasz; **Irish ~** duszona baranina z kartoflami i cebulą 2. niepokój; zdenerwowanie; podniecenie; **to be in a ~** mocno się denerwować; siedzieć jak na rozżarzonych węglach <na szpilkach>; gorączkować się 3. † pl **~s** dom publiczny; lupanar 4. sl szk kujon Ⓘ vt 1. kulin dusić (potrawę) 2. u/gotować kompot (**fruit** z owoców) Ⓘ vi 1. (o potrawie) dusić się; przen **to let sb ~ in his own juice** pozwolić komuś wypić piwo, które sobie sam nawarzył 2. (o herbacie) przeparzyć się 3. (o ludziach) dusić się (z braku powietrza); nie móc oddychać 4. sl szk kuć; wkuwać
stew² [stju:] s 1. staw <basen> rybny 2. hodowla ostryg
steward ['stjuəd] s 1. rządca; ekonom 2. gospodarz (klubu itd.) 3. (na statku, samolocie) steward, kelner 4. (na wyścigach, wystawach itd) zarządzający 5. (w przemyśle) delegat związku zawodowego 6. **Lord High Steward of England** a) lord zarządzający uroczystościami koronacyjnymi b) lord przewodniczący przy sądzeniu para 7. **Lord Steward of the Household** wysoki dygnitarz dworu królewskiego
stewardess ['stjuədis] s stewardessa
stewardship ['stjuədʃip] s 1. stanowisko rządcy <ekonoma, gospodarza klubu itd.> 2. zarządzanie; † ekonomat

stew-pan ['stju:,pæn], **stew-pot** ['stju:,pɔt] s rondel; rynka
sthenic ['sθi:nik] adj med mocny; aktywny; silny
stibine ['stibain] s chem antymonowodór
stibium ['stibiəm] s min chem antymon
stich [stik] s prozod stych
stick [stik] v (**stuck** [stʌk], **stuck**) Ⓘ vt 1. wetknąć/wtykać; wra-zić/żać; wbi-ć/jać (**~wsadz-ić/ać**) (**sth in** <**into**> **sth** coś do czegoś; **sth on sth** coś na coś); nasadz-ić/ać (**sth on sth** coś na coś <na czymś>) 2. przebi-ć/jać <przekłu-ć/wać> (**a needle etc. through sth** coś szpilką itd.; **sb, sth with sth** kogoś, coś czymś) 3. za-rżnąć/rzynać (świnię) 4. przebi-ć/jać (**a wild pig with a spear** dzika oszczepem); polować (**wild pigs with spears** na dziki oszczepami) 5. pot położyć/kłaść; postawić/stawiać; wsu-nąć/wać; da-ć/wać (coś gdzieś); wziąć/brać (coś do kieszeni itd.) 6. z/lepić; nalepi-ć/ać; przylepi-ć/ać; wlepi-ć/ać (**sth in sth** coś do czegoś) 7. pot zn-ieść/osić <ś/cierpieć> (**sb, sth** kogoś, coś); **~ it!** trzymaj się!; nie daj się! 8. am sl oskub-ać/ywać <obr-obić/abiać> (kogoś) 9. am sl nabi-ć/jać w· butelkę <nab-rać/ierać> (kogoś) 10. tyczyć (rośliny) 11. (także **to ~ up**) wprawi-ć/ać w zakłopotanie; pot zastrzelić (kogoś pytaniem itd.) 12. po/naszywać 13. wpi-ąć/nać (szpilkę itd.) Ⓘ vi 1. u/tkwić; wbi-ć/jać <wra-zić/żać> się 2. zlepi-ć/ać się; przylepi-ć/ać się; lepić się; przy/lgnąć 3. (o potrawie itp) przypal-ić/ać <przypie-c/kać> się 4. (o substancji lekkiej, pijawce itd) trzymać się <czepiać się> (**to sth** czegoś); przyczepi-ć/ać się; **to ~ to** <**at**> **trifles** czepiać się byle czego 5. przywiąz-ać/ywać się (**by** <**to**> **sb** do kogoś) 6. pozosta-ć/wać wiernym (**by** <**to**> **sb** komuś); nie opu-ścić/szczać (**by** <**to**> **sb** kogoś) 7. trwać <wytrwać> (**to sth** przy czymś); być wiernym (**to sth** czemuś); nie opu-ścić/szczać (**to sth** czegoś); **to ~ tight** mocno siedzieć <się trzymać>; **~ to it!** bądź wytrwały!; nie zrażaj się! 8. upierać się <obstawać> (**to sth** przy czymś); bronić (**one's opinion etc.** swego zdania itd.) 9. trzymać się (**to the facts, the text etc.** faktów, tekstu itd.); nie odbiegać (**to the facts, text etc.** od faktów, tekstu itd.) 10. zachować <zatrzymać sobie> (**to sth** coś) 11. po/zostać <siedzieć> (**to a place** gdzieś); usiedzieć <utrzymać się> (na koniu itd.) 12. (także **to be** <**get, become**> **stuck**) ugrząść; zapa-ść/dać się; utknąć; osi-ąść/adać; dosł i przen **it ~s in my throat** a) (o potrawie itd) nie mogę tego połknąć b) (o słowach) nie mogę tego powiedzieć; to mi nie przejdzie przez gardło 13. (o maszynie, windzie itd) zaci-ąć/nać się; sta-nąć/wać 14. sta-nąć/wać <zatrzym-ać/ywać się> (**at sth** przed czymś); dosł i przen **to ~ in the mud** ugrzęznąć 15. zw z zaprzeczeniem: **not to ~ at doing sth** nie zawahać się coś zrobić; **to ~ at nothing** nie mieć <nie znać> żadnych skrupułów 16. wytrwale siedzieć (**at one's work etc.** przy swojej pracy itd.); nie odchodzić (**at one's work** od swojej pracy)
~ around vi pot nie odchodzić; zosta-ć/wać w pobliżu
~ down vt pot 1. położyć/kłaść; postawić/stawiać; da-ć/wać (coś gdzieś); wsu-nąć/wać 2. zapis-ać/ywać; za/notować 3. zalepi-ć/ać (kopertę itd.)

~ **in** [] *vt* wlepi-ć/ać (fotografie do albumu itd.) [] *vi pot* (*także* **to** ~ **indoors**) siedzieć w domu ~ **on** [] *vt* 1. nalepi-ć/ać 2. *sl w zwrocie:* **to** ~ **it on** a) zdzierać (z klienta) b) przeholow-ać/ywać [] *vi* (*o znaczku pocztowym itd*) przylepi-ć/ać się (do koperty itd.) ~ **out** [] *vt pot* 1. wysu-nąć/wać (język, rękę itd.); wystawi-ć/ać do przodu (pierś itd.) 2. *w zwrocie:* **to** ~ **it out** wytrzym-ać/ywać (do końca); zn-ieść/osić (przykrości itd.) [] *vi* 1. sterczeć; *przen* **it** ~**s out a mile** to jasne jak słońce 2. *w zwrocie:* **to** ~ **out for sth** domagać się <żądać> czegoś; walczyć o coś ~ **together** [] *vi* trzymać się razem <*pot* kupy> [] *vt* zlepić; pozlepiać ~ **up** [] *vt pot* 1. podn-ieść/osić; wystawi-ć/ać do góry; ~**'em up!** ręce do góry! 2. s/terroryzować groźbą rewolwerów (**a bank etc.** personel banku itd.) 3. wywie-sić/szać (kartkę, og!oszenie) 4. = ~ *vt* 11. [] *vi pot* 1. sterczeć 2. wziąć/brać w obronę (**for sb, sth** kogoś, coś); kruszyć kopie (**for sth** o coś) 3. przeciwstawi-ć/ać się <nie podda-ć/wać się; nie ule-c/gać> (**to sb** komuś) [] *s* 1. pałka; laska; pręt; patyk; kij (do różnych sportów, miotły itd.); **any** ~ **to beat a dog** kto chce psa uderzyć, zawsze kij znajdzie; **walking** ~ laska; **to be in a cleft** ~ być w wielkim kłopocie; *sl* **to cut one's** ~ zwi-ać/ewać 2. **muz** batuta 3. tyczka; żerdź 4. chłosta; **he wants the** ~ **z** nim bez kija ani rusz 5. grat (mebel) 6. *mar żart* maszt; reja 7. laseczka (laku, wanilii itd.); batonik 8. (*także* **shaving-**~) mydło do golenia 9. (*także* **fiddle-**~) smyczek 10. (*także* **drum-**~) pałeczka (do bębna) 11. *druk* (*także* **composing-**~) wierszownik 12. *lotn* seria (spuszczonych) bcmb 13. *pot* facet; typ; gość 14. *pot* fajtłapa; oferma; fujara

sticker ['stikə] *s* 1. rzeźnik 2. (długi) nóż; majcher; kozik 3. rozlepiacz afiszów 4. człowiek wytrwały 5. gorliwy pracownik 6. *sport* gracz którego trudno pokonać 7. nudziarz 8. *am* afisz, ogłoszenie 9. nalepka

stickiness ['stikinis] *s* lepkość

sticking-plaster ['stikiŋ,plɑ:stə] *s* przylepiec, plaster

stick-in-the-mud ['stikinðə,mʌd] [] *s* fajtłapa; **Mr Stick-in-the-mud** pan... jak go tam zwą <jak mu tam> [] *adj* 1. niezaradny 2. bez fantazji

stickleback ['stikl,bæk] *s zoo* ciernik (ryba)

stickler ['stiklə] *s* pedant (**for** <**over**> **sth** na punkcie czegoś)

stickpin ['stik,pin] *s am* 1. szpilka 2. szpilka do krawatu

sticky ['stiki] *adj* (**stickier** ['stikiə], **stickiest** ['stikiist] 1. lepki; kleisty 2. niechętny; przeciwny; **to be** ~ **about sth** robić trudności w jakiejś sprawie 3. *sport* (*o boisku*) miękki; grząski 4. kiepski; marny; **to come to a** ~ **end** źle skończyć 5. (*o pogodzie*) parny

stiff [stif] [] *adj* 1. sztywny; twardy; nie podatny; nie giętki; *sl* **a** ~'**un** trup; **to get** <**grow, become**> ~ zesztywnieć; **to keep a** ~ **upper lip** okaz-ać/ywać siłę charakteru <męstwo>; zacisnąć zęby;

nie poddawać się; nie tracić ducha 2. (*o stawie itd*) zesztywniały; (*o kończynie itd*) zdrętwiały; skostniały; **he has a** ~ **leg** on powłóczy nogą 3. (*o odmowie itd*) kategoryczny 4. (*o bieliźnie*) nakrochmalony 5. (*o zachowaniu itd*) sztywny; napuszony; wymuszony; zimny; oziębły; (*o ukłonie, powitaniu*) chłodny; oziębły; (*o liście*) napisany w stylu urzędowym 6. (*o człowieku*) nieugięty; nieprzejednany; uparty; zawzięty 7. (*o walce, obronie itd*) zacięty; zacięty 8. (*o cenach*) wygórowany; *pot* słony; (*o tendencji na rynku, giełdzie*) mocny 9. (*o egzaminie, wyjściu pod górę, zadaniu do spełnienia itd*) trudny; ciężki; *sl* **that's a bit** ~! to daje w kość! 10. (*o wyroku itd*) surowy 11. (*o tłoku, zawiasie itd*) działający opornie; chodzący ciężko 12. (*o wietrze*) silny 13. (*o napoju alkoholowym*) mocny 14. (*o gruncie itd*) grząski; (*o cieście, paście itd*) gęsty 15. (*o dowcipie itd*) niecenzuralny; słony; tłusty || *pot* **to be bored** ~ nudzić się śmiertelnie <straszliwie, jak mops>; *pot* **to be scared** ~ bać się panicznie [] *s sl* 1. weksel 2. trup 3. (*także* **a big** ~) tępak, ciemięga

stiff-bit ['stif,bit] *s* munsztuk <wędzidło> nie łaman-y/e

stiffen ['stifn] [] *vt* 1. usztywni-ć/ać 2. na/krochmalić 3. wzm-ocnić/acniać 4. wzm-óc/agać upór (**sb** czyjś) 5. zgę-ścić/szczać (sos itd.); zagę-ścić/szczać (ciasto) 6. utrudni-ć/ać; podn-ieść/osić wymagania (**an examination** przy egzaminie) [] *vi* 1. ze/sztywnieć 2. wzm-óc/agać się; wzm-ocnić/acniać się 3. s/tężeć 4. (*o człowieku*) zaj-ąć/mować stanowisko bardziej nieprzejednane 5. (*o człowieku*) zachow-ać/ywać się sztywniej <bardziej oziębłe> 6. (*o egzaminie*) stać się trudniejszym *zob* **stiffening**

stiffener ['stifnə] *s* 1. substancja usztywniająca 2. wzmocnienie 3. napój wzmacniający 4. kieliszek wódki; łyk whisky itp.

stiffening ['stifniŋ] [] *vt zob* **stiffen** *v* [] *s* 1. usztywni-enie/anie 2. usztywniacz 3. wzm-ocnienie/acnianie 4. wzmacniacz

stiffish ['stifiʃ] *adj* 1. sztywnawy; twardawy 2. (*o egzaminie*) trudny; niełatwy

stiff-necked ['stif,nekt] *adj* uparty; nieustępliwy; nieugięty

stiffness ['stifnis] *s* 1. sztywność (przedmiotu, materiału itd.); brak giętkości; usztywnienie; zesztywnienie; zdrętwienie 2. sztywność (w zachowaniu); oziębłość 3. upór; zawziętość 4. grząskość 5. stromość (wzniesienia) 6. wysokie wymagania (egzaminu)

stifle[1] ['staifl] [] *vt* 1. u/dusić 2. s/tłumić; przytłumić; powstrzym-ać/ywać (ziewnięcie itd.) 3. przyga-sić/szać (płomień) 4. za/tuszować (skandal itd.) [] *vi* u/dusić się *zob* **stifling**

stifle[2] ['staifl]. *s* (*także* ~-**joint**) staw kolanowy tylnej nogi (konia)

stifle-bone ['staifl,boun] *s* rzepka (u konia)

stifling ['staifliŋ] [] *zob* **stifle**[1] *v* [] *adj* duszny [] *adv w zwrocie:* **it is** ~ **hot** jest duszno; nie ma czym oddychać

stigma ['stigmə] *s* (*pl* ~**s, stigmata** ['stigmətə]) 1. *pl* ~**s** piętno 2. *pl* **stigmata** stygmat 3. *bot* znamię

stigmatist ['stigmətist] *s* stygmaty-k/czka

stigmatize ['stigmə,taiz] *vt* na/piętnować

stile¹ [stail] *s* przełaz
stile² [stail] *s bud* ramiak pionowy (drzwi itd.)
stiletto [sti'letou] *s* sztylet
still¹ [stil] ⊡ *adj* 1. nieruchomy; (będący) bez ruchu; *plast* ~ **life** martwa natura; **to be** <**keep**> ~ nie po/ruszać się; **to stand** ~ a) stać nieruchomo <bez ruchu> b) stanąć 2. cichy; milczący; bezgłośny; bezszelestny; bezszmerowy; **to be** ~ a) zamilknąć b) milczeć 3. spokojny; (*o strumyku itp*) cicho płynący 4. (*o wodzie*) nie zmącony 5. (*o winie*) nie musujący 6. martwy; ~ **birth** poród martwego płodu ‖ **a** ~ **small voice** głos sumienia Ⅲ *vt* 1. uspok-oić/ajać; ucisz-yć/ać; przycisz-yć/ać 2. uśmierz-yć/ać Ⅲ *vi* uspok-oić/ajać <ucisz-yć/ać> się; cichnąć; ucich-nąć/ać Ⅳ *s* 1. cisza 2. fotos; fotografia <zdjęcie> w bezruchu; (pojedyncza) klatka filmu Ⅴ *adv* 1. jeszcze; wciąż; w dalszym ciągu; dotąd; dotychczas; do tej pory; do dnia dzisiejszego 2. *przed stopniem wyższym przymiotnika lub przysłówka*: jeszcze <nawet> (większy, mniejszy, bardziej, mniej itd.) Ⅵ *conj* mimo to; pomimo tego; niemniej jednak; (a) jednak; jednakże; przecież; wszelako; † atoli; jednakowoż
still² [stil] ⊡ *vt* prze/destylować Ⅲ *s* kocioł <aparat> destylacyjny; kolumna rektyfikacyjna
stillage ['stilidʒ] *s* stojak
stillatory ['stilətəri] *s chem* alembik
still-born ['stil,bɔːn] *adj* nieżywo <martwo> urodzony; *dosł i przen* poroniony
still-fish ['stil,fiʃ] *vi* łowić ryby (na wędkę) z łódki zakotwiczonej
still-hunt ['stil,hʌnt] ⊡ *s am* = **stalk²** Ⅲ *vt* = **stalk²**
stilling ['stiliŋ], **stillion** ['stiliən] *s* kętnar <legar> (pod beczkę)
stillness ['stilnis] *s* 1. cisza; spokój 2. bezruch 3. milczenie
still-room ['stil,ruːm] *s* 1. destylarnia 2. spiżarnia
stilly¹ ['stili] *adj poet rz* cichy; spokojny
stilly² ['stili] *adv* cicho; spokojnie
stilt [stilt] *s* 1. szczudło; (*o stylu, wypowiedzi itd*) **on** ~**s** koturnowy; bombastyczny 2. pal 3. *zoo* (*także* ~**-plover**) ptak szczudłowaty 4. *zoo* (*także* ~**-walker**) szczudłak
stilted ['stiltid] *adj* 1. (chodzący) na szczudłach 2. (*o stylu itd*) koturnowy; bombastyczny 3. (*o zachowaniu*) nienaturalny; sztuczny; sztywny 4. *bud* (*o łuku*) podwyższony
stiltedness ['stiltidnis] *s* nienaturalne <sztuczne, sztywne> zachowanie
Stilton ['stiltn] *spr* nazwa gatunku sera
stilus ['stailəs] = **stylus**
stimulant ['stimjulənt] ⊡ *adj* pobudzający Ⅲ *s* 1. bodziec; zachęta; pobudka; podnieta 2. środek <czynnik> pobudzający 3. alkohol; **to take** ~**s** a) zażywać środki pobudzające b) pić alkohol; **he never takes** ~**s** on nie pije (alkoholu)
stimulate ['stimju,leit] *vt* 1. pobudz-ić/ać <podniec-ić/ać, zachęc-ić/ać> (**to sth** do czegoś) 2. zaostrz-yć/ać (apetyt itd.) 3. ożywi-ć/ać (produkcję itd.)
stimulation [,stimju,leiʃən] *s* 1. bodziec; zachęta; pobudka; podnieta 2. podniec-enie/anie; pobudz-enie/anie
stimulative ['stimjulətiv] *adj* pobudzający; podniecający

stimulus ['stimjuləs] *s* (*pl* **stimuli** ['stimju,lai]) 1. bodziec; zachęta; pobudka; podnieta 2. *bot* kolec
⧫**sting** [stiŋ] ⊡ *s* 1. żądło 2. parzący włosek (pokrzywy) 3. ukłucie (osy itd.); poparzenie (pokrzywą); uderzenie (**of a whip** batem) 4. (piekący) ból 5. męka (głodu itd.) 6. niepokój (sumienia); ~**s of remorse** wyrzuty sumienia 7. zjadliwość <ostrość, uszczypliwość, jad> (uwagi itd.); **to take the** ~ **out of a remark** złagodzić wrażenie wypowiedzianej uwagi 8. *tenis* (*o serwisie itd*) *w zwrocie:* **with a** ~ **in it** z nerwem Ⅲ *vt* (**stung** [stʌŋ], **stung**) 1. u/kłuć; u/żądlić; (*o komarze itd*) u/ciąć; (*o pokrzywie*) po/parzyć; (*o jodynie itd*) palić; **a wasp stung my finger** osa ukłuła mnie w palec; **pepper** ~**s my tongue** pieprz pali mnie w język 2. *pot* (*o sumieniu itd*) gryźć; dokuczać 3. (*o człowieku*) doci-ąć/nać (**sb** komuś); **that remark stung me** te słowa mnie ubodły 4. nabrać kogoś (**for a sum** na daną kwotę); zedrzeć z kogoś (**for a sum** daną kwotę) 5. pobudz-ić/ać (**into action** do czynu) Ⅲ *vi* (**stung** [stʌŋ], **stung**) 1. u/kłuć; u/żądlić; u/ciąć; po/parzyć 2. (*o części ciała*) piec; boleć; dokuczać *zob* **stinging**
stingaree [,stiŋgə'riː] = **sting-ray**
⧫**stinger** ['stiŋə] *s* bolesne uderzenie; uderzenie wywołujące piekący ból
stinginess ['stindʒinis] *s* skąpstwo; sknerstwo
stinging ['stiŋiŋ] ⊡ *zob* **sting** *v* Ⅲ *adj* 1. (*o owadzie itd*) uzbrojony w żądło; kłujący; tnący; (*o roślinie*) parzący 2. (*o satyrze itd*) uszczypliwy; zjadliwy 3. (*o bólu*) piekący
stingo ['stiŋgou] † *s* mocne piwo
sting-ray ['stiŋ,rei] *s zoo* trygon (ryba)
stingy ['stindʒi] *adj* skąpy; sknerowaty
stink [stiŋk] *v* (*praet* **stank** [stæŋk], **stunk** [stʌŋk], *pp* **stunk**) ⊡ *vi* śmierdzieć (**of sth** czymś); zatruwać powietrze; cuchnąć; *sl* **to** ~ **of money** mieć szaloną forsę Ⅲ *vt* po/czuć (nosem); *sl* **I can** ~ **it a mile off** to mi cuchnie na kilometr
~ **out** *vt* odstrasz-yć/ać (kogoś) swoim smrodem
zob **stinking** Ⅲ *s* 1. smród 2. *pl* ~**s** *sl szk* chemia; nauki przyrodnicze
stinkard ['stiŋkəd] *s* 1. = **stinker** *s* 1. 2. *zoo* zwierzę jawajskie z rodziny kun
stink-ball ['stiŋk,bɔːl] *s* gałka z cuchnącym płynem
stink-bomb ['stiŋk,bɔm] *s wojsk* bomba z gazem cuchnącym
stinker ['stiŋkə] *s* 1. (człowiek) śmierdzący, *pot* śmierdziel 2. parszywiec 3. = **stinkpot** 4. *zoo* petrel (ptak) 5. *pot* diabelnie trudne zadanie
stink-horn ['stiŋk,hɔːn] *s bot* sromotnik cuchnący (grzyb)
stinking ['stiŋkiŋ] ⊡ *zob* **stink** *v* Ⅲ *adj* 1. śmierdzący; cuchnący 2. *pot* parszywy; obrzydliwy 3. *pot* cholerny; przeklęty; pioruński
stinkpot ['stiŋk,pɔt] *s* 1. naczynie z substancją cuchnącą 2. = **stinker** *s* 1.
stink-trap ['stiŋk,træp] *s* syfon (w instalacji wodno-kanalizacyjnej)
stink-wood ['stiŋk,wud] *s* cuchnące drewno niektórych drzew egzotycznych

stint¹ [stint] Ⅰ *vt* 1. ogranicz-yć/ać 2. żałować <skąpić> (**sb of** <**in**> **sth** komuś czegoś); **without** ~**ing** (dawać itd.) nie żałując <hojną ręką> 3. oszczędz-ić/ać (**food, money, work** etc. żywności, grosza, wysiłków itd.) Ⅱ *vr* ~ **oneself** żałować <odmawiać> sobie (**in sth** czegoś) Ⅲ *vi* oszczędzać; być oszczędnym Ⅳ *s* 1. ogranicz-enie/anie; **without** ~ nieograniczenie; dowolnie; nie żałując 2. wyznaczona praca <robota>; norma 3. *górn* wyznaczony odcinek (pracy); zadanie robocze

stint² [stint] *s zoo* piaskowiec (ptak)

stipate ['staipeit] *adj bot* trzonowaty

stipe [staip] *s bot* łodyga; pień

stipel ['staipəl] *s bot* przylistek

stipend ['staipend] *s* 1. wynagrodzenie <pensja> (duchownego) 2. zasiłek

stipendiary [stai'pendjəri] Ⅰ *adj* płatny; wynagradzany Ⅱ *s* płatny <wynagradzany> pracownik

stipes ['staipi:z] *s* (*pl* **stipites** ['stipi‚ti:z]) = **stipe**

stipple ['stipl] Ⅰ *vt druk* punktować <kropkować> (grawiurę) Ⅱ *s druk* grawiura punktowana <kropkowana>

stipula ['stipjulə] *s* (*pl* **stipulae** ['stipju‚li:], ~**s**) *bot* przylistek

stipulate¹ ['stipju‚leit] *adj bot* (*o liściu*) opatrzony przylistkami

stipulate² ['stipju‚leit] Ⅰ *vt* za/żądać <wymagać> (**sth** czegoś); zastrze-c/gać <zawarow-ać/ywać, przewi-dzieć/dywać w umowie> (**cash payment** etc. zapłatę w gotówce itd.; **that** _ żeby ...) Ⅱ *vi* za/żądać <wymagać> (**for sth** czegoś); zastrze-c/gać sobie <przewidywać, zawarować> w umowie (**for sth** coś)

stipulation [‚stipju'leiʃən] *s* warunek (umowy); zastrzeżenie; żądanie; wymaganie; **under** <**on**> **the** ~ **that** _ pod warunkiem <z zastrzeżeniem>, że ...

stipule ['stipju:l] = **stipula**

stir¹ [stə:] *v* (-**rr**-) Ⅰ *vt* 1. porusz-yć/ać; rusz-yć/ać (**sth, one's foot** etc. czymś, nogą itd.); po/szturchać (**the fire** w piecu <kominku>); ~ **your stumps!** żywo! ruszaj się!; pośpiesz się!; **to** ~ **heaven and earth** poruszyć niebo i ziemię 2. za/mieszać <po/mieszać> (herbatę, kaszę itd.); wymieszać 3. rozbełtać 4. porusz-yć/ać; wzrusz-yć/ać 5. podniec-ić/ać; pobudz-ić/ać (**sb to sth** kogoś do czegoś) 6. wzniec-ić/ać (namiętności itd.); wzbudz-ić/ać; **to** ~ **sb's blood** rozjuszyć kogoś Ⅱ *vi* rusz-yć/ać się; krząć się; **nobody is** ~**ring yet** jeszcze się nikt nie rusza <nikt nie wstał>; **there is no news** ~**ring** nie ma żadnych wiadomości; **pity stirred in his heart** obudziła <odezwała> się w nim litość

~ **abroad** *vi* wyjechać za granicę

~ **out** *vi* wy-jść/chodzić (**of the house** z domu)

~ **up** *vi* 1. porusz-yć/ać (**sth** czymś); po/szturchać (**the fire** w piecu <kominku>) 2. podniec-ić/ać; pobudz-ić/ać (**sb to sth** kogoś do czegoś) 3. wzniec-ić/ać (bunt itd.) 4. wzbudz-ić/ać (podziw itd.)

zob **stirring** Ⅲ *s* 1. (ogólne) poruszenie <podniecenie, zamieszanie>; **to make a** ~ wywołać poruszenie <sensację> 2. ruch; **not a** ~ najmniejszego ruchu nie ma <nie było> 3. ogólny ruch,

ożywienie; krzątanina 4. poruszanie; mieszanie; szturchanie (ognia)

stir² [stə:] *s sl* ciupa; koza; paka; więzienie

stirabout ['stə:r-ə‚baut] *s* 1. owsianka 2. krzątanina 3. ruchliwa osoba

stirk [stə:k] *s szkoc dial* byczek <jałówka, cieliczka> jednoroczn-y/a

stirps [stə:ps] *s* (*pl* **stirpes** ['stə:pi:z], ~) 1. *prawn* ród 2. *zoo* grupa

stirrer ['stə:rə] *s* mieszadło

stirrer-up ['stə:rər‚ʌp] *s* prowokator

stirring ['stə:riŋ] Ⅰ *stir¹* *v* Ⅲ *adj* wzruszający; emocjonujący

↕**stirrup** ['stirəp] *s* -1. strzemię 2. *mar* strzemię; pętlica 3. *szew* pocięgiel 4. pałąk; kabłąk

stirrup-bone ['stirəp‚boun] *s anat* strzemiączko

stirrup-cup ['stirəp‚kʌp] *s* strzemienne

stirrup-iron ['stirəp‚aiən] *s* strzemię (bez pusła)

stirrup-leather ['stirəp‚leðə] *s* pusło, puślisko

stirrup-piece ['stirəp‚pi:s] *s* pałąk; kabłąk

stitch [stitʃ] Ⅰ *s* 1. szew; **to put** ~**es into a wound** <**cut**> zszy-ć/wać ranę; **a** ~ **in time saves nine** zaszyj dziurkę póki mała; **he hasn't a dry** ~ **on him** przemókł do nitki 2. ścieg 3. (*w dzianinie*) oczko 4. ostry <nagły, kłujący> ból Ⅱ *vt* 1. za/szyć 2. z/robić ścieg/i 3. z/broszurować (książkę itd.) Ⅲ *vi* szyć; (zarobkowo) zajmować się szyciem

~ **on** *vt* przyszy-ć/wać

~ **up** *vt* zaszy-ć/wać

stitchwort ['stitʃ‚wə:t] *s bot* gwiazdnica

stithy ['stiði] † *s poet* kuźnia

stiver ['staivə] *s pot* grosz; **without a** ~ bez grosza w kieszeni; **I don't care a** ~ figę mnie to obchodzi; nic sobie z tego nie robię

stoa ['stouə] *s* (*pl* **stoae** ['stou‚i:]) *arch* (*w starożytnej Grecji*) portyk

stoat¹ [stout] *s zoo* gronostaj

stoat² [stout] *vt* za/cerować artystycznie

↕**stock** [stɔk] *s* 1. *bot* pień; *ogr* podkładka (na której szczepi się płonkę) 2. trzon <osada> (narzędzia); łożysko (karabinu); nasad pługowy; kozica; pieniek (pod kowadłem) 3. kłoda; ~**s and stones** a) rzeczy martwe b) głupcy c) nieroby 4. ród; *zoo* rasa 5. cel (docinków itd.) 6. *techn* świder korbowy 7. *pl* ~**s** *hist* dyby 8. *pl* ~**s** *mar* bloki stępkowe; **on the** ~**s** a) (*o statku*) w budowie; b) *przen* (*o pracy*) na warsztacie 9. zapas (towaru); asortyment; repertuar (**of plays** sztuk scenicznych); zasób (wiadomości itd.); **to have in** ~ mieć na składzie <w magazynie>; **to lay in a** ~ zrobić zapas; **to take** ~ a) z/robić <spis-ać/ywać> inwentarz b) *przen* badać (spojrzeniem) (**of sb** kogoś); oceni-ć/ać zalety i wady <wartość itd.> (**of sth** czegoś); (*o towarze*) **out of** ~ wyprzedany 10. (*także* **live** ~) żywy inwentarz <zwierzęta> (w gospodarstwie) 11. *karc domino* talion 12. surowiec 13. tabor 14. wyposażenie (materiałowe) 15. kapitał akcyjny; kapitał zakładowy; papiery państwowe; papiery wartościowe; akcje; obligacje; listy zastawne; **Stock Exchange** giełda 16. *bot* (*także* ~**-gilly**, ~**-gillyflower**) lewkonia 17. szeroki krawat 18. *wojsk* sztywny kołnierz 19. czarny plastron jedwabny duchownych anglikańskich 20. (*także* **soup-**~) bulion 21. *mar* (*także* **anchor-**~) ramię (kotwicy) 22. (*także* **die-~**) gwintownica Ⅲ *vt* 1. osadz-ić/ać (karabin na łożysku, narzędzie na podstawie itd.); zaopat-rzyć/rywać (przedmiot) w trzonek <w osadę, łożysko itd.> 2. zaku-ć/wać (kogoś) w dyby 3. zaopat-rzyć/rywać <wyposaż--yć/ać> (dom w prowiant, gospodarstwo w inwentarz, sklep w towar itd.); zagospodarow-ać/ywać (łąkę); zarybi-ć/ać (staw) 4. trzymać <mieć> (towar na składzie) 5. *handl* prowadzić <sprzedawać> (towar) Ⅲ *adj* 1. (*o rozmiarach itd*) znormalizowany; ujednolicony; typowy 2. seryjny 3. (*o towarze*) znajdujący się stale na składzie 4. (*o cegle*) najlepszej jakości 5. *teatr* (*o sztuce*) repertuarowy; **~ company** zespół z bogatym repertuarem 6. (*o powiedzeniu, dowcipie itd*) szablonowy

stock-account ['stɔk-ə,kaunt] *s księgow* 1. konto magazynowe 2. konto kapitału

stockade [stɔ'keid] Ⅱ *s* palisada; ostrokół; barykada Ⅲ *vt* opalisadować

stock-book ['stɔk,buk] *s handl* księga zapasów

stock-breeder ['stɔk,bri:də] *s* hodowca bydła

stockbroker ['stɔk,broukə] *s' giełd* makler

stockbroking ['stɔk,broukiŋ] *s giełd* maklerka

stock-car ['stɔk,ka:] *s* wagon bydlęcy

stockdove ['stɔk,dʌv] *s zoo* siniak (gołąb)

stock-farm ['stɔk,fa:m] *s* gospodarstwo hodowlane

stock-farmer ['stɔk,fa:mə] *s* hodowca bydła

stockfish ['stɔk,fiʃ] *s zoo* sztokfisz

stock-gang ['stɔk,gæŋ] = **stock-saw**

stockholder ['stɔk,houldə] *s* akcjonariusz

stockinet(te) ['stɔki,net] *s* trykot

stocking ['stɔkiŋ] *s* 1. pończocha; **elastic ~** pończocha gumowa <elastyczna>; **he is <stands> 6 feet in his ~s <~-feet>** (on) ma 6 stóp wzrostu bez butów 2. (*u konia*) łata na nodze

stockinged ['stɔkiŋd] *adj* (*o człowieku*) w pończochach

stocking-feet ['stɔkiŋ,fi:t] *spl* = **stocking**

stocking-frame ['stɔkiŋ,freim], **stocking-loom** ['stɔkiŋ,lu:m] *s* maszyna trykotarska

stock-in-trade ['stɔkin,treid] *s* 1. zapas towaru 2. inwentarz 3. zestaw narzędzi 4. *przen* zasób frazesów

stockist ['stɔkist] *s handl* agent prowadzący skład (danego) artykułu

stock-jobber ['stɔk,dʒɔbə] *s giełd* makler

stock-jobbery ['stɔk,dʒɔbəri] *s giełd* maklerka

stock-list ['stɔk,list] *s giełd* biuletyn

stock-lock ['stɔk,lɔk] *s* zamek z zasuwką

stockman ['stɔkmən] *s* (*pl* **stockmen** ['stɔkmən]) (*w Australii*) pasterz wołów; wolarz

stock-market ['stɔk,ma:kit] *s* rynek papierów wartościowych

stock-owl ['stɔk,aul] *s zoo* puchacz

stock-pot ['stɔk,pɔt] *s* garnek do gotowania bulionu <rosołu>

stock-raising ['stɔk,reiziŋ] *s* hodowla bydła

stock-rider ['stɔk,raidə] *s* (*w Australii*) konny pasterz wołów <wolarz> (na nieogrodzonej farmie)

stock-room ['stɔk,ru:m] *s* magazyn

stock-saw ['stɔk,sɔ:] *s techn* piła ramowa; trak; gater

stock-solution ['stɔk-sə,lu:ʃən] *s chem* roztwór podstawowy

stock-still ['stɔk'stil] *adj* nieruchomy; **to stand ~** stać bez ruchu <jak wryty>

stock-taking ['stɔk,teikiŋ] *s* 1. sporządz-enie/anie inwentarza; remanent; **~ sale** wyprzedaż poremanentowa 2. ocena <podsumowanie> wyników <osiągnięć>

stock-whip ['stɔk,wip] *s* bat do zganiania bydła

stocky ['stɔki] *adj* krępy

stockyard ['stɔk,ja:d] *s zbior* klatki targowe <rzeźne> dla bydła

stodge [stɔdʒ] Ⅰ *vt sl szk* opychać się (**sth** czymś) Ⅱ *s sl szk* 1. ciężko strawna potrawa 2. obfity posiłek; uczta 3. żarło, wyżerka, wsuwa

stodgy ['stɔdʒi] *adj* 1. (*o potrawie*) ciężko strawny; ciężki; sycący 2. (*o naczyniu*) wypełniony po brzegi; (*o walizie itd*) wypchany; nabity 3. (*o stylu itd*) ciężki

stoep [stu:p] *s* (*w Płd. Afryce*) weranda (przed domem tubylca pochodzenia holenderskiego)

stogy ['stougi] *s am pot* 1. ciężki bucior 2. cygaro (długie, mocne, ręcznie zrobione)

stoic ['stouik] *s* stoik

stoical ['stouikəl] *adj* stoicki

stoicism ['stoui,sizəm] *s filoz* stoicyzm

stoke [stouk] Ⅰ *vt* palić (**a furnace, an engine** w piecu, w lokomotywie) Ⅲ *vi* 1. palić w piecu <w lokomotywie> 2. *przen pot* nap-chać/ychać się; wsuwać

stokehold ['stouk,hould] *s mar* kotłownia (na statku)

stokehole ['stouk,houl] *s hutn* gardziel (pieca)

stoker ['stoukə] *s* palacz; *hutn* piecowy; **mechanical ~** ruszt mechaniczny <ruchomy>

stole[1] *zob* **steal**

stole[2] [stoul] *s* 1. *rel* stuła 2. etola, szal futrzany

stole[3] *zob* **stolon**

stolen *zob* **steal**

stolid ['stɔlid] *adj* 1. niewrażliwy; nie poddający się wzruszeniu; powściągliwy; nie emocjonujący się 2. powolny; flegmatyczny 3. otępiały; bierny; nie przedsiębiorczy

stolidity [stɔ'liditi] *s* 1. brak wrażliwości; powściągliwość 2. powolność; flegmatyczność 3. otępienie; bierność; brak entuzjazmu

stolon ['stoulən], **stole** [stoul] *s bot* rozłóg; korzeń wypustny

↕**stoma** ['stoumə] *s* (*pl* **~ta** ['stoumətə]) *bot* por (roślinny)

↕**stomach** ['stʌmək] Ⅰ *s* 1. *anat* żołądek; **to turn sb's ~** przyprawi-ć/ać kogoś o <wywoł-ać/ywać u kogoś> mdłości 2. apetyt; **to put ~ into sb** doda-ć/wać komuś odwagi 6. † charakter (człowieka); **proud <high> ~** wyniosłość Ⅲ *vt* 1. z/jeść z apetytem 2. zn-ieść/osić; ścierpieć; *przen* połknąć (obrazę); nie zareagować (**an affront etc.** na obrazę itd.)

stomach-ache ['stʌmək,eik] *s* ból brzucha

stomachal ['stʌmək] *adj* żołądkowy

stomacher ['stʌməkə] *s hist* stanik (sukni)

stomachful ['stʌməkful] *s* pełny brzuch; **I've had a ~** a) najadłem się b) mam (tego) dość

stomachic [stə'mækik] *s* lek pobudzający trawienie

stomach-pump ['stʌmək,pʌmp] **stomach-tube** ['stʌmək,tju:b] *s* sonda żołądkowa

stomatitis [ˌstɔmə'taitis] *s med* zapalenie błony śluzowej ust <śluzówki jamy ustnej>

stomatology [ˌstɔmə'tɔledʒi] *s* stomatologia

stomatopod ['stɔmətəˌpɔd] *s zoo* ustonóg

⧫**stone** [stoun] Ⅰ *s* 1. kamień; głaz; **not a ~ was left standing** nie pozostał kamień na kamieniu; **to break ~s** tłuc kamienie; **to cast the first ~** rozpocząć krytykę; **to leave no ~ unturned** poruszyć niebo i ziemię; **to throw a ~ at sb** rzucić w kogoś kamieniem; **(at) a ~'s throw w** najbliższym sąsiedztwie; tuż obok; **meteoric ~** aerolit 2. kamień młyński 3. marmurek; osełka 4. (*zw precious ~*) cenny <szlachetny> kamień; klejnot 5. kamień; skała; piaskowiec; *przen* **a heart of ~** kamienne serce; **broken ~** tłuczeń; szuter; **Cornish ~** kaolin; **to harden <turn> into ~** skamienieć 6. *med* kamień (nerkowy, żółciowy) 7. *bot* pestka, pesteczka 8. *pl* **~s** *pot* jądra (mężczyzny); *wulg* jaja 9. (*także* **hail-~**) ziarnko gradu 10. kamień (miara ciężaru: osób = 14 funtów = 6.348 kg; mięsa, ryby = 8 funtów = 3.629 kg; sera = 16 funtów = 7.358 kg); **you could give him a ~ and a beating** ty byś go zapędził w kozi róg Ⅲ *attr* 1. kamienny 2. kamionkowy 3. **the Stone Age** epoka kamienna Ⅲ *vt* 1. ukamienować 2. *kulin* wyj-ąć/mować pestki; wy/drylować 3. *bud* oblicować (budynek itd.); obłoży/ć/okładać (mur) kamieniem okładzinowym 4. wy/brukować (ulicę) 5. (*także* **to ~ down**) naostrzyć (osełką)

stone-axe ['stounˌæks] *s* młotek kamieniarski

stone-blind ['stoun'blaind] *adj* zupełnie ślepy

stone-borer ['stounˌbɔːrə] *s zoo* małż wwiercający się w skały

stone-break ['stounˌbreik] *s bot* skalnica

stone-breaker ['stounˌbreikə] *s* gniotownik kamieni

stone-broke ['stounˌbrouk] = **stony-broke**

stone-butter ['stounˌbʌtə] *s* gatunek ałunu

stone-cast ['stounˌkɑːst] = **a ~'s throw** *zob* **stone** *s*

stonechat ['stounˌtʃæt] *s zoo* kamieńczyk (ptak)

stone-coal ['stounˌkoul] *s* antracyt

stone-cold ['stoun'kould] *adj* zupełnie zimny; **the tea is ~** herbata kompletnie <zupełnie> wystygła

stonecrop ['stounˌkrɔp] *s bot* rozchodnik

stone-curlew ['stounˌkɑːljuː] *s zoo* kulon piaskowy (ptak)

stone-cutter ['stounˌkʌtə] *s* kamieniarz

stone-dead ['stoun'ded] *adj* umarły na amen

stone-deaf ['stoun'def] *adj* zupełnie głuchy, głuchy jak pień

stone-fly ['stounˌflai] *s zoo* widelnica (owad)

stone-fruit ['stounˌfruːt] *s* pestkowiec, owoc posiadający pestkę

stone-hammer ['stounˌhæmə] *s* młotek do tłuczenia kamieni

stone-mason ['stounˌmeisn] = **stone-cutter**

stone-pine ['stounˌpain] *s bot* 1. pinia 2. limba

stone-pit ['stounˌpit] *s* kamieniołom

stone-plover ['stounˌplouvə] = **stone-curlew**

stone-quarry ['stounˌkwɔri] *s* kamieniołom

stoner ['stounə] *s* 1. kamienujący 2. = **stone-cutter**

stone-saw ['stounˌsɔː] *s* piła do rżnięcia kamienia

stone-still ['stounˌstil] *adj* nieruchomy jak głaz

stone-wall ['stoun'wɔːl] *vi* 1. *polit* robić obstruk-

cję 2. *sport* (*w krykiecie*) bronić nie usiłując zdobyć punktów

stoneware ['stounˌwɛə] *s* wyroby kamionkowe

stonework [stounˌwəːk] *s* robota kamieniarska

stony ['stouni] *adj* 1. kamienisty 2. kamienny; **a ~ stare** zagapienie się w przestrzeń 3. (*o zachowaniu*) lodowaty

stony-broke ['stouniˌbrouk] *adj praed pot* wypłukany z pieniędzy; bez grosza

stony-hearted ['stouni'hɑːtid] *adj* (*o człowieku*) o kamiennym sercu

stood *zob* **stand** *v*

⧫**stooge** [stuːdʒ] Ⅰ *s am sl* 1. (*w komedii, farsie*) ofiara dowcipnisia 2. pośmiewisko; popychadło Ⅲ *vi* od-egrać/grywać rolę pionka <pośmiewiska, popychadła> **~ about <round>** *vi* chodzić <biegać, latać> tu i tam

stook [stuk] Ⅰ *s* kopka Ⅲ *vt* ustawi-ć/ać (snopy) w kopki

stool [stuːl] Ⅰ *s* 1. taboret; stołek; **~ of repentance** a) stołek na którym sadzano cudzołożców itp. w kościołach szkockich b) *przen* cenzurowane; **to fall between two ~s** siąść między dwa krzesła 2. stołeczek; podnóżek 3. klęcznik 4. parapet okienny 5. sedes 6. *med* stolec 7. pniak (ściętego drzewa) 8. kloc, do którego przywiązuje się wabika Ⅲ *vi* 1. (*o pniaku*) pu-ścić/szczać pędy 2. *med* odda-ć/wać stolec

stool-ball ['stuːlˌbɔːl] *s* dawny sport podobny do krykieta

stool-pigeon ['stuːlˌpidʒin] *s* 1. gołąb używany na wabika 2. prowokator policyjny; donosiciel 3. wspólnik oszusta

stoop¹ [stuːp] Ⅰ *vi* 1. schyl-ić/ać <nachyl-ić/ać> się 2. raczyć; zechcieć łaskawie (coś zrobić) 3. poniż-yć/ać się (**to sth** do czegoś; **to do sth** do zrobienia czegoś; do tego stopnia, że się coś robi) 4. ugi-ąć/nać się (**to sb** przed kimś) 5. być pochylonym <przygarbionym, zgarbionym> 6. *poet* (*o jastrzębiu itd*) rzuc-ić/ać się (na zdobycz) Ⅲ *vt* 1. zgi-ąć/nać (głowę itd.); nachyl-ić/ać 2. przygarbi-ć/ać (plecy) *zob* **stooping** Ⅲ *s* 1. pochylenie <nachylenie> (czegoś) do przodu 2. przygarbienie; zgarbione plecy 3. † rzuc-enie/anie się (jastrzębia itd.) na zdobycz

stoop² [stuːp] *s am* weranda; taras przed domem

stoop³ [stuːp] *s górn* filar

stoop⁴ *zob* **stoup**

stoop-and-room ['stuːpənd'ruːm] *attr górn* **~ working <system>** wybieranie filarowo-komorowe

stooping [stuːpiŋ] Ⅰ *zob* **stoop** *v* Ⅲ *adj* przygarbiony

stop [stɔp] *v* (**-pp-**) Ⅰ *vt* 1. zat-kać/ykać; **to get ~ped** zat-kać/ykać się; **to ~ sb's mouth** zamknąć komuś usta 2. zagr-odzić/adzać; *w napisie:* "**road ~ped**" "objazd" 3. za/plombować 4. uszczelni-ć/ać; za/szpachlować 5. za/tamować (upływ krwi) 6. zatrzym-ać/ywać; *żart* **to ~ a blow with one's head** dostać w łeb; *wojsk sl* **to ~ a bullet** zostać rannym 7. wstrzym-ać/ywać (oddech, pobory, dostawy, wypłatę kwoty, urlop itd.); zablokować (konto); **the cost was ~ped out of my salary** potrącono mi koszta z pensji; **to ~ a cheque** wstrzymać wypłatę czeku 8. s/kończyć (**sth** z czymś); położy/ć/kłaść kres (**sth** czemuś);

z/robić porządek (**sb's nonsense** z czyimiś wy-
brykami) 9. powstrzym-ać/ywać (**sb's doing sth**
<**sb from doing sth**> kogoś od z/robienia czegoś);
przeszk-odzić/adzać (**sth** czemuś); nie dopu-ścić/
szczać (**sth being done** do zrobienia czegoś) 10.
zakaz-ać/ywać (odbycia zebrania itd.) 11. zam-
-knąć/ykać (**sb's water** <**gas**> komuś wodę
<gaz> 12. przesta-ć/wać (**doing sth** coś robić);
zaprzesta-ć/wać (**sth** czegoś; **doing sth** coś robić);
∼ **it!** przestań! dość tego!; **to** ∼ **payment** zawiesić wypłaty; ogłosić bankructwo 13. *muz* na-
cis-nąć/kać (strunę, klapkę itd.) 14. stawiać znaki
przestankowe (**a letter etc.** w liście) Ⅲ *vi* 1. sta-
-nąć/wać (**dead, short** w miejscu); przysta-nąć/
wać; zatrzym-ać/ywać się; zaczekać (**for sb** na
kogoś); *mar* zawi-nąć/jać (**at a port** do portu);
∼ **a moment** zaczekaj chwilkę; **the train** ∼**s**
5 minutes here pociąg stoi tu 5 minut 2. zosta-
-ć/wać (**in bed etc.** w łóżku itd.) 3. przesta-ć/
wać mówić; **to** ∼ **short** urwać 4. skończyć (**at**
sth na czymś); (*o sprawie itd*) skończyć się (**at**
sth na czymś); (*o człowieku*) **to** ∼ **at nothing**
nie cofać się przed niczym; **the matter** ∼**ped**
there na tym się rzecz skończyła 5. usta-ć/wać
∼ **away** *vi* nie zjawi-ć/ać się; absentować się
∼ **down** *vt* przesł-onić/aniać (**a lens** obiektyw)
∼ **out** Ⅰ *vt* (*przy rytowaniu*) powle-c/kać
werniksem (pewne partie planszy) Ⅲ *vi* po-
zosta-ć/wać poza domem
∼ **over** *vi am* zrobić przerwę w podróży
∼ **up** Ⅰ *vt* zat-kać/ykać Ⅲ *vi* czuwać; nie
kłaść się spać
zob **stopping** Ⅲ *s* 1. zatrzymanie; przerwa;
pauza; przer-wanie/ywanie; **to be at a** ∼ stać;
to bring to a ∼ a) zatrzymać b) położyć kres
(**sth** czemuś); ukr-ócić/acać; **to come to a** ∼
sta-nąć/wać 2. zatrzym-anie/ywanie się; przystanek; postój; **5 minutes'** ∼ postój 5-cio minu-
towy 3. znak przestankowy 4. *muz* rejestr (organowy); dziurka (fleta itd.); klapka (klarneta
itd.); podziałka (na szyjce instrumentu); *przen*
to put on the pathetic <blustering, virtuous etc.>
∼ zagrać na strunie sentymentu <bluffu, cnoty
itd.> 5. zatrzym; zderzak (oporowy); przytrzy-
mywacz; regulator; kołek; szpunt; czop; zatyczka 6. zwarcie 7. *jęz* głoska zwarta 8. *opt* przesłona 9. *mar* linka (do wiązania zwiniętego
żagla)
stopcock ['stɔp,kɔk] *s techn* kurek zamykający
stope [stoup] Ⅰ *s górn* przodek ustępliwy <schod-
kowy> Ⅲ *vt górn* wybierać (węgiel, rudę) systemem ustępliwym <schodkowym>
stopgap ['stɔp,gæp] *s* 1. namiastka 2. chwilowa
wyręka
stop-light ['stɔp,lait] *s auto* 1. sygnał zatrzymania
2. światło hamowania; światło stop
stop-over ['stɔp'ouvə] *s* 1. przerwa w podróży 2.
bilet z prawem przerwy w podróży
stoppage ['stɔpidʒ] *s* 1. zatrzymanie; przerwa 2.
zawieszenie (płatności itd.) 3. wstrzym-anie/
ywanie (urlopów itd.) 4. zat-kanie/ykanie
stopper ['stɔpə] Ⅰ *s* korek (szklany); zatyczka;
to put a ∼ **on sth** zatrzym-ać/ywać <wstrzym-
-ać/ywać> coś; położyć kres czemuś Ⅲ *vt* zat-
-kać/ykać
▲**stopping** ['stɔpiŋ] Ⅰ *zob* **stop** *v* Ⅲ *s* 1. zatrzyma-

nie; zatkanie; przerwa 2. *górn* tama 3. *dent*
plomba
stopple ['stɔpl] Ⅰ *s* korek Ⅲ *vt* zakorkow-ać/ywać
stop-press ['stɔp,pres] *attr* ∼ **news** wiadomości
z ostatniej chwili
stop-valve ['stɔp,vælv] *s techn* zawór odcinający
<zamykający>
stop-watch ['stɔp,wɔtʃ] *s* stoper
▲**storage** ['stɔ:ridʒ] *s* 1. magazynowanie; przechowywanie; składowanie; **cold** ∼ trzymanie w
chłodni; zamrażanie; ∼ **reservoir** <**tank**> zbiornik; rezerwuar 2. magazyn/y; piwnice 3. składowe (opłata) 4. ∼ **battery** akumulator
storax ['stɔræks] *s bot farm* styraks
store [stɔ:] Ⅰ *s* 1. zapas/y; zas-ób/oby; obfitość;
a good ∼ **of sth** wielki <bogaty, obfity> zapas
czegoś; ∼ **cattle** bydło tuczne; **there is sth in**
∼ **for you** czeka cię coś; **to have sth in** ∼ **for**
sb mieć coś (przygotowane) dla kogoś; **to set**
(**great**) ∼ **by sth** przywiąz-ać/ywać (wielką) wagę do czegoś; **in** ∼ w zapasie 2. magazyn;
skład; składnica 3. *am* sklep; ∼ **clothes** konfekcja 4. (*także pl* ∼**s**) dom towarowy; sklep
wielobranżowy; **co-operative** ∼**s** spółdzielnia;
sklep spółdzielczy 5. *wojsk pl* ∼**s** skład/y zao-
patrzeniow-y/e; **naval** ∼**s** sprzęt bosmański; **war**
∼**s** materiał wojenny Ⅲ *vt* 1. zaopat-rzyć/rywać
(**sth with sth** coś w coś); wyposaż-yć/ać (**sb, sth**
with sth kogoś, coś czymś <w coś>); wzbogac-
-ić/ać (umysł) 2. (*także* **to** ∼ **up**) zmagazynować;
zw-ieźć/ozić (plony); złożyć/składać <s/chować>
(w stodole, piwnicy itd.) 3. odda-ć/wać na skład
<do przechowania> (meble itd.) 4. przechow-ać/
ywać (w składzie, sercu itd.) 5. (*także* **to** ∼ **up**)
na/gromadzić (dobra, energię itd.); z/robić zapas (**sth** czegoś) 6. po/mieścić (w sobie)
storehouse ['stɔ:,haus] *s* 1. magazyn; skład 2.
przen kopalnia <skarbnica> (wiadomości itd.)
storekeeper ['stɔ:,ki:pə] *s* 1. magazynier 2. prowiantowy 3. *am* kupiec
store-room ['stɔ:ru:m] *s* 1. spiżarnia 2. magazyn
store-ship ['stɔ:,ʃip] *s* okręt zaopatrzeniowy
storey, story ['stɔ:ri] *s* (*pl* ∼**s**) piętro; *am* **second**
etc. ∼ pierwsze itd. piętro; *przen sl* **the upper**
∼ mózgownica; **to be wrong in the upper** ∼
nie mieć wszystkich klepek w porządku
storiated ['stɔ:ri,eitid] *adj* ozdobny
storied ['stɔ:rid] *adj* 1. sławiony w legendach 2.
ozdobiony motywami historycznymi
storiette [,stɔ:ri'et] *s* krótkie opowiadanie; no-
welka
stork [stɔ:k] *s zoo* bocian
stork's-bill ['stɔ:ks,bil] *s bot* iglica pospolita
▲**storm** [stɔ:m] Ⅰ *s* 1. burza; *mar* sztorm; **a rain**
∼ ulewa; **a snow** ∼ śnieżyca; **a** ∼ **in a teacup**
burza w szklance wody; **a thunder** ∼ burza
z piorunami; **a wind** ∼ huragan 2. nawałnica;
zawierucha; *przen* grad (pocisków itd.); **a** ∼ **of**
applause huraganowe oklaski; **a** ∼ **of laughter**
salwy śmiechu 3. szturm; **to take by** ∼ wziąć
szturmem Ⅲ *vi* 1. (*o deszczu, wietrze*) szaleć;
rozszaleć się; huczeć 2. (*o człowieku*) awanturować <wściekać, pieklić> się; wrzeszczeć; hałasować; **to** ∼ **into a room** wpaść z hałasem
<z wrzaskiem> do pokoju; ∼**ing party** oddział
szturmowy Ⅲ *vt wojsk* szturmować; wziąć/brać

szturmem; *przen* to ~ sb with questions zasypać kogoś pytaniami
storm-beaten ['stɔːmˌbiːtn] *adj* miotany burzą
storm-belt ['stɔːmˌbelt] *s* strefa burz
storm-bird ['stɔːmˌbəːd] *s zoo* petrel (ptak)
stormbound ['stɔːmˌbaund] *adj* uwięziony <zatrzymany, unieruchomiony> przez burzę
storm-centre ['stɔːmˌsentə] *s* oko burzy; *przen* ognisko niepokoju
storm-cloud ['stɔːmˌklaud] *s* chmura burzowa
storm-cock ['stɔːmˌkɔk] *s zoo* drozd paszkot
storm-cone ['stɔːmˌkoun] *s mar* stożek sztormowy
storm-door ['stɔːmˌdɔː] *s* podwójne drzwi
storm-drum ['stɔːmˌdrʌm] *s mar* walec sztormowy
storm-ladder ['stɔːmˌlædə] *s mar* sztormtrap
storm-proof ['stɔːmˌpruːf] *adj* odporny <wytrzymały> na burze
storm-sail ['stɔːmˌseil] *s mar* żagiel sztormowy
storm-signal ['stɔːmˌsignl] *s mar* sygnał sztormowy
storm-tossed ['stɔːmˌtɔst] *adj* miotany burzami
storm-troops ['stɔːmˌtruːps] *spl wojsk* oddział/y szturmow-y/e
storm-window ['stɔːmˌwindou] *s* podwójne okno
stormy ['stɔːmi] *adj* 1. burzowy; *przen* ~ petrel zwiastun niepokoju; ~ sunset zachód słońca zwiastujący burzę; ~ weather burzliw-y/a czas <pogoda>; ~ wind huragan 2. (*o dyskusji, zebraniu, życiu itd*) burzliwy 3. (*o morzu*) wzburzony
storm-zone ['stɔːmˌzoun] *s* strefa burz
story[1] ['stɔːri] *s* 1. historia 2. opowiadanie; relacja; to tell stories opowiadać; that's another ~ to jest inna sprawa <*pot* para butów>; the ~ goes that _ mówią <fama głosi> że ...; to make a long ~ short krótko mówiąc 3. wersja; according to his own ~ według jego własnych słów; that is his <her> ~ tak on <ona> twierdzi 4. opowieść; powiastka; anegdota; bajka; short ~ nowela 5. fabuła 6. *dziec* wymyślanie; opowiadanie; don't tell stories! nie opowiadaj!; you ~! kłamczuchu! 7. pogłoska; the ~ goes that _ podobno ..., rzekomo ... 8. *pot* bujda
story[2] ['stɔːri] = storey
story-book ['stɔːriˌbuk] *s* książka z powiastkami
story-teller ['stɔːriˌtelə] *s* 1. opowiadacz; gawędziarz; człowiek <pisarz> posiadający dar opowiadania 2. autor powiastek dla dzieci 3. *dziec* kłamczuch
stoup, stoop [stuːp] *s* 1. puchar 2. *kośc* kropielnica
stout[1] [staut] *adj* 1. dzielny; zdecydowany; a ~ heart odwaga; śmiałość; a ~ resistance zacięty opór 2. silny; mocny 3. gruby; tęgi; otyły
stout[2] [staut] *s* mocny porter
stoutish ['stautiʃ] *adj* 1. grubawy; tęgawy 2. mocnawy
stoutness ['stautnis] *s* otyłość; tusza
stovaine ['stouvein] *s farm* stowaina
stove[1] [stouv] [I] *s* 1. piec 2. *chem* nagrzewnica; suszarnik; suszarka 3. cieplarnia [III] *vt* uprawiać (rośliny) w cieplarni
stove[2] zob stave *v*
⎸stove-pipe ['stouvˌpaip] *s* rura do pieca; *am* ~ hat wysoki cylinder
stove-plant ['stouvˌplɑːnt] *s* roślina cieplarniana
stover ['stouvə] *s dial am* sucha pasza
stow [stou] *s* 1. s/pakować; u/pakować 2. (*także*

to ~ away) s/chować; uprząt-nąć/ać; *sl* ~ it <that nonsense etc.> dość tego <tych głupstw itd.> 3. napełni-ć/ać <nabi-ć/jać> (coś czymś) 4. za/ładować (statek); *mar* sztauować
stowage ['stouidʒ] *s* 1. za/ładowanie; *mar* sztauerka 2. *mar* rozmieszcz-enie/anie (ładunku) 3. opłaty ładunkowe <*mar* sztauerskie>
stowaway ['stouəˌwei] *s* (*na statku*) pasażer na gapę
stower ['stouə] *s* robotnik portowy; sztauer
strabismus [strəˈbizməs] *s med* zez; cross-eyed ~ zez zbieżny; wall-eyed ~ zez rozbieżny
strad [stræd] *s pot* = Stradivarius
straddle [strædl] [I] *vi* 1. stanąć <stać> z rozkraczonymi nogami 2. usiąść/siedzieć okrakiem 3. zwlekać z powzięciem decyzji; *przen* patrzeć skąd wiatr wieje [II] *vt* 1. stanąć <stać> z rozkraczonymi nogami (a ditch etc. nad rowem itd.) 2. usiąść/siedzieć okrakiem (a horse <chair etc.> na koniu <krześle itd.>); dosi-ąść/adać (konia) 3. *wojsk* wziąć/brać (cel) w widły 4. *przen* nie angażować się (an issue w danej sprawie) [III] *s* 1. rozkraczanie nóg 2. siedzenie okrakiem 3. *wojsk* wzięcie/branie (celu) w widły 4. *handl* arbitrażowa różniczkowa transakcja towarowa
Stradivarius ['strædiˌvɑːriəs] *spr* skrzypce roboty Stradivariusa
straf(e) [strɑːf] [I] *vt sl* 1. z/bombardować (ogniem artyleryjskim) 2. z/besztać [II] *s* 1. bombardowanie; morning ~ bombardowanie o świcie 2. zbesztanie; bura
straggle ['strægl] *vi* 1. (*o grupie osób, stadzie itd*) po/rozchodzić <rozejść> się; iść samopas 2. trafi-ć/ać <zdarz-yć/ać> się sporadycznie 3. (*o domach itd*) być porozrzucanym <z rzadka rozsianym>; rozciągać się na wielkiej przestrzeni 4. (*o roślinach, chwastach*) wybujać; rozpleni-ć/ać <rozkrzewi-ć/ać> się *zob* straggling
straggler ['stræglə] *s* 1. maruder 2. *bot* wilk
⎸straggling ['strægliŋ] [I] *zob* straggle *v* [II] *adj* 1. (*o domach itd*) porozrzucany; z rzadka rozsiany 2. (*o włosach, brodzie*) rzadki 3. (*o roślinach*) wybujały 4. (*o roślinie*) płożący się po ziemi
straggly ['strægli] *adj* (*o włosach itd*) rzadki
straight [streit] [I] *adj* 1. prosty; wyprostowany; sztywny; (*o włosach*) gładki; as ~ as a ram-rod <post, poker> prosty jak drąg; *arch* ~ arch łuk płaski; *am* the ~ ticket program partyjny bez żadnych odchyleń 2. prostolinijny; uczciwy; rzetelny; szczery; as ~ as a die bezwzględnie uczciwy; to keep ~ nie zbaczać z drogi uczciwości <moralności> 3. (znajdujący się) w należytym porządku; to put ~ a) uporządkow-ać/ywać (meble, rachunki itd.) b) załagodzić (nieporozumienie itd.); pogodzić (powaśnione strony); naprawi-ć/ać (nadwerężone stosunki) c) poprawi-ć/ać (krawat itd.) d) naprostow-ać/ywać (krzywo wiszący obraz itd.); to keep a ~ face zachow-ać/ywać powagę <nie roześmiać się> 4. (*o wiadomości itd*) pewny; (pochodzący) z dobrego źródła 5. *am* (*o whisky itd*) czysty (bez wody sodowej itd.) 6. (*o określeniu itd*) jasny; sprecyzowany 7. bezpośredni 8. bez odchyleń 9. nieprzerwany 10. systematyczny; metodyczny [II] *s* 1. pion; out of the ~ nie w pionie 2. (*na bieżni*) odcinek prosty <końcowy> 3. sekwens [III] *adv* 1. prosto; to go <keep> ~ on iść prosto; nie

zbaczać; **to go** <**walk**> ~ **in** wejść od razu <bez pukania>; ~ **away** natychmiast; z miejsca; w te pędy; ~ **off** od razu; z miejsca; na poczekaniu; ~ **through** a) na wylot b) od początku do końca 2. uczciwie; szczerze; otwarcie; ~ **out** bez ogródek; prosto z mostu; bez namysłu

straight-cut ['streit͵kʌt] *adj* (*o tytoniu*) cięty wzdłuż liścia

straight-edge ['streit͵edʒ] *s* łata; liniówka

straight-eight ['streit'eit] *adj* (*o samochodzie itd*) z ośmioma cylindrami w linii

straighten ['streitn] 🗌 *vt* 1. wyprostow-ać/ywać; rozprostow-ać/ywać 2. (*także* ~ **up**) u/porządkować; poprawi-ć/ać 3. (*także* ~ **out**) doprowadz-ić/ać do porządku; **to** ~ **things out** załagodzić nieporozumienie; pogodzić powaśnione strony Ⅱ *vi* wyprostow-ać/ywać <rozprostow--ać/ywać> się

straightener ['streitnə] *s* prostownica

straightforward [streit'fɔ:wəd] *adj* 1. (*o ruchu*) prosty; skierowany na wprost; bezpośredni 2. (*o człowieku*) prostolinijny; uczciwy; prawy; szczery; otwarty 3. (*o czynności, pracy*) łatwy; prosty; zwykły 4. (*o wypowiedzi*) prosty; jasny; niedwuznaczny

straightness ['streitnis] *s* 1. prostość 2. uczciwość; prostolinijność

straightway ['streitwei] *adv lit* natychmiast

▮**strain** [strein] 🗌 *vt* 1. napi-ąć/nać; napręż-yć/ać; naciąg-nąć/ać; wytęż-yć/ać; natęż-yć/ać (**one's eyes** <**ears** etc.> wzrok <słuch itd.>); **to** ~ **every nerve to** _ uczynić wszystko, aby ... 2. wysil--ić/ać; wyczerp-ać/ywać; s/forsować; nad-erwać/ rywać; nadszarp-nąć/ywać; przemęcz-yć/ać (oczy, serce itd.); naciąg-nąć/ać (mięsień itd.); **to** ~ **the truth** przekręcać fakty 3. nagi-ąć/nać (interpretację paragrafu, tekstu itd.); **to** ~ **a point in sb's favour** zrobić komuś ustępstwo 4. przekr-oczyć/aczać (prawa, kompetencje itd.) 5. przeciąg-nąć/ać (strunę itd.) 6. *lit* przycis--nąć/kać <przy/tulić> (**to one's bosom** do siebie <do łona>) 7. *techn* odkształc-ić/ać; z/deformować 8. prze/cedzić; odcedz-ić/ać; prze/filtrować 9. wymu-sić/szać (coś) Ⅲ *vr* ~ **oneself** przemęcz-yć/ać się Ⅲ *vi* 1. natęż-yć/ać <wysil-ić/ać, wytęż-yć/ać> się; wytęż-yć/ać siły; ciągnąć z całych sił (**at a rope** <**the leash** etc.> linę <smycz itd.>); **to** ~ **at the oars** wiosłować co sił w ramionach 2. dążyć wszystkimi siłami (**after sth** do czegoś) 3. *techn* odkształc-ić/ać <z/deformować> się 4. być przeciążonym; być nadmiernie napiętym <naprężonym> *zob* **strained** Ⅳ *s* 1. napięcie; naprężenie; natęż-enie/anie; wytęż-enie/ anie 2. wysiłek; wysil-enie/anie się; s/forsowanie; nad-erwanie/rywanie; nadweręż-enie/anie; zmęczenie; przemęcz-enie/anie; naciągnięcie (mięśnia itd.); **it was a great** ~ **on my resources** a) to mocno nadwerężyło moje finanse <wyczerpało mnie finansowo> b) to mnie drogo kosztowało; **to be a** ~ **on** _ wymagać ... (napięcia uwagi, łatwowierności itd.) 3. odkształc-enie/a-nie; z/deformowanie 4. *poet pl* ~**s** melodia; głos <tony, brzmienia> (instrumentu itd.) 5. *poet pl* ~**s** poezja 6. ton; styl; nuta <duch> (przemówienia itd.) 7. skłonność; inklinacja; żyłka 8. rasa

strained [streind] 🗌 *zob* **strain** Ⅲ *adj* 1. napięty; naprężony 2. nadwerężony; sforsowany; (*o mięśniu*) naciągnięty 3. (*o uśmiechu, zachowaniu itd*) wymuszony; nienaturalny

strainer ['streinə] *s* 1. sito 2. cedzidło 3. filtr

strait [streit] 🗌 *adj* † wąski; ~ **jacket** <**waistcoat**> kaftan bezpieczeństwa; **the** ~**est sect** ortodoksi Ⅲ *s* 1. *zw pl* ~**s** cieśnina 2. *zw pl* ~**s** kłopoty pieniężne; tarapaty

straiten ['streitn] *vt* 1. zubożyć; nadszarp-nąć/ ywać <nadweręż-yć/ać> (**sb** czyjeś zasoby); ~**ed circumstances** kłopoty pieniężne; tarapaty; bieda 2. ogranicz-yć/ać 3. zacis-nąć/kać (pętlę itd.)

strait-laced ['streit͵leist] *adj* pruderyjny

strake [streik] *s mar* wzdłużny pas poszycia pokładu statku

stramineous [strə'minjəs] *adj* słomkowy

stramonium [strə'mounjəm] *s farm* liście bielunia

strand¹ [strænd] 🗌 *s* 1. brzeg; plaża 2. **the Strand** nazwa jednej z głównych ulic Londynu Ⅲ *vt* osadz-ić/ać na mieliźnie; rzuc-ić/ać (statek) na brzeg Ⅲ *vi* osi-ąść/adać na mieliźnie *zob* **stranded**

strand² [strænd] 🗌 *s* 1. żeberko (powrozu); skręt; zwitek; pasmo; niteczka <włókno> (przędzy itd.); żyła (kabla); kosmyk (włosów); splot 2. odcinek (zagadnienia itd.) Ⅲ *vt* 1. s/pleść, splatać <skręc--ić/ać> (sznur itd.) 2. ur-wać/ywać żeberko (**a rope** w powrozie); ur-wać/ywać żyłkę (**a cable** w kablu)

stranded ['strændid] 🗌 *zob* **strand**¹ *v* Ⅲ *adj* 1. (osiadły) na mieliźnie 2. (znajdujący się) w kłopotach pieniężnych; w tarapatach 3. pozostawiony w tyle <*pot* na lodzie>; opuszczony

▮**strange** [streindʒ] *adj* 1. obcy; nie swój; nie własny; nieznany 2. dziwny; niezwykły; osobliwy; **and,** ~ **to say** _ i dziwna rzecz ...; ~**st of all** _ a co najdziwniejsze to ...; **to feel** ~ a) czuć się nieswojo <niesamowicie> b) czuć się obcym <obco>; **it feels** ~ **to** jest niezwykłe <niesamowite> uczucie; **how** ~ (**that**) to dziwne (że) 3. niewprawny <niebiegły> (**to sth** w czymś); **to be** ~ **to sth** nie mieć wprawy w czymś; być nowicjuszem w czymś

strangely ['streindʒli] *adv* dziwnie; niezwykle; osobliwie; (**and**) ~ **enough** _ (i) rzecz dziwna ...

▮**strangeness** ['streindʒnis] *s* 1. obcość 2. dziwny <osobliwy, niesamowity> charakter (czegoś) 3. nowość <nowy stan> (czegoś)

stranger ['streindʒə] *s* 1. obcy człowiek; nieznajomy; przybysz; **a perfect** ~ człowiek zupełnie obcy; **I am** <**was**> **a** ~ **here** <**there**> nie znam <nie znałem> tych okolic <tego miasta>; *żart* **the little** ~ noworodek; **to make a** ~ **of sb** po/ traktować kogoś oziębłe; (*w Izbie Gmin*) **to spy** <**see**> ~**s** żądać prowadzenia obrad przy drzwiach zamkniętych; **you are quite a** ~ pan/i rzadko się pokazuje 2. człowiek nie mający doświadczenia (**to court-intrigues etc.** w intrygach pałacowych itd.); człowiek nie znający (**to fear etc.** strachu itd.); **he is no** ~ **to poverty** ubóstwo nie jest mu obce <nie jest dla niego nowością> 3. *am* ~! panie!

strangle ['stræŋgl] *vt* 1. u/dusić; zadusić; trzymać za gardło 2. (*o kołnierzyku*) ściskać 3. s/tłumić; z/dławić

stranglehold ['stræŋgl͵hould] *s* trzymanie za gardło; *przen* szpony; **to have a** ~ **on sb, sth** trzymać kogoś, coś za gardło <w swych szponach>

strangles ['stræŋglz] *spl wet* zolzy

strangulate ['stræŋgju,leit] *vt* 1. u/dusić 2. *med* zapętl-ić/ać (jelito); podwiąz-ać/ywać (naczynie krwionośne)

strangulation [,stræŋgju'leiʃən] *s med* 1. zaduszenie; uduszenie 2. zawężenie

strangury ['stræŋgjuri] *s med* bolesne oddawanie moczu

strap [stræp] ⏢ *s* 1. rzemień; rzemyk; pas/ek; *pl* ~s rzemienie z rączką (do wiązania bagażu) 2. ramiączko 3. uchwyt (dla pasażerów stojących w tramwaju itd.); ucho (u buta); strzemiączko (u spodni) 4. listewka; taśma 5. *pot* lanie pasem 6. *bot* języczek ⏢ *attr* (*o hamulcu, oprzęgle itd*) taśmowy ⏢ *vt* (**-pp-**) 1. (*także to* ~ **up**) związ-ać/ywać rzemieniami <pasami> 2. przeciąg-nąć/ać (brzytwę) po pasie 3. za/bandażować; z/łączyć przylepcem (brzegi rany) 4. *pot* wyłoić skórę pasem (**sb** komuś) *zob* **strapping**

straphanger ['stræp,hæŋə] *s* (*w tramwaju itd*) stojący pasażer (trzymający się uchwytu)

straphanging ['stræp,hæŋiŋ] *s* (*w tramwaju itd*) jazda na stojąco z trzymaniem się uchwytu

strap-oil ['stræp,ɔil] *s pot* lanie pasem

strappado [strə'peidou] ⏢ *s* tortura polegająca na podnoszeniu i puszczaniu na dół ofiary zawieszonej na sznurze ⏢ *vt* podda-ć/wać torturze "strappado"

strapper ['stræpə] *s* dryblas

strapping ['stræpiŋ] ⏢ *zob* **strap** *v* ⏢ *adj* (*o człowieku*) wysoki; mocno zbudowany; **a** ~ **fellow** dryblas ⏢ *s* 1. pasy; rzemienie 2. przylepiec 3. *zbior* taśmy

strap-wort ['stræp,wə:t] *s bot* nabrzeżyca nadrzeczna

strass [stræs] *s* stras

strata *zob* **stratum**

stratagem ['strætidʒəm] *s* podstęp; fortel

strategic [strə'ti:dʒik] *adj* strategiczny

strategist ['strætidʒist] *s* strateg

strategy ['strætidʒi] *s* strategia

strath [stræθ] *s szkoc* dolina górska

strathspey ['stræθ,spei] *s* skoczny taniec szkocki

strati *zob* **stratus**

stratification [,strætifi'keiʃən] *s* uwarstwienie; *geol* warstwowanie

stratify ['stræti,fai] *v* (**stratified** ['stræti,faid], **stratified**; **stratifying** ['stræti,faiiŋ]) ⏢ *vt* uwarstwi-ć/ać ⏢ *vi* uwarstwi-ć/ać się

stratocruiser ['strætə,kru:zə] *s* pasażerski pojazd stratosferyczny

stratosphere ['strætou,sfiə] *s* stratosfera

stratum ['streitəm] *s* (*pl* **strata** ['streitə]) warstwa (geologiczna, społeczna itp.)

stratus ['streitəs] *s* (*pl* **strati** ['streitai]) chmura warstwowa

▲ **straw** [strɔ:] ⏢ *s* 1. słoma; **a man of** ~ a) człowiek, na którym nie można polegać b) marionetka; **loose** ~ mierzwa, słoma na ściółkę; **made of** ~ słomiany; ze słomy; **thatched with** ~ kryty słomą <strzechą>; *przen* **you can't make bricks without** ~ do wykonania pracy trzeba mieć narzędzia; trudno coś z niczego zrobić 2. słom-

ka; *przen* **the last** ~ ostatnia kropla wody; **a drowning man catches at a** ~ tonący brzytwy się chwyta; **a** ~ **shows which way the wind blows** drobna rzecz bywa niekiedy zwiastunem wielkich wydarzeń; **I don't care a** ~ to mnie nic nie obchodzi <nie wzrusza>; to mi jest zupełnie obojętne; **it isn't worth a** ~ to nie ma żadnej wartości 3. kapelusz słomkowy ⏢ *attr* 1. słomiany; ~ **mattress** siennik; **a** ~ **vote** próbne <orientacyjne> głosowanie 2. (*o kapeluszu, kolorze itd*) słomkowy

▲ **strawberry** ['strɔ:bəri] ⏢ *s* truskawka; **crushed** ~ kolor truskawkowy; **wild** ~ poziomka ⏢ *attr* (*o konfiturach itd*) truskawkowy; ~ **leaves** a) liście truskawkowe b) *przen* korona książęca

strawberry-mark ['strɔ:bəri,ma:k] *s* znamię przyrodzone

strawberry-tree ['strɔ:bəri,tri:] *s bot* drzewo poziomkowe (śródziemnomorskie)

straw-board ['strɔ:,bɔ:d] *s* gruby karton

straw-cutter ['strɔ:,kʌtə] *s* sieczkarnia

straw-plait ['strɔ:,plæt], **straw-rope** ['strɔ:,roup] *s* warkocz ze słomy

strawy ['strɔ:i] *adj* słomiasty; słomiany; słomkowy

▲ **stray** [strei] ⏢ *vi* 1. zabłąkać się; zabłądzić; (*o owcy itd*) odłącz-yć/ać się od stada; pójść/iść samopas; *przen* zejść/schodzić z drogi cnoty 2. błąkać się 3. przeskakiwać z tematu na temat 4. z/robić dygresj-ę/e ⏢ *s* 1. zabłąkane zwierzę 2. przybłęda 3. dziecko bez opieki 4. *prawn* majątek kadukowy <bezdziedziczny> 5. *pl* ~s *radio* zakłócenia atmosferyczne ⏢ *adj* 1. (*o człowieku, zwierzęciu, kuli itd*) zabłąkany 2. przypadkowy; sporadyczny; oderwany 3. *elektr* (*o prądzie*) błądzący

streak [stri:k] ⏢ *s* 1. pas/ek 2. smuga; **a** ~ **of lightning** zygzak błyskawicy; **like a** ~ **of lightning** jak błyskawica, z szybkością błyskawicy 3. pręga; bruzda; **the silver** ~ Kanał La Manche 4. *górn* żyła, rysa 5. (*w usposobieniu człowieka*) żyłka; rysa; domieszka 6. okres; passa (dobra, zła) ⏢ *vt* po/rysować; po/prążkować; pokry-ć/wać smugami <pasami, pręgami, bruzdami>

streaky ['stri:ki] *adj* porysowany; prążkowany, w pas-y/ki <smugi, pręgi, bruzdy>

▲ **stream** [stri:m] ⏢ *s* 1. potok; **up** <**down**> ~ w górę <w dół> rzeki; przeciw prądowi <z prądem>; **to go with the** ~ iść z prądem (czasu) 2. strumień <potok, struga> (wody, ognia, lez, lawy itd.); **a** ~ **of people** rzeka ludzka; ludzie idący ławą; *przen* **in** ~s rzeką; lawiną; potokami; ławą 3. prąd; nurt ⏢ *vi* 1. płynąć; ciec 2. spływać 3. (*o włosach, flagach itd*) powiewać; unosić się na wietrze 4. (*o tłumie itd*) płynąć nieprzerwanym potokiem <wstęgą, rzeką> 5. (*o parasolu itd*) ociekać

~ **forth** *vi* trys-nąć/kać; buch-nąć/ać

~ **in** *vi* wchodzić <wjeżdżać> nieprzerwanym potokiem

~ **out** *vi* wychodzić <wyjeżdżać> nieprzerwanym potokiem

zob **streaming**

streamer ['stri:mə] *s* 1. chorągiew; proporzec; bandera 2. serpentyna (papierowa) 3. zorza polarna

streaming ['stri:miŋ] ⏢ *zob* **stream** *v* ⏢ *adj* 1. płynący 2. lejący się strumieniami 3. (*o twarzy*) zalany (łzami) 4. (*o twarzy itd*) ociekający (potem)

streamless ['stri:mlis] *adj* bez prądu; wolno płynący

streamlet ['stri:mlit] *s* potoczek

⁋**streamline** ['stri:m‚lain] Ⅰ *s* 1. naturalny prąd (wody, powietrza) 2. linia opływowa <aerodynamiczna> (pojazdu itd.) Ⅲ *vt* nada-ć/wać linie opływowe (**sth** czemuś) *zob* **stream-lined**

steamlined ['stri:m‚laind] Ⅰ *zob* **streamline** *v* Ⅲ *adj* 1. (*o pojeździe itd*) o liniach opływowych <aerodynamicznych> 2. *przen* (*o obsłudze itd*) sprawny

stream-tin ['stri:m‚tin] *s chem* cyna aluwialna

street [stri:t] Ⅰ *s* ulica; ~ **Arab** ulicznik; ~ **cries** wołania straganiarzy <sprzedawców ulicznych itd.>; ~ **orderly** zamiatacz ulic; **the man in the** ~ szary człowiek; *przen* **the Street, Fleet Street** prasa londyńska; *przen* **Wall Street** finansjera amerykańska; **to walk the** ~**s** a) wałęsać się b) uprawiać prostytucję; *pot* **he is not in the same** ~ **with** _ ani się umywa do‚..; **in the** ~ a) na ulicy b) w rynsztoku; *przen* **to be on the** ~**s** żyć z nierządu; ~**s ahead** daleko naprzód Ⅲ *adj* uliczny

street-car ['stri:t‚ka:] *s am* tramwaj; wóz tramwajowy

street-door ['stri:t‚dɔ:] *s* drzwi frontowe

street-guide ['stri:t‚gaid] *s* spis ulic

street-lamp ['stri:t‚læmp] *s* latarnia uliczna

street-lighting ['stri:t‚laitiŋ] *s* oświetlenie uliczne

street-railway ['stri:t‚reilwei] *s am* tramwaj

street-sweeper ['stri:t‚swi:pə] *s* zamiatacz ulic

street-urchin ['stri:t‚ə:tʃin] *s* ulicznik; baciar

streetwalker ['stri:t‚wɔ:kə] *s* prostytutka

street-walking ['stri:t‚wɔ:kiŋ] *s* prostytucja

⁋**strength** [streŋθ] *s* 1. siła; moc; **by sheer** ~ siłą; **on the** ~ **of** _ na mocy ... (ustawy itd.); opierając się na (czymś) 2. wytrzymałość (ciał) 3. *chem* moc; stężenie 4. siły (człowieka); **he hasn't the** ~ **to** _ nie ma na tyle sił, żeby ...; **he has the** ~ **of a horse** on jest silny jak koń 5. *fiz* natężenie 6. ilość (ludzi); **they came in great** ~ przyszli w wielkiej liczbie; **in full** ~ w komplecie 7. *wojsk* stan liczebny (kompanii, pułku itd.); **to be in the** ~ być <figurować> w spisie (kompanii itd.); być w ewidencji; **struck off the** ~ skreślony ze spisu; wykreślony z ewidencji

strengthen ['streŋθən] Ⅰ *vt* 1. wzm-ocnić/acniać 2. wzm-óc/agać; s/potęgować 3. pokrzepi-ć/ać; doda-ć/wać sił (**sb** komuś) Ⅲ *vi* 1. wzm-ocnić/ acniać się 2. wzm-óc/agać <s/potęgować> się 3. pokrzepi-ć/ać się; odzyskać siły

strengthener ['streŋθənə] *s* środek wzmacniający <pokrzepiający, odżywczy>

strenuous ['strenjuəs] *adj* 1. (*o człowieku, trybie życia*) pracowity 2. (*o pracy*) męczący; żmudny; mozolny 3. (*o wysiłku*) wytężony 4. (*o walce*) zacięty, zawzięty

strenuousness ['strenjuəsnis] *s* 1. pracowitość 2. natężenie (wysiłku) 3. zaciętość, zawziętość (walki)

streptococcus [‚streptou'kɔkəs] *s* (*pl* **streptococci** [‚streptou'kɔksai]) *med* paciorkowiec

stress [stres] Ⅰ *s* 1. siła; gwałtowność; działanie; nacisk (okoliczności itd.); presja; **under** ~ **of poverty** nękany ubóstwem; **under** ~ **of weather**

zmuszony <zniewolony> niepomyślną pogodą; **under the** ~ **of anger** <**fear** etc.> pod wpływem zdenerwowania <strachu itd.> 2. wysiłek; napięcie; **times of slackness and times of** ~ okresy słabego i wielkiego napięcia 3. nacisk; podkreśl-enie/anie; uwydatni-enie/anie; **to lay** ~ **on sth** położyć/kłaść nacisk na coś; podkreśl-ić/ ać <uwydatni-ć/ać> coś 4. akcent (na zgłosce wyrazu) 5. *techn* naprężenie; ciśnienie Ⅲ *vt* 1. za/akcentować; uwydatni-ć/ać podkreśl-ić/ać; położyć/kłaść nacisk (**sth** na coś) 2. *fonet* akcentować; położyć/kłaść nacisk (**a syllable** na zgłosce) 3. *techn* obciąż-yć/ać; podda-ć/wać naprężeniu <ciśnieniu>

stretch [stretʃ] 1. *vt* 1. napi-ąć/nać; napręż-yć/ać; **to** ~ **one's neck** wyciągać głowę 2. wyciąg-nąć/ ać; rozciąg-nąć/ać; **to** ~ **one's legs** rozprostować nogi; **to** ~ **sb on the ground** powalić kogoś (na ziemię) 3. rozwi-nąć/jać; rozpos-trzeć/cierać; roz--łożyć/kładać 4. narusz-yć/ać (prawo); przesadz--ić/ać (**sth** w czymś); naduży-ć/wać (**sth** czegoś); **to** ~ **the truth** przesadzać; dodawać z własnej fantazji; naciągać fakty; **to** ~ **a point** zrobić ustępstwo Ⅲ *vi* 1. wyciąg-nąć/ać się; rozciąg-nąć/ ać się 2. podda-ć/wać się; (*o materiałach*) być rozciągliwym 3. sięgać (dokądś); ciągnąć się (na pewnej przestrzeni)

~ **out** Ⅰ *vt* wyciąg-nąć/ać; rozciąg-nąć/ać Ⅲ *vi* wyciąg-nąć/ać się; rozciąg-nąć/ać się Ⅲ *s* 1. rozciąg-nięcie/anie; wyciąg-nięcie/anie; rozwi-nięcie/janie; **with a** ~ **and a yawn** przeciągając się i ziewając 2. napięcie; **with one's nerves on the** ~ z napiętymi nerwami; w napięciu nerwowym 3. nadużycie <przekroczenie> (władzy itd.); **by a** ~ **of language** naciągając znaczenie wyrazu <zwrotu>; **by a** ~ **of the imagination** dając folgę wyobraźni 4. rozpiętość 5. rozciągliwość; elastyczność 6. przeciąg (czasu); **at a** ~ bez przerwy; jednym ciągiem 7. *sl* odsiadka; odsiadywanie kary więzienia 8. przestrzeń; obszar; odcinek (drogi)

stretcher ['stretʃə] *s* 1. rozciągacz; napinacz 2. rama (pod płótno malarskie) 3. *bud* cegła-wozówka 4. *wiośl* podnóżek (wioślarza) 5. *górn* rozpora; zastrzał 6. nosze 7. *sl* naciąganie, przesada

stretcher-bearer ['stretʃə‚beərə] *s* sanitariusz

stretchy ['stretʃi] *adj* elastyczny, rozciągający się

strew [stru:] *vt* (*praet* **strewed** [stru:d], *pp* **strewn** [stru:n], **strewed**) posyp-ać/ywać (**sand etc. over the floor** <**the floor with sand** etc.> podłogę piaskiem itd.); rozrzuc-ić/ać, porozrzucać (**a table etc. with papers** etc. <**papers** etc. **over a table** etc.> papiery itd. na stole itd.); zarzuc-ić/ać (**toys etc. over a floor** etc. <**a floor** etc. **with toys** etc.> podłogę itd. zabawkami itd.); usiać <usłać> (**sb's path with flowers** etc. <**flowers** etc. **over sb's path**> czyjąś drogę kwiatami itd.)

stria ['straiə] *s* (*pl* **striae** ['straii:]) pręga, prążek; bruzda; żłobek; rowek

striate ['straieit] Ⅰ *vt* po/prążkować Ⅲ *adj* ['straiit], **striated** [strai'eitid] prążkowany

striation [strai'eiʃən] *s* prążkowanie

stricken ['strikən] Ⅰ *zob* **strike** *v* Ⅲ *adj* dotknięty (chorobą itd.); nawiedzony (**with pestilence** etc. plagą itd.); ~ **field** a) regularna bitwa; b) pole bitwy; ~ **in years** w podeszłym wieku; ~ **with grief** pogrążony w smutku strickle ['strikl] s 1. strychulec 2. osełka 3. sprawdzian

▲strict [strikt] adj 1. ścisły; dokładny; in ~ confidence ściśle poufnie; to keep ~ watch roztoczyć ścisły nadzór 2. całkowity; zupełny 3. surowy; srogi; I was given ~ orders surowo mi nakazano ... <not to _ zakazano ...>

stricture ['striktʃə] s 1. zw pl ~s ostra krytyka (on sth czegoś) 2. med zwężenie; ściągnięcie

stride [straid] v (strode [stroud], stridden ['stridn]) Ⅰ vi 1. kroczyć; iść dużymi krokami 2. przekr-oczyć/aczać (over a ditch etc. rów itd.) Ⅱ vt 1. przekr-oczyć/aczać (rów itd.) 2. siedzieć okrakiem (sth na czymś) Ⅲ s 1. krok; to get into one's ~ wciągnąć się w normalny tok pracy; przen to make great ~s robić wielkie postępy; postępować wielkimi krokami naprzód; gwałtownie <w szybkim tempie> się rozwijać; to take sth in one's ~ z łatwością poradzić sobie z czymś 2. rozstawienie nóg, rozkrok

stridence ['straidəns] s piskliwe <przeraźliwe, ostre> brzmienie

strident ['straidənt] adj (o dźwięku) piskliwy; przeraźliwy; ostry

stridulant ['stridjulənt] adj piskliwy; skrzeczący

stridulate ['stridju,leit] vi wydawać piskliwe dźwięki; skrzeczeć

strife [straif] s walka; zmagania; konflikt; niesnaski; at ~ with sb, sth w konflikcie z kimś, czymś

strigil ['stri,dʒil] s (u starożytnych) strygilida (do skrobania skóry przy kąpieli)

strigose ['straigous] s bot szczeciniasty

▲strike [straik] v (struck [strʌk], struck) Ⅰ vt 1. uderz-yć/ać (sb, sth kogoś, coś; the table <the kerb etc.> o stół <krawężnik itd.>); póra-zić/żać, razić; sl ~ me dead! niech mnie krew zaleje!; to ~ aside odtrącić na bok (a weapon etc. broń itd.); to ~ one's head <elbow etc.> against sth uderzyć głową <łokciem itd.> o <w> coś; to ~ sb blind oślepi-ć/ać kogoś; to ~ sb dead zabić <położyć trupem> kogoś; to ~ sb deaf ogłuszyć kogoś; to ~ sb in the face uderzyć kogoś w twarz; to ~ terror among the population siać strach wśród ludności; to ~ terror into sb budzić strach w kimś 2. zada-ć/wać (a blow at sb, sth cios komuś, czemuś); to ~ a blow at sb, sth uderzy-ć/ać kogoś, w coś; who struck the first blow? kto pierwszy uderzył?; przen to ~ a blow for a cause wystąpić w obronie <jako rzecznik> sprawy; walczyć o sprawę 3. bić <walić, tłuc, palnąć, rąbnąć> (sth with a hammer <one's fist etc.> w coś młotkiem <pięścią itd.>); to ~ a knife into sb, sth wbić nóż w kogoś, coś; the viper struck its fang into _ żmija wbiła kieł w ... 4. (o zegarze) wybi-ć/jać (godziny itd.) 5. wy/bić (monetę, medal) 6. dobi-ć/ać (a bargain targu) 7. krzesać <wykrzesać> (iskry, ogień; przen cios z kogoś) 8. zapal-ić/ać (zapałkę); to ~ a light poświecić 9. (o myśli) przy-jść/chodzić do głowy (sb komuś); it struck me that _ a) zorientowałem się, że...; zdałem sobie sprawę, że... b) odniosłem wrażenie, że... 10. z/robić wrażenie (sb na kimś); how does that ~ you? jakie odnosisz z tego wrażenie?; jak ci się to podoba?; co ty na to?; it ~s me as ridiculous <sensible etc.> mam wrażenie, że to jest śmieszne <rozsądne itd.>; it ~s me that _ mam <odnoszę> wrażenie, że ...; to be struck with sth być pod wrażeniem czegoś; to ~ dumb wprawić w zdumienie 11. zawadz-ić/ać (sth o coś) 12. natrafi-ć/ać (sth na coś — żyłkę złota itd.); natknąć się (sth na coś); najechać (a mine etc. na minę itd.); to ~ the track natrafić na <znaleźć> (właściwą) drogę 13. wojsk mar opu-ścić/szczać (flagę — na znak poddania się) 14. wojsk zwi-nąć/jać (tents obóz 15. przyj-ąć/mować (teatralną pozę, postawę) 16. urówn-ać/ywać (miarę — strychulcem) 17. oblicz-yć/ać <wyprowadz-ić/ać> (saldo, przeciętną, średnią) 18. u/tworzyć (komisję itd.); ustal-ić/ać skład (jury itd.) 19. napawać (sb with wonder etc. kogoś zdumieniem itd.) 20. (o dźwięku) do-jść/chodzić (sb's ear do czyichś uszu) 21. (o widoku) przedstawi-ć/ać się (sb's eyes czyimś oczom) 22. zagrać (ton); uderz-yć/ać akord || to ~ an item off a list skreślić pozycję ze spisu; to ~ root zapu-ścić/szczać korzenie; to ~ work zastrajkować; to ~ camp zwinąć obóz Ⅲ vi 1. uderzać; bić, walić (on <upon> sth w coś); uderz-yć/ać się <zawadz-ić/ać, pot wyrżnąć> (against sth o coś); wpaść (on sth na coś); ~ while the iron is hot kuj żelazo póki gorące 2. bić; zadawać razy; smagać; chłostać 3. (o zegarze) wybi-ć/jać godzin-ę/y <kwadrans/e itd.> 4. stanąć w obronie (for freedom etc. wolności itd.); podmieść oręż (for. sth o coś) 5. wpa-ść/dać (upon an idea <the solution> na pomysł <na rozwiązanie>); (o świetle) padać (on <upon> sth na coś) 6 podci-ąć/nać (at the root of sth korzenie czemuś) 7. (o zapałce) zapal-ić/ać się 8. (o mieście, fortecy) podda-ć/wać się 9. za/strajkować 10. przenikać (through sth przez coś) 11. s/kierować <uda-ć/wać> się (into the woods etc. do lasu itd.) || to ~ into a gallop puścić się w cwał

~ back vi 1. odda-ć/wać cios 2. nawr-ócić/acać 3. auto mieć przedwczesny zapłon

~ down vt 1. powalić (kogoś) 2. (o chorobie itd) położyć/kłaść (kogoś)

~ in Ⅰ vt wbi-ć/jać (gwóźdź itd.) Ⅲ vi 1. (o podagrze) atakować narządy wewnętrzne 2. wtrąc-ić/ać się 3. za/interweniować; wda-ć/wać się (w kłótnię itd.)

~ off vt 1. ści-ąć/nać; odrą-bać/bywać 2. skreśl-ić/ać; ~ this off proszę to skreślić 3. potrąc-ić/ać (procent z rachunku itd.) 4. wybi-ć/jać (pewną ilość egzemplarzy) 5. za/improwizować

~ out Ⅰ vt 1. skreśl-ić/ać 2. wykrzes-ać/ywać, krzesać 3. otw-orzyć/ierać <utorować> (nową drogę itd.); przen wprowadz-ić/ać (innowację itd.) Ⅲ vi 1. wal-nąć/ić (at sb kogoś) 2. (o pływaku) wyrzucać rękę przy pływaniu 3. szybko ruszyć <popłynąć> (for sth w kierunku czegoś <ku czemuś> 4. pot to ~ out for oneself uniezależni-ć/ać się; za-łożyć/kładać własne przedsiębiorstwo

~ through vt przekreśl-ić/ać; skreśl-ić/ać

~ up Ⅰ vt 1. za/intonować (piosenkę itd.); zagrać <zaczynać grać> (coś na instrumencie) 2. zaw-rzeć/ierać (znajomość); to ~ up a friendship zaprzyjaźnić się 3. nawiąz-ać/ywać (rozmowę)

zob stricken, striking Ⅲ s 1. strajk; general ~ strajk generalny; ~ pay zasiłek strajkowy; to be on ~ strajkować; to go <come out> on ~ zastrajkować 2. strychulec 3. am znalezienie żyły złotodajnej <nafty itd.>; trafienie na żyłę złotodajną <naftę itd.>; *przen* złota żyłka; **lucky** ~ promień szczęścia 4. *geol* bieg (warstwy, żyły itd.) 5. *sport* uderzenie (palantem itd.)

strike-a-light ['straikə‚lait] † *s* zapalniczka

strike-breaker ['straik‚breikə] *s* łamistrajk

strike-measure ['straik‚meʒə] *s* urównywanie miary (zboża itd.) za pomocą strychulca

striker ['straikə] *s* 1. (pracownik) strajkujący 2. robotnik pracujący młotem 3. *techn* iglica; grot

striking ['straikiŋ] □ *zob* strike *v* Ⅲ *adj* 1. (*o podobieństwie, zjawisku itd*) uderzający; frapujący; imponujący; zastanawiający 2. (*o zegarze*) wybijający (godziny itd.) 3. uderzeniowy; ~ **force** siła <moc> uderzenia; **within** ~ **distance** w zasięgu ręki <szabli, pałki itd.>

⧌ **string** [striŋ] □ *s* 1. sznur/ek; powróz; szpagat, *przen* **to have sb on a** ~ wodzić kogoś na pasku; trzymać kogoś w zależności od siebie; **to pull the** ~**s** używać wpływów; wykorzyst-ać/ywać wpływy <protekcję>; poruszać (tajne) sprężyny; prowadzić politykę zakulisową 2. tasiemka; *am* sznurowadło 3. cięciwa; **to have two** ~**s to one's bow** a) mieć podwójny fach b) mieć więcej niż jeden środek prowadzący do celu; nie być zdanym na jedno; **first** <**second**> ~ a) główny <ubo­czny> fach b) główny <zapasowy> środek prowadzący do celu 4. włókno (w roślinie); żyła (w mięsie) 5. struna (instrumentu muzycznego, rakiety, głosowa itd.); *pl* the ~**s** instrumenty strunowe <smyczkowe>; ~ **band** orkiestra smyczkowa; *przen* **to harp on one** ~ wciąż mówić o jednym <poruszać ten sam temat>; **to touch a** ~ **in sb's heart** zagrać na czyichś uczuciach 6. sznur (pereł, wozów, ludzi itd.); warkocz (cebuli); zestaw (narzędzi); rząd (medali na czyjejś piersi); potok, stek (przekleństw) 7. stadnina 8. *bil* liczydło 9. *górn* ciąg (rur); struna; sznur 10. *zw pl* ~**s** warunki (związane z udzieleniem pożyczki itd.) Ⅲ *vt* (**strung** [strʌŋ], **strung**) 1. zawiąz-ać/ywać 2. zaopat-rzyć/rywać w struny (instrument, rakietę itd.) 3. napi-ąć/nać (łuk itd.) 4. na/nizać; nawle-c/kać 5. oczy-ścić/szczać (fasolę szparagową) z włókien 6. przywiąz-ać/ywać 7. *am pot* naciąg-nąć/ać (kogoś); nabi-ć/jać w butelkę Ⅲ *vi* (**strung** [strʌŋ], **strung**) 1. (*o kleju*) ciągnąć się; lepić się 2. *bil* za/grać o to, kto rozpocznie grę
~ **out** *vi* rozciąg-nąć/ać się długim sznurem
~ **up** *vt* 1. powiesić/wieszać (na szubienicy) 2. napi-ąć/nać; **to** ~ **up one's resolution, to** ~ **oneself up** zebrać się w sobie
zob **stringed, strung**

string-bean ['striŋ‚bi:n] *s* fasola szparagowa

string-board ['striŋ‚bɔ:d] *s bud* policzki <boki> (schodów)

string-course ['striŋ‚kɔ:s] *s arch* gzyms

stringed [striŋd] □ *zob* string *v* Ⅲ *adj* 1. strunowy, strunny 2. (*o utworze muz*) smyczkowy

stringency ['strindʒənsi] *s* 1. surowość (przepisów itd.) 2. *fin* ciasnota (pieniężna) 3. siła <moc> (argumentu)

stringent ['strindʒənt] *adj* 1. (*o przepisie itd*) surowy 2. (*o rynku pieniężnym*) ciasny 3. (*o argumencie*) przekonywający

stringer ['striŋə] *s* 1. *bud* podłużnica 2. *pl* ~**s** *bud* policzki (schodowe) 3. *geol* drobna żyła

string-halt ['striŋ‚hɔ:lt] *s wet* drżenie nóg (u konia)

stringiness ['striŋinis] *s* 1. włóknistość 2. żylastość 3. lepkość; ciągliwość

string-pea ['striŋ‚pi:] *am* = **string-bean**

string-piece ['striŋ‚pi:s] *s bud* dźwigar

string-plate ['striŋ‚pleit] *s* płyta (fortepianu)

stringy ['striŋi] *adj* 1. włóknisty 2. żylasty 3. lepki ciągnący się

stringy-bark ['striŋi‚bɑ:k] *s* odmiana australijskiego eukaliptusa kauczukodajnego

⧌ **strip** [strip] *v* (-pp-) □ *vt* 1. obnaż-yć/ać; roz-ebrać/ bierać (sb kogoś); **to** ~ **to the skin** roz-ebrać/bierać do naga 2. wyzu-ć/wać <ob-edrzeć/dzierać> (**sb, sth of sth** kogoś, coś z czegoś); pozbawi-ć/ać (**sb, sth of sth** kogoś, coś z czegoś); ograbi-ć/ać (**sb, sth of sth** kogoś, coś z czegoś); złupić; *pot* ob-rać/ierać; **to** ~ **a cow** wydoić krowę; **to** ~ **a screw** zerwać/zrywać gwint śruby; **to** ~ **flax** odpaździerz-yć/ać len 3. usu-nąć/wać <zd-jąć/ejmo­wać, ściąg-nąć/ać, zerwać/zrywać> (**sth off** <**from**> **sth** coś z czegoś) 4. z/demontować Ⅲ *vi* 1. roz-ebrać/bierać <obnaż-yć/ać> się 2. (*o śrubie*) stracić gwint 3. (*o drzewie*) s/tracić korę 4. (*o korze itd*) odpa-ść/dać Ⅲ *s* pas/ek; szla-k/czek; taśma; listwa; pasmo; warstwa; **a comic** ~ historyjka w obrazkach (w czasopiśmie, przeważnie dla dzieci)

stripe [straip] □ *s* 1. (kolorowy) pas; pasek; pręga; prążek 2. *wojsk* lampas 3. *wojsk* naszywka; szewron; **to get one's** ~**s** awansować; otrzymać szarżę, naszywki; **to lose one's** ~**s** stracić szarżę; zostać zdegradowanym 4. pręga (od uderzenia); *pl* ~**s** cięgi; chłosta 5. *am* rodzaj <pokrój> (człowieka) 6. *pl* ~**s** *pot* tygrys Ⅲ *vt* po/malować <uszyć itd.> w pasy <paski> *zob* **striped**

striped [straipt] □ *zob* stripe *v* Ⅲ *adj* pasiasty; prążkowany; (pomalowany, uszyty, ułożony itd.) w pasy

stripling ['stripliŋ] *s* młodzieniec; wyrostek

⧌ **stripper** ['stripə] *s techn* 1. spychacz 2. suwnica 3. koparka

strip-tease ['strip‚ti:z] *s* strip-tease

strive [straiv] *vi* (**strove** [strouv], **striven** ['strivn]) 1. usiłować; starać się; do-łożyć/kładać starań (**to do sth** żeby coś zrobić) 2. starać się (**for sth** o coś) 3. dążyć (**for** <**after**> **sth** do czegoś) 4. zwalczać (**with** <**against**> **sth** coś); borykać się (**with** <**against**> **sth** z czymś) 5. (*o dwóch osobach lub grupie*) **to** ~ **together** <**with one another**> walczyć z sobą; wydzierać sobie (**for sth** coś)

strobile ['strɔbail] *s bot* szyszka

stroboscope ['stroubə‚skoup] *s opt* stroboskop

strode *zob* **stride**

stroke[1] [strouk] □ *s* 1. uderzenie; cios; raz; **a** ~ **of lightning** uderzenie piorunu; **at one** ~ za jednym zamachem; **finishing** ~ dobicie (zwierzęcia, rannego itd.); **little** ~**s fell great oaks** kropla drąży kamień 2. cięcie (szablą itd.) 3. ruch (rąk u pływaka; skrzydła itd.); styl (pływania); **breast** ~ żabka, styl klasyczny; **not to do a** ~ **of work** palcem nie kiwnąć 4. pociągnięcie (pióra, smyczka, wiosła itd.) 5. suw <skok> (tłoka); takt 6. przebłysk (geniuszu, dowcipu); **a** ~ **of genius** genialny pomysł; genialne posunięcie; **a** ~ **of luck** uśmiech szczęścia; szczęście 7. posunięcie <pociągnięcie> (dyplomatyczne itd.); **a** ~ **of business** udana transakcja 8. machnięcie (**of the brush**

pędzlem); dotknięcie (pędzla); kreska (ołówkiem, kredką itd.) 9. kreska (u litery pisanej) 10. u-derzenie (zegara); wybicie (godziny); **on the ~ (of one etc.)** punktualnie (o pierwszej itd.); z wybiciem godziny (pierwszej itd.) 11. *med* atak (apopleksji itd.); przystęp; napad 12. *wiośl* szla-kowy Ⅲ *vt wiośl* być szlakowym (**a boat** <**crew**> łodzi <osady, ekipy>); nada-ć/wać tempo (**a boat** <**crew**> łodzi <osadzie, ekipie>)

stroke² [strouk] Ⅰ *vt* po/głaskać; *przen* **to ~ sb** <**sb's hair**> **the wrong way** po/głaskać kogoś pod włos; drażnić kogoś

~ **down** *vt* ugłask-ać/iwać <udobruchać> (ko-goś)

Ⅲ *s* głaskanie

stroll [stroul] Ⅰ *vi* prze-jść/chadzać się; po/space-rować Ⅲ *vt* wędrować (**the country etc.** po kraju itd.) *zob* **strolling** Ⅲ *s* przechadzka; spacer; **to go for** <**take**> **a ~** przejść się

stroller ['stroulə] *s* 1. spacerowicz; człowiek prze-chadzający się 2. sportowy wózek dziecięcy

strolling ['stroulɪŋ] Ⅰ *zob* **stroll** *v* Ⅲ *adj* wędrowny

stroma ['stroumə] *s* (*pl* **~ta** ['stroumətə]) *anat* osnowa; ząb; podścielisko

strong [strɔŋ] Ⅰ *adj* 1. silny; mocny; **a ~ market** tendencja zwyżkowa; **a ~ town** forteca; warow-nia; twierdza; **to feel ~er** lepiej się po/czuć; **I am quite ~ again** wróciłem do sił; **that isn't my ~ point** to nie jest moją mocną stroną; nie mogę się tym pochwalić; **to be ~ in maths** <**chemistry etc.**> być mocnym w rachunkach <che-mii itd.>; **to have a ~ hold on sb** mieć wielki wpływ na kogoś 2. (*o państwie itd*) potężny; mo-carstwowy 3. (*o człowieku*) silny; mocny; tęgi; muskularny; silnie zbudowany 4. (*o materiałach*) mocny; trwały; solidny 5. *praed* (*o oddziale wojsk, grupie itd*) liczący <w liczbie, w sile> (*x* ludzi); **an army 400000 ~** armia w sile 400000 ludzi 6. (*o kandydacie*) mający wielkie szanse wygrania <przejścia> 7. (*o napoju*) alkoholowy; wyskokowy 8. (*o dowodach, argumentach*) przekonujący, prze-konywający; silnie przemawiający 9. (*o potrawie, serze itd*) ostry 10. (*o maśle, tłuszczu*) zjełczały 11. (*o słowach*) obelżywy; ordynarny; **~ language** przekleństwa 12. (*o stronniku itd*) gorliwy; zapa-lony; zawzięty; **to be ~ against sth** stanowczo <energicznie> sprzeciwiać się czemuś 13. (*o środ-kach*) drastyczny; energiczny 14. (*o stylu*) jędrny; dosadny; obrazowy; barwny 15. (*o wietrze*) gwał-towny 16. *gram* (*o czasowniku*) mocny (odmienia-jący się przez zmianę samogłoski tematowej) Ⅲ *adv sl* w zwrotach: **to be going ~** a) iść <posuwać się> raźno naprzód b) być w świetn-ym/ej zdrowiu <formie> c) (*o akcji itd*) rozwijać się pomyślnie <znakomicie>; **to come** <**go**> **it ~** przesadzać; przeholować; przeciąg-nąć/ać strunę; przekr--oczyć/aczać granice

strong-armed ['strɔŋ,ɑːmd] *adj* silny; muskularny

strong-box ['strɔŋ,bɔks] *s* kasą ogniotrwała; safes

strong-headed ['strɔŋ'hedid] *adj* uparty

strong-headedness ['strɔŋ'hedidnɪs] *s* upór

stronghold ['strɔŋ,hould] *s* forteca; warownia; twierdza

strong-minded ['strɔŋ,maindid] *adj* (*o człowieku*) zdecydowany

strong-room ['strɔŋ,ruːm] *s bank* skarbiec

strong-willed ['strɔŋ,wild] *adj* (*o człowieku*) o sil-nej woli

strontia ['strɔnʃiə], **strontian** ['strɔnʃiən] *s chem* stroncjana

strontium ['strɔnʃiəm] *s chem* stront

strop [strɔp] Ⅰ *s* pasek do ostrzenia brzytwy Ⅲ *vt* (-**pp**-) na/ostrzyć (brzytwę) na pasku

strophanthin [stro'fænθin] *s farm* strofantyna

strophe ['stroufi] *s* strofa (w poezji)

strophulus ['strɔfjuləs] *s med* ognik

strove *zob* **strive** *v*

⬧ **struck** *zob* **strike** *v*

⬧ **structural** ['strʌktʃərəl] *adj* 1. budowlany 2. struk-turalny

structure ['strʌktʃə] *s* 1. budowa; układ; struktura 2. budowla; gmach

structured ['strʌktʃəd] *adj* zbudowany

strudel ['struːdl] *s* strudel

struggle ['strʌgl] Ⅰ *vi* 1. szarpać <szamotać, rzu-cać, zmagać> się 2. usiłować (**to do sth** coś zro-bić); wytężać siły (**to do sth** żeby coś zrobić) 3. walczyć (**with** <**against**> **sb, sth** z kimś, czymś) 4. borykać <zmagać> się 5. z trudem <wysiłkiem> coś zrobić; **they ~d up the hill** z wysiłkiem weszli <wspięli się> na szczyt góry; **to ~ to one's feet** z wysiłkiem stanąć na nogi

~ **along** *vi* z trudem <wysiłkiem> posuwać się naprzód

~ **in** *vi* z trudem <wysiłkiem> przedosta-ć/wać <przebi-ć/jać> się do wnętrza

~ **out** *vi* z trudem <wysiłkiem> przedosta-ć/ wać <przebi-ć/jać> się na zewnątrz

~ **through** *vi* z trudem <wysiłkiem> przedo-sta-ć/wać <przebi-ć/jać> się

~ **up** *vi* 1. z trudem <wysiłkiem> stanąć (na nogi) 2. z trudem <wysiłkiem> wejść/wchodzić <wspi-ąć/nać się> na górę

zob **struggling** Ⅲ *s* walka; borykanie się; zma-ganie się; **the class ~** walka klasowa <klas>; **the ~ for existence** walka o byt

struggling ['strʌglɪŋ] Ⅰ *zob* **struggle** *v* Ⅲ *adj* bo-rykający się (z przeciwnościami losu)

struldbrug ['strʌld,brʌg] *s* (w „*Podróżach Gulli-wera*") człowiek skazany na nieśmiertelność

strum [strʌm] *v* (-**mm**-) Ⅰ *vt* brzdąkać (**a guitar etc.** na gitarze itd.) Ⅲ *vi* brzdąkać (**on a guitar etc.** na gitarze itd.) Ⅲ *s* brzdąkanie (**of a guitar etc.** na gitarze itd.)

⬧ **struma** ['struːmə] *s med* wole

strumpet ['strʌmpit] *s* ulicznica, *pot* dziewka

strung *zob* **string** *v*; ~ (**up**) (będący) w napięciu (nerwowym); w naprężeniu; w gotowości (do czynu itd.)

strut¹ [strʌt] Ⅰ *vi* (-**tt**-) dumnie stąpać; chodzić dumnie jak paw Ⅲ *s* wyniosły chód

strut² [strʌt] Ⅰ *s bud* zastrzał; spona; podpórka Ⅲ *vt* (-**tt**-) *bud* pod-eprzeć/pierać <wzm-ocnić/ acniać> zastrzałem <sponą, podpórką>

struthious ['struːθiəs] *adj* strusi

strychnine ['strikniːn] *s farm* strychnina

stub [stʌb] Ⅰ *s* 1. pniak; pieniek 2. pieniek (zęba itd.); resztka (ołówka itd.); koniuszek; kikut; kłęk; czop; ogarek; niedopałek (papierosa, cy-gara) 3. *am* talon (książki czekowej itd.); odci-nek (biletu) 4. *techn* głowica korbowodu Ⅲ *vt* (-**bb**-) 1. wy/karczować 2. (*także*: **to ~ out**) z/gasić (papierosa, cygaro) 3. trącić (**sth against**

sth czymś o coś); **to ~ one's foot <toe> against**
sth potknąć się o coś
stubble ['stʌbl] s 1. ścierń 2. (*także the ~ of a*
beard) broda od kilku dni nieogolona; (*o bro-*
dzie przen) szczeć 3. włosy strzyżone na jeża
stubbly ['stʌbli] *adj* 1. pokryty ściernią; a ~
field ściernisko 2. (*o brodzie*) szczeciniasty
stubborn ['stʌbən] *adj* 1. uparty; nieustępliwy 2.
(*o chorobie itd*) uporczywy 3. (*o walce itd*) zacięty
stubbornness ['stʌbənnis] s 1. upór; nieustępliwość 2. uporczywość 3. zaciętość
stubby ['stʌbi] *adj* 1. (*o terenie*) pokryty pniakami
2. (*o figurze*) przysadzisty; (*o palcach itd*) krótki
i gruby; *pot* serdelkowaty
stucco ['stʌkou] Ⅰ s (*pl ~es* ['stʌkouz]) stiuk;
sztukateria Ⅲ *vt* pokry-ć/wać stiukiem; ozd-obić/
abiać sztukaterią
stucco-work ['stʌkou،wə:k] s sztukateria
stucco-worker ['stʌkou،wə:kə] s sztukator
stuck *zob* stick
stuck-up ['stʌk'ʌp] *adj pot* zarozumiały; zadzierający nosa; pyszny
stud[1] [stʌd] s stadnina; ~ **farm** hodowla koni
stud[2] [stʌd] Ⅰ s 1. gwóźdz z szeroką <ozdobną>
główką; ćwiek 2. (*u butów do gry w piłkę*
nożną) korek 3. spinka (do kołnierzyka) 4. *techn*
sworzeń; bolec; rozpórka 5. słupek (w prze-
pierzeniu) Ⅲ *vt* (-dd-) 1. nabi-ć/jać gwoździami
<ćwiekami> 2. usiać (coś czymś); porozrzucać
3. ustawi-ć/ać zrąb (przepierzenia itd.)
stud-book ['stʌd،buk] s księga stadna
studding-sail ['stʌdiŋ،seil] s *mar* żagiel pomocniczy
student ['stju:dənt] s 1. student/ka; ~ **interpreter**
kandydat na stanowisko w służbie konsularnej
w krajach wschodnich 2. stypendysta 3. badacz;
to be a ~ of botany <ornitology etc.> a) studiować botanikę <ornitologię itd.> b) być specjalistą w zakresie botaniki <ornitologii itd.> c)
żywo się interesować botaniką <ornitologią itd.>
stud-horse ['stʌd،hɔ:s] s koń rozpłodowy
studied ['stʌdid] Ⅰ *zob* **study** v Ⅲ *adj* 1. wystudiowany 2. obmyślony; przemyślany; zrobiony
z rozmysłem 3. wyszukany 4. udany, udawany
5. oczytany
studio ['stju:di،ou] s 1. studio 2. pracownia artystyczna
studious ['stju:djəs] *adj* 1. pilny; rozmiłowany
w nauce 2. (*o zainteresowaniach*) intelektualny
3. pragnący (**of doing <to do> sth** coś zrobić)
4. (*o sposobie postępowania itd*) wyszukany;
przemyślany
studiousness ['stju:djəsnis] s 1. pilność; gorliwość
2. zamiłowanie do nauki
study ['stʌdi] v (studied ['stʌdid], **studied;**
studying ['stʌdiiŋ]) Ⅰ *vt* 1. z/badać; dociekać
(**sth** czegoś) 2. prze/studiować 3. uczyć się
(**a role etc.** roli itd.) 4. pilnie się przypat-rzyć/
rywać (**sb, sth komuś, czemuś**) 5. dbać (**sb, sth**
o kogoś, coś); **to ~ other people's convenience**
<**one's own interests**> dbać o cudzą wygodę
<o własny interes>; pamiętać o cudzej wygodzie
<o własnym interesie>; mieć na uwadze cudzą
wygodę <własny interes> 6. starać się (**to do sth**
coś robić) Ⅲ *vi* 1. studiować; być na studiach;
odbywać studia; **to ~ to be a doctor** studiować
medycynę 2. przygotow-ać/ywać się (**for an**

examination etc. do egzaminu itd.) 3. dumać;
zagłębi-ć/ać <pogrąż-yć/ać> się w myślach
~ **out** *vt* do-jść/chodzić (**sth** do czegoś) po
długich badaniach <dociekaniach>; docie-c/
kać (**sth** czegoś)
~ **up** *vt* powt-órzyć/arzać; przygotow-ać/
ywać się do egzaminu (**sth** z czegoś)
zob **studied** Ⅲ s 1. usilne dążenie; cel starań;
it shall be my ~ to _ będę usilnie dążył do
tego, żeby ...; **to make a ~ of sth** usilnie dążyć
do czegoś 2. (*zw* **brown** *~*) dumanie; zaduma;
he stood <was> in a brown ~ stał <był> pogrążony w zadumie 3. nauka; studiowanie; ba-
dani-e/a; dociekani-e/a; *pl* **studies** studia; **to**
make a ~ of sth z/badać coś; dociekać czegoś;
przeprowadz-ić/ać badania nad czymś; **he is**
much given to ~ on się uczy z zamiłowaniem
4. przedmiot studiów <badań, dociekań>; **his**
face was a perfect ~ warto było zobaczyć jego
twarz 5. studium (malarskie, rzeźbiarskie); szkic;
praca (naukowa); monografia; *muz* etiuda 6.
teatr aktor uczący się roli; **he is a good <slow>**
~ on się szybko <wolno> uczy ról 7. gabinet;
pracownia
stuff [stʌf] Ⅰ s 1. materiał; surowiec; tworzywo;
towar; **doctor's ~** lekarstwo; **food *~s*** artykuły
żywnościowe; **green <garden> ~** warzywa; **inch**
~ (deski) calówki; **thick ~** grube deski; **he has**
good ~ in him (on) ma zalety; **I am made of**
different ~ ja jestem ulepiony z innej gliny;
do your ~ rób co do ciebie należy 2. coś; **the**
~ coś dobrego; good ~ coś dobrego; **nasty ~**
coś wstrętnego; **some ~ that _** coś takiego,
co ...; **that's the ~!** to jest pierwszorzędne! 3.
paskudztwo; **do you call this ~ butter?** (i) to
ma być masło? 4. głupstwa; **przen** śmieci; **~**
and nonsense! bzdury! 5. materiał; tkanina; **~**
gown toga początkującego adwokata Ⅲ *vt* 1.
nap-chać/ychać <zat-kać/ykać> (**coś czymś**);
uszczelni-ć/ać; *am przen* **~ed shirt** zarozumiały głupiec 2. wy-słać/ściełać (meble itd.) 3.
op-chać/ychać (**kogoś <się>** jedzeniem) 4. *kulin*
faszerować; nadziewać 5. wyp-chać/ychać (zwierzę, ptaka itd.) 6. wepchnąć/wpychać <wetknąć/
wtykać> (**coś do czegoś**) 7. *pot* (*także:* **~ up**)
nabi-ć/jać głowę (**sb komuś**); **to ~ one's head**
with facts (figures etc.) wbijać sobie do głowy
fakty (cyfry itd.) 8. *pot* naciąg-nąć/ać (kogoś)
9. przypochlebiać się (**sb komuś**); *pot* brać (kogoś) pod włos Ⅲ *vi* op-chać/ychać się *zob*
stuffing
stuffer ['stʌfə] s wypychacz zwierząt; specjalista
trudniący się wypychaniem zwierząt
stuffiness ['stʌfinis] s 1. zaduch; brak powietrza;
ciężkie powietrze 2. *przen* przestarzałe poglądy
stuffing ['stʌfiŋ] Ⅰ *zob* **stuff** v Ⅲ s 1. wyściela-
nie (mebli itd.); wyściółka; *pot* **to knock the ~**
out of sb położyć kogoś na obie łopatki 2. *techn*
uszczelnienie; pakuły 3. wyp-chanie/ychanie (zwierzęcia) 4. *kulin* nadzienie; farsz
stuffing-box ['stʌfiŋ،bɔks] s *techn* 1. dławnica 2.
komora dławnikowa (dławnicy)
stuffy ['stʌfi] *adj* 1. (*o pokoju*) niewietrzony;
duszny; **it is ~ here** tu jest zaduch <duszno,
ciężkie powietrze>; nie ma tu czym oddychać
2. *am* zły; nadąsany 3. *pot* nudny 4. *pot* (*o czło-*
wieku) mający przestarzałe poglądy

stull [stʌl] *s górn* rozpora

stultification [ˌstʌltifi'keiʃən] *s* 1. udaremni-enie/anie 2. ośmiesz-enie/anie

stultify ['stʌlti‚fai] *vt* (**stultified** ['stʌlti‚faid], **stultified; stultifying** ['stʌlti‚faiiŋ]) 1. udaremni-ć/ać 2. ośmiesz-yć/ać

stum [stʌm] Ⅰ *s* moszcz winny Ⅱ *vt* (**-mm-**) siarkować (beczkę)

stumble ['stʌmbl] Ⅰ *vi* 1. pot-knąć/ykać się (**against** sth o coś); *przen* błądzić; popełniać błędy; *przen* **it's a good horse that never ~s** nikt nie jest nieomylny 2. zając-nąć/iwać <jąkać> się; wy/dukać (**through a recitation** lekcję); **to ~ in one's speech** mówić jąkając się 3. (przypadkowo) natknąć się (**across** <**upon**> sth na coś) 4. mieć skrupuły (**at** sth co do czegoś) Ⅱ *vt* 1. † podstawić nogę (sb komuś) 2. zmieszać (kogoś) **~ along** *vi* iść <posuwać się> naprzód potykając się <robiąc liczne błędy> Ⅲ *s* 1. potknięcie; potykanie się 2. błąd; omyłka

stumbling-block ['stʌmbliŋ‚blɔk] *s* przeszkoda; zawada; szkopuł; trudność

stumer ['stju:mə] *s sl* czek bezwartościowy <bez pokrycia>; fałszywy banknot

stump [stʌmp] Ⅰ *s* 1. pniak; *przen* przygodna mównica; **~ oratory** agitacja; krzykactwo (polityczne); **to be up a ~** być przyciśniętym do muru <w położeniu bez wyjścia>; **on the ~** w trakcie prowadzenia agitacji politycznej 2. głąb (kapusty itd.) 3. odłamek (zęba itd.); resztka (ołówka itd.); koniuszek; kikut; kłęk; czop; ogarek; niedopałek (cygara); *am* talon (książki czekowej itd.) 4. noga sztuczna <drewniana> 5. *pl* **~s** *pot żart* kulasy; giczoły; nogi; **to stir one's ~s** wyciągać nogi; pośpieszyć się 6. (w krykiecie) palik 7. *plast* wiszorek 8. *górn* filar oporowy Ⅱ *vt* 1. zabi-ć/jać klina w głowę (sb komuś); pytaniem zapędzić w kozi róg; **to be ~ed** nie wiedzieć, co mówić <jak wybrnąć> 2. (w krykiecie) wytrącić z gry <spalić> (gracza) 3. rozprowadz-ić/ać cienie wiszorkiem (**a drawing** na rysunku) 4. prowadzić agitację (**a country** etc. w kraju itd.) Ⅲ *vi* 1. chodzić na sztywnych nogach; sztywno stąpać 2. agitować **~up** *vi vt sl* wy/bulić (pieniądze, forsę)

stumper ['stʌmpə] *s pot* kłopotliwe pytanie

stumpiness ['stʌmpinis] *s* 1. krępa budowa (człowieka) 2. krótki i gruby kształt (przedmiotu)

stumpy ['stʌmpi] *adj* 1. (o człowieku) krępy 2. (o przedmiocie) krótki i gruby 3. (o terenie) pokryty <usiany> pniakami

stun [stʌn] *vt* (**-nn-**) 1. ogłusz-yć/ać 2. oszoł-omić/amiać *zob* **stunning**

stung *zob* **sting**

stunk *zob* **stink**

stunner ['stʌnə] *s sl* 1. fajny <kapitalny> facet <gość> 2. rzecz świetna <pierwszorzędna>

stunning ['stʌniŋ] Ⅰ *zob* **stun** *v* Ⅱ *adj* 1. ogłuszający 2. oszałamiający 3. *pot* kapitalny; świetny; pierwszorzędny; fantastyczny

stunsail, stuns'l ['stʌnsl] = **studding-sail**

stunt¹ [stʌnt] Ⅰ *vt* za/hamować <powstrzym-ać/ywać> rozwój (**sb, sth** czyjś, czegoś); s/karłowacić Ⅲ *s* 1. za/hamowanie wzrostu 2. karłowate zwierzę *zob* **stunted**

stunt² [stʌnt] Ⅰ *s pot* 1. impreza; wyczyn; (do-

kazana) sztuka; afera; kawał 2. *lotn* figura akrobatyczna Ⅲ *vi* uprawiać akrobatykę lotniczą

stunted ['stʌntid] Ⅰ *zob* **stunt** *v* Ⅲ *adj* karłowaty; skarłowaciały

stupe [stju:p] *s med* okład wilgotny nasycony lekiem

stupefacient [ˌstju:pi'feiʃənt] *adj farm* środek narkotyczny <odurzający>

stupefaction [ˌstju:pi'fækʃən] *s* 1. zdumienie; osłupienie; *pot* zgłupienie 2. odrętwienie; otępienie 3. oszołomienie; ogłupi-enie/anie

stupefy ['stju:pi‚fai] *vt* (**stupefied** ['stju:pi‚faid], **stupefied; stupefying** ['stju:pi‚faiiŋ]) 1. ogłup-ić/ać 2. odrętwi-ć/ać; oszoł-omić/amiać; otępi-ć/ać 3. zdumie-ć/wać; wprawi-ć/ać w osłupienie; **to be stupefied** zgłupieć

stupendous [stju'pendəs] *adj* zdumiewający; niesłychany; ogromny; potworny

stupeous ['stju:piəs] *adj* wełnisty; włochaty

stupid ['stju:pid] Ⅰ *adj* 1. odurzony; otępiały; **~ with sleep** zaspany; półprzytomny od snu 2. (o człowieku) głupi; niemądry; tępy; idiotyczny; durny; **to get** <**grow, become**> **~** o/głupieć; stępieć; z/durnieć 3. (o czynie itd) głupi; niemądry; bezsensowny 4. nudny; nieciekawy Ⅲ *s pot* głupiec; idiota; **you little ~** ty głuptasie

stupidity [stju'piditi] *s* głupota; idiotyzm; bezsensowność; **it's sheer ~!** to jest kompletny nonsens!

stupor ['stju:pə] *s* odrętwienie; osłupienie; **drunken ~** otępienie pijackie; *med* stupor

stuporous ['stju:pərəs] *adj* letargiczny

sturdiness ['stə:dinis] *s* 1. silny <mocny, odporny, żywotny> organizm; siły 2. śmiałość <stanowczość> (oporu itd.)

sturdy¹ ['stə:di] *adj* (**sturdier** ['stə:diə], **sturdiest** ['stə:diist]) 1. silny; mocny; **a ~ beggar** bezczelny żebrak zdolny do zarabiania na życie 2. (o oporze itd) śmiały; stanowczy; zacięty; zdecydowany

sturdy² ['stə:di] *s wet* kołowacizna; motylica

sturgeon ['stə:dʒən] *s zoo* jesiotr

stutter ['stʌtə] Ⅰ *vi* jąkać <zająkiwać> się Ⅲ *vt* (także **to ~ out**) wyjąk-ać/iwać (przeprosiny itd.) Ⅲ *s* jąkanie <zająkiwanie> się

stutterer ['stʌtərə] *s* jąkała

sty¹, stye [stai] *s* (*pl* **styes** [staiz]) *med* jęczmyk

sty² [stai] Ⅰ *s* (*pl* **styes, sties** [staiz]) chlew Ⅲ *vt* (**stied** [staid], **stied; stying** ['staiiŋ]) umie-ścić/szczać <zam-knąć/ykać> (świnie) w chlewie

Stygian ['stidʒiən] *adj* styksowy

style¹ [stail] Ⅰ *s* 1. rylec; grafion; wodzik grawerski; *poet* pióro; ołówek 2. *lit arch sport* styl; sposób; maniera 3. fason; moda 4. sposób tytułowania; należny (komuś) tytuł; *handl* nazwa firmy; firma 5. wytworny smak; szyk; dobry ton; elegancja; **in great ~** paradnie; z wielką paradą <pompą> 6. rodzaj; gust; tryb (życia); **in great ~** (żyć itd.) na wielką skalę; **something in that ~** coś w tym rodzaju <guście, stylu>; **this ~ of thing** tego rodzaju rzecz 7. model (wyrobu); kształt; wzór; **this ~ is 5s.** ten model kosztuje 5 szylingów 8. rachuba czasu; **Old Style** kalendarz juliański; **New Style** kalendarz gregoriański; *przysłówkowo*: **Old Style** według kalendarza juliańskiego; **New Style** według kalendarza gregoriańskiego Ⅲ vt 1. tytułować 2. nazywać

style² [stail] 1. wskazówka zegara słonecznego 2. *bot* szyjka słupka

style³ [stail] = stile

stylet ['stailit] *s med* sonda

stylish ['stailiʃ] *adj* szykowny; wytworny; gustowny; elegancki

stylist ['stailist] *s* stylista

stylistic [stai'listik] *adj* stylistyczny

stylite ['stailait] *s rel* asceta średniowieczny pokutujący na słupie; słupnik

stylize ['stailaiz] *vt* wy/stylizować

stylo ['stailou] *skr* **stylograph**

stylograph ['stailə,gra:f] *s* stylograf

styloid ['stailɔid] *adj* rylcowaty

▲**stymie** ['staimi] *s* (*w grze u. golfa*) szczególnie trudna sytuacja gracza; *przen* **I laid him a ~** dałem mu ciężki orzech do zgryzienia

styptic ['stiptik] Ⅰ *adj med* (*o leku*) ściągający Ⅲ *s med* substancja ściągająca; laseczka do tamowania krwi (przy goleniu)

suable ['sjuəbl] *adj prawn* zaskarżalny

suasion ['sweiʒən] *s* perswazja

suave [swa:v] *adj* 1. (*o zapachu, muzyce itd*) słodki 2. (*o postępowaniu*) łagodny; uprzejmy

suavity ['swæviti] *s* 1. słodycz (zapachu, muzyki itd.) 2. łagodność (postępowania) 3. uprzejmość

sub¹ [sʌb] *s pot skr* **subaltern; submarine; subscription; substitute**

sub² [sʌb] *vi* (**-bb-**) *pot* zastępować (**for sb** kogoś)

sub³ [sʌb] *praep w zwrotach łacińskich:* **~ judice** [sʌb'dʒu:disi] w rozpatrywaniu sądowym; **~ rosa** [sʌb'rouzei] poufnie, w zaufaniu; **~ silentio** [,sʌb-sai'lenʃiou] w tajemnicy; (*w słowniku*) **~ voce** [sʌb'vousi] pod wyrazem <hasłem>

subacid ['sʌb'æsid] *adj* lekkokwaśny

subahdar [,subə'da:] *s* (*w Indiach*) dowódca kompanii sipajów

subaltern ['sʌbltən] Ⅰ *adj* (*o oficerze*) młodszy (rangą) Ⅲ *s* młodszy oficer

subaqueous [,sʌb-ə'kweiʃəs] *adj* podwodny

subarctic [sʌb'a:ktik] *adj* podbiegunowy

subaudition [,sʌb-ɔ:'diʃən] *s* czytanie między wierszami; domyślanie <dorozumiewanie> się

subclass ['sʌb,kla:s] *s* (*w systematyce*) podklasa

subclavian [sʌb'kleivjən] *adj anat* podobojczykowy

subcommittee ['sʌb-kə,miti] *s* podkomisja

▲**subconscious** ['sʌb'kɔnʃəs] *adj* podświadomy

subconsciousness ['sʌb'kɔnʃəsnis] *s* podświadomość

subcontract ['sʌb'kɔntrækt] Ⅰ *s* subkontrakt Ⅱ *vt* ['sʌb-kən'trækt] zaw-rzeć/ierać subkontrakt (**sth** na coś)

subcontractor ['sʌb-kən'træktə] *s* poddostawca

subcutaneous ['sʌb-kju'teinjəs] *adj* podskórny

subdivide ['sʌb-di'vaid] *vt* po/dzielić na poddziały

subdivision ['sʌb-di,viʒən] *s* poddział

subdominant ['sʌb'dɔminənt] *s muz* subdominanta

subdual [səb'djuəl] *s* podbój; ujarzmienie

subdue [səb'dju:] *vt* 1. podbi-ć/jać; pokon-ać/ywać; ujarzmi-ć/ać 2. opanow-ać/ywać (pożar, namiętność itd.) 3. z/łagodzić; osłabi-ć/ać; przyćmi-ć/ewać; zmiękcz-yć/ać; obniż-yć/ać 4. przycisz-yć/ać 5. s/tonować 6. przytłumi-ć/ać

sub-edit ['sʌb'edit] *vt* 1. dokon-ać/ywać wyboru materiału redakcyjnego (**a newspaper** do gazety)

2. być zastępcą redaktora naczelnego (**a newspaper** gazety)

sub-editor ['sʌb'editə] *s* zastępca redaktora naczelnego (**of a newspaper** gazety)

▲**suberic** [sju'berik], **subereous** [sju'biəriəs], **suberose** ['sjubə,rouz] *adj chem* korkowy

subgenus [sʌb'dʒi:nəs] *s bot zoo* podrodzaj

sub-heading ['sʌb'hediŋ] *s* podtytuł

sub-human ['sʌb'hju:mən] *adj* człekokształtny; posiadający cechy zbliżone do ludzkich

subjacent [sʌb'dʒeisənt] *adj* znajdujący się pod spodem, spodni

▲**subject** ['sʌbdʒikt] Ⅰ *adj* 1. (*o kraju, terytorium*) podbity, ujarzmiony; opanowany przez najeźdźcę 2. podlegający; **to be ~ to** sth podlegać czemuś; **it is ~ to alterations** to może ulec zmianom 3. wystawiony <narażony, podatny> (**to sth** na coś); **to be ~ to illnesses** miewać <cierpieć, zapadać na> choroby; ulegać chorobom 4. (*o cenach itd*) podany z zastrzeżeniem (**to changes** etc. zmian itd.); **our prices are ~ to the usual discount** od podanychr przez nas cen przewiduje się zwykłe potrącenia i rabaty Ⅲ *adv* **~ to sth** pod warunkiem <z zastrzeżeniem, z uwzględnieniem> czegoś Ⅲ *s* 1. poddany (króla itd.) 2. *gram* podmiot 3. temat; **on the ~ of sb, sth** na temat kogoś, czegoś; o kimś, czymś 4. przedmiot (**of conversations** rozmów; **for ridicule** <**pity** etc.> kpin <litości itd.>) 5. *szk* przedmiot (nauki) 6. motyw (malarski, utworu muzycznego itd.) 7. osobnik (biorący udział w eksperymencie lub poddawany eksperymentowi)

subjection [səb'dʒekʃən] *s* 1. opanowanie; podbój; ujarzmienie 2. uśmierzenie 3. zależność; **to be in ~ to sb** być zależnym od kogoś; **to bring sb under ~** uzależni-ć/ać kogoś od siebie 4. uległość; posłuszeństwo

subjective [sʌb'dʒektiv] *adj* 1. subiektywny 2. podmiotowy

subjectivism [sʌb'dʒekti,vizəm] *s* subiektywizm

subjectivist [sʌb'dʒektivist] *s* subiektywista

subjectivity [sʌbdʒek'tiviti] *s* subiektywność

subject-matter ['sʌbdʒikt,mætə] *s* 1. temat 2. tematyka 3. spis treści; treść

subjoin ['sʌb'dʒɔin] *vt* doda-ć/wać poniżej; dołącz-yć/ać; załącz-yć/ać

subjugate ['sʌbdʒu,geit] *vt* 1. opanow-ać/ywać 2. podbi-ć/jać (kraj itd.); ujarzmi-ć/jać; u/ciemiężyć 3. uzależni-ć/ać od siebie

subjugation [,sʌbdʒu'geiʃən] *s* 1. opanowanie 2. podbój; ujarzmienie; uciemiężenie 3. zależność

subjugator ['sʌbdʒu,geitə] *s* ciemiężyciel, ciemiężca; najeźdźca

subjunctive [səb'dʒʌŋktiv] Ⅰ *adj gram* łączący Ⅲ *s gram* tryb łączący

sublease ['sʌb'li:s] Ⅰ *s* poddzierżawa; podnajem Ⅲ *vt* poddzierżawi-ć/ać; podnaj-ąć/mować; odda-ć/wać w poddzierżawę; wziąć/brać w poddzierżawę

sublessee ['sʌble'si:] *s* poddzierżawca; podnajemca

sublessor ['sʌble'sɔ:] *s* oddający w poddzierżawę

sublet ['sʌb'let] *vt* (**sublet, sublet**) podnaj-ąć/mować

sub-librarian ['sʌb-lai'breəriən] *s* zastępca bibliotekarza

sub-lieutenant ['sʌb-le'tenənt] *s* podporucznik marynarki wojennej

sublimate ['sʌbli,meit] [I] *vt* 1. *chem* sublimować 2. oczy-ścić/szczać 3. wywyższ-yć/ać 4. wy/idealizować [III] *s* ['sʌblimit] *chem* sublimat [III] *adj* ['sʌblimit] prze/sublimowany

sublimation [,sʌbli'meiʃən] *s* sublimacja

sublime [sə'blaim] [I] *adj* 1. wzniosły; podniosły 2. wspaniały; majestatyczny 3. najwyższy; **with ~ indifference** z największą obojętnością 4. pełen dumy <pogardy>; **~ impudence <conceit>** czelność <zarozumiałość> pełna pogardy [III] *s* **the ~** rzeczy wzniosłe [III] *vt* 1. *chem* sublimować; oczy-ścić/szczać przez sublimację 2. wywyższ-yć/ać; wy/idealizować [IV] *vi chem* sublimować się; oczy-ścić/szczać się przez sublimację; ule-c/gać sublimacji

sublimeness [sə'blaimnis] = **sublimity**

subliminal [sʌb'liminļ] *adj* podświadomy

sublimity [sʌb'limiti] *s* 1. wzniosłość 2. wspaniałość; majestat

sublingual [sʌb'lingwəl] *adj anat* podjęzykowy

sublunary [sʌb'lu:nəri] *adj poet* podksiężycowy; ziemski

sub-man ['sʌb,mæn] *s* (*pl* **sub-men** ['sʌb,men]) człowiek na niższym stopniu rozwoju

submarine ['sʌbmə,ri:n] [I] *adj* podwodny [III] *s* łódź podwodna; **~ chaser** pościgowiec podwodny

submerge [səb'mə:dʒ] [I] *vt* 1. zat-opić/apiać 2. zal-ać/ewać 3. za/moczyć [III] *vi* (*o łodzi podwodnej*) zanurz-yć/ać się *zob* **submerged**

submerged ['səb'mə:dʒd] [I] *zob* **submerge** *v* [III] *adj w zwrocie:* **the ~ tenth** procent <odsetek> ludności borykającej się z nędzą

submergence [səb'mə:dʒəns] *s* 1. zatopienie 2. zanurzenie 3. zalew

submersed [səb'mə:st] *adj* podwodny

submersion [səb'mə:ʃən] *s* 1. zatopienie 2. zanurzenie 3. zalew

submission [səb'miʃən] *s* 1. podda-nie/wanie się; uległość 2. posłuszeństwo; pokora 3. podda-nie/wanie (ekspertyzie itd.) 4. *prawn* teoria wysunięta przez obrońcę

submissive [səb'misiv] *adj* uległy; posłuszny; pokorny

submissiveness [səb'misivnis] *s* uległość; posłuszeństwo; pokora

submit [səb'mit] *v* (**-tt-**) [I] *vt* przed-łożyć/kładać; przedstawi-ć/ać; podda-ć/wać pod rozwagę; **to ~ sth to sb's inspection** oddać coś komuś do wglądu; **to ~ a case to court** oddać sprawę do sądu [III] *vi* 1. podda-ć/wać się (komuś, czemuś) 2. ule-c/gać; być uległym; podporządkow-ać/ywać się 3. zn-ieść/osić (**to sth** coś); po/godzić się (**to defeat <to being confined etc.>** z porażką <z ograniczeniem swobody itd.>) 4. prosić uprzejmie o łaskawe wzięcie pod rozwagę (**that __** że ...) 5. zakładać <wychodzić z założenia> (**that __** że ...)

submultiple ['sʌb'mʌltipļ] *s mat* podwielokrotna

subnormal ['sʌb'nɔ:məl] [I] *adj* 1. niezupełnie normalny; będący poniżej średniej <przeciętnej> normy 2. cofnięty w rozwoju umysłowym [III] *s geom* podnormalna

suborder ['sʌb'ɔ:də] *s bot zoo* podrząd

subordinate [sə'bɔ:dnit] [I] *adj* 1. podwładny; podległy 2. zależny; podporządkowany 3. niższy; podrzędny 4. drugorzędny; drugoplanowy; wtór-

ny [III] *s* podwładny [III] *vt* [sə'bɔ:di,neit] 1. podporządkow-ać/ywać 2. uzależni-ć/ać

subordination [sə,bɔ:di'neiʃən] *s* 1. podporządkow-anie/ywanie 2. uzależni-enie/anie 3. zależność 4. uległość; posłuszeństwo; subordynacja

suborn [sʌ'bɔ:n] *vt* 1. przekup-ić/ywać (świadka) 2. nam-ówić/awiać <nakł-onić/aniać> do przestępstwa

subornation [,sʌbɔ:'neiʃən] *s* 1. przekupstwo; przekup-ienie/ywanie (świadka) 2. namowa <namawianie> do przestępstwa

suborner [sʌ'bɔ:nə] *s* (człowiek) winny przekupienia świadka

suboxide [sʌb'ɔksaid] *s chem* podtlenek

subplot ['sʌb,plɔt] *s* akcja drugoplanowa <podrzędna> (w powieści, dramacie itd.)

subpoena [sʌb'pi:nə] [I] *s* wezwanie do stawienia się przed sądem pod karą [III] *vt* (*praet* **subpoenaed, subpoenad, subpoena'd** [sʌb'pi:nəd], *pp* **subpoenaed, subpoenad, subpoena'd**) za/wezwać (kogoś) do stawienia się przed sądem pod karą

subpolar [sʌb'poulə] *adj* podbiegunowy

subreption [sʌb'repʃən] *s* podstępne wyłudzenie

subrogation [,sʌbrə'geiʃən] *s* subrogacja; podstawienie

subscribe [sʌb'skraib] [I] *vt* 1. podpis-ać/ywać <sygnować> (dokument, obraz itd.); podpis-ać/ywać się (**a document etc.** na dokumencie itd.) 2. dopis-ać/ywać (coś do czegoś) 3. da-ć/wać <złożyć/składać> (**a sum to a charity etc.** pewną kwotę na cel dobroczynny itd.); **to ~ a sum to a common purpose** za/ofiarować pewną kwotę do składki 4. za/subskrybować (akcje) 5. za/płacić (**a sum to a club etc.** kwotę tytułem składki członkowskiej klubu itd.) [III] *vi* 1. podpis-ać/ywać się (**to a programme etc.** pod programem itd.); pop-rzeć/ierać (**to sth** coś); zg-odzić/adzać się (**to sth** na coś) 2. za/prenumerować <za/abonować> (**to a magazine etc.** pismo itd.) 3. za/subskrybować (**for a book etc.** dzieło itd.)

subscriber [səb'skraibə] *s* 1. (człowiek) podpisany (**to <of> a document** na dokumencie); sygnatariusz 2. ofiarodawca (**to a charity** popierający instytucję dobroczynną) 3. subskrybent 4. prenumerator; abonent

subscription [səb'skripʃən] *s* 1. podpis; podpis-anie/ywanie 2. podpisanie się (**to a programme etc.** pod programem itd.); pop-arcie/ieranie (**to sth** czegoś); zgoda (**to sth** na coś) 3. składka <ofiara> (**to a charity etc.** na cel dobroczynny itd.); (*o pomniku itd*) **by public ~** (wzniesiony) ze składek publicznych 4. subskrypcja; przedpłata 5. wysokość za/subskrybowanej kwoty 6. prenumerata; abonament 7. składka członkowska (**to an organization** w organizacji)

subsection ['sʌb'sekʃən] *s* podsekcja

subsellium [sʌb'seliəm] *s* (*pl* **subsellia** [sʌb'seliə]) = **misericord**

subsequence ['sʌbsikwəns] *s* dalszy ciąg; następstwo

subsequent ['sʌbsikwənt] *adj* 1. (*o stronicach, ustępach publikacji itd*) dalszy 2. późniejszy; **~ to sth** wynikły <wynikły> z czegoś; będący następstwem czegoś

subsequently ['sʌbsikwəntli] *adv* później; w dalszym ciągu; następnie; w następstwie

subserve [səb'sə:v] vt pom-óc/agać (sth czemuś); przyczyni-ć/ać się (sth do czegoś)

subservience [səb'sə:vjəns], subserviency [səb'se:vjənsi] s 1. pożytek (to sth dla czegoś — sprawy itd.) 2. służalczość 3. niewolnicze przestrzeganie <trzymanie się> (to sth czegoś)

subservient [səb'sə:vjənt] adj 1. pożyteczny; pomocny; przyczyniający się (to sth do czegoś) 2. służalczy 3. niewolniczo przestrzegający (to sth czegoś)

subside [səb'said] vi 1. (o wezbranej wodzie itd) opa-ść/dać; uby-ć/wać 2. (o terenie itd) zapa--ść/dać <osu-nąć/wać> się 3. (o budynku itd) osi-ąść/adać 4. (o zawiesinie itd) opa-ść/dać; osadzać się; osiadać na dnie 5. (o człowieku) opa-ść/dać (into an armchair etc. na fotel itd.); zagłębić się (into an armchair w fotelu) 6. (o burzy itd) ucisz-yć/ać <uspok-oić/ajać> się; usta-ć/wać 7. (o temperaturze itd) opa-ść/dać; obniż--yć/ać się

subsidence [səb'saidəns] s 1. opad-nięcie/anie <uby-cie/wanie> (wód itd.) 2. zapad-nięcie/anie się 3. osiadanie; osuwanie się 4. ucisz-enie/anie <uspok-ojenie/ajanie> się 5. obniż-enie/anie się <spadek> (temperatury itd.)

subsidiary [səb'sidjəri] adj 1. pomocniczy 2. uzupełniający; dodatkowy 3. zależny 4. (o wojskach) opłacany (przez zainteresowane państwo); pozostający na żołdzie (zainteresowanego państwa) s 1. pomocnik 2. dopływ (rzeki) 3. handl (o towarzystwie) zależny <finansowo uzależniony> (od innego towarzystwa) 4. pl subsidiaries akcesoria

subsidize ['sʌbsi,daiz] vt subwencjonować

subsidy ['sʌbsidi] s 1. hist danina 2. subwencja

subsist [səb'sist] vi 1. istnieć; egzystować; utrzym-ać/ywać się przy życiu; (o zwyczaju itd) it ~s to the present day zachował się do dnia dzisiejszego 2. utrzymywać się (on sth z czegoś) vt wy/żywić (wojsko)

subsistence [səb'sistəns] s 1. istnienie; utrzym-anie/ywanie się przy życiu; egzystenoja 2. środki egzystencji 3. wyżywienie; ~ money zaliczka na pobory umożliwiająca wyżywienie się

subsoil ['sʌb,soil] s podglebie

subspecies ['sʌb,spi:ʃi:z] s (pl ~) podgatunek; odmiana gatunkowa

substance ['sʌbstəns] s 1. istota 2. treść; istotna <zasadnicza> treść (wypowiedzi itd.); sens; sedno; kwintesencja; in ~ w istocie; w zasadzie; zasadniczo 3. treść (w odróżnieniu od formy) 4. własność; majątek; a man of ~ człowiek zamożny; to waste one's ~ roz/trwonić majątek; I <he etc.> lost the ~ for the shadow zrobiłem <zrobił itd.> kiepską zamianę; zamienił stryjek siekierkę na kijek 5. substancja; masa; materiał; pierwiastek składowy; fiz ciało 6. solidność

substantial [səb'stænʃəl] adj 1. cielesny; konkretny; namacalny 2. istotny 3. poważny; ważny 4. pokaźny; znaczny 5. solidny; mocny; trwały 6. zamożny; zasobny 7. faktyczny; rzeczywisty 8. (o środkach żywności) odżywczy; (o posiłku) pożywny; obfity; treściwy s pl the ~s rzeczy <sprawy> istotne

substantiality [səb,stænʃi'æliti] s 1. realne <faktyczne> istnienie 2. solidność

substantiate [səb'stænʃi,eit] vt 1. s/konkretyzować 2. udow-odnić/adniać 3. uzasadni-ć/ać; da-ć/wać podstawę (sth do czegoś)

substantiation [səb,stænʃi'eiʃən] s 1. s/konkrety-zowanie 2. udow-odnienie/adnianie 3. uzasadni--enie/anie; podstawa (of sth do czegoś)

substantival [,sʌbstən'taivəl] adj gram rzeczownikowy

substantive ['sʌbstəntiv] adj 1. wyrażający istnienie; gram the ~ verb czasownik „być" 2. niezależny 3. formalny 4. faktyczny; rzeczywisty s gram rzeczownik

substation [sʌb'steiʃən] s elektr podstacja

substituant [sʌb'stitjuənt] s chem podstawnik

substitute ['sʌbsti,tju:t] s 1. zastęp-ca/czyni; as a ~ for sb w czyimś zastępstwie 2. środek zastępczy; namiastka; surogat 3. naśladownictwo vt zast-ąpić/ępować (one person <A> for another <B> jedną osobę <B> inną osobą <A>; a herb etc. for tea etc. <tea etc. by a herb> herbatę itd. zielem itd.) vi pot zastępować (for sb kogoś); pełnić funkcję (for sb w czyimś zastępstwie)

substitution [,sʌbsti'tju:ʃən] s 1. zastępowanie; stosowanie (of one thing for another jednej rzeczy zamiast drugiej) 2. prawn mat podstawi--enie/anie

substratum ['sʌb'stra:təm] s (pl substrata [sʌb'stra:tə], ~s) spodnia warstwa; podłoże; substrat

substruction ['sʌb'strʌkʃən] = substructure

substructure ['sʌb,strʌktʃə] s podłoże; fundament; podwalina

subsume [sʌb'sju:m] vt podciąg-nąć/ać pod kategorię <regułę itd.>

subtenant ['sʌb'tenənt] s poddzierżawca; sublokator

subtense [səb'tens] s mat cięciwa

subterfuge ['sʌbtə,fju:dʒ] s 1. wybieg; wykręt 2. fortel; podstęp

subterranean [,sʌbtə'reinjən], subterraneous [,sʌbtə'reinjəs] adj podziemny

subtil(e) ['sʌtl] † adj 1. delikatny; cienki; (o materiale itd) rzadki 2. subtelny

subtilin ['sʌbtilin] s farm subtilina

subtilize ['sʌti,laiz] vt wysubtelni-ć/ać; doprowadz-ić/ać do subtelności; wydelikacić/ać vi wdawać <pot bawić> się w subtelności

subtilty ['sʌtlti] = subtlety

sub-title ['sʌb,taitl] s 1. podtytuł 2. zw pl ~s napisy (na filmie obcojęzycznym)

subtle ['sʌtl] adj 1. subtelny; delikatny; ledwo uchwytny; misterny 2. wyrafinowany 3. przenikliwy; bystry 4. (o wynalazku itd) dowcipny 5. (o zwierzęciu itd) chytry

subtlety ['sʌtlti] s 1. subtelność; delikatność 2. wyrafinowanie 3. przenikliwość; bystrość 4. chytrość

subtract [səb'trækt] vt mat od-jąć/ejmować

subtraction [səb'trækʃən] s mat odejmowanie

subtrahend ['sʌbtrə,hend] s mat odjemnik

subtropic(al) ['sʌb'tropik(əl)] adj podzwrotnikowy

subtype ['sʌb,taip] s podtyp

subulate ['sju:bju,let], subuliform ['sju:bjuli,fɔ:m] adj bot szydłowaty

suburb ['sʌbə:b] s przedmieście; pl ~s peryferie adj = suburban

suburban [sə'bə:bən] adj podmiejski

suburbia [sə'bə:biə] s 1. zbior przedmieścia; the
Suburbia przedmieścia Londynu 2. zbior mieszkańcy przedmieść
subvention [səb'venʃən] s subwencja
subventioned [səb'venʃənd] adj subwencjonowany
subversion [sʌb'və:ʃən] s 1. obalenie; przewrót
2. akcja <działalność> wywrotowa
⁋subversive [sʌb'və:siv] adj wywrotowy
subvert [sʌb'və:t] vt obal-ić/ać; wywr-ócić/acać
subverter [sʌb'və:tə] s burzyciel; wywrotowiec
⁋subway ['sʌbwei] s 1. przejście podziemne; tunel
2. am elektryczna kolej podziemna
succedaneous [ˌsʌksi'deinjəs] adj farm (o środku)
zastępczy
succeed [sək'si:d] Ⅰ vt 1. nast-ąpić/ępować (sb,
sth po kimś, czymś) 2. ob-jąć/ejmować spuś-
ciznę (sb po kimś) Ⅱ vr ~ oneself am zostać
ponownie wybranym Ⅲ vi 1. odziedzicz-yć/ać
<ob-jąć/ejmować, otrzym-ać/ywać w spadku>
(to a title <office, fortune etc.> tytuł <urząd,
majątek itd.>) 2. mieć powodzenie <dozna-ć/wać
powodzenia> (in doing sth w czymś); I ~ed in
accomplishing my purpose udało mi się <zdo-
łałem> osiągnąć cel; powiodło <poszczęściło> mi
się w osiągnięciu celu 3. (o planie itd) uda-ć/
wać się; powieść się 4. cieszyć się powodzeniem
<z/robić karierę> (as a doctor etc. jako lekarz
itd.) zob succeeding
succeeding [sək'si:diŋ] Ⅰ zob succeed v Ⅲ adj 1.
następujący; następny; kolejny 2. przyszły
success [sək'ses] s 1. powodzenie; dobry <po-
myślny> wynik; to meet with ~ dozna-ć/wać
powodzenia; he met with ~ udało <powiodło,
poszczęściło> mu się; without ~ bezskutecznie;
what ~ did you <he etc.> have? jak ci <mu
itd.> się udało <powiodło>? 2. szczęście; pomyślność 3. sukces; (o przedsięwzięciu, sztuce itd)
to be a ~ mieć powodzenie; dobrze wypaść;
cieszyć się powodzeniem 4. człowiek, któremu
szczęście sprzyja; pot szczęściarz
successful [sək'sesful] adj 1. pomyślny; szczęśliwy; udany; uwieńczony powodzeniem; I was ~
in getting through udało mi się <zdołałem>
przejść; I was not ~ in my endeavours moje
usiłowania nie zostały uwieńczone powodzeniem;
nie powiodło mi się w moich staraniach 2.
(o kandydacie) przyjęty 3. popularny; mający
wzięcie; to be a ~ actor <doctor etc.> mieć
wzięcie jako aktor <lekarz itd.>
succession [sək'seʃən] s 1. następstwo; kolejność;
in ~ a) z rzędu; pod rząd b) kolejno, po kolei;
in quick <rapid> ~ raz za razem; w krótkich
odstępach czasu; ~ crop poplon 2. szereg
<seria> (powodzeń, klęsk itd.) 3. następstwo
(tronu itd.); the Apostolic Succession apostolska
ciągłość (papieży) 4. dziedzictwo; spadek; sukce-
sja; spuścizna; ~ duties podatek spadkowy;
the law of ~ prawo spadkowe; in ~ to sb
jako następca czyjś <po kimś>
successive [sək'sesiv] adj kolejny; they won <lost>
three ~ games wygrali <przegrali> trzy rozgrywki <partie, mecze> z rzędu <trzy kolejne
rozgrywki>
successor [sək'sesə] s 1. następ-ca/czyni (to sb
czyjś) 2. dziedzic; spadkobierca 3. następna
<kolejna> rzecz; następn-y/e wypadek <zjawisko
itd.>

succinct [sək'siŋkt] adj zwięzły; treściwy
succinite ['sʌksiˌnait] s miner bursztyn, sukcynit
succory ['sʌkəri] s bot cykoria
succotash ['sʌkəˌtæʃ] s am kulin purée z kukurydzy i fasoli
succour ['sʌkə] Ⅰ vt 1. wspom-óc/agać 2. przy-
-jść/chodzić z pomocą (sb komuś) Ⅱ s pomoc;
wojsk posiłki; odsiecz; † sukurs
succuba ['sʌkjubə] s (pl succubae ['sʌkjuˌbi:]),
succubus ['sʌkjubəs] (pl succubi ['sʌkjuˌbai])
szatan w postaci kobiety; demon
succulence ['sʌkjuləns] s soczystość
succulent ['sʌkjulənt] adj 1. (o owocu, liściu itd)
soczysty; mięsisty 2. (o opowiadaniu itd) interesujący; żywy
succumb [sə'kʌm] vi 1. ule-c/gać (pokusie, przemocy itd.); nie móc oprzeć <ostać> się (to sth
czemuś) 2. um-rzeć/ierać (to one's injuries etc.
na skutek odniesionych obrażeń itd.)
such [sʌtʃ] Ⅰ adj 1. taki; podobny; no ~ thing
nic podobnego; ~ a book as this taka książka
jak ta; ~ a thing coś podobnego; ~ was not
the case nie tak się rzecz przedstawiała; we
have a library ~ as it is mamy bibliotekę —
ubogą bo ubogą, ale jest 2. taki a taki; ten
a ten; on ~ a day w takim a takim <tym
a tym> dniu; ~ a one ten a ten 3. taki <tego
rodzaju> (that ... że ...); I've had ~ fun <sport>!
ale się ubawiłem! 4. przed wyliczeniem: ~ as
jak ...; jak np. ... 5. przed bezokolicznikiem
z "to": ~ as to _ taki, że ... (cause etc. wy-
wołuje, powoduje itd.) 6. przed przymiotnikiem:
tak; ~ long articles <good things etc.> tak
długie artykuły <dobre rzeczy itd.> Ⅱ pron 1.
taki; ten; ~ who know him tacy <ci>, którzy
go znają <którzy by go znali>; as ~ jako taki;
~ is my reward <are my results etc.> oto moje
wynagrodzenie <wyniki itd.>; (w stylu urzędowym) and ~ i temu <tym> podobn-i/e 2. handl
(w korespondencji) go, ją, je; takow-y/a/e;
those who leave parcels in the train cannot
expect to recover ~ ci, którzy zostawiają paczki
w pociągu, nie mogą liczyć na odzyskanie ich
<takowych>
such-and-such ['sʌtʃənˌsʌtʃ] adj taki a taki; ten
a ten
suchlike ['sʌtʃˌlaik] Ⅰ adj tego rodzaju; podobny
Ⅲ pron w zwrocie: and ~ i temu podobne; itp.
suck [sʌk] Ⅰ vt ssać; wys-sać/ysać; wciąg-nąć/ać
(powietrze) wchł-onąć/aniać (wiedzę itd.); wy-
ciąg-nąć/ać <czerpać> (korzyści itd.); to ~ sth
dry wyssać coś do sucha <do ostatniej kropli>;
to ~ sweets jeść <zajadać, cmoktać> cukierki;
to ~ sb's brains przywłaszcz-yć/ać sobie czyjąś
wiedzę <czyjeś pomysły itd.> Ⅱ vi 1. (o dziecku
itd) ssać 2. cmoktać (at sth coś); to ~ at a pipe
pociągać <pykać> z fajki 3. (o pompie) zassać
się; zasysać powietrze
~ down vt wessać/wsysać; wciąg-nąć/ać (w
wodę, na dno)
~ in vt wessać/wsysać; wciąg-nąć/ać; wchł-
-onąć/aniać
~ out vt wys-sać/ysać (coś z czegoś)
~ up vt wessać/wsysać; wciąg-nąć/ać;
wchł-onąć/aniać Ⅲ vi pot podlizywać się (to
sb komuś)
zob sucking Ⅲ s 1. ssanie: wysysanie; to give

~ to a child da-ć/wać dziecku pierś, karmić dziecko piersią; trzymać dziecko przy piersi; **he took a ~ at the milk from the bottle** possał trochę mleka z butelki 2. łyk 3. *pl* **~s** *sl szk* cukierki 4. *sl szk* zawód; niepowodzenie; **what a ~!** to ci klapa!

sucker ['sʌkə] ① *s* 1. ssak 2. osesek; prosię mleczne; ssący wieloryb 3. narząd ssawczy 4. *bot* pijawka; odrost korzeniowy 5. ssawka <pyszczek> (owada) 6. tłok (pompy) 7. *am pot* naiwniak, frajer ② *vt* oczy-ścić/szczać (drzewo) z pijawek <odrostów korzeniowych>

sucking ['sʌkiŋ] ① *zob* **suck** *v* ② *adj* 1. (*o dziecku*) przy piersi 2. (*o adwokacie itd*) początkujący

sucking-pig ['sʌkiŋ,pig] *s* prosię mleczne

suckle ['sʌkl] *vt* karmić piersią; trzymać przy piersi *zob* **suckling**

suckling ['sʌkliŋ] ① *zob* **suckle** *v* ② *s* 1. karmienie (piersią) (**a child** dziecka) 2. osesek 3. *zoo* młode w okresie ssania

suck-up ['sʌk,ʌp] *s sl szk* lizus, podlizywacz

sucrose ['sjuːkrous] *s chem* sacharoza

▲**suction** ['sʌkʃən] *s* ssanie; wysysanie; przyssanie się

suction-box ['sʌkʃən,bɔks], **suction-chamber** ['sʌk ʃən'tʃeimbə] *s techn* komora ssawna <ssania>

suction-fan ['sʌkʃən,fæn] *s* wentylator wyciągowy, ekshaustor

suction-pipe ['sʌkʃən,paip] *s* rura ssawna <ssąca>

suction-pump ['sʌkʃən,pʌmp] *s* pompa ssąca

suction-valve ['sʌkʃən,vælv] *s techn* zawór ssania <wlotowy>

suctorial [sʌk'tɔːriəl] *adj* (*o organie owada*) ssący

sudamen ['sjuːdəmən], **sudamina** [sjuː'dæminə] *s med* potówka

Sudanese [,suːdə'niːz] = **Soudanese**

sudatorium [,sjudə'tɔːriəm] *s* łaźnia parowa

sudatory ['sjuːdətəri] *adj* (*o środku*) napotny

sudd [sʌd] *s* nawodne przeszkody utrudniające żeglugę na Białym Nilu

sudden ['sʌdn] ① *adj* 1. nagły; raptowny 2. nieoczekiwany; niespodziewany ② *s w zwrotach*: **all of a <on a, on the> ~** nagle; raptem; z nagła; wtem; naraz

suddenly ['sʌdnli] *adv* nagle; z nagła; nieoczekiwanie; raptownie; raptem; wtem; naraz

suddenness ['sʌdnnis] *s* nagłość; raptowność

sudoriferous [,sjuːdə'rifərəs] *adj anat* (*o gruczole*) potny, wydzielający pot

sudorific [,sjuːdə'rifik] ① *adj* napotny ② *s* środek napotny

suds [sʌdz] *spl* mydliny

sue [sjuː] ① *vt* za/skarżyć (**sb for sth** kogoś o coś); procesować się (**sb z kimś**) ② *vi* 1. wn-ieść/osić skargę (**to a court for sth** do sądu o coś) 2. wn-ieść/osić prośbę (**to a court for sth** do sądu o coś) 3. po/prosić (**sb for sth** kogoś o coś); **to ~ for a woman's hand** po/prosić <starać się> o rękę kobiety

~ out *vt* wyprocesow-ać/ywać

suède [sweid] ① *s* zamsz ② *attr* zamszowy; **~ gloves** zamszowe rękawiczki

suet ['sjuit] *s* łój <tłuszcz> (wołowy, barani); **~ pudding** budyń z mąki i łoju gotowany na parze

suety ['sjuiti] *adj* 1. łojowy 2. łojowaty; **~ face** nalana twarz

suffer ['sʌfə] ① *vt* 1. cierpieć (**sth z powodu** czegoś); **I ~ed great pain** miałem silne bóle; **to ~ hunger** cierpieć głód 2. zn-ieść/osić (ból itd.); dozna-ć/wać (a ... 2. bólu itd.); pon-ieść/osić (stratę, ...mierć itd.); ule-c/gać (a **change** etc ... ... itd.) 3. ś/cierpieć <zn-ieść/osić, tole... ać> (sb, sth kogoś, coś); pozw-olić/alać (**sth na coś**); **I can't ~ an animal to be beaten** nie cierpię, jak ktoś bije zwierzę; **I can't ~ people to use such words** nie cierpię, kiedy ktoś używa takich wyrazów; **I won't ~ such conduct** nie pozwolę na takie zachowanie ② *vi* 1. cierpieć (**from sth** na coś); znosić ból <męki> (**from sth** na skutek czegoś) 2. cierpieć (**for sth** za coś); pon-ieść/osić skutki <konsekwencje> (**for sth** czegoś) 3. pon-ieść/osić uszczerbek; (*o materiałach, towarze itd*) ucierpieć (**from sth** na skutek czegoś) 4. zostać straconym (na szafocie itd.) *zob* **suffering**

sufferance ['sʌfərəns] *s* 1. † ból 2. tolerowanie; **to be on ~** być tolerowanym 3. *w zwrocie*: **beyond ~** nie do wytrzymania

sufferer ['sʌfərə] *s* (człowiek) cierpiący <stratny, poszkodowany>; cierpiętni-k/ca; ofiara; **to be a ~ from sth** cierpieć na coś (na astmę itd.)

suffering ['sʌfəriŋ] ① *zob* **suffer** *v* ② *s* cierpieni-e/a; ból/e

suffice [sə'fais] ① *vi* wystarcz-yć/ać (**for sth** na coś <do czegoś>; **to show that** _ do pokazania <by wykazać>, że ...); **~ it to say that** _ dość powiedzieć, że ... ② *vt* 1. zadowolić (**sb** kogoś) 2. wystarcz-yć/ać (**sb** komuś)

sufficiency [sə'fiʃənsi] *s* 1. dostateczność; dostateczny zapas; wystarczająca ilość 2. skromny majątek

sufficient [sə'fiʃənt] ① *adj* dostateczny; wystarczający; **to be ~** wystarcz-yć/ać ② *s pot* wystarczająca ilość; dosyć; **he has ~** wystarczy mu

suffix ['sʌfiks] *s gram* przyrostek

suffocate ['sʌfə,keit] ① *vt* u/dusić; zadusić ② *vi* u/dusić się

suffocation [,sʌfə'keiʃən] *s* 1. uduszenie 2. duszenie się

suffragan ['sʌfrəgən] *s kośc* sufragan; **~ see** sufragania

suffrage ['sʌfridʒ] *s* 1. prawo głosowania; głosowanie <wyborcze 2. głos (oddany w wyborach) 3. aprobata (dawana komuś, czemuś) 4. pierwszeństwo; **this has my ~** wolę to

suffragette [,sʌfrə'dʒet] *s* sufrażetka

suffragist ['sʌfrədʒist] *s* sufrażyst-a/ka

suffuse [sə'fjuːz] *vt* (*o rumieńcu, łzach*) zal-ać/ewać <obl-ać/ewać> (twarz, policzki); (*o barwie*) pokry-ć/wać; zabarwi-ć/ać; **eyes ~d with tears** oczy pełne łez

suffusion [sə'fjuːʒən] *s* 1. *med* wylanie, wynaczynienie, siniec 2. zabarwienie; zaczerwienienie (skóry) 3. przypływ (łez do oczu)

▲**sugar** ['ʃugə] ① *s* 1. cukier 2. *przen* słodkie <przymilne> słówka; pochlebstwa 3. *chem* cukier; **milk ~** laktoza; cukier mlekowy; **~ of lead** cukier ołowiany; octan ołowiany ② *attr* 1. cukrowniczy 2. cukrowy ③ *vt* 1. po/cukrzyć (placek itd.) 2. *dosł i przen* o/słodzić (kawę, herbatę, wymówkę, słowa itd.); *przen* **to ~ the pill for sb** osłodzić komuś gorzką pigułkę ④ *vi sl* markierować,

ud.. vać, że się pracuje; nie wysilać się *zob*
sugared

sugar-almond ['ʃugər,ɑ:mənd] *s* 1. migdał w cukrze 2. drażetka

sugar-basin ['ʃugə,be... cukiernica, cukierniczka

sugar-beet ['ʃugə,bi:t] *s* bot bu... cukrowy

sugar-bowl ['ʃugə,boul] = **sugar-basin**

sugar-candy ['ʃugə,kændi] *s* rodzaj lizaka

sugar-cane ['ʃugə,kein] *s* bot trzcina cukrowa

▲ **sugar-daddy** ['ʃugə,dædi] *s* sl podtatusiały lowelas

sugared ['ʃugəd] Ⅰ *zob* **sugar** *v* Ⅲ *adj* 1. ocukrzony, pocukrowany 2. słodzony 3. (*o słowach*) słodki ‖ *sl* **all that be ~!** niech to wszystko gęś kopnie!

sugarer ['ʃugərə] *s* leń, markierant

sugarloaf ['ʃugə,louf] *s* (*pl* **sugarloaves** ['ʃugə,louvz]) głowa cukru

sugar-maple ['ʃugə,meipl] *s* bot klon cukrowy

sugar-mill ['ʃugə,mil] *s* młyn do mielenia trzciny cukrowej

sugar-orchard ['ʃugər,ɔ:tʃəd] *s* plantacja klonów cukrowych

sugar-planter ['ʃugə,plɑ:ntə] *s* plantator trzciny cukrowej

sugar-plum ['ʃugə,plʌm] *s* cukierek

sugar-refiner ['ʃugə-ri,fainə] *s* właściciel rafinerii cukru

sugar-refinery ['ʃugə-ri,fainəri] *s* rafineria cukru

sugar-tongs ['ʃugə,tɔŋz] *spl* szczypce do cukru

sugary ['ʃugəri] *adj* 1. (obficie) ocukrzony 2. przesłodzony 3. (*o słowach itd*) słodki; cukierkowy 4. (*o konfiturach*) scukrzony

suggest [sə'dʒest] *vt* 1. podsu-nąć/wać myśl (**sth** o czymś); przyw-ieść/odzić na myśl; **the thing ~s itself** ta rzecz sama przychodzi na myśl <nasuwa, narzuca się> 2. za/proponować; rzuc-ić/ać myśl (**sth** o czymś) 3. za/sugerować 4. prawn zakładać (**that** _ że ...)

suggestible [sə'dʒestibl] *adj* 1. (*o projekcie itd*) możliwy do zaproponowania 2. (*o człowieku*) dający się zasugerować; ulegający sugestii

▲ **suggestion** [sə'dʒestʃən] *s* 1. propozycja; podsunięcie myśli; **full of ~** nasuwający rozmaite myśli; **to make a ~** za/proponować; rzuc-ić/ać <podsu-nąć/wać> myśl (**about sth** o czymś) 2. sugestia

▲ **suggestive** [sə'dʒestiv] *adj* nasuwający myśl (**of sth** o czymś); przypominający (**of sth** coś); (*o dowcipie, uwadze itd*) dwuznaczny

suicidal [,sjui'saidl] *adj* samobójczy

suicide ['sjui,said] *s* 1. samobójstwo 2. samobój-ca/czyni

suit [sju:t] Ⅰ *s* 1. prośba; petycja; starania <staranie się> (o rękę kobiety); **to grant sb's ~** spełniać czyjąś prośbę 2. prawn proces 3. maść; karc kolor; **to follow ~** a) dodać do koloru b) pójść w ślady (czyjeś) <za czyimś przykładem> 4. ubranie; garnitur; **a ~ of armour** pełna zbroja; **in one's birthday ~** golusieńki; pot w stroju Adama 5. kostium damski 6. komplet; zestaw Ⅲ *vt* 1. dostosow-ać/ywać; przystosow-ać/ywać; **to ~ the action to the word** zamienić <obrócić> słowo w czyn 2. odpowiadać <dog-o-dzić/adzać> (**sb, sth** komuś, czemuś); nada-ć/wać

się (**sb, sth** komuś, czemuś); zadow-olić/alać; (*o dwóch osobach*) **to be ~ed to each other** odpowiadać sobie; być dobranym; **gloves <shoes etc.> to ~** odpowiednio dobrane rękawiczki <buciki itp.>; **~ yourself** rób jak uważasz (za stosowne) 3. (*o potrawach, klimacie itd*) służyć (**sb** komuś) 4. harmonizować (**sth** z czymś); pasować; być do twarzy (**sb** komuś); (*o ubiorze*) dobrze leżeć (**sb** na kimś); **this hat ~s you perfectly** w tym kapeluszu jest ci bardzo ładnie <do twarzy> 5. licować (**sth** z czymś); być stosownym (**sb** dla kogoś) Ⅲ *vi* 1. być odpowiednim; nadawać się 2. harmonizować; być do twarzy; być dobrze dobranym (**with sth** do czegoś); pasować (**with sth** do czegoś) *zob* **suited, suiting**

suitability [,sju:tə'biliti] *s* stosowność; właściwość

suitable ['sju:təbl] *adj* odpowiedni; stosowny; należyty; właściwy (**to <for> sb, sth** dla kogoś, czegoś); **it is not ~ for me to** _ nie uchodzi, żebym ...; nie wypada mi ...; **as seems <seemed> ~** jak przystoi <przystało> ...; **that would not be ~ to** by nie było na miejscu; **~ to the occasion** okolicznościowy; stosowny do (takiej) okoliczności

suitcase ['sju:t,keis] *s* waliza; kuferek podróżny

suite [swi:t] *s* 1. orszak; świta 2. garnitur (mebli itd.) 3. szereg (pokoi); **a ~ of rooms** mieszkanie; apartamenty; amfilada pokoi <sal>; pokoje <sale> w amfiladzie 4. muz suita 5. geol formacja; facja

suited ['sju:tid] Ⅰ *zob* **suit** *v* Ⅲ *adj* odpowiedni; stosowny; należyty

suiting ['sju:tiŋ] Ⅰ *zob* **suit** *v* Ⅲ *spl* **~s** materiały ubraniowe

suitor ['sju:tə] *s* 1. petent 2. konkurent <starający się> (o rękę kobiety) 3. strona (w procesie)

sulcate ['sʌlkeit] *adj* rowkowany; bruzdowany

sulk [sʌlk] Ⅰ *vi* 1. dąsać się (**with sb** na kogoś) 2. być posępnym Ⅲ *s* posępny nastrój; dąsy; **to be in the ~s** dąsać się

sulkiness ['sʌlkinis] *s* dąsy; posępny nastrój

sulky[1] ['sʌlki] *adj* nadąsany; posępny; **to be ~ with sb** dąsać się na kogoś

sulky[2] ['sʌlki] *s* dwukołowy jednoosobowy wóz wyścigowy; sulki

sullage ['sʌlidʒ] *s* 1. śmieci; brud; odpadki; nieczystości 2. wody ściekowe

sullen ['sʌlən] Ⅰ *adj* ponury; posępny; (będący) w złym humorze <usposobieniu>; markotny Ⅲ *s* (*zw pl*) **the ~s** zły humor; ponury nastrój

sullenness ['sʌlənnis] *s* ponur-y/e <posępn-y/e> nastrój <usposobienie>

sully ['sʌli] *vt* (**sullied** ['sʌlid], **sullied**; **sullying**, ['sʌliiŋ]) 1. za/brudzić; s/plamić 2. s/kalać; z/hańbić

sulphamate ['sʌlfə,meit] *s* chem amidosulfonian

sulphamide ['sʌlfə,maid] *s* chem sulfamid

sulphanilic [,sʌlfə'nilik] *adj* chem sulfanilowy

▲ **sulphate** ['sʌlfeit] Ⅰ *s* chem siarczan Ⅲ *vt* = **sulphurate** *vt*

sulphide ['sʌlfaid] *s* chem siarczek

sulphite ['sʌlfait] *s* chem siarczyn

sulphur ['sʌlfə] Ⅰ *s* chem 1. siarka; **flowers of ~** kwiat siarczany; **milk of ~** mleko siarczane; **roll ~** siarka w prętach 2. zoo szlaczkoń (motyl) Ⅲ *adj* siarczany; siarkowy; (*o dwutlenku, kopalni itd*) siarki Ⅲ *vt* = **sulphurate** *vt*

sulphurate ['sʌlfjurit] Ⅰ s siarczan; ~ of magnesium sól gorzka; ~ of sodium sól glauberska Ⅲ vt ['sʌlfju‚reit] siarkować; siarczyć

sulphuration [‚sʌlfju'reiʃən] s siarkowanie

sulphureous [sʌl'fjuəriəs] adj 1. siarczany; siarkowy 2. (o mowie itd) gwałtowny 3. żółtozielony

sulphuret ['sʌlfjurit] s chem siarczek

sulphuretted ['sʌlfju‚retid] adj siarczany; ~ hydrogen siarkowodór

sulphuric [sʌl'fjuərik] adj chem (o kwasie itd) siarkowy

sulphurize ['sʌlfju‚raiz] vt = sulphurate vt

sulphurous ['sʌlfərəs] adj chem siarkawy

sulphur-spring ['sʌlfə‚spriŋ] s źródło siarczane

sulphur-wort ['sʌlfə‚wə:t] s bot gorycz (ziele)

sulphydrate ['sʌlfaidrit] s chem wodorosiarczek, kwaśny siarczek

sultan ['sʌltən] s 1. sułtan 2. bot chaber 3. rasa drobiu

sultana [sʌl'tɑ:nə] s 1. sułtanka (żona sułtana) 2. [səl'tɑ:nə] sułtanka (rodzynek)

sultanate ['sʌltənit] s sułtanat

sultriness ['sʌltrinis] s parne <duszne> powietrze

sultry ['sʌltri] adj 1. (o powietrzu) parny; duszny; gorący; it is ~ jest parno <duszno, gorąco> 2. (o usposobieniu) gwałtowny

sum [sʌm] Ⅰ s 1. (także ~ total) suma; zsumowanie; wynik ogólny (obliczenia); in ~ słowem; krótko mówiąc 2. istota (sprawy); sedno rzeczy 3. kwota 4. zadanie arytmetyczne; pl ~s szk rachunki 5. obliczenie; to do a ~ in one's head oblicz-yć/ać w myśli Ⅲ vt (-mm-) doda-ć/wać ~ up Ⅰ vt 1. doda-ć/wać; z/sumować; podsumow-ać/ywać 2. z/reasumować; stre-ścić/szczać 3. oceni-ć/ać (sytuację itd.) Ⅲ vi podsumow-ać/ywać; to ~ up reasumując

sumach ['su:mæk] s bot garb sumak

summarize ['sʌmə‚raiz] vt z/reasumować; stre-ścić/szczać

summary ['sʌməri] Ⅰ adj 1. krótki; pobieżny 2. (o postępowaniu sądowym) doraźny; odbyty w trybie przyspieszonym Ⅲ s streszczenie; skrót; wyciąg

♦ summation [sʌ'meiʃən] s z/sumowanie; podsumow-anie/ywanie

summer¹ ['sʌmə] Ⅰ s 1. lato; in ~ latem; w lecie; in the ~ tego lata; tego roku w lecie; Indian <St Luke's, St Martin's> ~ babie lato 2. (zw pl ~s) lata, wiosny (czyjegoś życia) Ⅲ -attr letni; ~ house letni domek (wypoczynkowy); ~ resort letnisko; ~ school kurs wakacyjny; ~ time czas letni; 5 <6 etc.> o'clock ~ time o piątej <6-ej itd.> godzinie według czasu letniego Ⅲ vi 1. spędz-ić/ać lato 2. (o bydle) paść się na pastwiskach letnich Ⅳ vt wypasać (bydło) na pastwiskach letnich

summer² ['sʌmə] s bud belka poprzeczna

summer-house ['sʌmə‚haus] s altana

summersault ['sʌmə‚sɔ:lt], summerset ['sʌmə‚set] = somersault, somerset

summertime ['sʌmə‚taim] s lato; pora letnia

summery ['sʌməri] adj letni

summit ['sʌmit] s 1. szczyt; wierzchołek 2. przen szczyt (sławy itd.); at the ~ of human fame <power etc.> u szczytu sławy <władzy itd.>; ~ talks <meeting> konferencja na szczycie <szefów rządów>

summon ['sʌmən] vt (-nn-) 1. za/wezwać, wzywać; przywoł-ać/ywać; zwoł-ać/ywać zebranie (the membership etc. członków itd.) 2. zebrać/ zbierać (siły); to ~ (także to ~ up) one's courage zebrać się na odwagę; to ~ courage zdoby-ć/wać się (to do sth na zrobienie czegoś)

summons ['sʌmənz] Ⅰ s (pl ~es ['sʌmənzis]) 1. wezwanie 2. nakaz stawiennictwa Ⅲ vt za/wezwać, wzywać do stawienia się przed sądem

♦ sump [sʌmp] s 1. techn osadnik (oleju) 2. górn rząp 3. geol osadnik wody 4. kloaka

sumpter ['sʌmptə] s zwierzę juczne

sumpter-horse ['sʌmptə‚hɔ:s] s koń juczny

sumptuary ['sʌmptjuəri] adj (o prawie, ustawie) (skierowany) przeciw zbytkowi

sumptuosity [‚sʌmptju'ɔsiti] s wspaniałość; wystawność; okazałość; przepych

sumptuous ['sʌmptjuəs] adj wspaniały; wystawny; okazały; zrobiony z przepychem

♦ sun [sʌn] Ⅰ s 1. słońce; a place in the ~ a) dosł miejsce w słońcu b) przen korzystne stanowisko <warunki>; the midnight ~ słońce widziane o północy (w okolicach podbiegunowych); the ~'s __ ... słoneczny; the ~ drawing water snop promieni słonecznych przedzierających się przez chmury; his ~ is set jego gwiazda zgasła; to be in the ~ być wystawionym na słońce; to hail <adore> the rising ~ zabiegać o łaski nowej władzy; to see the ~ ujrzeć światło dzienne; to sit in the ~ siedzieć na <w> słońcu; to have one's eyes in the ~ patrzyć pod słońce; to take the ~ określić miejsce znajdowania się <swoją szerokość geograficzną> na morzu; with the ~ w kierunku wskazówek zegara 2. świt; to rise with the ~ wstawać o świcie 3. światło słoneczne; to let in the ~ wpu-ścić/szczać światło (słoneczne) Ⅲ vt (-nn-) wystawi-ć/ać na działanie promieni słonecznych Ⅲ vi (-nn-) wygrzewać się w słońcu; zaży-ć/wać kąpieli słonecznej

sun-baked ['sʌn‚beikt] adj 1. (o cegle itd) suszony w słońcu 2. sprażony; wyprażony

sun-bath ['sʌn‚bɑ:θ] s kąpiel słoneczna

sun-bathe ['sʌn‚beið] Ⅰ vi zaży-ć/wać kąpieli słonecznej Ⅲ vt wystawi-ć/ać na działanie promieni słonecznych

sunbeam ['sʌn‚bi:m] s promień słońca

sun-bird ['sʌn‚bə:d] s zoo cukrzyk (ptak afrykański)

sun-blind ['sʌn‚blaind] s markiza (zasłona)

sun-bonnet ['sʌn‚bɔnit] s kapotka

sunburn ['sʌn‚bə:n] Ⅰ s zapalenie skóry po naświetlaniu słonecznym Ⅲ vi opal-ić/ać się

sunburnt ['sʌn‚bə:nt] adj opalony

sunburst ['sʌn‚bə:st] s 1. chwilowe przejaśnienie 2. wyrób jubilerski imitujący słońce z promieniami

sun-curtain ['sʌn‚kə:tin] s 1. zasłona okienna od słońca 2. zasłona u hełmu tropikalnego chroniąca kark

sundae ['sʌndei] s lody z owocami i śmietanką

Sunday ['sʌndi] Ⅰ s niedziela; on ~ w niedzielę; a month of ~s (cała) wieczność Ⅲ attr niedzielny; ~ best odświętne ubranie; niedzielny garnitur

Sunday-school ['sʌndi‚sku:l] s niedzielna nauka religii

sunder ['sʌndə] ☐ vt odłącz-yć/ać; rozłącz-yć/ać ☐ vi odłącz-yć/ać się; rozsta-ć/wać się

sundew ['sʌn,dju:] s bot rosiczka

sundial ['sʌn,daiəl] s zegar słoneczny

sundog ['sʌn,dɔg] s astr parhelion

sundown ['sʌn,daun] s 1. zachód słońca 2. am damski kapelusz z szerokim rondem

sundowner ['sʌn,daunə] s (w Australii) włóczęga przychodzący do sadyby ludzkiej o zachodzie słońca

sun-dried ['sʌn,draid] adj suszony w słońcu

sundry ['sʌndri] ☐ adj rozmaity; różny; **all and** ~ wszyscy bez wyjątku; wszyscy razem i każdy z osobna ☐ spl **sundries** ['sʌndriz] rozmaitości; różne <nieważne> drobiazgi; różności

sun-fast ['sʌn,fɑ:st] adj praed nie płowiejący; (o kolorze, lakierze itd) odporny na działanie promieni słonecznych

sunfish ['sʌn,fiʃ] s zoo samogłów (ryba)

sunflower ['sʌn,flauə] s bot słonecznik

sung zob **sing** v

sun-glasses ['sʌn,glɑ:siz] spl ciemne <słoneczne> okulary

sun-god ['sʌn,gɔd] s bóg-słońce

sun-hat ['sʌn,hæt] s kapelusz z szerokim rondem

sun-helmet ['sʌn'helmit] s hełm tropikalny, kask

sunk [sʌŋk] ☐ zob **sink** v ☐ adj 1. zatopiony (w morzu, w myślach itd.) 2. przen ugrzęzły <tonący> (w grzechu, rozpuście) 3. zapadnięty

sunken ['sʌŋkən] ☐ zob **sink** v ☐ adj 1. (o policzkach, oczach, drodze itd) zapadnięty 2. (o skale) podwodny 3. (o statku itd) zatopiony

sunkissed ['sʌn,kist] adj (o krajobrazie itd) nasłoneczniony; zalany słońcem; (o owocu) skąpany w słońcu

↕ sun-lamp ['sʌn,læmp] s reflektor; jupiter

sunless ['sʌnlis] adj bezsłoneczny; pozbawiony słońca

sunlight ['sʌn,lait] s światło <blask> słoneczn-e/y; przen słońce

sunlit ['sʌnlit] adj nasłoneczniony; skąpany w słońcu; oświetlony <zalany> słońcem

sunn [sʌn] s (także ~ hemp) włókno podobne do konopi otrzymywane z indyjskiego drzewa gruchatka

sunny ['sʌni] adj 1. słoneczny; nasłoneczniony; wystawiony na słońce 2. przen wesoły; (o usposobieniu) pogodny 3. przen (o twarzy) promienny

sun-parlour ['sʌn,pɑ:lə] s am oszklona weranda

sunproof ['sʌn,pru:f] adj odporny na działanie promieni słonecznych

sun-ray ['sʌn,rei] s promień słońca; ~ **treatment** leczenie promieniami ultrafioletowymi

sun-rays ['sʌn,reiz] spl promienie ultrafioletowe

sunrise ['sʌn,raiz] s świt; wschód słońca; **at** ~ o świcie <wschodzie słońca>

sunset ['sʌn,set] s zachód słońca; **at** ~ o zachodzie słońca

sunshade ['sʌn,ʃeid] s 1. parasolka (od słońca) 2. parasol (na tarasie itd.); markiza

sunshine ['sʌn,ʃain] s 1. światło <blask> słoneczn-e/y; **in the** ~ w słońcu; **in brilliant** ~ w jaskrawym słońcu 2. piękna <słoneczna> pogoda 3. przen wesołość; pogodny nastrój; szczęście

sunshiny ['sʌn,ʃaini] adj 1. słoneczny; nasłoneczniony 2. pogodny

sun-spot ['sʌn,spɔt] s plama na słońcu

sunstroke ['sʌn,strouk] s porażenie słoneczne

sun-tan ['sʌn,tæn] s opalenizna

sun-up ['sʌn'ʌp] s dial wschód słońca

sun-worshipper ['sʌn,wə:ʃipə] s czciciel słońca

sup [sʌp] v (**-pp-**) ☐ vt 1. z/jeść (zupę itd.) po łyżce; wy/pić <łykać> (herbatę itd.) po łyżeczce 2. wy/pić małymi łykami 3. po/częstować kolacją (kogoś) ☐ vi 1. z/jeść kolację 2. mieć na kolację (**on** <**of**> ... — daną potrawę); **he** ~**ped off a cheese sandwich** na kolację zjadł kanapkę z serem; kanapka z serem starczyła mu za kolację ‖ przysł **he must have a long spoon that** ~**s with the devil** trzeba się trzymać z daleka od ciemnych typów ☐ s łyk; **I had neither bit** <**bite**> **nor** ~ byłem o głodzie; nic nie miałem w ustach

super ['sju:pə] ☐ adj 1. pot wspaniały; pierwszorzędny; wyborny 2. (o miarach) kwadratowy; powierzchni; **100** ~ **feet, 100 feet** ~ **100 stóp kwadratowych <powierzchni>** ☐ s pot 1. = **supernumerary** s 1.3. 2. = **superintendent** 3. = **superhive**

super- ['sju:pə] praef = nad-; prze-: **superstructure** nadbudowa; **supersensitive** przeczulony

superable ['sju:pərəbl] adj (o trudności) możliwy do pokonania <przezwyciężenia>

superabound ['sju:pər-ə'baund] vi znajdować się w nadmiarze

superabundant [,sju:pər-ə'bʌndənt] adj znajdujący się w nadmiarze

superadd ['sju:pər'æd] vt nadda-ć/wać

superaltar ['sju:pər'ɔ:ltə] s kośc portatyl

superannuate [,sju:pə'rænju,eit] vt 1. s/pensjonować <przen-ieść/osić na rentę> (pracownika) 2. wycof-ać/ywać (ze szkoły) ucznia, który przekroczył wiek szkolny nie ukończywszy nauk 3. pot rzuc-ić/ać w kąt (coś niepotrzebnego, starego itd.) 4. zarzuc-ić/ać (jako przestarzałe) zob **superannuated**

superannuated [,sju:pə'rænju,eitid] ☐ zob **superannuate** v ☐ adj 1. (o pracowniku) emerytowany; spensjonowany; na rencie 2. przestarzały 3. (o przedmiocie itd) zarzucony (jako niemodny itd.)

superb [sju:'pə:b] adj 1. wspaniały; znakomity 2. przepiękny 3. luksusowy

supercargo ['sju:pə,kɑ:gou] s (pl ~**es**) mar nadzorca ładunku

↕ supercharge ['sju:pə,tʃɑ:dʒ] vt techn doładow-ać/ywać (silnik spalinowy)

supercharger ['sju:pə,tʃɑ:dʒə] s techn sprężarka doładowująca

superciliary [,sju:pə'siliəri] adj anat brwiowy

supercilious [,sju:pə'siliəs] adj butny; dumny; wyniosły; lekceważący

superciliousness [,sju:pə'siliəsnis] s buta; duma; wyniosłość; lekceważenie

supercooled ['sju:pə'ku:ld] adj przechłodzony

superelevation ['sju:pər,eli'veiʃən] s przechyłka (toru, drogi); kolej podwyższenie szyny zewnętrznej na zakręcie

supererogation ['sju:pər,erə'geiʃən] s praca <czynność> nadobowiązkowa

supererogatory ['sju:pəre'rɔgətəri] adj 1. nadobowiązkowy; nie wymagany 2. zbyteczny

superfatted ['sju:pə'fætid] adj przetłuszczony

superficial [ˌsjuːpə'fiʃəl] *adj* 1. powierzchowny 2. pobieżny 3. (*o miarze*) kwadratowy; ~ **measures** miary powierzchni

superficiality ['sjuːpəˌfiʃi'æliti] *s* 1. powierzchowność 2. pobieżność

superficies [ˌsjuːpə'fiʃiːz] *s* (*pl* ~) *geom* powierzchnia

superfine ['sjuːpə'fain] *adj* 1. najprzedniejszy 2. (*o smaku*) przesadnie wyrafinowany

superfluity [ˌsjuːpə'fluiti] *s* 1. zbyteczność 2. nadmiar

superfluous [sjuː'pəːfluəs] *adj* zbyteczny; zbywający; niepotrzebny; nadmierny

superfortress [ˌsjuːpə'fɔːrtris] *s* superforteca

superheat ['sjuːpə'hiːt] ⌷ *vt* przegrz-ać/ewać ⫶ *s techn* ciepło przegrzania

superheater ['sjuːpə'hiːtə] *s* przegrzewacz

superhet ['sjuːpəˌhet] *pot* = **superheterodyne**

superheterodyne ['sjuːpə'hetərəˌdain] ⌷ *s radio* superheterodyna ⫶ *adj radio* superheterodynowy

superhighway ['sjuːpə'haiˌwei] *s* autostrada

superhive ['sjuːpə'haiv] *s* nadstawka (ula)

superhuman [ˌsjuːpə'hjuːmən] *adj* nadludzki

superimpose ['sjuːpərim'pouz] *vt* na-łożyć/kładać (jedno na drugie)

superincumbent ['sjuːpərin'kʌmbənt] *adj* 1. leżący (na czymś) 2. umieszczony <położony> powyżej

superinduce ['sjuːpərin'djuːs] *vt* wprowadz-ić/ać dodatkowo

superintend [ˌsjuːprin'tend] *vt* nadzorować; kontrolować; dogląd-nąć/ać <przeprowadz-ić/ać inspekcję> (**sth** czegoś); kierować (**sth** czymś)

superintendence [ˌsjuːprin'tendəns] *s* nadzorowanie, nadzór; kontrola; dogląd-nięcie/anie; kierowanie

superintendent [ˌsjuːprin'tendənt] *s* 1. dyrektor; kierownik; inspektor; kontroler 2. wyższy oficer <inspektor> policji

superior [sjuː'piəriə] ⌷ *adj* 1. wyższy; *wojsk* starszy rangą; (*o liczbach itd*) większy <przeważający>; (*o gatunku itd.*) lepszy (**in a quality etc.** pod względem jakości itd.); pierwszorzędny; przedni; (*w hierarchii*) nadrzędny; **a** ~ **man** niepospolity człowiek; *zoo* ~ **wings** górne skrzydła; **to be** ~ **to sb, sth in sth** przewyższać kogoś, coś pod względem czegoś <w czymś> 2. wyniosły; nadęty; pyszałkowaty 3. *przen* stojący powyżej (**to sb, sth** kogoś, czegoś); niedostępny (**to sb, sth** dla kogoś, czegoś); **he is** ~ **to flattery** <**a bribe etc.**> jego nie można zdobyć pochlebstwami <przekupstwem itd.>; **to rise** ~ **to sth** wzn-ieść/osić się ponad coś (pokusy, intrygi itd.) ⫶ *s* zwierzchnik; przełożony; człowiek starszy <wyższy> rangą; **he has no** ~ **in** ... nikt go nie przewyższa w <pod względem>...; **Father** <**Mother**> **Superior** ojciec <matka> przełożon-y/a

superiority [sjuːˌpiəri'ɔriti] *s* wyższość; przewaga; starszeństwo

superiorly [sjuː'piəriəli] *adv* 1. wyżej; lepiej 2. z góry; wyniośle; z miną wyniosłą

superlative [sjuː'pəːlətiv] ⌷ *adj* 1. najwyższy; najprzedniejszy 2. *gram* (*o stopniu*) najwyższy ⫶ *s* 1. *gram* stopień najwyższy 2. wyraz najwyższe-j/go pochwały <uznania itd.>; **to speak in** ~**s** wyrażać się w superlatywach

superman ['sjuːpəˌmæn] *s* (*pl* **supermen** ['sjuːpəˌmen] nadczłowiek

supermundane ['sjuːpə'mʌndein] *adj* nieziemski

supernaculum ['sjuːpə'nækjuləm] ⌷ *adv* (wypić) do dna ⫶ *s* wino najprzedniejsze

supernal [sjuː'pəːn] *adj lit* boski

supernatural [ˌsjuːpə'nætʃrəl] ⌷ *adj* nadprzyrodzony ⫶ *s* **the** ~ *zbior* zjawiska <rzeczy> nadprzyrodzone

supernumerary [ˌsjuːpə'njuːmərəri] ⌷ *adj* 1. nadliczbowy 2. zbyteczny 3. (*o pracowniku*) nieetatowy ⫶ *s* 1. pracownik nieetatowy 2. rzecz zbyteczna; balast 3. *teatr kino* statyst-a/ka; figurant/ka

superoxide ['sjuːpərˌɔksaid] *s chem* nadtlenek; dwutlenek

superoxidize ['sjuːpərɔksiˌdaiz] *vt chem* nadtleni--ć/ać

superphosphate ['sjuːpə'fɔsfeit] *s chem* superfosfat

superpose ['sjuːpə'pouz] *vt* 1. na-łożyć/kładać 2. położyć/kłaść <postawić/stawiać, umie-ścić/szczać> (coś) nad (czymś)

supersaturate ['sjuːpə'sætʃəˌreit] *vt chem* przesyc--ić/ać

supersaturation ['sjuːpəˌsætʃə'reiʃən] *s chem* przesycenie

superscribe ['sjuːpə'skraib] *vt* 1. umie-ścić/szczać napis <napisać> (**sth na czymś** <**nad czymś**>) 2. za/adresować (list itd.) 3. na/pisać swoje nazwisko (**sth u góry** czegoś)

superscript ['sjuːpəˌskript] ⌷ *s mat* 1. indeks górny 2. wykładnik potęgi ⫶ *adj* na/pisany nad wierszem

superscription [ˌsjuːpə'skripʃən] *s* napis

supersede ['sjuːpəˌsiːd] *vt* 1. zast-ąpić/ępować (**sb by sb** kogoś kimś; **sth by sth** coś czymś) 2. usu--nąć/wać (urzędnika itd.) 3. zaj-ąć/mować miejsce (**sb** czyjeś); wyrugować; wyp-rzeć/ierać

supersedeas [ˌsjuːpə'siːdiˌæs] *s prawn* wstrzymanie postępowania

supersensitive ['sjuːpə'sensitiv] *adj* przeczulony; przewrażliwiony

supersession [ˌsjuːpə'seʃən] *s* 1. zast-ąpienie/ępowanie (**of sth by sth** czegoś czymś) 2. usu-nię-cie/wanie, relegowanie 3. zaj-ęcie/mowanie miejsca (czyjegoś, czegoś) 4. wyrugowanie; wyp-ar-cie/ieranie

supersonic ['sjuːpə'sɔnik] ⌷ *adj* 1. ultradźwiękowy 2. (*o prędkości, samolocie*) ponaddźwiękowy ⫶ *s* 1. fala ultradźwiękowa 2. *pl* ~**s** nauka o ultradźwiękach

superstition [ˌsjuːpə'stiʃən] *s* przesąd; zabobon

superstitious [ˌsjuːpə'stiʃəs] *adj* przesądny; zabobonny

superstructure ['sjuːpəˌstrʌktʃə] *s* 1. nadbudowa 2. jezdnia (mostu) 3. nawierzchnia

supertax ['sjuːpəˌtæks] *s* dodatkowy podatek od dochodu (wymierzony po przekroczeniu pewnej normy); domiar

superterrestrial ['sjuːpətə'restriəl] *adj* 1. nadziemski 2. naziemny

supervene [ˌsjuːpə'viːn] *vi* 1. nadarz-yć/ać się; nasta-ć/wać; (*o wypadku itd*) za-jść/chodzić; nast-ąpić/ępować 2. do-jść/chodzić <dołącz-yć/ać się> (jako dodatkowe zjawisko); **flu** ~**d on the heart-stroke** do zawału serca dołączyła się grypa

supervention [ˌsjuːpə'venʃən] *s* nasta-nie/wanie; nast-ąpienie/ępowanie

supervise ['sjuːpəˌvaiz] *vt* 1. dozorować; nadzorować; dogląd-nąć/ać (**sth** czegoś); s/kontrolować 2. kierować (**sth** czymś)

supervision [ˌsjuːpə'viʒən] *s* 1. dozorowanie; nadzór; nadzorowanie; kontrola 2. kierownictwo

supervisor ['sjuːpəˌvaizə] *s* 1. nadzorca; kontroler 2. kierownik 3. *am* członek rady gminnej 4. inspektor szkolny

supervisory ['sjuːpə'vaizəri] *adj* nadzorczy

supinate ['sjuːpiˌneit] *vt* odwr-ócić/acać (rękę) dłonią do góry

supination ['sjuːpi'neiʃən] *s* 1. odwr-ócenie/acanie (ręki) dłonią do góry 2. *med* supinacja, odwracanie na zewnątrz

supine¹ ['sjuːpain] *adj* 1. leżący na wznak 2. leniwy; opieszały; nieruchawy

supine² [sjuː'pain] *s gram* supinum

supper ['sʌpə] *s* kolacja; **the Last Supper** Ostatnia Wieczerza

supperless ['sʌpəlis] *adj* bez kolacji; głodny; **he went to bed** ~ poszedł spać bez kolacji

supplant [sə'plaːnt] *vt* wyrugować; zaj-ąć/mować miejsce (**sb** czyjeś); wyp-rzeć/ierać

supplanter [sə'plaːntə] *s* człowiek, który wyrugował kogoś ze stanowiska i sam je zajął

supple ['sʌpl] Ⅰ *adj* 1. giętki, prężny; podatny; (*o skórze*) miękki 2. (*o człowieku*) uległy; uniżony; czołobitny Ⅲ *vt* uczynić giętkim <miękkim>; nada-ć/wać giętkość <miękkość> (**sth** czemuś)

supple-jack ['sʌplˌdʒæk] *s* laska trzcinowa

supplement ['sʌplimənt] Ⅰ *s* 1. dodatek; uzupełnienie; suplement 2. *mat* ~ **of an angle** kąt uzupełniający Ⅲ *vt* ['sʌpliˌment] 1. dołącz-yć/ać dodatek (**sth** do czegoś) 2. uzupełni-ć/ać

supplemental [ˌsʌpli'mentl] *adj* uzupełniający

supplementary [ˌsʌpli'mentəri] *adj* dodatkowy; uzupełniający

suppleness ['sʌplnis] *s* 1. giętkość; prężność; podatność; miękkość (skóry) 2. uległość; uniżoność; czołobitność

suppliant ['sʌpliənt] Ⅰ *adj* błagalny Ⅲ *s* petent, † suplikant

supplicate ['sʌpliˌkeit] Ⅰ *vt* prosić <błagać> (**sb for sth** kogoś o coś) Ⅲ *vi* prosić <błagać> (**to sb for sth** kogoś o coś)

supplication [ˌsʌpli'keiʃən] *s* prośba; błaganie, † suplika

supplicatory ['sʌplikətəri] *adj* = **suppliant** *adj*

supplier [sə'plaiə] *s* dostawca

supply¹ [sə'plai] Ⅰ *vt* (**supplied** [sə'plaid], **supplied; supplying** [sə'plaiiŋ]) 1. dostarcz-yć/ać (**sb with sth** komuś coś <czegoś>); zaopat-rzyć/rywać (**sb with sth** kogoś w coś); **to** ~ **with provisions** zaprowiantować 2. wynagr-odzić/adzać (stratę itd.); uzupełni-ć/ać (brak itd.); zapełni-ć/ać (lukę itd.); naprawi-ć/ać (błąd itd.); zaspok-oić/ajać (potrzebę itd.) 3. zast-ąpić/ępować (**sb's place etc.** kogoś) Ⅲ *s* 1. dostarcz-enie/anie (**of sth to sb** czegoś komuś); zaopat-rzenie/rywanie (**of sth to sb** kogoś w coś); *wojsk* dostaw-a/y; zaopatrzenie; ~ **column** tabory; kolumna transportowa 3. *parl* kredyty; **Committee of Supply** komisja budżetowa 4. zapas/y; **to take <lay in> a** ~ **of sth** zrobić zapas czegoś; zaopat-rzyć/

rywać się w coś; (*o towarze*) **to be in short** ~ brakować 5. *handl* podaż (towarów) 6. *pl* **supplies** *handl* artykuły (gospodarskie, biurowe itd.); **food supplies** artykuły żywnościowe; **food** ~ aprowizacja 7. *pl* **supplies** kredyty na administrację państwa 8. *pl* **supplies** pieniądze wypłacane dzieciom przez rodziców na wydatki osobiste, *pot* kieszonkowe 9. (wypłacane) diety 10. zastępca

⬇**supply**² ['sʌpli] *adv* giętko

support [sə'pɔːt] Ⅰ *vt* 1. podtrzymywać <dźwigać> (ciężar); pod-eprzeć/pierać 2. podtrzym-ać/ywać (kogoś, coś — życie itd.); doda-ć/wać sił <otuchy> (**sb** komuś); zachęc-ić/ać 3. zn-ieść/osić; tolerować; *zw z zaprzeczeniem*: ś/cierpieć; **I can't** ~ **him** nie mogę go ścierpieć 4. utrzym-ać/ywać (rodzinę itd.) 5. pop-rzeć/ierać; u-dziel-ić/ać poparcia (**sb** komuś; **a cause etc.** sprawie itd.); ... ~**ed by sb** ... przy poparciu czyimś 6. (*o zjawiskach, faktach*) potwierdz-ić/ać (teorię itd.) Ⅲ *s* 1. poparcie; **in** ~ **of** — a) na poparcie ... (wywodów itd.) b) na rzecz ... (instytucji, zakładu itd.) 2. podparcie; podpórka 3. podtrzymywanie 4. utrzym-anie/ywanie 5. podpora; ostoja 6. rzecznik; obrońca; szermierz 7. żywiciel (rodziny)

supportable [sə'pɔːtəbl] *adj* 1. znośny; możliwy do zniesienia 2. z podpórką

supporter [sə'pɔːtə] *s* 1. podpórka 2. stronnik; poplecznik; *pot sport* kibic 3. *herald* figura podtrzymująca tarczę 4. przepaska

suppose [sə'pouz] Ⅰ *vt* 1. przyj-ąć/mować (założenie); ~ **it was so** przyjmijmy, że tak było; ~ **somebody saw you** niechby cię ktoś zobaczył; ~ **we went out for a walk** może byśmy poszli się przejść 2. zakładać <wychodzić z założenia> (**that** — że ...) 3. przypu-ścić/szczać; sądzić; myśleć; mniemać; **I** ~ **so** <**not**> przypuszczam <sądzę, myślę> że tak <że nie>; chyba tak <nie>; **what do you** ~ **this is?** jak sądzisz, co to jest?; **he is** ~**d to be** — a) przypuszcza się <ludzie sądzą> że on jest ... b) on ma być ... c) on powinien być ...; **who is** ~**d to do that?** kto to ma zrobić?; do czyich obowiązków to należy?; **you are** ~**d to know** <**to leave etc.**> a) powinieneś wiedzieć <odejść itd.> b) ty masz wiedzieć <odejść itd.>; ~ **he is a thief** <**is innocent etc.**> przypuśćmy <niech się okaże>, że to złodziej <że on jest niewinny itd.> Ⅲ *vi* przypuszczać; **this is true, I** ~ **to** chyba prawda *zob* **supposed, supposing**

supposed [sə'pouzd] Ⅰ *zob* **suppose** *v* Ⅲ *adj* domniemany; rzekomy; przypuszczalny

supposedly [sə'pouzidli] *adv* przypuszczalnie; podobno; rzekomo

supposing [sə'pouziŋ] Ⅰ *zob* **suppose** *v* Ⅲ *conj* o ile; jeżeli; a jeśli; ~ **that is true** niechby się okazało <niech się okaże, przypuśćmy> że to prawda?; ~ **you were to fail** a niech ci się (to) nie uda?; a co będzie, jeżeli ci się (to) nie uda?

supposition [ˌsʌpə'ziʃən] *s* przypuszczenie; domniemanie; **on the** ~ **that** — przypuszczając, że ...

suppositional [ˌsʌpə'ziʃənl] *adj* przypuszczalny; domniemany; hipotetyczny

supposititious [səˌpɔzi'tiʃəs] *adj* fałszywy; podstawiony

suppository [sə'pozitəri] *s farm* czopek

suppress [sə'pres] *vt* 1. s/tłumić (bunt, uczucia itd.) 2. zn-ieść/osić; z/likwidować; usu-nąć/wać; zakaz-ać/ywać (**sth** czegoś); wycof-ać/ywać (książkę z obiegu itd.) 3. przykr-ócić/acać; ukr-ócić/acać; powstrzym-ać/ywać coś <się> (**sth** od czegoś); poskr-omić/amiać; zatrzym-ać/ywać; z/dusić; zatuszow-ać/ywać (skandal itd.) 4. ukry-ć/wać; przemilczeć; za/taić; utaić; utrzym-ać/ywać w tajemnicy 5. przełam-ać/ywać (opór, chorobę itd.)

suppression [sə'preʃən] *s* 1. s/tłumienie (buntu, uczuć itd.); represja 2. zn-iesienie/oszenie; z/likwidowanie, likwidacja; usu-nięcie/wanie; zakaz; wycof-anie/ywanie (książki z obiegu itd.) 3. przykrócenie, ukrócenie; powstrzym-anie/ywanie; zatrzym-anie/ywanie; z/duszenie; poskr-omienie/amianie; zatuszow-anie/ywanie (skandalu itd.) 4. ukry-cie/wanie; przemilcz-enie/anie; zataj-enie/anie; utajenie; utrzym-anie/ywanie w tajemnicy 5. przełamanie (oporu, choroby itd.)

suppressive [sə'presiv] *adj* tłumiący; represyjny

♦**suppressor** [sə'presə] *s* pogromca; poskramiacz; **noise ~** tłumik hałasu

suppurate ['sʌpju,reit] *vi med* za/ropieć

suppuration [,sʌpjuə'reiʃən] *s med* ropienie

suppurative ['sʌpjuərətiv] *adj med* ropny

suprarenal ['sju:prə'ri:n] *adj anat* nadnerczowy; **~ body** nadnercze

supremacy [sju'preməsi] *s* zwierzchnictwo; przewaga; supremacja; **the Act of Supremacy** ustawa o zwierzchnictwie <supremacji> króla nad kościołem anglikańskim

♦**supreme** [sju'pri:m] *adj* 1. najwyższy; *rel* **the Supreme Pontiff** papież 2. ostateczny 3. doskonały

sura(h) ['suərə] *s* sura, surata (rozdział Koranu)

surah ['sjuərə] *s tekst* surah (gatunek jedwabiu)

sural ['sjuərəl] *adj anat* łydkowy

surat [su'ræt] *s tekst* indyjska tkanina bawełniana

surbase ['sə:beis] *s arch* ozdobny profil nad cokołem

surcease [sə:'si:s] ① *vt* zaprzesta-ć/wać (**sth** czegoś) ② *s* zaprzesta-nie/wanie

surcharge [sə:'tʃa:dʒ] ① *vt* 1. przeciąż-yć/ać 2. za drogo policzyć (**sb for sth** komuś za coś) 3. na-łożyć/kładać nadmierne podatki (**the population** na ludność); przeciąż-yć/ać podatkami⁴ 4. pob-rać/ierać dopłatę <domiar> (**sth** za coś); na-łożyć/kładać grzywnę (**sb na kogoś**) 5. obciąż-yć/ać (urzędnika) za omyłkową wypłatę 6. nadrukow-ać/ywać (znaczek pocztowy) ② *s* ['sə:tʃa:dʒ] 1. przeciąż-enie/anie; nadwaga; *elektr* przeładowanie; nadmierna dostawa prądu 2. dopłata; domiar 3. nadruk (na znaczku pocztowym) 4. obciąż-enie/anie (urzędnika) za omyłkową wypłatę

surcingle [sə:'siŋgl] ① *s* 1. popręg 2. pas (do sutanny) ② *vt* 1. ściąg-nąć/ać (konia) popręgiem 2. przytrzym-ać/ywać (derkę) popręgiem

surcoat ['sə:,kout] *s hist* opończa (noszona na zbroi)

surd [sə:d] ① *adj* 1. *mat* (*o liczbie, wielkości*) niewymierny 2. *jęz* (*o głosce*) bezdźwięczny ② *s* 1. *mat* liczba <wielkość> niewymierna 2. *jęz* głoska bezdźwięczna

sure [ʃuə] ① *adj* 1. pewny; **be ~ to come** przyjdź na pewno <koniecznie, niezawodnie>; **he is ~ to come** on na pewno przyjdzie; *zw w połączeniu z wypowiedzią* **I'm ~** wierz/cie mi; na pew-

no; **I'm ~ I don't know** doprawdy. <naprawdę> nie wiem; **I'm ~ I meant no harm** wierz/cie mi, że nie chciałem nikogo dotknąć; *pot* **I'm not so ~** coś mi się nie wydaje; **to be ~ of oneself** być pewnym siebie; **to be ~ of sb, sth** a) być pewnym kogoś, czegoś b) polegać na kimś, czymś; **to be ~ to do sth** na pewno coś zrobić; **to feel ~ about sth** być pewnym czegoś <przekonanym o czymś>; **to make ~ if _** sprawdzić, czy ..., **to make ~ of sth** a) upewni-ć/ać się o czymś b) zapewni-ć/ać sobie coś; **for ~** na pewno; z całą pewnością; **am sl ~ thing!** a jużci!; na pewno!; a jakże!; **to be ~** wprawdzie; co prawda; to prawda (ale ...); przyznać trzeba; niewątpliwie; *wykrzyknikowo* **well, to be ~!** kto by to pomyślał! 2. (*zw z czasownikiem* **can**) (móc) liczyć na coś; **you can be ~ of a hearty welcome** możesz liczyć na serdeczne przyjęcie 3. pewny; niezawodny; nieomylny; **a ~ draw** a) miejsce w lesie, w którym stwierdzono obecność lisów b) *przen* uwaga <wypowiedź> mająca na celu pociągnięcie kogoś za język; *przen* **a ~ card** niezawodny plan 4. (*o miejscu itd*) bezpieczny ② *adv* pewnie; na pewno; **~ enough** niezawodnie; z pewnością; **and ~ enough** i rzeczywiście (stało się itd.); *pot* **as ~ as eggs is eggs** bez najmniejszej wątpliwości; jak dwa razy dwa (jest) cztery

sure-footed ['ʃuə'futid] *adj* pewnie stąpający; nie potykający się

surely ['ʃuəli] *adv* 1. pewnie 2. niewątpliwie; z całą pewnością 3. chyba 4. (*w odpowiedziach*) a jakże; zapewne

sureness ['ʃuənis] *s* pewność; niezawodność

surety ['ʃuəti] *s* 1. pewność; **of a ~** na pewno 2. gwarancja; kaucja; zabezpieczenie; **~ bond** rewers gwarancyjny 3. poręka; poręczyciel; **to stand ~ for sb** ręczyć za kogoś

♦**surf** [sə:f] ① *s* fale przybrzeżne ② *vi* uprawiać jazdę <jeździć> na nartach wodnych

♦**surface** ['sə:fis] ① *s* 1. zewnętrzna strona; wygląd zewnętrzny; powierzchowność; **on the ~** a) na zewnątrz; zewnętrznie b) *przen* pozornie; sądząc z wyglądu 2. powierzchnia; obszar 3. nawierzchnia (szosy itd.) ② *attr* 1. zewnętrzny; powierzchowny 2. powierzchniowy 3. naziemny ③ *vt* wykończ-yć/ać zewnętrznie; wygładz-ić/ać; wyszlifować; wypolerować; na-łożyć/kładać powierzchnię (**sth na coś**) ④ *vi* (*o łodzi podwodnej*) wypły-nąć/wać na powierzchnię

surface-man ['sə:fis,mæn] *s* (*pl* **surface-men** ['sə:fis,men]) 1. *górn* robotnik pracujący na powierzchni 2. kolejarz nadzorujący odcinek toru

surfacer ['sə:fisə] *s* 1. *stol* strugarka-wyrówniarka 2. narzędzie ręczne z napędem mechanicznym do szlifowania powierzchni płaskich 3. *farb* masa zacierowa

surface-tension ['sə:fis'tenʃən] *s* napięcie powierzchniowe

surf-bathing ['sə:f,beiðiŋ] *s* kąpiel przybrzeżna

surf-board ['sə:f,bɔ:d] *s* 1. sanki wodne 2. *pl* **~s** narty wodne

surfeit ['sə:fit] ① *s* 1. nadmiar 2. przesyt 3. przejedzenie się; przeb-ranie/ieranie miary <nieumiarkowanie> w jedzeniu <piciu> ② *vt* przekarmi-ć/ać ③ *vi* przej-eść/adać się; przeb-rać/

ierać miarę w jedzeniu i piciu; najeść się do przesytu
surfeiter [ˈsəːfitə] *s* obżartuch
surf-rider [ˈsəːf͵raidə] *s* człowiek uprawiający jazdę <jeżdżący> na nartach wodnych
surf-riding [ˈsəːf͵raidiŋ] *s* jazda na nartach wodnych
surfy [ˈsəːfi] *adj* (*o plaży*) kąpana przez fale przybrzeżne; (*o falach*) spieniony
▲**surge** [səːdʒ] Ⅰ *s* 1. fala; *techn* ~ **pressure** nagły wzrost ciśnienia 2. rozkołysanie (morza, tłumu itd.) 3. fala <przypływ> (uczucia) 4. *mar* szarpnięcie (liny <cumy> zwijanej na kabestanie) Ⅱ *vi* 1. falować 2. napły-nąć/wać <przypły-nąć/wać> falą 3. (*o kole*) buksować 4. *mar* (*o linie, cumie*) szarp-nąć/ać przy zwijaniu na kabestanie 5. *techn* (*o ciśnieniu, prądzie*) nagle wzrosnąć
surgeon [ˈsəːdʒən] *s* 1. chirurg; ~ **dentist** a) dentysta chirurg b) lekarz dentysta 2. lekarz wojskowy <okrętowy>
surgeon-fish [ˈsəːdʒən͵fiʃ] *s zoo* cyrulik (ryba mórz ciepłych)
surgery [ˈsəːdʒəri] *s* 1. operacja, zabieg chirurgiczny 2. chirurgia 3. pokój przyjęć <ordynacyjny> lekarza; gabinet dentystyczny; ~ **hours** godziny przyjęć (lekarza, dentysty); ~ **set** zestaw chirurgiczny
surgical [ˈsəːdʒikəl] *adj* 1. chirurgiczny 2. pooperacyjny
surloin [ˈsəːlɔin] = **sirloin**
surly [ˈsəːli] *adj* gburowaty; cierpki; zgryźliwy
surmise [ˈsəːmaiz] Ⅰ *s* przypuszczenie; domysł; podejrzenie Ⅱ *vt* [səːˈmaiz] przypuszczać; domyślać się (**sth** czegoś); podejrzewać
surmount [səːˈmaunt] *vt* 1. pokrywać; wieńczyć 2. przezwycięż-yć/ać <pokon-ać/ywać> (trudności)
surmullet [səːˈmʌlit] *s zoo* barwena (ryba)
surname [ˈsəːneim] Ⅰ *s* 1. nazwisko 2. przydomek Ⅱ *vt* [səːˈneim] przezwać; nada-ć/wać przydomek (**sb** komuś)
surpass [səːˈpaːs] *vt* przewyższ-yć/ać; prześcig-nąć/ać; przekr-oczyć/aczać (oczekiwania itd.); **to** ~ **sb's wildest dreams** przechodzić czyjeś najśmielsze marzenia <oczekiwania> *zob* **surpassing**
surpassing [səːˈpaːsiŋ] Ⅰ *zob* **surpass** *v* Ⅱ *adj* nieprześcigniony; niezrównany
surplice [ˈsəːpləs] *s kośc* komża
surpliced [ˈsəːpləst] *adj* (*o księdzu*) w komży
surplice-fee [ˈsəːplis͵fiː] *s* opłata należna duchownemu za ślub, pogrzeb itd.
surplus [ˈsəːpləs] Ⅰ *s* nadwyżka; nadmiar; superata Ⅱ *attr* 1. zbywający 2. nadwyżkowy; ~ **production** nadprodukcja; ~ **value** wartość dodatkowa
surplusage [ˈsəːpləsidʒ] *s* = **surplus** *s*
surprise [səˈpraiz] Ⅰ *s* 1. niespodzianka; zaskoczenie; *wojsk* moment zaskoczenia; *wojsk* ~ **attack** zaskoczenie; ~ **packet** paczka <przesyłka> zawierająca niespodziankę; **to give sb a** ~ sprawić komuś niespodziankę; **to take sb by** ~ zask-oczyć/akiwać kogoś; **by** ~ nieoczekiwanie; niespodziewanie 2. zdziwienie; (**much**) **to our** ~ ku naszemu (wielkiemu) zdziwieniu Ⅱ *attr* niespodziewany; nieoczekiwany; **a** ~ **visit** niespodziewane odwiedziny Ⅲ *vt* 1. zask-oczyć/akiwać; **to** ~ **sb in the act** złapać kogoś na gorącym uczynku; **to** ~ **sb into a confession** niespodzie-

wanym <zaskakującym> pytaniem wywołać przyznanie się kogoś do winy 2. z/dziwić; zadziwi-ć/ać; **to be** ~**d** być zaskoczonym <zdziwionym>; **to be** ~**d to see** <hear etc.> ze zdziwieniem stwierdzić <słyszeć itd.>; **to be** ~**d at sb, sth** dziwić się komuś, czemuś; **I'd** <**I wouldn't**> **be** ~**d if** __ zdziwiłbym się <nie dziwiłbym się> gdyby ... *zob* **surprising**
▲**surprising** [səˈpraiziŋ] Ⅰ *zob* **surprise** *v* Ⅱ *adj* zadziwiający; dziwny; **it is** <**was**> ~ **that** __ dziwne <dziwną rzeczą> jest <było>, że ...
surrealism [səˈriə͵lizəm] *s* surrealizm
surrebutter [͵sʌriˈbʌtə], **surrejoinder** [͵sʌriˈdʒɔində] *s prawn* duplika (odpowiedź powoda na replikę pozwanego)
surrender [səˈrendə] Ⅰ *vt* 1. podda-ć/wać (fortecę itd.) 2. zrze-c/kać <wyrze-c/kać> się (**sth** czegoś); z/rezygnować (**sth z** czegoś); ust-ąpić/ępować <odst-ąpić/ępować> (**sth od** czegoś); zaniechać (**sth** czegoś) 3. s/tracić (nadzieję, cnotę itd.) 4. wykup-ić/ywać (**a policy** polisę ubezpieczeniową) Ⅱ *vr* ~ **oneself** 1. podda-ć/wać się (zwycięzcy) 2. odda-ć/wać się (rozpaczy, rozpuście itd.) Ⅲ *vi* odda-ć/wać się (**to justice etc.** w ręce sprawiedliwości itd.); **to** ~ **to one's bail** zjawić się w sądzie po wypuszczeniu z więzienia za kaucją Ⅳ *s* 1. podda-nie/wanie się (zwycięzcy); podda-nie/wanie (fortecy itd.) 2. odda-czenie/kanie <wyrze-czenie/kanie> się; z/rezygnowanie (**of sth z** czegoś); ust-ąpienie/ępowanie <odst-ąpienie/ępowanie> (**of sth od** czegoś); zaniech-anie/iwanie 3. stracenie (nadziei itd.) 4. wykup-ienie/ywanie (polisy ubezpieczeniowej); ~ **value** wartość wykupna 5. odda-nie/wanie się (**to sth** czemuś; **to justice** w ręce sprawiedliwości)
surreptitious [͵sʌrəpˈtiʃəs] *adj* 1. ukradkowy; zrobiony ukradkiem <cichaczem>; potajemny; tajny 2. (*o człowieku*) ukradkowy
surreptitiously [͵sʌrəpˈtiʃəsli] *adv* ukradkiem; (zrobić coś) w tajemnicy <*pot* cichaczem, cichcem, z cicha>
surrey [ˈsʌri] *s am* lekki powóz dwuosobowy o czterech kołach
surrogate [ˈsʌrəgit] *s* 1. zastępca 2. *kośc* surogat; sędzia duchowny zasiadający w konsystorzu 3. *am* sędzia do spraw spadkowych
surround [səˈraund] Ⅰ *vt* ot-oczyć/aczać; okrąż-yć/ać; oblegać Ⅱ *s* 1. obramowanie; ogrodzenie; osiatkowanie; oparkanienie 2. (*na podłodze*) pas między dywanem a ścianami
surroundings [səˈraundiŋz] *spl* 1. otoczenie; środowisko 2. okolic-a/e
surtax [ˈsəː͵tæks] Ⅰ *s* podatek dodatkowy; domiar Ⅱ *vt* na-łożyć/kładać <wymierz-yć/ać> podatek dodatkowy <domiar>
surveillance [səːˈveiləns] *s* nadzór; inwigilacja; **to be under** ~ być inwigilowanym; znajdować się pod nadzorem policyjnym
▲**survey** [səːˈvei] Ⅰ *vt* 1. przy-jrzeć/glądać się (**sth** czemuś); obserwować 2. z/badać 3. dokon-ać/ywać przeglądu (**the situation** sytuacji itd.) 4. przeprowadz-ić/ać inspekcję (**sth** czegoś); z/lustrować; z/robić pomiary (gruntów itd.) <plan (miasta, majątku itd.)> Ⅲ *s* [ˈsəːvei] 1. (ogólny) przegląd 2. z/badanie 3. pomiary 4. plan; mapa 5. biuro <departament> miernictwa

surveyor [sə'veiə] *s* 1. inspektor; kontroler 2. mierniczy; geometra

⬍**survival** [sə'vaivəl] *s* 1. przeżycie <przetrwanie> (wojny, katastrofy itd.); utrzymanie się przy życiu; **there are <were> no ~s** nikt nie został przy życiu; **the ~ of the fittest** ewolucja drogą doboru naturalnego 2. pozostałość (z dawnych czasów); przeżytek

survive [sə'vaiv] Ⅰ *vt* przeży-ć/wać; przetrwać (kogoś, coś); **to ~ one's usefulness** przestać być użytecznym; **these institutions have ~d their usefulness** te instytucje straciły rację bytu Ⅲ *vi* utrzym-ać/ywać się przy życiu; przetrwać

survivor [sə'vaivə] *s* (człowiek) pozostały przy życiu; **the only ~ of a family** jedyny człowiek z całej rodziny pozostały przy życiu; **I was the only ~ of the disaster** (tylko) ja jeden przeżyłem tę katastrofę

susceptibility [sə,septə'biliti] *s* 1. podatność (**to sth** na coś) 2. wrażliwość; czułość

susceptible [sə'septəbl] *adj* 1. dopuszczający możliwość (czegoś); **the facts are ~ of proof** fakty te można udowodnić; **this is ~ of different interpretations** można to rozmaicie tłumaczyć 2. podatny <wrażliwy, czuły> (**to sth** na coś) 3. wrażliwy; obrażliwy

susceptive [sə'septiv] *adj* (*o naturze itd*) wrażliwy; **~ faculties** zdolność odbierania wrażeń

suspect [səs'pekt] Ⅰ *vt* 1. podejrzewać; mieć podejrzenia (**sb, sth** co do kogoś, czegoś); **I ~** podejrzewam; wydaje mi się; mam wrażenie; **I ~ed him of the theft** podejrzewałem go o złodziejstwo; **I ~ed him to be a liar** podejrzewałem, że jest kłamcą; **I ~ed that he was the murderer** podejrzewałem, że jest mordercą 2. obawiać się (**sth** czegoś); **I ~ so** obawiam się, że tak; chyba tak *zob* **suspected** Ⅲ *s* ['sʌspekt] (człowiek) podejrzany Ⅲ *adj* ['sʌspekt] (*o człowieku, zajściu itp*) podejrzany

suspected [səs'pektid] Ⅰ *zob* **suspect** *v* Ⅲ *adj* podejrzany; **a ~ spy** <thief etc.> człowiek podejrzany o szpiegostwo <kradzież itd.>

suspend [səs'pend] *vt* 1. zawie-sić/szać (coś w powietrzu; kogoś w czynnościach); od-ebrać/bierać (**a licence** prawo jazdy); **to ~ payment** zawie-sić/szać wypłaty 2. wstrzym-ać/ywać (ruch uliczny itd.); odr-oczyć/aczać (ogłoszenie wyroku); **to ~ one's judgment** wstrzymać się z wydaniem opinii 3. utrzymywać (kogoś) w niepewności *zob* **suspended**

⬍**suspended** [səs'pendid] Ⅰ *zob* **suspend** *v* Ⅲ *adj* 1. zawieszony, znajdujący się w zawieszeniu; **chem ~ matter** zawiesina 2. wstrzymany; odroczony; *prawn* (*o karze itd*) **with ~ execution of sentence** z zawieszeniem

suspender [səs'pendə] *s* 1. podwiązka 2. *pl* **~s** *am* szelki

suspense [səs'pens] *s* 1. niepewność; stan niepewności 2. zawieszenie; stan nierozstrzygnięcia; **bill in ~** weksel niewykupiony; *księgow* **~ account** rachunek przejściowy

⬍**suspension** [səs'penʃən] *s* 1. zawieszenie (czegoś w powietrzu); **~ bridge** most wiszący 2. zawieszenie (**from a function** kogoś w czynnościach) 3. *wojsk* zawieszenie (**of hostilities** broni) 4. *handl* zawieszenie (**of payment** płatności) 5. od-ebranie/bieranie (**of a licence** prawa jazdy) 6. wstrzy-

m-anie/ywanie; odr-oczenie/aczanie 7. *chem* zawiesina

suspensive [səs'pensiv] *adj* wstrzymujący (wykonanie itd.)

suspensory [səs'pensəri] *s* 1. *anat* wieszadło 2. *chir* suspensorium

suspicion [səs'piʃən] *s* 1. podejrzenie; **to be above ~** być wolnym od wszelkich podejrzeń; **to have one's ~s about sth** podejrzewać coś; **on ~** (aresztować) na podstawie <na mocy> podejrzeń; **without ~** nic nie podejrzewając; **with ~** podejrzliwie 2. odrobina <odrobinka, kapka, cień> (czegoś)

suspicious [səs'piʃəs] *adj* 1. (*o zachowaniu, wyglądzie itd*) podejrzany 2. (*o człowieku, spojrzeniu itd*) podejrzliwy; nieufny; **to be <feel> ~ about** <of> **sb, sth** podejrzewać kogoś, coś

suspire [səs'paiə] *vi poet* wzdychać

sustain [səs'tein] *vt* 1. *dosł i przen* podtrzym-ać/ywać (ciężar, kogoś na duchu itd.) 2. dźwigać <utrzymywać> (ciężar czegoś) 3. wytrzym-ać/ywać (atak, porównanie itd.) 4. dozna-ć/wać (sth czegoś); pon-ieść/osić (klęskę itd.); odn-ieść/osić (obrażenia itd.); doświadcz-yć/ać (sth czegoś); ucierpieć 5. uzna-ć/wać słuszność (**a claim** etc. pretensji itd.) 6. potwierdz-ić/ać 7. wypełni-ć/ać <od-egrać/grywać> należycie (rolę itd.) 8. nie przerywać (sth czegoś); przetrzym-ać/ywać <przedłuż-yć/ać> (nutę, ton itd.) *zob* **sustained**

⬍**sustained** [səs'teind] Ⅰ *zob* **sustain** *v* Ⅲ *adj* 1. trwały; nieprzerwany 2. dłuższy; długotrwały 3. przedłużony; przetrzymany

sustenance ['sʌstinəns] *s* 1. wyżywienie; żywność; środ-ek/ki spożywcz-y/e 2. *zbior* środki egzystencji 3. wartość odżywcza

sustentation [,sʌsten'teiʃən] *s* utrzym-anie/ywanie; (*w Szkocji*) **~ fund** fundusz zbierany na utrzymanie ubogiego duchowieństwa

susurration [,sju:sə'reiʃən] *s* szmer/y

sutler ['sʌtlə] *s hist* markietanin, markietan/ka

suttee ['sʌti:], **sati** [sə'ti:] *s* 1. (*w Indiach*) zwyczaj palenia na stosie wdowy wraz ze zwłokami męża 2. wdowa spalana na stosie wraz ze zwłokami męża

sutural ['sju:tʃərəl] *adj med* szwowy; **~ bones** wstawki kostne

suture ['sju:tʃə] Ⅰ *s med* szew Ⅲ *vt med* zszy-ć/wać

suzerain ['su:zə,rein] *s hist* suzeren; zwierzchnik feudalny

suzerainty ['su:zə,reinti] *s hist* zwierzchnictwo feudalne

svelte [svelt] *adj* wy/smukły

swab [swɔb] Ⅰ *s* 1. szmata na kiju do zmywania podłóg 2. tampon; wacik 3. *med* wymaz (z gardła) 4. *mar sl* naramiennik; epoleta 5. *mar sl* wałkoń Ⅲ *vt* (-bb-) 1. (*także* **to ~ up**) wy-trzeć/cierać 2. (*także* **to ~ down**) wy/szorować 3. *chir* tamponować

swaddle ['swɔdl] *vt* przewijać (dziecko); zawi-nąć/jać (dziecko) w pieluszki

swaddling-bands ['swɔdliŋ,bændz], **swaddling-clothes** ['swɔdliŋ,klouðz] *spl dosł i przen* powijaki

Swadeshi [swɑː'deiʃi] *s* (*w Indiach*) bojkotowanie wyrobów zagranicznych (zwłaszcza angielskich)

swag [swæg] *s sl* 1. łup (włamywacza itd.) 2. mie-

nie, którym obłowił się niesumienny polityk <łapownik w urzędzie itd.> 3. (*w Australii*) tobołek (włóczęgi, górnika itd.)
swage [sweidʒ] Ⅰ *s* 1. matryca 2. *techn* gruszka (przyrząd ratunkowy) Ⅲ *vt* z/matrycować; wygniatać <tyfować> (blachę itd.)
swage-block ['sweidʒ͵blɔk] *s mech* dziurownica kowalska
swagger ['swægə] Ⅰ *vi* junaczyć <zuchwalić, buńczuczyć> się; śmiałkować; pysznić <nadymać, chełpić, przechwalać> się; zadzierać nosa; *pot* udawać chojraka <ważniaka> Ⅲ *s* buńczuczn-a/e <junack-a/ie> postawa <zachowanie>; buńczuczność; zuchwalstwo; junakieria, śmiałkostwo; chełpliwość; nadymanie <pysznienie> się; zadzieranie nosa; fanfaronada Ⅲ *adj pot* szykowny; arcyszykowny; (*o stroju itd*) krzykliwy; rzucający się w oczy; wyzywający
swagger-cane ['swægə͵kein] *s* pałeczka <krótka laseczka> (dawnych wojskowych angielskich)
swaggerer ['swægərə] *s* fanfaron; samochwał; pyszałek
swain [swein] *s* 1. † wieśniak 2. *poet* zakochany pasterz; *żart* zakochany młodzieniec
swale [sweil], **sweal** [swiːl] *s am dial* mokra <błotnista> nizina; dół
swallet ['swɔlit] *s* 1. *górn* przerwanie się wód kopalnianych 2. *dial* strumień podziemny 3. *geol* zapadlisko; ponik (w którym niknie rzeka)
swallow¹ ['swɔlou] *s* 1. *zoo* jaskółka 2. *sport* (*także* ~ **dive**) skok klasyczny (do wody), jaskółka
swallow² ['swɔlou] Ⅰ *vt* 1. poł-knąć/ykać; przeł-knąć/ykać; *przen* z/dławić (łzy); zrzuc-ić/ać z serca (pychę); *pot* schować do kieszeni (gniew <obrazę>); odwoł-ać/ywać (swoje słowa); **to ~ the bait** połknąć haczyk 2. pochł-onąć/aniać 3. u/wierzyć naiwnie (**sth** w coś); *przen* przyj-ąć/mować za dobrą monetę Ⅲ *vi* przeł-knąć/ykać, łykać
~ **down** *vt* przeł-knąć/ykać
~ **up** *vt* pochł-onąć/aniać
Ⅲ *s* 1. gardziel 2. poł-knięcie/ykanie, łykanie 3. łyk; haust
swallow-fish ['swɔlou͵fiʃ] *s zoo* kurek jaskółka (ryba)
swallow-hole ['swɔlou͵houl] = **swallet** 3.
swallow-tail ['swɔlou͵teil] *s* 1. jaskółczy ogon 2. frak
swallow-wort ['swɔlou͵wəːt] *s bot* ciemiężyk białokwiatowy
swam *zob* **swim**
swami ['swɑːmi] *s* 1. bożek hinduski 2. nauczyciel hinduski
swamp [swɔmp] Ⅰ *s* bagno; błota; moczary Ⅲ *attr* (*zw w złożeniach*) bagienny Ⅲ *vt* 1. zal-ać/ewać; zat-opić/apiać 2. zasyp-ać/ywać (powodzią listów itd.); **I am ~ed with work** jestem zawalony robotą
swampy ['swɔmpi] *adj* bagnisty; błotnisty
swan [swɔn] *s zoo* łabędź; ~ **song** łabędzi śpiew; **the Swan of Avon** Szekspir
swan-herd ['swɔn͵həːd] *s* kurator królewskich łabędzi na Tamizie
swank [swæŋk] Ⅰ *vi* 1. pozować 2. pysznić <wywyższać> się Ⅲ *s* 1. poza; fanfaronada 2. pysznienie <wywyższanie> się
swanlike ['swɔn͵laik] *adj* łabędzi

swan-mark ['swɔn͵mɑːk] *s* znakowanie łabędzi na Tamizie
swan-neck ['swɔn͵nek] *s* łabędzia szyja
swannery ['swɔnəri] *s* łabędzi staw; hodowla łabędzi
swan's-down ['swɔnz͵daun] *s* 1. łabędzi puch 2. *tekst* multon (gruba tkanina bawełniana)
swan-shot ['swɔn͵ʃɔt] *s* gruby śrut
swan-skin ['swɔn͵skin] = **swans's-down** 2.
swan-upping ['swɔn͵ʌpiŋ] *s* doroczna kontrola ilościowa łabędzi na Tamizie
swap [swɔp] = **swop**
Swaraj [swɑːˈrɑːdʒ] *s hist* niezależność państwowa, o którą walczyli Hindusi
sward [swɔːd] *s lit* murawa
sware *zob* **swear**
▲**swarm¹** [swɔːm] Ⅰ *s* rój; mrowie; *przen* mnóstwo Ⅲ *vi* 1. (*o pszczołach*) wy/roić się 2. roić <mrowić> się; (*o tłumie itd*) tłoczyć się; zalać (**over a football field** boisko itd.); (*o okolicy, rzece, drogach itd*) być ~ **with sth** obfitować w coś; roić się od czegoś; **the region ~s with bandits** w okolicy roi się od bandytów *zob* **swarming**
swarm² [swɔːm] *vi* w/drapać < wspinać> się (**up a tree etc.** na drzewo itd.)
swarming ['swɔːmiŋ] Ⅰ *zob* **swarm¹** *v* Ⅲ *s* rójka; ~ **fever** gorączka rojowa; ~ **impulse** podnieta do rojenia
swart [swɔːt] *adj poet* = **swarthy**
swarthy ['swɔːði] *adj* (*o cerze*) śniady; ciemny; smagły
swash [swɔʃ] Ⅰ *s* plusk, pluskanie Ⅲ *vt* (*o wodzie*) uderzać z pluskiem (**the rocks etc.** o skały itd.) Ⅲ *vi* pluskać
swashbuckler ['swɔʃ͵bʌklə] *s* zawadiaka
swashbuckling ['swɔʃ͵bʌkliŋ] *s* zawadiackie zachowanie; fanfaronada
swastika ['swæstikə] *s* swastyka
swat [swɔt] *vt* (-tt-) trzasnąć; trzaskać; palnąć; wal-ić/nąć; uderz-yć/ać
swath [swɔːθ] *s* (*pl* **swaths** [swɔːðz]) pokos; (*o trawie, zbożu*) **in ~s** w pokosach
swathe [sweið] Ⅰ *vt* zawi-nąć/jać; zakutać; o/bandażować Ⅲ *s* bandaż
swatter ['swɔtə] *s* packa na muchy
sway [swei] Ⅰ *vt* 1. kołysać; poruszać (**the trees etc.** drzewami itd.) 2. dzierżyć (berło) 3. wywijać (**one's sword etc.** szablą itd.) 4. rządzić (**sb, sth** kimś, czymś); wpły-nąć/wać (**sth na coś**); powodować (**sb kimś**); za/decydować (**sth o czymś**); przeważ-yć/ać (szalę itd.); przechyl-ić/ać szalę (**sth czegoś**); odciąg-nąć/ać (**sb from sth** kogoś od czegoś) Ⅲ *vi* 1. poruszać <kołysać> się 2. wahać się; być niezdecydowanym 3. prżechyl-ić/ać się Ⅲ *s* 1. kołysanie się 2. władanie; władza 3. wpływ; **to have <hold> ~ over sb, sth** a) wła-dać kimś, czymś b) wywierać wpływ na kogoś, coś
sway-backed ['swei͵bækt] *adj* (*o koniu*) z siodłowato wygiętym grzbietem
swear [sweə] *v* (*praet* **swore** [swɔː], † **sware** [sweə], *pp* **sworn** [swɔːn]) Ⅰ *vi* 1. przysi-ąc/ęgać (**by the Bible etc.** na biblię itd.); złożyć/składać przysięgę; **to ~ to sth** zaświadcz-yć/ać coś pod przysięgą; *przen* **to ~ by sth** być zagorzałym zwolennikiem czegoś 2. kląć; przeklinać; używać mocnych <niewybrednych> słów; **to ~ at sb**

skląć kogoś ⟦III⟧ *vt* 1. przysi-ąc/ęgać <przysięgnąć> (**sth na coś; that** __ że ...; **to do sth** że się coś zrobi; **allegiance** na wierność); **to ~ an accusation against sb** oskarż-yć/ać kogoś pod przysięgą; **to ~ an oath** złożyć przysięgę 2. zaprzysi--ąc/ęgać (zemstę itd.) 3. zaprzysi-ąc/ęgać (kogoś); kazać (**sb komuś**) złożyć przysięgę (**to secrecy etc.** dotrzymania tajemnicy itd.)
  ~ **away** *vt* skaz-ać//ywać (kogoś) na zagładę składając fałszywą przysięgę
  ~ **in** *vt* zaprzysi-ąc/ęgać (kogoś)
  ~ **off** *vt* odprzysi-ąc/ęgać (coś); wyrze-c/kać się pod przysięgą (**sth czegoś**); przysi-ąc/ęgać <ślubować> wstrzymanie się (**drink od alkoholu**)
  zob **swearing, sworn** ⟦III⟧ *s* 1. przeklinanie; potok <stek> przekleństw 2. = **swear-word**
swearing ['sweəriŋ] ⟦I⟧ *zob* **swear** *v* ⟦III⟧ *s* 1. przysięga; przysięganie 2. zaprzysiężenie (kogoś) 3. przeklinanie; przekleństwo; mocne <niewyszukane> słowa
swear-word ['sweə‚wə:d] *s pot* przekleństwo; wyraz niekonwencjonalny; niewybredne <ordynarne> słowo
▮**sweat** [swet] ⟦I⟧ *s* 1. pot; poty; **in** <**all of**> **a ~** spocony; zlany potem; *pot* mokrzuteńki; **in** <**by**> **the ~ of one's brow** w pocie czoła; **wet with ~** ociekający potem 2. s/pocenie się; **a ~ will do you good** spocenie się wyjdzie ci na zdrowie <dobrze ci zrobi> 3. *pot* niepokój; **to be in a ~** bardzo się niepokoić; siedzieć jak na szpilkach 4. *pot* parówka 5. *sl* wiarus 6. pocenie się <potnienie> (ścian itd.) ⟦III⟧ *vi* 1. s/pocić się; obl-ać/ewać się potem; **the mere sight of it made me ~** na sam widok tego oblał mnie pot 2. harować 3. w pocie czoła <z trudem, mozołem> coś zrobić; **to ~ up a hill** <**along the path**> z trudem <w pocie czoła> wspiąć się na górę <posuwać się ścieżką> 4. po/żałować (**for sth** czegoś) 5. (*o ścianach itd*) pocić się; potnieć; okry-ć/wać się wilgocią ⟦IV⟧ *vt* 1. wydzielać (pot, żywicę itd.); **to ~ blood and water** oblewać się krwawym potem 2. zgrz-ać/ewać (konia); wywoł-ać/ywać poty (**a patient** u pacjenta) 3. wy/eksploatować (robotnika itd.) 4. *garb* pocić (skóry) 5. st-opić/apiać (rudę, metal) 6. *am* wymuszać zeznania <zgodę itd.> (**sb na kimś, od kogoś**)
  ~ **in** <**on**> *vt* przylutować
  ~ **out** *vt* 1. wyciąg-nąć/ać (**the moisture from a wall** wilgoć ze ściany) 2. przez poty wyleczyć (**a cold** katar)
  zob **sweated, sweating**
sweat-band ['swet‚bænd] *s* (*w kapeluszu*) potnik
sweat-cloth ['swet‚klɔθ] *s* potnik (pod siodło)
sweat-duct ['swet‚dʌkt] *s anat* kanalik odprowadzający gruczołu potowego
sweated ['swetid] ⟦I⟧ *zob* **sweat** *v* ⟦III⟧ *adj* (*o pracy*) niewolniczy; (*o towarze*) wyprodukowany drogą eksploatacji <wyzysku> robotnika
sweater ['swetə] *s* 1. sweter 2. eksploatator; wyzyskiwacz
sweat-gland ['swet‚glænd] *s anat* gruczoł potowy
sweating ['swetiŋ] ⟦I⟧ *zob* **sweat** *v* ⟦III⟧ *adj* spocony ⟦III⟧ *s* pocenie się ⟦IV⟧ *attr* ~ **system** system <metoda> eksploatacji; wyzysk
sweaty ['sweti] *adj* 1. spocony; pocący się 2. (*o*

pogodzie) parny 3. (*o pracy*) uciążliwy 4. (*o ubiorze*) przepocony
Swede [swi:d] *s* Szwed/ka
Swedish ['swi:diʃ] ⟦I⟧ *adj* szwedzki ⟦II⟧ *s* język szwedzki
sweeny ['swi:ni] *s am wet* atrofia mięśnia łopatki (u konia)
sweep [swi:p] *v* (**swept** [swept], **swept**) ⟦I⟧ *vi* 1. rozciągać się; sięgać 2. posuwać się; sunąć; mknąć; majestatycznie iść <jechać, płynąć, lecieć> 3. opis-ać/ywać półkole; zakreślić szeroki łuk 4. *przen* (*o tłumie, zarazie itd*) przewalać się (**over sth** przez coś); (*o uczuciu*) ogarniać (**over sb** kogoś) 5. trałować; wyławiać (**for sth** coś) z dna morskiego ⟦II⟧ *vt* 1. zami-eść/atać; wymi-eść/atać; zmi-eść/atać 2. przesu-nąć/wać (**one's hand etc. over sth** ręką itd. po czymś); wodzić <błądzić> (**one's eyes over a room etc.** <**a room etc. with a glance**> oczami <wzrokiem> po sali itd.) 3. (*o fali*) przewal-ić/ać się (**a ship's deck etc.** przez pokład statku itd.) 4. zmi-eść/atać (kogoś, coś) z pokładu; por-wać/ywać; zagarn--ąć/iać; (*o graczu*) **to ~ the board** zgarn-ąć/iać wszystkie stawki ze stołu 5. wędrować (**the seas** po morzach) 6. opis-ać/ywać (półkole) 7. oczy--ścić/szczać (kanał itd.); *mar* trałować 8. (*o karabinie maszynowym*) kosić 9. grasować (**the country etc.** po kraju itd.)
  ~ **along** *vt* 1. por-wać/ywać (z <za> sobą) 2. popychać (barkę rzeczną, galar itd.) wiosłem
  ~ **aside** *vt* szerokim <zamaszystym> gestem odsu-nąć/wać (firankę itd.)
  ~ **away** *vt* 1. odmi-eść/atać; wymi-eść/atać 2. (*o burzy, fali itd*) por-wać/ywać 3. ukr-ócić/acać (nadużycia itd.)
  ~ **by** *vi* majestatycznie prze-jść/chodzić <przeje-chać/żdżać, przepły-nąć/wać, przel-ecieć/atywać>
  ~ **down** ⟦I⟧ *vt* (*o nurcie rzeki itd*) por-wać/ywać ⟦II⟧ *vi* spa-ść/dać; zwal-ić/ać się
  ~ **in** *vi* 1. (*o wietrze itd*) wpa-ść/dać gwałtownie 2. (*o człowieku*) wejść/wchodzić majestatycznie; (*o pojeździe itd*) wje-chać/żdżać
  ~ **out** *vt* wymi-eść/atać
  ~ **up** ⟦I⟧ *vt* zami-eść/atać, podmi-eść/atać ⟦II⟧ *vi* (*o pojeździe*) podjechać zamaszyście <pot z fasonem, z szykiem>
  zob **sweeping** ⟦III⟧ *s* 1. szeroki <zamaszysty> ruch <gest> (ręki) 2. wielki łuk (jaki zatacza droga, rzeka itd.) 3. rozległa przestrzeń 4. zamiatanie; **to give a room a ~** zamieść pokój; **to make a clean ~ of sth** a) za jednym zamachem pozbyć się czegoś (wszystkich rupieci itd.) b) przeprowadz-ić/ać generalną czystkę ... (pośród urzędników itd.) c) zgarn-ąć/iać (wszystkie stawki) 5. długie wiosło do sterowania barką rzeczną 6. żuraw (studzienny) 7. *pot* = **sweepstake**
sweeper ['swi:pə] *s* 1. zamiatacz/ka 2. (mechaniczna) zamiatarka (ulic)
sweep-net ['swi:p‚net] *s* 1. włók (sieć) 2. siatka na motyle
sweeping ['swi:piŋ] ⟦I⟧ *zob* **sweep** *v* ⟦III⟧ *adj* 1. (*o widoku, przestrzeni*) rozległy 2. (*o ruchu, geście*) szeroki; zamaszysty 3. (*o spojrzeniu*) ogarniający 4. (*o locie*) szybowy, szybujący 5. (*o oświadczeniu itd*) ogólny; generalizujący; nie uwzględ-

niający wyjątków; (*o zdaniu, sądzie*) potępiający (w czambuł) 6. (*o zmianach, reformach, czystkach itd*) generalny, gruntowny, radykalny **sweepstake** ['swi:p,steik] *s* (*także pl* ~s) gra w totalizatora

‖**sweet** [swi:t] Ⅰ *adj* 1. słodki; (*o winie*) deserowy; *bot* Sweet Cicely marchewnik anyżowy; ~ oil oliwa nicejska; ~ rush tatarak; ~ stuff słodycze; to have a ~ tooth lubić słodycze; to taste ~ być słodkim; mieć słodki smak 2. (dobrze) o/słodzony; I like my tea ~ lubię herbatę dobrze osłodzoną 3. (*o zapachu*) słodki; wonny; przyjemny; rozkoszny; ~ pea groszek pachnący <ogrodowy>; ~ violet fiołek wonny; the air was ~ with thyme powietrze było nasycone słodkim zapachem macierzanki; to smell ~ słodko <rozkosznie> pachnieć; mieć słodki <rozkoszny> zapach 4. (*o dźwięku, głosie itd*) słodki; melodyjny; to sound ~ słodko brzmieć 5. (*o wodzie*) słodki (nie morski) 6. (*o mięsie, powietrzu itd*) świeży; to keep a room ~ mieć pokój dobrze przewietrzony 7. (*o człowieku*) łagodny 8. (*o usposobieniu*) przemiły; it's ~ of you to bardzo miło z twojej strony 9. (*o doznaniach itd*) miły; błogi; przyjemny; rozkoszny; ‖ pot to be ~ on sb kochać <bujać> się w kimś; at your own ~ will jak <kiedy> ci się żywnie podoba Ⅱ *s* 1. przyjemna strona (czegoś); the ~ and the bitter <the ~s and the bitters> of life blaski i cienie <dobre i złe strony> życia; to take the bitter with the ~ umieć pogodzić się z przeciwnościami losu 2. cukierek; *pl* ~s słodycze 3. legumina; *pl* ~s deser/y 4. *pl* ~s rozkoszna woń (kwiatów) 5. *pl* ~s rozkosze 6. *wykrzyknikowo:* kochanie!

sweet-and-twenty ['swi:tənd'twenti] *s* dziewczyna dwudziestoletnia; *pot* kociak

‖**sweet-bay** ['swi:t,bei] *s bot* wawrzyn szlachetny **sweetbread** ['swi:t,bred] *s* (*także* belly <neck, throat> ~) *kulin* nerkówka (cielęca, barania) **sweetbrier** ['swi:t,braiə] *s bot* róża gęstokolczasta <rdzawa> **sweet-chestnut** ['swi:t'tʃestnʌt] *s bot* kasztan jadalny **sweet-corn** ['swi:t,kɔ:n] *s* słodka kukurydza **sweeten** ['swi:tn] Ⅰ *vt* 1. o/słodzić; *przen* osł-odzić/adzać 2. odśwież-yć/ać (oddech itd.) Ⅱ *vi* nab-rać/ierać słodyczy **sweet-flag** ['swi:t,flæg], **sweet-grass** ['swi:t,gra:s] *s bot* tatarak **sweetheart** ['swi:t,ha:t] *s* 1. ukochan-y/a; lub-y/a 2. narzeczon-y/a 3. (*o osobie*) sympatia **sweetie** ['swi:ti] = sweety **sweeting** ['swi:tiŋ] *s* gatunek jabłka deserowego **sweetish** ['swi:tiʃ] *adj* słodkawy **sweetmeat** ['swi:t,mi:t] *s* 1. cukierek 2. kandyzowany owoc 3. *pl* ~s słodycze **sweetness** ['swi:tnis] *s* 1. słodycz 2. świeżość **sweet-root** ['swi:t,ru:t] *s* 1. *bot* lukrecja 2. wyciąg z korzenia lukrecji **sweet-scented** ['swi:t'sentid], **sweet-smelling** ['swi:t'smeliŋ] *adj* pachnący, wonny **sweet-shop** ['swi:t,ʃɔp] *s* sklep ze słodyczami **sweet-sop** ['swi:t,sɔp] *s bot* wiecznie zielony krzew Ameryki tropikalnej **sweet-tempered** ['swi:t'tempəd] *adj* o łagodnym <miłym> usposobieniu

sweet-water ['swi:t,wɔ:tə] *s* gatunek słodkich winogron **sweet-william** ['swi:t,wiliəm] *s bot* goździk brodaty **sweet-willow** ['swi:t,wilou] *s bot* wierzba pięciopręcikowa **sweety** ['swi:ti] *s* 1. cukierek 2. *am* = sweetheart **swell** [swel] *v* (*praet* swelled [sweld], *pp* swollen ['swoulən], swelled) Ⅰ *vi* 1. s/puchnąć; obrzmie-ć/wać 2. nadymać <wzdymać, rozdymać> się; wezbrać/wzbierać 3. na/pęcznieć; nabrzmie-ć/wać; wzr-osnąć/astać; ur-osnąć/astać; rozszerz-yć/ać <zwiększ-yć/ać, powiększ-yć/ać, wzm-óc/agać> się; (*o terenie*) podnosić się; the ground ~s into an eminence teren podnosi się tworząc wyniosłość 4. (*o sercu*) być przepełnionym <wezbranym>; pękać (z dumy itd.) Ⅱ *vt* 1. nad-ąć/ymać; rozd-ąć/ymać 2. zwiększ-yć/ać; powiększ-yć/ać; wzm-óc/agać; zasil-ić/ać; podn-ieść/osić liczbę (sth czegoś) 3. *muz* kolejno wzmacniać i przyciszać (a note nutę)
~ out *vi* 1. nad-ąć/ymać <wyd-ąć/ymać> się; wybrzusz-yć/ać się 2. s/puchnąć
~ up *vi* s/puchnąć; obrzmie-ć/wać
zob swelled, swollen Ⅲ *s* 1. guz; obrzęk 2. zgrubienie; wybrzuszenie 3. wyniosłość; wzniesienie (of the ground terenu) 4. wzmaganie się (głosu) 5. *muz* wzmacnianie i przyciszanie (dźwięku) 6. the ~ of the sea wzburzone morze 7. *pot* elegant 8. *pot przen* gruba ryba; *pl* the ~s elegancki świat; bogate sfery 9. as <mistrz> (at sth w czymś, w dziedzinie czegoś) Ⅳ *adj* 1. *pot* szykowny; elegancki; wytworny; ~ mob klasa złodziei wytwornie ubranych 2. *am pot* klawy, byczy, wdechowy; szałowy; pierwszorzędny; świetny; kapitalny **swell-box** ['swel,bɔks] *s muz* obudowa organów <fisharmonii> **swelled** [sweld] Ⅰ *r zob* swell *v* Ⅲ *adj w zwrotach:* he has a ~ head wbił się w pychę; *pot* woda sodowa uderzyła mu do głowy; ~ head zarozumialec **swell-fish** ['swel,fiʃ] *s zoo* rybojeż (ryba mórz południowych) **swelling** ['sweliŋ] Ⅰ *zob* swell *v* Ⅲ *s* 1. guz; obrzęk; opuchlina; obrzmienie 2. wezbranie (rzeki itd.) 3. zgrubienie; wybrzuszenie; wypukłość Ⅱ *adj* 1. wydęty; nadymany 2. rosnący; wzmagający się 3. (*o stylu*) górnolotny; napuszony **swelter** ['sweltə] Ⅰ *vi* 1. prażyć; dopiekać 2. omdlewać od upału; oblewać się <być oblanym> potem *zob* sweltering Ⅱ *s* upał; skwar; żar; kanikuła; *pot* spiekota **sweltering** ['sweltəriŋ] Ⅰ *zob* swelter *v* Ⅲ *adj* 1. oblany potem 2. (*o upale*) piekielny; zabójczy; nie do zniesienia; (*o dniu*) upalny; skwarny **swept** *zob* sweep **swerve** [swə:v] Ⅰ *vi* zb-oczyć/aczać; odchyl-ić/ać się; skręc-ić/ać w bok; zejść/schodzić (z drogi cnoty itd.) Ⅱ *vt* odchyl-ić/ać (na bok) Ⅲ *s* zboczenie; odchylenie **swerveless** ['swə:vlis] *adj* nieugięty **swift¹** [swift] Ⅰ *adj* 1. szybki; bystry; rychły; prędki; chyży; (*o koniu*) rączy 2. skory (to anger, action etc. do gniewu, czynu itd.) Ⅱ *adv* szybko; rychło; prędko; chyżo Ⅲ *s* 1. *zoo* jerzyk (ptak) 2. *zoo* traszka (płaz) 3. szpulka, bębenek **swift²** [swift] *vt* napi-ąć/nać

swift-flowing ['swift'flouiŋ] adj (o potoku) bystry; rwący
swift-footed ['swift'futid] adj 1. szybkonogi 2. (o koniu) rączy
swift-handed ['swift'hændid] adj zręczny w palcach
swig¹ [swig] Ⅰ s pociągnięcie (at the bottle z butelki); haust Ⅲ vt (-gg-) sl wy/pić łapczywie <wielkimi łykami> Ⅲ vi (-gg-) pociągać z butelki
swig² [swig] s mar wielokrążek
swill [swil] Ⅰ vt s/płukać; zmy-ć/wać Ⅲ vi łapczywie pić; pot trąbić; chlać Ⅲ s 1. płukanie; spłukiwanie 2. pomyje (dla świń) 3. lura
swiller ['swilə] s pijak
swim [swim] v (swam [swæm], swum [swʌm]; swimming ['swimiŋ]) Ⅰ vi 1. unosić się na powierzchni (wody itd.); utrzym-ać/ywać się na powierzchni (wody); pływać (o przedmiocie — po powierzchni wody; o potrawie — w maśle itd.) 2. (o człowieku, rybie, zwierzęciu) pły-nąć/wać; (o księżycu) płynąć, żeglować; to ~ across (a river etc.) przepły-nąć/wać (rzekę <przez rzekę> itd.); to ~ on one's chest <back, side> pływać stylem klasycznym <grzbietowym, bocznym>; to go ~ming (pójść) popływać; przen to ~ with the tide <stream> iść z prądem; poddać się prądowi czasu 3. za/kręcić się przed oczami (sb's komuś); my head ~s w głowie mi się kręci 4. być zalanym (in water, blood etc. wodą, łzami, krwią itd.); tonąć <topić się> (w wodzie, krwi itd.) Ⅲ vt 1. przepły-nąć/wać (pewną odległość) 2. pły-nąć/wać (the breast-stroke etc. stylem klasycznym itd.) 3. ścigać <zmierzyć> się w pływaniu (sb z kimś); I'll ~ you 50 yards zróbmy wyścig (pływacki) na 50 jardów 4. przepły-nąć/wać (rzekę itd.) 5. kazać (a horse etc. koniowi itd.) pły-nąć/wać; pu-ścić/szczać (konia) wpław Ⅲ s 1. pływanie; to have <go for> a ~ po/pływać; the ~ across the Channel przepłynięcie kanału La Manche 2. głęboki basen w rzece, w którym gromadzą się ryby; przen nurt (życia itd.); przen to be in the ~ a) trzymać rękę na pulsie b) być u ołtarza <pot u żłobu> 3. zawrót głowy
swimmer ['swimə] s 1. pływa-k/czka 2. pęcherz pławny (ryby)
swimmeret ['swimə,ret] s zoo noga pływna (skorupiaka)
swimming-bath ['swimiŋ,bɑ:θ] s pływalnia; basen pływacki
swimming-belt ['swimiŋ,belt] s pas do nauki pływania
swimming-bladder ['swimiŋ,blædə] s pęcherz pławny (ryby)
swimmingly ['swimiŋli] adv gładko; jak po maśle
swimming-match ['swimiŋ,mætʃ] s zawody pływackie
swimming-pool ['swimiŋ,pu:l] s am pływalnia; basen pływacki
swindle ['swindl] Ⅰ vt oszuk-ać/iwać; okpi-ć/wać; to ~ money out of sb <sb out of his money> okra-ść/dać kogoś z pieniędzy; pot wycyganić od kogoś pieniądze Ⅲ vi oszukiwać Ⅲ s oszustwo; złodziejstwo; pot szwindel
swindler ['swindlə] s oszust/ka
swine [swain] s (pl ~) dosł i przen świnia

swine-bread ['swain,bred] s trufla
swine-fever ['swain,fi:və] s wet róża świń
swine-herd ['swain,hə:d] s świniarek; świniarczyk; świniopas
swinery ['swainəri] s tuczarnia
swing [swiŋ] v (praet swung [swʌŋ], swang [swæŋ], pp swung) Ⅰ vi 1. huśtać się; kołysać się; bujać (się); dyndać; wahać się; to set ~ing rozhuśtać 2. zawisnąć; to ~ for sb zostać powieszonym za zamordowanie kogoś 3. obr-ócić/acać się (na osi itd.); (o pojeździe) skręc-ić/ać; a door swung open drzwi otworzyły <rozwarły> się na oścież 4. tańczyć swinga Ⅲ vt 1. rozhust-ać/ywać; rozkołysać; wprawi-ć/ać w ruch wahadłowy; machać <wymachiwać> (sth czymś); to ~ one's hips in walking chodzić kołysząc się w biodrach 2. po/huśtać; po/kołysać 3. zawie-sić/szać (lampę itd.) 4. obr-ócić/acać; there is no room to ~ a cat nie ma gdzie się obrócić; jest bardzo ciasno ‖ sl wojsk to ~ the lead markierować; symulować
~ along vi posuwać się naprzód miarowym kołyszącym krokiem
~ back vi (o wahadle) po/wrócić; (o drzwiach itd) po/wrócić (ruchem wahadłowym); (o opinii publicznej) ule-c/gać nagłemu zwrotowi
~ forward vi wykon-ać/ywać ruch naprzód; pochylić się do przodu
~ over vi przen-ieść/osić się na drugą stronę <z jednej strony na drugą>; (o opinii publicznej) zmieni-ć/ać się, ule-c/gać zmianie
~ round vi (o człowieku) odwr-ócić/acać się (na pięcie); (o przedmiocie) odwr-ócić/acać się na drugą stronę <przodem do tyłu itd.>
~ to vi (o drzwiach itd) zam-knąć/ykać się; zatrzas-nąć/kiwać się
~ up vi podn-ieść/osić
Ⅲ s 1. huśtanie <kołysanie> się; ruch wahadłowy; rozhuśtanie się; rozpęd; rozmach; obrót (korby itd.); ~ bridge most obrotowy; ~ plough pług bezleśny; the ~ of the pendulum a) ruch wahadła tam i z powrotem b) przen toczenie się koła fortuny; zmienne koleje losu c) zwrot w opinii publicznej d) tendencja wśród wyborców do głosowania na przemian na jedną lub drugą partię; the work is in full ~ praca jest w pełnym toku <wre, idzie pełną parą, idzie na pełnych obrotach>; to go with a ~ iść/pójść <odby-ć/wać się> gładko 2. kołyszący się chód 3. huśtawka 4. rytm 5. swing (taniec); ~ music muzyka w rytmie swinga 6. boks swing (uderzenie boczne ze znacznej odległości) 7. fiz amplituda ‖ let it have its ~ niech się sam/o uspokoi
swing-boat ['swiŋ,bout] s huśtawka jarmarczna; pl ~s pot łódki (do huśtania się)
swing-bob ['swiŋ,bɔb] s przeciwwaga
swing-door ['swiŋ,dɔ:] s drzwi wahadłowe
swinge [swindʒ] † vt silnie <mocno> uderz-yć/ać; zbić (za karę); wy/chłostać zob swingeing
swingeing ['swindʒiŋ] Ⅰ zob swinge v Ⅲ adj 1. (o ciosie, uderzeniu) silny; mocny; potężny 2. ogromny; olbrzymi
swing-glass ['swiŋ,glɑ:s] s wielkie zwierciadło ruchome
swingle ['swiŋgl] Ⅰ s 1. roln międlarka 2. bijak cepów Ⅲ vt międlić (len)

swingletree ['swiŋgl,tri:] s orczyk
swing-wheel ['swiŋ,wi:l] s koło rozpędowe <zamachowe>
swinish ['swainiʃ] adj świński
swinishly ['swainiʃli] adv po świńsku
swipe [swaip] Ⅰ s uderzenie <cios> zadan-e/y z rozmachu Ⅱ vt 1. uderz-yć/ać <walnąć> z rozmachem 2. sl zwędzić; ukraść; porwać Ⅲ vi walić
swipes [swaips] spl sl kiepskie piwo; lura
swirl [swə:l] Ⅰ s 1. wir 2. wirowanie; kręcenie <obracanie> się 3. trąba powietrzna; kłębiący się dym; a ～ of dust kurzawa 4. zwój (koronek itd.) 5. upięcie warkocza dookoła głowy Ⅱ vt obracać (sth czymś) Ⅲ vi za/wirować; kręcić się
swish[1] [swiʃ] s 1. świst 2. szelest (papieru, jedwabiu itd.); szmer Ⅱ vt 1. wy/chłostać 2. smagać <mach-nąć/ać, przeci-ąć/nać powietrze ze świstem> (a cane etc. laską itd.) Ⅲ vi 1. za/świszczeć; świs-nąć/tać 2. za/szeleścić
～ off vt ści-ąć/nać machnięciem laski <pręta> (główkę rośliny itd.)
zob **swishing**
swish[2] [swiʃ] adj pot szykowny; elegancki
swishing ['swiʃiŋ] Ⅰ zob swish[1] v Ⅱ s szk chłosta; wychłostanie
Swiss [swis] Ⅰ adj szwajcarski; ～ roll rożek z konfiturą Ⅱ s Szwajcar/ka; pl the ～ Szwajcarzy
switch [switʃ] Ⅰ s 1. witka; pręt 2. machnięcie 3. szpicruta 4. przyprawiany warkocz 5. zwrotnica; am ～ tower budka zwrotniczego; am ～ <～ing> yard dworzec przetokowy 6. elektr przełącznik; ～ gear aparatura przełączeniowa <rozrządcza, sterownicza> Ⅱ vt 1. trzasnąć <śmignąć> batem <witką, szpicrutą>; wy/chłostać 2. przeci-ąć/nać powietrze ze świstem <smagać, mach-nąć/ać> (sth czymś) 3. por-wać/ywać gwałtownym ruchem; wyr-wać/ywać (sth out of sb's hands coś komuś z rąk) 4. dosł i przen s/kierować (a train to a line pociąg na jakiś tor; the conversation to a subject rozmowę na jakiś temat) 5. przełączyć; auto to ～ to dim przyćmić światła 6. nadać inny kierunek (sth czemuś) 7. zamienić się (places etc. miejscami itd.)
～ off vt 1. wyłącz-yć/ać (prąd, światło, radio itd.) 2. z/gasić (światło itd.); przer-wać/ywać połączenie telefoniczne (sb komuś) Ⅲ vi 1. wyłącz-yć/ać prąd <radio itd.> 2. z/gasić światło; przer-wać/ywać połączenie
～ on Ⅰ vt 1. włącz-yć/ać (prąd, radio itd.) 2. zaświec-ić/ać (lampę, reflektor itd.) 3. po/łączyć (kogoś) telefonicznie; da-ć/wać połączenie telefoniczne (sb komuś); 4. auto nastawi-ć/ać (silnik) na bieg Ⅱ vi włącz-yć/ać prąd <radio itd.>
～ over Ⅰ vt przełącz-yć/ać (prąd) Ⅱ vi radio przerzuc-ić/ać się (to another wave-length etc. na inną falę itd.)
～ round vt odwr-ócić/acać nagłym ruchem; I ～ed my head round odwróciłem nagle <szybko> głowę
switchback ['switʃbæk] Ⅰ s kolejka górska (w wesołym miasteczku) Ⅱ attr zmienny; o zmiennych kolejach losu

switchboard ['switʃ,bɔ:d] s 1. łącznica telefoniczna 2. tablica rozdzielcza
switching-engine ['switʃiŋ,endʒin] s parowóz <lokomotywa> przetokow-y/a
switch-man ['switʃ,mæn] s (pl switchmen ['switʃ,men]) zwrotniczy
swither ['swiðə] Ⅰ vi szkoc być niezdecydowanym; wahać się Ⅱ s niezdecydowanie
↑**swivel** ['swivl] Ⅰ s 1. techn okrętka; połączenie przegubowe <zawiasowe> 2. czop; oś Ⅲ attr obrotowy, obracający się (na osi, czopie) Ⅲ vt vi obr-ócić/acać (się) na okrętce <połączeniu zawiasowym, czopie, osi>
swivel-bridge ['swivl,bridʒ] s most obrotowy
swivel-eye(d) ['swivl,ai(d)] adj zezowaty
swob [swɔb] = swab
swollen ['swoulən] Ⅰ zob swell v Ⅲ adj 1. obrzmiały; spuchnięty 2. (o rzece) wezbrany 3. (o budżecie itd) rozdęty
swoon [swu:n] Ⅰ s zemdlenie; omdlenie; she went off in <fell into> a ～ zemdlała Ⅱ vi 1. zemdleć 2. (o dźwiękach itd) zamierać
swoop [swu:p] Ⅰ vi 1. (także to ～ down) spa-ść/dać <rzuc-ić/ać się, runąć, uderz-yć/ać> (on sth na coś); to ～ on one's prey <the enemy etc.> runąć na zdobycz <na wroga itd.> 2. lotn pikować
～ up vt pot por-wać/ywać
Ⅱ s 1. nagła napaść; uderzenie <runięcie> (na wroga, zdobycz itd.); at one fell ～ jednym zgubnym <śmiertelnym> uderzeniem 2. lotn pikowanie
swop [swɔp] Ⅰ s zamiana; wymiana Ⅲ vt (-pp-) zamieni-ć/ać się (sth for sth czymś na coś); to ～ yarns <stories> wzajemnie sobie opowiadać dowcipy <pot kawały>; to ～ bad for worse wpaść z deszczu pod rynnę
sword [sɔ:d] s 1. szpada; pałasz; poet miecz; cavalry ～ szabla; przen the ～ of justice a) miecz sprawiedliwości b) władze sądowe; to cross <measure> ～s with sb skrzyżować szpady <zmierzyć się> z kimś; to draw <sheathe> the ～ a) wyj-ąć/mować <s/chować> miecz b) przen zacz-ąć/ynać <s/kończyć> działania wojenne; to put to the ～ da-ć/wać pod miecz; at the point of the ～ pod groźbą bagnetów 2. sl wojsk bagnet
sword-arm ['sɔ:d,a:m] s prawa ręka
sword-bayonet ['sɔ:d-beiə,net] s długi szeroki bagnet
sword-bearer ['sɔ:d,beərə] s hist miecznik; (w uroczystym pochodzie) urzędnik niosący miecz króla <dostojnika>
sword-belt ['sɔ:d,belt] s pas u szpady
sword-blade ['sɔ:d,bleid] s ostrze szpady
sword-cane ['sɔ:d,kein] s laska z ukrytą wewnątrz szpadą
sword-cut ['sɔ:d,kʌt] s cięcie szablą <szpadą>; (na twarzy) szrama
sword-dance ['sɔ:d,da:ns] s taniec wśród mieczów
sword-fish ['sɔ:d,fiʃ] s zoo miecznik (ryba)
sword-flag ['sɔ:d,flæg] s bot żółty irys; kosaciec
sword-grass ['sɔ:d,gra:s] s bot gladiolus, mieczyk
sword-guard ['sɔ:d,ga:d] s garda (u szpady)
sword-hilt ['sɔ:d,hilt] s rękojeść szpady <miecza>
sword-knot ['sɔ:d,nɔt] s temblak u szabli
sword-lily ['sɔ:d,lili] = sword-flag

sword-play ['sɔːd‚plei] s szermierka; przen szermierka słowna

swordship ['sɔːdʃip] s szermierka

sword-side ['sɔːd‚said] s (o pochodzeniu) strona ojca; linia męska; (pochodzenie) „po mieczu"

↓swordsman ['sɔːdzmən] s (pl swordsmen ['sɔːdzmən]) szermierz

sword-stick ['sɔːd‚stik] = sword-cane

sword-thrust ['sɔːd‚θrʌst] s pchnięcie szpadą

swore zob swear v

sworn [swɔːn] Ⅰ zob swear v Ⅲ adj 1. zaprzysiężony; ~ enemies śmiertelni wrogowie; ~ friends przyjaciele na śmierć i życie 2. przysięgły 3. (o oświadczeniu itd) złożony pod przysięgą

swot [swɔt] v (-tt-) Ⅰ vt vi sl szk (zw to ~ up) wkuwać Ⅲ s sl szk wkuwanie

swum zob swim v

swung zob swing v

sybarite ['sibə‚rait] s sybaryta

sybaritic [‚sibə'ritik] adj sybarycki

sybaritism ['sibəri‚tizəm] s sybarytyzm

sybil ['sibil] = sibyl

sycamine ['sikə‚main] s bot morwa czarna

sycamore, sycomore ['sikə‚mɔː] s bot 1. jawor 2. (także ~ fig) (w Egipcie i Syrii) odmiana figowca

syce [sais] = sice

sycee [sai'siː] s (w Chinach) srebro w sztabkach (środek płatniczy)

syconium [si'kouniəm] s (pl siconia [si'kouniə]) bot owoc złożony, pozorny

sycophancy ['sikəfənsi] s pochlebstwo; pochlebianie

sycophant ['sikəfənt] s pochlebca

sycosis [sai'kousis] s med figówka

syenite ['saii‚nait] s miner sjenit

syllabary ['siləbəri] s (u Japończyków itd) spis znaków pisarskich przedstawiających sylaby

syllabic [si'læbik] adj 1. zgłoskowy; sylabowy 2. zgłoskotwórczy, sylabiczny

syllabicate [si'læbi‚keit], syllabify [si'læbi‚fai], syllabize ['silə‚baiz] vt prze/sylabizować

syllable ['siləbl] Ⅰ s zgłoska; sylaba; not a ~ ani słowa (więcej) Ⅲ vt wym-ówić/awiać sylabami <wyraźnie>

syllabub ['silə‚bʌb] = sillabub

syllabus ['siləbəs] s (pl syllabi ['silə‚bai], ~es) 1. program (kursu, nauki itd.) 2. konspekt 3. rel sylabuṣ (spis potępionych nauk i teorii)

syllogism ['silə‚dʒizəm] s log sylogizm; rozumowanie; wniosek rozumowy

syllogistic [‚silə'dʒistik] adj log sylogistyczny

syllogize ['silə‚dʒaiz] vi log operować sylogizmami

sylph [silf] s sylf; przen sylfida (smukła dziewczyna)

sylphid ['silfid] s sylfida

sylvan ['silvən] adj leśny

symbiosis [‚simbi'ousis] s symbioza; współżycie

symbiotic [‚simbi'ɔtik] adj symbiotyczny

symbol ['simbəl] s symbol; godło; znak; hasło

symbolic(al) [sim'bɔlik(əl)] adj symboliczny

symbolics [sim'bɔliks] s symbolika

symbolism ['simbə‚lizəm] s symbolizm

symbolize ['simbə‚laiz] vt symbolizować

symmetric(al) [si'metrik(əl)] adj symetryczny

symmetrize ['simə‚traiz] vt układać symetrycznie; symetryzować

symmetry ['simitri] s symetria

sympathetic [‚simpə'θetik] adj 1. mający <wykazujący> zrozumienie; rozumiejący (czyjeś uczucia itd.) 2. współczujący; ubolewający 3. (o usposobieniu) miły, sympatyczny; (o spojrzeniu, uśmiechu) pełen sympatii 4. życzliwy; to be ~ to sb, sth odnieść się życzliwie do kogoś, czegoś 5. (o strajku) solidarnościowy 6. anat (o nerwie) sympatyczny, współczulny 7. (o atramencie) sympatyczny 8. (o krajobrazie) wywołujący wspomnienia

sympathize ['simpə‚θaiz] vi 1. współczuć (with sb komuś, z kimś); wyra-zić/żać swoje współczucie 2. sympatyzować <solidaryzować się> (z kimś); to ~ with sb in his outlook <sb's outlook> podzielać czyjeś zapatrywania 4. mieć zrozumienie (with sb in his feelings dla czyichś uczuć)

sympathizer ['simpə‚θaizə] s 1. sympatyk; stronnik; zwolennik 2. człowiek współczujący (in sb's sorrow komuś <z kimś> w jego smutku)

↓sympathy ['simpəθi] s 1. wzajemne zrozumienie; podzielanie wspólnych uczuć (with sb z kimś); to be in ~ with sb's outlook dzielić <podzielać> czyjeś zapatrywania itd.; stać po czyjejś stronie 2. współczucie (with sb dla kogoś, komuś); ubolewanie (for sb nad kimś); a letter of ~ list kondolencyjny <z wyrazami współczucia> 3. sympatia (for sb do <dla> kogoś); my sympathies are with them jestem po ich stronie; to be in ~ with sb, sth sympatyzować <solidaryzować się> z kimś, czymś; in ~ with sb, sth solidarnie <przez solidarność> z kimś, czymś 4. litowanie się (for sb nad kimś); I have no ~ for such people nie żal mi takich ludzi

sympetalous [sim'petələs] adj bot zrosłopłatkowy

symphonic [sim'fɔnik] adj symfoniczny

symphony ['simfəni] Ⅰ s symfonia Ⅲ attr (o koncercie itd) symfoniczny

symphyseal [sim'fiziəl] adj anat spojeniowy

symphysis ['simfisis] s anat spojenie (kości)

sympiesometer [‚simpii'sɔmitə] s fiz sympiezometr

symposium [sim'pouzjəm] s (pl symposia [sim'pouzjə]) 1. (u staroż. Greków) sympozjon 2. biesiada 3. sympozjum, konferencja, sesja (naukowa)

symptom ['simptəm] s objaw; symptom; symptomat

symptomatic [‚simptə'mætik] adj symptomatyczny; znamienny

symptomatize ['simptəmə‚taiz] vt być objawem (sth czegoś)

symptomatology [‚simptəmə'tɔlədʒi] s symptomatologia

synagogue ['sinə‚gɔg] s synagoga; bóżnica, bożnica

syncarpous [sin'kɑːpəs] adj bot (o owocu) powstający ze zrośnięcia dwóch lub więcej słupków

synchromesh ['sinkrou‚meʃ] s auto synchronizator

synchronic [sin'krɔnik] adj synchroniczny; równoczesny

synchronism ['sinkrə‚nizəm] s synchronizm; równoczesność

synchronistic [‚sinkrə'nistik] adj synchroniczny

synchronization [ˌsiŋkrənai'zeiʃən] *s* synchronizacja

synchronize ['siŋkrə,naiz] [I] *vi* zdarz-yć/ać się <przebiegać> równocześnie; wykaz-ać/ywać jednoczesność [II] *vt* 1. z/synchronizować 2. ustal-ić/ać <wykaz-ać/ywać> jednoczesność (**events etc.** wypadków itd.) 3. s/koordynować

synchronous ['siŋkrənəs] *adj* 1. = **synchronic** 2. (*o silniku*) współbieżny, synchroniczny

syncopal ['siŋkəpl] *adj med* omdleniowy

syncopate ['siŋkə,peit] *vt* 1. *gram* za/stosować synkopę (**a word** w wyrazie) 2. *gram* za/stosować wyrzutnię <elizję> 3. *muz* synkopować

syncope ['siŋkəpi] *s* 1. *gram muz* synkopa 2. *med* omdlenie

syncretism ['siŋkrə,tizəm] *s rel filoz* synkretyzm

syndactil [sin'dæktil], **syndactilous** [sin'dæktiləs] *adj zoo* zrosłopalczasty

syndic ['sindik] *s* 1. pełnomocnik; przedstawiciel władz miejskich pełniący funkcje sędziowskie 2. *uniw* (*w Cambridge*) członek specjalnej komisji senatu

syndicalism ['sindikə,lizəm] *s* syndykalizm

syndicalist ['sindikəlist] *s* syndykalista

syndicate ['sindikit] [I] *s* 1. syndykat 2. konsorcjum 3. *uniw* (*w Cambridge*) zespół członków komisji senatu zwanych "**syndics**" [II] *vt* ['sindi,keit] po/łączyć w syndykat(y) [III] *vi* ['sindi,keit] po/łączyć się w syndykat(y)

syne [sain] *adv szkoc* = **since**

synecdoche [si'nekdəki] *s* synekdocha

synergic [si'nə:dʒik] *adj* współdziałający

synergy ['sinədʒi] *s* współdziałanie

synesthesia [ˌsini:s'θi:ziə] *s fizj* doznawanie równoczesne

syngenetic [ˌsindʒi'netik] *adj* syngenetyczny

synod ['sinəd] *s* synod

synodal ['sinədl], **synodic** [si'nɔdik] *adj rel astr* synodalny

synonym ['sinənim] *s* synonim

synonymic [ˌsinə'nimik] *adj* synonimiczny

synonymics [ˌsinə'nimiks] *s* synonimika

synonymous [si'nɔniməs] *adj* synonimiczny

synonymy [si'nɔnimi] *s* synonimia

synopsis [si'nɔpsis] *s* (*pl* **synopses** [si'nɔpsi:z]) streszczenie; synopsis

synoptical [si'nɔptikəl] *adj* synoptyczny

synovia [si'nouviə] *s fizj* maź stawowa

syntactic(al) [sin'tæktik(əl)] *adj gram* składniowy; syntaktyczny

syntax ['sintæks] *s* składnia, syntaksa

synthesis ['sinθisis] *s* (*pl* **syntheses** ['sinθi,si:z]) synteza

synthetic(al) [sin'θetik(əl)] *adj* syntetyczny

synthesize ['sinθi,saiz], **synthetize** ['sinθi,taiz] *vt* syntetyzować

syntonic [sin'tonik] *adj psych* syntoniczny

syntony ['sintəni] *s psych* syntonia

sypher ['saifə] *vt stol* po/łączyć na nakładkę

syphilis ['sifilis] *s med* syfilis; kiła

syphilitic [ˌsifi'litik] *adj med* syfilityczny; kiłowy

syphon ['saifən] = **siphon**

syren ['saiərən] = **siren**

Syriac ['siriæk] *s* język starosyryjski

Syrian ['siriən] [I] *adj* syryjski [II] *s* Syryj-czyk/ka

syringe ['sirindʒ] [I] *s* strzykawka [II] *vt* 1. oprysk-ać/iwać 2. przestrzykiwać 3. przepłukać strzykawką

syrup ['sirəp] *s* syrop; ulepek

systaltic [sis'tæltik] *adj med* skurczowy

system ['sistim] *s* 1. system; układ 2. metoda 3. sieć (kolejowa itd.) 4. organizm (człowieka); *anat* układ 5. *geol* układ; formacja 6. *muz* system (w partyturze) 7. *polit* ustrój 8. systematyczność

systematic [ˌsisti'mætik] *adj* systematyczny

systematize ['sistimə,taiz] *vt* u/systematyzować

systemic [sis'temik] *adj med* układowy

systole ['sistəli] *s med* skurcz (serca)

systolic [sis'tolik] *adj med* skurczowy

syzygy ['sizidʒi] *s astr* syzygia

T

T [ti:] *litera* t (*pl* **ts** [ti:z], **t's**); **to cross one's t's** a) (pisząc) przekreślać litery t b) *przen* stawiać kropki nad i c) być pedantem; **to a T** ściśle; dokładnie; doskonale; w sam raz; **it suits me to a T** to mi znakomicie <*pot* świetnie> odpowiada; **T-bandage** opatrunek w kształcie litery T; **T-bar** <-**iron**> teówka; żelazo teowe; **T-joint** trójnik; łącznik trójkowy; **T-square** węgielnica

't = **it**; *zw w połączeniach*: **'tis** = **it is**; **'twas** = **it was**

ta [tɑ:] *interj dziec żart* = **thank you**

taal [tɑ:l] *s* 1. *pl* **the** ~ pierwsi osadnicy holenderscy na Przylądku Dobrej Nadziei 2. język osadników holenderskich na Przylądku Dobrej Nadziei

tab [tæb] *s* 1. patka 2. język (buta); ucho (czapki) 3. skuwka (sznurowadła itd.) 4. wieszak (płaszcza itd.) 5. dystynkcja <naszywka> oficera sztabowego 6. etykieta 7. fiszka 8. *am pot* rachunek;

to keep ~ <~**s**> **on sth** prowadzić rachunek czegoś; pilnować czegoś

tabard ['tæbəd] *s* 1. *hist* płaszcz 2. kaftan herolda z naszytym herbem królewskim

tabaret ['tæbə,ret] *s tekst* prążkowana satyna na obicia mebli

tabasheer, tabashir ['tæbəʃiə] *s* substancja krzemionkowa znajdująca się w węzłach bambusa

tabby ['tæbi] *s* 1. *tekst* mora; tabin 2. bur-y/a kot/ka 3. bajczarka; plotkarka 4. zaprawa murarska

tabefaction [ˌtæbi'fækʃən] *s med* stopniowe wyniszczenie organizmu

taberdar ['tæbə,dɑ:] *s uniw* (*w Oxfordzie*) stypendysta Queen's College

tabernacle ['tæbə,nækl] [I] *s* 1. przybytek; *przen* ciało ludzkie 2. świątynia, miejsce modlitwy; *am* kościół 3. *bibl* **Tabernacle** przybytek Arki Przymierza; **the Feast of Tabernacles** kuczki (jesienne święta żydowskie) 4. *kośc* tabernakulum 5. *kośc* staḷla z baldachimem 6. składany maszt opuszczający się przy przejeździe pod mostem **tabes** ['teibi:z] *s med* tabes, wiąd; **dorsal** ~ wiąd rdzenia

tabetic [tə'bɛtik] Ⅰ *adj* wiądowy Ⅲ *s* tabetyk

tabid ['tæbid] *adj med* charłaczy, wiądowy

tabinet ['tæbinit] *s tekst* mora z jedwabiu i wełny

tablature ['tæblətʃə] *s* 1. obraz myślowy 2. przedstawienie graficzne

table ['teibl] Ⅰ *s* 1. stół; ~ **tennis** tenis stołowy; ping-pong; *rel* **the Lord's Table** Stół Pański, komunia; **to keep a good** <poor> ~ dobrze <kiepsko> jeść; prowadzić dobrą <kiepską> kuchnię; **at** ~ przy stole 2. towarzystwo (siedzące przy stole); biesiadnicy; **to keep the** ~ **amused** bawić towarzystwo 3. płyta; blat 4. napis wyryty na kamiennej płycie; *pl* ~**s** prawa; ustawy; *rel* **the ten** ~**s** dziesięcioro przykazań 5. *geogr* płaskowyż 6. *arch* karnisz 7. płaszczyzna drogiego kamienia <klejnotu>; ~ **diamond** brylant płasko rżnięty 8. dłoń 9. *anat* blaszka kostna 10. tablica; tabela; spis; wykaz; **multiplication** ~ tabliczka mnożenia; (*w książce*) ~ **of contents** spis rzeczy <treści> 11. *pl* ~**s** tryktrak (gra w kostki); **to turn the** ~**s on sb** pobić kogoś <przeciwnika> jego własną bronią; **the** ~**s are turned** sytuacja zmieniła się 12. stół przewodniczącego parlamentu angielskiego; **to lay a measure on the** ~ od-łożyć/kładać projekt do późniejszego rozpatrzenia <na czas nieograniczony>; (*o projekcie*) **to lie on the** ~ zostać odłożonym na czas nieograniczony Ⅲ *adj* stołowy; ~ **salt** sól kuchenna Ⅲ *vt* 1. położyć/kłaść na stole 2. podda-ć/wać (parlamentowi) pod dyskusję <do rozpatrzenia>; złożyć/składać (wniosek) 3. sporządz-ić/ać tabelę <spis, wykaz> (*sth czegoś*); tabularyzować 4. *stol* z/łączyć (deski, belki) 5. obrębi-ć/ać

tableau ['tæblou] *s* (*pl* **tableaux** ['tæblouz]) 1. (*także* ~ **vivant** [vi'vã:]) żywy obraz; *teatr* ~ **curtains** kurtyna rozsuwana 2. sytuacja pełna dramatycznego napięcia

table-beer ['teibl,biə] *s* piwo stołowe

table-clamp ['teibl,klæmp] *s* zacisk; śruba zaciskowa

table-cloth ['teibl,klɔθ] *s* obrus

table-companion ['teibl-kəm,pænjən] *s* współbiesiadnik/czka

table-cut ['teibl,kʌt] *adj* (*o drogim kamieniu*) płaskorżnięty

table d'hôte ['ta:bl'dout] *s* (*pl* **tables d'hôte** ['ta:blz'dout]) (*także* ~ **breakfast** <lunch, dinner>) table d'hôte

table-flap ['teibl,flæp] *s* klapa stołu

table-knife ['teibl,naif] *s* nóż stołowy

table-land ['teibl,lænd] *s geogr* płaskowyż

table-leaf ['teibl,li:f] *s* wkładany blat stołu rozsuwanego

table-linen ['teibl,linin] *s* bielizna stołowa

table-money ['teibl,mʌni] *s* 1. dodatek na reprezentację 2. (*w klubach*) opłata za korzystanie z restauracji klubowej

table-spoon ['teibl,spu:n] *s* łyżka stołowa

table-spoonful ['teibl,spu:n,ful] *s* (pełna) łyżka stołowa (lekarstwa itd.)

tablet ['tæblit] *s* 1. tabliczka 2. tablica pamiąt-

kowa; wotum 3. tabletka (aspiryny itd.); ~ **of soap** mydełko 4. bloczek do notatek 5. *bud* belkowanie

table-talk ['teibl,tɔ:k] *s* rozmowa towarzyska przy stole

table-turning ['teibl,tə:niŋ] *s* seans spirytystyczny z wirującym stołem

table-top ['teibl,tɔp] *s* blat

table-ware ['teibl,wɛə] *s* zastawa stołowa; nakryci-e/a

table-water ['teibl,wɔ:tə] *s* woda mineralna <stołowa>

tabloid ['tæblɔid] Ⅰ *s* 1. tabletka <pastylka> (lekarstwa itd.) 2. ilustrowana gazeta podająca wiadomości w skrócie Ⅲ *attr* ściśnięty; prasowany; ~ **journalism** wiadomości dziennikarskie podawane w skrócie

taboo [tə'bu:] Ⅰ *adj* zakazany; nietykalny Ⅲ *s* tabu; świętość nietykalna; **to be under (a)** ~ być zakazanym <nietykalnym> Ⅲ *vt* zakaz-ać/ywać

tabor ['teibə] *s hist* bębenek baskijski bez dzwoneczków

tabouret ['tæbərit] *s* 1. taboret 2. tamborek (do haftowania)

tabu [tə'bu:] = **taboo**

tabula ['tæbjulə] *s* (*pl* **tabulae** ['tæbju,li:]) *anat* płytka kostna; ~ **rasa** ['tæbjulə'reisə] a) umysł ludzki w surowym stanie b) niezapisana kartka c) teren ogołocony ze wszystkiego

tabular ['tæbjulə] *adj* 1. płytowy; płytkowy; tabliczkowy 2. warstewkowy 3. tabelaryczny

tabulate ['tæbju,leit] *vt* 1. tabularyzować; u-łożyć/kładać <zestawi-ć/ać> w formie tabel 2. nada-ć/wać płaską powierzchnię (*sth czemuś*)

tacamahac ['tækəmə,hæk] *s* 1. żywica używana do kadzidła 2. *bot* topola czarna <balsamiczna>

tac-au-tac ['tækou,tæk] *s szerm* parowanie z ripostą

tace ['teisi:] *v imp* milcz; nic nie mów

tache [tætʃ] *s bibl* spinka, sprzączka, klamra

tachometer [tæ'kɔmitə] *s fiz* tachometr; prędkościomierz

tachycardia [,tæki'ka:diə] *s med* częstoskurcz

tachylyte ['tæki,lait] *s miner* tachylit

tacit ['tæsit] *adj* (*o zgodzie itd*) cichy, milczący, nie wypowiedziany

taciturn ['tæsi,tə:n] *adj* milczący; małomówny

taciturnity [,tæsi'tə:niti] *s* małomówność; milczące usposobienie

tack [tæk] Ⅰ *s* 1. gwoździk (tapicerski) 2. (*zw* **brass** ~) pluskiewka, pinezka (*zob* **brass**) 3. *pl* ~**s** fastryga 4. *mar* hals; kurs; *przen* taktyka; kurs 5. lepkość; kleistość; przyczepność 6. żywność; prowiant; **hard** ~ suchar/y; **soft** ~ a) chleb b) dobre wyżywienie Ⅲ *vt* 1. (*także* **to** ~ **down**) przybi-ć/jać gwoździkami; przypi-ąć/nać pluskiewkami <pinezkami>; (*także* **to** ~ **on**) do-łącz-yć/ać <doczepi-ć/ać (**sth to sth** coś do czegoś) 2. s/fastrygować Ⅲ *vi* (*także* **to** ~ **about**) halsować; lawirować; *przen* zmieni-ć/ać taktykę <kurs> *zob* **tacking**

tacking ['tækiŋ] Ⅰ *zob* **tack** *v* Ⅲ *s* 1. przybi-cie/janie 2. s/fastrygowanie 3. lawirowanie 4. *prawn* dodatkowy dług hipoteczny z prawem pierwszeństwa 5. dołącz-enie/anie klauzuli do projektu ustawy w celu zapewnienia jego uchwalenia

tackle ['tækl] Ⓘ *s* 1. sprzęt; przybory 2. wyciąg; urządzenie wyciągowe; wielokrążek; *mar* talia 3. *mar* takelunek 4. *sport* chwy-cenie/tanie <przytrzym-anie/ywanie> przeciwnika Ⓘ *vt* 1. zewrzeć/zwierać się (**an opponent** z przeciwnikiem); chwy-cić/tać; zatrzym-ać/ywać (przeciwnika, współzawodnika) 2. zab-rać/ierać, wziąć/brać się <przyst-ąpić/ępować> (**sth do czegoś**) ~ **to** *vi pot* zab-rać/ierać się energicznie do pracy

tacky ['tæki] *adj* lepki; kleisty; czepny

tact [tækt] *s* 1. takt; delikatność; wyczucie; **to use** ~ post-ąpić/ępować taktownie <z wyczuciem, zręcznie>; **with** ~ z czuciem <wyczuciem>, taktownie 2. *muz* takt

tactful ['tæktful] *adj* taktowny

tactical ['tæktikəl] *adj* 1. taktyczny 2. (*o człowieku*) zręczny

tactician [tæk'tiʃən] *s* taktyk

tactics ['tæktiks] *s* 1. taktyka (wojskowa itd.) 2. metoda

tactile ['tæktail] *adj* 1. dotykowy 2. dotykalny; namacalny

tactless ['tæktlis] *adj* nietaktowny

tactlessness ['tæktlisnis] *s* 1. brak taktu 2. nietakt

tactual ['tæktjuəl] *adj* dotykowy

tadpole ['tædpoul] *s zoo* kijanka

tael [teil] *s* tael

taenia ['tiːniə] *s* (*pl* **taeniae** ['tiːniˌiː]) 1. *arch* wyskok; pasek (w stylu doryckim) 2. *med* tasiemiec 3. *anat* taśma 4. opaska do włosów

tafferel ['tæfərel] = **taffrail**

taffeta ['tæfitə] *s tekst* tafta

taffrail ['tæfreil] *s mar* reling rufowy

taffy[1] ['tæfi] *s* 1. *am* toffi; irys (cukierek) 2. *pot* pochlebstwa

Taffy[2] ['tæfi] *spr pot* Walijczyk

tafia ['tæfiə] *s* (*w Indiach Zachodnich*) gatunek rumu

tag [tæg] Ⓘ *s* 1. skuwka (sznurowadła) 2. ucho (z tyłu bucika) 3. kartka <etykietka> (na adres itd.), przywiązywana do przesyłki) 4. wiszący strzęp (materiału, wstążki itd.) 5. kłak (wełny) na owcy <baranie> 6. koniuszek ogona 7. *teatr* końcowe przemówienie do publiczności 8.˙ frazes; sentencja; banał; powiedzonko 9. refren 10. zabawa w berka 11. dodatek (do przemówienia, utworu lit. itd.) Ⓘ *vt* (**-gg-**) 1. zakończyć (sznurowadło) skuwką 2. zakończyć (utwór lit., przemówienie itd.) dodatkiem <frazesem itd.> 3. doda-ć/wać (coś do czegoś); przywiąz-ać/ywać kartkę <etykietkę> (**a parcel etc.** do paczki itd.); **to** ~ **together** związ-ać/ywać <po-wiązać, po/łączyć> 4. odci-ąć/nać kłaki (**a sheep** owcy) 5. dot-knąć/ykać (kogoś) w zabawie w berka 6. chodzić jak cień (**sb za kimś**) Ⓘ *vi* (**-gg-**) 1. *pot* deptać komuś po piętach; chodzić jak cień (**after sb** <**at sb's heels**> za kimś) 2. (*o wyrazach*) rymować się

tag-day ['tægˌdei] *s am* dzień kwiatka <zbiórki ulicznej na cel społeczny>

tag-end ['tægˌend] *s* 1. niedopałek 2. pozostałość; reszta; koniuszek

tagetes [tə'dʒiːtiːz] *s bot* aksamitka, śmierdziuszek

tag-rag ['tægˌræg] = **rag-tag**

tag-sore ['tægˌsɔː] *s wet* ospica, ospa owcza

tagtail ['tægˌteil] *s* 1. *zoo* glista z żółtym ogonem 2. (*o człowieku*) pochlebca

tagger ['tægə] *s* 1. (*w zabawie w berka*) goniący 2. *pl* ~**s** blacha cynkowana

taiga ['taigə] *s* tajga

▲**tail**[1] [teil] Ⓘ *s* 1. ogon (zwierzęcia, samolotu, orszaku itd.); **to put one's** ~ **between one's legs** schować ogon pod siebie; (*o ludziach*) ~**s up** głowa do góry; *pot* **to turn** ~ bryknąć; podać tył; **to twist sb's** ~ zrobić komuś na złość 2. kozica (pługa) 3. ogon <warkocz> (komety) 4. tył (wozu) 5. koniec <ogon> (pochodu itd.) 6. tren (sukni) 7. poła (fraka, koszuli itd.) 8. spód; dolna część (stronicy itd.); ~ **margin** dolny margines 9. kącik (oka) 10. (*zw pl* ~**s**) reszka (monety) 11. orszak 12. *pl* ~**s** *pot* frak; **to go into** ~**s** wdzi-ać/ewać frak 13. związane z tyłu włosy; "koński ogon" 14. zadek, tyłek (człowieka) Ⓘ *vt* 1. doda-ć/wać <doprawi-ć/ać> ogon (**sth czemuś**); przyczepi-ć/ać <przywiąz-ać/ywać> ogon (**sth do czegoś**) 2. *pot* ob-erwać/rywać ogonki (**fruit** owoców, jagód) 3. obci-ąć/nać ogon (**a sheep** owcy) 4. śledzić (kogoś); iść w ślad (**sb za kimś**) 5. *mar* (*o zakotwiczonym statku*) kołysać się (**the tide** na fali przypływającego <odpływającego> morza) Ⓘ *vi* 1. śledzić (**after sb** kogoś); iść w ślad (**after sb** za kimś) 2. *mar* (*o zakotwiczonym statku*) kołysać się na fali (**up** <**down**> **stream** przypływającego <odpływającego> morza)
~ **away** <**off**> *vi* 1. ciągnąć się z tyłu <*pot* w ogonie za innymi> 2. (*o głosie*) zam-rzeć/ierać
~ **in** *vt* wpu-ścić/szczać (belkę) w mur
~ **up** *vi* (*o samolocie*) pikować

tail[2] [teil] *s prawn* ogranicz-enie/anie dziedzictwa do wyznaczonych spadkobierców; ~ **male** <**female**> posiadanie majątku z zastrzeżeniem, że dziedziczą spadkobiercy w linii męskiej <żeńskiej>

tail-board ['teilˌbɔːd] *s* zatylnik (wozu)

tail-coat ['teil'kout] *s* 1. frak 2. żakiet (męski)

tailed [teild] Ⓘ *zob* **tail**[1] *v* Ⓘ *adj* ogoniasty; ogonowy

tail-end ['teil'end] *s* koniec (pochodu, wąwozu itd.)

tail-feather ['teilˌfeðə] *s* pióro ogonowe

tail-fin ['teilˌfin] *s* pławka ogonowa

tail-gate ['teilˌgeit] *s* dolna zastawa (śluzy)

tail-heavy ['teil'hevi] *adj* (*o samochodzie itd*) przeciążony z tyłu

▲**tailing** ['teiliŋ] Ⓘ *zob* **tail**[1] *v* Ⓘ *s* 1. część cegły <belki> wpuszczona w mur 2. *pl* ~**s** odpadki; wysiewki 3. *pl* ~**s** plewy 4. *pl* ~**s** pośład

tailless ['teillis] *adj* bezogoniasty

tail-light ['teilˌlait] *s* światło tylne (samochodu itd.)

▲**tailor** ['teilə] Ⓘ *s* krawiec Ⓘ *vi* zajmować się kra-wieetwem Ⓘ *vt* 1. u/szyć 2. *sl* s/patałaszyć *zob* **tailoring**

tailor-bird ['teiləˌbɔːd] *s zoo* krawiec (ptak zszywający liście dla zbudowania sobie gniazda)

tailoress ['teiləris] *s* krawcowa, krawczyni

tailoring ['teiləriŋ] Ⓘ *zob* **tailor** *v* Ⓘ *s* 1. krawiectwo 2. uszycie

tailor-made ['teiləˌmeid] *attr* 1. uszyty przez krawca; **a ~ costume** kostium (damski) 2. zrobiony <uszyty, wykonany> na specjalne zamówienie

tailpiece ['teil‚pi:s] *s* 1. *druk* winieta 2. płużka (u skrzypiec itd.) 3. zakończenie (czegokolwiek) 4. belka wpuszczona w mur

tailpipe ['teil‚paip] Ⅰ *s techn* 1. rura ssąca pompy 2. przewód wylotowy (silnika) Ⅲ *vt w zwrocie*: **to ~ a dog** przywiąz-ać/ywać puszkę z konserw psu do ogona

tail-plane ['teil‚plein] *s lotn* statecznik; stabilizator

tail-race ['teil‚reis] *s techn* kanał odpływowy dolny

tail-rod ['teil‚rɔd] *s techn* trzon tłokowy przechodzący przez tylną pokrywę

tail-skid ['teil‚skid] *s lotn* płoza ogonowa

tail-slide ['teil‚slaid] *s lotn* ślizg na ogon

tail-spin ['teil‚spin] *s lotn* korkociąg

tail-stock ['teil‚stɔk] *s techn* konik tokarski

tail-wind ['teil‚wind] *s* wiatr w plecy; pomyślny wiatr

tain [tein] *s* posrebrzenie (lustra)

taint [teint] Ⅰ *s* 1. plama 2. wada; skaza 3. ślad (zepsucia, choroby, infekcji) 4. obciążenie dziedziczne 5. zepsucie; skażenie; splugawienie Ⅱ *vt* 1. s/kazić; s/plugawić; ze/psuć; **~ed goods** towar, którego nie tknie członek związku zawodowego, ponieważ pochodzi on z produkcji pozazwiązkowej 2. s/plamić Ⅲ *vi* ze/psuć się

taintless ['teintlis] *adj* bez skazy

take [teik] *v* (**took** [tuk], **taken** ['teikən]) Ⅰ *vt* 1. wziąć/brać; zab-rać/ierać; nab-rać/ierać <z/robić zapas> (**sth** czegoś); powziąć (decyzję), **to ~ a bath** wy/kąpać się; **to ~ a job in a factory etc.** zacząć pracować w fabryce itd.; **to ~ a nap** zdrzemnąć się; **to ~ an obstacle** wziąć przeszkodę; przeskoczyć; **to ~ a partner** wziąć sobie wspólnika; **to ~ a wife** ożenić się; **to ~ lessons** brać lekcje; uczyć się (**from sb** u kogoś); **to ~ lodgings** zamieszkać; **to ~ one's partner** po/prosić damę <dziewczynę> do tańca; **to ~ responsibility** <**the blame**> wziąć <przyjąć> na siebie odpowiedzialność <winę>; **to ~ sb's things** zab-rać/ierać komuś rzeczy; posługiwać się czyimiś rzeczami; używać cudzych rzeczy; **to ~ shelter** <**cover**> s/chronić się; **to ~ the air** przewietrzyć się 2. wziąć/brać jako przykład; **~ the French Revolution** weź/my jako przykład rewolucję francuską 3. chwy-cić/tać (**sth by the handle etc.** coś za rączkę itd.) 4. por-wać/ywać 5. zdoby-ć/wać (nagrodę, twierdzę, lewę, pionka itd.) 6. zysk-ać/iwać (**by sth** na czymś) 7.. z/łapać <s/chwytać, z/łowić> (**sb** <**an animal**> **in a trap** kogoś <zwierzę> w sidła) 8. s/podobać się (**sb** komuś); **to ~ sb's fancy** przypa-ść/dać komuś do gustu <do serca>; **to ~ a fancy to sb, sth** polubić <upodobać sobie> kogoś, coś 9. mieć prawo (**precedence itd.** pierwszeństwa itd.) 10. przy-jąć/mować (ofertę, cenę, lokatorów, stołowników); **to ~ orders** przyjąć święcenia; **he took it like a lamb** przyjął to potulnie 11. prenumerować (gazetę, pismo) 12. za/rezerwować (miejsc-e/a w teatrze, samolocie itd.) 13. zasięg-nąć/ać (**information** <**advice**> informacji <porady>) 14. s/korzystać (**an opportunity etc.** ze sposobności itd.); **to ~ advantage of sth** a) skorzystać z czegoś b) wyko-

rzystać <wyzyskać> coś c) zrobić użytek z czegoś; **to ~ sb's advice** a) poradzić się kogoś b) skorzystać z czyjejś porady; *sl* **I'm not taking any** dziękuję, nie reflektuję <nie skorzystam>; nie ma głupich; ja nie frajer 15. zaj-ąć/mować (miejsce, czas); **to ~ a seat** usiąść; **I won't ~ your time** nie będę panu zajmował <zabierał> czasu; **to ~ long** długo po/trwać; **he took four days over it** zajęło mu to cztery dni; **he took an hour to write** _ napisanie ... (zadania itd.) zajęło mu (jedną) godzinę 16. jeść; pić; zaży-ć/wać (lekarstwo); **to ~ a cup of tea** wypić herbatę; napić się herbaty; **he ~s no sugar in his tea** on pije herbatę bez cukru; **to ~ too much** nadużywać (**alcohol etc.** alkoholu itd.) 17. wymagać (**sth** czegoś); **a transitive verb ~s an object** czasownik przechodni wymaga dopełnienia; **it ~s an artist to** _ trzeba artysty, żeby ...; **it ~s money to do such a thing** po/ trzeba pieniędzy, żeby coś takiego zrobić; **it ~s time to** wymaga czasu; **it ~s two to make a quarrel** do kłótni trzeba dwóch <dwojga>; **~ your time** nie spiesz się 18. wziąć/brać <zab-rać/ ierać> z sobą; zan-ieść/osić; przyn-ieść/osić; przyprowadz-ić/ać (kogoś z sobą); **~ this to the post office** zanieś to na pocztę; **~ your children with you** zabierz <weź, przyprowadź> dzieci z sobą 19. dostać (**a fever** <**cold etc.**> gorączki <kataru itd.>); **to ~ a cold** zaziębić się 20. poczuć; odczuwać; zazna-ć/wać <dozna-ć/wać> (**pleasure etc. in sth** przyjemności itd. w czymś); **to ~ a dislike to sb** poczuć antypatię do kogoś; **to ~ a fright** przestraszyć się; **to ~ (an) interest in sb, sth** zainteresować się kimś, czymś; **to ~ (a) pleasure in sth** znajdować przyjemność <upodobanie> w czymś; z przyjemnością <lubością> (coś robić); **to ~ (a) pride in sth** szczycić się czymś; **to ~ offence at sth** obrazić się o coś; czuć się dotkniętym czymś; **to ~ pity on sb** zlitować się nad kimś 21.. wytęż-yć/ać (uwagę, siły itd.); **to ~ pains** <**trouble**> zada-ć/ wać sobie trud 22. z/badać; z/mierzyć (czyjąś temperaturę, czyjś wzrost itd.) 23. za/notować <zapis-ać/ywać> sobie; **to ~ readings** spojrzeć na barometr <manometr, termometr itd.>; od- czyt-ać/ywać licznik; za/notować odczyt przyrządu kontrolnego <manometru itd.> 24. rozumieć; wnioskować; interpretować; **I ~ this to be** _ rozumiem to jako ...; moim zdaniem <po mojemu> to jest ...; **I ~ it that I must** _ muszę chyba ...; a więc muszę ...; o ile się nie mylę, to muszę ...; *sl* **do you ~ me?** kapujesz?; rozumiesz?; *na końcu zdania*: **I ~ it** o ile dobrze zrozumiałem 25. zg-odzić/adzać się (**sth na coś**); **I will ~ no nonsense** nie zgodzę się na żadne wykręty; sprawa ma być jasno postawiona; **it ~s its name from** _ bierze swoją nazwę od ...; **~ it from me** wierz mi; **to ~ a bet** pójść o zakład; **to ~ a hint** zrozumieć aluzję; nie da-ć/ wać sobie powtórzyć (czegoś); **to ~ people** <**things**> **as one finds them** a) brać ludzi takimi, jacy są b) brać sprawy <stosunki, okoliczności> takimi, jakie są c) nie szukać <nie żądać> cudów 26. zaj-ąć/mować (stanowisko); **to ~ sides with sb** stanąć po czyjejś stronie; **to ~ a different view of sth** inaczej się zapatrywać na coś 27. z/robić; wykon-ać/ywać; przepro-

wadz-ić/ać; **to ~ a deep breath** głęboko odetchnąć; **to ~ a glance** rozejrzeć się; **to ~ a
leap** skoczyć; **to ~ an examination** złożyć/skła-
dać egzamin; **to ~ an oath** złożyć/składać przysięgę; **to ~ notes** notować; z/robić notatki <za-
piski>; **to ~ a photograph <picture>** zrobić
zdjęcie (**of sth** czegoś; **of sb** komuś <danego
człowieka>); **to ~ a step** zrobić krok; **to ~
steps** poczynić kroki; przedsięwziąć środki 28.
wyb-rać/ierać; dokon-ać/ywać wyboru (**sb, sth**
kogoś, czegoś) 29. pojechać (**a taxi, a tram,
a train, a boat** etc. taksówką <tramwajem, pociągiem, statkiem itd.); polecieć (**the plane** samolotem; pójść; skręcić (**the first <second** etc.>
turning <street> w pierwszą <drugą itd.> przecznicę) 30. wynaj-ąć/mować <naj-ąć/mować> (pokoje itd.); za/angażować (pracownika); znaleźć
sobie <dobrać/ierać> (wspólnika) 31. mieć <no-
sić> (wielkość bucika, kołnierzyka itd.) 32. (*o
książce itd*) por-wać/ywać (czytelnika itd.) 33.
z przysłówkiem: **to ~ it easy** a) nie przemęczać
się b) nie spieszyć się; **~ it easy!** powoli!;
zaraz!; zaczekaj! c) nie denerwować się; **to ~
it kindly of sb** być komuś zobowiązanym (za
coś); **to ~ sb, sth seriously** brać <traktować>
kogoś, coś poważnie; **to ~ sth ill** wziąć coś za
złe; **to ~ sth well** nie rozpaczać (z powodu
tragicznej wiadomości itd.); **to ~ things coolly**
nie gorączkować się 34. *z przyimkiem przy
dopełnieniu dalszym*: **to ~ sb at his word** trzymać kogoś za słowo; **to ~ sb for __** mieć kogoś
za ... (mądrego, głupiego itd.); **to ~ sb for sb
else** wziąć/brać kogoś za kogoś innego; pomylić
kogoś z kimś; **to ~ sth for sth else** wziąć/brać
coś za coś innego; **to ~ the will for the deed**
zadow-olić/alać się czyimiś dobrymi chęciami;
to ~ sth from __ wyj-ąć/mować coś z ... (czegoś); **to ~ sth in one's hand** wziąć coś do ręki;
to ~ sth in hand podjąć się czegoś; przystąpić
do wykonania czegoś; zabrać się do czegoś; **to
~ it into one's head to <that> __** ubzdurać sobie, że ...; uprzeć się przy tym, żeby ...; **to ~
sth off sth** zd-jąć/ejmować coś z czegoś; od-er-
wać/rywać (uwagę <oczy itd.> od czegoś); **to ~
a dollar <two shillings** etc.> **off the price** obniżyć
cenę o dolara <dwa szylingi itd.>; **to ~ sb
through a text book** przerobić podręcznik z kimś;
to ~ sb to __ zaprowadzić <odprowadzić, od-
w-ieźć/ozić, zaw-ieźć/ozić> kogoś do ...; **will this
road take me to __?** czy tędy zajdę <zajadę>
do ...?; **to ~ it upon <on> one to __** ośmiel-ić/ać
się ...; zaryzykować ... (twierdzenie itd.); **taking
one thing with another** wszystko razem wziąwszy
<zważywszy> *Uwaga — z różnymi rzeczowni-
kami stanowi zwroty, których szukać należy pod
tymi rzeczownikami, np*: **effect, exception, hold,
leave, liberty, stock, wall** itd. ▥ *vi* 1. (*o powieści, sztuce itd*) mieć powodzenie; uda-ć/wać się
2. (*o szczepionce*) przyj-ąć/mować się 3. wychodzić (**well <not well>** dobrze <źle>) na fotogra-
fiach; **to ~ well** być fotogenicznym 4. *z przyimkami*: **to ~ after**; **to ~ after sb** być podobnym
do kogoś; **to ~ to**; **to ~ to sb** polubić kogoś;
to ~ to sth a) zasmakować w czymś; upodobać
sobie coś b) wykaz-ać/ywać zdolności do czegoś
c) wziąć/zabrać się do czegoś; **to ~ to sports,
writing** etc. zacząć uprawiać sport, literaturę

itd.; **to ~ to drink** zacząć pić; rozpić się; ‖ **to
~ to the mountains <the woods** etc.> uda-ć/wać
się <ucie-c/kać> w góry <w las itd.>; **to ~ to
flight** ratować się ucieczką; **to ~ to the sea**
odpłynąć; **to ~ to bad habits** nab-rać/ierać
złych przyzwyczajeń; **to ~ to a bad habit** po-
pa-ść/dać w nałóg 5. umniejsz-yć/ać (**from sth**
coś); osłabi-ć/ać (**from sth** coś) 6. (*o przyrządzie,
mechanizmie itd*) łapać; chwytać 7. (*o roślinie*)
zapu-ścić/szczać korzenie; przyj-ąć/mować się
~ along *vt* wziąć <zabrać> ze sobą (kogoś, coś)
~ apart *vt* od-erwać/rywać (jedno od drugiego); roz-ebrać/bierać (na części)
~ away *vt* 1. zab-rać/ierać; wyn-ieść/osić 2.
odprowadz-ić/ać (kogoś) 3. wyprowadz-ić/ać
4. od-ebrać/bierać (**sth from** sb coś komuś
<od kogoś>); **to ~ sth away from sb** pozba-
wi-ć/ać kogoś czegoś
~ back *vt* 1. od-ebrać/bierać (coś komuś <od
kogoś>) z powrotem; wycof-ać/ywać (**sth from**
sth coś z czegoś); cof-nąć/ać (dane słowo <to,
co się powiedziało>) 2. odprowadz-ić/ać (człowieka <zwierzę> dokądś) 3. zan-ieść/osić
z powrotem (**sth to sb** coś komuś)
~ down *vt* 1. zd-jąć/ejmować (coś skądś) 2.
da-ć/wać nauczkę (**sb** komuś); **to ~ sb down
a peg or two** utrzeć komuś nosa 3. roz-
-ebrać/bierać (mur itd.); z/demontować (maszynę) 4. za/pisać; za/notować; **to ~ down
notes** robić notatki (**sth** z czegoś); **to ~ sth
down in shorthand** od/stenografować coś
~ in *vt* 1. wn-ieść/osić; ww-ieźć/ozić; ze-
brać/zbierać (z pola); zan-ieść/osić (bilet wizytowy itd. pan-u/i domu); wprowadz-ić/ać
(kogoś); (przy wejściu do sali) poda-ć/wać
ramię (**a lady** pani) 2. udziel-ić/ać schronienia <noclegu> (**sb** komuś); przyj-ąć/mować
(lokatorów) 3. wziąć/brać do domu (**washing
<sewing** etc.> pranie <szycie itd.>) 4. pre-
numerować (gazetę, pismo) 5. (*także* **to ~
in a supply**) z/robić zapas (**of sth** czegoś);
to ~ in petrol tankować; wziąć zapas benzyny 6. *mar* zwi-nąć/jać (żag-iel/le) 7. zwę-
-zić/żać; zebrać/zbierać (**a dress** etc. suknię
itd.) 8. uwzględni-ć/ać (coś w spisie itd.)
9. z/rozumieć; ob-jąć/ejmować (umysłem,
wzrokiem itd.); z/orientować się (**the situation** w sytuacji) 10. u/wierzyć; wziąć/brać za
dobrą monetę 11. oszuk-ać/iwać; nab-rać/
ierać
~ off ▣ *vt* 1. zd-jąć/ejmować 2. odci-ąć/nać;
uci-ąć/nać; od-jąć/ejmować (kończynę itd.);
zgolić (brodę itd.); s/kasować <skreśl-ić/ać>
(coś z listy itd.); usu-nąć/wać 3. opu-ścić/
szczać; strąc-ić/ać (coś z ceny) 4. wyprowa-
dz-ić/ać <odprowadz-ić/ać> (kogoś) 5. naśla-
dować; z/małpować 6. wypi-ć/jać (lekarstwo
itd.) ▥ *vr* **~ oneself off** wyn-ieść/osić się
▥ *vi* 1. sk-oczyć/akać 2. *lotn* odl-ecieć/aty-
wać; wy/startować
~ on ▣ *vt* 1. pod-jąć/ejmować się (**sth** czegoś); wziąć/brać <przyj-ąć/mować> na siebie
(**responsibilities** etc. odpowiedzialność itd.)
2. za/angażować <zatrudni-ć/ać> (pracowników) 3. przyj-ąć/mować wyzwanie (**sb** czyjeś); **I'll ~ you on at golf** zagrajmy w golfa

4. przyb-rać/ierać (kolor, kształt itd.) 5. (*o pociągu itd*) zab-rać/ierać (pasażerów) Ⅲ *vi* 1. przej-ąć/mować <z/martwić> się; rozpaczać; *przen* wyrywać sobie włosy z głowy 2. mieć powodzenie; (*o teorii itd*) przyj-ąć/mować się

~ **out** *vt* 1. wyj-ąć/mować; wyn-ieść/osić; wyprowadz-ić/ać (człowieka, psa itd.); **he took her out to tea** <the pictures etc.> zabrał ją (z sobą) na podwieczorek <do kina itd.> 2. usu-nąć/wać <wywabi-ć/ać> (plamę itd.); wyr-wać/ywać (ząb); **to ~ the nonsense out of sb** wyleczyć kogoś z głupoty 3. *w zwrocie*: **to ~ it out of sb** a) wyczerp-ać/ywać kogoś b) odpłac-ić/ać się komuś 4. wyb-rać/ierać <pob-rać/ierać> równowartość (**a debt** <**prize etc.**> długu <nagrody itd.>); **I'll ~ it out in goods** wybiorę to <spłacisz mi> w towarze; **the prizes were taken out in motor cycles and radio sets** nagrody pobierano w postaci motocykli i odbiorników radiowych 5. wykup-ić/ywać (patent itd.); **to ~ out an insurance policy** ubezpiecz-yć/ać się 6. *karc w zwrocie*: **to take one's partner out** nie przyj-ąć/mować <unikać> koloru zgłoszonego przez partnera

~ **over** Ⅰ *vt* 1. przej-ąć/mować (przedsiębiorstwo itd.); przyj-ąć/mować na siebie (obowiązki itd.) 2. przew-ieźć/ozić; odw--ieźć/ozić Ⅲ *vi* z/luzować (**from sb** kogoś); **you ~ over now** teraz kolej na ciebie

~ **round** *vt* 1. oprowadz-ić/ać 2. obn-ieść/osić; **to ~ round the hat** zrobić zbiórkę (po popisie jarmarcznym itd.); (*w kościele*) **to ~ round the plate** chodzić z tacą

~ **up** Ⅰ *vt* 1. podn-ieść/osić 2. wchł-onąć/aniać (wodę itd.); absorbować <amortyzować> (wstrząsy) 3. zaj-ąć/mować <pochł-onąć/aniać> (czas, uwagę itd.); zajmować <zabierać> (miejsce); **to be taken up** być zajętym; nie mieć czasu; **to be quite taken up by sb** <**by oneself**> myśleć tylko <wyłącznie> o kimś <o sobie> 4. (*o, pociągu, tramwaju itd*) zab--rać/ierać (pasażerów) 5. za/aresztować 6. udziel-ić/ać poparcia <protekcji> (**sb** komuś) 7. ob-jąć/ejmować (posadę); ob-rać/ierać (zawód) 8. ob-rać/ierać (metodę) 9. przer-wać/ywać <wytknąć błąd> (**a speaker** przemawiającemu); poprawi-ć/ać (**a speaker** przemawiającego) 10. porusz-yć/ać (temat) 11. sta-nąć/wać w obronie (**a cause** sprawy) 12. zacząć się uczyć <wziąć/zabrać się do nauki> (**sth** czegoś) 13. zaj-ąć/mować się (**sth** czymś); z/badać 14. powrócić/wracać (**a subject** do tematu); dalej ciągnąć (**a story** przerwane opowiadanie) 15. napi-ąć/nać na nowo (rozluźniony kabel itd.) 16. z/łapać (oczko przy dzianiu) 17. *med* zacis-nąć/kać <uchwycić> (arterię) 18. przyj-ąć/mować (wyzwanie); **to ~ up a bet** przyjąć zakład Ⅲ *vi* 1. (*o pogodzie*) poprawiać się 2. zaprzyjaźni-ć/ać się (**with sb** z kimś) 3. poszukiwać towarzystwa (**with sb** czyjegoś); zadawać się (**with sb** z kimś) 4. *pot* żyć na wiarę (**with sb** z kimś)

zob **taken, taking** Ⅲ *s* 1. ułów (wędkarza); połów (rybaka) 2. upolowana zwierzyna 3. *druk*

pakiet; skład w łamach 4. fragment (filmu); zdjęcie 5. wpływy kasowe; dochód

take-down ['teik'daun] Ⅰ *s pot* prztyk w nos Ⅲ *attr* (*o maszynie itd*) do rozbierania (na części)

take-in ['teik'in] *s* okpienie; oszukanie; naciąganie; *pot* nabieranie gości

taken ['teikən] Ⅰ *zob* **take** *v* Ⅲ *adj* wzięty; zabrany; porwany; zdobyty; złapany; **to be ~ ill** zachorować; **to be ~ by** <**with**> **sb's behaviour etc.** być <zostać> oczarowanym czyimś sposobem postępowania

take-off ['teik'ɔf] *s* 1. karykatura; naśladowanie 2. *sport* odbicie się (przy skoku) 3. *lotn* start

taker ['teikə] *s* 1. (człowiek) biorący (**of sth** coś) 2. (*na wyścigach itd*) człowiek przyjmujący zakład

take-up ['teik'ʌp] *s techn* urządzenie napinające; **clutch ~** włączanie sprzęgła

taking ['teikiŋ] Ⅰ *zob* **take** *v* Ⅲ *s* 1. wzięcie; zdoby-cie/wanie (twierdzy itd.) 2. *med* pobranie (krwi itd.) 3. *pl* ~s wpływy kasowe; dochód Ⅲ *adj* 1. uroczy; zachwycający; ujmujący 2. (*o chorobie*) zaraźliwy

.**talapoin** ['tælə,pɔin] *s* 1. mnich buddyjski 2. *zoo* koczkodan

talaria [tə'lɛəriə] *spl* skrzydła u stóp Merkurego

talc [tælk] *s* talk

talcite ['tælsait] *s miner* talcyt

talcum ['tælkəm] = **talc**; ~ **powder** talk kosmetyczny

tale [teil] *s* 1. opowiadanie; opowieść; powiastka; **old wives' ~s** babskie gadanie; **a ~ never loses in the telling** w każdym opowiadaniu jest pewna doza przesady; **I've heard that ~** już to słyszałem; **that was his ~** tak mi to opowiadał; **the thing tells its own ~** to przemawia samo za siebie; komentarze są zbyteczne 2. bajka; plotka; doniesienie; **to tell ~s** skarżyć; **to tell ~s out of school** wyda-ć/wać tajemnicę; plotkować 3. *poet* liczba; rachunek; ilość; **the ~ is complete** wszystko w komplecie; niczego nie brakuje

talebearer ['teil,bɛərə] *s* 1. plotka-rz/rka 2. donosiciel/ka; skarżypyta

tale-bearing ['teil,bɛəriŋ] *s* 1. plotki 2. chodzenie na skargi

talent ['tælənt] *s* 1. talent; dar; **to have a ~ for sth** <**for doing sth**> mieć talent do czegoś <(specjalny) dar do robienia czegoś> 2. *zbior* ludzie uzdolnieni 3. (*na wyścigach*) znawcy; stali gracze 4. (*u starożytnych*) talent (jednostka monetarna)

talented ['tæləntid] *adj* utalentowany; uzdolniony

talentless ['tæləntlis] *adj* pozbawiony talentu

talent-money ['tælənt,mʌni] *s* dodatek wypłacany zawodowemu sportowcowi za szczególne wyniki

tales ['teili:z] *s prawn* wezwanie do pełnienia obowiązków sędziego przysięgłego w zastępstwie nieobecnej osoby

talesman ['teili:zmən] *s* (*pl* **talesmen** ['teili:zmən]) obywatel wciągnięty na listę zastępców sędziów przysięgłych

tale-teller ['teil,telə] *s* 1. (człowiek) opowiadający; **a good** <**an excellent**> ~ człowiek posiadający dar opowiadania 2. donosiciel; skarżypyta

Taliacotian [ˌtæljəˈkouʃjən] *adj med* ~ **operation** plastyczna operacja przeszczepiania skóry

talion [ˈtæliən] *s hist* the law of ~ prawo odwetu

talipes [ˈtæliˌpiːz] *s med* piętonóg; hakonóg; stopa koślawa

talipot [ˈtælipɔt] *s bot* palma cejlońska

talisman [ˈtælizmən] *s* talizman

‖**talk** [tɔːk] ① *vi* 1. mówić; **now you're** ~**ing!** w to mi grajl; to rozumiem!; **to** ~ **big** chwalić się; **that's no way to** ~ tak się nie mówi (do przełożonego, nauczyciela, rodziców itd.); **you can't** ~ lepiej ty nic nie mów (boś taki sam) 2. mówić (**to** <**with**> **sb** do kogoś); po/rozmawiać <po/gadać> (**to** <**with**> **sb** z kimś); mówić <rozmawiać> (**of** <**about**> **sth** o czymś); **I know what I'm** ~**ing** about wiem, co mówię; ~**ing of** __ skoro mowa <mówimy> o...; à propos ...; **to** ~ **at sb** mówić pod czyimś adresem; **what are you** ~**ing about?l** co ty opowiadasz?l; co ty wygadujesz?l 3. z/besztać (**to sb** kogoś); **I'll** ~ **to him** powiem mu parę słów (do słuchu) 4. plotkować; roznosić <rozsiewać> bajki <plotki> ③ *vt* 1. mówić (**a foreign language** obcym językiem) 2. mówić <rozmawiać> (**politics** <**shop etc.**> o polityce <sprawach zawodowych itd.>); **to** ~ **a horse's hind leg off** mówić bez przestanku; wiercić komuś dziurę w brzuchu; **to** ~ **oneself hoarse** mówić <*pot* gadać> aż do ochrypnięcia; **to** ~ **sense** <**nonsense, rubbish**> mówić mądrze <głupio>; mówić <*pot* gadać> do rzeczy <od rzeczy>; **to** ~ **sb into doing sth** nam-ówić/awiać <przekon-ać/ywać> kogoś, żeby coś zrobił; **to** ~ **sb out of sth** wyperswadować komuś coś
~ **away** ① *vt* s/trawić <spędz-ić/ać> (czas) na rozmowie; *pot* przegadać (godziny itd.) ③ *vi* mówić bezustannie
~ **back** *vi* odpowiadać imeprtynencko (przełożonemu itd.)
~ **down** ① *vi* zniż-yć/ać się (**to one's audience** do poziomu swego audytorium) ③ *vt* nie da-ć/wać mówić (**sb** komuś); onieśmiel-ić/ać; przegadać; zagadać
~ **on** *vi* 1. wciąż <bezustannie> mówić 2. mówić dalej (po przerwie)
~ **out** *vt* 1. długimi przemówieniami uniemożliwi-ć/ać uchwalenie (**a bill** projektu ustawy) 2. om-ówić/awiać <przedyskutować> (**sth with sb** coś z kimś)
~ **over** *vt* 1. om-ówić/awiać; przedyskutować; *pot* obgadać 2. = ~ **round**
~ **round** *vt* przekon-ać/ywać; przekabac-ić/ać
~ **up** *vt* z/robić szum (**a subject** dokoła sprawy)
zob **talking** ⑩ *s* 1. rozmowa; **to have a** ~ **with sb** porozmawiać <pomówić, *pot* pogadać> z kimś; **to make** ~ wysilać się na rozmowę 2. mówienie; (puste) słowa; gadanina; gadanie; **it will end in** ~ skończy się na słowach <na gadaniu>; **small** ~ rozmowa na tematy obojętne; banały; przelewanie z pustego w próżne; **he's all** ~ on tylko umie gadać; **there is** ~ **of sth** <**sb's doing sth**> mówią o czymś <że ktoś coś zrobił> 3. pogadanka; prelekcja; odczyt; *radio* **weekly** ~ felieton cotygodniowy 4. temat rozmów; **it's the** ~ **of the town** całe miasto o tym mówi

talkative [ˈtɔːkətiv] *adj* rozmowny; gadatliwy

talkee-talkee [ˈtɔːkiˌtɔːki] *s* 1. łamana angielszczyzna (Murzynów itd.) 2. bezustanne gadanie

talker [ˈtɔːkə] *s* 1. gawędziarz 2. człowiek rozmowny <gadatliwy>; gaduła 3. samochwał; bufon

talkie [ˈtɔːki] *s pot* film dźwiękowy

‖**talking** [ˈtɔːkiŋ] ① *zob* **talk** *v* ⑩ *s* 1. mówienie; (puste) słowa; gadanina; gadanie 2. rozmowa; **to do all the** ~ nikomu nie dać przyjść do słowa ⑩ *adj* 1. mówiący 2. (*o spojrzeniu itd*) wymowny

talking-picture [ˈtɔːkiŋˌpiktʃə] *s* film dźwiękowy

talking-to [ˈtɔːkiŋˌtuː] *s* bura; zbesztanie; *pot* wcira

tall [tɔːl] ① *adj* 1. wysoki; wysokiego wzrostu; **to be** *x* **feet** ~ mieć *x* stóp wzrostu 2. (*o rzeczy, maszcie, domu itd*) wysoki 3. *pot* nieprawdopodobny; niesłychany; niebywały; ~ **story** duby smalone; ~ **talk** przechwałki; ~ **order** wygórowane żądania ⑩ *adv* w zwrocie: **to talk** ~ przechwalać się

tallage [ˈtælidʒ] = **talliage**

tallboy [ˈtɔːlˌbɔi] *s* wysoka komoda

talliage [ˈtæliidʒ] *s hist* rodzaj podatku feudalnego

tallith [ˈtæliθ] *s rel* (*w wyznaniu mojżeszowym*) tałes

tallness [ˈtɔːlnis] *s* 1. (*u człowieka*) wysoki wzrost 2. (*w odniesieniu do przedmiotu*) wysokość

tallow [ˈtælou] ① *s* 1. łój; sadło; tłuszcz 2. maź ⑩ *adj* łojowy ⑩ *vt* 1. na/łoić; na/smarować 2. u/tuczyć (bydło, owce)

tallow-chandler [ˈtælouˌtʃɑːndlə] *s* 1. kupiec handlujący świecami łojowymi 2. fabrykant świec

tallow-drop [ˈtælouˌdrɔp] *s* kaboszon (drogi kamień szlifowany stożkowato)

tallow-face [ˈtælouˌfeis] *s* człowiek o nalanej ziemistej twarzy <o niezdrowej cerze>

tallow-tree [ˈtælouˌtriː] *s bot* drzewo wydzielające substancje tłuszczowe

tallowy [ˈtæloui] *adj* 1. łojowaty 2. tłusty 3. (*o cerze*) blady; ziemisty

tally [ˈtæli] ① *s* 1. karbownica; ~ **system** system sprzedawania towaru na kredyt <na raty> 2. karb <znak> (ułatwiający kontrolę liczb); **to keep** ~ kontrolować (liczenie) 3. partia (towaru); okrągła liczba (tuzin, setka itd.) 4. etykietka; kartka (z napisem) 5. duplikat; odpowiednik; pendant (**do czegoś**) ⑩ *vt* 1. prowadzić obliczenie (**sth** czegoś); s/kontrolować 2. etykietować ⑩ *vi* (*o rachunkach itd*) zgadzać się

tally-ho [ˈtæliˈhou] ① *interj* (*na polowaniu par force na lisa*) wołanie oznaczające, że lis wyszedł z ukrycia ⑩ *vt* podniec-ić/ać (psy) wołaniem "tally-ho"

tallyman [ˈtælimən] *s* (*pl* **tallymen** [ˈtælimən]) kupiec sprzedający na kredyt <na raty>

talmi-gold [ˈtælmiˌgould] *s* lekko pozłacana miedź

Talmud [ˈtælmud] *s rel* Talmud

talon [ˈtælən] *s* 1. szpon; pazur 2. *karc domino* talion 3. *arch* profil w kształcie litery S 4. talon (w kwitariuszu itd.) 5. grzbiet (klingi)

taluk [ˈtɑːluk] *s* (*w Indii*) 1. okręg podatkowy 2. obszar posiadanego gruntu

talus [ˈteiləs] *s* 1. *anat* napiętek; kość skokowa 2. *geol* osypisko 3. *bud* skarpa; pochył

tamable ['teiməbl] *adj* (*o zwierzęciu*) dający się oswoić

tamandua [ˌtæmən'duə] *s zoo* (mrówkojad) tamandua

tamarack ['tæmərək] *s bot* modrzew amerykański

tamarin ['tæmərin] *s zoo* długouszka (małpozwierz)

tamarind ['tæmərind] *s bot* tamarynda

tamarisk ['tæmərisk] *s bot* tamaryszek

tambour ['tæmbuə] Ⅰ *s* 1. *muz* wielki bęben 2. tamborek (do haftu) 3. *arch bud fortyf* tambur 4. *zoo* ryba morska wydająca głos podobny do warczenia bębna Ⅲ *vt* wy/haftować na tamborku

tambour-work ['tæmbuəˌwəːk] *s* haft tamborkowy

tambourine [ˌtæmbə'riːn] *s* 1. *muz* bębenek baskijski, tamburyn 2. *zoo* gatunek gołębia afrykańskiego

tame [teim] Ⅰ *adj* 1. (*o zwierzęciu*) oswojony; obłaskawiony; domowy; łagodny; niepłochliwy 2. (*o glebie*) uprawny 3. (*o roślinie*) wyhodowany 4. (*o człowieku*) uległy; poskromiony; nieszkodliwy; bojaźliwy 5. (*o stylu itd*) banalny; mdły; blady; bez życia; (*o opowiadaniu, grze itd*) mdły; nudny 6. (*o krajobrazie*) monotonny; jednostajny Ⅲ *vt* 1. osw-oić/ajać; obłaskawi-ć/ać 2. poskr-omić/amiać; ujarzmi-ć/ać; okiełznać; ukr-ócić/acać Ⅲ *vi* 1. osw-oić/ajać <obłaskawi- -ć/ać> się 2. (*o opowiadaniu itd*) stać się mdłym <nudnym>

~ **down** Ⅰ *vt* z/łagodzić Ⅲ *vi* z/łagodnieć

tameable ['teiməbl] = **tamable**

tameless ['teimlis] *adj* dziki; nieposkromiony

tameness ['teimnis] *s* 1. łagodna natura (zwierzęcia itd.) 2. uległość; bojaźliwość 3. banalność (opowiadania itd.) 4. monotonia <jednostajność> (krajobrazu)

tamer ['teimə] *s* poskramiacz; pogromca (dzikich zwierząt)

Tamil ['tæmil] *s* 1. Tamil (człowiek rasy południowoindyjskiej) 2. język tamilski

Tammany ['tæməni] *spr am* nazwa centralnej organizacji partii demokratycznej w Nowym Jorku; *przen* korupoja; przekupstwo; ~ **Hall** siedziba centralnej organizacji partii demokratycznej w Nowym Jorku

tammy[1] ['tæmi] = **tam-o'-shanter**

tammy[2] ['tæmi] *s* cedzak; sitko

tam-o'shanter [ˌtæmə'ʃæntə] *s* beret szkocki z pomponem

tamp [tæmp] *vt* ubi-ć/jać; trambować

tampan ['tæmpən] *s zoo* południowoafrykański kleszcz jadowity

tamper ['tæmpə] *vi* 1. wtrącać się (**with sth** do czegoś) 2. s/fałszować (**with a document etc.** dokument itd.); zmieni-ć/ać, pozmieniać (**with a text etc.** tekst itd.) 3. ruszać; manipulować (**with a mechanism etc.** w mechanizmie itd.); usiłować <próbować> otworzyć (**with a lock** zamek); dobierać się (**with a lock** do zamka) 4. przekup-ić/ywać (**with sb** kogoś); wpłynąć (**with sb** na kogoś); przekabac-ić/ać (**with sb** kogoś)

tampion ['tæmpiən] *s* zatyczka; szpunt

tampon ['tæmpən] Ⅰ *s* 1. tampon 2. podkładka do włosów Ⅲ *vt* tamponować

tamponade ['tæmpəˌneid] *s med* tamponowanie; tamponada

tamtam ['tæmˌtæm] = **tom-tom**

▲**tan**[1] [tæn] Ⅰ *s* 1. *garb* dębnik; garbnik; kora garbarska; tan, tanina 2. kolor brązowy 3. opalenizna, opalona cera 4. (*także* **spent** ~) zużyta kora garbarska stosowana do posypywania aren cyrkowych itd. 5. *sl* **the** ~ cyrk Ⅲ *adj* brązowy Ⅲ *vt* (**-nn-**) 1. *garb* wy/garbować (skórę); *przen* wy-garbować <wy/łoić> (**sb's hide** komuś skórę) 2. opal-ić/ać Ⅳ *vi* (**-nn-**) (*o skórze, cerze*) opal- -ić/ać się; brązowieć

tan[2] [tæn] = **tangent**

tana ['tɑːnə] *s* (*w Indiach*) 1. placówka wojskowa 2. posterunek policji

tanadar [ˌtænə'dɑː] *s* (*w Indiach*) 1. dowódca placówki wojskowej 2. komisarz policji

tanager ['tænədʒə] *s zoo* tanagra (ptak płd.am.)

tandem ['tændəm] Ⅰ *adv* (*o zaprzęgu*) w szpic Ⅲ *s* 1. powóz z zaprzęgiem w szpic 2. tandem Ⅲ *adj* 1. (*o rowerze*) na dwie osoby siedzące jedna za drugą; ~ **bicycle** tandem 2. *techn* posobny; (*o cylindrach*) w układzie jednorzędowym

tang[1] [tæŋ] *s bot* blaszecznica (wodorost jadalny)

tang[2] [tæŋ] Ⅰ *s* ostry dźwięk <brzęk> (dzwonu, napiętej struny itd.); dzwonienie Ⅲ *vt* 1. bić (**bells** w dzwony) 2. *w zwrocie:* **to** ~ **bees** zapobiec ucieczce roju pszczół robieniem hałasu, biciem w garnki itd. Ⅲ *vi* za/brzęczeć

tang[3] [tæŋ] Ⅰ *s* 1. (*u ostrza noża, dłuta itd*) trzpień, chwyt (który wbija się w osadę, rączkę) 2. posmak; zapach; **to have a** ~ **of __** trącić <zalatywać>... (czymś); przypominać ... (coś); **there is a** ~ **of __** czuje się <czuć>... (coś) Ⅲ *vt* 1. zak-ończyć/ańczać (narzędzie itd.) trzpieniem <uchwytem> 2. nada-ć/wać posmak (**sth** czemuś)

tangence ['tændʒəns] *s* styczność

tangent ['tændʒənt] Ⅰ *adj* styczny (**to sth** z czymś) Ⅲ *s mat* styczna; ~ **to the circle** styczna do koła; ~ **of an angle** tangens; ~ **to fly** <**go**> **off at a** ~ a) nagle zmieni-ć/ać temat; nagle przesk-oczyć/akiwać na inny temat b) nagle zmieni-ć/ać sposób postępowania <*pot* kurs>; nagle stać się innym człowiekiem

tangential [tæn'dʒenʃəl] *adj* styczny, tangencjalny

tangerine ['tændʒə'riːn] *s* mandarynka

tanghin ['tæŋgin] *s bot* drzewo o trujących owocach z rodziny toinowatych

tangible ['tændʒəbl] *adj* 1. namacalny; dotykalny 2. istotny; rzeczywisty; faktyczny; (*o różnicy itd*) wyraźny

tangle[1] ['tæŋgl] Ⅰ *vt* (*także* **to** ~ **up**) 1. s/plątać; zaplątać; za/wikłać; powikłać; za/gmatwać 2. u/wikłać; wplątać Ⅲ *vi* zapląt-ać/ywać <po/plątać, za/wikłać, za/gmatwać> się Ⅲ *s* zaplątanie; splot; plątanina; powikłanie; zawikłanie; zagmatwanie; gmatwanina; **to be in a** ~ być poplątanym <powikłanym, zagmatwanym>; **to get into a** ~ a) = **to** ~ *vi* b) popa-ść/dać w kłopoty <tarapaty>; wplątać się w kabałę

tangle[2] ['tæŋgl] = **tang**[1] *s*

tanglefoot ['tæŋglˌfut] *s am sl* gorzała; whisky; trunek

tangly ['tæŋgli] *adj* 1. okryty <porosły> wodorostami 2. zawiły; poplątany

tango ['tæŋgou] Ⅰ *s* tango (taniec) Ⅲ *vi* za/tańczyć tango

tan-house ['tæn͵haus] s magazyn <skład> kory garbarskiej

tangram ['tæŋgrəm] s chińska układanka (zabawka)

tanist ['tænist] s *hist* obieralny dziedzic wodza celtyckiego

↓**tank** [tæŋk] ① s 1. zbiornik (na wodę itd.); ~ **engine** lokomotywa mieszcząca w sobie zapas wody i węgla 2. cysterna 3. *wojsk* czołg; tank ③ *vt* 1. na/gromadzić <trzymać, przechow-ać/ ywać> w zbiorniku 2. tankować
~ **up** *vi* wziąć/brać zapas (wody, paliwa); tankować
zob **tanked**

tankage ['tæŋkidʒ] s 1. tankowanie 2. magazyno-wanie; trzymanie <przechowywanie> w zbiorni-kach (wody, benzyny itd.) 3. koszt przechowy-wania w zbiornikach 4. pojemność zbiornika 5. nawóz z odpadków tłuszczowych

tankard ['tæŋkəd] s wielki (zwykle cynowy <srebr-ny>) kufel z pokrywką; **cool** ~ napój chłodzący z wody, wina, soku cytrynowego itd.; *bot* ~ **turnip** (podłużna) rzepa pastewna

tank-buster ['tæŋk͵bʌstə] s *sl wojsk* samolot uzbro-jony w działo przeciwczołgowe

tank-car ['tæŋk͵kɑː] s cysterna kolejowa

tanked [tæŋkt] ① *zob* **tank** *v* ③ *adj am sl* urżnię-ty, pijany

↓**tanker** ['tæŋkə] s 1. *mar* tankowiec; ropowiec 2. wagon-cysterna

tannage ['tænidʒ] s 1. garbowanie 2. garbnik

tannate ['tænit] s *chem* tanininian

tanner[1] ['tænə] s garbarz

tanner[2] ['tænə] s *sl* pół szylinga (6 pensów)

tannery ['tænəri] s garbarnia

tannic ['tænik] *adj chem* garbnikowy; taninowy; ~ **acid** kwas taninowy, tanina

tannin ['tænin] s *chem* tanina; kwas taninowy

tanrec ['tænrek], **tenrec** ['tenrek] s *zoo* tenrek

tansy ['tænzi] s *bot* wrotycz pospolity

tantalic [tæn'tælik] *adj chem* tantalowy

tantalite ['tæntə͵lait] s *miner* tantalit

tantalization [͵tæntəlai'zeiʃən] s 1. dręczenie 2. zwodzenie

tantalize ['tæntə͵laiz] *vt* 1. dręczyć 2. zwodzić 3. zada-ć/wać męki Tantala (**sb** komuś) *zob* **tan-talizing**

tantalizing ['tæntə͵laiziŋ] ① *zob* **tantalize** *v* ③ *adj* 1. dręczący 2. zwodniczy 3. prowokacyjny

tantalum ['tæntələm] s *chem* tantal (pierwiastek)

tantalus ['tæntələs] s 1. oszklona szafka na likie-ry <napoje> zamykana na klucz 2. *zoo* dławi-gad (ibis)

tantamount ['tæntə͵maunt] *adj praed* równoznacz-ny (**to sth** z czymś); **it is** ~ **to saying "yes"** <"no"> to się równa powiedzeniu „tak" <„nie">; to jest tak, jak gdyby się powiedziało „tak" <„nie">

tantara [tən'tɑːrə] s tramtata (imitacja głosu trąb-ki)

tantivy [tæn'tivi] ① *adv* galopem; na złamanie karku ③ *adj* chyży; szparki

tantra ['tæntrə] s religijne dzieło sanskryckie trak-tujące o magii

tantrum ['tæntrəm] s napad złego humoru; **to go** <**get**> **into a** ~ zezłościć <wściec> się; wpa-ść/ dać w złość <gniew, wściekłość>; **to be in a** ~ złościć <wściekać> się

tan-vat ['tæn͵væt] s dół garbarski

tan-yard ['tæn͵jɑːd] s garbarnia

taoism ['tɑːou͵izəm] s *rel* taoizm

tap[1] [tæp] ① s 1. (lekkie, dyskretne, nieśmiałe) za/pukanie (**at the door** do drzwi) 2. stukanie; stukot 3. *pl* ~s *wojsk* sygnał obiadu 4. *pl* ~s *am wojsk* sygnał gaszenia świateł ③ *vt* (**-pp-**) 1. za/pukać (**sth w coś**); **to** ~ **one's forehead** stuk-nąć/ać się w głowę 2. za/stukać (**sth w coś**) 3. *szew* przybi-ć/jać flek (**the heel of a shoe** do obcasa) ③ *vi* za/pukać <za/stukać> (**at the door** do drzwi)
~ **in** *vt* wbi-ć/jać (coś) lekkimi uderzeniami
~ **off** *vt* wystuk-ać/iwać (coś na maszynie do pisania itd.)
~ **out** *vt* wystuk-ać/iwać (resztki tytoniu z faj-ki itd.)

tap[2] [tæp] ① s 1. kurek 2. szpunt; (*o piwie, wi-nie*) **on** ~ beczkowy; **on** ~ a) (*o beczce*) od-szpuntowany; napoczęty b) *przen sl* zawsze go-towy; dostępny na poczekaniu 3. gatunek piwa; **an excellent** ~ piwo w doskonałym gatunku 4. (*także* **taproom**) bar 5. *techn* gwintownik 6. *techn* zawór; kurek 7. *mech elektr* zaczep ③ *vt* (**-pp-**) 1. wprawi-ć/ać kurek (**a cask etc.** do becz-ki itd.) 2. odszpuntow-ać/ywać <napocz-ąć/ynać> (beczkę itd.) 3. spu-ścić/szczać (zawartość becz-ki itd.) 4. *med* nakłu-ć/wać; naci-ąć/nać; z/ro-bić punkcję (**a lung etc.** płuca itd.) 5. *med* usu-nąć/wać <odciąg-nąć/ać> nagromadzony w ciele płyn 6. naci-ąć/nać (drzewo — dla wydobycia soku itd.); spałować (drzewo iglaste); ściąg-nąć/ ać <odciąg-nąć/ać> sok itd. (**a tree** z drzewa) 7. nawiąz-ać/ywać stosunki handlowe (**a district** z daną okolicą) 8. zwr-ócić/acać się (**sb for sth** do kogoś o coś); wykorzyst-ać/ywać (**sb for sth** kogoś dla jakiegoś celu); wydoby-ć/wać <wyciąg-nąć> (**sb for sth** coś od kogoś); *pot* naciąg-nąć/ać (**sb for a sum** kogoś na jakąś sumę) 9. poru-sz-yć/ać (temat) 10. podsłuch-ać/iwać (rozmowę telefoniczną itd.); podłącz-yć/ać się (**telegraph wires** do linii telegraficznej) 11. *techn* uchwy-cić/wać 12. *górn* opuk-ać/iwać (strop); pod-ebrać/ bierać (pokład) 13. *metalurg* spu-ścić/szczać (płynny metal)

tap-auger ['tæp͵ɔːgə] s świder bednarski

tap-bolt ['tæp͵boult] s śruba z główką sześciokątną normalną

tap-borer ['tæp͵bɔːrə] s = **tap-auger**

tap-dance ['tæp͵dɑːns] s (*w tańcu*) stepowanie

tape [teip] ① s 1. taśma (tkana, metalowa, pa-pierowa itd.); tasiemka; wstążka (u mety itd.); **to breast the** ~ przybie-c/gać pierwszym do me-ty; wygr-ać/ywać bieg; **insulating** ~ taśma izo-lacyjna; izolacja; **red** ~ biurokracja 2. sznurek 3. (*także* ~-**line**) taśma miernicza 4. (*także* ~-**measure** centymetr (krawiecki) 5. *sl* gorza-ła ③ *vt* 1. zawiąz-ać/ywać (pakunek itd.) taśmą <sznurkiem>; okle-ić/jać gumowaną taśmą pa-pierową 2. obszy-ć/wać tasiemką 3. z/mierzyć (taśmą mierniczą); *przen sl* **to have sb** ~**d** orientować się co do wartości osobnika; wie-dzieć co kto jest wart

tape-grass ['teip͵grɑːs] s *bot* nurzaniec; walisneria

tape-line ['teip͵lain] s = **tape** s 3.

tape-measure ['teip͵meʒə] s = **tape** s 4.

tape-needle ['teip,ni:dl] *s am* igliczka (do przeciągania taśm)

taper ['teipə] Ⅰ *s* 1. stoczek 2. *poet* słabe światło 3. stożkowaty kształt; stożkowatość Ⅲ *adj lit* zwężający się (ku końcowi); stożkowaty; zbieżny Ⅲ *vi* (*także* **to** ~ **off**) zwężać się (ku końcowi); kończyć się spiczasto; zbiegać się; maleć; zmniejszać się Ⅳ *vt* zwę-zić/żać (ku końcowi); nada-ć/wać szpic <spiczaste, stożkowate zakończenie> (**sth** czemuś) *zob* **tapering**

tape-recorder ['teip-ri,kɔ:də] *s* magnetofon

tapering ['teipəriŋ] Ⅰ *zob* **taper** *v* Ⅲ *adj* 1. zwężający się (ku końcowi); spiczasty; stożkowaty; zbieżny 2. (*o taryfie itd*) w skali opadającej

tape-recording ['teip-ri,kɔ:diŋ] *s* nagr-anie/ywanie na taśmę

tapestried ['tæpistrid] *adj* (*o ścianie, pokoju*) obity <ozdobiony> dekoracyjną tkaniną <arrasami, gobelinami, dywanami>; pokryty tkanym obiciem

tapestry ['tæpistri] *s* dekoracyjna tkanina; obicie ścienne; gobelin; arras; dywan ścienny

tapestry-weaver ['tæpistri,wi:və] *s* tkacz obić ściennych <arrasów, gobelinów>

tapeworm ['teip,wə:m] *s med* tasiemiec; soliter

tap-house ['tæp,haus] *s* bar; gospoda; szynk; knajpa

tapioca [,tæpi'oukə] *s kulin* tapioka

tapir ['teipə] *s zoo* tapir

tapis ['tæpi:] *s w zwrocie*: **to be** <**come**> **on the** ~ być <znaleźć się> na tapecie

tapotement [tə'poutmənt] *s* (*przy masażu*) klepanie

tappet ['tæpit] *s techn* krzywka; popychacz

taproom ['tæp,ru:m] *s* bar; bufet; gospoda; szynk; knajpa

tap-root ['tæp,ru:t] *s bot* korzeń palowy

tapster ['tæpstə] *s* barman; kelner w barze

tar [ta:] Ⅰ *s* 1. smoła; dziegieć; **to spoil the ship for a ha'p'orth of** ~ przez groszową oszczędność narazić się na <ponieść> wielką stratę 2. (*zw* **Jack** ~) marynarz; majtek Ⅲ *vt* (**-rr-**) wy/smołować; powle-c/kać dziegciem; **to** ~ **and feather sb** powlec kogoś smołą i oblepić piórami (rodzaj samosądu); (*o dwóch lub więcej osobach*) **to be** ~**red with the same brush** posiadać takie same wady

taradiddle ['tærədidl] *s* (niewinne) kłamstwo; *pot* łgarstwo

tarafern ['tærə,fə:n] *s bot* nowozelandzka paproć jadalna

tarantella [,tærən'telə] *s muz* tarantella

tarantula [tə'ræntjulə] *s zoo* tarantula

taraxacum [tə'ræksəkəm] *s bot* mniszek

tar-board ['ta:bɔ:d,] *s* papa

tarboosh ['ta:,buʃ] *s* fez

tar-brush ['ta:,brʌʃ] *s* pędzel do smołowania; *pot* **a touch of the** ~ domieszka krwi murzyńskiej

tardigrade ['ta:di,greid] *adj zoo* powolny, leniwy, opieszały, poruszający się wolno

Tardigrada [,ta:di'greidə] *spl zoo* niesporczaki

tardily ['ta:dili] *adv* 1. powoli; leniwie; opieszale 2. późno; poniewczasie 3. niechętnie; nie kwapiąc się

tardiness ['ta:dinis] *s* 1. powolność; opieszałość 2. spóźnienie; opóźnienie 3. późne dojrzewanie

tardy ['ta:di] *adj* 1. powolny; leniwy; opieszały

2. spóźniony; opóźniony; późny 3. niechętny; nie kwapiący się

tare¹ [teə] *s bot* wyka

tare² [teə] Ⅰ *s* tara, waga opakowania; ~ **allowance** potrącenie na tarę Ⅲ *vt* wy/tarować

targe [ta:dʒ] *s* mała okrągła tarcza; puklerz

target ['ta:git] *s* 1. tarcza (strzelnicza; *kolej* sygnałowa) 2. cel (do strzelania, *także* dążeń, kpin itd.); obiekt (bombardowania); ~ **area** strefa bombardowania powietrznego 3. *miern* tarcza łaty niwelacyjnej

tariff ['tærif] Ⅰ *s* 1. taryfa; stawka taryfowa; cennik 2. taryfa celna 3. system ceł; ~ **wall** bariera celna; ~ **reform** zniesienie wolnego handlu i wprowadzenie systemu ochrony celnej Ⅲ *vt* s/taryfikować

tarlatan ['ta:lətən] *s tekst* tarlatan (cienki muślin)

tarmac ['ta:mæk] *s* 1. tarmakadam (makadam pokryty smołą) 2. *lotn* pole startowe

tarn [ta:n] *s* staw (górski)

tarnal ['ta:n] *adj am sl* cholerny; diabelny

tarnation [ta:'neiʃən] *s am sl* przekleństwo

tarnish ['ta:niʃ] Ⅰ *vt* 1. matować; pozbawi-ć/ać połysku 2. s/plamić; za/szargać (reputację) 3. przyćmi-ć/ewać Ⅲ *vi* z/matowieć; s/tracić blask; za/śniedzieć Ⅲ *s* 1. utrata blasku; z/matowienie 2. plama

taro ['ta:rou] *s bot* kolokazja

taroc ['tærɔk] *s karc* tarok

tarpan ['ta:pən] *s zoo* tarpan

tarpaulin [ta:'pɔ:lin] *s* brezent; płótno nieprzemakalne

Tarpeian [ta:'piən] *adj hist* (*o skale*) tarpejska

tarpon ['ta:pɔn] *s zoo* nitkopletw (ryba)

tarradiddle ['tærə,didl] = **taradiddle**

tarragon ['tærəgən] *s bot* estragon; ~ **oil** olejek estragonowy

tarrock ['tærək] *s zoo* mewa

tarry¹ ['tæri] *vi* (**tarried** ['tærid], **tarried**; **tarrying** ['tæriiŋ]) *lit* 1. pozosta-ć/wać <bawić, mieszkać> (**at** <**in**> **a place** gdzieś) 2. oczekiwać (**for sb** kogoś); czekać (**for sb** na kogoś) 3. zwlekać; ociągać się

tarry² ['ta:ri] *adj* 1. smolisty 2. smołowany 3. splamiony smołą

tarsia ['ta:siə] *s* intarsja

tarsier ['ta:siə] *s zoo* wyrak (małpiątko)

tarsus ['ta:səs] *s* 1. *anat* stęp 2. *anat* tarczka powiekowa 3. *zoo* tyłonoże

tart¹ [ta:t] *adj* 1. (*o smaku*) cierpki 2. (*o odezwaniu się*) cierpki; zgryźliwy; opryskliwy

tart² [ta:t] *s kulin* placek <ciastko> z owocami <konfiturą, kremem>

tart³ [ta:t] *s sl* dziewczyna <kobieta> lekkich obyczajów; kokota

tartan¹ ['ta:tən] Ⅰ *s* 1. *tekst* tartan; materiał <pled> we wzorzystą szkocką kratę 2. *rż* Szkot 3. *pot* żołnierz szkocki Ⅲ *adj* (*o materiale, pledzie*) w szkocką kratę

tartan² ['ta:tən] *s mar* tartana (statek jednomasztowy)

tartar ['ta:tə] *s* 1. *chem* winnik; kamień winny; ~ **emetic** emetyk, winian antymonylopotasowy 2. kamień nazębny

Tartar, Tatar ['ta:tə] *s* Tatar; **to catch a** ~ na/trafić na chytrzejszego od siebie; **I** <**he etc.**> **caught a** ~ trafiła kosa na kamień

Tartarean [tɑːˈtɛəriən] *adj* (*u starożytnych*) tarta-rowy

tartaric [tɑːˈtærik] *adj chem* (*o kwasie*) winowy, winny

Tartarus [ˈtɑːtərəs] *spr* (*u starożytnych*) Tartar, piekło

tartish [ˈtɑːtiʃ] *adj* cierpkawy

tartlet [ˈtɑːtlit] *s kulin* placuszek z owocami <konfiturą, kremem>

tartness [ˈtɑːtnis] *s* 1. cierpkość (smaku) 2. cierpkość <zgryźliwość, opryskliwość> (wypowiedzi)

tartrate [ˈtɑːtreit] *s chem* winian

Tartuf(f)e [tɑːˈtuf] *s spr* świętoszek; nabożniś; obłudnik

tasimeter [təˈsimitə] *s elektr* tasymetr (przyrząd do mierzenia drobnych wahań ciśnienia)

▲task [tɑːsk] Ⅰ *s* 1. zadanie; **to set a pupil a ~** zada-ć/wać uczniowi coś do odrobienia; **to do one's ~** odrobić lekcje 2. zadanie, przedsięwzięcie; (zadana) praca; **to set sb a ~** dać komuś zadanie do spełnienia; *am wojsk* **~ force** oddział specjalny ‖ **to take sb to ~ for sth** <**for doing sth**> zarzuc-ić/ać komuś coś <zrobienie czegoś>; s/krytykować <z/rugać> kogoś za coś <za zrobienie czegoś> Ⅲ *vt* 1. da-ć/wać <wyznacz-yć/ać> pracę do spełnienia <zadanie do wykonania> (**sb** komuś) 2. (*o zadaniu*) wymagać wysiłku (**sb** od kogoś); być trudnym <ciężkim, uciążliwym> (**sb** dla kogoś); męczyć

taskmaster [ˈtɑːskˌmɑːstə] *s* szef; nadzorca; *przen* tyran; ciemiężyciel; gnębiciel

task-work [ˈtɑːskˌwəːk] *s* praca akordowa

Tasmanian [tæzˈmeinjən] Ⅰ *adj* tasmański; *zoo* **~ devil** diabeł tasmański (kuna torbata); *zoo* **~ wolf** tasmański wilk torbaty Ⅲ *s* Tasmańczyk

tass [tæs] *s szkoc* łyk

tassel [ˈtæsəl] Ⅰ *s* 1. chwast (ozdoba); kutas 2. *bot* kitka (u kukurydzy) 3. zakładka w książce Ⅲ *vt* (**-ll-**) 1. ozd-obić/abiać chwastami <kutasami>; przyszy-ć/wać chwasty <kutasy> (**sth** do czegoś) 2. usu-nąć/wać kitk-ę/i (**Indian corn** u kukurydzy) Ⅲ *vi* (*o kukurydzy*) wypu-ścić/szczać kitk-ę/i

▲taste [teist] Ⅰ *vt* 1. s/kosztować (**sth** czegoś) 2. *handl* kiperować 3. *zw z przeczeniem*: jeść; mieć w ustach; **he had not ~d food for several days** od kilku dni nic nie jadł <nie miał nic w ustach> 4. po/czuć smak (**sth** czegoś); **can you ~ the garlic? — I can't ~ it** czy czujesz smak czosnku? — nie czuję go 5. *†* u/bawić <u/cieszyć> się (**a joke etc.** żartem itd.) 6. zazna-ć/wać; dozna-ć/wać (**sth** czegoś) Ⅲ *vi* 1. smakować (**of sth** jak coś); mieć smak (**of sth** czegoś) 2. trącić (**of sth** czymś) Ⅲ *s* 1. smak; **a bad** <**nasty**> **~** nieprzyjemny smak; **it is sweet to the ~** to ma słodki smak; **I don't like the ~ of this** a) nie smakuje mi to b) nie lubię tego smaku 2. zmysł smaku 3. *rz* s/kosztowanie 4. trochę (czegoś) na skosztowanie; **to give sb a ~ of __** a) dać komuś skosztować ... (czegoś) b) *przen* pokaz-ać/ywać komuś, jak smakuje ... (bieda, praca na roli itd.); pozw-olić/alać komuś zaznać ... (biedy itd.) 4. zamiłowanie <pociąg, chęć> (**for sth** do czegoś); predylekcja; upodobanie 5. gust; **~s differ** każdy ma swój gust; *pot* są gusta i guściki; **in ~** w dobrym guście

tasteful [ˈteistful] *adj* gustowny; w dobrym guście

tasteless [ˈteistlis] *adj* 1. bez smaku 2. bez gustu; niegustowny

taster [ˈteistə] *s* kiper, znawca smaku (win, herbaty itd.)

tasty [ˈteisti] *adj* 1. smakowity; smaczny 2. *pot* szykowny; elegancki

tat¹ [tæt] *vi* (**-tt-**) *koron* z/robić frywolitki

tat² *zob* tit²

tat³ [tæt] *s* (*w Indiach*) kucyk

ta-ta [ˈtæˈtɑː] *interj* do widzenia!; pa!

Tatar [ˈtɑːtə] = **Tartar**

tater [ˈteitə] *s sl* = **potato**

Tatler [ˈtætlə] *† spr* nazwa czasopisma

tatou [ˈtɑːtu] = **armadillo**

tatter [ˈtætə] *s* łachman; strzęp

tatterdemalion [ˈtætədəˈmeiljən] *s* obdartus

tattered [ˈtætəd] *adj* obdarty; w łachmanach; w strzępach

Tattersall's [ˈtætəˌsɔːlz] *spr* miejsce sprzedaży koni wyścigowych w Londynie; **~'s Ring** część pola wyścigowego dostępna tylko dla wybranej publiczności

tatting [ˈtætiŋ] Ⅰ *zob* tat¹ *v* Ⅲ *s koron* frywolitki

tattle [ˈtætl] Ⅰ *s* gadanie; plotki; komeraże Ⅲ *vi* po/gawędzić; po/plotkować

tattler [ˈtætlə] *s* 1. gaduła 2. plotka-rz/rka 3. *zoo* brodziec piskliwy

tattoo¹ [təˈtuː] Ⅰ *s* capstrzyk (sygnał wojskowy oraz impreza wieczorna); **to beat the devil's ~** bębnić palcami (w stół itd.) Ⅲ *vi* bębnić palcami (w stół itd.)

tattoo² [tæˈtuː] Ⅰ *vt* wy/tatuować Ⅲ *s* 1. tatuowanie, tatuaż 2. tatuaż, rysunek na ciele

tattoo³ [təˈtuː] = **tat³**

tatty [ˈtæti] *s* (*w Indiach*) wilgotna mata zawieszana w drzwiach dla chłodu

tau [tɔː] *s gr litera* tau

taught *zob* teach

taunt¹ [tɔːnt] Ⅰ *vt* 1. wyśmi-ać/ewać; wyśmi-ać/ewać się <naigrawać się, szydzić> (**sb** z kogoś) 2. zarzuc-ić/ać (**sb with sth** komuś coś); pomawiać (**sb with sth** kogoś o coś) 3. urągać (**sb with sth** komuś <na kogoś> o coś <za coś>); ubliż-yć/ać (**sb** komuś) Ⅲ *s* 1. wyśmiewanie 2. zarzut/y 3. urąganie; ubliżające słowa <uwagi> 4. urągowisko *zob* **taunting**

taunt² [tɔːnt] *adj mar* (*o maszcie*) wysoki

taunting [ˈtɔːntiŋ] Ⅰ *zob* taunt¹ *v* Ⅲ *adj* sarkastyczny; ubliżający

tauntingly [ˈtɔːntiŋli] *adv* sarkastycznie; ubliżająco

taurine [ˈtɔːrain] *adj* byczy; (*o cechach itd*) byka

tauromachy [tɔːˈrɔməki] *s* walka byków

Taurus [ˈtɔːrəs] *s astr* Byk; (*w zodiaku*) znak Byka

taut [tɔːt] *adj* 1. (mocno) napięty; naprężony; wyprężony; **~ smile** wymuszony <nieszczery> uśmiech 2. schludny 3. (*o statku itd*) w doskonałym stanie

tauten [ˈtɔːtən] *vt* 1. napi-ąć/nać; napręż-yć/ać, wypręż-yć/ać 2. doprowadzić do porządku

tautness [ˈtɔːtnis] *s* 1. napięcie; naprężenie 2. schludność; wzorowy stan

tautochronism [tɔːˈtɔkrəˌnizəm] *s* tautochronizm (równoczesność zjawiska i jednostajność ruchu)

tautology [tɔ:'tɔlədʒi] s tautologia

tavern ['tævən] s tawerna; szynk; karczma; gospoda

taw¹ [tɔ:] vt wyprawi-ć/ać (skórę) na irchę <na biało>,

taw² [tɔ:] s 1. gra (chłopięca) w kulki 2. kulka (do gier chłopięcych) 3. linia graniczna przy grze w kulki

tawdry ['tɔ:dri] Ⅰ adj 1. (o ubiorze, ozdobach) krzykliwy; bez gustu; niegustowny 2. tombakowy Ⅲ s 1. krzykliwe <tandetne> ozdoby 2. tombak

tawer ['tɔuə] s białoskórnik

tawery ['touəri] s białoskórnictwo

tawny ['tɔ:ni] adj brązowy; śniady; opalony; ogorzały

tawse [tɔ:z] s szkoc pas (do chłosty)

⏶**tax** [tæks] Ⅰ vt 1. na-łożyć/kładać podat-ek/ki (**the citizens, a commodity etc.** na obywateli, na jakiś towar itd.); opodatkow-ać/ywać 2. prawn ustal-ić/ać wysokość (kosztów) 3. podda-ć/wać próbie <wystawi-ć/ać na próbę> (czyjeś zdolności, czyjąś cierpliwość itd.); wymagać wysiłku (**sb od kogoś**); wyczerp-ać/ywać; nadweręż-yć/ać; doprowadz-ić/ać do ostateczności 4. zarzuc--ić/ać (**sb with sth komuś coś**); z/robić zarzut (**sb with sth komuś z czegoś**) zob **taxed** Ⅲ s 1. podatek 2. ciężar (**on sb dla kogoś**); wysiłek; **to be a ~ on sb** a) być dla kogoś ciężarem b) wymagać od kogoś wysiłku c) wyczerp-ać/ywać kogoś 3. próba; **to be a ~ on sth** podda-ć/wać coś próbie; wystawi-ć/ać coś na próbę (czyjąś cierpliwość itd.) Ⅲ attr podatkowy

taxable ['tæksəbl] adj 1. podlegający opodatkowaniu 2. prawn (o koszcie) podlegający zaliczeniu (komuś); **the cost is ~ to** __ kosztami tymi można obciążyć ...; koszt ten można policzyć ... (danej stronie)

taxaceous [tæk'seiʃəs] adj bot cisowaty

taxation [tæk'seiʃən] s 1. na-łożenie/kładanie podatków; opodatkow-anie/ywanie; obciąż-enie/anie podatkami; **the ~ authorities** władze skarbowe 2. opodatkowanie (własności itd.); podatki 3. wpływy <dochód> z podatków 4. prawn ustal--enie/anie wysokości (kosztów)

tax-cart ['tæks,kɑ:t] = **taxed cart** zob **taxed** adj

tax-collector ['tæks-kə,lektə] s poborca podatkowy; **~'s office** urząd skarbowy

taxed [tækst] Ⅰ zob **tax** v Ⅲ adj ~ **cart** dwukołowy wóz gospodarski

tax-farmer ['tæks,fɑ:mə] s hist dzierżawca podatków

tax-free ['tæks'fri:] adj wolny od podatku; nie podlegający opodatkowaniu

tax-gatherer ['tæks,gæðərə] = **tax-collector**

⏶**taxi** ['tæksi] Ⅰ s taksówka; ~ **driver** taksówkarz, szofer <kierowca> taksówki Ⅱ vi (**taxied** ['tæksid], **taxied**; **taxying** ['tæksiiŋ]) 1. po/jechać taksówką; jeździć taksówkami; 2. lotn rolować

taxi-cab ['tæksi,kæb] s taksówka

taxidermal [,tæksi'də:məl] adj (o sztuce itd) wypychania zwierząt <wypychacza>

taxidermist [,tæksi'də:mist] s wypychacz (zwierząt)

taxidermy ['tæksi,də:mi] s wypychanie zwierząt, taksydermia

taxi-man ['tæksimən] = **taxi driver** zob **taxi** s

taximeter ['tæksi,mi:tə] s taksometr, taksomierz, licznik (w taksówce)

taxineae ['tæksini,i:] spl bot rośliny cisowate

taxiplane ['tæksi,plein] s samolot-taksówka

taxi-rank ['tæksi,ræŋk] = **cab-rank**

taxonomy [tæks'ɔnəmi] s taksonomia

taxpayer ['tæks,peiə] s podatni-k/czka

Taylorism ['teilə,rizəm] s ekon tayloryzm

tazza ['tætsə] s patera

tchick [tʃik] Ⅰ s cmokanie (na konia) Ⅲ vi cmokać (na konia)

⏶**tea** [ti:] Ⅰ s 1. herbata (roślina i napój) 2. podwieczorek; herbatka; **plain ~** podwieczorek; **high ~** podwieczorek z daniem mięsnym będący równocześnie kolacją <zastępujący kolację> 3. napar <wywar> z ziół 4. (także **beef-~**) bulion Ⅲ vi (**tea'd** [ti:d], **tea'd; teaing** ['ti:iŋ]) jeść/ jadać podwieczorek Ⅲ vt (**tea'd** [ti:d], **tea'd; teaing** ['ti:iŋ]) pod-jąć/ejmować podwieczorkiem

tea-board ['ti:,bɔ:d] s taca

tea-caddy ['ti:,kædi] s puszka na herbatę

tea-cake ['ti:,keik] s rodzaj bułki półsłodkiej

teach [ti:tʃ] v (**taught** [tɔ:t], **taught**) Ⅰ vt 1. na/ uczyć, nauczać (**sb sth <sth to sb>** kogoś czegoś); wy-łożyć/kładać (**sb sth <sth to sb>** coś komuś); udziel-ić/ać lekcji (**a language etc.** języka itd.); **to ~ sb (how) to do sth** na/uczyć <poucz-yć/ać> kogoś, jak (ma) coś robić; **to ~ sb not to do sth** a) na/uczyć kogoś, żeby czegoś nie robił b) oducz-yć/ać kogoś czegoś 2. być nauczką (**sb dla kogoś**) Ⅲ vr ~ **oneself** na/uczyć się bez pomocy nauczyciela Ⅲ vi uczyć; wykładać; być nauczyciel-em/ką zob **teaching**

teachable ['ti:tʃəbl] adj 1. (o człowieku) pojętny 2. (o przedmiocie) możliwy do nauczania

teacher ['ti:tʃə] s nauczyciel/ka; ~**'s college** seminarium nauczycielskie

tea-chest ['ti:,tʃest] s skrzynia z metalowym obiciem do przewozu herbaty

tea-cloth ['ti:,klɔθ] s 1. obrus podwieczorkowy 2. ścierka do naczyń

tea-cosy ['ti:,kouzi] s pikowane przykrycie na imbryczek <czajniczek>

teacup ['ti:,kʌp] s filiżanka do herbaty; przen **a storm in a ~** burza w szklance wody

teacupful ['ti:,kʌpful] s (pełna) filiżanka (czegoś — lekarstwa, mąki itd.)

tea-dealer ['ti:,di:lə] s kupiec <firma> handlując--y/a herbatą

tea-drinker ['ti:,driŋkə] s 1. amator herbaty 2. przen abstynent

tea-fight ['ti:,fait] s pot = **tea-party**

tea-garden ['ti:,gɑ:dn] s herbaciarnia <kawiarnia> na wolnym powietrzu

tea-gown ['ti:,gaun] s suknia wizytowa <koktailowa>

Teague [ti:g] s uj Irlandczyk

tea-house ['ti:,haus] s (w Chinach i Japonii) herbaciarnia

teak [ti:k] s bot tek (drzewo wschodnioindyjskie)

tea-kettle ['ti:,ketl] s imbryk <czajnik> do gotowania wody na herbatę

teal [ti:l] s zoo cyraneczka (drobna kaczka)

tea-leaf ['ti:,li:f] s (pl **tea-leaves** ['ti:,li:vz]) liść herbaty; (**used**) **tea-leaves** wyparzone liście herbaty (używane przy zamiataniu podłóg)

team [ti:m] Ⅰ s (po liczebniku pl ~) 1. zaprzęg; **two ~ of horses** dwa zaprzęgi konne 2. zespół; sport drużyna; ~ **spirit** duch zespołowy Ⅲ adj zespołowy ⫾Ⅲ⫾ vt 1. zaprzęg-nąć/ać 2. am przewozić 3. odda-ć/wać <powierz-yć/ać> (wykon--anie/ywanie robót) przedsiębiorcy ~ up vi zesp-olić/alać się; sprzęgnąć <sprząc> się (z kimś, żeby coś zrobić)

teamster ['ti:mstə] s woźnica; furman

team-work ['ti:m,wə:k] s praca zespołowa; współpraca

tea-party ['ti:,pa:ti] s herbatka towarzyska; przyjęcie popołudniowe

tea-plant ['ti:,pla:nt] s bot krzew herbaciany

tea-plantation ['ti:pla:n,teiʃən] s plantacja herbaty

tea-pot ['ti:,pɔt] s imbryczek, czajniczek

tea-poy ['ti:,pɔi] s stolik na trzech nóżkach

tear¹ [tɛə] v (**tore** [tɔ:], **torn** [tɔ:n]; **tearing** ['tɛəriŋ]) ⫾Ⅰ⫾ vt 1. po/rwać; roze/rwać; rozrywać; po/drzeć; roze/drzeć; rozdzierać; po/targać; po/ szarpać; roz/szarpać; **to ~ a hole in sth** wydrzeć dziurę w czymś; **to ~ open an envelope** rozedrzeć kopertę; **to ~ one's hair** wydzierać sobie włosy z głowy; **to ~ sb <oneself> from sb, sth** oderwać kogoś <się> od kogoś, czegoś; sl **that's torn it!** to już jest koniec wszystkiego!; tylko tego brakowało! 2. s/kaleczyć <z/ranić> (**one's hand etc.** sobie rękę itd.) ⫾Ⅱ⫾ vi 1. rwać <drzeć> się 2. wydzierać <ciągnąć, szarpać> (**at sth** coś <za coś>) 3. po/pędzić

~ **along** vi po/pędzić naprzód co sił <co tchu, co koń wyskoczy>

~ **asunder** vt od-erwać/rywać (jedno od drugiego); roz-erwać/rywać

~ **away** ⫾Ⅰ⫾ vt od-erwać/rywać ⫾Ⅱ⫾ vr ~ **oneself away** (zw z **cannot, could not**) (nie móc) oderwać się (od miłego towarzystwa itd.) ⫾Ⅲ⫾ vi um-knąć/ykać co tchu <co sił, co koń wyskoczy>

~ **down** vt zerwać/zrywać

~ **off** vt od-erwać/rywać

~ **out** vt wyr-wać/ywać; wydrap-ać/ywać (**sb's eyes** komuś oczy)

~ **up** vt 1. po/targać; po/drzeć; roz-erwać/ rywać na kawałki 2. wyr-wać/ywać (roślinę) 3. rozkop-ać/ywać (drogę, ulicę)

zob **tearing** ⫾Ⅲ⫾ s 1. rozdarcie; wydarta dziura 2. pot pośpiech 3. wściekłość 4. am hulanie; pohulanka

↑**tear²** [tiə] s 1. łza; pl ~s płacz; **we laughed till the** ~s **came** śmialiśmy się do łez; in ~s zapłakany; **we łzach; her eyes filled with** ~s, ~s **came to her eyes** łzy stanęły jej w oczach 2. przen kropla

tear-away ['tɛər-ə'wei] adj gwałtowny

↑**tear-drop** ['tiə,drɔp] s łza

tear-duct ['tiə,dʌkt] s anat przewód łzowy

tearful ['tiəful] adj 1. zapłakany 2. (o głosie itd) płaczliwy 3. (o wiadomości itd) smutny; smętny

tear-gas ['tiə,gæs] gaz łzawiący

tearing ['tɛəriŋ] ⫾Ⅰ⫾ zob **tear** v ⫾Ⅲ⫾ adj 1. rozdzierający 2. gwałtowny; (o tempie, pośpiechu itd) szalony 3. (o złości itd) niepohamowany; **a ~ rage** wściekłość; szał; furia

tearless ['tiəlis] adj nieopłakiwany; nie zroszony łzami; ~ **eyes** suche oczy

tea-room ['ti:,ru:m] s herbaciarnia; kawiarnia; cukiernia

tea-rose ['ti:,rouz] s róża herbaciana

tear-shell ['tiə,ʃel] s wojsk pocisk z gazem łzawiącym

tear-stained ['tiə,steind] adj zapłakany; **with a ~ face** ze śladami łez na twarzy

tear-swollen ['tiə,swoulən] adj spuchnięty <obrzmiały> od płaczu

tease [ti:z] ⫾Ⅰ⫾ vt 1. po/drażnić; dokucz-yć/ać (**sb** komuś); doci-ąć/nać (**sb** komuś); dogadywać (**sb** komuś); z/robić na złość (**sb** komuś) 2. nagabywać (**sb for sth** kogoś o coś) 3. czesać (wełnę, len) 4. kutnerować (tkaninę) 5. drzeć (tkaninę) na szarpie <pakuły> ⫾Ⅲ⫾ s 1. człowiek dokuczliwy; **to be a ~** dokuczać; być dokuczliwym 2. dokuczanie; złośliwość; złośliwości

teasel ['ti:zl] ⫾Ⅰ⫾ s 1. bot szczeć 2. grępel (szczotka) ⫾Ⅲ⫾ vt z/gręplować

teaser ['ti:zə] s 1. człowiek dokuczliwy; kpiarz 2. pot zadanie trudne do rozwiązania; kłopotliwe pytanie

tea-service ['ti:,sə:vis], **tea-set** ['ti:,set] s serwis do herbaty

tea-spoon ['ti:,spu:n] s łyżeczka do herbaty

tea-spoonful ['ti:,spu:nful] s (pełna) łyżeczka (lekarstwa itd.)

tea-strainer ['ti:,streinə] s sitko do herbaty

teat [ti:t] s anat brodawka sutkowa; zoo cycek, sutek; (u krowy itd) dójka

tea-table ['ti:,teibl] s stół do podwieczorku; przen towarzystwo przy podwieczorku; ~ **conversation** <talk> rozmowa przy herbacie <kawie>

tea-taster ['ti:,teistə] s handl kiper

tea-things ['ti:,θiŋz] spl zastawa do podwieczorku

tea-time ['ti:,taim] s pora podwieczorku

tea-tray ['ti:,trei] s taca (z zastawą do podwieczorku)

teazel, teazle ['ti:zl] = **teasel**

↑**technic** ['teknik] s technika (czegoś — malowania itd.)

technics ['tekniks] s 1. technika (dziedzina wiedzy) 2. technika (strona techniczna czegoś); **literary ~** technika powieściopisarska

↑**technical** ['teknikəl] adj 1. techniczny 2. fachowy; zawodowy; specjalistyczny 3. proceduralny 4. prawn formalny

technicality [,tekni'kæliti] s szczegół <wyrażenie, zawiłość itd.> fachow-y/e/a

technician [tek'niʃən] s 1. (rutynowany) fachowiec 2. technik; człowiek o wykształceniu technicznym 3. inżynier mechanik 4. laborant

Technicolor [,tekni'kʌlə] s Technicolor

technique [tek'ni:k] s technika (malowania itd.)

technocracy [tek'nɔkrəsi] s rządy kół technicznych; technokracja

technologic(al) [,teknə'lɔdʒik(əl)] adj 1. techniczny; związany z <wywołany> rozwojem techniki 2. technologiczny

technology [tek'nɔlədʒi] s 1. technologia 2. technika

techy ['tetʃi] = **tetchy**

tectonic [tek'tɔnik] adj 1. architektoniczny; budowlany; konstrukcyjny 2. geol tektoniczny; górotwórczy

tectonics [tek'tɔniks] s budownictwo; sztuka budowlana

tectrices ['tektri,si:z] spl zoo pióra pokrywowe (ptaka)

ted [ted] *vt* (**-dd-**) rozrzuc-ić/ać <roztrzą-ść/sać, przewr-ócić/acać, suszyć> (siano)

tedder ['tedə] *s* 1. robotni-k/ca rozrzucając-y/a siano 2. maszyna do roztrząsania siana

teddy ['tedi] *s* 1. ~ **bear** miś (zabawka) 2. ~ **boy** rozrabiacz; (*po 2-ej wojnie światowej*) ~ **boys** powojenna młodzież dorastająca; bikiniarze

tedious ['ti:djəs] *adj* nudny

tediousness ['ti:djəsnis] = **tedium**

tedium ['ti:djəm] *s* nud-a/y

▲**tee**¹ [ti:] *s* 1. litera T 2. przedmiot w kształcie litery T

tee² [ti:] ⏺ *s* 1. trójnik 2. *bud* teownik 3. odgałęzienie; rozgałęzienie 4. (*w niektórych grach*) cel (rzutu) 5. (*w golfie*) wyrównane miejsce, z którego zaczyna się gra 6. (*w golfie*) małe podwyższenie z piasku <przyrząd gumowy> do umieszczenia piłki ⏹ *vt* umie-ścić/szczać (piłkę) na podwyższeniu przed pierwszym uderzeniem

 ~ **off** *vi* rozpocząć grę (w golfa); *przen* zacz-ąć/ynać

tee³ [ti:] *s arch* ornament w kształcie parasola wieńczący świątynię buddyjską <pagodę>

teem¹ [ti:m] *vi* 1. roić się; obfitować; **the houses** ~ **with vermin** domy roją się <w domach roi się> od robactwa; **the book** ~**s with mistakes** w książce roi się od błędów; książka obfituje w błędy; **fish** ~ **in the river** rzeka obfituje w ryby

teem² [ti:m] *vt* 1. *techn* wypróżni-ć/ać (naczynie itd.) 2. wyl-ać/ewać; wysyp-ać/ywać

teen [ti:n] ⏺ *attr am w zwrotach*: ~ **age** <years> wiek · <lata> dojrzewania ⏹ *spl* ~**s** wiek dojrzewania; wiek od 13—19 lat; **a boy in his** ~**s** podrostek; wyrostek; **a girl in her** ~**s** podlotek; **he** <she> **is** <was> **still in his** <her> ~**s** jeszcze nie ma <miał/a> 20 lat

teen-ager ['ti:n,eidʒə] *s* 1. kilkunastoletni chłopiec; (*o chłopcu*) podrostek; wyrostek 2. kilkunastoletnia dziewczyna; (*o dziewczynie*) podlotek 3. *pl* ~**s** (powojenna) młodzież dorastająca; nastolatki

teeny ['ti:ni], **teeny-weeny** ['ti:ni'wi:ni] *adj pot* malusieńki; drobniutki

teepee ['ti:,pi:] = **tepee**

teeter ['ti:tə] ⏺ *s am* huśtawka ⏹ *vi am* huśtać się

teeth *zob* **tooth**

teethe ['ti:ð] *vi* ząbkować

teetotal [ti:'toutl] *adj* abstynencki; antyalkoholowy

teetotalism [ti:'toutə,lizəm] *s* abstynencja; antyalkoholizm

teetotaller [ti:'toutlə] *s* abstynent

teetotum [ti:'toutəm] *s* bąk (w zabawach dziecięcych i grach hazardowych)

teg [teg] *s* baran <owca> jednoroczn-y/a

tegmen ['tegmən] *s* (*pl* **tegmina** ['tegminə]) *bot* nakrywka

tegular ['tegjulə] *adj* dachówkowy

tegument ['tegjumənt] *s bot zoo* powłoka

tehee [ti'hi:] ⏺ *s* chichot; chichotanie ⏹ *vi* za/chichotać

teind [ti:nd] *s szkoc* dziesięcina

telaesthesia [,teli:s'θi:zjə] *s psych* telestezja

telautograph [te'lɔ:tə,grɑ:f] *s* telautograf, pantelegraf; dalekopis

telearchics [,teli'ɑ:kiks] *s* sterowanie przy pomocy fal radiowych

telecommunication ['teli-kə,mjuni'keiʃən] *s* telekomunikacja; łączność

telegram ['teli,græm] *s* telegram

▲**telegraph** ['teli,grɑ:f] ⏺ *s* telegraf ⏹ *adj* telegraficzny ⏹ *vt* za/telegrafować

telegraphese ['teligrə'fi:z] *s* styl telegraficzny

telegraphic [,teli'græfik] *adj* telegraficzny

telegraphist [ti'legrəfist] *s* telegrafista

telegraphy [ti'legrəfi] *s* telegraf; telegrafia; telegrafowanie

telekinesis [,teliki'ni:sis] *s psych* telekinezja

telemark ['teli,mɑ:k] *s sport* telemark

telemechanics [,telimi'kæniks] *s* telemechanika

telemeter [te'lemitə] *s* telemetr

teleology [teli'ɔlədʒi] *s* teleologia

teleosaurus [,teliou'zɔ:rəs] *s paleont* teleozaurus

teleost ['teli,ɔst] *s zoo* ryba koścista

telepathy [ti'lepəθi] *s* telepatia

telepathic [,teli'pæθik] *adj* telepatyczny

telephone ['teli,foun] ⏺ *s* telefon; **by** ~ telefonicznie; **to be on the** ~ a) mieć telefon w domu b) rozmawiać przez telefon ⏹ *adj* telefoniczny ⏹ *vi* za/telefonować ⏹ *vt* przekaz-ać/ywać telefonicznie

telephonic [,teli'fɔnik] *adj* telefoniczny

telephonist [ti'lefənist] *s* telefonist-a/ka

telephony [ti'lefəni] *s* telefonia

telephote ['teli,fout] *s* telefot; aparat do fotografii zdalnej

telephoto ['teli'foutou] *attr* ~ **lens** teleobiektyw

telephotography ['telifə'tɔgrəfi] *s* telefotografia; fototelegrafia; fotografia zdalna

teleprinter ['teli'printə] *s* dalekopis

telerecording ['teli-ri,kɔ:diŋ] *s* program telewizyjny odtworzony z taśmy; telerecording

▲**telescope** ['teli,skoup] ⏺ *s* teleskop ⏹ *vt* złożyć/składać (przyrząd itd.) teleskopowo (przez wsuwanie jednej części w drugą) ⏹ *vi* (*o częściach całości*) wtł-oczyć/aczać <wbi-ć/jać> się jedna w drugą; **the train** ~**d** wagony pociągu wbiły się zaczepami jeden w drugi

telescopic [,teli'skɔpik] *adj* teleskopowy

telescreen ['teli,skri:n] *s* ekran telewizora

teleseme ['teli,si:m] *s elektr* numerator (w hotelu itd.)

teletype ['teli,taip] *s* dalekopis

teleview ['teli,vju:] *vt* obejrzeć/oglądać <zobaczyć/widzieć> w telewizji <w programie telewizyjnym>

televise ['teli,vaiz] *vt* nada-ć/wać w telewizji

television ['teli,viʒən] *s* telewizja

televisor ['teli,vaizə] *s* telewizor

telewriter ['teli,raitə] = **teletype**

tell [tel] *v* (**told** [tould], **told**) ⏺ *vt* 1. powi-edzieć/adać, mówić (**sb sth** <sth to sb> coś komuś); *am* **I'll** ~ **the world** a) wiem o tym na pewno b) każdemu to powiem; **I'll** ~ **you what** coś ci powiem; wiesz co?; **I'll** ~ **you what it is** powiem ci, o co chodzi; zdradzę ci tajemnicę; **I told you so** a) mówiłem ci (że tak będzie) b) mówiłem ci to; **I was told that** — powiedziano mi <słyszałem> że ...; **to have sb told sth** kazać komuś coś powiedzieć; **to** ~ **a secret** a) powiedzieć tajemnicę (**sb komuś**) b) wydać <wypaplać> tajemnicę; *am* **to** ~ **sb good-bye** po-

żegnać się z kimś; pożegnać kogoś; **to ~ sb one's name** <**people's names**> poda-ć/wać komuś swoje nazwisko <czyjeś nazwiska>; **to ~ sth again** powt-órzyć/arzać coś; **truth to ~** prawdę powiedziawszy 2. wskaz-ać/ywać (**the way** dro-gę); **to ~ sb the way to** _ skierować kogoś do ... (danej miejscowości itd.) 3. (*o zegarze*) pokazywać (czas); (*o człowieku*) **to ~ the time** a) podać czas; powiedzieć, która godzina b) znać się na zegarze 4. opowi-edzieć/adać (historyjki itd.); **that ~s a tale** to jest znamienne; **this ~s its own tale** to mówi za siebie; **to ~ tales** a) opowiadać historyjki b) donosić; *szk* skarżyć 5. zapewni-ć/ać; **he'll do it I can ~ you** on to zrobi, zapewniam cię <wierz mi>; **don't ~ me!** chyba nie! 6. kazać (**sb to do sth** komuś coś zrobić); **do as you are told** rób, co ci każą; **~ them to go home** każ im iść do domu; niech idą do domu 7. pozna-ć/wać (**sb, sth by sth** kogoś, coś po czymś); **one can ~ it at once** to się od razu widzi; **you** <**one**> **can ~ that** _ widać, że ... 8. odróżni-ć/ać <rozróżni--ć/ać> (**one person** <**thing**> **from another** jedną osobę <rzecz> od innej) 9. wiedzieć; **for all I can ~** o ile mi wiadomo; **I could have told you that** _ wiedziałem, że ... 10. po/liczyć; sprawdz-ić/ać stan <liczbę> (**sth** czegoś); **all told** wszystkiego <wszystkich> razem Ⅲ *vi* 1. opowi--edzieć/adać (**about** <**of**> **sb, sth** o kimś, czymś) 2. pozna-ć/wać; z/orientować się; wiedzieć; **how can you ~ ?** a) po czym to poznajesz?: skąd wiesz? b) jak to można poznać?; skąd można wiedzieć?; **you can never ~** nigdy nie wiadomo 3. don-ieść/osić; po/skarżyć (**on sb** na kogoś) 4. po/działać; wyw-rzeć/ierać skutek; z/robić swoje 5. wyczerp-ać/ywać (**on sb** kogoś); da-ć/wać się we znaki (**on sb, sth** komuś, czemuś) 6. wyróżni--ć/ać się (wśród innych) 7. przemawiać (**for** <**against**> **sb** na czyjąś korzyść <przeciwko komuś> 8. wskazywać (**of sth** na coś)
~ apart *vt* odróżniać; **you can't ~ the two brothers apart** nie można odróżnić jednego brata od drugiego
~ off *vt* 1. wyznacz-yć/ać (kogoś do zrobienia czegoś); *wojsk* odkomenderować 2. *pot* z/besztać; z/rugać; nagadać (**sb** komuś)
~ over *vt* przelicz-yć/ać; sprawdz-ić/ać liczbę <stan> (**sth** czegoś)
zob **telling**
tellable ['teləbl] *adj* nadający się do opowiadania
teller ['telə] *s* 1. narrator; opowiadający 2. *parl* (*w Anglii*) funkcjonariusz wyznaczony do liczenia głosów przy głosowaniu indywidualnym 3. *bank* kasjer 4. cios dobrze wymierzony
telling ['teliŋ] Ⅰ *zob* **tell** *v* Ⅲ *adj* 1. skuteczny; **~ blow** cios dobrze wymierzony 2. znaczący; niedwuznaczny; (*o spojrzeniu itd*) wymowny 3. wyrazisty Ⅲ *s* 1. mówienie; **there's no ~ when** <**how etc.**> nie można wiedzieć <nie wiadomo, trudno powiedzieć> kiedy <jak itd.> 2. opowiadanie 3. doniesienie <donos> (**on sb** na kogoś) 4. nakaz; **to take a ~** nie da-ć/wać sobie powtórzyć (danego rozporządzenia itd.)
telling-off ['teliŋ'ɔf] *s* zbesztanie; zruganie; *pot* bura
telltale ['tel͵teil] Ⅰ *s* 1. plotka-rz/rka; *szk* skarżypyta 2. licznik; wskaźnik; wskazówka; przyrząd

kontrolny <ostrzegawczy> Ⅲ *adj* 1. zdradziecki 2. gadatliwy 3. wskazujący; kontrolny; sygnalizacyjny; ostrzegawczy
tellurian(al) [͵te'liuriən(əl)], **telluric** [te'liuərik] *adj* ziemski
tellurium [te'ljuəriəm] *s chem* tellur (pierwiastek)
telpher ['telfə] Ⅰ *adj* kablowy; **~ line** linia kolejki linowej Ⅲ *vt* przew-ieźć/ozić kolejką linową
telpherage ['telfəridʒ] *s* 1. kolejka linowa 2. przewóz kolejką linową
temerarious [͵temə'reəriəs] *adj lit* zuchwały; śmiały; lekkomyślny
temerity [ti'meriti] *s* zuchwałość; śmiałość; lekkomyślność
temper ['tempə] Ⅰ *vt* 1. rozr-obić/abiać <z/mieszać> (glinę, farbę itd.) 2. *metalurg* za/hartować (stal itd.); *techn* odpuszczać 3. z/łagodzić; u/temperować; z/miarkować; powściąg-nąć/ać; po/hamować; powstrzym-ać/ywać 4. *muz* s/tonować; z/modulować *zob* **tempered** Ⅲ *vi* (*o stali itd*) za/hartować się Ⅲ *s* 1. zaprawa (murarska) 2. *metalurg* stopień twardości stali 3. usposobienie (człowieka) 4. nastrój; humor 5. spokój; opanowanie; **to be out of ~** złościć się; **to control one's ~** panować nad sobą; trzymać się w ryzach; **to lose one's ~** wyjść z siebie; zezłościć <zdenerwować> się 6. złość; gniew; irytacja; **a fit of ~** wybuch gniewu <złości>; **to be in a ~** gniewać <złościć> się, irytować się; **to get into a ~** wpaść w złość; zgniewać <zirytować> się
tempera ['tempərə] *s* 1. tempera 2. farba wodna klejowa
temperament ['tempərəmənt] *s* 1. temperament; usposobienie 2. *muz* temperowany strój
temperamental [͵tempərə'mentl] *adj* 1. (*o przymiocie, cesze itd*) (wynikający z) temperamentu <usposobienia>; wrodzony 2. (*o człowieku*) kapryśny; ulegający nastrojom 3. pełen temperamentu 4. (*o człowieku*) wybuchowy; gwałtowny
temperance ['tempərəns] *s* 1. wstrzemięźliwość; powściągliwość; umiar 2. abstynencja; **~ hotel** hotel, w którym nie sprzedaje się napojów alkoholowych; **~ society** towarzystwo antyalkoholowe
temperate ['tempərit] *adj* 1. (*o człowieku*) wstrzemięźliwy; powściągliwy 2. (*o klimacie itd*) umiarkowany
temperature ['tempritʃə] *s* temperatura, ciepłota; gorączka; **to have a ~** mieć gorączkę <podwyższoną temperaturę>; **to take sb's ~** zmierzyć komuś gorączkę; **~ chart** karta gorączki
tempered Ⅰ *zob* **temper** *vt* Ⅲ *adj* 1. (*o stali*) hartowany 2. (*o glinie, farbie*) dobrze wymieszany <rozrobiony> 3. (*o człowieku*) umiarkowany
temperer ['tempərə] *s* 1. hartownik 2. pomocnik murarza
tempest ['tempist] *s* 1. burza; nawałnica; śnieżyca 2. *przen* burza (oklasków itd.)
tempest-beaten ['tempist͵bi:tən], **tempest-tost** ['tempist͵tɔst] *adj* skołatany przez burze; miotany burzą
tempestuous [tem'pestjuəs] *adj* burzliwy
Templar ['templə] *s* 1. (*także* **Knight ~**, *pl* **Knights**

~s) templariusz 2. **Good** ~s towarzystwo anty-alkoholowe 3. (*w Londynie*) **templar** prawnik <student prawa> posiadający pokoje w zabudowaniach zwanych "the Temple" (*zob* **Inns of Court**)

▲**template** ['templit] = **templet**

temple[1] ['templ] *s* 1. świątynia 2. **Temple** nazwa dwóch korporacji prawniczych w Londynie (**the Inner** ~, **the Middle** ~); **Temple Bar** jedna z dawnych rogatek Londynu

temple[2] ['templ] *s anat* skroń

temple[3] ['templ] *s* rozciągacz (warsztatu tkackiego)

templet, template ['templit] *s bud* 1. szablon, wzornik; forma 2. podkładka pod belkę

▲**tempo** ['tempou] *s* tempo

temporal[1] ['tempərəl] *adj anat* skroniowy

temporal[2] ['tempərəl] *adj* 1. doczesny; ziemski 2. (*o władzy itd*) świecki 3. *gram* (*o spójnikach itd*) czasowy; (dotyczący) czasu

temporality [ˌtempə'ræliti] *s* 1. posiadłość; dochód 2. *pl* **temporalities** posiadłości <dochody> duchownego <zbiorowości religijnej> 3. *prawn* tymczasowość

temporalty ['tempərəlti] *s* (ludzie) świeccy

temporarily ['tempərərili] *adv* 1. chwilowo; tymczasowo; na razie. 2. (przez) jakiś czas

temporariness ['tempərərinis] *s* tymczasowość; prowizoryczność; chwilowy <przejściowy> charakter (czegoś)

temporary ['tempərəri] *adj* tymczasowy; czasowy; chwilowy; prowizoryczny

temporization [ˌtempərai'zeiʃən] *s* 1. gra na zwłokę 2. chwilowe dostosow-anie/ywanie się do okoliczności

temporize ['tempəˌraiz] *vi* 1. grać na zwłokę; nie angażować się 2. chwilowo dostosow-ać/ywać się do okoliczności

temporo-facial ['tempəˌrou'feiʃəl] *adj anat* skroniowo-twarzowy

temporo-maxillary ['tempəˌrou-mæk'siləri] *adj anat* skroniowoszczękowy

temporo-parietal ['tempəˌrou-pə'raiitl] *adj anat* skroniowociemieniowy

tempt [tempt] *vt* 1. *bibl* wystawi-ć/ać na próbę; doświadcz-yć/ać 2. s/kusić; **to** ~ **sb's appetite** pobudz-ić/ać w kimś apetyt 3. z/nęcić; **to be** ~**ed to do sth** mieć ochotę coś zrobić 4. nakł--onić/aniać (**sb to evil** kogoś do złego); nam--ówić/awiać (**sb to do sth** kogoś do tego, żeby coś zrobił <do zrobienia czegoś>) *zob* **tempting**

temptation [temp'teiʃən] *s* 1. pokusa 2. kuszenie 3. ponęta

tempter ['temptə] *s* kusiciel/ka

tempting ['temptiŋ] ⓘ *zob* **tempt** *v* ⓘ *adj* 1. kuszący 2. nęcący 3. ponętny

temptress ['temptris] *s* kusicielka

ten [ten] *num* ⓘ *adj* 1. dziesięć; **to be** ~ mieć 10 lat; **it is** ~ jest 10-ta godzina; **a child of** ~ dziecko 10-letnie; *przen* ~ **to one** z wszelką pewnością; na pewno 2. = **tenpence**; **one and** ~ jeden szyling i 10 pensów ⓘ *s* dziesiątka

tenable ['tenəbl] *adj* 1. (*o pozycji, teorii itd*) możliwy do obrony <do utrzymania> 2. (*o urzędzie, stanowisku*) nada-ny/wany na określony czas

tenace ['teneis] *s karc* widły

tenacious [ti'neiʃəs] *adj* 1. (*o skale itd*) spoisty 2. (*o metalu*) ciągliwy 3. (*o roślinie*) czepny 4. (*o pamięci*) wierny; dobry; trwały 5. (*o człowieku*) wytrwały; nieustępliwy 6. lepki 7. przywiązany (**of sth** do czegoś); **to be** ~ **of property** <**one's rights, one's principles etc.**> być przywiązanym do <nie ustępować od> swojej własności <swoich praw, zasad itd.>

tenacity [ti'næsiti] *s* 1. spoistość 2. ciągliwość (metalu) 3. trwałość (pamięci) 4. wytrwałość; nieustępliwość; ~ **of purpose** wytrwałe dążenie do osiągnięcia wytyczonego celu 5. przywiązanie (**of one's rights etc.** do swych praw itd.)

tenaculum [ti'nækjuləm] *s* (*pl* **tenacula** [ti'nækjulə]) *med* imadło

tenancy ['tenənsi] *s* dzierżawa; najem; okres dzierżawny

tenant ['tenənt] ⓘ *s* 1. dzierżawca; ~ **farmer** dzierżawca folwarku 2. lokator 3. użytkownik 4. mieszkaniec ⓘ *vt* dzierżawić; mieć w dzierżawie; najmować

tenantable ['tenəntəbl] *adj* (*o domu*) mieszkalny; w stanie możliwym do zamieszkania

tenantless ['tenəntlis] *adj* nie wydzierżawiony

tenantry ['tenəntri] *s zbior* dzierżawcy

tench [tenʃ] *s zoo* lin

tend[1] [tend] *vi* 1. zmierzać (**in a given direction** w jakimś kierunku; **towards sth** ku czemuś); dążyć, zdążać (**to a spot** dokądś); (*o drodze itd*) iść <biegnąć> (**towards** __ w kierunku ...) 2. skłaniać się (**to sth** ku czemuś); mieć skłonność <tendencję> (**to sth** <**to do sth**> do czegoś <do robienia czegoś>) 3. przyczyni-ć/ać się (**to sth** do czegoś)

tend[2] [tend] *vt* opiekować się (**sb, sth** kimś, czymś); pilnować <dozorować> (**sb, sth** kogoś, czegoś); pielęgnować (chorego); paść (trzodę)

▲**tendency** ['tendənsi] *s* dążność; skłonność; tendencja; pociąg (do czegoś)

tendentious [ten'denʃəs] *adj* tendencyjny

tender[1] ['tendə] *s* 1. dozorujący; dozorca 2. maszynista 3. *kolej* tender 4. *mar* tender; statek pomocniczy <zaopatrzeniowy>

tender[2] ['tendə] ⓘ *vt* za/oferować; przed-łożyć/kładać; złożyć/składać (rezygnację, podziękowanie itd.); *handl* złożyć/składać ofertę (**sth na coś**) ⓘ *s* 1. oferta; **by** ~ drogą konkursu 2. **legal** ~ pieniądz obiegowy; środek płatniczy

tender[3] ['tendə] *adj* 1. miękki; (*o mięsie*) kruchy 2. delikatny; wrażliwy; kruchy; łamliwy 3. młody; niedojrzały 4. czuły 5. dbały <zazdrosny> (**of one's good name etc.** o swe dobre imię itd.) 6. (*o temacie rozmów*) drażliwy

tenderfoot ['tendəˌfut] *s am sl* nowicjusz wśród pionierów

tender-hearted ['tendə'ha:tid] `adj` o miękkim sercu; czuły

tenderloin ['tendəˌlɔin] *s* 1. polędwica 2. (*w Nowym Jorku itd*) **Tenderloin** dzielnica lokali nocnych

tendinous ['tendinəs] *adj anat* ścięgnisty, ścięgnowy

tendon ['tendən] *s anat* ścięgno; ~ **of Achilles** pięta achillesowa

tendril ['tendril] *s bot* wąs, wić (rośliny pnącej)

tenebrae ['teniˌbri:] *spl rel* ciemna jutrznia

tenebrous ['tenibrəs] † *adj* mroczny

tenement ['tenimənt] *s* 1. posiadłość ziemska 2. *prawn* użytkowanie własności zwierzchnika 3. dom mieszkalny 4. mieszkanie (w domu czynszowym)

tenement-house ['tenimənt,haus] *s* dom czynszowy

tenesmus [ti'nezməs] *s med pot* parcie na stolec <na mocz>

tenet ['tenit] *s* zasada; dogmat; doktryna

tenfold ['tenfould] ⓘ *adj* dziesięciokrotny; dziesięcioraki ⅲ *adv* dziesięciokrotnie; w dziesięćnasób; dziesięciorako

tenner ['tenə] *s pot* 1. banknot 10-funtowy 2. *am* banknot 10-dolarowy 3. dziesiątka

tennis ['tenis] *s sport* tenis; *med* ～ arm kurcz ramienia; ból w stawie łokciowym u tenisistów

tennis-ball ['tenis,bɔ:l] *s* piłka tenisowa

tennis-court ['tenis,kɔ:t] *s* kort tenisowy

tennis-player ['tenis,pleiə] *s* tenisist-a/ka

tenon ['tenən] ⓘ *s* 1. *stol* czop <wpust> 2. trzpień ⅲ *vt* (-nn-) po/łączyć na czopy <na wpust>; za/czopować

▲**tenor** ['tenə] ⓘ *s* 1. bieg (czyjegoś życia itd.) 2. treść <brzmienie, tekst> (pisma itd.) 3. *handl* termin płatności (weksla) 4. *prawn* odpis 5. *muz* tenor (głos i śpiewak oraz instrument) 6. *muz* partia tenorowa ⅲ *attr* tenorowy; ～ **bell** największy dzwon w zespole kurantowym

tenotomy [ti'nɔtəmi] *s med* tenotomia, przecinanie lub nacięcie ścięgna

tenpence ['tenpəns] *s* 10 pensów

tenpenny ['tenpəni] ⓘ *adj* 10-cio pensowy

tenpin ['ten,pin] *s am* kręgiel; *pl* ～**s** gra w kręgle

tenrec *zob* **tanrec**

tense[1] [tens] *s gram* czas

tense[2] [tens] *adj* 1. (*o linie itd*) napięty 2. (*o nerwach itd*) napięty; naprężony 3. (*o sytuacji, atmosferze itd*) napięty 4. (*o momentach itd*) emocjonujący; ～ **moment** chwila napięcia; (*o człowieku, tłumie itd*) **to be** ～ być w napięciu

tenseness ['tensnis] *s* napięcie; naprężenie

▲**tensile** ['tensail] *adj* 1. rozciągliwy, rozciągalny 2. (*o sile itd*) napięcia

tension ['tenʃən] *s* 1. napięcie; naprężenie 2. prężność 3. *elektr* napięcie

tensity ['tensiti] = **tenseness**

▲**tensor** ['tensə] *s* 1. *anat* mięsień napinający, napinacz 2. *mat* tensor

ten-strike ['ten,straik] *s am* 1. (*w grze w kręgle*) przewrócenie wszystkich 10 kręgli na raz 2. *pot* wielki sukces; genialne pociągnięcie <posunięcie>

▲**tent**[1] [tent] ⓘ *s* namiot ⅲ *vt* nakry-ć/wać namiotem ⅲ *vi* obozować; za/mieszkać w namiocie

tent[2] [tent] ⓘ *s med* tampon <czop> skubankowy; laminaria ⅲ *vt med* trzymać (ranę) otwartą przy pomocy tamponu <czopa skubankowego, laminarii>

tent[3] [tent] *s* czerwone wino hiszpańskie

tentacle ['tentəkl] *s* 1. *zoo* macka; czułek 2. *bot* wąs, wić

tentacled ['tentəkld] *adj* 1. *zoo* (*o owadzie itd*) posiadający macki <czułki> 2. *bot* (*o roślinie*) posiadający wąsy <wici>

tentacular [ten'tækjulə] *adj* 1. mackowy; czułkowy 2. mackowaty; czułkowaty; w kształcie macek <czułków>

tentative ['tentətiv] ⓘ *adj* 1. próbny; tymczasowy; zrobiony na próbę <tytułem próby> 2. nieobowiązujący; odwołalny 3. (*o wniosku itd*) poddany pod dyskusję ⅲ *s* 1. próba 2. sugestia 3. wniosek poddany dyskusji

tentatively ['tentətivli] *adv* 1. próbnie; tymczasowo; (zrobiony itd.) dla <tytułem> próby 2. nieobowiązująco

tent-bed ['tent,bed] *s* łóżko obozowe

tent-cloth ['tent,klɔθ] *s* płótno namiotowe

tenter[1] ['tentə] *s* obsługujący (maszynę itd.); dozorujący (maszynę itd.); maszynista

tenter[2] ['tentə] *s* 1. = **temple**[3] *s* 2. (maszyna) rozciągarka, rozszerzarka

tenterhook ['tentə,huk] *s* gwóźdź hakowaty; *przen* **to be on** ～**s** a) siedzieć jak szpilkach <na rozżarzonych węglach>; cierpieć katusze b) umierać z ciekawości

tent-fly ['tent,flai] *s* odwinięta poła namiotu

tenth [tenθ] ⓘ *adj* dziesiąty ⅲ *s* (jedna) dziesiąta (część)

tenthly ['tenθli] *adv* po dziesiąte

tent-peg ['tent,peg] *s* kołek namiotowy

ent-pegging ['tent,pegiŋ] *s* (ćwiczenie kawaleryjskie) wyrywanie lancą kołków z ziemi w galopie

tent-stitch ['tent,stitʃ] *s* ścieg namiotowy

tenuifolious [,tenjui'fouljəs] *adj bot* cienkolistny

tenuiroster [,tenjui'rɔstə] *s zoo* ptak cienkodzioby

tenuis ['tenjuis] *s* (*pl* **tenues** ['tenju,i:z]) głoska zwarta bezdźwięczna (p, t, k)

tenuity [te'njuiti] *s* 1. cienkość; wiotkość 2. rozrzedzenie; rozcieńczenie 3. słabość

tenuous ['tenjuəs] *adj* 1. cienki; wiotki 2. (*o płynie, gazie*) rzadki; rozrzedzony; rozcieńczony 3. słaby 4. (*o różnicy itd*) subtelny; nieistotny; nieznaczny 5. (*o rozróżnieniu*) zbyt drobiazgowy

tenure ['tenjuə] *s* 1. posiadanie własności ziemskiej; okres posiadania (własności ziemskiej itd.) 2. prawo <tytuł, warunki> posiadania własności ziemskiej 3. urzędowanie (jako okres urzędowania <piastowania urzędu>); kadencja; *pot* **he** <**she**> **holds life on for a precarious** ～ jego <jej> życie wisi na włosku

tepee, teepee ['ti:pi:] *s* namiot amerykańskiego Indianina, wigwam

tepefy ['tepi,fai] *v* (**tepefied** ['tepi,faid], **tepefied**; **tepefying** ['tepi,faiiŋ]) ⓘ *vt* ociepl-ić/ać; podgrz-ać/ewać; przygrz-ać/ewać; wystudz-ić/ać; doprowadz-ić/ać do temperatury letniej ⅲ *vi* osiąg-nąć/ać temperaturę letnią

tephigram ['tefigrəm] *s meteor* tefigram

tephrite ['tefrait] *s miner* tefryt (rodzaj skały)

tepid ['tepid] *adj* 1. (*o wodzie itd*) ciepławy; letni; **to make** ～ = **tepefy** *vt*; **to become** ～ = **tepefy** *vi* 2. (*o nastawieniu człowieka*) chłodny; bez zapału

tepidarium [,tepi'dɛəriəm] *s* (*pl* **tepidaria** [,tepi'dɛəriə]) (*w starożytnym Rzymie*) tepidarium

tepidity [te'piditi] *s* 1. temperatura letnia 2. rezerwa <chłód> (w odniesieniu do kogoś, czegoś); brak zapału

terai [tə'rai] *s* kapelusz z szerokim rondem i podwójnym denkiem (noszony w gorących krajach)

teraph ['terəf] *s* (*pl* **teraphim** ['terə,fim]) bóstwo domowe starożytnych Izraelitów

teratology [,terə'tɔlədʒi] *s* teratologia

terbium ['tə:biəm] *s chem* terb (pierwiastek)

terce [tə:s] = tierce
tercel, tiercel ['tə:səl] s zoo sokół samczyk
tercentenary [,tə:sen'ti:nəri] s trzechsetlecie
tercentennial [,tə:sən'tenjəl] adj trzechsetletni
tercet ['tə:sit] = triplet s 2., 3.
terebene ['terə,bi:n] s terpentynowy środek dezynfekcyjny
terebenthene [,terə'benθi:n] s chem terpentyna
terebinth ['terəbinθ] s bot terpentynowiec
terebra ['terəbrə] s (pl terebrae ['terə,bri:]) zoo pokładełko (u owada)
terebrate ['terəb,reit] vt † prze/świdrować
teredo [te'ri:dou] s (pl teridos [te'ri:douz]) zoo świdrak
terete [tə'ri:t] adj cylindryczny
tergal ['tə:gəl] adj grzbietowy
tergeminal [tə:'dʒemin̦], tergeminate [tə:'dʒemi nit] adj bot (o liściu) trzy razy parzysty
tergiversate ['tə:dʒivə:,seit] vi 1. zmieni-ć/ać front <poglądy, stanowisko> 2. kręcić; używać wykrętów <wybiegów>
tergiversation [,tə:dʒivə:'seiʃən] s 1. zmiana frontu 2. wykręt/y; wybieg/i
term [tə:m] Ⅰ s 1. † kres; (u kobiety) czas rozwiązania ciąży; to set a ~ to sth położyć kres czemuś 2. okres; przeciąg (czasu); czas trwania (czegoś); ~ of notice okres wypowiedzenia; ~ of office kadencja 3. trymestr; kwartał; ćwierćrocze; uniw okres nauczania <semestr>; sąd kadencja; handl czynsz kwartalny; to eat one's ~s <to keep ~s> studiować prawo 4. termin (płatności itd.) 5. mat człon 6. termin; określenie; wyrażenie; to think in ~s of ... myśleć kategoriami ...; in ~s of money przeliczywszy (to) na pieniądze 7. pl ~s słowa <wyrazy> (pochwały itd.); to speak in derogatory <appreciative etc.> ~s of sb wyrażać się o kimś ujemnie <pochlebnie itd.> 8. pl ~s warunki; to do sth on one's own ~s zrobić coś na warunkach stawianych przez siebie; prawn by the ~s of _ na mocy ... (paragrafu itd.) 9. pl ~s porozumienie; ugoda; to come to ~s dojść do porozumienia; zawrzeć ugodę; to make ~s pogodzić się; to bring sb to ~s narzucić komuś warunki; zmu-sić/szać do kapitulacji <ugody itd.> 10. honorarium; his ~s are a guinea a visit on bierze 1 gwineę za wizytę 11. pl ~s stosunki wzajemne; stopa zażyłości; to be on good <bad etc.> ~s with sb być w dobrych <złych> stosunkach z kimś; dobrze <źle> żyć z kimś 12. pl ~s menstruacja Ⅲ vt naz-wać/ywać; określ-ić/ać; nada-ć/wać nazwę (sth czemuś)
termagant ['tə:məgənt] Ⅰ s jędza; megiera Ⅲ adj jędzowaty
terminable ['tə:minəbl] adj (o rencie itd) podlegający zakończeniu <przerwaniu>; (o umowie itd) podlegający wypowiedzeniu; the contract is ~ by both parties obu stronom przysługuje prawo wypowiedzenia umowy
terminal ['tə:minl] Ⅰ adj 1. końcowy; graniczny 2. ostateczny 3. bot szczytowy; końcowy 4. kwartalny 5. elektr zaciskowy Ⅲ s 1. zakończenie; gram końcówka 2. elektr zacisk 3. stacja końcowa; lotn air ~ odprawa podróżnych 4. pl ~s kolejn koszty manipulacyjne
terminate ['tə:mi,neit] Ⅰ vt 1. s/kończyć; zakończ-yć/ać; położyć/kłaść kres (sth czemuś) 2. sta-

nowić granicę <być granicą> (a region obszaru) 3. rozwiąz-ać/ywać <wypowi-edzieć/adać> (umowę itd.) Ⅲ vi 1. kończyć się; words terminating in "a" <"s" etc.> wyrazy kończące się <zakończone> na „a" <„s" itd.> 2. s/kończyć się (in sth czymś <na czymś>) 3. zaprzesta-ć/wać, usta-ć/wać; wygasać; (o terminie) upły-nąć/wać
termination [,tə:mi'neiʃən] s 1. koniec; zakończenie; zaprzesta-nie/wanie 2. wypowiedzenie <rozwiązanie, wygaśnięcie> (umowy itd.) 3. gram końcówka
terminator ['tə:mi,neitə] s 1. autor pośmiertnego zakończenia (dzieła lit., muz. itd.) 2. astr terminator
termini zob terminus
terminism ['tə:mi,nizəm] s teol terminizm
terminology [,tə:mi'nolədʒi] s terminologia; nomenklatura
terminus ['tə:minəs] s (pl termini ['tə:mi,nai], ~es) końcowa stacja (linii kolejowej); końcowy punkt <przystanek> (linii tramwajowej)
termitarium [,təmi'teəriəm], termitary ['tə:mitəri] s termitiera; kopiec <mrowisko> termitów
termite ['tə:mait] s zoo termit, bielec, pot biała mrówka
termless ['tə:mlis] adj nieograniczony; bezgraniczny
termor ['tə:mə] s prawn czasowy posiadacz (gruntu itd.)
tern¹ [tə:n], tarn [ta:n] s zoo rybołówka zwyczajna (mewa)
tern² [tə:n] s (w loterii liczbowej) terno
ternary ['tə:nəri] adj 1. potrójny; trójskładnikowy 2. trójkowy 3. mat mający trzy zmienne
ternate ['tə:neit] adj bot (o liściu) troisty
terne-plate ['tə:n,pleit] s blacha matowa (pokryta stopem ołowiu i cyny)
terpenes ['tə:pi:nz] spl chem terpeny
terra ['terə] s łac ziemia; ~ firma ['terə'fə:mə] ląd stały
terrace ['terəs] Ⅰ s 1. taras 2. spadzista ulica; (przy nazwie) ulica; rząd przylegających do siebie domów wzniesionych tarasowato na spadzistej ulicy 3. geol taras, terasa 4. płaski <tarasowy> dach 5. wada <miękkie miejsce> w marmurze Ⅲ vt wzn-ieść/osić <wy/budować> tarasowato; za-łożyć/kładać (ogród itd.) tarasowato zob terraced
terraced ['terəst] Ⅰ zob terrace v Ⅲ adj tarasowy, tarasowaty
terracotta [,terə'kotə] Ⅰ s 1. terakota 2. wyrób z terakoty Ⅲ adj 1. terakotowy; koloru terakotowego 2. (sporządzony) z terakoty
terrain ['terein] s teren
terramare [,terə'ma:r] s roln ziemia nawozowa
terramycin ['terə'maisin] s farm terramycyna
terraneous [tə'reinjəs] adj bot (o roślinie) ziemny
terrapin ['terə,pin] s zoo amerykański żółw wodny
terraqueous [tə'reikwiəs] adj ziemnowodny
terrarium [tə'reəriəm] s terrarium
terrene [tə'ri:n] adj 1. ziemski 2. ziemny
terreplein ['təəplein] s wojsk ława działowa
terrestrial [ti'restriəl] Ⅰ adj 1. ziemski 2. doczesny 3. ziemny; naziemny; lądowy Ⅲ s mieszkaniec ziemi
terret ['terit] s kółko lejcowe

terrible ['terəbl] *adj* straszny, straszliwy; okropny; *pot* potworny

terricolous [tə'rikələs] *adj zoo* (*o zwierzęciu*) ziemny

terrier¹ ['teriə] *s* księga <kataster> własności ziemskich

terrier² ['teriə] *s* 1. *zoo* terier 2. *pot* = **territorial** *s*

terrific [tə'rifik] *adj* 1. straszliwy; przerażający; przeraźliwy; okropny 2. kapitalny; wspaniały, znakomity

terrify ['teri,fai] *vt* (**terrified** ['teri,faid], **terrified; terrifying** ['teri,faiiŋ]) przera-zić/żać; na/straszyć; siać strach (**people etc.** wśród ludzi itd.): s/terroryzować; **to ~ sb into doing sth** terrorem <zastrasz-eniem/aniem> zmusić kogoś do czegoś <doprowadz-ić/ać kogoś do czegoś>; **to be terrified of sth** panicznie się bać czegoś *zob* **terrifying**

terrifying ['teri,faiiŋ] [I] *zob* **terrify** [III] *adj* przerażający; okropny; straszliwy; *pot* potworny

terrigenous [te'ridʒənəs] *adj geol* terygeniczny, pochodzenia lądowego

terrine [te'ri:n] *s* teryna; miseczka gliniana

territorial [,teri'tɔ:riəl] [I] *adj* 1. terytorialny 2. ziemiański 3. okręgowy 4. **the Territorial Army** <**Force**> ochotnicza armia rezerwowa [III] *s* żołnierz ochotniczej armii rezerwowej

territory ['teritəri] *s* 1. terytorium; obszar 2. *am* terytorium jeszcze nie posiadające praw stanowych 3. *handl* rejon agenta podróżującego <komiwojażera>

terror ['terə] *s* 1. terror; przerażenie; paniczny strach; **in ~** przerażony; **in ~ of one's life** w obawie o (własne) życie; **to have a ~ of sth** panicznie się czegoś bać 2. (*o człowieku*) postrach; (*o dziecku itd*) **a** (**holy** <**perfect**>) **~** diabeł wcielony

terrorism ['terə,rizəm] *s* terroryzm

terrorist ['terərist] *s* terrorysta

terrorization [,terərai'zeiʃən] *s* s/terroryzowanie

terrorize ['terə,raiz] *vt* s/terroryzować; siać strach (**the population** wśród ludności)

terror-stricken ['terə,strikən], **terror-struck** ['terə ,strʌk] *adj* przerażony; (będący) w panicznym strachu

terry ['teri] *s* aksamit <tkanina> niestrzyżon-y/a

terse [tə:s] *adj* zwięzły; lapidarny; dosadny

tertian ['tə:ʃən] *adj med* powtarzający się co drugi dzień; **~ fever** <**ague**> trzeciaczka (zimnica)

tertiary ['tə:ʃəri] [I] *adj* 1. trzeciorzędny; trzeciorzędowy 2. *geol* trzeciorzędowy 3. *zoo* (*o piórach ptaka*) trzeciorzędowy [III] *s* 1. *zoo* pióro trzeciorzędowe 2. **Tertiary** tercjariusz/ka 3. *geol* **the Tertiary** trzeciorzęd

tertius ['tə:ʃiəs] *adj szk* trzeci (o tym samym nazwisku)

tervalent [tə:'veilənt] *adj chem* trójwartościowy

terza rima ['tə:tsə'ri:mə] *adj prozod* tercyna

terzetto [tə:t'setou] *s muz* tercet

tessellated ['tesi,leitid] *adj* (*o podłodze, bruku*) mozaikowy; (układany) w szachownicę; *bot zoo* mozaikowy

tessellation [,tesi'leiʃən] *s* układ (bruku) mozaikowy <w szachownicę>

tessera ['tesərə] *s* (*pl* **tesserae** ['tesə,ri:]) płytka <kamyk> do roboty mozaikowej

tesseral ['tesərəl] *adj* złożony z płytek <kamyków> mozaikowych

tessitura [,tesi'tuərə] *s muz* tessitura (zasięg partii wokalnej)

test¹ [test] [I] *s* 1. próba; **to put to the ~** podda-ć/wać próbie; **to stand a ~** wytrzymać próbę; *przen* zdać egzamin 2. doświadczenie; badanie; analiza 3. pomiar 4. kryterium 5. sprawdzian; probierz; test; *uniw* kolokwium; *auto* **driving ~** egzamin na prawo jazdy 3. *chem* odczynnik 4. kupela; test, tygiel 5. = **~-match** 6. *hist* przysięga na wierność [II] *adj* 1. próbny; kontrolny 2. probierczy [III] *vt* 1. wy/próbować; z/badać; podda-ć/wać próbie <egzaminowi, analizie>; sprawdz-ić/ać (**for sth** pod względem czegoś) 2. *chem* oznacz-yć/ać <określ-ić/ać> (kwasotę, zasadowość itd.) 3. kupelować <oczy-ścić/szczać> (srebro itd.)

test² [test] *s zoo* skorupa; pancerz; łuska

testa ['testə] *s zoo* łuska

testaceous [tes'teiʃəs] *adj* 1. skorupiasty; skorupowy 2. koloru ceglastego

testacy ['testəsi] *s prawn* pozostawi-enie/anie prawomocnego testamentu

testament ['testəmənt] *s* 1. testament; ostatnia wola 2. (Stary, Nowy) Testament

testamentary [,testə'mentəri] *adj* testamentowy

testamur [tes'teimə] *s uniw* świadectwo egzaminacyjne

testate ['testit] [I] *adj* (*o zmarłym*) *w zwrocie*: **he died ~** przed śmiercią sporządził testament [III] *s* = **testator**

testator [tes'teitə] *s prawn* testator

testatrix [tes'teitriks] *s prawn* testatorka

test-case ['test,keis] *s prawn* precedens

tester¹ ['testə] *s* 1. (laborant, rzeczoznawca itd.) prowadzący próbę <dokonujący analizy> 2. przyrząd <maszyna> do przeprowadzania prób 3. *mech* maszyna do prób wytrzymałościowych

tester² ['testə] *s* baldachim nad staromodnym łóżkiem

tester³ ['testə] *s* 1. szyling z okresu Henryka VIII 2. *żart* 6 pensów

test-glass ['test,glɑ:s] *s chem* szkło laboratoryjne

testicle ['testikl] *s anat* jądro

testicular [tes'tikjulə] *adj anat* jądrowy

testiculate [tes'tikju,leit] *adj bot* (*o korzeniu*) złożony z dwóch bulw

testifier ['testi,faiə] *s* człowiek świadczący; świadek

testify ['testi,fai] *v* (**testified** ['testi,faid], **testified; testifying** ['testi,faiiŋ]) [I] *vt* 1. zapewni-ć/ać (**one's regret etc.** o żalu itd.; **that __** o tym, że ...); oświadcz-yć/ać <zaświadcz-yć/ać, zaświadcz-yć/ać> (**that __** że ...) 2. świadczyć (**sth** o czymś) [III] *vi* 1. (*o fakcie, okoliczności itd*) świadczyć (**to sth** o czymś; **against sb** przeciwko komuś); być świadectwem (**to sth** czegoś); da-ć/wać świadectwo (**to sth** czemuś) 2. (*o człowieku*) poświadcz-yć/ać (**to sth** coś); złożyć/składać świadectwo (**to sth** czegoś); *prawn* zezna-ć/wać <świadczyć> (**in favour of** <**against**> **sb** na korzyść <na niekorzyść> czyjąś; za kimś <przeciw komuś>)

testily ['testili] *adv* (powiedzieć coś itd.) w rozdrażnieniu; gniewnie

testimonial [,testi'mounjəl] *s* 1. świadectwo (z miejsca pracy, od pracodawcy); zaświadczenie;

polecenie 2. (okolicznościowy) dar <prezent, upominek> (zbiorowy); dowód uznania

testimonialize [‚testi'mounjə‚laiz] *vt* wystawi-ć/ać <wręcz-yć/ać, wyda-ć/wać> świadectwo uznania zasług (sb komuś); wręcz-yć/ać dar <upominek> (w uznaniu zasług) (sb komuś)

testimony ['testiməni] *s* 1. świadectwo <dowód> (czegoś); **to bear ~ to sth** świadczyć o czymś 2. *prawn* świadectwo <zeznanie, oświadczenie> (świadka); dowody; **to call sb in ~** powoł-ać/ywać kogoś na świadka; **in ~ of sth** w dowód czegoś 3. *bibl* dekalog 4. *bibl* (*także* the Testimonies) Pismo święte

testiness ['testinis] *s* 1. rozdrażnienie; irytacja 2. drażliwość

testis ['testis] *s* (*pl* testes ['testi:z]) *anat* jądro

test-paper ['test‚peipə] *s chem* papier wskaźnikowy <lakmusowy>

▲ **test-tube** ['test‚tju:b] *s chem* probówka

testudo [tes'tju:dou] *s* (*pl* ~s, testudines [tes'tju:di‚ni:z]) 1. *zoo* żółw 2. *wojsk* (*u starożytnych Rzymian*) żółw (szyk stosowany przy zdobywaniu twierdz)

testy ['testi] *adj* 1. rozdrażniony; zirytowany; rozgniewany; zaperzony 2. wrażliwy

tetanic [ti'tænik] Ⅰ *adj med* tężcowy Ⅲ *s* lekarstwo działające na mięśnie przez nerwy (strychnina itd.)

tetanus ['tetənəs] *s med* tężec

tetany ['tetəni] *s med* tężyczka

te(t)chiness ['tetʃinis] *s* rozdrażnienie; irytacja

te(t)chy ['tetʃi] *adj* (**te(t)chier** ['tetʃiə], **te(t)chiest** ['tetʃiist]) rozdrażniony; zirytowany; rozgniewany; zaperzony

tête-à-tête ['teita:'teit] Ⅰ *s* (*pl* **tête-à-têtes** ['teita:'teits]) poufna rozmowa; rozmowa w cztery oczy Ⅲ *adj* poufny (powiedziany itd.) w cztery oczy Ⅲ *adv* poufnie; (powiedzieć itd.) w cztery oczy

tether ['teðə] Ⅰ *s* 1. pęta 2. *przen* granice (wiadomości, kompetencji itp.); **at the end of one's ~** u granic sił <wytrzymałości, cierpliwości>; **to be at the end of one's ~** a) gonić resztkami <ostatkami> b) gonić ostatkiem sił c) być bez tchu Ⅲ *vt* 1. s/pętać 2. przywiąz-ać/ywać (**to a tree etc.** do drzewa itd.)

tetra- ['tetrə] *praef gr* cztero-; czworo-; tetra-

tetrabasic ['tetrə'beisik] *adj chem* czterozasadowy

tetrabranchiate ['tetrə'bræŋkiit] *adj zoo* czteroskrzelowy

tetrachloride ['tetrə'klɔraid] *s chem* czterochlorek

tetrachord ['tetrə‚kɔ:d] *s muz* ˉtetrachord

tetrad ['tetræd] *s* 1. czwórka; system czwórkowy 2. *chem* pierwiastek <rodnik> czterowartościowy

tetragon ['tetrəgən] *s geom* czworobok, czworokąt, tetragon

tetragonal [tet'rægən] *adj* czworokątny, czworoboczny

tetrahedral ['tetrə'hedrəl] *adj mat* czworościenny

▲ **tetrahedron** ['tetrə'hedrən] *s* (*pl* ~s, tetrahedra ['tetrə'hedrə]) *mat* czworościan, tetraedr

tetralogy [te'trælədʒi] *s* tetralogia

tetrameter [te'træmitə] *s prozod* tetrametr

tetrandrous [te'trændrəs] *adj bot* czteropręcikowy

tetrapetalous ['tetrə'petələs] *adj bot* czteropłatkowy

tetrarch ['ti:tra:k] *s hist* tetrarcha

tetraspore ['tetrə‚spɔ:] *s bot* tetraspora

tetrasyllabic ['tetrəsi'læbik] *adj* czterozgłoskowy

tetratomic ['tetrə'tɔmik] *adj chem* czteroatomowy

tetravalent [‚tetrə'veilənt] *adj chem* czterowartościowy

tetrode ['tetroud] *s elektr* tetroda; lampa czteroelektrodowa

tetter ['tetə] *s med* liszaj; grzybica

tetterwort ['tetə‚wə:t] *s bot* glistnik; chelidonia

Teuton ['tju:tən] *s* Teuton

▲**Teutonic** [tju'tənik] Ⅰ *adj* teutoński; germański Ⅲ *s* język pragermański

teutonism ['tju:tə‚nizəm] *s jęz* germanizm

text [tekst] *s* 1. tekst (rękopisu, Pisma św. itd.) 2. temat (przemówienia, kazania itd.); **to stick to one's ~** trzymać się tematu 3. *am* = ~-book 4. = ~-hand

text-book ['tekst‚buk] *s szk* podręcznik

text-hand ['tekst‚hænd] *s* duż-e/y pismo <charakter pisma>

textile ['tekstail] Ⅰ *adj* tekstylny; tkacki; włókienniczy Ⅲ *s* tkanina; materiał

textorial [teks'tɔ:riəl] *adj* włókienniczy; tkacki

textual ['tekstjuəl] *adj* 1. tekstowy; (dotyczący) tekstu; (znajdujący się) w tekście 2. dosłowny

textually ['tekstjuəli] *adv* 1. tekstowo; pod względem <odnośnie do> tekstu 2. dosłownie

texture ['tekstʃə] *s* 1. budowa; struktura; *geol* tekstura 2. tkanie; **a fabric of close <loose> ~** materiał gęsto <luźno> tkany 3. tkanina; materiał

thalamus ['θæləməs] *s* 1. *anat* wzgórze, wzgórek 2. *bot* (*u kwiatu*) kielich thalamus

thalassic [θə'læsik] *adj* morski

thalassometry [‚tælə'sɔmətri] *s* talassometria, oceanometria

thaler ['ta:lə] *s* talar

thallic ['θælik] *adj chem* talowy

thallium ['θæliəm] *s chem* tal

thallous ['θæləs] *adj chem* talawy

Thames [temz] *spr w zwrocie*: **he won't set the ~ on fire** on prochu nie wymyśli

than [ðæn] *conj w porównaniach*: niż, aniżeli, od; **this is better ~ that** to jest lepsze niż tamto <od tamtego>; **no other ~ the prince** sam książę; książę we własnej osobie

thanage ['θeinidʒ] *s hist* 1. (*w Anglii*) godność szlachecka 2. ziemie nadane szlachcicowi angielskiemu

thane, thegn [θein] *s hist* szlachcic angielski

thank [θæŋk] Ⅰ *s* (*tylko w pl*) podziękowanie; **small <iron much> ~s I get for it** nie warto było się trudzić; szkoda było zachodu; **~s be to God!** dzięki Bogu!; **that's all the ~s one gets** tak to człowiekowi dziękują (za jego trud); **to bow <smile> one's ~s** ukłonem <uśmiechem> wyra-zić/żać swe podziękowanie; **to give <express> one's ~s** po/dziękować; **~s to ___** dzięki ... (komuś, czemuś) Ⅲ *vt* po/dziękować (**sb for sth** komuś za coś); **he may ~ himself, he has only himself to ~ for that** (on) sam sobie winien <piwa nawarzył>; *iron* **I will ~ you to close that door <wipe your shoes etc.>** zechciej łaskawie zamknąć te drzwi <wytrzeć buty itd.>; **~ heaven <goodness>!** dzięki Bogu!; **~ you for nothing** a) dziękuję, nie reflektuję <pot nie ma głupich!> b) nie wysilił-eś/aś się; **~ you for the salt <that book etc.>** poproszę pan-a/ią o sól <o tę książkę itd.>; czy mogę pan-a/ią prosić o sól <o tę książkę itd.>?; **~ you (very much)!**

a) dziękuję pan-u/i (bardzo) b) (*w odpowiedzi*) proszę! ▣ *interj* dziękuję! **~s awfully** <**very much**, *am* **a lot**> (serdeczne) dzięki; dziękuję bardzo

thankful ['θæŋkful] *adj* 1. wdzięczny 2. (*o wyrazach itd*) wdzięczności 3. (*o pieśni, nabożeństwie itd*) dziękczynny

thankfulness ['θæŋkfulnis] *s* wdzięczność

thankless ['θæŋklis] *adj* (*o człowieku, zadaniu, przedsięwzięciu itd*) niewdzięczny

thank-offering ['θæŋk͵ofəriŋ] *s bibl* ofiara dziękczynna

thanksgiving ['θæŋks͵giviŋ] *s* dziękczynienie; *bibl* ofiara dziękczynna; **~ service** modły dziękczynne; *am* **Thanksgiving Day** Dzień Dziękczynienia (święto narodowe obchodzone w ostatni czwartek listopada ku czci pierwszych kolonizatorów osiadłych w stanie Massachusetts)

thar [tɑː] *s zoo* antylopa nepalska

that [ðæt] ▣ *adj* (*pl* **those** [ðouz]) 1. *w odniesieniu do przedmiotu* a) *na który się wskazuje* b) *o którym była poprzednio wzmianka*: ten, ta, to; ów; **~ window** tе okno (tam); **I like ~ song** <**those flowers etc.**> lubię tę piosenkę <te kwiaty itd.>; podoba/ją mi się ta piosenka <te kwiaty itd.>; **~ boy was a pupil of mine** ów chłopiec był moim uczniem; **in those days** w owym czasie; wtedy; **~ way** w ten sposób 2. *w kontrastowym zestawieniu z* "this": tamten, tamta, tamto; **this picture is good but ~ one is better** ten obraz jest dobry ale tamten lepszy 3. *gdy następuje zespół*: a) *of* + *rzeczownik* b) *of* + *zaimek dzierżawczy*: **mine, his, hers** etc.: ten ta, to itd.; **~ angel of a woman** ta anielskiej dobroci kobieta; **~ obstinacy of yours** ten twój upór; **those children of mine** te moje dzieci ▣ *pron demonstr* (*pl* **those** [ðouz]) 1. *w odniesieniu do człowieka lub przedmiotu uprzednio wymienionego lub ogólnie znanego*: to; **show me ~** pokaż mi to; **those are my pupils** to są moi uczniowie; **who was ~?** kto to był?; **I wouldn't give ~ for it** grosza bym za to nie dał; **~ is what** to właśnie; **~ is when** akurat <właśnie> wtedy; **~ is where** właśnie tam; **~ is why** dlatego (to); **~'s ~** a) to tyle na razie b) to by było wszystko; **and ~'s ~** i to byłby koniec; to jedno już mamy za sobą; **and ~ was ~** i na tym koniec; i tyle; **~'s what you men are** tacy to wy jesteście, mężczyźni; **this wine is good. — That it is** to wino jest dobre. — Rzeczywiście dobre; **you must act and ~ immediately** musisz coś zrobić i to zaraz; **after ~ we all went home** po czym <potem> poszliśmy wszyscy do domu; **before ~** przed tym; już poprzednio; **like ~** w ten sposób; tak; **with ~** po czym 2. *w kontrastowym zestawieniu z* "this": tamten, tamta, tamto; **this is better than ~** to jest lepsze od tamego 3. *z następującym po nim zaimkiem względnym* "which", "who", "whom", "that" (*pl* **those which** <**who, whom, that**>): ten ..., który; **this is a better specimen than ~ which I saw yesterday** to jest lepszy okaz niż ten, który widziałem wczoraj; **those who** <**that**> **know him** ci, którzy gо znają; **those (whom) I have mentioned** ci, których wymieniłem 4. *pl* **those** *w zwrocie*: **there are those who** __ są tacy co ... 5. *nie tłumaczy się, bądź*

też wymaga powtórzenia rzeczownika, który następuje: **our climate is severe, ~ of Italy is mild** nasz klimat jest ostry, włoski jest łagodny; **he was fond of music but could not listen to ~ of modern composers** on lubił muzykę, ale nie mógł słuchać muzyki współczesnych kompozytorów 6. coś; **there is ~ in the man** <**in his eye**> **which inspires distrust** jest coś w tym człowieku <w jego spojrzeniu> co budzi nieufność 7. *w zwrocie*: **this, ~ and the other** to i owo; to i tamto; **putting this, ~ and the other together** zważywszy wszelkie okoliczności 8. (*także* **there**) *w zwrocie przymilania się połączonego z prośbą*: **~'s a good boy** <**a dear etc.**> mój kochany; **run over and bring me some cigarettes, ~'s a good boy** mój kochany skocz i przynieś mi papierosy; **~ is (to say)** __ to jest ...; to znaczy ... ▣ *pron relat* który; co; **the book ~ you gave me** książka, którą mi dałeś; **the people ~ I know** ludzie, których znam; (*w przysłowiach, sentencjach itd*) **he ~** kto ...; **the best ~ one can do** najlepsze co można zrobić; to co można najlepszego zrobić ▣ *adv* 1. tak; aż tak; do tego stopnia: **he won't go ~ far** (aż) tak daleko on się nie posunie; **~ much** tyle; **twice ~ much** dwa razy tyle 2. *przed przymiotnikiem*: taki; **they are ~ big** one są takie duże; **I was ~ angry** taki byłem zły ▣ *conj* 1. że; **to know** <**expect etc.**> **~** __ wiedzieć <spodziewać się itd.>, że ...; **now ~** teraz kiedy ...; skoro; 2. *zw przed* **may** żeby; aby; **run ~ you may catch up with the others** biegnij, żebyś dogonił tamtych; **so ~** tak, by 3. *poet w wypowiadaniu życzenia* **oh ~ __!** żeby tylko ...!; żeby Pan Bóg dał ...!; **(if) ... it is ~ __** (jeśli) ... to dlatego, by <że> ...

thatch [θætʃ] ▣ *vt* po/kryć (dach, dom, itd.) strzechą <słomą, sitowiem, liśćmi palmowymi itd.>; **~ed roof** strzecha (dach); **~ed cottage** strzecha (dom) ▣ *s* 1. strzecha 2. krycie słomiane <z sitowia, liści palmowych itd.> 3. *pot przen* bujne włosy, czupryna, strzecha

thatcher ['θætʃə] *s* strzecharz

thaumaturge ['θɔːməͺtɜːdʒ] *s* cudotwórca; magik

thaumaturgic(al) [͵θɔːməˈtɜːdʒik(əl)] *adj* cudotwórczy; magiczny

thaumaturgy ['θɔːməͺtɜːdʒi] *s* cudotwórstwo; magia

thaw [θɔː] ▣ *vi* 1. tajać; **it is ~ing** taje; jest odwilż 2. (*o śniegu, lodzie*) s/topić się; s/topnieć 3. (*o mięsie itd*) odmarz-nąć/ać 4. *przen* (*o człowieku*) rozkrochmal-ić/ać się; pozby-ć/wać się sztywności ▣ *vt* 1. s/topić <rozpu-ścić/szczać> (śnieg, lód) 2. odmr-ozić/ażać (mięso itd.) 3. *przen* rozkrochmal-ić/ać (kogoś) ▣ *s* odwilż; **a ~ set in** nastała odwilż

the [ðə, *przed samogłoską*: ði] ▣ *przedimek* <*rodzajnik*> *dla rzeczowników określonych* 1. *nie tłumaczy się na język polski*: **take him by ~ hand** weź go za rękę; **what's ~ time?** która godzina?; **what ~ dickens** __ co u licha ... 2. ten, ta, to, ci, te; **are ~ fellows mad?** czy ci ludzie oszaleli?; **I've seen ~ man before** już gdzieś widziałem tego człowieka; **~ book is worth reading** tę książkę warto przeczytać 3. *przy rzeczownikach oznacza jednostkę* a) *w związku z podaniem ceny*: za; **sixpence ~ pound**

<yard etc.> 6 pensów za funt <jard itd.> b) *przypadającą na jednostkę ilość czasu* <*wagę itd.*>: na; **to allow** *x* **minutes to** ~ **mile** wyznaczyć *x* minut na milę; **16 ounces to** ~ **pound** 16 unoji na 1 funt 4. [ði:] *drukowany kursywą, wymawiany z naciskiem*: sławny, jedyny; **he has nothing to do with** ~ **Olivier** on nie ma nic wspólnego ze sławnym <znanym> Olivierem; **he is** ~ **man for the post** on jest jedynym <wymarzonym> kandydatem na to stanowisko 5. *przed przymiotnikiem nadaje mu funkcję rzeczownika*: ~ **rich and** ~ **poor** bogaci i biedni; ~ **sublime** to co wzniosłe; rzeczy wzniosłe Ⅱ *adv przed stopniem wyższym przymiotnika lub przysłówka* a) *w zdaniu twierdzącym*: tym; **all** ~ **better** tym lepiej; **so much** ~ **worse for you** tym gorzej dla ciebie b) *w zespole dwóch przymiotników lub przysłówków w stopniu wyższym*: im ... tym ...; ~ **more I practise** ~ **worse I play** im więcej ćwiczę tym gorzej gram; ~ **sooner** ~ **better** im wcześniej tym lepiej c) *z przeczeniem*: wcale <bynajmniej, nic> nie ...; **he is none** ~ **less anxious to __** wcale <bynajmniej> nie stracił ochoty ...; **I am none** ~ **better for the treatment** ta kuracja wcale <nic> mi nie pomogła; wcale <bynajmniej> nie czuję się lepiej po tej kuracji

theantropism [θi'æntrə͵pizəm] *s rel* teantropizm
theatre ['θiətə] *s* 1. teatr; **picture** ~ kino; **the** ~ **of war** teatr <widownia> działań wojennych 2. sztuka dramatyczna; (*o sztuce*) **to be good** ~ być efektownym 3. *uniw* sala amfiteatralna; amfiteatr 4. świat teatralny
theatre-goer ['θiətə͵gouə] *s* amator teatru, teatroman
theatrical [θi'ætrikəl] *adj* 1. teatralny; sceniczny 2. (*o pozie itd*) teatralny; aktorski
theatricals [θi'ætrikəlz] *spl* przedstawienie (amatorskie)
thebaine ['θi:bə͵i:n] *s farm* tebaina
thebaism ['θi:bei͵izəm] *s med* zatrucie makowcem
theca ['θi:kə] *s* (*pl* **thecae** ['θi:si:]) *bot zoo anat* osłonka; pochewka; opona
thee *zob* **thou**[1] *pron*
theft [θeft] *s* kradzież; złodziejstwo
thegn [θein] = **thane**
theine ['θi:in] *s chem farm* teina
their [ðeə] *adj* ich; *w odniesieniu do rzeczownika w pl*: swój; **they love** ~ **parents** (oni <one>) kochają swoich rodziców
theirs [ðeəz] *pron stosowany samodzielnie (bez rzeczownika)*: ich; **our flat is smaller than** ~ nasze mieszkanie jest mniejsze niż ich
theism ['θi:izəm] *s rel* teizm
theist ['θi:ist] *s rel* teista
them *zob* **they**
thematic [θi'mætik] *adj* tematowy
theme [θi:m] *s* 1. temat (rozmowy, przemówienia itd.) 2. *gram* temat (wyrazu) 3. *szk* wypracowanie 4. *muz* motyw; temat; ~ **song** a) melodia przewodnia (filmu); lejtmotyw (utworu) b) *am* sygnał stacji (radiowej)
themselves [ðəm'selvz] *pron* 1. *w odniesieniu do rzeczowników w 3 pers pl* się, siebie, sobie 2. (oni, one) sam-i/e <własnoręcznie, bez obcej pomocy> 3. (oni, one) sam-i/e <bez towarzystwa> 4. sam-i/e; **they** ~ **do not know what they want**

oni sami nie wiedzą czego chcą; **did they see it** ~? czy oni to widzieli na własne oczy?
then [ðen] Ⅰ *adv* 1. wtedy; wówczas; w tym <owym> czasie; podówczas; ~ **and there** z miejsca 2. następnie; później; po czym; z kolei; **what** ~? a) no to co? b) no i co?; **but** ~ ale z drugiej strony; **now** ~ a) a zatem b) zaraz, zaraz! 3. zresztą 4. poza tym; (a) ponadto Ⅱ *conj* 1. w takim razie; w takim wypadku 2. a więc; wobec tego; w takim razie; zatem; *pot* no to...; **why did you buy it** ~, ~ **why did you buy it?** no to dlaczego to kupiłeś? 3. *w zwrocie*: **but** ~ ale z drugiej strony; ale przecież Ⅲ *adj* ówczesny Ⅳ *s w zwrotach*: **before** ~ już przedtem; **by** ~ już; uprzednio; **from** ~ **(on)** od tego czasu; **till** ~ do tego czasu
thenar ['θi:nə] *s anat* 1. kłąb kciuka 2. dłoń; wewnętrzna strona ręki 3. płaska część stopy
thence [ðens] † *adv* 1. stamtąd; z tego miejsca 2. stąd <z tego> (wynikło, wzięło się itd.); skutkiem tego
thenceforth [ðens'fɔ:θ] †, **thenceforward** [ðens'fɔ:wəd] † *adv* od tego czasu
theobroma [͵θiə'broumə] *s bot* drzewo kakaowe; ~ **oil** masło kakaowe; olej kakaowy
theobromine [͵θiə'broumain] *s farm* teobromina
theocracy [θi'ɔkrəsi] *s* teokracja
theocratic [θiə'krætik] *adj* teokratyczny
theodolite [θi'ɔdə͵lait] *s* teodolit
theodicy [θi'ɔdisi] *s filoz* teodycea
theogony [θi'ɔgəni] *s* teogonia
theologian [θiə'loudʒien] *s* teolog
theological [θiə'lɔdʒikəl] *adj* teologiczny
theology [θi'ɔlədʒi] *s* teologia
theorbo [θi'ɔ:bou] *s muz* teorban
theorem ['θiərəm] *s* teoremat; twierdzenie
theoretic(al) [θiə'retik(əl)] *adj* teoretyczny
theoretician [͵θiəre'tiʃən] *s* teoretyk
theoretics [θiə'retiks] *s* teoretyczna strona (wiedzy, sztuki itd.)
theorist ['θiərist] *s* teoretyk
theorize ['θiə͵raiz] *vi* teoretyzować
theory ['θiəri] *s* 1. teoria; **in** ~ teoretycznie 2. koncepcja 3. przypuszczenie; domysł; **my** ~ **is that __** wydaje mi się, że...
theosophic(al) [θiə'sɔfik(əl)] *adj* teozoficzny
theosophist [θi'ɔsəfist] *s* teozof
theosophy [θi'ɔsəfi] *s* teozofia
therapeutic(al) [͵θerə'pju:tik(əl)] *adj* leczniczy; terapeutyczny
therapeutics [͵θerə'pju:tiks] *s med* terapeutyka; lecznictwo
therapeutist [͵θerə'pju:tist] *s* terapeuta
therapy ['θerəpi] *s* terapia; leczenie
there [ðeə] Ⅰ *adv* 1. tam; ówdzie; w tym miejscu; w tej miejscowości; do tego miejsca <tej miejscowości>; (*wskazując*) **that man** ~ tamten człowiek; **down** ~ tam na dole <na dół>; (*wskazując na przedmiot itd*) **in** ~ w tym tam; tam wewnątrz; **out** ~ a) tam na zewnątrz b) tam (daleko); **over** ~ a) tam b) po tamtej <drugiej> stronie; **up** ~ tam na górze <na górę>; **to be all** ~ być rozgarniętym <bystrym> człowiekiem; **he is not all** ~ on ma hyzia; brak mu piątej klepki; (*o miejscu, kwocie, liczbie*) ~ **or thereabouts** mniej więcej; coś koło tego; (*podając coś, wskazując na coś*) ~ **you are** a) proszę b)

(*radując się z cudzego nieszczęścia*) a widzisz?;
~ **you are!** a) (*wyrażając zawód, rozczarowanie*)
no i masz!; *pot* masz ci los! b) (*zwracając na
coś uwagę*) masz!; proszę! 2. w tym; co do
tego; jeżeli o to chodzi; ~ **I disagree with you**
co do tego to ja się z tobą nie zgodzę 3. *w połączeniu z czasownikiem o nieokreślonym bliżej
podmiocie nie tłumaczy się*: ~ **came a time
when** _ nastał czas, kiedy...; ~ **remained
nothing else for me to do** nic innego nie pozostawało mi do zrobienia; **what is** ~ **for lunch?**
co mamy na obiad? *Uwaga — dla zespołów*:
there *z czasownikiem "be" zob* **be** 4. oto; właśnie; (*gdy ktoś przychodzi*) ~ **he is** oto i on;
o właśnie! ⫿ *interj* 1. *wyraża*: a) *złośliwą satysfakcję*: ~ **what did I tell you?** a widzisz? co
ci mówiłem? b) *rozczarowanie, zawód*: ~ !
masz tobie!; ~ **now!** no! 2. *na końcu oświadczenia*: **so** ~ ! i kropka!; i co mi zrobisz? 3.
(*zw* ~, ~ !) *uspokajająco*: no, uspokój się!;
dobrze już, dobrze ⫿ *s* to miasto, to miejsce,
ta miejscowość; **I live near** ~ mieszkam w pobliżu; **he came to W. in the morning and left**
~ **in the evening** przyjechał do W. rano i wyjechał stamtąd wieczorem; **from** ~ stamtąd; **up
to** ~ do tego miejsca
thereabout(s) [ðɛər-əˌbaut(s)] *adv* 1. w tej okolicy;
w tamtych stronach; gdzieś tam niedaleko;
w pobliżu (tej miejscowości) 2. *po wymienie-
niu liczby, ilości, stopnia itd* : mniej więcej; coś
koło tego; **two miles or** ~ około dwóch mil
thereafter [ðɛərˈɑːftə] *adv* 1. od tego czasu;
później 2. *lit* według tego
thereat [ðɛərˈæt] *adv* 1. do tego miejsca; w tym
miejscu 2. z tego powodu; nad tym
thereby [ðɛəˈbai] *adv* przez to; skutkiem tego;
w ten sposób; tym samym
therefor [ðɛəˈfɔː] *adv lit* do tego; w tym celu;
po to
therefore [ˈðɛəˌfɔː] *adv* przeto; dlatego; więc; zatem
therefrom [ðɛəˈfrɔm] *adv* 1. stamtąd; (*o domu, pu-
dełku, worku itd*) z niego 2. z tego (wynika itd.)
therein [ðɛərˈin] *adv* w tym; (*o domu, organizacji itd*) w nim, w niej
thereinafter [ðɛərinˈɑːftə] *adv prawn* poniżej;
w późniejszej treści (dokumentu itd.); w dalszym ciągu (niniejszego aktu)
thereof [ðɛərˈɔv] *adv* tego; (*o wymienionym przedmiocie*) jego
thereon [ðɛərˈɔn] *adv* na tym; (*o wymienionym
przedmiocie*) na nim
there's [ðɛəz] = **there is; there has**
thereto [ðɛəˈtuː] *adv* do tego; (*o wymienionym
przedmiocie*) do niego
theretofore [ˌðɛətuˈfɔː] *adv prawn* do tego czasu;
uprzednio
thereunder [ðɛərˈʌndə] *adv* poniżej; w dalszym
ciągu (dokumentu itd.)
thereunto [ðɛərˈʌntuː] *adv lit* do tego; (*o wymienionym przedmiocie*) do niego
thereupon [ðɛərəˈpɔn] *adv* 1. skutkiem tego 2. po
czym 3. na to; (*o wymienionym przedmiocie*)
na nim
therewith [ðɛəˈwið] *adv lit* 1. † po czym 2. z tym;
(*o wymienionym przedmiocie*) z nim
therewithal [ˌðɛəwiˈðɔːl] *adv* ponadto; na dodatek

theriac [ˈθiəriˌæk] *s farm* odtrutka na jad różnych
zwierząt
therm [θəːm] *s fiz* miara ciepła (= 100 000 brytyjskich jednostek cieplnych)
thermae [ˈθəːmiː] *spl* termy; źródła gorące; cieplice
⫿**thermal** [ˈθəːməl] *adj* cieplny; **British** ~ **unit**
brytyjska jednostka cieplna; ~ **springs** cieplice
thermantidote [θəːmˈæntiˌdout] *s* (*w Indiach*)
przyrząd do chłodzenia powietrza
thermic [ˈθəːmik] *adj* termiczny
⫿**thermionic** [ˌθəːmiˈɔnik] *adj radio* katodowy
thermite [ˈθəːmait] *s techn* (*w spawaniu*) termit
thermobarometer [ˈθəːmou-bəˈrɔmitə] *s fiz* termo-
barometr
thermochemistry [ˈθəːmouˈkemistri] *s* termochemia
thermo-couple [ˈθəːmouˈkʌpl] *s* termopara; *elektr*
termoelement, termoogniwo
termochrosy [θəːˈmɔkrəsi] *s fiz* termochrosa
thermodynamic [ˈθəːmou-daiˈnæmik] *adj* termodynamiczny
thermodynamics [ˈθəːmou-daiˈnæmiks] *s* termody-
namika
⫿**thermo-electric** [ˈθəːmou-iˈlektrik] *adj* termoelektryczny
thermo-electricity [ˈθəːmou-ilekˈtrisiti] *s* termo-
elektryczność
thermoelement [ˈθəːmouˈelimənt] = **thermo-couple**
thermograph [ˈθəːməˌgrɑːf] *s* termograf
thermolabile [ˈθəːmouˈleibil] *adj med* ciepło-
chwiejny
thermometer [θəˈmɔmitə] *s* termometr
thermometrograph [ˌθəːmouˈmetrəˌgrɑːf] *s* termometr samopiszący
thermopile [ˈθəːmouˌpail] = **thermo-couple**
thermos [ˈθəːməs] *s* (*także* ~ **flask** <**bottle**>) termos
thermosetting [ˈθəːmouˌsetiŋ] *adj techn* termoutwardzalny
thermostat [ˈθəːmouˌstæt] *s* termostat; cieplarka
thermostatics [ˈθəːmouˈstætiks] *s* termostatyka
thermosiphon [ˌθəːmouˈsaifən] *s* termosyfon
thermotherapy [ˌθəːmouˈθerəpi] *s* termoterapia
theroid [ˈθiːrɔid] *adj* (*o człowieku*) posiadający
zwierzęce skłonności
thesaurus [θiːˈsɔːrəs] *s* (*pl* **thesauri** [θiːˈsɔːrai], ~**es**)
thesaurus
these *zob* **this**
thesis [ˈθiːsis] *s* (*pl* **theses** [ˈθiːsiːz]) 1. teza 2.
praca dyplomowa 3. [ˈθesis] *prozod* zgłoska nie-
akcentowana
Thespian [ˈθespiən] ⫿ *adj* tespisowy; tragiczny;
the ~ **art** dramat ⫿ *s* aktor/ka
theta [ˈθiːtə] *s gr litera* teta
theurgy [ˈθiːəˌdʒi] *s* teurgia
thews [θjuːz] *spl* 1. mięśnie; muskuły 2. *przen*
wigor; tężyzna
they [ðei] *pron* (*przypadek zależny*: **them** [ðem])
oni, one; ~ **who** _ ci, którzy...; ~ **say** _
mówią (że)...; podobno...
they'd [ðeid] = **they had; they would** <**should**>
they'll [ðeil] = **they will**
they're [ðɛə] = **they are**
Thibetan [tiˈbetən] ⫿ *adj* tybetański ⫿ *s* Tybe-
tańczyk
thick [θik] ⫿ *adj* 1. (*o ścianie, książce, materiale*,

kresce, druku itd) gruby; *sl* a ~ ear spuchnięte ucho; to give sb a ~ ear zdzielić kogoś w ucho; boards 3 inches ~ deski 3-calowe; *druk* ~ type tłusty druk; how ~ is it? ile to ma grubości? 2. gęsty; zbity; (*o brwiach*) krzaczasty; (*o deszczu*) rzęsisty; the air was ~ with smoke powietrze było gęste <w powietrzu było gęsto> od dymu;·to grow ~ rosnąć gęsto 3. (*o płynach itd*) mętny 4. (*o pogodzie*) słotny, pochmurny 5. (*o człowieku*) tępy 6. (*o głosie*) stłumiony; niewyraźny; ochrypły; ~ with drink przepity 7. *pot* (będący) w dobrej komitywie (with sb z kimś); they are as ~ as thieves oni się rozumieją jak para złodziei <łotrów> 8. *pot* przekraczający granice (przyzwoitości itp.); that's a bit ~! to już jest przesada!; tego już za wiele! Ⅲ *s* 1. gruba część (czegoś — nogi, kciuka itd.); *przen* a friend through ~ and thin oddany przyjaciel; wierny towarzysz; *przen* to go through ~ and thin for sb nie odstąpić/ępować kogoś w złej czy dobrej doli; *przen* in the ~ of a crisis u szczytu kryzysu; in the ~ of a forest w gąszczu leśnym; *przen* in the ~ of the fight w wirze <w największym ogniu> walki 2. *pot* głuptas 3. *sl* kakao Ⅲ *adv* 1. grubo: grubą warstwą (leżeć itd.); to cut bread <meat etc.> ~ grubo pokrajać chleb <mięso itd.>; to spread butter <jam etc.> ~ grubo po/smarować masłem <konfiturą itd.>; *sl* to lay it on ~ a) wazelinować b) przesadzać w pochwałach 2. gęsto (padać itd.); my heart beat ~ serce mi waliło <mi się tłukło> 3. ochryple; ochrypłym głosem

thick-and-thin ['θikənd'θin] *adj* (*o przyjacielu, popleczniku itd*) wierny; oddany; lojalny

thicken ['θikən] *v* Ⅰ *vt* 1. zagę-ścić/szczać 2. doda-ć/wać grubości (sth czemuś); pogrubi-ć/ać Ⅲ *vi* 1. z/gęstnieć; stęż-yć/ać 2. z/mętnieć 3. z/grubieć 4. (*o intrydze*) po/wikłać się 5. (*o niebie*) s/pochmurnieć 6. (*o głosie*) ochrypnąć

thickener ['θikənə] *s chem* zagęstnik; zagęszczacz; (aparat) odstojnik, kondensator

thicket ['θikit] *s* zarośla; gąszcz

thickhead ['θik,hed] *s* tuman; jołop; głąb; barania głowa

thick-headed ['θik'hedid] *adj* tępy; jołopowaty; durny

thickish ['θikiʃ] *adj* 1. grubawy 2. gęstawy

thick-lipped ['θik'lipt] *adj* z grubymi wargami

↓ thickness ['θiknis] *s* 1. grubość 2. gęstość 3. warstwa 4. *geol* miąższość (warstwy, pokładu, piaskowca itd.)

thickset ['θik'set] Ⅰ *adj* 1. (*o żywopłocie, zaroście itd*) gęsty 2. (*o człowieku*) krępy 3. (*o człowieku*) przysadzisty Ⅲ *s* 1. gęsto sadzony żywopłot 2. *tekst* barchan

thick-skin ['θik'skin] *s* gruboskórny człowiek

thick-skinned ['θik'skind] *adj* gruboskórny

thick-skulled ['θik'skʌld] = thick-headed

thick-witted ['θik'witid] = thick-headed

thief [θi:f] *s* (*pl* thieves [θi:vz]) 1. złodziej/ka; *bibl* łotr; set a ~ to catch a ~ złodziej wykryje złodzieja 2. (*u świecy*) złodziej, wilk

thieve [θi:v] *vi* kraść; podkradać

thievery ['θi:vəri] *s* 1. złodziejstwo; kradzież 2. *rz* skradziony przedmiot

thievish ['θi:viʃ] *adj* złodziejski

thievishness ['θi:viʃnis] *s* natura <żyłka> złodziejska

thigh [θai] *s anat* udo

thigh-bone ['θai,boun] *s anat* kość udowa

thigh-piece ['θai,pi:s] *s* (*w zbroi*) nagolennik

thill [θil] *s* dyszel

thiller ['θilə] = thill-horse

thill-horse ['θil,hɔ:s] *s* koń dyszlowy

thimble ['θimbl] *s* 1. naparstek 2. *techn* nasadka 3. *techn* tuleja, tulejka 4. końcówka kabla

thimbleful ['θimblful] *s* odrobina <łyk> (wódki itd.)

thimblerig ['θimblrig] Ⅰ *s* hokus pokus, sztuk-a/i kuglarsk-a/ie <magiczn-a/e> Ⅲ *vi* (-gg-) 1. uprawiać sztuki kuglarskie <magiczne> 2. *pot* szwindlować Ⅲ *vt* (-gg-) oszuk-ać/iwać; nab-rać/ierać (kogoś)

thimblerigger ['θimbl,rigə] *s* magik; kuglarz; oszust

thin [θin] Ⅰ *adj* (thinner ['θinə], thinnest ['θin ist]) 1. cienki 2. wiotki 3. (*o powietrzu, gazach*) cienki; rzadki; rozrzedzony 4. (*o płynie*) cieńki; wodnisty; rzadki; rozcieńczony 5. rzadki; rzadko rosnący; z rzadka rozsiany; (*o sali teatr. itd*) pustawy; świecący pustkami 6. (*o wymówce itd*) słaby; kiepski; lichy; nieprzekonywający; (*o kłamstwie itd*) grubymi nićmi szyty; that's too ~ a) ten numer nie przejdzie b) tym się nie wykręcisz <wykręcicie> 7. (*o człowieku, twarzy itd*) szczupły, chudy; to grow <become> ~ ze/szczupleć; s/chudnąć 8. (*o głosie*) cienki; piskliwy 9. (*o barwach*) blady 10. *fot* niedoświetlony 11. *sl* marny; kiepski; nieszczególny; nietęgi; nędzny; to have a ~ time a) wy/nudzić się b) mieć <przeżyć> przykre chwile; ~ captain suchar Ⅲ *vt* (-nn-) 1. scieńcz-yć/ać; ścieni-ć/ać; uj-ąć/mować grubości (sth czemuś); zwę-zić/żać 2. rozcieńcz-yć/ać; rozrzedz-ić/ać 3. przerzedz-ić/ać Ⅲ *vi* (-nn-) 1. s/cienieć; s/tracić z grubości 2. ze/szczupleć, wy/szczupleć; s/chudnąć; z/wiotczeć 3. z/rzednąć; przerzedz-ić/ać się

~ down *vt* rozrzedz-ić/ać; rozcieńcz-yć/ać

~ out *vt* przerzedz-ić/ać; po/przerywać (rośliny)

thine [ðain] *pron lit poet* twój

thing [θiŋ] *s* 1. rzecz; przedmiot; (*o zwierzętach*) stworzenie; dumb ~s zwierzęta; that ~ over there to coś co tam leży; (*o człowieku, w wyrażeniach współczucia, przymilania się, pogardy itd*) poor (little) ~! biedactwo (maleńkie)!; the spiteful ~ złośliwe stworzenie; a mean ~ nędzna kreatura; dear old ~! kochanie! 2. *pl* ~s odzież, ubranie; my ~s are all wet wszystko na mnie mokre; to take off <put on> one's ~s roz-ebrać/bierać <ub-rać/ierać> się 3. *pl* ~s rzeczy; ruchomości; to pack one's ~s s/pakować się (do drogi) 4. *pl* ~s narzędzia; sprzęt; przybory; (*w gospodarstwie domowym*) naczynie; nakrycie; serwis 5. (*o czynie, okoliczności, zadaniu itd zw z przymiotnikiem*) rzecz; coś; to o co chodzi; another ~ jeszcze coś; a silly ~ głupstwo; a ~ of mine coś co ja napisałem <mam, zrobiłem itd.>; it's (not) the same ~ to (nie) jest to samo; neither one ~ nor another ni to ni owo; one ~ and another, a ~ or two to i owo; that's the (very) ~ o to właśnie chodzi; how could I do such a ~? jakżebym mógł coś ta-

kiego zrobić?; **strange ~ that you should not
know** dziwna rzecz <to dziwne> że ty o tym
nie wiesz; **that's an understood ~** to się rozumie; oczywiście; **that's the only ~ to do** to
jest jedyna rzecz do zrobienia; to jedyne co
można zrobić; **of all ~s!** coś takiego! 6. *pl* **~s**
sytuacja; koniunktura; wszystko; **as ~s are** w
obecnej sytuacji; w obecnym stanie rzeczy; **how
are ~s (going)?** co słychać?; jak ci się powodzi?; **~s aren't going well** źle jest; **don't take
~s so seriously** nie bierz wszystkiego tak poważnie; **to make a mess of ~s** wszystko zabałaganić <zepsuć>; **~s begin to look brighter**
sytuacja się poprawia 7. *pl* **~s** sprawy; wszystko (to co należy do zakresu...); **spiritual ~s**
sprawy duchowe; **~s Polish** wszystko to co polskie 8. *pl* **~s** *prawn* własność; **personal ~s**
rzeczy osobistego użytku; ruchomości; **real ~s**
nieruchomość 9. *pot* to co jest wskazane <mod-
ne, w dobrym tonie, co się robi, co należy
robić, co wypada z/robić>; **it isn't the ~** tego
się nie robi; **quite the ~** ostatni krzyk mody;
najnowszy fason; **that's the ~** a) całkiem słusznie b) właśnie o to chodzi; **I don't feel quite
the ~** nie całkiem dobrze <kiepsko, marnie> się
czuję; **to do the handsome ~** a) być hojnym b)
ładnie postąpić **(by sb** wobec kogoś); **to know
a ~ or two** znać się na rzeczy; mieć doświadczenie; **to make a good ~ of sth** dobrze zarobić na czymś; **to say ~s** mówić głupstwa; **to
see ~s** mieć przywidzenia <halucynacje>; **above
all ~s** nade wszystko; **among other ~s** między
innymi; *sl* **and ~s** i tam dalej; **a near ~** niewiele brakowało; **as a general ~** na ogół; **for
one ~ ... for another ...** a) po pierwsze... po
drugie... b) to jedno... a drugie to...; **first ~
in the morning** zaraz z rana; **last ~ at night**
przed samym snem; przed zaśnięciem; **many ~s**
bardzo wiele; **no such ~** nic podobnego; **what
with one ~ and another** a) dość na tym, że ...
b) wszystko razem wziąwszy

thingamy ['θiŋəmi], **thingumabob** ['θiŋəmi,bɔb],
thingumajig ['θiŋəmi,dʒig], **thingumbob** ['θiŋʌm
,bɔb], **thingummy** ['θiŋəmi] *s żart* (*o człowieku*)
ten tego; ten... jak mu tam <jak on się tam
wabi>...; (*o przedmiocie*) ten interes <gips>; to coś

think [θiŋk] *v* **(thought** ['θɔːt], **thought)** ⒤ *vi*
1. po/myśleć; **to ~ to oneself** myśleć sobie;
to make sb ~ dać komuś do myślenia 2. za-
stan-owić/awiać się; **to ~ twice before doing
sth** dobrze się zastanowić zanim się coś zrobi
3. sądzić, uważać, przypuszczać, wyobrażać sobie **(that __** że ...); **I ~ that __** zdaje <wydaje>
mi się, że ...; **I rather ~ that __** coś mi się
mocno wydaje, że ...; **I've been ~ing that __**
przyszło mi do głowy, że ...; **so I thought tak**
mi się właśnie zdawało; **I ~ I'll try** chyba spróbuję; (*w odpowiedziach*) **I ~ so** <**not**> myślę
<sądzę, przypuszczam, mam wrażenie> że tak
<że nie>; chyba tak <nie>; (*z naciskiem*) **I should
~ so** jeszcze jak! 4. spodziewać się; oczekiwać;
I didn't ~ to find you here nie spodziewałem
się, że cię tu zastanę 5. wyobra-zić/żać sobie;
I can't ~ how it is done nie mogę sobie wyobrazić jak się to robi 6. zamierzać **(to do sth**
coś robić); mieć zamiar <ochotę>; **to ~ of
doing sth** zamierzać coś zrobić; zastanawiać się

nad tym, żeby coś zrobić <czy nie zrobić cze-
goś> 7. przypomnieć sobie; **I can't ~ who the
man is** nie mogę sobie przypomnieć kto to jest;
I can't ~ how <where etc.> nie mam pojęcia
jak <gdzie itd.> ... 8. *z przyimkami:* **~ about;
to ~ about sth** po/myśleć o czymś; zastanawiać się <rozmyślać> nad czymś; **~ of; to ~
of sb, sth** a) po/myśleć o kimś, czymś; **I can't
~ of a good word** nie przychodzi mi na myśl
żaden odpowiedni wyraz; **I hadn't thought of
that** nie przyszło mi to na myśl; **it's not to be
thought of** to jest nie do pomyślenia; to jest
wykluczone; **I must ~ of sth** muszę coś wymyślić <*pot* wykombinować>; **I wouldn't ~ of
doing such a thing** nie przyszło by mi na myśl
coś takiego zrobić; **now I come to ~ of it** właściwie; w gruncie rzeczy; na dobrą sprawę; **to
have many things to ~ of** mieć dużo spraw na
głowie; **when you come to ~ of it** gdy się nad
tym zastanowimy b) sądzić <mieć zdanie> o kimś,
czymś; **to ~ highly of sb** mieć o kimś jak najlepsze zdanie; wysoce kogoś cenić; **to ~ little**
<**much**> **of sb** mieć o kimś niepochlebne <po-
chlebne> zdanie; **to ~ nothing of sb** mieć kogoś za nic; **to ~ nothing** <little> **of a thing**
niewiele sobie robić z czegoś; lekceważyć (sobie) coś; **to ~ nothing** <little> **of doing sth**
z/robić coś bez namysłu; z/robić coś z największą
łatwością; **he thought nothing of walking 20
miles** przejść 20 mil to była dla niego fraszka;
to ~ better of it zmienić zdanie; rozmyślić się;
I've thought better of it namyśliłem <rozmyśli-
łem się>; **what do you ~ of him?** co o nim sądzisz?; jakie masz o nim zdanie?; *iron* **I don't
~!** hm!; myślałby kto! c) przypomnieć sobie;
I just thought of sth coś mi się przypomniało
⒤ *vt* 1. po/myśleć <wyobra-zić/żać sobie> (coś)
2. wymyślić; *pot* wykombinować 3. mieć na myśli; nosić się z zamiarem **(sth** czegoś); **to ~ no
harm** nie mieć na myśli nic złego; nie mieć
złych zamiarów 4. sądzić <uważać> **(sb, sth to
be __** że ktoś, coś jest ...); **he is thought to have**
<it is thought of him that he has> written the
book sądzą <uważają>, że on tę książkę napisał;
he ~s himself clever (on) uważa, że jest dowcipny; **I don't ~ it fair** uważam, że to niesprawiedliwe <że to krzywdzące>; **I ~ it a
shame** uważam, że to wstyd <to za wstyd>; **I ~
it possible** uważam to za możliwe; **I thought it
a good film** uważałem, że to dobry film; **to ~
fit** <**proper**> **to do sth** uważać za stosowne coś
zrobić

~ out *vt* 1. wymyślić; *pot* wykombinować 2.
rozwiąz-ać/ywać (różne zagadnienia); **to ~
things out for oneself** dochodzić do własnych
wniosków

~ over *vt* pomyśleć <zastan-owić/awiać się>
(sth nad czymś); przemyśleć; rozważ-yć/ać
(ponownie)

~ through *vt* przemyśleć

~ up *vt* wymyślić; *pot* wykombinować
zob **thinking** ⒤ *attr am* **~ day** (*w nazwie*) **~
piece** korespondencja zawierająca osobiste rozważania wysłannika

thinkable ['θiŋkəbl] *adj* (*o rzeczy*) do pomyślenia;
it is hardly ~ that __ trudno sobie wyobrazić,
żeby ...

thinker ['θiŋkə] *s* myśliciel; **to be a slow ~** powoli myśleć

thinking ['θiŋkiŋ] Ⅰ *zob* think *v* Ⅲ *adj* myślący; rozumny Ⅲ *s* 1. myśli; rozmyślania; zastan-owienie/awianie; **to do some hard ~**, *pot* **to put on one's ~ cap** dobrze się zastanowić; *pot teatr* **~ part** rola figuranta <statysty> 2. zdanie, opinia, zapatrywanie; **to be of sb's way of ~** podzielać czyjeś zdanie

thinner ['θinə] *s* rozcieńczalnik; rozcieńczacz

thinness ['θinnis] *s* 1. cienkość 2. wiotkość 3. rozrzedzenie; rozpuszczenie <rozcieńczenie> (płynu itd.) 4. szczupłość; chudość 5. słabość <nieprzekonywający charakter> (wymówki itd.) 6. rzadkość (zaludnienia, porostu itd.)

thinnish ['θiniʃ] *adj* 1. cienkawy 2. dość <raczej> chudy 3. rzadkawy

thin-skinned ['θin'skind] *adj* 1. wrażliwy 2. obraźliwy; drażliwy

thio-acid ['θaiou'æsid] *s chem* tiokwas

thio-carbonate ['θaiou'kɑ:bə,neit] *s chem* tiowęglan; trójtiowęglan

thiocyan ['θaiou'saiən] *s chem* tiocyjan

thiosulphate ['θaiou'sʌlfeit] *s chem* tiosiarczan

🔸**third** [θə:d] *num* Ⅰ *adj* trzeci; **in the ~ place** po trzecie; *prawn* **~ party** osob-a/y trzeci-a/e; *am* **~ degree** wymusz-enie/anie zeznań Ⅲ *adv* (jechać, podróżować) trzecią klasą Ⅲ *s* 1. (jedna) trzecia (część) 2. *karc* trzeci partner 3. trzeci egzemplarz; tryplikat 4. tercja (wekslowa) 5. *auto* trzeci bieg; *pot* trójka 6. *muz* tercja 7. *pl* **~s** towar trzeciej klasy

third-class ['θə:d'klɑ:s] Ⅰ *adj* 1. (*o pasażerach, wagonie, itd*) trzeciej klasy 2. *handl* (*o towarze*) trzeciej klasy 3. *am* (*na poczcie*) **~ matter** druki Ⅲ *adv* (jechać, podróżować) trzecią klasą

thirdly ['θə:dli] *adv* po trzecie

third-rate ['θə:d'reit] *adj* trzeciorzędny

thirst [θə:st] Ⅰ *s* 1. pragnienie; *pot* **to have a ~** mieć pragnienie; chcieć pić 2. pragnienie <żądza> (**for <after> sth** czegoś — wiedzy itd.) Ⅲ *vi* pragnąć <łaknąć> (**for <after> sth** czegoś)

thirsty ['θə:sti] *adj* (**thirstier** ['θə:stiə], **thirstiest** ['θə:stiist]) 1. spragniony; **to be <feel> ~** być spragnionym; chcieć się napić; **I'm ~** chce mi się pić; **to make sb ~** wywoł-ać/ywać pragnienie u kogoś; *pot* **~ work** praca wywołująca pragnienie <po której chce się pić> 2. (*o człowieku*) lubiący zaglądać do kieliszka; *pot* **a ~ man** moczymorda 3. spragniony <żądny> (**for sth** czegoś) 4. (*o glebie*). wyschnięty; (*o porze*) suchy

thirteen ['θə:'ti:n] *num* Ⅰ *adj* trzynaście; **to be ~** mieć 13 lat; **a boy <girl> of ~** chłopiec <dziewczynka> 13-letni; **to talk ~ to the dozen** mówić bez końca; pleść Ⅲ *s* trzynastka; liczba 13; **the ~ superstition** zabobon co do fatalnej <pechowej> 13-ki

thirteenth ['θə:'ti:nθ] *num* Ⅰ *adj* trzynasty Ⅲ *s* (jedna) trzynasta (część)

thirtieth ['θə:tiiθ] *num* Ⅰ *adj* trzydziesty Ⅲ *s* (jedna) trzydziesta (część)

thirty ['θə:ti] *num* Ⅰ *adj* trzydzieści; **to be ~** mieć trzydzieści lat; **a man <woman> of ~** mężczyzna <kobieta> 30-letni/a Ⅲ *s* trzydziestka; **the thirties** a) 30-te lata czyjegoś życia b) 3-ci dziesiątek <30-te lata> danego wieku

thirty-two-mo ['θə:ti'tu:,mou] *s* format pół-szesnastkowy

this [ðis] Ⅰ *adj* (*pl* these [ði:z]) 1. *w odniesieniu* a) *do przedmiotu, który się pokazuje, trzyma lub którego się dotyka* b) *do lokalu, kraju itd, w którym znajduje się mówiący*: ten, ta, to; **~ book** ta książka (tu); **~ room** ta sala (w której się znajdujemy); **~ country** ten <nasz> kraj; **in ~ country** u nas (w naszym kraju) 2. *w odniesieniu do czasu, który jeszcze trwa lub dopiero co minął*: ten, ta, to; obecny; bieżący; dzisiejszy; **~ year** tego roku; **~ week** w tym tygodniu; **~ morning <afternoon, evening>** dzisiaj rano <po południu, wieczorem> 3. *pl* these *po czasowniku w present perfect, continuous form przy wymienianym okresie czasu*: od; **I have been thinking of it these three days** od trzech dni myślę o tym; **he has been living here these 20 years** (on) mieszka tutaj od 20 lat Ⅲ *pron w odniesieniu do przedmiotu, który się pokazuje, trzyma, lub którego się dotyka, do kraju, lokalu itd, w którym znajduje się mówiący, do czynności, która dopiero co minęła lub nastanie bezpośrednio po wypowiedzeniu danych słów, lub do słów, które mają nastąpić w dalszym ciągu toczącej się mowy*: to (tu); **what is ~?** co to jest?; **~ is my house** to jest mój dom; **who are these people?** co to za ludzie?; (*w liście*) **~ is to ask <inform etc.> you** __ niniejszym proszę <komunikuję> ...; **like ~** w ten sposób, tak; **before ~** (już) przedtem; **by ~** do tego czasu; już; **~ way** tędy Ⅲ *adv* 1 (aż) tak; **~ far** do tego miejsca; (aż) tak daleko; **~ much** tyle 2. *przed przymiotnikiem*: taki; **~ big <high, thick etc.>** taki duży <wysoki, gruby itd.>

thistle ['θisl] *s bot* oset; *także* godło Szkocji

thistle-down ['θisl,daun] *s bot* puch ostu; **as light as ~** lekki jak puch

thistly ['θisli] *adj* (*o terenie itd*) porosły ostami

thither ['ðiðə] † Ⅰ *adv przy pojęciu ruchu docelowego*: tam; do tamtego miejsca; ku temu miejscu <tej miejscowości> Ⅲ *adj* dalszy

thitherward(s) ['ðiðəwəd(z)] † *adv* ku temu miejscu <tej miejscowości>

thlaspi ['θlæspi] *s bot* tobołki polne

tho' [ðou] = though

thole¹ [θoul] † *vt* zn-ieść/osić; s/cierpieć

thole² [θoul] *s* 1. (*także* **~-pin**) dulka (na wiosło) 2. kołek

Thomist ['toumist] *s rel* tomista, wyznawca tomizmu

thong [θoŋ] Ⅰ *s* rzemień; rzemyk; pasek Ⅲ *vt* 1. z/wiązać rzemieniem <paskiem> 2. smagać pasem

thoracic [θɔ:'ræsik] *adj anat* piersiowy

thoracosentesis [θɔ:'reikou-sen'ti:sis] *s med* nakłucie klatki piersiowej

thorax ['θɔ:ræks] *s* (*pl* **thoraces** ['θɔ:ræsiz]) 1. *anat* klatka piersiowa 2. *zoo* tułów (owada)

thorite ['θɔ:rait] *s miner* toryt

thorium ['θɔ:riəm] *s chem* tor

thorn [θɔ:n] *s* 1. cierń; kolec; **to be <sit> on ~s** siedzieć jak na rozżarzonych węglach <jak na szpilkach>; **a ~ in one's flesh <side>** cierń w boku czyimś <u kogoś> 2. krzew ciernisty 3. znak runiczny, odpowiadający literom "th"

thorn-apple ['θɔ:n,æpl] *s bot* bieluń dziędzierzawa

thorn-back ['θɔːnˌbæk] *s zoo* płaszczka
thornbush ['θɔːnˌbuʃ] *s* krzew ciernisty; głóg
thornhedge ['θɔːnˌhedʒ] *s* żywopłot z głogu
thorny ['θɔːni] *adj* (**thornier** ['θɔːniə], **thorniest** ['θɔːniist]) ciernisty; *przen* (*o temacie*) drażliwy
thorough ['θʌrə] Ⅰ *adj* 1. (*o pracy, badaniu itd*) gruntowny; sumienny; dokładny 2. całkowity; zupełny; kompletny; (*o Francuzie itd*) z krwi i kości; (*o socjaliście itd*) z przekonania; (*o łajdaku itd*) skończony Ⅲ *s hist* bezkompromisowa polityka Strafforda i Lauda za Karola I Ⅲ *praep adv † =* **through** *praep adv*
thorough-bass ['θʌrə'beis] *s muz* 1. bas cyfrowany 2. nauka harmonii
thorough-brace ['θʌrə'breis] *s* rzemień powozowy
thoroughbred ['θʌrəˌbred] Ⅰ *adj* rasowy; (*o koniu*) czystej krwi Ⅲ *s* zwierzę rasowe; koń czystej krwi
thoroughfare ['θʌrəˌfeə] *s* 1. ulica; przejazd; przejście; **no ~** przejście <przejazd> wzbronion-e/y 2. arteria komunikacyjna
thoroughgoing ['θʌrəˌgouiŋ] *adj* bezkompromisowy; zdecydowany na wszystko
thoroughly ['θʌrəli] *adv* 1. gruntownie; z gruntu (uczciwy itd.) 2. zupełnie; całkowicie 3. (zrozumieć itd.) dokładnie
thoroughness ['θʌrənis] *s* gruntowność; sumienność (wykonania itd.); dokładność
thoroughpaced ['θʌrəˌpeist] *adj* 1. (*o koniu*) całkowicie ujeżdżony 2. (*o stronniku itd*) zawzięty; (*o łajdaku itd*) skończony
thorough-pin ['θʌrəˌpin] *s wet* opoje stawowe, opuchlina stawowa (u konia)
thoroughwax ['θʌrəˌwæks] *s bot* przewiercień okrągłolistny, zajęcze ucho
thoroughwort ['θʌrəˌwəːt] *s bot* sadziec
thorp(e) [θɔːp] *s* (*w nazwach geogr*) wieś, wioska
those *zob* **that**
thou[1] [ðau] *lit poet* Ⅰ *pron* (*przypadek zależny* **thee** [ðiː]) ty Ⅲ *vt* mówić "thou" zamiast "you" (**sb** do kogoś)
thou[2] [θau] *s pot skr* **thousand**; **a ~** a) tysiąc funtów szterlingów b) banknot tysiącfuntowy
though, am tho' [ðou] Ⅰ *conj* chociaż; choć; mimo że; aczkolwiek; jakkolwiek; **as ~** jak gdyby; **it looks as ~ it were going to rain** <they meant to do sth etc.> wygląda na to, że będzie deszcz <że zamierzają coś zrobić itd.>; **even ~** choćby nawet; niechby nawet; gdyby nawet (**sth should happen** coś się miało stać) Ⅲ *adv* 1. bądź co bądź; (a) jednak; jednakowoż; pomimo tego; niemniej jednak; tym niemniej; wszelako; wszystko jedno; **you should have tried, ~** wszystko jedno, powinieneś był spróbować 2. *w zdaniach wykrzyknikowych*: przecież; **we won ~!** przecież wygraliśmy
thought[1] [θɔːt] *s* 1. myśl; **the mere ~ of it** sama myśl o tym; **lost in ~** zamyślony; **a penny for your ~s** ciekawe o czym myślisz?; nad czym tak myślisz?; **you are much in my ~s** często o tobie myślę; **as quick as ~** błyskawicznie 2. namysł; zastanowienie; rozwaga; **second ~s are best** nic nie czyń bez zastanowienia; **on second ~s** po namyśle; **after much ~** po głębokim namyśle 3. pomysł 4. zamiar; **with the ~ of _** w zamiarze ...; **I had no ~ of _** nie miałem bynajmniej <wcale> zamiaru ... 5. *pl* **~s** zdanie;

opinia; **my ~s of the matter** moje zdanie o tym; jak ja się na to zapatruję 6. odrobina; troszkę
thought[2] *zob* **think** *v*
thoughtful ['θɔːtful] *adj* 1. zadumany; zamyślony; pogrążony w myślach <w zadumie> 2. rozważny 3. troskliwy; uważający (**of others** na innych); **that was very ~ of you** bardzo ładnie postąpiłeś; to było bardzo ładnie z twojej strony 4. (*o książce itd*) głęboki
thoughtfulness ['θɔːtfulnis] *s* 1. zaduma; zamyślenie 2. rozwaga 3. troskliwość; delikatność postępowania
thoughtless ['θɔːtlis] *adj* 1. bezmyślny 2. nieroz-ważny 3. nie zważający (**of others** na innych <na otoczenie>); **it was very ~ of you** to było nieładnie z twojej strony
thoughtlessness ['θɔːtlisnis] *s* 1. bezmyślność 2. brak rozwagi 3. niezważanie (**of others** na innych <na otoczenie>)
thought-reading ['θɔːtˌriːdiŋ] *s* czytanie cudzych myśli; telepatia
thought-transference ['θɔːt'trænsfərəns] *s* telepatia
thought-wave ['θɔːtˌweiv] *s* fala telepatyczna
thousand ['θauzənd] *num* Ⅰ *adj* tysiąc; **a ~ and one** bezlik; nieskończone mnóstwo; **a ~ apologies** <pardons> przepraszam stokrotnie; **a ~ thanks** dzięki stokrotne; **by the ~, in their ~s** tysiącami; **one in a ~** jeden na tysiąc Ⅲ *s* tysiąc
thousandfold ['θauzəndˌfould] Ⅰ *adj* tysiąckrotny Ⅲ *adv* tysiąckrotnie
thousandth ['θauzəndθ] Ⅰ *adj* tysiączny Ⅲ *s* (jedna) tysiączna (część)
Thracian ['θreiʃjən] Ⅰ *adj* tracki Ⅲ *s* Trak
thraldom ['θrɔːldəm] *s* niewolnictwo; niewola; **in ~** w jarzmie; pod jarzmem
thrall [θrɔːl] Ⅰ *s* 1. niewolnik (**of sb** czyjś; **to sth** czegoś — namiętności itd.) 2. niewolnictwo; niewola; **in ~** w niewoli; pod jarzmem; na uwięzi Ⅲ *adj* będący niewolnikiem (czyimś, czegoś) Ⅲ *vt* zaku-ć/wać w niewolę; z/robić niewolnika (**sb** z kogoś)
thrash [θræʃ] Ⅰ *vt* 1. s/prać; z/bić; wy/młócić; po/bić (przeciwnika); wy/trzepać skórę (**sb** komuś) 2. otrzepać (drzewo orzechowe) Ⅲ *vi* (*o statku*) walczyć <borykać się> z wiatrem <prądem, falami>
~ out *vt* debatować (**sth** nad czymś); dyskutować (**sth** o czymś); do-jść/chodzić (**sth** do czegoś — prawdy itd.)
zob **thresh**
thrasher ['θræʃə] *s* 1. *zoo* ptak amerykański pokrewny przedrzeźniaczowi 2. *zoo* duży rekin 3. młocarz
trashing ['θræʃiŋ] Ⅰ *zob* **thrash** *v* Ⅲ *s* lanie; **a good** <sound> ~ porządne <solidne> lanie; **to give sb a ~** sprawić komuś lanie
thrasonical [θræ'sɔnikəl] *adj* samochwalczy; chełpliwy
thread [θred] Ⅰ *s* 1. nitka; nić; *przen* niteczka (czegoś); **darning ~** przędza; **~ gloves** niciane rękawiczki; **to hang by a ~** wisieć na włosku 2. wątek (rozmowy itd.); **to gather up the ~s** powiązać nici (opowiadania itd.) 3. *techn* gwint 4. *geol* cienka żyła (kruszcu) 5. wąski promyczek <snop> (światła itp.) Ⅲ *vt* 1. nawle-c/kać (igłę); przewle-c/kać (coś przez coś) 2. na/nizać (perły

itd.) 3. przesuwać się (**the streets** etc. przez uli- ce itd.); **to ~ one's way through** _ przedosta- -ć/wać <przep-chnąć/ychać> się przez ... 4. przy- prószyć (włosy siwizną) 5. na/gwintować
threadbare ['θred,beə] _adj_ 1. (o ubiorze) wytarty; wyświechtany; podniszczony 2. (o opowiadaniu, dowcipie itd) oklepany; banalny
threadbareness ['θred,beənis] _s_ 1. kiepski stan (u- bioru) 2. banalność (dowcipu itd.)
thread-cutter ['θred,kʌtə] _s_ frez do gwintów
threader ['θred] _s_ 1. techn gwintownica 2. igliczka; przewlekadło
threadlike ['θred,laik] _adj_ nitkowaty
threadmark ['θred,mɑ:k] _s_ bank filigran, znak wodny
Threadneedle ['θred,ni:dl] _spr_ (w nazwie) ~ Street ulica, przy której znajduje się Bank Anglii; **the Old Lady of ~ Street** Bank Anglii
thread-paper ['θred,peipə] _s_ cienki papier do na- wijania nici
thread-worm ['θred,wə:m] _s_ med owsik
thready ['θredi] _adj_ 1. cienki; nitkowaty 2. włók- nisty 3. med (o tętnie) nitkowaty
threat [θret] _s_ 1. groźba; **there is a ~ of rain** grozi nam deszcz; deszcz wisi w powietrzu 2. pogróżka
threaten ['θretn] _vt_ za/grozić, zagrażać; **to ~ sb with sth** za/grozić komuś czymś; **to ~ to do sth** za/grozić, że się coś zrobi _vi_ 1. zagrażać; (o nieszczęściu itd) zapowiadać się 2. odgrażać się _zob_ **threatened, threatening**
threatened ['θretnd] _zob_ **threaten** _v_ _adj_ 1. zagrożony 2. zapowiedziany
threatening ['θretning] _zob_ **threaten** _v_ _adj_ 1. grożący 2. groźny 3. (o liście itd) z pogróż- kami
three [θri:] _num_ _adj_ trzy; ~ **times** ~ okrzyk na czyjąś cześć (trzy razy: hip, hip, hurra!); **a child of** ~ trzyletnie dziecko; **to be** ~ mieć trzy lata; **it is** ~ jest godzina trzecia; ~ **and six** <ninepence etc.> trzy szylingi i sześć <dzie- więć itd.> pensów _s_ trójka
three-card ['θri:,kɑ:d] _adj_ (w nazwie) ~ **trick** sztuczka z 3-ma kartami (produkowana przez oszustów na jarmarkach itd.)
three-colour(ed) ['θri:'kʌlə(d)] _adj_ trójbarwny; trój- kolorowy
three-cornered ['θri:'kɔ:nəd] _adj_ trójkątny; **a ~ fight** walka wyborcza między kandydatami trzech partii
three-course ['θri:,kɔ:s] _attr_ (o posiłku) trzyda- niowy
three-decker ['θri:'dekə] _s_ statek trójpokładowy; ~ **cage** klatka z trzema kondygnacjami
three-dimensional ['θri:-di'menʃənl] _adj_ trójwy- miarowy
three-engined ['θri:'endʒind] _adj_ (o samolocie) trzysilnikowy
three-field ['θri:,fi:ld] _attr_ (w nazwie) ~ **system** płodozmian trzyletni, trójpolówka
threefold ['θri:,fould] _adj_ potrójny; trzykrotny _adv_ potrójnie; trzykrotnie
three-footed ['θri:'futid] _adj_ trzynogi, trójnogi
three-legged ['θri:'legid] _attr_ (w nazwie) ~ **race** bieg trzynożny (w którym każdy uczestnik ma jedną nogę przywiązaną do nogi swego part- nera)

three-master ['θri:'mɑ:stə] _s_ statek trójmasztowy, trójmasztowiec
three-monthly ['θri:,mʌnθli] _adj_ trzymiesięcz- ny, kwartalny _adv_ trzymiesięcznie, kwartalnie
three-pair ['θri:,peə] _attr_ (o pokoju) na trzecim piętrze; ~ **back** pokój na trzecim piętrze od podwórza; ~ **front** pokój frontowy na trzecim piętrze
threepence ['θrepəns] _s_ trzy pensy
threepenny ['θrepəni] _adj_ trzypensowy; ~ **bit** <piece> moneta trzypensowa
three-per-cents ['θri:pə'sents] _spl_ trzyprocentowe papiery wartościowe
three-phase ['θri:,feiz] _adj_ elektr trójfazowy
three-piece ['θri:,pi:s] _attr_ (o garniturze, komple- cie) składający się z trzech części, trzyczęściowy
three-ply ['θri:,plai] _attr_ 1. trójwarstwowy 2. (o przędzy itd) potrójny
three-quarter ['θri:'kwɔ:tə] _attr_ trzyćwierciowy; (o portrecie, profilu) w trzech czwartych; ~ **binding** oprawa w półskórek z narożnikami
threescore ['θri:'skɔ:] _adj_ sześćdziesiąt; ~ **and ten** siedemdziesiąt
three-seater ['θri:'si:tə] _s_ wóz trzyosobowy
threesome ['θri:səm] _s_ 1. trzy osoby; trójka (osób) 2. gra (zabawa, taniec) trzyosobow-a/y _adj_ trzyosobowy
three-speed ['θri:'spi:d] _attr_ (o wozie itd) o trzech biegach
three-square ['θri:,skweə] _adj_ techn trójkątny (rów- noboczny)
three-storied ['θri:'stɔ:rid], **three-story** ['θri:'stɔ:ri] _adj_ trzypiętrowy
three-way ['θri:,wei] _adj_ (o zaworze itd) trójdro- gowy; trójdroźny
threnode ['θri:noud], **threnody** ['θri:nədi] _s_ tren; pieśń żałobna
thresh [θreʃ] _vt_ (także **thrash**) 1. wy/młócić (zboże itd.) 2. stukać <uderzać> (**sth** o coś); walić (**sth** w coś) _vi_ (także **thrash**) 1. młócić zboże 2. stukać; uderzać; walić _zob_ **thrash**
threshel ['θreʃəl] _s_ cep
thresher ['θreʃə] _s_ młocarnia, młockarnia
threshing-floor ['θreʃiŋ,flɔ:] _s_ klepisko
threshing-machine ['θreʃiŋ-mə'ʃi:n] _s_ młockarnia
▲**threshold** ['θreʃould] _s_ próg (domu, słyszalności, świadomości itd.); _przen_ przedsionek (sławy itd.)
threw _zob_ **throw** _v_
thrice [θrais] _adv_ lit trzy razy; trzykrotnie
thrice-blessed ['θrais'blesid] _adj_ po trzykroć bło- gosławiony
thrift [θrift] _s_ 1. oszczędność; zapobiegliwość 2. bot zawciąg, laseczki
thriftiness ['θriftinis] _s_ oszczędność; zapobiegli- wość; gospodarność
thriftless ['θriftlis] _adj_ rozrzutny; niezapobiegliwy
thrifty ['θrifti] _adj_ **thriftier** ['θriftiə], **thrieftiest** ['θriftiist] 1. oszczędny; zapobiegliwy; gospo- darny 2. am prosperujący; kwitnący
thrill ['θril] _vt_ przej-ąć/mować; porusz-yć/ać; por-wać/ywać; wzrusz-yć/ać; rozczul-ić/ać; wstrząsnąć (**sb** kimś); pasjonować; z/robić <wyw- -rzeć/ierać, sprawi-ć/ać> wstrząsające wrażenie (**sb** na kimś); **to ~ sb with horror** wywoł-ać/ ywać dreszcz zgrozy u kogoś; **to be ~ed** emo- cjonować się; **to be ~ed with joy** drżeć z ra- dości _vi_ 1. (o człowieku) drżeć (**with joy etc.**

z radości itd.); dygotać (**with fear etc.** ze strachu itd.) 2. (*o uczuciu*) napełni-ć/ać (**through one's heart etc.** czyjeś serce itd.) *zob* **thrilling** Ⅲ *s* 1. dreszcz (zgrozy, rozkoszy itd.); wzruszenie 2. *med* drżenie 3. *med* szmery 4. *sl* sensacyjne opowiadanie

thriller ['θrilə] *s* sensacyjn-y/a film <powieść, sztuka sceniczna itd.>

thrilling ['θriliŋ] Ⅱ *zob* **thrill** *v* Ⅲ *adj* porywający; emocjonujący; wstrząsający; pasjonujący

thrips [θrips] *s* (*pl* ~es) *zoo* przylżeniec (owad)

thrive [θraiv] *vi* (*praet* **throve** [θrouv], **thrived** [θraivd], *pp* **thriven** [θrivn], **thrived**) 1. (*o dziecku*) dobrze się rozwijać <chować>; (*o roślinie*) dobrze się rozwijać <róść>; (*o dorosłym*) dobrze się mie-ć/wać 2. (*o przedsiębiorstwie, instytucji*) prosperować; kwitnąć 3. mieć <odn-ieść/osić> korzyść <pożytek> (**on sth** z czegoś) *zob* **thriving**

thriven *zob* **thrive**

thriving ['θraiviŋ] Ⅱ *zob* **thrive** *v* Ⅲ *adj* kwitnący; dobrze prosperujący

thro' [θru:] = **through**

▲**throat** [θrout] *s* 1. *anat* gardło; **a sore** ~ ból gardła; **a clergyman's (sore)** ~ chrypka; zapalenie gardła; *przen* **the words stuck in my** ~ nie przeszło mi to przez gardło; **to cut sb's** ~ podci-ąć/nać komuś gardło; *przen* (*o konkurentach itd*) **to cut one another's** ~**s** prowadzić ze sobą walkę na noże; **to cut one's own** ~ działać na własną szkodę; **to clear one's** ~ odchrząknąć; **to jump down sb's** ~ ostro zaatakować kogoś; *przen* **to lie in one's** ~ s/kłamać w żywe oczy <bezczelnie>; **to take <grip> sb by the** ~ chwy-cić/tać <trzymać> kogoś za gardło; *przen* **to thrust sth down sb's** ~ a) zmu-sić/szać kogoś do wysłuchania czegoś b) narzuc-ić/ać komuś coś (swoje zdanie itd.) 2. gardziel; wąskie przejście 3. *bud* wlot kanału dymowego 4. *stol* szczelina struga 5. *bud* kapinos <łzawnik> (gzymsu)

throat-band ['θrout‚bænd] *s* (*w uprzęży*) podgardle

throat-wash ['θrout‚wɔʃ] *s* płyn do płukania gardła

throatwort ['θrout‚wə:t] *s bot* dzwonek pokrzywolistny

throaty ['θrouti] *adj* (**throatier** ['θroutiə], **throatiest** ['θroutiist]) (*o głosie*) gardłowy; ochrypły, (*o człowieku*) z gardłowym <ochrypłym> głosem

throb [θrɔb] Ⅱ *vi* (**-bb-**) 1. (*o sercu, pulsie itd*) bić; pulsować; (*o skroniach*) tętnić; (*o ranie, chorym palcu itd*) rwać; **my finger was** ~**bing** rwało mnie w palcu 2. (*o maszynie*) warkotać 3. *przen* drżeć <dygotać> (**with joy etc.** z radości itd.) Ⅲ *s* 1. pulsowanie; bicie (serca) 2. warkot (maszyny) 3. dreszcz (**of pleasure etc.** przyjemności itd.)

throe [θrou] *s* gwałtowny ból; *pl* ~**s** bóle porodowe; **the** ~**s of death** agonia; **in the** ~**s of childbirth** w połogu; *przen* **in the** ~**s of** — w wirze <ferworze> ... (pracy itd.)

Throgmorton [θrɔg'mɔ:tn] *spr* 1. *przen* ~ **Street** giełda londyńska 2. *przen* giełdziarze 3. *przen* operacje giełdowe

thrombosis [θrɔm'bousis] *s med* zakrzep; skrzep, tromboza, zakrzepica

thrombus ['θrɔmbəs] *s med* skrzeplina

throne [θroun] Ⅱ *s* tron; **to come to the** ~

osiąść na tronie Ⅲ *vt poet* osadz-ić/ać na tronie Ⅲ *vi poet* tronować; za/panować

throng [θrɔŋ] Ⅱ *s* tłum; tłok; ciżba; natłok; ścisk Ⅲ *vt* (tłumnie) zapełni-ć/ać; przewalać się (**the street etc.** przez ulicę itd.); zatł-oczyć/aczać Ⅲ *vi* tłumnie się z/gromadzić <zbie-c/gać, zl-ecieć/atywać>; tłoczyć się; z/robić zbiegowisko

throstle ['θrɔsl] *s* 1. *zoo* drozd 2. *techn* przędzarka ciągła

▲**throttle** ['θrɔtl] Ⅱ *s* 1. gardło; gardziel 2. *techn* zawór dławiący; przepustnica Ⅲ *vt* 1. za/dusić (kogoś); z/dusić <s/tłumić, z/dławić> (coś — powstanie itd.) 2. *techn* dławić (przepływ pary itd) ~ **down** *vi* przyhamować (maszynę)

through, thro', thro, *am* **thru** [θru:] Ⅱ *praep* 1. przez (w przestrzeni i w czasie); wskroś; na wylot; ~ **a forest** przez las; ~ **the door** przez drzwi; (**all**) ~ **the night** przez (całą) noc; ~ **two planks** przez dwie deski (na wylot); **he waited** ~ **ten long years** czekał przez całe 10 lat; **the bullet went** ~ **the steel plate** pocisk przebił płytę stalową na wylot 2. poprzez; ~ **the whole town** <**book etc.**> poprzez całe miasto <całą książkę itd.> 3. przez (kogoś, coś); **I heard it** ~ **a friend of mine** dowiedziałem się o tym przez znajomego; **it was all** ~ **you** to wszystko przez ciebie; ~ **error** przez pomyłkę 4. z, ze; ~ **fear** ze strachu; ~ **your fault** z twojej winy 5. skutkiem, na skutek; ~ **illness** skutkiem <na skutek> choroby; ~ **having done the wrong thing** skutkiem tego, że się niewłaściwie postąpiło 6. za (pośrednictwem); ~ **your agency** za twoim pośrednictwem 7. dzięki; ~ **your kindness** dzięki pańskiej uprzejmości Ⅲ *adv* 1. na wskroś; na wylot; **he ran him** ~ **with his sword** on przeszył go szpadą na wskroś; **I am wet** ~ jestem przemoczony na wskroś 2. od początku do końca; **it lasted all** ~ to trwało od początku do końca <przez cały czas>; **the whole night** ~ przez całą noc; ~ **and** ~ a) od początku do końca b) *przen* na wylot; **to know sth** ~ **and** ~ znać coś na wylot <jak własną kieszeń>; **to be half** ~ **with sth** mieć połowę czegoś za sobą; **to be** ~ **with sth** a) skończyć coś b) nie potrzebować już czegoś; **I am** ~ **with him** <**her**> skończyłem (znajomość) z nim <nią> Uwaga: *nadaje czasownikom specyficzne znaczenie (przy nich podane)* Ⅳ *adj* 1. (*o sworzniu itd*) przelotowy 2. (*o pociągu, wagonie*) bezpośredni; **a** ~ **train to Paris** pociąg bezpośredni do Paryża; (*o ruchu*) tranzytowy; (*o pasażerze*) jadący bezpośrednio <tranzytem>

throughly ['θru:li] = **thoroughly**

throughout [θru'aut] Ⅱ *praep* po/przez; przez cały (kraj itd.); jak (kraj itd.) długi i szeroki; przez długość i szerokość (kraju itd.); (*o czasie*) przez cały (czas trwania itd.); od początku (życia itd.) do końca Ⅲ *adv* 1. na wskroś; od początku do końca; wszędzie; we wszystkich częściach <pomieszczeniach itd.>; w całym domu <kraju itd.>; całkowicie; pod każdym względem 2. (*w czasie*) od początku do końca; przez cały czas

through-stone ['θru:‚stoun] *s bud* ściągacz, sięgacz (kamień ułożony główkowo przez całą szerokość muru)

throve *zob* **thrive**

throw [θrou] *v* (**threw** [θru:], **thrown** [θroun]) ⎡ *vt* 1. rzuc-ić/ać (**a stone** <**ball** etc.> kamieniem <piłką itd.>; **a shadow** <**some light**> **on sth** cień <światło> na coś); cis-nąć/kać (**sth** coś <czymś>); miotać (**sb, sth** kimś, czymś <coś>); (*przy grze w kości*) wyrzuc-ić/ać (dwie piątki itd.); (*o możdzierzu itd*) wyrzuc-ić/ać pociski; *wędk* zarzuc-ić/ać (wędkę); **to ~ cold water on sb** obl-ać/ewać kogoś zimną wodą <kubłem zimnej wody>; **to ~ the blame on sb** zrzucić odpowiedzialność na kogoś; *am* **to ~ a party** urządz-ić/ać przyjęcie; *sl* **to ~ a fit** dostać ataku; **to ~ open** a) otw-orzyć/ierać na oścież; roztw-orzyć/ierać; nagle otworzyć b) udostępni--ć/ać publiczności (pałac itd.); **to ~ a glance at sth** rzucić spojrzenie <okiem> na coś; **to ~ an angry look at sb** gniewnie spojrzeć na kogoś; **to ~ sb a kiss** posłać komuś całusa 2. zrzuc--ić/ać (jeźdźca); powalić (zapaśnika); (*o wężu*) zrzuc-ić/ać (skórę); (*o ptaku*) **to ~ its feathers** pierzyć się 3. (*o zwierzętach*) u/rodzić (młode); o/kocić <o/szczenić> się (*x young z x* młodych) 4. skręcać (jedwab); nitkować (przędzę itd.) 5. modelować na kole garncarskim 6. *am sport* umyślnie przegr-ać/ywać (**a game** spotkanie) po porozumieniu się z przeciwnikiem 7. *z przyimkiem przy dopełnieniu dalszym*: **to ~ a bridge across** <**over**> **a river** przerzuc-ić/ać most przez rzekę; **to ~ temptation in sb's way** wystawić kogoś na pokusę; **to ~ sb into prison** wtrąc--ić/ać kogoś do więzienia; **to ~ sb into a fever** doprowadzić kogoś do gorączki; **to ~ a meeting** <**an army** etc.> **into confusion** wprowadz-ić/ać zamieszanie na zebraniu <w wojsku itd.>; **to ~ sb, sth off sth** zrzuc-ić/ać kogoś, coś z czegoś; **to ~ a picture on the screen** wyświetl-ić/ać obraz na ekranie; **to be ~n on one's own resources** być zdanym na siebie samego; **to be ~n on the parish** pójść na utrzymanie parafii; **to ~ a rug** <**sheet** etc.> **over sth** przykryć coś pledem <prześcieradłem itd.>; **to ~ a kerchief over one's shoulders** okry-ć/wać się chustką; **to ~ lustre over sth** doda-ć/wać blasku czemuś ⎡ *vr* **~ oneself** 1. rzuc-ić/ać się (**into a river** <**the fray** etc.> do rzeki <do walki itd.>) 2. nachyl--ić/ać się (**forwards** do przodu); **to ~ oneself backwards** cof-nąć/ać się 3. narzucać się (**at sb's head** komuś)

~ about ⎡ *vt* 1. rzucać (**sth** coś, czymś) na wszystkie strony; po/rozrzucać 2. trwonić (pieniądze) 3. wymachiwać (**one's arms** rękami) ⎡ *vr* **~ oneself about** rzucać się
~ aside *vt* odrzuc-ić/ać na bok
~ away ⎡ *vt* 1. wyrzuc-ić/ać; **to ~ away one's life** niepotrzebnie poświęcić swe życie 2. *karc* zrzuc-ić/ać się (**a card** z karty) 3. *wojsk* rzuc-ić/ać (broń) 4. przepu-ścić/szczać (okazję, sposobność) ⎡ *vr* **~ oneself away** (*o kobiecie*) wyjść za mężczyznę niegodnego siebie
~ back ⎡ *vt* 1. rzuc-ić/ać <cis-nąć/kać> z powrotem 2. odbi-ć/jać (piłkę, światło itd.) 3. cof-nąć/ać; odsu-nąć/wać do tyłu ⎡ *vi zoo bot* wznowić poprzednie cechy
~ down ⎡ *vt* 1. obal-ić/ać; zrzuc-ić/ać; rzucić na stół; przewr-ócić/acać; wywr-ócić/acać; złożyć/składać (broń); **to ~ down tools** za-

strajkować; **to ~ sth down** rzucić coś na ziemię 2. roz-ebrać/bierać (mury) 3. ści-ąc/nać <zwalić, spu-ścić/szczać> (drzewo) 4. *chem* pozostawi-ć/ać (osad) 5. *sl* odrzuc-ić/ać (ofertę itd.) ⎡ *vr* **~ oneself down** u/paść (na ziemię)
~ in *vt* 1. wrzuc-ić/ać 2. dorzuc-ić/ać <doda--ć/wać> gratis <bez dopłaty> (coś do czegoś); dać, dawać na dodatek 3. wtrąc-ić/ać (słówko itd.) 4. rzuc-ić/ać (karty) na stół 5. podzielić (**one's lot with sb** czyjś los)
~ off *vt* 1. zrzuc-ić/ać (płaszcz, maskę itd.) 2. pozby-ć/wać <wyzby-ć/wać> się (**sth** czegoś) 3. wypu-ścić/szczać (parę)
~ out *vt* 1. wyrzuc-ić/ać; wypu-ścić/szczać; rozsi-ać/ewać 2. odrzuc-ić/ać (projekt itd.) 3. wypi-ąć/nać 4. uwydatni-ć/ać 5. podsu--nąć/wać (insynuacje itd.) 6. z/mieszać <zbi--ć/jać z tropu> (mówcę) 7. pomieszać szyki (**sb** komuś)
~ over *vt* 1. przewr-ócić/acać 2. porzuc-ić/ać <zdradz-ić/ać> (przyjaciół itd.)
~ together *vt* zebrać/pozbierać; z/montować
~ up *vt* 1. rzuc-ić/ać <cis-nąć/kać, miotać> w górę; (*o wulkanie itd*) wyrzuc-ić/ać 2. z/wymiotować 3. podn-ieść/osić (ręce, okno itd.) 4. uwydatni-ć/ać 5. narzuc-ić/ać; z/rezygnować (**sth z** czegoś) 6. rzuc-ić/ać (karty na stół) 7. sklecić naprędce
⎡ *s* 1. rzut; odległość rzutu 2. zarzuc-enie/anie wędki 3. powalenie (zapaśnika) 4. *geol* zrzut uskoku 5. *techn* skok (tłoka); wygięcie (wału korbowego)

throwaway ['θrou-ə‚wei] *s am* ulotka reklamowa
throw-back ['θrou‚bæk] *s* 1. cof-nięcie/anie się; regresja 2. jednostka <okaz> z cechami pierwotnymi
thrower ['θrouə] *s* 1. rzucający; miotacz 2. *sport* dyskobol 3. przędzalnik (jedwabiu)
throwing-stick ['θrouiŋ‚stik] *s* bumerang
throwing-wheel ['θrouiŋ‚wi:l] *s* krążek garncarski
thrown *zob* **throw** *v*
throw-off ['θrou'ɔf] *s* start
↟**throw-out** ['θrou'aut] *s* 1. odpadki; odsiew 2. odrzucony kandydat
throwster ['θroustə] *s* przędzalnik (jedwabiu); robotnik nitkujący
thru [θru:] *am* = **through**
thrum¹ [θrʌm] ⎡ *s* 1. *tekst* krajka; odcięta <luźna> nitka 2. frędzla; *przen* **thread and ~** wszystko w czambuł ⎡ *vt* (-mm-) zak-ończyć/ańczać frędzlą
thrum² [θrʌm] *v* (-mm-) ⎡ *vt* brzdąkać (**a guitar** etc. na gitarze itd.) ⎡ *vi* 1. brzdąkać (**on a guitar** etc. na gitarze itd.) 2. bębnić (palcami na stole) ⎡ *s* brzdąkanie
thrush¹ [θrʌʃ] *s zoo* drozd
thrush² [θrʌʃ] *s* 1. *med* pleśniawka 2. *wet* gnicie kopyta (u konia)
↟**thrust** [θrʌst] *v* (**thrust, thrust**) ⎡ *vt* 1. po/pchnąć; popychać 2. szturch-nąć/ać (**a stick** etc. **at sth** coś kijem itd.) 3. pch-nąć/ać <dźg-nąć/ać> (**sb with a dagger** kogoś sztyletem); przebi-ć/jać <przeszy-ć/wać> (**sb with a sword** kogoś szpadą) 4. *z przymiotnikiem przy dopełnieniu dalszym*: **to ~ a dagger into sb's back** dźgnąć <pchnąć> kogoś sztyletem w plecy; **to ~ a pin into a cushion** wbi-ć/jać szpilkę do poduszeczki; **to ~ one's fist under sb's nose** pogrozić komuś pięś-

cią pod nosem; **to ~ one's head out of the** **window** wysunąć <wychylić> głowę za okno; **to** **~ one's nose into other people's affairs** wsadz-ić/ać <wtrąc-ić/ać, wścibiać> nos w cudze sprawy; **to ~ one's way through the crowd** przep-chnąć/ychać się przez tłum; **to ~ sb from his rights** pozbawi-ć/ać kogoś należnych mu praw; **to ~ sb into a dungeon** wtrąc-ić/ać kogoś do lochu; osadz-ić/ać kogoś w więzieniu; **to ~ sth into sth** wepchnąć/wpychać <wsu-nąć/wać> coś do czegoś (do kieszeni itd.); **to ~ sth on <upon>** **sb** narzuc-ić/ać coś komuś; **to ~ sth through** **sth** przep-chnąć/ychać coś przez coś Ⅲ *vr ~* **oneself** 1. wysu-nąć/wać się (**forward** naprzód); **to ~ oneself into the midst of** _ wepchnąć/ wpychać się do środka ... 2. wtrąc-ić/ać <mieszać> się (**in sth** do czegoś) 3. przep-chnąć/ychać się (**through the crowd** przez tłum) 4. narzucać się (**on sb** komuś) Ⅲ *vi* 1. szturch-nąć/ać (**at sth** **with a cane etc.** coś laską itd.) 2. zada-ć/wać pchnięcie (szpadą itd.) 3. *przen* **to ~ and parry** prowadzić szermierkę słowną

~ aside *vt* od-epchnąć/pychać na bok; odtrąc-ić/ać

~ away *vt* od-epchnąć/pychać; odsu-nąć/wać; odtrąc-ić/ać

~ back *vt* od-epchnąć/pychać do tyłu

~ down *vt* zepchnąć/spychać w dół; strąc--ić/ać

~ forward *vt* wysu-nąć/wać <wypi-ąć/nać> do przodu

~ out *vt* wyp-chnąć/ychać; wysu-nąć/wać; wypi-ąć/nać

~ past *vi* przep-chnąć/ychać się obok <mimo> (kogoś, czegoś)

~ through *vt* przep-chnąć/ychać; przebi-ć/jać; przeszy-ć/wać

~ up *vt* wysu-nąć/wać w górę

Ⅳ *s* 1. pchnięcie; dźgnięcie; szturchnięcie, *przen* **the ~ and parry** szermierka słowna 2. *wojsk* wypad 3. przytyk; (wypowiedziana) uwaga (**at sb** pod czyimś adresem) 4. *geol* zrzut 5. *techn* nacisk; napór; parcie; ciśnienie; rozpór; siła ciągu (śmigła, śruby okrętowej)

thrust-block [ˈθrʌst،blɔk] *s techn* łożysko odporowe

thruster [ˈθrʌstə] *s (przy polowaniu par force)* myśliwy przepychający się niedelikatnie na czoło

thud [θʌd] Ⅰ *s* głuchy odgłos Ⅲ *vi* (**-dd-**) 1. wyda-ć/wać głuchy odgłos 2. upa-ść/dać <spa-ść/ dać, zwalić się> z głuchym odgłosem

thug [θʌg] *s* 1. (*w Indiach*) członek dawnej organizacji religijnej dusicieli 2. zbir; bandyta; rzezimieszek

thuggee [ˈθʌgiː], **thuggery** [ˈθʌgəri], **thuggism** [ˈθʌgizəm] *s* 1. praktyki indyjskich dusicieli (*zob* **thug** *s* 1.) 2. bandytyzm

thuja [ˈθjuːdʒə] *s bot* tuja

Thule [ˈθjuːli] *spr* najdalsze północne terytorium znane w starożytności; *przen* **ultima** [ˈʌltimə] **~** kraniec świata

thulium [ˈθjuːliəm] *s chem* tul

↟**thumb** [θʌm] Ⅰ *s* 1. *anat* kciuk; duży <wielki> palec; **the rule of ~** praktyczna zasada; **by rule** **of ~** na podstawie doświadczenia; **Tom Thumb** Tomcio Paluch; *sl* **~s up!** brawo!; *przen* **his** **fingers are all ~s** to niezgrabiasz <niedołę-

ga>; **to be under sb's ~** być pod czyimś pantoflem Ⅲ *vt* 1. brzdąkać (**the piano** na fortepianie) 2. po/walać (palcami) <z/niszczyć, s/fatygować> (kartki książki) 3. za/grać (**one's nose** **at sb** komuś na nosie)

thumb-blue [ˈθʌm،bluː] *s* farbka w kawałkach

thumb-index [ˈθʌm،indeks] *s* indeks alfabetyczny z wcięciami na brzegu książki

thumb-indexed [ˈθʌmˈindekst] *adj* (*o książce*) zaopatrzony w indeks alfabetyczny na brzegu

thumb-latch [ˈθʌm،lætʃ] *s* klamka z przyciskiem

thumb-mark [ˈθʌm،mɑːk] *s* ślad palców (na kartkach książki)

thumb-nail [ˈθʌm،neil] *s* paznokieć wielkiego palca; **~ sketch** a) miniatura b) zwięzłe przedstawienie sprawy

thumbscrew [ˈθʌm،skruː] *s* 1. nakrętka <śruba> skrzydełkowa <radełkowana> 2. *hist* narzędzie tortury zaciskające kciuki skazanego

thumb-stall [ˈθʌm،stɔːl] *s* paluch (ochronny)

thumb-tack [ˈθʌm،tæk] *s* pluskiewka kreślarska; pinezka

thump [θʌmp] Ⅰ *s* (głuche) uderzenie; grzmotnięcie Ⅲ *vt* uderz-yć/ać <bić, walić, grzmotnąć> (**sth** w coś); brzdąkać (**the piano keys** po klawiszach fortepianu) Ⅲ *vi* 1. uderz-yć/ać <bić, walić, grzmo-tnąć/cić> (**at sth** w coś) 2. (*o sercu*) walić <bić> *zob* **thumping**

thumper [ˈθʌmpə] *s pot* coś olbrzymiego; coś straszliwego; (*o człowieku*) kolos

thumping [ˈθʌmpiŋ] Ⅰ *zob* **thump** *v* Ⅲ *adj pot* ogromny; straszliwy

↟**thunder** [ˈθʌndə] Ⅰ *s* grzmot (pioruny); *przen* burza (oklasków itd.); *przen* pioruny, gromy; **there was ~ in the air** a) zanosiło się na burzę b) nastrój (zebrania) był burzliwy; **to steal sb's** **~** ubiec kogoś (z czymś); wytrącić komuś broń z ręki Ⅲ *vi* 1. za/grzmieć 2. piorunować (**against** **sb, sth** na kogoś, coś); ciskać pioruny; rzucać gromy Ⅲ *vt* (*także* **~ out**) miotać <ciskać, rzucać> (przekleństwa, groźby itd.)

~ out *vt* grzmiącym głosem krzy-knąć/czeć <wyda-ć/wać> (**an order etc.** rozkaz itd.) *zob* **thundering**

thunderbolt [ˈθʌndə،boult] *s* 1. piorun 2. *przen* piorun <grom> z jasnego nieba; piorunująca wieść <wiadomość> 3. *paleont* belemnit; strzałka piorunowa

thunderclap [ˈθʌndə،klæp] *s* trzask pioruny; *przen* piorunująca wieść <wiadomość>

thundercloud [ˈθʌndə،klaud] *s* chmura burzowa

thunderer [ˈθʌndərə] *s* 1. gromowładca; **the** **Thunderer** Zeus, Jowisz 2. *żart* dziennik "The Times"

thundering [ˈθʌndəriŋ] Ⅰ *zob* **thunder** *v* Ⅲ *adj* 1. grzmiący; ogłuszający 2. *przen pot* olbrzymi; straszliwy; (*o złości*) wściekły

thunderous [ˈθʌndərəs] *adj* 1. (*o hałasie itd*) grzmiący; ogłuszający 2. (*o pogodzie, aplauzie itd*) burzliwy

thundershower [ˈθʌndə،ʃauə] *s* ulewa z piorunami

thunderstorm [ˈθʌndə،stɔːm] *s* burza (z piorunami)

thunderstruck [ˈθʌndə،strʌk] *adj* oszołomiony; **I was ~** stałem jak rażony piorunem

thundery [ˈθʌndəri] *adj* burzliwy

thurible [ˈθjuəribl] *s kość* kadzielnica

thurifer ['θjuərifə] *s kośc* ministrant <kleryk> niosący kadzielnicę

thuriferous [,θjuə'rifərəs] *adj* (*o drzewie*) wydzielające kadzidło

Thursday ['θə:zdi] Ⅰ *s* czwartek Ⅲ *attr* czwartkowy

thus [ðʌs] *adv* 1. tak; w ten sposób; ~ **and** ~, ~ **and so** tak a tak 2. tak więc; i tak; a zatem 3. *w zwrotach*: ~ **far** a) jak dotąd; dotychczas b) do tego stopnia; ~ **much** tyle

thuya ['θju:jə] *s bot* tuja

thwack [θwæk] Ⅰ *vt* uderz-yć/ać; walnąć; grzmo-tnąć/cić; pacnąć Ⅲ *s* uderzenie; grzmotnięcie; pacnięcie

thwart [θwɔ:t] Ⅰ *adv* † na poprzek; poprzecznie Ⅲ *adj* † poprzeczny Ⅲ *praep* † w poprzek (czegoś) Ⅳ *vt* udaremni-ć/ać; pokrzyżować (plany); popsuć szyki <stać na zawadzie> (**sb** komuś); **to be** ~**ed** dozna-ć/wać niepowodzenia Ⅴ *s* ławka wioślarza

thy [ðai] *adj lit poet* twój

thylacine ['θailəsin] *s zoo* tasmański wilk workowaty (torbacz)

thyme [taim] *s bot* tymianek, macierzanka tymianek

thymic ['θaimik] *adj anat* grasiczy

thymol ['θaimɔl] *s farm* tymol

thymus ['θaiməs] *s* (*pl* **thymi** ['θaimai], ~**es**) *anat* grasica

thyroid, thyreoid ['θairɔid] Ⅰ *adj anat zoo* tarczowy; tarczycowy; tarczykowy; ~ **gland** tarczyca; ~ **cartilage** chrząstka tarczykowa; *farm* ~ **gland extract** suszona tarczyca Ⅲ *s anat* tarczyca

thyroidism ['θairɔi,dizəm] *s med* nadczynność tarczycy

thyself [ðai'self] *pron lit poet* 1. się, siebie, sobie 2. ty sam 3. ciebie

tiara [ti'ɑ:rə] 1. tiara (papieska) 2. diadem

Tibetan [ti'betən] Ⅰ *adj* tybetański Ⅲ *s* Tybeta--ńczyk/nka

tibia ['tibiə] *s* (*pl* **tibiae** ['tibi,i:] *anat* piszczel; goleń

tibial ['tibiəl] *adj anat* piszczelowy; goleniowy

tic [tik] *s med* tik nerwowy; ~ **douloureux** [,du:lə'rə:] bolesny kurcz twarzowy

ticca ['tikə] *adj* (*w Indiach*) (*o powozie*) wynajmowany

tick[1] [tik] Ⅰ *s* 1. tykanie (zegarka); **to <on> the** ~ punktualnie; co do minuty <sekundy>; z wybiciem godziny 2. *pot* moment; **in two** ~**s** <**half a** ~> za chwileczkę 3. znak kontrolny; ptaszek; fajka Ⅲ *vi* (*o zegarze*) tykać Ⅲ *vt* umie-ścić/szczać znak kontrolny (**an item etc.** przy pozycji w spisie itp.); odfajkow-ać/ywać ~ **away** *vi* (*o zegarze*) tykać sobie; tykać i tykać Ⅲ *vt* wystukiwać (sekundy itd.) ~ **off** *vt* 1. umie-ścić/szczać znak kontrolny (**an item etc.** przy pozycji w spisie itd.); odfajkow-ać/ywać 2. *sl* z/besztać ~ **out** *vt* (*o aparacie telegr*) wystuk-ać/iwać (wiadomoś-ć/ci) ~ **over** *vi* (*o silniku*) chodzić na jałowym biegu <*pot* na luzie>

▲ **tick**[2] [tik] *s zoo* kleszcz

tick[3] [tik] *s* 1. wsypa 2. płótno na wsypy

tick[4] [tik] Ⅰ *s pot* kredyt; **to buy on** ~ kup-ić/ować na kredyt Ⅲ *vi pot* udziel-ić/ać kredytu Ⅲ *vt pot* 1. kup-ić/ować na kredyt 2. sprzeda--ć/wać na kredyt 3. udziel-ić/ać kredytu (**sb** komuś)

ticker ['tikə] *s* 1. wychwyt (zegarka) 2. *sl* zegarek 3. *sl* serce 4. *telegr* aparat odbiorczy taśmowy; *pot* ~ **tape** taśma telegraficzna 5. *radio* brzęczyk

ticket ['tikit] Ⅰ *s* 1. bilet; ~ **of leave** warunkowe wypuszczenie z więzienia 2. znaczek <numerek> (do garderoby itd.); kwit (bagażowy itd.) 3. *sl wojsk* zwolnienie; **to get one's** ~ zostać zwolnionym z wojska 4. etykietka; metka 5. wywieszka (w oknie — o mieszkaniu do wynajęcia itd.) 6. licencja (pilota, kapitana statku) 7. *pot* to, co jest w dobrym tonie <co wypada robić, co jest na miejscu>; **it's not quite the** ~ nie wypada!; **that's the** ~! brawo!; to rozumiem! 8. *am polit* lista kandydatów wysuwanych przez partię; *przen* program partyjny Ⅲ *vt* etykietować, zaopat-rzyć/rywać (towary) w etykietki <metki>, metkować

ticket-collector ['tikit-kə'lektə] *s kolej* funkcjonariusz odbierający bilety przy wyjściu z dworca

ticket-day ['tikit,dei] *s* dzień poprzedzający datę rozliczeń giełdowych

ticket-inspector ['tikit-in'spektə] *s* kontroler biletów

ticket-night ['tikit,nait] *s* przedstawienie na benefis

ticket-office ['tikit,ɔfis] *s am* kasa biletowa

ticket-of-leave ['tikit-əv'li:v] *attr* ~ **man** więzień wypuszczony warunkowo

ticket-porter ['tikit'pɔ:tə] *s* bagażowy z urzędowym numerkiem

ticket-punch ['tikit,pʌntʃ] *s* kleszcze do kontrolnego dziurkowania biletów

tickey, ticky, tikkie, tikky ['tiki] *s pot* (*w płd Afryce*) moneta trzypensowa

ticking ['tikiŋ] *s tekst* płótno na wsypy

tickle ['tikl] Ⅰ *vt* 1. po/łaskotać 2. po/łechtać: **it** ~**d his palate** to mu bardzo smakowało 3. u/bawić; u/cieszyć; *pot* **to be** ~**d to death at sth** a) ubawić się czymś do łez b) uradować się wieścią o czymś <widokiem czegoś>; szaleć z radości na wieść o czymś <na widok czegoś> 3. z/łapać ręką (pstrąga w rzece) Ⅱ *vi* swędzić; **my foot** ~**d** swędziała mnie stopa Ⅲ *s* 1. łaskotanie; łechtanie 2. swędzenie

tickler ['tiklə] *s* 1. zagadka; problem; dylemat 2. piórko do łechtania (sąsiadek itd. w czasie zabawy) 3. *am* raptularz; notes

ticklish ['tikliʃ] *adj* 1. (*o człowieku*) łaskotliwy; **I am** ~ mam łaskotki 2. wrażliwy; drażliwy 3. (*o temacie, kwestii*) delikatny; drażliwy

tick-tack ['tik'tæk], **tick-tock** ['tik'tɔk] *s* 1. tykanie (zegara) 2. *dziec* zegarek 3. bicie serca 4. (*między bukmacherami*) sygnalizacja ręczna o zmianach w stawkach; ~ **man** pomocnik bukmachera sygnalizujący zmiany w stawkach

ticky *zob* **tickey**

ticpolonga [,tikpə'lɔŋgə] *s zoo* wąż jadowity żyjący w Indiach i na Cejlonie

tidal ['taidl] *adj* 1. *mar* pływowy; (*dotyczący*) przypływu <odpływu>; (*o zjawisku itd*) związany z pływami; ~ **basin** <**dock, harbour**> basen <dok, przystań> w któr-ym/ej odczuwa się pływy; ~ **river** rzeka, u ujścia której poziom wody podnosi się i opada z przypływem i odpływem; ~ **wave** a) fala pływowa b) bałwan (morski) c) *przen* fala uczuć <niezadowolenia społecznego itd.> 2. *med* (*o powietrzu w płucach*) oddechowy; ~ **air** powietrze oddechowe w płucach

tidbit ['tid,bit] = **titbit**

tiddlywinks ['tidli,wiŋks] *s* (gra w) pchełki

tide [taid] □ *s* 1. † okres (świąt); pora (dnia) 2. *mar* pływ; **high** ~ przypływ; **low** ~ odpływ 3. *przen* fala (uczuć <entuzjazmu, niezadowolenia społecznego itd.>); **to go with** <**against**> **the** ~ płynąć z prądem <pod prąd>; **the** ~ **turns** fala się odwraca; sprawy przyjmują nowy obrót; **to work double** ~ pracować całą dobę Ⅲ *vi* (*o statku*) wykorzyst-ać/ywać przypływ <odpływ> (dla wpłynięcia do portu <wypłynięcia z portu>) Ⅲ *vt* **to** ~ **it** = **to** ~ *vi*

~ **in** *vi* (*o statku*) wpły-nąć/wać do portu przy przypływie

~ **out** *vi* (*o statku*) wypły-nąć/wać z portu przy odpływie

~ **over** *vt* wybrnąć (**a difficulty** z trudności); przebrnąć (**a difficulty** przez jakąś trudność)

tide-gate ['taid,geit] *s mar* śluza przypływowa

tide-gauge ['taid,geidʒ] *s mar* mareometr, pływomierz

tide-lock ['taid,lɔk] *s mar* śluza pływowa

tide-rip ['taid,rip] *s mar* stłoczenie fal przypływów

tide-waiter ['taid,weitə] *s* celnik portowy

tideway ['taid,wei] *s mar* kanał pływowy

tidiness ['taidinis] *s* 1. porządek; czystość; schludność 2. (*u człowieka*) czystość; zamiłowanie do porządku; dbałość o wygląd zewnętrzny

tidings ['taidiŋz] *spl* (*także sing*) wiadomość; wieś-ć/ci

tidy ['taidi] □ *adj* (**tidier** ['taidiə], **tidiest** ['tai diist]) 1. (*o pokoju itd*) starannie utrzymany; (znajdujący się) we wzorowym porządku; czysty; schludny; (*o człowieku*) **to feel pretty** ~ czuć się nie najgorzej 2. (*o człowieku*) lubiący porządek; czysty; staranny; dbały o swój wygląd zewnętrzny 3. *pot* (*o sumie pieniędzy*) niemały, spory 4. (*o pracy*) solidny; wytężony Ⅲ *s* 1. pokrowiec (na krzesło itd.) 2. zbiornik na różne drobiazgi; **street** ~ kosz na odpadki Ⅲ *vt* (*także* **to** ~ **up**) uporządkow-ać/ywać; po/sprzątać <z/robić porządek> (**a room** w pokoju); **to** ~ **one's hair** uczesać się Ⅳ *vr* ~ **oneself (up)** doprowadzić się do porządku; oporządz-ić/ać się; uporządkować swoją toaletę

tie [tai] *v* (**tied** [taid], **tied; tying** ['taiiŋ]) □ *vt* 1. z/wiązać; zawiąz-ać/ywać; przywiąz-ać/ywać (**to sth** do czegoś); po/wiązać; s/krępować (**kogoś czymś**) 2. *bud* ankrować (mur) 3. *muz* po/łączyć (nuty) 4. za/sznurować (buciki itd.) 5. zobowiąz-ać/ywać (**sb to sth** kogoś do czegoś) Ⅲ *vi* 1. *sport* z/remisować 2. (*o dwóch kandydatach przy wyborach*) otrzym-ać/ywać jednakową ilość głosów

~ **down** *vt* 1. uwiąz-ać/ywać; s/krępować (kogoś) 2. (*o chorobie*) przyku-ć/wać (kogoś do łóżka) 3. narzuc-ić/ać warunki (**sb** komuś) 4. zaprzęg-nąć/ać (**sb to sth** kogoś do czegoś)

~ **up** □ *vt* 1. zawiąz-ać/ywać (pakunek itd.)

2. uwiąz-ać/ywać (konia itd.) 3. po/łączyć węzłem małżeńskim 4. unieruch-omić/amiać; zamr-ozić/ażać <uwięzić> (kapitał) 5. za/hamować <za/tamować> (ruch) Ⅲ *vi am* 1. (*o ubiorze itp*) wiązać się (**at the front** <**back**> z przodu <z tyłu>) 2. z/wiązać się (**to a firm** z firmą)

Ⅲ *s* 1. węzeł; więź; wiązadło; przewiązka 2. skrępowanie; ciężar; zawada; **to be a** ~ **on sb** krępować kogoś; zawadzać komuś 3. krawat; **the school** ~ krawat o barwach szkoły, noszony przez jej absolwentów; *przen* **the old school** ~ snobizm 4. sznurowadło 5. *bud* ściąg; nakładka 6. *am* podkład kolejowy 7. *muz* ligatura (wiązanie w zapisie nutowym) 8. *sport* remis 9. *sport* mecz ligowy 10. (*przy wyborach*) jednakowa liczba głosów oddanych na kandydatów przeciwnych partii

tie-beam ['tai,bi:m] *s bud* belka stropowa; ściąg

tie-pin ['tai,pin] *s* szpilka do krawata

tie-plate ['tai,pleit] *s techn* płyta kotwiąca

tier[1] [tiə] □ *s* 1. rząd 2. kondygnacja 3. *bud* warstwa (muru z cegły) Ⅲ *vt* u-łożyć/kładać rzędami <w kondygnacje, warstwami>

tier[2] ['taiə] *s* wiązacz

tierce [tiəs] *s* 1. beczka do wina (pojemności 42 galonów) 2. *muz* tercja 3. *karc* [tə:s] tercja 4. *karc* [tə:s] sekwens 5. *szerm* tercja 6. *rel* tercja (godzina kanoniczna)

tiercel ['tə:səl] = **tercel**

tie-up ['tai'ʌp] *s* 1. sznur 2. *am* korek (w ruchu ulicznym) 3. *am* zastój <przestój> w pracy 4. *przen* impas 5. połączenie firm; związek

tie-wig ['tai'wig] *s* peruka wiązana z tyłu

tiff[1] [tif] □ *s* sprzeczka Ⅲ *vi* 1. (*w Indiach*) z/jeść <z/jadać> obiad w południe 2. być w złym humorze

tiff[2] [tif] □ *s* łyk wódki Ⅲ *vt* popijać

tiffany ['tifəni] *s tekst* muślin

tiffin ['tifin] □ *s* (*w Indiach*) lekki posiłek południowy, lunch Ⅲ *vi* z/jeść <z/jadać> lekki posiłek <lunch>

tig [tig] □ *s* zabawa w kotka i myszkę Ⅲ *vt* (-gg-) (*w zabawie w kotka i myszkę*) z/łapać

tige [ti:ʒ] *s* 1. *bot* łodyga 2. *arch* trzon (kolumny)

tiger ['taigə] *s* 1. *zoo* tygrys; **American** ~ jaguar; **red** ~ kuguar; **a** ~ **at the card-table** a) zażarty przeciwnik b) zawzięty karciarz; **to work like a** ~ pracować zapamiętale <z wytężeniem> 2. *sport* as 3. zawadiaka 4. grum, groom; lokajczyk 5. *am sl* dodatkowe wiwatowanie (po zwykłych okrzykach na czyjąś cześć)

tiger-beetle ['taigə,bi:tl] *s zoo* trzyszcz (owad)

tiger-cat ['taigə,kæt] *s zoo* dziki kot (ocelot itd.)

tiger-eye ['taigərai] *s* tygrysie oko (kamień)

tiger-lily ['taigə,lili] *s bot* lilia tygrysia

tiger-moth ['taigə,mɔθ] *s zoo* niedźwiedziówka (ćma)

tigerish ['taigəriʃ] *adj* tygrysi; (*o człowieku*) tygrysiej okrutności

tiger's-eye ['taigəz,ai] = **tiger-eye**

tight [tait] □ *adj* 1. zwarty; silnie powiązany; spoisty 2. szczelny; **to make** ~ uszczelni-ć/ać 3. (*o ubiorze itp*) ciasny, wąski 4. (*o węźle*) mocno zaciągnięty <zaciśnięty> 5. (*o czopie itd*) silnie wbity 6. (*o worku itd*) ciasno nabity 7. obcisły; opięty; przylegający 8. † schludny; zgrabny; przyjemny 9. napięty; sztywny; mocno <sil-

nie> naciągnięty 10. *sl* zalany; wstawiony; pijany 11. (ilościowo) skąpy <niedostateczny>; **money is** ~ jest ciasnota na rynku pieniężnym; trudno jest o pieniądze <o kredyt> 12. (*o uścisku, zaciśnięciu*) mocny; silny; **to be in a** ~ **place** <corner> być przyciśniętym do muru <w krytycznej sytuacji>; **to keep a** ~ **hold over sb** krótko kogoś trzymać; nie popuszczać komuś cugli; **to keep** <have> **a** ~ **hold of sth** mocno <silnie> trzymać coś 13. *sport* (*o grze*) ostry; (*o rozgrywce*) wyrównany; zażarty Ⅲ *adv* 1. zwarcie 2. szczelnie 3. ciasno; obciśle 4. (trzymać, naciągnąć) mocno, silnie, tęgo; **to sit** ~ a) mocno siedzieć b) *przen* nie popuszczać Ⅲ *spl* ~**s** trykot/y

tight-drawn ['tait,drɔ:n] *adj* (*o ustach, wargach*) zaciśnięty

tighten ['taitən] Ⅰ *vt* 1. zacis-nąć/kać; ścis-nąć/kać 2. uszczelni-ć/ać 3. ściąg-nąć/ać; naciąg-nąć/ać; przyciąg-nąć/ać; napi-ąć/ać; mocniej zasznurować; *przen* **to** ~ **one's belt** przyciągnąć pasa 4. zacieśni-ć/ać 5. (*także* **to** ~ **up**) zaostrzyć (blokadę, restrykcje itd.) Ⅲ *vi* 1. zacis-nąć/kać się 2. napi-ąć/nać się 3. zacieśni-ć/ać się

tightener ['taitŋə] *s techn* krążek naprężający, naprężacz

tight-fisted ['tait'fistid] *adj* skąpy; sknerowaty; *pot* z wężem w kieszeni

tight-fitting ['tait,fitiŋ] *adj* obcisły; opięty; ciasny

tight-laced ['tait,leist] *adj* 1. ciasno zasznurowany 2. *przen* pruderyjny

tight-lipped ['tait,lipt] *adj* 1. (*o człowieku*) o zaciśniętych ustach <wargach> 2. małomówny

tightness ['taitnis] *s* 1. zwartość; spoistość 2. szczelność; hermetyczność 3. napięcie 4. ciasnota (na rynku itd.) 5. silne więzy (przyjaźni itd.) 6. moc <siła> (uścisku, zaciśnięcia) 7. obcisłość; ciasność

tight-rope ['tait,roup] *attr* ~ **dancer** <**walker**> linoskoczek

tight-wad ['tait,wɔd] *s am sl* sknera, kutwa, dusigrosz

tigress ['taigris] *s* tygrysica

tigrine ['taigrain] *adj* 1. tygrysi 2. tygrysowaty

tigrish ['taigriʃ] = **tigerish**

tike [taik] = **tyke**

til [til] *s bot* sezam; ~ **oil** olej sezamowy

tilbury ['tilbəri] *s* tilbury (powozik)

tilde [tild] *s druk* tyldą

tile [tail] Ⅰ *s* 1. (*także* **plain** ~) dachówka; **paving** ~ płyta brukowa; *sl* **to have a** ~ **loose** mieć kuku na muniu; mieć źle w głowie; *sl* **to be on the** ~**s** hulać; rozbijać się 2. kafel; **Dutch** ~ malowany kafel; płyta <płytka> betonowa <ceramiczna itd.>; ~ **tea** prasowana herbata 3. rura ceramiczna; sączek; dren; *am* pustak ceramiczny 4. *pot* cylinder (kapelusz) Ⅲ *vt* 1. po/kryć dachówkami 2. wy-łożyć/kładać kaflami <płytami> 3. (*u masonów*) strzec (**a loge, meeting** loży, zebrania) przed intruzami; *przen* związać (kogoś) tajemnicą *zob* **tiled, tiling**

tiled [taild] Ⅰ *zob* **tile** *v* Ⅲ *adj* 1. kryty dachówkami 2. wyłożony kaflami <płytami>

tile-kiln ['tail,kiln] *s* piec kaflarski <dachówkarski>

tiler ['tailə] *s* 1. dekarz 2. kaflarz

tilery ['tailəri] *s* 1. wytwórnia dachówek 2. fabryka kafli

tiliaceae [,tili'eisi,i:] *spl bot* drzewa lipowate

tiliaceous [,tili'eiʃəs] *adj bot* lipowaty

tiling ['tailiŋ] Ⅰ *zob* **tile** *v* Ⅲ *s* 1. dekarstwo 2. robota dekarska <kaflarska>

till¹ [til] *vt* uprawi-ć/ać (ziemię)

till² [til] Ⅰ *praep* 1. do (danego terminu); aż do; **from morning** ~ **night** od rana do nocy; ~ **now** (jak) dotąd; do tej pory; dotychczas; ~ **then** do tego czasu 2. *w zdaniu przeczącym*: **not** ~ nie wcześniej jak <niż>; dopiero; aż Ⅲ *conj* aż; dopóki nie; **wait** ~ **I come** zaczekaj aż <dopóki nie> przyjdę; ~ **cancelled** <**countermanded**> aż do odwołania; ~ **due** do terminu płatności

till³ [til] *s* kasa podręczna <sklepowa>

till⁴ [til] *s geol* rodzaj gliny morenowej <zwałowej>

tillage ['tilidʒ] *s* uprawa ziemi; (*o gruncie*) **in** ~ orny; pod uprawę

tiller¹ ['tilə] *s* oracz; rolnik

tiller² ['tilə] *s mar* rumpel

tiller³ ['tilə] Ⅰ *s bot* pęd z korzenia; rozł-óg/ogi Ⅲ *vi* pu-ścić/szczać pędy z korzenia <rozłogi>

tilt¹ [tilt] Ⅰ *vi* 1. nachyl-ić/ać się; przechyl-ić/ać się; być nachylonym; mieć nachylenie 2. nacierać kopią (**at sb** na kogoś); *przen* napa-ść/dać (**at sb, sth** na kogoś, coś); napiętnować (**at sb, sth** kogoś, coś); (ostro) zaatakować (**at sb, sth** kogoś, coś); z/robić przytyk <przygadać, wbi-ć/jać szpilkę> (**at sb** komuś); **to** ~ **at the ring** ćwiczyć się w trafianiu lancą do kółka; *przen* **to** ~ **at windmills** walczyć z wiatrakami Ⅲ *vt* 1. nachyl-ić/ać; przechyl-ić/ać; wywr-ócić/acać 2. kuć (metal) młotem maszynowym

~ **back** Ⅰ *vt* przechyl-ić/ać do tyłu Ⅲ *vi* przechyl-ić/ać się do tyłu

~ **over** Ⅰ *vt* wywr-ócić/acać Ⅲ *vi* wywr-ócić/acać się

~ **up** Ⅰ *vt* podn-ieść/osić jednym końcem Ⅲ *vi* podn-ieść/osić się jednym końcem

Ⅲ *s* 1. nachylenie; przechył (statku); **on the** ~ nachylony; **to give sth a** ~ nachyl-ić/ać coś 2. natarcie kopią; **a** ~ **at sb, sth** przytyk pod adresem czyimś <czegoś>; **full** ~ a) cwałem b) *przen* na oślep; **to come** <**run**> **full** ~ **against** ― a) cwałem na-trzeć/cierać na ... b) *przen* trzasnąć <*pot* wyrżnąć> o ... (coś) 3. = ~**-hammer**

tilt² [tilt] Ⅰ *s* płachta nieprzemakalna; brezent; plandeka; nakrycie <buda> wozu Ⅲ *vt* nakry-ć/wać plandeką <brezentem, budą> (wóz itd.)

tilth [tilθ] *s* uprawa ziemi

tilt-hammer ['tilt,hæmə] *s techn* młot dźwigniowy

tilting-cart ['tiltiŋ,ka:t] *s* wóz-wywrotka

tilt-yard ['tilt,ja:d] *s* szranki

timbal ['timbəl] *s muz* kocioł

timbale [tæm'ba:l] *s kulin* (mięsny) pasztet w cieście; makaron zapiekany

▮**timber** ['timbə] *s* 1. drewno (obrobione); budulec; surowiec drzewny 2. materiał leśny zdatny na budulec 3. belka; *mar* wręga; **shiver my** ~**s** niech mnie diabli wezmą! 4. drewniana noga 5. *am* las 6. *myśl* płot Ⅲ *vt* 1. zaopat-rzyć/rywać w budulec 2. odeskować; oszalować 3. stemplować, pod-eprzeć/pierać słupkami <stemplami>

timber-cart ['timbə,ka:t] *s* okara (wóz do przewożenia dłużyc)

timbered ['timbəd] *adj* (*o domu itd*) drewniany

timbering ['timbəriŋ] *s* odeskowanie; obudowa drewniana; oszalowanie

timber-line ['timbə‚lain] *s* granica lasu

timber-toe(s) ['timbə‚tou(z)] *s pot* człowiek z drewnianą nogą

timberman ['timbəmən] *s* (*pl* **timbermen** ['timbəmən]) drwal

timber-merchant ['timbə‚mə:tʃənt] *s* handlarz drzewem, właściciel składu drzewa

timber-wolf ['timbə‚wulf] *s zoo* szary wilk amerykański

timber-work ['timbə‚wə:k] *s* konstrukcja <szkielet> drewnian-a/y (domu); robota ciesielska; ciesiołka

timber-yard ['timbə‚jɑ:d] *s* skład drzewa

timbre [tɛ̃:mbr] *s* timbre, barwa dźwięku <głosu, instrumentu>

timbrel ['timbrəl] *s muz* tamburyn

⧫**time** [taim] ① *s* 1. czas; **high ~** czas najwyższy; **it's ~ for me to go** już czas na mnie; **it will take all your ~** będziesz miał co robić (z tym); **~ is up** już czas skończyć; **koniec lekcji** <ćwiczeń itd.>; **~, gentlemen,** zapowiedź szynkarza, że nadszedł ustawowy czas zamknięcia lokalu; **to be pressed for ~** mieć mało czasu; **to gain ~** a) zyskać na czasie b) zwlekać c) wykręcać się; **to have no ~** nie mieć czasu; spieszyć się; **to have the ~ of one's life** znakomicie <wybornie> się zabawić; (*o pociągu*) **to make ~** nadr-obić/abiać (czas); **to take one's ~** nie spieszyć się; **to work <ride etc.> against ~** pracować <jechać itd.> z największym pośpiechem nie mając szans zdążenia na czas; **what a ~ you've been** ale też to długo trwało; **ahead of ~** przed czasem; za wcześnie; **all the ~** a) przez cały czas b) od samego początku (wiedział, miał itd.) c) *am* wiecznie; niezmiennie; **he is a businessman all the ~** do wszystkiego podchodzi po kupiecku; *pot* kupiec <biznesmen> zawsze z niego wyłazi; **a long ~** długo; **a long ~ ago** dawno temu; **a short ~** krótko; **a short ~ ago** niedawno temu; **(at) any ~** kiedykolwiek; kiedy ci będzie dogodnie; **at one ~** w swoim czasie; kiedyś; ongiś; niegdyś; **at the <that> ~** wtedy, wówczas; **at the same ~** a) równocześnie, zarazem b) pomimo tego, mimo to; **at ~s** czasem, czasami; niekiedy; **by that ~** a) do tego czasu b) wtedy (już); **by the ~** a) zanim b) gdy już; **for some ~ past** od pewnego <niejakiego> czasu; **for the ~ being** na razie; chwilowo; tymczasem; **from ~ to ~** od czasu do czasu; **half the ~** (przez) większą część czasu (coś robić — rozmawiać, śmiać się itd.); **to do sth in half the ~** zrobić coś o połowę krócej (od kogoś innego); **in good ~** w porę; **in my ~** za mnie; za moich czasów; **in no ~, in less than no ~** w mig; migiem; **in plenty of ~** na czas i aż nadto; dość wcześnie; **in ~ <pot ~ enough, am on ~>** punktualnie; (zrobić coś, przybyć itd.) na czas; **in two months' ~** za dwa miesiące; **most of the ~** przeważnie; najczęściej; prawie stale; **out of ~** nie w porę; **some ~ or other** kiedyś (w przyszłości); **this ~ next week** w przyszłym tygodniu o tym czasie; **~ immemorial <out of mind>** od niepamiętnych czasów 2. życie (okres czyjegoś życia); **it will last our ~** to nas przeżyje; wystarczy tego do końca naszego życia 3. **wiek**

(czyjś); **at my ~ of life** w moim wieku 4. termin; **the ~ of payment** termin płatności; **behind ~** spóźniony; **to be behind ~** spóźnić się; **on ~** punktualnie 5. okazja; sposobność; **now is your ~** teraz masz dobrą okazję; **to bide one's ~** czekać na okazję <na stosowną porę> 6. pora; **lunch ~** pora obiadowa; **dinner ~** pora kolacji 7. a <the> ~ (*zw z przymiotnikiem*) pora; chwila, chwile (przyjemne, ciężkie itd.); **a good ~ for sth** stosowna pora na coś; **it's no ~ to _** nie pora <nie czas> na ...; **this is the right ~ to _** teraz pora <jest właściwy moment> by ...; **what a ~ we had getting that done** ile mieliśmy z tym kłopotu; **a good <fine> ~** dobra zabawa; **to have a good ~** dobrze się za/bawić; **to have a bad <pot rotten> ~ of it** a) nabiedzić się b) najeść się biedy 8. kara więzienia; *wojsk* okres służby wojskowej; **to be doing ~** siedzieć w więzieniu; odsiadywać karę; **I'm nearing the end of my ~** kończy mi się okres służby wojskowej; wkrótce pójdę do cywila 9. ciąża; połóg; **she is far in <near> her ~** (ona) niedługo będzie rodzić 10. godzina śmierci; **my ~ is drawing near** zbliża się godzina mojej śmierci 11. *pl* **~s** czasy; okres; **in Norman ~s** za czasów Normanów; **hard ~s** ciężkie czasy; **those were the ~s!** to (ci) były czasy!; **behind the ~s** zacofany 12. raz; **last ~ I saw you** kiedy cię widziałem po raz ostatni <ostatnim razem>; **a dozen ~s** kilkanaście razy; wielokrotnie; **every ~** a) za każdym razem; każdego razu b) *spójnikowo*: ilekroć; **for the first <last> ~** po raz pierwszy <ostatni>; **many a ~** niejednokrotnie; **many ~s** wielokrotnie; **once upon a ~** pewnego razu; dawno temu; **one at a ~** pojedynczo; **that ~** wtedy, wówczas; **this ~** tym razem; **~ after ~** raz za razem; **~ and again** wielokrotnie; wiele razy; **~s out of number** niezliczoną ilość razy; **two <three etc.> at a ~** po dwa <trzy itd.> na raz; **3 ~s 3 is <are> 9** 3 razy 3 = 9 13. *gram* czas 14. czas (pora dnia); godzina; **what's the ~?** która godzina?; (*o zegarze*) **to keep good <bad> ~** dobrze <źle> chodzić; **at this ~ of day** o tej porze (dnia); **to pass the ~ of day** przywitać się; **the correct ~** dokładny czas; **so that's the ~ of day!** takie to sprawy <pot takie buty>! 15. *muz* takt; **to beat ~** wybijać takt; **waltz ~** takt walca, **in <out of> ~** w takt <nie w takt> (muzyki); **to keep ~** śpiewać <tańczyć itd.> do taktu 16. *muz* długość czasu trwania <wartość rytmiczna> dźwięku; **~ signature** oznaczenie taktowe ② *vt* 1. wyb-rać/ierać chwilę (sth na coś); z/robić <powiedzieć itd.> (coś) w odpowiednim momencie; u/planować <dostosow-ać/ywać, uzg-odnić/adniać> czas odby-cia/wania się <things różnych rzeczy>; z/synchronizować; s/koordynować; **the remark was ill <well> ~d** uwaga ta padła w niestosownym <w najodpowiedniejszym> momencie 2. ustal-ić/ać czas (trwania jazdy, przybycia pociągu itd.) 3. z/mierzyć <obliczy-ć/ać> czas trwania (a race etc. biegu itd.) 4. na/regulować (zegarek) 5. wy/regulować; nastawi-ć/ać (mechanizm itd.) ③ *vi* dotrzym-ać/ywać kroku (with sth czemuś) *zob* **timing** ④ *adj* 1. czasowy 2. terminowy 3. długoterminowy 4. (*o granicy itd*) czasu 5. *handl* (o *sprzedaży itd*) na czas 6. ratalny 7. (*o bombie itd*) zegarowy

time-ball ['taim‚bɔ:l] *s* (*w obserwatorium astronomicznym*) kula czasowa sygnału czasu

time-bargain ['taim‚ba:gin] *s* giełd sprzedaż na przyszłą dostawę

time-book ['taim‚buk] *s* robotnicza książeczka przepracowanych godzin

time-card ['taim‚ka:d] *s* karta kontrolna (robotnicza)

time-consuming ['taim-kən‚sju:miŋ] *adj* czasochłonnny

time-exposure ['taim-iks'pouʒə] *s fot* naświetlanie

time-fuse ['taim‚fju:z] *s wojsk* zapalnik opóźniony <zwłoczny>

time-honoured ['taim‚ɔnəd] *adj* uświęcony (wiekami, zwyczajem); tradycyjny; starodawny

timekeeper ['taim‚ki:pə] *s* 1. chronometrażysta 2. *w zwrocie*: **this watch is a good <bad>** ~ ten zegarek dobrze <źle> chodzi

time-lag ['taim‚læg] *s* spóźnienie; opóźnienie; przerwa

timeless ['taimlis] *adj* wieczny; niekończący się

time-limit ['taim‚limit] *s* 1. termin 2. ograniczenie czasowe

timeliness ['taimlinis] *s* szczęśliwa pora <stosowność> (akcji itd.)

timely ['taimli] *adj* (**timelier** ['taimliə], **timeliest** ['taimliist]) (będący) w porę <na czasie>; aktualny; (zrobiony) w stosownej chwili <w odpowiednim momencie>

timepiece ['taim‚pi:s] *s* zegar/ek; chronometr

‖**timer** ['taimə] *s* 1. chronometrażysta 2. *techn* regulator czasu; mechanizm zegarowy

time-recorder ['taim-ri‚kɔ:də] *s* zegar kontrolny

time-saving ['taim‚seiviŋ] *s* oszczędność na czasie; ~ **device** przyrząd umożliwiający oszczędność na czasie

time-server ['taim‚sə:və] *s* oportunista; człowiek umiejący lawirować

time-serving ['taim‚sə:viŋ] □ *adj* oportunistyczny; lawirujący Ⅲ *s* oportunizm; lawirowanie

time-sheet ['taim‚ʃi:t] *s* lista obecności

time-signal ['taim‚signl] *s* sygnał czasu

time-signature ['taim'signətʃə] *s muz* oznaczenie taktowe

time-switch ['taim‚switʃ] *s elektr* automatyczny przełącznik (czasowy)

time-table ['taim‚teibl] *s* 1. *kolej* rozkład jazdy 2. rozkład zajęć

time-work ['taim‚wə:k] *s* praca na dniówki

time-worker ['taim‚wə:kə] *s* robotnik dniówkowy

time-worn ['taim‚wɔ:n] *adj* 1. starodawny 2. sfatygowany; nadgryziony zębem czasu 3. przestarzały

time-zone ['taim‚zoun] *s geogr* strefa czasu

timid ['timid] *adj* nieśmiały; bojaźliwy

timidity [ti'miditi] *s* nieśmiałość; bojaźliwość

timing ['taimiŋ] □ *zob* **time** *v* Ⅲ *s* 1. uzg-odnienie/adnianie (czynności itd.) w czasie; koordynacja; synchronizacja 2. chronometraż 3. regulowanie <nastawi-enie/anie> (mechanizmu itd.)

timocracy [tai'mɔkrəsi] *s* tymokracja; oligarchia

timorous ['timərəs] *adj* nieśmiały; bojaźliwy

timothy ['timəθi] *s bot* (*także* ~**-grass**) tymotka

timpano ['timpənou] *s* (*pl* **timpani** ['timpəni]) *muz* kocioł

tin [tin] □ *s* 1. cyna 2. blacha cynowana; **cry of** ~ trzask zginanej blachy; *mar sl* ~ **fish** torpeda; ~ **foil** folia cynowa; cynfolia; ~ **god** fałszywy bożek; *wojsk sl* ~ **hat** hełm; *sl* ~ **Lizzie** fordzik (samochód) 3. puszka (blaszana); puszka konserw 4. blaszanka; karnister (na benzynę itd.) 5. *sl* forsa, flota, pieniądze Ⅲ *adj* 1. cynowy; cynawy 2. blaszany Ⅲ *vt* (**-nn-**) 1. po/cynować; pobiel-ić/ać 2. pakować do puszek; konserwować (w puszkach blaszanych) *zob* **tinned**

tinamou ['tinə‚mu:] *s zoo* tinamu (ptak południowoamerykański przypominający kuropatwę)

tincal ['tiŋkəl] *s miner* tynkal, boraks naturalny

tinctorial [tiŋk'tɔ:riəl] *adj* farbiarski; barwnikowy; ~ **power** zdolność barwienia

tincture ['tiŋktʃə] □ *s* 1. *farm* nalewka; nastój; tinktura; ~ **of iodine** jodyna 2. domieszka <odcień, posmak, zabarwienie> (czegoś) 3. *herald* metal <kolor, futro> w herbie Ⅲ *vt* 1. po/farbować; zabarwi-ć/ać 2. nada-ć/wać odcień <posmak, zabarwienie> (**sth** czemuś)

tinder ['tində] *s* hubka

tinder-box ['tində‚bɔks] *s* hubka z krzesiwem

tine [tain] *s* 1. ząb (wideł, brony) 2. rosocha (rogu jeleniego)

tinea ['tiniə] *s med* grzybica; ~ **versicolour** łupież pstry

tinfoil ['tin'fɔil] *adj* (*o opakowaniu itd*) z folii cynowej <cynfolii>

ting [tiŋ] □ *vt* za/dzwonić (**a bell etc.** dzwonkiem itd.) Ⅲ *vi* (*o dzwonku itd*) za/dzwonić <dać się słyszeć> Ⅲ *s* dzwonienie; głos dzwonka

tinge [tindʒ] □ *vt* zabarwi-ć/ać; nada-ć/wać zabarwienie <*przen* odcień, posmak> (**sth** czemuś) Ⅲ *s* zabarwienie; *przen* odcień, posmak

tingle ['tiŋgl] □ *vi* 1. dzwonić <brzmieć w uszach> 2. wywoł-ać/ywać uczucie mrowienia; swędzić; świerzbić; szczypać; **my foot** ~**s** mrówki mi chodzą po nodze 3. (*o twarzy*) piec (ze wstydu itd.) Ⅲ *s* 1. dzwonienie (w uszach) 2. mrowienie; swędzenie; świerzbienie; szczypanie

tinhorn ['tin‚hɔ:n] *s am sl* hochsztapler

tinker ['tiŋkə] □ *s* 1. druciarz; (wędrowny) naprawiacz garnków; **I don't care a** ~**'s damn** <**cuss**> mnie to nic a nic nie wzrusza; wszystko mi jedno (**if, whether** ... czy ...) 2. partacz 3. *pot* majstrowanie (**at sth** przy czymś); **I had a** ~ **at it** pomajstrowałem trochę przy tym Ⅲ *vt* (*także* **to** ~ **up**) za/łatać; *pot* zmajstrować Ⅲ *vi* po/majstrować; po/dłubać (**at sth** przy czymś)

tinkle ['tiŋkl] □ *vi* za/dzwonić; za/brzęczeć; (*o dzwonku*) dać się słyszeć Ⅲ *vt* za/dzwonić (**a bell** dzwonkiem) Ⅲ *s* dzwonienie, brzęczenie (dzwonka); *pot* **to give sb a** ~ zadzwonić do kogoś

tinkler ['tiŋklə] *s sl* dzwoneczek

tinman ['tinmən] *s* (*pl* **tinmen** ['tinmən]) 1. pobielacz naczyń 2. blacharz

tinned [tind] □ *zob* **tin** *v* Ⅲ *adj* 1. cynowany 2. (*o naczyniu*) pobielany 3. konserwowany; zakonserwowany w puszce; ~ **goods** <**food**> konserwy; *am pot* ~ **music** muzyka z taśmy <z płyt>

tinnitus [ti'naitəs] *s med* dzwonienie <szum> w uszach

tinny ['tini] *adj* 1. cynowy 2. (*o. jedzeniu z pu-szki itd*) z posmakiem blachy 3. (*o dźwięku*) blaszany 4. (*o rudzie itd*) zawierający cynę

tin-opener ['tin,oupnə] *s* przyrząd do otwierania puszek konserwowych

tin-plate [tin'pleit] Ⅰ *s* blacha cynowa Ⅲ *vt* po/cynować

tin-pot ['tin,pot] *adj pot* kiepski; marny; tandetny

tinsel ['tinsəl] Ⅰ *s* 1. błyskotka; świecidełko 2. *przen* blichtr; szych; blyskotliwość Ⅱ *adj* świe-cący fałszywym blaskiem; powierzchowny; bły-skotliwy Ⅲ *vt* (-ll-) przyb-rać/ierać błyskotkami <świecidełkami>; *przen* nada-ć/wać fałszyw-y/ą polor <błyskotliwość> (**sth** czemuś)

tinsmith ['tin,smiθ] *s* blacharz

tinstone ['tin,stoun] *s miner* kasyteryt

tint [tint] Ⅰ *s* 1. odcień 2. zabarwienie 3. *druk* tynta (podkład pod rysunkiem) Ⅲ *vt* zabarwi-ć/ać; **~ed glasses** ciemne okulary

tintinnabulation ['tinti,næbju'leiʃən] *s* dzwonienie (dzwoneczkiem)

tintinnabulum [,tinti'næbjuləm] *s* (*pl* **tintinnabula** [,tinti'næbjulə]) 1. dzwoneczek 2. dzwonienie (dzwoneczkiem)

tinware ['tin,weə] *s* 1. wyroby blaszane 2. naczy-nia cynowe

tiny ['taini] *adj* (**tinier** ['tainiə], **tiniest** ['tainiist]) drobny; mikroskopijny; *pot* malusieńki

tip[1] [tip] Ⅰ *s* 1. koniec; koniuszek; szczyt; **on the ~ of one's tongue** na końcu języka; **to walk on the ~ of one's toes** chodzić na paluszkach 2. (ostre) zakończenie (przedmiotu); skuwka (na lasce); okucie (laski); skórka (na kiju bilardo-wym) 3. pędzelek do złoceń Ⅲ *vt* (-pp-) da-ć/wać zakończenie <skuwkę itd.> (**sth** czemuś); zak-ończyć/ańczać (coś czymś); oku-ć/wać (la-skę itd.)

tip[2] [tip] *v* (-pp-) Ⅰ *vt* 1. wywr-ócić/acać 2. (*tak-że* **to ~ out**) wywal-ić/ać; wysyp-ać/ywać 3. przechyl-ić/ać; (*także* **to ~ up**) podn-ieść/osić jednym końcem (deskę, beczkę itd.); nasu-nąć/wać (kapelusz na oczy itd.) 4. trąc-ić/ać; tknąć 5. *sl* cis-nąć/kać <poda-ć/wać> (**sb sth** coś ko-muś); (*przy powitaniu*) **~ us your fin** daj łapę <grabę>; **~ us a copper** daj parę groszy; **~ us a song** zaśpiewaj nam piosenkę; **~ us a yarn** opowiedz nam kawał 6. da-ć/wać napiwek (**sb** komuś) 7. udziel-ić/ać poufnej informacji (**sb** ko-muś) Ⅲ *vi* (*także* **to ~ over**) wywr-ócić/acać się; przechyl-ić/ać się; (*także* **to ~ up**) (*o desce itd*) podn-ieść/osić się jednym końcem Ⅲ *s* 1. na-chylenie; **to give sth a ~** nachyl-ić/ać coś 2. trącenie; pchnięcie 3. napiwek 4. poufna infor-macja; wiadomość 5. rada, wskazówka; **to take sb's ~** posłuchać czyjejś rady; **to miss one's ~** pokpić sprawę; poszkapić się 6. miejsce składa-nia odpadków; śmietnisko 7. *górn* hałda

tip-and-run ['tip-ənd'rʌn] *s* pewna postać gry w krykieta

tip-car ['tip,kɑ:] *s* wózek-wywrotka

tip-cart ['tip,kɑ:t] *s* wywrotka konna

tipcat ['tip,kæt] *s* gra w klipę <kiczki>

tip-lorry ['tip,lɔri] *s* (ciężarówka) wywrotka

tipper ['tipə] *s* wywrotka

tippet ['tipit] *s* 1. pelerynka 2. pelerynka <koł-nierz futrzany> (jako część stroju urzędowego sędziów, duchownych itd.)

tipple ['tipl] Ⅰ *vi* pić nałogowo; *pot* zaglądać do kieliszka Ⅱ *vt* popijać <sączyć> (alkohol) Ⅲ *s* napój alkoholowy, trunek

tippler ['tiplə] *s* 1. pijak 2. *górn* wywrotnica wę-glowa; wywrót

tipsiness ['tipsinis] *s* nietrzeźwy stan, nietrzeźwość

tipstaff ['tip,stɑ:f] *s* (*pl* **~s**, **tipstaves** ['tip,steivz]) *hist* 1. laska z metalowym okuciem jako oznaka godności pomocnika szeryfa 2. pomocnik szery-fa aresztujący zasądzone osoby

tipster ['tipstə] *s* doradca w sprawach wyścigów

tipsy ['tipsi] *adj* (**tipsier** ['tipsiə], **tipsiest** ['tip-siist]) 1. pijany; *pot* pod dobrą datą 2. (*o cho-dzie, śmiechu itd*) pijanego człowieka

tipsy-cake ['tipsi,keik] *s kulin* ciastko ponczowe

tiptilted ['tip,tiltid] *adj* wywinięty; podkręcony; (*o nosie*) zadarty

tiptoe ['tip,tou] Ⅰ *adv* 1. (*zw on* **~**) (chodzić itd.) na palcach <na czubkach palców> 2. w napięciu (ciekawości, oczekiwania) Ⅱ *vi* chodzić na pal-cach <na czubkach palców>; **to ~ into <out of> a room** wejść/wchodzić do pokoju <wy-jść/cho-dzić z pokoju> na pal-cach/uszkach

tiptop ['tip'tɔp] Ⅰ *s* szczyt (doskonałości itd.) Ⅲ *adj* pierwszorzędny, doskonały, znakomity, tip-top

tip-truck ['tip,trʌk] *s* wóz-wywrotka

tipula ['tipjulə] *s zoo* komarnica

tip-up ['tip'ʌp] *adj* 1. (*o wozie*) do wywracania 2. (*o siedzeniu w teatrze, autobusie itd*) podno-szone; **a ~ seat** strapontena

tip-waggon ['tip,wægən] *s* wóz-wywrotka

tirade [tai'reid] *s* tyrada

tirailleur [,tirai'ə:] *s* tyralier, strzelec

tire[1] ['taiə] Ⅰ *vi* 1. z/męczyć się 2. uprzykrz-yć/ać sobie (**of sth** coś); **I am <he is etc.> ~d of __** uprzykrzył-a/o mi <mu itd.> się ...; znu-dził-a/o mi <mu itd.> się ... Ⅲ *vt* z/męczyć; z/nużyć; zadręcz-yć/ać; dokucz-yć/ać (**sb** komuś); **to ~ sb to death** zmordować kogoś do ostat-nich granic; zanudz-ić/ać kogoś na śmierć **~ out** *vt* 1. wyczerp-ać/ywać; zmordować 2. znużyć; zanudz-ić/ać do ostatnich granic *zob* **tired**

tire[2], **tyre** ['taiə] Ⅰ *s* 1. obręcz (koła) 2. ogumie-nie; opona; guma (rowerowa) Ⅲ *vt* na-łożyć/kłaść obręcz <ogumienie, oponę, gumę (rowe-rową)> (**a wheel** na koło)

tire[3] ['taiə] † Ⅰ *s* 1. strój 2. ubiór głowy Ⅲ *vt* odzi-ać/ewać; przy/stroić

tired ['taiəd] Ⅰ *zob* **tire**[1] *v* Ⅲ *adj* 1. zmęczony; strudzony; **to get ~** z/męczyć się; **~ out** wy-czerpany; zmordowany; upadający ze zmęczenia; **~ to death** ledwo żywy ze zmęczenia; *pot* sko-nany 2. znudzony; **they make me ~** mam ich dosyć <powyżej uszu>; brak mi do nich cierpli-wości; oni mi kością w gardle stoją 3. znużony (**of sth** czymś); **to be ~ of sth** mieć czegoś dosyć <powyżej uszu>; **to be ~ of doing sth** już nie móc więcej czegoś robić (powtarzać, sły-szeć itd.)

tiredness ['taiədnis] *s* zmęczenie; strudzenie

tireless ['taiəlis] *adj* niezmordowany; niestrudzony

tiresome ['taiəsəm] *adj* 1. nudny 2. nieznośny

tirewoman ['taiə,wumən] † *s* (*pl* **tirewomen** ['taiə,wimin]) kamerystka; pokojówka; garderobiana

tiring ['taiəriŋ] Ⅰ *zob* **tire**[1] *v* Ⅲ *adj* 1. męczący 2. nudny; nużący

tiring-room ['taiəriŋ,ru:m] † s teatr garderoba artystów

tiro, tyro ['taiə,rou] s (pl ~s) nowicjusz

'tis [tiz] = it is

tisane [ti'zæn] = ptisane

▲ **tissue** ['tisju:] s 1. (lekka, delikatna) tkanina 2. biol tkanka 3. przen stek (kłamstw); splot <pasmo> (zbrodni) 4. = ~-paper

tissue-paper ['tisju:,peipə] s bibułka

tit¹ [tit] s 1. zoo sikora 2. † kucyk; konik 3. † dziecko 4. † dziewczę

tit² [tit] s w zwrocie: ~ for tat wet za wet; to give sb ~ for tat odpłacić się komuś pięknym za nadobne; nie zosta-ć/wać komuś dłużnym; odda-ć/wać komuś oko za oko <ząb za ząb>

tit³ [tit] s pot = teat

Titan ['taitən] spr tytan

titanate ['taitə,neit] s chem tytanian

Titanesque [,taitə'nesk] adj tytaniczny

titanic¹ [tai'tænik] adj tytaniczny

titanic² [tai'tænik] adj chem tytanowy

titanium [tai'teinjəm] s chem tytan

titbit ['tit,bit] s smakołyk; delikates; łakoć; smaczny kąsek; przen rodzynek

tithe [taið] Ⅰ s 1. dziesiąta część (czegokolwiek); not a ~ ani trochę 2. dziesięcina Ⅲ vt 1. za/płacić dziesięcinę (one's crops od zbiorów) 2. obłożyć dziesięciną (sb kogoś) zob **tithing**

tithing ['taiðiŋ] Ⅰ zob **tithe** v Ⅲ s 1. płacenie dziesięciny 2. pobieranie dziesięciny 3. hist (za Saksonów) podział terytorialny — 10 domostw

Titianesque [,tiʃiə'nesk] adj (o malowaniu itd) w stylu Tycjana; tycjanowski

titillate ['titi,leit] vt 1. po/łaskotać; po/łechtać 2. (przyjemnie) podniecić

titivate ['titi,veit] Ⅰ vt pot przy/stroić; wy/sztafirować Ⅲ vr ~ oneself przy/stroić się; wy/sztafirować się; wy/czupurzyć się

titlark ['tit,la:k] s zoo świergotek łąkowy

title ['taitl] s 1. tytuł (książki itd.) 2. nagłówek 3. tytuł (szlachecki itd.) 4. tytuł prawny; tytuł posiadania 5. prawo (to sth do czegoś) 6. próba (złota)

titled ['taitld] adj utytułowany; posiadający tytuł szlachecki

title-deed ['taitl,di:d] s prawn dowód własności

title-page ['taitl,peidʒ] s stronica <kartka> tytułowa

title-role ['taitl,roul] s rola tytułowa

titling ['titliŋ] = 1. **titlark** 2. = **titmouse**

titmouse ['tit,maus] s (pl titmice ['tit,mais]) zoo sikora

titrate ['titreit] vt chem z/miareczkować; mianować

titration [tai'treiʃən] s chem z/miareczkowanie

titter ['titə] Ⅰ vi za/chichotać Ⅲ s chichot

tittivate zob **titivate**

tittle ['titl] s odrobina, krzta; **not one (jot or)** ~ ani krzty

tittle-back ['titl,bæk] = **stickle-back**

tittle-tattle ['titl,tætl] Ⅰ vi na/plotkować Ⅲ s plotk-a/i

tittup ['titʌp] Ⅰ vi 1. po/pędzić wyciągniętym kłusem 2. poruszać się żwawo 3. sl za/grać w orła i reszkę o zapłacenie rachunku (w barze itd.) Ⅲ s 1. wyciągnięty kłus 2. lekki krok

titubation [,titju'beiʃən] s med zataczanie się; chwiejny krok

titular ['titjulə] Ⅰ adj 1. tytularny 2. (o posiadłościach itd) związany z posiadaniem tytułu Ⅲ s biskup <święty, profesor itd.> tytularny

titulary ['titjuləri] Ⅰ adj tytularny Ⅲ s człowiek utytułowany

tizzy ['tizi] s sl moneta sześciopensowa

tmesis ['tmi:sis] s gram dzielenie wyrazu złożonego na dwie części przez wtrącenie innego wyrazu, np. **what things soever**

to¹ [tu:] praep 1. kierunek, przybycie, osiągnięcie celu: do (miejsca, miejscowości itd.); na (miejsce — dworzec, pocztę itd.); ku (południowi, północy itd.); ~ the left na lewo; ~ the ground na ziemię 2. skutek: ku; z; ~ my surprise <joy etc.> ku mojemu zdziwieniu <mojej radości itd.>; ~ his shame ku jego wstydowi; ze wstydem dla niego <dla siebie samego> 3. granica w przestrzeni i czasie: do; ~ the end do końca; ~ the last gasp do ostatniego tchu; ~ the core do szpiku kości; cut ~ the heart dotknięty do żywego; ugodzony w samo serce; from one ~ two o'clock od godziny pierwszej do drugiej; ~ this day do dnia dzisiejszego; po dzień dzisiejszy; po dziś dzień; a man do jednego <ostatniego> człowieka; (wybić, wyciąć) do nogi 4. bliskość, bezpośrednie sąsiedztwo: przy; **shoulder** ~ **shoulder** ramię przy ramieniu; **next door** ~ tuż obok (czegoś — poczty, banku itd.) 5. ścisłość, dokładność; ~ **perfection** <a T> doskonale; do joty; ~ a high degree w wysokim stopniu; w wysokiej mierze; ~ the minute <day> co do minuty <dnia> 6. w porównaniach — stosunek liczebny: w stosunku do; w porównaniu z; jak ... (10 itd.) do ... (jednego itd.); na; **two** ~ **one** a) dwóch na jednego b) w stosunku (jak) 2 do 1; (o stosunku, bramek itp) **five** ~ **one** pięć do jednego 7. zgodność, dostosowanie (się): według; do; stosownie do; **not up** ~ **the mark** nieodpowiedni; **made** ~ **order** zrobiony na zamówienie; **to draw** ~ **scale** na/rysować według skali <w skali>; **not** ~ **the point** od rzeczy; nie w związku z tematem; ~ **sb's liking** komuś w smak 8. † (mieć) za (żonę, teścia itd.) 9. tłumaczy się przez 3-ci przypadek (celownik): ~ **us** <**you, them etc.**> nam <wam, im itd.> 10. stosunek do kogoś, czegoś: dla; wobec; względem; **to be kind** ~ **sb** być dobrym <uprzejmym> dla kogoś <wobec, względem kogoś>; **he was a good father** ~ **me** on był dla mnie dobrym ojcem; **it's nothing** ~ **you** dla ciebie to nic; to cię nie wzrusza; **one's duty** ~ **one's country** obowiązek wobec ojczyzny 11. przed bezokolicznikiem: a) nie tłumaczy się: **I want** ~ chcę itd.; **the verb** "~ **be**" czasownik "być" b) aby; ażeby; żeby; ~ **do sth well** aby <ażeby, żeby> coś dobrze zrobić c) że <jak> (ktoś coś robił); **he was seen** ~ **kick the dog** widziano go, że kopnął psa; widziano go jak kopnął psa d) tłumaczy się przez przyimek "do" z równoczesnym stosowaniem rzeczownika odsłownego zamiast angielskiego bezokolicznika: **something** ~ **do** coś do zrobienia; **nothing** ~ **say** nic do powiedzenia; **water fit** ~ **drink** woda zdatna do picia e) w zwrotach nawiasowych: **so** ~ **say** że tak powiem;

~ **say nothing of** __ nie mówiąc już o ...; ~ **mention only a few** żeby wymienić tylko niektóre; choćby tylko 12. *zastępuje przytoczony uprzednio bezokolicznik*: **I must do this though I don't want** ~ muszę to zrobić, chociaż nie chcę; **he meant to tell you but forgot** ~ miał ci powiedzieć, ale zapomniał 13. *po czasowniku* **be** *w zwrotach*: **that's all there is** ~ **it** i to (jest) wszystko; i koniec na tym; **there is something** ~ **it** coś w tym jest 14. *(przy oznaczaniu godziny)* za; **ten** ~ **two** za 10 minut druga; **a quarter** ~ **five** za kwadrans piąta *<reg* trzy na piątą> 15. *(w rachunkach)* za; ~ **repairing gas stove** za naprawę piecyka gazowego 16. *(w toastach)* za (powodzenie itd.); **here's** ~ **you** twoje zdrowie 17. *(przy odliczaniu, odmierzaniu itp)* na; **there are 12 inches** ~ **a foot** stopa ma dwanaście cali; **two rooms** ~ **each of us** po dwa pokoje dla <na> każdego z nas

to² [tu:] *adv w zwrotach*: **the door is** ~ drzwi są przymknięte; **the gate was blown** ~ wiatr zatrząsnął bramkę; ~ **and fro** tam i z powrotem; **to put** ~ zaprz-ąc/ęgać *Uwaga: nadaje czasownikom specyficzne znaczenie (przy nich podane)*

toad [toud] *s zoo* ropucha; *przen* wstrętny typ; nędzna kreatura; *kulin* ~ **in a** <**the**> **hole** befsztyk zapiekany w cieście

toad-eater ['toud,i:tə] *s* 1. *przen* pochlebca; lizus 2. *przen* pasożyt

toad-eating ['toud,i:tiŋ] Ⅰ *adj* pochlebiający; przypochlebiający się; płaszczący się Ⅲ *s* przypochlebianie się; płaszczenie się

toadfish ['toud,fiʃ] *s zoo* ryba-ropucha

toad-flax ['toud,flæks] *s bot* lnica pospolita

toadspit ['toud,spit] = **cuckoo-spit**

toad-stone ['toud,stoun] *s miner* bazalt migdałowcowy

toadstool ['toud,stu:l] *s bot* muchomor

toady ['toudi] Ⅰ *s* = **toad-eater** Ⅲ *vt* (**toadied** ['toudid], **toadied**; **toadying** ['toudiiŋ]) przypochlebiać <podlizywać> się (**sb** komuś); płaszczyć się (**sb przed kimś**) Ⅲ *vi* (**toadied** ['toudid], **toadied**; **toadying** ['toudiiŋ]) przypochlebiać <podlizywać> się (**to sb** komuś); płaszczyć się (**to sb przed kimś**)

toadyism ['toudi,izəm] *s* przypochlebianie <podlizywanie> się; płaszczenie się

toast [toust] Ⅰ *vt* 1. przypie-c/kać (bułkę itd.) 2. za/grzać (**one's feet** <**hands**> sobie nogi, ręce) przed otwartym ogniem (*zw* kominka) 3. wzn-ieść/osić toast na cześć (**sb, sth** czyjąś, czegoś), wy/pić zdrowie (**sb** czyjeś); wy/pić za powodzenie (**sth** czegoś) Ⅲ *s* 1. bułka przypiekana; grzanka; **anchovies etc. on** ~ sardele itd. na grzance; *sl* **to have sb on** ~ mieć kogoś w garści; **as warm as a** ~ cieplutko jak u Pana Boga za piecem; ~ **and water** *zob* ~**-water** 2. † *a* ~ grzanka w winie 3. (wznoszony) toast; **to propose a** ~ wzn-ieść/osić toast 4. osoba (*zw* kobieta) na której cześć wznosi się toast; **she was a great** ~ **in her day** w owym czasie często wznoszono jej zdrowie

toaster ['toustə] *s* przyrząd do przypiekania bułki

toasting-fork ['toustiŋ,fɔ:k] *s* długi widelec do przypiekania bułki przy ogniu

toast-list ['toust,list] *s* spis <lista> toastów (na bankiecie)

toast-master ['toust,mɑ:stə] *s* osobnik kierujący porządkiem wznoszonych toastów

toast-rack ['toust,ræk] *s* stojak z przegródkami na grzanki

toast-water ['toust,wɔ:tə] *s* napój chłodzący z wody po wymoczonych grzankach

‖**tobacco** [tə'bækou] *s (pl* ~**s**) tytoń; *med* ~ **heart** choroba serca spowodowana nadużyciem nikotyny

tobacconist [tə'bækənist] *s* właściciel (prywatnego) kiosku <sklepu tytoniowego, trafiki>; **at the** ~'**s** w kiosku <sklepie tytoniowym, trafice>

tobacco-pipe [tə'bækou,paip] *s* fajka

tobacco-plant [tə'bækou,plɑ:nt] *s bot* tytoń

tobacco-pouch [tə'bækou,pautʃ] *s* woreczek na tytoń fajkowy

to-be [tə'bi:] *s* **the** ~ przyszłość

toboggan [tə'bɔgən] Ⅰ *s* toboggan; saneczki Ⅲ *vi* jeździć na toboganie; zje-chać/żdżać toboganem (**down a hill** z góry)

toboggan-shoot [tə'bɔgən,ʃu:t], **toboggan-slide** [tə'bɔgən,slaid] *s* tor saneczkowy

toby ['toubi] *s* 1. (*także* ~ **jug**) kufel <dzbanek> w kształcie grubasa w trójgraniastym kapeluszu 2. Toby, pies, nieodłączny towarzysz angielskiego poliszynela "Punch'a"; ~ **collar** kryza, w której pies Toby występuje w karykaturach

toc [tɔk] *s wojsk telegr litera* T; **Toc H** ['tɔk'eitʃ] nazwa związku byłych wojskowych z I-ej wojny światowej

toccata [tə'kɑ:tə] *s muz* tokata

tocher ['tɔxər] *s szkoc* wiano; posag

toco, toko ['toukou] *s szk sl* rózgi, lanie

tocology [tə'kɔlədʒi] *s* położnictwo

tocsin ['tɔksin] *s* bicie w dzwon na trwogę; sygnał alarmowy

tod¹ [tɔd] † *s* 1. krzak; gęste listowie 2. jednostka wagi dla wełny = 28 funtów ang.

tod² [tɔd] *s dial* lis

today, to-day [tə'dei] Ⅰ *s* dzień dzisiejszy; ~'**s programme** <newspaper etc.> dzisiejszy program <dziennik itd.>; **the young men of** ~ dzisiejsza młodzież (męska) Ⅲ *adv* dzisiaj, dziś

toddle ['tɔdl] Ⅰ *vi* 1. chodzić <przejść/chodzić> niepewnym krokiem (jak dziecko) 2. (*także* ~ **round**) prze-jść/chadzać się Ⅲ *vt* przejść chwiejnie (**ten yards etc.** dziesięć jardów itd.); **to one's way somewhere** dobrnąć (niepewnym krokiem) dokąd Ⅲ *s* 1. niepewny krok 2. przechadzka

toddler ['tɔdlə] *s* berbeć; pędrak (małe dziecko)

toddy ['tɔdi] *s* 1. sok palmowy, z którego otrzymuje się arak 2. grog 3. poncz

to-do [tə'du:] *s* zamieszanie; awantura; **to make a** ~ **about sth** narobić hałasu <awanturować się> o coś

tody ['toudi] *s zoo* ptak zachodnioindyjski pokrewny zimorodkowi

toe [tou] Ⅰ *s* 1. palec u nogi; paluch; **on one's** ~**s** na palcach <paluszkach>; *przen* **to tread on sb's** ~ nadepnąć komuś na nagniotek; dotknąć kogoś boleśnie; **from top to** ~ od stóp do głów; *żart* **the light, fantastic** ~ pląsy; *sl* **to turn up one's** ~**s** wyciągnąć kopyta; odwalić kitę; ~ **hold** a) punkt oparcia dla stopy;

b) *przen* odskocznia c) (*w zapaśnictwie*) chwyt za nogę 2. nosek; szpic (bucika); palce (pończochy, skarpetki) 3. przód kopyta 4. hacel 5. *bud* stopa wału <nasypu, skarpy, zapory>; podnóże 6. *górn* zabiór; ∼ **of a hole** dno odwiertu 7. *techn* ∼ **bearing** łożysko stopowe; czop oporowy Ⅲ *vt* 1. dor-obić/abiać <za/cerować> palce (**a stocking** <sock> pończochy <skarpetki>) 2. przybi-ć/jać szpic (**a shoe** do bucika) 3. *szk sl* kop-nąć/ać 4. *sport* sta-nąć/wać (**the line** na starcie); *przen* **to** ∼ **the line** podporządkow-ać/ywać się <być posłusznym> (nakazom organizacji itd.) 5. (*w golfie*) uderz-yć/ać piłkę koniuszkiem kija 6. *stol* wbi-ć/jać (gwóźdź) ukośnie
∼ **in** <out> *vi* (*przy chodzeniu*) stawiać stopy do środka <na zewnątrz>

toe-cap ['tou,kæp] *s* (naszywany) nosek <kapka> (u bucika)

toe-dance ['tou,da:ns] *s* taniec na palcach

toe-nail ['tou,neil] *s* 1. paznokieć palca u nogi 2. *stol* gwóźdź ukośnie wbity do deski

to-fall [tə'fɔ:l] *† s poet* schyłek

toff [tɔf] *s* (*pl* ∼**s**) *sl* elegant; **the** ∼**s** elegancki świat

toffee ['tɔfi] *s* toffi; *sl* **not for** ∼ za nic na świecie

toft [tɔft] *s prawn* gospodarstwo rolne

tog [tɔg] Ⅰ *s* (*zw pl* ∼**s**) *sl* odzież Ⅱ *vt* (-**gg**-) *sl* odzi-ać/ewać; ub-rać/ierać
∼ **up** *vr* ∼ **oneself up** wyelegantować się

toga ['tougə] *s* toga

toga'd, togaed ['tougəd] *adj* (*o człowieku*) w todze

together [tə'geðə] *adv* Ⅰ 1. razem; wspólnie 2. na raz; równocześnie 3. bez przerwy; z rzędu; **for hours** <months etc.> ∼ (całymi) godzinami <miesiącami itd.> *Uwaga: nadaje czasownikom specyficzne znaczenie (przy nich podane)*

toggery ['tɔgəri] *s sl* odzież

toggle ['tɔgl] *s mar* sprężacz (drewienko do napinania sznura); przetyczka

toggle-joint ['tɔgl,dʒɔint] *s mar* dźwignia kolankowa; połączenie nożycowe

toil¹ [tɔil] Ⅰ *vi* na/mozolić <na/męczyć, na/trudzić> się (**at sth** przy czymś); ciężko pracować; harować; **to** ∼ **up a hill** z trudem <w pocie czoła> wspi-ać/nać się na górę Ⅱ *s* trud; znój; mozół; harówka

toil² *zob* **toils**

toiler ['tɔilə] *s* ciężko pracujący człowiek

toilet ['tɔilit] *s* 1. toaleta; **to make one's** ∼ ubrać się; ∼ **powder** puder higieniczny; ∼ **soap** mydło toaletowe 2. toaleta; ubranie 3. toaleta; ustęp; klozet

toilet-case ['tɔilit,keis] *s* neseser

toilet-paper ['tɔilit,peipə] *s* papier toaletowy (higieniczny)

toilet-set ['tɔilit,set] *s* komplet przyborów toaletowych

toilet-table ['tɔilit,teibl] *s* toaleta (mebel)

toils [tɔilz] *spl przen* sidła; matnia

toilsome ['tɔilsəm] *adj* żmudny; mozolny

Tokay [tou'kei] *spr* tokaj (wino)

toke [touk] *s sl* (nędzne) żarcie; suchy chleb

token ['toukən] *s* 1. znak (czegoś); dowód (czegoś); **in** ∼ **of friendship** w dowód <na znak> przyjaźni; **to give** ∼ **of sth** dowodzić (czegoś —

inteligencji, głupoty itd.); ∼ **payment** wpłata symboliczna; ∼ **strike** strajk manifestacyjny 2. pamiątka; upominek 3. żeton 4. bon; **book** ∼ bon wymienny na książkę w księgarni (zwykle dawany w prezencie) 5. (*także* ∼ **money**) pieniądz zdawkowy

toko ['toukou] = **toco**

tola ['toulə] *s* (*w Indiach*) jednostka wagi (około 11,764 g)

tolbooth ['tɔl,bu:θ] = **tollbooth**

told *zob* **tell**

tolerable ['tɔlərəbl] *adj* znośny; dość dobry; nie najgorszy

tolerably ['tɔlərəbli] *adv* znośnie; dość <możliwie> (dobry, smaczny itd.)

tolerance ['tɔlərəns] *s* 1. tolerancja; wyrozumiałość 2. *med* znoszenie (leku)

tolerant ['tɔlərənt] *adj* 1. tolerancyjny; wyrozumiały 2. *med* wytrzymały (**of a drug etc.** na lek itd.) **to be** ∼ **of sth** dobrze znosić (narkotyk itp.)

tolerate ['tɔlə,reit] *vt* tolerować; zn-ieść/osić; ś/cierpieć; pozw-olić/alać (**sth na coś)

toleration [,tɔlə'reiʃən] *s* tolerancja; tolerancyjne nastawienie; wyrozumiałość

toll¹ [toul] Ⅰ *s* 1. rogatkowe, opłata rogatkowa; myto; targowe; mostowe; *prawn* ∼ **traverse** a) opłata za przejazd przez grunt prywatny b) opłata za wyświadczoną usługę 2. *dial* opłata za międzymiastową rozmowę telefoniczną 3. opłata za przewóz towarów 4. opłata zbożem za przemiał 5. straty; **a heavy** ∼ **of lives** długa lista ofiar (katastrofy); **to take a heavy** ∼ **of** ... ze-brać/zbierać obfite żniwo ofiar wśród ... Ⅱ *vi* 1. za/płacić myto 2. pob-rać/ierać myto

toll² [toul] Ⅰ *vi* (*o dzwonie*) za/dzwonić (wolnymi, miarowymi uderzeniami); za/dzwonić (**for sb** komuś — umarłemu) Ⅱ *vt* 1. za/dzwonić (**a bell** w dzwon) 2. (*o dzwonie*) wybi-ć/jać (godziny itd.) 3. (*o dzwonie*) za/dzwonić (**sb's death** na czyjąś śmierć) Ⅲ *s* 1. dzwon pogrzebowy 2. głos dzwonu pogrzebowego

toll-bar ['toul,ba:] *s* rogatka; szlaban

tollbooth ['tɔl,bu:θ] *† s szkoc* więzienie miejskie

toll-bridge ['toul,bridʒ] *s* most przy którym pobiera się mostowe

toll-call ['toul,kɔ:l] *s* międzymiastowa rozmowa telefoniczna

toll-gate ['toul,geit] = **toll-bar**

tollhouse ['toul,haus] *s* rogatka (biuro pobierania myta)

toll-line ['toul,lain] *s* linia międzymiastowa (telefoniczna)

tol-lol ['tɔl,lɔl] *adj sl* niezły; znośny

tolly ['tɔli] *s sl szk* świeczka

tolu [tou'lu:] *s farm* balsam tolutański

toluene ['tɔlju,i:n] *s chem* toluen

Tom [tɔm] *spr w zwrotach*: ∼ **Dick and Harry** pierwszy lepszy (człowiek); szary człowiek; człowiek z ulicy <tłum>; *mar* **Long** ∼ wielkie działo w śródokręciu; **Old** ∼ mocny dżin; *am* ∼ **and Jerry** rum z wodą i utartym jajkiem; ∼ **Fool** dureń; idiota; **there's more knows** ∼ **Fool than** ∼ **Fool knows** rozgłos a poważanie to dwie różne rzeczy; ∼ **Thumb** Tomcio Paluch; ∼ **Tiddler's ground** a) *dosł* strefa bezpieczeństwa w grze dziecinnej b) *przen* wymarzony teren działania <raj> (dla złodziei itd.)

,**tom** [tɔm] *s* samiec różnych zwierząt; ~ **cat** kocur

tomahawk ['tɔmə,hɔ:k] ① *s* tomahawk (topór wojenny Indian północnoamerykańskich); *przen* **to bury the** ~ zakop-ać/ywać tomahawk; zaw-rzeć/ierać pokój; prze-jść/chodzić na stopę pokojową ③ *vt* uderz-yć/ać <zabi-ć/jać> tomahawkiem; *przen* ostro s/krytykować w recenzji

tomall(e)y [tə'mæli] *s kulin* miękka zielonkawa substancja homara; ~ **sauce** sos zrobiony z tej substancji

▲ **tomato** [tə'mɑ:tou] *s* (*pl* **tomatoes** [tə'mɑ:'touz]) pomidor; ~ **sauce** <**soup etc.**> sos <zupa itd.> pomidorow-y/a

tomb [tu:m] ① *s* 1. grób; *przen* **the** ~ śmierć 2. grobowiec ③ *vt* po/grzebać

tombac, tombak ['tɔmbæk] ① *s* tombak ③ *attr* tombakowy

tombola ['tɔmbɔlə] *s* tombola

tomboy ['tɔm,bɔi] *s* (dziewczyna) sowizdrzał; narwaniec; trzpiot

tombstone ['tu:m,stoun] *s* nagrobek; płyta nagrobkowa

tome [toum] *s* tom; księga

tomentose [tou'mentous], **tomentous** [tou'mentəs] *adj bot* kosmaty; włochaty

tomentum [tə'mentəm] *s bot* kutner

tomfool [tɔm'fu:l] ① *s* głupiec; dureń; idiota; błazen ③ *attr* głupi; durny; idiotyczny; błazeński ③ *vi* robić z siebie głupca <durnia>; zachowywać się jak głupiec <dureń, idiota>; błaznować

tomfoolery [tɔm'fu:ləri] *s* głupie <idiotyczne> zachowanie; błazeństw-o/a; głupi <idiotyczny> kawał

tommy ['tɔmi] *s* 1. (*także* **Tommy Atkins**) żołnierz angielski; szeregowiec; ~ **rot** głupstwa; brednie; bzdury; banialuki 2. (*także* ~**-bar**) przetyczka do klucza rurkowego 3. chleb; prowiant wydawany jako wynagrodzenie za pracę; *mar* **soft** ~ świeży chleb

tommy-bar ['tɔmi,bɑ:] *s* przetyczka do klucza rurkowego

tommy-gun ['tɔmi,gʌn] *s am wojsk* lekki karabin maszynowy

tommy-shop ['tɔmi,ʃɔp] *s* 1. (dawniej) sklep przy fabryce, w którym robotnicy musieli zaopatrywać się w prowiant 2. kantyna 3. piekarnia

tom-noddy ['tɔm,nɔdi] *s* dureń; cymbał; bęcwał

tomorrow, to-morrow [tə'mɔrou] ① *s* dzień jutrzejszy, jutro; ~ **is Sunday** jutro (jest) niedziela ③ *adv* jutro; (**the**) **day after** ~ pojutrze; ~ **morning** <**afternoon**> jutro rano <po południu>; ~ **night** a) jutro wieczór b) jutro w nocy

tompion ['tɔmpjən] = **tampion**

tomtit ['tɔm,tit] *s zoo* sikora

tomtom ['tɔm'tɔm] ① *s* bęben (Indian itd.) ③ *vi* (**-mm-**) bić w bęb-en/ny

ton [tʌn] *s* 1. tona; (**long** <**gross**> ~ = 2240 funtów ang.; **short** ~ = 2000 funtów ang.); **metric** ~ tona metryczna (= 1000 kg) 2. miara pojemności: dla drewna — 40 stóp³; dla kamienia — 16 stóp³; dla soli — 42 buszle; dla wapna — 40 buszli; dla koksu — 28 buszli; dla pszenicy — 20 buszli; dla wina — 252 galony 3. miara pojemności wewnętrznej (= 100 stóp³; *mar* 40 stóp³); **register** ~ tona rejestrowa 4. *zw pl* ~**s** *pot* mnóstwo; kupa; niezliczona ilość; ~**s of people** <**money etc.**> kupa narodu <forsy itd.>

tonal ['tounl] *adj muz* tonalny; toniczny

tonality [tou'næliti] *s muz* 1. tonalność; toniczność; czystość barwy 2. *plast* dobór kolorów

to-name ['tu:,neim] *s szkoc* przydomek

tone [toun] ① *s* 1. dźwięk; brzmienie; głos (instrumentu, dzwonu itd.); ~ **correction** regulacja dźwięku 2. ton 3. głos (człowieka); intonacja, ton; **in an angry** <**impatient, imploring etc.**> ~, **in angry** ~**s** tonem <głosem> gniewnym <zniecierpliwionym, błagalnym itd.>; **the doctor's** ~ **was serious** lekarz mówił poważnym tonem 4. *jęz* akcent 5. *jęz* intonacja 6. atmosfera (**of a nation** <**school, home etc.**> panująca w kraju <szkole, domu itd.>); nastrój; *giełd handl* tendencja 7. *muz* (pełny) ton 8. *med* tonus <napięcie> (mięśni, nerwów) 9. ton <odcień> (barwy); koloryt; s/tonowanie ③ *vt* 1. nada-ć/wać pożądany ton <barwę> (**sth** czemuś) 2. *muz* na/stroić (instrument) 3. s/tonować (obraz, fotografię) ③ *vi* 1. harmonizować (**with sth** z czymś) 2. *fot* s/tonować się ~ **down** ① *vt* s/tonować; zmiękcz-yć/ać; z/łagodzić ③ *vi* stonować się; z/łagodnieć ~ **up** ① *vt med* podn-ieść/osić <zwiększ-yć/ać> tonus (**sb** komuś) ③ *vi* tonizować

tone-arm ['toun,ɑ:m] *s* ramię (adaptera itd.)

tone-colour ['toun,kʌlə] *s* barwa głosu

toneless ['tounlis] 1. *adj* (*o barwie*) matowy 2. (*o głosie*) bezbarwny 3. (*o człowieku*) bez animuszu

tong [tɔŋ] *s* (*w Chinach*) tajne stowarzyszenie

tonga ['tɔŋgə] *s* (*w Indiach*) dwukołowy wóz

tongs [tɔŋz] *spl* (*także* **a pair of** ~) szczypce; **I wouldn't touch him** <**it etc.**> **with a pair of** ~ ja się nim <tym itd.> brzydzę

▲ **tongue** [tʌŋ] ① *s* 1. *anat* język; **to put out one's** ~ pokazać <wystawić> język; **to speak with one's** ~ **in one's cheek** mówić ironicznie 2. *kulin* ozór 3. język, mowa; dar słowa; **my** ~ **failed me** zapomniałem języka w gębie; **to find one's** ~ **again** odzysk-ać/iwać mowę; **to give** ~ a) (*o psach*) zacząć ujadać b) (*o ludziach*) wypowiedzieć/adać się c) mówić jeden przez drugiego; **to have a fluent** ~ mieć swadę; **to have a ready** ~ mieć dar słowa; nie zapominać języka w gębie; **to have lost one's** ~ zapomnieć języka w gębie; **to hold one's** ~ trzymać język za zębami; mileżeć; **to keep a civil** ~ **in one's head** grzecznie się wyrażać; **to wag one's** ~ a) popełni-ć/ać niedyskrecj-ę/e b) pleść trzy po trzy; rozpu-ścić/szczać język 4. język <mowa> (narodu); **mother** ~ ojczysta mowa; *bibl* **the gift of** ~**s** dar władania językami; *bibl* **the confusion of** ~**s** pomieszanie języków 5. *geogr* cypel; wąski półwysep 6. języczek (u wagi, bucika, instrumentu muz.) 7. serce (dzwonu) 8. *kolej* iglica zwrotnicy 9. trzpień (u sprzączki) 10. *stol* wypust, wpustka; obce pióro 11. *geol* jęzor (lodowcowy) ③ *vt* 1. wypowi-edzieć/adać; wym-ówić/awiać; **to** ~ **it** mleć jęzorem 2. z/besztać, z/łajać; nagadać (**sb** komuś) 3. dot-knąć/ykać językiem; po/lizać 4. *muz* (na instrumencie dętym) ode/grać staccato (nuty utworu muz.) 5. *pot* gadać 6. *stol* po/łączyć na wpust i pióro

tongue-bit ['tʌŋ,bit] *s* wędzidło z płytką

tongue-bone ['tʌŋ,boun] *s anat* gnyk

tongue-depressor ['tʌŋ-di,presə] *s med* szpatułka

tongue-rail ['tʌŋ,reil] *s* = **tongue** *s* 8.

tongue-shaped ['tʌŋ,ʃeipt] *adj* językowaty

tongue-tie ['tʌŋ,tai] *s med* przyrośnięty język
tongue-tied ['tʌŋ,taid] *adj* 1. *med* (*o człowieku*) mający przyrośnięty język; bełkoczący 2. oniemiały (ze zdumienia itd.) 3. związany tajemnicą
tonic ['tɔnik] ① *adj* 1. *med* krzepiący; wzmacniający; toniczny; kurczowy; ~ **spasms** kurcze stałe 2. *jęz* (*o języku*) tonalny 3. *jęz* (*o sylabie*) akcentowany 4. *muz* toniczny ② *s* 1. *farm* środek tonizujący 2. *muz* tonika 3. *jęz* sylaba <zgłoska> akcentowana
tonicity [tou'nisiti] *s med* napięcie mięśni
tonight, to-night [tə'nait] ① *s* dzisiejszy wieczór; dzisiejsza noc; ~**'s concert** dzisiejszy koncert wieczorny ② *adv* dzisiaj wieczorem; dzisiejszej <tej> nocy
tonite ['tounait] *s* bawełna strzelnicza
tonk [tɔŋk] *vt sl* 1. walnąć, grzmotnąć 2. śpiewająco położyć <powalić> (przeciwnika)
tonka ['tɔŋkə] *spr bot* ~ **bean** tonkowiec wonny
tonnage ['tʌnidʒ] *s mar* tonaż; pojemność (statku); flota
tonnage-deck ['tʌnidʒ,dek] *s mar* drugi pokład (licząc od dołu)
tonneau ['tɔnou] *s* (*w niektórych samochodach*) tył z siedzeniami
tonometer [tɔ'nɔmitə] *s muz med* tonometr
tonsil ['tɔnsl] *s anat* migdałek
tonsillitis [,tɔnsi'laitis] *s med* zapalenie migdałków
tonsillotomy [,tɔnsi'lɔtəmi] *s med* nacięcie <wycięcie> migdałków
tonsorial [tɔn'sɔ:riəl] *adj żart* fryzjerski; ~ **artist** fryzjer artysta
tonsure ['tɔnʃə] ① *s* tonsura ② *vt* wyg-olić/alać tonsurę (**sb** komuś)
tontine [tɔn'ti:n] *s fin* tontyna (rodzaj renty dożywotniej); ~ **policy of insurance** tontynowy system ubezpieczenia
tony ['touni] *adj sl* wytworny; szykowny
too [tu:] *adv* 1. za; zbyt; zanadto; zbytnio; **all** ~ (**good** etc.) aż nadto (dobry itd.); **none** ~ (**good** etc.) pozostawiający dużo do życzenia (pod względem dobroci itd.); niezbyt <nieszczególnie> (dobry itd.); ~ **much** <**many**> za dużo; ~ **much of a good thing** za dużo dobrego; co za dużo to niezdrowo; **it's** ~ **lovely** (**for words**) to wprost czarujące; **you are really** ~ **kind** to zbytek uprzejmości z pańskiej strony; **I'm only** ~ **glad** cała przyjemność po mojej stronie; **that's** ~ **bad** jaka szkoda; to przykre!; **he is** ~ **much for me** nie mogę sobie z nim poradzić 2. także; też; również; ponadto; na dodatek; do tego (jeszcze); do tego (wszystkiego)
toodle-oo ['tu:dl,u:] *interj* pa!; bywaj!
took *zob* **take** *v*
▲**tool** [tu:l] ① *s* 1. narzędzie (pracy, zbrodni itp.); **broad** ~ szerokie dłuto kamieniarskie; **machine** ~ obrabiarka; *przen* **a bad workman always quarrels with his** ~**s** złej tanecznicy przeszkadza rąbek u spódnicy 2. *pl* ~**s** przybory; sprzęt fabryczny 3. *pl* ~**s** sprzęt wojenny 4. *introl* stempel (do wytłaczania ornamentacji) 5. *przen* (*o człowieku*) narzędzie (w czyichś rękach) ② *vt* 1. *introl* wytł-oczyć/aczać stemplem (ornamentację) 2. obcios-ać/ywać (kamień) 3. obr-obić/abiać (metal) 4. *sl w zwrocie*: **to** ~ **a coach** <**carriage** etc.> (lekką ręką) powozić (pojazdem itd.) ③ *vi* powozić (lekką ręką)

tool-bag ['tu:l,bæg] *s* torba na narzędzia <z narzędziami>
tool-box ['tu:l,bɔks] *s* skrzynka na narzędzia <z narzędziami>
tooler ['tu:lə] *s* szerokie dłuto kamieniarskie
tool-holder ['tu:l,houldə] *s* uchwyt wiertła tokarki
tool-post ['tu:l,poust], **tool-rest** ['tu:l,rest] *s* uchwyt noża tokarki
toon [tu:n] *s bot* cedrzyk wschodnioindyjski
toonwood ['tu:n,wud] *s* drewno cedrzyka wschodnioindyjskiego, mahoń indyjski
toot [tu:t] ① *vi* 1. za/trąbić; za/buczeć; za/gwizdać 2. (*o głuszcu*) za/tokować ② *vt* za/trąbić (**the horn** etc. na rogu itd.); za/buczeć (**the siren** etc. syreną itd.); za/gwizdać (**the whistle** gwizdkiem); *przen* **to** ~ **one's (own) horn** chwalić się ③ *s* trąbienie; buczenie; gwizd; głos (rogu, klaksonu, trąbki, syreny, gwizdka); sygnał (**of the horn** <**cornet** etc.> dany rogiem <trąbką itd.>)
tooth [tu:θ] ① *s* (*pl* **teeth** [ti:θ]) 1. ząb; **a set of teeth** uzębienie; **false** <**artificial**> **teeth** sztuczne zęby; **armed to the teeth** uzbrojony po (same) zęby; **long in the** ~ niemłody; **to cast sth in sb's teeth** wymawiać <wygarnąć> komuś coś; z/robić komuś wyrzuty z powodu czegoś; **to escape by the skin of one's teeth** o mały włos uniknąć nieszczęścia; **to have a sweet** ~ lubić słodycze; *przen* **to set one's teeth** zacisnąć zęby; **to show one's teeth** a) pokaz-ać/ywać zęby b) *przen* przyb-rać/ierać groźną minę; **in the teeth of sth** wbrew czemuś; pomimo czegoś; nie zważając na coś; z pominięciem czegoś (instrukcji itd.); **in the teeth of the wind** pod (silny) wiatr; ~ **and nail** energicznie; (walczyć) zawzięcie <z zaciętością> 2. ząb (koła zębatego, grzebienia, grabi itd.); *techn* **drilling** ~ gryzak ② *vt* uzębi-ć/ać (narzędzie); wyci-ąć/nać w zęby ③ *vi* (*o kołach zębatych*) zczepi-ć/ać się; zazębi-ć/ać się; zachodzić *zob* **toothed, toothing**
toothache ['tu:θ,eik] *s* ból zębów
tooth-billed ['tu:θ,bild] *adj* (*o ptaku*) o dziobie uzębionym
tooth-brush ['tu:θ,brʌʃ] *s* szczoteczka do zębów
tooth-comb ['tu:θ,koum] *s* gęsty grzebień
tooth-drawer ['tu:θ,drɔə] *s pog* (*o dentyście*) wyrwizab; zębodłub
toothed [tu:θt] *adj* zębaty; (ukształtowany) w ząbki
toothful ['tu:θful] *s* odrobina, kapka (wódki itd.)
toothing ['tu:θiŋ] ① *zob* **tooth** *v* ② *s* 1. *pl* ~**s** *bud* strzępie zazębione (piły) 2. *techn* uzębienie (piły)
toothless ['tu:θlis] *adj* bezzębny
tooth-ornament ['tu:θɔ:nəmənt] *s arch* (*w stylu anglo-normańskim*) ząbkowanie (ornament)
tooth-paste ['tu:θ,peist] *s* pasta do zębów
toothpick ['tu:θ,pik] *s* wykałaczka
tooth-powder ['tu:θ,paudə] *s* proszek do zębów
toothsome ['tu:θsəm] *adj* smaczny; wyborny
toothwort ['tu:θ,wə:t] *s bot* 1. łuskiewnik 2. żywiec cebulkowy
tootle ['tu:tl] *vi żart* fiukać (na flecie, klarnecie itd.)
tootsy(-wootsy) ['tu:tsi('wu:tsi)] *s dziec* nózia, nóżka
▲**top¹** [tɔp] ① *s* 1. szczyt (góry, drzewa, głowy, marzeń itd.); wierzchołek; ezubek; góra (czegoś); maksimum (wysiłku itd.); *irl* **the** ~ **of the morn-**

ing to you dzień dobry; ~ **hat** cylinder (kapelusz); *górn* **shaft** ~ nadszybie; **to be on** ~ a) być górą (w walce itd.) b) *sport* prowadzić; **to come to the** ~ wybić się; zysk-ać/iwać <zdoby-ć/wać> sławę; *wojsk* **to go over the** ~ wy-jść/ chodzić (z okopów) do ataku; *pot* **to have a little bit off the** ~ nie mieć wszystkich klepek; **to run at the** ~ **of one's speed** bie-c/gać z całych sił <co sił, z maksymalną szybkością>; **at the** ~ u szczytu; na górze; u góry; **at the** ~ **of one's voice** na całe gardło; wniebogłosy; **from** ~ **to bottom** <toe> (zmierzyć wzrokiem) od stóp do głów <od góry do dołu>; **on** ~ (położyć itd.) na wierzch; **on the** ~ **of it all** na dodatek; na domiar złego; **on** ~ **of sb, sth** na kimś, czymś; **over the** ~ nadmiernie 2. nać <liście> (buraka itd.) 3. powierzchnia (czegoś); wierzch <blat> (stołu) 4. góra <górna część> (stronicy itd.); górny brzeg (książki) 5. cholewka; wykładana cholewa 6. pokrywka (garnka) 7. buda (wozu) 8. pierwsze miejsce (w klasie itd.); prymus (klasy, szkoły) 9. głowa (stołu biesiadnego); honorowe miejsce (przy stole) 10. *mar* mars; kosz, bocianie gniazdo 11. *pl* ~**s** *karc* (*w bridżu*) dwie najwyższe karty w kolorze 12. *auto* górny bieg 13. *sl* namiot cyrkowy 14. garść (włosów, włókien itd.) 15. *hutn* gardziel (wielkiego pieca) Ⅱ *adj* 1. górny; wyższy; najwyższy; szczytowy; ~ **dog** a) (*w walce*) zwycięski pies b) zwycięzca; **to be** ~ **dog** być górą 2. (*o ubraniu itd*) zewnętrzny, wierzchni 3. pierwszy 4. maksymalny; najwyższego rzędu; (*o dokumencie itd*) ~ **secret** ściśle tajny Ⅲ *vt* (**-pp-**) 1. nakry-ć/wać; uwieńcz-yć/ać, wieńczyć 2. ści-ać/nać wierzchołek <nać> (**a plant** rośliny) 3. wy-jść/chodzić <wzn-ieść/osić się, wyje-chać/żdżać> na szczyt (**a hill** etc. góry itd.); sta-nąć/wać <być na czele> (**a list** etc. listy <spisu itd.>) 4. przewyższ-yć/ać; **that** ~**s all I ever saw** to przechodzi ludzką wyobraźnię; **to** ~ **it all** na domiar wszystkiego 5. wybornie <znakomicie> się wywiąz-ać/ywać (**one's part** ze swej roli) 6. (*w golfie*) uderz-yć/ać piłkę w czubek (zamiast w środek) 7. mieć ... wzrostu <(*o przedmiocie*) wysokości> 8. pochyl-ić/ać (reję)
~ **off** <up> *vt* wyk-ończyć/ańczać
~ **up** *vt* dopełni-ć/ać
zob **topping**

top² [tɔp] *s* bąk (zabawka); **to sleep like a** ~ spać jak zabity <jak suseł>; **old** ~! stary! przyjacielu!

toparchy ['tɔpəki] *s* (*u starożytnych Greków*) toparchia (namiestnictwo)

topaz ['toupæz] *s miner* topaz

topazolite [tə'pæzə,lait] *s miner* topazolit

top-boot ['tɔp,buːt] *s* but do jazdy konnej z wywróconą cholewą

topcoat ['tɔp,kout] † *s* palto; płaszcz

top-dress ['tɔp,dres] *vt roln* nawozić pogłównie

top-dressing ['tɔp,dresiŋ] Ⅰ *zob* **top-dress** *v* Ⅲ *s roln* nawożenie pogłówne

tope¹ [toup] *vi* pić (nałogowo); upijać się

tope² [toup] *s* (*w Indiach*) gaj

tope³ [toup] *s* pomnik <świątynia> buddyjsk-i/a (wieża, kopuła)

tope⁴ [toup] *s zoo* żarłacz (rekin)

topee ['toupi] = **topi**

toper ['toupə] *s* pijak

topgallant [tɔp'gælənt] *adj mar* bram-; ~ **sail** bramsel; ~ **yard** bramreja

top-hamper [tɔp'hæmpə] *s mar* lekkie (wyższe) ożaglowanie i takielunek

top-hat [tɔp'hæt] = **top hat** *zob* **top** *s* 1.

top-heavy ['tɔp'hevi] *adj* przeciążony <przeładowany> u góry

top-hole ['tɔp,houl] *adj sl* pierwszorzędny; kapitalny; wspaniały

tophus ['toufəs] *s* (*pl* **tophi** ['toufai]) *med* 1. guzek (dnawy) 2. kamień nazębny <ślinowy>

topi, topee ['toupi] *s* (*pl* ~**s**) hełm tropikalny

topiary ['toupjəri] *adj* **the** ~ **art** sztuka ozdobnego strzyżenia krzewów

topic ['tɔpik] *s* 1. temat (rozmów itd.); kwestia; ~**s of the day** aktualności 2. *log ret* topika

topical ['tɔpikəl] *adj* 1. lokalny; miejscowy; regionalny 2. aktualny 3. tematyczny 4. *med* lokalny, miejscowy

topknot ['tɔp,nɔt] *s* 1. kokardka <kok> na czubku głowy 2. (*u ptaka*) czub 3. *pot* łeb, głowa

top-light ['tɔp,lait] *s mar* latarnia kosza <bocianiego gniazda>

top-line ['tɔp,lain] *adj* ważny; wymieniany w czołowych artykułach prasowych

top-liner ['tɔp,lainə] *s* człowiek posiadający wielkie znaczenie <wymieniany w czołowych artykułach prasowych>; gwiazdor (teatru, ekranu)

toplofty ['tɔp,lɔfti] *adj sl* dumny; pyszny; nadęty; zarozumiały

topmast ['tɔp,mɑːst] *s mar* bomstenga

top-notch ['tɔp,nɔtʃ] *adj sl* znakomity; świetny; kapitalny

topographer [tə'pɔgrəfə] *s* topograf

topographic(al) [,tɔpə'græfik(əl)] *adj* topograficzny

topography [tə'pɔgrəfi] *s* 1. topografia 2. *med* anatomia topograficzna

toponymy [tə'pɔnimi] *s* toponomastyka; nazewnictwo geograficzne (danego rejonu)

topper ['tɔpə] *s pot* 1. kapitalny facet; byczy gość; świetna <pierwszorzędna> rzecz 2. *handl* piękny owoc wystawiony na pokaz 3. cylinder (kapelusz)

topping ['tɔpiŋ] Ⅰ *zob* **top¹** *v* Ⅲ *adj pot* świetny; kapitalny; byczy; wdechowy Ⅲ *s* materiał nawierzchniowy drogi <szosy>

topping-lift ['tɔpiŋ,lift] *s mar* topenanta

topple ['tɔpl] Ⅰ *vi* (*także* ~ **over** <down>) przewr-ócić/acać się; runąć Ⅲ *vt* (*także* ~ **over** <down>) przewr-ócić/acać się

topsail ['tɔpsl] *s* żagiel gniazdny

top-sawyer ['tɔp,sɔːjə] *s* 1. tracz górny 2. człowiek wyższy rangą <starszy stanowiskiem>

topsides ['tɔp,saidz] *spl mar* pasy boczne górne

top-tackle ['tɔp,tækl] *s mar* wielokrążek bramstengi

topsy-turvy ['tɔpsi'təːvi] Ⅰ *adv* 1. do góry nogami 2. w stanie kompletnego rozgardiaszu Ⅲ *adj* 1. wywrócony do góry nogami 2. doprowadzony do stanu kompletnego rozgardiaszu Ⅲ *vt* (**topsy-turvied** ['tɔpsi,təːvid], **topsy-turvied**; **topsy-turvying** ['tɔpsi,təːviiŋ]) wywr-ócić/acać do góry nogami; wprowadzić rozgardiasz <zamęt> (**sth** w czymś) Ⅳ *s* rozgardiasz; zamęt; mętlik; sodoma i gomora

topsy-turvydom ['tɔpsi,təːvidəm] *s* rozgardiasz; zamęt; bałagan; zamieszanie

toque [touk] s 1. toczek (nakrycie głowy) 2. zoo makak (małpa)

tor [tɔ:] s (zw w hrabstwie Dartmoor) skalisty pagórek

torch [tɔ:tʃ] s 1. pochodnia; kaganek; ~ of discord żagiew niezgody; to hand on the ~ przekaz-ać/ywać tradycję młodszemu pokoleniu; the ~ of Hymen namiętna miłość; to carry the ~ for sb kochać się w kimś bez wzajemności 2. (zw electric ~) latarka elektryczna 3. techn palnik; blow <plumber's> ~ lampa lutownicza; dmuchawka

torch-light ['tɔ:tʃˌlait] s światło pochodni; by ~ przy świetle pochodni; ~ procession marsz z pochodniami

torch-lily ['tɔ:tʃˌlili] s liliowaty kwiat ogrodowy

torchon ['tɔ:ʃən] s ~ paper torchon (papier do akwarel); ~ lace grube koronki ludowe

torch-singer ['tɔ:tʃˌsiŋə] s am kobieta śpiewająca sentymentalne piosenki o nieodwzajemnionej miłości

torch-song ['tɔ:tʃˌsɔŋ] s am sentymentalna piosenka o nieodwzajemnionej miłości

tore[1] zob tear v

tore[2] [tɔ:] s arch profil półokrągły w podstawie kolumny

▲toreador ['tɔriəˌdɔ:] s toreador

toreutic [tɔ'ru:tik] adj cyzelatorski, cyzelerski, rytowniczy; the ~ art = toreutics

toreutics [tɔ'ru:tiks] s cyzelowanie, rytownictwo i kucie metali

torment ['tɔ:ment] Ⅰ s 1. męk-a/i; męczarni-a/e; udręka; udręczenie; katusze; tortury; cierpieni-e/a; to be in ~ cierpieć; znosić męczarnie <cierpienia, katusze, udrękę, tortury>; źródło <przyczyna> utrapienia; pot a positive ~ prawdziwa udręka; he is a positive ~ z nim jest prawdziwa udręka Ⅲ vt [tɔ:'ment] za/męczyć, zamęczać; zadręcz-yć/ać, dręczyć; zada-ć/wać katusze <tortury> (sb komuś); trapić; dokucz-yć/ać (sb komuś); znęcać się (sb, an animal etc. nad kimś, nad zwierzęciem itd.); to be ~ed by __ znosić męczarnie <cierpienia, udręki, tortury> ... (głodu, niepewności itd.)

tormentil ['tɔ:məntil] s bot pięciornik; kurze ziele

tormentor [tɔ:'mentə] s 1. hist kat 2. dręczyciel 3. kino ścianka dźwiękochłonna 4. roln brona talerzowa na kołach

tormentress [tɔ:'mentris] s dręczycielka

tormina ['tɔ:minə] spl med wet kolki bólowe

torn zob tear v

tornado [tɔ:'neidou] s (pl ~es) tornado

torose [tə'rous], torous ['tɔ:rəs] adj guzowaty

▲torpedo [tɔ:'pi:dou] Ⅰ s (pl ~es) 1. zoo drętwa 2. torpeda 3. am kolej petarda 4. ogień sztuczny wybuchający przy uderzeniu o twardą powierzchnię Ⅲ vt s/torpedować (dosł okręt, przen plan, wniosek itd.)

torpedo-boat [tɔ:'pi:douˌbout] s mar ścigacz torpedowy; ~ destroyer kontrtorpedowiec

torpedo-net [tɔ:'pi:douˌnet] s mar sieć przeciwtorpedowa

torpedo-plane [tɔ:'pi:douˌplein] s lotn samolot torpedowy

torpedo-tube [tɔ:'pi:douˌtju:b] s wyrzutnia torpedowa

torpid ['tɔ:pid] Ⅰ adj 1. zdrętwiały; odrętwiały

2. (o zwierzęciu) śpiący snem zimowym 3. senny; nieruchawy; obojętny; apatyczny Ⅲ s 1. uniw (w Oxfordzie) łódź biorąca udział w pierwszych regatach jesiennych 2. pl ~s uniw (w Oxfordzie) pierwsze regaty sezonu

torpidity [tɔ:'piditi], torpidness ['tɔ:pidnis] s 1. zdrętwienie; odrętwienie 2. (u zwierzęcia) sen zimowy 3. senność; nieruchomość; obojętność; apatia

torpor ['tɔ:pə] s odrętwienie; senność; nieruchawość; obojętność; apatia

torquate ['tɔ:kweit], torquated [tɔ:'kweitid] adj zoo (o ptaku itd) kołnierzasty

▲torque[1] [tɔ:k] s techn moment obrotowy <skręcający>

torque[2] [tɔ:k] s archeol naszyjnik

torrefaction [ˌtɔri'fækʃən] s prażenie; wysuszenie

torrefy ['tɔriˌfai] vt (torrefied ['tɔriˌfaid], torrefied; torrefying ['tɔriˌfaiiŋ]) wysusz-yć/ać, suszyć; wypraż-yć/ać, prażyć

torrent ['tɔrent] s 1. potok 2. pl ~s przen potok (deszczu, obelg itd.); (o deszczu) to fall in ~s lać strumieniami

torrential [tɔ'renʃəl] adj 1. (o deszczu) ulewny; gwałtowny; ~ rain nawałnica; ulewa 2. (o rzece) rwący

Torricellian [ˌtɔri'tʃəliən] adj (o próżni itd) Torricellego

torrid ['tɔrid] adj (o ziemi) wypalony słońcem; (o dniu itd) skwarny, upalny; ~ zone strefa gorąca

torridity [tɔ'riditi] s skwar; upał; kanikuła

torsel ['tɔ:səl] s 1. arch woluta 2. bud siestrzon

torsion ['tɔ:ʃən] s skręc-enie/anie (liny itd.); zwijanie; skręt; ~ balance waga skrętowa <torsyjna>

torsional ['tɔ:ʃənḷ] adj skręcający; skrętny; skręceniowy; torsyjny

torsk [tɔ:sk] s zoo brozma (ryba)

torso ['tɔ:sou] s (pl ~s) tors; tułów

tort [tɔ:t] s prawn (poniesiona) szkoda

torticollis [ˌtɔ:ti'kɔlis] s med kręcz szyi

tortile ['tɔ:til] adj skręcony; kręty

tortilla [tɔ:'tiłə] s płatek kukurydzany

tortious ['tɔ:ʃəs] adj prawn szkodliwy; stanowiący szkodę (dla kogoś)

tortoise ['tɔ:təs] s zoo żółw

tortoise-shell ['tɔ:təsˌʃel] Ⅰ s szylkret Ⅲ attr szylkretowy

tortuosity [ˌtɔ:tju'ɔsiti] s 1. krętość 2. wykrętność

tortuous ['tɔ:tjuəs] adj 1. (o drodze, ścieżce) kręty, wijący się 2. (o postępowaniu) wykrętny; nieszczery

torture ['tɔ:tʃə] Ⅰ s 1. hist tortury; an instrument of ~ narzędzie tortur; to put to the ~ podda-ć/wać torturom 2. męczarni-a/e; katusze; męki; cierpienia; ~s of the damned piekielne katusze Ⅲ vt 1. podda-ć/wać torturom; torturować 2. zamęcz-yć/ać, męczyć; zadręcz-yć/ać, dręczyć; zada-ć/wać męki (sb komuś) 3. wykręc-ić/ać; przekręc-ić/ać (znaczenie słów, wypowiedzi itd.) zob torturing

torturer ['tɔ:tʃərə] s 1. kat 2. dręczyciel

torturing ['tɔ:tʃəriŋ] Ⅰ zob torture v Ⅲ adj dręczący

torula ['tɔrjulə] s (pl torulae ['tɔrjuˌli:]) 1. biol

grzybek drożdżowy 2. *bot* osadnik, dno kwiatowe

↓**torus** [ˈtɔːrəs] *s* 1. *mat* torus 2. *arch* profil półokrągły w podstawie kolumny 3. *bot* osadnik, dno kwiatowe

Tory [ˈtɔːri] Ⅰ *s polit* torys Ⅱ *adj* torysowski

Toryism [ˈtɔːriˌizəm] *s polit* konserwatyzm torysowski

tosh [tɔʃ] *s* 1. bzdurny; brednie; banialuki 2. *sport* słaby rzut piłką; lekki serw

tosher [ˈtɔʃə] *s sl uniw* student bez przynależności kolegialnej

toss [tɔs] Ⅰ *vt* 1. podrzuc-ić/ać <*w tenisie*) podbi-ć/jać wysoko> (piłkę itd.); **to ~ one's head** żachnąć się; (*o koniu*) **it ~es its head** podrzuca głową; **to ~ sb in a blanket** podrzucać kogoś na kocu 2. (*o byku itd*) wziąć/brać na rogi; u/bóść; podrzuc-ić/ać rogami w górę 3. rzuc-ić/ać <cis-nąć/kać> (coś komuś) 4. rzucać losy; **to ~ a coin** za/grać w orła i reszkę 5. przewr-ócić/acać (naleśnik itd.) podrzucając (go) na patelni 6. miotać (**sb, sth** kimś, czymś) 7. *górn* mieszać (muł rudny) w zbiorniku 8. *wiośl w zwrocie*: **to ~ oars** za/salutować wiosłami Ⅱ *vr* **~ oneself** przewracać się z boku na bok (w łóżku) Ⅲ *vi* (*o morzu, drzewach itd*) kołysać się; (*o człowieku*) przewracać się (w łóżku); (*o statku*) wznosić się na grzbietach fal; **to (pitch and) ~** kołysać się (na falach)

~ aside <**away**> *vt* odrzuc-ić/ać; cis-nąć/kać na bok

~ off *vt* 1. wypi-ć/jać duszkiem 2. załatwi-ć/ać <z/robić, na/pisać itd.> od ręki <na poczekaniu>; uwi-nąć/jać się (**sth z czymś**)

~ up *vt w zwrocie*: **to ~ up a coin** za/grać w orła i reszkę

Ⅳ *s* 1. rzut (piłką itd.); podrzuc-enie/anie 2. rzut monetą przy grze w orła i reszkę; rzuc-enie/anie losów <losowanie> (za pomocą monety); **to win** <**lose**> **the ~** wygr-ać/ywać <przegr-ać/ywać> w losowaniu 3. (pogardliw-y/e) ruch <potrząśnięcie> głową

tosser [ˈtɔsə] *s* (człowiek) podrzucający (piłkę itd.)

tosspot [ˈtɔsˌpɔt] † *s* pijak; *pot* moczymorda

toss-up [ˈtɔsˌʌp] *s* 1. rzut monetą (przy grze w orła i reszkę, przy losowaniu) 2. rzecz niepewna <wątpliwa; *przen* loteria; **it's (quite) a ~ na** dwoje babka wróżyła

tot[1] [tɔt] *s* 1. małe bobo; brzdąc; berbeć 2. *pot* kapeczka (whisky itd.)

tot[2] [tɔt] *v* (**-tt-**) Ⅰ *vt pot* (*zw* **~ up**) z/sumować; oblicz-yć/ać; zlicz-yć/ać Ⅱ *vi pot* (*zw* **~ up**) (*o kwocie*) wynosić (**to £10 etc.** 10 funtów itd.) Ⅲ *s* kolumna cyfr do zliczenia

total [ˈtoutl] Ⅰ *adj* całkowity; cały; kompletny; (*o liczbie*) ogólny; sumaryczny; (*o wojnie itd*) totalny; **the sum ~** suma (ogólna); **the ~ population** ogół ludności; **the ~ loss of a fortune** utrata całego majątku Ⅱ *s* suma (ogólna, globalna); kwota ogólna Ⅲ *v* (**-ll-**) 1. z/sumować; oblicz-yć/ać; zlicz-yć/ać 2. wynosić (x); **the visitors ~led** liczba gości wynosiła 35 osób Ⅳ *vi* (**-ll-**) wynosić (**to** <**up to**> **£10 etc.** 10 funtów itd.)

totalitarian [ˌtoutæliˈtɛəriən] *adj polit* totalitarny

totality [touˈtæliti] *s* 1. całość; ogół; suma 2. *astr* zaćmienie całkowite

totalizator [ˌtoutəlaiˈzeitə] *s* totalizator

totalize [ˈtoutəˌlaiz] *vt* zsumować; zlicz-yć/ać

tote[1] [tout] *s sl skr* **totalizator**

tote[2] [tout] *vt am* przen-ieść/osić; nieść/nosić; wziąć/brać

totem [ˈtoutəm] *s* totem (Indian Ameryki Płn.)

totemic [touˈtemik] *adj* totemiczny

totemism [ˈtoutəˌmizəm] *s* totemizm

totem-pole [ˈtoutəmˌpoul] *s* słup totemiczny

t'other, tother [ˈtʌðə] *adj pron dial* (ten) drugi; *żart* **to tell ~ from which** poznać który jest który; odróżnić jednego od drugiego

totipalmate [ˌtoutiˈpælmit] *adj zoo* (*o ptaku*) o wiosłowatych nogach

totter [ˈtɔtə] Ⅰ *vi* 1. stać na chwiejnych <niepewnych> nogach 2. pójść/iść, chodzić na chwiejnych <niepewnych> nogach 3. (*o budowli, ustroju itd*) za/chwiać się; zagr-ozić/ażać, grozić runięciem

~ away *vi* od-ejść/chodzić chwiejnym krokiem

~ in <**out**> *vi* wejść/wchodzić <wy-jść/chodzić> chwiejnym krokiem

Ⅱ *s* chwiejne <niepewne> nogi; chwiejny <niepewny> krok

tottery [ˈtɔtəri] *adj* chwiejący się; niepewny; grożący runięciem

toucan [ˈtuːkən] *s zoo* tukan

↓**touch** [tʌtʃ] Ⅰ *vt* 1. dot-knąć/ykać (**sth** czegoś); tknąć się (**sth** czegoś); *hist* (*o królu*) dot-knąć/ykać (kogoś) w celu wyleczenia go ze skrofulozy; **to ~ one's hat to sb** pozdrowić kogoś przez podniesienie ręki do kapelusza; **to ~ sb's shoulder** stuknąć kogoś (porozumiewawczo) w plecy; **to ~ pitch** otrzeć się o nieczystą sprawę <o podejrzanego osobnika>; **to ~ wood** odpuk-ać/iwać (złe); **~ wood!** na psa urok!; **to ~ the spot** trafić w sedno rzeczy 2. trąc-ić/ać (**sth with sth** coś czymś) 3. po/rusz-yć/ać (**sth** coś) 4. stykać się (**sth z czymś**) 5. za/grać kilka tonów <zabrzdąkać> (**an instrument** na instrumencie); przebierać palcami (po strunach, klawiszach itd.) 6. nacis-nąć/kać (sprężynę, dzwonek elektr. itd.) 7. sięg-nąć/ać (**the ceiling** <**ground etc.>** do sufitu <ziemi itd.>); (*o cenach itd*) do-jść/chodzić <spa-ść/dać> (**a figure etc.** do pewnej cyfry itd.); **to ~ bottom** a) zejść/schodzić na samo dno (nieszczęścia itd.) b) (*o statku*) rozbi-ć/jać się; osi-ąść/adać na mieliźnie 8. (*zw z przeczeniem*) (nie) dorówn-ać/ywać (**sb in** <**for**> **sth** komuś pod względem <w zakresie, pod względnie> czegoś; **no one can ~ him in tragedy** nikt mu nie dorównuje w zakresie tragedii; *przen* **there's nothing to ~ the seaside for a good holiday** najlepsze wakacje to nad morzem 9. wzrusz-yć/ać; rozrzewni-ć/ać; porusz-yć/ać (kogoś) 10. dotknąć (kogoś boleśnie itd.); **to ~ sb to the quick** dotknąć kogoś do żywego 11. dotknąć (tematu); porusz-yć/ać (temat/y); wzmiankować (**sth** o czymś) 12. (*o mrozie itd*) zwarzyć (rośliny); (*o ogniu itd*) uszkodzić 13. dotyczyć (**sb, sth** kogoś, czegoś); odnosić się (**sb, sth** do kogoś, czegoś) 14. mieć coś wspólnego (**sth z czymś**); (*z zaprzeczeniem*) stronić (**sth od** czegoś — alkoholu itd.); **I never ~ it** nigdy nie piję 15. (*o środku chem itd*) działać (**sth** na coś) 16. (*zw z zaprzeczeniem*) (nie móc) poradzić sobie (**sth** z czymś); **the boys didn't ~ the maths paper** chłopcy nie mogli w żaden sposób poradzić sobie z egzaminacyjnym zadaniem matematycznym 17. *sl* naciąg-nąć/ać (**sb for a sum** kogoś na jakąś kwotę pieniężną) 18. poprawić, zmienić (rysunek, obraz) |III| *vi* 1. stykać się 2. dot-knąć/ykać (**on** <**upon**> **a subject** tematu); poruszyć (**on a subject** temat); wzmiankować (**on** <**upon**> **sth** o czymś) 3. *wojsk* dołączyć (w szeregu) 4. *mar* zawi-nąć/jać (**at a port** do portu) **~ down** *vi* (*w rugby*) zdoby-ć/wać bramkę przez dotknięcie ziemi między słupami **~ in** *vt plast* doda-ć/wać, domalow-ać/ywać (szczegół w obrazie) **~ off** *vt* 1. na/szkicować naprędce 2. wystrzel-ić/ać (**a gun etc.** z armaty itd.); wysadz-ić/ać (minę itd.) **~ up** *vt* 1. poprawi-ć/ać (obraz) 2. podci-ąć/nać (konia) 3. pobudz-ić/ać (pamięć) *zob* **touched, touching** |III| *s* 1. dotknięcie; poruszenie; tknięcie się (czegoś); **at a ~** za lada dotknięciem <poruszeniem>; **soft to the ~** miękki w dotknięciu; **to have a near ~** uniknąć czegoś o włos; **it was a near ~** wisiało na włosku 2. *plast* dotknięcie pędzla; *pl* **~es** *przen* poprawki; korektura 3. uczucie doznawane przy dotknięciu czegoś; **the cold ~ of steel** uczucie zimna doznawane przy dotknięciu stali 4. zmysł dotyku; dotyk 5. domieszka; dodatek; odrobina 6. lekki atak (choroby) 7. (*u artysty, muzyka, pisarza itd*) ręka (lekka itd. w dotknięciu płótna, instrumentu, tematu itd.); (*u pianisty*) uderzenie; **the ~ of a master** a) ręka mistrza b) styl (czyjś) 8. styczność; styk; kontakt; **to keep in ~** pozostawać w kontakcie; nie tracić kontaktu; **get in ~ with sb** skontaktować się z kimś 9. (*w piłce nożnej*) aut 10. na/magnesowanie przez styk 11. † kamień probierczy; **to put sth to the ~** wypróbować coś 12. *med* badanie dotykiem

touchable ['tʌtʃəbl] *adj* dotykalny; namacalny
touch-and-go ['tʌtʃ-ənd'gou] |I| *s* 1. krytyczna sytuacja 2. uniknięcie nieszczęścia o włos |III| *adj* niepewny; ryzykowny; (*o sytuacji*) krytyczny; **it was ~ whether _** a) o mały włos, a byłoby ... b) było bardzo niepewne <wątpliwe> czy ...; **it was ~ with us** życie nasze wisiało na włosku
touched [tʌtʃt] |I| *zob* **touch** *v* |III| *adj* 1. *pot* pomylony; zbzikowany; kopnięty 2. dotknięty 3. wzruszony; poruszony
toucher ['tʌtʃə] *s sl w zwrotach*: **a mere ~** uniknięcie nieszczęścia o włos; **as near as a ~** o mały włos
touchhole ['tʌtʃ,houl] *s* (*w dawnej armacie*) zapał
touchiness ['tʌtʃinis] *s* drażliwość; obraźliwość; przewrażliwienie
touching ['tʌtʃiŋ] |I| *zob* **touch** *v* |III| *adj* wzruszający; rozrzewniający |III| *praep* co się tyczy <co do, odnośnie do> (**sb, sth** kogoś, czegoś)
touch-line ['tʌtʃ,lain] *s* (*w piłce nożnej*) linia boczna <autowa> boiska
touch-me-not ['tʌtʃ-mi'nɔt] *s bot* niecierpek pospolity, gniewosz
touchstone ['tʌtʃ,stoun] *s* kamień probierczy; *przen* kryterium; sprawdzian
touchwood ['tʌtʃ,wud] *s* hubka; próchno

touchy ['tʌtʃi] *adj* (**touchier** ['tʌtʃiə], **touchiest** ['tʌtʃiist]) drażliwy; obraźliwy; przewrażliwiony
▲ tough [tʌf] |I| *adj* 1. (*o mięsie, skórze itd*) twardy; trudny do cięcia; (*o mięsie*) żylasty, łykowaty; **a beefsteak as ~ as leather** befsztyk twardy jak podeszwa 2. (*o stali itd*) mocny 3. (*o glinie itd*) lepki; gęsty; ciągły 4. (*o człowieku*) nieustępliwy; uparty 5. (*o człowieku*) wytrzymały (na ból itd.) 6. (*o drewnie*) mocny; wytrzymały; trwały 7. (*o przedsięwzięciu itd*) trudny 8. (*o losie*) niepomyślny; **~ luck** pech 9. *am* brutalny 10. *am* pozbawiony skrupułów 11. *am* chuligański; gangsterski |III| *s am* 1. gangster; bandyta 2. chuligan
toughen ['tʌfən] |I| *vt* 1. wzm-ocnić/acniać; za/hartować 2. usztywni-ć/ać 3. utwardzać |III| *vi* wzm-ocnić/acniać się; za/hartować się
toupée ['tu:pei] *s* 1. peruka 2. tupet, tupecik
tour [tuə] |I| *s* 1. objazd; podróż okrężna; wycieczka turystyczno-krajoznawcza; *hist* **the grand ~** podróż po kontynencie europejskim po ukończeniu szkoły średniej; **to make a ~ of _** obje-chać/żdżać ... (kraj itd.); **on ~** w terenie; w podróży 2. tournée artystyczne 3. wycieczka (piesza itd.); przechadzka (po mieście itd.) 4. *wojsk* obchód <ront> (posterunków itd.); inspekcja 5. *wojsk* okres służby (na posterunku, w garnizonie itd.); staż |III| *vi* odby-ć/wać <dokon-ać/ywać> tournée (**through** <**about**> **a country etc.** po kraju itd.); obje-chać/żdżać <zwiedz-ić/ać> (**through** <**about**> **a country etc.** kraj itd.) |III| *vt* obje-chać/żdżać <zwiedz-ić/ać> (kraj itd.); odby-ć/wać <dokon-ać/ywać> tournée (**a country etc.** po kraju itd.) *zob* **tourning**
tourbillon [tuə'biljən] *s pir* młynek
tourer ['tuərə] *s* 1. autokar turystyczny 2. turysta
▲ touring ['tuəriŋ] |I| *zob* **tour** *v* |III| *adj* turystyczny; krajoznawczy |III| *s* 1. turystyka 2. zwiedzanie (okolicy itp.)
tourism ['tuərizəm] *s* turystyka; krajoznawstwo
▲ tourist ['tuərist] *s* turysta; **~ agency** biuro turystyczne <podróży>; *kolej* **~ ticket** (ulgowy) bilet wycieczkowy
tourmalin(e) ['tuəməlin] *s miner* turmalin
tournament ['tuənəmənt] *s* 1. *hist* turniej (średniowieczny) 2. zawody; rozgrywki; turniej (szachowy itd.)
tourney ['tuəni] |I| *s* = **tournament** *s* 1. |III| *vi* wyst-ąpić/ępować na <potykać się w> turnieju (średniowiecznym)
tourniquet ['tuəni,kei] *s med* krępulec; opaska zaciskająca
tournure ['tuə'njuə] *s* turniura
tousle ['tauzl] *vt* 1. po/targać; po/szarpać 2. roz/czochrać; z/mierzwić
tous-les-mois ['tu:-lei'mwa:] *s* krochmal jadalny otrzymywany z zachodnioindyjskiej trzciny kwiatowej
tousy ['tauzi] *adj* rozczochrany; zaniedbany (w ubiorze)
tout [taut] |I| *vi* 1 kaptować (**for customers** klientów); nagabywać <nachodzić> klientów (**for orders** o zamówienia; *am* namawiać wyborców (**for votes** do oddawania głosu na odpowiedniego kandydata) 2. (*także* **~ round**) chodzić (**for sth** za czymś); czynić starania <naprzykrzać się> (**for sth** o coś); narzucać się 3. szpiegować w

stajniach wyścigowych; podglądać <podpatrywać> konie wyścigowe przy ujeżdżaniu ⟨III⟩ vt kaptować (**people for their custom** klientów) ⟨III⟩ s 1. naganiacz 2. naganianie (klientów itd.)

tout ensemble ['tu:t-ã:'sã:bl] s ogólne wrażenie

▲ **tow**[1] [tou] ⟨I⟩ vt 1. przy/holować <buksować, burłaczyć, ciągnąć na linie> (statek itd.) 2. wlec za sobą; wlec po wodzie (**a net** sieć) 3. łowić siecią (**the water** w wodzie) ⟨III⟩ s 1. lina (holownicza); **to take in** ∼ a) brać/wziąć na hol b) przy/holować (statek itd.); przy/ciągnąć na linie; **to have in** ∼ a) ciągnąć <wlec> za sobą b) *przen* mieć (kogoś) na swoich barkach <na utrzymaniu>; (*o statku itd*) **in** ∼ holowany na linie (za innym) 2. holowan-y/a statek <barka rzeczna itd.>

tow[2] [tou] s 1. zgrzebie 2. pakuły

towage ['touidʒ] s 1. holowanie 2. opłata za holowanie

toward ['touəd] † ⟨I⟩ adj 1. bliski; nadchodzący 2. (*o uczniu itd*) pojętny; chętny ⟨III⟩ praep [tə'wɔ:d] = **towards**

towards [tə'wɔ:dz] praep 1. ku (**sb, sth** komuś, czemuś); w kierunku <w stronę> (**sth** czegoś); na (**North, South etc.** północ, południe itd.); **I look** ∼ **you** piję do ciebie 2. dla <względem> (kogoś, czegoś); (czuć coś itd.) do (kogoś); w odniesieniu <w stosunku> do; pod adresem (**sb** czyimś) 3. dla <celem, w celu> (**bringing sth about** doprowadzenia do czegoś); na rzecz (czyjąś, czegoś) 4. (*w czasie*) blisko; ku (wieczorowi itd.); pod (koniec tygodnia, życia, stulecia itd.); **it's getting on** ∼ **6 o'clock** zbliża się (godzina) szósta 5. na (coś); na pokrycie kosztów (**sth** czegoś); **to pay something** ∼ **one's upkeep** wpłacić coś na częściowe pokrycie kosztów swego utrzymania

tow-boat ['tou,bout] s holownik

towel ['tauəl] ⟨I⟩ s 1. ręcznik; **roller** ∼ ręcznik zwijany; *boks* (*także przen*) **to throw up the** ∼ uzna-ć/wać się za pobitego; podda-ć/wać się 2. opaska higieniczna ⟨III⟩ vt (**-ll-**) 1. wy-trzeć/cierać ręcznikiem 2. *sl* z/bić *zob* **towelling**

towel-horse ['tauəl,hɔ:s] s wieszak na ręczniki

towelling ['tauəliŋ] ⟨I⟩ zob **towel** v ⟨III⟩ s 1. wy--tarcie/cieranie ręcznikiem 2. *sl* lanie (sprawiane komuś) 3. płótno <materiał> na ręczniki

tower[1] ['tauə] ⟨I⟩ s 1. wieża; baszta; *przen* **a** ∼ **of strength** ostoja; opoka; podpora; filar; **the Tower of London** średniowieczny zamek londyński, późniejsze więzienie, obecnie muzeum 2. *techn* wieża; **water** ∼ wieża <stacja> wodna ⟨II⟩ vi 1. (*także przen*) górować; wznosić się 2. wzbi-ć/jać się wysoko (w powietrze); wzl-ecieć/atywać 3. szybować (w powietrzu) *zob* **towering**

tower[2] ['touə] s holownik; holujący statek

towering ['tauəriŋ] ⟨I⟩ zob **tower**[1] v ⟨III⟩ adj 1. wysoki; wyniosły; niebotyczny 2. (*o gniewie itd*) gwałtowny; **to be in a** ∼ **rage** wściekać się

towheaded ['tou,hedid] adj jasnoblond

towing-line ['touiŋ,lain], **tow-line** ['tou,lain] s lina holownicza

towing-net ['touiŋ,net] = **tow-net**

towing-path ['touiŋ,pa:θ] = **tow-path**

tow-line *zob* **towing-line**

town [taun] ⟨I⟩ s 1. miasto; *am* miasto prowincjo-

nalne; **a woman of the** ∼ ulicznica; **in** ∼ a) w mieście b) na mieście c) w Londynie; **out of** ∼ poza miastem; w terenie; na prowincji; **he** <she etc.> **is out of** ∼ wyjechał <wyjechała itd.> (z miasta) 2. ludność miejska; mieszczanie; ∼ **and gown** *zob* **gown** ⟨III⟩ attr miejski; ∼ **clerk** pisarz archiwariusz; ∼ **council** rada miejska; ∼ **councillor** radny miejski; ∼ **hall** ratusz; ∼ **house** rezydencja miejska; *hist* ∼ **major** komendant garnizonu; ∼ **planning** urbanistyka; ∼ **talk** temat wszystkich plotek w mieście; sensacja miejska

townee [tau'ni:] s *uniw sl* mieszczuch (w mieście uniwersyteckim)

tow-net ['tou,net] s włók (sieć)

townlet ['taunlit] s miasteczko

townsfolk ['taunz,fouk] s mieszczanie; ludność miejska, ludzie z miast/a

township ['taunʃip] s 1. *hist* obszar dworski; mieszkańcy dworu 2. *hist* parafia 3. *am* okręg o obszarze 6 mil^2 4. (*w Australii*) obszar wydzielony pod miasto

townsman ['taunzmən] s (*pl* **townsmen** ['taunzmən]) 1. mieszczanin, człowiek mieszkający w mieście 2. współmieszkaniec; osoba mieszkająca w tym samym mieście; **he** <she etc.> **is my** ∼ **on** <ona itd.> mieszka w tym samym mieście (co ja)

townspeople ['taunz,pi:pl] *spl* mieszczanie; ludność miejska <miasta>

tow-path ['tou,pa:θ] s ścieżka flisacka

tow-rope ['tou,roup] s lina holownicza

towy ['toui] adj konopiasty

tox(a)emia [tɔk'si:miə] s *med* zatrucie krwi

toxic ['tɔksik] adj *med* toksyczny; trujący; jadowity

toxicological [,tɔksikə'lɔdʒikəl] adj toksykologiczny

toxicologist [,tɔksi'kɔlədʒist] s toksykolog

toxicology [,tɔksi'kɔlədʒi] s toksykologia

toxin ['tɔksin] s toksyna

toxity ['tɔksiti] s toksyczność

toy [tɔi] ⟨I⟩ s (*pl* ∼**s**) 1. zabawka; **to make a** ∼ **of sth** bawić się czymś; traktować coś jako zabawkę 2. cacko 3. drobiazg; błahostka 4. igraszka (w czyichś rękach) ⟨III⟩ attr 1. dziecinny; (*o przedmiocie*) do zabawy <do zabaw dziecinnych>; (*o teatrze, domu itd*) lalek; ∼ **soldier** a) żołnierzyk ołowiany b) *przen* malowane wojsko 2. miniaturowy (piesek itd.) 3. marionetkowy ⟨III⟩ vi 1. bawić się (**with sth** czymś); manipulować (ołówkiem, przy wąsach itd.) 2. robić niedbale (**with sth** coś); **to** ∼ **with one's food** bez apetytu <jednym ząbkiem>; dziobać widelcem z talerza; **to** ∼ **with an idea (of doing sth)** przemyśliwać (czy coś zrobić) 3. flirtować (**with sb** z kimś)

toyshop ['tɔi,ʃɔp] s sklep z zabawkami

toy-trade ['tɔi,treid] s przemysł zabawkarski

trabeated ['treibi,eitid] adj *bud* słupowo-belkowy

trabeation [,treibi'eiʃən] s *bud* belkowanie

trabecula [trə'bekjulə] s (*pl* **trabeculae** [trə'bekju,li:]) *anat* beleczka kostna

▲ **trace**[1] [treis] ⟨I⟩ s 1. ślad; trop; znak (**of sth** po czymś); oznaka; poszlaka 2. pozostałość ⟨II⟩ vt 1. na/rysować; na/kreślić; na/szkicować; wytycz-yć/ać (plan itd.) 2. (*także* **to** ∼ **over**) przekalkow-ać/ywać 3. pójść/iść śladem (**sb** czyimś); wy/

tropić 4. wy/śledzić 5. odtworzyć według śladów (starożytną budowlę itd.); z/re-konstruować 6. zna-leźć/jdować ślad/y (**sth czegoś**) 7. odszuk-ać/iwać 8. do-jść/chodzić (**sth to its source** do źródła czegoś) 9. iść (**one's path** swoją ścieżką <**drogą**>) 10. (*o aparacie samopiszącym itd*) rejestrować, zapisywać (zmiany ciśnienia itp.)

~ **back** *vt* wywodzić (**one's** <**sb's origin**> **to sb** ród swój <czyjś> od kogoś)

~ **over** *vt* przekalkow-ać/ywać, kalkować

~ **out** *vt* nakreśl-ić/ać; wytycz-yć/ać

zob **tracing**

trace² [treis] *s* postronek; **in the** ~**s** a) zaprzężony b) *przen* zaprzęgnięty do pracy; *przen* **to kick over the** ~**s** zbuntować się

trace-horse ['treis͵hɔ:s] *s* koń pociągowy

▲**tracer¹** ['treisə] *s* 1. kreślarz; autor rysunku <planu itd.> 2. odkrywca (śladów, zbrodni itd.) 3. (*także* ~ **shell** <**bullet**>) pocisk smugowy

tracer² ['treisə] = **trace-horse**

tracery ['treisəri] *s* 1. *arch* maswerk (ornament/y okna gotyckiego) 2. *bot* nerwacja

trachea [trə'kiə] *s* (*pl* ~**s**, **tracheae** [trə'ki:i:]) 1. *anat* (*pl* **tracheae** [trə'ki:i:]) tchawica 2. *bot* naczynie spiralne 3. *zoo* tchawica 4. *zoo* tchawka

tracheal [trə'kiəl] *adj anat* tchawiczy, tchawiczny

tracheotomy [͵træki'ɔtəmi] *s med* tracheotomia

trachoma [trə'koumə] *s med* jaglica

trachyte ['trækait] *s miner* trachit

tracing ['treisiŋ] Ⅰ *zob* **trace¹** *v* Ⅱ *s* rysunek kalkowy

tracing-cloth ['treisiŋ͵klɔθ] *s* kalka rysunkowa płócienna

tracing-paper ['treisiŋ͵peipə] *s* kalka rysunkowa <kreślarska>

▲**track** [træk] Ⅰ *s* 1. ślad; trop; *sl* **in one's** ~**s** w miejscu; jak się stoi <stało>; **to be on sb's** ~**s** być na czyimś tropie; **to cover up one's** ~**s** za-trzeć/cierać za sobą ślady; **to follow sb's** ~ iść za czyimś śladem; **to keep** ~ **of sb, sth** śledzić kogoś, coś; **to lose** ~ **of sb, sth** stracić kontakt z kimś, czymś; *sl* **to make** ~**s** a) wynieść się b) zwi-ać/ewać; **to make** ~ **for a place** popędzić dokądś; **to throw sb off the** ~ zbi-ć/jać kogoś z tropu 2. droga; trakt; szlak; ścieżka; (obrany przez kogoś) kurs; **to indicate the** ~ **in which others are to go** wskaz-ać/ywać kurs jaki inni mają obrać; **to put sb on the right** ~ wskaz-ać/ywać komuś właściwą drogę; właściwie kogoś nakierować; *przen* **he is off the** ~ zszedł na manowce; **the beaten** ~ bity trakt; utarta droga 3. tor (komety itd.); *sport* tor wyścigowy; bieżnia 4. trasa 5. torowisko; tor (kolejowy, tramwajowy) 6. gąsienica (ciągnika, czołgu itd.) 7. rozstaw kół (pojazdu) Ⅱ *vt* 1. śledzić; tropić 2. burłaczyć; holować 3. u/torować (drogę) 4. po/zostawi-ć/ać ślady (**a floor etc.** na podłodze itd.) Ⅲ *vi* 1. ułożyć/układać tor 2. (*o kołach pojazdu*) mieć rozstaw (*x* cm) 3. pozostawi-ć/ać ślady

~ **down** *vt* wyśledzić <wytropić, pojmać, s/chwy-cić/tać> (człowieka, zwierzę)

~ **out** *vt* wyśledzić (przebieg zjawiska itd.)

trackage ['trækidʒ] *s* 1. holowanie; burłaczenie 2. sieć kolejowa

track-athletics ['træk-æθ'letiks] *s am sport* trójbój lekkoatletyczny (biegi, skoki, rzuty)

track-clearer ['træk'kliərə] *s kolej* zgarniacz kamieni (u lokomotywy)

tracker¹ ['trækə] *s myśl* naganiacz (zwierzyny)

tracker² ['trækə] *s* 1. holownik 2. flisak 3. (*u organów*) abstrakt (dźwignia klawisza)

track-gauge ['træk͵geidʒ] *s* rozstaw szyn

trackless ['træklis] *adj* 1. (*o człowieku, zwierzęciu itd*) nie pozostawiający śladów 2. bezdrożny; (*o lesie*) dziewiczy; nie tknięty stopą ludzką 3. (*o pojeździe np o trolejbusie*) bez szyn

track-shoes ['træk͵ʃu:z] *s sport* kolce (buty z kolcami do biegów)

track-walker ['træk͵wɔ:kə] *s kolej* dróżnik

trackway ['træk͵wei] *s kolej* torowisko

tract¹ ['trækt] *s* 1. obszar; (obszerna) połać; rozłóg; szmat ziemi; tafla <zwierciadło> (wody) 2. *anat* przewód (pokarmowy itd.); drogi (oddechowe) 3. † przeciąg (czasu)

tract² [trækt] *s* rozprawa <traktat> (naukow-a/y, literack-a/i)

tractable ['træktəbl] *adj* 1. uległy; posłuszny; łagodny; łatwy do kierowania 2. (*o materiale*) łatwy do obróbki

tractarianism [træk'tɛəriə͵nizəm] *s rel* traktarianizm (ruch religijny w kościele anglikańskim w XIX w.)

tractate ['trækteit] *s* rozprawa (naukowa, lit.)

tractile ['træktail] *adj* (*o metalu*) ciągliwy; rozciągalny, rozciągliwy

traction ['trækʃən] *s* 1. trakcja; ~ **cable** kabel kolejki linowej; ~ **wheels** koła napędowe (lokomotywy) 2. siła pociągowa 3. *am* transport miejski 4. *med* wyciąg

traction-engine ['trækʃən͵endʒin] *s* ciągnik; traktor

tractor ['træktə] *s* 1. ciągnik; traktor 2. *lotn* samolot z (przednim) śmigłem ciągnącym

▲**trade** [treid] Ⅰ *s* 1. zawód; zajęcie; fach; rzemiosło; **a trick of the** ~ chwyt zawodowy; **by** ~ z zawodu; **home** <**domestic**> ~ handel wewnętrzny; ~ **union** związek zawodowy, trade--union 2. drobny handel; **to be in** ~ trudnić się handlem; *pot* **the** ~ sklepy <zakłady> handlujące napojami alkoholowymi; *sl mar* **the** ~ łodzie podwodne (jako dział marynarki wojennej) 3 handel (spółdzielczy, międzynarodowy, zagraniczny, wewnętrzny, morski, detaliczny itd.); wymiana handlowa; obroty handlowe; **a** ~ **price** cena hurtowa; **balance of** ~ bilans handlowy; **banking** ~ bankowość; **book** ~ księgarstwo; **fishing** ~ rybołówstwo morskie; **export** ~ eksport; **import** ~ import; **shipping** ~ żegluga handlowa, shipping; **the Board of Trade** ministerstwo przemysłu i handlu; ~ **mark** znak ochronny; ~ **name** a) nazwa fabryczna (artykułu handlu) b) nazwa (firmy); ~ **route** szlak handlowy; ~ **show** zamknięty pokaz filmu dla właścicieli kin i czynników zainteresowanych 4. przemysł (budowlany, meblowy, hotelowy, transportowy, turystyczny, wydawniczy itd.) 5. branża; **to be in the** ~ należeć do <być w> branży; być fachowcem 6. kupcy; świat kupiecki 7. klientela 8. *pl* ~**s** = ~-**winds** Ⅱ *attr* handlowy; firmowy; ~ **expenses** wydatki administracyjne; ~ **paper** weksel kupiecki; ~ **price** cena hurtowa Ⅲ *vi* 1. handlować (**in sth** czymś; **with sb** <**a country etc.**> z kimś <krajem itd.>); dokon-ać/

ywać transakcji (**with sb for sth** z kimś czymś — artykułem handlu) 2. przewozić <transportować> towary (**to __ do ...**) 3. wymieniać towary; prowadzić handel wymienny 4. frymarczyć, kupczyć, handlować (**in one's influence etc.** swoimi wpływami itd.) 5. wyzysk-ać/iwać <wykorzyst-ać/ywać> (**on** <**upon**> **sb's kindness** <**ignorance etc.**> czyjeś dobre serce <czyjąś nieświadomość rzeczy itd.>) Ⅳ *vt* 1. frymarczyć <kupczyć, handlować> (**one's honour etc.** honorem itd.) 2. przehandlow-ać/ywać <wymieni-ć/ać> (**sth for sth** coś na coś)
~ away <**off**> *vt* 1. przehandlow-ać/ywać 2. sprzeda-ć/wać; pozby-ć/wać się (**sth** czegoś)
~ in *vt* wymieni-ć/ać (stary artykuł <model> na nowy za dopłatą)

trader ['treidə] *s* 1. kupiec 2. handlarz (niewolnikami, żywym towarem itd.) 3. statek handlowy
tradesfolk ['treidz,fouk] = **tradespeople**
tradesman ['treidzmən] *s* (*pl* **tradesmen** ['treidzmən]) 1. kupiec; dostawca; (*w napisie*) "**tradesmen's entrance**" „wejście dla dostawców" 2. rzemieślnik
tradespeople ['treidz,pi:pl] *spl* kupcy; świat <stan> kupiecki; drobna burżuazja; kupiectwo (miasta, kraju itd.)
tradeswoman ['treidz,wumən] *s* (*pl* **tradeswomen** ['treidz,wimin]) właścicielka sklepu; sklepikarka; kupcowa
trade-unionism ['treid'ju:njə,nizəm] *s* ruch związków zawodowych; tradeunionizm
trade-unionist ['treid'ju:njənist] *s* działacz <stronnik> ruchu związków zawodowych; tradeunionista
trade-winds ['treid,windz] *spl* pasaty
tradition [trə'diʃən] *s* 1. tradycja 2. podanie (ludowe, ustne itd.) 3. *prawn* przeniesienie własności
traditional [trə'diʃən] *adj* tradycyjny; **it is ~ to __** tradycja wymaga, żeby ...; tradycyjnym zwyczajem jest, że ...; do tradycji należy ...
traditionalism [trə'diʃnə,lizəm] *s* tradycjonalizm
traduce [trə'dju:s] *vt* spotwarz-yć/ać; zniesław-ić/ać; oczerni-ć/ać
traducer [trə'dju:sə] *s* potwarca; oszczer-ca/czyni
▲**traffic** ['træfik] Ⅰ *s* 1. handel (**in a commodity** jakimś towarem) 2. frymarczenie <kupczenie> (**in lucrative appointments etc.** lukratywnymi posadami itd.) 3. ruch (uliczny, kolejowy, pieszy, kołowy itd.); **there is much** <**little etc.**> **~** jest wielki <słaby itd.> ruch; **~ regulations** przepisy drogowe; **~ (control) lights** światła regulujące ruch uliczny Ⅲ *vi* (**trafficked** ['træfikt], **trafficked**; **trafficking** ['træfikiŋ]) 1. handlować <prowadzić handel> (**in sth** czymś) 2. frymarczyć <kupczyć> (**in sth** czymś)
trafficator ['træfi,keitə] *s auto* kierunkowskaz; *pot* strzałka
traffic-jam ['træfik,dʒæm] *s* korek <zator> (w ruchu ulicznym)
tragacanth ['trægə,kænθ] *s* 1. *bot* traganek 2. *farm druk* guma traganowa; guminidragan
tragedian [trə'dʒi:djən] *s* tragediopisarz 2. (aktor) tragik
tragedienne [trə'dʒi:di,en] *s* (aktorka) tragiczka
tragedy ['trædʒidi] *s* tragedia
tragic(al) ['trædʒik(əl)] *adj* tragiczny

tragi-comedy ['trædʒi'kɔmidi] *s* tragikomedia
tragi-comic(al) ['trædʒi'kɔmik(əl)] *adj* tragikomiczny
tragus ['treigəs] *s* (*pl* **~es**) *anat* skrawek ucha
trail [treil] Ⅰ *vt* 1. po/ciągnąć <po/wlec> za sobą (po ziemi, po podłodze); **to ~ one's coat** a) wlec za sobą marynarkę <płaszcz> b) *przen* zachow-ać/ywać się wyzywająco 2. holować (samochód itd.) 3. tropić (zwierza, zbrodniarza itd.) 4. nieść (broń, karabin) w opuszczonej ręce 5. udept-ać/ywać ścieżkę (**the grass etc.** w trawie itd.) Ⅱ *vi* 1. (*o człowieku*) po/wlec się 2. (*o czymś*) ciągnąć, wlec się (**behind sth** z tyłu za czymś); (*o uszkodzonym samochodzie itd*) być na linie 3. (*o sukni itp*) wlec się po ziemi <podłodze> 4. (*o roślinie*) słać <płożyć> się po ziemi Ⅲ *s* 1. ślad <ogon> (wlokący się za czymś); (wlokąca się za czymś) smuga (dymu, piany, światła, ognia itd.); struga (krwi itd.) 2. trop (zwierza itd.); ślad (ślimaka itd.); bruzda (po kołach itd.) 3. szlak (wiodący przez dziką okolicę) 4. *artyl* dolna część lawety armatniej ‖ *wojsk w zwrocie*: **at the ~** z bronią <karabinem> w opuszczonej ręce
trailer ['treilə] *s* 1. *wojsk pot* maruder 2. tropiciel, człowiek na tropie (zwierza, zbrodniarza) 3. *bot* roślina płożąca (się) 4. przyczepa do (samochodu itd.) 5. *kino* zwiastun, fragmenty filmu wyświetlane dla reklamy
▲**train** [trein] Ⅰ *vt* 1. wyszk-olić/alać, szkolić; ur-obić/abiać; przyucz-yć/ać; wykształc-ić/ać, kształcić; wy/tresować (zwierzę itd.); wyprowadz-ić/ać (roślinę) 2. wy/trenować <instruować, wy/ćwiczyć> (**sb for sth** kogoś w czymś); za prawi-ć/ać (**sb for sth** kogoś do czegoś); **to ~ fine** doprowadz-ić/ać (sportowca) do żądanej formy 3. przygotow-ać/ywać (**sb for sth** kogoś do czegoś) 4. wycelować (**a gun etc. on sb, sth** z broni palnej itd. do kogoś, czegoś); nakierow-ać/ywać (teleskop itd.) 5. po/wlec Ⅲ *vi* 1. wy/trenować <wy/ćwiczyć, zaprawi-ć/ać> się; przygotow-ać/ywać się (**for sth** do czegoś); trenować <ćwiczyć> (**for sth** do czegoś) 2. po/jechać, jeździć <od by-ć/wać drogę pociągiem *zob* **training**> Ⅲ *s* 1. tren (u sukni itd.) 2. ogon (sokoła, komety itd.) 3. orszak; świta; asysta; poczet; szereg/i <tłum> (wielbicieli itd.); ciąg <sznur> (zwiedzających, wielbłądów itd.) 4. szereg <seria, łańcuch, pasmo> (wypadków itd.) 5. wątek (myśli) 6. ślady <następstwa> (wojny itd.); **they left waste and famine in their ~** zostawili po sobie <za sobą, na swej drodze> zgliszcza i głód 7. pociąg 8. *wojsk* podsypka (prochu) 9. † stan; kondycja; porządek; **matters were in a fine ~** wszystko było we wzorowym porządku 10. *techn* zestaw (kół, części) 11. *wojsk* tabor
trainband ['trein,bænd] *s hist* cywilny oddział zbrojny
train-bearer ['trein,bɛərə] *s* paź
trainee [trei'ni:] *s* 1. sportowiec trenujący 2. wojskowy na ćwiczeniach
trainer ['treinə] *s* 1. trener; instruktor 2. ujeżdżacz (koni) 3. *am artyl* celowniczy 4. *lotn* samolot szkoleniowy
train-ferry ['trein,feri] *s* prom kolejowy
trainful ['treinful] *s* (pełny) pociąg (pasażerów, towaru itd.)
train-guard ['trein,gɑ:d] *s* kierownik pociągu

training ['treiniŋ] ☐ *zob* **train** *v* Ⅲ *s* 1. *sport* trening; zaprawa; **in** ~ w (dobrej) formie <kondycji>; **out of** ~ w kiepskiej formie; bez kondycji 2. instrukcja; ćwiczeni-e/a; nauka (specjalności); **to be in** ~ szkolić się 3. praktyka (handlowa itd.) 4. tresura (zwierząt) 5. ujeżdżanie (konia)

training-bit ['treiniŋ‚bit] *s* munsztuk (część uprzęży)

training-college ['treiniŋ‚kɔlidʒ], **training-school** ['treiniŋ‚sku:l] *s* seminarium nauczycielskie

training-ship ['treiniŋ‚ʃip], **training-vessel** ['treiniŋ vesl] *s* statek szkolny

trainman ['treinmən] *s* (*pl* **trainmen** ['treinmən]) *am* członek obsługi pociągu

train-mile ['trein‚mail] *s kolej* mila przebytej pociągiem drogi (jednostka rozrachunkowa)

train-oil ['trein‚ɔil] *s* tran wielorybi

train-sickness ['trein‚siknis] *adj* nudności doznawane w czasie jazdy pociągiem

traipse *zob* **trapes**

trait [treit] *s* rys; cecha

traitor ['treitə] *s* zdrajca; **to be a** ~ **to one's country** <**party, oneself** etc.> zdradzić ojczyznę <partię, siebie samego itd.>; **to turn** ~ popełnić zdradę

traitorous ['treitərəs] *adj* 1. zdradziecki; wiarołomny 2. perfidny

traitress ['treitris] *s* zdrajczyni

trajectory ['trædʒiktərii] *s artyl* trajektoria; tor pocisku

tram[1] [træm] ☐ *s* 1. tramwaj; ~ **driver** motorniczy 2. szyna tramwajowa 3. *górn* wóz kopalniany Ⅲ *vi* (**-mm-**) je-chać/ździć, pojechać tramwajem Ⅲ *vt* (**-mm-**) 1. przew-ieźć/ozić tramwajem 2. *górn* przew-ieźć/ozić wózk-iem/ami kopalnianym/i

tram[2] [træm] *s* wątek jedwabny (w pluszu)

tram-car ['træm‚ka:] *s* tramwaj, wóz tramwajowy, *pot* wagon

tram-line ['træm‚lain] *s* 1. linia tramwajowa 2. szyna tramwajowa

trammel ['træml] ☐ *s* 1. drugubica (potrójna sieć na ryby, ptaki) 2. hak (do zawieszania kotła nad ogniem) 3. cyrkiel drążkowy 4. cyrkiel owalny (do kreślenia elips) 5. przeszkoda; zawada; *pl* ~s pęta; więzy; okowy Ⅲ *vt* (**-ll-**) tamować; s/krępować; s/pętać; utrudni-ć/ać

tramontana [‚træmɔn'ta:nə] *s* (*w basenie Morza Śródziemnego*) zimny wiatr północny

tramontane [trə'məntein] ☐ *adj* 1. transalpejski, transmontański 2. barbarzyński Ⅲ *s* 1. barbarzyńca 2. = **tramontana**

tramp [træmp] ☐ *vi* 1. stąpać ciężkimi krokami 2. chodzić; dreptać; łazić; nachodzić się 3. wędrować pieszo; włóczyć się (po kraju itd.) 4. *mar* po/jechać trampowcem Ⅲ *vt* 1. wędrować (**the country etc.** po kraju itd.); przewędrować <przemierz-yć/ać> (kraj itd.) 2. odby-ć/wać (drogę) piechotą; **we missed the last bus and had to** ~ **it** spóźniliśmy się na ostatni autobus i musieliśmy pójść <*pot* drałować> piechotą Ⅲ *s* 1. ciężkie kroki; stąpanie; tupot 2. wędrówka; droga odbyta piechotą 3. włóczęga; wędrowiec; tramp 4. włóczenie się (z zamiłowania lub w poszukiwaniu pracy); **to be on the** ~ włóczyć się 5. *mar* tramp, trampowiec, statek <frachtowiec>

trampowy 6. płytka metalowa chroniąca podeszwę przy kopaniu łopatą

tramper ['træmpə] *s* 1. wędrowiec, tramp 2. włóczęga

trample ['træmpl] ☐ *vt* po/deptać (coś, czyjeś uczucia itd.); potratować, s/tratować, zatratować Ⅲ *vi* po/deptać (**on sth** coś) Ⅲ *s* 1. odgłos kroków 2. deptanie

tramway ['træm‚wei] *s* tramwaj

trance [tra:ns] ☐ *s* 1. *med* zachwyt; odrętwienie 2. ekstaza; uniesienie 3. trans Ⅲ *vt poet* zachwyc-ić/ać

tranquil ['træŋkwil] *adj* cichy; spokojny; niezmącony

tranquillity [træŋ'kwiliti] *s* cisza; spokój

tranquillize ['træŋkwi‚laiz] *vt* uspok-oić/ajać; ucisz-yć/ać

tranquillizer ['træŋkwi‚laizə] *s farm* środek uspokajający

transact [træn'zækt] ☐ *vt* załatwi-ć/ać (interes/y, spraw-ę/y); przeprowadz-ić/ać (transakcję handlową); zaw-rzeć/ierać (umow-ę/y itd.) Ⅲ *vi* pertraktować

transaction [træn'zækʃən] *s* 1. prze/prowadzenie (sprawy itd.) 2. transakcja; interes; sprawa handlowa; operacja (giełdowa itd.) 3. *pl* ~s sprawozdania 4. *prawn* ugoda

transalpine ['trænz'ælpain] ☐ *adj* transalpejski Ⅲ *s* człowiek spoza Alp

transatlantic ['trænz-ət'læntik] *adj* transatlantycki

transceiver [træn'si:və] *s* radioaparat nadawczo--odbiorczy

transcend [træn'send] *vt* 1. przekr-oczyć/aczać (granice rozumu ludzkiego itd.); przewyższ-yć/ać; prześcig-nąć/ać; górować (**others** nad innymi)

transcendent [træns'sendənt] *adj* 1. najwyższego rzędu; nieprześcigniony; niezwykły 2. transcendentny; nadzmysłowy

transcendental [‚trænsen'dentəl] ☐ *adj* 1. transcendentalny 2. *mat* przestępny Ⅲ *s mat* liczba przestępna

transcendentalism [‚trænsen'dentə‚lizəm] *s* transcendentalność; nadzmysłowość

transcontinental ['trænz‚kɔnti'nentəl] *adj* transkontynentalny

transcribe [træns'kraib] *vt* 1. przepis-ać/ywać; s/kopiować 2. *muz* dokon-ać/ywać transkrypcji (**a piece of music** utworu) 3. *fonet* na/pisać w transkrypcji fonetycznej 4. *radio* utrwal-ić/ać <nagr-ać/ywać> na taśmie (dla późniejszego odtworzenia)

transcript ['trænskript] *s* 1. kopia 2. *jęz* transkrypcja, tekst w transkrypcji <transkrybowany>

transcription [træns'kripʃən] *s* 1. przepis-anie/ywanie 2. kopia 3. transkrypcja 4. *radio* utrwalenie <nagranie> na taśmie 5. *radio* odtw-orzenie/arzanie z taśmy; **to broadcast by** ~ nada-ć/wać z taśmy

transcurrent [træns'kʌrənt] *adj* ułożony <biegnący> poprzecznie

transection [træn'sekʃən] *s* przekrój

transept ['trænsept] *s kośc* transept, nawa poprzeczna

transfer [træns'fə] *v* (**-rr-**) ☐ *vt* 1. przen-ieść/osić (**sth, sb to a place** coś, kogoś dokądś); przew-ieźć/ozić; przerzuc-ić/ać; przemie-ścić/szczać; **to**

~ **property** <rights etc.> **to sb** przen-ieść/osić własność <prawa itd.> na kogoś; **to ~ a drawing** <picture etc.> **from paper to sth** przen-ieść/ osić rysunek <obraz itd.> z papieru na coś; **to ~ a drawing** przekalkow-ać/ywać rysunek 2. przekaz-ać/ywać <przel-ać/ewać> (pieniądze) 3. *handl* s/cedować Ⅲ *vi* 1. przen-ieść/osić się 2. zostać przeniesionym (służbowo itd.) 3. przesi-ąść/adać (się) Ⅲ *s* ['trænsfə] 1. przen-iesienie/ oszenie; przew-iezienie/ożenie, przewóz; przemieszcz-enie/anie; przerzuc-enie/anie 2. przekalkow-anie/ywanie (rysunku itd.); kalkomania; przedruk (litograficzny) 3. *księgow* przen-iesienie/oszenie, przeksięgow-anie/ywanie 4. przekaz; przekaz-anie/ywanie (pieniędzy); przelew 5. *handl* s/cedowanie; cesja; odst-ąpienie/ępowanie 6. wojskowy przeniesiony z jednej formacji do drugiej

transferable ['trænsfərəbl] *adj* (*o prawach, bilecie itd*) przenośny

transfer-book ['trænsfə‚buk] *s handl* księga przelewów <cesji, przeniesień>

transferee [‚trænsfə'ri:] *s* odbiorca (przeniesionej własności); nabywca; *prawn handl* cesjonariusz

transference ['trænsfərəns] *s* przen-iesienie/oszenie; przekaz-anie/ywanie; przelew; transfer

transfer-ink ['trænsfə‚ŋk] *s* farba do przedruku litograficznego

transfer-paper ['trænsfə'peipə] *s* 1. papier do kalkomanii 2. papier przedrukowy

transferrer, transferror ['trænsfərə] *s handl* przelewający; cedent

transfiguration [‚trænsfigjuə'reiʃən] *s* przeobraż-enie/anie; przekształc-enie/anie; *rel* **the Transfiguration** Przemienienie Pańskie

transfigure ['træns'figə] *vt* przemieni-ć/ać; przeobra-zić/żać; przekształc-ić/ać

transfix ['træns'fiks] *vt* 1. przebi-ć/jać; przekłu-ć/ wać; przeszy-ć/wać 2. unieruch-omić/amiać; s/paraliżować; **~ed with horror** osłupiały z przerażenia

transfixion [træns'fikʃən] *s* 1. przekłucie 2. *med* przecięcie (jak przy amputacji)

transform [træns'fɔ:m] *vt* 1. przekształ-cić/ać; przeobra-zić/żać; zmieni-ć/ać postać (**sth** czegoś) 2. przer-obić/abiać; przetw-orzyć/arzać; przemieni-ć/ać 3. zmieni-ć/ać (**sth into sth** coś na <w> coś; **sb beyond recognition** kogoś nie do poznania) 4. *elektr* prze/transformować

transformation [‚trænsfə'meiʃən] *s* 1. przekształc-enie/anie; przeobraż-enie/anie 2. przeróbka 3. przemiana 4. transformacja (prądu elektr.)

transformer [træns'fɔ:mə] *s* 1. człowiek przekształcający (coś na <w> coś innego) 2. *elektr* transformator

transformism [træns'fɔ:mizəm] *s* transformizm

transformist [træns'fɔ:mist] *s* transformista

transfuse [træns'fju:z] *vt* 1. przel-ać/ewać (płyn) 2. wp-oić/ajać 3. *med* dokon-ać/ywać transfuzji (**blood** krwi); z/robić transfuzję krwi (**a patient** pacjentowi)

transfusion [træns'fju:ʒən] *s* 1. przel-anie/ewanie 2. *med* transfuzja; przetaczanie

transgress [træns'gres] Ⅰ *vt* 1. narusz-yć/ać <pogwałc-ić/ać> (prawo, przepis itd.) 2. przekr-oczyć/aczać (granice przyzwoitości, kompetencje itd.) Ⅲ *vi* 1. z/grzeszyć 2. pogwałc-ić/ać prawo

transgression [træns'greʃən] *s* 1. narusz-enie/anie <pogwałc-enie/anie> (**of a law** ustawy) 2. wykr-oczenie/aczanie 3. grzech 4. *geol* transgresja

transgressor [træns'gresə] *s* 1. gwałciciel prawa; przestępca 2. grzesznik

tranship [træn'ʃip] = **trans-ship**

transhipment [træn'ʃipmənt] = **trans-shipment**

transhumance [træns'hju:məns] *s* okresow-e/a pędzenie <wędrówka> bydła

transience ['trænziəns], **transiency** ['trænziensi] *s* krótkotrwałość

▲**transient** ['trænziənt] *adj* 1. chwilowy; przemijający; przejściowy; krótkotrwały; przelotny 2. (*o spojrzeniu*) szybki; przelotny 3. *am* (*o gościu hotelowym*) przejezdny 4. *muz* (*o nucie*) przejściowy

transilient [træn'ziliənt] *adj* przeskakujący

transilluminate ['træns-i'lu:mi‚neit] *vt med* prześwietl-ić/ać

transire [træn'zaiəri] *s* przepustka celna

transistor [trən'zistə] Ⅰ *s* tranzystor Ⅲ *attr* tranzystorowy

▲**transit** ['trænsit] Ⅰ *s* 1. przejazd; przepłynięcie; przelot 2. przewóz; tranzyt; **goods delayed** <lost, damaged etc.> **in ~** towary wstrzymane <zagubione, uszkodzone itd.> w czasie tranzytu 3. *miern* teodolit 4. *astr* tranzyt Ⅲ *vt astr* (*o gwieździe*) prze-jść/chodzić (**a celestial body etc.** przez tarczę ciała niebieskiego itd.)

transit-circle ['trænsit‚sə:kl] *s astr* koło przejściowe (gwiazdy itd.)

transit-compass ['trænsit‚kʌmpəs] *s miern* teodolit

transit-duty ['trænsit‚dju:ti] *s* cło tranzytowe

transition [træn'siʒən] *s* 1. przejście (od czegoś do czegoś); zmiana; **to make a hurried ~ to another topic** przeskoczyć na inny temat; **period of ~, ~ period** okres przejściowy; *med* **~ tumour** nowotwór przejściowy 2. *muz* modulacja przejściowa

transitional [træn'siʒənl] *adj* przejściowy; pośredni

transitive ['trænsitiv] *adj* (*o czasowniku*) przechodni

transitory ['trænsitəri] *adj* 1. przemijający; chwilowy; krótkotrwały 2. *sąd* (*o sprawie*) podlegający rozpatrzeniu w każdym sądzie

translate [træns'leit] Ⅰ *vt* 1. prze/tłumaczyć; prze-łożyć/kładać 2. objaśni-ć/ać; tłumaczyć (zjawisko itd.) 3. przen-ieść/osić (biskupa) 4. *bibl* przen-ieść/osić żywcem (do nieba) 5. *mat* przesu-nąć/ wać 6. *techn* nada-ć/wać ruch postępowy (**sth** czemuś) 7. *telegr* translatować Ⅲ *vi* 1. robić tłumaczenia; tłumaczyć na obc-y/e język/i 2. (*o tekście itd*) da-ć/wać się prze/tłumaczyć

▲**translation** [træns'leiʃən] *s* 1. tłumaczenie; przekład 2. przen-iesienie/oszenie (biskupa) 3. *bibl* przeniesienie żywcem (do nieba) 4. *mat* przesu-nięcie/wanie 5. *techn* nada-nie/wanie ruchu postępowego 6. *telegr* translacja

translator [træns'leitə] *s* 1. tłumacz/ka; autor/ka przekład-u/ów 2. *telegr* przenośnik

transliterate [trænz'litə‚reit] *vt* dokon-ać/ywać transliteracji (**sth** czegoś)

transliteration [trænz‚litə'reiʃən] *s* transliteracja

▲**translocation** [‚trænzlou'keiʃən] *s* przemieszcz-enie/ anie

translucence ['trænz'lu:səns] *s* własność przepuszczania światła; półprzeźroczystość

translucent [trænz'lu:sənt] *adj* przeświecający; pół-przeźroczysty

transmarine [ˌtrænz-mə'ri:n] *adj* zamorski

transmigrant [trænz'maigrənt] *adj* przejezdny emigrant

transmigrate ['trænzmaiˌgreit] *vi* 1. przejeżdżać (przez kraj) w charakterze emigranta 2. (*o duszy*) odby-ć/wać wędrówkę

transmigration [ˌtrænzmai'greiʃən] *s* 1. przejazd emigranta (przez jakiś kraj) 2. wędrówka dusz

transmission [trænz'miʃən] *s* 1. doręcz-enie/anie (pakunku itd.) 2. przen-iesienie/oszenie (choroby itd.) 3. przekaz-anie/ywanie (czegoś potomności itd.) 4. *techn* przekładnia; transmisja 5. *fiz* przepuszczalność 6. *radio* transmisja

transmit [trænz'mit] *vt* (**-tt-**) 1. odda-ć/wać <odw-ieźć/ozić, doręcz-yć/ać> (pakunek itd.); za/komunikować <przekaz-ać/ywać, poda-ć/wać dalej> (wiadomość itd.) 2. przen-ieść/osić (chorobę itd.) 3. przekaz-ać/ywać (coś potomności itd.) 4. *techn* przekładać 5. *fiz* przepuszczać (światło itd.) 6. *radio* transmitować; nada-ć/wać

transmitter [trænz'mitə] *s* 1. osobnik przenoszący (chorobę itd.) 2. przenośnik, przekaźnik (aparat, przyrząd) 3. *telef* mikrofon 4. *radio* nadajnik

transmogrification [ˌtrænzmɔgrifi'keiʃən] *s żart* metamorfoza; przemiana za pomocą sztuk magicznych

transmogrify [trænz'mɔgriˌfai] vt (**transmogrified** [trænz'mɔgriˌfaid], **transmogrified; transmogrifying** [trænz'mɔgriˌfaiiŋ]) *żart* przemieni-ć/ać za pomocą sztuk magicznych

transmutation [ˌtrænzmju'teiʃən] *s* przemiana; przeobrażenie; transmutacja

transmute [trænz'mju:t] *vt* przemieni-ć/ać; przeobra-zić/żać

transoceanic ['trænzˌouʃi'ænik] *adj* transoceaniczny; ~ **flight of birds** przelot ptaków przez ocean

transom ['trænsəm] *s* 1. *bud* rygiel; belka; dźwigar 2. element poziomy dzielący pole okienne 3. belka nad dołem do piłowania 4. okienko nad drzwiami

transparence [træns'pɛərəns] *s* przeźroczystość

⧗transparency [træns'pɛərənsi] *s* 1. przeźroczystość; *żart* your <his etc.> **Transparency** wasza <jego itd.> Przeźroczystość <Wielmożność> 2. transparent (obraz na szkle, przeźroczystym papierze lub płótnie)

transparent [træns'pɛərənt] *adj* 1. przeźroczysty 2. jasny, zrozumiały 3. (*o wymówce itd*) grubymi nićmi szyty 4. (*o człowieku*) szczery

transpierce [træns'piəs] *vt* przebi-ć/jać; przekłu-ć/wać; przeszy-ć/wać (na wylot)

transpiration [ˌtrænspi'reiʃən] *s* 1. pocenie się 2. parowanie 3. poty 4. wyjście na jaw (tajemnicy)

transpire [træns'paiə] *vi* 1. s/pocić się 2. wy/parować 3. (*o tajemnicy*) wy-jść/chodzić na jaw 4. okaz-ać/ywać się; *pot* zdarzyć <wydarzyć> się; stać się

transplant [træns'plɑ:nt] *vt* 1. przesadz-ić/ać (rośliny) 2. przesiedl-ić/ać (ludność) 3. *med* przeszczepi-ć/ać

transplantation [ˌtræns-plɑ:n'teiʃən] *s* 1. przesadz--enie/anie (roślin) 2. przesiedl-enie/anie (ludności) 3. *med* przeszczepi-enie/anie; transplantacja

transpontine [trænz'pɔntain] *adj* 1. zarzeczny; pra-

wobrzeżny 2. melodramatyczny (aluzja do tanich teatrów, w które obfitował prawy brzeg Tamizy w Londynie)

⧗transport [træns'pɔ:t] Ⅰ *vt* 1. przew-ieźć/ozić; przen-ieść/osić; prze/transportować 2. por-wać/ywać; zachwyc-ić/ać; **to be ~ed with joy** nie posiadać się <szaleć> z radości; **to be ~ed with anger** un-ieść/osić się gniewem 3. zesłać/zsyłać <z/deportować, wyw-ieźć/ozić na miejsce wygnania> (zbrodniarza itd.) Ⅲ *s* ['trænspɔ:t] 1. przewóz; transport; zwózka; przew-iezienie/ożenie; przen-iesienie/oszenie 2. środki transportowe <przewozu> 3. *mar* transportowiec 4. uniesienie; zachwyt; poryw 5. zesłaniec

transportation [ˌtrænspɔ:'teiʃən] *s* 1. przewóz; transport 2. deportacja; zsyłka; zesłanie; wygnanie 3. *am* bilet (kolejowy itd.)

transporter [træns'pɔ:tə] *s* 1. właściciel przedsiębiorstwa przewozowego 2. *techn* przenośnik; transporter

transpose [træns'pouz] *vt* 1. przestawi-ć/ać, poprzestawiać 2. *muz* transponować 3. *mat* przen--ieść/osić (na drugą stronę równania)

transposition [ˌtrænspə'ziʃən] *s* 1. przestawi-enie/anie 2. *mat* permutacja; przeniesienie 3. *muz* transpozycja

trans-ship [træns'ʃip] *vt* (**-pp-**) przeładow-ać/ywać

trans-shipment [træns'ʃipmənt] *s* przeładunek

trans-sonic [træns'sɔnik] *adj* (*o szybkości*) ponaddźwiękowy

transubstantiation ['træn-səbˌstænʃi'eiʃən] *s teol* przeistoczenie; transsubstancjacja

transudation [trænˌsju'deiʃən] *s* przesiąkanie

transude [træn'sju:d] *vi* przesiąk-nąć/ać

transversal [trænz'və:səl] Ⅰ *adj* poprzeczny Ⅲ *s* linia poprzeczna

⧗transverse ['trænzvə:s] *adj* poprzeczny

tranter ['træntə] *s dial* 1. furman 2. roznosiciel; kolporter

trap¹ [træp] Ⅰ *s* 1. pułapka; potrzask; sidła; sieci; zasadzka; podstęp 2. drzwi zapadowe 3. *teatr* trap 4. przyrząd do wyrzucania w powietrze kulek <gołębi itd.>, jako cel/e dla strzelców 5. *techn* syfon; zamknięcie wodne; odwadniacz; **dust ~** pochłaniacz pyłu 6. *muz* instrumenty perkusyjne 7. dwukołowy wózek konny Ⅲ *vt* (**-pp-**) 1. z/łapać w pułapkę <potrzask, sidła, sieci>; s/chwytać w zasadzkę 2. zaopat-rzyć/rywać (scenę) w drzwi zapadowe 3. zastawi-ć/ać sidła <pułapkę, sieci> (**a wood etc.** w lesie itd.) 4. zatrzym-ać/ywać (gazy itd.) w syfonie 5. zaopat--rzyć/rywać (instalację itd.) w syfon/y *zob* **trapped**

trap² [træp] *s geol* skała wylewna, trap

trap³ [træp] *zob* **traps**

trap⁴ [træp] *vt* (**-pp-**) osiodłać (konia) rzędem *zob* **trappings**

trapan ['træpən] = **trepan** *v*

trap-and-ball ['træpəndˌbɔ:l], **trap-ball** ['træpˌbɔ:l] *s* dawna gra w rodzaju palanta

trap-door ['træpˌdɔ:] *s* 1. drzwi zapadowe; *zoo* ~ **spider** podkopnik (pająk) 2. rozdarcie tkaniny w kształcie litery L

trapes, traipse [treips] Ⅰ *vi pot dial* włóczyć się Ⅲ *s pot dial* 1. (kobieta) niechluj; flądra; plucha 2. długie męczące dreptanie

trapeze [trə'piːz] s 1. trapez (w akrobatyce) 2. = **trapezium**

trapezium [trə'piːzjəm] s mat trapez

trapezoid ['træpi͵zɔid] s mat trapezoid

trapper ['træpə] s traper

trappings ['træpiŋz] spl 1. rząd (na konia) 2. strój; parada; pompa; przejawy dostojeństwa

Trappist ['træpist] s rel trapista

trappistine ['træpistin] s 1. likier trapistów 2. rel **Trappistine** trapist-a/ka

trappy ['træpi] adj zdradliwy; niebezpieczny; pełen pułapek

traps [træps] spl manatki; rzeczy (osobiste)

trap-shooting ['træp͵ʃuːtiŋ] s strzelanie do gołębi

trash [træʃ] s 1. zbiór odpadki; śmieci 2. wytłoczyny z trzciny cukrowej 3. (o towarze) tandeta 4. (o utworze lit.) makulatura; kicz; szmira; (o utworze malarskim) kicz 5. bzdury; przelewanie z pustego w próżne 6. hołota; am (wśród białych w płd. stanach A. P.) white ~ biedota

trashy ['træʃi] adj tandetny; lichy; bezwartościowy

trass [træs] s geol tras, tuf

trauma ['trɔːmə] s (pl **traumata** ['trɔːmətə], ~s ['trɔːməs]) med uraz, trauma

traumatic [trɔː'mætik] adj med urazowy

travail ['træveil] ⍰ s lit 1. bóle porodowe 2. mozolna praca; wielki trud ⍰ vi 1. cierpieć bóle porodowe 2. mozolić się

travel ['trævl] v (-ll-) ⍰ vi 1. podróżować; odby-ć/wać podróż/e; wędrować; zwiedz-ić/ać świat 2. handl pracować jako agent podróżujący (for a firm firmy); reprezentować (for a firm firmę); he ~s in carpets for XYZ on zbiera zamówienia na dywany dla firmy XYZ; on jest akwizytorem wytwórni dywanów XYZ 3. (o części maszyny, świetle, cieniu, pociągu, zwierzęciu itd) poruszać się 4. (o wzroku) przesuwać się; błądzić 5. (o myśli) przenosić się (z tematu na temat); to ~ over an event zatrzym-ać/ywać się nad wydarzeniem; krążyć wokół wydarzenia 6. (o zwierzętach na pastwisku) posuwać się naprzód ⍰ vt 1. przeby-ć/wać (odległość) 2. (o pastuchu) popędzać (stado itd.) ⍰ s 1. podróże; podróżowanie; wyprawa; ~ office biuro podróży; books of ~ książki podróżnicze 2. techn bieg; suw; przesuw; skok (tłoka); poruszanie się zob **travelled, travelling**

travelled ['trævld] ⍰ zob **travel** v ⍰ adj (o człowieku) światowy; który dużo podróżował

traveller ['trævlə] s 1. podróżny; ~'s cheque czek podróżniczy; to play <tip> the ~ opowiadać niestworzone rzeczy 2. handl agent podróżujący; komiwojażer 3. techn suwnica (mostowa, warsztatowa); dźwig mostowy 4. biegacz (przędzarki)

traveller's-joy ['trævələz͵dʒɔi] s bot powojnik

travelling ['trævliŋ] ⍰ zob **travel** v ⍰ adj podróżujący; wędrowny; ruchomy ⍰ s podróże; ~ companion <expenses etc.> towarzysz/ka <wydatki itd.> podróży

travelogue ['trævə͵loug] s am odczyt z przeźroczami o podróż-y/ach <wyprawie>

travel-soiled ['trævl͵sɔild], ~-stained ['trævl͵steind] adj poplamiony w podróży; (o ubraniu, pojeżdzie itd) ze śladami odbytej podróży

traverse ['trævəs] ⍰ s 1. bud belka <dźwigar> poprzeczn-a/y 2. miern poligon; ciąg poligono-

wy 3. wojsk szaniec poprzeczny 4. prawn zaprzeczenie (of an allegation zarzutu) 5. mar posuwanie się zygzakiem pod wiatr ⍰ vt 1. prze-jść/chodzić <przeje-chać/żdżać> (a region etc. przez okolicę itd.); przeci-ąć/nać 2. rozpat-rzyć/rywać (rzecz) we .wszystkich szczegółach 3. obr-ócić/acać <nakierow-ać/ywać> (działo) 4. strugać (drewno) w poprzek 5. po/krzyżować (plany itd.) 6. prawn zaprzecz-yć/ać (sth czemuś) ⍰ vi 1. (w alpinizmie) wspinać się serpentynami 2. (o igle kompasu itd) obracać <poruszać> się na osi

traverser [trə'vəːsə] s kolej przesuwnica

travertine ['trævətin] s geol trawertyn, martwica wapienna

travesty ['trævisti] ⍰ s trawestacja; parodia ⍰ vt (**travestied** ['trævistid], **travestied; travestying** ['trævistiŋ]) s/parodiować, trawestować

trawl [trɔːl] ⍰ s 1. włók (sieć); trał 2. am = ~-line ⍰ vi łowić ryby włókiem; trałować ⍰ vt ciągnąć (włók)

trawler ['trɔːlə] s mar 1. trawler 2. trałowiec

trawl-line ['trɔːl͵lain] s długa lina z haczykami na ryby (w łowieniu morskim)

tray [trei] s 1. taca, tacka 2. fot miseczka 3. (w biurach) szufladka na akta <listy>; in ~ akta do załatwienia <do podpisu>; out ~ akta załatwione <podpisane>

trayful ['treiful] s (pełna) taca (jedzenia itd.); (w biurach) (pełna) szufladka (akt, listów)

treacherous ['tretʃərəs] adj 1. (o człowieku) zdradziecki; perfidny 2. (o drodze itd) zdradliwy; niebezpieczny 3. (o pamięci) zawodny, niepewny

treachery ['tretʃəri] s 1. (także an act <a piece> of ~) zdrada 2. perfidia; zdradliwość

treacle ['triːkl] ⍰ s melasa; syrop ⍰ vt 1. powle-c/kać melasą 2. farm zaprawi-ć/ać syropem

treacly ['triːkli] adj melasowaty; przen (o utworze literackim itd) cukierkowy

tread [tred] v (**trod** [trɔd], **trodden** [trɔdn]) ⍰ vi stąp-nąć/ać <kroczyć, chodzić> (on sth po czymś); stawiać nogi (przy chodzeniu); deptać (on the grass etc. trawę itd.); stanąć <nadepnąć, nast-ąpić/ępować> (on sb's toes <corns> komuś na palec <na nagniotek>; on a snake etc. na węża itd.); to ~ lightly a) lekko <ostrożnie> chodzić b) postępować dyplomatycznie <delikatnie>; to ~ in sb's footsteps pójść/iść czyimiś śladami; to ~ on sb's heels deptać komuś po piętach; to ~ <to seem to ~> on air chodzić jak wniebowzięty; to ~ on the neck of sb trzymać kogoś pod obcasem; am auto pot to ~ on the gas doda-ć/wać gazu ⍰ vt 1. chodzić (the soil etc. po ziemi itd.); deptać (the soil etc. ziemię <po ziemi> itd.); iść (a path ścieżką); to ~ the boards występować na scenie; być aktor-em/ką; to ~ sth under foot podeptać <z/deptać> coś; to ~ water a) posuwać się w głębokiej wodzie, dotykając nogami dna b) pły-nąć/wać w pozycji pionowej 2. wydept-ać/ywać (ścieżkę itd.) 3. gnieść <ugniatać, wygniatać> nogami (winogrona itd.) 4. † w zwrocie: to ~ a measure za/tańczyć 5. (o kogucie itd) deptać (kurę itd.)

~ down vt 1. udept-ać/ywać (ziemię) 2. zadept-ać/ywać 3. tratować <gnębić, ciemiężyć> (podbity naród itd.); poniewierać (sb kimś)

~ **in** *vt* wgnie-ść/atać nog-ą/ami
~ **out** *vt* 1. zadept-ać/ywać (ogień) 2. zgni-
-eść/atać, z/dusić, s/tłumić (powstanie itd.)
3. wygn-ieść/atać (wino) nogami
~ **over** *vt* wykrzywi-ć/ać (**one's shoes on one
side** buciki)
Ⅲ *s* 1. stąpanie; krok/i; odgłos kroków; † ślad
nogi <nóg>; **with cautious** ~ ostrożnie stąpając
<stawiając nogi> 2. deptanie (kury przez kogu-
ta) 3. *bud* podnóżek; stopnica 4. ochronn-a/y
blaszka <pasek gumowy> na stopniu schodów
5. (*u opony*) bieżnik; protektor 6. (*u szczudła*)
podnóżek 7. podeszwa 8. szczebel (drabiny) 9.
rozstaw (kół pojazdu); szerokość (toru) 10. powierzchnia bieżna (szyny); obwód toczny (koła)
tread-board ['tred‚bɔːd] *s bud* podnóżek; stopnica
treadle ['tredl] Ⅱ *s* pedał (maszyny do szycia
itd.) Ⅲ *vi* pedałować; poruszać pedałem
treadmill ['tred‚mil] *s* 1. kierat; deptak (mechaniczny) 2. *przen* kierat, monotonna praca
treadwheel ['tred‚wiːl] = **treadmill** 1.
treason ['triːzn] *s* zdrada; **high** ~ zdrada stanu;
constructive ~ przestępstwo równające się zdra-
dzie; **to talk** ~ knuć zdradę, spiskować
treasonable ['triːznəbl] *adj* 1. zdradziecki 2. wywrotowy
treason-felony ['triːzn‚feləni] *s* spisek przeciwko
bezpieczeństwu państwa
treasure ['treʒə] Ⅱ *s* skarb Ⅲ *vt* 1. cenić; przywiązywać najwyższą wagę (**sth** do czegoś) 2. (*zw*
to ~ **up**) strzec jak skarbu (**sth** czegoś) 3. (*zw*
to ~ **up**) za/chować w sercu, w pamięci
~ **up** *vt* na/gromadzić (skarby, bogactwa)
treasure-house ['treʒə‚haus] *s* skarbiec; skarbnica
treasure-hunt ['treʒə‚hʌnt] *s* wyprawa w poszukiwaniu skarbów
treasurer ['treʒərə] *s* skarbnik; *hist* **Lord High
Treasurer** minister skarbu; **Treasurer of the
Household** podskarbi królewski
treasure-trove ['treʒə'trouv] *s* znaleziony skarb
treasury ['treʒəri] *s* 1. skarbnica 2. **the Treasury**
skarb państwa; kasa państwowa; ministerstwo
skarbu; **First Lord of the Treasury** dodatkowy
tytuł premiera brytyjskiego; **Treasury Board** rada skarbu państwa; (*w parlamencie brytyjskim*)
Treasury bench ława, na której zasiadają: premier, minister skarbu i inni członkowie gabi-
netu; *am* **Secretary of the Treasury** minister
skarbu <finansów>; **Treasury bill** bon skarbowy;
Treasury note a) banknot b) *am* bon skarbowy
treat [triːt] Ⅱ *vt* 1. po/traktować; ob-ejść/chodzić
się (**sb well** <**badly etc.**> z kimś dobrze <źle
itd.>); **to** ~ **sth as a joke** wziąć/brać coś za
żart; obr-ócić/acać coś w żart 2. leczyć (**sb for
a disease** kogoś na daną chorobę) 3. *chem* pod-
da-ć/wać (coś) działaniu (**with an acid etc.** kwasu itd.); po/traktować (**with an acid etc.** kwa-
sem itd.) 4. *lit plast* po/traktować (temat) 5. po/
częstować <u/raczyć, u/gościć, pod-jąć/ejmować,
przyj-ąć/mować> (**sb to sth** kogoś czymś); *pot*
za/fundować (**sb to sth** komuś coś); zdoby-ć/wać
(wyborców) poczęstunkiem 6. *górn* obrabiać; wzbogacać 7. pokry-ć/wać (**with sth** warstwą czegoś)
8. przer-obić/abiać; podda-ć/wać przeróbce Ⅱ *vi*
1. pertraktować; po/prowadzić pertraktacje <roz-
mowy> (**with sb for sth** z kimś na temat czegoś)
2. (*o książce, rozprawie itd*) traktować <rozpra-

wiać> (**of sth** o czymś); omawiać (**of a subject**
temat) 3. częstować; *pot* fundować Ⅲ *s* 1. uczta
(duchowa itd.); wielka przyjemność; (prawdziwa)
rozkosz 2. majówka; przyjęcie; zabawa 3. poczęstunek; po/częstowanie; pod-jęcie/ejmowanie
(gości); *pot* funda; **to stand** ~ po/częstować;
za/fundować
treater ['triːtə] *s* 1. (człowiek) prowadzący pertraktacje <rozmowy> 2. (człowiek) podejmujący
<goszczący, częstujący> 3. autor rozprawy
treatise ['triːtiz] *s* rozprawa <praca> naukowa
treatment ['triːtmənt] *s* 1. sposób po/traktowania
(człowieka, tematu itd.); po/traktowanie; ob-
-ejście/chodzenie się (**of sb, sth** z kimś, czymś)
2. leczenie (**of a disease** choroby; **of a patient for
a disease** pacjenta na daną chorobę); **under** ~
w leczeniu 3. *chem* traktowanie (czymś) 4. *górn*
obróbka
treaty ['triːti] Ⅱ *s* 1. *polit* traktat; układ; umowa
2. porozumienie; **to be in** ~ **with sb for sth**
pertraktować z kimś na temat czegoś Ⅲ *attr* (*o
klauzulach, zobowiązaniach itd*) traktatowy
treble ['trebl] Ⅱ *adj* 1. potrójny; trzykrotny; trojaki; trzykrotnie większy <liczniejszy> 2. *muz*
sopranowy; dyszkantowy; ~ **clef** klucz wioli-
nowy <skrzypcowy> Ⅲ *s* 1. trzykrotność 2. *muz*
sopran; dyszkant Ⅲ *vt* potr-oić/ajać Ⅳ *vi* po-
tr-oić/ajać się
trebly ['trebli] *adv* potrójnie; trzykrotnie; trojako;
w trójnasób
trebuchet ['trebju‚ʃet] *s* 1. *hist* katapulta 2. waga
apteczna 3. pułapka
trecentist [trei'tʃentist] *s* pisarz <malarz> włoski
z XIV w.
trecento [trei'tʃentou] *s* wiek XIV w literaturze
i sztuce włoskiej
tree [triː] Ⅱ *s* 1. drzewo (roślina); **Christmas tree**
choinka; *przen* **at the top of the** ~ u szczytu
kariery; **family** <**genealogical**> ~ drzewo genealogiczne; rodowód; **up a** ~ w kłopotach; w
impasie; w tarapatach; zapędzony w kozi róg;
~ **dozer** karczownik 2. (*także* **axle-**~) oś 3.
(*także* **boot-**~) prawidło 4. (*także* **saddle-**~)
rama siodła 5. *techn* wał 6. *bud* belka; nadproże; krokiew 7. *mar* drzewo (znak konwencjonalny na mapie morskiej) 8. † szubienica 9. *bibl*
krzyż święty Ⅲ *vt* 1. zapędz-ić/ać (zwierzę) na
drzewo 2. *przen* zapędz-ić/ać (kogoś) w kozi róg;
narobić kłopotu (**sb** komuś) 3. włożyć/wkładać
prawidło (**a boot** do buta)
tree-crab ['triːkræb] *s zoo* siłacz
tree-creeper ['triː‚kriːpə] *s zoo* pełzacz (ptak)
tree-fern ['triː'fəːn] *s bot* paproć drzewiasta
tree-frog ['triː'frɔg] = **tree-toad**
treeless ['triːlis] *adj* (*o okolicy*) bezdrzewny
treelike ['triː‚laik] *adj* drzewokształtny
tree-mallow ['triː‚mælou] *s bot* ślazówka
tree-nail ['triː‚neil] *s* kołek
tree-sparrow ['triː‚spærou] *s zoo* wróbel mazurek
tree-toad ['triː‚toud] *s zoo* zielona żaba, rzekotka
tree-top ['triː'tɔp] *s* wierzchołek <korona> drzewa
tree-trunk ['triː‚trʌŋk] *s* pień
trefoil ['trefɔil] *s* 1. *bot* koniczyna 2. *arch* trójlistny podział okna gotyckiego
trek [trek] *vi* (-kk-) 1. (*w płd. Afryce*) wędrować
w wozach zaprzężonych w woły 2. *przen* posuwać się wolno 3. (*o wołach*) ciągnąć wozy Ⅱ *s*

masowa wędrówka (obozu złożonego z wozów zaprzężonych w woły)

trellis ['trelis] [I] *s* 1. krata; szpaler 2. altanka <zasłona itd.> kratowana [III] *vt* zasł-onić/aniać <ot-oczyć/aczać, pod-eprzeć/pierać> kratą

trellis-work ['trelis,wə:k] [I] *s* krata; okratowanie [III] *adj* okratowany

trematode ['tremə,toud] *s zoo* przywra (pasożyt)

tremble ['trembl] [I] *vi* za/trząść się **(with anger, cold etc.** z gniewu, zimna itd.**);** za/drżeć; za/ dygotać; **I ~ to think** <**at the thought**> **of it** drżę na samą myśl o tym; **my fate ~d in the balance** ważyły się moje losy; życie moje wisiało na włosku; **to ~ for sb, sth** drżeć o kogoś, coś; **hear and ~!** drżyjcie narody! *zob* **trembling** [III] *s* 1. drżenie; *pot* **all of a ~** roztrzęsiony; dygocący 2. *pl* **~s** *wet* drżączka (choroba bydła)

trembler ['tremblə] *s* 1. (człowiek) tchórz 2. *elektr* dzwonek grzechotny 3. przerywacz; młoteczek przerywacza

trembling ['tremblin] [I] *zob* **tremble** *v* [III] *adj* drżący; **~ bog** trzęsawisko [III] *s* drżenie; **in fear and ~** roztrzęsiony

tremella [tre'melə] *s bot* trzęsidło

tremellose ['tremi,lous] *adj* galaretowaty; trzęsący się jak galareta

tremendous [tri'mendəs] *adj* 1. straszliwy; przerażający 2. olbrzymi; ogromny; potężny; kolosalny

tremolo ['tremə,lou] *s muz* tremolo

tremor ['tremə] *s* drżenie; drganie; drgnięcie; **earth ~** wstrząs ziemi

tremulous ['tremjuləs] *adj* drżący

trenail ['tri:neil] = **treenail**

⸙trench [trentʃ] [I] *s* 1. rów; bruzda 2. *wojsk* okop; rów strzelecki; **to mount the ~es** stać na warcie w okopach; **to open the ~es** rozpocząć kopanie rowów; **~ coat** trencz; *med* **~ fever** gorączka okopowa; **~ foot** przemarznięte nogi; **~ mortar** moździerz okopowy; *med* **~ mouth** zapalenie wrzodziejące jamy ustnej [III] *vi* 1. wykop-ać/ywać rowy <okopy> 2. wkr-oczyć/aczać <wtarg-nąć/ać> **(on sb's rights etc.** w czyjeś prawa itd.**); to ~ on sb's privacy** zakłóc-ić/ać komuś spokój domowy 3. graniczyć **(upon insolence etc.** z bezczelnością itd.**)** [III] *vt* przekop-ać/ywać <po/przecinać> rowami (pole itd.)

trenchancy ['trentʃənsi] *s* 1. ostrość (tonu) 2. ciętość (stylu) 3. stanowczość (wypowiedzi)

trenchant ['trentʃənt] *adj* 1. ostry 2. (*o tonie itd*) ostry; kategoryczny 3. (*o stylu*) cięty 4. (*o wypowiedzi*) stanowczy; zdecydowany

trencher ['trentʃə] *s* 1. deska, deszczułka (dawniej używana zamiast talerza, obecnie do krajania chleba) 2. † rozkosze stołu; **~ companion** kompan do jadła i picia; **~ cap** czapka uniwersytecka z płaskim kwadratowym wierzchem

trencherman ['trentʃəmən] *s* (*pl* **trenchermen** ['trentʃəmən]) *w zwrotach*: **a good ~** człowiek cieszący się dobrym apetytem <lubiący obficie zjeść>; **a poor ~** niejadek

trend [trend] [I] *vi* 1. dążyć <biec, ciągnąć się> **(to** <**towards**> **sth** ku czemuś <w kierunku czegoś>); **to ~ away from sb, sth** odwr-ócić/acać się od kogoś, czegoś; **the coast ~s towards the east** wybrzeże biegnie <ciągnie się> w kierunku wschodnim; **modern thought ~s away from that**

dzisiejsza myśl odwraca się od tego 2. (*o cenach*) kształtować się **(upwards, downwards** zwyżkowo, zniżkowo) [III] *s* dążność; bieg (myśli, wypadków itd.) kierunek; tendencja; orientacja; **the ~ of opinion** ogólna opinia; ogólne nastawienie

trepan[1] [tri'pæn] [I] *s med* trepan [III] *vt* **(-nn-)** s/trepanować

trepan[2] [tri'pæn] [I] *vt* zwabi-ć/ać; usidl-ić/ać [III] *s* pułapka; podstęp

trepanation [,trepə'neiʃən] *s med* trepanacja

trepang [tri'pæŋ] *s* ślimak morski (jadany przez Chińczyków)

trephine [tri'fi:n] [I] *s med* trepan, wywiertnik [III] *vt* s/trepanować

trepidation [,trepi'deiʃən] *s* drżenie

trespass ['trespəs] [I] *vi* 1. wkr-oczyć/aczać **(on sb's land** na czyjś grunt); prze-jść/chodzić <przeje-chać/żdżać> **(on sb's land** przez czyjś grunt) 2. narusz-yć/ać **(on sb's rights** czyjeś prawa); wkr-oczyć/aczać **(on sb's rights** w czyjeś prawa); **to ~ on sb's preserves** wtrąc-ić/ać się w czyjeś sprawy; **to ~ on sb's hospitality** naduży-ć/wać czyjejś gościnności 3. narusz-yć/ać <po/gwałcić> **(against a law** <**principle etc.**> ustawę <zasadę itd.>); wykr-oczyć/aczać **(against the law** przeciw prawu) 4. z/grzeszyć **(against sth** przeciwko czemuś) [III] *vi* wkr-oczyć/aczać na cudzy <prywatny> grunt; prze-jść/chodzić <przeje-chać/ żdżać> przez cudzy <prywatny> grunt [III] *s* 1. naruszenie <pogwałcenie> ustawy 2. wykroczenie 3. grzech; (*w pacierzu*) *pl* **~es** winy 4. wkr-oczenie/aczanie **(on sb's land** na czyjś grunt); przejście/chodzenie <przejazd, przejeżdżanie> **(on sb's land** przez czyjś grunt) 5. naduży-cie/wanie **(on sth** czegoś — czyjejś cierpliwości itd.)

trespasser ['trespəsə] *s* człowiek naruszający cudze prawa <przechodzący przez cudzy grunt>; (*w napisie*) **"Trespassers will be prosecuted"** „Przejście wzbronione pod karą"

tress [tres] [I] *s* 1. warkocz 2. lok 3. *pl* **~es** *poet* włosy (kobiety) [III] *vt* pleść (włosy) w warkocze

trestle ['tresl] *s* 1. kozioł; kobyła ramowa 2. (*także* **~-work**) estakada (wysokie podpory mostu)

trestle-work ['tresl,wə:k] *zob* **trestle** 2.

trews [tru:z] *spl* spodnie w szkocką kratę noszone w niektórych pułkach

trey [trei] *s* trójka (w kartach i grze w kości)

triable ['traiəbl] *adj* 1. nadający się do wypróbowania 2. *prawn* nadający się do rozpatrzenia sądowego

triad ['traiəd] *s* 1. *mat muz* triada 2. *chem* pierwiastek trójwartościowy

triage ['traiədʒ] *s* odpadki z ziarna kawowego

trial ['traiəl] [I] *s* 1. próba; wypróbowanie; wystawienie na próbę; **on ~** a) (dać, wziąć itd.) na próbę <warunkowo> b) po wypróbowaniu; po okresie próbnym; **to give sth a ~** wypróbować coś; **to put to ~** podda-ć/wać próbie; **to give sb a ~** wziąć kogoś (pracownika itd.) na próbę 2. *pl* **~s** egzamin konkursowy; *sport* **~ match** rozgrywka próbna (dla ustalenia reprezentacji) 3. ciężkie doświadczenie; nieszczęście (osobiste) niedola 4. próba cierpliwości; utrapienie; **to be a ~** być nieznośnym 5. rozprawa sądowa; proces; **new ~** rewizja procesu; **to stand ~** sta-nąć/ wać przed sądem; **to undergo ~** być sądzonym

<na ławie oskarżonych> 6. eksperyment, próba, doświadczenie; **by ~ and error** metodą prób i doświadczeń ⟨III⟩ *attr* próbny; doświadczalny
triandria [trai'ændriə] *s bot* klasa roślin trójpręcikowych
triandrous [trai'ændrəs] *adj bot* trójpręcikowy
triangle ['traiæŋgl] *s* 1. *mat muz* trójkąt; **the eternal ~** trójkąt małżeński; *geod* **~ of error** trójkąt błędu; *techn* **~ of forces** trójkąt sił 2. ekierka trójkątna, trójkąt
triangular [trai'æŋgjulə] *adj* 1. trójkątny; trójgraniasty 2. (*o układzie polit itd*) trójstronny
triangulate[1] [trai'æŋgju,leit] *vt* 1. nada-ć/wać kształt trójkątny (**sth** czemuś) 2. z/robić pomiary trygonometryczne; z/mierzyć przy pomocy triangulacji
triangulate[2] [trai'æŋgjulit] *adj zoo* znaczony trójkątami
triangulation [trai,æŋgju'leiʃən] *s* triangulacja; **~ point** punkt triangulacyjny
trias ['traiəs] *s geol* trias; formacja triasowa
triassic [trai'æsik] *adj geol* triasowy
triatic [trai'ætik] *adj mar* **~ stay** więź przednia wtórniaka dolnego
triatomic [,traiə'tɔmik] *adj chem* trójatomowy
tribadism ['tribə,dizəm] *s* miłość lesbijska
tribal ['traibəl] *adj* szczepowy; plemienny
tribalism ['traibə,lizəm] *s* organizacja szczepowa <plemienna>
tribasic [trai'beisik] *adj chem* trójzasadowy
tribe [traib] *s* 1. szczep; plemię 2. *bot zoo* poddział 3. *brać*; banda
tribesman ['traibzmən] *s* (*pl* **tribesmen** ['traibzmən]) współplemiennik; członek szczepu
triblet ['triblit] *s* nastawek <wałek, wrzeciono> złotnicz-y/e
tribrach ['tribræk] *s prozod* trybrach (stopa o trzech krótkich zgłoskach)
tribulation [,tribju'leiʃən] *s* 1. cierpienie; męka; męczarnia; ciężkie zmartwienie 2. przyczyna utrapienia
tribunal [trai'bju:nl] *s* 1. sąd; trybunał 2. *hist* komisja dla spraw zwolnień od służby wojskowej
tribune[1] ['tribju:n] *s* (*w staroż. Rzymie*) trybun; *przen* demagog
tribune[2] ['tribju:n] *s* 1. trybuna (mównica, gazeta) 2. tron biskupi
tributary ['tribjutəri] ⟨I⟩ *adj* 1. (*o narodzie, państwie*) poddany; hołdowniczy; lenny; danniczy 2. zasilający; (*o rzece*) dopływowy ⟨III⟩ *s* 1. hołdownik; dannik 2. dopływ
tribute ['tribju:t] *s* 1. danina; haracz; **to pay ~** składać daninę; płacić haracz; **to lay a nation under ~** na-łożyć/kładać daninę na naród 2. hołd; **the ~s of admirers** hołdy wielbicieli; **to pay a ~ to sb's memory** złożyć hołd czyjejś pamięci 3. *górn* **~ system** wynagrazanie pracy w naturze; **~ work** praca wynagradzana w naturze 4. uznanie; wyrazy uznania; **to pay ~ to sb** wyrazić komuś (swoje) uznanie
tricapsular [trai'kæpsjulə] *adj bot* (*o owocu*) trzytorebkowy
tricar ['trai,ka:] *s* samochód trójkołowy
tricarpous [trai'ka:pəs] *adj bot* posiadający trzy owocolistki
trice[1] [trais] *s w zwrocie*: **in a ~** w oka mgnieniu; momentalnie

trice[2] [trais] *vt mar* podn-ieść/osić <podciąg-nąć/ać> (żagiel)
tricentenary [,traisən'ti:nəri] ⟨I⟩ *adj* trzechsetletni ⟨III⟩ *s* trzechsetlecie
tricephalic [,traisə'fælik], **tricephalous** [trai'sefələs] *adj* trójgłowy
triceps ['traiseps] *s anat* mięsień trójgłowy
trichiasis [trai'kaiəsis] *s med* 1. podwinięcie rzęs 2. obecność włoskowatych włókien w moczu
trichina [tri'kainə] *s* (*pl* **trichinae** [tri'kaini:]) *med bot* włosień, trychina
trichinopoli [,tritʃi'nɔpəli] *s* cygaro indyjskie
trichinosis [,triki'nousis] *s med* włośnica
trichology [trai'kɔlədʒi] *s* nauka o włosach
trichoma [trai'koumə] *s med* kołtun
trichord ['trai,kɔ:d] *s* instrument trzystrunny
trichotomy [trai'kɔtəmi] *s* podział na trzy części
trichromatic [,traikrə'mætik] *adj* trójbarwny
trick [trik] ⟨I⟩ *s* 1. podstęp; pułapka; chwyt; **to play sb a ~** nabrać kogoś; wziąć/brać kogoś na kawał 2. hokus pokus, sztuczka (magiczna, kuglarska); sztuka (zręcznościowa); (*o człowieku, zwierzęciu*) **to play ~s** pokazywać sztuki; **to do the ~** dokazać (tej) sztuki; **that did the ~** a) to (dopiero) pomogło b) w ten sposób się udało; **the whole bag of ~s** cały kram 3. zręczność <spryt> w robieniu czegoś; umiejętność; wprawa; sposób; **I know a ~ worth two of that** (ja) znam <mam> lepszy sposób na to; **the ~ of it** najlepszy sposób na to; **there's a ~ in it** trzeba się w tym połapać; **that does the ~** w tym cała sztuka; **he's done the ~** on tego dokazał 4. akrobacja; **~ cyclist** akrobata rowerowy 5. przyzwyczajenie; nawyk; mania; maniera; zmanierowanie; **it's a ~ of his** a) to jest jego maniera b) on ma taki nawyk; **private school ~s** nawyki internatowe; **style disfigured by ~s** zmanierowany styl 6. psota; psikus; figiel; (złośliwy) kawał; **a dirty** <shabby, scurvy, dog's> **~** świństwo; **to play a ~ on sb** spłatać komuś figla 7. *karc* lewa; **to win** <take> **the ~** wziąć lewę 8. *mar* wachta przy sterze 9. *kino* trick ⟨II⟩ *vt* 1. oszuk-ać/iwać; **to ~ sb out of sth** wyłudz-ić/ać coś od kogoś; **to ~ sb into doing sth** naciąg-nąć/ać kogoś na to, żeby coś zrobił 2. (*o mechanizmie itd*) zaw-ieść/odzić (**sb** kogoś); *pot* nawalić (**sb** komuś) ⟨III⟩ *vi* płatać figle; figlować **~ out** <up> *vt* wy/stroić; wyczupurzyć; wysztafirować
trickery ['trikəri] *s* oszustwo; oszukaństwo; podstęp
trickiness ['trikinis] *s* 1. podstępność, chytrość 2. trudny <zawiły, delikatny, zdradliwy> charakter (czegoś)
trickish ['trikiʃ] = **tricky**
trickle ['trikl] ⟨I⟩ *vi* 1. (*o cieczy itd*) przecie-c/kać <przekap-ać/ywać, przesącz-yć/ać się> (**through sth** przez coś); sączyć się <ściekać, kapać, ciec kroplami> (**down sth** na dół po czymś) 2. przedosta-ć/wać <prze-drzeć/dzierać> się powoli <po trosze> 3. (*o kuli, piłce*) po/toczyć się wolno ⟨II⟩ *vt* przesącz-yć/ać **~ out** *vi* (*o wieści, tajemnicy itd*) przedosta--ć/wać się powoli do wiadomości publicznej wy-jść/chodzić powoli na jaw ⟨III⟩ *s* mała struga
trickster ['trikstə] oszust; naciągacz

tricksy ['triksi] *adj* 1. figlarny; psotny 2. dziwaczny

trick-track ['trik'træk] *s* triktrak (rodzaj gry)

tricky ['triki] *adj* 1. podstępny; chytry 2. zręczny; sprytny; wykrętny 3. (*o zadaniu, przedsięwzięciu itd*) trudny; zawiły; delikatny; niebezpieczny

tricoline ['trikəlin] *s tekst* rodzaj popeliny

tricolour ['trikələ] Ⅰ *adj* trójbarwny Ⅲ *s* francuska flaga trójbarwna

tricot ['trikou] *s tekst* trykot

tricuspid [trai'kʌspid] *adj med* trójdzielny; o trzech płatach; o trzech zastawkach; (*o zębie*) o trzech guzkach

tricycle ['traisikl] *s* trycykl; trójkołowiec; rower na trzech kółkach

trident ['traidənt] *s* trójząb

Tridentine [trai'dentain] *adj* trydencki

triduo ['triːdjuːˌou], **triduum** ['tridjuəm] *s kośc* triduum, trzydniowe nabożeństwo

tried [traid] Ⅰ *zob* try *v* Ⅲ *adj* (*o przyjacielu itd*) wypróbowany

triennial [trai'enjəl] Ⅰ *adj* 1. trzyletni 2. powtarzający się co trzy lata Ⅲ *s* 1. trzylecie 2. trzyletnia roślina 3. *kośc* msza żałobna odprawiana codziennie przez trzy lata

trier ['traiə] *s* 1. *pot* odważniak (człowiek nie cofający się przed próbą swoich sił <zdolności>); uparty człowiek nie dający za wygraną 2. sędzia prowadzący rozprawę 3. rozjemca w sprawie zakwestionowania właściwości wyboru sędziego przysięgłego 4. *handl* kiper; kontroler; brakarz

trifacial [trai'feiʃiəl] *adj anat* (*o nerwie*) trójdzielny

trifid ['traifid] *adj bot* troisty

trifle ['traifl] Ⅰ *s* 1. drobnostka; drobiazg; fraszka; fatałach; błahostka; bagatela; głupstwo, głupstewko; byle co; **it's no ~ to** nie żarty; *przysłówkowo:* **a ~** odrobinę, troszeczkę 2. *kulin* biszkopt w winie z kremem 3. stop cyny i ołowiu; *pl* **~s** naczynia cynowe Ⅲ *vi* 1. za/żartować (**with sb** a) z kimś b) z kogoś); lekko traktować (**with sb, sth** kogoś, coś); nie brać poważnie (**with sb, sth** kogoś, czegoś); stroić sobie żarty (**with sb, sth** z kogoś, czegoś); po/flirtować (**with sb** z kimś); bałamucić (**with sb** kogoś); z/robić sobie igraszkę (**with sb** z kogoś); **he is not to be ~d with** z nim nie ma żartów 2. lekceważyć (**with sb, sth** kogoś, coś — zdrowie, uczucia itd.); z/bagatelizować (**with sth** coś) 3. bawić się (**with one's stick** <**watch-chain** etc.> laską <łańcuszkiem od zegarka itd.>); **to ~ with one's food** przebierać widelcem po talerzu 4. zajmować się fatałaszkami; trawić czas na głupstwach; uprawiać po dyletancku (**with an art** etc. jakąś sztukę itd.)
~ away *vt* roz/trwonić <z/marnować> (czas, pieniądze, energię itd.)
zob **trifling**

trifler ['traiflə] *s* 1. żartowniś 2. bałamut/ka 3. lekkoduch

trifling ['traifliŋ] Ⅰ *zob* **trifle** *v* Ⅲ *adj* drobny; znikomy; nieznaczny; nic nie znaczący; błahy; **no ~ matter** nie byle co; **no ~ problem** <**quandary** etc.> nie byle jaki problem <kłopot itd.> Ⅲ *s* 1. żarty 2. brak powagi 3. bałamucenie 4. błahostki

triflerous ['traiflerəs] *adj* trzykwiatowy

trifoliate [trai'fouliit] *adj bot* trójlistny

triform ['traifɔːm] *adj* trójkształtny

trifurcate [trai'fəːkeit] *vi* rozwidlać się w trzech kierunkach

trifurcation [ˌtraifəːˈkeiʃən] *s* rozwidlenie/anie się w trzech kierunkach

trig¹ [trig] Ⅰ *adj* 1. staranny w ubiorze; wypielęgnowany; wymuskany; troszczący się o swój wygląd zewnętrzny 2. (*o pokoju itd*) schludny; czysty; starannie wysprzątany Ⅲ *vt* (**-gg-**) 1. (*także* **~ out** <**up**>) wystroić (kogoś, się) 2. za/hamować (koło) trzewikiem hamulcowym
~ up *vt* 1. pod-eprzeć/pierać 2. za/klinować (koło)
Ⅲ *s* klin (pod koło); trzewik hamulcowy; kołek do hamowania wozu

trig² [trig] *skr* **trigonometry**

trigamist ['trigəmist] *s* trójżeniec

trigamous ['trigəməs] *adj bot* mieszanopłciowy, trygamiczny

trigaminal [trai'dʒeminəl] *adj* trojaczy; trójdzielny

trigger ['trigə] *s* 1. *techn* zapadka 2. (*u karabinu itd*) spust; cyngiel; języczek spustowy; **~ finger** palec kurkowy

triglyph ['traiglif] *s arch* trójwrąb, tryglif

trigon ['traigən] *s astr* trygon

trigonal ['traigənəl] *adj* trójkątny

trigone ['traigoun] *s anat* trójkąt moczowo-płciowy

trigonometric(al) [ˌtrigənəˈmetrik(əl)] *adj* trygonometryczny

trigonometry [ˌtrigəˈnɔmitri] *s* trygonometria; **plane ~** trygonometria płaska; **spherical ~** trygonometria sferyczna

trigram ['traigræm], **trigraph** ['traigrɑːf] *s* grupa trzech liter odpowiadająca jednej głosce

trihedral [trai'hiːdrəl] *adj* trójścienny

trihedron [trai'hiːdrɔn] (*pl* **trihedra** [trai'hiːdrə], **~s** *s geom* trójścian

trike [traik] *s pot* = **tricycle**

trilateral [trai'lætərəl] *adj* trzystronny

trilby ['trilby] *s* 1. (*także* **~ hat**) kapelusz filcowy 2. *pl* **trilbies** *sl* nogi, giry, kulasy

trilinear ['trai'liniə] *adj* trójliniowy

trilingual ['trai'liŋgwəl] *adj* trójjęzyczny

triliteral [trai'litərəl] *adj* trójliterowy

trill [tril] Ⅰ *s* 1. trel/e 2. *muz* tryl Ⅲ *vt* wym-ówić/awiać (głoskę r) z wibracją Ⅲ *vi* 1. wywodzić trele 2. *muz* wykon-ać/ywać tryl/e

trillion ['triljən] *s* trylion (*w Anglii* = 10^{18}; *w Ameryce* = 10^{12})

trilobate ['trailouˌbeit] *adj* trójpłatkowy

trilogy ['trilədʒi] *s* trylogia

trim [trim] *v* (**-mm-**) Ⅰ *vt* 1. uporządkow-ać/ywać; oporządz-ić/ać 2. przyci-ąć/nać; przystrzy-c/gać (włosy, brodę, żywopłot itd.); trymować (psa itd.); obcios-ać/ywać (deskę, kamień itd.) 3. poprawi-ć/ać ubranie (**sb** na kimś; **oneself** na sobie); *przen* **to ~ sb's jacket** wytrzepać komuś skórę 4. przyb-rać/ierać; ozd-obić/abiać; *kulin* garnirować (potrawę) 5. *mar* trymować <wyrównoważyć> (statek); **to ~ the sails to the wind** nastawi-ć/ać żagle do wiatru 6. (*o ławicy ryb*) pły-nąć/wać (**the shore** wzdłuż <przy> brzegu) 7. z/besztać, s/krzyczeć, z/rugać 8. *pot* pokonać <pobić> kogoś 9. *pot* nab-rać/ierać, wyki-

wać [III] *vi* (*w polityce itd*) lawirować; nie angażować się; kierować się oportunizmem
~ **away** <**off**> *vt* poobcinać (gałęzie itd.)
~ **up** *vt* odśwież-yć/ać (kapelusz itd.)
zob **trimming** [III] *adj* 1. uporządkowany; starannie wysprzątany; schludny 2. wymuskany; mający przyjemny wygląd; starannie ubrany [IV] *s* 1. stan; kondycja; forma; nastrój; **in perfect ~** w doskonałym stanie; **I am in no ~ for that** nie mam nastroju do tego 2. gotowość (do boju itd.) 3. dobry <należyty> stan; **in ~** w dobrym stanie; **out of ~** w kiepskim stanie; w złej formie

trimerous ['trimərəs] *adj zoo* trzyczłonkowy

trimester [trai'mestə] *s* trymestr

trimestrial [trai'mestriəl] *adj* trymestralny

trimeter ['trimitə] *s* wiersz trójmiarowy

trimmer ['trimə] *s* 1. modniarka (przybierająca kapelusze); krawcowa (przybierająca suknie itd.) 2. *polit* oportunista (lawirujący między partiami) 3. maszyna do przycinania; przycinarka 4. *bud* strzał ociosowy 5. *górn* ładowacz; trymer 6. *bud* sklepienie odcinkowe pod kominkiem 7. (*także* **lamp-trimmer**) lampiarz

trimming ['trimiŋ] [I] *zob* **trim** *v* [II] *s* 1. uporządkowanie 2. przycinanie; przystrzy-żenie/ganie; obcios-anie/ywanie; trymowanie (psa itd.) 3. przybieranie; ozdabianie (stroju, kapeluszy); *kulin* garnirowanie (potrawy) 4. lawirowanie (w polityce) 5. *mar* trymowanie <wyrównoważenie> (statku) 6. *pl* **~s** zrzynki; obrzynki

trimness ['trimnis] *s* 1. staranny wygląd; staranność w ubiorze: wymuskanię 2. schludność

trimorphic [trai'mɔ:fik] *adj* trójpostaciowy

trine [train] *adj* potrójny; trzykrotny; troisty

tringle ['triŋgl] *s* 1. pręt 2. *arch* listwa; listewka

Trinitarian [,trini'teəriən] [I] *adj* trynitarski [II] *s* Trynitariusz

trinitrotoluol [trai'naitrou'tɔljuəl] *s chem* trynitrotoluol (środek wybuchowy)

trinity ['trinity] *s* 1. trójka; grupa <komisja, zespół> trzyosobow-a/y 2. *rel* **Trinity** Trójca Św.; **Trinity House** instytucja opiekująca się latarniami morskimi, pilotażem itd.

trinket ['triŋkit] *s* błyskotka; świecidełko; ozdóbka

trinketry ['triŋkitri] *s* błyskotki; świecidełka; ozdóbki

trinomial [trai'noumjəl] [I] *adj* trójmianowy [II] *s* trójmian

trio ['triou] *s* 1. *muz* trio 2. trójka (trzy osoby); *karc* trójka

triole ['tri:oul] *s muz* triola

triolet ['triou,let] *s* triolet (forma rymotwórcza)

trioxide [trai'ɔksaid] *s chem* trójtlenek

trip [trip] *v* (**-pp-**) [I] *vi* 1. drobić nóżkami; iść/chodzić lekkim krokiem; lekko tańczyć 2. † podróżować; robić wycieczki 3. pot-knąć/ykać się (**over sth** o coś) 4. z/robić <popełni-ć/ać> błąd; po/mylić się; **to catch sb ~ping** złapać kogoś na błędzie <pomyłce> 5. *mar* (*o kotwicy*) od-erwać/rywać się (od dna) 6. (*o zapadce*) wyzw-olić/alać się [II] *vt* 1. (*także* **~ up**) podstawi-ć/ać nogę (**sb** komuś); (*o przeszkodzie, zawadzie*) zna-leźć/jdować się na drodze (**sb** czyjejś) 2. (*także* **to ~ up**) złapać (kogoś) na błędzie <pomyłce> 3. wyzw-olić/alać (zapadkę itd.); *mar* spu-ścić/szczać (kotwicę) *zob* **tripping** [III] *s* 1. wycieczka; podróż; (odbyta) droga; **on the return ~** w drodze powrotnej 2. drobn-y/e krok/i; lekki chód 3. potknięcie się; błąd; pomyłka 4. podstawienie nogi 5. = **trip-gear**

tripartite ['trai'pa:tait] *adj* 1. trójdzielny 2. potrójny 3. (*o umowie, traktacie itd*) trzystronny

tripe [traip] *s* 1. *kulin* flaczki 2. *sl* byle co; lichota; kicz 3. *pl* **~s** *sl* brzuch

tripe-dealer ['traip,di:lə], **tripe-seller** ['traip,selə], **tripeman** ['traipmən] *s* flaczarz, flakarz (uliczny sprzedawca gorących flaczków)

tripe-de-roche ['tri:pdə,rɔʃ] *s bot* arktyczny porost jadalny

tripetalous [trai'petələs] *adj bot* trzypłatkowy

trip-gear ['trip,giə] *s techn* wyzwalanie zapadkowe; *elektr* wyzwalacz; wyłącznik

trip-hammer ['trip,hæmə] *s techn* młot spadowy

triphibious [trai'fibiəs] *adj* (*o działaniach wojennych*) odbywający się równocześnie na lądzie, na morzu i w powietrzu

triphthong ['trifθɔŋ] *s* trójgłoska

triplane ['trai,plein] *s lotn* tryplan

triple ['tripl] [I] *adj* potrójny; trojaki; trzykrotny [II] *s* potrójna <trzykrotna> wielkość <ilość> [III] *vt* po/troić; powiększ-yć/ać w trójnasób <trzykrotnie> [IV] *vi* po/troić się; powiększ-yć/ać się w trójnasób <trzykrotnie>

triplet ['triplit] *s* 1. trójka (osób, przedmiotów) 2. *muz* triola 3. trójwiersz 4. dziecko z grupy trojaczków; *pl* **~s** trojaczki

triplex ['tripleks] [I] *adj* potrójny; trojaki; **~ glass** szkło bezodpryskowe [II] *s* 1. szkło bezodpryskowe 2. *muz* metrum trójdzielne

triplicate [triplikit] [I] *adj* potrójny; (*o dokumencie itd*) wystawiony w trzech egzemplarzach [II] *s* tryplikat, trzecia kopia (dokumentu itd.); **drawn up in ~** wystawiony <sporządzony> w trzech egzemplarzach [III] *vt* ['tripli,keit] 1. potr-oić/ajać 2. wystawi-ć/ać <sporządz-ić/ać> (dokument itd.) w trzech egzemplarzach

triplication [,tripli'keiʃən] *s* 1. potrojenie 2. wystawi-enie/anie <sporządz-enie/anie> (dokumentu itd.) w trzech egzemplarzach

triplicity [tri'plisiti] *s* potrójność; troistość

tripod ['traipɔd] *s* 1. trójnóg 2. trójnóg delficki 3. *fot* statyw

tripoli ['tripɔli] *s* trypla, ziemia okrzemkowa

tripos ['traipɔs] *s uniw* (*w Cambridge*) egzamin na stopień B.A. ze specjalizacją w matematyce, językach klasycznych itd.

tripper ['tripə] *s* 1. wycieczkowicz 2. *techn* wyzwalacz

trippet ['tripit] = **trivet**

tripping ['tripiŋ] [I] *zob* **trip** *v* [II] *adj* (*o kroku*) lekki, drobny

trippingly ['tripiŋli] *adv* 1. (iść, chodzić) drobiąc nóżkami; lekkim krokiem; lekko 2. (odpowi-edzieć/adać) bez namysłu 3. (czytać, mówić) biegle, swobodnie

triptych ['triptik] *s* tryptyk

triquetrous ['traikwitrəs] *adj bot* trójkończaty

trireme ['trairi:m] *s* tyrema (statek trójrzędowy)

trisect [trai'sekt] *vt* dokon-ać/ywać trysekcji (**sth** czegoś)

trisection [trai'sekʃən] *s* trysekcja

trisepalous [trai'sepələs] *adj bot* (*o kielichu*) trójdziałkowy

trismus ['trismǝs] *s med* szczękościsk
tristful ['tristful] † *adj* smętny
tristichous ['tristikǝs] *adj bot* trójrzędny
trisulphide ['trai'sʌlfaid] *s chem* trójsiarczek
trisyllabic ['traisi'læbik] *adj* trójgłoskowy
trisyllable ['trai'silǝbl] *s* wyraz trójzgłoskowy
trite [trait] *adj* banalny; szablonowy; tuzinkowy; oklepany; **a ~ idea** komunał, banał
triteness ['traitnis] *s* banalność; szablonowość
triton ['traitn] *s zoo* tryton; trzaska
tritone ['trai,toun] *s muz* tryton
triturate ['tritju,reit] *vt* s/proszkować; u-trzeć/cierać <roz-etrzeć/cierać> na proch
trituration [,tritju'reiʃǝn] *s* sproszkowanie
triturator [,tritju'reitǝ] *s* rozcieracz
triumph ['traiǝmf] ① *s* 1. triumf; sukces; wielka <poważna> zdobycz (nauki itd.); **to achieve ~s** zdobywać sukcesy; **in ~** w triumfie, triumfalnie; **a ~ of ugliness** szczyt brzydoty 2. triumfowanie; zwycięska radość ② *vi* 1. triumfować; un-ieść/osić się radością (**over sth** nad czymś) 2. za/triumfować <odn-ieść/osić walne zwycięstw-o/a> (**over an enemy** nad wrogiem itd.)
triumphal [trai'ʌmfǝl] *adj* 1. triumfalny; zwycięski; **to be ~** święcić triumfy 2. (*o głosie, mowie itd*) pełen triumfu
triumpher [trai'ʌmfǝ] *s* triumfator
triumvir [trai'ʌmvǝ] *s* triumwir
triumvirate [trai'ʌmvirit] *s* triumwirat
triune ['traiju:n] *adj rel* w Trójcy Jedyny
trivalence [trai'veilǝns] *s chem* trójwartościowość
trivalent [trai'veilǝnt] *adj chem* trójwartościowy
trivet ['trivit] *s* trójnóg; *pot* **right as a ~** a) (*o przedmiocie itd*) w najlepszym porządku; bez zarzutu; **it's right as a ~** stoi (jak mur) mocno b) (*o człowieku*) w świetnej formie; zdrów jak ryba
trivial ['triviǝl] *adj* 1. błahy; małoznaczny; nic nie znaczący; (będący) bez znaczenia 2. (*o stracie itd*) drobny, znikomy 3. szablonowy; banalny; tuzinkowy; **the ~ round** codzienny kierat 4. (*o człowieku*) płytki; powierzchowny 5. *bot zoo* (*o nazwie*) specyficzny 6. *bot zoo* (*o nazwie*) popularny
triviality [,trivi'æliti] *s* 1. błahość; nicość; małoznaczność; znikomość 2. banalność; szablonowość 3. płytkość (umysłu) 4. banał; frazes; komunał; płycizna
trivialize ['triviǝ,laiz] *vt* z/banalizować
trivium ['triviǝm] *s* trywium (szkoły średniowiecznej)
troat [trout] ① *vi* (*o jeleniu itd w czasie rykowiska*) ryczeć; (*o kozie*) beczeć ② *s* ryk (jelenia w czasie rykowiska); beczenie (kozy w czasie rui)
trocar ['troukɑ:] *s med* trokar, trójgraniec
trochaic [trou'keiik] *adj* (*o wierszu*) trochaiczny
trochal ['troukǝl] *adj zoo* kolisty
trochanter [trou'kæntǝ]' *s anat zoo* krętarz
troche [trouʃ] *s farm* pastylka; tabletka
trochee ['trouki:] *s prozod* trochej
trochilus ['trokilǝs] *s zoo* koliber
trochlea ['trokliǝ] *s* (*pl* **trochleae** ['trokli,i:]) *anat* bloczek
trochlear ['trokliǝ] *adj anat* bloczkowy
trochoid ['troukoid] *adj anat* (*o stawie*) bloczkowy, obrotowy
trochometer [trǝ'komitǝ] *s* trochometr, biegomierz

trod *zob* **tread** *v*
trodden *zob* **tread** *v*
troglodyte ['troglǝ,dait] *s* troglodyta, jaskiniowiec
troika ['troikǝ] *s* trójka (zaprzęg rosyjski w trzy konie)
Trojan ['troudʒǝn] ① *adj* trojański ② *s* 1. Trojanin 2. *przen* człowiek dzielny; zuch
troll [troul] ① *vt* 1. za/śpiewać (beztrosko) 2. † za/śpiewać (pieśń itd.) kanonem 3. *wędk* łowić (ryby) na błyszczkę <na troling, *pot* za dorożką> 4. † pu-ścić/szczać (butelkę) w krąg ③ *vi* pod-śpiewywać ③ *s* 1. *muz* kanon 2. *wędk* błyszczka 3. *wędk* łowienie (ryb) na błyszczkę <na troling>
trolling-spoon ['trouliŋ,spu:n] *s wędk* błyszczka
trolley, trolly ['troli] *s* 1. wywrotka; wagonik kopalniany 2. wózek (przekupnia) 3. drezyna 4. (*także* **~-table**) stolik na rolkach 5. (*u wozu tramwajowego itd*) rolka stykowa; odbierak prądu
trolley-bus ['troli,bʌs] *s* trolejbus
trolley-car ['troli,kɑ] *s am* tramwaj (z odbierakiem drążkowym)
trolley-table ['troli,teibl] *s* stolik na rolkach
trollop ['trolǝp] *s* 1. (kobieta) brudas, plucha; flądra 2. dziewka; ulicznica
trombone [trom'boun] *s* puzon
trombonist [trom'bounist] *s* puzonista
trommel ['tromǝl] *s górn* bęben, przesiewacz obrotowy
troop [tru:p] ① *s* 1. gromada, gromadka; grupa, grupka 2. stado 3. *pl* **~s** wojsko, oddział/y wojskow-y/e 4. szwadron (konnicy); **to get one's ~** za/awansować na rotmistrza 5. bateria (artylerii, wojsk pancernych) 6. sygnał bębnów do odmarszu 7. *teatr* trupa ② *vi* 1. (*także* **to ~ up** <**together**>) z/gromadzić się 2. (*zw* **to ~ along** <**away, in, off, out**>) gromadnie <grupami> iść <od-ejść/chodzić, oddal-ić/ać się, wejść/wchodzić, wy-jść/chodzić> ③ *vt w zwrocie:* **to troop the colour(s)** odby-ć/wać paradę wojskową
trooper ['tru:pǝ] *s* 1. kawalerzysta; **to swear like a ~** kląć jak szewc 2. koń kawaleryjski 3. = **troopship** 4. (*w Australii i USA*) policjant konny
troopship ['tru:p,ʃip] *s* transportowiec; statek do transportu wojsk
troop-train ['tru:p,trein] *s* kolejowy transport wojskowy; eszelon
tropaeolum [trou'piǝlǝm] *s bot* rzeżucha indyjska
trope [troup] *s ret* trop, przenośnia, metafora
trophic ['trofik] *adj fizj* odżywczy, troficzny
trophied ['troufid] *adj* ozdobiony trofeami <panoplią>; ułożony na kształt panoplii
trophy ['troufi] *s* trofeum
▲ **tropic** ['tropik] ① *s* 1. zwrotnik 2. *pl* **~s** kraje tropikalne <podzwrotnikowe> ② *adj* tropikalny; podzwrotnikowy
tropical ['tropikǝl] *adj* 1. tropikalny; podzwrotnikowy 2. *przen* gorący; namiętny
tropicopolitan [,tropikou'politǝn] *adj* (*o roślinach, zwierzętach*) tropikalny
tropology [tro'polǝdʒi] *s* tropologia (nauka o wyrażeniach obrazowych)
troposphere ['tropǝ,sfiǝ] *s* troposfera
trot [trot] ① *s* 1. kłus, trucht; **at a ~** kłusem, truchtem; **to go for a ~** przejechać się konno; **to keep sb on the ~** ciągle kogoś popędzać (do

roboty) 3. dziecko; berbeć; bąk 4. *am szk* bryk Ⅲ *vi* (-tt-) 1. kłusować 2. (*o człowieku*) pobiegnąć/biec Ⅲ *vt* (-tt-) 1. pu-ścić/szczać (konia) kłusem; **to ~ sb off his legs** zamęcz-yć/ać <zaharow-ać/ywać> kogoś (na śmierć) 2. (*o koniu*) przebie-c/gać kłusem (pewną odległość); (*o jeźdźcu*) przeje-chać/żdżać kłusem (pewną odległość) **~ out** *vt* 1. pu-ścić/szczać (konia) kłusem dla zademonstrowania (jego) zalet 2. za/produkować (coś); popis-ać/ywać się <cukier Ⅲ czymś)

troth [trouθ] *†* *s* wiara; **by my ~** jak Boga kocham; **in ~** doprawdy; **to plight one's ~** dać (swoje) słowo

trotter ['trɔtə] *s* 1. kłusak 2. *pl* **~s** *kulin* ratki 3. *pl* **~s** *żart* nogi (ludzkie); giry; kulasy

trotyl ['trɔtil] *s chem* trotyl

troubadour ['tru:bə,duə] *s* trubadur

trouble ['trʌbl] Ⅰ *vt* 1. z/martwić; dręczyć, zadręczać; **to be ~d about sb, sth** martwić się o kogoś, coś; **to be ~d by sth** martwić się z powodu czegoś; **to ~ one's head about sth** zaprzątać sobie głowę czymś; **~d with fear** dręczony strachem; **a ~d countenance** zmartwiona mina; **~d waters** mętna woda 2. (*o dolegliwości itd*) dokuczać <dolegać> (**sb** komuś); męczyć; **to be ~d with** <by> sth cierpieć na coś; **how long has this been troubling you?** odkąd pan na to cierpi? 3. niepokoić; trudzić; fatygować; deranżować; przeszk-odzić/adzać <sprawi-ć/ać kłopot> (**sb** komuś); **may I ~ you for the salt** <sugar etc.>? czy mogę pana prosić o sól <cukier itd.>?; **I'll ~ you to shut the door** <to mind your own business> zechciej łaskawie zamknąć drzwi <nie wtrącać się w cudze sprawy> Ⅱ *vr* **~ oneself** 1. za/niepokoić <z/martwić> się (**about sb, sth** kimś, czymś) 2. kłopotać się (**about sth** o coś); fatygować się (**about sth** czymś); zada-ć/wać sobie trud (**about sth** z czymś) Ⅲ *vi* 1. niepokoić <martwić> się (**about sb, sth** kimś, czymś) 2. kłopotać <trudzić, fatygować, deranżować> się (**about sth** czymś); zada-ć/wać sobie trud (**about sth** z czymś); **don't ~** to wait for me <to meet me etc.> nie fatyguj się i nie czekaj na mnie; **don't ~, thanks** dziękuję, to zbyteczne Ⅳ *s* 1. zmartwienie; bieda; tarapaty; kłopoty; **to get into ~** a) popa-ść/dać w tarapaty; *pot* wpakow-ać/ywać się w kabałę b) nabawić <napytać> się biedy <zmartwienia>; **to be in (great) ~** a) być w (ciężkich) tarapatach b) mieć (ciężkie) zmartwienie; **to get out of ~** wybrnąć z kłopotu; wywikłać się z kabały 2. dolegliwość 3. niewygoda; kłopot; trud; fatyga; **what's the ~?** o co chodzi?; **to put sb to ~** sprawi-ć/ać komuś kłopot; **to be a great ~ to sb** bardzo komuś dokucz-ać/yć; **to take the ~ to do sth** zada-/ć wać sobie trud zrobienia czegoś; **to ask** <look for> **~** narażać się na kłopot/y <przykrości>; szukać nieszczęścia 4. uszkodzenie; awaria; defekt; **engine ~** uszkodzenie silnika; defekt silnika; **~ man** <shooter> mechanik (wyszukujący i usuwający powody awarii)

troublemaker ['trʌblmeikə] *s* intrygant/ka; podżegacz; człowiek siejący niezgodę

troubler ['trʌblə] = **troublemaker**

troublesome ['trʌblsəm] *adj* 1. kłopotliwy; nieznośny; przykry; **how ~!** to przykre!; **to** przykrość! 2. (*o przedsięwzięciu*) ciężki

troublous ['trʌbləs] *†* *adj* (*o czasach, życiu itd*) niespokojny; burzliwy

trough [trɔf] *s* 1. koryto; żłób 2. rynna; rów; *górn* **conveyor ~** rynna przenośnika 3. niecka 4. dolina (fali) 5. *geol* łęk; synklina

trounce [trauns] *vt* 1. z/bić; s/prać 2. pobić (przeciwnika) 3. z/besztać; skrzyczeć; ofuk-nąć/ać

troupe [tru:p] *s teatr* trupa; zespół

trouser ['trauzə] *s* (*zw pl* **~s, pair of ~s**) spodnie

trouser-button ['trauzə,bʌtn] *s* guzik od spodni

trouser-clip ['trauzə,klip] *s* klips (do spodni przy jeździe rowerem)

trousering ['trauzəriŋ] *s* materiał/y na spodnie

trouser-leg ['trauzə,leg] *s* nogawka

trouser-press ['trauzə,pres] *s* przyrząd do prasowania spodni

trouser-stretcher ['trauzə,stretʃə] *s* rozciągacz na spodnie

trousseau ['tru:sou] *s* wyprawa panny młodej

trout [traut] Ⅰ *s* (*pl* **~**) *zoo* pstrąg Ⅲ *vi* łowić pstrągi na wędkę

trout-fishing ['traut,fiʃiŋ] *s* łowienie pstrągów na wędkę

troutlet ['trautlit] *s* mały pstrąg

trouvaille [tru:'vail] *s* gratka

trover ['trouvə] *s prawn* odzysk-anie/iwanie swej własności na drodze sądowej

trow [trau] *†* *vi* przypu-ścić/szczać

trowel ['trauəl] Ⅰ *s* 1. kielnia; **to lay it with a ~** bezczelnie pochlebiać 2. rydel ogrodniczy Ⅲ *vt* (-ll-) 1. na-łożyć/kładać kielnią (zaprawę murarską) 2. obrzuc-ić/ać (mur)

troy [troi] *s* (*także* **~ weight**) troy (waga <system wag> dla srebra i złota); **one ounce ~** (1 oz troy) jedna uncja troy (= 31,1 g)

truancy ['truənsi] *s* absencja; absentowanie się; *szk* wagary, laba

truant ['truənt] Ⅰ *s* absentujący się <opuszczający pracę> pracownik; uczeń opuszczający lekcję <chodzący na wagary, za szkołę>; **to play ~** opu-ścić/szczać lekcje; pójść/chodzić na wagary <za szkołę> Ⅲ *adj* 1. opuszczający pracę <(*o uczniu*) lekcje> nieobecny 2. uchylający się od pracy; leniwy 3. (*o myśli*) błądzący

truce [tru:s] *s* 1. zawieszenie broni; rozejm; **the flag of ~** biała flaga; *hist* (*w średniowieczu*) **~ of God** przerwa w działaniach wojennych w oznaczone przez Kościół dni świąteczne 2. wytchnienie; *†* **a ~ to ...** dość ... (czegoś — żartów itd.); koniec <kres> ... (czemuś — żartom itd.)

truceless ['tru:slis] *adj* (*o wojnie*) prowadzony bez wytchnienia

truck¹ [trʌk] Ⅰ *vt* 1. zamieni-ć/ać <wymieni-ć/ać> (**one thing for another** jedno na drugie); zamieni-ć/ać się (**with sb for sth** z kimś czymś) 2. prowadzić handel domokrążny (**wares** danym towarem) Ⅲ *vi* prowadzić handel zamienny Ⅲ *s* 1. wymiana; handel zamienny 2. stosunki wzajemne (między ludźmi); **I have no ~ with such people** nie chcę mieć do czynienia <nic wspólnego> z takimi ludźmi 3. drobne towary; towary mieszane 4. *pot* zbieranina; tandeta 5. *przen* głupstwa; nonsens, nonsensy 6. *am* warzywa; *ogr* **~ garden** gospodarstwo warzywnicze 7. (*także* **~ system** <tommy>) system płacy w towarze wydawanym w sklepie zakładowym; **~**

shop sklep fabryczny wydający robotnikom towar wzamian za ich pracę; **Truck Act** ustawa znosząca system płacy w towarze

◊ **truck²** [trʌk] Ⅰ *s* 1. platforma konna; wóz ciężarowy 2. platforma kolejowa; lora 3. samochód ciężarowy 4. (*na dworcach kolejowych*) wózek ręczny bagażowy 5. podwozie (tramwaju, wagonu) 6. krążek Ⅲ *vt* 1. za/ładować na platformę <na samochód ciężarowy> 2. przew-ieźć/ozić platformą <samochod-em/ami ciężarow-ym/i>

truckle ['trʌkl] Ⅰ *s* 1. rolka 2. łóżko na rolkach; łóżko zapasowe <składane> Ⅲ *vi* płaszczyć się (**to sb** przed kimś)

truckler ['trʌklə] *s* pochlebca

truculence ['trʌkjuləns] *s* wojowniczość; wojownicze usposobienie; zadzierzystość; zaczepność; agresywność

truculent ['trʌkjulənt] *adj* wojowniczy; zadzierzysty; zaczepny; agresywny

trudge [trʌdʒ] Ⅰ *vi* z trudem <ciężkimi krokami> posuwać się naprzód Ⅲ *vt* odby-ć/wać piechotą (ciężką drogę) Ⅲ *s* mozolny <męczący> marsz

trudgen ['trʌdʒən] *s* (*także* ~ **stroke**) styl pływacki pokrewny crawlowi

true [tru:] Ⅰ *adj* 1. prawdziwy; nie zmyślony; zgodny z prawdą; ścisły; (*o kopii itd*) wierny; **that's not** ~ to nieprawda; **is it** ~ **that** __? czy to prawda, że ...?; **only too** ~ aż nadto prawdziwe; **that is only** <**also**> ~ **of you** <**him etc.**> to się tylko <także> stosuje do ciebie <do niego itd.>; tak jest tylko <także> w twoim <jego itd.> przypadku; ~, **it is better but** __ to jest lepsze, to prawda, ale ...; wprawdzie to jest lepsze, ale ...; ~! słusznie!; to prawda!; **quite** ~!, ~ **enough** to się w zupełności zgadza; **to come** <**prove**> ~ sprawdz-ić/ać <spełni-ć/ać> się 2. prawdziwy; autentyczny; niefałszowany; rzeczywisty; faktyczny; istotny; niekłamany; szczery 3. *techn* dobrze <dokładnie> dopasowany <założony>; wypionowany; wypoziomowany; (*o kole*) **not** ~ scentrowany; wykrzywiony 4. zgodny (**to type** z wzorem); typowy 5. (*o głosie*) czysty (nie fałszujący) 6. wierny (komuś, czemuś); lojalny; oddany; ~ **to one's word** dotrzymujący słowa; ~ **as steel** niezawodny 7. † prawdomówny; uczciwy Ⅲ *adv* 1. naprawdę; nie kłamiąc 2. ściśle; dokładnie; **to aim** ~ zmierzać prosto do celu; dobrze wycelować; **to sing** ~ śpiewać czysto; nie fałszować Ⅲ *s w zwrotach*: **in** ~ wyregulowany; dokładnie ustawiony <wypionowany, wypoziomowany>; **out of** ~ wykrzywiony; krzywy; scentrowany; nie wypoziomowany; nie wypionowany; **to get out of** ~ wykrzywi-ć/ać się; **to put out of** ~ wykrzywi-ć/ać Ⅳ *vt* (*także* ~ **up**) dokładnie <właściwie> nastawić

true-blue ['tru:'blu:] Ⅰ *adj* 1. wierny; lojalny; oddany; niezawodny 2. bezkompromisowy Ⅲ *s* 1. człowiek wierny <lojalny, oddany, niezawodny> 2. człowiek nieznający kompromisu

true-born ['tru:'bɔ:n] *adj* prawdziwy <z krwi i kości> (Anglik, Francuz itd.)

true-bred ['tru:'bred] *adj* (*o zwierzęciu*) czystej rasy

true-hearted ['tru:'hɑ:tid] *adj* 1. wierny; lojalny; oddany 2. szczery

truffle ['trʌfl] *s bot* trufla

trug [trʌg] *s* łubianka, koszyk z łubu

truism ['truizəm] *s* truizm; komunał

trull [trʌl] *s* † prostytutka

true-love ['tru:,lʌv] *s* 1. ukochan-y/a; ~ **knot** = **true-lover's knot** 2. *bot* jednojagoda czterolistna

true-lover ['tru:'lʌvə] *s* ~'s **knot** pętlica w ósemkę, podwójny węzeł

true-penny ['tru:'peni] † *s* uczciwy człowiek; poczciwiec

truly ['tru:li] *adv* 1. naprawdę; rzeczywiście; faktycznie 2. *w listach*: **yours** ~ z poważaniem; *żart* ja; moja skromna osoba; mówiący te słowa 3. szczerze; prawdziwie 4. wiernie; lojalnie; z oddaniem 5. ściśle; zgodnie z prawdą

trumeau [tru'mou] *s bud* słup; międzyścież

trump¹ [trʌmp] † *s* trąba; głos trąby

trump² [trʌmp] Ⅰ *s* 1. *karc* atu(t); (*także* ~ **card**) karta atutowa; **to play** ~s za/atutować; *przen* **to put sb to his** ~s zmu-sić/szać kogoś do uciekania się do środków ostatecznych; *pot* **to turn up** ~s a) sprawić miłą niespodziankę; udać się b) mieć szczęście 2. *przen* szansa powodzenia. *pot* (*o człowieku*) zuch; kapitalny facet; pierwszorzędny gość Ⅲ *vt karc* za/bić <przebi-ć/jać> atutem Ⅲ *vi* za/grać w atu(t)
~ **up** *vt* zmyśl-ić/ać; *pot* wyssać z palca

trumped-up ['trʌmpt'ʌp] *adj* zmyślony

trumpery ['trʌmpəri] Ⅰ *s* 1. błyskotki; szych 2. lichota; tandeta 3. bzdury Ⅲ *adj* lichy; tandetny

◊ **trumpet** ['trʌmpit] Ⅰ *s* 1. trąbka; **to blow the** ~ za/grać na trąbce; **to blow one's own** ~ chwalić się; *rel* (*w wyznaniu mojżeszowym*) **the Feast of the Trumpets** trąbki 2. (*w organach*) rejestr trąbki 3. *wojsk* trębacz; ~ **major** trębacz sztabowy 4. = **ear-** ~ 5. tuba gramofonowa 6. = ~-**shell** 7. ryk słonia Ⅲ *vt* rozgłaszać na wszystkie strony Ⅲ *vi* 1. za/grać na trąbce 2. (*o słoniu*) za/ryczeć

trumpet-call ['trʌmpit,kɔ:l] *s* 1. sygnał trąbką 2. *przen* wezwanie do czynu

trumpet-conch ['trʌmpit,kɔŋk] = ~-**shell**

trumpeter ['trʌmpitə] *s* 1. trębacz; **to be one's own** ~ chwalić się 2. *zoo* (*także* ~ **swan**) duży łabędź amerykański

trumpet-fish ['trʌmpit,fiʃ] *s zoo* dekasoryb

trumpet-flower ['trʌmpit,flauə] *s bot* trąba korzenioczepna

trumpet-shell ['trʌmpit,ʃel] *s zoo* trąboróg

trumpet-tongued ['trʌmpit,tʌŋd] *adj* (*o człowieku*) z tubalnym głosem

trumpet-tree ['trʌmpit,tri:], **trumpet-wood** ['trʌmpit,wud] *s bot* armatnica

truncal ['trʌŋkəl] *adj anat* tułowiowy

truncate ['trʌŋkeit] Ⅰ *vt* 1. ści-ąć/nać górę <wierzch, wierzchołek, szczyt> (**sth** czemuś); obci-ąć/nać, poobcinać końce (**sth** czemuś) 2. okr-oić/awać (książkę, tekst itd.) *zob* **truncated** Ⅲ *adj* 1. (*o stożku itd*) ścięty; *bot* (*o liściu itd*) ucięty 2. (*o tekście itd*) okrojony

truncated ['trʌŋkeitid] Ⅰ *zob* **truncate** *v* Ⅲ *adj* 1. przycięty (od góry); skrócony 2. = **truncate** *adj*

truncation [trʌŋ'keiʃən] *s* ści-ęcie/nanie (wierzchołka, szczytu itd.)

truncheon ['trʌntʃən] Ⅰ *s* 1. pałka gumowa (policjanta) 2. laska <buława> (marszałkowska) Ⅲ *vt* po/bić <uderz-yć/ać> pałką gumową

trundle ['trʌndl] Ⅰ *s* 1. rolka (mebla) 2. stożkowate koło zębate 3. wóz ciężarowy na niskich kołach 4. łóżko składane na rolkach Ⅲ *vt* 1. (*o dziecku*) prowadzić (kółko); bawić się (**a hoop** kółkiem) 2. *sl* rzuc-ić/ać (piłkę) 3. wieźć/wozić (wozem na niskich kółkach) Ⅲ *vi* 1. (*o kółku dziecinnym*) po/toczyć się 2. (*o wozie na niskich kółkach*) po/jechać

trundle-bed ['trʌndl‚bed] = **trundle** *s* 4.

♦trunk [trʌŋk] Ⅰ *s* 1. pień (drzewa) 2. *anat* tułów; *plast* tors 3. kadłub; trzon; słupiec (kolumny) 4. zrąb 5. (*także ~-line*) *telef* linia międzymiastowa 6. *kolej* magistrala 7. *górn* szyb (wentylacyjny); żłób; koryto 8. waliza; kufer; (*w samochodzie*) bagażnik 9. *zoo* trąba (słonia) 10. *pl* ~**s** krótkie spodnie noszone w XVI—XVII w.; ~ **drawers** a) krótkie kalesony b) *am* kąpielówki Ⅲ *vt górn* wzbogacać (rudę) w korytach

trunk-call ['trʌŋk‚kɔːl] *s telef* rozmowa międzymiastowa

trunk-engine ['trʌŋk‚endʒin] *s techn* silnik bezwodzikowy

trunk-hose ['trʌŋk‚houz] = **trunk** *s* 10.

trunk-line ['trʌŋk‚lain] *s telef* linia międzymiastowa

trunk-nail ['trʌŋk‚neil] *s* gwóźdź z ozdobną główką

trunk-road ['trʌŋk‚roud] *s* szosa główna

trunnion ['trʌnjən] *s techn* czop; (*u działa*) biegun

♦truss [trʌs] Ⅰ *s* 1. *bud* kratownica; dźwigar kratowy; wiązar; wiązanie dachowe 2. wiązka siana <słomy> 3. *bot* baldaszkogron 4. *bud* wspornik 5. *mar* więźba rei dolnej 6. *med* pas przepuklinowy Ⅲ *vt* 1. *bud* z/wiązać (dach itd.) 2. z/wiązać (skrzydła drobiu <drób> przed pieczeniem) 3. (*o jastrzębiu itd*) chwy-cić/tać (zdobycz) 4. † (*także to ~ up*) skrępować <powiesić/wieszać> (zbrodniarza) *zob* **trussing**

trussing ['trʌsiŋ] Ⅰ *zob* **truss** *v* Ⅲ zespół prętów tworzących kratownicę

♦trust [trʌst] Ⅰ *s* 1. ufność; zaufanie; **to put one's ~ in sb** zaufać komuś; pokładać zaufanie w kimś; **on ~** w dobrej wierze; z pełnym zaufaniem (*zob także* 4.); **to take things on ~** wierzyć na słowo; być łatwowiernym 2. wiara (**that** _ że ...) 3. ostoja; nadzieja 4. *handl* kredyt; **on ~** na kredyt 5. odpowiedzialność; **a position of ~** stanowisko powierzane ludziom zaufanym 6. *prawn* powiernictwo; fideikomis; **to hold sth in ~** zarządzać czymś powierniczo 7. depozyt (powierzony komuś); majątek powierniczy; **osoba** znajdująca się pod czyjąś kuratelą; (powierzony komuś) obowiązek; *am* ~ **company** powiernicy 8. *ekon* trust Ⅲ *vt* 1. zaufać (**sb** komuś); zda-ć/wać się (**sb** na kogoś); mieć zaufanie (**sb** do kogoś); polegać (**sb** na kimś); pokładać zaufanie (**sb** w kimś); zda-ć/wać się (**sb** na kogoś); **to ~ sb to do sth** u/wierzyć, że ktoś coś zrobi; **to ~ a child to go out alone** z całym spokojem puścić dziecko samo z domu 2. powierzyć (**sb with sth** coś komuś); spokojnie <z zaufaniem> oddać coś w czyjeś ręce 3. udziel-ić/ać kredytu (**sb for goods** komuś na towar); s/kredytować (**sb for goods** komuś towar) 4. ufać <mieć nadzieję> (**that** _ że ...;

to do sth że się coś zrobi) Ⅲ *vi* 1. za/ufać (**to one's memory etc.** swojej pamięci itd.); **to ~ to doing sth** ufać, że się coś zrobi 2. zda-ć/wać się (**to luck etc.** na szczęście itd.) 3. pokładać nadzieje (**to Providence etc.** w Opatrzności itd.) *zob* **trusting, trusted**

trust-deed ['trʌst‚diːd] *s prawn* umowa powiernicza

trusted ['trʌstid] Ⅰ *zob* **trust** *v* Ⅲ *adj* zaufany

trustee [trʌs'tiː] *s* 1. powiernik 2. administrator; kurator; mandatariusz 3. członek zarządu <rady zarządzającej>; **board of ~s** zarząd; rada zarządzająca

trusteeship [trʌs'tiːʃip] *s* 1. powiernictwo 2. administracja; zarząd; opieka

trustful ['trʌstful] *adj* ufny

trusting ['trʌstiŋ] Ⅰ *zob* **trust** *v* Ⅲ *adj* ufny; pełen zaufania <wiary>

trust-money ['trʌst‚mʌni] *s fin* depozyt

trustworthy ['trʌst‚wəːði] *adj* 1. godny zaufania; zasługujący na zaufanie; pewny; zaufany 2. (*o informacji itd*) pewny; na którym można polegać

trusty ['trʌsti] Ⅰ *adj* † wierny Ⅲ *s* więzień sprawujący się nienagannie

truth [truθ] *s* (*pl* ~**s** [truːðz]) 1. prawda; rzeczywistość; **home ~s** (przykre) słowa prawdy; **the plain <honest> ~** naga <szczera> prawda; **the ~ is that** _ prawdę powiedziawszy ... 2. prawdziwość (pogłoski itd.); część <doza> prawdy (w pogłosce itd.) 3. wierność; lojalność; oddanie 4. *techn* = **true** *s*

truthful ['truːθful] *adj* 1. prawdomówny 2. prawdziwy; zgodny z prawdą 3. (*o utworze, filmie itd*) realistyczny

truthfulness ['truːθfulnis] *s* 1. prawdomówność 2. prawdziwość 3. realistyczność (utworu, filmu)

truthless ['truːθlis] *adj* 1. (*o człowieku*) fałszywy 2. (*o pogłosce itd*) niezgodny z prawdą

♦try [trai] *v* (**tried** [traid], **tried; trying** ['traiiŋ]) Ⅰ *vt* 1. wypróbow-ać/ywać, próbować; s/próbować; podda-ć/wać próbie; **~ one's hand at sth** s/próbować czegoś <swoich zdolności do czegoś> 2. s/kosztować (**a dish etc.** potrawy itd.) 3. doświadcz-yć/ać (**sb, sth** kogoś, czegoś); **my patience had been sorely tried** byłem u kresu cierpliwości 4. wysilać (oczy itd.) 5. z/robić doświadczeni-e/a (**sth z** czymś <nad czymś>) 6. są-dzić (**sb for sth** kogoś za coś) 7. wybadać (sprawę) 8. s/próbować <usiłować> (**to do sth** coś zrobić); do-łożyć/kładać wszelkich starań (**to do sth** żeby coś zrobić); pokusić się (**sth** o coś); zrobić wysiłek (**to do sth** żeby coś zrobić); **to ~ one's best <hardest>** s/próbować z całych sił 9. sprawdz-ić/ać 10. *chem* oczy-ścić/szczać (tłuszcz itd.) 11. *stol* wy-strugać; wygładz-ić/ać strugiem Ⅲ *vi* 1. ubiegać się (**for** _ o ...) 2. starać się (**for sth** o coś) 3. spróbować <usiłować> (**and do sth** coś zrobić); do-łożyć/kładać starań (**and do sth** żeby coś zrobić); **~ and behave** spróbuj się przyzwoicie zachować

~ **back** *vi* 1. (*o psach*) wr-ócić/acać w poszukiwaniu tropu 2. (*o człowieku*) powr-ócić/ acać do tematu

~ **down** *vt* s/topić (tłuszcz) dla oczyszczenia

~ **on** *vt* 1. przymierz-yć/ać (ubranie itd.) 2. *w zwrocie*: **to ~ it <one's games etc.> on with**

sb s/próbować swoich sztuczek <chwytów itd.> na kimś
~ **out** *vt* wypróbow-ać/ywać; podda-ć/wać gruntownej próbie
~ **over** *vt* przećwiczyć (utwór muzyczny)
~ **up** *vt* ze/strugać, z/heblować; wygładz-ić/ać strugiem
zob tried, trying Ⅲ *s* 1. próba; usiłowanie; wysiłek; **to have a** ~ **at sth** <at doing sth> spróbować czegoś <coś zrobić> 2. kandydatura (**for a post** na stanowisko) 3. (*w rugby*) strzał do bramki
trying ['traiiŋ] ⊡ *zob* try *v* Ⅲ *adj* 1. (*o warunkach itd*) trudny; ciężki; męczący; (*o konieczności itd*) bolesny; (*o przeciwnościach itd*) przykry; nieznośny; dokuczliwy; trudny do zniesienia 2. denerwujący; irytujący
trying-plane ['traiiŋ‚plein] *s stol* strug, gładzik
try-on ['trai'ɔn] *s pot* usiłowanie <próba> nabrania kogoś
try-out ['trai'aut] *s* gruntowna próba
trypanosome ['tripənou‚soum] *s med* pierwotniak wywołujący śpiączkę afrykańską
trypsin ['tripsin] *s fizj* trypsyna
trysail ['traiseil] *s mar* skośnik, gafel (żagiel gaflowy, trysel)
tryst [traist] † ⊡ *s* umówione spotkanie; (potajemne) widzenie się; schadzka; **lovers'** ~ schadzka zakochanych; **to keep** <break> ~ przyjść <nie przyjść> na umówione spotkanie Ⅲ *vt* wyznacz-yć/ać spotkanie (**sb** komuś)
trysting-place ['traistiŋ‚pleis] *s* miejsce umówionego spotkania
tsar [zɑ:] = **czar**
tsarevitch ['zɑ:revitʃ] = **czarevitch**
tsarina [zɑ:'rinə] = **czarina**
tsetse ['tsetsi] *s* (także: ~-**fly**) *zoo* mucha tse-tse
T-shaped ['ti:ʃeipt] *adj* teowy, w kształcie litery T
T-square ['ti:‚skweə] *s* węgielnica <kątownica, przykładnica> kształtu litery T
tuan [tu:'ɑ:n] *s* (*u Malajczyków*) pan
Tuareg ['twɑ:reg] *s* Tuareg
tub [tʌb] Ⅰ *s* 1. (*także* **wash-**~) balia; **let every**~ **stand on its own bottom** niech każdy dba o siebie 2. faska; ceber; kadź; beczułka; cebrzyk <skrzynia> na rośliny ozdobne 3. miara objętości rozmaitej wielkości na masło, zboże, herbatę itd. 4. szeroka płytka wanienka pod tusz <prysznic>; **to jump into one's** ~ skoczyć pod tusz 5. kąpiel; tusz, prysznic; **to have a** ~ wy/kąpać się; **a cold** ~ **would do you good** zimna kąpiel <zimny tusz> dobrze by ci zrobił/a 6. *górn* wóz kopalniany 7. *górn* kubeł 8. *mar* ciężki powolny statek; *przen* stara balia 9. wioślarska łódź treningowa Ⅲ *vt* (**-bb-**) 1. wy/kąpać (pod tuszem) 2. po/sadzić (roślin-ę/y) w cebrzyk-u/ach <skrzyni/ach> 3. trenować (wioślarzy) w łodzi treningowej 4. *górn* o/szalować (szyb) Ⅲ *vi* (**-bb-**) 1. wziąć/brać tusz 2. trenować na łodzi treningowej
⫙**tuba** ['tju:bə] *s muz* 1. tuba (kontrabasowa) 2. = **trumpet** 2.
tubal ['tju:bəl] *adj anat* jajowodowy
tubby ['tʌbi] *adj* 1. baryłkowaty 2. *muz* (*o instrumencie*) brzmiący głucho, wydający głuchy głos
tube [tju:b] ⊡ *s* 1. rura, rurka (metalowa, szklana itd.); wąż (gumowy). 2. (*także* **inner** ~) dętka

(roweru, opony); **pneumatic** ~ rura poczty pneumatycznej 3. tubka (pasty, farby itd.); ~ **colours** farby w tubkach 4. *muz* tuba (instrumentu) 5. *anat* kanał; przewód 6. lampa (rentgenowska, elektronowa, katodowa) 7. tubus (mikroskopu) 8. *med* sonda 9. tunel kolei podziemnej; † (*w Londynie*) kolej podziemna, metro Ⅲ *vt* 1. za-łożyć/kładać rur-ę/y <med sondę> (**sth** do czegoś) 2. za/rurować Ⅲ *vi* † po/jechać, jeździć (londyńską) kolejką podziemną *zob* **tubing**
tuber ['tju:bə] *s* 1. *bot* bulwa 2. *bot* korzeń bulwiasty 3. trufla 4. *med* guz
tubercle ['tju:bə:kl] *s* 1. *med* gruzełek; ziarniniak 2. *bot* bulwa
tubercular [tju'bə:kjulə] *adj med* gruzełkowy
tuberculin [tju'bə:kjulin] *s* tuberkulina
tuberculosis [tju‚bə:kju'lousis] *s* gruźlica, tuberkuloza
tuberculous [tju'bə:kjuləs] *adj* gruźliczy
tuberose ['tju:bə‚rouz] *s bot* tuberoza
tuberosity [‚tju:bə'rɔsiti] *s anat* kostne uwypuklenie, guz, guzowatość
tuberous ['tju:bərəs] *adj bot* bulwiasty
tubful ['tʌbful] *s* (pełny) ceber <(pełna) kadź, beczułka> (czegoś)
tubiform ['tju:bi‚fɔ:m] *adj* rurkowaty
⫙**tubing** ['tju:biŋ] ⊡ *zob* tube *v* Ⅲ *s* 1. rury, system rur; rurociąg 2. wąż gumowy; **a yard of** ~ jeden jard węża gumowego
tubipore ['tju:bi‚pɔ:] *s zoo* organecznik
tub-thumper ['tʌb‚θʌmpə] *s* 1. mówca uliczny; krzykacz 2. unoszący się w zapamiętaniu kaznodzieja
tub-thumping ['tʌb‚θʌmpiŋ] *s* 1. występy demagogiczne; krzykactwo 2. uniesienie oratorskie
tubular ['tju:bjulə] *adj* rurowy; rurkowy; rurowaty; cylindryczny; ~ **breathing** oddech oskrzelowy
tubule ['tju:bju:l] *s* rurka; kanalik; cewka
tuck¹ [tʌk] Ⅰ *vt* 1. zebrać/zbierać (materiał) w faldy; obrębi-ć/ać; plisować; z/robić zakładkę (**a garment** w ubiorze); za-łożyć/kładać (**cloth** brzeg tkaniny) 2. s/chować; usu-nąć/wać <wetknąć/ wtykać> (**sth in** <into> **sth** coś do czegoś; **sth under sth** coś pod coś); podgarn-ąć/iać; podwi-nąć/jać (**one's legs under one** nogi pod siebie); **to** ~ **sth round one** owi-nąć/jać się czymś 3. wyb-rać/ierać ryby mniejszą siatką z dużej siatki
~ **away** *vt* s/chować <sprzątnąć> (**sth in a drawer, one's pocket etc.** coś do szuflady, kieszeni itd.)
~ **in** ⊡ *vt* zebrać/zbierać; s/chować; wepchnąć/wpychać <wsu-nąć/wać> (**the bed- -clothes** zwisającą z boku łóżka pościel pod materac); **to** ~ **in a child** otuli-ć/ać dziecko pościelą wsuwając zwisającą z boku łóżka pościel pod materac Ⅲ *vi pot* wci-ąć/nać, zajadać (**at sth** coś)
~ **up** ⊡ *vt* 1. podwi-nąć/jać; podkas-ać/ywać; podgarn-ąć/iać; zakas-ać/ywać 2. otul-ić/ać (**sb in bed** kogoś w łóżku) 3. *sl* powiesić, wieszać (zbrodniarza) Ⅲ *vr* ~ **oneself** 1. s/kulić się 2. zawi-nąć/jać się pościelą
Ⅲ *s* 1. fałd, fałda; obręb; zakładka 2. *sl* cukierki; słodycze

tuck² [tʌk] † s 1. fanfara 2. werbel
tucker¹ ['tʌkə] s 1. chustka 2. *sl* wyżerka
tucker² ['tʌkə] *vt am pot* zmęczyć; ∼ed out zmordowany; skonany
tucket ['tʌkit] † s fanfara
tuck-in ['tʌk'in], **tuck-out** ['tʌk'aut] s *pot* wyżerka
tuck-net ['tʌk‚net] s mała siatka na drążku
tuck-shop ['tʌk‚ʃɔp] s *pot* sklep ze słodyczami
tuck-pointing ['tʌk‚pɔintiŋ] s *bud* spoinowanie barwnym kitem
Tudor ['tju:də] *spr attr* (*o stylu, architekturze itd*) z epoki Tudorów, elżbietański
Tuesday ['tju:zdi] Ⅰ s wtorek Ⅲ *attr* wtorkowy
tufa ['tju:fə] s *geol* tuf wapienny
tuff [tʌf] s *geol* tuf wulkaniczny
tuft [tʌft] Ⅰ s 1. kępka (trawy) 2. pęk, pęczek, kiść (piór, kwiatów itd.) 3. kitka 4. *anat* kłębuszek nerwowy 5. bródka 6. czub 7. † *uniw* student z arystokratycznej rodziny Ⅲ *vt* 1. ozd-obić/abiać <przybr-ać/ierać> pękiem piór <kwiatów itd.> 2. prze/pikować (materac itd.) Ⅲ *vi* (*o trawie*) róść kępkami
tufted ['tʌftid] *adj* czubaty
tuft-hunter ['tʌft‚hʌntə] † s snob poszukujący towarzystwa studentów z rodzin arystokratycznych
tufty ['tʌfti] *adj* 1. kępiasty, kępowaty 2. czubaty
tug [tʌg] *v* (**-gg-**) Ⅰ *vt* 1. po/ciągnąć 2. przy/holować 3. szarp-nąć/ać Ⅲ *vi* 1. pociąg-nąć/ać (**at sth** coś) 2. szarp-nąć/ać (**at sth** coś <czymś>; **at sb's sleeve** etc. kogoś za rękaw itd.) ∼ **in** *vt* porusz-yć/ać (sprawę w rozmowie); wywle-c/kać (sprawy osobiste itd. w czasie rozmowy) Ⅲ s 1. szarpnięcie (**at sth** czegoś <czymś>); **to give a** ∼ **at sth** szarpnąć coś <czymś>; **I felt a** ∼ **at my heart-strings** serce mi się krajało; ∼ **of war** a) zawody w przeciąganiu liny przez dwie przeciwne drużyny b) *przen* zmaganie, zaciekły bój 2. (*także* ∼**boat**) holownik 3. szleja 4. *górn* wyciąg; kołowrót pomocniczy <przenośny> 5. *sl* (*w szkole w Eton*) stypendysta
tugboat ['tʌg‚bout] s holownik
tuition [tju'iʃən] s 1. nauka, nauczanie, lekcje 2. opłata za naukę <za lekcje>; (*w uczelni*) czesne
tuitional [tju'iʃnəl] *adj* (*o opłacie*) za naukę
tulchan ['tʌlkən] *szkoc* kukła cielęcia, którą kładzie się koło krowy aby dawała mleko po ocieleniu
tulip ['tju:lip] s *bot* tulipan
tulip-tree ['tju:lip‚tri:] s *bot* tulipanowiec
tulle [tju:l] s *tekst* tiul
tulwar ['tʌlwa:] s zakrzywiona szabla indyjska
tumble ['tʌmbl] Ⅰ *vi* 1. upa-ść/dać <spa-ść/dać, runąć; *pot* wywalić się, wysyp-ać/ywać się> (**from** <**off**> **sth** z czegoś); st-oczyć/aczać się (**down the stairs** etc. ze schodów itd.); wywr-ócić/acać się; opa-ść/dać 2. gramolić się; **to** ∼ **out of bed** wygramolić się z łóżka; **to** ∼ **into bed** wpakować się do łóżka; **to** ∼ **up the stairs** wgramolić się na górę po schodach 3. rzucać <miotać> się 4. zataczając <potykając> się posuwać się (**along** naprzód); bie-c/gać na oślep; **to** ∼ **up the stairs** wbie-c/gać na górę po kilka stopni na raz 5. natknąć się przypadkowo (**on sth** na coś); pot-knąć/ykać się (**over sth** o coś) 6. przewracać się; wywracać koziołki 7. *sl* z/rozumieć <s/ka-

powa-ć> (**to sth** coś) 8. *mar* przyby-ć/wać <dopły-nąć/wać> (**home** do portu); *sl* **to** ∼ **home** wpakować się do łóżka Ⅲ *vt* 1. wywr-ócić/acać; zwalić; przewr-ócić/acać 2. wrzuc-ić/ać (**sth into sth** coś do czegoś); cisnąć (**sth in a corner** coś w kąt) 3. wywr-ócić/acać (wszystko) do góry nogami; poprzewracać; zmierzwi-ć/ać <roz/czochrać, zwichrzyć> (włosy); zburzyć (fryzurę, pościel itd.); zmiąć (sukienkę itd.) 4. o/czyścić <wy/polerować, odrdzewi-ć/ać> (części metalowe) w bębnie ∼ **in** Ⅰ *vi sl* położyć się spać Ⅲ *vt* dopasow-ać/ywać (belkę itd.)
Ⅲ s 1. upadek; **I had a slight** <**a nasty**> ∼ lekko <paskudnie> się wywróciłem 2. koziołek; sztuka akrobatyczna 3. nieporządek; nieład; rozgardiasz; bałagan, **things are all in a** ∼ wszystko jest w nieładzie <poprzewracane do góry nogami>
tumble-bug ['tʌmbl‚bʌg] s *zoo* chrabąszcz
tumble-down ['tʌmbl‚daun] *adj* walący się; zniszczony; znajdujący się w opłakanym stanie
‡ **tumbler** ['tʌmblə] s 1. akrobata; żongler 2. *zoo* (*także* ∼ **pigeon**) gołąb wywrotny <koziołkujący> 3. (zabawka) figurka chińska wywracająca koziołki 4. kubek 5. *techn* wychył; (*u karabinu*) kurek 6. *techn* bęben; wywrotnica obrotowa
tumblerful ['tʌmbləful] s (pełny) kubek (czegoś)
tumbling-barrel ['tʌmbliŋ‚bærəl], **tumbling-box** ['tʌmbliŋ‚bɔks], **tumbling-wheel** ['tʌmbliŋ‚wi:l] s *techn* bęben do polerowania; wywrotnica
tumbrel ['tʌmbrəl], **tumbril** ['tʌmbril] s 1. fura dwukołowa 2. *wojsk* jaszczyk
tumefaction [‚tju:mi'fekʃən] s 1. obrzmienie; obrzęk 2. wywoł-anie/ywanie obrzmienia <obrzęku> 3. wydęcie
tumefy ['tju:mi‚fai] *v* (**tumefied** ['tju:mi‚faid], **tumefied; tumefying** ['tju:mi‚faiiŋ]) Ⅰ *vt* 1. wywoł-ać/ywać obrzmienie <obrzęk> (**sth** czegoś); 2. wyd-ąć/ymać Ⅲ *vi* 1. obrzmie-ć/wać 2. wyd-ąć/ymać się
tumescence [tju:'mesns] s *med* obrzmie-nie/wanie; nabrzmie-nie/wanie
tumescent [tju:'mesnt] *adj* obrzmiewający; nabrzmiewający
tumid ['tju:mid] *adj* 1. obrzmiały 2. (*o stylu*) napuszony; bombastyczny
tumidity [tju:'miditi] s 1. obrzęk; wzdęcie 2. napuszoność <bombastyczność> (stylu)
tummy ['tʌmi] s *pot* brzuch; *dziec* brzuszek
tumorous ['tju:mərəs] *adj* guzowaty
tumour ['tju:mə] s *med* guz; naciek; tumor; nowotwór
tumular(y) ['tju:mjulə(ri)] *adj* 1. kopcowaty 2. mogilny
tumult ['tju:mʌlt] s 1. zgiełk; wrzawa; tumult 2. podniecenie; wzburzenie; niepokój
tumultuary [tju'mʌltjuəri] *adj* 1. hałaśliwy 2. niesforny; buntowniczy
tumultuous [tju'mʌltjuəs] *adj* 1. zgiełkliwy 2. burzliwy 3. niespokojny; wzburzony; zdenerwowany
tumulus ['tju:mjuləs] s (*pl* **tumuli** ['tju:mju‚lai]) kopiec (mogiła); kurhan
tun [tʌn] Ⅰ s beczka (216 galonów piwa, 252 ga-

lony wina); kadź (fermentacyjna) Ⅲ *vt* (-nn-) beczkować; rozl-ać/ewać w beczki

tuna ['tju:nə] *s zoo* tuńczyk kalifornijski

tun-dish ['tʌn͵diʃ] *s* (*w browarnictwie*) komin

tundra ['tʌndrə] *s geogr* tundra

tune [tju:n] Ⅰ *s* 1. melodia; **to a ~** (za/tańczyć itd.) pod melodię; *przen* **to change one's ~, to sing another ~** inaczej zaśpiewać; zmienić taktykę <sposób postępowania>; **that's an old ~** to stara piosenka; (*o opłacie, grzywnie itd*) **to the ~ of x pounds** w kwocie x funtów; ni mniej ni więcej tylko x funtów 2. ton; strój (muzyczny); **to call the ~** nada-ć/wać ton; **in ~** nastrojony; **out of ~** rozstrojony; **to sing in ~** <**out of ~**> śpiewać czysto <fałszować> 3. zgoda; zgodność; harmonia; zestrojenie; dostrojenie (do otoczenia itd.); **to be out of ~ with one's environment** nie harmonizować z otoczeniem 4. nastrój (**for sth** do czegoś) 5. *radio* prawidłowe nastawienie (odbiornika) na daną stację; **in ~** dobrze nastawiony Ⅲ *vt* 1. na/stroić (instrument) 2. dostr-oić/ajać (**sth to sth** coś do czegoś); z/harmonizować (**sth to sth** coś z czymś) 3. *poet* wywodzić (trele) 4. *poet* opiewać 5. = w 6. wyregulow-ać/ywać (motor itd.) Ⅲ *vi* harmonizować (**with sth** z czymś) **~ in** *vt vi* nastawi-ć/ać (odbiornik) (**to a station** na daną stację) **~ up** Ⅰ *vi* 1. (*o orkiestrze*) zestr-oić/ajać się 2. (*o śpiewaku*) za/śpiewać 3. *żart* (*o dziecku*) rozbeczeć się Ⅲ *vt* dostr-oić/ajać (instrument)

tuneful ['tju:nful] *adj* melodyjny

tuneless ['tju:nlis] *adj* niemelodyjny

▲**tuner** ['tju:nə] *s* 1. stroiciel (fortepianów) 2. *radio* urządzenie do strojenia

tung-oil ['tʌŋ͵ɔil] *s* lakier chiński

tungstate ['tʌŋsteit] *s chem* wolframian

▲**tungsten** ['tʌŋstən] *s chem* wolfram

tungstic ['tʌŋstik] *adj chem* wolframowy

tunic ['tju:nik] *s* 1. tunika 2. bluzka (damska) 3. mundur (wojskowego, policjanta itd.) 4. powłoka; błona; osłona

tunicate ['tju:nikit] Ⅰ *adj* 1. posiadający powłokę <błonę, osłonę> 2. osłonięty powłoką <błoną> Ⅲ *s zoo* osłonica

tunicated ['tju:ni͵keitid] *adj* = **tunicate** *adj*

tunicle ['tju:nikl] *s* 1. *kość* dalmatyka 2. *zoo bot* powłoka

tuning-fork ['tju:niŋ͵fɔ:k] *s muz* kamerton; widełki stroikowe

tuning-hammer ['tju:niŋ͵hæmə] *s* strojnik (klucz stroiciela fortepianów)

tuning-peg ['tju:niŋ͵peg], **tuning-pin** ['tju:niŋ͵pin] *s* stroik <kołek> (w fortepianie)

Tunisian [tju'nizjən] Ⅰ *adj* tunezyjski Ⅲ *s* Tunezyj-czyk/ka

▲**tunnel** ['tʌnl] Ⅰ *s* 1. tunel; *techn* **wind ~** tunel aerodynamiczny 2. *górn* tunel; sztolnia; przekop 3. korytarz (kreta itd.) 4. (*w kominie*) przewód dymny Ⅲ *vt* (-ll-) przekop-ać/ywać tunel/e (**a hill etc.** pod górą itd.); **to ~ one's way through** <**into**> **sth** przekop-ać/ywać się przez coś <do czegoś> Ⅲ *vi* (-ll-) 1. przekop-ać/ywać tunel/e (**through a hill etc.** pod górą itd.) 2. (*o zwierzętach itd*) ryć

tunny ['tʌni] *s zoo* (*także ~-fish*) tuńczyk

tuny ['tju:ni] *adj muz* (*o motywie itd*) melodyjny; łatwy do zapamiętania

tup [tʌp] Ⅰ *s* 1. *zoo* tryk 2. kafar 3. obuch (młota parowego) Ⅲ *vt* (-pp-) (*o tryku*) pokr-yć/wać (owce) *zob* **tupping**

tuppence ['tʌpəns] = **twopence**

tuppeny ['tʌpni] = **twopenny**

tupping ['tʌpiŋ] Ⅰ *zob* **tup** *v* Ⅲ *s* ruja (u owiec)

tuque [tju:k] *s* kanadyjka (czapka)

Turanian [tjuə'reinjən] *adj języ* uralo-ałtajski; turański

turban ['tə:bən] *s* turban; zawój

turbaned ['tə:bənd] *adj* w zawoju; z zawojem na głowie

turbary ['tə:bəri] *s* 1. torfowisko 2. prawo kopania torfu <wycinania darni> na czyimś gruncie

turbid ['tə:bid] *adj dosł i przen* mętny

turbidity [tə:'biditi] *s* mętność, mętny stan (cieczy itd.)

turbinate ['tə:binit] *adj* 1. kształtu odwróconego stożka 2. *anat* małżowinowy

turbine ['tə:bin] *s* turbina

turbit ['tə:bit] *s zoo* gołąb kołnierzowaty

turbogenerator ['tə:bou'dʒenə͵reitə] *s* turbogenerator

turbo-jet ['tə:bou͵dʒet] *s* samolot turbinowo-odrzutowy

turbot ['tə:bət] *s zoo* skarp (ryba)

▲**turbulence** ['tə:bjuləns] *s* 1. niepokój 2. burzliwość 3. niesforność; buntownicze usposobienie

▲**turbulent** ['tə:bjulənt] *adj* 1. niespokojny; burzliwy 2. niesforny; buntowniczy

Turcoman ['tə:kəmən] = **Turkoman**

turd [tə:d] *s wulg* łajno

turdine ['tə:dain] *adj zoo* drozdowaty

tureen [tə'ri:n] *s* waza (na zupę)

turf [tə:f] Ⅰ *s* (*pl ~s*, **turves**) 1. darń; **~ drain** rów odwadniający wyłożony darnią 2. bryła darni <torfu> 3. (*w Irlandii*) torf 4. **the ~** a) pole wyścigowe b) wyścigi konne; **to be on the ~** trudnić się zawodowo sprawami związanymi z wyścigami konnymi Ⅲ *vt* pokry-ć/wać <wy-ło-żyć/kładać> darnią **~ out** *sl* wyrzuc-ić/ać (kogoś, coś); wywalić (kogoś) na pysk

turf-cutter ['tə:f͵kʌtə], **turf-knife** ['tə:f͵naif] *s* rydel, szpadel; łopata do wycinania darni <torfu>

turf-house ['tə:f͵haus] *s* lepianka z brył darni <torfu>

turfite ['tə:fait] *s* stały bywalec wyścigów konnych

turfy ['tə:fi] *adj* 1. pokryty darnią 2. torfiasty; torfowy 3. związany z wyścigami konnymi; (*o sposobie wyrażania się itd*) trącący polem wyścigowym; z gwary dżokejów

turgescence [tə:'dʒesns] *s* obrzmienie; pęcznienie; napęcznienie

turgid ['tə:dʒid] *adj* 1. obrzmiały; napęczniały 2. (*o stylu*) napuszony; bombastyczny

turgidity [tə:'dʒiditi] *s* 1. obrzęk; obrzmienie 2. napuszoność <bombastyczność> (stylu)

▲**turgor** ['tə:gə] *s* wewnętrzne napięcie; prężność komórek

turion ['tjuəriən] *s bot* rozłóg (szparaga itd.)

Turk [tə:k] *s* 1. Tur-ek/czynka; *bot ~'s cap* lilia złotogłów; *~'s head* a) kokarda b) okrągły pędzel c) manekin do ćwiczeń szablą dla kawalerzystów 2. mahometanin 3. turczyn (koń rasy tureckiej) 4. (*o człowieku, dziecku*) postrach otoczenia

‖turkey ['tə:ki] *s zoo* indyk; ~ buzzard <vulture> sęp amerykański

Turkey ['tə:ki] *spr attr* ~ carpet dywan turecki; ~ corn kokorycz; ~ leather zamsz; ~ red czerwień turecka; ~ stone kamień do ostrzenia, brus; ~ trot odmiana foxtrota; *am* to talk ~ mówić otwarcie <bez ogródek>

turkey-cock ['tə:ki,kɔk] *s* 1. *zoo* indor; red as a ~ czerwony jak burak 2. człowiek nadęty <pyszałkowaty>; pyszałek

turkey-hen ['tə:ki,hen] *s* indyczka

turkey-polt ['tə:ki,poult] *s* indyczę

Turkish ['tə:kiʃ] Ⅰ *adj* turecki; ~ bath kąpiel parowa, parówka; ~ baths łaźnia; ~ carpet dywan turecki; ~ delight rachatłukum; ~ music perkusja; ~ pound funt turecki (jednostka monetarna); ~ towel ręcznik frotowy Ⅱ *s* język turecki

Turkoman, Turcoman ['tə:kəmən], Turkman ['tə:kmən] *s* (*pl* ~s) Turkmen

turmalin ['tə:məlin], turmaline ['tə:məli:n] = tourmalin

turmeric ['tə:mərik] *s bot* kurkuma

turmeric-paper ['tə:mərik,peipə] *s* papier kurkumowy

turmoil ['tə:mɔil] *s* 1. zamieszanie; podniecenie 2. wrzawa; zgiełk; the town was in a ~ w mieście wrzało 3. wir (wody, polityki itd.)

‖turn [tə:n] Ⅰ *vi* 1. obr-ócić/acać <po/kręcić, wy/kręcić, wykręcać, przekręc-ić/ać> się; my head is ~ing kręci mi się w głowie; his head has ~ed przewróciło mu się w głowie; my stomach is ~ing jest mi niedobrze; zbiera mi się na wymioty; to make sth ~ nada-ć/wać czemuś ruch obrotowy <wirowy> 2. (*o kuli itd oraz o rozmowie*) po/toczyć się 3. zależeć (on sth od czegoś) 4. odwr-ócić/acać <obr-ócić/acać> się; przewr-ócić/acać się; to ~ upside down wywr-ócić/acać się do góry nogami; prze/koziołkować; s/kapotować; the tide ~s a) *mar* zaczyna się przypływ <odpływ> b) *przen* sytuacja bierze inny obrót <odwraca się>; następuje zwrot w sytuacji 5. zwr-ócić/acać się w rozmowie <z prośbą itd.> (do kogoś); to ~ against sb obr-ócić/acać się przeciwko komuś; to ~ on sb napa-ść/dać na kogoś; to ~ to sth a) s/kierować się ku czemuś <na wschód/ zachód itd.> b) (*o wietrze*) zmieni-ć/ać kierunek; which way shall we ~? a) którędy pójdziemy? b) *przen* co tu robić? 6. za-jrzeć/glądać (to a book etc. do książki itd.); powoł-ać/ywać się (to a source na źródło) 7. zab-rać/ierać się (do pracy itd.) 8. odmieni-ć/ać <przemieni-ć/ać, przekształc-ić/ać, przeobra-zić/żać> się; zmieni-ć/ać barwę <kolor> 9. *z przymiotnikiem o zastosowaniu orzecznikowym*: a) *tłumaczy się przez polski czasownik odprzymiotnikowy*: to ~ red <green, yellow, sour, pale etc.> po/czerwienieć, zaczerwienić się <po/zielenieć, z/zielenieć, po/żółknąć, z/żółknąć, s/kwaśnieć, zblednąć/bladnieć itd.> b) zrobić <sta-ć/wać> się czerwonym <zielonym, bladym itd.> 10. *z rzeczownikiem o zastosowaniu orzecznikowym*: z/robić <sta-ć/wać> się (communist <republican etc.>

komunistą <republikaninem itd.>); nawr-ócić/acać się (protestant <Catholic etc.> na protestantyzm <katolicyzm itd.>); to ~ soldier pójść <wstąpić> do wojska; to ~ traitor zdradzić ojczyznę <partię itd.> Ⅲ *vt* 1. obr-ócić/acać; po/kręcić (sb, sth kogoś, coś <kimś, czymś>); skręc-ić/ać (coś — światło lampy naftowej itd.); nada-ć/wać ruch obrotowy (sth czemuś); to ~ sb's head przewrócić komuś w głowie; to ~ sb's brain podziałać komuś na umysł; to ~ sth to one's profit obr-ócić/acać coś na swój pożytek <na swoją korzyść>; to ~ sth into ridicule obr-ócić/acać coś w śmiech; wyśmi-ać/ewać coś 2. odwr-ócić/acać; przewr-ócić/acać; wywr-ócić/acać; prze/nicować; not to ~ a hair ani nie drgnąć; it ~s my stomach niedobrze mi się robi od tego; to ~ the scale przechyl-ić/ać szalę; to ~ sth in one's mind rozmyślać nad czymś; to ~ the edge of sth przytępi-ć/ać <stępi-ć/ać> coś (brzytwę itd.) 3. s/kierować <na/kierować> (to _ ku <do, na, w kierunku> ...); odwr-ócić/acać <zmieni-ć/ać> kierunek (sth czegoś); to ~ sb from the door odprawi-ć/ać kogoś z kwitkiem 4. ob-ejść/chodzić (trudność itd.); obje-chać/żdżać; skręc-ić/ać (the corner na rogu ulicy, na zakręcie); to ~ the enemy's flank za-jść/chodzić nieprzyjaciela z flanki 5. mi-nąć/jać; she is ~ed 20 skończyła 20 lat; it is ~ed 12 minęła 12 godz. 6. zmieni-ć/ać <przemieni-ć/ać, przekształc-ić/ać, przeobra-zić/żać> (sth into sth else coś w coś innego); z/robić (sb, sth into sth coś z kogoś, czegoś); przer-obić/abiać (sth into sth else coś na coś innego); to ~ sb into an honest man zrobić z kogoś uczciwego człowieka 7. przetłumaczyć 8. s/powodować <wywoł-ać/ywać> (coś u kogoś, czegoś); doprowadz-ić/ać (kogoś, coś do czegoś); to ~ sb mad doprowadzić kogoś do szału; to ~ sb sick wywoł-ać/ywać u kogoś nudności; to ~ the milk sour s/powodować <wywoł-ać/ywać> skwaśnienie mleka 9. obt-oczyć/aczać na tokarce ‖ to ~ one's hand to sth zabrać/wziąć się do czegoś; to ~ sth to account wykorzystać <wyzyskać> coś

~ about Ⅰ *vi* 1. obr-ócić/acać <odwr-ócić/acać> się 2. przewracać się na wszystkie strony Ⅲ *vt* 1. odwr-ócić/acać (coś) w przeciwnym kierunku 2. zawr-ócić/acać

~ aside Ⅰ *vt* 1. odwr-ócić/acać (cios itd.) 2. odbi-ć/jać rykoszetem (pocisk itd.); nada-ć/wać inny kierunek (a missile etc. pociskowi itd.) Ⅲ *vi* odwr-ócić/acać <odchyl-ić/ać> się; (*o pocisku*) odbi-ć/jać się rykoszetem; zmieni-ć/ać kierunek

~ away Ⅰ *vt* 1. odwr-ócić/acać (głowę, oczy itd.) 2. odprawi-ć/ać kogoś) z niczym <z kwitkiem> 3. *teatr* odprawi-ć/ać (ludzi) od kasy Ⅲ *vi* 1. odwr-ócić/acać się (tyłem) 2. od-ejść/chodzić 3. porzuc-ić/ać <opu-ścić/szczać (from sb kogoś)

~ back Ⅰ *vt* 1. zawr-ócić/acać (kogoś) z drogi; to ~ back a horse nawr-ócić/acać 2. zawi-nąć/jać <zakas-ać/ywać> (rękawy itd.); podkas-ać/ywać 3. spu-ścić/szczać (podniesiony kołnierz) Ⅲ *vi* zawr-ócić/acać z drogi

~ down Ⅰ *vt* 1. odwr-ócić/acać 2. odwi-nąć!/jać 3. zagi-ąć/nać 4. przykręc-ić/ać (gaz);

przycisz-yć/ać (radio) 5. *pot* odm-ówić/awiać (sb komuś); odrzuc-ić/ać (sb czyjąś kandydaturę); odm-ówić/awiać (a request etc. czyjejś prośbie itd.); odrzuc-ić/ać (a claim <an offer etc.> pretensję <ofertę itd.>); nie przyj-ąć/mować (an offer ofertę) 6. skręc-ić/ać (lampę, radio itd.) [III] *vi* (*o kołnierzu*) odwi-nąć/jać się; the collar ~s down kołnierz odwija <wykłada> się

~ in [] *vt* 1. obrębi-ć/ać; za-łożyć/kładać (brzeg materiału przy szyciu) 2. stawiać (one's toes palce) do środka (przy chodzeniu) 3. *pot* pu-ścić/szczać kantem; porzuc-ić/ać (sb kogoś) [III] *vi* 1. (*o nogach*) wykrzywiać się do środka przy chodzeniu 2. *pot* pójść/iść <położyć/kłaść się> spać

~ off [] *vt* 1. zam-knąć/ykać dopływ (the gas, water, steam etc. gazu, wody, pary itd.); zakręc-ić/ać <przekręc-ić/ać> (kurek); wyłą-cz-yć/ać (radio); z/gasić (światło) 2. odprawi-ć/ać (kogoś) 3. wykoncypować; napisać (wierszyk itd.) 4. *sl* powiesić/wieszać (przestępcę) 5. *sl* udziel-ić/ać ślubu (a couple młodej parze) 6. obtoczyć (na tokarce) [III] *vi* skręc-ić/ać w bok z głównej drogi

~ on *vt* 1. pu-ścić/szczać (parę, wodę z kurka itd.); odkręc-ić/ać (kurek wodociągowy, gazowy); przygotow-ać/ywać (kąpiel); to ~ on the waterworks a) uruchomić fontann-ę/y b) *przen* rozpłakać <rozbeczeć> się 2. to ~ on the light zaświecić 3. to ~ on the radio nastawi-ć/ać radio

~ out [] *vt* 1. wyrzuc-ić/ać (kogoś) za drzwi; wyrzuc-ić/ać <wy/eksmitować> (lokatora); zw-olnić/alniać z posady; wyprowadz-ić/ać <wyg-nać/aniać> (bydło) 2. wywi-nąć/jać; stawiać na zewnątrz (one's toes palce przy chodzeniu) 3. (*o fabryce itd*) wy/produkować; wyrabiać 4. wywr-ócić/acać <opróżni-ć/ać> (kieszenie itd.) 5. *wojsk* wywoł-ać/ywać (the guard wartę) pod broń 6. *kulin* wyj-ąć/mować z formy 7. zam-knąć/ykać (gaz) 8. wyposaż-yć/ać; well ~ed out ładnie się prezentujący; staranny; ładnie ubrany [III] *vi* 1. wy-jść/chodzić z domu; wyleg-nąć/ać, wylec (tłumnie) 2. zgł-osić/aszać się <przy-jść/chodzić> do służby; *wojsk* (*o warcie*) sta-nąć/wać pod broń 3. zastrajkować 4. wsta-ć/wać z łóżka 5. (*o nogach*) wykrzywiać się na zewnątrz przy chodzeniu 6. (*o wypadkach, przebiegu sprawy itd*) u-łożyć/kładać się (dobrze, źle itd.); skończyć się (dobrze, źle itd.) 7. okaz-ać/ywać się; it <he> ~ed out (to be) a __ okazało się, że to <on> jest...; as it often ~s out jak się często okazuje 8. zrobić się; he has ~ed out a clever boy zrobił się z niego zdolny chłopak; the weather ~ed out rainy pogoda odmieniła się na deszcz

~ over [] *vt* 1. przewr-ócić/acać 2. obr-ócić/acać; odwr-ócić/acać (kartkę itd.) 3. s/pokładać <płytko z/orać> (pole) 4. rozważ-yć/ać; to ~ sth over in one's mind rozważ-yć/ać <przemyśleć> coś; zastan-owić/awiać się nad czymś 5. *handl* mieć obrót; the firm ~s over £500 a week firma ta ma tygodniowo 500 funtów obrotu 6. odda-ć/wać <powierz-yć/ać> (coś komuś); przekaz-ać/ywać 7.

skierow-ać/ywać (kogoś do właściwego człowieka itd.); odda-ć/wać (to the police etc. w ręce policji itd.) [III] *vi* 1. (*o pojeździe itd*) przewr-ócić/acać się; prze/koziołkować; s/kapotować 2. przewracać się z boku na bok

~ round [] *vt* obr-ócić/acać; przewr-óció/acać; odwr-ócić/acać; przekręc-ić/ać; po/kręcić (sth czymś) [III] *vi* 1. obr-ócić/acać się; przewr-ócić/acać się; odwr-ócić/acać się; przekręc-ić/ać się; po/kręcić się; her head was ~ing round kręciło się jej w głowie 2. zmieni-ć/ać swoje przekonania; *pot* przekabac-ić/ać się 3. zawr-ócić/acać 4. za/atakować (on sb kogoś); napa-ść/dać (on sb na kogoś)

~ to *vi pot* zabrać/wziąć się do roboty <do pracy, do dzieła>

~ under *vt* za-łożyć/kładać (brzeg materiału itd. przy szyciu)

~ up [] *vt* 1. odwr-ócić/acać (kołnierz, glebę, kartę itd.); podn-ieść/osić (kołnierz); kręcić (one's nose at sth nosem na coś); podn-ieść/osić (oczy) do góry; zawi-nąć/jać (rękaw itd.); *sl* to ~ up one's toes kipnąć, umrzeć 2. odkry-ć/wać (coś zakopanego w ziemi, schowanego w szufladzie itd.) 3. podkręc-ić/ać (knot lampy naftowej); odkręc-ić/ać (kurek gazowy) 4. *pot* przyprawi-ć/ać (kogoś) o mdłości; the sight ~ed me up na ten widok zrobiło mi się niedobrze [III] *vi* 1. podn-ieść/osić się; podwi-nąć/jać się; (*o nosie*) być zadartym 2. ukaz-ać/ywać <pojawi-ć/ać, zjawić> się; przy-jść/chodzić (na umówione spotkanie, na zebranie itd.); przyby-ć/wać, zgł-osić/aszać się; pokaz-ać/ywać się 3. przy/trafić <nadarz-yć/ać, zmieni-ć/ać> się; to wait for sth to ~ up czekać aż się coś nadarzy <zmieni>

~ upon = ~ on
zob turning [III] *s* 1. obrót (koła, sprawy itd.); things took a favourable ~ sprawy przybrały korzystny obrót 2. punkt zwrotny; zmiana (kierunku); przemiana; to be on the ~ a) (*o mleku*) kwaśnieć b) (*o pływach morskich*) zmieni-ć/ać kierunek; the tide is on the ~ wkrótce będzie przypływ <odpływ>; (*o potrawie*) done to a ~ przyrządzony <upieczony> w sam raz <doskonale> 3. zwój (liny, kabla itd.) 4. zwrot; *wojsk* right ~! w prawo zwrot! 5. skręt; zagięcie <kolano> (rzeki itd.); (*w łyżwiarstwie*) łuk; to take a ~ to the right <left> skręc-ić/ać w prawo <w lewo>; at every ~ na każdym kroku 6. usposobienie; skłonność (for sth do czegoś); to be of a mechanical ~, to have a ~ for mechanics mieć zdolności <*pot* dryg> do mechaniki; he was of a humorous ~ on miał poczucie humoru; to have a serious <gloomy etc.> ~ of mind mieć poważne <ponure itd.> usposobienie; (*o pojeździe itd*) to have a good ~ of speed być w stanie rozwi-nąć/jać wielką szybkość 7. przechadzka; przejażdżka; to take a ~ in the park przejść się po parku; to take a ~ on one's bicycle przejechać się na rowerze 8. występ (na scenie, w cyrku itd.); (popisowy) numer (artysty, akrobaty itd.) 9. okres czasu poświęcony jakiemuś zajęciu <pracy itd.>; to take a ~ of work popracować jakiś czas; to take a ~ at the oars powiosłować; to take a ~ at the

wheel poprowadzić samochód (jakiś czas) 10. kolejność; kolej (przypadająca na kogoś, żeby coś robić); **it's my ~ to play** teraz gram ja; teraz moja kolejka; **out of ~** a) poza kolejką; nie w swojej <nie według> kolejności b) pochopnie; **in ~ <by ~s, ~ and ~ about>** po kolei; kolejno; jeden po drugim; na przemian; **to take ~s** zmieniać się <robić coś> kolejno <na przemian>; **I went hot and cold by ~s** zrobiło mi się gorąco i zimno na przemian; robiło mi się to gorąco to zimno 11. postępowanie wobec kogoś; przysługa; **to do sb a good ~** wyświadczyć <oddać> komuś przysługę; przysłu-żyć/giwać się (komuś); (*o przedmiocie itd*) **to serve sb's ~** nada-ć/wać się do czyjegoś celu; przyda-ć/wać się komuś; **this will serve my ~** to mi się przyda; to się nadaje do mojego celu; **to do sb an ill ~** oddać komuś złą przysługę; *pot* zrobić komuś przykry kawał; spłatać komuś paskudnego figla; wpakować kogoś w kabałę; **one good ~ deserves another** za przysługę przysługa 12. *muz* obiegnik; grupetto 13. *druk* blokada, blokowanie (przez odwrócenie czcionki) 14. *pot* wstrząs; przykra niespodzianka; **it gave me quite a ~** myślał-em/am, że zemdleję 15. kształt; kontury (nóżki, ramienia, policzka itd.) 16. układ <ujęcie, ułożenie> (zdania itd.) 17. *pl ~s* menstruacja; *pot* okres 18. atak (histerii itd.); przypływ (furii itd.)

turnabout ['tə:n-ə‚baut] *s* 1. *dosł i przen* zwrot 2. zmiana frontu

turnback ['tə:n'bæk] *s* 1. odwinięta część pościeli (w zasłanym łóżku) 2. człowiek niewytrwały

turn-bench ['tə:n‚bentʃ] *s* ręczna tokarka zegarmistrza

turn-buckle ['tə:n‚bʌkl] *s techn* ściągacz śrubowy; zakrętka drzwiowa; nakrętka rzymska

turn-cap ['tə:n‚kæp] *s* kaptur <smok> kominowy

turn-coat ['tə:n‚kout] *s* zdrajca; renegat

turn-cock ['tə:n‚kɔk] *s* pracownik wodociągów zamykający i otwierające główny zawór <kurek>

turn-down ['tə:n‚daun] *adj* (*o kołnierzyku*) wykładany

turner ['tə:nə] *s* 1. tokarz 2. *zoo* = **tumbler-pigeon**

turnery ['tə:nəri] *s* 1. warsztat <pracownia> tokarsk-i/a; tokarnia 2. wyroby <ozdoby> toczone 3. tokarstwo

turning ['tə:niŋ] Ⅰ *zob* turn *v* Ⅲ *s* 1. skręt; zakręt; przecznica; **to take <negotiate> a ~** wziąć zakręt; skręc-ić/ać (idąc <jadąc>); **take the second ~ to the left** skręć w drugą przecznicę po lewej stronie <na lewo> 2. *pl ~s* wióry; strużyny; opiłki 3. tokarstwo Ⅱ *adj* obrotowy; **~ saw** piła do wyrzynania; **~ tool** nóż tokarski

turning-point ['tə:niŋ‚point] *s* punkt zwrotny

turnip ['tə:nip] *s* 1. *bot* rzepa 2. = **~-watch**

turnip-fly ['tə:nip‚flai] *s zoo* susówka smużkowata

turnip-top ['tə:nip‚tɔp] *s* nać rzepy

turnip-watch ['tə:nip‚wɔtʃ] *s pot* duży zegarek, cebula

turnkey ['tə:n‚ki:] *s* dozorca więzienny

turn-out ['tə:n'aut] *s* 1. zgromadzenie; tłum; publiczność 2. strajk 3. *wojsk* mundur (pułkowy itd.) 4. zaprzęg 5. produkcja 6. *kolej* iglica zwrotnicy 7. rozjazd, mijanka

turnover ['tə:n'ouvə] *s* 1. przewrócenie się (po-

jazdu); przekoziołkowanie; kapotaż 2. zmiana (nastroju, polityki itd.) 3. półokrągł-y/e pasztecik <ciastko> 4. obrót (kupiecki) 5. *dzien* artykuł z zakończeniem na dalszej stronie; **~ word** hasło; wyraz wyrzucony na dole stronicy (listu, dokumentu itd.) od którego zaczyna się tekst na następnej stronicy

turnpike ['tə:n‚paik] *s* 1. (*u wejścia do muzeum itd*) kołowrót 2. rogatka; **~ road** droga z rogatkami

turn-screw ['tə:n‚skru:] *s* śrubokręt

turnsole ['tə:n‚soul] *s* nazwa różnych roślin, o których mówi się, że obracają się wraz ze słońcem (słonecznik itp.)

turnspit ['tə:n‚spit] *s* 1. podkuchenny 2. odmiana jamnika (dawniej używanego do obracania rożna)

turnstile ['tə:n‚stail] = **turnpike** *s* 1.

turnstone ['tə:n‚stoun] *s zoo* kamusznik (ptak)

turn-table ['tə:n‚teibl] *s* 1. *kolej* obrotnica, tarcza obrotowa 2. tarcza gramofonu

turn-up ['tə:n'ʌp] *s* 1. mankiet (u spodni itd.); **~ trousers** spodnie z mankietem 2. traf, szczęście 3. *pot* zamieszanie; bijatyka 4. *karc* odwrócona karta (atutowa)

turpentine ['tə:pən‚tain] Ⅰ *s* terpentyna; **oil of ~** olejek terpentynowy Ⅱ *vt* na-trzeć/cierać terpentyną

turpentine-tree ['tə:pəntain‚tri:] *s bot* terpentynowiec

turpeth ['tə:piθ] *s* 1. *bot* wilec turbitowy 2. *farm* turbit (roślinny); **~ mineral** turbit mineralny, siarczan rtęciowy

turpitude ['tə:pi‚tju:d] *s* 1. podłość; bezecność 2. haniebny czyn 3. znieprawienie

turps [tə:ps] *s pot* olejek terpentynowy

turquoise ['tə:kwa:z] *s* turkus

turret ['tʌrit] *s* 1. *arch* wieżyczka; wieża strzelnicza 2. *wojsk* wieżyczka armatnia 3. *techn* (*u obrabiarki*) głowica rewolwerowa; **~ lathe** tokarka rewolwerowa, rewolwerówka

turreted ['tʌritid] *adj* (*o zamku obronnym*) z wieżyczkami i wieżami strzelniczymi; (*o murach zamkowych*) zakończony wieżyczkami, chroniony wieżami strzelniczymi

turriculate(d) [tə'rikju‚leit(id)] *adj zoo* (*o muszli*) wieżycznikowaty

turtle¹ [tə:tl] = **turtle-dove**

turtle² [tə:tl] Ⅰ *s zoo* żółw morski; **~ soup** zupa żółwiowa; **to turn ~** a) *mar sl* (*o statku*) wywr-ócić/acać się do góry dnem b) (*o samochodzie*) prze/koziołkować; s/kapotować Ⅲ *vi* łowić żółwie morskie *zob* turtling

turtle-cowrie ['tə:tl‚kauəri] *s zoo* porcelanka (mięczak morski)

turtle-dove ['tə:tl‚dʌv] *s zoo* turkawka

turtle-neck ['tə:tl‚nek] *s* kołnierz golfowy

turtle-shell ['tə:tl‚ʃel] *s* szylkret

turtler ['tə:tlə] *s* 1. poławiacz żółwi 2. statek do połowu żółwi

turtling ['tə:tliŋ] Ⅰ *zob* turtle *v* Ⅲ *s* połów <łowienie> żółwi

Tuscan ['tʌskən] Ⅰ *adj* toskański; *arch* **~ order** toskański porządek architektoniczny Ⅱ *s* Toska-ńczyk/nka 2. język toskański

tush¹ [tʌʃ] *interj* tralala!, zawracanie głowy!

tush² [tʌʃ] *s* (*u konia*) kieł

tushery ['tʌʃəri] *s* przesadne stosowanie archaizmów w literaturze

tusk [tʌsk] Ⅰ *s* 1. kieł (słonia, morsa, dzika itd.) 2. *stol* posiłek czopa 3. (*u brony*) ząb Ⅲ *vt* u/bóść <z/ranić> kł-em/ami Ⅲ *vi* ryć (kłami)

tusker [ˈtʌskə] *s* 1. dorosły słoń 2. dorosły dzik

tusky [ˈtʌski] *adj* (*o zwierzęciu*) uzbrojony w kły

tusser, tussur [ˈtʌsə], **tussore** [ˈtʌsɔ:] *s* (*także ~ silk*) gruby jedwab z kokonów dzikiego jedwabnika bengalskiego

tussis [ˈtʌsis] *s med* kaszel

tussive [ˈtʌsiv] *adj med* kaszlowy

tussle [ˈtʌsl] Ⅰ *s* bójka; bijatyka; szamotanie się Ⅲ *vi* po/bić się; wziąć <wodzić> się za bary <za czupryny>; szamotać się

tussock [ˈtʌsək] *s* kępka (trawy itd.); pęk (włosów itd.)

tussock-grass [ˈtʌsək͵grɑːs] *s bot* wiechlina (trawa)

tussock-moth [ˈtʌsək͵mɔθ] *s zoo* brudnica (ćma)

tussore [ˈtʌsɔ:] = **tusser**

tut[1] [tʌt] *s górn* akord; praca akordowa

tut[2] [tʌt], **tut-tut** [ˈtʌtˈtʌt] Ⅰ *interj wyraża zniecierpliwienie, pogardę, dezaprobatę*: ech! Ⅲ *vi* (-tt-) wyra-zić/żać zniecierpliwienie, pogardę, dezaprobatę

tutelage [ˈtjuːtilidʒ] *s* 1. opieka; kuratela 2. okres kurateli

tutelar(y) [ˈtjuːtilə(ri)] *adj* opiekuńczy

tutenag [ˈtjuːti͵næg] *s* 1. stop cynku, miedzi i niklu 2. *handl* cynk

tutor [ˈtjuːtə] Ⅰ *s* 1. guwerner; wychowawca; nauczyciel prywatny 2. *uniw* adjunkt kierujący indywidualnie pracą studentów 3. *prawn* opiekun (nieletniego, umysłowo chorego) Ⅲ *vt* 1. uczyć <nauczać> (**sb in a subject** kogoś czegoś); udzielać lekcji <nauki> (**sb in a subject** komuś z zakresu czegoś) 2. pouczać (kogoś) 3. po/hamować <trzymać w ryzach> (namiętności itd.) Ⅲ *vr* ~ **oneself** po/hamować się; trzymać się w ryzach Ⅳ *vi* być guwernerem <wychowawcą, nauczycielem prywatnym>; udzielać lekcji prywatnych

tutoress [ˈtjuːtəris] 1. wychowawczyni; nauczycielka prywatna 2. *prawn* opiekunka

tutorial [tjuˈtɔːriəl] Ⅰ *adj* 1. guwernerski, wychowawczy 2. *uniw* (*o stanowisku, zajęciach itd*) adiunkta kierującego pracą studentów; ~ **system** system nauczania przy pomocy adiunktów kierujących indywidualnie pracą studentów 3. opiekuńczy; (*o obowiązkach itd*) opiekuna Ⅲ *s* (indywidualne) seminarium

tutorship [ˈtjuːtəʃip] *s* 1. *uniw* stanowisko <obowiązki> adiunkta kierującego indywidualnie pracą studentów 2. zajęcia guwernera <wychowawcy, nauczyciela prywatnego>

tutory [ˈtjuːtəri] *s prawn* opiekuństwo (nad nieletnim, umysłowo chorym)

tutsan [ˈtʌtsən] *s bot* dziurawiec

tutti-frutti [ˈtuːtiˈfruːti] *s* 1. lody mieszane 2. karmelki mieszane

tut-tut *zob* **tut**[2]

tutty [ˈtʌti] *s* 1. proszek do polerowania 2. *chem* tucja

tut-work [ˈtʌtwəːk] *s górn* praca akordowa

tu-whit [tuˈwit], **tu-whoo** [tuˈwuː] Ⅰ *s* hukanie (sowy) Ⅲ *vi* (*o sowie*) za/hukać

tuxedo [tʌkˈsiːdou] *s am* smoking

tuyere [twiːˈjəː], **twyer** [ˈtwaiə] *s* dysza wiatrowa w wielkim piecu

twaddle [ˈtwɔdl] Ⅰ *s* gadanina, paplanina, puste słowa, przelewanie z pustego w próżne Ⅲ *vi* gadać, paplać, przelewać z pustego w próżne

twain [twein] Ⅰ *adj poet* dwa; **in ~** we dwoje Ⅲ *s* para

twang [twæŋ] Ⅰ *s* 1. brzdęk <brzdąkanie> (napiętej struny) 2. mówienie przez nos, nazalizacja Ⅲ *vt* 1. szarp-nąć/ać napiętą strunę 2. brzd-ęknąć/ąkać (**a fiddle etc.** na skrzypcach itd.) 3. powiedzieć/mówić (coś) z akcentem nosowym Ⅲ *vi* 1. (*o napiętej strunie*) brz-ęknąć/ękać 2. (*o człowieku*) nazalizować

twangle [ˈtwæŋgl] Ⅰ *vi* brz-ęknąć/ękać Ⅲ *vt* brzdąkać (**a guitar etc.** na gitarze itd.)

twankay [ˈtwæŋkei] *s* gatunek zielonej herbaty

'twas [twɔz] = **it was**

twayblade [ˈtwei͵bleid] *s bot* listera jajowata (storczyk)

tweak [twiːk] Ⅰ *vt* uszczypnąć/szczypać wykręcając (**sb's nose, ear etc.** komuś nos, ucho itd.) Ⅲ *s* uszczypnięcie z wykręceniem (ucha itd.)

tweaker [ˈtwiːkə] *s sl* proca (chłopięca)

tweed [twiːd] *s* 1. *tekst* twed <szewiot szkocki> (na ubrania) 2. *pl* ~s ubranie <garnitur> z twedu

tweedle [twiːdl] Ⅰ *vi pot* za/pitolić (na skrzypcach itd.) Ⅲ *vt* przymilać się; **to ~ sb into doing sth** namówić przymilnie kogoś, żeby coś zrobił

tweedledum [ˈtwiːdldʌm] *s w zwrocie*: ~ **and tweedledee** [ˈtwiːdldiː] nie kijem go to pałką

'tween [twiːn] *praep poet* = **between**

'tweendeck [ˈtwiːndek] *s mar* międzypokład; ~ **tonnage** pojemność <tonaż> międzypokładow-a/y

tweeny [ˈtwiːni] *s pot* = **between-maid**

tweet [twiːt] Ⅰ *s* świergot; ćwierkanie Ⅲ *vi* za/świergotać; za/ćwierkać

tweezers [ˈtwiːzəz] *spl* (*także* **a pair of** ~) pinceta; pincetka; szczypczyki

twelfth [twelfθ] *num* Ⅰ *adj* dwunasty Ⅲ *s* (jedna) dwunasta (część); **the ~ of _** dwunastego ... (danego miesiąca)

Twelfth-cake [ˈtwelfθ͵keik] *s* placek z niespodzianką jadany w święto Trzech Króli

Twelfth-day [ˈtwelfθ͵dei] *s* święto Trzech Króli

Twelfth-night [ˈtwelfθ͵nait] *s* 1. wigilia Trzech Króli 2. (komedia Szekspira) „Wieczór Trzech Króli"

twelve [twelv] *num* Ⅰ *adj* dwanaście; **to be ~** mieć 12 lat; **a boy <girl> of ~** chłopiec <dziewczynka> 12-letni/a; **it is <was ~** jest <była> 12 godzina; **half past ~** wpół do pierwszej Ⅲ *s* 1. dwunastka; **the Twelve** dwunastu apostołów; *druk* **in ~s** = **twelvemo** 2. dwunastokonny samochód

twelvefold [ˈtwelv͵fould] Ⅰ *adj* dwunastokrotny Ⅲ *adv* dwunastokrotnie; na dwanaście różnych sposobów

twelvemo [ˈtwelvmou] *s druk* duodecym (format publikacji)

twelvemonth [ˈtwelvmʌnθ] *s* rok; **this day ~** a) już od roku b) od dziś za rok

twelvepence [ˈtwelv͵pens] *s* jeden szyling

twelvepenny [ˈtwelvpəni] *adj* jednoszylingowy

twentieth [ˈtwentiiθ] *num* Ⅰ *adj* dwudziesty Ⅲ *s* (jedna) dwudziesta (część); **the ~ of _** dwudziestego ... (danego miesiąca)

twenty ['twenti] *num* Ⅰ *adj* dwadzieścia; **to be** ~ mieć 20 lat; **a young man** <girl> **of** ~ 20-letni/a młodzieniec <panna> Ⅱ *s* 1. dwudziestka 2. dwudziestokonny wóz <samochód> 3. *pl* the twenties lata dwudzieste stulecia <czyjegoś życia>; **in the early** <late> **twenties** z początkiem <pod koniec> dwudziestolecia (danego wieku); **he was in his early twenties** miał dwadzieścia parę lat; **he was in his late twenties** zbliżał się do trzydziestki

twentyfold ['twenti‚fould] Ⅰ *adj* dwudziestokrotny Ⅱ *adv* dwudziestokrotnie; na dwadzieścia różnych sposobów

twenty-four ['twenti‚fɔ:], **24mo** ['twenti'fɔ:‚mou] *s* format książki, w której arkusz złożono na 24 kartki

'twere [twə:] *poet* = it were

twibill ['twai‚bil] *s* 1. *hist* topór wojenny o dwóch ostrzach 2. motyka

twice [twais] *adv* dwa razy, podwójnie; (*także* ~ **over**) dwukrotnie; **to be** ~ **as strong** <long etc.> być dwa razy mocniejszym <dłuższym itd.>; **to have** ~ **the strength** <length etc.> **of** __ mieć dwa razy tyle sił <być dwa razy tak długi itd.> co ...; **he is** ~ **the man he was** on jest dwa razy grubszy <mocniejszy itd.> aniżeli był; **in** ~ (zrobić coś) a) na dwa razy b) dopiero za drugim nawrotem; **to think** ~ **about doing sth** dobrze się zastanowić zanim się coś zrobi; **I didn't think** ~ **before saying** <doing etc.> niedługo się zastanawiałem <nie namyślałem się> tylko powiedziałem <zrobiłem itd.>; bez namysłu powiedziałem <zrobiłem itd.>

twicer ['twaisə] *s druk* składacz i zarazem maszynista

twice-told ['twais‚tould] *adj w zwrocie:* **a** ~ **tale** stare <znane> opowiadanie

twiddle ['twidl] Ⅰ *vt* 1. kręcić młynka (**one's thumbs** palcami) 2. kręcić (**one's moustache** wąsa) 3. bawić się <manipulować (nerwowo)> (**one's watch-chain etc.** łańcuszkiem od zegarka itd.) Ⅱ *s* obracanie <kręcenie> (**of sth** czymś); obrót, skręt

twig¹ [twig] *s* 1. gałąz-ka/eczka; prę-t/cik; *pot* **to hop the** ~ wyciągnąć kopyta (umrzeć) 2. różdżka (różdżkarza); **to work the** ~ zajmować się różdżkarstwem; być różdżkarzem 3. *anat* żyłka Ⅲ *vt* (-gg-) *pot* 1. z/rozumieć; s/kapować; połapać się (**sth** w czymś) 2. zauważyć; spostrze-c/gać

twilight ['twailait] *s* 1. brzask 2. zmrok 3. półmrok; półcień 4. zmierzch; **the Twilight of the Gods** zmierzch bogów; ~ **sleep** częściowa <niepełna> narkoza; częściowe uśpienie (szczególnie przy porodzie)

twilit ['twailit] *adj* (*o niebie, krajobrazie*) oblany zmierzchającym <szarzejącym> światłem

twill [twil] Ⅰ *s tekst* tkanina diagonalna Ⅱ *vt* kiprować; u/tkać (materiał) diagonalnie

'twill [twil] *poet* = it will

twin [twin] Ⅰ *s* bliźniak, jedno z pary bliźniąt; ~**s**, ~ **children, a pair of** ~**s** bliźnięta; ~ **brothers** bliźniaki (bracia); ~ **sisters** bliźniaczki (siostry); ~ **pregnancy** ciąża bliźniacza; *astr* **the Twins** Bliźnięta Ⅱ *adj* bliźniaczy; parzysty; podwójny Ⅲ *vi* (-nn-) 1. u/rodzić <wyda-ć/wać na świat> bliźnięta 2. być bratem bliź-

niaczym <siostrą bliźniaczą> (**with sb** czy-imś/ jąś) 3. stanowić parę <łączyć się ściśle> (**with sth** z czymś) Ⅳ *vt* (-nn-) po/łączyć w parę bliźniaczą

twine [twain] Ⅰ *s* 1. szpagat; sznur/ek 2. splot; zwój; skręt Ⅲ *vt* 1. spl-eść/atać; opl-eść/atać; owi-nąć/jać (**sth round sb, sth** kogoś, coś czymś <coś dookoła kogoś, czegoś>) Ⅲ *vi* wić/zwijać się

twin-born ['twin‚bɔ:n] *adj* bliźniaczy

twin-engine(d) ['twin‚endʒin(d)] *adj* (*o samolocie*) dwusilnikowy

twin-flower ['twin‚flauə] *s bot* zimoziół (północny)

twiner ['twainə] *s* 1. *bot* roślina powojowa 2. *tekst* nitkownica (skrętarka)

twinge [twindʒ] Ⅰ *vi* boleć; kłuć;. rwać; strzykać Ⅲ *s* ból; kłucie; rwanie; strzykanie; ~ **of remorse** <conscience> wyrzuty sumienia; **to have** ~**s of conscience** mieć nieczyste sumienie

twinkle ['twiŋkl] Ⅰ *vi* 1. (*o świetle, gwiazdach itd*) migotać 2. (*o oczach*) mrugać; **his eyes** ~**d** oczy mu mrugały; on mrugał oczami 3. (*o oczach*) iskrzyć się <błyszczeć> (**with amusement etc.** z uciechy itd.) 4. (*o przedmiotach*) iskrzyć się 5. (*o przedmiotach w ruchu, nogach w tańcu itd*) migać *zob* **twinkling** Ⅲ *s* 1. migotanie 2. mruganie (oczu) 3. iskrzenie się; błysk (humoru, uciechy, złośliwości itd. w oczach) 4. miganie (przedmiotów w ruchu, nóg w tańcu itd.)

twinkling ['twiŋkliŋ] Ⅰ *zob* **twinkle** *v* Ⅲ *s* moment; chwila; **in the** ~ **of an eye** w oka mgnieniu; **in a** ~ za chwilę; zaraz

twin-screw ['twin‚skru:] *attr* (*o statku parowym*) dwuśrubowy

twirl [twə:l] Ⅰ *vt* po/kręcić; **to** ~ **one's thumbs** kręcić młynka palcami Ⅲ *vi* po/kręcić się; za/ wirować; (*o tancerzu*) robić piruety

~ **up** *vt w zwrocie:* **to** ~ **up one's moustache** podkręc-ić/ać wąsa

Ⅲ *s* 1. kręcenie się; wirowanie; piruet 2. młynek 3. kłąb (dymu) 4. *arch* zwój; zwitek 5. zakrętas (przy podpisie itd.)

twist [twist] Ⅰ *vt* skręc-ić/ać; zwi-nąć/jać (w trąbkę itd.); przekręc-ić/ać (znaczenie czegoś, czyjeś słowa itd.); wykręc-ić/ać (**sb's arm etc.** komuś rękę itd.); zwichnąć (**one's foot etc.** sobie nogę itd.); zwichrować; spl-eść/atać (girlandy itd.); nada-ć/wać ruch wirowy (**a ball etc.** kuli <piłce, bili> itd.); wykrzywi-ć/ać (twarz itd.); **to** ~ **one's way through the crowd** przem-knąć/ ykać <prześlizgnąć> się przez tłum; **features** ~**ed with pain** twarz wykrzywiona z bólu; **to** ~ **sb round one's little finger** okręcić sobie kogoś dookoła małego palca; *med* ~**ed neck** kręcz karku Ⅲ *vi* 1. po/kręcić się; wić się; tworzyć kręgi <spirale>; **to get** ~**ed** (**up**) po/wikłać się 2. za/tańczyć twista

~ **off** *vt* od-erwać/rywać (skręcając)

~ **up** *vt* zwi-nąć/jać w trąbkę (papier itd.)

Ⅲ *s* 1. szpagat <sznur> (skręcony); przędza; kordonek 2. zwijana bułka; strucla 3. trąbka papierowa; kornecik (do cukierków itd.) 4. zwitek (tytoniu itd.) 5. skręt, splot, zwinięcie, skręc-enie/ anie; zwój (liny itd.); **to give sth a** ~ skręc-ić/ ać <przekręc-ić/ać> coś; **to give sb's arm a** ~ wykręcić komuś rękę; **a** ~ **of the wrist** zręczność <dryg> (do czegoś) 6. zakręt <załamanie> (linii itd.); kolano (rzeki itd.) 7. wykrzywienie (twarzy); grymas 8. spaczenie (deski itd); wypaczenie (sensu zdania itd.) 9. ruch obrotowy (nadany piłce, kuli, bili itd.) 10. charakterystyczny układ psychiczny; nastawienie umysłowe (w jakimś kierunku) 11. napój mieszany (dżin z koniakiem, herbata ze spirytusem itd.) 12. *pot* (dobry) spust; apetyt 13. twist (taniec)

twist-drill ['twist͵dril] *s techn* wiertło ślimakowate <śrubowe>

twister ['twistə] *s* 1. piłka <kula, bila> posiadająca ruch wirowy 2. (*u jeźdźca*) płaska wewnętrzna część uda (na której opiera się siedząc w siodle) 3. *tekst* skręcarka, maszyna do nitkowania 4. powroźnik 5. krętacz; kłamca 6. zadanie trudne do rozwiązania; kłopotliwe pytanie 7. wyraz/y trudn-y/e do wymawiania

twit [twit] *vt* (-**tt-**) 1. z/robić wyrzuty (**sb** komuś) 2. zarzuc-ić/ać <wym-ówić/awiać, wyt-knąć/ykać> (**sb with sth** coś komuś)

twitch¹ [twitʃ] Ⅰ *vt* 1. szarp-nąć/ać; pociąg-nąć/ać (**sb's sleeve etc.** kogoś za rękaw itd.); **to ~ sth off sb, sth** wyr-wać/ywać <wy-drzeć/dzierać> coś komuś, czemuś 2. ściąg-nąć/ać <wykrzywi-ć/ać, s/kurczyć> (**sb's features etc.** komuś twarz itd.) Ⅲ *vi* 1. (*o twarzy itd*) s/kurczyć <wykrzywi-ć/ać> się; **his face ~ed** a) twarz skurczyła <wykrzywiła> mu się b) dostał drgawek twarzy 2. (*o powiece itd*) drgać 3. (*o rękach*) zaciskać się nerwowo *zob* **twitching** Ⅲ *s* 1. szarpnięcie; pociągnięcie (**at one's sleeve etc.** za rękaw itd.) 2. skurcz (twarzy, mięśnia itd.); tik; drgawka; drganie (powieki itd.) 3. *wet* dudki

twitch² [twitʃ], **twitch-grass** ['twitʃ͵grɑːs] *s bot* perz

twite [twait] *s zoo* czeczotka (ptak)

twitter ['twitə] Ⅰ *s* 1. świergot; ćwierkanie 2. podniecenie; zdenerwowanie; **all of <in> a ~** (będący) w wielkim podnieceniu; z/emocjowany; zdenerwowany Ⅲ *vi* 1. za/świergotać; za/ćwierkać 2. (*o człowieku*) za/bełkotać w podnieceniu <zdenerwowaniu> 3. za/chichotać

twittingly ['twitiŋli] *adv* (powiedzieć) z wyrzutem

'twixt [twikst] = **betwixt**

two [tuː] *num* Ⅰ *adj* dwa; **a ... or ~, one or ~** parę ...; **to cut <break etc.> in ~** przeci-ąć/nać <prze/łamać itd.> na dwoje <na dwie części>; **to put ~ and ~ together** a) logicznie myśleć; wywnioskować b) połapać się; *pot* skapować się; **~ can play at that game** kij ma dwa końce; **~ pennyworth** za dwa pensy (cukierków itd.); **a child of ~** dziecko dwuletnie; **a quarter to ~** za kwadrans druga; **half past ~** wpół do trzeciej Ⅲ *s* dwójka; para; **in ~s** parami; po dwóch; **in ~ ~s** w mig; migiem; w oka mgnieniu

two-bit ['tuːbit] Ⅰ *s am* 25 centów Ⅲ *adj am* 1. 25-centowy 2. tani; mało wartościowy

two-by-four ['tuː-bai'fɔː] *adj* 1. (*o desce itd*) rozmiaru 2 cale na 4 2. *am sl* mały; drobny; ograniczony

two-chamber ['tuː͵tʃeimbə] *attr polit* (*o systemie*) dwuizbowy

two-cleft ['tuː͵kleft] *adj bot* rozdwojony; dwudzielny

two-cycle ['tuː͵saikl] *attr* (*o silniku*) dwusuwowy, dwutaktowy

two-decker ['tuː͵dekə] *s* 1. statek dwupokładowy, dwupokładowiec 2. tramwaj <autobus> piętrowy

two-edged ['tuː͵edʒd] *adj* 1. (*o broni, argumencie itd*) obosieczny 2. (*o komplemencie itd*) dwuznaczny

two-dimensional ['tuː-di'menʃənl] *adj* dwuwymiarowy

two-faced ['tuː͵feist] *adj* dwulicowy

twofold ['tuː͵fould] Ⅰ *adj* podwójny; dwojaki Ⅲ *adv* podwójnie; dwojako; w dwójnasób

two-footed ['tuː'futid] *adj* dwunożny

two-four ['tuː'fɔː] *adj muz* (*o takcie*) na 2/4

two-handed ['tuː'hændid] *adj* 1. (*o mieczu*) oburęczny; (*o pile itd*) dwuręczny 2. (*o człowieku*) oburęczny 3. (*o grze itd*) dwuosobowy

two-handled ['tuː'hændld] *adj* (*o naczyniu, narzędziu itd*) o dwóch rączkach; (*o garnku itd*) o dwóch uchach

two-headed ['tuː'hedid] *adj* dwugłowy

two-horse ['tuː͵hɔːs] *adj* (*o wozie*) dwukonny <zaprzężony w dwa konie>

two-masted ['tuː'mɑːstid] *adj* (*o statku*) dwumasztowy

two-piece ['tuː'piːs] *adj* (*o kostiumie*) dwuczęściowy

twopence ['tʌpəns] *s* dwa pensy; **~ coloured** taniutki; tandetny ale efektowny; **not worth ~** nie warte funta kłaków

twopenceworth *zob* **twopennyworth**

twopenny ['tʌpni] *adj* 1. dwupensowy 2. za dwa pensy; kosztujący dwa pensy 3. tani; tandetny

twopenny-halfpenny ['tʌpni'heipni] *adj* 1. (*o znaczku pocztowym itd*) dwa i pół pensowy 2. nic nie znaczący; nie zasługujący na poważne traktowanie 3. lichy, tandetny

two-pennyworth ['tuː'peni͵wəːθ], **twopenn'orth** ['tuː'penəθ], **twopenceworth** ['tʌpəns͵wəːθ] *s* za dwa pensy (czegoś — cukierków itd.)

two-ply ['tuː͵plai] *adj* (*o przędzy*) dwuniciowy; (*o sznurze*) dwuwojkowy; dwupasmowy; (*o sklejce, fornirze*) dwuwarstwicowy

two-seater ['tuː'siːtə] *s* wóz dwuosobowy

two-sided ['tuː'saidid] *adj* 1. dwustronny 2. (*o zagadnieniu itd*) o dwóch aspektach

twosome ['tuːsəm] *s* gra <zabawa, taniec> na dwie osoby

two-speed ['tuː͵spiːd] *attr* (*o rowerze*) z przekładnią na dwa biegi

two-spot ['tuː͵spɔt] *s* 1. (*w kartach, domino*) dwójka 2. *przen* byle kto; nieważna osoba

two-step ['tuː͵step] *s* taniec w rytmie polki; pierwotny fokstrot

two-stroke ['tuː͵strouk] *adj* (*o silniku*) dwusuwowy; dwutaktowy

two-time ['tuː͵taim] *vt am* zdradzać (żonę, męża, ukochaną itd.)

two-tongued ['tuː͵tʌŋd] *adj* fałszywy; obłudny; dwulicowy

'twould [twud] *poet* = **it would**

two-way ['tuː͵wei] *adj* 1. (*o ruchu ulicznym, kolowym*) dwukierunkowy 2. *techn* (*o kurku, zaworze*) dwudrogowy; rozdzielczy 3. *elektr* (*o przełączniku*) dwupołożeniowy 4. *mat* dwuwartościowy

two-year-old ['tuː͵jəː'rould] *adj* dwuletni

Tyburn [taibəːn] *spr hist* dawne miejsce straceń w Londynie; **~ tippet** stryczek; **~ tree** szubienica

Tyburnia [tai'bɜ:niə] *spr* wytworna dzielnica Londynu

tycoon [tai'ku:n] *s* 1. tajkun (tytuł nadawany niegdyś przez cudzoziemców monarsze japońskiemu) 2. *am pot* potentat handlowy <giełdowy, przemysłowy>

tyke, tike [taik] *s* 1. pies; kundel 2. gbur; cham 3. **Yorkshire** ~ mieszkaniec hrabstwa Yorkshire 4. *am* nieznośny bachor

tyler ['tailə] = **tiler**

tylopod ['tailə,pɔd] *s zoo* zwierzę należące do podrzędu wielbłądów i lam

tylosis [tai'lousis] *s med* 1. zapalenie powiek 2. modzelowatość

tymp [timp] *s hutn* krzyżak wielkiego pieca

tympan ['timpən] *s* 1. *aŋat* = **tympanum** 2. *arch* tympanon 3. *druk* rama do klinowania

tympanic [tim'pænik] *adj anat* bębenkowy, tympaniczny

tympanist ['timpənist] *s muz* tympanista

tympanites [,timpə'naiti:z] *s med* bębnica, wzdęcie jelitowe

tympanitis [,timpə'naitis] *s med* zapalenie ucha środkowego

tympanum ['timpənəm] *s* (*pl* **tympana** ['timpənə]) 1. *anat* tympan 2. *arch* tympanon 3. koło wiadrowe; czerparka kołowa 4. skóra bębna

typal ['taipəl] *adj* typowy; wzorcowy

♦**type** [taip] ⊡ *s* 1. typ; symbol; wzór; wzorzec; przykład 2. typ; rodzaj; klasa 3. (typowy) okaz; model; ~ **genus** <**species**> typowy gatunek <rodzaj> 4. *chem* typowy związek chemiczny 5. wyobrażenie na monecie medalu 6. czcionka; *zbior* czcionki, pismo drukarskie; druk; (*z liczbą mnogą*: ~**s**) rodzaj <wielkość, grubość itd.> czcionek; **a book printed in various** ~**s** książka drukowana czcionkami różnego rodzaju <rozmaitej wielkości>; **printed in large** ~ drukowany dużymi czcionkami <grubym pismem, drukiem>; **the article is in** ~ artykuł jest złożony; ~ **case** kaszta (drukarska); ⊡ *vt* 1. stanowić typ <przykład, wzór, model> (**sth** czegoś) 2. *med* ustal-ić/ać <oznacz-yć/ać> grupę (**blood** krwi) 3. na/pisać <umieć pisać> na maszynie

~ **out** *vt* przepis-ać/ywać na maszynie

type-bar ['taip,ba:] *s druk* wiersz linotypowy

type-body ['taip,bɔdi] *s druk* słupek czcionki

type-founder ['taip,faundə] *s* odlewacz czcionek

type-foundry ['taip,faundri] *s* odlewnia czcionek

type-high ['taip,hai] *adj druk* (*o kliszy*) wysokości czcionek

type-metal ['taip,metl] *s* stop do odlewu czcionek

typescript ['taip,skript] *s* maszynopis

type-setter ['taip,setə] *s druk* składacz

type-setting ['taip,setiŋ] *s* składanie (układu do druku); ~ **machine** maszyna do składania (linotyp, monotyp)

type-wheel ['taip,wi:l] *s* kółko z czcionkami (aparatu telegr. Hughesa i niektórych modeli maszyn do pisania)

typewrite ['taip,rait] *v* (**typewrote** ['taip,rout], **typewritten** ['taip,ritn]) ⊡ *vt* na/pisać na ma-

szynie do pisania ⊡ *vi* pisać <umieć pisać> na maszynie do pisania *zob* **typewriting, typewritten**

typewriter ['taip,raitə] *s* 1. maszyna do pisania 2. † = **typist**

typewriting ['taip,raitiŋ] ⊡ *zob* **typewrite** *v* ⊡ *s* pisanie na maszynie

typewritten ['taip,ritn] ⊡ *zob* **typewrite** *v* ⊡ *adj* napisany na maszynie

typha ['taifə] *s bot* rogoża

typhaceae [tai'feisi,i:] *spl bot* rośliny pałkowate

typhlitis [tif'laitis] *s med* zapalenie ślepej kiszki

typhoid ['taifɔid] ⊡ *adj med* tyfoidalny, tyfusowy; ~ **fever** dur <tyfus> brzuszny ⊡ *s* dur <tyfus> brzuszny

typhomania [,taifou'meinjə] *s med* odurzenie <majaczenie> w tyfusie

typhoon [tai'fu:n] *s* tajfun

typhous ['taifəs] *adj* tyfusowy

typhus ['taifəs] *s med* dur <tyfus> plamisty

typical ['tipikəl] *adj* typowy; charakterystyczny (**of** _ dla <u> ...); (*o sposobie postępowania itd*) **to be** ~ **of sb** charakteryzować kogoś; być typowym dla kogoś

typify ['tipi,fai] *vt* (**typified** ['tipi,faid], **typified**; **typifying** ['tipi,faiiŋ]) stanowić typ <przykład, wzór, uosobienie> (**sth** czegoś); być typem <przykładem, wzorem, uosobieniem> (**sth** czegoś)

typist ['taipist] *s* maszynistka (osoba pisząca na maszynie do pisania)

typo ['taipou] *skr* **typographer**

typographer [tai'pɔgrəfə] *s* drukarz

typographic(al) [,taipə'græfik(əl)] *adj* typograficzny, drukarski

typography [tai'pɔgrəfi] *s* 1. typografia; drukarstwo; **faults of** ~ błędy <usterki> drukarskie 2. szata graficzna (książki itd.)

typolithography [,taipou,li'θɔgrəfi] *s* typolitografia

typology [tai'pɔlədʒi] *s* typologia; nauka o typach

typotelegraphy [,taipou,te'legrəfi] *s* typotelegrafia

tyrannical [ti'rænikəl] *adj* tyrański

tyrannicide [ti'ræni,said] *s* 1. tyranobójstwo 2. tyranobójca

tyrannize ['tirə,naiz] ⊡ *vi* 1. być tyranem; zachowywać się jak tyran 2. tyranizować <dręczyć, zadręczać> (**over sb** kogoś) ⊡ *vt* tyranizować; dręczyć; zadręczać

tyrannous ['tirənəs] *adj* 1. tyrański; okrutny; bezwzględny 2. (*o żywiołach itd*) gwałtowny; dokuczliwy

tyranny ['tirəni] *s* tyrania

tyrant ['taiərənt] *s* tyran

tyre[1] *zob* **tire**[2]

tyre[2] ['taiə] *s* (*w Indiach*) kwaśne mleko

tyro ['taiərou] = **tiro**

Tyrolese [,tirə'li:z] ⊡ *adj* tyrolski ⊡ *s* (*pl* ~**s**) Tyrol-czyk/ka

tzar [za:], **tzarevitch** ['za:rivitʃ] etc. = **czar, czarevitch** itd.

tzetze ['tsetsi] = **tsetse**

Tzigane [tsi'ga:n] ⊡ *adj* cygański; (*o muzyce itd*) Cyganów węgierskich ⊡ *s* Cygan/ka

U

U, u [ju:] ① *s* (*pl* **us, u's** [ju:z]) *litera* u ③ *adv sl* **u.p.** ['ju:'pi:] skończone; przepadło; **it's all u.p.** wszystko diabli wzięli

uberous ['ju:bərəs] *adj* 1. obfity 2. (*o krowie*) o wysokiej mleczności

ubiety [ju'baiiti] *s* 1. znajdowanie się w przestrzeni 2. stosunek przestrzenny

ubiquitarian [ju‚bikwi'teəriən] ① *adj* wszechobecny ③ *s teol* ubikwista (człowiek wierzący w wszechobecność boską)

ubiquitous [ju'bikwitəs] *adj* 1. (*o człowieku*) wszędobylski 2. (*o przedmiotach, ogłoszeniach itd*) wszędzie obecny; **it is <they are>** ~ wszędzie się to <ich, je> widzi 3. *rel* wszechobecny

ubiquity [ju'bikwiti] *s* 1. wszędobylstwo 2. *rel* wszechobecność

U-boat ['ju:‚bout] *s* niemiecka łódź podwodna

u-bolt ['ju:‚boult] *s techn* sworzeń w kształcie litery *U*

udder ['ʌdə] *s* wymię

udometer [ju'dɔmitə] *s* deszczomierz

ugh [uh] *interj* phi!; uch!

uglify ['ʌgli‚fai] *vt* (**uglified** ['ʌgli‚faid], **uglified, uglifying** ['ʌgli‚faiiŋ]) zeszpec-ić/ać, szpecić

ugliness ['ʌglinis] *s* 1. brzydota; szpetota 2. ohyda (zbrodni, grzechu itd.)

⧫**ugly** ['ʌgli] ① *adj* (**uglier** ['ʌgliə], **ugliest** ['ʌgliist]) 1. brzydki; szpetny; szkaradny; **to make** ~ **faces** robić grymasy; **to grow** ~ z/brzydnąć 2. (*o wyglądzie, wiadomości, pogłosce itd*) nieprzyjemny 3. (*o chmurze itd*) groźny; **an** ~ **customer** niebezpieczny typ 4. (*o zbrodni itd*) ohydny ③ *s* 1. *pot* brzydal; brzydactwo 2. daszek przy czepcu (noszonym w połowie XIX w.)

Ugrian ['u:griən], **Ugric** ['u:grik] *adj* ugryjski

uhlan ['u:la:n] *s* ułan

Uitlander ['eit‚lændə] *s w płd Afryce* cudzoziemiec

ukase [ju:'keiz] *s* ukaz (carski); dekret

Ukrainian [ju'kreinjən] ① *adj* ukraiński ③ *s* 1. Ukrain-iec/ka 2. język ukraiński

ukulele [‚ju:kə'leili] *s* gitara hawajska, ukulele

ulcer ['ʌlsə] *s med* wrzód

ulcerate ['ʌlsə‚reit] ① *vt* 1. wytworzyć owrzodzenie (**sth** czegoś — ręki itd.) 2. *przen* rozjątrz-yć/ać ① *vi* 1. o/wrzodzieć 2. *przen* jątrzyć się *zob* **ulcerated**

ulcerated ['ʌlsə‚reitid] ① *zob* **ulcerate** *v* ③ *adj* owrzodziały

ulceration [‚ʌlsə'reiʃən] *s* owrzodzenie

ulcerative ['ʌlsərətiv] *adj med* wrzodziejący

ulcerous ['ʌlsərəs] *adj* wrzodowy; wrzodowaty

ulcuscle [ʌl'kʌsl], **ulcuscule** [ʌl'kʌskju:l] *s med* wrzodzik

Ulema ['u:limə] *s zbior* teologowie muzułmańscy; ulemowie

uliginose [ju'lidʒi‚nous] *adj bot* błotny; bagienny

ullage ['ʌlidʒ] ① *s handl* manko, wyciek; ubytek (cieczy z beczki, ziarną z worka itd.) ③ *vt handl* oblicz-yć/ać manko; wymierz-yć/ać ubytek (**meal etc.** mąki itd.); ~**d cask** niepełna beczka

ulmaceae [ʌl'meisi‚i:] *spl bot* drzewa wiązowate

ulna ['ʌlnə] *s* (*pl* **ulnae** ['ʌlni:]) *anat* kość łokciowa

ulnar ['ʌlnə] *adj anat* łokciowy

ulotrichan [ju:'lɔtrikən], **ulotrichous** [ju:'lɔtrikəs] *adj* (*o typie antropologicznym*) o wełnistych krętych włosach

ulster ['ʌlstə] *s* ulster (płaszcz)

⧫**ulterior** [ʌl'tiəriə] *adj* 1. dalszy (w przestrzeni i w czasie) 2. (*o zamiarach, pobudkach, celach*) ukryty

⧫**ultimate** ['ʌltimit] *adj* 1. ostateczny 2. ostatni; końcowy 3. krańcowy; najdalszy 4. podstawowy 5. (*o ładunku, wydajności itd*) najwyższy; maksymalny

ultimately ['ʌltimitli] *adv* ostatecznie; w końcu

ultimatum [‚ʌlti'meitəm] *s* (*pl* ~**s, ultimata** [‚ʌlti'meitə]) 1. ultimatum; **to deliver an** ~ **to a government, to present a government with an** ~ dać <wystosować> rządowi ultimatum 2. podstawowa zasada 3. ostateczny <końcowy> cel

ultimo ['ʌlti‚mou] *adv* (*w korespondencji handlowej i urzędowej*) ubiegłego <zeszłego> miesiąca; **the 30th** ~ 30-go zeszłego <ubiegłego> miesiąca

ultimogeniture [‚ʌltimou'dʒenitʃə] *s prawn* dziedziczenie przez najmłodszego syna

⧫**ultra** ['ʌltrə] ① *adj* skrajny; krańcowy ③ *s* człowiek skrajnych poglądów; ekstremista

ultra- ['ʌltrə] *praef* ultra-; poza-; ponad-

ultra-fashionable ['ʌltrə'fæʃənəbl] *adj* uszyty <ubrany itd.> według ostatniej mody; (*o ubiorze itd*) **it's** ~ to jest ostatni krzyk mody

ultraism ['ʌltrə‚izəm] *s* skrajne <krańcowe> poglądy; ultracyzm; ekstremizm

ultraist ['ʌltrəist] *s* ekstremista

ultramarine [‚ʌltrəmə'ri:n] ① *adj* 1. (*o kraju itd*) zamorski 2. w kolorze <o barwie> ultramaryny ③ *s* (*także* ~ **blue**) ultramaryna

ultramicroscope ['ʌltrə'maikrə‚skoup] *s* ultramikroskop

ultramontane [‚ʌltrə'montein] ① *adj* 1. zaalpejski; położony na południe od Alp 2. *rel* ultramontański ③ *s* = **ultramontanist**

ultramontanism [‚ʌltrə'montə‚nizəm] *s rel* ultramontanizm

ultramontanist [‚ʌltrə'montənist] *s rel* ultramontanin

ultramundane [‚ʌltrə'mʌndein] *adj* pozaświatowy

ultra-red ['ʌltrə'red] *adj* podczerwony

⧫**ultrasonic** ['ʌltrə'sonik] *adj* ponaddźwiękowy

ultrasonics ['ʌltrə'soniks] *s* nauka o ultradźwiękach

ultrasound ['ʌltrə'saund] *s fiz* ultradźwięk

ultra-violet ['ʌltrə'vaiəlit] *adj* ultrafioletowy; nadfioletowy, nadfiołkowy

ululate ['ju:lju‚leit] *vi* 1. (*o ptaku*) za/hukać; (*o zwierzęciu*) za/wyć 2. (*o człowieku*) zawodzić; lamentować

ululation [‚ju:lju'leiʃən] *s* 1. hukanie (sowy itd.); wycie (szakala itd.) 2. zawodzenie; lamentowanie

umbel ['ʌmbəl] *s bot* baldaszek

umbellar [ʌm'belə], **umbellate** ['ʌmbəlit], **umbellated** ['ʌmbə,leitid] *adj bot* baldaszkowaty
umbellet ['ʌmbəlit] *s bot* (drobny) baldaszek
umbelliferous [,ʌmbə'lifərəs] *adj bot* baldaszkowy
umbelliform [ʌm'beli,fɔ:m] *adj bot* baldaszkowaty
umber[1] ['ʌmbə] [I] *s* 1. umbra (farba) 2. *zoo* = **~-bird** [II] *vt* zabarwi-ć/ać umbrą <na kolor umbry> [III] *adj* koloru umbry
umber[2] ['ʌmbə] *s zoo* lipień (ryba)
umber-bird ['ʌmbə,bə:d] *s zoo* waruga kasztanowata (ptak)
umbilical [ʌm'bilikəl] *adj* 1. *anat* pępkowy; **~ cord** pępowina 2. centralny 3. (*o przodku, krewnym itd*) po kądzieli
umbilicate [ʌm'bilikit], **umbilicated** [ʌm'bili,keitid] *adj* pępkowaty; w kształcie <podobny do> pępka; z pępkowatym zagłębieniem
umbilication [ʌm,bili'keiʃən] *s* pępkowate zagłębienie
umbilicus [ʌm'bilikəs] *s* 1. *anat* pępek 2. *bot zoo* pępkowate zagłębienie 3. *geom* punkt kulisty na powierzchni
umble-pie ['ʌmbl,pai] = **humble-pie**
umbles ['ʌmblz] † *spl łow* wnętrzności jelenia
umbo ['ʌmbou] *s* (*pl* **umbones** [ʌm'bou,ni:z]) wystający środek powierzchni; uwypuklenie; guz
umbra ['ʌmbrə] *s astr* umbra (jądro plamy słonecznej)
umbrage ['ʌmbridʒ] *s* 1. obraza; uraza; **to take ~ at sth** obra-zić/żać się <czuć się urażonym> czymś; **to give ~ to sb** obra-zić/żać <ura-zić/żać> kogoś 2. *pot* cień
umbrageous [ʌm'breidʒəs] *adj* 1. cienisty 2. (*o człowieku*) obraźliwy
umbrella [ʌm'brelə] *s* 1. parasol 2. *zoo* kruczyna (ptak) 3. *lotn* osłona powietrzna
umbrella-covering [ʌm'brelə,kʌvəriŋ] *s* pokrycie parasola
umbrella-frame [ʌm'brelə,freim] *s* druty parasola
umbrella-sheath [ʌm'brelə,ʃi:θ] *s* pokrowiec <futerał> parasola
umbrella-stand [ʌm'brelə,stænd] *s* stojak na parasole i laski
umbrella-tree [ʌm'brelə,tri:] *s bot* magnolia północnoamerykańska
umbrette [ʌm'bret] = **umber-bird**
Umbrian ['ʌmbriən] [I] *adj* umbryjski [II] *s* 1. Umbryj-czyk/ka 2. język umbryjski
umbriferous [ʌm'brifərəs] *adj* cienisty
umiak ['u:mi,æk] *s* łódka eskimoska ze skór
umlaut ['umlaut] *s jęz* umlaut; przegłos
umph [ʌmf] *interj* hm!
umpirage ['ʌmpaiəridʒ] *s* sąd rozjemczy; rozjemstwo; arbitraż
umpire ['ʌmpaiə] [I] *s* 1. rozjemca 2. *prawn* superarbiter 3. *sport* sędzia; **to be ~** sędziować [II] *vi* 1. rozstrzyg-nąć/ać spór 2. sędziować (**in a game** na meczu) [III] *vt* 1. rozstrzyg-nąć/ać 2. sędziować (**a game** na meczu)
umpireship ['ʌmpaiəʃip] *s* sędziostwo, sędziowanie
umpteen ['ʌmpti:n] *adj sl* Bóg <licho> wie ile; kupa; cała fura; dużo
umpteenth ['ʌmpti:nθ] *adj sl* Bóg <licho> wie który z kolei
'un [ʌn] *pron pot* = **one** *pron*; **that's a good ~!** to dobry kawał!
un- [ʌn-] *przedrostek wyrażający ujemność, brak, przeciwieństwo*: nie-; bez-; *przy czasowniku*: roz-; od- *Uwaga*: *wyrazów z tym przedrostkiem nie podanych poniżej należy szukać tam, gdzie figurują ich przeciwieństwa, t. j. bez przedrostka un- i dodać polski przedrostek wyrażający ujemność, brak lub przeciwieństwo*
una ['ju:nə] *s* jacht jednomasztowy
unabashed ['ʌnə'bæʃt] *adj* niezmieszany; nie speszony; nie zbity z tropu; nie tracący kontenansu; **he lied ~** zełgał nie tracąc kontenansu
unabated ['ʌnə'beitid] adj 1. niesłabnący; **the storm raged ~** burza szalała nie tracąc na sile <z niesłabnącą siłą>; **the wind blew ~** wiatr dął nie tracąc na sile <z niesłabnącą siłą> 2. (*o sile itd*) nie zmniejszony
unabating ['ʌnə'beitiŋ] *adj* 1. uporczywy; trwały 2. niesłabnący
unabbreviated ['ʌnə'bri:vi,eitid] *adj* nie skrócony
unabetted ['ʌnə'betid] *adj* (zrobiony) bez zachęty <na własną rękę, bez niczyjego współudziału>
unabiding ['ʌnə'baidiŋ] *adj* przemijający
unable ['ʌn'eibl] *adj* 1. niezdolny (**to do sth** do zrobienia czegoś); **to be ~ to —** nie móc ... (zrobić czegoś); nie być w stanie <nie mieć możności>... (zrobienia czegoś); mieć przeszkodę ... (w zrobieniu czegoś) 2. nieudolny
unabolished ['ʌnə'bɔliʃt] *adj* nie zniesiony; nie skasowany; wciąż ważny <obowiązujący>
unabridged ['ʌnə'bridʒd] *adj* (*o wydaniu, utworze*) pełny; nie skrócony; nie okrojony
unaccented ['ʌnæk'sentid] *adj* nie akcentowany
unaccentuated ['ʌnæk'sentju,eitid] *adj* nie uwydatniony
unacceptable ['ʌnək'septəbl] *adj* nie do przyjęcia; **that would not be ~** to nie byłoby do pogardzenia
unaccepted ['ʌnək'septid] *adj* 1. nie przyjęty 2. *handl* (*o wekslu itd*) nie zaakceptowany
unacclimatized ['ʌnə'klaimə,taizd] *adj* nie aklimatyzowany
unaccommodating ['ʌnə'kɔmə,deitiŋ] *adj* nie usłużny; nie idący na rękę
unaccompanied ['ʌnə'kʌmpənid] *adj* 1. samotny, bez towarzystwa 2. *muz* bez akompaniamentu
unaccomplished ['ʌnə'kɔmpliʃt] *adj* 1. (*o projekcie*) nie przeprowadzony; (*o pracy*) nie dokończony 2. (*o człowieku*) bez ogłady
unaccordant ['ʌnə'kɔ:dənt] *adj* niezgodny
unaccountable ['ʌnə'kauntəbl] *adj* 1. niewytłumaczony; niewytłumaczalny; dziwny; niezrozumiały 2. (*o człowieku*) nie tłumaczący się nikomu (**for sth** z czegoś — ze swych postanowień itd.)
unaccountably ['ʌnə'kauntəbli] *adv* w dziwny <niezrozumiały> sposób; dziwnie; z niewyjaśnionych powodów
unaccounted ['ʌnə'kauntid] *adj* **~ for** a) nie wytłumaczony; nie wyjaśniony b) (*o pieniądzach, wydatku*) bez dowodów kasowych
unaccredited ['ʌnə'kreditid] *adj* 1. nie akredytowany 2. (*o źródle informacji*) nie bezwzględnie pewny
unaccustomed ['ʌnə'kʌstəmd] *adj* 1. niezwykły 2. nie przyzwyczajony (**to sth** <**to do sth, to doing sth**> do czegoś <do robienia czegoś>) 3. nie ma-

jący wprawy (**to sth <to doing sth>** w czymś
<w robieniu czegoś>)
unachieved ['ʌnə'tʃi:vd] *adj* 1. nie dokonany 2.
nie dokończony 3. (*o celu itd*) nie osiągnięty
unacknowledged ['ʌnə'knɔlidʒd] *adj* 1. (*o dziecku*)
nie uznany; (*o grzechu*) nie wyznany; (*o dziecku, grzechu*) do którego się nie przyznano 2.
(*o liście*) pozostawiony bez odpowiedzi; (*o ukłonie*) nie odwzajemniony
unacquaintance ['ʌnə'kweintəns] *s* nieznajomość
(**with sth** czegoś)
unacquainted ['ʌnə'kweintid] *adj* nie obznajmiony
(**with sth** z czymś); **to be ~** a) nie znać (**with
sb, sth** kogoś, czegoś) b) nie wiedzieć (**with sth**
o czymś); nie orientować się (**with the details**
etc. w szczegółach itd.)
unacquired ['ʌnə'kwaiəd] *adj* nie nabyty
unadapted ['ʌnə'dæptid] *adj* nie przystosowany
unaddressed ['ʌnə'drest] *adj* nie zaadresowany;
bez adresu
unadjudged ['ʌnə'dʒʌdʒd] *adj* (*o nagrodzie*) nie
przyznany
unadjusted ['ʌnə'dʒʌstid] *adj* 1. (*o sporze*) nie załatwiony 2. (*o człowieku*) nie przystosowany 3.
(*o przedmiocie*) nie dopasowany
unadmired ['ʌnəd'maiəd] *adj* nie podziwiany
unadmitted ['ʌnəd'mitid] *adj* 1. (*o kandydacie
itd*) nie przyjęty 2. (*o czynie itd*) do którego
nikt się nie przyznaje 3. (*o zbrodni itd*) do popełnienia której ktoś nie chce się przyznać;
though ~ the blame was laid at his door zarzu-
cono mu to, chociaż nie przyznawał się do winy
unadopted ['ʌnə'dɔptid] *adj* 1. (*o środkach zapo-
biegawczych itd*) nie przedsięwzięty 2. (*o szosie*)
nie konserwowany przez władze państwowe ani
miejscowe
unadorned ['ʌnə'dɔ:nd] *adj* niczym nie upiększony; **~ truth** naga <szczera> prawda
unadulterated [,ʌnə'dʌltə,reitid] *adj* nie fałszowany; bez żadnej domieszki; (*o radości itd*) niezmącony
unadvisable ['ʌnəd'vaizəbl] *adj* niewskazany
unadvised ['ʌnəd'vaizd] *adj* nieroztropny; nierozważny; **to do sth ~** zrobić coś nie poradziwszy
się nikogo <nie będąc wspartym niczyją radą>
unaffable [ʌn'æfəbl] *adj* nie silący się na uprzejmość
unaffected [,ʌnə'fektid] *adj* 1. nie udawany; niekłamany 2. (*o człowieku, stylu itd*) nie afektowany; naturalny 3. niewzruszony 4. nie zmieniony;
to remain ~ nie ulec zmianie 5. (*o organie itd*)
nie zaatakowany (chorobą); (*o okolicy itd*) nie
dotknięty (klęską itd.) 6. (*o materiale itd*) odporny (**by acids** etc. na działanie kwasów itd.)
unaffectedness [,ʌnə'fektidnis] *s* brak afektacji;
prostota; naturalność
unaffiliated ['ʌnə'fili,eitid] *adj* nie należący <nie
przynależny> (do związku itd.)
unafraid ['ʌnə'freid] *adj* nie obawiający się; **he
listened ~** słuchał bez obawy
unaggressive ['ʌnə'gresiv] *adj* bez zapędów agre-
sywnych
unaided ['ʌn'eidid] *adj* 1. nie wspomagany; **with
the ~ eye** gołym okiem 2. bez (niczyjej) pomocy; bez pomocy fachowej; zdany na siebie
samego 3. (*o ubogim itd*) pozbawiony opieki

unaired ['ʌn'ɛəd] *adj* (*o pokoju, pościeli itd*) nie
wietrzony
unalarmed ['ʌnə'lɑ:md] *adj* nie zatrwożony; **to see
<hear> sth ~** widzieć <słyszeć> coś nie doznając
trwogi
unalienated ['ʌn'eiljə,neitid] *adj* (*o własności*) nie
przepisany (na nikogo, na kogoś innego)
unallayed ['ʌnə'leid] *adj* (*o smutku itd*) nie uko-
jony
unalleviated ['ʌnə'li:vi,eitid] *adj* (*o bólu, cierpieniu itd*) nie złagodzony
unalloted ['ʌnə'lɔtid] *adj* 1. (*o czasie itd*) wolny 2.
(*o pieniądzach itd*) nie mający przeznaczenia
unallowed ['ʌnə'laud] *adj* niedozwolony
unalloyed ['ʌnə'lɔid] *adj* 1. (*o metalu itd*) czysty;
bez domieszki; nie stopowy 2. (*o szczęściu*) niezmącony 3. (*o wiedzy, stylu itd*) wolny (**by <with>
affectation** etc. od afektacji itd.)
unalterable [ʌn'ɔ:ltərəbl] *adj* niezmienny
unalterableness [ʌn'ɔltərəblnis] *s* niezmienność;
stałość
unaltered [ʌn'ɔ:ltəd] *adj* nie zmieniony
unamazed ['ʌnə'meizd] *adj* nie zdumiony; **he looked
<listened> ~** patrzył <słuchał> bez zdumienia
unambiguous ['ʌnæm'bigjuəs] *adj* niedwuznaczny
unambitious ['ʌnæm'biʃəs] *adj* bez (większych)
ambicji; skromny
unamenable ['ʌnə'mi:nəbl] *adj* oporny; nie podatny (**to sth** na coś); **~ to reason** głuchy na głos
rozsądku
unamendable ['ʌnə'mendəbl] *adj* 1. niepoprawny
2. nie do naprawienia
unamended ['ʌnə'mendid] *adj* niezmieniony; będący w niezmienionej postaci; **the plan was accepted ~** projekt przyjęto bez (żadnych) poprawek
un-American ['ʌnə'merikən] *adj* nie amerykański;
zrobiony <powiedziany itd.> nie po amerykań-
sku; nie w duchu amerykańskim; niezgodny z
praktyką amerykańską <z zasadami uznawanymi
w Ameryce>
unamiable ['ʌn'eimjəbl] *adj* nie silący się na
uprzejmość; **he was ~** nie silił się na uprzejmość
unamusing ['ʌnə'mju:ziŋ] *adj* nie zabawny; nie
śmieszny
unanchor ['ʌn'æŋkə] [I] *vt* odkotwicz-yć/ać [II] *vi*
podn-ieść/osić kotwicę
unaneled ['ʌnə'ni:ld] † *adj* nie opatrzony świę-
tymi sakramentami (przed śmiercią)
unanimated [ʌn'æni,meitid] *adj* nieożywiony; **~
by motives of** — bez pobudek ...
unanimist [ju'nænimist] *s* unanimista; wyznawca
doktryny unanimizmu
unanimity [,ju:nə'nimiti] *s* jednomyślność; **with ~**
jednomyślnie, jednogłośnie
unanimous [ju'næniməs] *adj* jednomyślny, jedno-
głośny; **we were ~ in carrying the motion**
uchwaliliśmy ten wniosek jednogłośnie; **the committee expressed the ~ opinion that** — komitet
jednogłośnie uznał, że ...
unannounced ['ʌnə'naunst] *adj* nie zapowiedziany;
nie zameldowany; (*o czymś wejściu itd*) bez za-
meldowania
unanswerable [ʌn'ɑ:nsərəbl] *adj* (*o pytaniu*) na które nie ma odpowiedzi; (*o argumencie itd*) nie do
obalenia; niezbity; bezsporny

unanswered ['ʌn'ɑ:nsəd] *adj* 1. (*o liście itd*) pozostawiony bez odpowiedzi; **to leave a letter ~** pozostawić list bez odpowiedzi 2. (*o argumencie itd*) nie obalony 3. (*o modlitwie*) nie wysłuchany 4. (*o miłości*) bez wzajemności; nie odwzajemniony

unanticipated ['ʌnæn'tisi,peitid] *adj* nieoczekiwany

unappalled ['ʌnə'pɔ:ld] *adj* nie zatrwożony

unappealable ['ʌnə'pi:ləbl] *adj* bezapelacyjny

unappeasable ['ʌnə'pi:zəbl] *adj* (*o głodzie, apetycie*) nie nasycony; (*o pragnieniu*) nie zaspokojony; (*o nienawiści itd*) nie ubłagany; (*o rozruchach itd*) nie do uspokojenia <nie dający się uspokoić>

unappeased ['ʌnə'pi:zd] *adj* (*o głodzie, apetycie, pragnieniu itd*) nie zaspokojony

unappetizing ['ʌn'æpi,taiziŋ] *adj* nieapetyczny

unapplied ['ʌnə'plaid] *adj* 1. (*o ustawie itd*) nie stosowany 2. (*o sile itd*) nie wykorzystany; **a post ~ for** stanowisko, na które nie ma kandydata <reflektanta>

unappreciated ['ʌnə'pri:ʃi,eitid] *adj* 1. nie cieszący się uznaniem; (*o człowieku*) nie doceniony (przed śmiercią itd.) 2. (*o pisarzu, kompozytorze itd*) niedoceniony; niezrozumiany; **he died ~** umarł nie znalazłszy zrozumienia

unappreciative ['ʌnə'pri:ʃi,eitiv] *adj* 1. (*o publiczności*) nie wykazujący entuzjazmu; obojętny 2. (*o sprawozdaniu, recenzji itd*) nie wyrażający zachwytu

unapprehended ['ʌnæpri'hendid] *adj* 1. nie zrozumiany 2. (*o przestępcy*) nie zatrzymany przez władze; znajdujący się na wolności; grasujący nadal

unapprehensive ['ʌnæpri'hensiv] *adj* 1. (*o umyśle, człowieku*) tępy 2. nie obawiający się <nie podejrzewający> (**of sth** czegoś); **to be ~ of danger** nie obawiać się <nie podejrzewać> niebezpieczeństwa

unapprised ['ʌnə'praizd] *adj* nie uprzedzony (**of sth** o czymś)

unapproachable [,ʌnə'proutʃəbl] *adj* 1. nieprzystępny 2. niezrównany; niedościgniony, niedoścignięty; niedościgły

unapproached ['ʌnə'proutʃt] *adj* niedościgniony

unappropriated ['ʌnə'proupri,eitid] *adj* (*o funduszach itd*) bez przeznaczenia; (nikomu) nie przydzielony; *żart* **an ~ blessing** panna do wzięcia; stara panna

unapproved ['ʌnə'pru:vd] *adj* (*także ~ of*) nie zaaprobowany

unapproving ['ʌnə'pru:viŋ] *adj* wyrażający dezaprobatę

unapt [ʌn'æpt] *adj* 1. niestosowny; nieodpowiedni; nie na miejscu 2. (*o wyrazie itd*) źle dobrany, niewłaściwy 3. niezdolny (**for sth** do czegoś); niezręczny 4. nieskłonny (**to do sth** do zrobienia czegoś)

unaptly [ʌn'æptli] *adv* 1. niestosownie; **not ~** nie bez słuszności 2. niezręcznie

unarmed [ʌn'ɑ:md] *adj* 1. nieuzbrojony; bezbronny 2. *bot* bez kolców 3. *zoo* bezrogi

unarmoured [ʌn'ɑ:məd] *adj* 1. (*o człowieku*) bez zbroi 2. (*o statku itd*) bez opancerzenia 3. (*o kablu*) nieuzbrojony

unarranged ['ʌnə'reindʒd] *adj* 1. nieuporządkowany 2. nie przygotowany z góry; nie ukartowany

unarrested ['ʌnə'restid] *adj* 1. nieprzerwany 2. (*o przestępcy*) nie aresztowany; znajdujący się na wolności; grasujący

unascertained ['ʌnæsə'teind] *adj* nie stwierdzony; nie potwierdzony

unashamed ['ʌnə'ʃeimd] *adj* bezwstydny; bez wstydu; **to be ~ to do** <say etc.> **sth** nie wstydzić się coś zrobić <powiedzieć itd.>

unasked ['ʌn'ɑ:skt] *adj* 1. nie proszony; **to do sth ~** zrobić coś nie czekając na zaproszenie <na (czyjąkolwiek) prośbę> 2. (*o czynie*) **~ for** spontaniczny

unaspirated ['ʌn'æspə,reitid] *adj* *fonet* wymawiany bez przydechu

unaspiring ['ʌnəs'paiəriŋ] *adj* (*o człowieku*) bez (większych) aspiracji; bez pretensji

unassailable [,ʌnə'seiləbl] *adj* 1. (*o fortecy*) nie do zdobycia 2. (*o prawie itd*) nienaruszalny 3. (*o wniosku itd*) bezsporny 4. (*o reputacji*) nienaganny 5. (*o cnocie*) nietykalny

unassertive [,ʌnə'sə:tiv] *adj* 1. skromny; nieśmiały 2. nie narzucający innym swej woli

unassessed ['ʌnə'sest] *adj* nie oszacowany

unassimilated ['ʌnə'simi,leitid] *adj* 1. nie zasymilowany 2. (*o wiadomościach itd*) nie przyswojony

unassisted ['ʌnə'sistid] = **unaided**

unassuaged ['ʌnə'sweidʒd] *adj* nieukojony

unassuming ['ʌnə'sju:miŋ] *adj* skromny; bez pretensji

unassured ['ʌnə'ʃuəd] *adj* 1. (*o powodzeniu itd*) niepewny 2. (*o człowieku*) z niepewną <niewyraźną> miną 3. nie ubezpieczony

unatoned ['ʌnə'tound] *adj* (*także ~ for*) nie odpokutowany

unattached ['ʌnə'tætʃt] *adj* 1. nie związany; **~ young lady** panna nie związana z nikim słowem 2. niezależny 3. (*o studencie*) nie należący do żadnego kolegium 4. (*o duchownym*) bez parafii 5. (*o wojskowym*) bez przydziału

unattainable ['ʌnə'teinəbl] *adj* nieosiągalny

unattempted ['ʌnə'temtid] *adj* (*o czynie itd*) o który nikt jeszcze się nie pokusił

unattended ['ʌnə'tendid] *adj* 1. samotny; bez towarzystwa; bez eskorty 2. (pozostawiony) bez dozoru; nie pilnowany 3. (*o czynie, sytuacji itd*) *w zwrocie:* **~ by** <with> **grave consequences** nie pociągając-y/a za sobą poważniejszych następstw 4. (*o sprawie itd*) **~ to** zaniedbany

unattentive ['ʌnə'tentiv] *adj* nieuważny; nie uważający

unattested ['ʌnə'testid] *adj* 1. nie stwierdzony 2. nie poświadczony; nie zalegalizowany

unattractive [,ʌnə'træktiv] *adj* 1. nieponętny 2. nieładny 3. niemiły; niesympatyczny

unau ['ju:nɔ:] *s zoo* leniwiec dwupalczasty (ssak)

unaudited [ʌn'ɔ:ditid] *adj* (*o księgach handlowych*) nie rewidowany

unauthorized ['ʌn'ɔ:θə,raizd] *adj* 1. nie upoważniony 2. nielegalny 3. bezprawny

unavailable ['ʌnə'veiləbl] *adj* 1. (*o towarze itd*) niedostępny 2. (*o kapitale*) nie płynny; zamrożony; którym nie można dysponować 3. (*o bilecie itd*) nieważny 4. (*o rękopisie*) nie do użycia, zniszczony 5. **=unavailing**

unavailing ['ʌnə'veiliŋ] *adj* bezcelowy; bezskuteczny; daremny unavenged ['ʌnə'vendʒd] *adj* nie pomszczony

unavoidable [ˌʌnə'vɔidəbl] *adj* nieunikniony; nie-chybny; niezawodny; **that is** ~ tego się nie da uniknąć

unavowable ['ʌnə'vauəbl] *adj* (*o czynie itd*) do którego wstyd się przyznać; haniebny

unavowed ['ʌnə'vaud] *adj* (*o czynie itd*) do któ-rego nikt się nie przyznał; którego sprawcy nie wykryto

unaware ['ʌnə'weə] *adj praed* nie powiadomiony (**of sth** o czymś); nieświadomy (**of sth** czegoś); **to be** ~ **of sth** nie wiedzieć o czymś; nie po-dejrzewać czegoś; nie zdawać sobie sprawy z czegoś; **he was not** ~ **of the fact** to się nie działo bez jego wiedzy

unawareness ['ʌnə'weənis] *s* nieświadomość (cze-goś); niewiedza (**of sth** o czymś)

unawares ['ʌnə'weəz] *adv* 1. nieświadomie; nie chcący; mimo woli; nic nie wiedząc; nic nie podejrzewając; nie podejrzewając tego; nie zda-jąc sobie sprawy z tego 2. nieoczekiwanie; nie-spodziewanie; znienacka; **to take sb** ~ zask-oczyć/akiwać kogoś

unawed [ʌn'ɔ:d] *adj* 1. nie onieśmielony 2. nie przerażony

unbacked [ʌn'bækt] *adj* 1. nie mający poparcia, bez poparcia 2. (*o koniu wyścigowym*) na któ-rego nikt nie stawia; nie obstawiony 3. (*o ko-niu*) nie ujeżdżony

unbaked [ʌn'beikt] *adj* 1. (*o cegle itd*) nie wypa-lony 2. *przen* niedojrzały

unbalance ['ʌn'bæləns] ⊡ *s* brak równowagi ⊞ *vt* 1. zwichrować (koło itd.) 2. wytrąc-ić/ać z rów-nowagi; **to** ~ **sth** naruszyć równowagę czegoś *zob* **unbalanced**

unbalanced ['ʌn'bælənst] ⊡ *zob* **unbalance** *v* ⊞ *adj* 1. niezrównoważony 2. (*o kole itd*) zwichro-wany 3. (*o umyśle*) wytrącony z równowagi 4. (*o rachunkach, księgach*) z nieuzgodnionym saldem

unballasted ['ʌn'bæləstid] *adj* bez balastu

unbandage ['ʌn'bændidʒ]*vt* rozbandażow-ać/ywać, odbandażow-ać/ywać

unbaptized ['ʌnbæp'taizd] *adj* niechrzczony; nie ochrzczony

unbar ['ʌn'ba:] *vt* (-rr-) odryglow-ać/ywać *zob* **unbarred**

unbarred ['ʌn'ba:d] ⊡ *zob* **unbar** ⊞ *adj* 1. od-ryglowany 2. (*o przejeździe kolejowym itd*) nie strzeżony

unbearable [ʌn'beərəbl] *adj* nieznośny; nie do wytrzymania <zniesienia>; przekraczający gra-nice wytrzymałości

unbearded [ʌn'biədid] *adj* bez brody

unbeaten ['ʌn'bi:tn] *adj* 1. nie bity, nie zbity, nie u/karany 2. (*o ścieżce itd*) nie u/torowany; nie uczęszczany 3. (*o sportowcu itd*) nie poko-nany; (*o rekordzie*) nie pobity

unbecoming ['ʌnbi'kʌmiŋ] *adj* 1. niewłaściwy; niestosowny; nie na miejscu; nie licujący; **it is** ~ **of you to** __ nie wypada ci ... 2. (*o ubiorze itd*) niestosowny; nieodpowiedni; nietwarzowy; źle dobrany; **with an** ~ **hat** w kapeluszu, w któ-rym nie jest <było> jej <mu> do twarzy

unbefitting ['ʌnbi'fitiŋ] *adj* niewłaściwy; niesto-sowny; nie na miejscu; nie licujący

unbefriended ['ʌnbi'frendid] *adj* opuszczony; sa-motny; bez przyjaciół

unbegotten ['ʌnbi'gɔtn] *adj teol* nie poczęty

unbeholden ['ʌnbi'houldən] *adj* bez zobowiązań; wolny od wszelkich zobowiązań (**to sb** wobec kogoś)

unbeknown(st) ['ʌnbi'noun(st)] ⊡ *adj* † nieznany ⊞ *adv* bez wiedzy (**to sb** czyjejś; **to anyone** czyjejkolwiek)

unbelief ['ʌnbi'li:f] *s* bezbożność; niewiara, brak wiary

unbelievable [ˌʌnbi'li:vəbl] *adj* nieprawdopodobny; niewiarygodny; nie do wiary

unbeliever [ˌʌnbi'li:və] *s* 1. człowiek niewierzący; ateista 2. niewierny

unbelieving [ˌʌnbi'li:viŋ] *adj* 1. niedowierzający 2. *rel* niewierzący

unbeloved [ˌʌnbi'lʌvd] *adj* nie kochany przez ni-kogo

unbelt ['ʌn'belt] *vt* odpas-ać/ywać (szablę itd.) *zob* **unbelted**

unbelted ['ʌn'beltid] ⊡ *zob* **unbelt** ⊞ *adj* bez pasa

unbend ['ʌn'bend] *v* (**unbent** ['ʌn'bent], **unbent**) ⊡ *vt* 1. wyprostow-ać/ywać; rozprostow-ać/ ywać; *przen* **to** ~ **one's brow** rozchmurzyć się 2. zwalniać cięciwę (łuku); popu-ścić/szczać (**a cable etc.** liny itd.) 3. *mar* odwiąz-ać/ywać; odcumow-ać/ywać 4. odpręż-yć/ać (umysł) ⊞ *vi* 1. wyprostow-ać/ywać <rozprostow-ać/ywać> się 2. odpręż-yć/ać się 3. s/tracić sztywność (zacho-wania) 4. (*o twarzy*) rozchmurzyć się; poweseleć *zob* **unbending**

unbending ['ʌn'bendiŋ] ⊡ *zob* **unbend** ⊞ *adj* nieugięty; niezłomny

unbeneficed ['ʌn'benifist] *adj* (*o duchownym*) bez prebendy

unbeneficial ['ʌnˌbeni'fiʃəl] *adj* nie dający <nie przynoszący> korzyści <poprawy>

unbent *zob* **unbend**

unbeseeming [ˌʌnbi'si:miŋ] *adj* niestosowny; nie licujący (**sth** z czymś); **it is** ~ **for you to do that** nie wypada ci tego robić

unbiassed ['ʌn'baiəst] *adj* nie uprzedzony; bez uprzedzeń; bezstronny; nie tendencyjny

unbidden ['ʌn'bidn] *adj* 1. nieproszony 2. spon-taniczny; **to do sth** ~ zrobić coś spontanicznie

unbigoted [ʌn'bigətid] *adj* wolny od wszelkiej bi-goterii; bez przesądów

unbind ['ʌn'baind] *vt* (**unbound** ['ʌn'baund], **unbound**) 1. rozwiąz-ać/ywać; rozpu-ścić/szczać (włosy) 2. *dosł i przen* uw-olnić/alniać (z wię-zów)

unbitted ['ʌn'bitid] *adj* 1. (*o koniu*) nieokiełznany 2. *przen* bez hamulców

unblam(e)able ['ʌn'bleiməbl] *adj* bez zarzutu; nie-naganny

unbleached ['ʌn'bli:tʃt] *adj* (*o płótnie*) nie bielo-ny; surowy

unblemished [ʌn'blemiʃt] *adj* nie skalany; bez skazy; nieskazitelny

unblessed, unblest [ʌn'blest] *adj* 1. nie święcony 2. nieszczęsny

unblighted [ʌn'blaitid] *adj* 1. niezepsuty 2. nie-tknięty

unblock ['ʌn'blɔk] *vt* od-etkać/tykać

unbloody [ʌn'blʌdi] *adj* bezkrwawy

unblown [ʌn'bloun] *adj* (*o kwiecie*) nie rozwi-nięty; w pączku

unblushing [ʌn'blʌʃiŋ] *adj* 1. bezczelny 2. cyniczny 3. bezwstydny

unblushingly [ʌn'blʌʃiŋli] *adv* (powiedzieć, zrobić coś) nie rumieniąc się; bezwstydnie

unbodied ['ʌn'bɔdid] *adj* bezcielesny

unboiled ['ʌn'bɔild] *adj* nie gotowany, surowy

unbolt ['ʌn'boult] *vt* odryglow-ać/ywać

unbolted ['ʌn'boultid] *adj* (o mące) nie pytlowany

unbonneted [ʌn'bɔnitid] *adj* bez kapelusza; z gołą głową

unboot [ʌn'bu:t] Ⅰ *vt* zzu-ć/wać; zd-jąć/ejmować buty (sb komuś) Ⅱ *vi* rozzu-ć/wać się

unborn ['ʌn'bɔ:n] *adj* nie urodzony; (o pokoleniu) przyszły

unborrowed [ʌn'bɔroud] *adj* nie zapożyczony; własny; (o powiedzeniu itd) oryginalny

unbosom [ʌn'buzəm] *v* (-mm-) Ⅰ *vt* wywnętrzyć/ać <wynurz-yć/ać, wyzna-ć/wać> (swe uczucia, żale itd.) Ⅱ *vr* ~ oneself wywnętrz-yć/ać <wynurz-yć/ać> się; to ~ oneself of one's fears zwierzyć się komuś ze swych obaw

unbought ['ʌn'bɔ:t] *adj* nie kupiony; nie zakupiony

▲**unbound** ['ʌn'baund] Ⅰ *zob* unbind Ⅲ *adj* 1. rozwiązany; to come ~ rozwiąz-ać/ywać się 2. uwolniony z więzów 3. (o książce) nie oprawiony; nie oprawiony; broszurowany 4. (o materiale itd) nie obrębiony

unbounded [ʌn'baundid] *adj* bezgraniczny, bez granic, bezkresny

unbowed ['ʌn'baud] *adj* 1. nieugięty 2. niepokonany; nie poskromiony

unbrace [ʌn'breis] *vt* 1. odpręż-yć/ać (nerwy) 2. odpi-ąć/nać

unbraid [ʌn'breid] *vt* rozpl-eść/atać

unbreakable ['ʌn'breikəbl] *adj* nie tłukący się; nie do złamania

unbreathable ['ʌn'bri:ðəbl] *adj* (o powietrzu) nie nadający się do wdychania

unbred [ʌn'bred] *adj* nie wychowany, bez wychowania

unbreeched [ʌn'bri:tʃt] *adj* bez spodni <pot bez portek>; (o chłopcu) nie chodzący jeszcze w spodniach

unbridle [ʌn'braidl] *vt* rozkiełznać *zob* unbridled

unbridled [ʌn'braidld] Ⅰ *zob* unbridle Ⅱ *adj* 1. (o koniu) ze zdjętą uzdą; rozkiełznany 2. *przen* rozkiełznany; wyuzdany; rozpasany

unbroached [ʌn'broutʃt] *adj* 1. (o beczce) nie odszpuntowany; nie napoczęty 2. (o temacie) nie poruszony

unbroken [ʌn'broukən] *adj* 1. nie złamany; nie przełamany; nie rozbity; nie potłuczony 2. nieprzerwany 3. niezłomny; niepokonany 4. (o rekordzie) nie pobity 5. (o koniu) nie ujeżdżony 6. (o glebie) nieuprawny; nie tknięty pługiem; *przen* dziewiczy 7. (o obietnicy) dotrzymany

unbrotherly [ʌn'brʌðəli] *adj* nie braterski; niegodny brata

unbuckle ['ʌn'bʌkl] *vt* odpi-ąć/nać; rozpi-ąć/nać

unbuilt [ʌn'bilt] *adj* 1. nie wybudowany 2. (także ~ on) nie zabudowany

unburden [ʌn'bə:dən] Ⅰ *vt* odciąż-yć/ać; zd-jąć/ejmować ciężar z pleców (sb komuś); ulżyć (sb komuś); to ~ a mule <horse> rozjuczać muła <konia>; zd-jąć/ejmować ciężar <ładunek> z muła <konia>; to ~ one's heart <mind> zrzu-

c-ić/ać ciężar z serca; to ~ one's grief to sb wywnętrz-yć/ać <wynurz-yć/ać> się przed kimś ze swego zmartwienia <smutku> Ⅲ *vr* ~ oneself wywnętrz-yć/ać <wynurz-yć/ać> się (to sb przed kimś)

unburied ['ʌn'berid] Ⅰ *zob* unbury Ⅱ *adj* 1. nie pochowany; nie pogrzebany; (pozostawiony) bez pogrzebu 2. ekshumowany; odkopany

unburthen [ʌn'bə:θən] = unburden

unbury [ʌn'beri] *vt* (unburied ['ʌn'berid], unburied; unburying [ʌn'beriiŋ]) ekshumować; odkop-ać/ywać *zob* unburied

unbusinesslike [ʌn'biznis,laik] *adj* nie kupiecki; niezgodny <sprzeczny> z zasadami postępowania kupieckiego; (zrobiony itd.) nie po kupiecku

unbutton ['ʌn'bʌtn] Ⅰ *vt* rozpi-ąć/nać; odpi-ąć/nać Ⅲ *vr* ~ oneself rozpi-ąć/nać <porozpinać> się Ⅱ *vi* rozpi-ąć/nać <odpi-ąć/nać> się *zob* unbuttoned

unbuttoned ['ʌn'bʌtnd] Ⅰ *zob* unbutton Ⅲ *adj* 1. rozpięty; odpięty; to come ~ rozpi-ąć/nać się 2. rozchełstany; *pot* rozmamrany

uncage ['ʌn'keidʒ] *vt* wypu-ścić/szczać z klatki

uncalled [ʌn'kɔ:ld] *adj* nie wezwany; he came ~ przyszedł nie czekając na wezwanie

▲**uncalled-for** [ʌn'kɔ:ld,fɔ:] *adj* 1. niestosowny 2. nie zasłużony; (o obeldze itd) niczym nie usprawiedliwiony

uncancelled ['ʌn'kænsld] *adj* nie skasowany

uncandid ['ʌn'kændid] *adj* nieszczery

uncanny [ʌn'kæni] *adj* 1. niesamowity 2. tajemniczy

uncanonical ['ʌnkə'nɔnikəl] *adj* 1. nie kanoniczny; sprzeczny z prawem kościelnym 2. niegodny duchownego 3. świecki

uncap ['ʌn'kæp] *v* (-pp-) Ⅰ *vt* 1. zd-jąć/ejmować czapkę (sb komuś) 2. odkry-ć/wać; zd-jąć/ejmować przykrywkę (sth z czegoś) 3. *techn* zd-jąć/ejmować spłonkę (a fuse z zapłonu) Ⅲ *vi* zd-jąć/ejmować czapkę <nakrycie głowy>; odkry-ć/wać głowę

uncapsizable ['ʌnkæp'saizəbl] *adj* (o łodzi) niewywrotny

uncared-for ['ʌn'kɛəd,fɔ:] *adj* zaniedbany; porzucony

uncarpeted ['ʌn'kɑ:pitid] *adj* (o podłodze itd) nie pokryty dywanem; bez dywanu

uncart ['ʌn'kɑ:t] *vt* wyładow-ać/ywać (wóz)

uncase ['ʌn'keis] *vt* wyj-ąć/mować z futerału <z etui, ze skrzyni, z pokrowca>

uncastrated ['ʌnkæs'treitid] *adj* nie kastrowany

uncatalogued ['ʌn'kætə,lɔgd] *adj* nie skatalogowany

uncaught ['ʌn'kɔ:t] *adj* nie złapany; nie schwytany

uncaused ['ʌn'kɔ:zd] *adj* niczym nie spowodowany; (zrobiony itd.) bez powodu <przyczyny>

unceasing [ʌn'si:siŋ] *adj* nieustający; bezustanny; nieprzerwany

uncelebrated [ʌn'seli,breitid] *adj* nie święcony

uncemented ['ʌnsi'mentid] *adj* nie scementowany

uncensored [ʌn'sensəd] *adj* nie cenzurowany

uncensured [ʌn'sensəd] *adj* nie skrytykowany

unceremonious ['ʌn,seri'mounjəs] *adj* bezceremonialny; to be ~ nie krępować się

unceremoniously ['ʌn,seri'mounjəsli] *adv* bez ceremonii <żenady>; nie krępując się

uncertain [ʌn'sə:tn] *adj* 1. niepewny 2. nieokreślony; **in no ~ terms** niedwuznacznie 3. wątpliwy 4. niezdecydowany

ǂ**uncertainty** [ʌn'sə:tnti] *s* 1. niepewność 2. nieokreślony charakter (czegoś), nieokreśloność

uncertificated ['ʌnsə:ˌtifi'keitid] *adj* nie dyplomowany

uncertified [ʌn'sə:tiˌfaid] *adj* nie poświadczony

unchain ['ʌn'tʃein] *vt* 1. uw-olnić/alniać (kogoś) z więzów 2. da-ć/wać folgę (**one's passions** namiętnościom)

unchallenged ['ʌn'tʃælindʒd] *adj* 1. (*o prawie itd*) nie kwestionowany 2. (*o mówcy*) wysłuchany bez sprzeciwu z czyjejkolwiek strony

unchancy [ʌn'tʃɑ:nsi] *adj szkoc* 1. niefortunny 2. niebezpieczny

unchanged ['ʌn'tʃeindʒd] *adj* niezmieniony

unchanging ['ʌn'tʃeindʒiŋ] *adj* niezmienny; stały; wieczny

ǂ**uncharged** ['ʌn'tʃɑ:dʒd] *adj* 1. (*o broni*) nie nabity; (*o akumulatorze*) nie naładowany 2. (*o człowieku*) nie oskarżony 3. (*o przesyłce, towarze*) ~ **for** bezpłatny

uncharitable [ʌn'tʃæritəbl] *adj* 1. nieprzyjazny; nieprzychylny; nieżyczliwy 2. skąpy

uncharted [ʌn'tʃɑ:tid] *adj* 1. (*o wyspie itd*) nie naniesiony na mapie 2. (*o morzu itd*) nie badany

unchartered ['ʌn'tʃɑ:təd] *adj* 1. (*o firmie*) nie posiadający zatwierdzonego statutu 2. (*o statku*) nie zaczarterowany, nie zacharterowany; nie zafrachtowany

unchaste ['ʌn'tʃeist] *adj* nieskromny; bezwstydny; lubieżny

unchastised ['ʌntʃæs'taizd] *adj* nie karany; bezkarny

unchastity ['ʌn'tʃæstiti] *s* nieskromność; bezwstydność; nieczystość; lubieżność

unchecked [ʌn'tʃekt] *adj* 1. niepowstrzymany; nieposkromiony; nie hamowany; niepohamowany; **to advance** ~ iść <posuwać się> naprzód bez przeszkód 2. (*o dziecku itd*) nie skarcony 3. (*o rachunkach itd*) nie skontrolowany

unchivalrous [ʌn'ʃivəlrəs] *adj* nierycerski

unchoke [ʌn'tʃouk] *vt* od-etkać/tykać

unchristened ['ʌn'krisnd] *adj* nie chrzczony

unchristian ['ʌn'kristjən] *adj* 1. pogański 2. niezgodny z zasadami chrześcijańskimi 3. *pot* (*o porze itd*) nieprzyzwoity

unchurch ['ʌn'tʃə:tʃ] *vt* wykl-ąć/inać; ekskomunikować

uncial ['ʌnsiəl] *adj* (*o literze, piśmie*) uncjalny *s* 1. uncjała; pismo uncjalne 2. rękopis uncjalny

unciform ['ʌnsiˌfɔ:m] *adj* haczykowaty

uncinate ['ʌnsinit] *adj bot zoo* haczykowaty

uncircumcised ['ʌn'sə:kəmˌsaizd] *adj rel* nie obrzezany *spl* **the Uncircumcised** nie obrzezani

uncircumscribed ['ʌn'sə:kəmˌskraibd] *adj* (*o terenie itd*) o nie zakreślonych granicach

uncircumspect ['ʌn'sə:kəmˌspekt] *adj* nieoględny; nieostrożny

uncircumstantial ['ʌnˌsə:kəm'stænʃəl] *adj* ogólnikowy; (*wyłożony, przedstawiony*) bez bliższych szczegółów

uncivil ['ʌn'sivil] *adj* 1. niegrzeczny; nieuprzejmy 2. grubiański; nieokrzesany

uncivilized ['ʌn'siviˌlaizd] *adj* niecywilizowany; dziki; barbarzyński

unclad [ʌn'klæd] *adj lit* = **unclothed** *adj*

unclaimed ['ʌn'kleimd] *adj* 1. (*o przedmiocie itd*) do którego nikt nie zgłasza <nie rości sobie> pretensji 2. (*o zwierzęciu*) zabłąkany; błąkający się; niczyj 3. (*o liście, przesyłce*) nie odebrany <nie podjęty, po któr-y/ą nikt się nie zgłosił>

unclamp ['ʌn'klæmp] *vt* odkręc-ić/ać; rozluźni-ć/ać; odśrubow-ać/ywać

unclasp ['ʌn'klɑ:sp] *vt* 1. odpi-ąć/nać 2. uw-olnić/alniać z uścisku 3. rozluźni-ć/ać (zaciśniętą pięść itd.) *vi* (*o rękach, ramionach*) roz-ewrzeć/wierać <rozluźni-ć/ać> się

unclassical [ʌn'klæsikəl] *adj* nieklasyczny; sprzeczny z klasyczną tradycją

unclassified [ʌn'klæsiˌfaid] *adj* 1. niesklasyfikowany 2. (*o dokumencie itd*) nietajny

uncle ['ʌŋkl] *s* wuj, wujek, wujcio; stryj, stryjek; **like a Dutch** ~ (mówić do kogoś) po ojcowsku; *pot* **at my** ~'s w lombardzie; zastawiony; **Uncle Sam** wuj Sam

unclean ['ʌn'kli:n] *adj* 1. nieczysty; **the** ~ **spirit** szatan 2. (*o języku, mowie*) sprośny; plugawy 3. *rel* nieczysty

uncleanly ['ʌn'klenli] *adj* 1. brudny 2. plugawy; sprośny

uncleanness ['ʌn'kli:nnis] *s* nieczystości; brud; niechlujstwo

uncleansed ['ʌn'klenzd] *adj* nie oczyszczony

unclear [ʌn'kliə] *adj* 1. niejasny 2. *dosł i przen* mglisty 3. nieklarowny

unclench [ʌn'klentʃ] *vt* 1. roz-ewrzeć/wierać <rozluźni-ć/ać> (zaciśniętą pięść itd.) 2. odnitow-ać/ywać

unclerical [ʌn'klerikəl] *adj* 1. nie klerykalny 2. niegodny osoby duchownej 3. świecki

unclinch [ʌn'klintʃ] = **unclench**

unclipped [ʌn'klipt] *adj* nie strzyżony

uncloak [ʌn'klouk] *vt* 1. zd-jąć/ejmować płaszcz (**sb** z kogoś); roz-ebrać/bierać z płaszcza 2. *przen* odsł-onić/aniać <ujawni-ć/ać> (zamiary itd.); z/demaskować; wyjawi-ć/ać *vi* zd-jąć/ejmować płaszcz

unclog ['ʌn'klɔg] *vt* (-gg-) odblokow-ać/ywać; od-etkać/tykać

unclose ['ʌn'klouz] *vt* 1. otw-orzyć/ierać 2. *†* wyjawi-ć/ać <ujawni-ć/ać> (tajemnicę itd.) *vi* otw-orzyć/ierać się

unclothe ['ʌn'klouð] *vt* roz-ebrać/bierać; obnaż-yć/ać *vi* roz-ebrać/bierać <obnaż-yć/ać> się *zob* **unclothed**

unclothed ['ʌn'klouðd] *zob* **unclothe** *adj* rozebrany; obnażony; nagi

uncloud ['ʌn'klaud] *vt* 1. rozpr-oszyć/aszać chmury (**the sky** na niebie) 2. *przen* rozchmurz-yć/ać (czoło)

unclubbable [ʌn'klʌbəbl] *adj* (*o człowieku*) nietowarzyski

unco ['ʌŋkou] *adj szkoc* 1. niezwykły 2. niesamowity 3. ogromny *adv* niezwykle; nadzwyczajnie; **the** ~ **guid** bigoci *s* 1. człowiek oryginał; dziwak 2. rzecz osobliwa <niezwykła>

uncock ['ʌn'kɔk] *vt* spu-ścić/szczać kurek (**a gun** strzelby) nie strzelając *zob* **uncocked**

uncocked ['ʌn'kɔkt] ① *zob* uncock ③ *adj* (*o strzelbie*) z nienaciągniętym <ze spuszczonym> kurkiem

uncog ['ʌn'kɔg] *vt* (-gg-) *techn* odczepi-ć/ać <odłącz-yć/ać> (a wheel zazębione koło)

uncoil ['ʌn'kɔil] ① *vt* odwi-nąć/jać (nawiniętą nić, linę itd.) ③ *vi* (*o wężu*) rozwi-nąć/jać <rozprostow-ać/ywać> się

uncoined ['ʌn'kɔind] *adj* (*o złocie, srebrze itd*) nie bity na monetę

uncollected ['ʌnkə'lektid] *adj* 1. nie zebrany 2. (*o przesyłce itd*) nie podjęty, nie odebrany 3. (*o podatkach*) nie ściągnięty, nie pobrany 4. (*o człowieku*) nie skupiony

uncoloured ['ʌn'kʌləd] *adj* 1. nie barwiony; bezbarwny 2. (*o opowiadaniu, sprawozdaniu itd*) bez ozdób <upiększeń>; nie koloryzowany

uncombed [ʌn'koumbd] *adj* nie uczesany

uncome-at-able ['ʌnkʌm'ætəbl] *adj pot* nieprzystępny

uncomeliness [ʌn'kʌmlinis] *adj* brak urody

uncomely [ʌn'kʌmli] *adj* nieurodziwy; nieładny

uncomfortable [ʌn'kʌmfətəbl] *adj* 1. (*o meblu, ubiorze itd*) niewygodny 2. nieprzyjemny; przykry; to make things ~ for sb a) robić komuś przykrości b) niepokoić <gnębić> kogoś; nie dawać komuś spokoju 3. (*o wiadomości itd*) przykry; niepokojący 4. (*o człowieku*) z niedobrym samopoczuciem; to be <feel> ~ a) mieć niedobre <kiepskie> samopoczucie; kiepsko <niedobrze> się czuć b) czuć się nieswojo <skrępowanym> c) być niespokojnym (about sb, sth o kogoś, coś); to make sb feel ~ zaniepokoić kogoś

uncomfortably [ʌn'kʌmfətəbli] *adv* 1. niewygodnie 2. nieprzyjemnie 3. niepokojąco

uncomforted [ʌn'kʌmfətid] *adj* nie pocieszony (przez nikogo)

uncommercial ['ʌnkə'mə:ʃəl] *adj* nie kupiecki; nie handlowy

uncommissioned ['ʌnkə'miʃənd] *adj* 1. nie upoważniony; (*o wykonanej pracy*) nie zamówiony; bez zlecenia

uncommitted ['ʌnkə'mitid] *adj* 1. (*o czynie itd*) nie popełniony 2. (*o człowieku, kraju*) nie zaangażowany

uncommon [ʌn'kɔmən] ① *adj* 1. niezwykły 2. (*o wyrazie itd*) rzadki ③ *adv pot* niezwykle; nadzwyczaj (dobry itd.)

uncommonly [ʌn'kəmənli] *adv* 1. niezwykle; nadzwyczajnie 2. rzadko; not ~ nierzadko

uncommonness [ʌn'kəmənnis] *s* niezwykłość

uncommunicative ['ʌnkə'mju:ni,keitiv] *adj* nierozmowny; małomówny; skryty

uncompanionable ['ʌnkəm'pæniənəbl] *adj* nietowarzyski

uncompensated [ʌn'kɔmpen,seitid] *adj* 1. nie skompensowany 2. (pozostający) bez odszkodowania

uncomplaining ['ʌnkəm'pleiniŋ] *adj* nie narzekający; cierpliwy

uncomplainingly ['ʌnkəm'pleiniŋli] *adv* (cierpieć itd.) bez skargi; nie narzekając

uncompleted ['ʌnkəm'pli:tid] *adj* nie dokończony

uncomplimentary ['ʌn,kɔmpli'mentəri] *adj* niepochlebny

uncomplying ['ʌnkəm'plaiiŋ] *adj* 1. (*o człowieku*) nieprzychylny 2. (*o zasadzie itd*) surowy

uncompromising [ʌn'kɔmprə,maiziŋ] *adj* bezkompromisowy

unconcealed ['ʌnkən'si:ld] *adj* nie ukryty

unconceived ['ʌnkən'si:vd] *adj* niepojęty

unconcern ['ʌnkən'sə:n] *s* 1. niefrasobliwość; beztroska; with ~ niefrasobliwie; beztrosko 2. obojętność

unconcerned ['ʌnkən'sə:nd] *adj* 1. niefrasobliwy; beztroski 2. obojętny; nie zaangażowany <nie zainteresowany> (in <with> an affair w sprawie)

unconcernedly ['ʌnkən'sə:nidli] *adv* 1. beztrosko; niefrasobliwie 2. bez zainteresowania; obojętnie; bez entuzjazmu

unconciliating ['ʌnkən'sili,eitiŋ], unconciliatory ['ʌnkən'siliətəri] *adj* nieustępliwy

uncondemned ['ʌnkən'demd] *adj* 1. nie skazany 2. nie potępiony

unconditional ['ʌnkən'diʃənl] *adj* bezwarunkowy; (przyznany itd.) bez zastrzeżeń

unconditioned ['ʌnkən'diʃənd] *adj* 1. = unconditional 2. nie uwarunkowany; *fizj* ~ reflex odruch bezwarunkowy

unconfessed ['ʌnkən'fest] *adj* 1. (*o grzechu*) nie wyznany na spowiedzi 2. (*o człowieku*) nie wyspowiadany; he died ~ umarł bez spowiedzi

unconfined ['ʌnkən'faind] *adj* 1. bezgraniczny 2. nie ograniczony <nie ograniczający się> (to sth do czegoś)

unconfirmed ['ʌnkən'fə:md] *adj* 1. nie potwierdzony 2. *rel* nie bierzmowany

unconformable ['ʌnkən'fɔ:məbl] *adj* 1. niezgodny (to sth z czymś) 2. niezależny 3. oporny 4. *geol* niezgodny, dyskordantny

unconformity ['ʌnkən'fɔ:miti] *s* 1. niezgodność; rozbieżność 2. *geol* niezgodność zalegania warstw, dyskordancja

unconfuted ['ʌnkən'fju:tid] *adj* (*o argumencie itd*) nie odparty przez nikogo

uncongealed ['ʌnkən'dʒi:ld] *adj* nie skrzepły

uncongenial ['ʌnkən'dʒi:njəl] *adj* 1. (*o człowieku*) niesympatyczny 2. (*o nastawieniu*) nieprzychylny 3. (*o klimacie*) niesprzyjający (to sth czemuś) 4. (*o zajęciu*) niewdzięczny; niemiły

uncongeniality ['ʌnkən,dʒini'æliti] *s* 1. niesympatyczne usposobienie 2. nieprzychylne nastawienie 3. nie sprzyjający charakter (klimatu itd.) 4. niewdzięczny <niemiły> charakter (zajęcia)

unconnected ['ʌnkə'nektid] *adj* nie związany; bez związku (with sb, sth z kimś, czymś); the two affairs are ~ te dwie sprawy nie są związane z sobą <nie mają z sobą nic wspólnego> 2. (*o stylu itd*) nie powiązany 3. (*o myślach itd*) bez związku

unconquerable ['ʌn'kɔŋkərəbl] *adj* 1. niezdobyty, nie do zdobycia; niepokonany; (*o trudności*) nie do pokonania 2. (*o uczuciu itd*) nieprzezwyciężony

unconquered ['ʌn'kɔŋkəd] *adj* 1. niepokonany; (*o kraju*) niezdobyty 2. (*o uczuciu, trudności itd*) nieprzezwyciężony

unconscientious ['ʌn,kɔnʃi'enʃəs] *adj* niesumienny

unconscionable [ʌn'kɔnʃnəbl] *adj* 1. (*o człowieku*) bez sumienia; bez skrupułów; ~ bargain umowa oparta na wyzysku (jednej ze stron) 2. nadmierny 3. (*o cenie*) horrendalny 4. (*o czasie*) nieprawdopodobnie długi

unconscionableness [ʌn'kɔnʃnəblnis] *s* brak sumienia <skrupułów>

unconscious [ʌn'kɔnʃəs] ① *adj* 1. (*o człowieku*) nieświadomy (of sth czegoś); to be ~ of doing sth zrobić coś nieświadomie; to be ~ of sth nie zdawać sobie sprawy z czegoś; nie wiedzieć o czymś; I am not ~ of the fact to się nie stało bez mojej wiedzy; zdaję sobie z tego sprawę; to nie jest dla mnie nowina 2. nieprzytomny; to become ~ stracić przytomność; zemdleć 3. (*o myśli itd*) podświadomy; nieświadomy; nie uświadamiany ③ *s* the ~ podświadomość

unconsciousness [ʌn'kɔnʃəsnis] *s* 1. nieświadomość 2. nieprzytomność, brak przytomności; zemdlenie, omdlenie

unconsecrated ['ʌn'kɔnsik,reitid] *adj* nie poświęcony

unconsidered ['ʌnkən'sidəd] *adj* nierozważny

unconsolable ['ʌnkən'souləbl] *adj* niepocieszony

unconstitutional ['ʌn,kɔnsti'tju:ʃnl] *adj* niekonstytucyjny; niezgodny z konstytucją

unconstrained ['ʌnkən'streind] *adj* 1. niewymuszony; naturalny; swobodny 2. spontaniczny

unconstraint ['ʌnkən'streint] *s* swoboda; niewymuszoność; naturalność

unconstricted ['ʌnkən'striktid] *adj* nieskrępowany

uncontainable ['ʌnkən'teinəbl] *adj* (*o śmiechu itd*) nie do opanowania

uncontaminated ['ʌnkən'tæmi,neitid] *adj* nie skażony

uncontemplated [ʌn'kɔntəmp,leitid] *adj* 1. nieprzewidziany; nieoczekiwany 2. niezamierzony; mimowolny

uncontested ['ʌnkən'testid] *adj* 1. (*o prawie itd*) bezsporny 2. (*o mandacie do parlamentu*) zdobyty bez walki; (*o wyborach*) odbyty bez kontrkandydatur

uncontradicted ['ʌn,kɔntrə'diktid] *adj* (wypowiedziany, wysłuchany) bez sprzeciwu; nie zaprzeczony; (*o oświadczeniu itd*) któremu nikt nie zaprzeczył

uncontrollable ['ʌnkən'trouləbl] *adj* (*o człowieku*) nieposkromiony; (*o śmiechu, ataku itd*) nie do opanowania; niepohamowany

uncontrolled ['ʌnkən'trould] *adj* nieopanowany; niepohamowany

uncontrovertible [ʌn'kɔntrə'və:təbl] *adj* bezsporny; (*o dowodzie*) niezbity

unconventional ['ʌnkən'venʃənl] *adj* 1. nie konwencjonalny; oryginalny; nieszablonowy 2. sprzeczny z przyjętym zwyczajem

unconventionality ['ʌnkən,venʃə'næliti] *s* swoboda; nieskrępowanie; nie zwracanie uwagi na konwenanse <na utarte zwyczaje>

unconversant ['ʌnkən'və:sənt] *adj* nie obznajomiony (with a subject z tematem)

unconverted ['ʌnkən'və:tid] *adj* 1. nie zamieniony; nie wymieniony 2. nie przerobiony; nie zmieniony 3. *rel* nienawrócony

unconvertible ['ʌnkən'və:təbl] *adj* niewymienny; niezamienny

unconvicted ['ʌnkən'viktid] *adj* 1. nie skazany 2. (*o oskarżonym*) któremu nie udowodniono winy

unconvinced ['ʌnkən'vinst] *adj* nie przekonany

unconvincing ['ʌnkən'vinsiŋ] *adj* nieprzekonywający

uncooked ['ʌn'kukt] *adj* 1. (*o potrawie*) nie goto-

wany <nie pieczony, nie smażony>; surowy 2. *pot* (*o rachunkach itd*) nie fałszowany

uncoop ['ʌn'ku:p] *vt* 1. wypu-ścić/szczać z kojca 2. *przen* wypu-ścić/szczać na wolność (więźnia)

unco-ordinated ['ʌnkou'ɔ:di,neitid] *adj* nie skoordynowany

uncord ['ʌn'kɔ:d] *vt* rozwiąz-ać/ywać (pakunek itd.)

uncork ['ʌn'kɔ:k] *vt* 1. odkorkow-ać/ywać 2. *pot* da-ć/wać upust (one's feelings uczuciom)

uncorrected ['ʌnkə'rektid] *adj* 1. nie poprawiony; nie skorygowany 2. (*o dziecku*) nie strofowany; nie u/karany 3. (*o działaniu*) nie zneutralizowany 4. (*o wpływie itd*) nie zneutralizowany; nie mający przeciwwagi

uncorroborated ['ʌnkə'rɔbə,reitid] *adj* nie potwierdzony

uncorroded ['ʌnkə'roudid] *adj* (*o metalu*) nie tknięty przez korozję

uncorrupted ['ʌnkə'rʌptid] *adj* 1. nie zepsuty 2. nie skorumpowany

uncountable ['ʌn'kauntəbl] *adj* 1. niezliczony 2. (*o ciałach, substancjach itd*) nie dający się policzyć

uncounted ['ʌn'kauntid] *adj* 1. nie policzony, nie wyliczony; nie uwzględniony (w rachunku, zestawieniu) 2. niezliczony

uncouple ['ʌn'kʌpl] *vt* 1. spu-ścić/szczać ze smyczy (psy) 2. odpi-ąć/nać; odczepi-ć/ać; rozczepi-ć/ać (wagony itd.); odłącz-yć/ać

uncourteous ['ʌn'kə:tiəs] *adj* nie odznaczający się kurtuazją; niegrzeczny; nieuprzejmy

uncourteousness ['ʌn'kə:tiəsnis] *s* brak kurtuazji; niegrzeczne <nieuprzejme> zachowanie <traktowanie>

uncourtly [ʌn'kɔ:tli] *adj* nie układny

uncouth [ʌn'ku:θ] *adj* 1. nieokrzesany 2. niezgrabny; niezręczny 3. (*o kraju*) dziki

uncouthness [ʌn'ku:θnis] *s* 1. nieokrzesanie 2. niezgrabność 3. dzikość

uncover [ʌn'kʌvə] ① *vt* 1. odkry-ć/wać; odsł-onić/aniać 2. z/demaskować ③ *vi* 1. uchyl-ić/ać kapelusza 2. odsł-onić/aniać się *zob* uncovered

uncovered ['ʌn'kʌvəd] ① *zob* uncover ③ *adj* 1. odkryty; odsłonięty 2. (*o człowieku*) z odkrytą głową

uncoveted ['ʌn'kʌvitid] *adj* niepożądany, nie będący przedmiotem czyjegoś pożądania

uncramped ['ʌn'kræmpt] *adj* nieskrępowany

uncredited ['ʌn'kreditid] *adj* (*o pogłosce, wydarzeniu itd*) któremu nie dają <nie dawano> wiary

uncritical ['ʌn'kritikəl] *adj* bezkrytyczny

uncropped [ʌn'krɔpt] *adj* 1. nie ścięty 2. (*o ziemi*) nie uprawiany

uncross ['ʌn'krɔs] *vt* u-łożyć/kładać prosto (skrzyżowane patyki itd.); rozprostow-ać/ywać (skrzyżowane na piersiach ręce, założone na krzyż nogi)

uncrossed ['ʌn'krɔst] ① *zob* uncross ③ *adj* 1. nie skrzyżowany 2. (*o czeku*) nie zakreślony; nie zakrzyżowany; gotówkowy 3. (*o zamiarach*) nie pokrzyżowany

uncrowded ['ʌn'kraudid] *adj* nie zatłoczony; the room was ~ na sali nie było tłoczno

uncrown ['ʌn'kraun] *vt* z/detronizować; pozbawi-ć/ać korony *zob* uncrowned

uncrowned ['ʌn'kraund] Ⅰ zob uncrown Ⅱ adj
1. zdetronizowany 2. niekoronowany

uncrushable ['ʌn'krʌʃəbl] adj 1. niemnący się; nie-
gniotący się 2. nie do zgniecenia

uncrystallized ['ʌn'kristə‚laizd] adj nie skrystali-
zowany

unction ['ʌŋkʃən] s 1. rel namaszczenie; Extreme
Unction ostatnie namaszczenie; to speak with ~
mówić z namaszczeniem; to relate sth with ~
opowiadać coś delektując się tym 2. lit poet
balsam

unctuous ['ʌŋktjuəs] adj 1. tłusty 2. obłudny

uncultivable ['ʌn'kʌltivəbl] adj (o glebie) nie nadająca się do uprawy; to be ~ nie nadawać się
pod uprawę

uncultivated ['ʌn'kʌlti‚veitid] adj 1. nieuprawny;
leżący ugorem <odłogiem> 2. (o człowieku) niekulturalny; bez kultury 3. (o roślinie) dziki

uncultured ['ʌn'kʌltʃəd] adj 1. niewykształcony;
bez wykształcenia 2. niekulturalny; bez kultury,
bez ogłady

uncurbed ['ʌn'kə:bd] adj nie hamowany

uncured ['ʌn'kjuəd] adj 1. nie leczony 2. niewy-
leczony 3. (o rybie) nie wędzony

uncurl ['ʌn'kə:l] Ⅰ vt rozkręc-ić/ać (włosy) Ⅱ vi
(o włosach, linie, węża itd) rozkręc-ić/ać się;
wyprostow-ać/ywać <rozprostow-ać/ywać> się

uncurtailed ['ʌnkə:'teild] adj nie skr-ócony/acany;
nie obcięty; (o opowiadaniu, książce itd) bez
opuszczeń

uncurtained ['ʌn'kə:tnd] adj nie zasłonięty; bez
firanek

uncushioned ['ʌn'kuʃənd] adj (o meblu) nie wy-
ścielany

uncustomary ['ʌn'kʌstəməri] adj nie będący w
zwyczaju; niezgodny z przyjętym zwyczajem;
it is ~ nie ma takiego zwyczaju

uncut ['ʌn'kʌt] adj nie przecięty; nie poprzeci-
nany

undamaged ['ʌn'dæmidʒd] adj nie uszkodzony; to
arrive ~ dojść w stanie nieuszkodzonym

undamped ['ʌn'dæmpt] adj 1. nie zawilgły; nie
zwilgotniały 2. (o dźwięku) nie tłumiony 3. (o
odwadze itd) nie umniejszony

undated ['ʌn'deitid] adj 1. nie datowany 2. nie
dający określonego terminu 3. (o życiu) nie urozmaicony

undaunted ['ʌn'dɔ:ntid] adj 1. nieposkromiony 2.
nieustraszony

undazzled ['ʌn'dæzld] adj 1. nie oślepiony (by the
light światłem) 2. przen nie olśniony; nie zachwycony

unde ['ʌndei], undee [ʌn'di:] adj herald falisty

undebarred ['ʌndə'ba:d] adj nie wykluczony (ze
społeczności itd.)

undebased ['ʌndi'beist] adj 1. nie zdewaluowany
2. nie spodlony

undebatable ['ʌndi'beitəbl] adj bezsporny

undebated ['ʌndi'beitid] adj (o wniosku itd) nie
dyskutowany; (przyjęty itd.) bez dyskusji

undecayed ['ʌndi'keid] adj nie zepsuty

undeceive ['ʌndi'si:v] vt wyprowadz-ić/ać z błędu

undecided ['ʌndi'saidid] adj 1. niezdecydowany;
niepewny 2. nie rozstrzygnięty; (o procesie) toczący się 3. (o barwie itd) nieokreślony

undecisive ['ʌndi'saisiv] adj nie rozstrzygający;
nie decydujący

undecked ['ʌn'dekt] adj nie ozdobiony; bez ozdób;
pozbawiony wszelkich ozdób

undee zob unde

undefaced ['ʌndi'feist] adj .1. (o pomniku itd) nie
okaleczony; nie obity 2. nie zeszpecony

undefeated ['ʌndi'fi:tid] adj 1. niepokonany 2.
(o projekcie itd) nie obalony 3. (o nadziei) nie
stracony; nie przekreślony

undefended ['ʌndi'fendid] adj nie broniony; (będący) bez obrony <obrońcy, obrońców>

undefiled ['ʌndi'faild] adj 1. nie zanieczyszczony;
nieskalany; nie splugawiony 2. nieskazitelny

undefinable ['ʌndi'fainəbl] adj bliżej nieokreślony; to be ~ nie dać się określić

undefined ['ʌndi'faind] adj nieokreślony; mglisty

undelayed ['ʌndi'leid] adj nie opóźniony; natychmiastowy; bezzwłoczny

undelivered ['ʌndi'livəd] adj 1. (o przesyłce, liście
itd) nie dostarczony; nie doręczony; if ~ w razie niedoręczenia <nieobecności adresata> 2. nie
uwolniony; nie oswobodzony; ~ from an evil
etc. nie uwolniony od złego itd.; ~ from capti-
vity nie oswobodzony z niewoli 3. (o mowie) nie
wygłoszony 4. (o wyroku) nie ogłoszony

undemonstrable ['ʌn'demənstrəbl] adj nie do udo-
wodnienia; to be ~ nie dać się udowodnić

undemonstrated ['ʌn'demən‚streitid] adj nie udowodniony

undemonstrative ['ʌndi'monstrətiv] adj (o człowieku) nie wylewny; nie ekspansywny; zachowujący rezerwę

undeniable ['ʌndi'naiəbl] adj niezaprzeczalny; that
is ~ nie można temu zaprzeczyć

undenominational ['ʌndi‚nomi'neiʃən] adj nie związany z żadnym wyznaniem <z którąkolwiek sek-
tą>; (o szkole) świecki

undependable ['ʌndi'pendəbl] adj 1. niesolidny;
niesłowny; he <she etc.> is ~ nie można na nim
<na niej itd.> polegać 2. (o wiadomości itd) nie-
pewny; niewiarogodny; z niepewnego źródła

undepreciated ['ʌndi'pri:ʃi‚eitid] adj nie zdepre-
cjonowany

undepressed ['ʌndi'prest] adj 1. (o człowieku) nie
zdeprymowany; nie poddający się depresji 2.
praed (o rynku towarowym) nie znajdujący się
w depresji <zastoju>

under ['ʌndə] Ⅰ praep 1. przy określaniu miejsca: pod, pode (sth czymś); ~ foot pod nogami; ~ the sun pod słońcem; na świecie; ~
the table pod stołem 2. przy oznaczaniu ruchu:
pod, pode; from ~ sth spod czegoś; ~ foot pod
nogi; ~ the sun na słońce; przen na światło
dzienne; ~ the table pod stół 3. pod wpływem
<ciężarem, działaniem> (sth czegoś); ~ a de-
lusion w błędzie; ~ a promise związany przy-
rzeczeniem; ~ corn obsiany zbożem; dany pod
zboże; ~ pain of death etc. pod karą śmierci
itd.; ~ sb's advice za czyjąś poradą; na skutek czyjejś porady; ~ sb's hand and seal podpisany i zaopatrzony w pieczęć przez kogoś;
~ sentence of death skazany na śmierć; ~ sentence of sth pod zarzutem czegoś; ~ the circumstances w tych <takich> warunkach <okolicz-
nościach>; ~ the necessity to do sth zmuszony
coś zrobić; przen ~ the rose w tajemnicy 4.
niżej <poniżej> (pewnej liczby, kwoty, wysokości, rangi, pewnego stanowiska itd.); ~ age nie-

pełnoletni; ~ **one's breath** szeptem; ~ **the castle** u stóp zamku 5. w trakcie; ~ **consideration** rozważany; ~ **construction** w budowie; ~ **discussion** omawiany; niniejszy; ~ **examination** w badaniu; badany; ~ **repair** w naprawie; w remoncie 6. za <za czasów> (króla ... itd.); pod rządami 7. według; zgodnie z (postanowieniami — traktatu itd.); stosownie do; ~ **oath** pod przysięgą; ~ **the rules of sth** według przepisów czegoś; ~ **the will of sb** według <stosownie do> czyjegoś testamentu III *adv* 1. poniżej; spodni; pod wodą 2. (*w tekście*) poniżej; w dalszym ciągu (tekstu); **as** ~ jak po/ niżej (podane) 3. w poddaństwie; pod zwierzchnictwem *Uwaga: nadaje czasownikom specyficzne znaczenie (przy nich podane)* III *attr adj* 1. dolny; spodni; niższy 2. podwładny
under- [ʌndə] *praef* 1. pod-; ~**ground** podziemny 2. dolny 3. niedo-; ~**estimate** niedoceni-ć/ać
♦**underact** [ʌndər'ækt] *vt* za/grać (rolę) słabo <*pot* blado>
underaction [ʌndər'ækʃən] *s* epizod (w opowiadaniu itd.)
underarm [ʌndər'ɑ:m] III *adj tenis* (*o serwisie*) od dołu III *adv tenis* (serwować) od dołu
underbade *zob* **underbid**
underbid [ʌndə'bid] *vt* (**underbade** [ʌndə'beid], **underbidden** [ʌndə'bidn]) 1. złożyć/składać korzystniejszą ofertę <da-ć/wać lepsze warunki> (**sb** niż ktoś) 2. *karc* nie wykorzyst-ać/ywać w licytacji (**one's hand** swojej karty <swoich kart>)
underbidden *zob* **underbid**
underbred [ʌndə'bred] *adj* 1. (*o człowieku*) niewychowany; źle wychowany 2. (*o koniu*) niepełnej krwi
underbrush [ʌndə,brʌʃ] *s* podszycie (lasu); zarośla
undercall [ʌndə'kɔ:l] = **underbid** *v* 2.
undercarriage [ʌndə'kæridʒ] *s* podwozie (wozu, samochodu, samolotu)
undercharge [ʌndə'tʃɑ:dʒ] *vt* 1. za mało po/liczyć (**sb for sth** komuś za coś); wziąć/brać zbyt niskie honorarium (**sb for sth** od kogoś za coś); za/żądać zbyt niskiego honorarium (**sb for sth** od kogoś za coś) 2. da-ć/wać zbyt słaby ładunek (**a cannon** do armaty) 3. za słabo nałado-w-ać/ywać; nie doładować (akumulatora)
underclad [ʌndə'klæd] *adj* zbyt lekko ubrany
underclay [ʌndə'klei] *s górn* glina spągowa
underclothes [ʌndə'klouðz] *spl*, **underclothing** [ʌndə,klouðiŋ] *s* 1. bielizna 2. ciepła bielizna
undercoat [ʌndə,kout] *s* 1. rodzaj serdaka 2. *plast* grunt, zagruntowanie (obrazu) 3. *zoo* puch <sierść zimowa> (zwierzęcia)
undercooling [ʌndə'ku:liŋ] *s fiz* przechłodzenie
undercroft [ʌndə,kroft] *s* 1. krypta 2. sklepienie podziemne
undercurrent [ʌndə,kʌrənt] *s* 1. prąd denny <dolny> 2. *przen* nurt (w opinii publicznej itd.); podłoże <podkład, zabarwienie> (polityczn-y/e, religijn-y/e, humoru itd.) 3. *przen* pomruk (niezadowolenia itd.)
undercut [ʌndə'kʌt] III *vt* (**undercut, undercut; undercutting** [ʌndə'kʌtiŋ]) 1. podci-ą-ć/nać; podkop-ać/ywać 2. *górn* podwrębi-ć/ać od spągu 3. sprzeda-ć/wać taniej (**sb od kogoś**) III *s* [ʌndə,kʌt] 1. *kulin* polędwica 2. *boks* uderzenie od

spodu <od dołu> 3. podcios (drzewa od strony, na którą ma być zwalone) 4. podkop
under-develop [ʌndədi'veləp] *vt fot* za słabo wywoł-ać/ywać *zob* **under-developed**
under-developed [ʌndədi'veləpt] II *zob* **under-develop** III *adj* (*o kraju*) gospodarczo zacofany <nierozwinięty>
underdo [ʌndə'du:] *vt* (**underdid** [ʌndə'did], **underdone** [ʌndə'dʌn]) 1. nie dopracow-ać/ ywać (**sth czegoś**); słabo wykon-ać/ywać 2. *kulin* nie dopie-c/kać; nie dosmaż-yć/ać *zob* **underdone**
underdog [ʌndə,dog] *s* 1. pies pokonany w walce 2. *przen* strona przegrywająca 3. człowiek upośledzony
underdone [ʌndə'dʌn] II *zob* **underdo** III *adj kulin* nie dopieczony, pół-surowy
underdose [ʌndə,dous] *s* niedostateczna dawka (lekarstwa itd.)
underdrain [ʌndə'drein] *vt* odw-odnić/adniać za pomocą rowów
underdraw [ʌndə'drɔ:] *vt* (**underdrew** [ʌndə 'dru:], **underdrawn** [ʌndə'drɔ:n]) nie położyć/ kłaść należytego nacisku (opisując coś)
underdress [ʌndə'dres] *vi* 1. nie zważać na swoją toaletę 2. zbyt lekko się ub-rać/ierać
underestimate [ʌndər'esti,meit] II *vt* 1. nie doceni-ć/ać 2. zbyt nisko o/szacować III *s* [ʌndər 'estimit] zbyt niska ocena
underestimation [ʌndər,esti'meiʃən] *s* niedoceni-enie/anie
under-expose [ʌndəriks'pouz] *vt fot* niedoświe-tl-ić/ać
under-exposure [ʌndəriks'pouʒə] *s fot* niedoświe-tl-enie/anie
underfed *zob* **underfeed**
underfeed [ʌndə'fi:d] *vt* (**underfed** [ʌndə'fed], **underfed**) 1. nie dożywi-ć/ać; nie dokarmi-ć/ać; wygł-odzić/adzać 2. *tech*n zasilać oddolnie
underflow [ʌndə'flou] *s* (*w rzece, morzu*) prąd denny <dolny>
underfoot [,ʌndə'fut] II *adv* pod nogami III *adj przen* (trzymany) pod butem
underframe [ʌndə,freim] *s kolej* podwozie
undergarment [ʌndəgɑ:mənt] *s* spodnia część garderoby (kamizelka, sweterek, koszula itd.); *pl* ~**s** bielizna (osobista)
undergird [ʌndə'gə:d] *vt* (**undergirt** [ʌndə'gə:t], **undergirt**) podpas-ać/ywać; podwiąz-ać/ywać
undergo [,ʌndə'gou] *vt* (**underwent** [,ʌndə'went], **undergone** [ʌndə'gɔn]) 1. prze-jść/chodzić (zmianę itd.); ule-c/gać (**sth czemuś**); być wystawionym <narażonym> (**sth na coś**); **to be** ~**ing repairs** być w naprawie <w remoncie> 2. odby-ć/ wać <odsi-edzieć/adywać> (karę) 3. przeży-ć/wać; dozna-ć/wać; zazna-ć/wać; przecierpieć; doświad-cz-yć/ać 4. prze-jść/chodzić (próbę); zosta-ć/wać poddanym (**a test** próbie); **to** ~ **successfully** wytrzym-ać/ywać (próbę) 5. prze-jść/chodzić (operację); podda-ć/wać się (**an operation** operacji)
undergone *zob* **undergo**
undergraduate [,ʌndə'grædjuit] II *s* student/ka III *attr* studencki
undergraduette [,ʌndə,grædju'et] *s żart* studentka
underground [ʌndə,graund] II *adj* 1. podziemny; (*o wodzie*) zaskórny 2. tajny; ukryty; **the** ~ **movement** (podziemny) ruch oporu; **the** ~ **army**

partyzanci Ⅲ *s* 1. podziemie; podglebie 2. kolej podziemna, metro 3. (podziemny) ruch oporu Ⅲ *adv* [ˌʌndə'graund] 1. (pracować itd.) pod ziemią; **from** ~ spod ziemi 2. *przen* (działać itd.) w podziemiu <w ruchu oporu, tajnie>

undergrown [ˈʌndə'groun] *adj* nie wyrosły; nie wyrośnięty; nie w pełni rozwinięty

undergrowth [ˈʌndəˌgrouθ] *s* 1. podszycie (lasu) 2. wstrzymany wzrost; niedorozwój

underhand [ˈʌndə'hænd] Ⅰ *adv* 1. (działać itd.) potajemnie; skrycie; po kryjomu 2. fałszywie; podstępnie 3. za czyimiś plecami 4. *sport* (serwować itd.) od dołu Ⅱ [ˈʌndəˌhænd] *adj* 1. tajny; 2. skryty; potajemny 3. fałszywy; oszukańczy; podstępny 4. *sport* (o piłce) serwowany <rzucony> od dołu Ⅲ *s* 1. *sport* piłka serwowana <rzucona> od dołu 2. zależność (od kogoś)

underhanded [ˌʌndə'hændid] *adj* 1. = **underhand** *adj* 2. (o zakładzie pracy) mający luki <braki> personalne <niedostateczny personel>; poszukujący pracowników

underhung [ˈʌndə'hʌŋ] *adj* 1. (o szczęce dolnej) wystający 2. (o człowieku, psie itd) mający wystającą dolną szczękę <prognatyzm>

underinflated [ˌʌndərin'fleitid] *adj* nie dopompowany, nie dosyć napompowany

underlaid *zob* **underlay²** *v*

underlain *zob* **underlie** *v*

underlay¹ *zob* **underlie** *v*

underlay² [ˌʌndə'lei] *v* (**underlaid** [ˌʌndə'leid], **underlaid**) Ⅰ *vt* 1. pod-łożyć/kładać 2. pod-e-przeć/pierać Ⅲ *vi* = **underlie** *vi* Ⅲ *s* [ˈʌndəˌlei] 1. podkład 2. *górn* podpora; stojak 3. *górn* odchylenie od pionu

underlayer [ˌʌndə'leiə] *s* warstwa dolna <spodnia>

underlease [ˈʌndə'li:s] Ⅰ *s* poddzierżawa; podnajem Ⅲ *vt* poddzierżawi-ć/ać; podnaj-ąć/mować

underlet [ˈʌndə'let] *vt* (**underlet, underlet; underletting** [ˈʌndə'letiŋ]) 1. podnaj-ąć/mować 2. wynaj-ąć/mować poniżej wartości <ze stratą>

underlie [ˌʌndə'lai] *v* (**underlay** [ˌʌndə'lei], **underlain** [ˌʌndə'lein]; **underlying** [ˌʌndə'laiiŋ]) Ⅰ *vt* 1. leżeć <znajdować się> (**sth** pod czymś) 2. być podstawą <fundamentem> (**sth** czegoś); stanowić podstawę <fundament> (**sth** czegoś) 3. (o prawdach, zasadach, myślach itd) kryć się (**sth** pod czymś); tkwić u podstaw (**sth** czegoś) 4. *handl* (o hipotece itd) mieć prawo pierwszeństwa (**sth** nad czymś) Ⅱ *vi* *górn* być nachylonym; leżeć ukośnie *zob* **underlying**

underline [ˌʌndə'lain] Ⅰ *vt* podkreśl-ić/ać (w piśmie, słownie); uwydatni-ć/ać (w mowie) Ⅲ *s* [ˈʌndəˌlain] 1. podkreślenie; kreska podkreślająca 2. zapowiedź (nowej publikacji, występu itd.) 3. podpis (pod ilustracją) 4. *pl* ~s liniuszek, ryga (podkładka liniowa pod papier do pisania)

underlinen [ˈʌndəˌlinin] *s* bielizna

underling [ˈʌndəliŋ] *s* podwładny; sługa; *pog* fagas

underlip [ˈʌndəˌlip] *s* dolna warga

underlooker [ˈʌndəˌlukə] *s* *górn* dozorca dołowy

underlying [ˌʌndəˌlaiiŋ] Ⅰ *adj* *zob* **underlie** *v* 1. zasadniczy; podstawowy 2. ukryty; niejasny

undermanned [ˈʌndə'mænd] *adj* 1. (o zakładzie pracy) mający luki <braki> personalne <niedostateczny personel>; poszukujący pracowników 2.

(o statku) mający niedostateczną załogę <luki w załodze>

undermaster [ˈʌndəˌmɑːstə] *s* pomocnik nauczyciela

undermentioned [ˈʌndə'menʃənd] *adj* niżej wymieniony; wymieniony poniżej

undermine [ˌʌndə'main] *vt* 1. z/robić podkop (**sth** pod czymś); *dosł i przen* podkop-ać/ywać (fundament, podwaliny, czyjąś wierność, zdrowie itd.); pod-erwać/rywać; **to** ~ **sth** podkopać się pod coś 2. podmy-ć/wać; podmul-ić/ać

undermost [ˈʌndəˌmoust] *adj* najniższy; znajdujący się na samym spodzie

underneath [ˌʌndə'niːθ] Ⅰ *adv* poniżej; pod spodem; pod spód; na dole; u spodu; u podstaw; **from** ~ spod spodu Ⅲ *praep* pod (czymś, coś); poniżej (czegoś); **from** ~ **sth** spod czegoś Ⅲ *adj* dolny; spodni Ⅳ *s* spód; dół

undernourished [ˈʌndəˌnʌriʃt] *adj* nie dożywiony; źle odżywi-ony/any

underpaid *zob* **underpay**

underpart [ˈʌndəˌpɑːt] *s* *teatr* podrzędna rola

underpass [ˈʌndəˌpɑːs] *s* *am* 1. podkop (pod torem itd.) 2. przejście <przejazd> podziemn-e/y

underpay [ˈʌndə'pei] *vt* (**underpaid** [ˈʌndə'peid], **underpaid; underpaying** [ˈʌndə'peiiŋ]) 1. źle wynagr-odzić/adzać; za mało zapłacić (**sb** komuś) 2. mało za/płacić (**sth** za coś)

underpin [ˌʌndə'pin] *vt* (**-nn-**) *bud* 1. pod-eprzeć/pierać; podstemplow-ać/ywać (ścianę, strop itd.) 2. podbudow-ać/ywać

underplay [ˈʌndə'plei] Ⅰ *vi* 1. *karc* pu-ścić/szczać lewę; doda-ć/wać niższą kartę 3. *teatr* grać zbyt spokojnie Ⅲ *vt* *teatr* za/grać (rolę) zbyt spokojnie

underplot [ˈʌndəˌplɒt] *s* (w utworze literackim) intryga uboczna; wątek uboczny

underpopulated [ˈʌndə'pɒpjuˌleitid] *adj* zbyt rzadko zaludniony

underprivileged [ˈʌndə'privilidʒd] *adj* (o odłamie społeczeństwa) upośledzony

underproduction [ˈʌndə-prə'dʌkʃən] *s* *ekon* 1. produkcja deficytowa 2. produkcja przy niepełnym wykorzystaniu mocy produkcyjnych

underprop [ˌʌndə'prɒp] *vt* (**-pp-**) pod-eprzeć/pierać; *bud* podstemplow-ać/ywać

underquote [ˈʌndə'kwout] *vt* *handl* za/oferować niższą cenę (**sb** niż ktoś, od kogoś)

underrate [ˌʌndə'reit] *vt* nie doceni-ć/ać

under-ripe [ˈʌndə'raip] *adj* niezupełnie dojrzały

underrun [ˌʌndə'rʌn] *vt* (**underran** [ˌʌndə'ræn], **underrun; underrunning** [ˌʌndə'rʌniŋ]) 1. przebie-c/gać (**sth** pod czymś) 2. *mar* z/badać <s/kontrolować> stan (**a cable etc.** kabla itd.) przesuwając go w rękach

underscore [ˌʌndə'skɔː] *vt* podkreśli-ć/ać

undersea [ˈʌndəˌsiː] *adj* podmorski

under-secretary [ˈʌndə'sekrətəri] *s* podsekretarz stanu; wiceminister

under-secretaryship [ˈʌndə'sekrətəriʃip] *s* stanowisko <godność, urząd> podsekretarza stanu <wiceministra>

undersell [ˈʌndə'sel] *vt* (**undersold** [ˈʌndə'sould], **undersold**) 1. sprzed-ać/awać po cenie niższej (**sb** od żądanej przez kogoś innego) 2. sprzeda-ć/wać poniżej wartości

underseller ['ʌndə'selə] *s* konkurent sprzedający (towar) po niższych cenach

underset[1] ['ʌndə,set] *s* 1. przeciwprąd podwodny 2. głęboka żyła (kruszcu)

underset[2] ['ʌndə'set] *vt* (**underset, underset; undersetting** ['ʌndə'setiŋ]) = **underprop**

under-sheriff ['ʌndə,ʃerif] *s* zastępca szeryfa

under-shirt ['ʌndə,ʃə:t] *s* podkoszulek

undershot ['ʌndə,ʃɔt] *adj* 1. (*o kole młyńskim*) podsiębierny 2. = **underhung**

underside ['ʌndə,said] *s* spód

undersign [,ʌndə'sain] *vt* podpis-ać/ywać *zob* **undersigned**

undersigned [,ʌndə'saind] [I] *zob* **undersign** [II] *adj* 1. (*o dokumencie itd*) podpisany 2. (*o człowieku*) niżej podpisany [III] *s* ['ʌndə,saind] (*zw* **the ~**) (niżej) podpisan-y/i

undersized ['ʌndə'saizd] *adj* 1. (*o człowieku*) małego wzrostu; drobny 2. (*o przedmiocie*) zbyt małych <niedostatecznych> rozmiarów

underskirt ['ʌndə,skə:t] *s* halka (pod spódniczką)

undersleeve ['ʌndə,sli:v] *s* podpinka pod rękawem

underslung [,ʌndə'slʌŋ] *adj* (*o samochodzie itd*) podwieszony

undersoil ['ʌndə,sɔil] *s* podglebie

undersold *zob* **undersell**

undersong ['ʌndə,sɔŋ] *s* 1. *muz* akompaniament 2. *muz* refren 3. *przen* ukryte znaczenie

understand [,ʌndə'stænd] *v* (**understood** [,ʌndə 'stud], **understood**) [I] *vt* 1. z/rozumieć; poj-ąć/ mować; **to ~ one another** a) rozumieć się wzajemnie b) być w dobrej komitywie; **to give sb to ~ that** __ da-ć/wać komuś do zrozumienia, że ...; **I was given to ~** dano mi do zrozumienia; **to make oneself understood in a foreign language** porozumiewać się w obcym języku; **I can make myself understood in French** mogę się porozumieć po francusku; *pot* mogę się wyjęzyczyć <dogadać> po francusku; **did I make myself understood?** czy mnie zrozumiano? 2. *w pytaniach wyrażających zdziwienie, oburzenie itd*: **do I ~ you to say <am I to ~> that** __ czy mam zrozumieć <czy dobrze zrozumiałem> że ... 3. *w zdaniu o charakterze przestrogi, groźby*: **now, ~ me** zrozum mnie dobrze; chcę żebyś mnie dobrze zrozumiał <żeby tu nie było żadnego nieporozumienia> 4. z/orientować się (**sth w czymś**) 5. wnioskować; wywnioskować (**sth from sth** coś z czegoś); przyjmować (**that** że ...); **to ~ sb to mean that** __ tłumaczyć sobie <zrozumieć>, że ktoś miał na myśli ...; **how could anyone ~ that from my words?** jak można było tak tłumaczyć <zrozumieć> moje słowa? 6. dowiadywać się (**sb, sth to be** <**that sb, sth is**> __ że ktoś, coś jest ...) 7. zda-ć/wać sobie sprawę (**that** z tego że ...) 8. znać (**one's business** swój fach); znać się (**sth na czymś**); **to ~ running a firm** umieć dobrze prowadzić interes <przedsiębiorstwo>; **to ~ how to do sth** wiedzieć jak <umieć> coś zrobić 9. *gram* domyślać się (**a word not expressed** nie dopowiedzianego wyrazu) [III] *vi* 1. rozumieć; orientować się (**about sth** w sytuacji) 2. *w zdaniu wtrąconym*: **this, I ~, is** __ o ile się nie mylę, to jest ... *zob* **understanding, understood**

understanding [,ʌndə'stændiŋ] [I] *zob* **understand** [II] *s* 1. rozum; **to have a good ~** być rozum-

nym człowiekiem; **the age of ~** wiek dojrzały 2. zdolność pojmowania; **it is beyond my ~** to jest dla mnie niepojęte 3. zrozumienie 4. (należyte) wytłumaczenie (zdania itd.) 5. zrozumienie się wzajemne (**between parties** stron) 6. orientowanie się (**of a question** w danej sprawie); **I have some ~ of the situation** orientuję się trochę w sytuacji 7. porozumienie; umowa 8. warunek; zastrzeżenie; **on the ~ that** __ pod warunkiem, że ...; z tym (jednak), że ...; **on the distinct ~ that** __ z tym wyraźnym zastrzeżeniem, że ... 9. wyrozumiałość; **to be full of ~** być bardzo wyrozumiałym 10. *pl* **~s** *pot żart* stopy; nogi; buciki; obuwie [III] *adj* 1. pełen wyrozumiałości; wyrozumiały 2. rozumny; rozsądny

understandingly [,ʌndə'stændiŋli] *adv* 1. ze zrozumieniem 2. porozumiewawczo

understate ['ʌndə'steit] *vt* skromnie przedstawi-ć/ ać (fakty itd.); nie uwydatni-ć/ać (**sth** czegoś); umniejsz-yć/ać

understatement ['ʌndə'steitmənt] *s* skromne przedstawi-enie/anie <umniejsz-enie/anie> (faktów itd.); niedomówienie

understock ['ʌndə'stɔk] *vt* niedostatecznie zaopat--rzyć/rywać w towar (sklep itd.)

understood [,ʌndə'stud] *zob* **understand** [III] *adj* 1. zrozumiany 2. umówiony; **it is ~ that** __ rozumie się (samo przez się), że ...; jest rzeczą (samo przez się) zrozumiałą, że ... 3. *gram* (*o wyrazie w zdaniu itd*) domyślny; niedopowiedziany; opuszczony

understrapper ['ʌndə,stræpə] *s* podrzędny funkcjonariusz; *pot* urzędniczyna

understratum ['ʌndə'stra:təm] *s* (*pl* **understrata** ['ʌndə'stra:tə]) podłoże

understudy ['ʌndə,stʌdi] [I] *vt* (**understudied** ['ʌndə,stʌdid], **understudied**; **understudying** ['ʌndə,stʌdiiŋ]) *teatr* 1. na/uczyć się (**a part** roli) aby dublować innego aktora 2. dublować (rolę) 3. zast-ąpić/ępować (aktora) [II] *s teatr* aktor zastępujący innego aktora <dublujący rolę>

undertake [,ʌndə'teik] *v* (**undertook** [,ʌndə'tuk], **undertaken** [,ʌndə'teikn]) [I] *vt* 1. przedsię--wziąć/brać; pod-jąć/ejmować się (**sth** czegoś) 2. wyrusz-yć/ać (**a journey** w podróż) 3. wziąć/ brać na siebie (odpowiedzialność itd.); zobowiąz-ać/ywać się (**to do sth** do zrobienia czegoś); pod-jąć/ejmować się (**to do sth** wykonania czegoś) 4. ręczyć <zaręczać> (**that** __ że ...) [II] *vi* 1. *†* ręczyć (**for sb, sth** za kogoś, coś) 2. *pot* prowadzić <mieć> zakład pogrzebowy *zob* **undertaking**

undertaken *zob* **undertake**

undertaker ['ʌndə,teikə] *s* właściciel zakładu pogrzebowego; **at the ~'s** w zakładzie pogrzebowym; **~'s man** karawaniarz

undertaking [,ʌndə'teikiŋ] [I] *zob* **undertake** *v* [II] *s* 1. przedsięwzięcie 2. przedsiębiorstwo 3. zakład pogrzebowy 4. zobowiązanie; obietnica; przyrzeczenie

undertenancy ['ʌndə'tenənsi] *s* = **underlease** *s*

undertenant ['ʌndə'tenənt] *s* poddzierżawca; sublokator

undertimed ['ʌndə'taimd] *adj fot* nie doświetlony

undertint ['ʌndə,tint] *s plast* półton (barwy)

undertone ['ʌndə,toun] *s* 1. = **undertint** 2. półszept; **in an ~** (mówić) półszeptem <półgłosem> 3. pomruk/i (niezadowolenia itd.)

undertook *zob* **undertake**

undertow ['ʌndə,tou] *s* 1. cofająca się fala (morska) 2. = **underset**[1]

undertrick ['ʌndə,trik] *s karc* wpadka

undertrump ['ʌndə'trʌmp] *vt karc* przebić zbyt słabym atutem

undervaluation ['ʌndə,vælju'eiʃən] *s* 1. zbyt niskie oszacowanie 2. niedoceni-enie/anie

undervalue ['ʌndə'vælju:] *vt* 1. za nisko o/szacować 2. niedoceni-ć/ać

undervest ['ʌndə,vest] *s* kamizelka

underviewer ['ʌndə,viuə] *s górn* 1. dozorca dołowy 2. sztygar

underwater ['ʌndə,wɔ:tə] *attr* podwodny

underwear ['ʌndə,wɛə] *s* bielizna

underweight ['ʌndə,weit] Ⅰ *s* oszukanie na wadze; niedowaga Ⅱ *adj* (o towarze) nie doważony

underwent *zob* **undergo**

underwing ['ʌndə,wiŋ] *s zoo* 1. wstęgówka (ćma) 2. skrzydło tylne (owada)

underwood ['ʌndə,wud] *s* podszycie (lasu)

underwork ['ʌndə'wə:k] Ⅰ *vt* 1. nie wymagać należytej pracy (**sb** od kogoś) 2. wykon-ać/ywać pracę za zapłatą niższą (**sb** od kogoś, niż ktoś inny pobiera) Ⅱ *vi* 1. niedostatecznie pracować 2. pracować za zapłatą niższą od obowiązujących stawek Ⅲ *s* ['ʌndə,wə:k] niepełnowartościowa praca

underworld ['ʌndə,wə:ld] *s* 1. świat zmarłych, Hades, zaświaty 2. męty społeczne; świat podziemi 3. *poet* antypody

underwrite ['ʌndə'rait] *v* (**underwrote** ['ʌndə'rout], **underwritten** ['ʌndə'ritn]) Ⅰ *vt* 1. za/asekurować; przyj-ąć/mować do ubezpieczenia 2. za/gwarantować kupno nie sprzedanych akcji (**a company etc.** towarzystwa itd.) 3. podpis-ać/ywać Ⅱ *vi* trudnić się ubezpieczeniami morskimi

underwriter ['ʌndə,raitə] *s* 1. agent ubezpieczeniowy 2. ubezpieczyciel; asekurator 3. *pl* ~**s** towarzystwo ubezpieczeniowe 4. *giełd* subskrybent 5. gwarant; poręczyciel

underwritten *zob* **underwrite**

underwrote *zob* **underwrite**

undescribable ['ʌndis'kraibəbl] *adj* nie dający się opisać; nie do opisania

undescried ['ʌndis'kraid] *adj* nie dostrzeżony, nie zauważony

undeserved ['ʌndi'zə:vd] *adj* 1. niezasłużony 2. (o zarzucie itd) niesłuszny

undeserving ['ʌndi'zə:viŋ] *adj* 1. (o człowieku) bez zasług 2. (o rzeczy, czynie itd) nie zasługujący (**of mention etc.** na wzmiankę itd.)

undesigned ['ʌndi'zaind] *adj* 1. nie planowany; nie ukartowany 2. nieoczekiwany 3. nie zamierzony

undesigning ['ʌndi'zainiŋ] *adj* nie intrygujący; nie knujący

undesirable ['ʌndi'zaiərəbl] Ⅰ *adj* 1. niepożądany; niedogodny 2. nieprzyjemny Ⅱ *s* człowiek niepożądany; *pl* ~**s** (o ludziach) element niepożądany

undesirous ['ʌndi'zaiərəs] *adj* nie pragnący (**of sth** czegoś); nie mający <nie wykazujący> ochoty (**of sth** na coś; **of doing sth** zrobienia czegoś)

undespairing ['ʌndis'pɛəriŋ] *adj* nie tracący nadziei; nie poddający się rozpaczy

undetachable ['ʌndi'tætʃəbl] *adj* (o części maszyny itd) nie do zdejmowania; przytwierdzony <zamocowany> na stałe

undetected ['ʌndi'tektid] *adj* niezauważony

undetermined ['ʌndi'tə:mind] *adj* 1. nieokreślony 2. (o sprawie) nie rozstrzygnięty 3. (o człowieku) niezdecydowany

undeterred ['ʌndi'tə:d] *adj* 1. nie zniechęcony 2. niezachwiany

undeveloped ['ʌndi'veləpt] *adj* 1. nie rozwinięty 2. (o glebie) nieuprawny 3. (o terenach podmiejskich) nie zabudowany 4. *fot* (o kliszy itd) nie wywołany

undeviating [ʌn'di:vi,eitiŋ] *adj* 1. (o drodze itd) nie zbaczający; prosty 2. (o człowieku) wierny; niezawodny

undid *zob* **undo**

undies ['ʌndiz] *spl pot* bielizna (damska)

undifferentiated ['ʌn,difə,renʃi'eitid] *adj* 1. nie zróżnicowany 2. *mat* nie zróżniczkowany

undiffused ['ʌndi'fju:zd] *adj* nie rozproszony

undigested ['ʌndi'dʒestid] *adj* 1. (o pożywieniu) nie strawiony 2. (o utworze literackim itd) nie dopracowany 3. (o wiadomościach) nie przyswojony; chaotyczny

undigestible ['ʌndi'dʒestəbl] *adj* niestrawny

undignified [ʌn'digni,faid] *adj* 1. (o czynie, postępowaniu itd) niegodny; **that would be ~** to by uchybiało (mojej, twojej itd.) godności 2. (o człowieku) bez godności; zachowujący się niegodnie

undiluted ['ʌndai'lju:tid] *adj* nie rozpuszczony (wodą itd.); nie rozwodniony; nie rozrzedzony; nie rozcieńczony

undiminished ['ʌndi'miniʃt] *adj* nie zmniejszony; nie mniejszy; (o ciężarze, sile itd) taki sam, ten sam; nie uszczuplony

undimmed [ʌn'dimd] *adj* 1. nie przyćmiony; (o świetle) pełny 2. nie zamazany 3. nie zamglony

undine ['ʌndi:n] *s* wodnica; rusałka; nimfa wodna

undiplomatic ['ʌn,diplə'mætik] *adj* niedyplomatyczny; nieroztropny

undirected ['ʌndi'rektid] *adj* 1. nie wycelowany; nie kierowany 2. nie mający wskazówek <dyrektyw>

undiscernible ['ʌndi'sə:nəbl] *adj* niedostrzegalny

undiscerning ['ʌndi'sə:niŋ] *adj* 1. (o umyśle) nie przenikliwy; nie bystry 2. (o człowieku) nieroztropny; nierozważny 3. pozbawiony sprytu, naiwny

undischarged ['ʌndis'tʃa:dʒd] *adj* 1. (o broni palnej, baterii elektrycznej itd) nie rozładowany 2. (o człowieku) nie zwolniony (z posady, wojska itd.); nie uwolniony (**of an obligation** od spełnienia obowiązku) 3. (o obowiązku) nie spełniony 4. (o długu) nie uiszczony; nie spłacony; *prawn* ~ **bankrupt** dłużnik, w stosunku do którego nie uchylono upadłości

undisciplined [ʌn'disiplind] *adj* niezdyscyplinowany; niekarny; rozpuszczony

undisclosed ['ʌndis'kłouzd] *adj* nieujawniony; nie wyjawiony

undiscomfited ['ʌndis'kʌmfitid] *adj* niezmieszany; niespeszony

undisconcerted [ˈʌnˌdiskənˈsəːtid] *adj* niezmieszany; nie zbity z tropu

undiscouraged [ˈʌndisˈkʌridʒd] *adj* nie zniechęcony

undiscovered [ˈʌndisˈkʌvəd] *adj* nie odkryty; (*o lądach itd*) nie zbadany

undiscriminated [ˈʌndisˈkrimiˌneitid] *adj* traktowany na równi z innymi <bez dyskryminacji>

undiscriminating [ˈʌndisˈkrimiˌneitiŋ] *adj* nie odróżniający (dobrego od lichego); niewybredny

undiscriminatingly [ˈʌndisˈkrimiˌneitiŋli] *adv* bez różnicy

undiscussed [ˈʌndisˈkʌst] *adj* nie dyskutowany; (przyjęty itd.) bez dyskusji

undisguised [ˈʌndisˈgaizd] *adj* 1. nie maskowany 2. nie ukryty; nieukrywany

undisguisedly [ˈʌndisˈgaizidli] *adv* otwarcie; szczerze; nic nie ukrywając; bez ogródek

undisheartened [ˈʌndisˈhaːtənd] *adj* nie zniechęcony; nie tracący ducha

undisillusioned [ˈʌnˌdisiˈluːʒənd] *adj* nie rozczarowany; o niestraconych złudzeniach; mający złudzenia

undismayed [ˈʌndisˈmeid] *adj* bez strachu; bez obaw/y

undispatched [ˈʌndisˈpætʃt] *adj* 1. (*o liście itd*) nie wysłany 2. (*o sprawie*) nie załatwiony

undispersed [ˈʌndisˈpəːst] *adj* nie rozproszony

undisplayed [ˈʌndisˈpleid] *adj* nie wyjawiony; ukrywany; ukryty

undisposed [ˈʌndisˈpouzd] *adj* 1. niesklonny (**to do sth** do zrobienia czegoś) 2. (*o towarze*) ~ **of** nie sprzedany

undisputable [ˈʌndisˈpjuːtəbl] *adj* niezaprzeczalny, bezsporny

undisputed [ˈʌndisˈpjuːtid] *adj* niezaprzeczony; bezprzeczny, bezsporny

undissembling [ˈʌndiˈsembliŋ] *adj* szczery; otwarty; nie ukrywający swych uczuć

undissolved [ˈʌndiˈzɔlvd] *adj* 1. (*o substancji itd*) nie rozpuszczony 2. nie rozcieńczony 3. (*o parlamencie, umowie itd*) nie rozwiązany

undistilled [ˈʌndisˈtild] *adj* nie destylowany

undistinguishable [ˈʌndisˈtiŋgwiʃəbl] *adj* 1. nie do rozpoznania 2. niedostrzegalny

undistracted [ˈʌndisˈtræktid] *adj* (*o człowieku*) działający z nierozproszoną <ze skupioną> uwagą; **he spoke ~ by the noise which his opponents made** mówił ze skupioną uwagą mimo hałasu, jaki czynili jego przeciwnicy

undistributed [ˈʌndisˈtribjutid] *adj* nie rozdzielony; *log* ~ **middle** nie rozłożony termin średni

undisturbed [ˈʌndisˈtəːbd] *adj* 1. (*o spokoju, śnie itd*) niezakłócony 2. (*o człowieku*) nie zaniepokojony; spokojny; **he worked on ~** pracował dalej nie przeszkadzając sobie 3. (*o przedmiocie*) nie ruszony; w nienaruszonym porządku <stanie>

undisturbedly [ˈʌndisˈtəːbidli] *adv* w największym spokoju; **here I can work ~** tu mogę pracować bez zakłóceń

undiversified [ˈʌndiˈvəːsiˌfaid] *adj* nie urozmaicony

undivided [ˈʌndiˈvaidid] *adj* 1. niepodzielny; cały; całkowity 2. nie rozdzielony 3. (*o przyjaciołach itd*) nierozdzielny 4. (*o opinii itd*) jednomyślny

undivorsed [ˈʌndiˈvɔːst] *adj* nie rozwiedziony

undivulged [ˈʌndiˈvʌldʒd] *adj* nie ujawniony; nie wyjawiony

undo [ˈʌnˈduː] (**undid** [ˈʌnˈdid], **undone** [ˈʌnˈdʌn]) *vt* 1. z/niweczyć; obr-ócić/acać w niwecz 2. przekreśl-ić/ać (to co się stało); naprawi-ć/ać (zło); **what is done cannot be undone** co się stało to się nie odstanie 3. rozwiąz-ać!/ywać; odwiąz--ać/ywać; rozpi-ąć/nać; odpi-ąć/nać; s/pruć; rozpru-ć/wać; **to ~ a parcel** otworzyć paczkę 4. z/gubić <z/rujnować, z/niszczyć> (kogoś); doprowadz-ić/ać (kogoś) do ruiny <do upadku> 5. anulować, unieważni-ć/ać *zob* **undoing, undone**

undock [ˈʌnˈdɔk] *vt* wyprowadz-ić/ać z doku (statek)

undoer [ˈʌnˈduə] *s* sprawca (czyjejś) zguby

undoing [ˈʌnˈduiŋ] ① *zob* **undo** *v* ② *s* zguba; ruina; **to one's ~** ku własnej <swojej> zgubie; **that was his ~** to go zgubiło

undone [ˈʌnˈdʌn] ① *zob* **undo** *v* ③ *adj* 1. nie zrobiony; nie załatwiony; nie spełniony; **to leave ~** nie zrobić; nie załatwić; nie spełnić 2. niedokończony, nieukończony 3. (*o człowieku*) zgubiony; **I'm ~** już po mnie 4. rozwiązany, odwiązany; rozpięty; odpięty; spruty, rozpruty; **to come ~** rozwiąz-ać/ywać <odwiąz-ać/ywać, rozpi-ąć/nać, odpi-ąć/nać, rozpru-ć/wać> się

undoubted [ʌnˈdautid] *adj* niewątpliwy; nie ulegający wątpliwości; bezsporny

undoubtedly [ʌnˈdautidli] *adv* niewątpliwie; z pewnością; zapewne

undraw [ʌnˈdrɔː] (**undrew** [ʌnˈdruː], **undrawn** [ʌnˈdrɔːn]) *vt* 1. odsu-nąć/wać (firankę itd.) 2. przesu-nąć/wać

undreaded [ʌnˈdredid] *adj* nie wzbudzający strachu

undreamed [ʌnˈdriːmd], **undreamt** [ʌnˈdremt] *adj* ~ **of** nie do pomyślenia; nieprawdopodobny; **it was ~ of** to się nikomu nie śniło; to nikomu na myśl nie przyszło

undress [ˈʌnˈdres] ① *vt* 1. roz-ebrać/bierać 2. odbandażow-ać/ywać (ranę) ② *vi* roz-ebrać/bierać się; zd-jąć/ejmować odzież z siebie *zob* **undressed** ③ *s* 1. (kobiecy) strój domowy 2. negliż; (*o kobiecie*) **in ~** a) w stroju domowym b) w negliżu; roznegliżowana 3. *wojsk* (*także* ~ **uniform**) mundur służbowy

undressed [ˈʌnˈdrest] ① *zob* **undress** *v* ③ *adj* 1. rozebrany 2. nie spreparowany; nie przyrządzony; w surowym stanie; surowy 3. (*o kamieniu, drewnie*) nie o/ciosany; (*o dłużycy*) nie okorowany 4. *kulin* nie garnirowany 5. (*o ranie*) opatrzony, bez opatrunku 6. (*o wystawie sklepowej*) nie urządzony 7. (*o dziczyźnie*) nie wypatroszony 8. (*o zabitym, upolowanym zwierzęciu*) z niezdjętą skórą

undrilled [ˈʌnˈdrild] *adj* 1. (*o rekrutach*) nie wy/ćwiczony, nie wy/szkolony 2. (*o płycie metalowej itd*) nie świdrowany

undrinkable [ˈʌnˈdriŋkəbl] *adj* nie (nadający się) do picia

undue [ˈʌnˈdjuː] *adj* 1. nadmierny; przesadny; zbytni; *prawn* **use of ~ authority** nadużycie władzy 2. nielegalny, bezprawny; ~ **influence** zastraszenie; (nieprawny) nacisk 3. niewłaściwy 4. (*o wekslu*) (jeszcze) nie przypadający do zapłaty; (wykupiony itd.) przed terminem płatności

undulant ['ʌndjulənt] *adj* falujący; *med* ~ **fever** gorączka falująca <maltańska>

undulate ['ʌndju‚leit] ① *vt* nada-ć/wać ruch <kształt> falisty (**sth** czemuś) ② *vi* 1. falować 2. być falistym; mieć kształt <powierzchnię> falist-y/ą *zob* **undulating** ③ *adj* ['ʌndjulit] falisty; falujący

undulating ['ʌndju‚leitiŋ] ① *zob* **undulate** *v* ② *adj* = **undulate** *adj*

undulation [‚ʌndju'leiʃən] *s* falowanie

undulatory ['ʌndjulətəri] *adj* 1. = **undulate** *adj* 2. *fiz* the ~ **theory of light** falowa teoria światła

unduly ['ʌn'dju:li] *adv* 1. nadmiernie; przesadnie; zbytnio 2. niesłusznie; bezprawnie

unduteous [ʌn'dju:tiəs], **undutiful** ['ʌn'dju:tiful] *adj* niepomny swych obowiązków

undutifully ['ʌn'dju:tifuli] *adv* w sposób niegodny syna <męża itd.>

undyed [ʌn'daid] *adj* nie farbowany

undying [ʌn'daiiŋ] *adj* 1. nieśmiertelny 2. dozgonny

unearned ['ʌn'ə:nd] *adj* 1. niezasłużony 2. nie zapracowany; nie pochodzący z pracy zarobkowej; ~ **increment** dochód nie pochodzący z pracy <pochodzący z kapitałów, rent itd.>

unearth ['ʌn'ə:θ] *vt* 1. odgrzeb-ać//ywać; ekshumować 2. wygrzeb-ać/ywać; wykop-ać//ywać 3. odkry-ć/wać 4. wydoby-ć/wać <wyciąg-nąć/ać> na światło dzienne 5. wypł-oszyć/aszać z nory (lisa itd.)

unearthly ['ʌn'ə:θli] *adj* 1. nieziemski 2. niesamowity; nieprawdopodobny; niemożliwy; *pot* nie z tej ziemi; **at an ~ hour** niesamowicie wcześnie <późno> 3. (*o hałasie itd*) piekielny

uneasiness [ʌn'i:zinis] *s* 1. niepokój 2. zażenowanie; zakłopotanie

uneasy [ʌn'i:zi] *adj* 1. (*o człowieku, śnie itd*) niespokojny; ~ **conscience** nieczyste sumienie 2. (*o myśli itd*) niepokojący; (*o uczuciu*) niepokoju; **to be ~ about sb, sth** niepokoić się <martwić się> o kogoś, coś; **to be ~ in one's mind about sb, sth** nie mieć spokoju z powodu kogoś, czegoś; **to make sb ~** a) za/niepokoić kogoś b) wprawi-ć/ać kogoś w zakłopotanie 3. zażenowany; (*o uśmiechu*) zażenowania 4. (*o sytuacji*) krępujący; nieprzyjemny

uneatable ['ʌn'i:təbl] *adj* niejadalny; nie (nadający się) do jedzenia

uneaten ['ʌn'i:tn] *adj* nie zjedzony; niedojedzony; **to leave ~** zostawić na talerzu; nie dojeść

uneclipsed ['ʌn-i'klipst] *adj* nie zaćmiony

uneconomic ['ʌn‚i:kə'nɔmik] *adj* 1. nieekonomiczny 2. (*o pracy itd*) niepopłatny

uneconomical ['ʌn‚i:kə'nɔmikəl] *adj* 1. = **uneconomic** 2. nieoszczędny

unedited ['ʌn'editid] *adj* 1. (*o tekście*) wydany bez komentarzy 2. (*o utworze*) nie wydany, nieopublikowany

uneducated [ʌn'edju‚keitid] *adj* 1. niewykształcony; bez wykształcenia 2. (*o wymowie itd*) niedbały; używany przez ludzi niewykształconych

uneffaced ['ʌn-i'feist] *adj* niestarty; niezatarty; niewytarty; niewymazany

uneffected ['ʌn-i'fektid] *adj* nie dokonany; nie zrealizowany

unembarassed ['ʌn-im'bærəst] *adj* nie zażenowany; nie skrępowany

unembittered ['ʌn-im'bitəd] *adj* 1. nierozgoryczony 2. (*o tonie itd*) bez goryczy; pozbawiony (wszelkiej) goryczy

unemotional ['ʌn-i'mouʃnl] *adj* 1. nieskłonny <nieskory> do wzruszeń; niewrażliwy; niepobudliwy 2. nie przejawiający <nie zdradzający> swych uczuć

unemphatic ['ʌn-im'fætik] *adj* (wypowiedziany) bez emfazy <bez nacisku>

unemployable [‚ʌnim'plɔiəbl] ① *adj* 1. niezdolny do pracy 2. nie posiadający kwalifikacji ② *s* osoba niezdolna do pracy

unemployed ['ʌnim'plɔid] ① *adj* 1. niezatrudniony; bezrobotny; **bez pracy** 2. (*o pieniądzach itd*) nie zużytkowany; niewykorzystany ② *spl* **the ~** bezrobotni ③ *attr* (*o zasiłku itd*) dla bezrobotnych

unemployment ['ʌnim'plɔimənt] *s* bezrobocie; ~ **insurance** ubezpieczenie na wypadek bezrobocia; ~ **benefit** <*am* **compensation**> zasiłek dla bezrobotnych

unenclosed ['ʌn-in'klouzd] *adj* niezamknięty; nieogrodzony

unencumbered ['ʌn-in'kʌmbəd] *adj* 1. nie skrępowany (**by** <**with**> **sth** czymś) 2. (*o majątku*) nie obdłużony <wolny od obciążeń, z czystą hipoteką>

unended [ʌn'endid] *adj* niedokończony

unending [ʌn'endiŋ] *adj* bezustanny; nie kończący się; (*o skargach itd*) wieczny

unendingly [ʌn'endiŋli] *adv* bezustannie; bez końca; wiecznie; wciąż

unendorsed ['ʌn-in'dɔ:st] *adj* 1. nie żyrowany 2. (*o podaniu itd*) nie posiadający poparcia (**by sb** czyjegoś)

unendowed ['ʌn-in'daud] *adj* nie mający dotacji

unendurable ['ʌn-in'djuərəbl] *adj* nie do zniesienia; przechodzący wytrzymałość ludzką

unengaged ['ʌn-in'geidʒd] *adj* 1. (*o człowieku*) nie zajęty; wolny 2. niczym nie związany 3. (*o pokoju, mieszkaniu itd*) wolny

unengaging ['ʌn-in'geidʒiŋ] *adj* (*o człowieku*) niepociągający; niesympatyczny

un-English ['ʌn'iŋgliʃ] *adj* 1. (*o zachowaniu itd*) niegodny Anglika; sprzeczny ze zwyczajem angielskim 2. (*o mowie, zdaniu itd*) nie w duchu języka angielskiego; obcy duchowi języka angielskiego

unenjoyable [‚ʌn-in'dʒɔiəbl] *adj* nie sprawiający <nie dający> przyjemności; niemiły

unenlightened ['ʌnin'laitənd] *adj* nieoświecony

unenlightening ['ʌnin'laitŋiŋ] *adj* nic nie wyjaśniający

unenlivened ['ʌn-in'laivənd] *adj* mało <niczym nie> ożywiony

unentangled ['ʌn-in'tæŋgld] *adj* nie powikłany; nie zagmatwany

unenterprising ['ʌn'entə‚praiziŋ] *adj* mało przedsiębiorczy; (*o człowieku*) bez inicjatywy

unentertaining ['ʌn‚entə'teiniŋ] *adj* nie zajmujący; nie interesujący

unentitled ['ʌn-in'taitld] *adj* 1. nie upoważniony 2. (*o artykule itd*) bez tytułu

unenviable ['ʌn'enviəbl] *adj* 1. niegodny zazdrości 2. nie do pozazdroszczenia

unenvying ['ʌn'enviiŋ], **unenvious** ['ʌn'enviəs] *adj* niezawistny

unequable ['ʌn'ekwəbl] *adj* (*o usposobieniu*) nierówny; zmienny

unequal ['ʌn'i:kwəl] *adj* 1. nierówny 2. rozmaity 3. nie na wysokości (**to a task** zadania); **to be** <feel> ~ **to doing sth** nie czuć się na siłach zrobić coś 4. niejednostajny; niemiarowy; niewyrównany; nieregularny 5. niesymetryczny

unequalled ['ʌn'i:kwəld] *adj* niezrównany

unequipped ['ʌn-i'kwipt] *adj* nie wyposażony; ~ **for sth** nie przygotowany na coś; nie zabezpieczony przed czymś (zimnem itd.)

unequivocal ['ʌn-i'kwivəkl] *adj* niedwuznaczny; jasny; wyraźny

uneradicated ['ʌn-i'rædi,keitid] *adj* niewykorzeniony

unerring ['ʌn'ə:riŋ] *adj* 1. nieomylny 2. niezawodny 3. precyzyjny 4. (*o ciosie*) dobrze wymierzony, celny

unescapable ['ʌn-is'keipəbl] *adj* nieunikniony

unescorted ['ʌn-is'kɔ:tid] *adj* 1. nie eskortowany; bez eskorty 2. (*o kobiecie*) bez towarzystwa męskiego

unessential ['ʌn-i'senʃəl] [I] *adj* nieistotny; nieważny [II] *s* **the** ~ (*także pl* **the** ~**s**) sprawy nieistotne

unestablished ['ʌn-is'tæbliʃt] *adj* nieustalony; niestwierdzony

uneven ['ʌn'i:vn] *adj* 1. nierówny 2. (*o powierzchni*) chropowaty 3. (*o drodze*) wyboisty 4. (*o liczbie*) nieparzysty 5. niejednolity 6. zmienny

unevenness ['ʌn'i:vnnis] *s* 1. nierówność; ~ **of temper** nierówne usposobienie 2. wyboistość (drogi) 3. niejednolitość 4. zmienność

uneventful ['ʌn-i'ventful] *adj* nie urozmaicony <nie zakłócony> żadnymi wypadkami <incydentami>; spokojny; jednostajny

unexacting ['ʌn-ig'zæktiŋ] *adj* niewymagający

unexamined ['ʌn-ig'zæmind] *adj* nie zbadany; nie poddany badaniu <egzaminowi>

unexampled [,ʌn-ig'za:mpld] *adj* bezprzykładny; bez precedensu; niezrównany

unexcelled ['ʌn-iks'eld] *adj* nieprześcigniony

unexceptionable [,ʌn-ik'sepʃnəbl] *adj* bez zarzutu; nienaganny

unexcited ['ʌn-ik'saitid] *adj* spokojny; niewzruszony; **he listened** ~ słuchał bez emocji

unexciting ['ʌn-ik'saitiŋ] *adj* nie emocjonujący; monotonny; jednostajny; nieciekawy

unexcusable ['ʌn-iks'kju:zəbl] *adj* nie do wybaczenia; nie do darowania

unexecuted ['ʌn'eksi,kju:tid] *adj* 1. nie wykonany 2. *prawn* (*o dokumencie*) nieważny; nieformalny

unexemplified ['ʌn-ig'zempli,faid] *adj* niezrównany; bezprzykładny

unexhausted ['ʌnig'zɔ:stid] *adj* niewyczerpany

unexpectant ['ʌniks'pektənt] *adj* nie oczekujący <nie spodziewający się> (niczego); zaskoczony

unexpected ['ʌniks'pektid] [I] *adj* niespodziewany; nieoczekiwany; nagły [II] *s* **the** ~ niespodzianki; rzeczy nieoczekiwane

unexperienced ['ʌn-iks'piəriənst] *adj* 1. (*o uczuciu itd*) nigdy nie zaznany 2. = **inexperienced**

unexpired ['ʌn-iks'paiəd] *adj* 1. (*o terminie itd*) niewygasły 2. (*o dokumencie itd*) jeszcze ważny

unexplained ['ʌniks'pleind] *adj* niewytłumaczony; niewyjaśniony

unexploded ['ʌn-iks'ploudid] *adj* (*o pocisku*) nie rozerwany; **an** ~ **shell** niewypał

unexplored ['ʌniks'plɔ:d] *adj* (*o kraju*) nie zbadany

unexposed ['ʌniks'pouzd] *adj* 1. nie wystawiony <nie narażony> (**to sth** na coś) 2. *fot* (*o kliszy itd*) nie naświetlony 3. (*o zbrodni itd*) nie ujawniony

unexpressed ['ʌn-iks'prest] *adj* 1. nie wypowiedziany 2. *gram* domyślny

unexpressible ['ʌniks'presibl] *adj* nie do wypowiedzenia

unexpurgated ['ʌn'ekspə:,geitid] *adj* (*o książce, wydaniu itd*) nie okrojony; nie skrócony; bez skreśleń; (*o ustępie w książce itd*) nie usunięty

unfading [ʌn'feidiŋ] *adj* 1. (*o kwiatach*) nie więdnący 2. (*o farbie, materiale itd*) nie blaknący, nie płowiejący; trwały 3. (*o wspomnieniach itd*) niezatarty 4. (*o sławie*) nie przyćmiony; nie gasnący

unfailing [ʌn'feiliŋ] *adj* 1. niezawodny; pewny 2. (*o źródle itd*) niewyczerpany

unfair [ʌn'feə] *adj* 1. niesprawiedliwy 2. nielojalny 3. krzywdzący 4. (*o konkurencji*) nieczysty brudny, nieuczciwy 5. (*o grze*) nie przepisowy; sprzeczny z przepisami; *przen* nieszlachetny

unfaithful ['ʌn'feiθful] *adj* 1. niewierny 2. wiarołomny; ~ **to sb** nielojalny wobec kogoś; **to be** ~ **to one's wife** <husband> zdradz-ić/ać żonę <męża> 3. (*o sprawozdaniu, tłumaczeniu itd*) nieścisły

unfaltering [ʌn'fɔ:ltəriŋ] *adj* 1. (*o głosie*) nie załamujący się; pewny 2. (*o odwadze*) nie słabnący

unfamiliar ['ʌnfə'miljə] *adj* 1. nieznany; obcy; nowy 2. nie obznajomiony (**with sth** z czymś); **to be** ~ **with sth** a) nie znać czegoś b) słabo coś znać; słabo orientować się w czymś

unfashionable ['ʌn'fæʃnəbl] *adj* niemodny

unfashioned ['ʌn'fæʃənd] *adj* nie obrobiony, surowy

unfasten ['ʌn'fa:sn] *vt* 1. odczepi-ć/ać; odwiąz-ać/ywać; odpi-ąć/nać; odryglow-ać/ywać; **to come** ~**ed** odczepi-ć/ać <odwiąz-ać/ywać, odpi-ąć/nać> się 2. rozluźni-ć/ać; **to come** ~**ed** rozluźni-ć/ać się

unfatherly ['ʌn'fa:ðəli] *adj* niegodny ojca

unfathomable [ʌn'fæðəməbl] *adj* 1. niezgłębiony 2. (*o dali*) bezkresny

unfathomed [ʌn'fæðəmd] *adj* niezbadany

unfavourable ['ʌn'feivərəbl] *adj* 1. niepomyślny; niesprzyjający; nieżyczliwy; nieprzychylny 2. ujemny

unfeasible [ʌn'fi:zəbl] *adj* niewykonalny

unfed ['ʌn'fed] *adj* 1. niedożywiony 2. (będący) na czczo 3. (*o bydle*) nie nakarmiony

unfeeling [ʌn'fi:liŋ] *adj* 1. bez czucia 2. (*o człowieku*) bez serca; pozbawiony uczuć; okrutny

unfeigned [ʌn'feind] *adj* niekłamany

unfermented ['ʌn-fə'mentid] *adj* niesfermentowany

unfertile ['ʌn'fə:tail] *adj* nieżyzny; nieurodzajny

unfertilized ['ʌn'fə:ti,laizd] *adj* niezapłodniony

unfetter ['ʌn'fetə] *vt* rozwiąz-ać/ywać więzy (**sb**

komuś); uw-olnić/alniać z pęt; rozpęt-ać/ywać (konia) *zob* **unfettered**

unfettered ['ʌn'fetəd] Ⓘ *zob* **unfetter** *v* Ⅲ *adj* nieskrępowany

unfilled ['ʌn'fild] *adj* 1. niezapełniony 2. nienapełniony 3. (*o posadzie, miejscu itd*) nie zajęty, wakujący

unfinished ['ʌn'finiʃt] *adj* 1. niedokończony 2. niewykończony; niedopracowany; *pot* nie doszlifowany 3. (*o towarze*) w stanie półsurowym 4. niekompletny

unfit ['ʌn'fit] Ⓘ *adj* 1. niestosowny 2. nie nadający się ‹niezdatny› (**for sth** do czegoś); **meat etc.** ~ **to eat** mięso itd. nie (nadające się) do z/jedzenia; **water** ~ **to drink** woda niezdatna do picia 3. (*o człowieku*) niezdolny (**for sth, for doing sth** do czegoś, do zrobienia czegoś); nie nadający się (**for** _ na ... — jakieś stanowisko itd.) 4. (*o człowieku*) słabego zdrowia; niedysponowany; nie w stanie (**for doing sth** robić coś) Ⅲ *s* człowiek niezdolny do niczego; niedołęga; *pot* fujara Ⅲ *vt* ['ʌn'fit] (**-tt-**) u/czynić niezdolnym (**sb for sth** kogoś do czegoś); **to** ~ **a tool for use** sprawi-ć/ać, że narzędzie nie nadaje się do użytku *zob* **unfitted, unfitting**

unfitness ['ʌn'fitnis] *s* 1. niestosowność 2. niezdatność 3. niezdolność (**for sth** do czegoś) 4. słabe zdrowie; niedyspozycja

unfitted [ʌn'fitid] Ⓘ *zob* **unfit** *v* Ⅲ *adj* 1. niezdatny; nie nadający się (**for sth** do czegoś); **to be** ~ **for sth** ‹**to do sth**› nie nadawać się do czegoś ‹do zrobienia czegoś› 2. nie zaopatrzony (**with sth** w coś)

unfitting [ʌn'fitiŋ] Ⓘ *zob* **unfit** *v* Ⅲ *adj* niestosowny; **it is not** ~ **that** _ jest rzeczą słuszną, aby ...

unfittingly [ʌn'fitiŋli] *adv* niestosownie; **not** ~ nie bez słuszności: nie bez racji

unfix ['ʌn'fiks] Ⓘ *vt* odczepi-ć/ać; odłącz-yć/ać Ⅲ *vi* (*także* **to get** ~**ed**) odczepi-ć/ać ‹odłącz-yć/ać› się *zob* **unfixed**

unfixed ['ʌn'fikst] Ⓘ *zob* **unfix** *v* Ⅲ *adj* 1. nie przytwierdzony; nie zamocowany; nie przyczepiony; luźny 2. nieustalony 3. (*o człowieku*) niezdecydowany 4. *fot* (*o kliszy itd*) nieutrwalony

unflagging ['ʌn'flægiŋ] *adj* 1. niezmordowany 2. (*o zainteresowaniu itd*) niesłabnący

unflattering ['ʌn'flætəriŋ] *adj* niepochlebny (**to sb** dla kogoś)

unflavoured ['ʌn'fleivəd] *adj kulin* niezaprawiony

unfledged ['ʌn'fledʒd] *adj* 1. (*o ptaku*) nieopierzony 2. *przen* niedoświadczony; niedojrzały

unfleshed ['ʌn'fleʃt] *adj* 1. (*o psie*) nie zaprawiony do zapachu krwi 2. *przen* niedoświadczony; nie wypróbowany

unfleshly [ʌn'fleʃli] *adj* nie zmysłowy, duchowy

unflinching [ʌn'flintʃiŋ] *adj* 1. niezachwiany 2. stoicki

unflinchingly [ʌn'flintʃiŋli] *adv* 1. niezachwianie 2. ze stoickim spokojem

unfold ['ʌn'fould] Ⓘ *vt* 1. rozwi-nąć/jać 2. odsł-onić/aniać; wyjawi-ć/ać; odkry-ć/wać; wy-łożyć/kładać (teorię itd.) 3. zwierz-yć/ać się (**one's troubles etc.** ze swych trosk itd.) Ⅲ *vi* (*także* ~ **oneself**) 1. rozwi-nąć/jać ‹rozpo-strzeć/ścierać› się; **a lovely view** ~**ed itself before me** piękny

widok roztaczał się przede mną ‹ukazał się moim oczom› 2. ujawni-ć/ać się; wy-jść/chodzić na jaw

unforbearing ['ʌnfɔ:'beəriŋ] *adj* niewyrozumiały; nie pobłażający

unforced [ʌn'fɔ:st] *adj* niewymuszony; swobodny; naturalny

unfordable [ʌn'fɔ:dəbl] *adj* nie do przebycia w bród

unforeseeable ['ʌnfɔ:'si:əbl] *adj* nie(możliwy) do przewidzenia

unforeseeing ['ʌnfɔ:'si:iŋ] *adj* nieprzezorny; nieprzewidujący; krótkowzroczny

unforeseen ['ʌnfɔ:'si:n] *adj* nieprzewidziany

unforgettable ['ʌnfə'getəbl] *adj* niezapomniany

unforgetting ['ʌnfə'getiŋ] *adj* pamiętliwy

unforgivable ['ʌnfə'givəbl] *adj* niewybaczalny; nie do darowania

unforgiven ['ʌnfə'givən] *adj* 1. (*o czynie*) nie wybaczony 2. (*o człowieku*) nie rozgrzeszony

unforgiving ['ʌnfə'giviŋ] *adj* bezlitosny; zawzięty

unforgotten ['ʌnfə'gotn] *adj* niezapomniany

unformed [ʌn'fɔ:md] *adj* 1. nieukształtowany; niekształtny 2. bezkształtny

unfortified ['ʌn'fɔ:ti,faid] *adj* nie obwarowany; (*o mieście*) otwarty

unfortunate [ʌn'fɔ:tʃnit] Ⓘ *adj* 1. nieszczęśliwy; pechowy; **to be** ~ **enough** ‹**so** ~ **as**› **to** _ mieć nieszczęście ‹pecha› że ... (się coś zrobiło, powiedziało itd.) 2. (*o wydarzeniu itd*) niepomyślny; niefortunny; godny pożałowania; **it is** ~ **that** _ szkoda, że ...; **how** ~! jaka szkoda! 3. (*o wypowiedzi itd*) niefortunny 4. (*o wypadku itd*) przykry Ⅲ *s* 1. nieszczęśliwy człowiek; pechowiec 2. upadła kobieta

unfortunately [ʌn'fɔ:tʃnitli] *adv* 1. nieszczęśliwie; niefortunnie; pechowo 2. niestety; na nieszczęście

unfounded ['ʌn'faundid] *adj* 1. nieuzasadniony; bezpodstawny 2. *fin* nie fundowany

unframed ['ʌn'freimd] *adj* (*o obrazie*) nie oprawiony, bez oprawy

unfreeze ['ʌn'fri:z] *v* (**unfroze** ['ʌn'frouz], **unfrozen** ['ʌn'frouzn]) Ⓘ *vt* odmr-ozić/ażać Ⅲ *vi* od/tajać

unfrequent ['ʌn'fri:kwənt] *adj* nieczęsty

unfrequented ['ʌnfri:'kwentid] *adj* nieuczęszczany; znajdujący się na uboczu

unfriended ['ʌn'frendid] *adj* (*o człowieku*) pozbawiony ‹bez› przyjaciół

unfriendliness ['ʌn'frendlinis] *s* nieprzyjaźń ‹nieżyczliwość, wrogość› (**towards sb, sth** w stosunku do kogoś, czegoś)

unfriendly [ʌn'frendli] *adj* 1. nieprzyjazny; wrogi; wrogo usposobiony (**towards sb, sth** do kogoś, czegoś) 2. niepomyślny

unfrock ['ʌn'frok] Ⓘ *vt* pozbawi-ć/ać godności duchownej; przen-ieść/osić do stanu świeckiego (duchownego, zakonnika) Ⅲ *vr* ~ **oneself** zrzuc-ić/ać habit ‹sutannę›

unfroze *zob* **unfreeze**

unfrozen *zob* **unfreeze**

unfruitful ['ʌn'fru:tful] *adj* 1. jałowy; bezpłodny 2. bezowocny; daremny

unfulfilled ['ʌnful'fild] *adj* niespełniony

unfurl [ʌn'fɜ:l] Ⓘ *vt* rozwi-nąć/jać; rozpo-strzeć/ścierać Ⅲ *vi* rozpo-strzeć/ścierać się

unfurnished ['ʌn'fə:niʃt] *adj* 1. (*o pokoju, mieszkaniu*) nie umeblowany 2. nie zaopatrzony (**with sth** w coś)

ungainliness [ʌn'geinlinis] *s* niezgrabność; niezdarność; nieruchawość

ungainly [ʌn'geinli] *adj* niezgrabny; niezdarny; nieruchawy

ungarbled ['ʌn'gɑ:bld] *adj* (*o tekście itd*) nie zniekształcony

ungear [ʌn'giə] *vt* 1. rozłącz-yć/ać 2. *auto* wyłącz-yć/ać sprzęgło (**sth** czegoś)

ungenerous ['ʌn'dʒənərəs] *adj* nie odznaczający się hojnością; skąpy; sknerowaty

ungenteel [ʌn'dʒenti:l] *adj* niestosowny; w złym tonie; **it is ~ to __** nie wypada ...

ungentlemanlike [ʌn'dʒentlmən͵laik], **ungentlemanly** [ʌn'dʒentlmənli] *adj* 1. niedżentelmeński; niehonorowy 2. niekulturalny

un-get-at-table ['ʌnget'ætəbl] *adj* niedostępny

ungifted [ʌn'giftid] *adj* nie utalentowany

ungird ['ʌn'gə:d] *vt* (*praet* **ungirded** ['ʌn'gə:did], **ungirt** ['ʌn'gə:t], *pp* **ungirded, ungirt**) odpi-ąć/nać; odpas-ać/ywać

unglazed ['ʌn'gleizd] *adj* 1. nieoszklony 2. nie glazurowany

ungloved ['ʌn'glʌvd] *adj* bez rękawiczek

unglue ['ʌn'glu:] *vt* odkle-ić/jać

ungodly [ʌn'gɔdli] *adj* 1. bezbożny; grzeszny 2. *pot* skandaliczny

ungovernable [ʌn'gʌvənəbl] *adj* 1. (*o dziecku itd*) niesforny; krnąbrny; nieposkromiony 2. (*o namiętności, usposobieniu itd*) nieopanowany

ungraceful ['ʌn'greisful] *adj* bez wdzięku; bez gracji; niezgrabny; niezdarny

ungracious ['ʌn'greiʃəs] *adj* 1. (*o zadaniu itd*) niewdzięczny; niemiły 2. niechętny 3. (*o człowieku, postępowaniu itd*) nieuprzejmy; niegrzeczny

ungrammatical ['ʌngrə'mætikəl] *adj* nie gramatyczny; niepoprawny (gramatycznie)

ungrateful ['ʌn'greitful] *adj* niewdzięczny

ungratefulness [ʌn'greitfulnis] *s* niewdzięczność

ungratified [ʌn'græti͵faid] *adj* nie zaspokojony; (*o życzeniu, marzeniu itd*) nie spełniony

ungreased ['ʌn'gri:zd] *adj* nienasmarowany; nienaoliwiony

ungrounded [͵ʌn'graundid] *adj* bezpodstawny; nieuzasadniony

ungrudging ['ʌn'grʌdʒiŋ] *adj* hojny; szczodry

ungrudgingly ['ʌn'grʌdʒiŋli] *adv* hojną ręką; nie szczędząc

ungual ['ʌŋgjuəl] *adj* 1. *anat* paznokciowy 2. *zoo* pazurowy

unguarded ['ʌn'gɑ:did] *adj* 1. nie chroniony; nie strzeżony; *karc* (*o królu itd*) nie obstawiony; *pot* goły 2. (*o człowieku*) nie mający się na baczności; niebaczny 3. zaskoczony; **an ~ moment** chwila nieuwagi 4. (*o odezwaniu się itd*) nieopatrzny; nierozważny

unguent ['ʌŋgwənt] *s farm* maść

unguiculate [ʌŋ'gwikjulit] *adj* 1. *bot* paznokciowy (płatek) 2. *zoo* pazurzysty

unguis ['ʌŋgwis] *s* 1. *anat* paznokieć 2. *zoo* pazur 3. *bot* (w koronie wielopłatkowej) paznokieć

ungula ['ʌŋgjulə] *s* (*pl* **angulae** ['ʌŋgju͵li:]) 1. *geom* stożek ukośnie ścięty 2. = **unguis**

ungulate ['ʌŋgjulit] *adj zoo* kopytny

ungum ['ʌn'gʌm] *vt* (-mm-) odkle-ić/jać

unhackneyed ['ʌŋ'hæknid] *adj* nie oklepany; (*o dowcipie itd*) nowy; świeży

unhair ['ʌn'hɛə] *vt garb* odwł-osić/aszać (skórę)

unhallowed [ʌn'hæloud] *adj* 1. nie poświęcony 2. bezbożny

unhampered ['ʌn'hæmpəd] *adj* nieskrępowany; swobodny; **to advance ~** posuwać się naprzód nie trafiając na przeszkody <bez przeszkód>

unhand [ʌn'hænd] *vt †* wypu-ścić/szczać z rąk

unhandsome [ʌn'hænsəm] *adj* nieładny

unhandy [ʌn'hændi] *adj* 1. niezręczny; niezgrabny; niezdarny 2. nieporęczny

unhang ['ʌn'hæŋ] *vt* (**unhung** ['ʌn'hʌŋ], **unhung**) 1. zd-jąć/ejmować (draperię itd.) 2. (**unhanged** ['ʌn'hæŋd], **unhanged**) odci-ąć/nać (wisielca) *zob* **unhanged**

unhanged ['ʌn'hæŋd] [I] *zob* **unhang** *v* [III] *adj* (jeszcze) nie powieszony; **a rogue ~** łotr, który uniknął stryczka <uszedł rąk kata>

unhappily [ʌn'hæpili] *adv* 1. nieszczęśliwie; pechowo 2. niepomyślnie 3. niefortunnie 4. na nieszczęście; niestety

unhappiness [ʌn'hæpinis] *s* 1. nieszczęście 2. niedola 3. zmartwienie; zgryzota

unhappy [ʌn'hæpi] *adj* 1. nieszczęśliwy; pechowy 2. zmartwiony; unieszczęśliwiony 3. niepomyślny; nieszczęsny 4. niefortunny; nieudany

unhardened ['ʌn'hɑ:dnd] *adj* 1. nie hartowany 2. nie zahartowany

unharmed ['ʌn'hɑ:md] *adj* 1. nieuszkodzony; nienaruszony 2. (*o człowieku*) nietknięty; **he was ~** nic nie ucierpiał; wyszedł (z tego) bez szwanku <bez obrażeń, cało>; **he is ~** jest cały i zdrów

unharness ['ʌn'hɑ:nis] *vt* wyprz-ąc/ęgać

unhatched ['ʌn'hætʃt] *adj* (*o jaju*) nie wysiedziany

unhealthy [ʌn'helθi] *adj* 1. niezdrowy 2. (*o popędach itd*) chorobliwy 3. *sl wojsk* niebezpieczny

unheard [ʌn'hə:d] *adj* 1. nie wysłuchany 2. nie usłyszany; **he went out ~** wyszedł tak, że go nikt nie słyszał; nikt nie słyszał, jak wychodził 3. nie przesłuchany; **to condemn sb ~** skazać kogoś bez przesłuchania 4. (*o prośbie itd*) nie spełniony 5. **~ of** niesłychany; nieprawdopodobny 6. (*o przyrządzie, wynalazku, zajściu itd*) **~ of** nieznany; o którym się nie słyszało 7. (*o zajściu itd*) **~ of** niebywały; nie spotykany; bez precedensu

unheated [ʌn'hi:tid] *adj* nie ogrzewany

unheeded [ʌn'hi:did] *adj* 1. nie zauważony 2. (*o przestrodze itd*) zlekceważony

unheeding [ʌn'hi:diŋ] *adj* 1. nieuważny 2. obojętny (**of sth** na coś)

unhelped [ʌn'helpt] *adj* nie wspomagany; **to do sth ~** zrobić coś bez niczyjej pomocy

unhelpful [ʌn'helpful] *adj* nieprzydatny

unheralded [ʌn'herəldid] *adj* nie zapowiedziany; **to walk in ~** wejść bez zapowiedzi

unhesitating [ʌn'hezi͵teitiŋ] *adj* nie wahający się; stanowczy; zdecydowany; **~ he threw the jewels into the sea** nie wahając się wrzucił klejnoty do morza

unhesitatingly [ʌn'hezi͵teitiŋli] *adv* (zrobić, powiedzieć itd.) bez wahania; nie wahając się

unhewn [ʌn'hju:n] *adj* 1. (*o kamieniu, drewnie*) nie ociosany 2. (*o dłużycy*) nie okorowany 3. (*o stylu itd*) surowy; nie doszlifowany

unhindered [ʌn'hindəd] *adj* nie napotykający przeszkód; nie natykający się na żadne przeszkody; **to do sth** ~ zrobić coś nie napotykając przeszkód; **he did it** ~ on zrobił to nie natknąwszy się na (żadne) przeszkody; **to pass** ~ prze-jść/ chodzić bez przeszkód <swobodnie>

unhinge [ʌn'hindʒ] *vt* 1. zd-jąć/ejmować z zawiasów 2. rozstr-oić/ajać; wytrąc-ić/ać z równowagi; **his mind is** ~**d** (on) stracił rozum; pomieszało mu się w głowie

unhitch ['ʌn'hitʃ] *vt* 1. odczepi-ć/ać 2. wyprz-ąc/ęgać (konia)

unholy [ʌn'houli] *adj* 1. (*o człowieku*) bezbożny 2. piekielny; diabelski 3. *pot* (*o awanturze, bałaganie itd*) niesamowity; nieprawdopodobny; nie z tej ziemi

unhonoured [ʌn'ɔnəd] *adj* nie uszanowany

unhook [ʌn'huk] *vt* odhacz-yć/ać; odczepi-ć/ać; rozczepi-ć/ać; **to come** ~**ed** odhacz-yć/ać <rozczepi-ć/ać> się

unhoped [ʌn'houpt] *adj* ~ **for** niespodziewany; nieoczekiwany

unhorse ['ʌn'hɔːs] *vt* zrzuc-ić/ać z konia; wysadz-ić/ać z siodła

unhung [ʌn'hʌŋ] Ⅰ *zob* unhang *v* Ⅲ *adj* 1. nie zawieszony 2. (*o sali itd*) nie ozdobiony draperiami; (*o ścianach*) nie wytapetowany

unhurt ['ʌn'həːt] *adj* nie uszkodzony; bez szwanku; bez obrażeń; **to escape** ~ wyjść cało (z wypadku itd.)

unhusk ['ʌn'hʌsk] *vt* wy/łuskać

unhygienic ['ʌnhaɪ'dʒiːnik] *adj* niehigieniczny

uni- ['juːni] *praef* jedno-

Uniat ['juːni͵æt] *s rel* unita

uniaxial ['juːni'æksiəl] *adj* jednoosiowy

unicameral ['juːni'kæmərəl] *adj polit* jednoizbowy

unicapsular ['juːni'kæpsjulə] *adj bot* jednotorebkowy

unicellular ['juːni'seljulə] *adj biol* jednokomórkowy

unicolour(ed) ['juːni'kʌlə(d)] *adj* jednobarwny

unicorn ['juːni͵kɔːn] *s* 1. jednorożec; jednoróg 2. = ~**-fish** 3. zaprzęg trójkowy

unicorn-fish ['juːni͵kɔːn͵fiʃ], **unicorn-whale** ['juːni͵kɔːn͵weil] *s zoo* narwal (wieloryb)

unidentified ['ʌn-ai'denti͵faid] *adj* 1. niezidentyfikowany 2. (*o sprawcy*) nieznany

unidiomatic ['ʌn͵idiə'mætik] *adj* nieidiomatyczny

unification [͵juːnifi'keiʃən] *s* 1. zjednoczenie; unifikacja 2. ujednolicenie

uniflorous ['juːni'flɔːrəs] *adj bot* jednokwiatowy

unifoliate ['uːni'fouliit] *adj bot* jednolistny

♦**uniform** ['juːni͵fɔːm] Ⅰ *adj* 1. jednolity; **to make** ~ ujednolic-ić/ać 2. jednostajny; jednaki; **to make** ~ ujednostajni-ć/ać Ⅲ *s* mundur; **in** ~ w mundurze; umundurowany

uniformed ['juːni͵fɔːmd] *adj* umundurowany

uniformity [͵juːni'fɔːmiti] *s* 1. jednolitość; ujednolicenie 2. jednostajność; ujednostajnienie

unify ['juːni͵fai] *vt* (**unified** ['juːni͵faid], **unified**; **unifying** ['juːni͵faiiŋ]) 1. z/jednoczyć 2. ujednolic-ić/ać

unilateral ['juːni'lætərəl] *adj* jednostronny

unilluminating ['ʌni'ljuːmi͵neitiŋ] *adj* nic nie wyjaśniający

unillustrious ['ʌni'lʌstriəs] *adj* nieznany; (*o pisarzu itd*) pomniejszy; niczym się nie wyróżniający

unilobate ['juːni'loubeit] *adj bot* jednopłatkowy

unilocular ['juːni'lɔkjulə] *adj bot* jednokomorowy

unimaginable [͵ʌni'mædʒinəbl] *adj* nie do pomyślenia; nieprawdopodobny

unimaginative ['ʌni'mædʒinətiv] *adj* pozbawiony wyobraźni; prozaiczny

unimpaired ['ʌnim'pεəd] *adj* nieuszkodzony; nienaruszony; nie osłabiony; **with one's faculties** ~ w pełni władz umysłowych; **her mind is** ~ ona jest jeszcze w pełni władz umysłowych

unimpassioned ['ʌnim'pæʃənd] *adj* beznamiętny

unimpeachable ['ʌnim'piːtʃəbl] *adj* nienaganny; bez zarzutu; bez skazy

unimpeeded ['ʌnim'piːdid] *adj* 1. nie zatrzymany przez nikogo 2. = unhindered

unimportance ['ʌnim'pɔːtəns] *s* błahość

unimportant ['ʌnim'pɔːtənt] *adj* małoważny; błahy; bez znaczenia

unimpressed ['ʌnim'prest] *adj* obojętny; niewzruszony

unimprovable ['ʌnim'pruːvəbl] *adj* nie dający się udoskonalić <ulepszyć>; nie nadający się do udoskonalenia <ulepszenia>

unimproved ['ʌnim'pruːvd] *adj* nie poprawiony; nie udoskonalony; nie ulepszony; bez żadnych poprawek <udoskonaleń, ulepszeń>

unimpugnable ['ʌnim'pjuːnəbl] *adj* bez zarzutu; nienaganny

uninfected ['ʌnin'fektid] *adj* nie zarażony

uninflammable ['ʌnin'flæməbl] *adj* niepalny

uninflected ['ʌnin'flektid] *adj* (*o języku*) bez fleksji; (*o wyrazie*) nieodmienny

uninfluenced ['ʌn'influənst] *adj* wolny od obcych wpływów; (*o opinii*) niezależny

uninfluential ['ʌn-influ'enʃl] *adj* niewpływowy; **he is** ~ on nie ma wpływów

uninformed ['ʌnin'fɔːmd] *adj* nie powiadomiony; nie poinformowany (**of sth** o czymś); **to be** ~ **of sth** nie wiedzieć o czymś; być nieświadomym czegoś

uninhabitable ['ʌnin'hæbitəbl] *adj* nie nadający się do zamieszkania

uninhabited ['ʌnin'hæbitid] *adj* 1. niezamieszkały 2. pustynny

uninitiated ['ʌni'niʃi͵eitid] *adj* niewtajemniczony

uninjured ['ʌn'indʒəd] *adj* nieuszkodzony; **to escape** ~ wyjść cało <bez szwanku>

uninominal ['juːni'nɔminəl] *adj* jednoimienny; ~ **voting** głosowanie indywidualne

uninspired ['ʌnin'spaiəd] *adj* (*o stylu itd*) bez natchnienia; banalny

uninstructed ['ʌn-in'strʌktid] *adj* 1. nie kształcony 2. nie pouczony; **to do sth** ~ zrobić coś nie otrzymawszy instrukcji

uninsured ['ʌnin'ʃuəd] *adj* nie ubezpieczony (**against sth** od czegoś)

unintelligent ['ʌnin'telidʒənt] *adj* 1. nierozumny 2. nieinteligentny; ograniczony

unintelligible ['ʌnin'telidʒəbl] *adj* niezrozumiały

unintended ['ʌnin'tendid] *adj* 1. nie zamierzony 2. = unintentional

unintentional ['ʌnin'tenʃnl] *adj* mimowolny

uninterested ['ʌn'intristid] *adj* nie wykazujący (żadnego) zainteresowania; obojętny; (słuchający itd.) bez zainteresowania

uninteresting ['ʌn'intristiŋ] *adj* nieciekawy; nie interesujący; nudny

unintermitting [ˌʌnˌintəˈmitiŋ] *adj* nieprzerwany; ciągły

uninterpreted [ˈʌninˈtəːpritid] *adj* nie tłumaczony; nie interpretowany; (podany itd.) bez interpretacji

uninterrupted [ˈʌnˌintəˈrʌptid] *adj* nieprzerwany; bezustanny; ciągły; (trwający itd.) bez przerwy

uninterruptedly [ˈʌnˌintəˈrʌptidli] *adv* nieprzerwanie; ciągle; bezustannie; bez przerwy

unintimidated [ˈʌn-inˈtimiˌdeitid] *adj* nie zastraszony

unintoxicating [ˈʌninˈtɔksiˌkeitiŋ] *adj* (*o napoju itd*) nie alkoholizowany; nie odurzający

uninuclear [ˈjuːniˈnjuːkliə] *adj biol* jednojądrowy

uninventive [ˈʌninˈventiv] *adj* nie pomysłowy

uninvested [ˈʌninˈvestid] *adj* (*o kapitale*) nie zainwestowany; nie ulokowany

uninvited [ˈʌninˈvaitid] *adj* nie zaproszony; nieproszony; **to come ~** przyjść bez zaproszenia

uninviting [ˈʌninˈvaitiŋ] *adj* nie zachęcający; nieapetyczny

uninvolved [ˈʌn-inˈvɔlvd] *adj* niezaangażowany

union [ˈjuːnjən] *s* 1. zjednoczenie; jedność; zrzeszenie; wspólnota; połączenie; przyłączenie; **to effect** <bring about> **a ~** zjednoczyć; po/łączyć; *am* **~ suit** kombinezon bieliźniany; **~ cloth** tkanina półjedwabna <półwełniana> 2. *polit* zjednoczenie; związek; unia; **Union of Soviet Socialist Republics** Związek Socjalistycznych Republik Rad; **the Union** Zjednoczone Królestwo (Anglii i Szkocji; Anglii, Szkocji i Irlandii); *am* **the Union** Stany Zjednoczone Ameryki Północnej; **the Union Jack** a) flaga <bandera> brytyjska b) godło Zjednoczonego Królestwa (w górnym lewym rogu bandery brytyjskiej); **to hoist the Union Jack down** wywie-sić/szać flagę <banderę> godłem na dół (na znak grożącego niebezpieczeństwa) 3. związek (małżeński) 4. harmonia; zgoda 5. klub, zrzeszenie 6. związek zawodowy; trade-union; **~ regulations** przepisy związkowe; **~ hours** godziny pracy zatwierdzone przez związek zawodowy; **~ card** legitymacja związkowa; *am* **~ shop** zakład pracy zatrudniający tylko członków związku zawodowego <w którym obowiązują przepisy związkowe> 7. *techn* złącze; złączka (rurowa) 8. *hist* połączenie parafii w celu udzielania opieki społecznej; **~ workhouse** przytułek połączonych parafii

unionism [ˈjuːnjəˌnizəm] *s* 1. trade-unionizm 2. *am* wierność dla Unii Stanów Zjedn. A.P.

unionist [ˈjuːnjənist] *s* 1. członek związku zawodowego; pracownik należący do trade-unionu 2. *polit hist* przeciwnik niezależności Irlandii 3. *am* stronnik Unii Stanów

uniparous [juˈnipərəs] *adj* (*o zwierzęciu*) rodzący tylko jedno małe na raz

unipetalous [ˈjuːniˈpetələs] *adj bot* (*o koronie kwiatu*) jednopłatkowy

unipersonal [ˈjuːniˈpəːsn̩l] *adj gram teol* jednoosobowy

uniplanar [ˈjuːniˈpleinə] *adj geom* jednopłaszczyznowy

unipolar [ˈjuːniˈpoulə] *adj* jednobiegunowy

unique [juːˈniːk] ⊡ *adj* 1. jedyny w swym rodzaju; niezrównany; bezkonkurencyjny 2. wyjątkowy; rzadki 3. *pot* znakomity; niezwykły; wybitny ⊡ *s* unikat

uniqueness [juːˈniːknis] *s* 1. wyjątkowość; rzadkość 2. wyróżnianie się

unisexual [ˈjuːniˈseksjuəl] *adj biol* jednopłciowy

unison [ˈjuːnizn] *s* 1. *muz* unison; **in ~** w unisonie, unisono 2. zgoda; **to act in ~** działać zgodnie

unissued [ˈʌnˈisjuːd] *adj* nie wydany; nie emitowany

⧊**unit** [ˈjuːnit] *s* 1. jednostka; **~ price** cena jednostkowa 2. *am* jedność; *am polit* **~ rule** zasada, na podstawie której wszyscy delegaci głosują na kandydata większości 3. *techn* zespół; mechanizm; agregat 4. *techn* element; część 5. *wojsk* jednostka 6. całość; **as one ~** jako jedna część; jako całość

Unitarian [ˌjuːniˈtɛəriən] ⊡ *s* unitarianin; antytrynitariusz ⊡ *adj* unitariański

unitary [ˈjuːnitəri] *adj* 1. jednostkowy 2. jednolity

unite [juːˈnait] ⊡ *vt* z/łączyć; po/łączyć; z/jednoczyć ⊡ *vi* 1. z/łączyć <po/łączyć, z/jednoczyć> się; **my wife and children ~ with me in sending you our best wishes** moja żona i dzieci dołączają swe życzenia do moich; **to ~ in doing sth** wspólnie <wspólnym wysiłkiem> coś zrobić 2. *dosł i przen* (*o rzekach, partiach itd*) zl-ać/ewać się 3. *med* (*o złamanej kości*) zr-óść/astać się *zob* **united**

⧊**united** [juːˈnaitid] ⊡ *zob* **unite** *v* ⊡ *adj* 1. połączony; łączny; wspólny; **~ we stand, divided we fall** w jedności siła 2. *polit* (*o Królestwie, Stanach, Narodach itd*) Zjednocz-ony/one

unitive [ˈjuːnitiv] *adj* jednoczący; łączący

unity [ˈjuːniti] *s* 1. jedność; **~ is strength** w jedności siła; **the dramatic unities** jedność akcji, czasu i miejsca 2. jednolitość 3. jednostka 4. zgoda; harmonia; **in <at> ~** w zgodzie; w dobrej komitywie 5. *prawn* **~ of possession** wspólne posiadanie

univalence [juːˈnivələns], **univalency** [juːˈnivələnsi] *s chem* jednowartościowość

univalent [juːˈnivələnt] *adj chem* jednowartościowy

univalve [ˈjuːniˌvælv] *adj* (*o mięczaku*) jednoskorupowy

⧊**universal** [ˌjuːniˈvəːsəl] ⊡ *adj* 1. powszechny 2. uniwersalny 3. wszechświatowy; ogólnoświatowy; (*o języku itd*) światowy 4. ogólny ⊡ *s* pojęcie ogólne

universalism [ˌjuːniˈvəːsəˌlizəm] *s filoz* uniwersalizm

universality [ˌjuːnivəˈsæliti] *s* powszechność; uniwersalność

universalize [ˌjuːniˈvəːsəˌlaiz] *vt* uniwersalizować; upowszechni-ć/ać

universe [ˈjuːnivəːs] *s* 1. wszechświat; kosmos 2. ludzkość 3. świat

university [ˌjuːniˈvəːsiti] ⊡ *s* uniwersytet; wszechnica ⊡ *attr* uniwersytecki; (*o profesorze itd*) uniwersytetu

univocal [ˈjuːniˈvoukəl] *adj* jednoznaczny; niedwuznaczny

unjoint [ˈʌnˈdʒɔint] *vt* roz-ebrać/bierać <rozkręc-ić/ać> na człony

unjust [ˈʌnˈdʒʌst] *adj* niesprawiedliwy

unjustifiable [ʌnˈdʒʌstiˌfaiəbl] *adj* nieuzasadniony

unjustified [ˈʌnˈdʒʌstiˌfaid] *adj* nieusprawiedliwiony

unkempt ['ʌn'kempt] adj 1. nieuczesany; rozczochrany 2. (o ubiorze, wyglądzie) zaniedbany; nieporządny; niechlujny 3. (o stylu) niedbały, niechlujny

unkennel [ʌn'kenl] vt (-ll-) wypuścić z psiarni

unkind [ʌn'kaind] adj 1. niedobry 2. nieuprzejmy; niegrzeczny 3. nieżyczliwy

unkindly[1] [ʌn'kaindli] adj 1. nieżyczliwy 2. niepomyślny

unkindly[2] [ʌn'kaindli] adv 1. niegrzecznie; nieuprzejmie 2. nieżyczliwie

unkindness [ʌn'kaindnis] s 1. niegrzeczność; nieuprzejmość 2. nieżyczliwość

unkingly [ʌn'kiŋli] adj niegodny króla

unkissed ['ʌn'kist] adj nie pocałowany; to go away ~ odejść bez pocałunku

unknightly [ʌn'naitli] adj nierycerski

unknit ['ʌn'nit] vt (-tt-) 1. spruć (dzianinę) 2. rozchmurz-yć/ać (czoło)

unknot ['ʌn'nɔt] vt (-tt-) rozwiąz-ać/ywać (węzeł itd.); rozsupł-ać/ywać

unknowable ['ʌn'nouəbl] adj 1. niepoznawalny 2. nie do rozpoznania

unknowing ['ʌn'nouiŋ] adj 1. nic nie wiedzący; nieświadomy (of sth czegoś) 2. nie uświadomiony 3. bezwiedny

unknown ['ʌn'noun] [] adj nieznany; niewiadomy; mat ~ quantity niewiadoma [] adv w zwrocie: ~ to me <them etc.> bez mojej <ich itd.> wiedzy [] s the ~ nieznane

unlabelled [ʌn'leibld] adj bez etykiety

unlaboured [ʌn'leibəd] adj (o stylu itd) nie wystudiowany; swobodny; naturalny

unlace ['ʌn'leis] vt rozsznurow-ać/ywać

unlade ['ʌn'leid] vt (unladed ['ʌn'leidid], unladen ['ʌn'leidn]) rozładow-ać/ywać; wyładow-ać/ywać zob unlading

unlading ['ʌn'leidiŋ] [] zob unlade v [] s rozładunek

unladylike ['ʌn'leidi,laik] adj niegodny (wielkiej) damy; nieprzystojny

unlaid zob unlay

unlamented ['ʌnlə'mentid] adj nie opłakiwany (przez nikogo)

unlash ['ʌn'læʃ] vt 1. mar odcumow-ać/ywać 2. odwiąz-ać/ywać

unlatch ['ʌn'lætʃ] vt otw-orzyć/ierać (zamknięte na klamkę drzwi); podn-ieść/osić klamkę (the door u drzwi)

unlawful ['ʌn'lɔ:ful] adj 1. bezprawny; nielegalny; niedozwolony 2. (o dziecku) nieślubny

unlay ['ʌn'lei] vt (unlaid ['ʌn'leid], unlaid) rozpl-eść/atać <rozkręc-ić/ać> (sznur itd.)

unleaded ['ʌn'ledid] adj (o druku, składzie) bez interlinii

unlearn ['ʌn'lə:n] vt (praet unlearned ['ʌn'lə:nd], unlearnt ['ʌn'lə:nt] pp unlearned, unlearnt) 1. oducz-yć/ać się (sth czegoś) 2. zapom-nieć/inać (to czego się ktoś nauczył)

‖ unlearned ['ʌn'lə:nid] adj 1. nie kształcony; ciemny 2. niewprawny (in sth w czymś)

unlearnt ['ʌn'lə:nt] [] zob unlearn v [] adj (o lekcji) nie odrobiony; to leave one's lessons ~ nie na/uczyć się; nie odr-obić/abiać lekcji

unleash ['ʌn'li:ʃ] vt 1. spu-ścić/szczać (psy) ze smyczy 2. przen rozpęt-ać/ywać (wojnę itd.)

unleavened ['ʌn'levnd] adj (o chlebie) przaśny; nie kwaszony; bez drożdży

unless [ʌn'les] [] conj 1. jeżeli nie; o ile nie; ~ I am <you are etc.> — a) jeżeli <o ile> nie jestem <nie jesteś itd.> ... b) jeżeli <o ile> nie będę <nie będziesz itd.> ... 2. chyba, że; ~ I am <you are etc.> — a) chyba, że jestem <jesteś itd.> ... b) chyba, że będę <będziesz itd.> ...; ~ it be — a) chyba, że to jest ... b) chyba, żeby to było ...; ~ and until you have done this jak długo <dopóki> nie zrobisz tego [] praep wyjąwszy (sb, sth kogoś, coś); z wyjątkiem <oprócz> (sb, sth kogoś, czegoś)

unlettered ['ʌn'letəd] adj bez wykształcenia; nie uczony; ciemny

unlevelled ['ʌn'levəld] adj nie wyrównany; nie zniwelowany

unlicensed ['ʌn'laisənst] adj nie posiadający patentu; (o lokalu gastronomicznym) nie mający zezwolenia na sprzedaż napojów alkoholowych

unlicked ['ʌn'likt] adj 1. (o cielęciu itd) nie oblizany 2. (o człowieku) nieokrzesany; bez ogłady 3. sl sport (o drużynie) nie pobity

unlighted [ʌn'laitid] adj 1. nie zapalony; nie zaświecony 2. nie oświetlony

unlike ['ʌn'laik] [] adj 1. praed niepodobny; inny; różny; odmienny 2. niepodobny; inny <różny, odmienny> (sb, sth <to sb, sth> od kogoś, czegoś); he is ~ his <to his> brother on jest niepodobny do brata; on jest inny od swego brata; it was ~ you to say that niepodobne do ciebie <nie w twoim stylu> było powiedzenie czegoś takiego; nie spodziewałem się po tobie żebyś coś takiego powiedział; not ~ sb, sth podobny nieco do kogoś, czegoś; przypominający kogoś, coś 3. fiz różnoimienny; o przeciwnych znakach [] praep w przeciwieństwie (sb, sth do kogoś, czegoś); odmiennie (sb, sth od kogoś, czegoś); inaczej (sb, sth niż ktoś, coś); w odróżnieniu (sb, sth od kogoś, czegoś)

unlikelihood [ʌn'laikli,hud] s nieprawdopodobieństwo

unlikely [ʌn'laikli] adj 1. nieprawdopodobny; it's most ~ to całkiem nieprawdopodobne; pot bynajmniej na to nie wygląda <nie zanosi się>; it's not ~ to nie jest nieprawdopodobne; to nie (jest) wykluczone; they are ~ to know prawdopodobnie <chyba> nie wiedzą; it's not ~ that — są <istnieją> szanse, że ... 2. mało prawdopodobny 3. nieoczekiwany; (o człowieku) po którym nie można (było) się spodziewać (to do sth że coś zrobi); he is an ~ man to have written the book nieprawdopodobne jest, żeby on tę książkę napisał; on chyba tej książki nie napisał 4. (o przedsięwzięciu) nie rokujący nadziei <powodzenia itd.>

unlimited [ʌn'limitid] adj nieograniczony; bezgraniczny; (o ilości) dowolny

unlined[1] [,ʌn'laind] adj bez podszewki

unlined[2] [,ʌn'laind] adj 1. (o twarzy) bez zmarszczek 2. (o papierze) nie liniowany

unlink ['ʌn'liŋk] vt rozłącz-yć/ać; odczepi-ć/ać

unlit ['ʌn'lit] adj nie oświetlony

unlive [ʌn'liv] vt przen przekreśl-ić/ać (przeszłość)

unload ['ʌn'loud] vt 1. rozładow-ać/ywać (broń, pojazd itd.); wyładow-ać/vwać 2. pozby-ć/wać się (**sth** czegoś — ciężaru itd.); *przen* zrzuc-ić/ać ciężar (**one's heart** z serca) 3. *sl* wsu-nąć/wać <wtryni-ć/ać> (**sth on sb** coś komuś — fałszywy banknot itd.)

unloader ['ʌn'loudə] *s* 1. wyładowywacz 2. *techn* urządzenie wyładunkowe

unlock ['ʌn'lɔk] Ⓘ *vt* 1. od-emknąć/mykać (drzwi zamknięte na klucz); otw-orzyć/ierać zamek (**the door etc.** w drzwiach); przekręc-ić/ać klucz w zamku (**the door etc.** u drzwi itd.) 2. ujawni-ć/ać (tajemnicę) 3. *przen* otw-orzyć/ierać (**one's heart** swe serce) 4. uw-olnić/alniać, odmr-ozić/ażać (uwięzione <zamrożone> kapitały) 5. *techn* odblokow-ać/ywać; rozluźni-ć/ać Ⓘ *vi techn* odblokow-ać/ywać <rozluźni-ć/ać> się zob **unlocked**

unlocked ['ʌn'lɔkt] Ⓘ *zob* **unlock** *v* Ⓘ *adj* nie zamknięty na klucz

unlooked [ʌn'lukt] *adj* 1. ~ **at** nie oglądany; (*o człowieku, przedmiocie*) na któr-ego/y nikt nie popatrzy/ł 2. ~ **for** niespodziewany; nieoczekiwany; nieprzewidziany

unloose ['ʌn'lu:s], **unloosen** ['ʌn'lu:sn] *vt* 1. rozluźni-ć/ać 2. *dosł i przen* rozwiąz-ać/ywać (sznurowadło, język itd.); **to ~ one's hold on sth** pu-ścić/szczać coś z rąk

unlovable [ʌn'lʌvəbl] *adj* nie wzbudzający miłości

unluckily [ʌn'lʌkili] *adv* niestety, (jak) na nieszczęście; ~ **I had forgotten to —** pech chciał, że zapomniałem ...

unlucky [ʌn'lʌki] *adj* 1. nieszczęśliwy; pechowy; (*o człowieku*) **to be ~** nie mieć szczęścia; mieć pecha 2. niefortunny; niepomyślny 3. przynoszący nieszczęście; (*o przedmiocie, zdarzeniu*) **to be ~** przynosić nieszczęście

unmade ['ʌn'meid] Ⓘ *zob* **unmake** *v* Ⓘ *adj* nie zrobiony; (*o sukni itd*) nie wykończony

unmaidenlike [ʌn'meidn͵laik], **unmaidenly** [ʌn'meidnli] *adj* niegodny panienki; nieskromny; **it is ~ to use such words** nie przystoi panience używać takich wyrazów

unmake ['ʌn'meik] *vt* (**unmade** ['ʌn'meid], **unmade**) L z/niszczyć; z/niweczyć 2. z/detronizować, zrzuc-ić/ać z tronu (króla) 3. usu-nąć/wać (kogoś) ze stanowiska 4. z/gubić (kogoś); s/powodować zgubę (**sb** czyjąś) *zob* **unmade**

unmalleable [ʌn'mæliəbl] *adj* (*o metalu*) nie kowalny

unman ['ʌn'mæn] *vt* (**-nn-**) 1. pozbawi-ć/ać męskości 2. od-ebrać/bierać odwagę (**sb** komuś); zniechęc-ić/ać 3. uszczupl-ić/ać załogę (**a ship** statku) <garnizon (**a fortress** twierdzy)>

unmanageable [ʌn'mænidʒəbl] *adj* (*o dziecku*) trudny do prowadzenia; krnąbrny; niesforny

unmanlike ['ʌn'mænlaik], **unmanly** ['ʌn'mænli] *adj* 1. niemęski; zniewieściały; *pot* babski 2. dziecinny

unmannerliness [ʌn'mænəlinis] *s* złe wychowanie; brak wychowania

unmannerly [ʌn'mænəli] *adj* źle wychowany; nie wychowany; niegrzeczny

unmarked ['ʌn'mɑ:kt] *adj* 1. nie znaczony; nie znamionowany 2. nie zauważony

unmarketable [ʌn'mɑ:kitəbl] *adj* (*o towarze*) nie pokupny; nie nadający się do sprzedaży

unmarred ['ʌn'mɑ:d] *adj* 1. (*o szczęściu itd*) niezmącony; niezakłócony 2. (*o piękności itd*) nie zmniejszony; nienaruszony, nietknięty

unmarriageable ['ʌn'mæridʒbl] *adj* 1. nie nadający się do małżeństwa; **he is ~** jego nie można żenić; **she is ~** jej nie można wydać za mąż 2. za młod-y/a do małżeństwa

unmarried ['ʌn'mærid] *adj* (*o mężczyźnie*) nieżonaty; (*o kobiecie*) niezamężna

unmask ['ʌn'mɑ:sk] Ⓘ *vt* z/demaskować; ujawni-ć/ać (spisek itd.) Ⓘ *vi* zrzuc-ić/ać maskę *zob* **unmasked**

unmasked ['ʌn'mɑ:skt] Ⓘ *zob* **unmask** *v* Ⓘ *adj* 1. zdemaskowany 2. (*o człowieku*) bez maski; z odsłoniętą twarzą

unmated [ʌn'meitid] *adj* (*o zwierzęciu*) samotny; bez samca <samiczki>

unmatched [ʌn'mætʃt] *adj* niezrównany

unmatured ['ʌnmə'tjuəd] *adj* niedojrzały

unmeaning [ʌn'mi:niŋ] *adj* nie mający znaczenia <sensu>; bez znaczenia <sensu>

unmeant [ʌn'ment] *adj* niezamierzony; nieumyślny; mimowolny

unmeasured [ʌn'meʒəd] *adj* 1. nie zmierzony 2. niezmierzony; bezmierny; bezkresny; bezgraniczny 3. (*o języku*) niepohamowany

unmeet [ʌn'mi:t] *adj* 1. nieodpowiedni; niestosowny 2. nie nadający się (**for sth, to do sth** do czegoś, do z/robienia czegoś)

unmelodious ['ʌnmi'loudjəs] *adj* niemelodyjny

unmelted ['ʌn'meltid] *adj* 1. nie stopiony; nie przetopiony 2. nie stajały

unmendable [ʌn'mendəbl] *adj* nie nadający się do naprawy; nie do naprawienia

unmentionable [ʌn'menʃnəbl] Ⓘ *adj* 1. (*o wyrazie, słowach*) nie nadający się do powtórzenia 2. (*o grzechu itd*) do którego nie można się przyznać Ⓘ *spl* ~**s** *pot* 1. † spodnie 2. kalesony; niewymowne 3. majtki

unmentioned [ʌn'menʃənd] *adj* nie wymieniony; nie wzmiankowany; pominięty milczeniem

unmerchantable [ʌn'mə:tʃəntəbl] *adj* = **unmarketable**

unmerciful [ʌn'mə:siful] *adj* bezlitosny; niemiłosierny

unmerited ['ʌn'meritid] *adj* niezasłużony

unmethodical ['ʌnmi'θɔdikəl] *adj* niesystematyczny; niemetodyczny

unmethodicalness ['ʌnmi'θɔdikəlnis] *s* brak systematyczności; niesystematyczność

unmindful [ʌn'maindful] *adj* 1. niepomny (**of sth** czegoś) 2. nie zważający (**of sth** na coś)

unmingled [ʌn'miŋgld] *adj* czysty; bez domieszki; (*o radości itd*) niezmącony

unmirthful ['ʌn'mə:θful] *adj* nie wykazujący wesołości; przygnębiony

unmistakable ['ʌnmis'teikəbl] *adj* niewątpliwy; niedwuznaczny; wyraźny; łatwy do rozpoznania

◄**unmitigated** [ʌn'miti͵geitid] *adj* 1. (*o bólu itd*) niczym nie złagodzony 2. prawdziwy; w całym tego słowa znaczeniu; (*o łotrze itd*) skończony

unmixed ['ʌn'mikst] *adj* czysty; bez domieszki

unmodified ['ʌn'mɔdi͵faid] *adj* 1. niezmieniony; taki sam; niezmienny 2. *gram* bez przegłosu

unmolested ['ʌnmə'lestid] *adj* nie napastowany; nie nagabywany; nie molestowany; pozostawiony w spokoju

unmoor ['ʌn'muə] *vt mar* odcumow-ać/ywać

unmoral ['ʌn'mɔrəl] *adj* niemoralny

unmortgaged [ʌn'mɔ:gidʒd] *adj* (*o posiadłości, ma-*

jątku itd) nie obdłużony; nie zadłużony; z nie obciążoną <czystą> hipoteką

unmounted ['ʌn'mauntid] *adj* 1. nie konny; pieszy 2. (*o. kamieniu, obrazie itd*) nie oprawiony 3. (*o mapie itd*) nie naklejony na płótno

unmourned ['ʌn'mɔːnd] *adj* nie opłakiwany

unmoved ['ʌn'muːvd] *adj* 1. (*o przedmiocie*) nie ruszony z miejsca 2. (*o człowieku*) niewzruszony; **he heard the news <looked on>** ~ **on** wysłuchał wiadomości <przyglądał się> bez wzruszenia <nie doznając żadnych wzruszeń>

unmuffle ['ʌn'mʌfl] *vt* odwi-nąć/jać (zakutaną twarz)

unmurmuring [ʌn'məːməriŋ] *adj* cierpiący <znoszący coś> bez szemrania; **he bore everything** ~ wszystko zniósł <znosił> bez szemrania

unmusical ['ʌn'mjuːzikəl] *adj* niemuzykalny

unmuzzle ['ʌn'mʌzl] *vt dosł i przen* zd-jąć/ejmować kaganiec (**a dog** psu; **the press** prasie)

unnamable [ʌn'neiməbl] *adj* 1. na który nie ma nazwy <określenia> 2. zbyt haniebny, by go wymienić

unnamed ['ʌn'neimd] *adj* bezimienny; anonimowy

unnatural [ʌn'nætʃrəl] *adj* 1. nienaturalny; (*o stylu itd*) sztuczny; (*o śmiechu itd*) wymuszony 2. anormalny, nienormalny 3. (*o skłonnościach itd*) wbrew naturze 4. (*o synu itd*) wyrodny

unnaturally [ʌn'nætʃərəli] *adv* 1. nienaturalnie; sztucznie; wymuszenie 2. (*nawiasowo*) ... **not** ~ — ... co można łatwo zrozumieć ...; ... jak można było się spodziewać ...

unnavigable ['ʌn'nævigəbl] *adj* niespławny; nie nadający się do żeglugi

unnecessary [ʌn'nesisəri] *adj* niepotrzebny; zbyteczny; zbędny; zbytni; **it is** ~ **to say that** — nie trzeba dodawać, że ...; **with** ~ **care** zbyt troskliwie

unneeded [ʌn'niːdid] *adj* niepotrzebny

unnegotiable ['ʌnni'gouʃiəbl] *adj* (*o czeku*) niezbywalny, nieprzenośny, nie nadający się do zdyskontowania

unneighbourly ['ʌn'neibəli] *adj* (*o człowieku*) postępujący nie po sąsiedzku; (*o postępowaniu*) nie usłużny

unnerve [ʌn'nəːv] *vt* od-ebrać/bierać odwagę (**sb** komuś)

unnoted [ʌn'noutid] *adj* nie notowany

unnoticeable [ʌn'noutisəbl] *adj* niedostrzegalny

unnoticed ['ʌn'noutist] *adj* nie zauważony; **to leave sth** ~ pomi-nąć/jać coś milczeniem; **to let** ~ puścić płazem

unnumbered ['ʌn'nʌmbəd] *adj* 1. nienumerowany; bez numeru 2. niezliczony; nieprzebrany

unobeyed ['ʌn-ə'beid] *adj* 1. (*o prawie*) nie przestrzegany 2. (*o zwierzchniku*) nie mający posłuchu

unobjectionable ['ʌnəb'dʒekʃnəbl] *adj* (*o człowieku*) bez zarzutu; (*o zachowaniu itd*) nienaganny; **he is** ~ nic mu nie można zarzucić

unobliging ['ʌnə'blaidʒiŋ] *adj* nie usłużny; nie idący na rękę

unobliterated ['ʌnə'blitə‚reitid] *adj* 1. nie starty 2. nie zatarty 3. (*o znaczku pocztowym*) nie skasowany, bez stempla pocztowego

unobservance ['ʌnəb'zəːvəns] *s* nieprzestrzeganie

unobservant ['ʌnəb'zəːvənt] *adj* 1. nie przestrzegający (ustaw itd.) 2. niespostrzegawczy

unobstructed ['ʌnəb'strʌktid] *adj* 1. nie napotykający przeszkód; **to act** ~ działać bez przeszkód 2. (*o widoku itd*) nie zasłonięty

unobtainable ['ʌnəb'teinəbl] *adj* nie do otrzymania; nie do nabycia; niedostępny; nieosiągalny

unobtrusive ['ʌnəb'truːsiv] *adj* 1. nie rzucający się w oczy; dyskretny 2. skromny; nie narzucający się

unoccupied ['ʌn'ɔkju‚paid] *adj* nie zajęty; wolny; (*o mieście, kraju*) nie okupowany

unoffending ['ʌnə'fendiŋ] *adj* 1. nieszkodliwy 2. niewinny; Bogu ducha winny

unofficial ['ʌnə'fiʃəl] *adj* nie oficjalny; nie urzędowy; (*o wiadomości itd*) nie potwierdzony urzędowo

unopened ['ʌn'oupənd] *adj* nie otwarty; (*o liście*) nie rozpieczętowany

unopposed ['ʌnə'pouzd] *adj* nie wstrzymywany; nie napotykający oporu; (uchwalony itd.) bez sprzeciwu; (*o kandydacie przy wyborach*) **returned** ~ wybrany nie mając kontrkandydata

unordained ['ʌnɔː'deind] *adj* 1. (*o posunięciu, przedsięwzięciu itd*) nie zarządzony 2. (*o kleryku*) nie wyświęcony

unordinary ['ʌn'ɔːdinri] *adj* niezwykły; niecodzienny

▲**unorganized** ['ʌn'ɔːgə‚naizd] *adj* nie zorganizowany

unoriginal ['ʌnə'ridʒənl] *adj* nie oryginalny; banalny

unornamented ['ʌn'ɔːnə‚mentid] *adj* nie ozdobiony; bez ozdób

unorthodox ['ʌn'ɔːθə‚dɔks] *adj* 1. nie ortodoksyjny; nie prawowierny 2. nieszablonowy; odbiegający od utartych wzorów <od ogólnie przyjętych zasad>

unostentatious ['ʌn‚ɔsten'teiʃəs] *adj* 1. niewystawny; bez okazałości; bezpretensjonalny 2. (*o człowieku*) skromny; unikający parady <pompy>

unowned ['ʌn'ound] *adj* 1. niczyj; bezpański 2. (*o dziecku*) nie uznany przez rodziców

unoxidized ['ʌn'ɔksi‚daizd] *adj* nie oksydowany; nie poddany utlenieniu

unpacified ['ʌn'pæsi‚faid] *adj* nie pacyfikowany; nie uśmierzony

unpack ['ʌn'pæk] □ *vt* rozpakow-ać/ywać Ⅲ *vi* rozpakow-ać/ywać się; rozpakow-ać/ywać walizkę <bagaże itd.> *zob* **unpacked**

unpacked ['ʌn'pækt] □ *zob* **unpack** *v* Ⅲ *adj* 1. rozpakowany; **the portmanteau came** ~ z walizki wszystko się wysypało 2. nie spakowany, nie zapakowany

unpaged ['ʌn'peidʒd] *adj* (*o rękopisie, broszurze itd*) bez paginacji

unpaid ['ʌn'paid] *adj* 1. nie zapłacony; (*o rachunku*) nie wyrównany 2. (*o człowieku*) nie wynagrodzony 3. (*o pracy itd*) nie odpłatny; bezinteresowny; honorowy

unpainted ['ʌn'peintid] *adj* nie malowany

▲**unpaired** ['ʌn'pɛəd] *adj* 1. nieparzysty 2. zdekompletowany, bez pary

unpalatable [ʌn'pælətəbl] *adj* 1. niesmaczny; niemiły w smaku 2. *przen* (*o prawdzie itd*) niemiły, przykry; **he found the remark** ~ uwaga ta była mu nie w smak

unparalleled [ʌn'pærə‚leld] *adj* 1. niezrównany; nie

mający sobie równego 2. niesłychany; niespotykany; bezprzykładny; bez precedensu

unpardonable [ʌn'pɑ:dŋəbl] *adj* niewybaczalny; nie do darowania

unpardoned [ʌn'pɑ:dnd] *adj* nie przebaczony; *rel* nie rozgrzeszony; (*o grzechu*) nie odpuszczony

unpardoning [ʌn'pɑ:dŋiŋ] *adj* nie przebaczający; nie darujący; nieubłagany

unparental ['ʌnpə'rentl] *adj* niegodny rodziców

unparented [ʌn'pɛərəntid] *adj* sierocy; opuszczony; pozbawiony miłości <opieki> rodzicielskiej

unparliamentary ['ʌn‚pɑ:lə'mentəri] *adj* nieparlamentarny

unpatented [ʌn'peitəntid] *adj* nie opatentowany

unpatriotic ['ʌn‚pætri'ɔtik] *adj* niepatriotyczny

unpaved ['ʌn'peivd] *adj* nie brukowany

unpeeled [ʌn'pi:ld] *adj* (*o owocu*) nie obrany (ze skórki); (*o ziemniaku itd*) nie obrany; nie oskrobany

unpeg ['ʌn'peg] *vt* (-gg-) wyj-ąć/mować koł-ek/ki (sth z czegoś)

unpen ['ʌn'pen] *vt* (-nn-) wypu-ścić/szczać z zagrody (owce)

unpenetrable [ʌn'penitrəbl] *adj* (*o lesie itd*) nie do przebycia

unpenetrated [ʌn'peni‚treitid] *adj* (*o lesie*) nieprzebyty; dziewiczy

unpeople [ʌn'pi:pl] *vt* wyludni-ć/ać *zob* **unpeopled**

unpeopled ['ʌn'pi:pld] Ⅱ *zob* **unpeople** *v* Ⅲ *adj* wyludniony; opustoszały

unperceivable ['ʌnpə'si:vəbl] *adj* niedostrzegalny

unperceived ['ʌnpə'si:vd] *adj* nie dostrzeżony

unperforated ['ʌnpə:fə‚reitid] *adj* nie perforowany; nie dziurkowany; nie przedziurawiony

unperformed ['ʌnpə'fɔ:md] *adj* (*o przedstawieniu itd*) nie odbyty; (*o pracy itd*) nie wykonany; (*o obietnicy*) nie dotrzymany

unperishing [ʌn'periʃiŋ] *adj* nieśmiertelny; (*o wspomnieniu*) niezatarty

unpermitted ['ʌnpə'mitid] *adj* 1. niedozwolony 2. nie mający pozwolenia; **he did it ~ on** to zrobił bez zezwolenia

unpersevering ['ʌn‚pə:si'viəriŋ] *adj* niewytrwały

unpersuaded ['ʌnpə'sweidid] *adj* nie przekonany

unpersuasive ['ʌnpə'sweisiv] *adj* nie przekonywający

unperturbed ['ʌnpə'tə:bd] *adj* nie zaniepokojony; **~ by the news** <event etc.> nie przejmując się tą wiadomością <tym wypadkiem itd.>

unphilosophical ['ʌn‚filə'sɔfikəl] *adj* nie filozoficzny

unpick ['ʌn'pik] *vt* rozpru-ć/wać *zob* **unpicked**

unpicked ['ʌn'pikt] Ⅱ *zob* **unpick** *v* Ⅲ *adj* 1. nie wybierany 2. (*o owocach*) nie zerwany; nie zrywany

unpiloted ['ʌn'pailətid] *adj* nie pilotowany

unpin ['ʌn'pin] *vt* (-nn-) 1. wyj-ąć/mować trzpień <sworzeń> (sth z czegoś) 2. odpi-ąć/nać; odłącz-yć/ać

unpitied ['ʌn'pitid] *adj* nie żałowany; nie doznający współczucia <litości>

unpitying ['ʌn'pitiiŋ] *adj* bezlitosny

unplait ['ʌn'plæt] *vt* rozpl-eść/atać (włosy)

unplastered [ʌn'plɑ:stəd] *adj* 1. obłupany <odrapany> z tynku 2. nie tynkowany

unpleasant [ʌn'plezənt] *adj* nieprzyjemny; niemiły; przykry; (*o człowieku*) niesympatyczny

unpleasantness [ʌn'plezəntnis] *s* 1. nieprzyjemność; przykrość 2. sprzeczka; nieporozumienie

unpleasing ['ʌn'pli:ziŋ] *adj* 1. bez wdzięku 2. niesympatyczny

unpledged [ʌn'pledʒd] *adj* nie związany obietnicą

unpliant ['ʌn'plaiənt] *adj* niegiętki; sztywny

unploughed ['ʌn'plaud] *adj* nie orany; niezaorany

unplug ['ʌn'plʌg] *vt* (-gg-) odczopow-ać/ywać; od-etknąć/tykać; wyj-ąć/mować wtyczkę (sth z czegoś)

unpoetical ['ʌnpou'etikəl] *adj* nie poetycki; pozbawiony natchnienia poetyckiego

unpointed [ʌn'pɔintid] *adj* 1. bez znaków przestankowych 2. nie naostrzony; nie spiczasty

unpoised [ʌn'pɔizd] *adj* niezrównoważony

unpolarized [ʌn'poulə‚raizd] *adj* nie polaryzowany

unpolished ['ʌn'pɔliʃt] *adj* 1. nie polerowany 2. nie pastowany 3. (*o butach, częściach metalowych itd*) nie czyszczony; *pot* nie wypucowany

unpolitic ['ʌn'pɔlitik] *adj* niepolityczny; nieroztropny

unpolitical ['ʌnpə'litikəl] *adj* apolityczny; nie związany z polityką

unpolluted ['ʌnpə'lu:tid] *adj* nieskażony; nie zanieczyszczony

unpopular ['ʌn'pɔpjulə] *adj* 1. niepopularny; **to make oneself ~** a) s/tracić popularność b) wywoł-ać/ywać niezadowolenie; **to make oneself ~ with sb** a) stracić czyjąś sympatię b) narazić się komuś 2. niemile widziany; (*o zarządzeniu*) źle przyjęty

unpopularity ['ʌn‚pɔpju'læriti] *s* 1. niepopularność; utrata popularności 2. nieprzychylne nastawienie (**of a bill etc.** do ustawy itd.)

unpractical ['ʌn'præktikəl] *adj* 1. niepraktyczny 2. nierealny; niewykonalny

unpractised [ʌn'præktist] *adj* 1. niewprawny 2. nie praktykowany

unprecedented [ʌn'presidəntid] *adj* bezprzykładny; niesłychany; bez precedensu

unprecise ['ʌnpri'sais] *adj* nieścisły; nie precyzyjny

unpredictable ['ʌnpri'diktəbl] *adj* niemożliwy do przewidzenia

unprefaced ['ʌn'prefist] *adj* bez przedmowy

unprejudiced [ʌn'predʒudist] *adj* 1. nieuprzedzony; bezstronny 2. nie mający przesądów; bez przesądów

unpremeditated ['ʌnpri'medi‚teitid] *adj* nierozmyślny; zrobiony <popełniony> bez rozmysłu

unpreoccupied ['ʌnpri'ɔkju‚paid] *adj* niefrasobliwy

unprepared ['ʌnpri'pɛəd] *adj* nie przygotowany (**for sth** na coś); (zrobiony, przeczytany, przetłumaczony itd.) bez przygotowania <z miejsca, na poczekaniu>; (*o przedsięwzięciu itd*) poczyniony bez przygotowań <bez uprzednich kroków>; **to be caught ~** zostać zaskoczonym; dać się zaskoczyć

unpreparedness ['ʌnpri'pɛəridnis] *s* nieprzygotowanie; brak wszelkich przygotowań

unprepossessed [ʌn‚pri:pə'zest] *adj* w zwrocie: **~ in favour of sb** nie mający przychylnego nastawienia do kogoś

unprepossessing ['ʌn‚priːpə'zesiŋ] *adj* niepociągający; nieprzyjemny

unpresuming ['ʌnpri'zjuːmiŋ], **unpresumptuous** ['ʌnpri'sʌmptjuəs] *adj* nie zarozumiały; skromny

unpretending ['ʌnpri'tendiŋ], **unpretentious** ['ʌn pri'tenʃəs] *adj* bezpretensjonalny; skromny; prosty; (*o człowieku*) bez pretensji

unpretentiousness ['ʌnpri'tenʃəsnis] *s* brak pretensji; prostota; skromność

unpreventable ['ʌnpri'ventəbl] *adj* (*o nieszczęściu itd*) nie do uniknięcia; nieunikniony; **it was ~** nie można było temu zapobiec

unpriced ['ʌn'praist] *adj* 1. *handl* nie wyceniony 2. bezcenny

unprincipled [ʌn'prinsipld] *adj* bez zasad moralnych; pozbawiony skrupułów; niegodziwy

unprintable ['ʌn'printəbl] *adj* nie nadający się do wydrukowania; niecenzuralny

unprinted ['ʌn'printid] *adj* niewydrukowany

unprivileged [ʌn'privilidʒd] *adj* nie uprzywilejowany; nie posiadający <pozbawiony> przywilejów; **the ~ classes** warstwy upośledzone

unprized ['ʌn'praizd] *adj* 1. nie ceniony 2. nie doceniany

unprobed [ʌn'proubd] *adj* (*o tajemnicy itd*) nieprzenikniony

unprocurable ['ʌnprə'kjuərəbl] *adj* (*o towarze itd*) nie do zdobycia; niemożliwy do dostarczenia

unproductive ['ʌnprə'dʌktiv] *adj* 1. bezproduktywny; nieproduktywny; jałowy 2. nieprodukcyjny

unprofessional ['ʌnprə'feʃnl] *adj* 1. niezawodowy; dyletancki; laicki 2. nie należący do <spoza> zawodu 3. sprzeczny z zasadami przyjętymi w (danym) zawodzie <z etyką zawodową> 4. *sport* amatorski

unprofitable [ʌn'prɔfitəbl] *adj* 1. niekorzystny; niepopłatny; nierentowny; niezyskowny; nielukratywny 2. bezproduktywny; jałowy

unprofitableness [ʌn'prɔfitəblnis] *s* 1. nierentowność 2. jałowość

unprogressive ['ʌnprə'gresiv] *adj* 1. niepostępowy; konserwatywny 2. przeciwny postępowi

unprolific ['ʌnprə'lifik] *adj* niepłodny

unpromising ['ʌn'prɔmisiŋ] *adj* nie obiecujący; nie zapowiadający nic dobrego

unprompted [ʌn'prɔmptid] *adj* 1. spontaniczny; samorzutny 2. (*o uczniu*) (odpowiadający) bez podpowiadania; (*o aktorze*) (grający) bez suflera

unpronounceable ['ʌnprə'naunsəbl] *adj* nie do wymówienia

unprop ['ʌn'prɔp] *vt* (-pp-) usu-nąć/wać podpórki <stemple>

unpropitious ['ʌnprə'piʃəs] *adj* niepomyślny; (*o wietrze itd*) przeciwny

unprosperous ['ʌn'prɔspərəs] *adj* 1. źle prosperujący 2. = **unpropitious**

unprotected ['ʌnprə'tektid] *adj* 1. nie chroniony 2. bezbronny 3. (*o czeku itd*) bez pokrycia 4. (*o maszynie itd*) nie zabezpieczony

unproved ['ʌn'pruːvd] *adj* 1. nie udowodniony 2. (*o wierności itd*) nie wypróbowany

unproven ['ʌn'pruːvn] *adj* *prawn* (*o winie*) nie udowodniony

unprovided ['ʌnprə'vaidid] *adj* 1. nie wyposażony (**with sth** w coś); nie zaopatrzony (**with sth** w coś); pozbawiony (**with sth** czegoś); **~ for**

a) bez środków do życia b) nie zabezpieczony (na starość itd.) 2. nie przewidziany (**by the rules** regulaminem) 3. nie subwencjonowany; (*o szkole*) niepaństwowy; prywatny

unprovoked ['ʌnprə'voukt] *adj* niczym nie s/prowokowany; (*o obeldze itd*) nieuzasadniony; niezasłużony

unpublished ['ʌn'pʌbliʃt] *adj* nie wydany; nie opublikowany

unpunctual ['ʌn'pʌŋktjuəl] *adj* niepunktualny

unpunctuality ['ʌn‚pʌŋktju'æliti] *s* niepunktualność

unpunctuated ['ʌn'pʌŋktju‚eitid] *adj* bez znaków przestankowych

unpunished ['ʌn'pʌniʃt] *adj* 1. bezkarny; nie ukarany; **to go ~** ujść <unik-nąć/ać> kary 2. nie karany

unpurified ['ʌn'pjuəri‚faid] *adj* 1. nie czyszczony 2. *rel* nie oczyszczony (z grzechów)

unqualified ['ʌn'kwɔli‚faid] *adj* 1. niewykwalifikowany; niezdatny; nie posiadający kwalifikacji (**for sth** do czegoś); niekompetentny (**to do sth** do z/robienia czegoś) 2. (*o oskarżeniu itd*) natury ogólnej; nie sprecyzowany 3. (*o odmowie itd*) kategoryczny; bezwzględny 4. (*o pochwale, zgodzie itd*) bez zastrzeżeń 5. (*o poparciu, zaufaniu itd*) nieograniczony

unquenchable [ʌn'kwentʃəbl] 1. (*o ogniu*) nie do ugaszenia 2. (*o ogniu, pragnieniu*) nieugaszony 3. (*o zachłanności itd*) nienasycony; nie do zaspokojenia <nasycenia>

unquestionable [ʌn'kwestʃənəbl] *adj* nie ulegający wątpliwości; bezsporny; niewątpliwy; bezsprzeczny

unquestionably [ʌn'kwestʃənəbli] *adv* niewątpliwie; z pewnością; niechybnie; bezsprzecznie

unquestioned [ʌn'kwestʃənd] *adj* 1. nie zakwestionowany; niezaprzeczony 2. (*o człowieku*) nie pytany; (przyjęty itd.) bez pytania

unquestioning [ʌn'kwestʃəniŋ] *adj* (*o posłuszeństwie*) bezwzględny, ślepy

unquiet ['ʌn'kwaiət] *adj* niespokojny

unquotable ['ʌn'kwoutəbl] *adj* (*o słowach itd*) niepowtarzalny

unquote ['ʌn'kwout] *vi* (*przy dyktowaniu*) zam-knąć/ykać cudzysłów

unquoted ['ʌn'kwoutid] *adj* 1. nie przytoczony 2. *giełd* (*o kursie*) nie notowany, nie kotowany

unransomed ['ʌn'rænsəmd] *adj* 1. (*o grzechu*) nie odkupiony 2. (*o człowieku*) nie wykupiony; (puszczony itd.) bez okupu

unratified ['ʌn'ræti‚faid] *adj* nie ratyfikowany

unravel ['ʌn'rævəl] *v* (-ll-) I *vt* 1. wystrzępi-ć/ać (materiał itd.) 2. rozpl-eść/atać (sznur itd.) 3. rozpląt-ać/ywać; rozwikłać; wywikłać 4. wyjaśni-ć/ać (sytuację, nieporozumienie); rozwiązać (intrygę) II *vi* 1. (*o materiale*) strzępić się 2. (*o sznurze itd*) rozpl-eść/atać się 3. (*o sytuacji*) rozwikłać się; (*o tajemnicy*) wyświetl-ić/ać się

unread ['ʌn'red] *adj* 1. nie przeczytany 2. (*o człowieku*) niewykształcony 3. nieoczytany 4. (*o człowieku*) niepiśmienny

unreadable ['ʌn'riːdəbl] *adj* 1. (*o książce itd*) nie nadający się do czytania <na lekturę> 2. (*o piśmie itd*) nieczytelny; nie do odcyfrowania

unreadiness ['ʌn'redinis] *s* 1. brak gotowości; brak przygotowania 2. ociąganie się

unready ['ʌn'redi] *adj* 1. niegotowy; nie przygotowany (**for sth** do czegoś, na coś) 2. nierychły 3. leniwy; powolny 4. † niezdecydowany 5. † nierozważny

unreal ['ʌn'riəl] *adj* nierealny; zmyślony; nieprawdziwy; iluzoryczny; wyimaginowany

unreality ['ʌnri'æliti] *s* nierealność; nieprawdziwość; iluzoryczność; chimeryczność

unrealizable ['ʌn'riə‚laizəbl] *adj* 1. niewykonalny; niemożliwy do zrealizowania; nie nadający się do realizacji 2. (*o kapitałach*) niemożliwy do upłynnienia

unrealized ['ʌn'riə‚laizd] *adj* 1. nie wykonany; nie spełniony 2. (*o zaletach itd*) niedoceniany; nie dostrzeżony

unreaped ['ʌn'ri:pt] *adj* (*o plonach*) nie zebrany

unreason ['ʌn'ri:zn] *s* 1. brak rozsądku 2. bezsensowność

unreasonable [ʌn'ri:znəbl] *adj* 1. nierozsądny 2. niedorzeczny; bezsensowny 3. (*o wymaganiach itd*) wygórowany; nadmierny; horrendalny 4. *pot* (*o porze*) niemożliwy

unreasoned ['ʌn'ri:znd] *adj* nie przemyślany; (zrobiony) bez zastanowienia; spontaniczny

unreasoning [ʌn'ri:zniŋ] *adj* bezrozumny; (*o uczuciu*) ślepy; bezmyślny

unrebuked ['ʌnri'bju:kt] *adj* nie strofowany

unrecalled ['ʌnri'kɔ:ld] *adj* nie odwołany

unreceipted ['ʌnri'si:tid] *adj* nie pokwitowany

unreceptive ['ʌnri'septiv] *adj* nieczuły; nie reagujący; niepodatny; (*o umyśle*) nie chłonny; tępy

unreciprocated ['ʌnri'siprə‚keitid] *adj* nie odwzajemniony

unreclaimed ['ʌnri'kleimd] *adj* 1. (*o terenie*) nie zmeliorowany 2. (*o grzeszniku*) nie nawrócony

unrecognizable ['ʌn'rekəg‚naizəbl] *adj* nie do poznania

unrecognized ['ʌn'rekəg‚naizd] *adj* 1. nie rozpoznany 2. nie uznany 3. (*o geniuszu itd*) zapoznany

unreconciled ['ʌn'rekən‚saild] *adj* nie pogodzony

unreconstructed ['ʌn‚ri:kən'strʌktid] *adj* nie odbudowany

unrecorded ['ʌnri'kɔ:did] *adj* 1. nie notowany 2. nie za/rejestrowany 3. *muz* (*o utworze itd*) nie nagrany 4. (*o przemówieniu itd*) nie utrwalony na taśmie

unrecoverable ['ʌnri'kʌvərəbl] *adj* nie do odzyskania; bezpowrotnie stracony

unrectified ['ʌn'rekti‚faid] *adj* 1. nie rektyfikowany 2. nie sprostowany; nie poprawiony; bez poprawek 3. *elektr* nie prostowany

unredeemable ['ʌnri'di:məbl] *adj* nie podlegający spłacie <wykupowi, amortyzacji>; bezzwrotny

unredeemed ['ʌnri'di:md] *adj* 1. nie spłacony 2. nie wykupiony 3. nie zamortyzowany 4. (*o winie*) nie odkupiony 5. (*o obietnicy*) nie spełniony

unredressed ['ʌnri'drest] *adj* (*o krzywdzie itd*) nie naprawiony

unreduced ['ʌnri'dju:st] *adj* nie zmniejszony

unreel ['ʌn'ri:l] *vt* odwi-nąć/jać <rozwi-nąć/jać> (coś nawiniętego na szpulę, na bęben itd.)

⁋unrefined ['ʌnri'faind] *adj* 1. nie rafinowany 2. nie oczyszczony 3. (*o człowieku*) bez ogłady; niekulturalny; niewytworny 4. (*o smaku*) niewybredny

unreflecting ['ʌnri'flektiŋ] *adj* nie zastanawiający się

unreformed ['ʌnri'fɔ:md] *adj* 1. nie zreformowany; nie poprawiony 2. (*o przestępcy*) niepoprawny

unregarded ['ʌnri'ga:did] *adj* nie uwzględniony

unregardful ['ʌnri'ga:dful] *adj* niedbały; nie zważający (**of sth** na coś)

unregenerate ['ʌnri'dʒenərit] *adj* 1. nie nawrócony 2. zepsuty; niemoralny; grzeszny

unregistered [ʌn'redʒistəd] *adj* 1. nie za/rejestrowany; nie za/pisany 2. (*o liście*) nie polecony

unregretted ['ʌnri'gretid] *adj* nie opłakiwany; nie żałowany przez nikogo

unregulated ['ʌn'regju‚leitid] *adj* 1. nie uregulowany 2. nie usprawniony

unrehearsed ['ʌnri'hə:st] *adj* 1. nie przygotowany; improwizowany 2. *teatr* wystawiony bez prób/y 3. (*o skutkach itd*) nieoczekiwany

unrelated ['ʌnri'leitid] *adj* 1. (*o zjawiskach, faktach itd*) nie związane <nie mające nic wspólnego> (**one to another** ze sobą) 2. (*o ludziach*) nie spokrewnieni

unrelaxing ['ʌnri'læksiŋ] *adj* nie słabnący

unrelenting ['ʌnri'lentiŋ] *adj* nieubłagany; bezlitosny

unreliability ['ʌnri‚laiə'biliti] *s* 1. niesolidność 2. nieścisłość

unreliable ['ʌnri'laiəbl] *adj* 1. (*o człowieku*) niesolidny; niepewny; **he is** ∼ nie można na nim polegać 2. (*o informacji itd*) niepewny; o wątpliwej ścisłości; (*o źródle itd*) na którym nie można polegać

unrelieved ['ʌnri'li:vd] *adj* 1. nie wspomagany (przez nikogo) 2. (*o bólu itd*) nie uśmierzony 3. (*o opowiadaniu, krajobrazie itd*) nie urozmaicony; (niczym) nie ożywiony; monotonny

unreligious ['ʌnri'lidʒəs] *adj* niewierzący; **to be** ∼ nie wyznawać żadnej religii

unremarked ['ʌnri'ma:kt] *adj* nie zauważony

unremedied ['ʌn'remidid] *adj* 1. (*o chorobie itd*) nie leczony 2. (*o szkodzie itd*) nie naprawiony

unremembered ['ʌnri'membəd] *adj* zapomniany

unremembering ['ʌnri'membəriŋ] *adj* niepomny; nie pamiętający

unremitted ['ʌnri'mitid] *adj* 1. (*o winie*) nie odpuszczony 2. (*o pracy itd*) nieustanny

unremitting ['ʌnri'mitiŋ] *adj* niestrudzony; nieustanny; niesłabnący

unremorseful ['ʌnri'mɔ:sful] *adj* nie znający wyrzutów sumienia; bez wyrzutów sumienia; zatwardziały

unremunerated ['ʌnri'mju:nə‚reitid] *adj* nie wynagrodzony

unremunerative ['ʌnri'mju:nərətiv] *adj* niepopłatny; nierentowny; nieintratny

unrenewed ['ʌnri'nju:d] *adj* nie wznowiony; nie powtórzony; (*o wekslu itd*) nie prolongowany

unrepaid ['ʌnri'peid] *adj* 1. (*o długu itd*) nie zapłacony; nie uiszczony 2. (*o człowieku*) nie wynagrodzony 3. (*o wierzycielu*) nie spłacony

unrepealed ['ʌnri'pi:ld] *adj* nie odwołany

unrepeatable ['ʌnri'pi:təbl] *adj* nie (nadający się) do powtórzenia

unrepentant ['ʌnri'pentənt], unrepenting ['ʌnri'pentiŋ] *adj* nie żałujący swego czynu; (*o wino-*

wajcy) nie skruszony, nie okazujący skruchy; ~ **sinner** zatwardziały grzesznik

unrepining ['ʌnri'paining] *adj* (robiący coś) bez szemrania

unreplenished ['ʌnri'pleniʃt] *adj* (*o zapasach itd*) nie uzupełniony

unreported ['ʌnri'pɔ:tid] *adj* 1. nie zaprotokołowany 2. nie meldowany

unrepressed ['ʌnri'prest] *adj* nie wstrzymany; nie powstrzymany

unreproved ['ʌnri'pru:vd] *adj* nie strofowany

unrequested ['ʌnri'kwestid] *adj* nie proszony; **to do sth** ~ zrobić coś z własnej inicjatywy

unrequired ['ʌnri'kwaiəd] *adj* niepotrzebny; nie wymagany

unrequited ['ʌnri'kwaitid] *adj* 1. (*o przysłudze itd*) pozostawiony bez rewanżu 2. (*o usługach*) nie wynagrodzony 3. (*o miłości itd*) nie odwzajemniony

unresented ['ʌnri'zentid] *adj* (*o uwadze, krytyce itd*) nie wzięty/brany za złe; (wysłuchany, przyjęty itd.) bez urazy

unresentful ['ʌnri'zentful] *adj* nie żywiący urazy (**of sth** za coś)

unreserve ['ʌnri'zə:v] *s* brak rezerwy; szczerość; otwartość

unreserved ['ʌnri'zə:vd] *adj* 1. (mówiący itd.) bez rezerwy; szczery; otwarty 2. (*o aprobacie itd*) całkowity; zupełny; (dany) bez zastrzeżeń 3. (*o miejscu itd*) nie za/rezerwowany

unreservedly ['ʌnri'zə:vidli] *adv* 1. bez zastrzeżeń; bez ograniczeń; całkowicie; w pełni 2. szczerze; otwarcie

unresisted ['ʌnri'zistid] *adj* 1. (*o pokusie itd*) nie odparty; któremu nie można (było) się oprzeć <musi/ało się ulec> 2. nie wstrzymywany; nie napotykający na opór

unresisting ['ʌnri'zistiŋ] *adj* nie stawiający oporu

unresolved ['ʌnri'zɔlvd] *adj* 1. niezdecydowany 2. (*o zadaniu itd*) nie rozwiązany

unrespected ['ʌnri'spektid] *adj* nie cieszący się szacunkiem; nie szanowany

unresponsive ['ʌnris'pɔnsiv] *adj* nie reagujący; obojętny

unrest ['ʌn'rest] *s* 1. niepokój 2. *polit* niepok-ój/ oje; wzburzenie; zamieszki; **labour** ~ pomruki niezadowolenia wśród mas robotniczych

unresting ['ʌn'restiŋ] *adj* niestrudzony

unrestored ['ʌnri'stɔ:d] *adj* 1. (*o skradzionych przedmiotach*) nie zwrócony 2. (*o budynku*) nie odrestaurowany; (*o obrazie*) nie odnowiony 3. (*o meblu itd*) nie postawiony z powrotem na swoje miejsce 4. (*o człowieku*) nie przywrócony na swoje stanowisko <któremu nie przywrócono praw>

unrestrained ['ʌnris'treind] *adj* niepowstrzym-any/ ywany; niepohamowany; nieopanowany

unrestrainedly ['ʌnris'treinidli] *adv* niepowstrzymanie; bez opanowania; swobodnie; bez hamulców; bez pamięci

unrestricted ['ʌnris'triktid] *adj* nieograniczony

unretentive ['ʌnri'tentiv] *adj* (*o pamięci*) krótki; zawodny

unrevealed ['ʌnri'vi:ld] *adj* nie ujawniony; nie wyjawiony

unrevenged ['ʌnri'vendʒd] *adj* nie pomszczony

unrewarded ['ʌnri'wɔ:did] *adj* nie wynagrodzony

unrhymed ['ʌn'raimd] *adj* nierymowany

unrhythmical ['ʌn'riðmikəl] *adj* nierytmiczny

unriddle ['ʌn'ridl] *vt lit* rozwiąz-ać/ywać (zagadkę)

unrig ['ʌn'rig] *vt* (**-gg-**) *mar* pozbawi-ć/ać osprzętu (statek)

unrighteous [ʌn'raitʃəs] *adj* 1. niecny; nieprawy 2. niesprawiedliwy; bezprawny

unrighteousness [ʌn'raitʃəsnis] *s* 1. nieprawość 2. niesprawiedliwość; bezprawie

unrimed [ʌn'raimd] = **unrhymed**

unrip ['ʌn'rip] *vt* (**-pp-**) rozpru-ć/wać

unripe ['ʌn'raip] *adj* niedojrzały

unrivalled [ʌn'raivəld] *adj* niezrównany

unrobe ['ʌn'roub] Ⅰ *vt* zd-jąć/ejmować szaty (**sb** z kogoś) Ⅱ *vi* zd-jąć/ejmować szaty (z siebie)

unroll ['ʌn'roul] *vt* rozwi-nąć/jać (coś zwiniętego)

unroof ['ʌn'ru:f] *vt* zd-jąć/ejmować <roz-ebrać/ bierać, zerwać/zrywać> dach (**a house** z domu)

unround ['ʌn'raund] *vt jęz* delabializować

unrounded ['ʌn'raundid] *adj jęz* 1. niezaokrąglony 2. zdelabializowany

unruffled ['ʌn'rʌfld] *adj* 1. niewzruszony 2. (*o człowieku, morzu itd*) spokojny 3. (*o człowieku*) pogodny 4. (*o spokoju*) niezmącony

unruled ['ʌn'ru:ld] *adj* 1. (*o narodzie*) bez rządów 2. (*o namiętności*) nieopanowany 3. (*o papierze*) nie liniowany

unruliness [ʌn'ru:linis] *s* niesforność: nieposłuszeństwo; brak dyscypliny

unruly [ʌn'ru:li] *adj* niesforny; nieposłuszny; niezdyscyplinowany

unsaddle ['ʌn'sædl] *vt* 1. rozsiodłać <rozkulba­czyć> (konia) 2. wysadz-ić/ać z siodła (jeźdźca)

unsafe ['ʌn'seif] *adj* niebezpieczny; ryzykowny; niepewny

unsaid ['ʌn'sed] Ⅰ *zob* **unsay** *v* Ⅱ *adj* nie powiedziany; przemilczany; **to leave** ~ przemilczeć; **things better left** ~ sprawy, o których lepiej (jest) nie mówić <które lepiej (jest) za­chować dla siebie>

unsailorlike [ʌn'seilə,laik] *adj* 1. (zrobiony itd.) nie po żeglarsku 2. (*o postępowaniu itd*) niegodny marynarza

unsalaried [ʌn'sælərid] *adj* nie wynagradzany; (*o pracowniku*) niepłatny

unsal(e)able [ʌn'seiləbl] *adj* nie nadający się do sprzedaży; niepokupny; **it is** ~ nie można tego sprzedać

unsalted ['ʌn'sɔ:ltid] *adj* nie solony

unsanctified ['ʌn'sæŋkti,faid] *adj* nie poświęcony

unsanctioned ['ʌn'sæŋkʃənd] *adj* nie sankcjonowany; nie zatwierdzony; nie zaakceptowany; bez sankcji

unsanitary ['ʌn'sænitəri] *adj* niehigieniczny; niezdrowy; szkodliwy dla zdrowia

unsated [ʌn'seitid], **unsatiated** [ʌn'seiʃi,eitid] *adj* nienasycony

unsatisfactorily ['ʌn,sætis'fæktərili] *adv* niezadowalająco; w sposób niezadowalający; niedostatecznie

unsatisfactory ['ʌn,sætis'fæktəri] *adj* niezadowalający; *szk* (*o stopniu*) niedostateczny

unsatisfied ['ʌn'sætis,faid] *adj* 1. niezadowolony 2. (*o apetycie itd*) nie zaspokojony 3. (*o długu itd*) nie wyrównany 4. (*o sędzim, egzaminatorze itd*) nie przekonany

unsatisfying [ʌn'sætis,faiiŋ] *adj* 1. niezadowalający 2. niewystarczający

unsavouriness ['ʌn'seivərinis] *s* 1. *dosł i przen* niesmak 2. przykre wrażenie (skandalu itd.) 3. swąd; smród

unsavoury ['ʌn'seivəri] *adj* 1. *dosł i przen* niesmaczny 2. (*o wydarzeniu itd*) przykry 3. (*o zapachu*) nieprzyjemny; przykry

unsawn ['ʌn'sɔ:n] *adj* (*o materiale drzewnym*) nie tarty; nie prze/piłowany

unsay ['ʌn'sei] *vt* (**unsaid** ['ʌn'sed], **unsaid**) cof-nąć/ać <odwoł-ać/ywać> (to co się powiedziało) *zob* **unsaid**

unscalable ['ʌn'skeiləbl] *adj* (*o szczycie górskim itd*) nie do zdobycia

unscathed ['ʌn'skeiðd] = **scatheless**

unscholarly ['ʌn'skɔləli] *adj* 1. nie naukowy 2. niegodny uczonego

unschooled ['ʌn'sku:ld] *adj* 1. nieuczony; nie szkolony 2. niewprawny

unscientific ['ʌn,saiən'tifik] *adj* = **unscholarly** 1.

unscramble ['ʌn'skræmbl] *vt* uporządkować; doprowadz-ić/ać do ładu

unscratched [ʌn'skrætʃt] *adj* bez zadraśnięcia, nie zadraśnięty

unscreened ['ʌn'skri:nd] *adj* 1. nie osłonięty; bez osłony 2. *górn* (*o węglu*) nie sortowany

unscrew ['ʌn'skru:] □ *vt* odśrubow-ać/ywać; odkręc-ić/ać (śrubę) □ *vi* (*o śrubie itd*) odkręc-ić/ać się

unscrupulous [ʌn'skru:pjuləs] *adj* pozbawiony skrupułów; bez skrupułów; niegodziwy; bez sumienia

unscrupulousness [ʌn'skru:pjuləsnis] *s* 1. niesumienność 2. niegodziwość

unseal ['ʌn'si:l] *vt* 1. odpieczętow-ać/ywać (dokument itd.); rozpieczętow-ać/ywać (list itd.) 2. *przen w zwrocie*: to ~ sb's lips zwolnić kogoś od obowiązku dochowania tajemnicy

unseam [ʌn'si:m] *vt* s/pruć, poprzuć; rozpru-ć/wać (ubranie itd.)

unsearched [ʌn'sə:tʃt] *adj* nie z/rewidowany

unseasonable ['ʌn'si:znəbl] *adj* 1. (*o potrawie itd*) podany nie w sezonie 2. (*o posunięciu, żarcie itd*) niewczesny, niestosowny 3. (*o pogodzie*) nietypowy dla danej pory roku

unseasoned ['ʌn'si:znd] *adj* 1. (*o potrawie*) nie przyprawiony 2. (*o winie*) nie wytrawiony 3. (*o materiale drzewnym*) nie wysuszony, surowy 4. (*o człowieku*) niewprawny

unseat ['ʌn'si:t] *vt* 1. wysadz-ić/ać z siodła 2. pozbawi-ć/ać stanowiska <urzędu> 3. pozbawić (posła) mandatu poselskiego

unseaworthy ['ʌn'si:,wə:ði] *adj* niezdatny do żeglugi; nieżeglowny

unseconded ['ʌn'sekəndid] *adj* nie poparty; nie znajdujący poparcia

unseeing ['ʌn'si:iŋ] *adj* 1. (nic) nie widzący; **he looked with ~ eyes** patrzył niewidzącymi oczami 2. niewidomy; ociemniały

unseemliness [ʌn'si:mlinis] *s* 1. niewłaściwość; niestosowność 2. nieprzyzwoitość

unseemly [ʌn'si:mli] *adj* 1. niewłaściwy; niestosowny; nie na miejscu 2. nieprzyzwoity; gorszący

unseen [ʌn'si:n] □ *adj* 1. nie widziany; **to buy sth ~** kupić coś bez obejrzenia <bez oglądania>;

szk **~ translation** tłumaczenie z pamięci <zrobione bez przygotowania i bez słownika> □ *s* **the ~** świat pozagrobowy <niewidzialny>

unseized [ʌn'si:zd] *adj* 1. (*o towarze itd*) nie rekwirowany 2. (*o sposobności*) nie wykorzystany

unselfconscious ['ʌnself'kɔnʃəs] *adj* nie zażenowany

unselfish ['ʌn'selfiʃ] *adj* niesamolubny; pozbawiony egoizmu; bezinteresowny

unselfishness ['ʌn'selfiʃnis] *s* brak egoizmu; bezinteresowność

unsent ['ʌn'sent] *adj* 1. nie wysłany 2. **~ for** nie wezwany

unsentenced ['ʌn'sentənst] *adj* nie skazany; nie zasądzony

unsentimental ['ʌn,senti'mentl] *adj* nie sentymentalny; **to be ~** nie bawić się w sentymenty

unserviceable [ʌn'sə:visəbl] *adj* nieprzydatny; bezużyteczny; niepraktyczny

unset ['ʌn'set] *adj* 1. (*o kamieniu*) nie oprawny 2. (*o złamanej kości*) nie nastawiony 3. (*o pułapce*) nie zastawiony

unsettle ['ʌn'setl] *vt* za/chwiać (**sth** czymś); zburzyć <przewr-ócić/acać> porządek (**sth** czegoś)

unsettled ['ʌn'setld] □ *zob* **unsettle** *v* □ *adj* 1. zachwiany; zaburzony; zakłócony 2. nie ustalony; niepewny; zmienny 3. niespokojny; zaniepokojony 4. (*o człowieku*) nie osiedlony 5. (*o człowieku*) niezdecydowany 6. (*o kwestii*) nie rozstrzygnięty 7. (*o rachunku itd*) nie wyrównany; nie zapłacony 8. (*o okolicy*) nie zaludniony

unsew ['ʌn'sou] *vt* (**unsewed** ['ʌn'soud], **unsewn** ['ʌn'soun]) rozpru-ć/wać (coś zaszytego); **to come unsewn** rozpru-ć/wać się

unsex [ʌn'seks] *vt* u/czynić (kobietę) nieponętną; pozbawić uroku kobiecego

unshackle ['ʌn'ʃækl] *vt* 1. uw-olnić/alniać z pęt (konia) 2. zd-jąć/ejmować kajdany (**sb** komuś)

unshaded [ʌn'ʃeidid] *adj* 1. nie zacieniony; bez cienia 2. (*o rysunku*) nie cieniowany, bez cieni

unshakable [ʌn'ʃeikəbl] *adj* niezachwiany; niewzruszony; niezmienny; trwały

unshaken ['ʌn'ʃeikən] *adj* niezachwiany, nienaruszony

unshaped ['ʌn'ʃeipt] *adj* nieuformowany; niekształtny; bezkształtny

unshapeliness [ʌn'ʃeiplinis] *s* brzydota; szpetota; szkaradność; niezgrabność

unshapely [ʌn'ʃeipli] *adj* niekształtny; niezgrabny; szkaradny; szpetny

unshared [ʌn'ʃɛəd] *adj* (*o radości itd*) nie dzielony z nikim

unshaved [ʌn'ʃeivd], **unshaven** ['ʌn'ʃeivn] *adj* nieogolony

unsheathe ['ʌn'ʃi:ð] *vt* wydoby-ć/wać <wyj-ąć/mować> z pochwy *zob* **unsheathed**

unsheathed ['ʌn'ʃi:ðd] □ *zob* **unsheathe** *v* □ *adj* wyjęty z pochwy; (*o szabli*) obnażony

unsheltered ['ʌn'ʃeltəd] *adj* 1. nie chroniony 2. nie osłonięty

unshielded ['ʌn'ʃi:ldid] *adj* nie chroniony

unship ['ʌn'ʃip] *vt* (**-pp-**) 1. wyładow-ać/ywać (towar); wysadz-ić/ać na ląd (pasażerów) 2. *wiosł* wyj-ąć/mować wiosło z dulki

unshod ['ʌn'ʃɔd] *adj* 1. bosy 2. (*o koniu*) nie podkuty unshoe ['ʌnʃuː] vt (unshod ['ʌn'ʃɔd], unshod; unshoeing ['ʌn'ʃuːiŋ]) 1. rozzu-ć/wać; zd-jąć/ejmować buty <obuwie> (sb komuś) 2. rozku-ć/wać (konia)

unshorn ['ʌn'ʃɔːn] adj niestrzyżony

unshrinkable ['ʌn'ʃriŋkəbl] adj (o materiale itd) nie zbiegający się

unshrinking ['ʌn'ʃriŋkiŋ] adj w zwrocie: to do sth ~ zrobić coś bez wahania <bez zmrużenia oka>

unshriven ['ʌn'ʃrivən] adj nie rozgrzeszony

unshutter ['ʌn'ʃʌtə] vt w zwrocie: to ~ the windows otw-orzyć/ierać okiennice

unsifted ['ʌn'siftid] adj nie przesiany

unsighted [ʌn'saitid] adj 1. nie dostrzeżony 2. nie widziany przez nikogo 3. (o armacie itd) bez celownika 4. sport w zwrocie: to be ~ a) mieć zasłonięty widok b) (o sędzim, piłce) być zasłoniętym (przez gracza)

unsightliness [ʌn'saitlinis] s brzydota; szpetota; szkarádność

unsightly [ʌn'saitli] adj brzydki; szpetny; szkaradny

unsigned ['ʌn'saind] adj nie podpisany; an ~ letter <document> list <dokument> bez podpisu

unsinkable [ʌn'siŋkəbl] adj nie do zatopienia; niezatapialny

unsisterly [ʌn'sistəli] adj niegodny siostry; that was ~ of her tak siostra nie postępuje

unsized [ʌn'saizd] adj (o papierze) bez apretury

unskilful [ʌn'skilful] adj niezręczny

unskilled ['ʌn'skild] adj 1. niewprawny 2. (o robotniku) niewykwalifikowany; ~ labour a) robotnicy niewykwalifikowani; wyrobnicy b) praca wykonywana przez niewykwalifikowanych robotników

unskimmed ['ʌn'skimd] adj (o mleku) nie zbierany

unslacked [ʌn'slækt], unslaked ['ʌn'sleikt] adj (o wapnie) niegaszony

unsleeping [ʌn'sliːpiŋ] adj lit czuwający

unslept [ʌn'slept] adj w zwrocie: a bed ~ in łóżko, w którym nikt nie spał <nie zasłane>

unsling ['ʌn'sliŋ] vt (unslung ['ʌn'slʌŋ], unslung) zd-jąć/ejmować (coś zawieszonego na ramieniu)

unsmiling [ʌn'smailiŋ] adj nie uśmiechnięty; bez uśmiechu

unsociable [ʌn'souʃəbl], unsocial ['ʌn'souʃəl] adj nietowarzyski

unsoiled ['ʌn'sɔild] adj nie zabrudzony; nie poplamiony

unsold ['ʌn'sould] adj niesprzedany; (leżący) na składzie

unsolder [ʌn'sɔldə] vt rozlutow-ać/ywać

unsoldierlike [ʌn'souldʒə,laik], unsoldierly [ʌn'souldʒəli] adj nie żołnierski; (zrobiony itd.) nie po żołniersku

unsolicited [,ʌnsə'lisitid] adj dobrowolny; spontaniczny; he did it ~ zrobił to z własnej woli

unsolved [ʌn'sɔlvd] adj (o problemie itd) nie rozwiązany; (o kwestii) nie rozstrzygnięty

unsophisticated ['ʌnsə'fisti,keitid] adj 1. (o człowieku); prosty; naturalny 2. (o człowieku) nie zepsuty; niewinny; naiwny 3. (o winie itd) nie fałszowany, naturalny

unsought ['ʌn'sɔːt] adj 1. nie szukany, nie poszukiwany 2. nie proszony

unsound ['ʌn'saund] adj 1. niezdrowy; ~ of <in>

mind psychicznie chory 2. słaby; oparty na chwiejnych podstawach 3. (o owocu) nadpsuty 4. (o drewnie) spróchniały; niezdrowy 5. (o stanowisku) niepewny 6. (o przedsiębiorstwie itd) niesolidny 7. (o posunięciu) ryzykowny 8. (o zapatrywaniach itd) błędny, oparty na fałszywych przesłankach; (o rozumowaniu) wadliwy

unsoundness ['ʌn'saundnis] s 1. brak zdrowia; słabe <nadwątlone> zdrowie; ~ of mind choroba psychiczna 2. nadpsucie; kiepski stan 3. niepewność 4. niesolidność 5. słabe <chwiejne> podstawy 6. fałszywe przesłanki; wadliwość

unsowed ['ʌn'soud], unsown ['ʌn'soun] adj 1. (o ziarnie) nie wysiany 2. (o polu) nie obsiany

unsparing [ʌn'spɛəriŋ] adj 1. nie żałujący; nie szczędzący; to be ~ of sth nie żałować czegoś; nie oszczędzać <nie szczędzić> czegoś 2. bezlitosny (of other people dla innych)

unspeakable [ʌn'spiːkəbl] adj 1. niewypowiedziany; niewymowny; nie do opisania 2. ohydny

unspecialized [ʌn'speʃə,laizd] adj nie wyspecjalizowany

unspecified [ʌn'spesi,faid] adj bliżej nieokreślony; nie wyszczególniony

unspectacular ['ʌn,spek'tækjulə] adj (zrobiony) bez parady; skromny

unspent ['ʌn'spent] adj 1. (o pieniądzach) nie wydany 2. (o sile itd) nie wykorzystany

unspoiled ['ʌn'spɔild], unspoilt ['ʌn'spɔilt] adj (o żywności, przyrządzie itd) nie zepsuty; (o dziecku) nie rozpieszczony

unspoken ['ʌn'spoukən] adj nie wypowiedziany; (o zgodzie) milczący; the ~ word to, co można przeczytać między wierszami; to, czego można się domyślić

unsporting ['ʌn'spɔːtiŋ], unsportsmanlike ['ʌn'spɔːtsmən,laik] adj 1. niegodny sportowca 2. niehonorowy

unspotted ['ʌn'spɔtid] adj 1. zoo bot nie kropkowany; bez plam 2. (o reputacji itd) niesplamiony; czysty; nieskalany

unsprung ['ʌn'sprʌŋ] adj nie resorowany

unsquared ['ʌn'skwɛəd] adj nie prostokątny

⬥unstable ['ʌn'steibl] adj niepewny; niepewnie stojący; dosł i przen (o równowadze, człowieku) chwiejny

unstained ['ʌn'steind] adj 1. niesplamiony; czysty 2. nie farbowany

unstamped ['ʌn'stæmpt] adj 1. nie stemplowany 2. (o znaczku pocztowym itd) nie skasowany 3. (o liście) bez znaczka pocztowego; nie frankowany

unstarched ['ʌn'staːtʃt] adj 1. nie krochmalony 2. wypłukany z krochmalu 3. (o zachowaniu) swobodny; pozbawiony sztywności

unstatutable ['ʌn'stætjutəbl] adj sprzeczny ze statutem

unsteadfast ['ʌn'stedfəst] adj chwiejny; niestały; zmienny

unsteadiness ['ʌn'stedinis] s 1. niestałość; zmienność; chwiejność 2. nieustabilizowanie

unsteady ['ʌn'stedi] adj 1. chwiejący się; nie stojący pewnie <mocno>; (o człowieku) stojący na niepewnych nogach; his hand is ~ on nie ma pewnej ręki; ręka mu się trzęsie 2. (o świetle) migocący 3. (o człowieku, kroku) chwiejny; niezdecydowany; nie stanowczy 4. (o uczuciach) niestały 5. (*o wietrze itd*) zmienny 6. (*o cenach*) nie ustabilizowany; **prices are** ~ ceny skaczą 7. (*o głosie, pozycji*) niepewny

unstick ['ʌn'stik] *vt* (**unstuck** ['ʌn'stʌk], **unstuck**) rozkle-ić/jać; **to come unstuck** a) rozkle-ić/jać się b) *pot* (*o samolocie*) od-erwać/rywać się od ziemi c) *pot* (*o planach itd*) spalić na panewce; nie powieść się

unstinted [ʌn'stintid] *adj* 1. (*o dostawach itd*) nieograniczony 2. (*o podziwie itd*) bezgraniczny; **to give sb** ~ **praise** nie żałować komuś pochwał

unstinting [ʌn'stintiŋ] *adj* hojny; szczodry

unstintingly [ʌn'stintiŋli] *adv* nie szczędząc; nie żałując; (dawać itd.) hojną ręką

unstirred ['ʌn'stɜːd] *adj* 1. (*o człowieku*) niewzruszony 2. (*o przedmiocie*) nie ruszony z miejsca 3. (*o płynie*) nie wymieszany, nie wstrząśnięty

unstitch ['ʌn'stitʃ] *vt* rozpru-ć/wać; s/pruć; **to come** ~ed rozpruć się

unstocked ['ʌn'stɔkt] *adj* (*o sklepie*) nie zaopatrzony (**with sth** w coś)

unstockinged ['ʌn'stɔkiŋd] *adj* bez pończoch

unstop ['ʌn'stɔp] *vt* (-pp-) 1. od-etkać/tykać 2. rozplombow-ać/ywać (ząb)

unstrained [ʌn'streind] *adj* 1. (*o linie itd*) nie naciągnięty 2. (*o wesołości itd*) niewymuszony, naturalny 3. (*o płynie itd*) nie cedzony; (*o jarzynach itd*) nie odcedzony

unstrap ['ʌn'stræp] *vt* (-pp-) odpi-ąć/nać rzemień (**sth od czegoś**)

unstratified [ʌn'stræti,faid] *adj* nie uwarstwiony; nie warstwowany

unstressed ['ʌn'strest] *adj* 1. nie akcentowany 2. nie zaakcentowany; nie podkreślony

unstretch ['ʌn'stretʃ] *vt* rozluźni-ć/ać, zw-olnić/alniać (coś napiętego)

unstring ['ʌn'striŋ] *vt* (**unstrung** ['ʌn'strʌŋ], **unstrung**) 1. odsznurow-ać/ywać; zd-jąć/ejmować sznur/y (**sth z czegoś**) 2. zd-jąć/ejmować cięciwę (**a bow z łuku**) 3. zd-jąć/ejmować struny (**an instrument z instrumentu**) 4. *przen* rozwiąz-ać/ywać (**one's purse** sakiewkę) 5. zd-jąć/ejmować (**pearls etc.** nanizane perły itd.) 6. rozstr-oić/ajać (**sb** kogoś <komuś nerwy>) *zob* **unstrung**

unstripped ['ʌn'stript] *adj* w ubraniu; w sukni; nie rozebrany

unstrung ['ʌn'strʌŋ] *zob* **unstring** *v*; **my nerves are** ~ mam rozstrojone nerwy

unstuck *zob* **unstick**

unstudied ['ʌn'stʌdid] *adj* nie wystudiowany; naturalny

unsubdued ['ʌnsəb'djuːd] *adj* nie opanowany; nie pokonany

unsubmissive ['ʌnsəb'misiv] *adj* nie uległy

unsubsidized ['ʌn'sʌbsi,daizd] *adj* nie subwencjonowany

unsubstantial ['ʌnsəb'stænʃəl] *adj* 1. nieistotny 2. nierealny 3. zmyślony 4. (*o pożywieniu*) lekki; płynny; papkowaty

unsubstantiated ['ʌnsəb'stænʃi,eitid] *adj* 1. nie potwierdzony; nie stwierdzony 2. nie udowodniony

unsuccess ['ʌnsək'ses] *s* niepowodzenie

unsuccessful ['ʌnsək'sesful] *adj* 1. nieudany; bezowocny; niepomyślny; niefortunny; nie uwieńczony powodzeniem; **my attempt was** ~ moje usiłowania nie powiodły się <nie dały rezultatu,

do niczego nie doprowadziły, spaliły na panewce, zawiodły> 2. (*o człowieku*) nie mający szczęścia; **I was** ~ a) nie miałem szczęścia; miałem pecha; nie powiodło <nie udało> mi się b) pokpiłem <*pot* zawaliłem> sprawę c) (*przy egzaminie*) nie zdałem, *pot* oblałem d) (*w procesie*) przegrałem

unsuccessfully ['ʌnsək'sesfuli] *adv* 1. nieszczęśliwie; niepomyślnie; pechowo 2. daremnie; na próżno; bez powodzenia; bez rezultatu

unsuitability ['ʌn,sjuːtə'biliti] *s* niewłaściwość; niestosowność

unsuitable ['ʌn'sjuːtəbl] *adj* niewłaściwy; niestosowny; nieodpowiedni; nie nadający się; nie na miejscu; niefortunny

unsuitableness ['ʌn'sjuːtəblnis] = **unsuitability**

unsuited ['ʌn'sjuːtid] *adj* nieodpowiedni; niewłaściwy; (*także* ~ **to the occasion**) niestosowny; nie nadający się (**for** <**to**> **sth** do czegoś <do robienia czegoś>)

unsullied ['ʌn'sʌlid] *adj* nie splamiony; bez skazy

unsung ['ʌn'sʌŋ] *adj* nie opiewany

unsupervised ['ʌn'sjuːpə,vaizd] *adj* nie nadzorowany; bez nadzoru

unsupplied ['ʌnsə'plaid] *adj* 1. (*o wojsku itd*) nie zaprowiantowany 2. (*o przedmiocie, towarze itd*) nie dostarczony

unsupportable ['ʌnsə'pɔːtəbl] *adj* nieznośny; nie do zniesienia

unsupported ['ʌnsə'pɔːtid] *adj* 1. nie poparty 2. nie podtrzymywany

unsuppressed ['ʌnsə'prest] *adj* 1. nie opanowany 2. (*o powstaniu itd*) nie zdławiony, nie stłumiony 3. nie zakazany przez cenzurę

unsure ['ʌn'ʃuə] *adj* niepewny

unsurmountable ['ʌnsə'mauntəbl] *adj* (*o trudności itd*) nie do pokonania, nie do przezwyciężenia

unsurpassed ['ʌnsə'pɑːst] *adj* nieprześcigniony; niezrównany

unsusceptible ['ʌnsə'septəbl] *adj* 1. niewrażliwy (**to sth** na coś) 2. nie dopuszczający (**of sth** czegoś)

unsuspected ['ʌnsəs'pektid] *adj* 1. (*o człowieku*) nie podejrzewany 2. (*o zjawisku itd*) którego istnienia nikt nie podejrzewał <nikt się nie domyślał>

unsuspecting ['ʌnsəs'pektiŋ] *adj* 1. nie podejrzliwy 2. niczego nie podejrzewający

unsuspicious ['ʌnsəs'piʃəs] *adj* 1. nie podejrzliwy 2. (*o zachowaniu itd*) niepodejrzany 3. (*o człowieku*) nie podejrzewający (**of sth** istnienia czegoś)

unsustained ['ʌnsəs'teind] *adj* (*o wysiłku itd*) nie podtrzymywany; (*o zainteresowaniu itd*) słabnący

unswaddle ['ʌn'swɔdl] *vt* rozwi-nąć/jać z pieluszek (dziecko)

unswathe ['ʌn'sweið] *vt* odwi-nąć/jać; obandażow-ać/ywać

unswayed ['ʌn'sweid] *adj* nie ulegający wpływom (**by sb** czyimś); nie zważający (**by sth** na coś — na namowy, krytykę itd.)

unsweetened ['ʌn'swiːtnd] *adj* nie słodzony; nie cukrzony

unswept ['ʌn'swept] *adj* nie zamieciony

unswerving [ʌn'swɜːviŋ] *adj* 1. niezachwiany 2. (*o locie itd*) prosty, nie zbaczający z linii prostej

unsworn ['ʌn'swɔːn] *adj* nie zaprzysiężony

unsymmetrical ['ʌnsi'metrikəl] *adj* niesymetryczny

unsympathetic ['ʌn͵simpə'θetik] *adj* 1. nie okazujący współczucia <zrozumienia>; obojętny 2. nieprzychylny

unsystematic ['ʌn͵sisti'mætik] *adj* niesystematyczny

untack ['ʌn'tæk] *vt* 1. rozfastrygow-ać/ywać 2. odpi-ąć/nać; odczepi-ć/ać

untainted ['ʌn'teintid] *adj* 1. nie zepsuty 2. (*o reputacji*) nieskazitelny

untalented ['ʌn'tæləntid] *adj* nie utalentowany; bez talentu

untamable ['ʌn'teiməbl] *adj* 1. (*o zwierzęciu*) nie dający się oswoić 2. (*o namiętnościach*) nieposkromiony

untamed ['ʌn'teimd] *adj* 1. (*o zwierzęciu*) nieoswojony 2. (*o namiętności*) nie opanowany

untangle ['ʌn'tæŋgl] *vt* rozpląt-ać/ywać; rozwikłać

untanned ['ʌn'tænd] *adj* (*o skórze*) nie garbowany

untapped ['ʌn'tæpt] *adj* 1. (*o beczce itd*) nie napoczęty; nie odszpuntowany 2. (*o zasobach, bogactwach*) nie wykorzystany, nie wyzyskany

untarnished ['ʌn'tɑːniʃt] *adj* nie splamiony; (*o reputacji*) nieskazitelny, bez skazy

untarred ['ʌn'tɑːd] *adj* nie smołowany

untasted ['ʌn'teistid] *adj* nie s/kosztowany, nie s/próbowany; **the dish remained ~** nikt nawet nie spróbował <nie skosztował> tego dania

untaught ['ʌn'tɔːt] *adj* 1. niewykształcony; niepiśmienny 2. (*o zdolnościach itd*) nie wyuczony, naturalny, wrodzony

untaxed ['ʌn'tækst] *adj* nie opodatkowany

unteach ['ʌn'tiːtʃ] *vt* (**untaught** ['ʌn'tɔːt], **untaught**) 1. oducz-yć/ać (**sb sth** kogoś od czegoś, kogoś czegoś) 2. inaczej nauczyć

untempered ['ʌn'tempəd] *adj* 1. (*o stali itd*) nie hartowany 2. (*o surowości*) nie złagodzony

untenable ['ʌn'tenəbl] *adj* (*o teorii itd*) nie do utrzymania

untenantable ['ʌn'tenəntəbl] *adj* (*o posiadłości itd*) nie do wydzierżawienia

untenanted ['ʌn'tenəntid] *adj* nie wydzierżawiony; nie wynajęty; bez lokatorów

untended ['ʌn'tendid] *adj* (*o chorym itd*) bez opieki

untested ['ʌn'testid] *adj* 1. nie wypróbowany 2. nie sprawdzony

untether ['ʌn'teðə] *vt* rozwiąz-ać/ywać pęta (**a horse** koniowi)

unthankful ['ʌn'θæŋkful] *adj* niewdzięczny

unthatched ['ʌn'θætʃt] *adj* nie kryty strzechą

unthinkable ['ʌn'θiŋkəbl] *adj* nie do pomyślenia

unthinking ['ʌn'θiŋkiŋ] *adj* bezmyślny; **done in an ~ moment** zrobiony w chwili roztargnienia <bez zastanowienia>

unthought ['ʌn'θɔːt] *adj* 1. (*o zdarzeniu itd*) **~ of** nieprzewidziany; niespodziewany; nieoczekiwany; o którym nikt nie pomyślał; który nikomu nie przyszedł na myśl 2. (*o człowieku*) **~ of** zapomniany

unthread ['ʌn'θred] *vt* 1. wyciąg-nąć/ać nitkę (**a needle** z igły) 2. wydosta-ć/wać się (**a maze** z labiryntu); *przen* rozwiąz-ać/ywać tajemnicę

unthrifty ['ʌn'θrifti] *adj* nieoszczędny; niegospodarny

unthrone ['ʌn'θroun] *vt* zdetronizować

untidiness [ʌn'taidinis] *s* 1. nieporządek; bałagan 2. brak zamiłowania do porządku; bałaganiar-

stwo; niechlujstwo 3. zaniedbanie; zaniedbany wygląd 4. rozczochranie

untidy [ʌn'taidi] *adj* 1. (*o pokoju itd*) nie posprzątany; (znajdujący się) w nieporządku <w nieładzie> 2. (*o stroju, wyglądzie*) zaniedbany 3. (*o włosach*) rozczochrany 4. (*o człowieku*) niestaranny; niechlujny; bez zamiłowania do porządku

untie ['ʌn'tai] *v* (**untied** ['ʌn'taid], **untied; untying** ['ʌn'taiiŋ]) ⊡ *vt* rozwiąz-ać/ywać; odwiąz-ać/ywać; rozsupł-ać/ywać; **to come ~ed =** **to ~** *vi* ⊡ *vi* rozwiąz-ać/ywać <odwiąz-ać/ywać, rozsupł-ać/ywać> się

untight [ʌn'tait] *adj* nieszczelny; niehermetyczny

until [ən'til] **= till**

untile ['ʌn'tail] *vt* 1. zd-jąć/ejmować <zerwać/zrywać> dachówki (**a house** z dachu domu) 2. zd-jąć/ejmować <zerwać/zrywać> kafle (**a floor** etc. z podłogi itd.) *zob* **untiled**

untiled ['ʌn'taild] ⊡ *zob* **untile** *v* ⊡ *adj* 1. (*o dachu*) nie kryty, bez dachówek 2. (*o podłodze, ścianie*) nie wyłożony kaflami

untillable ['ʌn'tiləbl] *adj* (*o ziemi*) nie nadający się do uprawy

untilled ['ʌn'tild] *adj* nieuprawny; leżący odłogiem; **~ ground** odłóg

untimbered ['ʌn'timbəd] *adj* 1. (*o studni itd*) nie cembrowany 2. (*o obszarze ziemi*) ogołocony z drzew; bezdrzewny

untimeliness [ʌn'taimlinis] *s* 1. przedwczesność 2. niewczesność

untimely [ʌn'taimli] ⊡ *adj* 1. przedwczesny 2. (*o jarzynie itd*) wczesny 3. (*o owocu*) przedwcześnie dojrzały 4. (*o deszczu, pogodzie*) nastały w niewłaściwym czasie; (będący) nie w porę 5. (*o wydarzeniu itd*) (następujący itd.) w nieodpowiednim momencie <nie w porę, nie na czasie>; **an ~ hour** nieodpowiednia <niedogodna> pora ⊡ *adv* 1. przedwcześnie 2. nie w porę; nie na czasie; w nieodpowiednim momencie; w niedogodnej chwili

untinged ['ʌn'tindʒd] *adj* nie zabarwiony

untiring [ʌn'taiəriŋ] *adj* niestrudzony; niezmordowany

unto ['ʌntu] † *praep* **= to** *w znaczeniach*: do (kogoś, czegoś); ku (komuś, czemuś); w kierunku (kogoś, czegoś); aż do (pewnego czasu)

untold ['ʌn'tould] *adj* 1. (*o bogactwach itd*) niezliczony; olbrzymi; bajeczny 2. (*o cierpieniach itd*) niesłychany; niebywały; nieprawdopodobny 3. (*o radości itd*) niesłychany; niewypowiedziany; niewysłowiony 4. (*o przeżyciach itd*) nie opowiedziany; nie opisany; przemilczany; **it remained ~** nikt tego nie opowiedział

untouchable [ʌn'tʌtʃəbl] ⊡ *adj* niedotykalny ⊡ *s pl the ~s* pariasi

untouched ['ʌn'tʌtʃt] *adj* 1. nietknięty 2. (*o reputacji*) nieskazitelny 3. (*o człowieku*) niewzruszony; nieczuły (**by sth** na coś) 4. (*o jakości itd*) niezrównany

untoward [ʌn'touəd] *adj* 1. (*o człowieku*) niesforny; krnąbrny; przewrotny 2. (*o zjawisku*) niewygodny; występujący nie w porę 3. (*o materiale*) trudny (do obróbki itd.) 4. (*o zdarzeniu itd*) niefortunny; pożałowania godny 5. (*o pogodzie itd*) niepomyślny; nie na czasie 6. (*o zachowaniu itd*) niestosowny

untowardness [ʌn'touədnis] *s* 1. niesforność; krnąbrność; przewrotność 2. niewygoda 3. niepomyślność 4. niestosowność

untraceable [ˈʌnˈtreisəbl] *adj* niemożliwy do znalezienia <do odszukania>

untrained [ˈʌnˈtreind] *adj* 1. (*o robotniku itd*) niewprawny; niedoświadczony 2. (*o sportowcu*) nie zaprawiony; nie mający treningu <zaprawy>, (będący) bez treningu <zaprawy>

untrammelled [ˈʌnˈtræməld] *adj* nieskrępowany

untransferable [ˈʌnˈtrænsfərəbl] *adj* nieprzenośny

untranslatable [ˈʌntrænsˈleitəbl] *adj* nieprzetłumaczalny; nie dający się przetłumaczyć

untranslated [ˈʌntrænsˈleitid] *adj* nie przetłumaczony

untravelled [ˈʌnˈtrævld] *adj* 1. (*o człowieku*) nie znający kraju <świata itd.>; an ~ **person** człowiek, który nie podróżował 2. (*o miejscowości itd*) mało <rzadko> odwiedzany <zwiedzany>

untraversed [ˈʌnˈtrævəst] *adj* nieprzebyty

untried [ˈʌnˈtraid] *adj* 1. nie wypróbowany 2. (*o więźniu*) nie sądzony

untrimmed [ˈʌnˈtrimd] *adj* 1. nie uporządkowany 2. nie przystrzyżony; nie obcięty; (*o psie*) nie trymowany 3. (*o kapeluszu itd*) niczym nie przybrany, nie przyozdobiony

untrodden [ˈʌnˈtrɔdn] *adj* (*o ścieżce*) nie utarty; (*o okolicy*) nietknięty stopą ludzką

untroubled [ˈʌnˈtrʌbld] *adj* 1. (*o spokoju, szczęściu itd*) niezamącony, niezmącony 2. (*o wodzie itd*) nie zmącony

untrue [ˈʌnˈtruː] *adj* 1. (*o oświadczeniu itd*) nieprawdziwy; niezgodny z prawdą; fałszywy 2. niewierny (**to sb** komuś)

untrustworthy [ˈʌnˈtrʌstˌwəːði] *adj* niegodny zaufania; nie zasługujący na zaufanie; niepewny; (*o człowieku*) któremu nie można ufać <na którym nie można polegać>; (*o informacji itd*) wątpliwy, wątpliwej natury

untruth [ˈʌnˈtruːθ] *s* nieprawda; kłamstwo; **to tell an** ~ powiedzieć/mówić nieprawdę; s/kłamać

untruthful [ˈʌnˈtruːθful] *adj* 1. (*o człowieku*) skłonny do kłamstwa 2. (*o wiadomości itd*) nieprawdziwy; mijający się z prawdą; kłamliwy

untuck [ˈʌnˈtʌk] *vt* odwi-nąć/jać (coś zawiniętego, zakasanego — rękawy itd.)

untune [ˈʌnˈtjuːn] *vt muz* rozstr-oić/ajać (instrument)

untuneful [ˈʌnˈtjuːnful] *adj* nieharmonijny

unturned [ˈʌnˈtəːnd] *adj* nie przewrócony; nie odwrócony; *przen* **to leave no stone** ~ poruszyć niebo i ziemię

untutored [ˈʌnˈtjuːtəd] *adj* 1. nie szkolony; nie wykształcony; bez wykształcenia 2. (*o smaku itd*) niewyrobiony 3. (*o talencie*) naturalny, wrodzony

untwine [ˈʌnˈtwain] *vt* rozpl-eść/atać

untwist [ˈʌnˈtwist] [I] *vt* rozkręc-ić/ać; **to come ~ed = to ~** *vi* [II] *vi* rozkręc-ić/ać się

unurged [ˈʌnˈəːdʒd] *adj* nie przynaglany; nie nakłaniany przez nikogo; **to do sth** ~ zrobić coś z własnej inicjatywy

unused [ˈʌnˈjuːzd] *adj* 1. nie używany; (*o wyrazie itd*) nie stosowany; **it is now** ~ **to** wyszło z użycia 2. (*o przedmiocie itd*) (jeszcze) nie używany; nowy 3. [ˈʌnˈjuːst] (*o człowieku*) nie przyzwyczajony (**to sth** do czegoś); **to get <become>** ~ **to sth** <**to doing sth**> odzwycza-ić/jać się od

unusual [ʌnˈjuːʒwəl] *adj* 1. niezwykły; niecodzienny; rzadki; wyjątkowy; nadzwyczajny; **it is quite** ~ to się rzadko zdarza <trafia, spotyka>; **it is** ~ **for him** <**her etc.**> **to** _ on <ona itd.> nie ma zwyczaju ... (robienia czegoś); **it is** ~ **to** _ rzadko się zdarza, żeby ...; **of** ~ **interest** niezwykle interesujący <ciekawy>; sensacyjny 2. (*o wyrazie itd*) rzadko stosowany <używany>

unutterable [ʌnˈʌtərəbl] *adj* 1. niewypowiedziany; nie dający się wypowiedzieć; niewysłowiony 2. (*o wyrazie, zwrocie*) nie nadający się do powtórzenia; którego się głośno nie mówi 3. nie do wymówienia

unuttered [ˈʌnˈʌtəd] *adj* nie wyrażony

unvalued [ˈʌnˈvæljuːd] *adj* 1. nie oszacowany 2. (*o człowieku*) nie ceniony

unvanquished [ˈʌnˈvæŋkwiʃt] *adj* nie pokonany, nie zwyciężony

unvariable [ʌnˈveəriəbl] *adj* niezmienny

unvariably [ʌnˈveəriəbli] *adv* 1. niezmiennie 2. zawsze tak samo (miły, cichy itd.)

unvaried [ʌnˈveərid] *adj* nieurozmaicony; jednostajny

unvarnished [ˈʌnˈvaːniʃt] *adj* 1. nie lakierowany 2. (*o oświadczeniu itd*) nie upiększony; ~ **truth** naga prawda

unvarying [ʌnˈveəriiŋ] *adj* niezmienny; nie urozmaicony; jednostajny

unveil [ʌnˈveil] [I] *vt* 1. odsł-onić/aniać (pomnik itd.) 2. wyjawi-ć/ać (tajemnicę itd.); uchyl-ić/ać rąbek (**a secret** tajemnicy) [II] *vi* odsł-onić/aniać twarz <oblicze>

unventilated [ˈʌnˈventiˌleitid] *adj* nie wietrzony

unverifiable [ˈʌnˈveriˌfaiəbl] *adj* nie do sprawdzenia; **it is** ~ to się nie da sprawdzić

unverified [ˈʌnˈveriˌfaid] *adj* nie sprawdzony

unversed [ˈʌnˈvəːst] *adj* nie obznajmiony (**in sth** z czymś); niebiegły (**in sth** w czymś)

unviolated [ˈʌnˈvaiəˌleitid] *adj* 1. nie pogwałcony 2. nie sprofanowany

unvirtuous [ʌnˈvəːtjuəs] *adj* (*o człowieku*) nie cnotliwy; zepsuty

unvisited [ʌnˈvizitid] *adj* nie odwiedzany

unvoiced [ʌnˈvɔist] *adj* 1. *fonet* bezdźwięczny 2. (*o zdaniu, opinii*) nie wypowiedziany

unvouched [ˈʌnˈvautʃt] *adj* (*także* ~ **for**) 1. nie gwarantowany 2. nie potwierdzony

unwalled [ˈʌnˈwɔːld] *adj* nie obmurowany

unwanted [ˈʌnˈwɔntid] *adj* 1. niepotrzebny; niepożądany 2. zbyteczny; zbędny

unwariness [ˈʌnˈweərinis] *s* nieroztropność; nieostrożność

unwarlike [ˈʌnˈwɔːlaik] *adj* nie wojowniczy; pokojowy

unwarmed [ˈʌnˈwɔːmd] *adj* nie ogrzany; nie ogrzewany

unwarned [ˈʌnˈwɔːnd] *adj* nie uprzedzony (**of sth** o czymś); nie ostrzeżony (**of sth** przed czymś)

unwarped [ˈʌnˈwɔːpt] *adj* 1. nie spaczony 2. nie wypaczony

unwarrantable [ˈʌnˈwɔrəntəbl] *adj* 1. nie dający się usprawiedliwić, nie usprawiedliwiony 2. (*o twierdzeniu, opinii*) nie uzasadniony

unwarranted [ˈʌnˈwɔrəntid] *adj* 1. nie gwarantowany 2. nie usprawiedliwiony; **to be** ~ **in doing**

sth nie mieć podstawy, żeby coś zrobić 3. .nie uzasadniony; niczym nie spowodowany 4. bezpodstawny

unwary ['ʌn'wɛəri] *adj* nieostrożny; nie roztropny

unwashed ['ʌn'wɔʃt] *adj* nie myty; nie umyty; **the Great Unwashed** tłuszcza; motłoch

unwatched ['ʌn'wɔtʃt] *adj* nie pilnowany; nie obserwowany

unwater ['ʌn'wɔ:tə] *vt* odw-odnić/adniać *zob* **unwatered**

unwatered ['ʌn'wɔ:təd] Ⅰ *zob* **unwater** *v* Ⅲ *adj* 1. nie podl-any/ewany 2. (*o okolicy*) pozbawiony wody 3. nie nawodniony 4. (*o zwierzęciu itd*) nie pojony

unwavering [ʌn'weivəriŋ] *adj* niezachwiany

unweaned [ʌn'wi:nd] *adj* (*o niemowlęciu*) nie odstawiony od piersi; będący jeszcze przy piersi

unwearied [ʌn'wiərid], **unwearying** [ʌn'wiəriiŋ] *adj* niestrudzony; niezmordowany

unweathered [ʌn'weðəd] *adj* (*o skale*) nie zwietrzały

unweave ['ʌn'wi:v] *vt* (**unwove** ['ʌn'wouv], **unwoven** [ʌn'wouvn]) rozsnu-ć/wać

unwed(ed) ['ʌn'wed(id)] *adj* nie poślubiony; **to live** ~ żyć bez ślubu

unwedge ['ʌn'wedʒ] *vt* odklinow-ać/ywać

unweeded [ʌn'wi:did] *adj* nie pielony; nie odchwaszczony; zachwaszczony

unwelcome [ʌn'welkəm] *adj* niepożądany; niemile widziany; przykry; **not** ~ mile widziany; pożądany

unwelcomed [ʌn'welkəmd] *adj* nie powitany; nie przyjęty uroczyście

unwell ['ʌn'wel] *adj* niezdrów; cierpiący; słaby; (*o kobiecie*) niedysponowany

unwept ['ʌn'wept] *adj poet* nie opłakiwany

▲ **unwholesome** ['ʌn'houlsəm] *adj* niezdrowy; szkodliwy dla zdrowia

unwholesomeness ['ʌn'houlsəmnis] *s* niezdrowe <szkodliwe> działanie (klimatu itd.)

unwieldiness [ʌn'wi:ldinis] *s* 1. nieporęczność 2. niezdarność; ociężałe ruchy

unwieldy [ʌn'wi:ldi] *adj* 1. nieporęczny; ciężki; trudny do obsługi 2. (*o człowieku*) niezdarny; ciężki; ociężały

unwifely [ʌn'waifli] *adj* niegodny małżonki <żony>

unwilling ['ʌn'wiliŋ] *adj* niechętny; nieskłonny (**to do sth** coś zrobić); **to be** ~ **to do sth** nie mieć ochoty coś zrobić; **to appear** ~ **to do sth** nie zdradzać ochoty zrobienia czegoś; **not to be** ~ **to do sth** być skłonnym <*pot* nie być od tego, żeby> coś zrobić

unwillingly ['ʌn'wiliŋli] *adv* niechętnie; z koniecznością; *pot* z bólem serca

unwillingness ['ʌn'wiliŋnis] *s* niechęć <brak ochoty> (**to do sth** do czegoś <do zrobienia czegoś>)

unwind ['ʌn'waind] *v* (**unwound** ['ʌn'waund], **unwound**) Ⅰ *vt* rozwi-nąć/jać (zwinięty kabel, linę itd.); odwi-nąć/jać; odmot-ać/ywać Ⅲ *vi* (*o kablu, linie itd*) rozwi-nąć/jać <odwi-nąć/jać> się

unwinking [ʌn'wiŋkiŋ] *adj* 1. (*o oczach*) nie mrugający; wytrzeszczony 2. (*o człowieku*) baczny

unwisdom ['ʌn'wizdəm] *s* 1. nieostrożność; nieroztropność 2. głupota

unwise ['ʌn'waiz] *adj* 1. niemądry 2. nieostrożny; nieroztropny

unwished [ʌn'wiʃt] *adj* ~ **for** niepożądany

unwishful [ʌn'wiʃful] *adj* nieskłonny (**to do sth** coś robić)

unwithered [ʌn'wiðəd] *adj* niezwiędły

unwitnessed [ʌn'witnist] *adj* 1. nie widziany przez nikogo 2. (*o czynie itd*) popełniony bez świadków 3. (*o dokumencie itd*) nie poświadczony

unwitting . [ʌn'witiŋ] *adj* nieświadom (**of sth** czegoś); **I did it** ~ zrobiłem to bezwiednie <nie zdając sobie z tego sprawy>

unwittingly [ʌn'witiŋli] *adv* nieświadomie; mimo woli; niechcąco; nie zdając sobie z tego sprawy

unwomanly [ʌn'wumənli] *adj* niekobiecy

unwonted [ʌn'wountid] *adj* 1. niezwykły; rzadki 2. nie przyzwyczajony (**to sth** do czegoś)

unwontedness [ʌn'wountidnis] *s* niezwykłość; rzadkość (zjawiska itd.)

unwooded ['ʌn'wudid] *adj* (*o okolicy*) niezalesiony, bezdrzewny

unwordable ['ʌn'wə:dəbl] *adj* niewysłowiony

unworkable ['ʌn'wə:kəbl] *adj* 1. niewykonalny 2. (*o kopalni itd*) niemożliwy <nie nadający się> do eksploatacji

unworkmanlike ['ʌn'wə:kmənˌlaik] *adj* niefachowy; partacki

unworldliness ['ʌn'wə:ldlinis] *s* 1. oderwanie się od świata 2. prostota; szczerość; otwartość

unworldly [ʌn'wə:ldli] *adj* 1. oderwany od świata 2. prosty; szczery; otwarty 3. nieziemski

unworn ['ʌn'wɔ:n] *adj* (*o ubiorze*) nie noszony; nie używany

unworthy [ʌn'wə:ði] *adj* 1. niegodny (**of sth** <**to do sth**> czegoś <tego, żeby coś robić>); nie zasługujący (**of sth** <**to do sth**> na coś <na to, żeby coś robić>); niewart (**of sth** czegoś); **not** ~ **of sth** zasługujący na coś; któremu nie można zaprzeczyć czegoś 2. (*o czynie itd*) niegodziwy 3. (*o człowieku*) godny pogardy

unwound *zob* **unwind**

unwove *zob* **unweave**

unwrap ['ʌn'ræp] *vt* (**-pp-**) rozwi-nąć/jać <odwi-nąć/jać, rozpakow-ać/ywać> (pakunek itd.); (*o paczce*) **to come** ~**ped** rozwi-nąć/jać <odwi-nąć/jać> się

unwrinkle ['ʌn'riŋkl] Ⅰ *vt* rozmarszcz-yć/ać Ⅲ *vi* rozmarszcz-yć/ać się *zob* **unwrinkled**

unwrinkled ['ʌn'riŋkld] Ⅰ *zob* **unwrinkle** *v* Ⅲ *adj* (*o twarzy*) bez zmarszczek

unwritten ['ʌn'ritn] *adj* 1. niepisany; ~ **law** niepisane prawo; prawo obyczajowe 2. (*o papierze*) nie zapisany; czysty

unwrought ['ʌn'rɔ:t] *adj* 1. nie zrobiony 2. (*o metalu itd*) nie obrobiony; w surowym stanie

unyielding [ʌn'ji:ldiŋ] *adj* 1. nieustępliwy; twardy; nieugięty 2. (*o substancji itd*) nie poddający się

unyieldingness [ʌn'ji:ldiŋnis] *s* nieustępliwość; nieugiętość

unyoke ['ʌn'jouk] Ⅰ *vt* zd-jąć/ejmować jarzmo (**oxen** z wołów); rozprz-ąc/ęgać (woły) Ⅲ *vi pot* przer-wać/ywać pracę; odpocz-ąć/ywać (sobie)

unyouthful [ʌn'ju:θful] *adj* niemłodzieńczy

up [ʌp] Ⅰ *adv* 1. *przy pojęciu ruchu*: do góry; w górę; wzwyż; ~ **and down** a) do góry i na dół b) wszędzie; na wszystkie strony; ~ **town** a) do miasta; do śródmieścia b) *am* do dzielnicy mieszkaniowej <willowej>; ~ **(with you)**! wstawać!; (*w rozkazie*) ~ **with it!** podnieść to <siup>!; **what's ~?** co się dzieje? o co chodzi?; **there is something** ~ coś się (tam) dzieje; **all the way** ~ na sam szczyt; do samej góry; **from 2s** <10 **years etc.**> ~ od 2 szylingów <10 lat itd.> wzwyż; **this side** ~ uwaga! góra!; tą stroną do góry; **hands ~!** ręce do góry!; (*w napisie*) "**Road Up**" „Uwaga! Roboty drogowe" 2. *przy pojęciu spoczynku w miejscu*: w górze; na górze; wysoko; ~ **there** tam w górze; ~ **on the treetop** (wysoko) na szczycie drzewa; ~ **town** a) w śródmieściu b) *am* w dzielnicy mieszkaniowej <willowej> 3. wyżej; **two floors** ~ dwa piętra wyżej; **some feet further** ~ kilka stóp wyżej <dalej w górę>; ~ **and** ~ (posuwać się, sięgać) coraz to wyżej 4. ~ **to** (w górę) do <aż do>; (komuś) po (szyję itd.); do same-go/j (szczytu, góry itd.); po sam ...; **the snow came** ~ **to my knees** śnieg sięgał mi (aż) po kolana; ~ **to the roof** do samego dachu; po sam dach 5. *z przyimkiem to stanowi czasem całość i nie tłumaczy się osobno*: **he went straight** ~ **to the entrance** poszedł prosto do wejścia ‖ **it is** ~ **to you** <us **etc.**> to zależy od ciebie <nas itd.>; **to be** ~ **to it** być w stanie; **are you** ~ **to travelling that far?** czy jesteś w stanie odbyć tak daleką podróż?; **to be** ~ **to sth** poznać się na czymś (na czyichś sztuczkach itd.) 6. (*także* ~ **to**) (aż) do (czasów, okresu itd.); (*o zwyczaju, historii itd*) **to reach back** ~ **to** __ sięgać wstecz (aż) do... (czasów normańskich itd.) 7. *przy kwotach, liczbach, ilościach*: do; **I can spend** ~ **to £5** mogę wydać do 5 funtów; **it sums** ~ **to £100** wynosi to 100 funtów; (*o sprawozdaniu, dzienniku, księgowości itd*) ~ **to date** doprowadzony do dnia bieżącego <dzisiejszego>; zaktualizowany; bez zaległości 8. (*o podróży*) do stolicy <do miasta uniwersyteckiego>; **we are going** ~ jedziemy a) do Londynu b) do Oxfordu <Cambridge itd.> 9. (*w okrzykach*) ~ **with!** niech żyje!; ~ **with the mayor!** niech żyje burmistrz! 10. (*o człowieku*) na nogach; **I was** ~ **at 6** o godzinie 6-ej byłem na nogach; **to be** ~ **and doing** pracować; **he is** ~ **and doing** wrócił do pracy 11. (*o przedmiotach*) uniesiony; podniesiony; **the curtain is** ~ kurtyna się podniosła 12. *w zwrotach*: **to be** ~ **against it** mieć twardy orzech do zgryzienia; **not** ~ **to much** niewiele wart; *pot* **it's all** ~ **with me** <us **etc.**> już po mnie <nas itd.>; *szk* **to be (well)** ~ **in a subject** dobrze stać z (jakiegoś) przedmiotu; być mocnym w (jakimś) przedmiocie *Uwaga: nadaje czasownikom specyficzne znaczenie (przy nich podane)* Ⅲ *praep* 1. *przy pojęciu ruchu*: w górę <do góry> (czegoś); ~ **the stairs** w górę po schodach; na piętro; ~ **the river** w górę rzeki; ~ **and down the room** <street **etc.**> tam i z powrotem po pokoju <ulicy itd.>; ~ **the street** ulicą (ku śródmieściu); ~ **hill** pod górę; ~ **hill and down dale** wszędzie; po całym kraju 2. w głąb (sceny, kraju, alei itd.) 3. *przy pojęciu spoczynku w miejscu*: w górze; na górze; ~ **the stairs** na piętrze; ~ **the river** w górze rzeki Ⅲ *adj* 1. idący w górę; podnoszący <wznoszący> się; (*o kierunku*) do góry <w górę>; ~ **gradient** nachylenie ku górze; *muz* ~ **stroke** ruch smyczkiem do góry 2. (*o pociągu*)

jadący do stolicy <do miasta uniwersyteckiego>; **the** ~ **train** pociąg do Londynu <Oxfordu, Cambridge itd.> Ⅳ *s w zwrocie*: **the ~s and downs** a) *dosł* wzniesienia i spadki; góry i doły; nierówności (terenu) b) *przen* zmienne koleje (życia); wahania <fluktuacje, skoki> (na rynku, giełdzie); powodzenia i klęski; **his life was one of ~s and downs** miał burzliwe życie; w życiu był (on) na wozie i pod wozem Ⅴ *vt* (**-pp-**) 1. (*na Tamizie*) przeprowadz-ić/ać doroczną kontrolę ilościową (**the swans** łabędzi) 2. podn-ieść/osić (laskę, strzelbę itd.) Ⅵ *vi* (**-pp-**) *pot* 1. wsta-ć/wać; zerwać/zrywać się na równe nogi 2. podn-ieść/osić (**with a stick** <stone **etc.**> laskę <kamień itd.>)

up-a-daisy [ˌʌpəˈdeizi] = **upsadaisy**

up-anchor [ʌpˈæŋkə] *vi mar* podn-ieść/osić kotwicę

up-and-coming [ˈʌpəndˈkʌmiŋ] *adj am* (*o człowieku*) energiczny; przedsiębiorczy; rzutki

up-and-down [ˈʌpənˈdaun] *adj* (*o ruchu*) huśtawkowy; kołyszący

up-and-up [ˈʌpənˈʌp] *s pot w zwrocie*: **to be on the** ~ a) mieć się coraz lepiej; wciąż poprawiać swoje położenie b) robić postępy; iść ciągle naprzód c) być uczciwym d) być szczerym

upas [ˈjuːpəs] *s* 1. *bot* upas, upasowe drzewo 2. *przen* zgubn-e/y działanie <wpływ> (czegoś) 3. trujący sok (drzewa upasowego i innych roślin)

upbear [ʌpˈbɛə] *vt* (**upbore** [ʌpˈbɔː], **upborne** [ʌpˈbɔːn]) *lit* 1. podn-ieść/osić; dźwig-nąć/ać 2. podtrzym-ać/ywać

upbeat [ˈʌpˌbiːt] *s muz* podniesienie ręki (przy wybijaniu taktu przez dyrygenta)

upbore *zob* **upbear**

upborne *zob* **upbear**

upbraid [ʌpˈbreid] *vt* 1. z/ganić; ze/strofować; s/karcić 2. zarzuc-ić/ać <wymawiać> (**sb with** <for> **sth** komuś coś) *zob* **upbraiding**

upbraiding [ʌpˈbreidiŋ] Ⅰ *zob* **upbraid** *v* Ⅱ *adj* (*o tonie itd*) karcący Ⅲ *s* wyrzuty <wymówki> (czynione komuś)

upbraidingly [ʌpˈbreidiŋli] *adv* 1. karcąco 2. (powiedzieć itd.) z wyrzutem

upbringing [ˈʌpˌbriŋiŋ] *s* wychowanie

upburst [ˈʌpˌbəːst] *s* wybuch (uczuć itd.)

upcast[1] [ˈʌpˌkɑːst] *s* 1. *górn* szyb wentylacyjny 2. *geol* uskok wyrzucający

upcast[2] [ˈʌpˌkɑːst] *adj* 1. wyrzucony w górę 2. (*o oczach*) podniesiony ku niebu

up-country [ˈʌpˈkʌntri] Ⅰ *s* głąb kraju Ⅱ *adj* położony w głębi kraju Ⅲ *adv* (jechać itd.) w głąb kraju

upcurved [ˈʌpˈkəːvd] *adj* wygięty ku górze; zadarty

updrawn [ˈʌpˈdrɔːn] *adj* podciągnięty; (*o brwiach itd*) podniesiony

up-end [ˈʌpˈend] Ⅰ *vt* postawić/stawiać; ustawi--ć/ać pionowo <na sztorc, sztorcem> Ⅲ *vi* stanąć; podn-ieść/osić się

up-grade [ˈʌpˌgreid] Ⅰ *s* wzniesienie <wznoszenie się> (drogi); **to be on the** ~ a) (*o cenach*) zwyżkować b) (*o przedsiębiorstwie*) prosperować c) (*o zdrowiu pacjenta itd*) poprawiać się Ⅱ *adj* (*o drodze itd*) wznoszący się Ⅲ *adv* (iść, jechać) pod górę; **to go** ~ wznosić się

upgrowth [ˈʌpˌgrouθ] *s* 1. rozwój; wzrost 2. powstał-y/a twór <konstrukcja> 3. skutek; wynik 4. latorośl

upheap ['ʌp'hi:p] *vt* nagromadz-ić/ać

upheaval [ʌp'hi:vəl] *s* 1. *geol* wyniesienie <podniesienie, pęknięcie> (spągu) 2. *polit* wstrząs; przewrót 3. *polit* wrzenie; **the country was in a state of** ~ w kraju wrzało

upheave [ʌp'hi:v] ⏺ *vt* dźwig-nąć/ać (w górę)· ⏺ *vi* dźwig-nąć/ać się (w górę)

upheld *zob* **uphold**

uphill ['ʌp'hil] ⏺ *adj* 1. (*o drodze itd*)· wznoszący się; stromy 2. (*o zadaniu itd*) uciążliwy; żmudny; mozolny ⏺ *adv* pod górę; stromo; **to go** ~ a) (*o drodze itd*) wznosić się b) (*o człowieku itd*) wspi-ąć/nać się; pójść/iść pod górę c) (*o pojeździe*) jechać pod górę

uphold [ʌp'hould] *vt* (**upheld** [ʌp'held], **upheld**) 1. *dosł i przen* podtrzym-ać/ywać (budowlę, swoje zdanie, tradycję itd.); pop-rzeć/ierać (kogoś, coś, czyjeś zdanie itd.) 2. utrzym-ać/ywać w mocy (wyrok, decyzję itd.) 3. dbać (**one's reputation** o swoją reputację) 4. przestrzegać poszanowania <stać na straży> (**the laws** ustaw)

upholder [ʌp'houldə] *s* 1. stronnik; poplecznik 2. podpora

upholster [ʌp'houlstə] ⏺ *vt* (*o tapicerze*) wyściełać <pokry-ć/wać> (meble); wykon-ać/ywać obicia <dekoracje tapicerskie> (**a room** pokoju) ⏺ *vi* wykon-ać/ywać roboty tapicerskie *zob* **upholstered**

upholstered [ʌp'houlstəd] ⏺ *zob* **upholster** *v* ⏺ *adj* (*o meblu*) wyściełany <pokryty> (**in** <**with**> **plush** etc. pluszem itd.)

upholsterer [ʌp'houlstərə] *s* tapicer

upholstery [ʌp'houlstəri] *s* 1. tapicerstwo; robota tapicerska; *pot* tapicerka 2. pokrycie <wyściełanie>· (mebla) 3. obici-e/a; tapety

upkeep ['ʌp,ki:p] *s* 1. utrzymanie (człowieka) 2. koszt/y utrzymania 3. konserwacja; koszt konserwacji 4. koszty eksploatacyjne <biurowe, administracyjne>

‖ **upland** ['ʌplənd] ⏺ *s* wyżyna; **the** ~**s** a) góry b) górskie okolice c) (*attr*) górski

uplander ['ʌp,lændə] *s* góral

uplandish ['ʌp,lændiʃ] *adj* górski; górzysty

uplift [ʌp'lift] ⏺ *vt* 1. podn-ieść/osić; dźwig-nąć/ać 2. podn-ieść/osić na duchu; doda-ć/wać otuchy (**sb** komuś) 3. *geol* wypiętrz-yć/ać ⏺ *s* ['ʌp,lift] 1. *geol* wypiętrzenie; wyniesienie 2. wzniesienie 3. podn-iesienie/oszenie (poziomu, brwi, moralności itd.) 4. poprawa (sytuacji) 5. podn-iesienie/oszenie na duchu; otucha

upmost ['ʌp,moust] *adj* najwyższy

upon [ə'pɔn] = **on**

upper ['ʌpə] ⏺ *adj* 1. wyższy; (*o kondygnacji, wardze, rejonie itd*) górny; (*o warstwie itd*) wierzchni; **the** ~ **classes** <**ten, thousand**> wyższe sfery; bogacze; arystokracja; **the** ~ **hand** przewaga (**of sb** nad kimś); **the Upper House** a) senat b) Izba Lordów; **the** ~ **storey** a) górne piętro b) *przen pot* mózgownica; *szew* ~ **leather** skóra na przyszwy 2. *szk* (*o klasie*) starszy 3. *muz* (*o rejestrze*) prawy ⏺ *s* 1. *szew* przyszwa; **to be** (**down**) **on one's** ~**s** klepać biedę; robić bokami 2. *pl* ~**s** kamasze

upper-cut ['ʌpəˌkʌt] *s boks* hak (cios)

uppermost ['ʌpəmoust] ⏺ *adj* 1. najwyższy; górny; szczytowy; **to be** ~ mieć przewagę; prze-

ważać 2. główny; najważniejszy ⏺ *adv* na wierzchu; na wierzch; do góry; **face** ~ (leżeć itd.) twarzą do góry; **with the wheels** ~ (przewrócony) kołami do góry; **I said whatever came** ~ mówiłem co mi ślina na język przyniosła

uppish ['ʌpiʃ] *adj* zarozumiały; butny; dumny; **to be** ~ puszyć się; zadzierać nosa

uppishness ['ʌpiʃnis] *s* zarozumiałość; buta; duma; zadzieranie nosa

upraised [ʌp'reizd] *adj* (*o ręce*) podniesiony

‖ **upright** ['ʌp'rait] ⏺ *adj* 1. (*o przedmiocie*) pionowy; stojący 2. *praed* w pozycji pionowej <stojącej>; sztorcem; na sztorc; (*w napisie*) "**to be kept** ~" „trzymać w pozycji pionowej" 3. (*o człowieku*) prosty; wyprostowany; **to hold oneself** ~ trzymać się prosto 4. prostopadły 5. ['ʌprait] (*o człowieku*) uczciwy; prawy; sprawiedliwy ⏺ *s* ['ʌpˌrait] 1. pion; **out of** ~ nie w pionie 2. element pionowy (konstrukcji itd.) listwa (drabiny); stojak; podpórka (bramki futbolowej) 3. pianino

uprightness ['ʌpraitnis] *s* 1. prawość; uczciwość; sprawiedliwość 2. pionowość; prostopadłość

uprise ['ʌpˌraiz] ⏺ *s* 1. podnoszenie <wznoszenie> się 2. awansowanie; awans 3. wschód (słońca) ⏺ *vi* [ʌp'raiz] (**uprose** [ʌp'rouz], **uprisen** [ʌp'rizn]) 1. podn-ieść/osić <wzn-ieść/osić> się 2. powsta-ć/wać *zob* **uprising**

uprising [ʌp'raiziŋ] ⏺ *zob* **uprise** *v* ⏺ *s* 1. podnoszenie <wznoszenie> (się) 2. powsta-nie/wanie (czegoś) 3. wsta-nie/wanie (z łóżka) 4. wschód (słońca) 5. *polit* powstanie, insurekcja

uproar ['ʌpˌrɔ:] *s* zgiełk; wrzawa; harmider; rozruchy; **the whole town was in an** ~ w mieście zakotłowało się; **the meeting ended in an** ~ zebranie zakończyło się wrzawą

uproarious [ʌp'rɔ:riəs] *adj* 1. hałaśliwy; huczny; wrzaskliwy; burzliwy 2. (*o śmiechu*) homeryczny, na całe gardło

uproariousness [ʌp'rɔ:riəsnis] *s* hałaśliwość; wrzaskliwość

uproot [ʌp'ru:t] *vt* 1. wykorzeni-ć/ać; wyr-wać/ywać z korzeniami; *przen* wytępić; wypleni-ć/ać 2. przen-ieść/osić; przesiedl-ić/ać 3. wysiedl-ić/ać

uprose *zob* **uprise** *v*

uprush ['ʌpˌrʌʃ] *s* 1. nagły <gwałtowny> przypływ (wody, krwi, uczucia itd.) 2. *psych* nagłe oprzytomnienie

upsadaisy [ˌʌpsə'deizi] *interj* hop-la!

upset¹ [ʌp'set] ⏺ *v* (**upset, upset; upsetting** [ʌp'setiŋ]) ⏺ *vt* 1. wywr-ócić/acać <przewr-ócić/acać> (naczynie, pojazd itd.); *pot* wywalić (zawartość naczynia, pojazdu itd.); **he** ~ **everything in the house** (on) wywrócił cały dom do góry nogami 2. po/psuć (zabawę itd.); z/dezorganizować; udaremni-ć/ać (spisek itd.); dezorganizować (plany itd.) 3. za/niepokoić; zatrw-ożyć/ażać; *pot* napędz-ić/ać strachu (**sb** komuś) 4. z/denerwować; wyprowadz-ić/ać <wytrąc-ić/ać> z równowagi 5. rozstr-oić/ajać (**sb's stomach** komuś żołądek) 6. *dosł i przen* przyprawi-ć/ać (kogoś) o mdłości 7. *techn* rozku-ć/wać; rozklep-ać/ywać; spęcz-yć/ać (metal) ⏺ *vi* przewr-ócić/acać <wywr-ócić/acać> się ⏺ *vr* ~ **oneself** z/denerwować się ⏺ *s* [ʌp'set] 1. przewr-ócenie/acanie; wywr-ócenie/acanie 2. nieporządek; bałagan 3. zaniepokojenie; niepokój 4. rozstrój żołądka Ⅴ *adj* [ʌp'set] 1. przewrócony; wywrócony 2. zaniepokojony; niespokojny 3. zdenerwowany; wytrącony z równowagi; **to get** <become> ~ za/niepokoić <z/denerwować> się 4. (*o żołądku*) rozstrojony

upset² ['ʌp,set] *adj* (*na licytacji*) ~ **price** cena wywoławcza

upshot ['ʌpʃɔt] *s* wynik; rezultat, zakończenie (sprawy); **what is the ~ of it going to be?** czym się to skończy?; **the ~ was that —** skończyło się tym, że ...; koniec końcem ...; w efekcie ...

upside ['ʌp,said] *s* góra, górna część <strona> (czegoś)

upside-down ['ʌpsaid'daun] Ⅰ *adv* do góry nogami; dnem do góry; *przen* w (największym) nieładzie <nieporządku> Ⅲ *adj* 1. odwrócony; wywrócony do góry nogami 2. (*o poglądach itd*) dziwaczny; oryginalny

upsides ['ʌpsaidz] *adv* w zwrocie: **to get ~ with sb** odpłac-ić/ać się komuś pięknym za nadobne; zemścić się na kimś

upsilon [ju:p'sailən] *s gr litera* ipsylon

upstage ['ʌp,steidʒ] Ⅰ *adv teatr* w głąb <w głębi> sceny Ⅲ *adj sl* zarozumiały; zadzierający nosa

upstair(s) ['ʌp,steə(z)] *adj* (*o pokoju itd*) (znajdujący się) na górze <na piętrze, na pięterku, na poddaszu>

⧫upstairs ['ʌp'steəz] Ⅰ *adv* 1. (iść itd.) na górę (po schodach, schodami) 2. (mieszkać, znajdować się itd.) na górze; **the people who live ~** ci, którzy mieszkają nad nami <nade mną>; sąsiedzi z góry Ⅲ *s* 1. górne piętr-o/a 2. lokatorzy górnego piętra <górnych pięter>

upstanding ['ʌp,stændiŋ] *adj* 1. stojący; pionowy 2. wyprostowany; 3. (*o włosach itd*) zjeżony; najeżony 4. silny; mocny; dobrze zbudowany 5. uczciwy; szczery; otwarty 6. (*o płacach*) sztywny

upstart ['ʌp,sta:t] Ⅰ *s* parweniusz Ⅲ *adj* parweniuszowski

upstream ['ʌp'stri:m] Ⅰ *adv* w górę rzeki; pod prąd Ⅲ *adj* (*o wiosłowaniu itd*) pod prąd

upstroke ['ʌp,strouk] *s* 1. (*w pisowni*) cienka kreska (litery) 2. *muz* ruch (smyczkiem) do góry

upsurge ['ʌp,sə:dʒ] *s* nagły <gwałtowny> napływ

⧫upsweep ['ʌp,swi:p] *s* 1. podniesienie (rąk z patosem) 2. wygięcie w górę

upswing ['ʌp,swiŋ] *s am* 1. podrzut 2. poprawa

⧫uptake ['ʌp,teik] *s* 1. *szkoc* pojmowanie; rozum; orientacja; **to be quick <slow> in the ~** szybko <powoli> orientować się 2. komin; przewód dymowy

upthrow ['ʌp,θrou] *s* 1. wyrzucenie w górę 2. *geol* partia wydźwignięta (uskokiem)

upthrust ['ʌp,θrʌst] *s* 1. wysunięcie <wypchnięcie> w górę 2. *geol* wypiętrzenie; uskok

⧫up-to-date ['ʌptə'deit] *adj* 1. nowoczesny; nowszy; modny; (zrobiony itd.) według najnowszego fasonu 2. aktualny

up-town ['ʌp'taun] Ⅰ *adj am* (*o rezydencji, mieszkańcach itd*) wytwornej części miasta <dzielnicy willowej>; ~ **society** zamożne sfery miasta Ⅲ *adv am* do <w kierunku> wytwornej części miasta <dzielnicy willowej>

upturn ['ʌp,tə:n] Ⅰ *s* 1. przewrót 2. zmiana na lepsze; poprawa Ⅲ *vt* 1. wywr-ócić/acać; przewr-ócić/acać; odwr-ócić/acać (brzeg sukni itd.) 2. podn-ieść/osić (twarz, oczy) *zob* **upturned**

upturned [ʌp'tə:nd] Ⅰ *zob* **upturn** *v* Ⅲ *adj* 1. wywrócony; odwrócony; przewrócony 2. (*o nosie*) zadarty 3. (*o twarzy, oczach itd*) podniesiony

upward ['ʌpwəd] Ⅰ *adj* 1. (*o drodze itd*) wznoszący się 2. skierowany ku górze; (*o ruchu itd*) ku górze; wstępujący; w górę; oddolny; **with an ~ glance** patrząc w górę; podniósłszy oczy 3. *handl giełd* (*o tendencji*) zwyżkowy Ⅲ *adv* = **upwards**

upwards ['ʌpwədz] *adv* 1. w górę; ku górze; na wierzch 2. powyżej; ponad (**of a sum, number, age etc.** pewną kwotę, liczbę, pewien wiek itd.); ~ **of two hundred** dwieście z górą

upwarping ['ʌp'wɔ:piŋ] *s geol* wybrzuszenie

uraemia [juə'ri:mjə] *s med* mocznica; uremia

Ural-Altaic ['juərəl-æl'teiik] *adj* uralsko-ałtajski, uralo-ałtajski

uranic [juə'rænik] *adj* uranowy; ~ **oxide** tlenek uranawy

⧫uranium [juə'reinjəm] *s chem* uran; ~ **oxide** tlenek uranawy, dwutlenek uranu

uranography [,juərə'nɔgrəfi] *s* uranografia

uranous ['juərənəs] *adj chem* uranawy

urban ['ə:bən] *adj* miejski; wielkomiejski

urbane [ə:'bein] *adj* dworny; grzeczny; układny; wykwintny; wytworny

urbanity [ə:'bæniti] *s* ogłada; dworne maniery; grzeczność; układność; wykwintność; wytworność

urbanization ['ə:bənai'zeiʃən] *s* urbanizacja (okolic podmiejskich)

urbanize ['ə:bə,naiz] *vt* z/urbanizować (okolice podmiejskie)

urchin ['ə:tʃin] *s* 1. ulicznik 2. łobuz, urwis 3. *zoo* jeżozwierz 4. *zoo* jeżowiec (zwierzę z typu szkarłupni) 5. *techn* czesak (u gręplarki)

Urdu [ə:'du:] *s* język urdu, hindustani

⧫urea ['juəriə] *s chem* mocznik, karbamid

⧫ureal ['juəriəl] *adj chem* mocznikowy

uremia [juə'ri:mjə] = **uraemia**

ureometer [,juəri'ɔmitə] *s* ureometr (przyrząd do mierzenia ilości mocznika w moczu)

ureteric [,juəri'terik] *adj anat* moczowodowy

ureter [juə'ri:tə] *s anat* moczowód

urethra [juə'ri:θrə] *s anat* cewka moczowa

uretic [juə'retik] = **diuretic**

urge [ə:dʒ] Ⅰ *vt* 1. popędzać; poganiać; ponagl-ić/ać; przynagl-ić/ać 2. przyspiesz-yć/ać 3. powoł-ać/ywać się (**sth na coś**); przyt-oczyć/aczać <wysu-nąć/wać> (przyczynę, wymówkę itd.) 4. nalegać (**sth na coś**) 5. zalec-ić/ać 6. usilnie nakłaniać (**sth on sb** <**sb to sth**> kogoś do czegoś); namawiać (**sth on sb** kogoś na coś) Ⅲ *vi* 1. nalegać 2. przynaglać 3. przekonywać Ⅲ *s* 1. pociąg <pęd, popęd> (do czegoś) 2. pobudka; bodziec; impuls

urgency ['ə:dʒənsi] *s* 1. nagła <pilna> potrzeba (czegoś); nagłość (wniosku itd.); pilność (sprawy) 2. *parl* (*w Anglii*) uchwała o nagłości wniosku 3. naleganie; usilna prośba

urgent ['ə:dʒənt] *adj* 1. (*o sprawie itd*) pilny; naglący; nagły; nie cierpiący zwłoki 2. (*o czło-*

wieku) nalegający; natarczywy 3. (*o prośbie*) usilny

urgently ['ə:dʒəntli] *adv* 1. pilnie; nagląco; *pot* na gwałt 2. usilnie 3. natarczywie

uric ['juərik] *adj* (*o kwasie*) moczowy

urinal ['juərinl] *s* 1. urynał, *pot* nocnik 2. basen (dla chorego) 3. pisuar

urinary ['juərinəri] Ⅰ *adj anat* moczowy; the ~ system <tract> drogi moczowe Ⅱ *s* 1. *agr* gnojownia 2. *wojsk* latryna; *zbior* ustępy

urinate ['juəri,neit] *vi* odda-ć/wać mocz

urination [,juəri'neiʃən] *s* odda-nie/wanie moczu

urine ['juərin] *s* mocz, uryna

urinometer [,juəri'nɔmitə] *s* urynometr (przyrząd do mierzenia ciężaru właściwego moczu)

urn [ə:n] *s* 1. urna; cinerary ~ popielnica 2. dzbanek (na kawę, herbatę itd. — do podgrzewania na maszynce spirytusowej itd.)

urogenital [,juərou'dʒenitəl] *adj* moczopłciowy; ~ tract narządy moczopłciowe

urolith ['juərouliθ] *s med* kamień moczowy

urologist [juə'rɔlədʒist] *s* urolog

urology [juə'rɔlədʒi] *s* urologia

Ursa ['ə:sə] *s astr* ~ Major <Minor> Wielka <Mała> Niedźwiedzica

ursine ['ə:sain] *adj* niedźwiedzi

Ursuline ['ə:sju,lain] Ⅰ *adj* (*o zakonie*) urszulanek Ⅱ *s* urszulanka (zakonnica)

urtica ['ə:tikə] *s bot* pokrzywa

urticaceae [,ə:ti'keisi,i:] *spl* (rośliny) pokrzywowate

urticaria [,ə:ti'kɛəriə] *s med* pokrzywka

urticate ['ə:ti,keit] *vt* 1. (*o pokrzywie*) s/parzyć 2. *med* po/parzyć <bić> pokrzywą (sparaliżowaną kończynę)

urtication [,ə:ti'keiʃən] *s med* bicie pokrzywą (sparaliżowanej kończyny)

urubu ['u:ru,bu:] *s zoo* urubu, sęp płd. amerykański

Uruguayan [,uru'gwaiən] Ⅰ *adj* urugwajski Ⅱ *s* Urugwaj-czyk/ka

urus ['juərəs] *s zoo* żubr

us [ʌs] *pron* 1. *przypadek zależny od "we"* zob we *pron* 2. *pot* = me; give ~ a shilling daj mi szylinga; let's have a try daj/cie mi spróbować; niech ja spróbuję

usable ['ju:zəbl] *adj* używalny; (będący) w stanie używalności

usage ['ju:zidʒ] *s* 1. po/traktowanie; obchodzenie się (of sb, sth z kimś, czymś); the bicycle had met with rough ~ źle się z tym rowerem obchodzono; the man's ~ of his employees sposób w jaki ten człowiek traktuje swoich pracowników 2. zwyczaj; sanctified by ~ uświęcony zwyczajem 3. używanie <stosowanie> (wyrazu, zwrotu itd.); this ~ of the word is obsolete używanie <stosowanie> tego wyrazu w tym znaczeniu jest przestarzałe

usance ['ju:zəns] *s handl* (*także* bill ~) uso wekslowe (zwyczajowy termin płatności weksla); bill drawn at double ~ weksel opiewający na podwójne uso <podwójny termin płatności>; payable at ~ płatny na uso <w terminie zwyczajowym>

use [ju:z] Ⅰ *vt* 1. uży-ć/wać (sth czegoś); za/stosować; posłu-żyć/giwać się (sth czymś); s/korzystać (sth z czegoś); wykorzyst-ać/ywać (czas,

okazję, swoje zdolności itd.); powoł-ać/ywać się (sb's name etc. na kogoś itd.); ucie-c/kać się (sth do czegoś); praktykować (coś); z/robić użytek (sth z czegoś); to cease to be <to be no longer> ~d wy-jść/chodzić z użycia; to ~ precaution <discretion, moderation> post-ąpić/ępować ostrożnie <dyskretnie, z umiarem>; to ~ the railway <tram, bus> pojechać/jeździć koleją <tramwajem, autobusem>; ~ it to the best advantage zrób z tego jak najlepszy użytek; ~ your intelligence pomyśl dobrze; *pot* od czego masz rozum; 2. po/traktować; ob-ejść/chodzić się (sb, sth z kimś, czymś); this typewriter has been well <roughly> ~d z tą maszyną obchodzono się dobrze <źle, niewłaściwie> 3. ~d [ju:st] *w czasie przeszłym* past *przed bezokolicznikiem oznacza częstotliwe powtarzanie się czynności:* zwykł był; miał zwyczaj; he ~ to say (on) zwykł był <miał zwyczaj> mówić 4. *tłumaczy się także przez polską formę częstotliwą następującego po tym zwrocie bezokolicznika:* he ~ed to say (on) mawiał <mówił> 5. *w pytaniach i przeczeniach stosuje się* a) *w stylu literackim bez słowa posiłkowego "did"* b) *potocznie ze słowem posiłkowym "did":* what ~d he <*pot* did he ~> to say? co on zwykł był mówić?; co mówił?; I ~d not <usedn't ['ju:snt], *pot* didn't ~> to work so hard (dawniej) nie pracowałem tak ciężko; he doesn't sing as he ~d to (on) nie śpiewa już tak jak dawniej; I feel better <worse etc.> than I ~d to czuję się lepiej <gorzej itd.> niż przedtem <niż dawniej>

~ up *vt* 1. zuży-ć/wać (cały zapas, wszystko itd.); wyczerp-ać/ywać; I've ~d up all my coal zużyłem cały zapas węgla; skończył mi się węgiel; (~d up) zużyty; wyczerpany; skończony b) (*o człowieku*) wyczerpany; *pot* skonany; ledwo żywy 2. wykorzyst-ać/ywać (odpadki itd.)

zob used Ⅱ *s* [ju:s] 1. użytek; użycie; używanie; za/stosowanie; posługiwanie się (of sth czymś); a new ~ for an old gadget stosowanie starego przyrządu do nowych celów; *pot* I have no ~ for him on jest dla mnie antypatyczny; it came into ~ zaczęto <zaczęli> tego używać <to stosować>; (not) in ~ (nie) stosowany; to go <fall> out of ~ a) być niezdatnym do użytku b) wyjść z użycia; to be of ~ być użytecznym; przyda-ć/wać się; to have no ~ for sth nie potrzebować czegoś; to make ~ of sth za/stosować coś; uży-ć/wać czegoś; wykorzyst-ać/ywać coś; posługiwać się czymś; to put sth to a good ~ z/robić dobry użytek z czegoś; with ~ a) na skutek częstego <długotrwałego> używania b) w użyciu 2. używalność (kuchni, łazienki, fortepianu itd.); możność <prawo> używania; władza (w człowieku) 3. przydatność; użyteczność; misfortune has its ~s nieszczęście także może się na coś przydać; nie ma tego złego, co by na dobre nie wyszło; to be of ~ for sth przyda-ć/wać się do czegoś <na coś> 4. cel; sens; it's no ~ crying <your crying, for you to cry> nie ma sensu płakać; płacz na nic się nie zda; szkoda (twoich) łez; what's the ~? po co?; na co? will that be of any ~? a) czy to ma sens?; czy to się na coś zda? b) (*o przedmiocie itd*)

czy to się przyda do czegokolwiek?; czy to może być przydatne? 5. zwyczaj; przyzwyczajenie
6. *rel* obrządek, rytuał 7. *prawn* dochód z po-
wiernictwa

used [ju:zd] ① *zob* use *v* ③ *adj* 1. (*o przedmiocie, wyrazie itd*) używany; stosowany 2. (*o przedmiocie*) używany; nienowy 3. z drugiej ręki 4.
[ju:st] przyzwyczajony; **to be ~ to sth** <**to doing
sth**> a) być przyzwyczajonym do czegoś <do robienia czegoś> b) wejść wprawę w czymś <w robieniu czegoś>; **to get** <**become**> **~ to sth** <**to
do sth**> przyzwycza-ić/jać się do czegoś; nab-
-rać/ierać wprawy w czymś <w robieniu czegoś>

useful ['ju:sful] *adj* 1. użyteczny; pożyteczny;
zdatny; przydatny; **an ~ hint** dobra rada; **it'll
come in ~ to** się przyda; **to be ~** przyda-ć/
wać się; **to make oneself generally ~** pomagać
w rozmaity sposób, na różne sposoby, *pot* jak
się da i czym się da; **to make oneself ~** po-
m-óc/agać; być pomocnym, pożytecznym 2. *techn*
użytkowy 3. *sl* sprawny; zdolny (do czegoś) 4.
sl niezły; nienajgorszy

usefulness ['ju:sfulnis] *s* pożytek; pożyteczność;
przydatność; celowość; użyteczność

useless ['ju:slis] *adj* 1. niepotrzebny; bezużyteczny; nie nadający się do niczego; **he is quite ~**
nie ma z niego żadnego pożytku 2. zbyteczny;
bezcelowy; **it's ~ to** __ na nic się nie zda <nie
warto>... (prosić, płakać itd.); **this knife is ~**
ten nóż jest do niczego <*pot* do chrzanu> || **to feel
~** czuć się kiepsko <do niczego>

user¹ ['ju:zə] *s* użytkownik

user² ['ju:zə] *s prawn* prawo użytkowania

usher ['ʌʃə] ① *s* 1. odźwierny 2. mistrz ceremonii
3. woźny sądowy 4. *teatr* kino bileter 5. *am*
(*w kościele*) szwajcar 6. *pog* belfer ③ *vt* (uroczyście) wprowadz-ić/ać (**sb into a drawing-
-room etc.** kogoś do salonu itd.)
~ **in** *vt* 1. wprowadz-ić/ać do pokoju <sali>
2. zapoczątkow-ać/ywać (erę itd.); wprowadzić (nowe poglądy itd.)
~ **out** *vt* odprowadz-ić/ać do drzwi

usherette [ˌʌʃəˈret] *s* bileterka

usquebaugh ['ʌskwiˌbɔ:] *s szk irl* whisky

ustion ['ʌstʃən] *s chem* spalanie

ustulation [ˌʌstjuˈleiʃən] *s chem* przypalanie <su-
szenie> leku

usual ['ju:ʒwəl] ① *adj* 1. zwykły; zwyczajny; **as
is ~ with such people** jak to zwykle bywa u
takich ludzi; **as ~** <*żart* **as per ~**> jak zwykle;
(*w napisie*) "**business as ~**" „urzędujemy normalnie"; **more** <**better etc.**> **than ~** wię-kszy/
cej <lep-szy/iej itd.> niż zwykle 2. zwyczajowy;
utarty; **it is ~ to** __ taki jest zwyczaj, że ...;
zwykle się ... (zostawia datek itd.); przyjęte jest
... (zostawić datek itd.) 3. normalny (w takim
<danym> wypadku); zwykły; stereotypowy; **he
asked the ~ questions** zadawał te same pytania,
co zwykle 4. typowy, charakterystyczny (dla kogoś); **with his ~ smile** z jego charakterystycz-
nym uśmiechem

usually ['ju:ʒwəli] *adv* zwykle; zazwyczaj; **more
than ~ polite** <**stupid etc.**> szczególnie uprzejmy <tępy itd.>

usucaption [ˌju:zjuˈkæpʃən] *s prawn* (nabycie prawa własności przez) zasiedzenie

usufruct ['ju:sjuˌfrʌkt] ① *s prawn* użytkowanie

(cudzej własności) ③ *vt* użytkować (cudzą własność)

usufructuary [ˌju:sjuˈfrʌktjuəri] *adj prawn* (*o prawie itd*) użytkowania (cudzej własności)

usurer ['ju:ʒərə] *s* lichwiarz

usurious [juˈzjuəriəs] *adj* lichwiarski

usurp [ju:ˈzə:p] ① *vt* 1. uzurpować 2. przywłasz-
cz-yć/ać sobie ③ *vi* wkr-oczyć/aczać (**on sb's
rights** w czyjeś prawa)

usurpation [ˌju:zə:ˈpeiʃən] *s* uzurpacja

usurpatory [ju:ˈzə:pətəri] *adj* uzurpatorski

usurper [ju:ˈzə:pə] *s* uzurpator

usury ['ju:ʒuri] *s* lichwa; lichwiarskie odsetki;
przen **to repay a service with ~** odwdzięcz-yć/
ać się za oddaną przysługę z nawiązką

ut [ut] † = **do³**

utensil [ju:ˈtensl] *s* sprzęt; naczynie; narzędzie;
pl ~**s** naczynia; przybory; utensylia

uterine ['ju:təˌrain] *adj* 1. *anat* maciczny 2. (*o
bracie, siostrze*) przyrodni/a

uterus ['ju:tərəs] *s anat* macica

utilitarian [ˌju:tiliˈtəəriən] ① *adj* 1. utylitarny 2.
filoz utylitarystyczny ③ *s* utylitarysta

utilitarianism [ˌju:tiliˈtəəriəˌnizəm] *s filoz* utylita-
ryzm

▲**utility** [ju:ˈtiliti] ① *s* 1. pożytek; użyteczność; **of
great ~** bardzo pożyteczny <przydatny> 2. (*także* **public ~**) zakład użyteczności publicznej;
prywatne przedsiębiorstwo o charakterze zakładu
użyteczności publicznej (prywatna elektrownia
itd.) 3. użyteczny przedmiot ③ *attr* (*o powojen-
nych dobrach konsumpcyjnych*) oszczędnościowy;
tani; prosty; na codzienny użytek

utility-man [ju:ˈtilitiˌmæn] *s* (*pl* **utility-men** [ju:
ˈtilitiˌmen]) *teatr* aktor do najmniejszych ról

utilization [ˌju:tilaiˈzeiʃən] *s* z/użytkowanie; spo-
żytkowanie; utylizacja; wykorzyst-anie/ywanie

utilize ['ju:tiˌlaiz] *vt* z/użytkować; spożytkować;
wykorzyst-ać/ywać

utmost ['ʌtmoust] ① *adj* (*o ważności, pogardzie
itd*) najwyższy; (*o nędzy itd*) ostateczny; skrajny; (*o pośpiechu, nieporządku itd*) największy;
(*o granicach czegoś*) najdalszy, ostatni; **matters
of the ~ importance** sprawy największej wagi;
to the ~ confines of the earth na kraniec świata
③ *s* ostatnie <ostateczne> granice (czegoś); najwyższy stopień (czegoś); wszystko co jest <leży>
w czyjejś mocy; **at the ~** (co) najwyżej; **in the
lepszym razie** <wypadku>; **I do my ~ to** __ robię
wszystko co mogę <*pot* wypruwam sobie flaki>
aby ...; **I'll do my ~** uczynię co (tylko) w mojej mocy; **to enjoy oneself to the ~** zażywać
wszelkich rozkoszy (życia); **to the ~** do ostat-
nich granic; **to the ~ of my ability** na co mnie
tylko stać; **ile mi sił starczy; to trust sb to the
~** ufać komuś bezwzględnie

utopia [ju:ˈtoupjə] *s* utopia

utopian [ju:ˈtoupjən] ① *adj* utopijny ③ *s* utopista

utricle ['ju:trikl] *s anat bot zoo* łagiewka; mieszek; mała komora

utricular [ju:ˈtrikjulə] *adj anat bot zoo* łagiewko-
wy; mieszkowy

utricularia [ju:ˌtrikjuˈləəriə] *s bot* pływacz

utter¹ ['ʌtə] *adj* 1. zupełny; całkowity; kompletny; bezwzględny; absolutny; **an ~ stranger** zupełnie obcy <nieznany> człowiek 2. (*o łotrze,
idiocie itd*) skończony 3. (*o nędzy itd*) ostatni;

skrajny 4. † zewnętrzny; *jeszcze stosowane w nazwie*: ∼ **barrister** adwokat spoza palestry, do
której należą „barristerzy" z tytułem doradców
królewskich

utter² ['ʌtə] *vt* 1. wyda-ć/wać (głos, krzyk, jęk
itd.); **to** ∼ **a sigh** westchnąć; **to** ∼ **an exclama-
tion** wykrzyknąć 2. wyra-zić/żać (swe uczucia
itd.) 3. wypowi-edzieć/adać <wy/rzec, wygł-osić/
aszać> (słowa itd.); powiedzieć/mówić (kłamstwa
itd.); **to** ∼ **a curse** zakląć; **to** ∼ **curses** kląć 4.
pu-ścić/szczać w obieg (fałszywe banknoty itd.);
wystawi-ć/ać (fałszywe dokumenty); podr-obić/
abiać (czeki itd.)

utterable ['ʌtərəbl] *adj* nadający się do powiedzenia; **the word is not** ∼ to słowo nie przejdzie
(mi) <mu, jej itd.> przez gardło; wstyd wymówić to słowo

utterance¹ ['ʌtərəns] *s* 1. wyraż-enie/anie <wyraz>
(uczuć itd.); **he gave** ∼ **to his feelings** <rage
etc.> wyraził swe uczucia <całą swoją wściekłość itd.> 2. wyda-nie/wanie (głosu, jęku itd.) 3.
wymowa (dobra, wadliwa itd.) 4. wypowiedź:
wypowiedziane słowa; oświadczenie; **pulpit** ∼**s
kazania**

utterance² ['ʌtərəns] *s lit w zwrocie*: **to the** ∼
do ostatniego tchu

utterer ['ʌtərə] *s* 1. mówiący 2. głosiciel; wyra-
ziciel

uttermost ['ʌtəmoust] = **utmost**

utterness ['ʌtənis] *s* pełna miara; dno (nieszczęścia itd.); szczyt (radości itd.); całkowitość

uva ['ju:və] *s bot* ∼ **ursi** ['ə:sai] *farm* liście mącz-
nicy lekarskiej

uvea ['ju:viə] *s anat* jagodówka (tęczówki)

uvula ['ju:vjulə] *s anat* języczek

uvular ['ju:vjulə] *adj anat fonet* języczkowy

uxorious [ʌk'sɔ:riəs] *adj* 1. zaślepiony w swojej
żonie 2. posłuszny swej żonie; (będący) pod
wpływem <*pot* pod pantoflem> swej żony

Uzbeg ['ʌzbeg], **Uzbek** ['ʌzbek] *s* Uzbek

V

V [vi:] *litera* v (*pl* **vs, v's vees** [vi:z]); ∼ **sign**
znak zwycięstwa

vac [væk] *s pot skr* = 1. **vacation** 2. **vacuum cleaner**

vacancy ['veikənsi] *s* 1. próżnia; pusta przestrzeń
2. pustka (w głowie); bezmyślność; roztargnienie
3. bezczynność 4. bierność; zobojętnienie; apatia 5. wakans; wolna posada 6. *am* woln-y/e pokój <mieszkanie>; pokój <mieszkanie> do wynajęcia 7. luka; wolne <nie wypełnione, nie zadru-
kowane> miejsce

vacant ['veikənt] *adj* 1. próżny; opróżniony; pusty; (*o miejscu, krześle*) wolny, nie zajęty; ∼
space próżnia 2. (*o mieszkaniu itd*) wolny; do
wynajęcia; ∼ **possession** do objęcia natychmiast
<od zaraz> 3. (*o posadzie itd*) wolny; wakujący;
opróżniony; **to be** ∼ wakować; **to become** ∼
opróżni-ć/ać <zwalniać> się 4. (*o czasie*) wolny;
(*o chwilach*) wytchnienia 5. (*o spojrzeniu*) bezmyślny; nieprzytomny; **with a** ∼ **stare** a) patrząc nieprzytomnie b) gapiąc się bezmyślnie 6.
bezczynny; obojętny; zobojętniały; bierny; apatyczny; **a** ∼ **mind** próżny umysł; tępota 7. bezpański; bez właściciela

vacate [və'keit] *vt* 1. opróżni-ć/ać (stanowisko,
pokój, mieszkanie itd.); zw-olnić/alniać (posadę,
mieszkanie itd.); z/rezygnować (**a post etc.** ze
stanowiska itd.); opu-ścić/szczać 2. *prawn* unie-
ważni-ć/ać (umowę itd.) 3. *wojsk* ewakuować
(ludność)

vacation [və'keiʃən] □ *s* 1. opróżni-enie/anie (stanowiska, pokoju, mieszkania itd.); zw-olnienie/
alnianie (posady, mieszkania itd.); z/rezygnowa-
nie (**of a post etc.** ze stanowiska itd.); opusz-
cz-enie/anie (urzędu itd.) 2. *prawn* unieważ-
ni-enie/anie (umowy itd.) 3. *wojsk* ewaku-acja/
owanie (ludności) 4. wakacje; urlop; wczasy; ferie (uniwersyteckie, sądowe itd.); **the long** <**summer**> ∼ wakacje letnie □ *vi am* 1. wziąć/brać
<z/robić sobie, uda-ć/wać się na, pojechać na>

urlop <wczasy> 2. spędz-ić/ać urlop <wczasy,
wakacje> (**at a place** w jakiejś miejscowości
<gdzieś>)

vacationist [və'keiʃnist] *s* wczasowicz; urlopowicz;
letnik; (*w miejscowości kuracyjnej*) kuracjusz

vaccinal ['væksinl] *adj* szczepienny; ∼ **fever** gorączka poszczepienna

vaccinate ['væksi,neit] *vt* za/szczepić (kogoś); **to
get** ∼**d** podda-ć/wać się szczepieniu

vaccination [,væksi'neiʃən] *s* szczepienie (przeciw-
ospowe itd.)

vaccinationist [,væksi'neiʃnist] *s* zwolennik szczepienia

vaccinator ['væksi,neitə] *s* 1. lekarz wykonujący
szczepienie 2. nożyk do szczepienia

vaccine ['væksi:n] □ *adj* 1. krowi 2. krowianko-
wy; szczepionkowy □ *s med* szczepionka; krowianka

vaccinia [væk'siniə] *s* 1. ospa krowia 2. szczepionka ospowa; krowianka; limfa krowiankowa

vacillate ['væsi,leit] *vi* 1. chwiać się 2. wahać się;
być niezdecydowanym

vacillation [,vesi'leiʃən] *s* 1. chwianie się 2. wahanie się; niezdecydowanie

vacuity [væ'kjuiti] *s* 1. próżnia 2. *dosł i przen*
pustka (w przestrzeni, w głowie itd.) 3. tępota
bezmyślność 4. luka

vacuole ['vækju,oul] *s biol* wakuola, wodniczka
(pęcherzyk wypełniony powietrzem <płynem>)

vacuous ['vækjuəs] *adj* 1. pusty; próżny 2. bezmyślny; tępy; bez wyrazu 3. bezsensowny; bezcelowy

vacuousness ['vækjuəsnis] = **vacuity**

vacuum ['vækjuəm] *s* (*pl* **vacua** ['vækjuə], ∼**s**)
próżnia; ∼ **brake** hamulec próżniowy; ∼ **cleaner**
odkurzacz; *górn* odpylacz; ∼ **flask** termos

vacuum-gauge ['vækjuəm,geidʒ] *s* próżniomierz;
wakuometr

vacuum-pump ['vækjuəm,pʌmp] *s* pompa próżniowa <zasysająca>

vacuum-tube ['vækjuəm,tju:b] *s* lampa elektronowa <próżniowa>

vade-mecum ['veidi'mi:kəm] *s* vademecum; informator, przewodnik (publikacja)

vagabond ['vægəbənd] ① *adj* 1. włóczęgowski 2. wędrowny; *przen* ~ **thoughts** rozproszone myśli 3. próżniaczy Ⅲ *s* 1. włóczęga; wagabunda 2. nierób; próżniak Ⅲ *vi* włóczyć się po świecie; błąkać się; uprawiać włóczęgostwo; prowadzić włóczęgowskie życie

vagabondage ['vægəbəndidʒ] *s* 1. włóczęgostwo 2. *zbior* włóczędzy

vagabondism ['vəgəbən,dizəm] *s* włóczęgostwo

vagabondize ['vægəbən,daiz] = **vagabond** *v*

vagary ['veigəri] *s* kaprys, fantazja, wybryk, dziwactwo

vagina [və'dʒainə] *s* (*pl* **vaginae** [və'dʒai,ni:]) *anat bot* pochwa

vaginal [və'dʒainəl] *adj anat* pochwowy

vaginate ['vædʒinit] *adj* wpochwiony; wgłębiony

vagrancy ['veigrənsi] = **vagabondage**

vagrant ['veigrənt] ① *adj* 1. włóczęgowski; błąkający się; (*o trybie życia*) cygański 2. wędrowny; błądzący Ⅲ *s* włóczęga

vague [veig] *adj* 1. niewyraźny; nieokreślony; nieuchwytny; nie ustalony; niejasny; **I have <he has etc.> a ~ idea that __** coś mi <mu itd.> się wydaje, że ... 2. (*o odpowiedzi*) niewyraźny; nie sprecyzowany; wymijający 3. (*o pojęciu itd*) mglisty; **I haven't the ~st idea <notion>** nie mam zielonego <bladego> pojęcia 4. (*o wzroku*) błędny, nieprzytomny 5. (*o człowieku*) niezdecydowany; **to be ~ about sth** nie mieć sprecyzowanego zdania o czymś 6. (*o człowieku*) wyrażający się niejasno; **he was ~ on that subject** w tej sprawie jego wypowiedź była niejasna <wymijająca>

vagueness ['veignis] *s* 1. niewyraźny <nieokreślony, nieuchwytny, nieustalony> charakter (czegoś) 2. brak sprecyzowania; wymijający charakter (wypowiedzi itd.) 3. mglistość

vagus ['veigəs] *s* (*pl* **vagi** ['veidʒai]) *anat* (*także* ~ **nerve**) nerw błędny

vail[1] [veil] † ① *vt* 1. złożyć/składać; pochyl-ić, ać (głowę, sztandary itd.); uchyl-ić/ać (kapelusza itd.) 2. zd-jąć/ejmować; zrzuc-ić/ać (coś z siebie; pychę z serca itd.) Ⅲ *vi* s/chylić czoło (**to sb** przed kimś); ust-ąpić/ępować (**to sb** komuś)

vail[2] [veil] † *s* (*zw pl* ~**s**) podarek, datek; † kuban

vain [vein] *adj* 1. (*o słowach, przechwałkach itd*) próżny; pusty; czczy; marny; gołosłowny 2. próżny; daremny; płonny; bezcelowy; bezowocny; **it is ~ (for us) to resist** nie ma celu <sensu> sprzeciwiać się <byśmy się sprzeciwiali>; **in ~** na próżno; daremnie; nadaremnie; bezcelowo; bezowocnie; bez skutku; bezskutecznie; **to take sb's name in ~** lekceważąco mówić o kimś 3. (*o człowieku*) próżny; pyszny (**of sth z czegoś**); zarozumiały (**of sth na punkcie czegoś**); pyszniący się (**of sth czymś**)

vainglorious [vein'glɔ:riəs] *adj* 1. próżny; pyszny; zarozumiały 2. chełpliwy

vainglory [vein'glɔ:ri] *s* 1. próżność; pycha; zarozumiałość 2. chełpliwość

vainly ['veinli] *adv* 1. na próżno; daremnie; bezcelowo; bezowocnie; bez skutku; bezskutecznie 2. pysznie; zarozumiale 3. chełpliwie

vair [veə] *s herald* popielice

vakeel, vakil [və'ki:l] *s* (*w Indiach*) 1. poseł 2. adwokat

valance, valence ['væləns] *s* lambrekin; frędzla

valanced, valenced ['vælənst] *adj* zakończony lambrekinem <frędzlą>

vale[1] [veil] *s* 1. *poet* dolina; padół (**of tears** płaczu) 2. rynna (pod pompą itd.)

vale[2] ['veili] ① *s* pożegnanie Ⅲ *interj* żegnaj/ cie!

valediction [,væli'dikʃən] *s* słowa pożegnania; pożegnanie

valedictorian [,vælidik'tɔ:riən] *s am* student wygłaszający mowę pożegnalną po promocji

valedictory [,væli'diktəri] ① *adj* pożegnalny Ⅲ *s* mowa pożegnalna wygłaszana przez absolwenta

valence[1] ['væləns] = **valence**

↓**valence**[2] ['veiləns] *s chem* wartościowość

Valencia [və'lenʃiə] *s* 1. *tekst* tkanina wełniano- -jedwabna <wełniano-bawełniana, wełniano-lniana> 2. *pl* ~**s** migdały <rodzynki> z Walencji

Valenciennes [,vælənsi'en] *spl* walencjena (koronki)

valency ['veilənsi] *s chem* wartościowość; ~ **electron** elektron wartościowości

valentine ['vælən,tain] *s* 1. **St. Valentine's day** 14 luty, dzień, w którym zakochani przesyłają sobie listy, kartki miłosne 2. list <kartka> z wyznaniem miłosnym 3. list <kartka> z uszczypliwym docinkiem <wysyłan-y/a 14 lutego> 4. sympatia, której posyła się list miłosny 14 lutego

valerian [və'liəriən] *s* 1. *bot* kozłek lekarski, waleriana; ~ **drops** krople waleriany <walerianowe> 2. *farm* kłącze <korzeń> kozłka; korzeń waleriany; *farm* ~ **oil** olejek kozłkowy

valeric [və'lerik] *adj chem* (*o kwasie*) walerianowy

valet ['vælit] ① *s* (*także* ~ **de chambre** ['vælei də'ʃã:br]) lokaj, służący Ⅲ *vt* służyć jako lokaj (**sb** u kogoś); być lokajem (**sb** czyimś)

valetudinarian ['væli,tju:di'neəriən] ① *adj* 1. chorowity; słabowity 2. hipochondryczny Ⅲ *s* 1. chuchro; cherlak 2. hipochondryk

valetudinarianism ['væli,tju:di'neəriə,nizəm] *s* 1. cherlactwo 2. hipochondria

valetudinary [,væli'tju:dinəri] *adj* hipochondryczny

Valhalla [væl'hælə] *s* 1. *mitol* Walhalla 2. *arch* panteon

valiant ['væljənt] *adj* dzielny; mężny; odważny

valid ['vælid] *adj* 1. (*o dokumencie, umowie itd*) ważny; (*o umowie itd*) wiążący; obowiązujący 2. (*o argumencie itd*) przekonywający; niezbity 3. (*o sprzeciwie, krytyce itd*) uzasadniony; słuszny

validate ['væli,deit] *vt* 1. uprawom-ocnić/acniać; nada-ć/wać moc obowiązującą (**sth** czemuś) 2. zatwierdz-ić/ać; ratyfikować

validation [,væli'deiʃən] *s* 1. uprawom-ocnienie/ acnianie; nada-nie/wanie mocy prawnej (**of sth** czemuś) 2. zatwierdz-enie/anie; ratyfikacja

validity [və'liditi] *s* 1. ważność (dokumentu itd.); moc prawna 2. słuszność (argumentu itd.)

valise [və'li:z] *s* 1. waliza 2. *wojsk* tornister

valkyr ['vælkiə], **valkyria** [væl'kiəriə], **valkyrie** ['vælkiri] *s mitol* walkiria
vallecula [və'lekjulə] *s (pl* **valleculae** [və'lekju‚li:]) *s* 1. *anat* bruzda 2. *bot* rowek
valley ['væli] *s* 1. dolina 2. kotlina 3. *bud* kosz (dachu) 4. wgłębienie; wklęśnięcie; wklęsłość
vallonia [və'louniə] *s* walonea (garbnik z żołędzi dębu rosnącego w Azji Mniejszej); *bot* ~ **oak** dąb koziooki
valonia *zob* **vallonia**
valorization [‚vælərai'zeiʃən] *s* waloryzacja; z/waloryzowanie
valorize ['vælə‚raiz] *vt* z/waloryzować
valorous ['vælərəs] *adj* dzielny; mężny; waleczny
valour ['vælə] *s* dzielność; męstwo; waleczność
valse [va:ls] *s (w muzyce poważnej)* walc
valuable ['væljuəbl] Ⅰ *adj* 1. wartościowy; wysokowartościowy; cenny; kosztowny; drogi 2. dający się oszacować (**in money** w pieniądzach) Ⅲ *s (zw pl* ~**s)** kosztowności, biżuteria, precjoza
valuation [‚vælju'eiʃən] *s* 1. oszacowanie; otaksowanie; ocena; wycena; **to make** <**set,· draw up**> **a** ~ **of sth** oszacow-ać/ywać <oceni-ć/ać, o/taksować> coś 2. cena; wartość
valuator ['vælju‚eitə] *s* = **valuer**
value ['vælju:] Ⅰ *s* 1. wartość; **of great** ~ cenny; bardzo <wysoce> wartościowy; **of little** ~ małowartościowy; **of no** ~ bezwartościowy; **to be of** ~ a) posiadać wartość; ·być cennym b) przyda-ć/wać się; **to lose** <**go down in**> ~ s/tracić na wartości; **to set a high** <**low**> ~ **on sth** cenić coś <nie cenić czegoś>; *ekon* **surplus** ~ wartość dodatkowa; *(o artykule handlu)* **it's good** ~ to jest warte tej ceny; to niedrogo 2. *handl* waluta; *(na wekslu)* ~ **received** walutę otrzymano 3. walor 4. znaczenie (wiedzy, przyjaźni, ruchu dla zdrowia itd.) 5. równowartość 6. cena 7. *muz* wartość rytmiczna 8. *mat* wartość; wielkość (algebraiczna) 9. *plast* walor koloru 10. sens, znaczenie (wyrazu itd.) Ⅲ *vt* 1. oceni-ć/ać; oszacow-ać/ywać; o/taksować; określ-ić/ać wartość (**sth** czegoś) 2. cenić; przywiąz-ać/ywać wagę <znaczenie> (**sth do** czegoś) Ⅲ *vi handl bank* walutować; trasować <ciągnąć weksel> (**on** <**upon**> **sb** na kogoś) *zob* **valued**
valued ['vælju:d] Ⅰ *zob* **value** *v* Ⅲ *adj* 1. oceniony; oszacowany; otaksowany 2. cenny; **a** ~ **friend** drogi przyjaciel
valueless ['væljulis] *adj* bezwartościowy
valuer ['væljuə] *s* taksator
valvate ['vælveit] *adj bot* skorupowy
valve [vælv] *s* 1. *techn* zawór; zasuwa; suwak; klapa; wentyl; **safety** ~ zawór <klapa> bezpieczeństwa 2. *anat* zastawka (sercowa, żylna) 3. *bot* klapa (u rośliny) 4. *elektr* lampa elektronowa; ~ **set** radioodbiornik <aparat> lampowy 5. *rz* skrzydło drzwi
valvular ['vælvjulə] *adj med* zastawkowy
valvule ['vælvju:l] *s* zastawka; klapa
vamoose [və'mu:s], **vamose** [və'mous] *vi am sl* zwi-ać/ewać; wyn-ieść/osić się po cichu
vamp[1] [væmp] Ⅰ *s* 1. przyszwa (buta); kapka 2. łata; flek 3. nieudolnie sklecony utwór literacki 4. *muz* improwizowany akompaniament Ⅲ *vt* 1. za/łatać <o/kapować> (bucik) 2. za/grać <wy/bębnić> na fortepianie (zaimprowizowany akom-

paniament) Ⅲ *vi* improwizować <bębnić> akompaniament na fortepianie
~ **up** *vt* 1. za/łatać 2. sklec-ić/ać (utwór lit., artykuł itd.)
vamp[2] [væmp] Ⅰ *s pot skr* **vampire** 1. wamp; demoniczna kobieta; kobieta demon; uwodzicielka; flirciarka 2. kobieta z półświatka; awanturnica Ⅲ *vt* 1. uw-ieść/odzić; z/bałamucić 2. wy/eksploatować (mężczyznę) Ⅲ *vi* flirtować; uwodzić
vamper ['væmpə] *s* 1. improwizator niewybrednych akompaniamentów 2. łatacz
vampire ['væmpaiə] *s* 1. wampir; upiór 2. *(także* ~ **bat)** *zoo* wampir (nietoperz) 3. *przen* wyzyskiwacz 4. = **vamp**[2] 5. *teatr* trap (w podłodze sceny)
vampiric [væm'pirik] *adj* wampiryczny
vampirism ['væmpi‚rizəm] *s* 1. wampiryzm; wierzenie w upiory 2. wysysanie krwi 3. *przen* wyzyskiwanie
van[1] [væn] *s wojsk* straż przednia; *przen* awangarda; czoło (armii itd.); **to be in the** ~ **of sth** stać <kroczyć> na czele <w pierwszych szeregach> czegoś
van[2] [væn] Ⅰ *s* 1. wóz (meblowy); kryta ciężarówka; furgon; **delivery** ~ furgonetka 2. *kolej* wagon służbowy; **guard's** ~ wagon kierownika pociągu; **luggage** ~ wagon bagażowy Ⅲ *vt* (**-nn-**) przew-ieźć/ozić wozem meblowym <krytą ciężarówką, furgonem>
van[3] [væn] Ⅰ *s* 1. † wialnia 2. † *poet* skrzydło Ⅲ *vt* (**-nn-**) z/badać (rudę) przez spłukiwanie i potrząsanie
van[4] [væn] *s tenis* przewaga
vanadate ['vænə‚deit] *s chem* wanadan
vanadic [və'nædik] *adj chem* wanadowy
vanadium [və'neidjəm] *s chem* wanad
vanadous ['vænədəs] *adj chem* wanadawy
Vandal ['vændəl] Ⅰ *adj* 1. wandalski; *(o inwazji itd)* Wandalów 2. *przen* **vandal** *(także* **vandalic**) wandalski, barbarzyński Ⅲ *s* 1. Wandal 2. *przen* **vandal** wandal, barbarzyńca
Vandalic [væn'dælik] *adj* 1. wandalski; *(o inwazji itd)* Wandalów 2. *przen* **vandalic** wandalski, barbarzyński
vandalism ['vændə‚lizəm] *s* wandalizm
Vandyke [væn'daik] Ⅰ *s* płótno <obraz> Van Dycka; ~ **beard** spiczasta bródka à la Van Dyck; ~ **brown** kolor ciemnobrązowy Ⅲ *vt* wyci-ąć/nać w ząbki (kołnierz) na modłę Van Dycka
vane [vein] *s* 1. chorągiewka (na dachu) 2. łopatka (wentylatora, turbiny, wiatraka, śmigła) 3. wirnik (maszyny, bomby itd.) 4. chorągiewka (pióra) 5. *(w przyrządach mierniczych)* diopter; celownik; przeziernik
vanessa [və'nesə] *s zoo* rusałka (motyl)
vang [væŋ] *s mar* topenanta
vanguard ['vænga:d] *s wojsk* straż przednia; *przen* awangarda (ruchu społecznego itd.); ~ **artist** awangardzista
vanilla [və'nilə] Ⅰ *s bot* wanilia Ⅲ *attr* waniliowy
vanilla-bean [və'nilə‚bi:n] *s bot* owoc <strączek> wanilii
vanillic [və'nilik] *adj* wanilinowy; ~ **aldehyde** wanilina
vanillin [və'nilin] *s chem* wanilina

vanillism [və'nilizəm] s *med* zatrucie wanilią

vanish ['væniʃ] ① *vi* z/niknąć, znikać; z/ginąć; sczeznąć; przepa-ść/dać; he ~ed from sight stracili(śmy) go z oczu; to ~ into thin air zniknąć jak kamfora ③ s *fonet* drugi <słaby> człon dwugłoski *zob* vanishing

vanishing ['væniʃiŋ] ① *zob* vanish *v* ③ *adj* zanikający; ~ cream krem kosmetyczny półtłusty <stearowy> ③ s zniknięcie; zanikanie; zanik

vanishing-line ['væniʃiŋ͵lain] s linia zaniku

vanishing-point ['væniʃiŋ͵pɔint] s punkt zaniku; to reach (the) ~ zejść/schodzić <do-jść/chodzić> do zera

vanity ['væniti] s 1. próżność, daremność, bezcelowość 2. marność, czczość; all is ~ marność nad marnościami; Vanity Fair targowisko próżności 3. próżność; pycha; zarozumiałość; ~ bag <case> saszetka

vanner¹ ['vænə] s *górn* stół koncentracyjny (do badania zawartości rudy)

vanner² ['vænə] s koń pociągowy

vanquish ['væŋkwiʃ] *vt* 1. zwycięż-yć/ać; pokon-ać/ywać 2. przezwycięż-yć/ać (swe namiętności itd.)

vanquisher ['væŋkwiʃə] s zwycięzca

vantage ['vɑ:ntidʒ] s 1. *tenis* przewaga (in serwującego; out odbierającego) 2. † korzystniejsza pozycja; *jeszcze używane w zwrotach*: coign <place, point> of ~ dogodn-y/e <korzystn-y/e> punkt <miejsce> (do obserwacji, walki itd.)

vantage-ground ['vɑ:ntidʒ͵graund] s = coign of vantage *zob* vantage

vapid ['væpid] *adj* 1. (o napoju) bez smaku; zwietrzały 2. (o rozmowie itd) pusty, jałowy, bez treści, nieinteresujący, nudny 3. (o stylu itd) ckliwy, mdły

vapidity [væ'piditi], vapidness ['væpidnis] s 1. zwietrzenie <brak smaku> (napoju itd.) 2. jałowość <beztreściowość> (rozmowy itd.) 3. ckliwość (stylu itd.)

vaporific [͵veipə'rifik] *adj* parujący

vaporimeter [͵veipə'rimitə] s *techn* parometr, prężnomierz; manometr

vaporization [͵veipərai'zeiʃən] s parowanie; odparow-anie/ywanie; wyparow-anie/ywanie; prze-jście/chodzenie w parę, prze-jście/chodzenie w stan lotny

vaporize ['veipə͵raiz] ① *vt* odparow-ać/ywać; wyparow-ać/ywać; zamieni-ć/ać w parę ③ *vi* wy/parować; zamieni-ć/ać się w parę

vaporizer ['veipə͵raizə] s odparowywacz; aparat wyparny; wyparka; parownik; rozpylacz

vaporous ['veipərəs] *adj* zamglony; mglisty

vapour ['veipə] ① s 1. para; ~ bath łaźnia parowa, parówka; ~ phase faza parowa 2. (zw pl ~s) opary; wapory 3. mgła 4. *przen* fantazja; chimera; pl ~s fantazjowanie 5. † *med* pl ~s przygnębienie; splin; hipochondria ③ *vi* 1. wy/parować 2. † chełpić się 3. ględzić; bzdurzyć *zob* vapouring

vapouring ['veipəriŋ] ① *zob* vapour *v* ③ s przechwałki

vapourish ['veipəriʃ] *adj* 1. zamglony 2. mglisty 3. (o człowieku) przygnębiony; hipochondryczny

vapoury ['veipəri] *adj* zamglony

varan ['værən] s *zoo* waran (jaszczurka)

Varangian [və'rændʒiən] s Wareg (staroruska nazwa Normanów)

varanus ['værənəs] = varan

varec(h) ['værek] s *bot* morszczyn (porost morski)

variability [͵veəriə'biliti] s zmienność; niestałość

variable ['veəriəbl] ① *adj* zmienny; niestały ③ s 1. *mat* zmienna, wartość zmienna 2. *mar* wiatr zmienny; the ~s strefa wiatrów zmiennych

variableness ['veəriəblnis] = variability

variance ['veəriəns] s 1. niezgodność; rozbieżność; to be at ~ nie zgadzać się; być w niezgodzie; (o *faktach, zeznaniach itd*) kłócić się, być <pozostawać> w sprzeczności (with sth w stosunku do czegoś); to set people at ~ poróżnić ludzi z sobą; siać niezgodę między ludźmi; I had a ~ with him poróżniłem się z nim 2. *prawn* niezgodność 3. zmienność

variant ['veəriənt] ① s wariant; odmiana; odmienn-e/a brzmienie <znaczenie, pisownia itd.> ③ *adj* odmienny; różny

variation [͵veəri'eiʃən] s 1. zmiana; odmiana; wariant; *muz* wariacja; price ~s wahania <fluktuacja> cen 2. odchylenie; *biol* wariacja 3. *mat* wariacje; zależność 4. *fiz* zmienność; wariacje 5. *mar* odchylenie igły magnetycznej, deklinacja

variational [͵veəri'eiʃənl] *adj* podlegający zmianom

varicated ['væri͵keitid] *adj* żylakowaty

varicella [͵væri'selə] s *med* ospa wietrzna

varices *zob* varix

varicocele ['værikə͵si:l] s *med* żylak powrózka nasiennego

varicoloured [væri'kʌləd] *adj* różnobarwny; barwny; pstry; kolorowy

varicose ['væri͵kous] *adj* żylakowaty; żylakowy; ~ vein żylak; ~ stocking pończocha gumowa

varicosity [͵væri'kɔsiti] s *med* żylakowatość

⏐varied ['veərid] ① *zob* vary *v* ③ *adj* różny; rozmaity; różnorodny; urozmaicony

variegate ['veəri͵geit] *vt* 1. urozmaic-ić/ać (barwy) 2. ubarwi-ć/ać; u/pstrzyć; pstrokacić *zob* variegated

variegated ['veəri͵geitid] ① *zob* variegate *v* ③ *adj* różnobarwny; barwny; kolorowy; pstry

variegation [͵veəri'geiʃən] s różnorodność; barwność; pstrokatość

variety [və'raiəti] s 1. rozmaitość; urozmaicenie; różnorodność; to give <lend> ~ to sth urozmaicać coś (krajobraz itd.); a ~ of reasons <people etc.> rozmai-te/ci przyczyny <ludzie itd.>; varieties of cloth <paints etc.> rozmaite gatunki <wzory> sukna <farb itd.>; a ~ of cloth <paper etc.> gatunek sukna <papieru itd.> 2. wielostronność (zainteresowań itd.) 3. wybór <asortyment> (wzorów itd.); bogactwo (towarów itd.); szereg (przyczyn itd.) 4. odmiana (rośliny itd.) 5. *teatr* rozmaitości; ~ theatre teatrzyk; teatr rozmaitości <rozrywkowy, rewiowy>; ~ turn występ <popis> artysty rewiowego <estradowego itd.>

variform ['veəri͵fɔ:m] *adj* różnokształtny, wielokształtny

variola [və'raiələ] s *med* ospa (prawdziwa)

variolation [͵veəriə'leiʃən] s *med* szczepienie ospy rodzimej

variole ['veəri͵oul] s *med* dziób, blizna, dołek (po ospie)

variolization [͵veəriəli'zeiʃən] s = variolation

varioloid ['vɛəriə‚lɔid] *s med* ospianka (lekka postać ospy)

variolous ['vɛəriələs] *adj med* (odnoszący się do, dotyczący) ospy

variometer [‚vɛəri'ɔmitə] *s elektr* wariometr

variorum [‚vɛəri'ɔːrəm] *adj (także attr) (o wydaniu dzieła)* zaopatrzony w uwagi różnych komentatorów

various ['vɛəriəs] *adj* 1. różny; rozmaity 2. urozmaicony 3. wiele; kilka; **at ~ times** nieraz, kilkakrotnie; **for ~ reasons** z różnych <wielu> powodów; dla szeregu przyczyn 4. różni ludzie *pot* poniektórzy; **~ have said that __** ten i ów mówił, <niektórzy mówili>, że...

varix ['vɛəriks] *s (pl* **varices** ['væri‚siːz]) *med* żylak

varlet ['vɑːlit] *s* 1. *hist* pachołek, giermek rycerski 2. szelma; hultaj

varmint ['vɑːmint] *s* 1. *żart* szelma, hultaj, huncwot 2. *sl myśl* lis

⧫ **varnish** ['vɑːniʃ] Ⓣ *s* 1. lakier; werniks 2. pokost 3. glazura 4. (*u człowieka*) polor; sztuczna uprzejmość 5. *przen* połysk; powab (czegoś) Ⓤ *vt* po/lakierować; pokostować; glazurować

~ over vt zatuszować; spu-ścić/szczać zasłonę (**sth** na coś)

varnishing-day ['vɑːniʃiŋ‚dei] *s* wernisaż (przed otwarciem wystawy sztuk pięknych)

varnisher ['vɑːniʃə] *s* lakiernik

varsity ['vɑːsti] Ⓣ *s pot* uniwerek, uniwersytet Ⓤ *attr* uniwersytecki; (*o władzach, ekipie itd*) uniwersytetu

Varsovian [vɑː'souviən] *s* warszawian-in/ka; *pot* warszawiak

varsovienne [‚vɑːsouvi'en] *s muz* mazur

varus ['vɛərəs] *s med* koślawość

vary ['vɛəri] *v* (**varied** ['vɛərid], **varied; varying** ['vɛəriiŋ]) Ⓣ *vt* zmieniać; urozmaicać; wprowadzać zmiany <rozmaitości> (**sth** w czymś); *muz* wprowadzać wariacje (**a composition** do utworu muzycznego) Ⓤ *vi* 1. zmieniać się; ulegać zmianom 2. różnić się; **opinions ~ on this point** zdania o tym są podzielone 3. odbiegać (**from sth** od czegoś); (*o autorach itd*) nie być zgodnym; mieć odmienne zdania 4. *mat* być zmiennym; **~ as** *x* być zmienną zależną od *x zob* **varied, varying**

varying ['vɛəriiŋ] Ⓣ *zob* **vary** *v* Ⓤ *adj* 1. zmieniający się; różny; rozmaity 2. zmienny

vascular ['væskjulə] *adj anat* naczyniowy

vascularity [‚væskju'læriti] *s anat* unaczynienie

vascularization [‚væskjulərai'zeiʃən] *s* 1. = **vascularity** 2. waskularyzacja

vasculose ['væskju‚lous] *adj bot* (*o roślinie*) zaopatrzony w układ wiązkowy

vasculum ['væskjuləm] *s bot* wiązka

vase [vɑːz] *s* 1. wazon; (ozdobna) waza; flakon 2. *bot* kielich (tulipana itd.)

vaseline ['væsi‚liːn] *s* wazelina

vase-painting ['vɑːz‚peintiŋ] *s plast* sztuka malowania na wazach

vasiform ['væsi‚fɔːm] *adj* naczyniowy; rurkowaty

vaso-constrictor ['veisou-kən'striktə] *s nerw* <lek> ściągający naczynia

vasodilator [veisou-dai'leitə] *s nerw* <lek> rozszerzający naczynia

vasomotor ['veisou'moutə] *s nerw* <lek> naczynioruchowy

vassal ['væsəl] *s hist przen* wasal, lennik

vassalage ['væsəlidʒ] *s hist* wasalstwo, lennictwo; *przen* podległość; zależność

vast [vɑːst] Ⓣ *adj* 1. rozległy; przestronny; obszerny 2. ogromny; niezmierny; kolosalny Ⓤ *s poet* bezmiar

vastitude ['væsti‚tjuːd] = **vastness**

vastly ['vɑːstli] *adv* ogromnie; w ogromn-ym/ej stopniu <mierze>; niezmiernie; bardzo; kolosalnie

vastness ['vɑːstnis] *s* 1. rozległość, bezmiar; ogrom 2. niezmierzona przestrzeń; przestwór

vat [væt] Ⓣ *s* kadź; cysterna; zbiornik; beczka; *garb* dół; **~ process** kadziowanie; **settling ~** odstojnik Ⓤ *vt* (**-tt-**) 1. kadziować 2. *garb* zarzuc-ić/ać (skóry)

Vatican ['vætikən] Ⓣ *s* Watykan Ⓤ *attr* watykański

vaticanism ['vætikə‚nizəm] = **ultramontanism**

vaticinate [væ'tisi‚neit] Ⓣ *vt* wy/prorokować; wy/wróżyć Ⓤ *vi* prorokować; przepowiadać

vaticination [‚vætisi'neiʃən] *s* proroctwo

vaudeville ['voudəvil] *s* 1. wodewil 2. *am* teatr rozmaitości <rozrywkowy> 3. przedstawienie rozrywkowe; rozmaitości

vaudevillist ['voudə‚vilist] *s teatr* autor programów rozrywkowych

vault[1] [vɔːlt] *s* 1. *bud anat* sklepienie; *przen* **the ~ of heaven** sklepienie niebieskie; firmament 2. *bud* podziemie; piwnica; krypta 3. grobowiec Ⓤ *vt* przesklepić, osklepi-ć/ać *zob* **vaulting**[1]

vault[2] [vɔːlt] Ⓣ *vi sport* sk-oczyć/akać (z podparciem rąk, o tyczce itd.); przesk-oczyć/akiwać (**over a fence etc.** przez płot itd.) Ⓤ *vt* przesk-oczyć/akiwać (**a gate etc.** przez furtkę itd.) *zob* **vaulting**[2] Ⓥ *s sport* skok (z podparciem rąk, o tyczce itd.)

vaulter ['vɔːltə] *s* 1. *sport* tyczkarz, skoczek (o tyczce) 2. (*w cyrku*) woltyżer/ka

vaulting[1] ['vɔːltiŋ] Ⓣ *zob* **vault**[1] *v* Ⓤ *s* sklepieni-e/a

vaulting[2] ['vɔːltiŋ] Ⓣ *zob* **vault**[2] *v* Ⓤ *adj lit* **~ ambition** wygórowane ambicje <aspiracje> Ⓥ *s sport* skoki gimnastyczne; ćwiczenia na koźle

vaulting-horse ['vɔːltiŋ‚hɔːs] *s sport* kozioł (do gimnastyki)

vaunt [vɔːnt] Ⓣ *vi* chełpić <chwalić, przechwalać> się Ⓤ *vt* chełpić się (**sth** czymś, z czegoś) Ⓥ *s* chełpienie się; fanfaronada

vaunt-courier ['vɔːnt‚kuːriə] *s †* zwiastun, herold

vavasour ['vævə‚suə] *s hist* wasal podległy głównemu wasalowi

've [v] = **have**

veal [viːl] Ⓣ *s* cielęcina Ⓤ *attr* cielęcy

⧫ **vector** ['vektə] *s* 1. *mat* wektor 2. *med* nosiciel (choroby)

⧫ **vectorial** [vek'tɔːriəl] *adj mat* wektorialny, wektorowy

Veda ['veidə] *s* Weda (święte księgi Hindusów)

vedette [vi'det] *s wojsk* czujka; wideta

Vedic ['veidik] *s* dialekt wedyjski

veer [viə] Ⓣ *vi* 1. (*o wietrze itd*) zmieni-ć/ać kierunek; obr-ócić/acać się (w kierunku wskazówek zegara); skrę-cić/ać (w prawo); **to ~ and haul**

a) *mar* napinać (linę) i popuszczać na przemian
b) (*o wietrze*) co chwila zmieniać kierunek
2. (*o człowieku*) zmieni-ć/ać zdanie <stanowisko>
3. wahać się Ⅲ *vt mar* obr-ócić/acać (statek)
~ **round** *vi* (*o człowieku*) zmieni-ć/ać zdanie <front, sposób zachowania się>
Ⅲ *s* (*także* **veering**) zmiana kierunku <frontu, sposobu zachowania się>
Vega ['vi:gə] *s astr* Wega (gwiazdozbiór)
▲**vegetable** ['vedʒitəbl] Ⅰ *s* 1. roślina 2. jarzyna; warzywo; ~ **diet** dieta jarska; ~ **dish** salaterka; ~ **garden** ogród warzywny; ~ **soup** zupa jarzynowa Ⅲ *adj* roślinny; (*o życiu, fizjologii itd*) roślin
vegetal ['vedʒitl] *adj* roślinny
vegetarian [‚vedʒi'teəriən] Ⅰ *adj* wegetariański, jarski Ⅲ *s* wegetarianin, jarosz
vegetarianism [‚vedʒi'teəriə‚nizəm] *s* wegetarianizm
▲**vegetate** ['vedʒi‚teit] *vi* 1. (*o roślinie*) rosnąć 2. (*o człowieku*) wegetować
vegetation [‚vedʒi'teiʃən] *s* 1. wegetacja (okres wzrostu roślin) 2. roślinność 3. *pl* ~s *med* wyrośla
vegetative ['vedʒitətiv] *adj* wegetacyjny
vehemence ['vi:iməns] *s* 1. gwałtowność <siła, moc> (wiatru itd.) 2. gwałtowność; namiętność; porywczość; wybuchowość; **with** ~ gwałtownie, z zapałem
vehement ['vi:imənt] *adj* 1. (*o wietrze itd*) gwałtowny; silny; porywisty 2. (*o człowieku*) gwałtowny; namiętny; porywczy; wybuchowy
vehicle ['vi:ikl] *s* 1. pojazd; środek lokomocji; wehikuł 2. środek; narzędzie; przewodnik; organ (propagandy itd.) 3. *med* nosiciel (choroby) 4. *farm* rozczynnik; zaróbka (leku)
vehicular [vi'hikjulə] *adj* (*o ruchu*) kołowy
vehmgericht ['feimgə‚riçt] *s hist* sąd kapturowy
veil [veil] Ⅰ *s* 1. woal(ka); welon; **to take the** ~ a) włożyć/wkładać welon b) *przen* wst-ąpić/ępować do klasztoru 2. kotara 3. zasłona; *przen* osłona; płaszczyk; maska; pozór; **let us draw a** ~ **over what followed** spuśćmy zasłonę na to, co później nastąpiło; *przen* **under the** ~ **of patriotism** pod płaszczykiem patriotyzmu; *przen* **beyond the** ~ w życiu pozagrobowym 4. *pot* zoo = **velum** 5. zawoalowany głos Ⅲ *vt* 1. zasł--onić/aniać <okry-ć/wać> (**one's face** <**a painting etc.**> sobie twarz <obraz itd.>) 2. ukry-ć/wać <za/maskować> (swe zamiary itd.) *zob* **veiling**
veiling ['veiliŋ] Ⅰ *zob* **veil** *v* Ⅲ *s* materiał/y na woale <woalki, welony, zasłony>
vein [vein] Ⅰ *s* 1. *anat geol* żyła 2. *bot zoo* żyłka 3. (*w marmurze, drewnie*) żyła, słój 4. nastrój, usposobienie, wena; **to be in the** ~ **for sth** <**for doing sth**> mieć nastrój do czegoś <ochotę coś zrobić> Ⅲ *vt* żyłkować; słojować *zob* **veined**
veined [veind] Ⅰ *zob* **vein** *v* Ⅲ *adj* żyłkowany; żyłkowaty; słojowany; słojowaty; w prążki
veinlet ['veinlit] *s* (*w skale*) żyła drobna <boczna>; żyłka, szczelina wypełniona kruszcem
veinous ['veinəs] *adj* (*o ręce itd*) żylasty
veiny ['veini] *adj* (*o liściu*) żylasty; (*o drewnie*) słojowaty
velar ['vi:lə] *adj* 1. *anat* zasłonowy, welarny 2. *fonet* tylnopodniebienny, welarny

veldt [velt] *s* (*w płd. Afryce*) obszary pokryte roślinnością stepową i półstepową
velleity [ve'li:iti] *s* ochota; chętka; zachcianka; dążność
vellum ['veləm] *s* welin (cienki pergamin); ~ **paper** papier welinowy
velocimeter [‚velə'simitə] *s* (*w balistyce*) szybkościomierz
velocipede [vi'lɔsi‚pi:d] *s* welocyped
▲**velocity** [vi'lɔsiti] *s* szybkość; prędkość
velours [və'luə] *s tekst* welur
velum ['vi:ləm] *s* (*pl* **vela** ['vi:lə]) 1. *bot zoo* błona 2. *anat* miękkie podniebienie
velutinous [və'lju:tinəs] *adj bot zoo* aksamitny
velvet ['velvit] Ⅰ *s* 1. (*także* **silk** ~) *tekst* aksamit 2. (*także* **cotton** ~) *tekst* welwet, aksamit bawełniany 3. *am sl* wygrana; **to be $50 to the** ~ mieć wygranych 50 dolarów; **to be on** ~ mieć wielkie szanse wygrania (przy zakładach) Ⅲ *adj* 1. aksamitny; (*o sukni itd*) z aksamitu 2. (*o chodzie, krokach*) cichy; koci
velveteen ['velvi'ti:n] *s* 1. *tekst* welwet; plusz; **ribbed** <**corduroy**> ~ sztruks 2. *pl* ~s spodnie sztruksowe 3. *pl* ~s *przen pot* gajowy
velveting ['velvitiŋ] *s* 1. materiały aksamitne i pluszowe 2. włos askamitu <pluszu>
velvety ['velviti] *adj dosł i przen* aksamitny
venal ['vi:nl] *adj* przekupny; skorumpowany; sprzedajny; ~ **justice** sprzedajne sądy
venality [vi:'næliti] *s* przekupstwo; sprzedajność; korupcja
venation [vi'neiʃən] *s* żyłkowanie
vend [vend] *vt* prowadzić drobny handel (**sth** czymś)
vendace ['vendeis] *s zoo* głębiel (ryba łososiowata)
Vendean [ven'di:ən] Ⅰ *s* Wandejczyk Ⅲ *adj* wandejski
vendee [ven'di:] *s prawn* nabywca
vender ['vendə] *s* sprzedawca; przekupień
vendetta [ven'detə] *s* wendeta
vendibility [‚vendi'biliti] *s* pokupność
vendible ['vendibl] Ⅰ *adj* 1. (*o towarze*) nadający się do sprzedaży; **it is not** ~ to się nie nadaje do sprzedaży; nikt tego nie kupi 2. (*o człowieku*) sprzedajny; przekupny Ⅲ *s* towar nadający się do sprzedaży
vendor ['vendə] *s* sprzedawca
veneer [vi'niə] Ⅰ *vt* 1. fornirować; wy-łożyć/kładać fornirem <okleiną> 2. wy/glazurować 3. *przen* nada-ć/wać polor <ogładę> (**sb** komuś) 4. *bud* ob/licować (mur) Ⅲ *s* 1. fornir; okleina 2. *przen* warstewka (ogłady, kultury itd.)
venerable ['venərəbl] *adj* 1. czcigodny 2. sędziwy 3. tytuł nadawany archidiakonowi kościoła anglikańskiego 4. (*w kościele rzymskokatolickim*) sługa Boży (określenie nadawane w pierwszym stopniu przewodu kanonizacyjnego)
venerate ['venə‚reit] *vt* czcić; okaz-ać/ywać cześć <(głęboki) szacunek> (**sb** komuś)
veneration [‚venə'reiʃən] *s* cześć; głęboki szacunek
venerator ['venə‚reitə] *s* czciciel, wyznawca
venereal [vi'niəriəl] *adj* 1. *med* weneryczny 2. (*o leku*) przeciwweneryczny 3. (*o pożądaniu*) płciowy
venery^1 ['venəri] *s* † łowiectwo; polowanie; myślistwo

venery² .['venəri] s † folgowanie chuciom <żądzom>

venesection [ˌveni'sekʃən] s med nacięcie żyły; wenesekcja

Venetian [vi'ni:ʃən] ⊡ s Wenecjan-in/ka ⊞ adj wenecki; ~ blind żaluzja (z łat drewnianych); ~ pearl sztuczna perła; ~ window okno weneckie

Venezuelan [ˌvenə'zweilən] adj wenezuelski

vengeance ['vendʒəns] s zemsta; to take <inflict, seek, wreak> one's ~ on sb <for sth> ze/mścić się <wyw-rzeć/ierać zemstę> na kimś <za coś>; to cry for ~ wołać o pomstę do nieba; with a ~ a) zawzięcie; nie na żarty b) z nawiązką; the rain came down with a ~ lało jak z cebra; lunął rzęsisty deszcz

vengeful ['vendʒful] adj mściwy

vengefulness ['vendʒfulnis] s mściwość

venial ['vi:njəl] adj wybaczalny; przebaczalny; rel (o grzechu) powszedni

veniality [ˌvi:ni'æliti] s drobne znaczenie (przewinienia); powszedniość (grzechu)

venison ['venzn] s dziczyzna; a haunch of ~ ćwierć sarniny

venom ['venəm] s jad; (o języku, wypowiedzi itd) full of ~ jadowity

venomed ['venəmd] adj zatruty

venomous ['venəməs] adj jadowity

venomousness ['venəməsnis] s jadowitość

venose ['vi:nous] adj bot zoo żyłkowaty

venosity [vi'nɔsiti] s przekrwienie żylne; niedotlenienie krwi

venous ['vi:nəs] adj 1. anat żylny 2. = venose

▲vent [vent] ⊡ s 1. otwór, otworek; (przewiercona) dziura, dziurka 2. kanał <wylot, przewód> (dymowy, wentylacyjny); odpowietrznik; otwór świetlny 3. zoo otwór stekowy (ryb, ptaków) 4. przen ujście; upust; folga; to find ~ for sth zna-leźć/jdować ujście dla czegoś (gniewu, oburzenia itd.); to wyładow-ać/ywać <wyw-rzeć/ierać> coś (swoją złość, oburzenie itd.); to give ~ to sth da-ć/wać upust <folgę> czemuś (uczuciom itd.) ⊞ vt 1. wywierc-ić/ać otwór powietrzny (a cask etc. w beczce itd.) 2. da-ć/wać upust <folgę> (one's disgust <anger etc.> swemu oburzeniu <gniewowi itd.>); wyładow-ać/ywać <wyw-rzeć/ierać> (oburzenie, złość itd.); zna-leźć/jdować ujście (one's ill-humour etc. dla złego humoru itd.) ⊞ vi (o wydrze) wypły-nąć/wać na powierzchnię dla nabrania <zaczerpnięcia> powietrza

ventage ['ventidʒ] s muz otwór, otworek <dziurka> (instrumentu dętego — fletu, klarnetu itd.)

venter ['ventə] s 1. anat brzuch 2. prawn łono; matka; to have a child by another ~ mieć dziecko z innej matki

vent-hole ['vent,houl] s wywietrznik; otwór do wietrzenia; techn elektr otwór wentylacyjny

ventiduct ['venti,dʌkt] s bud przewód wentylacyjny

ventilate ['venti,leit] vt 1. przewietrz-yć/ać; wy/wietrzyć; dosł i przen prze/wentylować 2. prze/dyskutować; wyciąg-nąć/ać na światło dzienne <na forum publiczne> (problem itd.) 3. med utleni-ć/ać (krew)

ventilation [ˌventi'leiʃən] s przewietrzenie; wentylacja

ventilator ['venti,leitə] s 1. wentylator, wietrznik 2. (w samochodzie) wywietrznik dachowy

vent-peg ['vent,peg] s czop(ek), szpunt, zatyczka (u beczki)

ventral ['ventrəl] adj anat zoo bot brzuszny

ventricle ['ventrikl] s anat komora (sercowa); jama

ventricose ['ventri,kous], ventricous ['ventrikəs] adj brzuchaty; wybrzuszony; wydęty

ventricular [ven'trikjulə] adj anat komorowy

ventriloquism [ven'trilə,kwizəm] s brzuchomówstwo

ventriloquist [ven'triləkwist] s brzuchomówca

ventriloquistic [ˌven'trilə'kwistik], ventriloquous [ven'triləkwəs] adj brzuchomówczy

▲venture ['ventʃə] ⊡ s 1. ryzyko; los szczęścia; at a ~ na los szczęścia; na chybił trafił 2. pon-iesienie/oszenie ryzyka; naraż-enie/anie się; he declined the ~ nie chciał ponieść ryzyka <narażać się na stratę, na konsekwencje>; ready for any ~ gotów ponieść każde ryzyko; zawsze gotów zaryzykować 3. spekulacja; przedsięwzięcie handlowe; transakcja; interes; impreza (handlowa) 4. próba sił; a literary ~ próba sił na polu literackim 5. † stawka ⊞ vt 1. odważ-yć/ać <ośmiel-ić/ać> się (to do <say etc.> sth coś zrobić <powiedzieć itd.>) 2. za/ryzykować (twierdzenie itd.); to ~ an opinion odważyć się wystąpić z twierdzeniem; to ~ a guess usiłować zgadnąć 3. za/ryzykować (sth czymś — majątkiem, głową itd.); postawić/stawiać na kartę <na los szczęścia>; nothing ~ nothing have kto nie ryzykuje, ten nic nie ma; pot kto nie ryzykuje, ten w kozie nie siedzi ⊞ vi 1. nara-zić/żać się; pon-ieść/osić ryzyko 2. odważ-yć/ać się (on <upon> sth na coś); za/ryzykować (on <upon> sth coś); to ~ out (of home) odważyć się wyjść 3. zapu-ścić/szczać się (w nieznany kraj itd.); zapędz-ić/ać się (too far za daleko)

venturer ['ventʃərə] s hist spekulant inwestujący pieniądze w dalekie wyprawy

venturesome ['ventʃəsəm] adj 1. (o człowieku) śmiały; przedsiębiorczy 2. (o czynie, kroku itd) ryzykowny, hazardowy, niebezpieczny

venturous ['ventʃərəs] adj am = venturesome

venue ['venju:] s 1. prawn miejsce rozprawy 2. pot miejsce spotkania; punkt zborny

venule ['venju:l] s anat żyłka

Venus ['vi:nəs] s mitol astr Wenus; bot ~'s comb czechrzyca grzebieniowa; bot ~'s fly-trap muchołówka; bot ~'s slipper obuwik pospolity; bot ~'s basin <bath> oset folarski; anat Mount of ~ wzgórek Wenery

veracious [ve'reiʃəs] adj 1. (o człowieku) prawdomówny 2. (o zeznaniach itd) zgodny z prawdą

veraciousness [ve'reiʃəsnis], veracity [və'ræsiti] s 1. prawdomówność 2. wiarygodność; prawdziwość 3. prawda

veranda(h) [və'rændə] s weranda

veratric [və'rætrik] adm chem (o kwasie) weratrowy

veratrine ['verə,train] s chem farm weratryna

veratrum [və'reitrəm] s bot farm ciemierzyca

verb [və:b] s gram czasownik; auxiliary ~ słowo posiłkowe

verbal ['və:bəl] adj 1. (o umowie itd) ustny 2. (o zniewadze itd) słowny; (o nauce, systemie itd) werbalny 3. (*o tłumaczeniu*) dosłowny 4. *gram* czasownikowy; ~ **noun** rzeczownik odsłowny <odczasownikowy>

verbalism ['və:bə͵lizəm] *s* 1. wyrażenie; zwrot 2. słownictwo 3. werbalizm

verbalist ['və:bəlist] *s* werbalista; *pot* frazesowicz

verbalize ['və:bə͵laiz] Ⅰ *vt* 1. za/stosować (wyraz) w formie czasownikowej 2. wyra-zić/żać słowami Ⅲ *vi* 1. werbalizować 2. mówić rozwlekle; uży-ć/ wać wielkiej ilości słów, a mało powiedzieć

verbatim [və:'beitim] Ⅰ *adv* dosłownie; słowo w słowo Ⅲ *adj* (*o sprawozdaniu itd*) dosłowny, za/ stenografowany

verbena [və'bi:nə] *s bot* werbena pospolita; *farm* ~ **oil** olejek cytronelowy

verbenaceae [͵və:bi:'neisi͵i:] *spl* (rośliny) werbenowate

verbiage ['və:biidʒ] *s* wielomówność; swada; potok słów; gadulstwo

verbose [və:'bous] *adj* 1. (*o człowieku*) wielomówny, gadatliwy 2. (*o stylu*) rozwlekły

verbosity [və:'bɔsiti] *s* 1. wielomówność; gadatliwość 2. rozwlekłość (stylu); obfitość <nadmiar> słów

verb. sap. [və:b'sæp] *skr zwrotu:* verbum (sat) sapienti ['və:bəm (sæt) ͵sæpi'entai] mądrej głowie dość po słowie

verdancy ['və:dənsi] *s* 1. zieloność, zieleń 2. *żart* brak doświadczenia, naiwność

verdant ['və:dənt] *adj* 1. zielony 2. pokryty zielenią 3. *żart* niedoświadczony, naiwny

verd-antique ['və:d-æn'ti:k] *s* 1. (*na marmurze i brązie*) śniedź 2. ofikalcyt (odmiana marmuru)

verderer ['və:dərə] *s hist* zarządca lasów królewskich

verdict ['və:dikt] *s* 1. *prawn* werdykt; wyrok; **open** ~ werdykt stwierdzający, że sprawca jest nieznany <że z zgon mógł być spowodowany nieszczęśliwym wypadkiem> 2. orzeczenie (lekarza itd.); sąd (opinii publicznej itd.)

verdigris ['və:digris] *s* 1. grynszpan, zieleń miedziana, miedzianka 2. *farm* octan miedziowy zasadowy

verditer ['və:ditə] *s nazwa dwóch barwników:* **blue** ~ błękit górski; **green** ~ zieleń górska

verdure ['və:dʒə] *s* 1. zieleń 2. *przen* świeżość; młodość 3. (*w gobelinie itd*) werdiura

verdurous ['və:dʒərəs] *adj* zieleniejący; pokryty zielenią

verge[1] [və:dʒ] *s* 1. krawędź; skraj; brzeg (potoku, przepaści itd.); kres; **to be on the** ~ **of** __ a) być na skraju <u progu, bliskim> ... (czegoś) b) zbliżać się <dochodzić> do ... (pewnego wieku) 2. bordiura kwietnika 3. berło 4. *bud* krawędź dachu wystająca poza ścianę szczytową 5. *arch* trzon kolumny 6. pręt <wrzeciono> (w różnych mechanizmach) 7. *sąd* obręb jurysdykcji

verge[2] [və:dʒ] *vi* 1. chylić się (**towards** <**to**> **sth** ku czemuś) 2. zbliżać się (**on sth** do czegoś); graniczyć (**on sth** z czymś) 3. przechodzić (**into sth** w coś)

verger ['və:dʒə] *s* 1. *kośc* kościelny; szwajcar 2. *uniw* pedel niosący berło przed dostojnikiem

veridical [ve'ridikəl] *adj* 1. prawdomówny 2. *psych* zgodny z rzeczywistością

verifiable ['veri͵faiəbl] *adj* sprawdzalny; **to be** ~ dać się sprawdzić

verification [͵verifi'keiʃən] *s* 1. sprawdz-enie/anie; kontrola; weryfikacja 2. potwierdz-enie/anie; u-dow-odnienie/adniania; uwierzytelnienie 3. spełni-enie/anie (przyrzeczenia, zapowiedzi itd.)

verify ['veri͵fai] *vt* (**verified** ['veri͵faid], **verified**, **verifying** ['veri͵faiiŋ]) 1. sprawdz-ić/ać; s/kontrolować; z/weryfikować 2. potwierdz-ić/ać; u-dow-odnić/adniać; pop-rzeć/ierać dowodami 3. spełni-ć/ać (przyrzeczenie, zapowiedź itd.)

verily ['verili] † *adv lit* doprawdy; zaiste, zaprawdę

verisimilar [͵veri'similə] *adj* prawdopodobny

verisimilitude [͵verisi'mili͵tju:d] *s* 1. prawdopodobieństwo 2. pozory rzeczywistości (snu itd.)

veritable ['veritəbl] *adj* 1. prawdziwy 2. istny

verity ['veriti] *s* 1. prawda; † **of a** ~ zaprawdę, zaiste 2. prawdziwość <wierność> (oświadczenia itd.) 3. fakt (nie podlegający dyskusji)

verjuice ['və:dʒu:s] *s* (kwaśny) sok owocowy

verjuiced ['və:dʒu:st] *adj* kwaśny

vermeil ['və:meil] *s* 1. srebro pozłacane 2. lakier 3. *poet* szkarłat

vermes ['və:mi:z] *spl med* robaki

vermian ['və:miən] *adj med* robakowaty

vermicelli [͵və:mi'seli] *s kulin* cienki makaron, nitki, wermiszel

vermicidal [͵və:mi'saidəl] *adj* czerwiopędny

vermicide ['və:mi͵said] Ⅰ *adj* (*o leku, środku*) przeciw robakom; czerwiopędny Ⅲ *s* lek <środek> przeciw robakom <czerwiopędny>

vermicular [və:'mikjulə] *adj* 1. robakokształtny 2. ślimakowaty

vermiculated [və:'mikju͵leitid] *adj arch* ozdobiony ślimacznicami

vermiculation [və:͵mikju'leiʃən] *s* 1. zrobaczywienie; stoczenie przez robaki 2. *med* ruchy robaczkowe 3. *arch* faktura robaczkowata <ślimakowata>

vermicule ['və:mi͵kju:l] *s* robaczek; glista

vermiform ['və:mi͵fɔ:m] *adj* robakokształtny; robakowaty; *anat* ~ **appendix** wyrostek robaczkowy

vermifuge ['və:mi͵fju:dʒ] Ⅰ *adj* czerwiopędny Ⅲ *s* lek <środek> czerwiopędny

vermilion [və'miljən] Ⅰ *s* cynober Ⅲ *adj* cynobrowy Ⅲ *vt* wy/malować cynobrem; zabarwi-ć/ać na kolor cynobrowy

vermin ['və:min] *s* (*zw ze składnią w pl*) 1. (w *polu*) szkodniki 2. (*w domu itd*) robactwo 3. (*o ludziach*) zbrodniczy <przestępczy, szkodliwy> element, świat podziemi

verminate ['və:mi͵neit] *vi* 1. roió się od robactwa 2. płodzić <rodzić> robactwo

▌**verminous** ['və:minəs] *adj* 1. rojący się od robactwa; zawszony; zapluskwiony; zapchlony 2. (*o chorobie*) robaczy, robakowy 3. (*o środowisku*) zbrodniczy; przestępczy; szkodliwy

vermivorous [və:'mivərəs] *adj* robakożerny

verm(o)uth ['və:mu:θ] *s* wermut

vernacular [və'nækjulə] Ⅰ *adj* 1. (*o języku*) krajowy, miejscowy, rodzimy 2. (*o chorobie*) miejscowy, endemiczny Ⅲ *s* 1. język miejscowy <krajowy, rodzimy> 2. żargon <gwara> zawodow-y/a; **in the** ~ a) w języku miejscowym <krajowym, rodzimym> b) (powiedzieć coś) mocnymi <dosadnymi> słowami <nie przebierając w słowach>

vernal ['və:nl] *adj* wiosenny; *med* ~ **catarrh** katar sienny; *astron* ~ **equinox** zrównanie wiosenne

vernalize ['və:nə‚laiz] *vt* wernalizować; przyspiesz-yć/ać wzrost (**a plant** rośliny)

vernation [və'neiʃən] *s bot* przedlistnienie

vernier ['və:njə] *s* noniusz, wernier

veronal ['verənl] *s farm* weronal

Veronese [‚verə'ni:z] ☐ *adj* weroński Ⅲ *s* (*pl* **the** ~) mieszkan-iec/ka miasta Werony

veronica [vi'rɔnikə] *s bot* przetacznik

verruca [ve'ru:kə] *s med biol* brodawka

verrucose [ve'ru:kous], **verrucous** [ve'ru:kəs] *adj med* brodawkowaty

versant ['və:sənt] *s* stok (góry); pochyłość (terenu)

versatile ['və:sə‚tail] *adj* 1. (*o człowieku, uzdolnieniu itd*) wszechstronny; (*o umyśle*) giętki; (*o geniuszu*) uniwersalny 2. *bot zoo* obrotny 3. † zmienny; niestały

versatility [‚və:sə'tility] *s* 1. wszechstronność; wszechstronne uzdolnienia; uniwersalność 2. *bot zoo* zdolność obracania się 3. † zmienność; niestałość

verse [və:s] ☐ *s* 1. wiersz (utworu poetyckiego) 2. poezja; *zbior* wiersze; **in** ~ **and prose** wierszem i prozą; **to read** ~ deklamować; **to write** ~ pisać wiersze 3. (*w utworze poet*) strofa; (*w piosence*) zwrotka 4. *bibl* werset Ⅲ *vt* wyra-zić/żać <na/pisać> wierszem Ⅲ *vi* pisać wiersze

versed[1] [və:st] *adj* biegły <wprawny> (**in sth** w czymś); **to be** ~ **in sth** mieć doświadczenie <wprawę> w czymś; znać się na czymś

versed[2] [və:st] *adj mat* odwrócon-y/a (sinus, wstawa itd.)

versemonger ['və:s‚mʌŋgə] *s iron* wierszokleta

verse-reading ['və:s‚ri:diŋ] *s* deklamacja

verset ['və:set] *s muz* krótki utwór organowy

versicle ['və:sikl] *s liturg* werset

versicolour(ed) [‚və:si'kʌlə(d)] *adj* 1. pstry, wielobarwny, różnokolorowy 2. mieniący się barwami

versification [‚və:sifi'keiʃən] *s* 1. wersyfikacja, wierszowanie 2. budowa wiersza, metryka 3. ułożenie/układanie wierszem (utworu napisanego prozą)

versify ['və:si‚fai] *v* (**versified** ['və:si‚faid], **versified, versifying** ['və:si‚faiiŋ]) ☐ *vi* pis-ać/ywać wiersze Ⅲ *vt* ułożyć/układać wierszem (utwór napisany prozą)

version ['və:ʃən] *s* 1. tłumaczenie 2. tekst przekładu 3. *szk* przekład na język obcy; tłumaczenie 4. wersja <interpretacja, przedstawienie, opis, obraz> (faktu itd.) 5. *med* obrót płodu w macicy

vers libre ['veə'li:br] *s* wolny wiersz

verso ['və:sou] *s* odwrotna <lewa> strona (kartki, medalu, monety); **on the** ~ na odwrocie

verst [və:st] *s* wiorsta

versus ['və:səs] *praep* przeciw, contra; w opozycji do

vert[1] [və:t] *s hist* 1. zieleń leśna 2. prawo wyrębu 3. *herald* kolor zielony

vert[2] [və:t] ☐ *s pot* 1. neofita; przechrzta 2. apostata Ⅲ *vi* zmieni-ć/ać wiarę

vertebra ['və:tibrə] *s* (*pl* **vertebrae** ['və:ti‚bri:]) 1. *anat* kręg 2. *pl* **vertebrae** *anat* kręgosłup, stos pacierzowy

vertebral ['və:tibrəl] *adj anat* kręgowy; **the** ~ **column** kręgosłup; stos pacierzowy

vertebrata [‚və:ti'brɑ:ta] *spl zoo* kręgowce

vertebrate ['və:tibrit] ☐ *adj* (*także* **vertebrated** ['və:ti‚breitid]) (*o zwierzęciu*) kręgowy Ⅲ *s* kręgowiec

vertex ['və:teks] *s* (*pl* **vertices** ['və:ti‚si:z]) 1. *geom* wierzchołek (kąta, łuku, bryły itd.) 2. *arch* zwornik łuku 3. *anat* szczyt głowy 4. *astr* zenit

vertical ['və:tikəl] ☐ *adj* 1. pionowy 2. szczytowy; zenitowy; (*o kącie*) wierzchołkowy 3. *am* ~ **union** związek zawodowy określonej gałęzi przemysłu, związany z całością produkcji i sprzedażą produktu Ⅲ *s* linia <płaszczyzna, koło> pionow-a/e; **out of the** ~ odchylający się od pionu; nie utrzymany w pionie; pochyły

vertices *zob* **vertex**

verticil ['və:tisil] *s bot* okołek, baldach

verticilate [və:'tisi‚leit] *adj bot* baldaszkowy

vertiginous [və:'tidʒinəs] *adj* 1. zawrotny; przyprawiający o zawrót głowy 2. *med* cierpiący na zawroty głowy 3. wirowy

vertigo ['və:ti‚gou] *s med* zawrót głowy

vertu [və:'tju:] = **virtu**

Verulamian [‚veru'leimjən] *adj* (dotyczący) filozofii Francis Bacona

vervain [və:'vein] *s bot* werbena pospolita

verve [və:v] *s* werwa, zapał, ożywienie, wigor

vervet ['və:vit] *s zoo* koczkodan południowoafrykański

very ['veri] ☐ *adj* (**verier** ['veriə], **veriest** ['veriist]) 1. prawdziwy; istny; **a** ~ **fool** beznadziejny idiota; **a** ~ **knave** skończona szelma 2. *służy do silnego podkreślania*: sam; już sam ... nawet; **from the** ~ **beginning** od samego początku; **to the** ~ **end** do samego końca; **the** ~ **thought of it makes me shudder** sama myśl o tym przyprawia mnie o dreszcz zgrozy; **for** ~ **shame he ought to** ___ już z samego wstydu powinien ...; **his** ~ **servants despised him** nawet służba nim gardziła 3. *służy do ścisłego określania*: (ten, ta, to) właśnie; **the** ~ **spot** to właśnie miejsce; **that's the** ~ **thing I need** tego mi właśnie potrzeba 4. *niekiedy pozostaje nie tłumaczony lub też odpowiada mu nacisk położony na odpowiedni wyraz*: **a** ~ **little** odrobineczkę; **the** ~ **idea!** co za pomysł!; **come here this** ~ **minute** chodź tu w tej chwili; **from that** ~ **day** już od tego dnia; **in** ~ **deed** faktycznie; **in** ~ **truth** naprawdę; **in the** ~ **act** na gorącym uczynku Ⅲ *adv* 1. bardzo; **not** ~ nie bardzo; nie zbyt 2. *uwydatnia bezpośredniość następstwa*: zaraz; **the** ~ **next day** zaraz następnego dnia; **on the** ~ **next page** zaraz na następnej stronie 3. *uwydatnia identyczność*: identycznie; **the** ~ **same words** identycznie te same słowa 4. *służy do silnego uwydatniania najwyższego stopnia intensywności, natężenia itd*: absolutnie; bezwzględnie; **the** ~ **best thing** absolutnie najlepsza rzecz; **the** ~ **lowest price** najniższa <ostateczna> cena; **my** ~ **own** mój własny; *pot* jak najbardziej mój 5. *także nie tłumaczone*: **at the** ~ **most** najwyżej: **at the** ~ **least** co najmniej; **at the** ~ **latest** najpóźniej

Very ['veri] *spr attr* ~ **light** *wojsk* rakieta (oświetlająca, sygnałowa)

vesania [vi'seinjə] *s med* choroba umysłowa; obłąkanie

vesica ['vesikə] *s anat bot* pęcherz; ~ **piscis**

['vesikə'pisis] owalny nimb rysowany nad głowami świętych

vesical ['vesikəl] *adj* pęcherzykowy

vesicant ['vesikənt] [I] *adj* wywołujący pęcherze [III] *s* środek wywołujący pęcherze

vesication [ˌvesi'keiʃən] *s* tworzenie pęcherzy

vesicatory [ˌvesi'keitəri] = **vesicant**

vesicle ['vesikl] *s* pęcherzyk

▲ **vesicular** [vi'sikjulə] *adj* pęcherzykowy

▲ **vesper** ['vespə] *s* 1. gwiazda wieczorna, Wenus 2. *poet* wieczór 3. *pl* ~s nieszpory

vesper-bell ['vespəˌbel] *s* dzwon na nieszpory

vespertilio [ˌvespə'tiliou] *s zoo* nocek (nietoperz)

vespertine ['vespəˌtain] *adj* 1. wieczorny 2. *bot* (*o kwiatach*) otwierający się wieczorem

vespiary ['vespiəri] *s* gniazdo os

vessel ['vesl] *s* 1. naczynie; pojemnik; *fiz* **communicating** ~s naczynia połączone 2. *anat* naczynie (krwionośne) 3. statek; okręt 4. *bibl* (*o kobiecie*) naczynie

vest[1] [vest] *s* 1. (*w mowie sklepowej*) kamizelka 2. (*także* **under** ~) trykot; kaftanik (dziecięcy) 3. stanik sukni kobiecej 4. *sport* podkoszulek 5. † szata

vest[2] [vest] [I] *vt* 1. nada-ć/wać (**sb with authority** <**property etc.**>; **authority** <**property etc.**> **on sb** komuś władzę <własność itd.>); przekaz-ać/ywać (**sb with powers** <**property etc.**> **powers** <**property etc.**>; **on sb**) uprawnienia <własność itd.> komuś); (*o prawie itd*) **to be** ~**ed in sb** przysługiwać <przypadać> komuś; **to be** ~ **with sth** posiadać coś; rozporządzać <dysponować> czymś 2. *kość poet* odzi-ać/ewać; oble-c/kać [III] *vi* (*o własności itd*) prze-jść/chodzić (**in sb** na kogoś); przypa-ść/dać (**in sb** komuś) *zob* **vested**

vesta ['vestə] *s* 1. nazwa pewnej marki zapałek szwedzkich; **wax** ~ długopłonąca zapałka stearynowa 2. *astr* Vesta

vestal ['vestl] [I] *adj* 1. westalski 2. dziewiczy; cnotliwy; ~ **virgin** westalka [III] *s* 1. westalka 2. dziewica

vested ['vestid] [I] *zob* **vest** *v* [III] *adj* 1. obleczony w szaty 2. (*o prawie itd*) nabyty; usankcjonowany; ~ **interests** a) nabyte <nienaruszalne> prawa b) włożony kapitał (w przedsiębiorstwo)

vestibular [ves'tibjulə] *adj anat* przedsionkowy

vestibule ['vestiˌbjuːl] *s* 1. westybul; przedsionek; sień; *kość* kruchta 2. *anat* przedsionek (serca), przewód (ucha) 3. przejście między wagonami; *am* ~ **train** pociąg złożony z wagonów pulmanowskich

vestige ['vestidʒ] *s* 1. ślad; znak; pozostałość; **not a** ~ ani śladu; ani odrobiny 2. szcząt-ek/ki

vestigial [ves'tidʒiəl] *adj biol* szczątkowy

vesting ['vestiŋ] *s tekst* materiał/y na kamizelki

vestiture ['vestitʃə] *s zoo* pokrycie skóry zwierzęcia (owłosienie, opierzenie, łuski itd.)

vestment ['vestmənt] *s* 1. szata (uroczysta, liturgiczna); strój 2. *kość* ornat 3. *kość* obrus ołtarzowy

vest-pocket ['vestˌpokit] *attr* (*o aparacie fotograficznym itd*) kieszonkowy; miniaturowy

vestry ['vestri] *s* 1. zakrystia 2. (*u protestantów*) dom modlitwy; sala zebrań 3. (*także* **common** ~) podatnicy parafii 4. (*także* **select** ~) rada <komitet> parafialn-a/y <kościeln-a/y>

vestry-clerk ['vestriˌklɑːk] *s* sekretarz rady <komitetu> parafialne-j/go

vestrydom ['vestridəm] *s* zaściankowość

vestryman ['vestrimən] *s* (*pl* **vestrymen** ['vestrimən]) członek rady <komitetu> parafialne-j/go

vesture ['vestʃə] [I] *s* 1. *lit poet* szat-a/y 2. *prawn* plony [III] *vt* oble-c/kać

vesturer ['vestʃərə] *s* 1. zakrystian, kościelny 2. zastępca skarbnika (kościelnego, katedralnego)

vet[1] [vet] [I] *s pot skr* veterinary surgeon [III] *vt* (-tt-) 1. z/badać <podda-ć/wać badaniu> (zwierzę) 2. *żart* (*o lekarzu*) z/badać (kogoś); **to get** ~**ted** podda-ć/wać się badaniu lekarskiemu; da-ć/wać się zbadać przez lekarza 3. prze-jrzeć/glądać (czyjś utwór itd.)

vet[2] [vet] *s am skr* veteran

vetch [vetʃ] *s bot* wyka

vetchling ['vetʃliŋ] *s bot* groszek

veteran ['vetərən] [I] *s* 1. weteran 2. były wojskowy po służbie frontowej [III] *adj* 1. doświadczony 2. zahartowany w boju

▲ **veterinary** ['vetərinəri] [I] *adj* (*także* **veterinarian** [ˌvetəri'neəriən]) weterynaryjny [III] *s* (*także* ~ **surgeon**) weterynarz

vetiver ['vetivə] *s bot* palczatka; ~ **oil** olejek wetiwerowy

veto ['viːtou] [I] *s* (*pl* **vetoes** ['viːtouz]) weto; **to put a** <**one's**> ~ **on sth** = ~ *vt* [III] *vt* za-łożyć/kładać weto (**sth przeciwko czemuś**)

vex [veks] *vt* 1. dokucz-yć/ać <sprawi-ć/ać przykrość> (**sb komuś**) 2. z/niecierpliwić; rozdrażni-ć/ać; z/irytować; wyprowadz-ić/ać z równowagi 3. s/trapić; za/niepokoić 4. *poet* wzburz-yć/ać (morze itd.) *zob* **vexed, vexing**

vexation [vek'seiʃən] *s* 1. strapienie; utrapienie 2. dokuczanie; ~ **of spirit** niepokój 3. przykrość 4. złość

vexatious [vek'seiʃəs] *adj* dokuczliwy; irytujący; nieznośny; przykry

vexed [vekst] [I] *zob* **vex** [III] *adj* 1. zirytowany; zdenerwowany 2. (*o sprawie, problemie*) stale powracający

vexillum [vek'siləm] *s* 1. (*u starożytnych Rzymian*) sztandar 2. *kość* chorągiew 3. *bot* żagielek 4. *zoo* chorągiewka (pióra)

vexing ['veksiŋ] [I] *zob* **vex** [III] *adj* irytujący; dokuczliwy

via ['vaiə] *praep* (*o trasie*) przez (wymienioną miejscowość)

viable ['vaiəbl] *adj biol med* zdolny do życia

viaduct ['vaiəˌdʌkt] *s* 1. wiadukt 2. droga napowietrzna

vial ['vaiəl] *s* fiolka; buteleczka; **Leyden** ~ butelka lejdejska; **to pour out the** ~**s of one's wrath** a) *bibl* wywrzeć zemstę b) *pot* wyzłościć się

viand ['vaiənd] *s* potrawa; *pl* ~**s** artykuły żywnościowe, żywność, prowiant

viaticum [vai'ætikəm] *s* 1. *rel* wiatyk 2. *rel* ołtarz przenośny 3. prowiant <pieniądze, diety> na drogę

▲ **vibrant** ['vaibrənt] *adj* 1. wibrujący; drgający; rezonujący 2. dygocący (**with sth z czegoś**); pałający (**with eagerness etc.** chęcią itd.); nie posiadający się (**with enthusiasm etc.** z entuzjazmu itd.); ~ **with activity** tętniący życiem; ~ **with health** tryskający zdrowiem

vibrate [vai'breit] ⊡ *vi* 1. za/wibrować; za/drgać; za/drżeć; pulsować; za/tętnić; za/brzmieć <za/dzwonić> (w uszach) 2. oscylować Ⅲ *vt* 1. wprawi-ć/ać w drganie <w ruch wahadłowy>; poruszać (ruchem wahadłowym) (**sth** czymś); potrząsać <wywijać> (**a sword** etc. szablą itd.) 2. (*o wahadle itd*) odmierzać (sekundy itd.)

vibration [vai'breiʃən] *s* 1. wibracja; drganie; tętnienie; pulsowanie; drżenie 2. oscylacja; ruch wahadłowy

vibrator [vai'breitə] *s muz techn fiz* wibrator; *techn* oscylator; *górn* przesiewacz

vibratory ['vaibrətəri] *adj* 1. wibracyjny; drganiowy 2. drgający; migocący

vibrio ['vaibri,ou] *s* (*pl* ~, **vibriones** [vai'briouni:z]) wibrion (bakteria)

vibrissae [vai'brisi:] *spl anat* włosy w nozdrzach

vibrograph ['vaibrə,grɑ:f] *s* wibrograf

viburnum [vai'bə:nəm] *s bot* kalina

vicar ['vikə] *s* 1. (*w kościele anglikańskim*) pastor (obsługujący parafię); **clerk** <**lay**, **secular**> ~ kantor; **the Vicar of Bray** wielokrotny przeniewierca 2. (*w kościele rzymskokatolickim*) wikary, wikariusz; ~ **apostolic** delegat apostolski; ~ **general** kanclerz biskupi; **cardinal** ~ kardynał wikariusz 3. zastępca; *rel* namiestnik

vicarage ['vikəridʒ] *s* 1. godność pastora obsługującego parafię 2. plebania

vicarial [vai'keəriəl] *adj* 1. pastorski 2. zastępczy; (*o funkcjach itd*) zastępcy; delegata

vicariate [vai'keəriit] *s* 1. pastorstwo 2. wikariat

vicarious [vai'keəriəs] *adj* 1. zastępczy 2. (*o władzy, uprawnieniach, funkcjach itd*) zastępcy <namiestnika> 3. (*o pracy*) wykonana za kogoś <w czyimś zastępstwie>; (*o karze*) poniesiona za kogoś

vice[1] [vais] *s* 1. występek; rozpusta; **a haunt of** ~ siedlisko występku <gniazdo rozpusty> 2. (niemoralny) nałóg; hańbiąca <ujemna> cecha (człowieka); **smoking is not a** ~ **but drinking is** palenie to nie grzech, co innego pijaństwo 3. zły nawyk; *pl* ~**s** narowy 4. wada; **he has the** ~ **of doing** <**saying** etc.> **sth** można mu zarzucić, że zbyt często coś robi <że grzeszy zbytnim powtarzaniem czegoś>

vice[2] [vais] ⊡ *s techn* imadło; zacisk Ⅲ *vt* zaciskać

vice[3] ['vaisi] *praep* 1. zamiast (kogoś, czegoś) 2. (działający itd.) w zastępstwie (kogoś innego); (obejmujący funkcje) po (kimś)

vice[4] [vais] *s pot* = **vice-president, vice-manager** itd.

vice- [vais] *w złożeniach*: wice-, zastępca (skarbnika, kapitana drużyny itd.)

vice-admiral ['vais'ædmərəl] *s* wiceadmirał

vice-chairman ['vais'tʃeəmən] *s* (*pl* **vice-chairmen** ['vais'tʃeəmən]) wiceprzewodniczący

vice-chancellor ['vais'tʃɑ:nsələ] *s* wicekanclerz

vice-consul ['vais'kɔnsəl] *s* wicekonsul

vicegerent ['vais'dʒerənt] *s* zastępca; namiestnik

vice-governor ['vais'gʌvənə] *s* zastępca gubernatora

vice-manager ['vais'mænidʒə] *s* wicedyrektor

vicennial [vai'senjəl] *adj* (*o okresie*) dwudziestoletni; (*o zjawisku itd*) powtarzający się co 20 lat

vice-presidency ['vais'prezidənsi] *s* stanowisko <godność, funkcje> wiceprezesa <wiceprezydenta>

vice-president ['vais'prezidənt] *s* 1. wiceprezes; wiceprzewodniczący 2. wiceprezydent

vice-principal ['vais'prinsəpəl] *s* zastępca dyrektora szkoły

viceregal ['vais'ri:gəl] *adj* (*o stanowisku, funkcji itd*) wicekróla

vicereine ['vais'rein] *s* wicekrólowa, żona wicekróla

viceroy ['vais'rɔi] *s* wicekról

vice versa ['vais'və:sə] *adv* (i) odwrotnie

vicinage ['visinidʒ] *s* 1. sąsiedztwo; okolica 2. sąsiedzi

vicinal ['visinl] *adj* miejscowy; pobliski; **a** ~ **way** boczna droga

vicinity [vi'siniti] *s* 1. sąsiedztwo; najbliższa okolica; pobliże 2. bliskość; ~ **to a place** niewielka odległość dokądś <do jakiegoś miejsca>

vicious ['viʃəs] *adj* 1. występny; rozpustny; zdeprawowany 2. złośliwy; zjadliwy; ziejący złością <nienawiścią>; (*o czynie itd*) pełen złości 3. (*o koniu itd*) narowisty; niebezpieczny 4. wadliwy; nieprawidłowy; błędny; fałszywy; ~ **circle** błędne koło; *med* ~ **union** a) wadliwe złożenie złamanej kości b) zniekształcenie kości powstałe na skutek wadliwego złożenia

viciously ['viʃəsli] *adv* 1. złośliwie; zjadliwie; ze złością 2. wadliwie; nieprawidłowo; błędnie; fałszywie

viciousness ['viʃəsnis] *s* 1. występna <rozpustna> natura (człowieka); przewrotność 2. złośliwość; zjadliwość; uczucie złości (do ludzi)

vicissitude [vi'sisi,tju:d] *s* 1. zmienność; niestałość 2. *pl* ~**s** zmienne koleje (losu itd.)

victim ['viktim] *s* 1. ofiara (złożona na ołtarzu bóstwa) 2. ofiara (czyjaś, czyjegoś podstępu itd., czegoś — katastrofy, epidemii, drapieżnika itd.); **to die** <**fall**> **a** ~ **to sth** paść ofiarą czegoś (choroby, nałogu itd.)

victimization [,viktimai'zeiʃən] *s* 1. pastwienie się (**of sb** nad kimś); gnębienie; tyranizowanie 2. represje, za/stosowanie represji (po strajku, manifestacji polit. itd.) 3. oszukaństwo

victimize ['vikti,maiz] *vt* 1. złożyć/składać w ofierze 2. pastwić się (**sb** nad kimś); gnębić; tyranizować 3. oszuk-ać/iwać 4. za/stosować represje (**the leaders of a strike** <**participants in a manifestation** etc.> względem przywódców strajku <uczestników manifestacji itd.>)

victor ['viktə] ⊡ *s* zwycięzca; triumfator Ⅲ *attr* zwycięski

victoria [vik'tɔ:riə] *s* 1. wiktoria (powóz dwuosobowy) 2. *bot* wiktoria królewska

Victoria [vik'tɔ:riə] *spr* ~ **Cross** Krzyż Wiktorii (najwyższe odznaczenie wojskowe za bohaterstwo)

Victorian [vik'tɔ:riən] ⊡ *adj* wiktoriański Ⅲ *s* wiktorianin; pisarz <polityk itd.> epoki wiktoriańskiej; człowiek hołdujący zasadom moralności i poglądom z epoki wiktoriańskiej

victorious [vik'tɔ:riəs] *adj* zwycięski

▲**victory** ['viktəri] *s* 1. zwycięstwo; **to gain a** ~ **over sb, sth** odn-ieść/osić zwycięstwo nad kimś, czymś; przewycięż-yć/ać kogoś, coś (wroga, swoje namiętności itd.) 2. *plast* **Victory** zwycięstwo, wiktoria (symbol zwycięstwa)

victress ['viktris] *s* zwyciężczyni, triumfatorka

victual ['vitl] ⊡ *s zw pl* ~**s** żywność; jedzenie;

artykuły spożywcze; prowiant/y Ⅲ *vt* (-ll-) za-opat-rzyć/rywać w żywność <w prowiant>; za/ prowiantow-ać/ywać Ⅲ *vi* (-ll-) 1. zaprowian-tow-ać/ywać się; zaopat-rzyć/rywać się w pro-wiant 2. *pot* wcinać, wsuwać, jeść *zob* **victuall-ing**

victualler ['vitlə] *s* 1. dostawca artykułów spo-żywczych 2. **licensed** ~ właściciel baru; karcz-marz 3. statek prowiantowy

victualling ['vitliŋ] Ⅰ *zob* **victual** *v* Ⅲ *s* aprowi-zacja; zaprowiantowanie

vicugna, vicuna [vi'ku:njə] *s zoo tekst* wigoń, wigonia

vide ['vaidi:] *vt* zobacz; porównaj; por.

videlicet [vi'di:li,set] *adv* to jest; to znaczy; tzn.; mianowicie

vidimus ['vaidiməs] *s* (*pl* ~**es**) badanie <kontro-la> ksiąg

vie [vai] *vi* (**vied** [vaid], **vied, vying** ['vaiiŋ]) współzawodniczyć <rywalizować, iść w zawody, iść o lepsze, współubiegać się> (**for sth** o coś)

Viennese [,vie'ni:z] Ⅰ *adj* wiedeński Ⅲ *s* Wiede-ńczyk/nka

◀**view** [vju:] Ⅰ *s* 1. obejrzenie; spojrzenie (**of sth** na coś); *prawn* wizja lokalna; **private** ~ pra-premiera (sztuki itd.); wernisaż (wystawy); **at first** ~ na pierwszy rzut oka; **at one** ~ (ogar-nąć) jednym spojrzeniem; **on** ~ wystawiony (na widok publiczny); **do** obejrzenia 2. zasięg wzro-ku; pole widzenia; **to be in** ~ być widocznym; **to come into** ~ ukaz-ać/ywać się; **to pass from sb's** ~ znik-nąć/ać komuś z oczu; **exposed to** ~ widoczny; **in full** ~ **of the crowd** na oczach tłumu; *przen* **to keep sth in** ~ nie tracić czegoś z oczu; pamiętać o czymś; **to have sth in** ~ mieć coś na oku; *pot* mieć coś na widoku, mieć widoki na coś 3. widok; widoczek; obraz; szkic; fotografia (krajobrazu, obiektu) 4. zapatrywanie (**of sb, sth** na kogoś, coś); zdanie (**of sb, sth** o kimś, czymś); **point of** ~ punkt widzenia; **to take a different** ~ **of sth** inaczej się na coś zapatrywać <coś interpretować>; **to hold extreme** ~**s** mieć krańcowe zapatrywania; **in my** ~ moim zdaniem 5. *bud* widok; rzut (na płasz-czyznę); **front** <**back, side**> ~ widok z przodu <z tyłu, z boku> 6. zamiar; intencja; cel; wzgląd; nadzieja; **with a** ~ **to** <**with the** ~ **of**> **doing sth** mając na celu <na widoku> zro-bienie czegoś; w zamiarze <celem, w nadziei, z intencją> zrobienia czegoś; mając na wzglę-dzie zrobienie czegoś; **to meet sb's** ~**s** odpo-wiadać komuś; zna-leźć/jdować aprobatę u ko-goś 7. ocena (sytuacji, faktów); **to form a clear** ~ **of sth** stworzyć sobie jasny obraz czegoś ‖ **in** ~ **of sth** wobec czegoś; zważywszy coś z uwa-gi na coś; biorąc pod uwagę coś Ⅲ *vt* 1. obej-rzeć, oglądać 2. rozpat-rzyć/rywać, z/badać 3. zapatrywać się (**sth** na coś) 4. spostrze-c/gać

viewer ['vju:ə] *s* 1. świadek zajścia 2. *górn* pra-cownik dozoru, dozorca 3. telewidz

view-finder ['vju:,faində] *s fot* wizjer

view-halloo ['vju:-hə'lu:] *s myśl* krzyk <sygnał> (dla uczestników polowania par force) oznacza-jący, że dostrzeżono lisa

view-lens ['vju:,lenz] *s fot* obiektyw pojedynczy

viewless ['vju:lis] *adj* 1. *poet* niewidoczny; niewi-dzialny 2. (*o domu itd*) pozbawiony szerszego widoku na okolicę

view-point ['vju:,pɔint] *s* 1. punkt widzenia; za-patrywanie (**of sth** na coś) 2. *am* punkt obser-wacyjny

viewy ['vju:i] *adj* 1. (*o człowieku*) dziwaczny; ekstrawagancki 2. *pot* miły <przyjemny> dla oka

vigil ['vidʒil] *s* 1. czuwanie; **to keep** ~ czuwać 2. *kość* wigilia 3. *kość* nabożeństwo wieczorne (w przeddzień święta)

vigilance ['vidʒiləns] *s* czujność; *am* ~ **committee** straż obywatelska dla przestrzegania porządku publicznego (często przekraczająca swe kompe-tencje i terroryzująca postępowe odłamy społe-czeństwa)

vigilant ['vidʒilənt] *adj* czujny

vigilante [,vidʒi'lænti] *s am* członek straży oby-watelskiej zwanej **vigilance committee** *zob* **vig-ilance**

vignette [vi'njet] Ⅰ *s* winieta Ⅲ *vt* ująć w wi-nietę (portret itd.)

vigorous ['vigərəs] *adj* 1. krzepki; rześki; pełen wigoru; energiczny 2. silny; mocny 3. (*o ruchu*) energiczny

vigour ['vigə] *s* 1. krzepkość; rześkość; wigor 2. siła; moc 3. energia

viking ['vaikiŋ] Ⅰ *s* wiking Ⅲ *attr* (*o wyprawach itd*) wikingów

vilayet [vi'la:jet] *s* wilajet

vile [vail] *adj* 1. podły; nikczemny; niegodziwy 2. *pot* wstrętny; ohydny; nędzny

vileness ['vailnis] *s* 1. podłość; nikczemność; nie-godziwość 2. *pot* ohyda

vilification [,vilifi'keiʃən] *s* 1. oczerni-enie/anie; obmowa; kalumnia 2. *rz* upodlenie

vilify ['vili,fai] *vt* (**vilified** ['vili,faid], **vilified, vilifying** ['vili,faiiŋ]) 1. oczerni-ć/ać; obmawiać; *pot* wieszać psy (**sb na kimś**) 2. *rz* upodl-ić/ać

vilipend ['vili,pend] *vt lit* z/lekceważyć (kogoś), po/traktować lekceważąco; mieć (kogoś) za nic

villa ['vilə] *s* willa

villadom ['vilədəm] *s* 1. dzielnic-a/e willow-a/e miasta 2. ludzie zamieszkujący dzielnice wil-lowe miasta

village ['vilidʒ] Ⅰ *s* 1. wieś 2. *am* miasteczko Ⅲ *attr* wiejski; **the** ~ **carpenter** <**shoemaker etc.**> stolarz <szewc itd.> (tej) wsi

villager ['vilidʒə] *s* 1. wieśniak 2. prostak; czło-wiek nieokrzesany

villain ['vilən] *s* 1. łajdak; łotr; nikczemnik 2. *żart* łobuz, łobuziak, huncwot 3. *teatr* czarny charakter 4. = **villein**

villainous ['vilənəs] *adj* 1. łajdacki; łotrowski; nikczemny; **a** ~ **deed** <**trick**> łajdactwo; łotro-stwo; nikczemność 2. *pot* ohydny; wstrętny; okropny

villainy ['viləni] *s* łajdactwo; łotrostwo; nikczem-ność

villein ['vilin] *s hist* poddany; chłop pańszczy-źniany

villenage ['vilinidʒ] *s hist* poddaństwo (chłopów)

villose ['vilous], **villous** ['viləs] *adj anat bot* kos-maty; kosmkowaty

villosity [vi'lɔsiti] *s anat bot* kosmkowatość

villus ['viləs] *s* (*pl* **villi** ['vilai]) *anat bot* kosmek

vim [vim] *s pot* krzepkość; rześkość; siła; moc;

wigor; (o mężczyźnie itd) full of ~ z krzepą; rześki

viminal ['viminəl], **vimineous** [vi'minjəs] adj bot witkowaty

vinaceous [vi'neiʃəs] adj 1. winny 2. koloru czerwonego wina

vinaigrette [ˌvinei'gret] s flakonik na sole trzeźwiące

vinculum ['viŋkjuləm] s (pl **vincula** ['viŋkjulə]) 1. więź 2. mat kreska (nad wyrażeniem algebraicznym) 3. druk klamra 4. anat wędzidełko

vindicate ['vindiˌkeit] vt 1. bronić (**sb, one's opinion** etc. kogoś, swych poglądów itd.); stać na straży <dochodzić> (**one's rights** etc. swych praw itd.); prawn windykować 2. obronić (pretensję itd.); dochodzić (**sth** czegoś) 3. dow-ieść/odzić <da-ć/wać dowody> (**sth** czegoś — swej odwagi, słuszności swych twierdzeń itd.) 4. usprawiedliwi-ć/ać (swe postępowanie itd.) 5. oczy-ścić/szczać się (**criticism** etc. z zarzutu itd.)

vindication [ˌvindi'keiʃən] s 1. obrona <dochodzenie, windykacja> (praw itd.) 2. dowodzenie, dowody 3. usprawiedliwienie; **in ~ of sth, sb** na usprawiedliwienie czegoś, czyjeś 4. oczyszczenie się (z zarzutu itd.)

vindicative ['vindikətiv] adj usprawiedliwiający; broniący

vindicator ['vindiˌkeitə] s obrońca; szermierz (sprawy)

vindicatory ['vindiˌkeiteri] adj 1. usprawiedliwiający; broniący 2. karzący

vindictive [vin'diktiv] adj 1. mściwy 2. karzący 3. prawn (o odszkodowaniu) przyzna-ny/wany w drodze kary; prawn ~ **damages** nawiązka

vindictively [vin'diktivli] adv mściwie; (zrobiony itd.) z chęci zemsty <przez zemstę>

vindictiveness [vin'diktivnis] s mściwość

vine [vain] s 1. winorośl, winograd; wino (roślina); pot **under one's ~ and fig-tree** na własnych śmieciach 2. roślina pnąca

vine-clad ['vainˌklæd] adj obrośnięty winem

vine-disease ['vain-diˈziːz] s choroba winorośli

vine-dresser ['vainˌdresə] s winogrodnik, winogradnik

vine-fretter ['vainˌfretə] s szkodnik winorośli (filoksera itp.)

vinegar ['vinigə] [I] s ocet; ~ **acid** kwas octowy; ~ **essence** esencja octowa; ~ **sauce** winegreta; przen ~ **countenance** kwaśna <cierpka> mina [II] vt zaprawi-ć/ać octem

vinegar-eel ['viniɡərˌiːl] s zoo węgorek

vinegarish ['viniɡəriʃ], **vinegary** ['viniɡəri] adj (o minie człowieka, tonie itd) cierpki

vine-grub ['vainˌɡrʌb] = **vine-fretter**

vinery ['vainəri] s cieplarnia dla uprawy winorośli

vineyard ['vinjəd] s winnica

vingt-en-un ['væntei'əːŋ] s karc (gra w) dwadzieścia jeden <w oczko>

viniculture ['viniˌkʌltʃə] s uprawa winorośli

vinometer [vai'nɒmitə] s winomierz

vinous ['vainəs] adj 1. winny, podobny do wina, przypominający wino 2. (o elokwencji itd) wywołany alkoholem; pot pijacki

vint[1] [vint] s karc gra w winta

vint[2] [vint] vt robić wino

vintage ['vintidʒ] s 1. winobranie 2. rocznik (wina); ~ **wine** wino dobrego rocznika 3. poet wino

vintager ['vintidʒə] s winobraniec (człowiek zatrudniony przy winobraniu)

vintner ['vintnə] s winiarz; właściciel składu win <winiarni>

vintnery ['vintnəri] s skład win

viny ['vaini] adj (o okolicy itd) winodajny

viol ['vaiəl] s muz wiola; **bass ~** wiolonczela

viola[1] [vi'oulə] s muz altówka; ~ **player** alcista

viola[2] ['vaiələ] s bot 1. bratek jednobarwny 2. fiołek ogrodowy

violaceous [ˌvaiə'leiʃəs] adj 1. bot fiołkowaty 2. (o kolorze) fiołkowy

violate ['vaiəˌleit] vt 1. narusz-yć/ać <po/gwałcić> (prawo, nakaz itd.); z/łamać (przysięgę itd.); zakłóc-ić/ać (czyjś spokój itd.); **to ~ sb's sense of decency** obrażać czyjeś poczucie przyzwoitości 2. z/bezcześcić (świątynię, kobietę itd.) 3. z/gwałcić

violation [ˌvaiə'leiʃən] s 1. narusz-enie/anie; po-gwałc-enie/anie; zakłóc-enie/anie (czyjegoś spokoju) 2. zbezczeszczenie 3. gwałt; z/gwałcenie (kobiety)

violator ['vaiəˌleitə] s 1. gwałciciel 2. osobnik naruszający (**of the law** etc. prawo itd.)

violence ['vaiələns] s 1. gwałtowność; moc, siła (wiatru itd.) 2. gwałt; przemoc; użycie siły; **to use ~** za/stosować przemoc; **to die by ~** umrzeć śmiercią gwałtowną; **to do ~ to —** a) zada-ć/wać gwałt ... (komuś, czemuś — czyimś uczuciom itd.) b) narusz-yć/ać <po/gwałcić> ... (prawo itd.) c) z/gwałcić ... (kobietę); **robbery with ~** rabunek z bronią w ręku 3. pasja, furia

violent ['vaiələnt] adj 1. gwałtowny; **to lay ~ hands on sb** za/stosować przemoc wobec kogoś; brutalnie kogoś po/traktować; **to lay ~ hands on oneself** targnąć się na własne życie 2. (o ciosie itd) potężny 3. (o człowieku) niepohamowany; wściekły; **to become ~** unieść się gwałtownie; wpa-ść/dać w szał <w furię> 4. (o bólu itd) gwałtowny; ostry; silny 5. (o kolorach) krzykliwy

violet ['vaiəlit] [I] s 1. bot fiołek 2. fiolet; kolor fioletowy [II] adj fioletowy; (o oleju itd) fiołkowy

violet-scented ['vaiəlit'sentid] adj (o perfumach itd) o zapachu fiołków, fiołkowy

violin [ˌvaiəlin] s skrzypce; ~ **case** futerał na skrzypce

violinist ['vaiəˌlinist] s skrzypek

violoncellist [ˌvaiələn'tʃelist] s wiolonczelista

violoncello [ˌvaiələn'tʃəlou] s wiolonczela

viper ['vaipə] s zoo (także przen) żmija; bot ~'s **bugloss** żmijowiec; ~'s **grass** wężymord

viperine ['vaipəˌrain], **viperish** ['vaipəriʃ], **viperous** ['vaipərəs] adj żmijowy; dosł i przen żmii; przen jadowity

virago [vi'raːɡou] s (pl ~**es** [vi'raːɡouz]) 1. jędza, megiera 2. † (kobieta) dragon

virelay ['viriˌlei] s poemacik (zw starofrancuski)

vireo ['viriˌou] s amerykański ptak śpiewający

virescence [vi'resəns] s 1. zieloność; zieleń 2. bot zielenienie

virescent [vi'resənt] adj zieleniejący

virgate[1] ['vəːɡeit] adj 1. prosty; wysmukły 2. bot wiechowaty

virgate² ['vəːgeit] s jednostka miary gruntu (niestała, zw 12 ha)

virgation [vəˈgeiʃən] s geol wirgacja (rozgałęzienie)

Virgilian [vəˈdʒiliən] adj wergiliuszowski, wergiliuszowy

⚡**virgin** ['vəːdʒin] Ⅰ s 1. dziewica; **the Blessed <Holy> Virgin** Najświętsza Panna; Matka Boska; bot ~'s **bower** powojnik pnący 2. astr **the Virgin** Panna 3. prawicz-ek/ka Ⅲ adj 1. dziewiczy; przen niepokalany; czysty; nietknięty; (w pszczelarstwie) ~ **queen** niezapłodniona królowa; **the Virgin Queen** królowa Elżbięta I. 2. (o złocie itd) czysty; (o siarce, glinie, metalu) samorodny; geol nienaruszony

virginal ['vəːdʒinl] Ⅰ adj 1. dziewiczy; panieński 2. świeży; czysty Ⅲ s muz wirginał (starodawny instrument)

⚡**Virginia** [vəˈdʒinjə] spr tytoń „Wirginia"; bot ~ **creeper** dzikie wino; ~ **reel** kontredans

virginity [vəˈdʒiniti] s dziewictwo; panieństwo

Virgo ['vəːgou] s astr Panna

viridescent [ˌviriˈdesnt] adj zieleniejący

viridine ['viriˌdain] s farm wirydyna (antybiotyk)

viridity [viˈriditi] s 1. zieloność 2. przen świeżość

virile ['virail] adj męski

virility [viˈriliti] s męskość; wiek męski; cechy męskie

virilescence [ˌviriˈlesns] s (u kobiety) cechy męskie

virology [viˈrɔlədʒi] s wirologia, nauka o wirusach

virose ['vaiərous] adj 1. jadowity; trujący 2. cuchnący

virtu [vəːˈtuː] s umiłowanie sztuk pięknych; **articles of** ~ dzieła sztuki; osobliwości; antyki

virtual ['vəːtjuəl] adj 1. faktyczny, rzeczywisty, prawdziwy, właściwy; **he is the** ~ **manager of the business** on jest właściwym dyrektorem przedsiębiorstwa; on właściwie kieruje przedsiębiorstwem; **it is a** ~ **promise <defeat, confession>** to się równa przyrzeczeniu <klęsce, przyznaniu się do winy>; to jest właściwie <w gruncie rzeczy> przyrzeczenie <klęska, przyznanie się do winy> 2. potencjalny, wirtualny 3. pozorny

virtue ['vəːtjuː] s 1. cnota (obywatelska, towarzyska itd.); prawość; dodatnia cecha; ~ **is its own reward** cnota jest sama sobie nagrodą; **to make a** ~ **of necessity** poczytywać sobie za zasługę rzecz zrobioną z konieczności 2. rel cnota; czystość; cnotliwość; **a woman of** ~ kobieta cnotliwa; **a woman of easy** ~ kobieta lekkich obyczajów 3. zaleta; **it has the** ~ **of being cheap <handy etc.>** ma to tę zaletę, że jest tanie <poręczne itd.> 4. skuteczność (pewnych środków itd.) 5. własność <właściwość> (lecznicza itd.) 6. moc; **by <in>** ~ **of** _ na mocy <mocą> ... (zarządzenia itd.); na podstawie <z tytułu, z racji> ... (zasług itd.)

virtuosity [ˌvəːtjuˈɔsiti] s 1. wirtuozostwo 2. umiłowanie sztuk pięknych

virtuoso [ˌvəːtjuˈouzou] s (pl ~s, virtuosi [ˌvəːtjuˈousiː]) 1. miłośnik sztuk pięknych 2. znawca dzieł sztuki 3. wirtuoz

virtuous ['vəːtjuəs] adj 1. cnotliwy 2. prawy

virulence ['viruləns] s 1. jadowitość 2. zjadliwość, złośliwość (choroby, krytyki itd.)

virulent ['virulənt] adj 1. jadowity 2. (o chorobie, krytyce itd) zjadliwy, złośliwy

virus ['vaiərəs] s 1. med wirus; ~ **diseases** choroby wirusowe 2. jad chorobowy; **smallpox** ~ wirus ospy 3. przen trucizna (moralna); gorszący <demoralizujący> wpływ 4. zjadliwość; złośliwość

vis [vis] s (pl vires ['vaiəˌriːz]) siła; ~ **major** ['meidʒə] siła wyższa

visa ['viːzə] Ⅰ s wiza Ⅲ vt (visaed ['viːzəd], visaed) 1. za/wizować (paszport itd.) 2. udziel-ić/ać wizy (sb komuś)

visage ['vizidʒ] s lit oblicze

visard ['vizəd] = visor

vis-a-vis ['viːzɑːˈviː] Ⅰ adv vis-a-vis <naprzeciw, naprzeciwko> (**to sth** czegoś) Ⅲ s vis-a-vis; osoba znajdująca się naprzeciw

viscera ['visərə] spl anat trzewia

visceral ['visərəl] adj anat trzewiowy

⚡**viscerate** ['visəˌreit] vt wypru-ć/wać wnętrzności (sb komuś)

viscid ['visid] adj 1. lepki; przylegający 2. gęsty; zawiesisty

viscidity [viˈsiditi] s 1. lepkość 2. gęstość; zawiesistość

viscin ['visin] s chem wiscyna (roślinna substancja kleista)

viscometer [visˈkɔmitə] s wiskozymetr, lepkościomierz

viscose ['viskous] s tekst wiskoza; ~ **silk** sztuczny jedwab

viscosity [visˈkɔsiti] s lepkość; kleistość

viscount ['vaiˈkaunt] s wicehrabia

viscountcy ['vaikauntsi] = viscountship

viscountess ['vaikauntis] s wicehrabina

viscountship ['vaikauntʃip], **viscounty** ['vaikaunti] s wicehrabstwo

viscous ['viskəs] adj lepki; kleisty

vise [vais] s am = vice²

visé ['viːzei] = visa

Vishnu ['viʃnu] s rel Wisznu

visibility [ˌviziˈbiliti] s 1. widzialność 2. meteor widoczność; **low <bad, poor>** ~ słaba widoczność

visible ['vizəbl] adj 1. widoczny; wyraźny; oczywisty; dostrzegalny; **to become** ~ po/jawić, pojawiać <zjawi-ć/ać> się; dać się dostrzec <zauważyć>; ukaz-ać/ywać się 2. widzialny; (o człowieku) **to be** ~ przyjmować (gości, interesantów)

visibly ['vizibli] adv widocznie; wyraźnie; (rosnąć, rozwijać się itd.) w oczach

Visigoth ['vizigəθ] s Wizygot

Visigothic ['viziˌgɔθik] adj wizygocki; (o prawach itd) Wizygotów

vision ['viʒən] Ⅰ s 1. widzenie; zdolność widzenia; zasięg wzroku; wzrok; biol fiz **colour** ~ widzenie barwne; **the field of** ~ pole widzenia; **beyond our** ~ poza zasięgiem naszego wzroku; niewidzialny dla oka 2. przenikliwość <bystrość> umysłu <spojrzenia> 3. wyobraźnia; **a man of** ~ człowiek z wyobraźnią <z polotem> 4. wizja; zjawa; mara 5. objawienie (prorocze) 6. wyobrażenie; **I had** ~**s of happy days** wyobrażałem sobie przyszłe szczęście 7. zjawisko; widok; obraz; **a** ~ **of delight** rozkoszny widok; **a hideous** ~ ohydny widok <obraz> 8. ukazanie się;

I had only a momentary ~ of the mountains tylko przez chwilę widziałem góry [III] *vt* 1. mieć wizję (**sth** czegoś); wyobra-zić/żać sobie 2. przed-stawi-ć/ać wizję (**sth to sb** czegoś komuś)

visional ['viʒn̩l] *adj* urojony; chimeryczny

visionary ['viʒəri] [I] *adj* 1. wizjonerski; marzycielski; niepraktyczny 2. (*o projektach itd*) fantastyczny; nierealny 3. (*o bólu, niebezpieczeństwie itd*) urojony [II] *s* wizjoner; marzyciel; fantasta

visionist ['viʒənist] = **visionary**

visionless ['viʒənlis] *adj* 1. (*o oczach*) niewidzący 2. (*o człowieku*) bez wyobraźni

visit ['vizit] [I] *vt* 1. odwiedz-ić/ać; złożyć/składać wizyt-ę/y (**sb** komuś); wst-ąpić/ępować (**sb do** kogoś); pójść/iść (**sb do** kogoś); bywać (**sb u** kogoś); odwiedzać (chorych) 2. zwiedz-ić/ać (miejscowość, muzeum itd.); **we ~ed Rome <Paris etc.>** byliśmy w Rzymie <Paryżu itd.> 3. by-ć/wać na inspekcji (**sb u** kogoś); *prawn* przeprowadz-ić/ać wizję lokalną (**the scene of a crime** miejsca zbrodni) 4. (*o nieszczęściu itd*) nawiedz-ić/ać obsdwiadcz-yć/ać; dot-knąć/ykać (kogoś); **to be ~ed by fits of sth** miewać napady czegoś 5. u/karać; po/mścić <wymierz-yć/ać karę za> (zbrodnię itd.); **to ~ a sin upon sb** ukarać kogoś za popełniony grzech; **to ~ the sins of the fathers upon the children** u/karać dzieci za grzechy ojców [II] *vi* 1. udzielać się (towarzysko) 2. *am* rozmawiać <po/gawędzić> (**with sb** z kimś) *zob* **visiting** [III] *s* 1. wizyta; odwiedziny; **to be on a ~ to sb** być w gościnie u kogoś; **to go out on a ~** pójść z wizytą; **to pay sb a ~** odwiedzić kogoś; złożyć komuś wizytę; **to return sb's ~** z/rewizytować kogoś 2. pobyt (**to a place <country etc.>** gdzieś <w jakiejś miejscowości, kraju itd.>) 3. wizytacja; inspekcja; **domiciliary ~** rewizja w mieszkaniu; *prawn* **a ~ to the scene of a crime** wizja lokalna w miejscu zbrodni

visitant ['vizitənt] [I] *adj* odwiedzający; będący w gościnie [II] *s* 1. *poet* gość 2. ptak przelotny 3. **Visitant** wizytka (zakonnica) 4. zjawa

visitation [,vizi'teiʃən] *s* 1. inspekcja; wizytacja; objazd (podległych placówek) 2. *pot* długotrwała <uciążliwa, niedogodna> wizyta (towarzyska) 3. odwiedziny (w ramach obowiązków zawodowych); **a ~ of the sick** odwiedzanie chorych (przez duchownego) 4. łaska boska 5. dopust Boży; skaranie boskie; nieszczęście 6. *rel* **the Visitation** Nawiedzenie Matki Boskiej; **Nuns of the Visitation** wizytki (zakon) 7. *zoo* niezwykła i liczna wędrówka (zwierząt)

visiting ['vizitiŋ] [I] *zob* **visit** *v* [III] *s* odwiedzanie (znajomych); wizyty; **we have a ~ acquaintance <are on ~ terms> with them, they are on our ~ list** odwiedzamy się wzajemnie

visiting-book ['vizitiŋ,buk] *s* księga gości

visiting-card ['vizitiŋ,ka:d] *s* bilet wizytowy; *pot* wizytówka

visitor ['vizitə] *s* 1. gość 2. (*w hotelu*) przyjezdny; gość; (*w muzeum itd*) zwiedzający; (*w pensjonacie*) pensjonariusz; (*na letnisku*) letnik; (*w miejscowości kąpielowej*) kuracjusz; **~'s book** księga gości; **to take in ~s** wynajmować pokoje (z utrzymaniem) 3. wizytator; inspektor

visitorial [,vizi'tɔ:riəl] *adj* (*o prawie itd*) inspekcji

visor, vizor ['vaizə], **visard, vizard** ['vizəd] *s* 1. *hist* przyłbica 2. daszek (u czapki) 3. maska

visored, vizored ['vizəd] *adj* (*o rycerzu itd*) ze spuszczoną przyłbicą

vista ['vistə] *s* 1. perspektywa; widok perspektywiczny 2. aleja; (*w lesie*) przesieka 3. *przen zw pl* **~s** perspektywy, horyzonty, widoki, możliwości 4. długi rząd <szereg> (wspomnień, wypadków, zajść itd.)

vista'd, vistaed ['vistəd] *adj* (*o ulicy itd*) z piękną perspektywą; (*o parku itd*) z pięknymi długimi alejami <widokami perspektywicznymi>

♦visual ['vizjuəl] *adj* 1. wzrokowy; optyczny; (*o kącie, polu*) widzenia; **~ distance** zasięg wzroku 2. widoczny; rzeczywisty

visualization [,vizjuəlai'zeiʃən] *s* uzmysłowienie; przywodzenie na myśl

visualize ['vizjuə,laiz] *vt* uzmysł-owić/awiać <wyobra-zić/żać> sobie; przywodzić na myśl

vita ['vaitə] *attr* **~ glass** szkło przepuszczające promienie pozafiołkowe <ultrafioletowe>

vital ['vaitl] [I] *adj* 1. życiowy; żywotny; witalny 2. niezbędny; konieczny; istotny; decydujący; podstawowy; najwyższej wagi; stanowiący o życiu i śmierci <bycie i niebycie>; **secrecy is ~ to the success of our scheme** od zachowania tajemnicy zależy powodzenie naszego planu 3. (*o ranie*) śmiertelny 4. (*o błędzie itd*) fatalny 5. energiczny; przedsiębiorczy; pełen wigoru 6. związany z życiem ludzkim; **~ statistics** statystyka ludnościowa <demograficzna> [II] *s pl* **~s** organa, narządy

vitalism ['vaitə,lizəm] *s biol filoz* witalizm

vitality [vai'tæliti] *s* 1. żywotność 2. żywość (stylu)

vitalize ['vaitə,laiz] *vt* ożywi-ć/ać; tchnąć <wl-ać/ewać> życie (**sth** w coś) *zob* **vitalizing**

vitalizing ['vaitə,laiziŋ] [I] *zob* **vitalize** *v* [II] *adj* ożywczy; ożywiający

♦vitally ['vaitəli] *adv* decydująco; w istotny sposób; radykalnie

vitamin ['vitəmin] *s* witamina; **~ deficiency** awitaminoza

vitellary ['vitələri] = **vitelline**

vitellin ['vitə,lain] *s chem* witelina

vitelline [vi'telin] *adj biol* żółtkowy

vitellus [vi'teləs] *s* (*pl* **vitelli** [vi'telai]) *biol* żółtko

vitiate ['viʃi,eit] *vt* 1. ze/psuć; ska-zić/żać; zanieczy-ścić/szczać; wypacz-yć/ać (umysł) 2. nadweręż-yć/ać; z/niszczyć 3. *prawn* unieważni-ć/ać (umowę itd.)

vitiation [,viʃi'eiʃən] *s* 1. zepsucie; skażenie; zanieczyszcz-enie/anie; wypacz-enie/anie (umysłu) 2. nadweręż-enie/anie; zniszczenie 3. *prawn* unieważni-enie/anie (umowy itd.)

viticulture ['viti,kʌltʃə] *s* uprawa winorośli

viticulturist ['viti,kʌltʃərist] *s* winogrodnik, winogradnik

vitiosity [,viʃi'ɔsiti] *s* deprawacja

vitiligo [viti'laigou] *s med* bielactwo nabyte

♦vitreous ['vitriəs] *adj* 1. *anat chem geol* szklisty 2. szklany

vitrescence [vi'tresəns] *s techn* tendencja do zeszklenia się

vitrification [ˌvitrifi'keiʃən] s techn 1. zeszklenie 2. zeszlakowanie

vitrify ['vitriˌfai] v (**vitrified** ['vitriˌfaid], **vitrified; vitrifying** ['vitriˌfaiiŋ]) □ vt zeszklić; przemieni-ć/ać w szkło □ vi zeszklić się

vitriol ['vitriəl] s 1. chem siarczan; kwas siarkowy; witriol; **blue** ~ siarczan miedziowy; **green** ~ siarczan żelazawy; **oil of** ~ (stężony) kwas siarkowy; **white** ~ siarczan cynku 2. przen jadowitość (krytyki itd.); jadowita krytyka

vitriolic [ˌvitri'ɔlik] adj 1. witrolowy 2. przen (o krytyce itd) jadowity

vitriolize ['vitriəˌlaiz] vt 1. trawić w kwasie siarkowym; zaprawi-ć/ać witriolem 2. obl-ać/ewać (kogoś) witriolem <kwasem siarkowym>

vitta ['vitə] s (pl **vittae** ['viti:]) 1. pl **vittae** pasy wiszące u infuły 2. bot smuga <pręga> (na nasionach)

vituperate [vi'tju:pəˌreit] vt lżyć; z/wymyślać <bliż-yć/ać, złorzeczyć; urągać> (**sb** komuś); pomstować (**sb** na kogoś); obrzuc-ić/ać inwektywami

vituperation [viˌtju:pə'reiʃən] s wymyślanie; złorzeczenie; obelg-a/i; inwektyw-a/y

vituperative [vi'tju:pəˌrəitiv] adj obelżywy; ubliżający; obraźliwy

viva[1] ['vi:və] □ interj niech żyje! □ s wiwat, okrzyk na· cześć (czyjąś, czegoś)

viva[2] ['vaivə] □ s szk (także ~ **voce** ['vousi]) ustny egzamin □ adv w zwrocie ~ **voce** ustnie

vivacious [vi'veiʃəs] adj 1. (o człowieku) żywy, ożywiony, pełen życia; rześki 2. bot (o roślinie) trwały

vivacity [vi'væsiti] s żywość; ożywienie; rześkość

vivarium [vai'veəriəm] s (pl **vivaria** [vai'veəriə]) wiwarium

viva-voce ['vaivə'vousi] adj (o egzaminie itd) ustny

vivers ['vaivəz] spl szkoc prowiant(y); żywność; wiktuały

vives ['vaivz] spl wet zołzy

vivid ['vivid] adj 1. (o świetle) jasny; ostry; oślepiający 2. (o barwach) żywy; jaskrawy 3. (o wyobraźni, opisie itd) żywy

vividness ['vividnis] s 1. jasność <ostrość> (światła) 2. żywość <jaskrawość> (barw) 3. żywość (wyobraźni, opisu itd.)

vivify ['viviˌfai] vt (**vivified** ['viviˌfaid], **vivified; vivifying** ['viviˌfaiiŋ]) ożywi-ć/ać

viviparous [vi'vipərəs] adj zoo bot żyworodny

vivisect [ˌvivi'sekt] vt dokon-ać/ywać wiwisekcji (**an animal** na zwierzęciu)

vivisection [ˌvivi'sekʃən] s wiwisekcja

vivisectionist [ˌvivi'sekʃənist] s 1. wiwisektor 2. zwolennik wiwisekcji

vixen ['viksn] s 1. zoo lisica 2. przen megiera; jędza; złośnica; sekutnica

vixenish ['viksṇiʃ] adj jędzowaty

viz. [vi'di:liˌset] = **videlicet**

vizard ['vizəd] = **visor**

vizier [vi'ziə] s wezyr; **grand** ~ wielki wezyr (premier w krajach muzułmańskich)

vocable ['voukəbl] s słówko; wyraz

vocabulary [və'kæbjuləri] s 1. słownik <słowniczek> specjalistyczny <do danego tekstu> 2. słownictwo; zasób <dobór> słów

vocal ['voukəl] □ adj 1. głosowy 2. muz wokalny

3. obdarzony głosem 4. poet brzmiący; rozbrzmiewający; **to be** ~ rozbrzmiewać; huczeć; dudnić 5. fonet dźwięczny 6. fonet samogłoskowy 7. lubiący wypowiadać swe zdanie 8. wymowny □ s samogłoska

vocalic [vou'kælik] adj 1. samogłoskowy; wokaliczny 2. (o języku) obfitujący w samogłoski

vocalism ['voukəˌlizəm] s 1. wokalizm (system samogłoskowy języka) 2. posługiwanie się głosem

vocalist ['voukəlist] s śpiewa-k/czka

vocalization [ˌvoukəlai'zeiʃən] s 1. wokalizacja 2. wymowa; artykułowanie

vocalize ['voukəˌlaiz] □ vt 1. wym-ówić/awiać; artykułować 2. wym-ówić/awiać dźwięcznie <udźwięczni-ć/ać> (głoskę) 3. wokalizować (tekst semicki) □ vi 1. żart wyda-ć/wać dźwięki; za/śpiewać 2. muz za/śpiewać wokalizy 2. żart mówić; śpiewać; krzyczeć

vocation [vou'keiʃən] s 1. powołanie (**for the ministry etc.** do stanu duchownego itd.); zamiłowanie <wrodzone zdolności> (**for sth** do czegoś); **to mistake one's** ~ minąć się z powołaniem 2. zajęcie, zawód

▲**vocational** [vou'keiʃṇḷ] adj zawodowy

vocative ['vɔkətiv] □ adj głam wołaczowy □ s gram wołacz

vociferate [vou'sifəˌreit] □ vi krzyczeć na całe gardło; wrzeszczeć; wydzierać się; ryczeć □ vt wykrzykiwać (słowa itd.)

vociferation [vouˌsifə'reiʃən] s krzyk/i; wrzask/i; ryk/i

vociferous [vou'sifərəs] adj krzykliwy; wrzaskliwy

vociferously [vou'sifərəsli] adv wniebogłosy

vodka ['vɔdkə] s wódka

vogue [voug] s 1. moda; **to be the** ~ <**in** ~> być w modzie <modnym>; **to bring sth into** ~ wprowadzić modę na coś; **to come into** ~ wejść w modę 2. wziętość, popularność; **to have a great** ~ cieszyć się wielką wziętością <popularnością>; być bardzo wziętym

▲**voice** [vɔis] □ s 1. głos; (**not**) **to be in** ~ (nie) być przy głosie; **to lift up one's** ~ odezwać się; **in a gentle** ~ łagodnym tonem; **in a low** ~ półgłosem 2. wypowiedź; głos (przy głosowaniu); **to give** ~ **to one's indignation** da-ć/wać wyraz swemu oburzeniu; **to have a** ~ **in** ... mieć coś do powiedzenia w ... (danej sprawie); **with one** ~ jednogłośnie 3. gram strona (czasownika) 4. fonet głoska dźwięczna □ vt 1. wyra-zić/żać; wypowi-edzieć/adać 2. muz harmonizować; stroić 3. fonet wym-ówić/awiać dźwięcznie <udźwięczni-ć/ać> (głoskę) zob **voiced**

voiced [vɔist] □ zob **voice** v □ adj fonet (o głosce) dźwięczny

voiceless ['vɔislis] adj 1. bezgłośny; niemy 2. fonet (o głosce) bezdźwięczny

▲**void** [vɔid] □ adj 1. próżny; pusty; ~ **space** próżnia 2. (o stanowisku, urzędzie) opróżniony; wakujący; **to fall** ~ zwolnić <zwalniać> się 3. prawn (także **null and** ~) nieważny 4. poet daremny; bezcelowy; czczy; bezużyteczny 5. wolny (**of sth** od czegoś); pozbawiony (**of sth** czegoś) □ s 1. próżnia; **to disappear into the** ~ zniknąć; zczeznąć 2. pustka □ vt 1. prawn unieważni-ć/ać 2. fizj wypróżni-ć/ać; wydal-ić/ać (kał itd.); odda-ć/wać (mocz) 3. † uw-olnić/alniać; opróżni-ć/ać

voidance ['vɔidəns] s 1. wydal-enie/anie z bene-ficjum 2. opróżni-enie/anie beneficjum 3. *prawn* unieważnienie 4. *fizj* wypróżni-enie/anie; wy-dal-enie/anie (kału itd.); odda-nie/wanie (mo-czu)

voile [vɔil] s *tekst* woal (przejrzysta tkanina)

voivode ['vɔi͵voud] s wojewoda

volant ['voulənt] adj 1. *zoo* latający 2. *herald* (przedstawiony) w locie 3. *poet* żwawy

Volapuk ['vɔlə͵puk] s wolapik (sztuczny język mię-dzynarodowy)

volar ['voulə] adj *anat* dłoniowy

volatile ['vɔlə͵tail] adj 1. *chem* lotny; ulatniający się; ~ salts = sal volatile 2. (*o człowieku, u-sposobieniu*) zmienny 3. wesoły; swawolny

volatileness ['vɔlə͵tailnis] s zmienność <wesołość, swawolne usposobienie> (człowieka)

volatility [͵vɔlə'tiliti] s 1. *chem* lotność 2. = vo-latileness

volatilization [͵vɔlətilai'zeiʃən] s ulatnianie się; parowanie

volatilize [və'læti͵laiz] vt odparować, wyparow-ać/ywać (płyn itd.) vi ul-otnić/atniać się; wyparow-ać/ywać

volcanic [vɔl'kænik] adj 1. wulkaniczny; *miner* ~ glass szkliwo wulkaniczne, obsydian 2. (*o człowieku, usposobieniu*) gwałtowny; wybu-chowy

volcano [vɔl'keinou] s (pl ~es [vɔl'keinouz]) wulkan

vole[1] [voul] s *karc* szlem; wzięcie wszystkich lew; to go the ~ postawić/stawiać wszystko na jedną kartę vi z/robić szlema

vole[2] [voul] s *zoo* zwierzę z rodziny myszowatych: nornica, polnik, mysz polna

volet ['vɔlei] s *plast* skrzydło tryptyku

volitant ['vɔlitənt] adj *zoo* latający

volition [vou'liʃən] s 1. czyn wolicjonalny 2. wo-la; of one's own ~ (zrobić coś) z własnej woli <samorzutnie>

volitional [vou'liʃənl], **volitionary** [vou'liʃənri]) adj wolicjonalny (wywołany wolą)

volitive ['vɔlitiv] adj *gram* 1. wyrażający życzenie 2. przyzwalający, zezwalający

volley ['vɔli] s (pl ~s ['vɔliz]) 1. salwa (z dział itd.); *przen* potok, stek (przekleństw itd.); grad (strzał itd.); *wojsk* to fire <discharge> a ~ dać salwę 2. *tenis* wolej; podanie piłki do odbi-cia wolejem; odbi-cie/janie piłki w locie; (*w krykiecie*) rzut bezpośredni w bramkę (bez od-bicia się piłki o ziemię) vt 1. wypu-ścić/szczać salwą (pociski itd.); to ~ stones at sb obrzucać <zasypać> kogoś gradem kamieni; to ~ abuse at sb obrzuc-ić/ać kogoś potokiem obelg; miotać obelgi na kogoś 2. *tenis* poda-ć/wać (pił-kę) wolejem vi 1. *wojsk* da-ć/wać salwę 2.° (*o działach itd.*) za/grzmieć

~ back vt *tenis* odbi-ć/jać w locie (piłkę) vi *tenis* odbi-ć/jać piłkę w locie

~ forth <out> vt miotać (abuse obelgi); to ~ forth <out> abuse at sb obrzucić kogoś ste-kiem obelg <wyzwisk>

volley-ball ['vɔli͵bɔːl] s *sport* siatkówka

volplane ['vɔl͵plein] vi *lotn* szybować; po/le-cieć <opu-ścić/szczać się> lotem szybowym s lot szybowy

volt[1] [vɔlt] s *sport* (*w konnej jeździe i szer-mierce*) wolta vi z/robić woltę

volt[2] [voult] s *elektr* wolt

voltage ['voultidʒ] s *elektr* woltaż; napięcie; róż-nica potencjałów

voltaic [vɔl'teiik] adj (*o baterii, ogniwie*) galwa-niczny; ~ pile stos Volty

Voltairianism [vɔl'tɛəriə͵nizəm], **Voltairism** [vɔl'tɛərizəm] s wolterianizm

voltameter [vɔl'tæmitə] s *elektr* woltametr

volte ['vɔlti] = volt[1]

volte-face ['vɔlt'faːs] s zwrot w kierunku przeciw-nym <o 180°>; pół obrotu; *przen* całkowita zmia-na frontu

voltmeter ['voult͵miːtə] s *elektr* woltomierz

volubilate [və'luːbi͵leit] adj *bot* = voluble

volubility [͵vɔlju'biliti] s swada; obfitość słów; potoczystość mowy

voluble ['vɔljubl] adj 1. (*o mowie*) potoczysty 2. (*o człowieku*) (mówiący) ze swadą; to be a ~ speaker mówić ze swadą <potoczyście> 3. *bot* owijający się

volume ['vɔljum] s 1. tom; księga; książka; *przen* to speak ~s for sth wymownie świadczyć o czymś; być wymownym świadectwem czegoś; it would take <need> ~s to relate długo by trzeba opowiadać; na wołowej skórze nie spi-sałoby się... 2. rocznik (czasopisma itd.) 3. *pl* ~s kłęby (dymu itd.) 4. objętość; pojemność 5. ilość; masa 6. wielka ilość 7. rozmiar <wolu-men> (handlu, eksportu, obrotów) 8. siła (głosu, dźwięku) 9. *hist* zwój (pergaminu), rulon

volumenometer [͵vɔljumi'nɔmitə] s *fiz* wolumeno-metr

volumeter [vɔ'ljuːmitə] s *fiz* wolumetr

volumetric [͵vɔlju'metrik] adj *fiz chem* objętościo-wy; miareczkowy; ~ apparatus przyrząd do miareczkowania; ~ flask kolba miarowa

voluminal [vɔ'ljuːminəl] adj objętościowy

voluminous [vɔ'ljuːminəs] adj 1. (*o wydawnictwie*) wielotomowy; obszerny 2. (*o pisarzu*) płodny 3. (*o pakunku*) gruby; wielkiej objętości; potężny; wielkich rozmiarów 4. (*o korespondencji*) obfity 5. (*o draperii itd.*) fałdzisty; suty

voluntariness ['vɔləntərinis] s dobrowolność

voluntary ['vɔləntəri] I adj 1. dobrowolny 2. sa-morzutny; spontaniczny; nieprzymuszony 3. o-chotniczy; nieobowiązkowy; nieobowiązujący 4. (*o szkole, szpitalu*) utrzymujący się z dobrowol-nych datków 5. (*o wyrządzonej szkodzie itd*) umyślny, rozmyślny; świadomy 3. 1. (*w ko-ściele*) solo organowe 2. *szk* nadobowiązkowy przedmiot <egzamin> 3. zwolennik finansowania kościoła <szkoły> funduszami pochodzącymi z dobrowolnych datków 4. zwolennik oparcia ar-mii na zaciągu ochotniczym

voluntaryism ['vɔləntəri͵izəm] s zasada finansowa-nia kościoła <szkoły> funduszami pochodzącymi z dobrowolnych datków <oparcia armii na za-ciągu ochotniczym>

volunteer [͵vɔlən'tiə] I s 1. ochotnik; any ~s? kto (się zgłasza) na ochotnika? 2. wolontariusz II adj 1. ochotniczy 2. *bot* pionierski III vt za-ofiarow-ać/ywać się (sth z czymś; to do sth ze zrobieniem czegoś); zrobić (coś) z własnej ochoty; samorzutnie <bez wezwania> za/propo-nować; dobrowolnie udziel-ić/ać (informacji)

Ⓥ *vi* zgł-osić/aszać się na ochotnika (**for sth** do czegoś); ochotniczo wst-ąpić/ępować do wojska

voluptuary [vəˈlʌptjuəri] Ⓘ *adj* poszukujący rozkoszy; zmysłowy; lubieżny Ⓘ *s* 1. lubieżnik 2. sybaryta

voluptuous [vəˈlʌptjuəs] *adj* lubieżny; zmysłowy; rozpustny

voluptuousness [vəˈlʌptjuəsnis] *s* zmysłowość

volute [vəˈljuːt] Ⓘ *s* 1. spirala; zwój 2. *zoo* nazwa grupy mięczaków spotykanych w morzach podzwrotnikowych 3. *arch* woluta Ⓘ *adj bot* skręcony

volution [vəˈljuːʃən] *s* skręt; zwój

volva [ˈvɔlvə] *s bot* opona

volvox [ˈvɔlvɔks] *s zoo* toczek (zwierzokrzew z gromady wymoczków)

volvulus [ˈvɔlvjuləs] *s med* zawężenie jelit

vomer [ˈvoumə] *s anat* lemiesz (kość w przegrodzie nosowej)

vomit [ˈvɔmit] *v* Ⓘ *vi* z/wymiotować Ⓘ *vt* 1. z/wymiotować (coś) 2. (*o kominie*) buchać (**smoke** kłębami dymu); (*o wulkanie*) buchać <zionąć> (ogniem, dymem itd.); wyrzucać z siebie <w powietrze, w górę> (ogień, kłęby dymu itd.) *zob* **vomiting** Ⓘ *s* 1. zwymiotowana treść; wymiociny 2. środek <lek> wymiotny

vomiting [ˈvɔmitiŋ] Ⓘ *zob* vomit *v* Ⓘ *s* wymioty

vomitive [ˈvɔmitiv], **vomitory** [ˈvɔmitəri] *s* środek <lek> wymiotny

vomiturition [ˌvɔmitjuəˈriʃən] *s* bezskuteczne próby wymiotowania

voodoo [ˈvuːduː] Ⓘ *s* 1. wiara w czary <w gusła> 2. praktyki czarnoksięskie; ~ **doctor** <**priest**> czarnoksiężnik Ⓘ *vt* wykon-ać/ywać praktyki czarnoksięskie (**sb** na kimś)

voracious [vəˈreiʃəs] *adj* żarłoczny; nienasycony; *pot* nienażarty

voraciousness [vəˈreiʃəsnis], **voracity** [vəˈræsiti] *s* żarłoczność; nienasyconość

▎**vortex** [ˈvɔːteks] *s* (*pl* ~**es**, **vortices** [ˈvɔːtiˌsiːz]) wir

vortical [ˈvɔːtikəl] *adj* wirowy

vorticel [ˈvɔːtisel] *s zoo* wirczyk, lanuszka

vorticism [ˈvɔːtiˌsizəm] *s plast* kierunek w malarstwie angielskim lat 1913—1922

vorticular [vɔːˈtikjulə] *adj* wirowy

vortiginous [vɔːˈtidʒinəs] *adj* 1. wirujący 2. wirowy

votaress [ˈvoutəris] *s* 1. czcicielka 2. gorąca zwolenniczka 3. miłośniczka

votary [ˈvoutəri] *s* 1. czciciel 2. gorący zwolennik 3. miłośnik

vote [vout] Ⓘ *s* 1. głosowanie; **to put a motion to the** ~, **to take a** ~ **on a motion** pod/dać wniosek pod głosowanie; (*na zebraniu*) **to take the** ~ głosować 2. głos (oddany przy głosowaniu; *zbiór* głosy (danej partii, sfery społecznej itd.); **the floating** ~ głosy niezależnych; **to cast one's** ~ odda-ć/wać głos, głosować 3. prawo głosowania; prawo wyborcze 4. wotum (zaufania itd.) 5. uchwała; **to carry a** ~ po-wziąć/dejmować uchwałę; uchwal-ić/ać 6. pieniądze przeznaczone drogą uchwały na jakiś cel; **the Army** ~ pieniądze przeznaczone na armię 7. kartka wyborcza <do głosowania> Ⓘ *vi* 1. głosować (**for** <**against**> **sb, sth** za kimś, czymś <przeciw komuś, czemuś>) 2. odda-ć/wać głos Ⓘ *vt* 1.

uchwal-ić/ać 2. *przen pot* orze-c/kać (**sth to be** ~ że coś jest...); **it was** ~**ed a success** wszyscy orzekli <uznali> że to się udało 3. za/proponować

~ **down** *vt* odrzuc-ić/ać w głosowaniu, przegłosować

~ **in** *vt* wyb-rać/ierać (kogoś) w drodze głosowania

~ **through** *vt* uchwal-ić/ać (ustawę itd.)

zob **voting**

voteless [ˈvoutlis] *adj* nie posiadający prawa głosowania <prawa wyborczego>

voter [ˈvoutə] *s* wyborca; głosujący

voting [ˈvoutiŋ] Ⓘ *zob* vote *v* Ⓘ *adj* (*o obywatelu, uczestniku zebrania*) głosujący <mający prawo głosu> Ⓘ *s* głosowanie; udział w głosowaniu; ~ **machine** maszyna do liczenia oddanych głosów; ~ **paper** kartka wyborcza <do głosowania>

votive [ˈvoutiv] *adj* wotywny; ofiarowany jako wotum; ofiarowany za spełnienie ślubu; ~ **offering** wotum; ofiara składana jako podziękowanie za doznaną łaskę; ~ **mass** wotywa (msza śpiewana na czyjąś intencję <jako podziękowanie za doznaną łaskę>

vouch [vautʃ] Ⓘ *vt* 1. za/gwarantować; po/ręczyć (**sth** za coś); zapewni-ć/ać (**that** ~ że...) 2. potwierdz-ić/ać Ⓘ *vi* za/gwarantować (**for sth** coś); po/ręczyć (**for sb, sth** za kogoś, coś); odpowiadać (**for sb, sth** za kogoś, coś); zaręcz-yć/ać; **I can** ~ **for it that no harm was meant** zaręczam, że nie było w tym złej intencji

voucher [ˈvautʃə] *s* 1. poręczyciel, gwarant 2. dowód kasowy (kwit, rachunek, bilet itd.); alegat, załącznik

vouchsafe [ˌvautʃˈseif] *vt* raczyć <zechcieć łaskawie> (**to do sth** coś zrobić); **to** ~ **an answer** łaskawie udziel-ić/ać odpowiedzi; **to** ~ **a visit** raczyć <zechcieć łaskawie> złożyć wizytę

voussoir [vuːˈswaː] *s bud* kliniec sklepienia; **centre** ~ zwornik, klucz sklepienia

vow [vau] Ⓘ *s* 1. ślub; solenne przyrzeczenie; **to take a** ~ **to do sth** ślubować, że się coś zrobi; **to take** ~**s** złożyć/składać śluby zakonne; **I am under a** ~ (**not**) **to** ~ ślubowałem, że (nie) będę ... 2. dopełnienie ślubu; dotrzym-anie/ywanie przyrzeczenia; **is this your** ~? tak dotrzymujesz przyrzeczenia? Ⓘ *vt* ślubować (**sth** coś — posłuszeństwo, zemstę itd.; **to do sth** coś zrobić) Ⓘ *vi* 1. złożyć ślub, składać śluby 2. † oświadcz-yć/ać

vowel [ˈvauəl] *s gram* samogłoska; ~ **gradation** apofonia; ~ **mutation** przegłos

vowelize [ˈvauəˌlaiz] *vt* wokalizować

voyage [ˈvɔidʒ] Ⓘ *s* (daleka) podróż (morzem, lądem, drogą powietrzną); przelot; *mar* rejs; **to go on a** ~ wyruszyć w podróż; odby-ć/wać podróż; **the** ~ **out** wyjazd (z kraju); rejs docelowy; **the** ~ **home** powrót <droga powrotna> (do kraju); rejs powrotny Ⓘ *vi* podróżować (morzem, w powietrzu); pły-nąć/wać statkiem; jechać; polecieć/latać; (*o statku*) pływać <odby-ć/wać rejs/y> Ⓘ *vt* przepły-nąć/wać (**the sea** morze <przez morze>); pły-nąć/wać (**the seas** po morzach)

voyager [ˈvɔidʒə] *s* podróżnik

voyageur [ˌvwaːjaˈʒəː] *s* (*w Kanadzie*) przewoźnik <traper> utrzymujący łączność między składami handlowymi

vraisemblance ['vreisã:'blã:s] *s* prawdopodobień-stwo
vulcanite ['vʌlkə,nait] *s* 1. ebonit; kauczuk wul-kanizowany 2. *geol* skała wulkaniczna
vulcanization [,vʌlkənai'zeiʃən] *s* wulkanizacja
vulcanize ['vʌlkə,naiz] *vt* wulkanizować
vulcanizer ['vʌlkə,naizə] *s* wulkanizator
vulgar ['vʌlgə] ① *adj* 1. wulgarny; trywialny; ordynarny; w złym guście 2. pospolity; prosty; prostacki; gminny; ludowy; plebejski; **to grow** ~ spospolicieć; **the** ~ **herd** gmin, pospólstwo; **the** ~ **tongue** mowa gminu <ludu, mas ludo-wych> 3. *mat* (*o ułamku*) pospolity 4. powszech-ny; rozpowszechniony; głęboko zakorzeniony; powszechnie pokutujący; **it is a** ~ **error** to jest błąd, który pokutuje wśród mas <powszechnie się spotyka> ② *† s* **the** ~ gmin; pospólstwo
vulgarian [vʌl'gɛəriən] *s* parweniusz; wzbogacony prostak; *pot* nowobogacki
vulgarism ['vʌlgə,rizəm] *s* 1. wulgarne <ordynar-ne, gminne, trywialne> wyrażenie 2. wulgarność
vulgarity [vʌl'gæriti] *s* wulgarność; trywialność
vulgarization [,vʌlgərai'zeiʃən] *s* wulgaryzacja
vulgarize ['vʌlgə,raiz] *vt* z/wulgaryzować
Vulgate ['vʌlgit] *s* Wulgata
vulgus ['vʌlgəs] *s* *szk* (łacińskie, greckie) ćwicze-nie wierszowane

vulnerability [,vʌlnərə'biliti] *s* 1. ranliwość; wraż-liwość na ciosy; podatność na zranienie; nieza-bezpieczenie przed ciosami 2. słaby punkt, sła-bość (jednostki, organizmu itd.); *przen* pięta achillesowa
vulnerable ['vʌlnərəbl] *adj* 1. ranliwy; podatny na zranienie <ciosy>; nie zabezpieczony przed atakiem <ciosami> 2. posiadający słaby <nieza-bezpieczony> punkt; **to be** ~ mieć słabe miej-sce; **not** ~ odporny na wszystko 3. *karc* (*o part-nerach w brydżu*) (będący) po partii 4. (*o miej-scu*) słaby; **that is his** ~ **spot** to jest jego słabe miejsce <jego pięta achillesowa>
vulnerary ['vʌlnərəri] ① *adj* stosowany do lecze-nia ran ② *s* lek do leczenia ran
vulpine ['vʌlpain] *adj* (*o cechach, wyglądzie itd*) lisi; (*o człowieku, postępowaniu itd*) chytry; przebiegły
vulture ['vʌltʃə] *s* *zoo* sęp; *przen* (*o człowieku*) szakal
vulturine ['vʌltʃə,rain], **vulturish** ['vʌltʃəriʃ] *adj* sępi
vulva ['vʌlvə] *s* *anat* srom
vulval ['vʌlvəl], **vulvar** ['vʌlvə] *adj* *anat* sromowy
vulvitis [vʌl'vaitis] *s* *med* zapalenie sromu
vulvo-vaginal [vʌlvou-və'dʒainəl] *adj* sromo-po-chwowy
↓vying ['vaiiŋ] *zob* **vie** *v*

W

W ['dʌbl,ju] *litera* w (*pl* **Ws, W's** ['dʌbljuz])
Waac [wæk] *s* *pot* kobieta służąca w Żeńskim Wojskowym Korpusie Pomocniczym (1914—1918 r.)
Waaf [wæf] *s* *pot* kobieta służąca w Żeńskim Korpusie Pomocniczym przy Lotnictwie Królew-skim (od 1939 r.)
wabble ['wɔbl] = **wobble**
wacke ['wæki] *s* *geol* waka, szarogłaz (produkt rozkładu skał bazaltowych)
↓wacky ['wæki] *adj* *am* *sl* kopnięty, stuknięty; **to be** ~ mieć bzika <*pot* kuku na muniu>
wad[1] [wɔd] ① *s* 1. tampon; wałek; poduszeczka; podkład (z waty, watoliny, wełny itd.); wata w uszach 2. *am* plik <paczka, rulon, zwitek> banknotów; *pot* forsa 3. przybitka (w naboju) ② *vt* (**-dd-**) 1. przybi-ć/jać (nabój) 2. zat-kać/ykać <ut-kać/ykać> (tamponem itd.); pod-łożyć/kładać tampon <wałek, poduszeczkę, podkład> (**sth** pod coś); uszczelni-ć/ać tamponem <wał-kiem, poduszeczką>; *dosł i przen* **well** ~**ded with sth** z dobrym podkładem <zapasem> cze-goś 3. obi-ć/jać (drzwi, ściany) materacem 4. wy/watować, podwatow-ać/ywać 5. *am* zwi-nąć/jać (banknoty itd.) w plik <paczkę, rulon, zwi-tek> *zob* **wadding**
wad[2] [wæd] *s* *miner* wad
wadding ['wɔdiŋ] ① *zob* **wad** *v* ② *s* 1. watowa-nie; watolina; podkład 2. przybitka (w naboju) 3. wata <wełna itd.> do utykania
waddle ['wɔdl] ① *vi* chodzić kołysząc się w bio-drach; **waddling gait** kaczkowaty chód ② *s* ko-łysanie się w biodrach przy chodzeniu; kaczko-waty chód
waddy ['wɔdi] *s* maczuga (tubylców australij-skich)
wade [weid] ① *vi* 1. posuwać się z wysiłkiem naprzód <przed-rzeć/dzierać się> (przez wodę, śnieg, muł itd.); brodzić; brnąć; (*o dziecku*) pluskać się (w morzu itd.) 2. prze-jść/chodzić w bród (**across a stream** przez potok) 3. u/toro-wać sobie drogę (**through slaughter** <**blood**> **to the throne etc.** po trupach do tronu itd.) 4. *przen* prze/brnąć (przez książkę <morze cyfr itd.>) 5. energicznie <ostro> się zabrać (**into sth** do czegoś) ② *vt* prze-jść/chodzić w bród (**a stream** przez potok)
~ **in** *vi* ostro za/atakować przeciwnika *zob* **wading** ③ *s* przedzieranie się; brnięcie; brodzenie
wader ['weidə] *s* 1. *zoo* brodziec, ptak brodzący 2. *pl* ~**s** wysokie buty nieprzemakalne
wadi ['wɔdi] *s* (*w krajach wschodnich*) wadi (wy-schnięte koryto rzeki)
wading ['weidiŋ], ① *zob* **wade** *v* ② *adj* brodzący; *zoo* ~ **bird** brodziec ③ *s* = **wade** *s*; *am* ~ **place** bród
Wafd [wɔft] *s* *polit* (*w Egipcie*) krańcowo nacjo-nalistyczna partia
wafer ['weifə] ① *s* 1. wafel (do lodów itd.) 2. opłatek (do zażycia proszku itd.) 3. proszek (w opłatku) 4. *rel* hostia 5. *†* opłatek do pieczę-towania 6. urzędowa naklejka (zamiast pieczęci

na aktach sąd. itd.) Ⅲ *vt* 1. † zlepi-ć/ać opłatkiem 2. zapieczętow-ać/ywać urzędową naklejką (akta sąd. itd.)

waffle¹ ['wɔfl] *s* wafel (z ciasta naleśnikowego jadany na gorąco, zwykle z masłem i słodzony)

waffle² ['wɔfl] Ⅰ *s pot* trajkotanie; ględzenie Ⅲ *vi pot* trajkotać; ględzić

waffle-iron ['wɔfl,aiən] *s* forma do wypiekania wafli zwanych "**waffles**"

waft [wɑ:ft] Ⅰ *vt* (*o wietrze, prądzie*) nieść (w powietrzu, na powierzchni wody); **to be ~ed** unosić się (w powietrzu, na powierzchni wody); † **to ~ sb a kiss** posłać komuś całusa Ⅲ *vi* unosić się w powietrzu; (*o przedmiotach*) fruwać Ⅲ *s* 1. machnięcie skrzydła <skrzydłem> 2. powiew; podmuch; tchnienie; smuga (wonności); dźwięki (muzyki itd.) niesione w powietrzu; przelotne uczucie (błogości, spokoju itd.) 3. *mar* (*także* **weft**) sygnał rozpaczy (powiewający zamiast bandery lub dodany do niej)

↟**wag¹** [wæg] *v* (**-gg-**) Ⅰ *vi* 1. (*o przedmiocie*) kiwać się; poruszać się; chodzić tam i z powrotem; (*o wahadle*) wahać się; (*o głowie*) trząść się; **tongues <chins, beards> were ~ging** gadano bez końca; ludzie strzępili sobie języki; **how ~s the world?** co słychać w świecie?; **to set tongues ~ging** wywoł-ać/ywać liczne <powszechne> komentarze 2. *pot* wynieść się 3. *sl* wagarować Ⅲ *vt* poruszać <machać, kiwać, potrząsać> (**sth** czymś); (*o psie*) merdać (**its tail** ogonem); po/grozić (**one's finger at sb** palcem komuś); **to ~ one's tongue** trajkotać; mleć ozorem; pleść trzy po trzy; *iron* **the tail ~s the dog?!** i kto tu ma głos?! Ⅲ *s* poruszenie (**of the tail** ogonem itd.); machnięcie (**of sth** czymś); kiwnięcie (**of the head** głową); pogrożenie (**of the finger** palcem)

wag² [wæg] *s* żartowniś; dowcipniś; *pot* kawalarz ‖ **to play (the) ~** chodzić na wagary; wagarować

wage¹ [weidʒ] *s* 1. *zw pl* **~s** zarobek, zarobki; płaca; zapłata; **to get <earn> good ~s** dobrze zarabiać; **at a ~ of £2 a week** za 2 funty <za zapłatą 2 funtów> tygodniowo; **a living ~** minimum egzystencji; **~ labour** praca najemna; **a fair day's work for a fair day's ~** jaka praca, taka płaca 2. *przen* zapłata 3. *przen* cena

wage² [weidʒ] *vt* prowadzić <toczyć> (wojnę); **to ~ war with sb, sth** wojować <walczyć> z kimś, czymś

wage-cut ['weidʒ,kʌt] *s* obniżka płac

wage-earner ['weidʒ,ə:nə] *s* 1. (człowiek) zarobkujący; najemnik 2. żywiciel rodziny

wage-earning ['weidʒ,ə:niŋ] *adj* zarobkujący

wage-fund ['weidʒ,fʌnd] *s* fundusz płac

wager ['weidʒə] Ⅰ *s* zakład; **to lay <make> a ~** pójść/iść o zakład; *hist* **~ of battle** sądy boże polegające na poddaniu stron próbie pojedynku; **~ of law = compurgation** Ⅲ *vt* za-łożyć/kładać się (**sth** o coś) Ⅲ *vi* pójść/iść o zakład <za-łożyć/kładać się> (**that** _ że ...)

wage(s)-sheet ['weidʒ(iz),ʃi:t] *s* lista płac

wage-work ['weidʒ,wə:k] *s* praca najemna

waggery ['wægəri] *s* żarty, dowcipy; *pot* kawały; **a piece of ~** żart, dowcip; *pot* kawał

waggish ['wægiʃ] *adj* 1. żartobliwy; zabawny; komiczny 2. kpiarski; drwiący

waggishness ['wægiʃnis] *s* 1. żartobliwość; 2. kpiarskie <drwiące> usposobienie

waggle ['wægl] Ⅰ *vt* poruszać <machać, kiwać, potrząsać> (**sth** czymś) Ⅲ *vi* poruszać <kiwać> się

waggly ['wægli] *adj* 1. (*o ścieżce itd*) wijący się, kręty 2. (*o meblu itd*) kiwający się

wag(g)on ['wægən] *s* 1. fura; wóz <platforma> (do przewożenia towarów); furgon; **ambulance ~** (dawny) ambulans; **station ~** samochód osobowo-towarowy; *am pot* **to be on the water ~** być abstynentem; **to hitch one's ~ to a star** wysoko mierzyć; mieć wysokie aspiracje 2. *kolej* platforma 3. *wojsk* jaszcz 4. wagonik; *górn* wóz kopalniany 5. *am pot* (*także* **police <patrol> ~**) samochód <wóz> policyjny (dla więźniów)

wag(g)onage ['wægənidʒ] *s* 1. przewóz furą <wozem, furgonem> 2. opłata za przewóz furą <wozem, furgonem> 3. *zbior* grupa fur <wozów, furgonów, wagonów>

wag(g)oner ['wægənə] *s* 1. furman; woźnica 2. *astr* **the Wag(g)oner** Woźnica

wag(g)onette [,wægə'net] *s* brek (wóz osobowy z bocznymi ławkami)

Wagnerian [va:g'niəriən] *adj* wagnerowski

↟**wagon, wagonage, wagoner, wagonette** *zob* **waggon, waggonage, waggoner, waggonette**

wagon-lit ['vægõ'li:] *s* wagon sypialny

wagtail ['wæg,teil] *s zoo* pliszka

waif [weif] *s* 1. rzecz niczyja; przedmiot bezpański 2. zabłąkane zwierzę <bydlę> 3. porzucone dziecko; **~s and strays** porzucone <bezdomne> dzieci 4. rozbitek życiowy; wykolejeniec

wail [weil] Ⅰ *vi* zawodzić; jęczeć; lamentować; płakać; (*o noworodku*) kwilić Ⅲ *vt* opłakiwać; lamentować (**sth nad** czymś) *zob* **wailing** Ⅲ *s* zawodzenie; lament; płacz; kwilenie (noworodka)

wailing ['weiliŋ] Ⅰ *zob* **wail** *v* Ⅲ *s* = **wail** *s*; **the Wailing Wall** ściana płaczu

wailful ['weilful] *adj poet* płaczliwy

wain [wein] † *s poet* wóz; fura; *astr* **Charles's Wain** Wielki Wóz

wainscot ['weinskət] Ⅰ *s* boazeria; okładzina drewniana ściany Ⅲ *vt* wy-łożyć/kładać boazerią <okładziną drewnianą> *zob* **wainscot(t)ing**

wainscot(t)ing ['weinskətiŋ] Ⅰ *zob* **wainscot** *v* Ⅲ *s* boazeria; okładzina drewniana ściany

↟**waist** [weist] *s* 1. talia, pas, stan, kibić; **to have a large <small> ~** być grubym <cienkim> w pasie; (*o sukni itd*) **to have a long <short> ~** mieć długi <krótki> stan; **to have no ~** być tęgim; **to put one's arm round sb's ~** objąć kogoś w pasie; **up <down> to the ~** po pas 2. *am* stanik 3. *mar* śródokręcie 4. zwężenie; *muz* boczne wcięcie pudła rezonansowego (skrzypiec)

waist-band ['weist,bænd] *s* pas (u spódnicy)

waist-belt ['weist,belt] *s wojsk* pas (do szpady)

waistcoat ['weis,kout] *s* kamizelka; **strait ~** kaftan bezpieczeństwa

waist-deep ['weist'di:p], **waist-high** ['weist'hai] *adj adv* po pas

wait [weit] Ⅰ *vi* 1. za/czekać <po/czekać> (**for sb, sth** na kogoś, coś; **till sth happens** aż się coś stanie); oczekiwać (**for sb, sth** kogoś, czegoś); wyczekiwać; **~ a moment <pot a bit>** zaczekać <zaczekaj/cie> chwilkę; zaraz!; chwileczkę!; **to**

keep sb <people> ~ing, to make sb <people> ~, to be ~ed for kazać na siebie czekać; nie być punktualnym; *handl* while you ~ na poczekaniu; to ~ and see czekać cierpliwie; nie śpieszyć się; I can't <he couldn't etc.> ~ to leave <know etc.> nie mogę <on nie mógł itd.> się doczekać wyjazdu <wiadomości itd.>; nie mogę <on nie mógł itd.> doczekać się kiedy wyj-adę/edzie <dowiem, dowie się itd.>; this will have to ~ z tym trzeba będzie poczekać; this can ~ na to będzie jeszcze czas; we have a week <month etc.> to ~ to jeszcze potrwa tydzień <miesiąc itd.> 2. czyhać <czatować, czaić się, dybać> (for sb, sth na kogoś, coś) 3. obsłu-żyć/giwać (on sb kogoś); usłu-żyć/giwać (on sb komuś; at table przy stole); złożyć/składać swoje uszanowanie (on sb komuś); sta-nąć/wać do dyspozycji (on a superior etc. przełożonego itd.) 4. *sport* czekać z wyprzedzeniem (on a competitor współzawodnika) 5. być następstwem (on an evil deed etc. złego czynu itd.) ⒣ *vt* czekać (one's opportunity, a signal etc. na sposobność, sygnał itd. <dogodnej sposobności, sygnału itd.>); to ~ sb's convenience czekać, aż komuś będzie dogodnie; dostosow-ać/ywać się do kogoś <do czyichś życzeń>; to ~ a meal for sb czekać na kogoś z posiłkiem; don't ~ dinner for me nie czekaj/cie na mnie z obiadem <kolacją>

~ about <am around> *vi* trzymać się w pobliżu na wszelki wypadek; nie oddalać się; być w pogotowiu

~ up *vi* czuwać <nie kłaść się spać> (for sb dopóki ktoś nie przyjdzie <nie przyjedzie>) *zob* **waiting** ⒣ *s* 1. *pl* ~s *hist* orkiestra miejska 2. *pl* ~s *hist* kolędnicy 3. czekanie; we had a long ~ for the boat długo czekaliśmy na statek; there's 10 minutes' ~ mamy 10 minut (do następnego pociągu itd.) 4. zasadzka; czaty; to lie in ~ <lay · ~> for sb, sth czatować <czyhać, czaić się> na kogoś, coś; urządzić komuś zasadzkę

wait-a-bit ['weit-ə,bit] *s bot* czepota (południowo-afrykański krzew ciernisty)

wait-and-see ['weit-ənd,si:] *attr w zwrocie*: ~ policy polityka wyczekiwania

waiter ['weitə] *s* 1. (człowiek) czekający 2. kelner 3. taca

waiting ['weitiŋ] ⒤ *zob* **wait** *v* ⒣ *s* 1. czekanie; wyczekiwanie; a ~ attitude stanowisko wyczekujące; to play the ~ game zaj-ąć/mować stanowisko wyczekujące; ~ list lista kandydatów 2. usługiwanie; Lord <Groom> in ~ pan należący do świty królewskiej

waiting-maid ['weitiŋ,meid] *s* (kobieta) obsługująca; pokojówka

waiting-room ['weitiŋ,rum] *s* poczekalnia

waitress ['weitris] *s* kelnerka

waive [weiv] *vt* 1. zrze-c/kać się <z/rezygnować> (sth z czegoś); zaniechać; odst-ąpić/ępować (sth od czegoś) 2. od-łożyć/kładać; odr-oczyć/aczać

waiver ['weivə] *s prawn* zrzeczenie się; zrezygnowanie (of a claim etc. z pretensji itd.)

wake¹ [weik] *v* (*praet* **woke** [wouk], **waked** [weikt], *pp* **waked**, **woken** ['woukən], **woke**) ⒤ *vi* 1. o/budzić się 2. (*o przyrodzie itd*) obudzić <ożywi-ć/ać> się 3. zmartwychwstać 4. †

nie spać ⒤ *vt* 1. o/budzić 2. pobudz-ić/ać; wzbudz-ić/ać (uczucia itd.) 3. wskrze-sić/szać (wspomnienia itd.); to ~ the dead wskrze-sić/szać martwych <zmarłych> 4. zakłóc-ić/ać (spokój itd.); to ~ echoes rozbrzmiewać 5. *irl* czuwać (a dead body przy zwłokach)

~ up ⒤ *vi* 1. o/budzić się; przebudzić się; ocknąć się; oprzytomnieć; one day he woke up to find himself famous pewnego dnia obudził się sławnym człowiekiem 2. ożywi-ć/ać się 3. uprzyt-omnić/amniać <uświad-omić/amiać> sobie (to sth coś); zda-ć/wać sobie sprawę (to sth z czegoś) ⒤ *vt* 1. o/budzić; z/budzić 2. *przen* rozruszać (kogoś); wyrwać z letargu

zob **waking** ⒤ *s* 1. rocznica poświęcenia kościoła 2. odpust i zabawy ludowe w rocznicę poświęcenia kościoła 3. *pl* ~s (*w płn Anglii*) doroczne święto 4. *irl* czuwanie przy zwłokach

wake² [weik] *s mar* kilwater; ślad statku; *przen* ślad (wielkiego człowieka, doniosłych wypadków — wojny, epidemii itd.); to follow in sb's ~ iść czyimś śladem <w czyjeś ślady>; to follow in the ~ of sth towarzyszyć czemuś (wojnie, katastrofie itd.)

wakeful ['weikful] *adj* 1. (*o człowieku*) czuwający; to be ~ nie spać 2. (*o nocy*) bezsenny 3. (*o człowieku itd*) czujny

wakefulness ['weikfulnis] *s* 1. bezsenność 2. czuwanie 3. czujność

waken ['weikən] ⒤ *vi* 1. o/budzić się 2. ożywi-ć/ać się ⒤ *vt* 1. o/budzić 2. wzbudz-ić/ać (uczucia itd.) 3. wskrze-sić/szać (z martwych)

wakener ['weikənə] *s* 1. człowiek budzący innych ze snu 2. *pot* szturchaniec 3. *pot* wielka niespodzianka

waker ['weikə] *s* (*o człowieku*) *w zwrocie*: an early ~ ranny ptaszek

wake-robin ['weik,robin] *s bot* obrazki plamiste

waking ['weikiŋ] ⒤ *zob* **wake** *v* ⒤ *adj* (będący) na jawie ⒤ *s* czuwanie; ~ hours godziny czuwania <bezsenne>; ~ dream sen na jawie

Walachian [wɔ'leikjən] = **Wallachian**

wale [weil], **weal** [wi:l] ⒤ *s* 1. pręga (na ciele od uderzenia batem) 2. *tekst* krajka 3. *mar* wręga ⒤ *vt* 1. z/robić pręg-ę/i (sb's body na czyimś ciele) 2. *wojsk* opl-eść/atać chrustem

wale-knot ['weil,nɔt] = **wall-knot**

Waler ['weilə] *s* nazwa rasy koni importowanych z płd. Australii dla armii indyjskiej

walk [wɔ:k] ⒤ *vi* 1. chodzić; kroczyć 2. pójść/iść, chodzić piechotą <pieszo>; robić wycieczki piesze; prze-jść/chadzać się; spacerować 3. † żyć (skromnie, uczciwie itd.) 4. jechać stępa; (*o koniu*) iść stępa 5. (*o duchu, zjawie*) ukazywać się 6. *z przyimkami*: to ~ down; to ~ down a hill <the stairs etc.> zejść/schodzić z góry <ze schodów itd.>; to ~ into; to ~ into a room wejść/wchodzić do pokoju; *pot* to ~ into sb a) natknąć się na kogoś b) z/rugać kogoś; to ~ into one's food nap-chać/ychać się; to ~ over; to ~ over sth chodzić <przejść się> po czymś; to ~ round; to ~ round sb, sth ob-ejść/chodzić kogoś, coś dookoła; to ~ through; to ~ through a forest prze-jść/chodzić przez las; to ~ up; to ~ up a hill wejść/wchodzić, iść <wspi-ąć/nać się> na górę; to ~ up the stairs wy-jść/chodzić, iść na górę (po schodach <schodami>) ⃞ *vt* 1. chodzić *<pot* łazić *>* (sth po czymś); **to ~ the boards** występować na scenie; **to ~ the plank** (pod groźbą rewolwerów) iść z zawiązanymi oczami po desce za burtę; **to ~ the streets** a) prze-jść/chadzać się ulicami miasta b) *(o kobiecie)* wystawać pod latarniami; **to ~ the hospitals** studiować medycynę; **to ~ the chalk** prze-jść/chodzić po kresce na dowód trzeźwości 2. kazać chodzić (sb komuś); **to ~ sb off his legs** z/męczyć <z/mordować> kogoś marszem 3. po/prowadzić (chorego konia za uzdę itd.); pu-ścić/szczać (konia) stępa 4. wziąć/ brać do tresowania **(a puppy** szczenię)

~ about *vi* prze-jść/chadzać się; spacerować

~ along *vi* iść (sobie) naprzód; iść przed siebie

~ away *vi* 1. od-ejść/chodzić 2. = **~ off** 2. 3. *(w wyścigu)* łatwo pobić **(from a competitor** przeciwnika); odn-ieść/osić łatwe zwycięstwo **(from a competitor** nad przeciwnikiem)

~ back *vi* wr-ócić/acać piechotą

~ down *vi* zejść/schodzić

~ in *vi* wejść/wchodzić; *(w napisie na drzwiach)* "**~ in**" „wejść/wchodzić bez pukania"

~ off ⃞ *vi* 1. od-ejść/chodzić; pójść/iść sobie 2. znik-nąć/ać *<pot* zwi-ać/ewać *>* **(with sth** z czymś — z ukradzionym przedmiotem); **to ~ off with sth** zab-rać/ierać coś ⃞ *vt* prze-jść/chadzać się **(one's anger** dla ochłonięcia z irytacji; **one's dinner** <supper> dla lepszego strawienia obiadu <kolacji>)

~ out *vi* 1. wy-jść/chodzić 2. *(o dziewczynie)* chodzić z młodym człowiekiem; **they used to ~ out** a) oni mieli się ku sobie b) (oni) chodzili ze sobą 3. *am (o robotnikach)* za-strajkować 4. *am* opu-ścić/szczać **(on sb** kogoś); **to ~ out on an actor in the middle of a performance** wy-jść/chodzić w środku czyjegoś występu 5. *polit* opu-ścić/szczać salę obrad

~ over *vi sport* wygr-ać/ywać walkowerem

~ through *vi* przejść/chodzić

~ up *vi* 1. wy-jść/chodzić na górę 2. pod-ejść/chodzić **(to sb** do kogoś); *(na jarmarku itd)* **~ up!** proszę (tu) bliżej!

zob **walking** ⃞ *s* 1. chód; **at a ~** stępa 2. krok spacerowy; **to move at a ~** iść/chodzić krokiem spacerowym; **he never goes beyond a ~** on się nigdy nie spieszy <nigdy nie przyspiesza kroku>; *sport* **to win in a ~** wygr-ać/ywać bez wysiłku *<pot* śpiewająco> 3. przechadzka; spacer; **to go for** <have, take> **a ~** prze-jść/chadzać się; pójść/iść na przechadzkę 4. odległość przebyta pieszo; marsz; **it's ten minutes' ~ from here** to jest dziesięć minut drogi piechotą <marszu> stąd; **ten miles is a good ~** dziesięć mil, to ładny spacer <to spory kawał drogi> 5. aleja; deptak; promenada; dróżka; ścieżka 6. dziedzina; sfera społeczna; **~ of life** zawód; zajęcie; zatrudnienie 7. rejon; obwód; rewir 8. wygon; wybieg (dla kur itd.)

walk-away ['wɔːkəˌwei] *s sport* łatwe zwycięstwo

walker[1] ['wɔːkə] *s* 1. piechur; miłośnik wycieczek pieszych; **to be a good** <poor> **~** dobrze <sła-

bo> chodzić; mieć dobre <kiepskie> nogi 2. *zoo* ptak biegający

walker[2] ['wɔːkə] *interj wyraża niedowierzanie*: niemożliwe!; to kawał!

walkie-talkie, walky-talky ['wɔːkiˈtɔːki] *s radio* przenośny <walizkowy> aparat nadawczo-odbiorczy

walking ['wɔːkiŋ] ⃞ *zob* **walk** *v* ⃞ *adj* chodzący; wędrowny; *wojsk (o żołnierzu, rannym)* zdolny do odbycia marszu; **a ~ encyclopaedia** chodząca encyklopedia; **~ delegate** delegat <przedstawiciel> związku zawodowego (odwiedzający chorych kolegów, odbywający wywiady w zakładach pracy itd.); *teatr* **~ gentleman** <lady> statysta <statystka> ⃞ *s* chodzenie; marsz; wycieczki piesze; **an hour's ~ distance** godzina drogi piechotą <marszu>; **it is within ~ distance** można tam zajść pieszo

walking-boots ['wɔːkiŋˌbuːts] *spl* buciki wycieczkowe <turystyczne>

walking-dress ['wɔːkiŋˌdres] *s* strój spacerowy

walking-fern ['wɔːkiŋˌfəːn] *s* południowoamerykańska odmiana paproci

walking-leaf ['wɔːkiŋˌliːf] = **walking-fern**

walking-pace ['wɔːkiŋˌpeis] *s* tempo marszowe; **to drive at a ~** jechać stępa

walking-papers ['wɔːkiŋˌpeipəz] *spl am sl* wylanie z posady; **to get one's ~** zostać wylanym

walking-part ['wɔːkiŋˌpɑːt] = **walk-on**

walking-race ['wɔːkiŋˌreis] *s* wyścig marszowy

walking-stick ['wɔːkiŋˌstik] *s* laska

walking-ticket ['wɔːkiŋˌtikit] = **walking-papers**

walking-tour ['wɔːkiŋˌtuə] *s* wycieczka piesza

walk-mill ['wɔːkˌmil] *s* pilśniarka; folusz; maszyna do foluszowania

walk-on ['wɔːkˌɔn] *s teatr* rola statysty

walk-out ['wɔːkˈaut] *s am* strajk

walk-over ['wɔːkˈouvə] *s sport* walkower

walk-up ['wɔːkˌʌp] *attr am (o domu, mieszkaniu itd)* bez dźwigu <windy>

Walkyrie ['vælkiri] = **Valkyr**

wall [wɔːl] ⃞ *s* 1. ściana; mur; ścianka; przepierzenie; **to give sb the ~** ust-ąpić/ępować komuś z drogi; **to go to the ~** dozna-ć/wać niepowodzenia; pon-ieść/osić porażkę; zostać zepchniętym na bok; **to push** <drive> **sb to the ~** zepchnąć/spychać kogoś na bok; z/lekceważyć kogoś; zapędz-ić/ać kogoś w kozi róg; **to run one's head against a ~** przebijać głową mur; wyb-rać/ierać się z motyką na słońce; **to see through a brick ~** być jasnowidzem; **with one's back to the ~** przyparty do muru; **the weakest goes to the ~** na pochyłe drzewo i kozy łażą; **you might as well talk to a brick ~** gadaj do ściany 2. wał 3. *przen* **Wall Street** finansjera amerykańska ⃞ *attr* ścienny ⃞ *vt* zamurow-ać/ ywać

~ in *vt* 1. ot-oczyć/aczać murem 2. zamuro-w-ać/ywać (więźnia)

~ off *vt* odgr-odzić/adzać murem

~ up *vt* zamurow-ać/ywać (drzwi, okno itd.)

walla ['wɔlə] = **wallah**

wallaby ['wɔləbi] *s* 1. *zoo* ogólna nazwa dla mniejszych gatunków kangurów; **to be on the ~** **(track)** poszukiwać pracy <zajęcia> 2. *pot* Australijczyk

Wallachian [wɔˈleikjən] ① *adj* wołoski ③ *s* 1. Wołо-ch/szka 2. język wołoski

wallah [ˈwɔlə] *s* (*w Indiach*) człowiek; pracownik; służący; szef; *pot* facet; gość; **the ticket** ~ gość <facet> sprzedający bilety

wallaroo [ˌwɔləˈruː] *s zoo* ogólna nazwa dla gatunku większych kangurów

wallboard [ˈwɔlˌbɔːd] *s bud* ścienna płyta okładzinowa

wall-creeper [ˈwɔlˌkriːpə] *s zoo* pomurnik (ptak)

wall-cress [ˈwɔlˌkres] *s bot* gęsiówka

wallet [ˈwɔlit] *s* 1. torba (żebraka itd.); sakwa 2. kaletka (przy rowerze) 3. portfel; trzos, trzosik

wall-eye [ˈwɔːlˌai] *s med* zez rozbieżny

wall-fern [ˈwɔːlˌfəːn] *s bot* paprotka zwyczajna

wall-flower [ˈwɔːlˌflauə] *s* 1. *bot* lak wonny 2. *pot iron* (*na zabawie*) kobieta pietruszkująca <podpierająca ściany>

Walloon [wɔˈluːn] ① *adj* waloński ③ *s* 1. Walon/ka 2. dialekt waloński

wallop [ˈwɔləp] ① *vi pot* z/bić, po/bić; s/prać; wy/łoić skórę (**sb** komuś)˝ *zob* **walloping** ③ *s* mocne uderzenie; *pot* łupień; **to come down with a** ~ ciężko upaść

walloping [ˈwɔləpiŋ] ① *zob* **wallop** *v* ③ *adj pot* ogromny

wallow [ˈwɔlou] ① *vi* (*o zwierzęciu*) tarzać się (w błocie itd.); (*o człowieku*) tarzać się (w złocie, występku itd.); **to** ~ **in blood** pławić <nurzać> się we krwi ③ *s* miejsce kąpieli dzikich zwierząt

wall-painting [ˈwɔːlˌpeintiŋ] *s* malowidł-o/a ścienne; fresk; polichromia

wall-paper [ˈwɔːlˌpeipə] *s* tapeta, tapety

wall-pepper [ˈwɔːlˌpepə] *s bot* rozchodnik

wall-plate [ˈwɔːlˌpleit] *s bud* płatew

wall-rue [ˈwɔːlˌruː] *s bot* zanokcica murowa

Wallsend [ˈwɔːlzˌend] *spr attr* ~ **coal** gatunek węgla do użytku domowego

wall-tree [ˈwɔːlˌtriː] *s* drzewo wyprowadzone w szpaler

walnut [ˈwɔːlˌnʌt] ① *s* orzech włoski (drzewo i owoc); **over the** ~**s and wine** przy deserze ③ *attr* (*o meblach itd*) orzechowy

walnut-juice [ˈwɔːlnʌtˌdʒuːs] *s* sok orzecha włoskiego

walnut-stain [ˈwɔːlnʌtˌstein] *s* plamy od soku orzecha włoskiego

walnut-tree [ˈwɔːlnʌtˌtriː] *s bot* orzech włoski (drzewo)

Walpurgis-night [vælˈpuəgisˌnait] *s* noc Walpurgii (na 1-go maja)

walrus [ˈwɔːlrəs] *s zoo* mors; ~ **moustache** sumiasty wąs

waltz [wɔːls] ① *s* walc; **hesitation** ~ boston; walc angielski; **quick** ~ walc wiedeński ③ *vi* 1. za/tańczyć walca 2. skakać z radości (**round sb** dookoła kogoś); **to** ~ **in** <**out of**> **a room** wpa-ść/ dać do pokoju <wybie-c/gać z pokoju> w radosnych podskokach

wamble [ˈwɔmbl] ① *vi* 1. burczeć (w brzuchu) 2. chwiać się na nogach; zataczać się 3. przewracać się 4. kręcić się ③ *vt* 1. przewracać 2. kręcić (**sth** czymś) ⑭ *s* 1. burczenie (w brzuchu) 2. zataczanie się

wampee [ˈwɔmpiː] *s* drzewo rosnące w Indii i Chinach rodzące groniaste owoce

wampum [ˈwɔmpəm] *s* (*u Indian*) nanizane muszelki (środek płatniczy lub ozdoba)

wamus [ˈwɔməs] *s am* blezer; wdzianko

wan [wɔn] *adj* 1. (*o człowieku*) blady; mizerny; wyczerpany; omdlały 2. (*o świetle*) blady, nikły, słaby 3. (*o uśmiechu*) blady; omdlewający 4. † (*o nocy*) ciemny, czarny

wand [wɔnd] *s* 1. pręt; różdżka (czarodziejska oraz różdżkarza) 2. batuta <pałeczka> (dyrygenta); berło; buława; **Mercury's** ~ kaduceusz

wander [ˈwɔndə] ① *vi* 1. po/wędrować; włóczyć <tułać> się 2. za/błąkać się; zejść/schodzić z właściwej drogi 3. (*także* ~ **from the point** <**subject**>) odbie-c/gać od tematu; z/robić dygresj-ę/e 4. (*o oczach*) błądzić <przebiegać> (**over sth** po czymś); (*o myślach*) błądzić 5. (*o chorym*) majaczyć; bredzić; **to** ~ **in one's talk** mówić od rzeczy ③ *vt* przewędrow-ać/ywać <przebie-c/gać, przemierz-yć/ać> (kraj, świat itd.).

~ **about** *vi* iść/chodzić bez celu <gdzie oczy poniosą>; włóczyć się; przebywać na włóczędze

~ **away** *vi* zabłąkać się; oddal-ić/ać się; **to** ~ **from the point** <**subject**> odbie-c/gać od tematu; z/robić dygresj-ę/e

~ **in** *vi* wst-ąpić/ępować (niespodziewanie)

zob **wandering** ③ *s* wędrówka; przechadzka; spacer

wanderer [ˈwɔndərə] *s* 1. wędrownik; wędrowiec 2. tułacz 3. *przen* zbłąkana owieczka

↓**wandering** [ˈwɔndəriŋ] ① *zob* **wander** *v* ③ *adj* 1. wędrujący; wędrowny 2. tułaczy; **the Wandering Jew** Żyd wieczny tułacz 3. błąkający się; zabłąkany 4. (*o wzroku, myślach*) błędny 5. (*o człowieku*) majaczący 6. (*o mowie*) chaotyczny 7. *med* (*o narzędzie*) wędrujący ③ *s* 1. włóczęga; włóczenie <tułanie> się; wędrówka; *pl* ~**s** podróże, tułaczka 2. majaczenie <bredzenie> (chorego)

wanderlust [ˈvaːndəˌlust] *s* zamiłowanie do włóczęgi; mania podróżnicza

wane¹ [wein] ① *vi* 1. zmniejszać się; zanikać; niknąć; ubywać; być na schyłku; **the moon** ~**d** ubywało księżyca 2. (*o entuzjazmie, sile itd*) słabnąć; *przen* (*o czyjejś gwieździe, sławie*) blednąć; gasnąć; **his popularity is waning** on traci na popularności <traci popularność> ③ *s* zmniejszanie się; zanik; ubywanie; ubytek; schyłek; **to be on the** ~ = **to** ~ *vi*

wane² [wein] *s stol* oblina <oflis> (deski)

wangle [ˈwæŋgl] ① *vt sl* 1. wyszachrow-ać/ywać, wyłudz-ić/ać, wykręc-ić/ać, wy/kantować, fuksem dosta-ć/wać 2. s/fałszować (rachunki itd.) ③ *vi sl* oszukiwać; po/szachrować; o/kantować; po/ szwindlować ⑭ *s sl* oszukaństwo; szwindel; kant

wanness [ˈwɔnnis] *s* bladość; mizerny wygląd

want [wɔnt] ① *s* 1. brak; niedostatek; ~ **of care** zaniedbanie; niedopatrzenie; ~ **of food** niedożywienie; **for** ~ **of sth** z braku czegoś; **a long-felt** ~ długo odczuwany brak 2. potrzeba; **to be in** ~ **of** _ potrzebować <poszukiwać>... (kogoś, czegoś); wymagać... (naprawy itd.); odczuwać <cierpieć na> brak... (czegoś); **am** ~ **ad** drobne ogłoszenie (w gazecie) 3. *pl* ~**s** potrzeby; wymagania; **a man of few** ~**s** człowiek o skromnych wymaganiach; **to supply** <**minister to, attend to**> **sb's** ~**s** zaspok-oić/ajać czyjeś potrzeby; dbać o to, żeby komuś niczego nie zabrakło 4. bieda; nędza Ⅲ *vt* 1. wykaz-ać/ywać <odczu-ć/wać> brak (**sth** czegoś); wykaz-ać/ywać braki (**sth** w czymś); nie mieć <nie posiadać> (**sth** czegoś); he ~s judgment brak mu <on nie ma, nie posiada> trafnego <dobrego> sądu; **the work ~s (something) of perfection** tej pracy brakuje jeszcze czegoś do doskonałości 2. *bezosobowo* it ~s <~ed etc.> brakuje <brakowało itd.> (**sth** czegoś); **it ~s five minutes of the hour** brakuje pięć minut do pełnej godziny; **it ~s ten minutes of twelve (o'clock)** brakuje 10 minut do (godziny) 12-ej; **it still ~s a quarter of an hour till the departure of the train** brakuje kwadransa <jeszcze jest kwadrans> do odjazdu pociągu; **it ~ed an inch of the world record** brakowało jednego cala do (zdobycia) rekordu światowego 3. cierpieć braki <biedę>; **let him <he shall> ~ for nothing** niech nie cierpi żadnych braków; **he must not be allowed to ~ in his old age** nie wolno mu cierpieć niedostatku <biedy> na starość 4. potrzebować <odczuwać brak> (**sth** czegoś); **I ~ two <three etc.> more** jeszcze mi brakuje dwóch <trzech itd.>; **we ~ good advice** potrzebujemy <potrzeba, trzeba nam> dobrej rady; **the job ~s patience** do tej pracy trzeba mieć cierpliwości <mieć cierpliwość> 5. *wyraża powinność*: *pot* musieć; **you ~ to see a specialist** musisz iść do specjalisty; **the plants ~ watering** <**to be watered**> trzeba <musi się> podl-ać/ewać te rośliny; te rośliny powinny być podl-ane/ewane; **he ~s telling <to be told> what to do** trzeba <powinni, muszą> mu powiedzieć co ma robić 6. wymagać; **the exercise ~s correcting** <**to be corrected**> zadanie wymaga poprawek <poprawienia>; **the situation ~s careful handling** <**to be carefully handled**> sytuacja wymaga delikatnego <taktownego> załatwienia 7. chcieć <życzyć sobie> (**sth** czegoś); **to do sth** zrobić coś; **sth to be done** żeby coś zrobiono; żeby ktoś coś zrobił; **sb to do <sb doing> sth** żeby ktoś coś zrobił; **do you ~ me to do it?** czy chcesz, żebym ja to zrobił?; **I ~ him** on mi jest potrzebny; **to be ~ed** być potrzebnym; **I ~ this (to be) done to-day** chcę, żeby to było zrobione dzisiaj; **what does he ~ with me?** czego (on) chce ode mnie?; na co mu jestem potrzebny?; **what do you ~?** czego chcesz?; **what do you ~ from me?** czego chcesz <potrzebujesz> ode mnie?; **I don't ~ the children trampling my flower beds** nie życzę sobie żeby dzieci deptały moje grządki 8. (*o władzach itd, w ogłoszeniach*) poszukiwać <szukać> (kogoś); **he is ~ed by the police** policja go poszukuje; **~ed a gardener** poszukuje się ogrodnika 9. tęsknić (**sb, sth** za kimś, czymś); marzyć (**adventure etc.** o przygodach itd.) 10. pożądać (**a woman** kobiety) *zob* **wanting**

wantage ['wɔntidʒ] *s am* brak; braki; manko; deficyt

wanting ['wɔntiŋ] Ⅰ *zob* **want** *v* Ⅲ *adj praed* 1. brakujący; **to be ~** brakować; **two persons are ~ to make a quorum** dwóch osób brak <brakuje> do kworum; **precision is ~ in this work** praca ta pozbawiona jest dokładności <nie grzeszy dokładnością> 2. (*o kimś*) pozbawiony (**in sth** czegoś); **he is ~ in courtesy** <**intelligence etc.**>

brak mu grzeczności <rozumu itd.>; **he is not ~ in pertinacity** nie brak mu wytrzymałości; **to be found ~** nie wytrzym-ać/ywać próby; *przen* nie zda-ć/wać egzaminu 3. kiepski, niedokładny; niepełny; **~ to the occasion** nie na poziomie; **to be ~ to one's duty** nie spełniać należycie obowiązków 4. słaby na umyśle Ⅲ *praep* bez (czegoś); mniej (jeden, dwa itd.); przy braku (czegoś); **~ patience this cannot be done** bez <przy braku, jeżeli brakuje> cierpliwości, tej pracy nie można wykonać; (*w krykiecie*) **a century ~ one run** setka bez jednego punktu <mniej jeden punkt>

wanton ['wɔntən] Ⅰ *adj* 1. *poet* swawolny; psotny; figlarny; nieopanowany; (*o wietrze*) porywisty; kapryśny 2. rozwydrzony 3. obfity; (*o roślinności*) bujny; wybujały 4. (*ó kobiecie*) rozwiązła; rozpustna; lubieżna 5. (*o myślach*) sprośny; nieczysty 6. bezsensowny; niczym nie usprawiedliwiony; **~ insult** nie zawiniona <nie sprowokowana, nie zasłużona> obelga 7. złośliwy; zrobiony przez przekorę <na złość>; **~ destruction** rozmyślne zniszczenie Ⅲ *s* rozpustnica; *pot* lafirynda Ⅲ *vi* 1. na/psocić; figlować; za/bawić się 2. wybujać Ⅳ *vt* (*zw* **to ~ away**) roztrw-onić/aniać

wantonly ['wɔntənli] *adv* 1. swawolnie; psotnie; figlarnie; (zrobić coś) przez psotę <z figlów> 2. (rość) bujnie 3. lubieżnie; rozpustnie 4. (zrobić coś) niepotrzebnie <bez żadnego powodu, bez umotywowania, ze złości, na złość, przez przekorę>; (obrazić kogoś) niezasłużenie <nie będąc sprowokowanym>; **to be ~ cruel** uprawiać okrucieństwo dla okrucieństwa

wantonness ['wɔntənnis] *s* 1. *poet* swawola 2. rozwydrzenie 3. lubieżność; rozpusta 4. bezmyślność; **to do sth in sheer ~** zrobić coś na złość <z przekory, bez żadnego uzasadnienia, bezpodstawnie, bezsensownie>

wapentake ['wæpən,teik] *s hist* jednostka dawnego podziału administracyjnego hrabstwa

wapiti ['wɔpiti] *s zoo* jeleń kanadyjski

wappenshaw ['wɑːpən,ʃɔ:] *s szkoc* 1. *hist* inspekcja gotowości bojowej 2. zebranie strzeleckie

⧫war [wɔ:] Ⅰ *s* 1. wojna; **holy ~** krucjata; **private ~** zatarg rodzinny; wendeta; **Secretary (of State) for War** minister obrony narodowej <spraw wojskowych>; **~ of the elements** rozpętane żywioły; **~ to the knife** wojna na noże; **to be at ~** a) *dosł* prowadzić <toczyć> wojnę; wojować b) *przen* być na stopie wojennej (z kimś); *pot* **he has been in the ~s** dostało mu się; *przen* **to carry the ~ into the enemy's country** przen-ieść/osić wojnę na teren nieprzyjaciela; na napaść odpowiedzieć napaścią; przeciwoskarżać; **to declare ~ upon a nation** wypowi-edzieć/adać wojnę państwu; **to go to ~ against sb, sth** wszcz-ać/ynać kroki wojenne; **to make <wage> ~ against sb, sth** prowadzić <toczyć> wojnę z kimś, czymś; (*o rzemiośle, sztuce, prawach itd*) **of ~** wojenny 2. walka (**against disease etc.** z chorobami itd.) Ⅲ *attr* 1. wojenny; bojowy; **on a ~ footing** na stopie wojennej; **~ baby** nieślubne dziecko z czasów wojny; **~ insurance** zabezpieczenie od ryzyk wojennych 2. (*o ministerstwie itd*) Obrony Narodowej <Spraw Wojskowych>; **The War Office** <*am* **Department**> Ministerstwo

Obrony Narodowej; Ministerstwo Spraw Wojskowych; **War Secretary** minister spraw wojskowych Ⅲ *vi* (**-rr-**) wojować; po/prowadzić <toczyć> wojnę (**against sth** z czymś)
~ **down** *vt* pokon-ać/ywać
zob **warring**

war-axe ['wɔːr‚æks] *s hist* topór wojenny

war-balloon ['wɔː-bə‚luːn] *s* balon obserwacyjny

warble[1] ['wɔːbl] Ⅰ *vi* 1. za/szczebiotać; za/ćwierkać; za/świergotać; wywodzić trele; (*o skowronku itd*) za/śpiewać 2. (*o człowieku*) za/śpiewać gruchającym głosem 3. *am* jodlować Ⅲ *vt* za/gruchać <za/śpiewać> coś Ⅲ *s* 1. szczebiot; świergot; ćwierkanie; trele; śpiew (ptaków) 2. *przen* gruchanie (człowieka); **to speak in a ~** gruchać

warble[2] ['wɔːbl] *s* guz (na grzbiecie końskim od siodła lub od larwy gza)

warble-fly ['wɔːbl'flai] *s zoo* giez

warbler ['wɔːblə] *s* ogólna nazwa dla wielu ptaków śpiewających z rodzaju gajówek

war-cloud ['wɔː‚klaud] *s* groźba wojny; *przen* chmury wojenne

war-correspondent ['wɔː-kɔris‚pɔndənt] *s* korespondent wojenny

war-cry ['wɔː‚krai] *s* okrzyk bojowy

↓**ward** [wɔːd] Ⅰ *vt* 1. *†* chronić (**from sth** przed czymś); mieć w swej opiece 2. umie-ścić/szczać (w sali szpitalnej, w przytułku itd.)
~ **off** *vt* 1. odwr-ócić/acać (cios, niebezpieczeństwo) 2. odparow-ać/ywać (cios)
Ⅲ *s* 1. *†* czuwanie; *obecnie w zwrocie*: **to keep watch and ~** stać na straży; czuwać 2. *†* odparow-anie/ywanie (ciosu) 3. *†* kuratela 4. osoba znajdująca się pod kuratelą 5. dzielnica <okręg> (miasta) 6. (*w szpitalu*) sala; oddział; **isolation ~** oddział dla chorób zakaźnych; separatka; izolatka 7. (*w więzieniu*) cela 8. (*w przytułku*) sala; (*w przytułku*) **casual ~** sala dla ludzi przygodnie nocujących 9. *pl* ~**s** (*w zamku*) rejestr; zastawka 10. (*u bródki klucza*) zęby

warden[1] ['wɔːdn] *s* 1. *†* wartownik 2. członek cywilnej obrony przeciwlotniczej 3. (*w różnych tytułach i instytucjach*) dyrektor; przełożony; opiekun; nadzorca; inspektor; konserwator; kustosz 4. *am* (*także* **game-~**) gajowy

warden[2] ['wɔːdn] *s* zimowa gruszka kompotowa

warder ['wɔːdə] *s* 1. *†* wartownik 2. strażnik więzienny 3. *hist* berło; buława

Wardour ['wɔːdə] *spr* ~ **Street** ulica londyńska słynąca z licznych antykwariatów; ~ **Street English** pretensjonalna angielszczyzna naszpikowana archaizmami (u pisarzy powieści historycznych)

wardress ['wɔːrdris] *s* strażniczka więzienna

wardrobe ['wɔːd‚roub] *s* 1. szafa (na ubrania) 2. garderoba; odzież; ~ **dealer** komisowy sklep z odzieżą; ~ **trunk** szafowy kufer na ubrania

ward-room ['wɔːd‚rum] *s* (*na okręcie wojennym*) kwatery starszych oficerów

wardship ['wɔːdʃip] *s* kuratela; **to have the ~ of a person** mieć kogoś pod kuratelą

ware[1] [wɛə] *s* 1. towar; wyrób; *zbior* wyroby 2. *tłumaczy się w zależności od określającego wyrazu*: **Wedgwood** ~ porcelana z Wedgwood; **Tunbridge** ~ inkrustacja z Tunbridge; **Japan** ~

wyroby z laki; **toilet** ~ artykuły toaletowe 3. *pl* ~**s** towary

ware[2] [wɛə] *adj praed* ostrożny

ware[3] [wɛə] *vt ostrzegawczo w trybie rozkazującym*: uwaga!; wystrzegaj <strzeż> się (**sb, sth** kogoś, czegoś)!

warehouse ['wɛə‚haus] Ⅰ *s* (*pl* **warehouses** ['wɛə‚hauziz]) 1. magazyn; skład; dom składowy; **bonded ~** magazyn <skład> celny 2. dom towarowy Ⅲ *vt* ['wɛə‚hauz] z/magazynować; składować; przechow-ać/ywać na składzie

warehouseman ['wɛə‚hausmən] *s* (*pl* **warehousemen** ['wɛə‚hausmən]) 1. składownik; właściciel <kierownik> składu 2. magazynier

warfare ['wɔː‚fɛə] *s* wojna (jako akcja wojenna); działania wojenne

warfaring ['wɔː‚fɛəriŋ] *adj* wojujący

war-game ['wɔː‚geim] *s wojsk* gra wojenna

war-head ['wɔː‚hed] *s* ostry nabój (w głowicy torpedy, rakiety itd.)

war-horse ['wɔː‚hɔːs] *s* 1. *†* rumak 2. *przen* (człowiek) weteran

wariness ['wɛə‚rinis] *s* ostrożność

warlike ['wɔː‚laik] *adj* 1. (*o czynach itd*) wojenny 2. (*o usposobieniu itd*) wojowniczy

warlock ['wɔːlɔk] *†* *s* magik; czarownik

war-lord ['wɔː‚lɔːd] *s* 1. dygnitarz wojskowy 2. wielki wojownik (tytuł nadany Wilhelmowi II oraz określenie generałów chińskich w czasie wojny domowej)

warm [wɔːm] Ⅰ *adj* 1. (*o temperaturze, odzieży, barwach itd*) ciepły; (*o pogodzie*) **it is ~** jest ciepło; **to get <grow> ~** a) (*o człowieku*) za/grzać się b) (*o pokoju itd*) ociepl-ić/ać się c) (*o człowieku, przedmiocie itd*) rozgrz-ać/ewać się d) (*o potrawie itd*) przygrz-ać/ewać się; **are you ~?** czy jest ci ciepło?; ~ **with** gorący napój z cukrem i alkoholem; **in ~ blood** w zdenerwowaniu; w rozdrażnieniu 2. (*o wielbicielu, temperamencie, sercu, oklaskach itd*) gorący; (*o stronniku*) entuzjastyczny; gorliwy 3. (*o przyjęciu, powitaniu, podziękowaniu itd*) serdeczny 4. podniecony <rozgrzany> (winem itd.); podochocony 5. (*o dyskusji itd*) ożywiony 6. (*o walce*) zawzięty 7. (*o pozycji bojowej itd*) niebezpieczny; groźny; **a ~ corner** niebezpieczne miejsce; **to make things ~ for sb** podrywać komuś grunt pod nogami; dokuczać komuś; zatruwać komuś życie; *pot* nie da-ć/wać komuś żyć 8. (*o dykteryjce itd*) słony; tłusty 9. (*o człowieku*) bogaty; *pot* z forsą 10. (*o pracy*) rozgrzewający; ~ **work** ciężkie zadanie 11. *myśl* (*o tropie*) świeży 12. (*w zabawach dziecinnych*) ciepły (bliski poszukiwanego przedmiotu) 13. (*o urzędniku*) zasiedziały (w instytucji) Ⅲ *vt* rozgrz-ać/ewać (**sb, sth, one's hands** kogoś, coś, sobie ręce); ogrz-ać/ewać (mieszkanie itd.); zagrz-ać/ewać <ociepl-ić/ać, podgrz-ać/ewać, przygrz-ać/ewać> (coś); **to ~ sb's ears** natrzeć komuś uszu; **to ~ sb's heart** u/cieszyć <u/radować> komuś serce; *przen* **to ~ sb's jacket** przetrzepać komuś skórę Ⅲ *vr* ~ **oneself** ogrz-ać/ewać <rozgrz-ać/ewać> się Ⅳ *vi* 1. ogrz-ać/ewać <podgrz-ać/ewać, przygrz-ać/ewać> się; (*o atmosferze itd*) ociepl-ić/ać się 2. ożywi-ć/ać się 3. poczuć sympatię (**to sb** do kogoś); polubić (**to sb, to one's work etc.** kogoś, swoją pracę itd.)

~ **up** ⑪ *vt* rozgrz-ać/ewać; ogrz-ać/ewać; podgrz-ać/ewać <odgrz-ać/ewać> (zupę itd.) ⑫ *vi* ożywi-ć/ać się; *przen* zapal-ić/ać się *zob* **warming** Ⅳ *s* 1. **British** ~ ciepły wełniany płaszcz 2. zagrzanie się; **to have a** ~ zagrzać się; **to give sth a** ~ ogrzać <przygrzać> coś

warm-blooded ['wɔ:m,blʌdid] *adj* 1. *zoo* ciepłokrwisty 2. (*o człowieku*) krewki

warmer ['wɔ:mə] *s* grzejnik; ogrzewacz

warm-hearted ['wɔ:m,ha:tid] *adj* (*o człowieku*) serdeczny; życzliwy; dobry; ludzki

warm-heartedness ['wɔ:m,ha:tidnis] *s* serdeczność; życzliwość; dobre serce

warming ['wɔ:miŋ] ⑪ *zob* **warm** *v* ⑫ *adj* rozgrzewający ⑫ *s* 1. grzanie; rozgrzewanie; ~ **cushion** poduszka elektryczna; ~ **device** grzejnik; ogrzewacz; ~ **up** ocieplenie 2. *pot* pucówka; kocówa; lanie

warming-pan ['wɔ:miŋ,pæn] *s* 1. ogrzewadło <szkandela> do ogrzewania pościeli 2. człowiek chwilowo piastujący urząd przeznaczony dla kogoś innego, zastępca

warmness ['wɔ:mnis] = **warmth**

war-monger ['wɔ:,mʌŋgə] *s* podżegacz wojenny

war-mongering ['wɔ:,mʌŋgəriŋ] *s* podżeganie do wojny; propaganda wojenna

warmth [wɔ:mθ] *s* 1. ciepło (temperatury, barw itd.) 2. serdeczność 3. żywość (dyskusji itd.); uniesienie; zapał

warn [wɔ:n] *vt* 1. ostrze-c/gać (**sb of a danger etc.** kogoś przed niebezpieczeństwem itd.; **sb against sb, sth** kogoś przed kimś, czymś; **sb against doing** <not to do> **sth** kogoś przed zrobieniem czegoś); uprzedz-ić/ać (**sb of sth** kogoś o czymś); przestrze-c/gać (**sb against sb, sth** kogoś przed kimś, czymś; **sb against doing sth** <not to do sth> kogoś przed zrobieniem czegoś); udziel-ić/ać przestrogi (**sb** komuś); przypominać (**sb that** _ komuś, że...; **sb to do sth** komuś żeby coś zrobił); (*ostrzeżenie*) **you have been** ~**ed!** nie mów, żeś nie wiedział! 2. zapowiedzieć (**sb that** _ komuś, że...) 3. don-ieść/osić (**the police etc.** policji itd.) 4. wezwać/wzywać; zawezwać; za/alarmować

~ **off** *vt* dać sygnał (**sb** komuś) żeby nie szedł dalej *zob* **warning**

warner ['wɔ:nə] *s* 1. ostrzegacz; sygnalizator 2. *górn* wykrywacz (np. metanu)

warning ['wɔ:niŋ] ⑪ *zob* **warn** *v* ⑫ *adj* ostrzegawczy ⑫ *s* 1. ostrzeżenie; przestroga; uprzedz-enie/anie; znak ostrzegawczy; **danger** ~ ostrzeżenie przed niebezpieczeństwem; ~ **device** urządzenie ostrzegawcze; **to do sth without** ~ zrobić coś bez uprzedzenia <nie uprzedzając nikogo>; **to sound a note of** ~ za/dzwonić na alarm <na trwogę>; **without a moment's** ~ nagle; niespodziewanie; znienacka; **you should take** ~ **from it** niech to będzie dla ciebie przestrogą 2. wypowiedzenie (posady, dzierżawy itd.); **to give a month's** ~ wypowi-edzieć/adać na miesiąc naprzód 3. doniesienie (do policji itd.)

▲**warp** [wɔ:p] ⑪ *vt* 1. s/paczyć (deskę itd.); wykrzywi-ć/ać; wygi-ąć/nać; przegi-ąć/nać 2. *przen* wypacz-yć/ać (czyjś charakter, sens zdania itd.) 3. *mar* przyholować <przyciąg-nąć/ać> (statek) 4. *roln* namul-ić/ać (glebę); użyźni-ć/ać (glebę)

przez namulenie 5. *tekst* wy/snuć osnowę (**a texture** tkaniny) ⑫ *vi* 1. s/paczyć <wykrzywi-ć/ać, wygi-ąć/nać, przegi-ąć/nać> się 2. *przen* wypacz-yć/ać się ⑫ *s* 1. *tekst* osnowa; ~ **threads** nici osnowy 2. *mar* lina holownicza 3. spaczenie (deski itd.) 4. *przen* wypaczenie (charakteru itd.) 5. perwersja 6. namuł

war-paint ['wɔ:,peint] *s* (*u Indian czerwonoskórych*) farba wojenna; *przen* strój galowy <uroczysty>

war-path ['wɔ:,pa:θ] *s* (*u Indian czerwonoskórych*) ścieżka wojenna; *przen* **to be on the** ~ a) wojować; prowadzić <toczyć> wojnę; zadzierać ze wszystkimi b) złościć się; być we wściekłym humorze <wojowniczo usposobionym>; **to go on the** ~ rozpocząć wojnę; podjąć kroki wojenne

war-plane ['wɔ:,plein] *s* samolot bojowy

warrant ['wɔrənt] ⑪ *vt* 1. usprawiedliwi-ć/ać; uzasadni-ć/ać; da-ć/wać podstawę (**sth do czegoś**) 2. za/gwarantować; po/ręczyć (**sth za coś**); zapewni-ć/ać; **I (will)** ~ **you** ręczę ci; zaręczam *zob* **warranted** ⑫ *s* 1. podstawa (**for sth do czegoś**); usprawiedliwienie; gwarancja; **...is my** ~ opieram się na... (kodeksie prawnym itd.); mam za sobą... (kodeks prawny itd.) 2. nakaz sądowy (aresztowania, rewizji, zapłaty, zajęcia); **a** ~ **is out against him** wydano nakaz aresztowania go 3. upoważnienie; pełnomocnictwo (**of attorney** procesowe) 4. kwit; dowód; *mar* warrant (dokowy) 5. *wojsk mar* patent oficerski

warrantable ['wɔrəntəbl] *adj* 1. dający się usprawiedliwić 2. *myśl* (*o jeleniu*) łowny

warranted ['wɔrəntid] ⑪ *zob* **warrant** *v* ⑫ *adj* gwarantowany; (*o towarze itd*) z gwarancją; ~ **pure** z gwarancją czystej jakości

warrantee ['wɔrən,ti:] *s* posiadacz gwarancji

warranter ['wɔrəntə] *s* gwarant; poręczyciel

warrant-officer [wɔrənt,ɔfisə] *s* podoficer z patentem (sierżant, bosman)

warrantor ['wɔrəntə] = **warranter**

warranty ['wɔrənti] *s* 1. usprawiedliwienie (**for sth** czegoś, dla czegoś); podstawa (**for sth do** czegoś) 2. gwarancja; poręka; rękojmia

warren ['wɔrən] *s* królikarnia; **they teem like rabbits in a** ~ to jest istne mrowisko ludzkie

warring ['wɔriŋ] ⑪ *zob* **war** *v* ⑫ *adj* 1. (*o państwach*) wojujący 2. (*o teoriach, żądaniach itd*) sprzeczny

warrior ['wɔriə] ⑪ *s* wojownik; żołnierz; **the Unknown Warrior** Nieznany Żołnierz; *zoo* ~ **ant** mrówka krwista ⑫ *attr* (*o szczepach pierwotnych*) wojowniczy

warship ['wɔ:,ʃip] *s* okręt wojenny

war-song ['wɔ:,sɔŋ] *s* pieśń <piosenka> wojenna

wart [wɔ:t] *s* 1. brodawka; kurzajka; **to paint sb with his** ~**s** odmalować kogoś wiernie <bez upiększeń> 2. *bot* narośl

war-time ['wɔ:,taim] ⑪ *s* okres wojenny; czasy wojenne ⑫ *attr* (*o wspomnieniach, przepisach, przeżyciach itd*) wojenny; z czasów wojny

wart-cress ['wɔ:t,kres] *s bot* wronóg właściwy

wart-hog ['wɔ:t,hɔg] *s zoo* guziec

wart-weed ['wɔ:t,wi:d], **wart-wort** ['wɔ:t,wə:t] *s bot* wilczomlecz

warty ['wɔ:ti] *adj* pokryty brodawkami

war-weary ['wɔ:,wiəri] *adj* zmęczony wojną

war-whoop ['wɔːˌhuːp] *s* okrzyk bojowy (Indian czerwonoskórych)

war-widow ['wɔːˌwidou] *s* wdowa wojenna <po poległym wojskowym>

war-worn ['wɔːˌwɔːn] *adj* (*o okolicy*) zniszczony przez działania wojenne

wary ['weəri] *adj* ostrożny; rozważny; przezorny; **to be ~ of** sth <of doing sth> wystrzegać się czegoś <zrobienia czegoś>

was *zob* be

▲**wash** [wɔʃ] Ⅰ *vt* 1. u/myć, umywać (**one's face, hands** etc. sobie twarz, ręce itd.); wy/myć; zmy-ć/wać; pomy-ć/wać; *med* przemy-ć/wać <przepłuk-ać/iwać> (ranę itd.); **to ~ clean** dokładnie umyć; *przen* **to ~ one's hands of** sth umywać ręce od czegoś 2. u/prać; przep-rać/ierać; **to ~ clean** dokładnie wyprać; *przen* **to ~ one's dirty linen at home** nie prać brudów publicznie 3. *rel* oczy-ścić/szczać (**sb of his sins** kogoś z grzechów) 4. zr-osić/aszać <zwilż-yć/ać> (rośliny itd.) 5. (*o rzece*) naw-odnić/adniać; przepływać (**a town, region** etc. przez miasto, okolicę itd.); (*o morzu*) oblewać (kraj itd.) 6. (*o fali*) uderzać (**against sth** o coś) 7. (*o prądzie, fali itd*) por-wać/ywać; podmy-ć/wać (brzeg itd.); zn-ieść/osić 8. płukać (rudę) 9. po/malować (farbami klejowymi); po/bielić 10. po/niklować <po/chromować, pozł-ocić/acać, posrebrz-yć/ać itd.> (metal) Ⅱ *vt* **~ oneself** u/myć się Ⅲ *vi* 1. u/myć się 2. u/prać (bieliznę) 3. (*o tkaninie*) prać się; nadawać się do prania; **it won't ~** a) *dosł* tego się nie pierze b) *przen* (*o opowiadaniu itd*) to nie wytrzyma krytyki; *pot* to nie chwyci 4. (*o falach*) przewalać <przelewać> się

~ away *vt* 1. zmy-ć/wać; spłuk-ać/iwać 2. por-wać/ywać; zab-rać/ierać

~ down *vt* 1. zmy-ć/wać 2. zapi-ć/jać (jedzenie czymś)

~ off Ⅰ *vt* zmy-ć/wać; odeprać Ⅲ *vi* znik-nąć/ać <zejść/schodzić> w praniu

~ out Ⅰ *vt* zmy-ć/wać; wypłuk-ać/iwać Ⅲ *vi* znik-nąć/ać <zejść/schodzić> w praniu *zob* **washed**

~ up Ⅰ *vt* 1. z/myć, zmywać (naczynia po posiłku) 2. (*o morzu*) wyrzuc-ić/ać na brzeg Ⅲ *vi* z/myć, zmywać naczynia (po posiłku) *zob* **washed, washing** Ⅲ *s* 1. mycie się: **to have a ~** umyć się; *giełd* **~ sale** *zob* **washing** *s* 7. 2. mycie; przemy-cie/wanie 3. pranie, przepierka; **to send one's linen to the ~** pos-łać/yłać bieliznę do prania <do pralni>; *przen* **to come out in the ~** okaz-ać/ywać się w praniu 4. pranie; bielizna, którą się pierze <świeżo wyprana> 5. przelewanie się fal morskich; kilwater, ślad wodny 6. namuł; aluwium; warstwa osadowa 7. pomyje; lura 8. *przen* kicz literacki 9. płyn kosmetyczny; lekarstwo <płyn> do płukania <do przemywania>; **mouth ~** woda do ust 10. bielenie; farba (nałożona pędzlem) 11. pozłótka; srebrzenie 12. zlewki; wypłuczyny; pomyje 13. lura 14. piasek złotodajny 15. *pot* bzdury, paplanina

washable ['wɔʃəbl] *adj* (*o tkaninie*) (nadający się) do prania

wash-basin ['wɔʃˌbeisn] *s* miednica; umywalka, umywalnia

wash-board ['wɔʃˌbɔːd] *s* tara pralnicza

wash-boiler ['wɔʃˌbɔilə] *s* kocioł do gotowania bielizny

wash-bowl ['wɔʃˌboul] *s* miednica; umywalka, umywalnia

wash-day ['wɔʃˌdei] = **washing day** *zob* **washing** *s* 3.

washed [wɔʃt] Ⅰ *zob* **wash** *v* Ⅲ *adj* **~ out** a) (*o kolorach tkaniny*) wyblakły; sprany b) *pot* (*o człowieku*) skonany, zmachany

washer[1] [wɔʃə] *s* 1. pomywacz/ka 2. płuczka 3. pralka mechaniczna 4. aparat do mycia naczyń

washer[2] ['wɔʃə] *s techn* podkładka; uszczelka

washerwoman ['wɔʃəˌwumən] *s* (*pl* **washerwomen** ['wɔʃəˌwimin]) praczka

wash-hand-stand ['wɔʃˌhændˌstænd] *s* umywalka

wash-house ['wɔʃˌhaus] *s* pralnia, zakład pralniczy

washing ['wɔʃiŋ] Ⅰ *zob* **wash** *v* Ⅲ *adj* (*o sukience, tkaninie itd*) (nadający się) do prania Ⅲ *s* 1. mycie; przemywanie; zmywanie; wymywanie; płukanie 2. pranie; **a little ~** przepierka; **to do one's ~** prać; **to take in ~** prać (cudzą bieliznę u siebie); brać bieliznę do prania 3. bielizna do uprania <w praniu, oddana do prania, (dopiero co) uprana, wyjęta z prania>; **~ day** dzień prania; **to-morrow is our ~ day** jutro mamy pranie; jutro pierzemy 4. *górn* płukanie (rudy itd.); wzbogacanie (węgla) 5. *pl* **~s** woda <roztwór> z przemycia 6. płuczyny, popłuczyny 7. *giełd* (*także* **wash sale**) pozorowana transakcja (w celu wywołania transakcji rzeczywistych) Ⅳ *attr* (*o sodzie itd*) do prania; **~ machine** pralka (elektryczna); **~ device** płuczka

washing-stand ['wɔʃiŋˌstænd] = **wash-stand**

wash-leather ['wɔʃˌleðə] *s* ircha; zamsz

wash-out ['wɔʃˌaut] Ⅰ *attr* (*o muszli klozetowej*) do spłukiwania Ⅲ *s* 1. spłuk-anie/iwanie 2. zapad-nięcie/anie się <podmy-cie/wanie> (terenu, toru kolejowego, nasypu itd.) 3. *sl* klapa; niepowodzenie <nieudanie się> (przedstawienia itd.); **it was a ~** była z tego klapa 4. człowiek prześladowany przez los; nieszczęśliwiec; pechowiec; **he is a ~** nic mu nie wychodzi; w niczym mu się nie wiedzie

wash-pot ['wɔʃˌpɔt] *s* 1. miednica 2. naczynie do cynowania <do pobielania>

wash-stand ['wɔʃˌstænd] *s* umywalka (mebel na miednicę z dzbanem)

wash-tub ['wɔʃˌtʌb] *s* balia

washwoman ['wɔʃˌwumən] *s* (*pl* **washwomen** ['wɔʃˌwimin]) = **washerwoman**

washy ['wɔʃi] *adj* 1. wodnisty; cienki; rzadki 2. (*o kolorze*) wyblakły; wypłowiały; spełznięty 3. (*o stylu itd*) nieudolny; mdły

wasn't ['wɔznt] = **was not**

wasp [wɔsp] *s zoo* osa; **a waist like a ~'s** talia jak u osy

wasp-bee ['wɔspˌbiː] *s zoo* pszczoła pasożytnicza

wasp-beetle ['wɔspˌbiːtl] *s zoo* kózka (chrząszcz)

wasp-fly ['wɔspˌflai] *s zoo* bryg (owad)

waspish ['wɔspiʃ] *adj* zły jak osa; zjadliwy; drażliwy

wasp-waist ['wɔspˌweist] *s* talia jak u osy

waspy ['wɔspi] *adj* 1. podobny do osy 2. (*o człowieku*) obraźliwy; drażliwy

wassail ['wɔseil] Ⅰ *s hist* 1. toast 2. specjalnie zaprawione piwo, którym wznoszono toasty 3.

biesiada; libacja; pohulanka Ⅲ *vi* † hulać; fetować

wast [wɔst] † *v* 2 *pers pl czasu* past *od*: to be

wastage ['weistidʒ] *s* 1. straty (materiałowe); wybrakowana produkcja, braki 2. odpadki 3. gruz; rumowisko 4. strata, ubytek 5. marnotrawstwo

↓**waste** [weist] ① *adj* 1. (*o okolicy, gruncie itd*) 1. pustynny 2. opustoszały; wyludniony; **to lay ~ s**/pustoszyć 3. nie uprawiony, leżący odłogiem 4. nieuprawny; nie nadający się do uprawy; **to lie ~** leżeć odłogiem; **~ land** a) nieuprawny grunt b) nie wykorzystan-y/e teren/y; odłóg; nieużytek 5. jałowy; płonny 6. wybrakowany; wysortowany 7. odpadkowy; **~ gas** a) spaliny b) strata gazu; **~ paper** a) makulatura b) papier wyrzucony do kosza; **~ product** odpady; **~ steam** a) para odlotowa <zużyta> b) strata pary; **~ stuff** odpadki; złom; **~ tonnage** tonaż nie wykorzystany; **~ water** ścieki Ⅲ *vt* 1. † s/pustoszyć 2. ze/psuć; z/niszczyć; doprowadz-ić/ać do ruiny <upadku>; ˙zapu-ścić/szczać (ogród, majątek itd.) 3. nie wykorzyst-ać/ywać 4. z/marnować; roz/trwonić; darmo s/tracić; **you are wasting your breath** szkoda słów 5. s/trawić (ciało itd.); wyczerp-ać/ywać; osłabi-ć/ać; wycieńcz-yć/ać Ⅲ *vi* 1. z/niszczeć; ze/psuć się; popa-ść/dać w ruinę; z/marnować się; darmo ubywać 2. (*także* **to ~ away**) słabnąć; marnieć; usychać; niknąć; ubywać na wadze; obumierać 3. † (*o czasie*) mijać Ⅳ *s* 1. pustynia; pustkowie 2. odłóg; nieużytek 3. bezmiar (wody) 4. zużycie; zużywanie (się); ubytek 5. odpadki; odpady 6. marnowanie; marnotrawstwo; roz/trwonienie; zapuszczenie (majątku itd.); strata; **a ~ of energy** stracony trud; **it is a ~ of time** to strata czasu; szkoda czasu; **to run** <go> **to ~** z/niszczyć się; ze/psuć się; z/marnować się; darmo ubywać 7. *geol* zwietrzelina

waste-basket ['weist‚baːskit] = **waste-paper-basket**

waste-book ['weist‚buk] *s księgow* księga memoriałowa

wasteful ['weistful] *adj* marnotrawny; rozrzutny

waste-gate ['weist‚geit] *s* zamknięcie spustu do odprowadzania wody z kanału spławnego

waste-heap ['weist‚hiːp] *s* hałda

waste-paper-basket [‚weist'peipə‚baːskit] *s* kosz na papiery <na śmieci>

waste-pipe ['weist‚paip] *s techn* 1. rura wylotowa 2. rura odpływowa 3. rura ściekowa

waster ['weistə] *s* 1. marnotrawca; niszczyciel 2. artykuł <towar> wybrakowany <wysortowany>; brak 3. *sl* skończony łobuz

wastrel ['weistrəl] *s* 1. = **waster** 3. 2. nicpoń; darmozjad 3. ulicznik

↓**watch** [wɔtʃ] *s* 1. † bezsenne godziny nocne 2. czuwanie; pilnowanie, dozór; stróżowanie; czaty; **to be on the ~** czatować; być czujnym; uważać; strzec się; **to be on the ~ for sth** wyglądać <oczekiwać, wyczekiwać> czegoś; **to keep ~ on** <over> **sth** stróżować przy czymś; dozorować czegoś; pilnować czegoś; **to keep a good ~** bacznie pilnować; pilnie strzec; **~ and ward** a) *dawniej*: dozór w dzień i w nocy b) *obecnie*: baczny dozór; **still ~es of the night** ciche godziny nocne; **Watch Committee** komitet porządku publicznego 3. *hist* strażnik; straż nocna 4. *mar* wachta (okres pełnienia służ-

by oraz część załogi pełniąca służbę) 5. zegarek Ⅲ *vi* 1. czuwać (w nocy) 2. oczekiwać <wyczekiwać, wyglądać> (**for sb, sth** kogoś, czegoś); czatować (**for sb na kogoś**); uważać, być przygotowanym (**for sth na coś**); być w pogotowiu; wystrzegać się (**for sth** czegoś) 3. po/pilnować (**over sb, sth** kogoś, czegoś); za/opiekować się (**over sb, sth** kimś, czymś); czuwać <rozt-oczyć/ aczać opiekę, pieczę> (**over sb, sth nad kimś**, czymś) Ⅲ *vt* 1. po/pilnować (**sb, sth** kogoś, czegoś); uważać (**sb, sth na kogoś, coś**); strzec (**sb, sth** kogoś, czegoś); *pot* mieć oko (**sb, sth na kogoś, coś**); nie tracić z oka <z oczu> (**sb, sth** kogoś, czegoś); **to ~ one's step** uważać; być ostrożnym; pilnować się; **a ~ed pot never boils** czekającemu czas się dłuży 2. obserwować; mieć pod obserwacją; inwigilować; szpiegować; **to ~ sb do sth** obserwować <uważać> jak ktoś coś robi 3. przyglądać się (**sb, sth** komuś, czemuś); patrzyć (**sb do sth** jak ktoś coś robi) 4. czekać <czatować> (**one's opportunity na dogodną sposobność**)

~ in *vi* przyglądać się programowi telewizyjnemu

~ out *vi* uważać; strzec się; **~ out!** uwaga!

watch-box ['wɔtʃ‚bɔks] *s* budka wartownicza

watch-bracelet ['wɔtʃ‚breislit] *s* pasek <bransoletka> do zegarka

watch-case ['wɔtʃ‚keis] *s* koperta zegarka

watch-chain ['wɔtʃ‚tʃein] *s* łańcuszek do zegarka

watch-dog ['wɔtʃ‚dɔg] *s* pies łańcuchowy <podwórzowy>

watcher ['wɔtʃə] *s* 1. stróż; dozorca 2. obserwator

watch-fire ['wɔtʃ‚faiə] *s* ognisko na biwaku

watchful ['wɔtʃful] *adj* 1. czujny; baczny; **to be ~** mieć się na baczności; **to be ~ of sb** mieć kogoś na oku; nie tracić kogoś z oka <z oczu>; **to be ~ of sth** pilnować czegoś 2. † (*o nocy*) bezsenny

watchfulness ['wɔtʃfulnis] *s* czujność

watch-glass ['wɔtʃ‚glaːs] *s* szkiełko do zegarka

watch-guard ['wɔtʃ‚gaːd] *s* łańcuszek do zegarka przy kamizelce

watch-house ['wɔtʃ‚haus] *s* 1. budka stróża nocnego 2. posterunek policji

watch-key ['wɔtʃ‚kiː] *s* kluczyk do nakręcania zegarka

watch-maker ['wɔtʃ‚meikə] *s* zegarmistrz

watch-making ['wɔtʃ‚maikiŋ] *s* zegarmistrzostwo

watchman ['wɔtʃmən] *s* (*pl* **watchmen** ['wɔtʃmən]) stróż

watch-night ['wɔtʃ‚nait] *s* nabożeństwo na zakończenie roku

watch-oil ['wɔtʃ‚oil] *s* oliwa do zegarków

watch-pocket ['wɔtʃ‚pɔkit] *s* kieszonka do zegarka <na zegarek>

watch-tower ['wɔtʃ‚tauə] *s* wieża strażnicza; strażnica

watchword ['wɔtʃ‚wəːd] *s* 1. *wojsk* hasło 2. hasło (partii itd.); slogan

↓**water** ['wɔtə] ① *s* 1. woda; *pl* **~s** wody (terytorialne itd.); **by ~** drogą wodną; **holy ~** święcona woda; **~ bewitched** *el* słaba herbata; lura b) woda z napojem alkoholowym; **Water Company** prywatne zakłady wodociągowe; **~s of forgetfulness** zapomnienie; niepamięć; **~ supply**

a) zapas wody b) wodociąg; **between wind and ~** (uderzyć) w czułe miejsce; (znajdować się) w czułym miejscu; **still ~s run deep** cicha woda brzegi rwie; nie daj się zwieść pozorom; **to be in hot ~** być w trudnym położeniu; **to be in smooth ~** posuwać się naprzód z łatwością <bez przeszkód, gładko>; **to get into hot ~** popaść w tarapaty; wpakować się w kabałę; **to hold ~** a) być szczelnym b) (o teorii itd) wytrzym-ać/ywać krytykę; zda-ć/wać egzamin; **to throw cold ~ on a plan** odradz-ić/ać wykonanie projektu; wykaz-ać/ywać wady projektu; **to throw one's bread upon the ~s** spełnić dobry uczynek nie licząc na wdzięczność; **in deep ~s** w tarapatach; w opałach; **under ~** pod wodą; zatopiony; (o terenie itd) zalany, zatopiony; **written in ~** nietrwały; prędko zapomniany 2. mocz; **to make <pass> ~** odda-ć/wać mocz; med **red ~** krwiomocz 3. ślina; **it brings ~ to the mouth** od tego ślinka napływa do ust 4. pl **~s** zdrój; wody lecznicze; **to drink the ~s** leczyć się w zdrojowisku 5. ocean; morze; jezioro; rzeka; **to cross the ~** przepłynąć ocean; **on this side of the ~** a) (w stosunku do Ameryki) po tej stronie oceanu; w Europie b) (w stosunku do mieszkańca miasta) po tej stronie <na tym brzegu> rzeki 6. pl **~s** fale 7. łzy 8. pływ morski; **high ~** przypływ; **low ~** odpływ 9. woda toaletowa; płyn leczniczy 10. woda <czystość> brylantu; **a blunder of the first ~** fatalny błąd; **a diamond of the first ~** brylant najczystszej wody; **a genius of the first ~** geniusz najwyższego rzędu; **a scoundrel of the first ~** skończony łajdak 11. fin rozwodnienie kapitału akcyjnego (towarzystwa — spółki) 12. † napój; **strong ~s** napoje alkoholowe <wyskokowe> 13. med **~ on the brain <in the head>** wodogłowie; **~ on the knee** wysięk w kolanie Ⅲ vt 1. polewać; po/kropić, skrapiać (ulice itd.); zr-osić/aszać 2. podl-ać/ewać (rośliny) 3. naw-odnić/adniać <zraszać> (okolicę) 4. rozw-odnić/adniać, rozcieńcz-yć/ać (płyn) wodą 5. na/poić (zwierzę itd.) 6. nabr-ać/ierać zapasu wody (**an engine, a ship** etc. do lokomotywy, do statku itd.) 7. morować (jedwab) 8. fin rozw-odnić/adniać (kapitał akcyjny) Ⅲ vi 1. (o oczach) łzawić 2. ślinić się; **my mouth ~s** ślinka idzie mi do ust; **to make sb's mouth ~** sprawi-ć/ać, że komuś ślinka idzie <napływa> do ust; **it makes my mouth ~** a) ślinka mi idzie na to b) od tego ślinka mi napływa do ust 3. (o lokomotywie, statku itd) wziąć/brać zapas wody 4. (o zwierzętach) iść/chodzić do wodopoju; pić

    ~ down vt 1. rozw-odnić/adniać, rozcieńcz-yć/ać (płyn) wodą; dol-ać/ewać wody (**sth** do czegoś) 2. osłabi-ć/ać (wrażenie itd.); przen s/tonować <z/retuszować> (prawdę itd.)

waterage ['wɔːtəridʒ] s 1. transport wodny 2. przewoźne na drogach wodnych; koszt transportu drogą wodną

water-anchor ['wɔtər,æŋkə] = **drag-anchor**

water-bailiff ['wɔːtə,beilif] s 1. hist poborca celny 2. dozorca zarybionych wód

water-bath ['wɔːtə,baːθ] s zbiornik z wrzącą wodą do utrzymywania potraw w gorącym stanie; bemar

water-bearing ['wɔːtə,beəriŋ] adj wodonośny

water-bed ['wɔːtə,bed] s gumowy materac napełniony wodą (przeciwdziałający odleżynom)

water-beetle ['wɔːtə,bitl] s owad wodny

water-bellows ['wɔːtə,belouz] spl techn dmuchawka hydrauliczna

water-biscuit ['wɔːtə,biskit] s suchar wodny

water-boatman ['wɔtə,boutmən] s zoo grzbietopławek

water-borne ['wɔːtə,bɔːn] adj 1. unoszący się na wodzie 2. (o towarze, wojskach itd) przewożony drogą wodną 3. (o chorobach) przenoszący się przez wodę (tyfus itd.)

water-bottle ['wɔtə,bɔtl] s 1. karafka 2. wojsk manierka

water-boy ['wɔtə,bɔi] s am nosiwoda <wodowóz> (brygady robotniczej)

water-brash ['wɔːtə,bræʃ] s med palenie w żołądku, zgaga

water-buck ['wɔːtə,bʌk] s zoo odmiana antylopy

water-buffalo ['wɔːtə,bʌfə,lou] s zoo indyjski bawół domowy

water-bug ['wɔːtə,bʌg] s owad wodny

water-but ['wɔːtə,bʌt] s zbiornik na deszczówkę

water-caltrop ['wɔːtə,kæltrɔp] s bot kotewka pospolita

water-carriage ['wɔːtə,kæridʒ] s transport wodny

water-carrier ['wɔːtə,kæriə] s 1. nosiwoda 2. wodowóz 3. astr the Water-Carrier Wodnik

water-cart ['wɔːtə,kaːt] s beczkowóz

water-cement ['wɔːtə-si,ment] s cement hydrauliczny

water-chestnut ['wɔːtə,tʃesnʌt] = **water-caltrop**

water-chute ['wɔːtə,ʃuːt] s 1. toboggan wodny; ześlizg w basenie kąpielowym 2. rynna wodna

water-clock ['wɔːtə,klɔk] s klepsydra wodna

water-closet ['wɔːtə,klɔzit] s ustęp <klozet> (ze spłukiwaną muszlą)

water-colour ['wɔːtə,kʌlə] s akwarela (farba i obraz); farba wodna; **in ~s** (malować) akwarel-ą/ami; **painter in ~s** = **water-colourist**

water-colourist ['wɔːtə,kʌlərist] s akwarelista

water-cooled ['wɔːtə,kuːld] adj techn chłodzony wodą

water-course ['wɔːtə,kɔːs] s strumień; potok; rzeka; kanał; droga spławna

water-cracker ['wɔːtə,krækə] = **water-biscuit**

water-crane ['wɔːtə,krein] s kolej żóraw wodny

water-cress ['wɔːtə,kres] s bot rukiew wodna

water-cure ['wɔːtə,kjuə] s leczenie wodą, hydroterapia, wodolecznictwo

water-diviner ['wɔːtə-di,vainə] s różdżkarz

water-dog ['wɔːtə,dɔg] s pies przyuczony do pływania <do aportowania z wody>

water-drinker ['wɔːtə,driŋkə] s abstynent

water-dropwort ['wɔːtə,drɔpwəːt] s bot kropidło wodne

water-engine ['wɔːtər,endʒin] s 1. silnik wodny 2. wyciąg wodny

waterfall ['wɔːtə,fɔːl] s wodospad; kaskada

water-fern ['wɔːtə,fəːn] s bot długosz królewski

water-finder ['wɔːtə,faində] s różdżkarz

water-fowl ['wɔːtə,faul] s 1. zbior ptactwo wodne 2. ptak wodny

water-gas ['wɔːtə,gæs] s gaz wodny

water-gate ['wɔːtə,geit] s śluza

water-gauge ['wɔːtə,geidʒ] s wodowskaz

water-glass ['wɔːtə͵glɑːs] *s* 1. = **water-clock** 2. akwarium 3. szkło wodne 4. = **water-gauge**

water-gruel ['wɔːtə͵gruəl] *s* kasza na wodzie

water-hammer ['wɔːtə͵hæmə] *s* 1. (*w instalacji wodociągowej*) uderzenie wodne 2. *techn* taran wodny

water-hemlock ['wɔːtə͵hemlɔk] *s bot* cykuta

water-hen ['wɔːtə͵hen] *s zoo* kurka wodna

water-hole ['wɔːtə͵houl] *s* kałuża w wyschniętym korycie rzecznym

water-ice ['wɔːtər͵ais] *s* korbet (napój chłodzący)

water-inch ['wɔːtər͵intʃ] *s* (*w hydraulice*) cal wodny

wateriness ['wɔːtərinis] *s* wodnistość

watering-can ['wɔːtəriŋ͵kæn] *s* polewaczka

watering-cart ['wɔːtəriŋ͵kɑːt] *s* beczkowóz

watering-place ['wɔːtəriŋ͵pleis] *s* 1. wodopój 2. kąpielisko nadmorskie 3. zdrojowisko

watering-pot ['wɔːtəriŋ͵pɔt] = **watering-can**

watering-trough ['wɔːtəriŋ͵trɔf] *s* koryto do pojenia koni

waterish ['wɔːtəriʃ] *adj* mokrawy

water-jacket ['wɔːtə͵dʒækit] *s techn* płaszcz wodny; koszulka wodna

water-junket ['wɔːtə͵dʒʌŋkit] = **sandpiper**

waterless ['wɔːtəlis] *adj* (*o okolicy*) bezwodny, pozbawiony wody

water-level ['wɔːtə͵levl] *s* powierzchnia wody; zwierciadło wody

water-lily ['wɔːtə͵lili] *s bot* 1. grzybień biały; lilia wodna 2. grążel żółty

water-line ['wɔːtə͵lain] *s mar* wodnica, linia wodna <zanurzenia statku>

water-logged ['wɔːtə͵lɔgd] *adj* 1. (*o statku*) pełen wody, zapełniony wodą 2. (*o klocu itd*) przepojony <nasiąknięty> wodą

Waterloo [͵wɔːtəˈluː] *spr przen* klęska; katastrofa; porażka; **to meet one's ~** ponieść druzgocącą klęskę

water-main ['wɔːtə͵mein] *s* magistrala wodna; magistralny przewód wodny

waterman ['wɔːtəmən] *s* (*pl* **watermen** ['wɔːtə mən]) 1. przewoźnik 2. wioślarz

watermanship ['wɔːtəmənʃip] *s* umiejętność <technika> posługiwania się <sterowania> łodzią wioślarską

watermark ['wɔːtə͵mɑːk] Ⅰ *s* 1. znak wodny (na papierze) 2. *mar* wodowskaz Ⅲ *vt* znaczyć (papier) znakiem wodnym

water-meadow ['wɔːtə͵medou] *s* łąka nawadniana

water-melon ['wɔːtə͵melən] *s bot* kawon, arbuz

water-meter ['wɔːtə͵miːtə] *s* wodomierz

water-milfoil ['wɔːtə͵milfoil] *s bot* wywłócznik kłosowy, orlan

water-mill ['wɔːtə͵mil] *s* młyn wodny

water-mocassin ['wɔːtə͵mɔkəsin] *s zoo* jadowity wąż południowych stanów Ameryki Północnej

water-motor ['wɔːtə͵moutə] *s* silnik wodny <hydrauliczny>

water-ouzel ['wɔːtər͵uːzl] *s zoo* pluszcz (ptak wodny)

water-parsley ['wɔːtə͵pɑːsli], **water-parsnip** ['wɔːtə ͵pɑːsnip] *s bot* marek

water-parting ['wɔːtə͵pɑːtiŋ] *s* dział wodny <wód>

water-pepper ['wɔːtə͵pepə] *s bot farm* pieprz wodny, rdest ostrogorzki

water-pillar ['wɔːtə͵pilə] = **water-crane**

water-pipe ['wɔːtə͵paip] *s* rura wodna <wodociągowa>, przewód wodny

water-plane[1] ['wɔːtə͵plein] *s* 1. *geol* zwierciadło wód gruntowych 2. *mar* płaszczyzna pływania

water-plane[2] ['wɔːtə͵plein] *s* wodnopłatowiec, hydroplan

water-polo ['wɔːtə͵poulou] *s sport* waterpolo, piłka wodna

water-power ['wɔːtə͵pauə] *s* energia <siła> wodna; zasoby energii wodnej; **~ plant** siłownia wodna

water-pox ['wɔːtə͵pɔks] *s med* ospa wietrzna

waterproof ['wɔːtə͵pruːf] Ⅰ *adj* 1. wodoszczelny 2. nieprzemakalny Ⅲ *s* 1. płaszcz nieprzemakalny 2. materiał <tkanina> nieprzemakaln-y/a Ⅲ *vt* 1. impregnować; na/gumować, powle-c/kać gumą 2. uszczelni-ć/ać; izolować

water-rail ['wɔːtə͵reil] *s zoo* wodnik (ptak)

water-ram ['wɔːtə͵ræm] *s techn* taran hydrauliczny

water-rat ['wɔːtə͵ræt] *s zoo* szczur wodny

water-rate ['wɔːtə͵reit] *s* opłata za zużycie wody wodociągowej

water-sapphire ['wɔːtə͵sæfaiə] *s miner* kordieryt

water-seal ['wɔːtə͵siːl] *s techn* syfon, zamknięcie wodne

watershed ['wɔːtə͵ʃed] *s* 1. dział wodny <wód>, wododział 2. zlewisko (rzek)

water-shoot ['wɔːtə͵ʃuːt] *s* rynna wodna; rura ściekowa

waterside ['wɔːtə͵said] Ⅰ *s* brzeg rzeki <jeziora, morza> Ⅲ *attr* nadbrzeżny; przybrzeżny

water-skin ['wɔːtə͵skin] *s* szawłok (wór skórzany)

water-softener ['wɔːtə͵sɔfnə] *s* środek do zmiękczania wody

water-soldier ['wɔːtə͵souldʒə] *s bot* osoka aloesowata, wodny oset

waterspout ['wɔːtə͵spaut] *s* 1. rynna odpływowa 2. *meteor* trąba wodna

water-supply ['wɔːtə-sə͵plai] *s* 1. zaopatrzenie (miasta) w wodę 2. sieć wodociągowa 3. zakład wodociągowy

water-table ['wɔːtə͵teibl] *s* 1. zwierciadło <poziom> wody gruntowej 2. *bud* okap

water-tank ['wɔːtə͵tæŋk] *s* zbiornik na wodę

water-tiger ['wɔːtə͵taigə] *s zoo* pływak (owad wodny)

water-tight ['wɔːtə͵tait] *adj* 1. wodoszczelny; nieprzemakalny; nieprzepuszczający wody; **~ compartment** komora wodoszczelna; *przen* **to keep in** <**to put into**> **~ compartments** po/szufladkować; dokładnie oddziel-ić/ać od siebie <rozgranicz-yć/ać> 2. (*o argumencie itd*) niezbity

water-tower ['wɔːtə͵tauə] *s* 1. wieża ciśnień 2. gaśnica ciśnieniowa

water-tube ['wɔːtə͵tjuːb] *attr techn* (*o kotle*) wodnorurkowy

water-vole ['wɔːtə͵voul] *s zoo* szczur wodny

water-wagon ['wɔːtə͵wægən] *s* beczkowóz; *żart* **to be on the ~** być abstynentem

water-wagtail ['wɔːtə͵wægteil] *s zoo* pliszka żałobna

water-wave ['wɔːtə͵weiv] Ⅰ *s* ondulacja wodna Ⅲ *vt* zrobić wodną ondulację

waterway ['wɔːtə͵wei] *s* 1. droga wodna; rzeka <kanał> spławn-a/y 2. *mar* ściek pokładowy

water-weed ['wɔːtə͵wiːd] *s bot* wodorost

water-wheel ['wɔːtə,wiːl] *s* koło wodne <młyńskie>

water-wings ['wɔːtə,wiŋz] *spl* pływaki (do nauki pływania)

waterworks ['wɔːtə,wəːks] *spl* (*także sing*) 1. zakład wodociągowy; wodociągi (miejskie itd.); *przen* **to turn on the** ~ rozpłakać się

water-worn ['wɔːtə,wɔːn] *adj* (*o głazie, kamieniu*) wygładzony przez wodę

water-wort ['wɔːtə,wəːt] *s bot* nawodnik okółkowy

watery ['wɔːtəri] *adj* 1. (*o zupie itd*) wodnisty; cienki; rzadki 2. (*o terenie*) wilgotny; podmokły 3. (*o oczach*) wilgotny; łzawiący; załzawiony 4. (*o pogodzie, chmurach, księżycu*) wróżący deszcz 5. (*o kolorach*) wyblakły 6. (*o rozmowie*) nudny; (*o opowiadaniu*) bez treści; rozwlekły

watt [wɔt] *s elektr* wat

wattage ['wɔtidʒ] *s* moc w watach

watt-hour ['wɔt,auə] *s* watogodzina; *techn* ~ **meter** licznik watogodzin

Watteau ['wɔtou] *spr attr w nazwie*: ~ **bodice** stanik z prostokątnym dekoltem i krótkimi rękawami

wattle[1] ['wɔtl] ꠃ *s* 1. pręt; witka; pręty <witki> (jako materiał do plecionek) 2. plecionka z prętów i witek; ~ **and daub** mur <ściana> z plecionki narzuconej tynkiem <glinką>; ~ **hut** lepianka 3. *bot* akacja australijska ꠃ *vt* 1. pleść (łozinę itd.) 2. ogr-odzić/adzać plecionką; ~**ed wall** mur <ściana> z plecionki narzuconej tynkiem <gliną>

wattle[2] ['wɔtl] *s* 1. (*u indyka*) korale; (*u drobiu*) dzwonki 2. (*u ryby*) wąsy

wattle-bark ['wɔtl,baːk] *s* kora akacji (garbnik)

wattled ['wɔtld] *adj* (*o ptaku*) z narośl-ą/ami

wattmeter ['wɔt,miːtə] *s elektr* watomierz

waul [wɔːl] *vi* 1. miauczeć 2. kwilić

▲**wave** [weiv] ꠃ *s* 1. *dosł i przen* fala; **a heat** <**cold**> ~ fala upału <zimnego powietrza, mrozu>; **in** ~**s** falami 2. *pl* ~**s** *poet* morze 3. falistość (włosów itd.); ondulacja 4. falowanie 5. szeroki gest <sygnał> (**of the hand** <**hat**> ręką <kapeluszem>) 6. przypływ (uczucia, entuzjazmu itd.) ꠃ *vi* 1. za/falować; za/kołysać się 2. powiewać 3. machać <wymachiwać> (**to sb with one's hat** <**stick etc.**> do kogoś kapeluszem <laską itd.>) 4. da-ć/wać sygnał ręką (**to sb to stop** <**go on etc.**> komuś żeby się zatrzymał <poszedł, pojechał dalej itd.>) 5. (*o włosach*) falować, układać się faliście ꠃ *vt* 1. za/machać (**one's hand** <**handkerchief, hat etc.**> **to sb** ręką <chusteczką, kapeluszem itd.> na kogoś <do kogoś>); **to** ~ **a welcome** <**farewell etc.**> **to sb** po/witać <po/żegnać> kogoś machaniem ręki 2. wymachiwać (**canes, umbrellas etc.** laskami, parasolami itd.) 3. za/ondulować <u/fryzować> (**sb's hair** komuś włosy); **I must get** <**have**> **my hair** ~**d** muszę zrobić sobie ondulację (u fryzjera)

   ~ **aside** *vt* 1. machnięciem ręki kazać odsunąć się na bok (**sb** komuś) 2. wyrazić/żać lekceważenie (**sth** czegoś) machnięciem ręki; **to** ~ **sth aside** machnąć ręką na znak, że coś jest niepotrzebne <nie zasługuje na uwagę itd.>

   (kogoś) <kazać odejść (**sb** komuś)>

   ~ **away** *vt* machnięciem ręki odprawi-ć/ać

~ **back** *vt* kiwnięciem ręki wezwać/wzywać (kogoś) z powrotem

~ **nearer** *vt* kiwnięciem ręki kazać się zbliżyć (**sb** komuś)

~ **on** *vt* machnięciem <machaniem> ręki kazać (**sb** komuś) iść <jechać> dalej

~ **off** *vt* = ~ **away**

zob **waving**

wave-band ['weiv,bænd] *s radio* zakres fal

wave-length ['weiv,leŋθ] *s radio* długość fali

wavelet ['weivlit] *s* falka, drobna fala

wavemeter ['weiv,miːtə] *s* falomierz

waver ['weivə] *vi* 1. zachwiać się 2. (*o płomieniu*) za/migotać 3. *przen* za/chwiać <za/wahać> się; być niezdecydowanym 4. *dosł i przen* załam-ać/ywać się

waverer ['weivərə] *s* człowiek niezdecydowany <chwiejny>

wavey ['weivi] = **wavy**[2]

waviness ['weivinis] *s* falistość

waving ['weiviŋ] *vi* 1. ꠃ *adj* falisty; sfalowany ꠃ *s* 1. falowanie 2. ondulowanie, fryzowanie; ~ **iron** żelazko <rurki> do fryzowania włosów

wavy[1] ['weivi] *adj* falisty; falujący; sfalowany; *techn* karbowany; ~ **line** linia wężykowata, wężyk; **Wavy Navy** ochotnicza rezerwa królewskiej marynarki wojennej

wavy[2] ['weivi] *s zoo* gęś śnieżna

▲**wax**[1] [wæks] ꠃ *s* 1. wosk; *miner* **earth** <**mineral**> ~ wosk ziemny, ozokeryt 2. woskowina (w uszach) 3. parafina ꠃ *attr* woskowy; z wosku; ~ **candle** świeca woskowa; ~ **doll** a) lalka z wosku b) *przen* (*o kobiecie*) malowana lalka <lala> ꠃ *vt* na/woskować

wax[2] [wæks] *vi* 1. (*o księżycu*) przybywać; **the moon is** ~**ing** księżyca przybywa 2. † *poet* sta-ć/wać <z/robić> się (grubym, starym, złym itd.)

wax[3] [wæks] *s sl* wściekłość, złość, pasja; **to be in a** ~ wściekać się; **to get into a** ~ zezłościć się; **to put sb into a** ~ roz/złościć kogoś

wax-berry ['wæks,beri] = **wax-myrtle**

wax-bill ['wæks,bil] *s zoo* tkacz (ptak)

wax-chandler ['wæks,tʃaːndlə] *s* 1. fabrykant świec 2. kupiec sprzedający świece

wax-cloth ['wæks,klɔθ] *s* cerata

waxen ['wæksən] *adj* 1. woskowy 2. (*o kolorze, bladości itd*) wosku

wax-light ['wæks,lait] *s* 1. świeca woskowa 2. światło świecy woskowej

wax-moth ['wæks,mɔθ] *s zoo* barciak woszczywiaczek

wax-myrtle ['wæks,məːtl] *s bot* woskownica

wax-palm ['wæks,paːm] *s bot* podźwiga andyjska

wax-paper ['wæks,peipə] *s* papier woskowany

wax-tree ['wæks,triː] *s bot* kalina hordowina

wax-wing ['wæks,wiŋ] *s zoo* jemiołuszka

waxwork ['wæks,wəːk] *s* 1. modelowanie w wosku 2. figura woskowa 3. *spl* ~**s** muzeum <gabinet> figur woskowych

waxy[1] ['wæksi] *adj* 1. woskowaty; *med* ~ **degeneration of the liver** degeneracja woskowa wątroby

waxy[2] ['wæksi] *adj sl* wkurzony; wściekły; zły

way [wei] ꠃ *s* 1. droga; trakt; szlak; **over** <**across**> **the** ~ po drugiej <tamtej> stronie drogi

<ulicy>; **covered** ~ pasaż; arkady; **nothing out of the** ~ nic nadzwyczajnego; nic szczególnego; **the** ~ **back** powrót; **the Way of the Cross** Droga Krzyżowa; ~ **in** wejście; wjazd; ~ **out** wyjście; **to ask the** ~ pytać się o drogę; **to find one's** ~ **to a place** trafić dokądś; **to go one's** ~ pójść/iść w swoją stronę <swoją drogą>; **to go the nearest** <**shortest**> ~ pójść/iść na skróty; **to go the** ~ **of all flesh** umrzeć; **to know one's** ~ **about** orientować się (w mieście itd.); **to lead the** ~ prowadzić; **to lose one's** ~ zabłądzić; zgubić się; **to put oneself out of the** ~ zada-ć/wać sobie dużo trudu; **to put oneself out of the** ~ **to be rude** silić się na grubiaństwo; przesadzać w grubiaństwie; **to put oneself out of the one's** ~ **to do sth** zadać sobie specjalny trud <*pot* stawać na głowie> żeby coś zrobić; (*o jedzeniu*) **to go the wrong** ~ wpaść do tchawicy; **the parting of the** ~**s** a) rozstaj b) *przen* decydujący moment; **line of** ~ *kol* tor (kolejowy); **by** ~ **of Paris** przez <drogą na> Paryż 2. wolna droga; przejście; przejazd; **right of** ~ pierwszeństwo; pierwszeństwo przejazdu; **to be** <**stand**> **in the** ~ zawadzać; stać na zawadzie <w przejściu>; **to clear the** ~ u/torować drogę; usu-nąć/wać przeszkody na drodze <w przejściu>; **to get out of the** ~ usu-nąć/wać się; **to put sth out of the** ~ usu-nąć/wać coś; **to make** ~ **for sb** usu-nąć/wać się komuś z drogi; zrobić <ułatwi-ć/ać> komuś przejście; **to put sb in the** ~ **of doing sth** umożliwi-ć/ać <ułatwi-ć/ać> komuś zrobienie czegoś; **to put sb out of the** ~ a) wsadzić kogoś do więzienia b) *pot* sprzątnąć <zabić> kogoś; **there's no** ~ **through** nie ma przejścia; nie da się przejść; **to be in the** ~ przeszkadzać; **in the** ~ na drodze; na zawadzie; w przejściu; **out of the** ~ na uboczu 3. droga (jako odbywanie drogi, podążanie <udawanie się> dokądś); jazda; **to be on the** ~ **to a place** być w drodze <udawać się, jechać> dokądś; **to cheer the** ~ skr-ócić/acać sobie <komuś drogę (śpiewem itd.); **by the** ~ a) w czasie drogi <jazdy, wycieczki> b) mimochodem; nawiasem mówiąc c) (*przypomniawszy sobie coś*) aha!; à propos; **on the** ~ po drodze; w czasie jazdy <wycieczki (pieszej)>; **on my** ~ **home** <**to** ___ > w drodze do domu <do ...>; **to squeeze** <**force**> **one's** ~ przepychać się 4. odległość; **a good** <**long**> ~ spory kawał drogi; **a long** ~ **off** daleko; **a short** ~ **off** niedaleko; **I was a long** ~ **out** grubo się pomyliłem; **to go a little** <**some**> ~ pójść/iść kawałek drogi; **to go a long** ~ **towards sth** przyczyni-ć/ć się w wielkiej mierze <w znacznym stopniu> do czegoś; **you're a long** ~ **off** daleko ci do tego; **you're a long** ~ **off to be** <**to have** etc.> daleko ci <dużo ci brakuje> do tego żebyś był <miał itd.>; **all the** ~ przez całą drogę; **by a long** ~ o wiele (lepszy, lepiej, gorszy, gorzej itd.); **not by a long** ~! daleko (ci, nam itd.) do tego!; wcale nie!; bynajmniej!; gdzie tam! 5. kierunek; **both** ~**s** (bilet itd.) w obie strony; **that** ~ tamtędy; w tamtym kierunku; w tamtą stronę (*zob także* 7.); **the other** ~ w przeciwn-ym/ą kierunku <stronę>; **this** ~ tędy; w tym kierunku; w tę stronę; **this** ~ **and that** tam i z powrotem; **which** ~ którędy; w jakim kierunku; w którą stronę; **the other** ~ **round** <**about**> przeciwnie;

na opak; **one** ~ **or another** tędy czy tamtędy 6. okolica; strona; strony; **somewhere Manchester** ~ gdzieś w okolicy <w stronie> Manchesteru; **our** ~ w naszych stronach; u nas; **anything that comes in my** ~ wszystko co mi się trafi <nadarzy>; **to come sb's** ~ zdarzyć <przytrafić> się komuś; **when the opportunity comes your** ~ kiedy ci się nadarzy okazja <sposobność> 7. sposób; **this** <**that**> ~ w ten sposób; tak; **one** ~ **or another** jakoś; tak czy inaczej; **any** ~ tak czy owak; w każdym razie; **that's the** ~! brawo!; **the** ~ **to do sth** sposób na coś <żeby coś z/robić>; **the** ~ **sb does sth** sposób, w jaki ktoś coś robi; czyjś sposób robienia czegoś; **in a nice** <**friendly, general** etc.> ~ przyjemnie <po przyjacielsku, ogólnie itd.>; **in no** <**not in any**> ~ w żaden sposób; bynajmniej; **in every** ~ na wszystkie sposoby; **do it another** ~ zrób to inaczej; **where there's a will, there's a** ~ dla chcącego nie ma nic trudnego; **there are no two** ~**s about it** jest tylko jedno wyjście z tego; ~**s and means** sposób (na coś); (*w parlamencie*) **Committee of Ways and Means** Komisja Budżetowa; **to go** <**take**> **one's own** ~ nie pytać nikogo o radę; **to have one's own** ~ zrobić po swojemu <jak ktoś uważa za stosowne, jak się komuś żywnie podoba>; postawić na swoim; **have it your own** ~ niech ci będzie; **that's my** ~ taki już jestem; **I can't see my** ~ **to do it** nie widzę jak to zrobić; nie widzę możliwości zrobienia tego; **to have a** ~ **with sb** mieć wpływ na kogoś; **in his** <**her**> ~ na swój sposób; **to my** <**his**> ~ **of thinking** w moim <jego> przekonaniu; **have everything** <**it all**> **one's own** ~ zawsze stawiać na swoim; **by** ~ **of** a) jako (a praise etc. pochwałę itd.) b) z zamiarem (**learning sth** etc. nauczenia się czegoś itd.) c) w formie (**an introduction** etc. wstępu itd.); **both** ~**s** i tak, i tak; **you can't have it both** ~**s** musisz się zdecydować na jedno lub na drugie 8. (*także pl* ~**s**) sposób postępowania; **he has a** ~ **with women** on umie postępować z kobietami <zdobywać serca kobiece> 9. zwyczaj; **the good old** ~**s** dawne miłe zwyczaje; **the** ~**s of the world** przyjęty zwyczaj; zwyczaj uświęcony tradycją; **it is not my** ~ **to do such things** nie mam zwyczaju robić takich rzeczy 10. dziedzina; zajęcie; sfera zainteresowań; branża; **he is in the grocery** ~ on jest w branży artykułów spożywczych; **hunting is not in my** ~ myślistwo nie leży w sferze moich zainteresowań; **I need some things in the ironmongery** ~ potrzebuję paru rzeczy z branży towarów żelaznych 11. zakres; **in the** ~ **of** ___ z...; z zakresu...; **can I offer you anything in the** ~ **of ties?** czy mogę służyć czymś z działu krawatów?; **what shall we have in the** ~ **of fruit?** co weźmiem z owoców? 12. skala; **to trade** etc. **in a small** <**large**> ~ handlować itd. na małą <dużą, wielką> skalę; **he writes in a small** ~ on trochę pisuje 13. posuwanie się naprzód; postęp (w jakimś kierunku); **the ship is under** ~ statek ruszył; **they make their own** ~ oni prosperują; dobrze im się powodzi; **to be in a fair** ~ **to do** <**doing**> **sth** być na dobrej drodze do zrobienia czegoś (wyzdrowienia, osiągnięcia celu itd.); **to be under** ~ być w toku; **to gather** <**lose**> ~ zysk-ać/iwać <s/tracić> na szybkości;

wiośl to give ~ silnie pracować wiosłami; to **make one's** ~ **into a public house** wst-ąpić/epować do baru; **to make one's** ~ **to a place** uda-ć/wać się <pójść/iść, po/jechać> dokądś; **to make** ~ robić postępy 14. bieg; tok; **it is in the** ~ **of business** to należy do codziennych zajęć; **the law had its** ~ sprawiedliwości stało się zadość 15. wzgląd; sens; **in a** ~ pod pewnym względem; w pewnym sensie; poniekąd; niejako; **in no** ~ pod żadnym względem; bynajmniej 16. stan; położenie; **to be in a** ~ być zdenerwowanym; **things are in a bad** <**good**> ~ położenie jest niedobre <dobre>; sprawy przedstawiają się źle <pomyślnie>; **the firm is in a bad** ~ firmie źle się powodzi; **the patient is in a bad** ~ pacjent ma się źle <jest w złej formie>; *sl* **to be in a** <**great**> ~ psuć sobie krew; (*o kobiecie*) **to be in the family** ~ być przy nadziei 17. *w zwrocie*: **by** ~ **of** zamiast (czegoś); jako (coś); tytułem (czegoś); na (śniadanie, deser itd.); **by** ~ **of security** tytułem zabezpieczenia; **he carries a stick by** ~ **of weapon** on nosi laskę zamiast broni <jako broń>; **he said sth by** ~ **of apology** powiedział coś w sensie przeprosin; *z następującym rzeczownikiem odsłownym*: **to be by** ~ **of becoming** (a statesman etc.) zapowiadać się jako (mąż stanu itd.); **to be by** ~ **of being an atheist** <**artist etc.**> udawać <podawać się za> ateistę <artystę itd.> 18. (*zw* **permanent** ~) nawierzchnia kolejowa; wolny pas <przestrzeń> między torowiskami 19. *pl* ~**s** *mar* pochylnia 20. *pl* ~**s** *techn* wodzidło ▢ *adv am pot przed przysłówkiem*: a) daleko; hen; tam; ~ **up** <**down, behind**> daleko w górze, w górę <w dole, w dół, w tyle> b) *w określeniach czasu*: dawno temu; jeszcze; już; ~ **back in my boyhood** jeszcze <już> w moich latach chłopięcych

way-bill ['wei,bil] *s* 1. *prawn* konosament; list przewozowy (na statku) 2. spis pasażerów (w dyliżansie itd.)

wayboard ['wei,bɔ:d] *s geol* cienka warstwa między dwiema grubymi

wayfarer ['wei,feərə] *s* 1. wędrownik; podróżnik 2. podróżny 3. przechodzień

wayfaring ['wei,feəriŋ] ▢ *s* wędrówka; podróżowanie, podróże ▢ *adj* wędrowny; podróżniczy

wayfaring-tree ['wei,feəriŋ,tri:] *s bot* kalina hordowina

waylay ['weilei] *vt* (**waylaid** ['weileid], **waylaid**) 1. zasadz-ić/ać się (sb na kogoś); *przen* **to** ~ **sb** czyhać <czatować, *pot* polować> na kogoś (żeby go zagadnąć) 2. (*o zbójach*) napa-ść/dać (**travellers** etc. na podróżników itd.); **to be waylaid** wpa-ść/dać w zasadzkę; **we were waylaid** napadnięto na nas (i obrabowano)

waylayer ['wei,leiə] *s* 1. (zaczajony) napastnik 2. natręt

wayleave ['wei,li:v] *s* 1. prawo przejazdu (przez cudzy grunt) 2. *lotn* prawo przelotu (nad jakimś terytorium)

wayless ['weilis] *adj* bezdrożny

wayshaft ['wei,ʃɑ:ft] *s techn* wał stawidła (silnika parowego)

wayside ['wei,said] ▢ *s* brzeg drogi; pas przydrożny ▢ *adj* przydrożny; (*o kwiatach itd*) rosnący przy drodze

way-station ['wei,steiʃən] *s am* przystanek kolejowy

way-traffic ['wei,træfik] *s* miejscowy ruch (kolejowy, autobusowy itd.)

way-train ['wei,trein] *s am* pociąg osobowy

wayward ['weiwəd] *adj* 1. samowolny; krnąbrny; niesforny; przewrotny 2. kapryśny; nieobliczalny; **to be** ~ miewać kaprysy <chimery>

waywardness ['weiwədnis] *s* 1. samowola; krnąbrność; niesforność; przewrotność 2. kapryśne usposobienie; nieobliczalność

wayworn ['wei,wɔ:n] *adj* zdrożony; zmęczony <znużony, strudzony> podróżą

wayzgoose ['weiz,gu:s] *s* święto drukarzy

we [wi:] *pron* 1. (*w odniesieniu do dwóch lub więcej osób*) my 2. (*w odniesieniu do jednej osoby, gdy przemawia monarcha*) my 3. (*gdy pisze wydawca, dziennikarz, autor itd*) my

weak [wi:k] ▢ *adj* 1. słaby; bez sił; **as** ~ **as a cat** <**as water**> słaby jak mucha; **the** ~**er sex** płeć słaba; **a** ~ **eleven** kiepska drużyna (krykietowa); **a** ~ **crew** niepełna załoga; ~ **knees** a) słabość w nogach; chwiejne nogi b) *przen* słaba wola; słaby charakter; brak zdecydowania <siły woli>; *przen* ~ **point** <**side**> słab-y/a punkt <strona> 2. słabowity; wątły; anemiczny; *giełd* **a** ~ **market** słaba koniunktura <tendencja>; tendencja zniżkowa; **a** ~ **mind** <**head**> umysł niedorozwinięty; **a** ~ **stomach** słaby żołądek; złe trawienie; ~ **eyes** słaby <krótki> wzrok 3. mało stanowczy; łatwo ulegający (pokusom, namowom); słabej woli, bezwolny 4. (*o płynie*) słaby; cienki; rzadki; rozrzedzony; rozcieńczony; rozwodniony; wodnisty; ~ **wine** cienkusz 5. (*o stylu*) anemiczny; blady 6. *gram* (*o zgłosce*) nie akcentowany; (*o czasowniku, stopniu przegłosu*) słaby 7. *fot* słaby, niedoeksponowany 8. nie przekonywający ▢ *spl* **the** ~ słabi; słabe istoty; słabi ludzie

weaken ['wi:kən] ▢ *vt* 1. osłabi-ć/ać; nadwątl-ić/ać; pozbawi-ć/ać sił; podkop-ać/ywać <nadweręż-yć/ać> (zdrowie itd.) 2. pod-erwać/rywać (czyjś autorytet) 3. rozcieńcz-yć/ać; rozrzedz-ić/ać; rozw-odnić/adniać ▢ *vi* 1. o/słabnąć; s/tracić siły; omdle-ć/wać; opa-ść/dać z sił 2. ule-c/gać *zob* **weakening**

weakening ['wi:kəniŋ] ▢ *zob* **weaken** *v* ▢ *adj* 1. osłabiający 2. słabnący; omdlewający; opadający z sił ▢ *s* osłabienie; utrata sił

weak-eyed ['wi:k,aid] *adj* (*o człowieku*) o słabym wzroku

weak-headed ['wi:k,hedid] *adj* niedorozwinięty umysłowo

weak-hearted ['wi:k,hɑ:tid] *adj* (*o człowieku*) słabego serca; małoduszny; lękliwy

weak-kneed ['wi:k,ni:d] *adj* 1. chwiejący się na nogach 2. *przen* (*o człowieku*) pozbawiony siły woli; bez charakteru

weakling ['wi:kliŋ] *s* 1. mizerak; cherlak; chuchro; wymoczek 2. człowiek słabego charakteru <pozbawiony siły woli>

weak-minded ['wi:k,maindid] *adj* (*o człowieku*) niedorozwinięty umysłowo; słabego umysłu, głupkowaty

weakness ['wi:knis] *s* 1. słabość; brak sił; ~ **of mind** słaby umysł; niedorozwój umysłowy 2. słabowitość; brak zdrowia 3. brak stanowczości

<silnej woli, charakteru> 4. słabość (**for sb, sth do kogoś, czegoś**) 5. słabostka; **it's a ~ of mine** taką mam słabostkę

weal¹ [wi:l] *s* 1. † dobrobyt; **in ~ or woe** w doli i niedoli 2. **the public** <general> **~** dobro ogółu

weal² [wi:l] = **wale**

weald [wi:ld] *s* 1. okręg południowej Anglii kiedyś pokryty lasami 2. *poet* kraj lesisty 3. *poet* rozległa przestrzeń

wealth [welθ] *s* 1. † dobrobyt 2. bogactwo; bogactwa; zamożność; majątek; **to come to** <to achieve> **~** dorobić się majątku; **a man of ~** bogaty <zamożny, majętny> człowiek; bogacz; **rolling in ~** pławiący się w bogactwie 3. wielkie zasoby; bogactwo <obfitość, mnóstwo> (szczegółów, przykładów itd.).

wealthy ['welθi] ① *adj* 1. bogaty; zamożny; majętny 2. zasobny (**in sth** w coś) ② *spl* **the ~** bogaci (ludzie); bogacze

wean¹ [wi:n] *vt* 1. odstawi-ć/ać <odłącz-yć/ać> od piersi (dziecko) 2. odstawi-ć/ać od matki (jagnię itd.) 3. oducz-yć/ać <odzwycza-ić/jać> (**sb from** <rz of> **a habit** kogoś od nałogu); wyleczyć (**sb from** <rz of> **a habit** kogoś z nałogu) **~ away** *vt* odciąg-nąć/ać (**sb from bad company** etc. kogoś od złego towarzystwa itd.)

wean² [wi:n] *s. szkoc* dziecko

weanling ['wi:nliŋ] *s* 1. dziecko świeżo odstawione <odłączone> od piersi 2. młode (zwierzę) świeżo odstawione od matki

weapon ['wepən] *s* 1. broń 2. (*u zwierzęcia, rośliny itd*) środek samoobrony

weaponed ['wepənd] *adj* uzbrojony

weaponless ['wepənlis] *adj* bezbronny

wear¹ [weə] *v* (**wore** [wɔ:], **worn** [wɔ:n]) ① *vt* 1. być <chodzić> ubranym (**a green suit, a grey frock** etc. w zielony garnitur, popielatą sukienkę itd.; **black, white** etc. w czerni, bieli itd.); mieć (na sobie) (**shorts, a lounge suit, a red tie, a straw hat** etc. szorty, strój spacerowy, czerwony krawat, słomkowy kapelusz itd.); być w czymś (w pantoflach, we fraku, w cylindrze itd.); ubierać się (**sth** w coś); **to ~ the crown** a) (*o monarsze*) mieć koronę na głowie b) (*o męczenniku*) mieć koronę męczeńską; *przen* (*o kobiecie*) **to ~ the breeches** rządzić w rodzinie; trzymać męża pod pantoflem; **to ~ one's age well** dobrze się trzymać na swoje lata <na swój wiek>; **to ~ sth in one's heart** nosić coś w sercu; pieścić (jakąś myśl itd.) 2. nosić (kwiatek w butonierce, szpadę, długie włosy itd.); być w czymś **to ~ the British flag** płynąć pod brytyjską banderą 3. mieć (kwaśną minę, rozradowaną twarz, zaniedbany wygląd itd.) 4. zedrzeć/zdzierać; zn-osić/aszać; z/niszczyć przez chodzenie; podniszczyć; wy-trzeć/cierać; **I have worn my trousers threadbare** tak długo chodzę już w tych spodniach, że się wytarły; **I have worn holes in my shoes** <my shoes **into holes**> zdarły mi się zelówki; **to be worn** zniszczyć się; zetrzeć/ścierać się; zuży-ć/wać się; ule-c/gać zużyciu 5. (*o wodzie itd.*) wyż-łobić/abiać (rów itd.). ② *vt* **~ oneself** *przen w zwrocie*: **to ~ oneself to death** zabijać się; przemęczać się ③ *vi* 1. (*o materiale, ubraniu itd*) nosić się; długo służyć; nie zdzierać się 2. (*o wrażeniu*) trwać, nie zacierać się 3. (*o człowieku*) *w zwrocie*: **to ~ well** dobrze się trzy-

mać na swój wiek 4. zuży-ć/wać się; zetrzeć/ścierać się; **to ~ into holes** przedziurawić się (wskutek zużycia); **to ~ smooth** zetrzeć/ścierać się do gładkości 5. (*o ubraniu*) ułoży-ć/układać się przy noszeniu 6. (*o bucie*) (**zw to ~ to one's feet**) rozchodzić się 7. (*o czasie*) wlec <ciągnąć, dłużyć> się

~ away ① *vt* zuży-ć/wać; zetrzeć/ścierać ② *vi* 1. zuży-ć/wać się; zetrzeć/ścierać się; zedrzeć/zdzierać się 2. (*o skałach*) z/wietrzeć 3. (*o bólu*) ust-ąpić/ępować; mi-nąć/jać 4. (*o człowieku*) ginąć <niknąć, marnieć, gasnąć> (ze zgryzoty itd.) 5. (*o czasie*) wlec <ciągnąć, dłużyć> się

~ down ① *vt* zetrzeć/ścierać; zedrzeć/zdzierać (obuwie); **to ~ down the enemy's resistance** z/łamać opór nieprzyjaciela ② *vi* 1. zuży-ć/wać <zetrzeć/ścierać, zedrzeć/zdzierać> się 2. wyczerp-ać/ywać się

~ off ① *vt* zetrzeć/ścierać ② *vi* 1. zetrzeć/ścierać <zuży-ć/wać> się 2. niknąć 3. (*o wrażeniach itd*) za-trzeć/cierać się; mi-nąć/jać; prze-jść/chodzić

~ on *vi* (*o czasie, dyskusjach itd*) wlec <ciągnąć> się

~ out ① *vt* 1. zedrzeć/zdzierać <z/niszczyć> (ubranie itd.) 2. wyczerp-ać/ywać (kogoś, czyjąś cierpliwość itd.); (*o klimacie itd*) z/niszczyć (człowieka); **to ~ out one's welcome** a) naduży-ć/wać gościnności; zasiedzieć się na wizycie <w gościnie> b) sprzykrzyć się przez zbyt częste wizyty ② *vr* **~ oneself** 1. wyczerp-ać/ywać się 2. zapracow--ać/ywać się ③ *vi* 1. zedrzeć/zdzierać się 2. wyczerp-ać/ywać <s/kończyć> się

~ through ① *vt* przedziurawi-ć/ać (przez zużycie); prze-trzeć/cierać ② *vi* 1. zedrzeć/zdzierać się; prze-trzeć/cierać się; przedziurawi-ć/ać się (przez zużycie) 2. (*o czasie*) przemi-nąć/jać

zob **wearing, worn** ② *s* 1. noszenie (na sobie); **to have in ~** nosić <mieć> na sobie; **the clothes I have in ~** ubranie, w którym chodzę <które mam na sobie>; **to be in general ~** być powszechnie noszonym; być modnym; **those hats were in general ~** wszyscy chodzili w takich kapeluszach 2. odzież; ubranie; strój; toaleta; **evening ~** strój <toaleta> wieczorow-y/a; **foot ~** obuwie; **seaside ~** strój plażowy; **spring ~** odzież wiosenna; **working ~** ubranie <ubrania> robocze 3. (*także* **~ and tear**) zużycie; zużywanie się; zniszczenie (wskutek zużycia); **to be the worse for ~** <**to show signs of ~**> być podniszczonym; **to stand (any amount of) ~ (and tear)** być mocnym <trwałym, odpornym na zużycie>; być nie do zdarcia; *prawn mar* **fair ~ and tear** normalne zużycie 4. trwałość (materiałów itd.); odporność <wytrzymałość> · na zużycie; **there is a great deal of ~ in it** to jest bardzo trwałe <wytrzymałe>; **to się nie zużywa**; **there is no ~ in it** to się prędko <pot raz dwa> zużywa; **there is not much ~ left in this suit** <these gloves etc.> tego garnituru <tych rękawiczek itd.> nie będzie już można długo nosić; ten garnitur <te rękawiczki itd.> już się wysłużył/y

wear² [weə] *v* (**wore** [wɔː], **wore**) [I] *vt mar* obr-ócić/acać (statek) przez dziób lub rufę [II] *vi mar* (*o statku*) wykonać zwrot przez dziób lub rufę

wear³ [wiə] = **weir**

wearable ['weərəbl] [I] *adj* zdatny do noszenia [II] *spl* ~s ubranie; odzież

wearer ['weərə] *s* człowiek, który nosi na sobie (jakieś ubranie itd.) <chodzi (w jakimś ubraniu itd.)>; **shoes too heavy for the** ~ buciki za ciężkie do noszenia <dla tego, kto musi w nich chodzić>

wearied ['wiərid] *adj* zmęczony

weariless ['wiərilis] *adj poet* niezmordowany; niestrudzony

weariness ['wiərinis] *s* 1. zmęczenie; znużenie 2. znudzenie

wearing ['weəriŋ] *adj* 1. wyczerpujący, męczący 2. powodujący zużycie; niszczący

wearisome ['wiərisəm] *adj* 1. męczący; nużący 2. nudny

weary ['wiəri] [I] *adj* 1. zmęczony; znużony; **he heaved a** ~ **sigh** westchnął ze znużenia; **to be** ~ **in doing sth** ustawać w robieniu czegoś; *pot* **Weary Willie** bumelant; nierób 2. znudzony (of sth czymś); **I am** ~ **of it all** sprzykrzyło mi się to wszystko: mam tego dość <powyżej uszu>; **to mi już kością w gardle stoi** 3. (*o pracy, towarzystwie, rozmowie itd*) męczący; nużący; nudny; **I had a** ~ **time** wynudziłem się śmiertelnie <*pot* jak mops> [II] *vt* **wearied** ['wiərid] **wearied; wearying** ['wiəriiŋ] 1. z/męczyć; z/nużyć 2. za/nudzić; wy/nudzić; naprzykrz-yć/ać się (**sb** komuś) [III] *vi* (**wearied** ['wiərid], **wearied; wearying** ['wiəriiŋ] 1. z/męczyć się; z/nużyć się 2. (*także* **to grow** ~) uprzykrzyć sobie (**of** sth, <**of doing sth**> coś <robienie czegoś>); **I wearied of waiting** sprzykrzyło mi się czekać <czekanie> 3. za/tęsknić (**for** sth do czegoś <za czymś>); wzdychać (**for** sth do czegoś); **I am** ~**ing for her** <it> tęskno mi za nią <za tym>

weasand ['wiːzənd] † *s anat* tchawica; **to slit sb's** ~ poderżnąć komuś gardło

weasel ['wiːzəl] *s zoo* łasica; *przen* **to catch a** ~ **asleep** przechytrzyć franta

weasel-faced ['wiːzl,feist] *adj* (*o człowieku*) o szczurzej twarzy

weasel-word ['wiːzl,wəːd] *s am* 1. wyraz dwuznaczny 2. (*w umowie itd*) kruczek

weather ['weðə] [I] *s* 1. pogoda; (piękny, brzydki itd.) czas; **bad** ~ niepogoda; slota; **King's** <**Queen's**> ~ piękna pogoda na uroczystość; *sl* **to be under the** ~ a) niedobrze się czuć b) być w złym humorze c) być w tarapatach; **to make good** <**bad**> ~ trafić na piękną <brzydką> pogodę; **to make heavy** ~ **of sth** mieć dużo kłopotu z czymś; **under stress of** ~ skutkiem niepogody; ~ **permitting** w razie pomyślnej pogody 2. zła <kiepska> pogoda; slota; *dzien radio* komunikat meteorologiczny; stan pogody [III] *attr* 1. meteorologiczny 2. (*o warunkach itd*) pogody; atmosferyczny 3. *mar* odwietrzny [III] *vt* 1. wystawi-ć/ać na działanie atmosferyczne; **to** ~ **timber** wysusz-yć/ać budulec 2. *mar* opły-nąć/wać (przylądek) 3. *mar* przepły-nąć/wać na stronę odwietrzną (**a cape** <**ship**> przylądka <statku>) 4. przetrwać (burzę itd.) 5. ułożyć/układać w na-

kładkę (dachówki itd) [IV] *vi* 1. z/wietrzeć 2. okry-ć/wać się patyną *zob* **weathered**
~ **through** *vi* przetrwać; przeżyć

weather-beaten ['weðə,biːtn] *adj* 1. skołatany przez burze 2. (*o człowieku*) opalony; ogorzały; zbrązowiały 3. (*o przedmiocie*) zniszczony; sfatygowany; naruszony zębem czasu

weather-board ['weðə,bɔːd] [I] *s* 1. *mar* odwietrzna strona 2. *bud* deska strugana na deskowanie ściany zewnętrznej 3. *pl* ~s = **weather-boarding** [II] *vt bud* o/deskować ścianę drewnianą

weather-boarding ['weðə,bɔːdiŋ] *s bud* deskowanie zewnętrzne ściany z desek poziomych

weather-bound ['weðə,baund] *adj* (*o statku*) zatrzymany przez niepogodę

weather-bureau ['weðə-bju,rou] *s* instytut meteorologiczny

weather-chart ['weðə,tʃɑːt] *s* wykres meteorologiczny <warunków atmosferycznych>; mapa synoptyczna

weather-cock ['weðə,kɔk] *s* 1. chorągiewka <kurek> na dachu; wiatrowskaz 2. człowiek zmienny <niestały, bez stałych przekonań>

weather-contact ['weðə'kɔntækt], **weather-cross** ['weðə,krɔs] *s elektr telef* zwarcie wywołane niepogodą <wskutek niepogody>

weathered ['weðəd] [I] *zob* **weather** *v* [III] *adj* 1. *geol* zwietrzały 2. wyblakły; spłowiały

weather-eye ['weðər,ai] *s w zwrocie*: **to keep one's** ~ **open** mieć się na baczności

weather-fish ['weðə,fiʃ] *s zoo* piskorz

weather-forecast ['weðə,fɔːkaːst] *s* prognoza pogody; komunikat meteorologiczny

weather-gauge ['weðə,geidʒ] *s mar* strona nawietrzna; **to have the** ~ **of a ship** być po stronie nawietrznej statku

weather-glass ['weðə,glɑːs] *s* barometr

weathering ['weðəriŋ] [I] *zob* **weather** *v* [III] *s* 1. wietrzenie (skał) 2. *bud* zukosowanie (gzymsu itd. — dla odprowadzania wody opadowej)

weatherly ['weðəli] *adj mar* (*o statku*) zdolny do żeglowania pod wiatr

weather-map ['weðə,mæp] *s* mapa synoptyczna

weather-moulding ['weðə,mouldiŋ] *s* okap

weatherproof ['weðə,pruːf] *adj* 1. odporny na wpływy atmosferyczne 2. nieprzemakalny

weather-prophet ['weðə,prɔfit] *s* przepowiadacz pogody

weather-report ['weðə-ri,pɔːt] = **weather-forecast**

weather-ship ['weðə,ʃip] *s mar* pływająca stacja meteorologiczna

weather-stained ['weðə,steind] *adj* wyblakły <spłowiały> wskutek działań atmosferycznych <w słońcu>

weather-station ['weðə,steiʃən] *s* stacja meteorologiczna

weather-strip ['weðə,strip] *s* uszczelnienie (drzwi i okien)

weather-tiles ['weðə,tailz] *s* dachówki ułożone w nakładkę

weather-vane ['weðə,vein] *s* chorągiewka na dachu; wiatrowskaz

weather-wise ['weðə,waiz] *adj* umiejący przepowiadać pogodę; znający się na pogodzie

weather-worn ['weðə,wɔːn] *adj* (*o budynku itd*)

noszący ślady przebytych burz; zniszczony przez działania atmosferyczne

weave ['wi:v] *v* (**wove** ['wouv], **woven** ['wouvən]) Ⅰ *vt* 1. u/tkać (**a farbic** tkaninę; **threads into cloth** materiał z nitek) 2. u/knuć (spisek) 3. (*o autorze*) zawiąz-ać/ywać (intrygę); ułożyć/układać wątek (**a story etc.** opowiadania itd.) 4. (*o owadzie itd*) wy/snuć; wić; prząść 5. s/pleść, splatać (**flowers into a garland etc.** girlandę itd. z kwiatów) 6. wpl-eść/atać (**details into a story** etc. szczegóły w opowiadanie itd.) Ⅱ *vi* 1. tkać; zajmować się tkactwem 2. przewijać <wić> się 3. *lotn* kluczyć Ⅲ *s* 1. robota tkacka 2. splot 3. wiązanie *zob* **weaving**

weaver ['wi:və] *s* tkacz; ~'s tkacza; tkacki

weaver-bird ['wi:və,bə:d] *s zoo* tkacz (ptak)

weaving ['wi:viŋ] Ⅰ *zob* **weave** *v* Ⅱ *s* 1. tkactwo; ~ **loom** warsztat tkacki

weazen(ed) ['wi:zn(d)] = **wizened**

web [web] *s* 1. tkanina; sztuka materiału; *przen* a ~ **of lies** stek kłamstw; **the** ~ **of life** wątek życia 2. pajęczyna; *przen* sieć (czegoś — intryg itd.) 3. pletwa; błona pławna 4. *anat* tkanka łączna 5. chorągiewka (pióra) 6. walec (papieru gazetowego) 7. *bud* środnik (dźwigara, belki) 8. *techn* szyjka (szyny); ramię (korby); brzeszczot (piły)

webbed [webd] *adj* pletwowaty; pletwisty; pletwonogi

webbing ['webiŋ] *s* taśma (tapicerska)

web-eye ['web,ai] *s med* bielmo

web-fingered ['web,fiŋgəd] *adj zoo* zrostopalczasty

web-footed ['web,futid] *adj* pletwonogi

websterite ['webstə,rait] *s miner* websteryt

web-toed ['web,toud] = **web-footed**

web-wheel ['web,wi:l] *s* tarczowe <krążkowe> koło

wed [wed] *v* (*praet* **wedded** ['wedid], **wed**, *pp* **wed**; **wedding** ['wediŋ]) Ⅰ *vt* 1. poślubi-ć/ać; zaślubi-ć/ać 2. po/łączyć węzłem małżeńskim; udziel-ić/ać ślubu (**sb** komuś) 3. wyda-ć/wać za mąż; o/żenić 4. po/łączyć <z/wiązać, s/kojarzyć> (**one thing to another** coś z czymś) Ⅱ *vi* pob-rać/ierać się; wziąć/brać ślub *zob* **wedded, wedding**

wedded ['wedid] Ⅰ *zob* **wed** *v* Ⅱ *adj* 1. poślubiony, ślubny; **they were** ~ pobrali się; ich ślub się odbył 2. małżeński 3. oddany (**to** sth czemuś — idei itd.); przywiązany (**to** sth do czegoś)

wedding ['wediŋ] Ⅰ *zob* **wed** *v* Ⅱ *s* ślub; zaślubiny; wesele; **silver** <**golden, diamond**> ~ srebrne <złote, diamentowe> wesele; 25 <50, 75>-**lecie** ślubu Ⅲ *adj* ślubny; weselny; ~ **breakfast** wesele; ~ **garment** szaty godowe

wedding-cake ['wediŋ,keik] *s* tort weselny

wedding-card ['wediŋ,ka:d] *s* zawiadomienie o ślubie

wedding-day ['wediŋ,dei] *s* dzień ślubu

wedding-favour ['wediŋ,feivə] *s* .ozetka ślubna

wedding-feast ['wediŋ,fi:st] *s* uczta weselna

wedding-guest ['wediŋ,gest] *s* gość weselny, weselnik

wedding-march ['wediŋ,ma:tʃ] *s* marsz weselny

wedding-present ['wediŋ,preznt] *s* prezent ślubny

wedding-ring ['wediŋ,riŋ] *s* obrączka (ślubna)

wedding-tour ['wediŋ,tuə], **wedding-trip** ['wediŋ,trip] *s* podróż poślubna

we'd [wi:d] = **we had, we would, we should**

wedge [wedʒ] Ⅰ *s* 1. klin; *przen* **to drive** <**force**> **a** ~ **between** _ wbi-ć/jać klin między... (ludzi itd.) 2. przedmiot trójkątny; kawałek (tortu itd.); **to arrange** <**dispose**> **in a** ~ ułożyć/układać <ustawi-ć/ać> w trójkąt Ⅱ *vt* 1. rozłup-ać/ywać <rozbi-ć/jać, rozwal-ić/ać> klinem 2. za/klinować
  ~ **in** *vt* wepchnąć/wpychać; wcis-nąć/kać
  ~ **off** *vt* roz-epchnąć/pychać

wedge-heel ['wedʒ,hi:l] *s* koturn (rodzaj obcasa)

wedge-shaped ['wedʒ,ʃeipt] *adj* klinowaty, klinowy

Wedg(e)wood ['wedʒwu:d] *spr* marka porcelany angielskiej

wedlock ['wed,lɔk] *s* stan małżeński; **born in** <**out of**> ~ prawego <nieprawego> łoża; (*o potomstwie*) ślubny <nieślubny>

Wednesday ['wenzdi] Ⅰ *s* środa Ⅱ *attr* środowy

wee [wi:] *adj szkoc* mały; maleńki; **a** ~ **bit** odrobinę, odrobineczkę; **Wee Frees** przydomek mniejszości Wolnego Kościoła Szkockiego, która oparła się połączeniu z Unią Prezbiteriańską

weed [wi:d] Ⅰ *s* 1. chwast; zielsko; **to run to** ~**s** zachwa-ścić/szczać się; por-óść/astać chwastami 2. **the** ~ tytoń 3. *pot* cygaro 4. *pot* (*o człowieku*) chuchro, mizerak, cherlak, chudzielec 5. (*o koniu*) chuda szkapa; chabeta Ⅱ *vt* wy/pielić; o/plewić; odchwa-ścić/szczać
  ~ **out** *vt* 1. przerzedz-ić/ać; przerywać (sadzonki roślin itd.) 2. przesi-ać/ewać (kandydatów itd.); przeprowadz-ić/ać czystkę (**a company** etc. w towarzystwie itd.) 3. wysortow-ać/ywać; wy/eliminować

weeder ['wi:də] *s ogr* opielacz

weed-grown ['wi:d,groun] *adj* zachwaszczony

weed-hook ['wi:d,huk] *s ogr* pielnik

weeds [wi:dz] *spl* (wdowia) żałoba

weedy ['wi:di] *adj* 1. zachwaszczony 2. (*o człowieku*) wychudzony, cherlawy; wysoki i chudy 3. (*o koniu*) wychudły

week [wi:k] *s* 1. tydzień; **a** ~ **of** ~**s** <**of Sundays**> cał-a/ą wieczność; **a** ~'**s** <**two** ~'**s** etc.> **holiday** jednotygodniowy <dwutygodniowy itd.> urlop; **several times a** ~ kilka razy na tydzień <w tygodniu>; (*w wyznaniu mojżeszowym*) **the Feast of Weeks** Zielone Święta; **to-day** <**to-morrow, Monday etc.**> ~ od dzisiaj <od jutra, od poniedziałku itd.> za tydzień; ~**s ago** ładnych <dobrych> kilka tygodni temu; ~ **in** ~ **out** a) tydzień za tygodniem b) przez cały <*pot* caluteńki> tydzień; **what day of the** ~ **is it?** który dzisiaj dzień tygodnia?; **he left yesterday** ~ wczoraj minął tydzień jak wyjechał; **a 40 hour** ~ 40-godzinny tydzień pracy; **by the** ~ (wynajmować itp.) tygodniowo 2. dni powszednie

week-day ['wik,dei] Ⅰ *s* dzień powszedni Ⅱ *attr* (*o pracy itd*) dnia powszedniego

week-end ['wi:k,end] Ⅰ *s* czas wolny od pracy zawodowej w końcu tygodnia (od soboty w południe do poniedziałku; niekiedy od piątku do wtorku); sobota i niedziela; weekend; ~ **ticket** bilet wycieczkowy na sobotę i niedzielę; ~ **trip** wycieczka weekendowa; **to invite sb for the** ~ zapr-osić/aszać kogoś na sobotę i niedzielę <na weekend>; **to stay with sb over the** ~ spędz-ić/ać sobotę i niedzielę u kogoś Ⅱ *vi* spędz-ić/

ać sobotę i niedzielę <weekend> (nad morzem
itd.)

week-ender ['wi:k͵endə] *s* człowiek wyjeżdżający
<przyjeżdżający> na sobotę i niedzielę <na week-
end>

weekly ['wi:kli] Ⅰ *adj* 1. tygodniowy; cotygodniowy; całotygodniowy 2. (*w pensjonacie itd*) (*gość*)
płacący tygodniowo <wynajmujący pokój na ty-
dzień> Ⅱ *adv* tygodniowo; co tydzień; **twice**
<three times etc.> ~ dwa <trzy itd.> razy na
tydzień <w tygodniu> Ⅲ *s* tygodnik

ween [wi:n] † *vt w zwrocie*: I ~ myślę; sądzę;
chyba

weep [wi:p] *v* (**wept** [wept], **wept**) Ⅰ *vi* 1. za/
płakać (**for joy** z radości; **for** <**with**> **pain** <**rage**
etc.> z bólu <z wściekłości itd.>); opłakiwać (**for
sb** kogoś); spłakać <popłakać> się (**over a book**
nad książką); **that's nothing to** ~ **over** <**about**>
nie ma o co płakać 2. (*o wilgoci itd*) kapać
(**from sth** z czegoś) Ⅲ *vt* 1. opłakiwać; lamentować (**one's fate etc.** nad swym losem itd.)
2. lać (łzy) 3. (*o roślinie itd*) wydzielać (soki
itd.) Ⅲ *vr* ~ **oneself** *w zwrocie*: **to** ~ **oneself
to sleep** usnąć wśród płaczu

~ **away** *vt* przepłak-ać/iwać (godziny itd.)

~ **out** Ⅰ *vt w zwrocie*: **to** ~ **one's heart**
<one's eyes> **out** spłakać się rzewnie, wypła-
kiwać sobie oczy Ⅲ *vr* ~ **oneself** *w zwrocie*:
to ~ **oneself out** wypłakać się; napłakać się
zob weeping Ⅳ *s* (*zw pl*) napad płaczu; szlochy;
to have a good <**hearty**> ~ wypłakać się

weeper ['wi:pə] *s* 1. płaksa; beksa 2. (*na pogrzebie*) płacz-ek/ka 3. krepa (noszona dawniej przy
cylindrach na pogrzebach) 4. czarny welon wdowi 5. *pl* ~s białe mankiety wdowie

weeping ['wi:piŋ] Ⅰ *zob* weep *v* Ⅱ *adj* 1. (*o człowieku, dziecku itd*) płaczący; *hist* Weeping Cross
figura przydrożna (przy której modlili się wę-
drowni pokutnicy); **to come home by the Weeping Cross** a) po/żałować swych czynów b) do-
zna-ć/wać zawodu <rozczarowania> 2. *bot* (*o
wierzbie itd*) płaczący 3. (*o skale itd*) wilgotny;
sączący 4. *med* (*o ranie itd*) sączący; ~ **eczema**
cieknący wyprysk Ⅲ *s* płacz

weepy ['wi:pi] *adj* 1. płaczliwy 2. zapłakany 3.
dial sączący

weever ['wi:və] *s zoo* smocznik (ryba cierniopro-
mienna)

weevil ['wi:vil] *s zoo* ryjkowiec; **corn** <**grain**> ~
wołek zbożowy

weevilled ['wi:vild], **weevilly** ['wi:vili] *adj* stoczony przez ryjkowce; (*o zbożu*) toczony przez
wołki

weft [weft] *s* 1. *tekst* wątek 2. tkanina 3. chmura; mgła

weftage ['weftidʒ] *s tekst* budowa <układ> tkaniny

wegotism ['wi:gə͵tizm] *s żart* zbytnie używanie
formy "we" (przez autora, mówcę)

weigh [wei] Ⅰ *vt* 1. z/ważyć 2. ważyć w rękach
(jakiś przedmiot); oceniać wagę (**an object** przedmiotu) 3. rozważać (każde słowo, które się mówi; skutki czegoś; za i przeciw czegoś itd.)
4. porównywać (**one thing** <**argument etc.**> **with**
<**against**> **another** jedną rzecz <argument itd.>
z inn-ą/ym) 5. *mar* podn-ieść/osić (**anchor** kotwicę); **to** ~ **a ship** wyciąg-nąć/ać zatopiony
statek na powierzchnię Ⅲ *vi* 1. ważyć; **to** ~

heavy <**light**> być ciężkim <lekkim>; **how much
do you** ~? ile ważysz? 2. *przen* ciążyć (**on**
<**upon**> **sb** komuś); przytłaczać <uciskać> (**upon
sb, sth** kogoś, coś) 3. mieć <posiadać> znaczenie
(**with sb dla** kogoś); **that point does not** ~ **with
me** dla mnie <w moich oczach> ten moment nie
ma znaczenia <nie wchodzi w rachubę>

~ **down** *vt* 1. przeważać; więcej ważyć <mieć
większą wagę> (**sth niż** coś) 2. przechyl-ić/ać
(szalę) 3. przeciąż-yć/ać; obciąż-yć/ać; (*o gałęzi*) **to be** ~**ed down with fruit** uginać się
pod ciężarem owoców; (*o człowieku*) **to be**
~**ed down with cares** uginać się pod ciężarem trosk

~ **in** *vi* 1. *sport* z/ważyć się przed konkuren-
cją 2. wtrącić się do dyskusji (**with an argument** z argumentem)

~ **out** Ⅰ *vt* rozważ-yć/ać <odważ-yć/ać> (drobne ilości towaru itd.) Ⅲ *vi sport* z/ważyć
się po konkurencji

~ **up** *vt* 1. przeciąg-nąć/ać (na zasadzie dźwigu) 2. o/szacować (kogoś)

Ⅲ *s* 1. ważenie 2. *w zwrocie*: **under** ~ = **under
way** *zob* way *s* 13.

weigh-beam ['wei͵bi:m] *s* 1. belka wagi 2. dźwignia przesuwnikowa

weigh-bridge ['wei͵bridʒ] *s* waga pomostowa <wo-
zowa>

weigher ['weiə] *s* (pracownik) wagowy

weighing-bottle ['weiiŋ͵bɒtl] *s* naczyńko wagowe

weighing-machine ['weiiŋ-mə͵ʃi:n] *s* waga automatyczna

weight [weit] Ⅰ *s* 1. ciężar; waga (czegoś); ~
lifter sztangista; ~ **lifting** podnoszenie ciężа-
rów; **it is worth its** ~ **in gold** trzeba to cenić
<to się ceni> na wagę złota; **to be under** <**over**>
~ za mało <za dużo> ważyć; **to lose** <**put on**>
~ s/tracić <przyb-rać/ierać> na wadze; **to make
good** ~ mieć prawidłową wagę; **to sell goods
by** ~ sprzedawać towar na wagę 2. ciężarek (do
ważenia, u zegara itd.); odważnik 3. przycisk 4.
przen kamień (na sercu, uwiązany u szyi itd.);
to be a ~ **on sb's mind** ciążyć komuś 5. obciążenie; *przen* ciężar (odpowiedzialności itd.) 6.
waga <znaczenie, doniosłość> (argumentu itd.);
considerations of no ~ momenty nie odgrywające
żadnej roli <bez znaczenia>; **to have** ~ **with sb**
mieć <posiadać> znaczenie dla kogoś <w czyichś
oczach>; **to carry** ~ mieć znaczenie; **to give full**
<**due**> ~ **to sth** podkreślić ważność <znaczenie>
czegoś 7. *pl* ~s system wag 8. przeciwciężar
9. wpływy (czyjeś); znaczenie (człowieka); **a man
of** ~ ważna <wpływowa> osobistość; *pot* **to throw
one's** ~ **about** <**am around**> udawać ważnego
Ⅲ *vt* 1. obciąż-yć/ać; przywiąz-ać/ywać ciężar/ek
(**sth do** czegoś); *przen* obarcz-yć/ać (**sb with sth**
kogoś czymś) 2. obciąż-yć/ać obciążalnikiem
(włókno itd.); usztywni-ć/ać (tkaninę) chemicznie

weightiness ['weitinis] *s* 1. ciężar; ciężkość 2. waga, znaczenie, doniosłość

weighty ['weiti] *adj* 1. ciężki 2. (*o motywie, argumencie itd*) ważki; poważny; przekonywający 3.
(*o sprawie itd*) doniosły; posiadający wielkie
znaczenie 4. (*o człowieku*) ważny; wpływowy
5. (*o troskach itd*) uciążliwy

weir [wiə] *s* jaz; tama; grobla

weird [wiəd] Ⅰ *s szkoc* los Ⅱ *adj* 1. losowy;

(dotyczący) losu; decydujący o losie; fatalny; **the ~ sisters** a) Parki b) (*w „Makbecie"*) Czarownice 2. niesamowity; tajemniczy; nieziemski 3. *pot* dziwaczny, przedziwny

weirdness ['wiədnis] *s* 1. tajemniczość; niesamowitość (czegoś); **the ~ of the sight** niesamowite wrażenie, jakie ten widok sprawia 2. dziwaczność

Weismannism ['vaismə,nizəm] *s biol* weismanizm

Welch¹ [welʃ] = **Welsh¹**

welch² [welʃ] = **welsh²**

welcome ['welkəm] Ⅰ *adj* 1. mile widziany; pożądany; przyjęty z wdzięcznością; **to make sb ~** gościnnie kogoś przyjąć; serdecznie kogoś przywitać <powitać>; **as ~ as snow in harvest** przyjemny jak mucha w rosole 2. mający pozwolenie (**to do sth** zrobić coś); mogący dysponować (**to sth** czymś); **to be ~ to sth** mieć wolną rękę w czymś; móc swobodnie korzystać z czegoś; **you are ~ to do as you please** proszę zrobić, co się pan-u/i żywnie podoba <postąpić, jak pan/i uważa za stosowne>; **you are ~ to this** a) chętnie tym służę pan-u/i; proszę tym dysponować b) *iron* nie zazdroszczę pan-u/i 8. *w odpowiedzi na podziękowanie*: **you're ~** proszę bardzo; bardzo mi było przyjemnie; nie ma za co (dziękować) Ⅲ *s* powitanie; **to bid sb ~** powitać kogoś; **to give sb a warm ~** serdecznie kogoś powitać; zgotować komuś serdeczne przyjęcie; **to receive a cold ~** doznać chłodnego przyjęcia; spotkać się z chłodnym przyjęciem Ⅲ *vt* 1. po/witać; przywitać; **a party to ~ sb** przyjęcie na powitanie czyjeś 2. z zadowoleniem <chętnie, z radością> przyj-ąć/mować (kogoś, coś) Ⅳ *interj* witaj/cie; **~ to England!** witajcie w Anglii!; **~ home!** witaj/cie!; (serdecznie) witamy (powracających do domu <do ojczyzny>)!

welcomer ['welkəmə] *s* (człowiek) witający <przybyły na powitanie>

weld¹ [weld] Ⅰ *vt* 1. spawać; zgrzewać 2. *przen* sp-oić/ajać; po/łączyć; po/wiązać; zesp-olić/alać *zob* **welding** Ⅲ *s* spoina; zgrzeina; złącze

weld² [weld] *s bot* rezeda żółta

welder ['weldə] *s* 1. spawacz/ka 2. *techn* spawarka; zgrzewarka; **arc ~** spawarka łukowa

welding ['weldiŋ] Ⅰ *zob* **weld** *v* Ⅲ *s* spawanie; zgrzewanie Ⅲ *attr* spawalniczy; **~ machine** maszyna spawalnicza; spawarka; zgrzewarka

weldless ['weldlis] *adj techn* nie spawany, bezszwowy

welfare ['wel,fɛə] *s* 1. dobro; dobrobyt; pomyślność; szczęście 2. opieka społeczna; **~ centre** ośrodek opieki społecznej; **~ State** państwo mające zaprowadzony <rozbudowany> system ubezpieczeń społecznych; **~ work** praca społeczna <dobroczynna, charytatywna>

welkin ['welkin] *s poet* niebo, sklepienie niebieskie; **to make the ~ ring** krzyczeć wniebogłosy

we'll [wiːl] = **we will, we shall**

⸙ **well¹** [wel] Ⅰ *s* 1. studnia 2. szyb 3. odwiert (naftowy itd.); otwór wiertniczy 4. źródło ujęte 5. *przen* niewyczerpane źródło (wiedzy itd.) 6. klatka <dusza> schodowa 7. gar (wielkiego pieca) 8. odgrodzona część sali sądowej przeznaczona dla adwokatów 9. (*także* ink-~) wpuszczony kałamarz (w ławce szkolnej) 10. *mar* studnia (w śródokręciu) 11. *mar* zbiornik z wodą do czasowego przechowywania złowionych ryb Ⅲ *vi* (*zw*

~ up <**out, forth**>) wytrys-nąć/kiwać, trysnąć; buch-nąć/ać

well² [wel] Ⅰ *adj* (**better** ['betə], **best** [best]) 1. *praed* zdrów; w dobrym zdrowiu; **he will soon be better** <**be ~ again**> wkrótce będzie mu lepiej; on wkrótce wyzdrowieje; **I am perfectly ~** mam się doskonale; (*na pytanie*: **how are you?**) **pretty ~ thank you** nie najgorzej, dziękuję; nie mogę narzekać; **to be ~** mieć się dobrze; **to get ~** wyzdrowieć; przy-jść/chodzić do zdrowia 2. *praed* (*o stanie itd*) zadowalający; pomyślny; w porządku; (*o człowieku*) czujący się dobrze; **all is not ~ in the world** coś się psuje na świecie; **all's ~ that ends ~** wszystko dobre co się dobrze kończy; **I am very ~ where I am** a) on jest zdrów <ma się dobrze> b) dobrze mu się wszystko układa c) jego stan jest zadowalający <pomyślny>; wszystko w porządku z nim; **~ enough** a) znośny; nie najgorszy b) nie najbrzydszy 3. wskazany; **it may be (as) ~ to add** <**say etc.**> warto by <nie od rzeczy byłoby> dodać <zaznaczyć itd.>; **it would be just as ~ if you __** wskazane <dobrze> byłoby, gdybyś ...; nie zaszkodziłoby, gdybyś ...; **it would be ~ to __** wskazane <dobrze> byłoby ... 4. *w zwrotach wyrażających niezupełne zadowolenie, ironię*: **it's all very ~ for you** <**him etc.**> **to __** łatwo <dobrze> ci <mu itd.> ...; **it's all very ~ for people to talk!** dobrze ludziom mówić <*pot* gadać>!; **that's all very ~ but __** no tak, to w porządku, ale ...; **~ and good** (**but __**) zgoda <niech sobie> (ale ...) 5. *rz przydawkowo*: **a ~ man** zdrowy człowiek Ⅲ *s* 1. pomyślność; **let ~ alone** nie starać się poprawić tego co dobre <co dobrze zrobione>; lepsze jest wrogiem dobrego 2. *pl* **the ~** (ludzie) zdrowi Ⅲ *adv* (**better** ['betə], **best** [best]) 1. dobrze; należycie; porządnie; solidnie; mocno; **he agreed as ~ he might** zgodził się i nic dziwnego <i dobrze zrobił>; **only too ~** aż nadto dobrze; **shake the bottle ~** mocno wstrząśnij butelką; **~ done!** brawo!; (**oh**) **very ~** (a) niech będzie; **to stand ~ with sb** mieć dobre stosunki z kimś; **as ~** a) także; też; i; **you will come as ~** ty też przyjdziesz; **take this as ~** weź i to b) (*także* **just as ~**) równie dobrze; **you might (just) as ~ have kept your mouth shut** równie dobrze mógłbyś był trzymać język za zębami; **that's (just) as ~** i dobrze się stało; **we** <**you etc.**> **may** <**might**> **as ~** może byśmy <byś itd.> ... (posz-li/edł, zrobi-li/ł itd.); **you might as ~ __** mógłbyś już ...; może byś (tak) ... 2. *w zwrocie*: **as ~ as __** zarówno ... jak ...; **in summer as ~ as in winter** zarówno w lecie, jak i w zimie 3. **to be ~ off** być dobrze sytuowanym <zamożnym>; **he does not know when he is ~ off** nie wie, kiedy mu szczęście sprzyja; **to be ~ off for sth** być dobrze zaopatrzonym w coś; **~ done** a) dobrze <sprawnie> wykonany b) (*o mięsie*) wysmażony; wypieczony 4. szczęśliwie; pomyślnie; **I am ~ out of it** szczęśliwy jestem, że to mam za sobą <że mnie tam już nie ma>; **it came off ~** dobrze wypadło; **~ met!** co za szczęśliwe spotkanie!; **you did ~ to __** a) dobrze zrobiłeś, że ... b) miałeś szczęście, że ... 5. całkiem; zdecydowanie; wyraźnie; **he was**

~ **up in his subject** miał swój temat dobrze opanowany; **it was ~ worth the effort** bezwzględnie warto było się pomęczyć; ~ **on in life** wcale już niemłody <nie pierwszej młodości>; ~ **on into the night** późno <do późna> w nocy; ~ **on in years** w podeszłym wieku; *pot* dobrze podstarzały 6. serdecznie <gorąco> (przemawiać, kochać itd.); **to like very** ~ bardzo lubić (kogoś) 7. łatwo; lekko; śmiało; słusznie; **I can** ~ **manage it** łatwo <lekko> sobie z tym poradzę; **it may** ~ **be that** — może łatwo <śmiało> się okazać, że ...; **they may** ~ **say** — mogą słusznie twierdzić ... Ⓜ *interj* 1. *wyraża zdziwienie*: patrzcie!; no, no! 2. *wyraża ulgę*: uch!; nareszcie!; chwała Bogu! 3. *wyraża przyzwolenie*: no!; dobrze! 4. *wracając do tematu*: a więc; a zatem; otóż 5. *wyraża zrozumienie, zgodę, uwarunkowane przyznanie komuś słuszności*: więc dobrze ...; ale ...; ~, **what about it?** no i co?; ~ **then?** a więc?; ~, **but** — no tak, ale ... 6. *z intonacją pytającą wyraża oczekiwanie*: no? 7. *wyraża rezygnację, pogodzenie się z losem*: no cóż ...; trudno!...
well- [wel] *w złożeniach z imiesłowem biernym*: dobrze ...; ~**-dressed** dobrze ubrany; ~**-oiled** dobrze naoliwiony
welladay ['welə'dei] † *interj* niestety!; biada!
well-advised ['wel-əd'vaizd] *adj* 1. (*o człowieku*) rozsądny, mądry; roztropny; **you would be** ~ **to** — dobrze <mądrze, roztropnie> byś zrobił, gdybyś... 2. (*o czynie, posunięciu*) ostrożny, roztropny
well-aimed ['wel'eimd] *adj* 1. dobrze wycelowany 2. (*o ciosie*) dobrze wymierzony
well-appointed ['wel-ə'pointid] *adj* dobrze wyposażony <zaopatrzony>
well-balanced ['wel'bælənst] *adj* 1. zrównoważony 2. o dobrych proporcjach, proporcjonalny
well-behaved ['wel-bi'heivd] *adj* dobrze wychowany; (*o człowieku*) z dobrymi manierami
well-being ['wel'bi:iŋ] *s* 1. powodzenie; pomyślność 2. dobro (ogółu itd.) 3. dobre samopoczucie
well-beloved ['wel-bi'lʌvid] *adj* ukochany
well-boring ['wel,bɔ:riŋ] *s* wiercenie studzien
well-born ['wel'bɔ:n] *adj* dobrze urodzony; (*o człowieku*) dobrego <szlachetnego> rodu
well-bred ['wel'bred] *adj* 1. dobrze wychowany 2. (*o zwierzęciu*) rasowy
well-chosen ['wel'tʃouzn] *adj* dobrze <należycie> dobrany; wybrany
well-conditioned ['wel-kən'diʃənd] *adj* 1. (*o przedmiocie*) w dobrym stanie 2. (*o człowieku*) w dobrej formie <kondycji>
well-conducted ['wel-kən'dʌktid] *adj* 1. (*o człowieku*) dobrze <moralnie> się prowadzący 2. (*o instytucji*) dobrze prowadzony
well-connected ['wel-kə'nektid] *adj* 1. (*o człowieku*) posiadający dobre koneksje <stosunki>; wysoko ustosunkowany 2. skoligacony z dobrymi <wpływowymi> rodzinami
well-directed ['wel-di'rektid] *adj* dobrze skierowany
well-disposed ['wel-dis'pouzd] *adj* 1. dobrze rozłożony <rozmieszczony> 2. (*o człowieku*) życzliwie usposobiony (**to** <**towards**> **sb, sth** dla kogoś, czegoś) 3. (*o obywatelu*) prawomyślny

well-doer ['wel'duə] *s* człowiek odznaczający się cnotami obywatelskimi; prawy obywatel
well-doing ['wel'duiŋ] *s* prawość
well-earned ['wel'ə:nd] *adj* zasłużony; (*o nagrodzie itd*) słuszny
well-favoured ['wel'feivəd] *adj* przystojny; urodziwy; miły dla oka
well-fed ['wel'fed] *adj* dobrze odżywiony
well-found ['wel'faund] *adj* dobrze wyposażony <zaopatrzony> (**in sth** w coś)
well-founded ['wel'faundid] *adj* uzasadniony
well-groomed ['wel'gru:md] 1. (*o koniu*) starannie utrzymany 2. (*o człowieku*) starannie ubrany; schludny
well-grounded ['wel'graundid] *adj dosł i przen* oparty na solidnych podstawach; dobrze ugruntowany
well-head ['wel'hed] *s dosł i przen* źródło (rzeki, wiedzy itd.)
well-hole ['wel,houl] *s bud* dusza schodów
well-house ['wel,haus] *s* 1. obudowa studni 2. pijalnia wód mineralnych
well-informed ['wel-in'fɔ:md] *adj* 1. dobrze poinformowany; **to be** ~ **on a subject** mieć temat dobrze opracowany; gruntownie znać przedmiot <temat> 2. wykształcony 3. oczytany
Wellingtonia [,weliŋ'tounjə] *s bot* sekwoja
Wellingtons ['weliŋtənz] *spl* 1. wysokie buty z cholewami 2. botki gumowe
well-intentioned ['wel-in'tenʃənd] *adj* 1. posiadający jak najlepsze zamiary 2. (*o czynie*) zrobiony w najlepszej intencji
well-judged ['wel'dʒʌdʒd] *adj* 1. roztropny; rozsądny 2. dobrze pomyślany 3. dobrze obliczony 4. dobrze wycelowany 5. dobrze wybrany
well-knit ['wel'nit] *adj* 1. zwarty; dobrze powiązany 2. (*o człowieku*) o mocnej budowie ciała
well-known ['wel'noun] *adj* (powszechnie) znany; słynny; sławny
well-made ['wel'meid] *adj* 1. (*o człowieku*) dobrze zbudowany 2. (*o przedmiocie, pracy*) starannie wykonany
well-mannered ['wel'mænəd] *adj* (*o człowieku*) o dobrych manierach; dobrze wychowany <ułożony>
well-marked ['wel'mɑ:kt] *adj* wyraźny
well-meaning ['wel'mi:niŋ] *adj* 1. (*o człowieku*) mający jak najlepsze intencje 2. (*o uczynku*) dokonywany w najlepszej intencji <w najlepszych zamiarach>
well-meant ['wel'ment] *adj* (*o uczynku*) zrobiony w najlepszej intencji <w najlepszych zamiarach>
well-nigh ['welnai] *adv lit* nieomal, nieomalże; o mało nie
well-off ['wel'ɔf] *adj* dobrze sytuowany; zamożny
well-ordered ['wel'ɔ:dəd] *adj* 1. (*o gospodarstwie domowym*) dobrze prowadzony 2. (należycie) uporządkowany 3. (*o umyśle*) systematyczny 4. (*o diecie*) racjonalny
well-paid ['wel'peid] *adj* dobrze opłacony <płatny, zapłacony, wynagrodzony>
well-pleasing ['wel'pli:ziŋ] *adj* przyjemny; miły dla oka
well-proportioned ['wel-prə'pɔ:ʃənd] *adj* o pięknych proporcjach; (*o człowieku*) pięknie zbudowany
well-read ['wel'red] *adj* oczytany

well-regulated ['wel'regju‚leitid] *adj* 1. należycie uporządkowany 2. zdyscyplinowany

well-remembered ['wel-ri'membəd] *adj* dobrze zapamiętany

well-room ['wel‚ru:m] *s* (*w zdrojowisku*) pijalnia

well-set ['wel'set] *adj* zwarty; dobrze powiązany

well-sinker ['wel‚siŋkə] *s* studniarz

well-sinking ['wel‚siŋkiŋ] *s* wiercenie studzien

well-spoken ['wel'spoukən] *adj* 1. wytwornie się wyrażający 2. (*o człowieku*) ~ **of** cieszący się dobrą reputacją 3. (*o wypowiedzi*) trafny

well-spring ['wel‚spriŋ] *s* źródło

well-timbered ['wel'timbəd] *adj* (*o terenie itd*) dobrze zadrzewiony

well-timed ['wel'taimd] *adj* na czasie; w porę zrobiony; zrobiony <powiedziany itd.> w stosownej chwili

well-to-do ['wel-tə'du:] □ *adj praed* dobrze sytuowany; zamożny □ *spl* **the** ~ ludzie zamożni

well-trained ['wel'treind] *adj* dobrze wyćwiczony <nauczony>; (*o zwierzęciu*) dobrze wytresowany

well-tried ['wel'traid] *adj* dobrze wypróbowany

well-trodden ['wel'trɔdn] *adj* (*o miejscu itd*) uczęszczany; licznie odwiedzany

well-turned ['wel'tə:nd] *adj* (*o zdaniu, komplemencie itd*) ładnie <zgrabnie> powiedziany <ułożony>

well-water ['wel‚wɔ:tə] *s* woda studzienna <źródlana>

well-wisher ['wel'wiʃə] *s* 1. człowiek życzliwie usposobiony (**sb's** dla kogoś) 2. sympatyk (instytucji, ruchu społecznego itd.)

well-wishing ['wel‚wiʃiŋ] *adj* życzliwy

well-worn ['wel'wɔ:n] *adj* 1. (*o części garderoby*) wytarty, znoszony; wyświechtany 2. (*o wyrażeniu, haśle itd*) oklepany

Wellsian ['welziən] *adj* (*o pismach itd*) H. G. Wellsa; (*o utworach*) napisany na modłę H. G. Wellsa

↑**Welsh**[1] [welʃ] □ *adj* walijski □ *spl* **the** ~ Walijczycy □ *s* język walijski

welsh[2] [welʃ] □ *vi sl* (*o bukmacherze*) uciec <czmychnąć> z pieniędzmi klientów □ *vt sl* oszuk-ać/iwać (wygrywającego klienta)

welsher ['welʃə] *s sl* (*na wyścigach*) bukmacher oszukujący klientów

Welshman ['welʃmən] *s* (*pl* **Welshmen** ['welʃmən] Walijczyk; ... **or I'm a** ~ (tak się stanie) albo jestem kiep

Welshwoman ['welʃ‚wumən] *s* (*pl* **Welshwomen** ['welʃ‚wimin] Walijka

welt [welt] □ *s* 1. rant; wypustka; obwódka; lamówka 2. pręga (na ciele od uderzenia) 3. *blach* rąbek □ *vt* 1. oblamować 2. *pot* s/tłuc (kogoś) 3. po/łączyć blachy rąbkiem *zob* **welted**

Weltanschauung ['velt‚a:nʃauuŋ] *s* pogląd na świat; światopogląd

welted ['weltid] □ *zob* **welt** *v* □ *adj* 1. oblamowany 2. *blach* zagięty

welter[1] ['weltə] □ *vi* 1. wy/tarzać się; wy/nurzać się; pławić się 2. *poet* (*o morzu*) kotłować <kłębić> się □ *s* 1. zamęt; zamieszanie; galimatias; bezład 2. kłębowisko; **the** ~ **of the waves** kipiel morska

welter[2] ['weltə] *attr sport* 1. (*o jeźdźcu*) ciężkiej wagi; ~ **race** wyścigi konne dla jeźdźców ciężkiej wagi 2. (*o bokserze*) półciężkiej wagi

welter-weight ['weltə‚weit] *s* 1. jeździec ciężkiej wagi 2. bokser półciężkiej wagi

wen [wen] *s* 1. *med* narośl; kaszak 2. *med* wole 3. *przen* wielkie <nadmiernie rozległe> miasto; **the great** ~ Londyn

wench [wentʃ] □ *s* 1. dziewucha; dziewoja 2. *†* ulicznica □ *vi dial* poszukiwać towarzystwa ulicznic

wend [wend] *vt lit w zwrocie*: **to** ~ **one's way to** — skierować się ku... (bramie, domowi itd.)

Wensleydale ['wenzli‚deil] *spr* nazwa gatunku sera wyrabianego w miejscowości Wensleydale

Wends [wendz] *spl* Wendowie

went *zob* **go**

wentletrap ['wentl‚træp] *s zoo* ślimak morski Epitonium

wept *zob* **weep**

were *zob* **be**

we're [wiə] = **we are**

werewolf ['wə:wulf] *s* (*pl* **werewolves** ['wə:wulvz]) wilkołak

wert [wə:t] *†* *forma* 2. *pers sing czasu* past *od*: **to be**

werwolf ['wə:‚wulf] = **werewolf**

Wesleyan ['wezliən] □ *adj* (*o wyznaniu itd*) metodystów □ *s* metodysta

west [west] □ *s* 1. zachód 2. *am* **the West** zachodnie stany Ameryki Północnej (między rzeką Missisipi a Pacyfikiem) 3. **the West** Zachód; kraje zachodnie 4. zachodni wiatr □ *adj* zachodni; **the West Country** południowo-zachodnie hrabstwa angielskie; **West End** wytworna <bogata> dzielnica Londynu □ *adv* (pojechać itd.) na zachód; (skierować się itd.) ku zachodowi; **sl to go** ~ a) umrzeć b) zgubić się c) stać się nieużytecznym □ *vi* (*o słońcu, statku*) posu-nąć/wać się ku zachodowi

west-bound ['west‚baund] *adj* 1. (*o pociągu*) (jadący <o statku — płynący>) na zachód 2. (*o kolei podziemnej*) wiodący ku zachodniej części miasta

West-End ['west‚end] *adj* 1. wytworny; modny; *pot* szykowny 2. (*o krawcu, sklepie itd*) dzielnicy West End

westering ['westəriŋ] *adj* (*o słońcu*) zachodzący

westerly ['westəli] □ *adj* (*o kierunku*) zachodni; (*o wietrze*) od zachodu, zachodni □ *adv* = **west** *adv*

western ['westən] □ *adj* zachodni, pochodzący z zachodu □ *s* 1. człowiek z zachodu 2. film z życia Dzikiego Zachodu

westerner ['westənə] *s am* człowiek z Zachodu

westernize ['westə‚naiz] □ *vt* szerzyć kulturę Zachodu (**a nation** w danym narodzie) □ *vi* przyj-ąć/mować kulturę Zachodu

westernmost ['westən‚moust] *adj* (*o miejscowości itd*) wysunięty najdalej na zachód

westing ['westiŋ] *s* jazda na zachód; skierowanie się ku zachodowi

westward ['westwəd] □ *adj* (*o kierunku itd*) zachodni □ *adv* (skierowany itd.) ku zachodowi □ *s* kierunek zachodni; **to** ~ ku zachodowi

westwardly ['westwədli] *adj* (*o wietrze*) zachodni, z <od> zachodu; (*o prądzie itd*) (płynący) ku zachodowi; (*o wystawie, budynku itd*) zachodni, skierowany na zachód

westwards ['westwədz] *adv* (jadący, zdążający itd.) ku zachodowi

╽**wet** [wet] Ⅰ *adj* **wetter** ['wetə], **wettest** ['wetist] 1. mokry; wilgotny; zwilżony; zmoczony; a ∼ **bargain** transakcja <interes> oblan-a/y w knajpie; a ∼ **blanket** człowiek <wypadek> działający na rozbawione towarzystwo jak kubeł zimnej wody; *sl* ∼ **bob** sportowiec uprawiający sporty wodne; *mar* ∼ **dock** dok pływający; *fizj* ∼ **dream** zmaza nocna, polucja; *med* ∼ **pack** zawijanie (chorego) w wilgotne prześcieradło; ∼ **paint** świeża farba; „świeżo malowane"; ∼ **through** przemoczony; **the ink is <was> still** ∼ atrament jeszcze nie wysechł <nie zdążył wyschnąć>; **to get one's feet** ∼ przemoczyć sobie nogi; **to get** ∼ z/moknąć; ∼ **with tears** mokry od łez; ∼ **to the skin** przemoczony do suchej nitki; **wringing <dripping>** ∼ kompletnie przemoczony; ∼ **from the press** (pochodzący itd.) prosto spod prasy (drukarskiej); *am przen* **to be all** ∼ być w grubym błędzie 2. (o pogodzie, dniu itd) słotny, dżdżysty, deszczowy; **the** ∼ **season** okres deszczów, pora deszczowa 3. *chem* (o próbie itd) na mokro 4. *am* (o stanie, okręgu itd) w którym nie ma prohibicji 5. *sl* pijany Ⅱ *s* 1. wilgoć; wilgotność 2. deszcz; **out of the** ∼ spod deszczu 3. *sl* kieliszek (wódki itd.); szklanka (whisky itd.); **to have a** ∼ golnąć sobie, napić się 4. *am* przeciwnik prohibicji Ⅲ *vt* (-tt-) zwilż-yć/ać; z/moczyć; *sl* **to** ∼ **a bargain** obl-ać/ ewać transakcję <interes>; *sl* **to** ∼ **one's bed** zmoczyć łóżko; **to** ∼ **one's feet** przemoczyć sobie nogi; *sl* **to** ∼ **one's whistle** napić się czegoś, golnąć sobie

wet-bulb ['wet,bʌlb] *attr* ∼ **thermometer** termometr wilgotny <o zwilżonym zbiorniku>

wet-grind ['wet,graind] *vt* szlifować na mokro

wether ['weðə] *s* baran kastrowany, skop

wetness ['wetnis] *s* wilgotność

wet-nurse ['wet,nə:s] Ⅰ *s* **mamka** Ⅱ *vt* być mamką (sb czyjąś); wy/karmić (cudze dziecko)

wettish ['wetiʃ] *adj* wilgotnawy; mokrawy

we've [wi:v] = **we have**

wey [wei] *s* jednostka wagi (= 2 do 3 cetnarów zależnie od towaru, który się waży)

whack [wæk] Ⅰ *vt* 1. pacnąć; wal-nąć/ić; grzmo-tnąć/cić, wy/grzmocić; trzasnąć 2. *sl* po/dzielić się (**the spoils etc.** łupem itd.) 3. *sl auto w zwrocie*: **to** ∼ **her up** doda-ć/wać gazu *zob* **whacking** Ⅱ *s* 1. (głośne) uderzenie; walnięcie; grzmotnięcie; trzaśnięcie 2. *sl* próba; **to have a** ∼ **at sth** popróbować czegoś 3. *sl* dola; cząstka; porcja; **I've had my** ∼ **of pleasure** użyłem sobie; **we went** ∼**s** podzieliliśmy się 4. *sl* (dobry) **stan** (mechanizmu itd.); **in fine** ∼ w świetnym stanie; **out of** ∼ nawalony; zepsuty

whacker ['wækə] *s sl* 1. kolos; olbrzym; *przen* kolubryna; **isn't that a** ∼! to ci kolos <kolubryna>! 2. blaga; bezczelne kłamstwo; bujda na resorach

whacking ['wækiŋ] Ⅰ *zob* **whack** *v* Ⅱ *adj sl* kolosalny; olbrzymi; potężny; fest (duży); **a** ∼ **lie** = **whacker** 2. Ⅲ *s* lanie; baty Ⅳ *adv sl* bardzo, fest

whale¹ [weil] Ⅰ *s* 1. *zoo* wieloryb; **a bull <cow>** ∼ wieloryb sámiec <samica>; **calf** ∼ młode wieloryba, wielorybię 2. *pot* **a** ∼ **of** a) nie byle

jaki; kolosalny; olbrzymi; fest b) (o czasie itd) długi; **you were a** ∼ **of a time** aleś się długo guzdrał 3. *pot* (o człowieku) w zwrotach: **a** ∼ **on** <at, for> sth mistrz w czymś; majster do czegoś; **to be a** ∼ **on** <at, for> sth świetnie (umieć) coś robić Ⅱ *vi* (zw **to go whaling**) polować na wieloryby *zob* **whaling**

whale² [weil] *vt am* wal-nąć/ić; grzmo-tnąć/cić, wygrzmocić; z/bić

whale-back ['weil,bæk] *s am* statek o sklepionym pokładzie

whale-boat ['weil,bout] *s* statek wielorybniczy

whalebone ['weil,boun] *s* fiszbin

whaleboning ['weil,bouniŋ] *s* usztywnienie za pomocą fiszbinów (części garderoby itd.)

whale-fin ['weil,fin] *s sl handl* fiszbin

whale-fishery ['weil,fiʃəri] *s* łowisko wielorybnicze

whale-line ['weil,lain] *s* lina do harpuna

whaleman ['weilmən] *s* (*pl* **whalemen** ['weilmən]) marynarz statku wielorybniczego

whale-oil ['weil,ɔil] *s* tran wielorybi

whaler ['weilə] *s* 1. = **whaleman** 2. statek wielorybniczy

whalery ['weiləri] *s* 1. połów wielorybów 2. przemysł wielorybniczy 3. łowisko wielorybnicze

whaling ['weiliŋ] Ⅰ *zob* **whale**¹ *v* Ⅱ *adj sl* kolosalny; ogromny; fest (duży) Ⅲ *s* polowanie na wieloryby; ∼ **industry** przemysł wielorybniczy; ∼ **ship** statek wielorybniczy

whaling-ground ['weiliŋ,graund] *s* łowisko wielorybnicze

whaling-gun ['weiliŋ,gʌn] *s* działo harpunnicze

whaling-master ['weiliŋ,ma:stə] *s* kapitan statku wielorybniczego

whang¹ [wæŋ] Ⅰ *s* (głośne) uderzenie; walnięcie; grzmotnięcie; huk; huczenie (bębna itd.) Ⅱ *vt* wal-nąć/ić; grzmo-tnąć/cić; trzasnąć; huknąć Ⅲ *vi* rozbrzmie-ć/wać; rozlec, rozleg-nąć/ać się; hu-knąć/czeć

whang² [wæŋ] *s szkoc* 1. pasek skórzany, rzemień 2. pajda (chleba, sera itd.)

whangee ['wæŋ,gi:] *s* laska bambusowa

wharf [wɔ:f] Ⅰ *s* (*pl* ∼**s**, **wharves** [wɔ:vz]) nabrzeże; **ex** ∼ z nabrzeża; franco nabrzeże; **loading** ∼ nabrzeże załadowcze; ∼ **charges** <**dues**> (opłaty) brzegowe Ⅱ *vt* 1. wyładow-ać/ ywać (towar) na nabrzeże 2. ustawi-ć/ać (statek) przy nabrzeżu; przy/cumować (statek) na nabrzeżu Ⅲ *vi* (o statku) pod-ejść/chodzić do nabrzeża *zob* **wharfing**

wharfage ['wɔ:fidʒ] *s* 1. zbior nabrzeża 2. przeładunek <wyładunek> na nabrzeże 3. (także ∼ **charges**) (opłaty) brzegowe

wharfing ['wɔ:fiŋ] Ⅰ *zob* **wharf** *v* Ⅱ *s* = **wharfage** 1., 2.

wharfinger ['wɔ:findʒə] *s* właściciel <zarządca> nabrzeża

wharfman ['wɔ:fmən] *s* (*pl* **wharfmen** ['wɔ:fmən]) doker; robotnik portowy

wharf-master ['wɔ:f,ma:stə] *s* zarządca nabrzeża

what [wɔt] Ⅰ *adj* 1. *względny* a) ten ... który; to co; jaki; taki ... jaki; **I gave him** ∼ **clothes I could** dałem to, co mogłem, z ubrania <takie rzeczy z mojej garderoby, jakie mogłem>; **I don't know** ∼ **music they like** nie wiem, jaką oni lubią muzykę b) tyle ... ile; **he gave me** ∼ **money**

he had dał mi tyle pieniędzy, ile miał; ~ **little** _ ta odrobina, jaka ...; ~ **little he does is well done** niewiele robi, ale to, co robi, jest dobrze zrobione; ~ **little they do is badly done** niewiele robią i to kiepsko; **you are welcome to** ~ **little I have** chętnie ci służę tą odrobiną, jaką mam <posiadam> 2. *pytający*: jaki?; ~ **books have you read** jakie książki czytałeś?; ~ **colour is it?** jakiego koloru to jest?; ~ **good** <use> **is it?** na co to?; na co się to zda?; jaki będzie z tego pożytek?; ~ **news?** co słychać?; co nowego?; ~ **shape is it?** jaki to ma kształt?; ~ **size is it?** jak duże to jest?; jakie to duże?; ~ **sort** <manner> **of** _? jakiego rodzaju...? 3. *wykrzyknikowy*: jaki...!; jakiż to...!; co za...!; ~ **genius!** jaki <jakiż to, co za> geniusz!; ~ **an idea!** co za pomysł! III *pron* 1. *pytający*: co?; ~ **is that?** co to jest?; ~ **is it?** a) co to jest? b) o co chodzi?; ~ **is your brother?** czym jest twój brat?; ~ **is your name?** jak się nazywasz?; ~'**s the good** <the use>? na co to (się przyda <zda>)?; ~ **is that to him?** co mu do tego?; co to go obchodzi?; ~ **is the Polish for "all right"?** jak jest po polsku "all right"?; ~ **do 5 and 6 make?** ile to jest 5+6?; ~ **are these oranges?** po ile te pomarańcze? ~ **of it?** no, i co z tego?; ~ **next?** co jeszcze? ~ **though** _? co z tego, że ...?; ~ **for?** po co?; ~ **did you go there for?** po co tam poszedłeś?; ~ **is... like?** jaki jest <jak wygląda>...?; (*w odniesieniu do kilku przedmiotów*); ~ **are those** <these>? co to jest?; ~ **if** _ a) co będzie jeśli ... b) co z tego, że...; ~ **about** _ a) a co z... b) co byś powiedział na...; ~ **ever** _! co, do licha...!; ~ **ever have you done?!** coś ty do licha najlepszego zrobił?! 2. *względny*: to; co; do ~ **you think is right** rób (to) co uważasz za słuszne; **I don't know** ~ **to say** nie wiem, co powiedzieć; **it is** <was> **good work and** ~ **is more quickly done** to była dobra robota i co więcej szybko zrobiona; **and** ~ **not** i licho wie, co jeszcze; **he knows** ~'**s** ~ on się zna na rzeczy 3. *wykrzyknikowy*: a) co (też) ...!; czego (to) nie ...!; ~ **they've been telling me!** co też oni mi opowiedzieli!; czego też oni mi nie naopowiadali! b) co!; jak to!; ~! **you don't know!** co! <jak to!> ty nie wiesz! 4. coś; **I'll tell you** ~ coś ci powiem; **I know** ~ mam pomysł; **but** ~ _ żeby nie ...; **not a day but** ~ **it rained** nie było dnia, żeby nie lało ‖ *przy wyliczaniu przyczyn zjawiska*: ~ **with** _ zważywszy ...; skutkiem i ... i ...; częściowo <trochę> przez... a częściowo <trochę> przez...; ~ **with overwork and the lack of sleep no wonder that he looked like a ghost** zważywszy jego przepracowanie i brak snu, nic dziwnego, że wyglądał jak zmora; ~ **with stage fright and his toothache he made a mess of it** skutkiem i tremy, i bólu zęba sknocił to

what-d'ye-call-him ['wɔtdjə'kɔːlim], **-her** [-ə:] *s* (*o mężczyźnie*) ten, jak go tam zwą <jak mu tam>; (*o kobiecie*) ta, jak ją tam zwą <jak jej tam>

what-d'ye-call-it ['wɔtdjə'kɔːlit] *s* (*o przedmiocie*) to coś; *pot* ten gips

whate'er [wɔt'ɛə] *adj pron poet* = **whatever**

whatever [wɔt'evə] I *adj* 1. *w zdaniu oznajmu-*

jącym: jakikolwiek; każdy <wszelki> ... jaki; jaki by nie był; **let me have** ~ **information you may obtain** jakąkolwiek informację zdobędziesz, zakomunikuj mi ją; zakomunikuj mi każdą <wszelką> informację, jaką zdobędziesz, jaka by nie była 2. *w zdaniu przeczącym*: no <not any> ... ~ żaden; **I could obtain no** <I could not obtain any> **information** ~ żadnej informacji nie mogłem zdobyć 3. *w zdaniu pytającym i przeczącym*: w ogóle; **did he say anything** ~ **about me?** czy w ogóle coś mówił o mnie?; **he said nothing** <did not say anything> ~ nic w ogóle nie mówił; **is there any possibility** ~? czy jest w ogóle jakakolwiek możliwość?; **there is no** <there isn't any> **possibility** ~ nie ma w ogóle żadnej możliwości; **there's no doubt** ~ nie ma najmniejszej wątpliwości II *pron* 1. cokolwiek; wszystko (to) co; co tylko; co <czego> by nie ...; bez względu na to co ...; obojętne, co ...; **he wants** ~ **he sees** cokolwiek <co tylko> zobaczy, to chce mieć; on chce wszystko mieć, co zobaczy; **do** ~ **you like** możesz robić wszystko (to) co ci się podoba <wszystko co chcesz, co ci się żywnie podoba>; ~ **may happen keep quiet** co by się nie stało <bez względu na to, co się stanie; obojętne, co się stanie> zachowaj spokój; ~ **for?** po co u licha? 2. *w zdaniu nawiasowym*: ~ **that may be** a licho wie, co to jest; **he says it's pyaemia** ~ **that may be** on mówi, że to ropnica, a licho wie, co to jest 3. = **what ever** zob **what** *pron* 1.

what-ho [wɔt'hou] *interj pot* (*przy powitaniu*) serwus!; czołem!; cześć!

whatnot ['wɔt'nɔt] *s* 1. etażerka 2. cokolwiek; byle co; wszystko jedno co 3. coś tam takiego; **and** ~ i różne inne rzeczy

whatso ['wɔtsou] = **whatever**

whatsoe'er ['wɔtsou'ɛə] *poet* = **whatever**

whatsoever ['wɔtsou'evə] *emfatyczna forma od*: **whatever**

whaup [wɔːp] *s szkoc zoo* kulik wielki

wheal[1] [wiːl] = **wale, weal**

wheal[2] [wiːl] *s* (*w Kornwalii*) kopalnia (cyny)

wheat [wiːt] I *s bot* pszenica; **German** ~ (pszenica) orkisz; **winter** ~ pszenica ozima II *attr* pszeniczny; ~ **crop** zbiór pszenicy

wheat-ear ['wiːt‚iə] *s* kłos pszenicy

wheatear [wiːt'iə] *s zoo* białorzytka (ptak)

wheat-grass ['wiːt‚grɑːs] *s bot* perz

wheaten [wiːtən] *adj* pszenny, pszeniczny

Wheatstone ['wiːtstən] *spr attr elektr* ~ **bridge** mostek Wheatstone'a

wheat-worm ['wiːt‚wəːm] *s zoo* węgorek pszeniczny

wheedle ['wiːdl] *vt* przymil-ić/ać <wdzięczyć, czulić się> (sb do kogoś); przypochlebiać się (sb komuś); bałamucić; **to** ~ **sb into doing sth** przymilaniem <wdzięczeniem, czuleniem, przypochlebianiem> się nakłonić <doprowadzić> kogoś do zrobienia czegoś; tak długo się przymilać <czulić> do kogoś <przypochlebiać komuś> dopóki nie zrobi czegoś; **to** ~ **sb into good temper** przymilaniem <przypochlebianiem> się udobruchać kogoś; **to** ~ **sth out of sb** <sb out of sth> przymilaniem <przypochlebianiem> się wydoby-ć/wać <wydosta-ć/wać, wyłudz-ić/ać> coś od kogoś *zob* **wheedling**

wheedler ['wi:dlə] *s* 1. pochlebca 2. zalotni-k/ca; bałamut/ka

wheedling ['wi:dliŋ] Ⅰ *zob* **wheedle** *v* Ⅲ *adj* 1. pieszczotliwy 2. bałamutny; zalotny

♦**wheel** [wi:l] Ⅰ *s* 1. koło; kółko; **Fortune's** ~ koło szczęścia; **the ~s of State** machina państwowa; ~ **and axle** a) *techn* kołowrót b) *kolej* zestaw kołowy; ~ **chair** krzesło na kołach <inwalidzkie>; ~ **of life** stroboskop; *arch* ~ **window** rozetowe okno; **it went** <**goes**> **on** ~**s** (to) poszło <idzie> gładko, jak po maśle; **there are** ~**s within** ~**s** to jest skomplikowan-y/a mechanizm <machina>; ~**s within** ~**s** splot okoliczności; **fifth** ~ piąte koło u wozu; **put one's shoulder to the** ~ natężyć się; *przen* zakasać rękawy 2. *techn* tarcza (szlifierska, polerska itd.) 3. *mar* ster; **the man at the** ~ a) sternik b) *przen* człowiek u steru 4. *auto* kierownica; **to take the** ~ zasiąść za kierownicą 5. *hist* koło tortur; **to break sb on the** ~ łamać kogoś kołem; **to break a butterfly on the** ~ strzelać z armaty do wróbla 6. ruch kołowy <obrotowy>; **the** ~**s of birds in the air** ewolucje ptaków w powietrzu; *wojsk* **left** <**right**> ~! na lewo <prawo> zachodź! 7. *am pot* rower Ⅱ *vt* 1. obr-ócić/acać; *wojsk* s/kierować w prawo <lewo> (oddział); nawr-ócić/acać (konie itd.) 2. wieźć/wozić (sth in a barrow coś na taczkach; **sb in a Bath chair** kogoś na krześle inwalidzkim) 3. popychać (taczki); prowadzić (rower) 4. jechać (**a bicycle** na rowerze) Ⅲ *vi* 1. obr-ócić/acać się 2. (*o ptakach itd*) wykonywać ewolucje; krążyć 3. *wojsk* (*o oddziale*) za-jść/chodzić (w prawo, w lewo) 4. *am pot* je-chać/ździć na rowerze

~ **about** <**round**> *vi* 1. nagle się obrócić 2. *przen* zmienić front

zob **wheeled**

wheelbarrow ['wi:l,bærou] *s* taczki

wheel-base ['wi:l,beis] *s* rozstaw osi (wagonu itd.)

wheeled ['wi:ld] Ⅰ *zob* **wheel** *v* Ⅲ *adj* (*o przedmiocie*) na kołach <kółkach>

wheeler ['wi:lə] *s* 1. kołodziej 2. = **wheel-horse**

wheel-horse ['wi:l,hɔ:s] *s* koń dyszlowy

wheel-house ['wi:l,haus] *s mar* pomost sternika

wheel-lock ['wi:l,lɔk] *s hist* rusznica

wheelman ['wi:lmən] *s* (*pl* **wheelmen** ['wi:lmən]) *am* rowerzysta, kolarz

wheel-ore ['wi:l,ɔ:] *s miner* burnonit

wheelwright ['wi:l,rait] *s* kołodziej

wheeze [wi:z] Ⅰ *vi* charczeć; sapać ~ **out** *vt* powiedzieć (coś) sapiąc Ⅲ *s* 1. charczenie; sapanie 2. † *sl teatr* dowcip dopowiedziany przez aktora w trakcie przedstawienia 3. (znany) kawał, powiedzonko 4. *pot* świetny pomysł

wheezy ['wi:zi] *adj* (**wheezier** ['wiziə], **wheeziest** ['wiziist]) astmatyczny; dychawiczny

whelk[1] [welk] *s zoo* trąbik sfałdowany

whelk[2] [welk] *s med* trądzik różowaty

whelm [welm] *vt poet* pochł-onąć/aniać

whelp [welp] Ⅰ *s* 1. szczenię; *przen* (*o człowieku*) szczeniak 2. młode dzikich zwierząt (lwa, niedźwiedzia, lisa itd.) Ⅱ *vi* (*o psie*) o/szczenić się; (*o zwierzętach*) mieć młode Ⅲ *vt* (*o zwierzęciu*) u/rodzić

when [wen] Ⅰ *adv* 1. *pytajny*: kiedy?; ~ **ever** _? kiedyż u licha ...?; kiedy właściwie ...? 2.

względny: kiedy; kiedy to; i wtedy; (czas) w którym; **the conflict began,** ~ **it soon appeared which was stronger** rozpoczęła się walka i wtedy okazało się zaraz, kto mocniejszy; **the day** ~ **I first saw her** dzień, w którym zobaczyłem ją po raz pierwszy Ⅲ *conj* 1. gdy; kiedy; ~ **we go out** gdy wychodzimy <wyjdziemy> 2. *przed imiesłowem czynnym* a) nie tłumaczy się; ~ **reading** <**eating, swimming etc.**> czytając, jedząc, pływając itd. b) przy (czytaniu, jedzeniu) 3. *przed imiesłowem biernym*: po; ~ **written the letter must be re-read** po napisaniu list trzeba przeczytać 4. *w zestawieniu kontrastowym*: **he despaired** ~ **he should have rejoiced** on rozpaczał, a powinien był się cieszyć 5. *w zdaniach z wyrzutnią*: ~ **at school** gdy <kiedy> byłem <był itd.> w szkole; ~ **in town** gdy <kiedy> jestem <jest itd.> w mieście Ⅲ *pron w zwrotach czasowych*: **since** ~? odkąd?; **till** ~? dokąd? Ⅳ *s* czas (w którym coś się stało <stanie>); **I know the** ~ **and where of his arrest** wiem, gdzie i kiedy go zaaresztowano; **the** ~ **and the how of it** kiedy i jak się to stało

whence [wens] Ⅰ *adv poet lit* skąd? Ⅲ *conj poet lit* (*także* **from** ~) (miejsce) z którego

whene'er [wen'eə] *adv poet* = **whenever**

whenever [wen'evə] *adv* 1. ilekroć 2. kiedykolwiek; kiedy tylko; o każdej porze; kiedy by nie... zawsze; **I shall come** ~ **you call me** kiedy byś mnie nie zawołał, zawsze przyjdę

whensoe'er ['wensou'eə] *adv poet* = **whenever**

whensoever ['wensou'evə] = **whenever**

where [weə] Ⅰ *adv* 1. *pytający*: gdzie? 2. *względny*: gdzie; i tam; tam też; (miejsce) w którym; **he went to London** ~ **he soon became famous** udał się do Londynu, gdzie <i tam, tam też> wkrótce stał się sławnym; **the place** ~ **I was born** miasto, w którym się urodziłem Ⅲ *pron w zwrotach*: **from** ~ skąd; **to** ~ dokąd; **do tego miejsca, gdzie** <w którym> Ⅲ *s* ~ **to**? dokąd?; ~ **from**? skąd?; ~ **did you take it from?** skąd to wziąłeś?; **the** ~**s and (the) whens** kiedy i gdzie; miejsce i czas (zajścia itd.)

whereabout [,weər-ə'baut] *adv* 1. o czym 2. = **whereabouts**

whereabouts [,weərə'bauts] Ⅰ *adv* 1. gdzież? 2. gdzie, w któr-ym/ej miejscu <miejscowości>; **he is somewhere in England but I can't say** ~ on jest gdzieś w Anglii, ale nie umiem ci powiedzieć, gdzie <w której miejscowości> Ⅲ *s* miejsce pobytu <przebywania>; **do you know his** ~? czy wiesz, gdzie on przebywa?

whereafter [weər'a:ftə] *adv lit* po czym; a następnie

whereas [weər'æz] *conj* 1. *prawn* zważywszy, że... 2. *w zestawieniu kontrastowym*: podczas gdy; natomiast; a; **you are young** ~ **he is an old man** ty jesteś młod-y/a, podczas gdy on <on natomiast, a on> to staruszek

whereat [weər'æt] *adv lit* na co; a na to; **I made a remark** ~ **he got angry** zrobiłem uwagę, na co on <a on na to> się zezłościł

whereby [weə'bai] *adv lit* 1. po czym?; jak?; ~ **shall we know him?** po czym <jak> my go poznamy? 2. po którym; za pomocą którego; mocą którego; **a** <**measure**> **plan** ~ **it might be done** zarządzenie <rozporządzenie> za pomocą którego można by to przeprowadzić; **the decision ~ __** postanowienie, mocą którego...

where'er [wɛə'rɛə] *adv poet* = **wherever**

wherefore [wɛə'fɔ:] ⊡ *adv lit* 1. dlaczego? z jakiego powodu? 2. dlatego (też); z tej (to) przyczyny; z tego (też) powodu ⊞ *s w zwrocie*: **the why(s) and the ~(s)** przyczyny i skutki; pytania o przyczyny i skutki

wherefrom [wɛə'frɔm] *adv lit* skąd

wherein [wɛər'in] *adv lit* 1. w czym? 2. (miejsce, czas itd.) w którym...

whereof [wɛər'ɔv] *adv lit* 1. z czego? 2. (*materiał, człowiek itd*) z którego...

whereon [wɛər'ɔn] *adv lit* 1. na czym? 2. na czym (też); na którym

wheresoe'er [,wɛəsou'ɛə], **wheresoever** [,wɛəsou'evə] = **wherever**

wherethrough [wɛə'θru:] *adv lit* 1. przez co; skutkiem czego 2. przez który; skutkiem którego

whereto [wɛə'tu:] *adv lit* 1. do tego (też) 2. do którego

whereunder [wɛər'ʌndə] *adv lit* 1. pod czym; poniżej czego 2. pod którym; poniżej którego

whereunto [,wɛərən'tu:] *adv lit* 1. do czego (też) 2. do którego

whereupon [,wɛər-ə'pon] *adv lit* 1. na czym 2. na czym (też) 3. (miejsce, przedmiot itd.) na którym 4. po czym; **a signal was given ~ the attack began** dano sygnał, po czym rozpoczęło się natarcie

wherever [wɛər'evə] *adv* 1. dokądkolwiek; wszędzie ...; gdzie tylko; gdziekolwiek (by); gdzieby nie...; bez względu na to gdzie...; ~ **you go you are faced with __** wszędzie gdzie się idzie <gdzie by się nie szło> spotyka się ...; ~ **you conceal it they will find it** bez względu na to gdzie to schowasz <choćbyś to nawet nie wiem gdzie schował> oni to znajdą 2. *w zdaniu nawiasowym*: ~ **that may be** a nie wiadomo <*pot* licho wie> gdzie to jest; **he was born at Tkirun ~ that may be** urodził się w Tkirunie a nie wiadomo <*pot* licho wie> gdzie to jest

wherewith [wɛə'wið] *adv lit* 1. z czym?; czym? 2. (*o przedmiocie itd*) z którym; którym (coś się robi)

wherewithal [,wɛəwi'ðɔ:l] ⊡ *adv lit* = **wherewith** ⊞ *s* ['wɛəwi,ðɔ:l] **the ~** to co (jest) potrzebne; potrzebne środki <fundusze, przybory, materiały>; czym (można coś zrobić); **to do that I must have the ~** ażeby to zrobić, muszę mieć czym <potrzebne przybory, materiały>

wherry ['weri] *s* łódź (do przewozu pasażerów na rzece, jeziorze)

wherryman ['werimən] *s* (*pl* **wherrymen** ['werimən]) przewoźnik

whet [wet] ⊡ *vt* (-tt-) 1. na/ostrzyć 2. zaostrz-yć/ać (apetyt itd.); pobudz-ić/ać (apetyt, pragnienie czegoś itd.) ⊞ *s* środek pobudzający (**to the appetite etc.** apetyt itd.); coś na zaostrzenie apetytu

whether¹ ['weðə] † *pron* który (z dwóch, z dwojga)

whether² ['weðə] *conj* czy; **or ~** czy też; ~ **or no** <**not**> czy... czy (też) nie; **I can't say ~ he is still there or ~ he has left** nie powiem ci, czy on jeszcze tam jest, czy też już poszedł

whetstone ['wet,stoun] *s* osełka, kamień do ostrzenia, brus

whew [hwu:] *interj* fiu!

whewellite ['hjuə,lait] *s miner* wewelit

whey [wei] *s* serwatka

whey-faced ['wei,feist] † *adj* blady; **a ~ fellow** wymoczek

🔻**which** [witʃ] ⊡ *adj* 1. *pytający*: który?; dokąd; ~ **one of you?** który z was?; ~ **way?** a) którędy? b) w jaki sposób?; jakim sposobem?; ~ **picture do you like best?** który obraz ci się najbardziej podoba?; ~ **is it to be?** na co się decyduje-sz/my? 2. *względny*: który; **the trees ~ I planted** drzewa, które posadziłem 3. *względny*: który to; a...; **a smile and a sixpence, ~ equipment is within most people's reach will suffice** wystarczy uśmiech i pół szylinga w kieszeni, na który to majątek każdego chyba stać <a każdego chyba stać na tyle>; **at ~ time** kiedy to; **at ~ place** tamże; gdzie też 3. † **the ~ = which** 2., 3. ⊞ *pron* 1. *pytający*: który?; ~ **is ~?** a) który jest który? (z dwóch wymienionych osób, rzeczy itd.) b) który jest prawdziwy <właściwy itd.> a który fałszywy< niewłaściwy itd.>?; ~ **of us?** który z nas? 2. *względny (nie poprzedzony przecinkiem)*: który; **the country ~ I like best** kraj, który najbardziej lubię 3. *względny (po przecinku w zdaniu uzupełniającym)*: co; a... to; **he said he saw me, ~ was a lie** powiedział, że mnie widział, co było nieprawdą <a to było nieprawdą>; **upon** <**after**> ~ po czym

whichever [witʃ'evə] ⊡ *adj* którykolwiek... jaki; każdy... jaki; który tylko; obojętne który; bez względu na to, który; **take ~ book you wish** weź którąkolwiek książkę <każdą książkę> jaką sobie życzysz; ~ **way you go you will come to the beach** obojętne <bez względu na to> którą drogą pójdziesz, dojdziesz do plaży ⊞ *pron* którykolwiek; każdy; który tylko; obojętne który; **which book may I take? — ~ you wish** którą książkę mogę wziąć? — którąkolwiek; obojętne którą; którą tylko zechcesz

whichsoever [,witʃsou'evə] *emfatyczna forma od* **whichever**

whiff¹ [wif] ⊡ *s* 1. powiew; podmuch; tchnienie; **a ~ of fresh air** zaczerpnięcie świeżego powietrza; **a ~ of grapeshot** kilka strzałów armatnich 2. kłąb (dymu) 3. (dolatujący) zapach 4. małe cygarko 5. zaciągnięcie się (papierosem); **to take a ~** zaciągnąć się; *pot* sztachnąć się 6. *wiośl* skiff ⊞ *vt* wypu-ścić/szczać (**smoke** kł-ąb/ęby dymu) ⊞ *vi* 1. (*o wietrze*) lekko wiać 2. pykać

whiff² [wif] *s zoo* nazwa kilku płaszczów morskich pokrewnych turbotowi

whiff³ [wif] *vi* łowić ryby na wędkę wlokącą się za płynącą łodzią

whiffet [wifit] *s pot am* (*o człowieku*) zero; marny człowieczyna

whiffle ['wifl] ⊡ *vi* 1. (*o wietrze*) podmuchiwać 2. (*o płomieniu*) migotać 3. *przen* (*o myśli*) błądzić 4. (*o człowieku*) zmieniać zdanie 5. lekko gwizd-nąć/ać ⊞ *vt* (*o wietrze*) chybotać <kolebać> (**a boat** łodzią)

whiffler ['wiflə] *s* człowiek bez stałych przekonań

whiffy ['wifi] *adj* śmierdzący; cuchnący

whig [wig] Ⅰ *s polit* wig Ⅲ *adj* (*o partii itd*) wigów

whiggery ['wigəri], **whiggism** ['wigizəm] *s* liberalizm wigów

whiggamores ['wigəmɔ:z] *spl hist* powstańcy szkoccy (1648)

while [wail] Ⅰ *s* chwila; jakiś <pewien> czas; **after a ~** po chwili; po pewnym czasie; wkrótce, wnet, niebawem; **all the ~** przez cały ten czas; **all this ~** tyle czasu; **a ~ ago** jakiś czas temu; przed niejakim czasem; **between ~s** w przerwach; **for one ~** na razie; chwilowo; na ten jeden raz; **in a ~** za chwilę; po chwili; **once in a ~** od czasu do czasu; **I'll make it worth your ~** odpłacę <odwdzięczę> ci się; zrobię tak, że ci się to opłaci; **is it worth (my <our etc.>) ~ ?** czy warto?; **it's worth ~ seeing** warto to zobaczyć; **to be worth one's ~** opłac-ić/ać się komuś; **a good ~** dość długo <długi czas>; **a short ~** krótki czas; **for the ~** tymczasem; na razie; **quite a ~** długo <przez długi czas>; **at ~s** czasami; od czasu do czasu Ⅲ *conj* (*także †* **whiles**) 1. podczas <w czasie> gdy; gdy; kiedy; **be quiet ~ I sleep** bądźcie cicho, gdy będę spał 2. *przed imiesłowem czynnym nie tłumaczy się*: **~ having his breakfast he reads the paper** jedząc śniadanie czyta gazetę 3. *w zdaniach eliptycznych* (*z wyrzutnią*): będąc; **~ in Paris** będąc w Paryżu 4. jak długo... (tak długo)...; dopóki... (dopóty)..; póki; **~ her father lives she will lack nothing** jak długo <dopóki> jej ojciec będzie żył, nie zabraknie jej niczego; **~ there is life there is hope** póki się żyje, nie wolno tracić nadziei; niech żywi nie tracą nadziei 5. *w zestawieniach kontrastowych*: podczas gdy; natomiast; a; **she is very pretty ~ her sister is plain** ona jest bardzo ładna podczas gdy jej siostra <siostra jej natomiast> jest nieładna 6. chociaż; co prawda; **~ I don't like him I must say he has great qualities** chociaż go nie lubię <nie lubię go co prawda> ale muszę powiedzieć, że posiada wielkie zalety **~ away** *vt w zwrocie*: **to ~ away the time** zabi-ć/jać <skr-ócić/acać> sobie czas

whilom ['wailəm] *†* Ⅰ *adv* ongi, niegdyś Ⅲ *adj* dawny; **a ~ friend** dawny przyjaciel

whilst [wailst] = **while** *conj*

whim [wim] *s* 1. kaprys; zachcianka; fantazja; fanaberia; **as the ~ takes me** jak mi się zechce; jak mi przyjdzie fantazja; **~s fochy** 2. *górn* kierat wyciągowy <kołowrót> (konny)

whimbrel ['wimbrəl] *s zoo* kulik (ptak brodzący)

whimper ['wimpə] Ⅰ *vi* 1. (*o człowieku*) za/piszczeć; sklamrzeć; (*o dziecku*) za/kwilić 2. (*o psie*) za/skowyczeć; skomleć Ⅲ *vt* powiedzieć <za/wołać, po/prosić itd.> płaczliwym głosem Ⅲ *s* sklamrzenie; kwilenie; skowyt; skamlanie

whimsical ['wimzikəl] *adj* 1. kapryśny; fanaberyjny; narwany 2. dziwaczny; cudaczny

whimsicality [ˌwimzi'kæliti] *s* 1. kapryśne <narwane> usposobienie; fanaberie; zachcianki 2. dziwaczność; cudaczność; cudaczny wygląd

whimsy ['wimzi] *s* kaprys; fantazja; fanaberia

whimwham ['wim,wæm] *s †* 1. dziwaczny pomysł 2. zabawka

whin¹ [win] *s bot* kolcolist zachodni

whin² [win] = **whinstone**

whinchat ['wintʃæt] *s zoo* pokląskwa białokrwista (ptak)

whine [wain] Ⅰ *vi* 1. (*o człowieku*) jęczeć; sklamrzeć; (*o dziecku*) za/kwilić 2. (*o psie*) za/skowyczeć; skomleć Ⅲ *vt* (*zw* **to ~ out**) powiedzieć <za/wołać, po/prosić> jękliwie; <płaczącym głosem> Ⅲ *s* pojękiwanie; sklamrzenie; kwilenie; skowyt; skamlanie

whinger ['wiŋə] *s szkoc* kordelas

whinny ['wini] Ⅰ *vi* (**whinnied** ['winid], **whinnied**; **whinnying** ['winiiŋ] (*o koniu*) za/rżeć cicho <radośnie> Ⅲ *s* ciche <radosne> rżenie

whinstone ['winstoun] *s geol* twarda skała magmowa

↕ **whip** [wip] Ⅰ *s* 1. bat; bicz; **~ hand** ręka trzymająca bat; **to have the ~ hand** mieć władzę w rękach; **to have the ~ hand of sb** mieć kogoś w swojej władzy; **to ride ~ and spur** pędzić co koń wyskoczy 2. woźnica, furman; **he was a good ~** dobrze furmanił 3. *myśl* pomocnik łowczego 4. *parl* (w Anglii) członek partii wyznaczony do przestrzegania dyscypliny wśród współtowarzyszy; *przen* naganiacz 5. wezwanie do współtowarzyszy w parlamencie; **a three-line ~** wezwanie trzykrotnie podkreślone 6. (*także* **~-and-derry**) kołowrót; wyciąg blokowy 7. skrzydło <ramię> (wiatraka) Ⅲ *vt* (**-pp-**) 1. wy/chłostać <w/ysmagać> batem; zacinać (konia); biczować 2. ubi-ć/jać (śmietanę, jaja); **~ped cream** bita śmietana 3. *pot* pobić <pokon-ać/ywać> (współzawodnika); *sl* **that ~s creation** to jest szczyt wszystkiego 4. sprawić lanie (**a bad boy** niegrzecznemu chłopcu) 5. obwiąz-ać/ywać (laskę itd.) 6. za/stębnować 7. wy/windować (kołowrotem, wyciągiem blokowym) Ⅲ *vi* (**-pp-**) 1. (*o deszczu*) zacinać (**against the window-panes** w okna) 2. (*o człowieku*) czmych-nąć/ać; skoczyć (**behind a tree etc.** za drzewo itd.)
~ away Ⅰ *vt* 1. odpędz-ić/ać batem 2. wyr-wać/ywać; wy-drzeć/dzierać (coś komuś) Ⅲ *vi* czmych-nąć/ać
~in *vt* zapędz-ić/ać batem
~ off Ⅰ *vt* zerwać/zrywać (kapelusz z głowy itd.) Ⅲ *vi* czmych-nąć/ać
~ on *vt* popędzać batem
~ out *vt* 1. błyskawicznym ruchem wyj-ąć/mować <wydoby-ć/wać> 2. wypędz-ić/ać batem
~ round *vi* nagle się odwr-ócić/acać
~ together *vt* zag-onić/aniać batem
~ up *vt* 1. zaci-ąć/nać <podci-ąć/nać> (konia) 2. pu-ścić/szczać w kurs pilną kurendę (**the members of a party**. do członków partii) 3. błyskawicznym ruchem podn-ieść/osić (coś z ziemi itd.)
zob **whipping**

whipcord ['wip,kɔ:d] *s* 1. = **whip-lash** 2. prążkowany materiał wełniany

whip-crane ['wip,krein] *s* dźwig

whip-graft ['wip'grɑ:ft] *vt ogr* szczepić (roślinę)

whip-lash ['wip,læʃ] *s* trzaskawka (u bicza)

whipper ['wipə] *s* człowiek wymierzający karę chłosty

whipper-in ['wipər'in] = **whip** *s* 3.

whipper-snapper ['wipə,snæpə] *s* 1. chłystek 2. bezczelny smarkacz; impertynent; junaczący się młodzik

whippet ['wipit] *s* 1. *zoo* chart wyścigowy 2. *wojsk* tankietka

whippiness ['wipinis] *s* giętkość, elastyczność

whipping ['wipiŋ] [] *zob* whip *v* [] *s* kara chłosty; **to give a bad boy a ~** wychłostać niegrzecznego chłopca

whipping-boy ['wipiŋˌbɔi] *s hist* kolega szkolny księcia, który za niego odbierał chłostę

whipping-top ['wipiŋˌtɔp] *s* bąk (zabawka wirująca przy uderzaniu bacikiem)

whipple-tree ['wiplˌtriː] *s* orczyk

whip-poor-will ['wippuəˈwil] *s zoo* lelek kozodój

whippy ['wipi] *adj* giętki; elastyczny; sprężysty

whip-ray ['wipˌrei] *s zoo* ryba z rodziny Trygonidae

whip-round ['wipˌraund] *s* zbiórka (na rzecz ofiary wypadku itd.)

whip-saw ['wipˌsɔː] [] *s techn* wąska piła do wycinania krzywych elementów (w kamieniu) [] *vt* 1. prze/rżnąć; prze/piłować 2. *am sl* podwójnie wykiwać

whipster ['wipstə] = **whipper-snapper**

Whipsnade ['wipsneid] *spr* nazwa rezerwatu dla dzikich zwierząt

whip-stock ['wipˌstɔk] *s* biczysko

whip-top ['wipˌtɔp] = **whipping-top**

whir [wəː] = **whirr**

whirl [wəːl] [] *s* wirowanie; ruch wirowy; *dosł i przen* wir; **my head was in a ~** kręciło mi się w głowie; **his brain was in a ~** wszystko mu się pokręciło; był zupełnie skołowany [] *vi* za/wirować; krążyć; za/kręcić się w kółko [] *vt* 1. wprawić/ać w ruch wirowy; porwać/ywać w wir 2. cisnąć/kać **(a stone** kamieniem)

~ **about** *vt* porwać/ywać w wir

~ **away** [] *vi* odjechać/żdżać pędem [] *vt* powieźć pędem

zob **whirling**

whirligig ['wəːligig] *s* 1. bąk (zabawka) 2. wir; (*w tańcu*) piruet; **the ~ of life** koło fortuny 3. karuzela 4. *zoo* krętaczek (chrząszcz)

whirling ['wəːliŋ] [] *zob* whirl *v* [] *adj* wirujący; wirowy; ~ **dervish** derwisz kręcący się w kółko [] *s* wirowanie; wir

whirlpool ['wəːlˌpuːl] *s* wir (wodny); odmęt

whirlwind ['wəːlˌwind] *s* trąba powietrzna; wir powietrza

whirr [wəː] [] *s* furkot <furkotanie, furczenie> (skrzydeł itd.); warkot (maszyny itd.) [] *vi* furkotać; furczeć; warkotać

whisht [wiʃt] = **whist¹**

whisk [wisk] [] *vt* 1. machnąć/ać, wymachiwać ze świstem **(the tail, a cane etc.** ogonem, laską itd.); śmignąć/ać (kogoś <coś> czymś); trzepnąć/ać; pacnąć 2. unieść (kogoś) lotem strzały [] *vi* śmignąć/ać; pomknąć/ykać; przeszyć/wać powietrze

~ **along** *vi* śmignąć/ać; pomknąć/ykać; mknąć

~ **away** <**off**> [] *vt* 1. strzepnąć/ywać 2. porwać/ywać błyskawicznym ruchem 3. przewieźć/ozić lotem strzały [] *vi* zniknąć w jednej chwili; czmychnąć/ać; pomknąć/ykać

~ **up** [] *vt* unieść/osić w górę błyskawicznym ruchem [] *vi* unieść/osić się w górę błyskawicznym ruchem

[] *s* 1. miotełka 2. packa (na muchy) 3. trzepaczka 4. mątewka; warząchew (do ubijania piany) 5. machnięcie/anie ze świstem; śmignięcie/anie

whisker ['wiskə] *s* (*zw pl* ~**s**) 1. bokobrody, baki, faworyty 2. wąsy (u kota itd.)

whiskered ['wiskəd] *adj* 1. (*o mężczyźnie*) z bokobrodami 2. (*o kocie*) z wąsami

whisky¹, whiskey ['wiski] *s* whisky

whisky² ['wiski] *s* powozik dwukołowy

whisper ['wispə] [] *vi* 1. szepnąć/tać; mówić na ucho 2. (*o strumyku*) szemrać 3. (*o liściach*) za/ szeleścić [] *vt* powiedzieć <mówić> na ucho; po cichu kazać (**sb to do sth** komuś żeby coś zrobił <coś zrobić>); **it is ~ed that ...** krąży cicha pogłoska, że... *zob* **whispered, whispering** [] *s* 1. szept; **to talk <say sth> in a ~ <in ~s>** mówić <powiedzieć coś> szeptem 2. *pl* ~**s** szeptanina 3. cicha <szeptana> pogłoska 4. szmer <szemranie> (strumyka); szelest (liści)

whispered ['wispəd] [] *zob* whisper *v* [] *adj* powiedziany szeptem <na ucho>; szeptany

whisperer ['wispərə] *s* 1. człowiek mówiący szeptem 2. plotkarz/rka

whispering ['wispəriŋ] [] *zob* whisper *v* [] *adj* szepczący; **a ~ campaign** szeptana propaganda [] *s* szeptanie, szepty, szeptanina

whispering-gallery ['wispəriŋˌgæləri] *s* sklepienie akustyczne

whist¹ [wist] *interj* szt!; (cicho) sza!

whist² [wist] *s karc* wist; ~ **drive** turniej gry w wista

whistle ['wisl] [] *vi* 1. za/gwizdać; (*o lokomotywie, pocisku itd*) gwizdnąć, za/gwizdać; (*o pocisku itd*) za/świstać 2. *przen* daremnie czekać (**for sth** na coś); *mar* **to ~ for the wind** znajdować się w ciszy morskiej; trafić na okres ciszy; **he may ~ for it** niedoczekanie jego!; **to let sb go ~** puścić/szczać czyjeś prośby mimo uszu [] *vt* za/gwizdać <pogwizdywać> (melodię itd.)

~ **away** *vt* [] *vi* pogwizdywać sobie [] trawić **(one's time** czas) na gwizdaniu

[] *s* 1. gwizdanie, gwizd; świstanie <świst> (wiatru itd.) 2. gwizdek 3. † **penny ~** fujarka 4. *przen* gardło; **to pay for one's ~** drogo opłacić zachciankę; **to wet one's ~** napić się czegoś; przepłukać sobie gardło

whistler ['wislə] *s* 1. ogólna nazwa różnych ptaków i zwierząt gwiżdżących (świstaka itd.) 2. świstak

whit [wit] *s* odrobina; **every ~ as good <pretty etc.**> nic a nic nie gorszy <brzydszy itd.>; **no <not a> ~** ani krzty; ani trochę

Whit [wit], **Whitsun** ['witsn] *adj* (*o okresie itd*) Zielonych Świąt; ~ **Monday <Sunday>** drugi <pierwszy> dzień Zielonych Świąt; ~ **week** tydzień po Zielonych Świętach

white [wait] [] *adj* 1. biały; ~ **alloy** biały metal; ~ **armies** wojska białe <kontrrewolucyjne>; ~ **Christmas** święta Bożego Narodzenia w szacie śnieżnej; ~ **hot** rozpalony do białości; *chem* ~ **lead** zasadowy węglan ołowiany; *polit* ~ **paper** biała księga; ~ **sale** wyprzedaż płócien; ~ **ware** białe wyroby ceramiczne; *przen* **to bleed sb ~** wszystkie soki z kogoś wycisnąć; wydusić kogoś jak cytrynę 2. (*o wodzie, świetle*) bez

barwny 3. (o człowieku) biały; blady; **to turn
<go>** ~ z/bieleć; z/blednąć 4. *przen* czysty; nie-
pokalany; a ~ **lie** niewinne <nieszkodliwe> kłamstwo Ⅲ *s* 1. biały kolor; biel 2. biał-y/a ubranie <suknia>; **dressed in** ~ w bieli, w białej sukni; (ubran-y/a) na biało 3. człowiek białej rasy,
biały 4. białko (jaja) 5. *anat* białko oczne, biał-
kówka; **to turn up one's** ~s wywracać oczami
6. *pl* ~s białe spodnie <spodenki> 7. biała bielizna 8. *pl* ~s *pot med* upławy Ⅲ *vt* wy/bielić;
~d sepulchres pobielane groby
whitebait ['wait,beit] *s kulin* smażone młode rybki
whitebeam ['wait,bi:m] *s bot* jarząb mączny
whiteboy ['wait,bɔi] *s hist* 1. członek irlandzkiej
organizacji wyzwoleńczej 2. rebeliant
white-caps ['wait,kæps] *spl* grzywiaste fale przybrzeżne
Whitechapel ['wait,tʃæpl] *spr* Ⅰ *attr* ~ **cart** dwukołowy wózek do domowej dostawy towarów
Ⅱ *vi karc* wy-jść/chodzić singlem
white-collar ['wait,kɔlə] *adj* ~ **job** zajęcie biurowe; ~ **worker** urzędnik
white-fish ['wait,fiʃ] *s* ogólna nazwa dla ryb z rodziny Coregonidae
Whitehall ['wait,hɔ:l] *spr* 1. nazwa zabudowań w
których mieści się większość ministerstw w Londynie 2. *przen* rząd brytyjski
white-lipped ['wait,lipt] *adj* z wargami sinymi ze
strachu
white-livered ['wait,livəd] *adj* tchórzliwy, lękliwy,
bojaźliwy
whiten ['waitən] Ⅰ *vt* 1. wy/bielić 2. pobiel-ić/ać
Ⅲ *vi* 1. z/bieleć 2. z/blednąć *zob* **whitening**
whitening ['waitniŋ] Ⅰ *zob* **whiten** *v* Ⅲ *s* 1. bielenie 2. wapno do bielenia 3. *garb* wiórkowanie,
blanszerowanie 4. proszek z kredy (do czyszczenia naczyń itd.); bielidło
white-slave ['wait,sleiv] *attr* ~ **traffic** handel bia-
łymi niewolnicami
whitesmith ['wait,smiθ] *s* blacharz
whitethorn ['wait,θɔ:n] *s bot* głóg dwuszyjkowy
white-throat ['wait,θrout] *s zoo* gajówka, pokrzew-
ka (ptak)
whitewash ['wait,wɔʃ] Ⅰ *s* 1. wapno do bielenia;
~ **brush** pędzel do bielenia; **to give a wall
<przen sb> a coat of** ~ wybielić ścianę <*przen*
czyjąś reputację> 2. wybielanie (kogoś) 3. lampka <szklanka> kseresu wypita na końcu posiłku
4. *am* wygrana do zera <na sucho> Ⅲ *vt* 1. po/
bielić, wybielić 2. wybiel-ić/ać (kogoś); uniewin-
ni-ć/ać, usprawiedliwi-ć/ać 3. *prawn* uchyl-ić/ać
sądownie upadłość 4. *am* (przeciwnika) na
zero <na sucho>; nie da-ć/wać zdobyć ani jednego punktu (**the opponents** przeciwnikom)
whitewasher ['wait,wɔʃə] *s* 1. malarz pokojowy
2. obrońca (czyjejś reputacji)
whitewood ['wait,wud] *s bot* 1. amerykański tulipanowiec 2. ogólna nazwa kilku drzew i gatunków drzew
whither ['wiðə] † Ⅰ *adv* 1. *pytający*: dokąd? 2.
względny: do tego miejsca, gdzie ...; tam, gdzie
... Ⅲ *s* przeznaczenie
whithersoever ['wiðəsou'evə] † *adv* dokądkolwiek;
obojętne dokąd
whiting¹ ['waitiŋ] *s* proszek do kredy (do czyszczenia naczyń itd); bielidło
whiting² ['waitiŋ] *s zoo* witlinek (ryba)

whiting-pout ['waitiŋ,paut] *s zoo* ryba wątłuszowata
whitish ['waitiʃ] *adj* białawy
whitleather ['wit,leðə] *s* ircha
whitlow ['witlou] *s med* zanokcica
Whitsun *zob* **Whit**
Whitsuntide ['witsn,taid] *s* Zielone Święta<Świątki>
whittle¹ ['witl] † *s* nóż rzeźniczy
whittle² ['witl] Ⅰ *vt* strugać (nożem, scyzory-
kiem) Ⅲ *vi* strugać (at sth coś)
~ **away** *vt* 1. zestrug-ać/iwać 2. *przen* obci-
-ąć/nać, poobcinać (pensje itd.); poobkrawać,
uszczupl-ić/ać, z/redukować
~ **down** *vt* 1. zestrug-ać/iwać 2. doprowadz-
-ić/ać do zera
whity-brown ['waiti,braun] *adj* jasnobrązowy
whiz(z) [wiz] Ⅰ *vi* (-zz-) za/świstać, świszczeć;
(*zw* to ~ **past**) przelecieć <mignąć> ze świstem
Ⅱ *s* 1. świst (lecącego pocisku, strzały itd.) 2.
am uderzenie w rękę na znak zgody; it's a ~!
zgoda! 3. *am sl* majster 4. *am sl* coś świetnego;
a ~ **of a car** świetny wóz; a ~ **of a fellow**
kapitalny facet
whizz-bang ['wiz,bæŋ] *s sl wojsk* małokalibrowy
pocisk armatni
who¹ [hu:] *pron* (*przypadek zależny*: **whom**; *forma dzierżawcza*: **whose**) 1. *pytajny*: kto?; ~**m?**
kogo?; ~ **are you?** kim <kto ty> jesteś?; ~ **are
these people?** kim są ci ludzie?; co to (są) za
ludzie?; **I know** ~'s ~ wiem, czym kto jest;
"**Who is Who**" „kto jest kto" (wykaz najwy-
bitniejszych osobistości); ~ **did he say he
was?** jak powiedział — kim jest?; ~ **do you
think you are?** jak ci się zdaje — ktoś ty
taki <czym ty jesteś>?; ~ **and** ~ **are together?**
kto z kim trzyma? 2. *względny* (*nie poprze-
dzany przecinkiem*): (ten) który; (ten) co;
the man ~ **rang** (ten) człowiek, który <co>
dzwonił 3. *względny* (*poprzedzony przecinkiem*):
a ten; a on; on zaś; który z kolei; który przecież; ... **sent it to Jones,** ~ **passed it on to
Smith** posłał to Jonesowi, a ten <a on, który
z kolei> podał to dalej Smithowi; **she is flirting
with Dick,** ~**m she detests** (ona) flirtuje z Ro-
bertem, a nienawidzi go <którego przecież nie-
nawidzi> 4. † *niezależny*: kto; ten; ktoś; ~ **pays
may well demand** kto płaci, ten ma prawo żądać; **as** ~ **should say** — jakby ktoś powiedział ...
who², **whoa** [wou] = **wo**
whodun(n)it [hu:'dʌnit] *s sl* kryminał (książka);
powieść detektywistyczna
whoe'er [hu:'eə], **whoever** [hu:'evə], **whosoever**
[,hu:sou'evə] *pron* (*przypadek zależny*: **whom-
ever, whomsoever**) ktokolwiek; każdy, kto; ktokolwiek ... obojętne kto; kim byś <by on itd.>
nie był...; ~ **does that shall be severely punished**
ktokolwiek to zrobi, będzie surowo karany; ~ **he
is he cannot come here** kim by (on) nie był, nie
śmie tu wejść
▲**whole** [houl] Ⅰ *adj* 1. † zdrów, zdrowy; (będący)
w dobrym zdrowiu 2. (wrócić itd.) cały (i zdrów)
3. cały; nie uszkodzony; nie poobijany; **there
was not a plate left** ~ ani jeden talerz nie został cały <nie uszkodzony, nie poobijany> 4. cały; zupełny; (będący) w całości; **a lie out of** ~
cloth rzecz całkowicie zmyślona; **a sheep cooked**

~ baran upieczony w całości; **the** ~ **lot** wszystko (bez reszty); (*o ludziach*) **the** ~ **lot of you** <**them etc.**> wszyscy bez wyjątku; **the** ~ **truth** cała prawda; ~ **coffee** kawa ziarnista; ~ **meal** mąka razowa <nie pytlowana>; ~ **milk** pełne <nie zbierane> mleko; **with my** ~ **heart** z całego serca; ~ **brother** <**sister**> rodzon-y/a brat <siostra> 5. cały; pełny; **three** ~ **days** pełne trzy dni ⑪ *s* 1. całość; **to form a harmonious** ~ tworzyć harmonijną całość; **as a** ~ w całości; **on the** ~ na ogół; **taken as a** ~ ogółem wziąwszy 2. *w zwrocie*: **the** ~ **of** __ cały; wszystek ...; **the** ~ **of the country** cały kraj; **the** ~ **of his pay** cały jego zarobek

whole-coloured ['houl,kʌləd] *adj* jednolity (w kolorze); jednobarwny; monochromowy

whole-hearted ['houl,ha:tid] *adj* serdeczny; szczery; niekłamany; z głębi serca płynący; ~ **support** pełne poparcie

whole-hogger ['houl'hɔgə] *s* człowiek nie bawiący się w półśrodki <nazywający rzeczy po imieniu, *pot* idący na całego>

whole-length ['houl,leŋθ] *attr* (*o portrecie człowieka*) w całej postaci

whole-meal ['houl,mi:l] *adj* (*o chlebie*) razowy

wholeness ['houlnis] *s* całość; całkowitość; zupełność

wholesale ['houl,seil] ⑪ *s* hurt; handel hurtowy ⑪ *adj* 1. hurtowy; ~ **dealer** hurtownik; ~ **trade** hurt; handel hurtowy 2. *przen* (*o rzezi itd*) masowy ⑪ *adv* 1. hurtowo; hurtem 2. masowo

wholesaler ['houl,seilə] *s* hurtownik

♦**wholesome** ['houlsəm] *adj* (*o powietrzu, klimacie, potrawach itd*) zdrowy

wholesomeness ['houlsəmnis] *s* zdrowotność

who'll [hu:l] = **who will**

wholly ['houlli] *adv* całkowicie; zupełnie; w zupełności; w całości; kompletnie; z kretesem

whom *zob* **who**

whoop [hu:p] ⑪ *s* 1. okrzyk (radości itd.) 2. = **hoop** 3. *w zwrotach*: **I don't care a** ~ wszystko mi jedno; **it isn't worth a** ~ to nic nie warte; **to funta kłaków nie warte** ⑪ *vi* 1. krzyczeć; wykrzykiwać; *am* **to** ~ **for sb** oklaskiwać kogoś 2. *med* pianie przy kaszlu kokluszowym

whoopee ['wupi:] ⑪ *interj* hejże, ha!, ⑪ *s w zwrocie*: **to make** ~ za/bawić się bez opamiętania; urządz-ić/ać huczną zabawę

whooping-cough ['hu:piŋ,kɔf] = **hooping-cough**

whop [wɔp] *v* (**-pp-**) ⑪ *vt* 1. z/bić (człowieka) 2. pobić (przeciwnika) ⑪ *vi* 1. upaść/padać z trzaskiem 2. walnąć *zob* **whopping** ⑪ *s* uderzenie; szturchnięcie

whopper ['wɔpə] *s sl* 1. kolos 2. bezczelne kłamstwo

whopping ['wɔpiŋ] ⑪ *zob* **whop** *v* ⑪ *adj sl* ogromny

whore [hɔ:] ⑪ *s wulg* dziwka; kurwa; nierządnica; ulicznica ⑪ *vi* 1. prostytuować się; *wulg* kurwić się; pu-ścić/szczać się; *bibl* **to go a-whoring after strande gods** prostytuować się 2. (*o mężczyźnie*) gonić za dziwkami

whoredom ['hɔ:dəm] *s* prostytucja; rozpusta

whore-master ['hɔ:,ma:stə], **whore-monger** ['hɔ:,mʌŋgə] *s* rozpustnik; *pot* dziwkarz

whoreson ['hɔ:sən] † *s* 1. *wulg* skurwysyn 2. *wulg* bękart

whorl [wə:l] *s* 1. *bot* okółek; baldaszek 2. zwój (na skorupie itd.); skręt spirali

whorled [wə:ld] *adj* 1. *bot* okręgowy; baldaszkowy 2. *bot* powojowy 3. *arch* spiralny

whortleberry ['wə:tl,beri] *s bot* czernica, czarna jagoda; **red** ~ borówka, brusznica

whose [hu:z] ⑪ *adj* 1. *pytajny*: czyj? 2. *względny*: którego; **the artist** ~ **painting you see** artysta, którego płótno widzicie ⑪ *pron* czyj?; ~ **is this?** czyje to (jest)?

whoso ['hu:sou], † **whosoe'er** [,hu:sou'ɛə]; **whosoever** [,hu:sou'evə] = **whoever**

why¹ [wai] ⑪ *adv* 1. *pytający*: dlaczego?; czemu?; po co?; na co?; z jakiej racji?; ~ **so?** a to dlaczego?; czemuż to (tak)?; 2. *względny*: (powód itd.) dla którego ...; **this is** ~ oto dlaczego; z tej racji; z tego powodu; dlatego (właśnie) ⑪ *s w zwrocie*: **the** ~(s) **and the wherefore(s)** dokładn-y/a powód <przyczyna>; wytłumaczenie; uzasadnienie

why² [wai] *interj* 1. *zdziwienie*: patrzcie!; ale! 2. *protest*: jakżeż!; jak to! 3. *wahanie*: no, wiesz? 4. *wprowadzając zdanie końcowe*: no to cóż?

wick¹ [wik] *s* 1. knot 2. *med* tampon

wick² [wik] † *s w nazwach miejscowości*: wieś

wicked ['wikid] ⑪ *adj* 1. niegodziwy; nikczemny; grzeszny; **a** ~ **deed** niegodziwość 2. (*o człowieku*) zły; niedobry; złośliwy 3. (*o zwierzęciu itd*) zły; złośliwy 4. (*o pogodzie itd*) wstrętny; ohydny; paskudny 5. (*o dziecku itd*) figlarny; **you** ~ **child!** figlarzu! ⑪ *spl* **the** ~ winowajcy; niegodziwcy

wickedness ['wikidnis] *s* 1. niegodziwość; nikczemność 2. złośliwość

wicker ['wikə] ⑪ *s* 1. łozina; wiklina 2. plecionka z łoziny <wikliny> 3. robota koszykarska ⑪ *attr* 1. pleciony 2. koszykarski

wicker-work ['wikə,wə:k] *s* 1. koszykarstwo 2. roboty koszykarskie; meble <wyroby> wyplatane

wicket ['wikit] *s* 1. furtka <drzwi> w bramie 2. kołowrót (u wejścia na boisko sportowe itd.) 3. okienko kasowe 4. *sport* (*w krykiecie*) cel, bramka; **to keep one's** ~ **up** nie dać się spalić <wytrącić z gry> 5. okres obrony bramki przez poszczególnych graczy; **5** ~**s down** 5 spalonych <wytrąconych z gry> (z drużyny jedenastu); **match won by 2** ~**s** mecz, przy którym dwóch graczy (na jedenastu) nie zdołano spalić <wytrącić z gry> 6. stan boiska krykietowego w czasie gry; **a sticky** ~ lepkie boisko (po deszczu) *przen* **to play on a good** <**sticky**> ~ być w korzystnej <niekorzystnej> sytuacji

wicket-keeper ['wikit,ki:pə] *s* (*w krykiecie*) gracz obstawiający bramkarza

widdershins ['widəʃinz] = **withershins**

wide [waid] ⑪ *adj* 1. szeroki; mający (*x* m itd.) szerokości; **the river is 50 yards** ~ rzeka ma 50 jardów szerokości; **to grow** ~r poszerz-yć/ać się; **to make** ~r poszerz-yć/ać; **a** ~ **margin** a) *dosł* szeroki margines b) *przen* duży luz; poważna nadwyżka 2. *przen* (*o znaczeniu itd*) szerszy; (*o poglądach itd*) szeroki 3. bezmierny; rozległy; obszerny; dalekosiężny 4. (*o różnicy itd*) wielki; pokaźny; znaczny 5. *giełd* (*o notowaniach itd*) wykazujący wielką rozpiętość 6. (*o ubiorze*) luźny; obszerny 7. (*o oczach, ustach itd*) szeroko otwarty 8. daleki (**of the mark** od celu;

of the truth od prawdy) 9. *sl* (*o kobiecie*) wątpliwej reputacji; swobodnych obyczajów 10. *sl* inteligentny; sprytny ⫿ *adv* 1. szeroko (otworzyć, rozpościerać itd.); **~ apart** a) w wielkich odstępach czasu b) (rozstawi-eni/one) szeroko <daleko od siebie>; (*o człowieku*) **~ awake** czujny; baczny; z otwartymi oczami; *pot* **to be ~ awake** nie zasypiać gruszek w popiele; (*o drzwiach*) **~ open** szeroko rozwarty 2. daleko (**of the mark** od celu) ⫿ *s* 1. (*w krykiecie*) piłka źle wycelowana 2. **the ~** szeroki świat; *pot* **broke to the ~** wypłukany z pieniędzy; bez grosza przy duszy

wide-awake ['waid-ə‚weik] *s* kapelusz filcowy z szerokim rondem i niską główką; księży kapelusz

widely ['waidli] *adv* 1. szeroko 2. obszernie; rozlegle; powszechnie; **to be ~ read** a) (*o gazecie, książce*) być bardzo poczytnym b) (*o człowieku*) być bardzo oczytanym 3. (sadzić drzewa itd.) w wielkich odstępach 4. *pot* bardzo; znacznie; pokaźnie; poważnie

widen ['waidn] ⫿ *vt* poszerz-yć/ać; rozszerz-yć/ać; rozw-ieść/odzić; rozciąg-nąć/ać ⫿ *vi* poszerz-yć/ać <rozszerz-yć/ać, rozciąg-nąć/ać> się

widener ['waidnə] *s* poszerzacz

wideness ['waidnis] *s* 1. szerokość 2. bezmiar; rozległość; obszerność; daleki zasięg

wide-spread ['waid‚spred] *adj* 1. (*o skrzydłach itd*) szeroko rozpostarty 2. (*o obszarze*) rozległy 3. (*o mniemaniu itd*) powszechny; rozpowszechniony; ogólny; utarty

widgeon ['widʒən] *s zoo* świstun (dzika kaczka)

widow ['widou] ⫿ *s* 1. wdowa; **the widow of __** wdowa po ... (kimś); **to become a ~** owdowieć 2. *pot* szampan (*od marki*: Veuve Cliquot) ⫿ *attr* wdowi; (*o kobiecie*) owdowiała ⫿ *vt* pozbawi-ć/ać (kobietę) męża <(mężczyznę) żony>; osieroc-ić/ać *zob* **widowed**

widow-bird ['widou‚bəːd] *s zoo* tkacz (ptak afrykański)

widowed ['widoud] ⫿ *zob* **widow** *v* ⫿ *adj* owdowiał-a/y

widower ['widouə] *s* wdowiec

widowhood ['widou‚hud] *s* wdowieństwo; stan wdowi

widow-hunter ['widou‚hʌntə] *s* człowiek poszukujący ożenku z bogatą wdową

width [widθ] *s* 1. szerokość (przedmiotu, poglądów itd.); 3 **~s of ~cloth** 3 szerokości sukna 2. rozpiętość 3. *techn* prześwit (rury itd.) 4. *techn geol* rozstęp

wield [wiːld] *vt* 1. dzierżyć (władzę, berło itd.); sprawować (władzę); trzymać w rękach; rządzić (**a kingdom** etc. królestwem itd.) 2. władać (**the sword, a pen** etc. szablą, piórem itd.)

wieldy ['wiːldi] *adj* poręczny

wiener ['wiːnə], **wienerwurst** ['wiːnə‚wəːst] *s am kulin* parówka

wife [waif] *s* (*pl* **wives** [waivz]) 1. † kobiecina; baba wiejska 2. kumoszka; **the Merry Wives of Windsor** Wesołe Kumoszki z Windsoru; **old wives' tale** babskie gadanie 3. żona; małżonka; **to take to ~** wziąć za żonę; poślubić; **she will make a good ~** będzie z niej dobra żona

wifelike ['waif‚laik], **wifely** ['waifli] *adj* 1. mał-

żeński 2. (*o obowiązkach itd*) żony; **in a ~ manner** jak przystało na dobrą żonę

wig[1] [wig] *s* 1. peruka; **there will be ~s on the green** będzie bijatyka; drzazgi polecą 2. *przen* stan prawniczy, prawnicy (aluzja do peruk noszonych w sądach angielskich przez sędziów i adwokatów)

wig[2] [wig] *vt* (**-gg-**) *pot* zbesztać; skrzyczeć; zrugać *zob* **wigging**

wigan ['wigən] *s* sztywne płótno (dodatek krawiecki)

wigged [wigd] *adj* (*o sędzi itd*) w peruce

wigging ['wigiŋ] ⫿ *zob* **wig** *v* ⫿ *s* bura; ruganie

wiggle ['wigl] ⫿ *vi* wić się; kręcić się ⫿ *vt* poruszać w prawo i w lewo <w jedną i w drugą stronę> (**sth** czymś)

wight [wait] † *s* istota; osobnik; **luckless ~** nieszczęśnik; **wretched ~** nędzna kreatura

wig-wag ['wig‚wæg] ⫿ *vi* za/sygnalizować za pomocą flag ⫿ *s* sygnalizacja za pomocą flag

wigwam ['wigwæm] *s* wigwam (szałas <namiot> indiański)

▲**wild** [waild] ⫿ *adj* 1. dziki; nie cywilizowany; (*o okolicy*) dziki; pustynny; **~ man** dzikus; **~ beast** dziki zwierz; **to grow ~** a) (*o roślinach*) róść dziko b) (*o zwierzętach*) z/dziczeć; (*o zwierzętach, polach itd*) **to run ~** z/dziczeć (*zob także* 3.); (*o skazańcu*) **drawn by ~ horses** poćwiartowany 2. (*o ptaku, koniu itd*) płochliwy; nie oswojony 3. zdziczały; rozwydrzony; rozbestwiony; zdemoralizowany; wyuzdany; (*o młodzieży*) **to run ~** a) zdziczeć b) chodzić samopas; **~ work** bezprawie 4. (*o wietrze*) gwałtowny; (*o pogodzie*) burzliwy 5. (*o człowieku*) obłąkany; bliski obłędu; szalony; oszalały; (*o uczuciach*) rozszalały; (*o wzroku*) błędny; **to be ~ about sb** kochać kogoś do szaleństwa 6. (*o oklaskach*) burzliwy; szalony; frenetyczny 7. (*o pomyśle, projekcie*) szalony; ekstrawagancki; fantastyczny; nierealny 8. (*o domyśle, przypuszczeniu itd*) wysnuty na ślepo <na chybił trafił, bez zastanowienia>; wzięty z powietrza; **to make a ~ guess** zgadywać na chybił trafił 9. (*o roślinach*) nie kultywowany; nie uprawiany 10. (*o człowieku*) wściekły; zły; **to make sb ~** rozwścieczyć kogoś; **to drive sb ~** doprowadzić kogoś do szału; **to be ~ about sth** wściekać się z powodu czegoś <o coś>; **~ with rage** rozwścieczony; wściekły 11. roznamiętniony 12. rozentuzjazmowany; podniecony; **to be ~ about sth** wariować na punkcie czegoś 13. (*o włosach*) zmierzwiony; rozwichrzony ⫿ *s* 1. (*także pl* **~s**) pustynia; **the call of the ~** ucieczka od cywilizacji

▲**wild-cat** ['waild‚kæt] ⫿ *s zoo* żbik ⫿ *attr* 1. (*o projekcie, spekulacji*) dziki; ekstrawagancki; fantastyczny 2. *am* (*o przedsiębiorstwie itd*) pokątny 3. (*o pociągu*) nadzwyczajny

wildebeest ['wildi‚biːst] *s zoo* gnu (ssak)

wilder ['wildə] *vt poet* oszoł-omić/amiać

wilderness ['wildənis] *s* 1. pustynia; puszcza; **the voice of one crying in the ~** głos wołającego na puszczy; *pot polit* (*o partii*) **to be wandering in the ~** być w opozycji po utracie władzy <po upadku gabinetu> 2. odcinek ogrodu <parku> z roślinnością dziko rosnącą 3. odludzie 4. bezładne masy; (całe) mrowie

wildfire ['waild,faiə] s 1. ognie greckie; *przen* (*o wiadomości*) **to spread like ~** szerzyć się lotem błyskawicy 2. ciche wyładowania elektryczne 3. *med* róża

wild-fowl ['waild,faul] s dzikie ptactwo

wild-goose ['waild,gu:s] Ⅰ s dzika gęś Ⅲ *attr* zwariowany; ryzykowny; **a ~ chase** wyprawa z motyką na słońce; **to send sb on a ~ chase** kazać komuś podjąć daremny trud; *pot* zrobić z kogoś wariata

wilding ['waildiŋ] s *bot* dziczka

wildness ['waildnis] s 1. dzikość 2. płochliwość (zwierząt, ptactwa) 3. zdziczenie; rozwydrzenie; rozbestwienie; zdemoralizowanie; wyuzdanie 4. gwałtowność (wiatru itd.) 5. szał; szaleństwo; burzliwość 6. ekstrawagancja (projektu itd.)

wile [wail] Ⅰ s podstęp; fortel; *pl* ~s sztuczki; matactwa Ⅲ *vt* z/wabić; z/nęcić; przy/nęcić; **to ~ sb into sth <into doing sth>** matactwami wciągnąć kogoś w coś (w zasadzkę itd.) <doprowadzić kogoś do czegoś (do popełnienia czynu itd.)>

~ away *vt* 1. matactwami odciąg-nąć/ać (kogoś od czegoś) 2. *błędnie stosowane zamiast* **while** *vt*

wilful ['wilful] *adj* 1. (*o czynie itd*) rozmyślny; umyślny; zamierzony; świadomy, popełniony z premedytacją <z całą świadomością> 2. uparty; samowolny

wilfulness ['wilfulnis] s 1. premedytacja 2. upór; samowola

wiliness ['wailinis] s chytrość; przebiegłość; podstępność

will [wil] Ⅰ s 1. wola; **a ~ of iron, an iron ~** żelazna wola; **to have the ~ to do sth** chcieć <być zdecydowanym, zdeterminowanym> coś zrobić; **the ~ to peace** wola pokoju; **where there's a ~ there's a way** dla chcącego nie ma nic trudnego; **to work one's ~** przeprowadz-ić/ać swoje; postawić na swoim; **to work one's ~ upon sb** wywrzeć swoją wolę na kimś; **against sb's ~** wbrew czyjejś woli 2. dobre chęci; **to take the ~ for the deed** zadowolić się dobrymi chęciami; **with the best ~ (in the world)** mimo najlepszej chęci 3. energia; zapał; **to do sth with a ~** z/robić coś energicznie <z zapałem> 4. dobra wola; kaprys; **at sb's ~ and pleasure** zależnie od czyjejś dobrej woli <czyjegoś kaprysu>; **to have one's ~** post-ąpić/ępować jak się komuś (żywnie) podoba <arbitralnie>; z/robić po swojemu; **to have one's ~ of a woman** posiąść kobietę 5. dowolność; **at ~** dowolnie; zależnie od czyjegoś widzimisię; **a tenant at ~** dzierżawca <lokator> zdany na łaskę właściciela <zobowiązany do usunięcia się na żądanie właściciela> 6. nastawienie do ludzi; **good ~** życzliwość; przyjazne nastawienie; **ill ~** nieżyczliwość; niechęć; wrogość 7. *prawn* (ostatnia) wola; **last ~ and testament** testament Ⅲ *vt mod* (*past i conditional* **would**) 1. chcieć; życzyć sobie; mieć ochotę; **come when you ~** a) przychodź, kiedy <ilekroć> będziesz chciał <zechcesz> b) przychodź, kiedy chcesz <masz ochotę>; **say what you ~ I shall not change my mind** mów, co chcesz, nie zmienię swego zdania; **look at it as he would he saw no reason for __** jakby się na to nie zapatrywał <z której by strony sprawy

nie rozpatrywał> nie widział racji, by...; *w zdaniach przeczących*: chcieć (*gdy czasownik ten wyraża upór rzeczy martwych*); **the wound ~ <would> not heal** rana nie chce <nie chciała> się zagoić; **it won't stop raining** deszcz nie chce ustać; **the lock wouldn't work** zamek ani rusz nie chciał działać 2. *w wyrażeniu pragnień*: **would <I would> (that) I were a bird** a) chciałbym być ptakiem b) żebym to był ptakiem; **would God <I would to God> I had died!** żebym to wtedy umarł! 3. *z emfazą*: musieć; być nieuniknionym; **boys ~ be boys** chłopcy muszą broić; **he ~ have his way on** musi postawić na swoim <zrobić po swojemu>; **accidents ~ happen** wypadki są nieuniknione; *w czasie przeszłym* (*zw w* 2. *i* 3. *pers*) *wyraża upór*: musiał/eś; **I warned him but he w o u l d go** ostrzegałem go, ale musiał iść 4. zechcieć; **you could if you would** mógłbyś, gdybyś zechciał 5. zgadzać się; **I ~ have none of it** nie zgodzę się na to; nie zniosę tego 6. *w uprzejmych prośbach i pytaniach*: zechcieć, być łaskawym; **sit down, ~ you?** zechciej <proszę> usiąść; **would you kindly let me have __** czy byłby pan łaskaw podać mi...?; **if you ~ kindly __** jeśli pan łaskawie <zechce>... 7. *wyraża częstotliwość*: **this cow ~ yield 20 liters of milk per day** ta krowa daje dwadzieścia litrów mleka dziennie; **he would sit there for hours** przesiadywał tam godzinami; **they would sometimes have 20 people at table** niekiedy miewali i po 20 osób przy stole 8. *wyraża przypuszczenie*: zapewne; chyba; **this ~ be your son's portrait, I suppose** to zapewne portret pańskiego syna; **he ~ have caught the last bus** on chyba zdążył na ostatni autobus Ⅲ *v aux* 1. *w* 2. *i* 3. *pers* ~ *służy do tworzenia czasu przyszłego, a* **would** *trybu warunkowego*: **he <she, it, they> ~ come on** <ona, ono, oni, one> przyj-dzie/dą; **he <she, it, they> would come on** <ona, ono, oni, one> przysz-liby/łyby 2. *w* 1. *pers wyraża wolę lub zamiar mówiącego*: **I ~ never do that again** (zapewniam was, że) nigdy więcej tego nie zrobię; **I would go if I had the opportunity** (bezwzględnie) poszedłbym, gdybym miał sposobność 3. *w mowie zależnej stosuje się również i przy pierwszej osobie zamiast* "shall" *użytego w mowie wprost*: **you say I ~ never manage it** mówisz, że nigdy nie potrafię tego zrobić; *w takich samych wypadkach stosuje się* **would**, *jeżeli zdanie główne zawiera czas przeszły* **past**: **you said I would never manage it** mówiłeś, że nigdy nie potrafię tego zrobić; **he says he ~ never manage it** (on) mówi, że nigdy nie potrafi tego zrobić; **he said he would never manage it** (on) mówił, że nigdy nie potrafi tego zrobić 4. *w mowie potocznej*: **I <we> ~ <would> = I <we> shall <should>** Ⅳ *vt* 1. chcieć; życzyć sobie; **God ~s it so** taka jest wola Boska 2. zmu-sić/szać siłą swej woli (**sb to do sth** kogoś do zrobienia czegoś; **oneself to fall asleep <to keep awake>** się do spania <do powstrzymania się od spania>) 3. zapis-ać/ywać w testamencie *zob* **willing**

willemite ['wili,mait] s *miner* wilemit

willet ['wilit] s *zoo* słonka północnoamerykańska

willing ['wiliŋ] Ⅰ *zob* **will** *v*; **God ~** jeżeli taka będzie wola Boska; jak Bóg da Ⅲ *adj* 1. skłonny <gotów> (coś z/robić); **to be ~ that sb should**

<for sb to> do sth nic nie mieć przeciw temu, żeby ktoś coś zrobił; he is quite ~ to pay <do it etc.> on się chętnie zgadza zapłacić <zrobić to itd.> 2. pełen dobrej woli; ochoczy; chętny; ~ help pomoc chętnie udzielona; ~ hands usłużność; ~ obedience uległość; do not spur a ~ horse a) nie dawaj ostrogi rączemu koniowi b) *przen* nie poganiaj gorliwego pracownika

willingness ['wiliŋnis] *s* 1. ochota; gotowość 2. zgoda 3. dobre chęci 4. usłużność

willies ['wiliz] *spl am pot* trema; zdenerwowanie; it gave me the ~ to mnie kosztowało dużo nerwów

will-less ['willis] *adj* (*o człowieku*) bez woli; bez charakteru

will-o'-the-wisp ['wiləðə,wisp] *s* błędny ognik

willow ['wilou] [] *s* 1. *bot* wierzba; *przen* to wear the ~ opłakiwać śmierć <nieobecność> ukochane-go/j 2. palant do gry w krykieta; (*w krykiecie*) to handle the ~ a) władać palantem b) (dobrze <źle itd.>) bronić barw drużyny 3. *tekst* (*także* ~ing machine) wilk (szarpiący) [] *vt tekst* wilkować *zob* **willowing**

willow-herb ['wilou,hə:b] *s bot* wierzbówka kiprzyca

willow-pattern ['wilou,pætən] *s* chiński wzór niebieski w liście wierzbowe na porcelanie

willow-warbler ['wilou,wɔ:blə], **willow-wren** ['wilou,ren] *s zoo* świstunka piecuszek (ptak)

willowing ['wilouiŋ] [] *zob* **willow** *v* [] *s tekst* wilkowanie

willowing-machine ['wilouiŋmə,ʃi:n] *s tekst* wilk (szarpiący)

willowy ['wiloui] *adj* 1. (*o terenie*) porosły wierzbami 2. (*o postaci*) smukły 3. giętki; gibki

will-power ['wil,pauə] *s* siła woli

willy ['wili] = **willow** *s* 3.

willy-nilly ['wili,nili] *adv* chcąc nie chcąc

wilt¹ [wilt] † 2. *pers sing od*: **will** *v*

wilt² [wilt] [] *vi* 1. z/więdnąć; z/marnieć 2. (*o człowieku*) usychać; opa-ść/dać z sił; z/marnieć; z/mizernieć

Wilton ['wiltən] *spr attr* ~ carpet puszysty dywan (wyrabiany w mieście Wilton)

wily ['waili] *adj* chytry; przebiegły; podstępny

wimble ['wimbl] *s* świder

wimple ['wimpl] [] *s* 1. kwef (średniowieczny); barbet (zakonnicy) 2. zakręt; kolano (rzeki) [] *vt* okry-ć/wać (głowę) kwefem; na-łożyć/kładać barbet (a nun zakonnicy) [] *vi* (*o rzece*) wić się; płynąć meandrami

win [win] *v* (won [wʌn], won; winning ['winiŋ]) [] *vt* 1. wygr-ać/ywać (mecz, pieniądze itd.); zdoby-ć/wać (zwycięstwo, nagrodę, czyjeś serce, popularność itd.); odn-ieść/osić (zwycięstwo, sukces itd.); podbi-ć/jać (serc-e/a); zaskarbi-ć/ać (sympatie itd.); zarabiać (one's bread na chleb codzienny <na życie>); wydoby-ć/wać (rudę itd.); to ~ the toss wygrać w orła i reszkę; to ~ the record from sb pobić czyjś rekord; to ~ the day odnieść zwycięstwo 2. zwycięż-yć/ać <odn-ieść/osić, osiąg-nąć/ać zwycięstwo> (a battle etc. w bitwie itd.) 3. do-trzeć/cierać (a place dokądś); dosięg-nąć/ać (the summit etc. szczytu itd.) 4. przeciąg-nąć/ać na swoją stronę; s/kapto-

wać <pozysk-ać/iwać> (kogoś); przekon-ać/ywać; to ~ sb to sth <to do sth> nakł-onić/aniać kogoś do czegoś <do zrobienia czegoś> [] *vi* 1. 1. zosta-ć/wać zwycięzcą; odn-ieść/osić <osiąg-nąć/ać> zwycięstwo; wygr-ać/ywać; po/bić przeciwnika; to ~ through difficulties przezwycięż-yć/ać <pokon-ać/ywać> trudności; *pot* to ~ hands down odn-ieść/osić łatwe zwycięstwo; łatwo <śpiewająco> zwycięż-yć/ać <wygr-ać/ywać, po/bić przeciwnika> 2. powoli zdobywać sympatię <uznanie> (upon sb czyj-ąś/eś); to ~ free <clear> of __ uw-olnić/alniać się od ... (niebezpieczeństw itd.)

~ away *vt* odciąg-nąć/ać (sb from sth kogoś od czegoś)

~ back *vt* 1. *wojsk* odbi-ć/jać (pozycję itd.) 2. *w zwrocie*: to ~ back one's money odegrać się 3. przeciąg-nąć/ać z powrotem na swoją stronę (buntowników itd.)

~ over <round> *vt* pozysk-ać/iwać sobie <s/kaptować> (kogoś); zdoby-ć/wać (sb to a cause czyjeś sympatie dla sprawy <kogoś na zwolennika sprawy>); nawr-ócić/acać

zob **winning** [] *s pot* zwycięstwo; wygrana; we had four ~s wygraliśmy cztery razy <czterokrotnie>

wince [wins] [] *vi* s/krzywić się (z bólu); drgnąć; he heard the news without wincing wysłuchał tej wiadomości nie drgnąwszy <nie mrugnąwszy powieką> [] *s* wykrzywienie twarzy (z bólu); without a ~ nie drgnąwszy; bez drgania; nie mrugnąwszy powieką

wincey ['winsi] *s tekst* drogiet (tkanina jedwabno--wełniana)

winch [wintʃ] *s* korba; wciągarka; wyciąg; kołowrót ręczny; dźwig

Winchester ['wintʃistə] *spr attr* ~ rifle karabin marki Winchester

⬆wind¹ [wind] [] *s* 1. wiatr; fair <foul> ~ pomyślny <przeciwny> wiatr; in the ~ (rozwiany itd.) na wietrze; before the ~ (płynąć itd.) z wiatrem; in the teeth of the ~ pod wiatr; przeciw wiatrowi; (*o głosie, zapachu*) to come on <be carried by> the ~ dolatywać; to fling <cast> (prudence etc.) to the ~s machnąć ręką <nie zważać> na względy (ostrożności itd.); to put the ~ up sb nastraszyć kogoś; napędzić komuś stracha <pot pietra>; pot to get the ~ up nastraszyć się; dostać pietra; to go like the ~ pędzić jak wiatr; there is sth in the ~ coś się święci; to find out how the ~ blows <lies> zorientować się w sytuacji; to take the ~ out of sb's sails a) wytrąc-ić/ać komuś broń z ręki b) uprzedzić kogoś; to raise the ~ wydobyć <pot wytrząsnąć> skądś pieniądze; to sail close to the ~ a) *dosł mar* lawirować b) *przen* ocierać się o kraty więzienne c) robić podejrzane interesy; it's an ill ~ that blows nobody good nie ma tego złego, co by na dobre nie wyszło; between ~ and water między młotem a kowadłem 2. *mar* żeglowanie pod wiatr 3. *pl* ~s strony świata; to the four ~s na cztery wiatry 4. frazesy; puste słowa 5. *muz zbior* instrumenty dęte 6. zapach; to get ~ of sth a) dowiedzieć się o czymś; zwietrzyć <zwęszyć, *pot* przewąchać> coś b) podejrzewać coś c) *pot* po/czuć pismo nosem; (*o pogłosce*) to get <take> ~ roz-ejść/chodzić się 7. *med pot* wiatry; wzdęcie; **to break** ~ puszczać wiatry; (*o dziecku*) **to be troubled with** ~ mieć wzdęcia 8. oddech, dech; **to have lost one's** ~ być bez tchu; **to recover one's** ~ odzyskać dech; **to have a good <bad>** ~ mieć długi <krótki> oddech 9. dołek podsercowy; **to hit sb in the** ~ uderzyć kogoś w dołek Ⅲ *vt* (*praet* **winded** ['windid], **wound** [waund], *pp* **winded, wound**) 1. za/dąć (**the horn etc.** w róg itd.) 2. zwietrzyć; po/czuć (lisa, zapach czegoś itd.) 3. pozbawi-ć/ać tchu (kogoś, konia itd.); **to be ~ed by sth** zasapać się od czegoś 4. dać wytchnienie (**sb <a horse etc.>** komuś <koniowi itd.>) *zob* **winded**

wind² [waind] *v* (**wound** [waund], **wound**) Ⅰ *vt* 1. nawi-nąć/jać (szpulę itd.; nić na szpulkę itd.); zwi-nąć/jać (coś w kłębek itd.); owi-nąć/jać (**a blanket round sb** kogoś kocem); **to** ~ **one's arms round sb <sb in one's arms>** ob-jąć/ejmować <otul-ić/ać> kogoś ramionami; **to** ~ **sb round one's little finger** omotać kogoś; owinąć sobie kogoś dokoła palca; **to** ~ **one's way into a place** wkręc-ić/ać <wkra-ść/dać> się dokąds, do czegoś <w coś> 2. nakręc-ić/ać (zegarek itd.) 3. wyciąg-nąć/ać <wy/windować> (kołowrotem, korbą itd.); wy/windować 4. *mar* obr-ócić/acać (statek) przodem do tyłu Ⅱ *vr* ~ **oneself** owi-nąć/jać się (dokoła czegoś) Ⅲ *vi* 1. wić się; (*o rzece*) płynąć meandrami; (*o schodach, dymie itd*) wznosić się w górę spiralą 2. owi-nąć/jać się (**round sth** dokoła czegoś) 3. (*o desce itd*) s/paczyć się

~ **off** *vi* odwi-nąć/jać się

~ **up** Ⅰ *vt* 1. zwi-nąć/jać 2. nakręc-ić/ać (zegarek itd.) 3. napi-ąć/nać 4. zakończ-yć/ać (przemówienie itd. czymś; przedstawienie itd. hymnem narodowym itd.); zam-knąć/ykać (zebranie) 5. likwidować; zwi-nąć/jać (przedsiębiorstwo itd.) 6. podniec-ić/ać Ⅲ *vt* ~ **oneself** zebrać wszystkie siły <zebrać się w sobie> (**for an effort etc.** do wysiłku itd.) Ⅲ *vi* 1. za/kończyć się 2. (*o towarzystwie itd*) zlikwidować się *zob* **winding**

windage ['windidʒ] *s* 1. odchylenie (wskutek wiatru); kąt odchylenia 2. *wojsk* wpływ wiatru na tor pocisku; poprawka na wiatr 3. *mech* opór tarczy wirującej (w powietrzu)

windbag ['wind,bæg] *s* 1. zbiornik powietrza 2. *przen* gaduła; frazesowicz

↑**wind-blown** ['wind,bloun] *adj* 1. (*o śniegu itd*) nawiany 2. (*o włosach itd*) rozwiany 3. (*o fryzurze*) krótka z grzywką

wind-bound ['wind,baund] *adj* (*o statku*) wstrzymany <zatrzymany> przez przeciwne wiatry

wind-break ['wind,breik] *s* zasłona od wiatru

wind-broken ['wind,broukən] *adj* dychawiczny

wind-chest ['wind,tʃest] *s muz* (*w organach*) kondensator

wind-colic ['wind,kɔlik] *s med* kolka wiatrowa

winded ['windid] Ⅰ *zob* **wind¹** *v* Ⅲ *adj* zdyszany; bez tchu

wind-driven ['wind,drivn] *adj* niesiony <pędzony> przez wiatr

wind-egg ['wind,eg] *s* bezpłodne jajo

winder ['waində] *s* 1. nawijacz 2. wyciąg 3. *bud* stopień klinowy (schodów krętych itd.)

windfall ['wind,fɔ:l] *s* 1. owoc strącony przez wiatr, spad; padałka 2. *przen* niespodziewane szczęście; gratka; nieoczekiwany spadek

wind-fanner ['wind,fænə] = **windhover**

wind-flower ['wind,flauə] *s bot* zawilec gajowy, niestrętek

wind-gall ['wind,gɔ:l] *s wet* obrzęk miękki pęciny konia

wind-gauge ['wind,geidʒ] *s* anemometr, wiatromierz

wind-hover ['wind,hovə] *s zoo* pustułka (ptak)

windiness ['windinis] *s* 1. wietrzny czas 2. wymowa, wymowność; *pot* gadatliwość

winding ['waindiŋ] Ⅰ *zob* **wind²** *v* Ⅲ *adj* (*o drodze, schodach itd*) kręty; (*o rzece itd*) wijący się, płynący zakrętami <meandrami> Ⅲ *s* 1. skręt, zakręt; kolano <meandrowanie> (rzeki itd.) 2. nawi-janie/nięcie; przewi-janie/nięcie; *elektr* uzwojenie 3. wyciąg (szybowy itd.) 4. zwój (sprężyny itd.) 5. spaczenie (deski)

winding-engine ['waindiŋ,endʒin] *s techn górn* maszyna wyciągowa

winding-frame ['waindiŋ,freim] *s tekst* przewijarka

winding-gear ['waindiŋ,giə] *s* 1. *zeg* mechanizm naciągowy 2. *górn* urządzenie wyciągowe; wyciąg

winding-key ['waindiŋ,ki:] *s* korba (do gramofonu itd.); klucz (do zegara itd.)

winding-machine ['waindiŋ-mə,ʃi:n] *s* 1. *techn* przewijarka 2. *górn* maszyna wyciągowa

winding-shaft ['waindiŋ,ʃa:ft] *s górn* szyb wyciągowy <wydobywczy>

winding-sheet ['waindiŋ,ʃi:t] *s* 1. całun 2. *dial* stopiona stearyna z boku świecy

wind-instrument ['wind,instrumənt] *s muz* instrument dęty

wind-jammer ['wind,dʒæmə] *s sl mar* żaglowiec

windlass ['windləs] Ⅰ *s* 1. kołowrót; wyciąg 2. *mar* winda kotwiczna Ⅲ *vt* wyciąg-nąć/ać kołowrotem

windless ['windlis] *adj* bezwietrzny

windlestraw ['windl,strɔ:] *s bot* uschła łodyga trawy

windmill ['win,mil] *s* wiatrak; **to fight <tilt at> ~s** walczyć z wiatrakami; (*o kobiecie*) **to throw <fling> her cap over the ~s** a) stracić wianek b) nie zważać na konwenanse; drwić z konwenansów; ~ **plane** helikopter

↑**window** ['windou] *s* 1. okno 2. (*na poczcie, w banku, w kopercie itd*) okienko; ~ **envelope** koperta z okienkiem (na adres) 3. *handl* okno wystawowe; wystawa sklepowa; *przen* **to have all one's goods in the** ~ popisywać się erudycją <swymi zdolnościami>

window-box ['windou,bɔks] *s* 1. skrzynka na kwiaty w oknie 2. *bud* przestrzeń po obu stronach okna ze skrzydłami przesuwanymi pionowo, w której mieszczą się przeciwciężary (*zob* **sash-window**)

window-display ['windou-dis,plei] *s* dekoracja wystawy sklepowej

window-dresser ['windou,dresə] *s* dekorator wystaw sklepowych

↑**window-dressing** ['windou,dresiŋ] *s* 1. dekoracja (sztuka urządzania) wystaw sklepowych; *przen* mydlenie oczu 2. *handl* fałszywe <*pot* naciągnięte> zestawienie; "strojenie" bilansu

window-ledge ['windou,ledʒ] *s* parapet okienny

window-pane ['windou,pein] *s* szyba okienna

window-raiser ['windou,reizə] *s* korbka do okna (samochodowego itd.)

window-seat ['windou,si:t] *s* ławeczka w oknie wykuszowym

window-shopping ['windou,ʃɔpiŋ] *s* oglądanie wystaw sklepowych (w czasie przechadzki); **we went ~** poszliśmy oglądać wystawy sklepowe

window-sill ['windou,sil] *s* parapet okienny

windpipe ['win,paip] *s anat* tchawica

windrow ['wind,rou] *s* 1. wałek zgrabionego siana (w polu) 2. pokos zboża 3. pryzma torfu

wind-screen ['wind,skri:n] *s* szyba ochronna (samochodu)

wind-shield ['wind,ʃi:ld] = **wind-screen**

wind-sock ['wind,sɔk] *s lotn* rękaw (do wskazywania kierunku wiatru)

Windsor ['winzə] *spr attr ~* **chair** rzeźbione krzesło; **~ soap** gatunek brązowego mydła toaletowego; **~ uniform** granatowy strój z czerwonymi wyłogami noszony na przyjęciach w zamku windsorskim

wind-spout ['wind,spaut] *s* trąba wodna <powietrzna>

wind-stick ['wind,stik] *s sl lotn* śmigło

wind-storm ['wind,stɔ:m] *s* wichura

wind-sucker ['wind,sʌkə] *s wet* koń łykawy

wind-swept ['wind,swept] *adj* (*o budynku, terenie itd*) wystawiony na wiatr <*przen* na wszystkie wiatry>; wietrzny

wind-tunnel ['wind,tʌnl] *s* tunel aerodynamiczny

wind-vane ['wind,vein] *s* chorągiewka na dachu

wind-up¹ ['waind'up] *s* zakończenie

wind-up² ['wind'ʌp] *s sl* strach; panika; **to have the ~** mieć pietra; **to get the ~** dostać pietra; przestraszyć się

windward ['windwəd] Ⓘ *adv* (wystawić coś) na wiatr Ⅲ *adj* nawietrzny Ⅲ *s* strona nawietrzna; **to get to the ~ of sb** zdoby-ć/wać <zysk-ać/iwać> przewagę nad kimś; *mar* **to work to ~** lawirować

windy ['windi] *adj* 1. wystawiony na wiatr <na wszystkie wiatry>; **a ~ spot** miejsce, gdzie wiatry hulają 2. (*o pogodzie, dniu itd*) wietrzny 3. (*o człowieku*) wymowny; wielomówny; *pot* gadatliwy; (*o elokwencji*) napuszony 4. *med* wiatrowy 5. (*o projekcie itd*) niepoważny 6. *sl* przestraszony

wine [wain] Ⓘ *s* 1. wino; **to be in ~** być podpitym <podchmielonym, podochoconym>; **to take ~ with sb** trąc-ić/ać się kieliszkami z kimś; **Adam's ~** czysta woda 2. (*także* **~-party**) studencki wieczór towarzyski przy butelce 3. *farm* wino lecznicze 4. kolor wina <winny> Ⅲ *vi* zabawi-ć/ać się przy butelce Ⅲ *vt w zwrocie*: **to dine and ~ sb** pod-jąć/ejmować kogoś wystawną kolacją

wine-bag ['wain,bæg] *s* 1. bukłak; szawłok (na wino) 2. *przen* pijus; opój; pijaczyna

wine-basket ['wain,bɑ:skit] *s* koszyk na butelkę wina przy stole

wine-bibber ['wain,bibə] *s* pijus; opój; pijaczyna

wine-bibbing ['wain,bibiŋ] *s* pijaństwo

wine-bottle ['wain,bɔtl] *s* butelka <flaszka> do wina; butelka <flaszka> wina

wine-carriage ['wain,kæridʒ] *s* koszyk na kółkach do rozwożenia podawanego przy stole wina

wine-cellar ['wain,selə] *s* piwnica winna <win, na wino>

wine-coloured ['wain,kʌləd] *adj* koloru wina; winny

wine-cooler ['wain,ku:lə] *s* wiaderko z lodem do chłodzenia wina

wine-cup ['wain,kʌp] *s* puchar; czara

wine-district ['wain,distrikt] *s* okręg winnic <winodajny>

wine-glass ['wain,glɑ:s] *s* kieliszek do wina

wine-glassful ['wain,glɑ:sful] *s* kieliszek wina <lekarstwa itd.>

wine-grower ['wain,grouə] *s* właściciel winnicy; winogrodnik

wine-growing ['wain,grouiŋ] *s* uprawa winogradu

wine-list ['wain,list] *s* karta win

wine-merchant ['wain,mə:tʃənt] *s* handlarz win; właściciel składu win

wine-palm ['wain,pɑ:m] *s* palma, z której soku wyrabia się wino

wine-party ['wain,pɑ:ti] = **wine** *s* 2.

wine-press ['wain,pres] *s* prasa <tłocznia, wytłaczarka> do winogron

wine-producing ['wain-prə,dju:siŋ] *adj* winodajny; (*o okręgu itd*) winnic

wine-shop ['wain,ʃop] *s* skład win

wine-skin ['wain,skin] *s* bukłak; szawłok (do wina)

wine-stained ['wain,steind] *adj* poplamiony winem

wine-stone ['wain,stoun] *s chem* winnik, kamień winny

wine-taster ['wain,teistə] *s* kiper win, degustator

wine-vault ['wain,vɔ:lt] *s* 1. piwnica winna <win, na wino> 2. winiarnia

wine-whey ['wain,wei] *s* słodki napój z kwaśnego mleka i wina

⧫**wing** [wiŋ] Ⓘ *s* 1. skrzydło (ptaka, samolotu, drzwi, budynku, oddziału wojsk itd.); **to come on the ~s of the wind** przyby-ć/wać na skrzydłach; **to lend <add> ~s to sb** doda-ć/wać skrzydeł komuś; uskrzydl-ić/ać kogoś; **to take ~** a) zerwa-ć/zrywać się do lotu; odlecieć b) rusz-yć/ać w drogę; *pot* wyn-ieść/osić się; *przen* (*o przedmiocie*) **to take ~s to itself** znik-nąć/ać; ul-otnić/atniać się; **under sb's ~** pod czyimś skrzydłem opiekuńczym; (*o osobie*) **his <her> ~s are sprouting** to anioł nie człowiek; *przen* **to clip sb's ~s** podcinać komuś skrzydła; **under sb's <the ~s of sb>** pod czyjąś ochroną 2. *żart* ręka, ramię 3. *lotn* dywizjon 4. *pl* **~s** *lotn* skrzydełka (oznaka pilota) 5. lot; **on the ~** w locie; w powietrzu 6. skrzydełko (*bot* rośliny; *techn* nakrętki motylkowej) 7. *auto* błotnik 8. *pl* **~s** *teatr* kulisy Ⅲ *vt* 1. uskrzydl-ić/ać; przyprawi-ć/ać skrzydła (**sb** komuś) 2. upierz-yć/ać (strzałę itd.) 3. (*o ptaku*) **to ~ its flight** <the air, its way> lecieć 4. przestrzel-ić/ać skrzydło (**a bird** ptakowi); *wojsk* z/ranić w rękę <w ramię> Ⅲ *vi* lecieć/latać; szybować *zob* **winged**

wing-beat ['wiŋ,bi:t] *s* machnięcie <uderzenie> skrzydłem

wing-case ['wiŋ,keis] *s zoo* pokrywa chitynowa (na skrzydle owada)

wing-commander ['wiŋg-kə,mɑːndə] s *lotn* dowódca dywizjonu; podpułkownik lotnictwa

▮**winged** [wiŋd] Ⓘ *zob* wing *v* Ⓘ *adj* skrzydlaty; uskrzydlony; ~ **horse** pegaz; *mitol* ~ **god** Merkury

wing-footed ['wiŋ,futid] *adj* skrzydłonogi

wing-game ['wiŋ,geim] s dzikie ptactwo

wingless ['wiŋlis] *adj* bezskrzydły

wing-over ['wiŋ,ouvə] s *lotn* obrót na skrzydle

wing-sheath ['wiŋ,ʃiːθ] = **wing-case**

wing-span ['wiŋ,spæn], **wing-spread** ['wiŋ,spred] s *lotn* rozpiętość skrzydeł

wing-stroke ['wiŋ,strouk] = **wing-beat**

wink [wiŋk] Ⓘ *vi* 1. mrug-nąć/ać; **to** ~ **at sb** a) mrugnąć <łypnąć> na kogoś b) patrzeć przez palce na czyjeś postępowanie 2. przym-knąć/ykać oczy (**at an abuse etc.** na nadużycie itd.) 3. (*o świetle*) za/migotać, mrugać Ⓘ *vt* mrugnąć (**one's eye** okiem); **to** ~ **assent** mrugnąć okiem na znak zgody
~ **away** *vt* mruganiem oczu powstrzym-ać/ywać (**one's tears** łzy)
zob **winking** Ⓘ s mrugnięcie; perskie oko, zalotne spojrzenie; łypnięcie okiem; *sl* **to tip sb the** ~ mrugnąć na kogoś porozumiewawczo; **without a** ~ **of the eyelid** bez zmrużenia oka; nie drgnąwszy; **a nod is as good as a** ~ **to a blind horse** to rzucanie grochem o ścianę; **to have forty** ~s uci-ąć/nać sobie drzemkę; **I didn't sleep a** ~ <**couldn't get a** ~ **of sleep**> nie zmrużyłem oka

winking ['wiŋkiŋ] Ⓘ *zob* wink *v* Ⓘ s 1. mruganie; *anat* ~ **muscle** mięsień obwódkowy <powieki>; **like** ~ w oka mgnieniu 2. migotanie <mruganie> (światła)

winkle ['wiŋkl] Ⓘ s = **periwinkle**[2] Ⓘ *vt* wycis-nąć/kać

winner ['winə] s 1. wygrywający zawodnik <koń na wyścigach>; zwycięzca; zdobywca nagrody; **who was the** ~? kto zwyciężył <wygrał> 2. *pot* wielki sukces

winning ['winiŋ] Ⓘ *zob* win *v* Ⓘ *adj* 1. wygrywający; zwycięski; **the** ~ **stroke** rozstrzygając-y/e <decydując-y/e> cios <uderzenie>; **to play a** ~ **game** za/grać bez ryzyka <na pewniaka> 2. ujmujący Ⓘ s 1. zwycięstwo; wygrana; wygr-anie/ywanie 2. *górn* wydoby-cie/wanie węgla, rudy 3. *pl* ~s wygrana; wygrane pieniądze

winning-post ['winiŋ,poust] s (*na wyścigach*) meta

winnow ['winou] Ⓘ *vt* 1. prze/wiać <wywi-ać/ewać, przeczy-ścić/szczać> (zboże) 2. przesi-ać/ewać <przeb-rać/ierać> (dowody, kandydatów itd.) 3. *poet* (*o ptaku*) bić skrzydłami (powietrze); (*o wietrze*) rozwi-ać/ewać (włosy) Ⓘ *vi* prze/wiać zboże
~ **away** <out> *vt* 1. oddziel-ić/ać (plewy od ziarna, złe od dobrego itd.) 2. przesi-ać/ewać; wył-owić/awiać, powyławiać

winnower ['winouə], **winnowing-machine** ['win oiŋ-mə,ʃiːn] s *roln* młynek; wialnia

winsome ['winsəm] *adj* ujmujący; pociągający; uroczy

▮**winter** ['wintə] Ⓘ s 1. zima; **in** ~ **and in summer** zimą i latem; w zimie i w lecie; **last** ~ zeszłego roku w zimie; **next** ~ na przyszłą zimę 2. *poet* zima (= rok w życiu człowieka); **a man of 50** ~s człowiek liczący sobie 50 zim Ⓘ *attr* 1. zimowy 2. **roln** (*o zbożach*) ozimy; **the** ~ **crops** oziminy Ⓘ *vi* prze/zimować Ⓘ *vt* wyżywi-ć/ać (bydło itd.) <przechow-ać/ywać (rośliny itd.)> przez zimę

winter-cherry ['wintə,tʃeri] s *bot* miechunka rozdęta

winter-cress ['wintə,kres] s *bot* gorczycznik pospolity, barbarka

▮**winter-green** ['wintə,griːn] s *bot* pomocnik bałdaszkowaty

winter-moth ['wintə,mɔθ] s *zoo* piędzik przedzimek

winter-tide ['wintə,taid], **winter-time** ['wintə,taim] s zima, okres zimowy

wintry ['wintri] *adj* 1. zimowy 2. *przen* (*o uśmiechu, przyjęciu itd*) chłodny; lodowaty

winy ['waini] *adj* 1. winny; (*o zapachu itd*) trunku 2. *pot* (*o nosie*) pijacki, pijaka

wipe ['waip] Ⓘ *vt* 1. wy-trzeć/cierać; ob-etrzeć/cierać; otrzeć/ocierać (łzy itd.); pod-etrzeć/cierać; wetrzeć/wcierać (**oil etc. into sth** olej itd. do czegoś); zetrzeć/ścierać (**a stain etc. off sth** plamę itd. z czegoś; **sth off the blackboard** coś z tablicy); **to** ~ **sth clean** <**dry**> wy-trzeć/cierać coś do czysta <do sucha>; *sl* **to** ~ **sb's eye** wyprzedz-ić/ać <ubie-c/gać> kogoś; *sl* **to** ~ **the floor with sb** s/poniewierać kogoś 2. wodzić (**one's hand etc. over sth** ręką po czymś); przeciąg-nąć/ać (**a cloth etc. over sth** szmatą itd. po czymś) 3. pobiel-ić/ać cyną Ⓘ *vi sl* 1. zamach-nąć/iwać się (**at sb with a stick etc.** na kogoś laską itd.) 2. zdzielić (**at sb with sth** kogoś czymś)
~ **away** *vt* zetrzeć/ścierać; wy-trzeć/cierać (łzy, plamę itd.); wymaz-ać/ywać (plamę itd.)
~ **off** *vt* 1. zetrzeć/ścierać <wymaz-ać/ywać, *przen* zmaz-ać/ywać> (plamę itd.) 2. z/likwidować <spłac-ić/ać> (dług)
~ **out** *vt* 1. wy-trzeć/cierać (wannę itd.); zetrzeć/ścierać <wymaz-ać/ywać> (coś z pamięci itd.); zmaz-ać/ywać (**one's past etc.** przeszłość itd.) 2. z/likwidować <spłac-ić/ać> (dług) 3. zgładz-ić/ać <wy/niszczyć, wytracić> (armię, całą ludność okolicy itd.); zn-ieść/osić <zmi-eść/atać> z powierzchni ziemi; obr-ócić/acać w proch <w perzynę>
~ **up** *vt* wy-trzeć/cierać (rozlany płyn itd.) Ⓘ s 1. starcie; wytarcie; **to give sth a** ~ przetrzeć <wytrzeć> coś 2. *sl* chusteczka do nosa 3. *sl w zwrocie*: **to fetch sb a** ~ <**a** ~ **at sb**> dać komuś łupnia; grzmotnąć <trzepnąć, rąbnąć> kogoś

wipe-out ['waip'aut] s zagłusz-enie/anie (odbioru radiowego przez obiekt przemysłowy, mocniejszą stację nadawczą itd.)

wiper ['waipə] s 1. ręcznik; ścierka; gąbka 2. *auto* wycieraczka (szyby ochronnej) 3. *techn elektr* palec (stykowy itd.)

▮**wire** ['waiə] Ⓘ s 1. drut; *am* **to get under the** ~ zdążyć w ostatniej sekundzie 2. nić (złota, srebra itd.) 3. *elektr* przewód; kabel; *przen* **to be (all) on** ~s denerwować się; **live** ~ a) przewód pod napięciem b) *przen* energiczny człowiek 4. drut kolczasty; ~ **entanglements** zasieki 5. *pl* ~s (*także:* **puppet** ~s) sznurki do poruszania marionetek; *przen* **to pull the** ~s a) uży-ć/wać wpływów <protekcji> b) intrygować;

robić machinacje c) być ukrytą sprężyną; **to pull the ~s for sb** za/protegować kogoś 6. drut telegraficzny; telegram; **to send a ~** za/depeszować; za/telegrafować; **to send by ~** pos-łać/yłać telegraficznie III *attr* 1. druciany 2. (*o materacu*) sprężynowy III *vt* 1. o/drutować; zadrutow-ać/ywać 2. na/nizać na drut <na metalową nitkę, metalowy sznur> (paciorki itd.) 3. z/łapać w sidła (królika, ptaka itd.) 4. za-łożyć/kładać przewody; **to ~ a house for electricity** za-łożyć/kładać instalację elektryczną w domu 5. (*o krokiecie*) za/blokować (przejście przez kabłąk) 6. za/depeszować; za/telegrafować; **he was ~d for** za/depeszowano po niego; zawezwano/wzywano go telegraficznie IV *vi* za/telegrafować <za/depeszować> (**to sb do kogoś; for sb** po kogoś)
 ~ in I *vt* ogr-odzić/adzać <osiatkow-ać/ywać> (teren itd.) II *vi* 1. *sl* wypru-ć/wać sobie flaki; wytęż-yć/ać wszystkie siły 2. przystąpić z energią do dzieła
 ~ off *vt* odgr-odzić/adzać drutem

wire-cloth ['waiə͵klɔθ] *s* siatka druciana
wire-cutter ['waiə͵kʌtə] *s* szczypce <nożyce> do cięcia drutu
wire-dancer ['waiə͵dɑːnsə] *s* linoskoczek
wire-draw ['waiə͵drɔː] *vt* (**wire-drew** ['waiə͵druː], **wire-drawn** ['waiə͵drɔːn]) 1. *techn* ciągnąć drut (**metal z metalu**) 2. *przen* wysubtelni-ć/ać (styl itd.); przerafinow-ać/ywać; **a ~n argument** <**point**> argument <twierdzenie> przesadn-y/e <naciągnięt-y/e>; *techn* **~ing bench** przeciągarka
wire-edge ['waiər͵edʒ] *s* drut (na ostrzu noża itd.)
wire-gauge ['waiə͵geidʒ] *s* przymiar do drutu
wire-haired ['waiə͵heəd] *adj* (*o terierze*) ostrowłosy
wire-heel ['waiə͵hiːl] *s wet* rozpadlina (w kopycie)
wireless ['waiəlis] I *adj* radiowy; (*o telegrafie*) bez drutu; **~ station** rozgłośnia; radiostacja III *s* radio; **to talk on** <**say sth over**> **the ~** mówić <powiedzieć coś> przez radio III *vt* 1. przes-łać/yłać wiadomość przez radio <drogą radiową> 2. przesłać wiadomość drogą radiową (**sb** komuś) IV *vi* s/komunikować się drogą radiową
wire-netting ['waiə͵netiŋ] *s* siatka druciana; osiatkowanie
wire-pulling ['waiə͵puliŋ] *s* 1. umiejętność operowania sznurkami do marionetek 2. *przen* uży-cie/wanie wpływów <protekcji>; intrygi; machinacje
wire-rope ['waiə͵roup] *s* kabel
wire-stitch ['waiə͵stitʃ] *vt* spi-ąć/nać drutem (broszurowaną książkę itd.)
wire-tapping ['waiə͵tæpiŋ] *s* podsłuch (w telegrafie itd.)
wire-worm ['waiə͵wəːm] *s zoo* larwa sprężyka
⧫**wire-wove** ['waiə͵wouv] *adj* (*o papierze*) satynowany w prążki
wiry ['waiəri] *adj* 1. *poet* druciany; z drutu 2. (*o włosach*) sztywny <twardy> jak drut 3. (*o człowieku*) żylasty; niezmordowany 4. (*o mięśniach itd*) twardy; *przen* stalowy 5. (*o głosie*) metaliczny
wis [wis] † *vt w zwrocie*: **I ~ wiem**
wisdom ['wizdəm] *s* 1. mądrość; **~ tooth** ząb mądrości; **to learn ~ by the follies of others** uczyć się na cudzych błędach 2. sentencja; mądre powiedzenie; **to pour forth ~** sypać sentencjami

wise¹ [waiz] I *adj* 1. mądry; **to get** <**grow**> **~** z/mądrzeć; nab-rać/ierać doświadczenia; **to be ~ after the event** być mądrym po szkodzie; **the Wise Men** mędrcy (Wschodu); **you were ~ in doing that** <**to do that**> mądrze zrobiłeś; **~ saw** przysłowie; **am ~ guy** mędrek; mądrala 2. roztropny; **it was not ~ to _** nieroztropnie to było, że ... 3. poinformowany; dobrze zorientowany; **to look ~** a) mieć mądrą minę b) udawać, że się wszystko rozumie; **with a ~ shake of the head** kiwając głową z mądrą miną; **to be none the ~r** tyle samo wiedzieć potem co i przedtem; **I am none the ~r** niczego się nie dowiedziałem; **no one being the ~r** (zrobić coś) bez niczyjej wiedzy; *am sl* **to _be** <**get**> **~ to sth** wiedzieć <dowiedzieć się> o czymś; *am sl* **to put sb ~** (**to sth**) powiad-omić/amiać <uprzedz-ić/ać> kogoś (o czymś); objaśni-ć/ać komuś (coś) 4. † znający się na czarnej magii; **~ man** czarnoksiężnik; **~ woman** a) czarownica b) kabalarka c) akuszerka II *vt am sl* **~ up** powiad-omić/amiać; objaśni-ć/ać III *vi* **~ up** dowi-edzieć/adywać się
wise² [waiz] *s* 1. † sposób 2. *obecnie w zwrotach*: **in no ~** w żaden sposób; nijak; żadną miarą; bynajmniej; **in some ~** poniekąd; niejako; **on this ~** tak (oto); w ten sposób; † **in solemn ~** uroczyście
wiseacre ['waiz͵eikə] *s* mądrala; mędrek; mędrzec pański
wisecrack ['waiz͵kræk] I *s am* dowcip; powiedzonko II *vi am* dowcipkować; sypać dowcipami <powiedzonkami>
wish [wiʃ] I *vt* 1. życzyć (sobie) <za/pragnąć> (**sth czegoś; to do sth** coś z/robić; **sth done** <**to be done**> żeby coś zrobiono <zostało zrobione>; **sb to do sth** żeby ktoś coś zrobił); życzyć <po/winszować> (**sb sth** <**a Happy New Year etc.**> komuś czegoś <szczęśliwego Nowego Roku itd.>); **to ~ sb well** <**ill**> być życzliwym <nieżyczliwym> komuś <dla kogoś>; dobrze <źle> komuś życzyć; *iron* **I ~ you joy of it** a) niech ci to wyjdzie na zdrowie b) przyjemnej zabawy 3. życzyć sobie (**sth** czegoś); **what do you ~?** czego pan/i sobie życzy?; **I do not ~ it** nie życzę sobie tego; **it is to be ~ed that _** należałoby sobie życzyć <życzymy sobie, byłoby pożądane> żeby ...; **to ~ sb at the devil** życzyć komuś, żeby go diabli wzięli 3. chcieć; **I ~ _** chciałbym ...; żebyż to ...; oby ...!; **I ~ I were you** chciałbym być na twoim miejscu; **I ~ I knew** żebym to (ja) wiedział; **I ~ you may win** obyś wygrał!; **I ~ it may not prove that _** oby się nie okazało, że ...; **I ~ to God _** wiele bym dał, żeby ... 4. *wyrażając niezadowolenie, zniecierpliwienie itp*: mógłby <mógłbyś itd.> ...; może by <może byś itd.> ...; niechże ...; (powiedz <zrób itd.>) -że <-no> ...; szkoda, że ... + *czasownik z zaprzeczeniem*; **I ~ you would be more careful** mógłbyś trochę uważać; **I ~ you would stop that noise** może byś tak przestał hałasować; **I ~ the child would do what he's told** niechże dziecko robi to, co mu każą; **I ~ you would tell me** powiedzże mi ...; powiedzno mi ...; **I ~ I had more time** szkoda, że nie mam więcej czasu; **I ~ I knew how to _** szkoda, że nie umiem ... II *vi* 1. pragnąć; mieć pragnienia 2. życzyć (sobie) <za/

pragnąć, oczekiwać z utęsknieniem> (**for** sth czegoś); **he could have whatever he ~ed for** mógł mieć wszystko, czego zapragnął <czego dusza zapragnie>; **we could not ~ for anything better** nie moglibyśmy sobie życzyć niczego lepszego; **a long ~ed for event** zdarzenie <wydarzenie> od dawna <z utęsknieniem> oczekiwane ⚏ **s** 1. życzenie; pragnienie; chęć; ochota; **what is your ~?** jakie masz życzenie?; **I had a great ~ to become _** miałem wielką ochotę <bardzo chciałem> zostać ...; **he had no great ~ to go to sea** nie miał <nie zdradzał> wielkiej ochoty <*pot* nie palił się do tego, żeby> zostać marynarzem 2. powinszowanie

wishbone ['wiʃˌboun] **s** obojczyk <widełki> zjedzonego kurczęcia (dłuższa jego część po rozerwaniu przez dwie osoby ma posiadać magiczną własność wskazywania, czyje życzenie się spełni)

wisher ['wiʃə] **s** człowiek składający życzenia <powinszowania>

wishful ['wiʃful] *adj* pragnący <ożywiony pragnieniem> (**of** <**to do**> sth czegoś <z/robienia czegoś>); **~ thinking** pobożne życzeni-e/a

wishing-bone ['wiʃiŋˌboun] = **wishbone**

wishing-cap ['wiʃiŋˌkæp] **s** czapka magiczna zapewniająca spełnienie pragnień

wish-wash ['wiʃˌwoʃ] **s** 1. lura 2. (*o rozmowie*) przelewanie z pustego w próżne

wishy-washy ['wiʃiˌwoʃi] *adj* 1. (*o napoju, potrawie*) wodnisty; lurowaty; **~ stuff** lura 2. (*o rozmowie*) mdły; ckliwy; bez treści; **~ talk** głędzenie; przelewanie z pustego w próżne

wisp [wisp] ⚏ **s** 1. wiązka <garść, pęczek> (słomy, siana, trawy itd.); **a mere ~ of a woman** drobna <niepokaźna> kobietka 2. powrósło 3. kosmyk (włosów) 4. wstęga (dymu) 5. stado (bekasów) ⚏ *vt* (*zw to ~ down*) wy-trzeć/cierać (konia) wiązką słomy <siana, trawy>

wispy ['wispi] *adj* drobny; wiotki

wist *zob* **wit²**

wistaria [wis'tɛəriə] **s** *bot* wistaria

wistful ['wistful] *adj* 1. zadumany; pełen zadumy 2. tęskny; pełen tęsknoty 3. smutny; pełen smutku

wistity ['wistiti] **s** *zoo* saguin (małpa)

wit¹ [wit] **s** 1. (*także pl* ~s) rozum; *pot* olej w głowie; **he has not the ~ <the ~s, ~ enough> to see _** nie ma na tyle rozumu w głowie, żeby pojąć <zrozumieć> ...; **out of one's ~s** oszalały; **I was frightened out of my ~s** byłem nieprzytomny ze strachu; **to have <keep> one's ~s about one** być nie w ciemię bitym; mieć olej w głowie; **to be at one's ~'s end** nie wiedzieć, co począć; znaleźć się w kropce; **to have quick ~s** mieć bystry rozum <szybką orientację>; być rozgarniętym; **to have slow ~s** być tępym; **to live by one's ~s** a) żyć własnym przemysłem; umieć sobie radzić w życiu b) prowadzić awanturnicze życie; **to collect one's ~s** ochłonąć; **to sharpen sb's ~s** wlać komuś oleju do głowy 2. dowcip 3. dowcipny człowiek; człowiek słynący z dowcipu; dowcipniś

wit² [wit] † *vt* (*jedyne formy: praes* I, **he wot, thou wottest,** *praet* **wist,** *inf* **wit;** *ppraes* **witting** ['witiŋ]) wiedzieć; *lit* **God wot** Panu Bogu wiadomo; **to ~** mianowicie; to jest; to znaczy *zob* **witting**

witan ['witən] **s** *hist* 1. anglosaska rada państwa 2. członek anglosaskiej rady państwa

⬥**witch¹** [witʃ] ⚏ **s** 1. czarownica; *przen* wiedźma 2. *pot* czarodziejka, czarująca kobieta ⚏ *vt* 1. o/czarować 2. za/czarować ⚏ *vi* odprawi-ć/ać czary <gusła> *zob* **witching**

witch² [witʃ] = **wych**

witchcraft ['witʃˌkrɑːft] **s** czary; gusła; guślarstwo; (czarna) magia; czarnoksięstwo

witch-doctor ['witʃˌdɔktə] **s** 1. guślarz 2. znachor; szarlatan

witch-elm ['witʃˌelm] = **wych-elm**

witchery ['witʃəri] **s** 1. = **witchcraft** 2. urok; czar; powab

witch-hazel ['witʃˌheizl] = **wych-hazel**

witenagemot ['witinəgiˌmout] **s** *hist* anglosaska rada państwa

with¹ [wið] *praep* 1. *wyraża przeciwieństwo, rywalizację*: z (kimś, czymś); **to argue ~ sb** spierać się z kimś 2. *towarzyszenie, połączenie*: z (kimś, czymś); **come ~ your children** przyjdź z dziećmi 3. *porównywanie*: z (kimś, czymś); do (kogoś, czegoś); **he can't be compared ~ _** nie można go porówn-ać/ywać z ... (kimś) <do ... (kogoś)> 4. *zgoda, harmonia*: z (kimś, czymś); **I agree ~ you** zgadzam się z tobą 5. *posiadanie przedmiotu, cechy itd.*: z (czymś); **a girl ~ a pretty face** dziewczyna z ładną twarzą 6. *znajdowanie się pod czyjąś opieką, w czyimś rozporządzeniu, w zależności od kogoś*: z (kimś); u (kogoś); przy (kimś); **I didn't take it ~ me** nie wziąłem go z sobą; **I have no money ~ me** nie mam pieniędzy przy sobie; **he is ~ his aunt** on jest u ciotki; **the deal is ~ you** ty rozdajesz (karty); **the next move is ~ you** ty masz następny ruch 7. *przy nazwie narzędzia, środka*: za pomocą (czegoś); posługując się (czymś); *tłumaczy się też często przez narzędnik*: z (czymś); **a knife ~ nożem; we hear ~ our ears** słyszymy uszami; **raise it ~ both hands** podnieś to obiema rękami 8. *przy nazwie materiału odpowiada polskiemu narzędnikowi*: **fill it ~ water** napełnij to wodą; **covered ~ dust** okryty kurzem; **endowed ~ talent** obdarzony talentem, utalentowany 9. *w porównaniach sposobu, kierunku, stopnia*: (wraz) z (czymś); (stosownie) do; (zależnie) od; w miarę jak; **he rises ~ the sun** on wstaje <wraz> z kurami <o świcie>; **it changes ~ the seasons** to się zmienia stosownie do <zależnie od> pór roku; **his greed increased ~ his wealth** w miarę jak powiększał się jego majątek, wzrastała u niego chęć dalszych zysków 10. *skutek, działanie, wpływ*: z <czegoś>; **stiff ~ cold** zdrętwiały z zimna; **to tremble ~ fear** drżeć ze strachu 11. *stosunek, odniesienie się do (kogoś, czegoś)*: z (kimś, czymś); u (kogoś, czegoś); **be patient ~ me** bądź/cie cierpliw-y/i ze mną; miej/cie cierpliwość dla mnie; **you can't do anything ~ him** nic nie można z nim zrobić; nie ma rady na niego; **it is holiday time ~ us** u nas są ferie 12. *przy nazwie uczuć, wrażeń*: z (czymś); **he won ~ great difficulty** wygrał z wielkim trudem; **he listened ~ horror** słuchał z przerażeniem 13. *z niektórymi rzeczownikami tworzy wyrażenia przysłówkowe*: **~ courage** odważnie; **~ care** starannie; ostrożnie; **~ ease** łatwo 14. *rozłączenie, rozstawanie się*: z (kimś, czymś); **to break ~ sb** zerwać z kimś; **to part ~**

one's fortune rozstać się z majątkiem 15. pomimo, mimo; nie zważając na; przy; ~ **all his learning he is very modest** po/mimo <przy> całej swej wiedzy on jest bardzo skromny; ~ **all his faults I like him** lubię go mimo wszystkie jego wady ‖ ~ **that** <**this**> po czym ... (wstał i pożegnał się); ~ **your permission** za pozwoleniem pańskim

with² [wið] = **withe**

with³ [wið] *s bud* przegroda kominowa

withal [wi'ðɔ:l] † Ⅰ *adv* (i) ... do tego; (a) przy tym; na dodatek; a równocześnie; **he is handsome and clever** ~ on jest przystojny i do tego <a przy tym> zdolny Ⅲ *praep* = **with** 8. (*stawiany po rzeczowniku*) **what shall he fill his belly** ~**?** czym on sobie brzuch napełni?

withdraw [wið'drɔ:] *v* (**withdrew** [wið'dru:], **withdrawn** [wið'drɔ:n]) Ⅰ *vt* 1. cof-nąć/ać; wycof-ać/ywać (wniosek itd.) 2. odsu-nąć/wać; usu-nąć/wać; odciąg-nąć/ać; zesu-nąć/wać (kotarę itd.) 3. odwoł-ać/ywać (powiedziane słowa, wydane rozporządzenie itd.) 4. pod-jąć/ejmować (pieniądze z rachunku bankowego) 5. zab-rać/ierać (dziecko z internatu itd.) Ⅲ *vi* 1. cof-nąć/ać się; wycof-ać/ywać się 2. od-ejść/chodzić; wy-jść/chodzić (z pokoju itd.); usu-nąć/wać się; **to** ~ **into oneself** zamknąć się w sobie 3. wym-ówić/awiać <wypowi-edzieć/adać> (**from a treaty** etc. traktat itd.)

withdrawal [wið'drɔ:əl] *s* 1. cofnięcie; wycof-anie/ywanie 2. odwoł-anie/ywanie 3. pod-jęcie/ejmowanie (pieniędzy z rachunku bankowego) 4. *wojsk* odwrót

▲**withdrawn** *zob* **withdraw**

withdrew *zob* **withdraw**

▲**withe** [wið] *s* witka; witka łozowa; pręt łoziny

wither ['wiðə] Ⅰ *vi* 1. (*także* **to** ~ **up**) us-chnąć/ychać 2. (*także* **to** ~ **away**) obum-rzeć/ierać; zanik-nąć/ać 3. (*także* **to** ~ **up** <**away**>) z/więdnąć; (*o urodzie*) przemi-nąć/jać Ⅲ *vt* 1. wysusz-yć/ać 2. s/powodować więdnięcie (**a plant** etc. rośliny itd.); *przen* **to** ~ **sb with a look** zmiażdżyć kogoś spojrzeniem

witherite ['wiðə,rait] *s miner* witeryt, węglan barowy

withers ['wiðəz] *spl* kłęby (u konia); *przen* **my** ~ **are unwrung** to mnie nie dotyczy

withershins ['wiðə,ʃinz] *adv szkoc* w kierunku przeciwnym ruchowi wskazówek zegara; *pot* na opak

witherwrung ['wiðə,rʌŋ] *adj* (*o koniu*) z pokaleczonym kłębem

withheld *zob* **withhold**

withhold [wið'hould] *vt* (**withheld** [wið'held], **withheld**) 1. wstrzym-ać/ywać 2. powstrzym-ać/ywać (**sb from doing sth** kogoś od zrobienia czegoś) 3. odm-ówić/awiać <nie udziel-ić/ać, powstrzym-ać/ywać się od udzielenia> (**one's consent** etc. zgody itd.) 4. potrąc-ić/ać (**sth out of sb's pay** coś komuś z poborów) 5. ukry-ć/wać (**the truth** etc. **from sb** prawdę itd. przed kimś) 6. *prawn* wzbraniać się od wydania (**property, a document** czyjejś własności, dokumentu)

within [wi'ðin] Ⅰ *praep* 1. wewnątrz (**sth** czegoś); w (czymś); w łonie (komitetu, zebrania itd.); ~ **doors** a) w domu b) w pokoju 2. do wnętrza (czegoś) 3. w obrębie; w granicach (przestrzeni,

możliwości itd.); **to keep** ~ __ nie przekraczać granic ...; **to come** ~ **the provisions of the law** podpadać pod ustawę; ~ **a radius of** __ w promieniu ... 4. nie dalej niż ...; w odległości (**a few miles** etc. kilku mil itd.); o (kilka kroków, parę kilometrów itd.); ~ **an inch of death** o krok od śmierci 5. *w określeniach czasu*: w ciągu; w przeciągu; w niecały (tydzień, miesiąc, rok itd.); nie dłużej niż ...; ~ **a year of the event** a) na niespełna rok przed tym wypadkiem b) w niecały rok po tym wypadku; ~ **a short time** wkrótce (przedtem, potem) 6. w zasięgu (**sight** wzroku; **hearing** głosu itd.) Ⅲ *adv* 1. wewnątrz 2. w domu; u siebie Ⅲ *s* wnętrze; **from** ~ a) z wnętrza b) od wewnątrz

without [wi'ðaut] Ⅰ *praep* 1. na zewnątrz (czegoś); poza (kimś, czymś) 2. bez (kogoś, czegoś); ~ **doubt** niewątpliwie; ~ **end** bez końca; wiecznie; ~ **number** bez liku 3. *wraz z czasownikiem w formie na* -ing *odpowiada polskiemu imiesłowowi czynnemu nieodmiennemu lub też imiesłowowi czasu przeszłego z zaprzeczeniem*: **to leave** ~ **saying anything** <**paying**> odejść nic nie mówiąc <nie płacąc, nie zapłaciwszy> 4. *wraz z "being" i imiesłowem biernym odpowiada polskiemu imiesłowowi biernemu*: ~ **being seen** nie zauważony; ~ **being told** nie powiadomiony ‖ **it goes** ~ **saying** to samo przez się się rozumie; ma się rozumieć; to jest samo przez się zrozumiałe Ⅲ *adv* na zewnątrz; poza domem Ⅲ *s* zewnętrzna strona; **from** ~ a) od strony zewnętrznej b) od zewnątrz

withstand [wið'stænd] *vt* (**withstood** [wið'stud], **withstood**) 1. op-rzeć/ierać się <stawi-ć/ać opór, przeciwstawi-ć/ać się> (**sb, sth** komuś, czemuś) 2. wytrzym-ać/ywać (próbę, ból itd.); być wytrzymałym (**wear** etc. na zużycie itd.); dobrze zn-ieść/osić (upał, mróz itd.)

withstood *zob* **withstand**

withy ['wiði] *s* łozina; witka łozowa

witless ['witlis] *adj lit* 1. nierozsądny 2. tępy; nieinteligentny

witlessness ['witlisnis] *s lit* 1. brak rozsądku 2. brak inteligencji

witling ['witliŋ] *s* 1. półgłówek 2. człowiek silący się na dowcipy

witloof ['witlu:f] *s bot* endywia (odmiana cykorii)

▲**witness** ['witnis] Ⅰ *s* 1. dowód; świadectwo; **to bear** ~ **to** <**of**> **sth** a) (*o kimś*) poświadczyć coś b) (*o czymś*) świadczyć o czymś; być świadectwem <dowodzić> czegoś; dawać świadectwo czemuś; **he bore** ~ **to having seen** __ poświadczył, że widział ...; **to call sb to** ~ powołać się na czyjeś świadectwo; **to call Heaven to** ~ zaklinać się na wszystkie świętości; (*w aktach prawn*) **in** ~ **whereof** __ w dowód czego ... 2. świadek; *am* ~ **stand**= ~-**box** 3. osoba poświadczająca <uwierzytelniająca> (**to a document** <**deed**> dokument <akt prawny>) Ⅲ *vt* 1. zezna-ć/wać <poświadcz-yć/ać> (**sth** coś; **that** że ...; **for** <**against**> **sb** na czyjąś korzyść <niekorzyść>); (*o czymś*) być dowodem <dowodzić> (**sth** czegoś); świadczyć (**sth o** czymś) 2. być świadkiem (**sth** czegoś); być obecnym (**sth** przy czymś); widzieć (na własne oczy); **I** ~**ed it all** widziałem to wszystko na własne oczy; działo się to wszystko na moich oczach; † ~ **Heaven!** Bóg mi świadkiem! 3. poświadcz-yć/ać (dokument, podpis itd.)

witness-box ['witnis,bɔks] *s sąd* miejsce dla świadków składających zeznania

wittichenite [,witi'kenait] *s miner* witychenit, klaprotyt

witticism ['witi,sizəm] *s* dowcip; dowcipne powiedzenie

wittily ['witili] *adv* dowcipnie

wittiness ['witinis] *s* dowcip (powiedzenia itd.)

witting ['witiŋ] Ⅰ *zob* **wit²** Ⅲ *adj* (*o człowieku*) świadomy (**sth** czegoś); (*o czynie*) zamierzony; celowo zrobiony; rozmyślny

wittingly ['witiŋli] *adv* celowo <rozmyślnie> (coś zrobić)

wittol ['witl] *s* mąż patrzący przez palce na niewierność żony; pobłażliwy rogacz

witty ['witi] *adj* dowcipny

witwall ['witwɔ:l] *s zoo* zielony dzięcioł

wive [waiv] † Ⅰ *vt* 1. o/żenić się (**sb** z kimś); poj-ąć/mować za żonę 2. o/żenić kogoś Ⅲ *vi* o/żenić się

wivern, wyvern ['waivən] *s herald* skrzydlaty dwunożny smok

wives *zob* **wife**

▲**wizard** ['wizəd] Ⅰ *s* czarownik; czarnoksiężnik; czarodziej; magik; guślarz; **the Wizard of the North** przydomek nadawany Walterowi Scottowi Ⅲ *adj sl* kapitalny; pierwszorzędny

wizardry ['wizədri] *s* czary; magia; sztuka magiczna; **there's no ~ in it** nie ma w tym żadnej sztuki; *pot* tu nie ma cudów

wizen(ed) ['wizənd] *adj* (*o twarzy*) zasuszony; pomarszczony; **to become ~** pomarszczyć się

wo, whoa [wou] *interj* (*do konia*) prrr!

woad [woud] Ⅰ *s bot farm* urzet barwierski Ⅲ *vt* u/farbować urzetem

woad-waxen ['woud,wæksən] *s bot* janowiec barwierski

▲**wobble** ['wɔbl] Ⅰ *vi* 1. chwiać <kiwać> się 2. (*o człowieku*) iść <posuwać się> chwiejnym krokiem 3. (*o galarecie itd*) trząść się 4. (*o kole itd*) chybotać się 5. (*o głosie śpiewaka*) drgać 6. (*o człowieku*) być niezdecydowanym; wahać się Ⅲ *s* 1. chwianie <kiwanie> się; chwiejny krok 3. trzęsienie się (galarety itd.) 4. chybotanie się (koła itd.) 5. drganie (głosu śpiewaka) 6. niezdecydowanie; wahanie się

wobbler ['wɔblə] *s* 1. człowiek chwiejny 2. *techn* rozeta (walca, walcarki); **~ shaft** wał z krzywkami

wobbly ['wɔbli] *adj* 1. chwiejny; chwiejący się; rozchwierutany; niepewny 2. (*o głosie*) drgający 3. (*o człowieku*) chwiejny; niezdecydowany; niestały 4. (*o masie*) trzęsący się (jak galareta)

woe [wou] *s poet* nieszczęście; niedola; **in weal and ~** w doli i niedoli; **a tale of ~** opowiadanie o łańcuchu nieszczęść; **~ to _** biada ... (mi, jemu itd.); **~ is me!** biada mi!

woebegone ['wou-bi'gɔn] *adj* 1. (*o wyglądzie*) bolesny; pełen smutku <rozpaczy>; zbolały 2. (*o człowieku*) nieszczęśliwy; przygnębiony; zasmucony; stroskany; złamany duchowo

woeful ['wouful] *adj* 1. (*o człowieku*) pogrążony w smutku; przygnębiony; złamany 2. (*o epoce*) pełen nieszczęść 3. (*o wiadomości*) bolesny ponury; katastrofalny; fatalny

woke(n) *zob* **wake**

wold [would] *s* nieuprawny pagórkowaty obszar (w południowej i środkowej Anglii); wrzosowisko (w płd. Anglii)

▲**wolf** [wulf] Ⅰ *s* (*pl* **wolves** [wulvz]) 1. *zoo* wilk; **to cry ~** podnosić fałszywy alarm; **to hold the ~ by the ears** chwycił Kozak Tatarzyna, a Tatarzyn za łeb trzyma; **to keep the ~ from the door** borykać się z nędzą; odpędzać widmo głodu; **to see a ~** zaniemówić; **to wake a ~** budzić licho 2. *przen* (*o człowieku*) rekin 3. *am* kobieciarz 4. *muz* dysonans Ⅲ *vt pot* (*zw* **to ~ down**) żarłocznie <łapczywie> z/jeść

wolf-cub ['wulf,kʌb] *s* 1. *zoo* wilczę 2. (*w harcerstwie*) zuch

wolf-dog ['wulf,dɔg] *s zoo* wilczarz

wolf-fish ['wulf,fiʃ] *s zoo* wilk morski (ryba)

wolf-hound ['wulf,haund] *s zoo* 1. rosyjski chart 2. wilczur alzacki

wolfish ['wulfiʃ] *adj* wilczy; **to feel ~** być głodnym jak wilk

wolfram ['wulfrəm] *s miner* wolfram, tungsten

wolframite ['wulfrə,mait] *s miner* wolframit

wolf's-bane ['wulfs,bein] *s bot* tojad (żółty), akonit

wolf's-claw ['wulfs,klɔ:] *s bot* widłak

wolf's-fist ['wulfs,fist] *s bot* purchawka

wolf-spider ['wulf,spaidə] *s zoo* pogoniec (pająk)

wolverene, wolverine ['wulvə,ri:n] *s* 1. *zoo* rosomak 2. **Wolverene** mieszkaniec stanu Michigan

wolves *zob* **wolf**

▲**woman** ['wumən] Ⅰ *s* (*pl* **women** ['wimin]) 1. kobieta; **~'s** <**women's**> **rights** równouprawnienie kobiet; **an old ~** stara baba (*także przen o mężczyźnie*); **to play the ~** a) płakać jak baba b) bać się jak baba; **a ~ of the world** kobieta światowa; **a single ~** kobieta niezamężna; stara panna; **~'s wit** intuicja kobieca; **little ~** kobietka 2. natura kobieca; **he has sth of the ~ in his composition** ma coś z natury kobiecej <coś kobiecego> w sobie Ⅲ *attr w nazwach zawodów itp tłumaczy się przez stosowanie rzeczownika rodzaju żeńskiego*: **a ~ doctor** lekarka; **a ~ artist** artystka; artystka malarka; **a ~ student** studentka; **~ slave** niewolnica

woman-hater ['wumən,heitə] *s* wróg kobiet

womanhood ['wumən,hud] *s* 1. kobiecość 2. wiek dojrzały (u kobiety); **she had reached** <**grown to**> **~** już była dojrzałą kobietą 3. *zbior* kobiety (świata, danego kraju itd.)

womanish ['wuməniʃ] *adj* 1. kobiecy; niewieści; *pog* (*także o cechach mężczyzny*) babski 2. zniewieściały

womanize ['wumə,naiz] Ⅰ *vt* z/niewieścieć Ⅲ *vi pot* chodzić na dziwki

womankind ['wumən,kaind] *s* 1. *zbior* kobiety; ród niewieści 2. kobieca <żeńska> połowa rodziny

womanliness ['wumənlinis] *s* kobiecość

womanly ['wumənli] *adj* kobiecy; niewieści

womb ['wu:m] *s* 1. *anat* macica 2. *dosł i przen* łono

wombat ['wombət] *s zoo* wompat (mniejszy torbacz australijski)

women *zob* **woman**

womenfolk ['wimin,fouk] = **womankind** 2.

womenkind ['wimin,kaind] = **womankind**

won *zob* **win**

wonder ['wʌndə] Ⅰ *s* 1. cud; **to work ~s** czynić

cuda; **to do** ~s dokaz-ać/ywać cudów; **the child is a** ~ to cudowne dziecko; **for a** ~ o dziwo!; **what** ~? cóż dziwnego; **no** <**small, little**> ~ (i) nic dziwnego (że ...); **to promise** ~s obiecywać złote góry; **the** ~ **is that** _ (to) dziwne, że ... 2. cudo 3. zdumienie; **filled with** ~ zdumiony; **to look in** ~ patrzeć ze zdumieniem; **in silent** ~ oniemiały ze zdumienia; **in open-mouthed** ~ gapiąc się ze zdumieniem Ⅲ *vi* 1. zdumie-ć/wać się; dziwić się (**at sth** czemuś; **that** ~ że); **I** ~ **at you** dziwię się, jak możesz ...; **I** ~ **at his courage** nie mogę się nadziwić jego odwadze; **it is hardly to be** ~ed at nic dziwnego; nie można się temu dziwić; **to set sb** ~ing zaintrygować kogoś Ⅲ *vt* 1. chcieć wiedzieć <być ciekawym> (kto, co, kiedy, gdzie itd.); **I** ~ **who did that** chciałbym wiedzieć <ciekaw jestem> kto to zrobił; **I** ~ **what the time is** ciekaw jestem, która (jest) godzina; która (też) może być godzina?; **I** ~ **where he is** ciekaw jestem, gdzie on się podział; gdzie on może być?; **who did that I** ~ ciekaw jestem kto to zrobił 2. zastanawiać się; **I** ~ **how this is done** zastanawiam się, jak się to robi; **he will surely be there** _ **I** ~! on chyba na pewno przyjdzie — kto wie? nie jestem taki pewny *zob* **wondering**
wonderful ['wʌndəful] *adj* cudowny; zdumiewający; zadziwiający; **it was** ~ to było coś cudownego; to było fantastyczne
wonderland ['wʌndə,lænd] *s* kraina cudów <czarów>; zaczarowana kraina
wonderment ['wʌndəmənt] *s* 1. zdziwienie; zdumienie 2. rzecz zdumiewająca; **it was a** ~ **how he had managed it** nikt nie mógł się nadziwić, jak on tego dokonał
wondering ['wʌndəriŋ] Ⅰ *zob* **wonder** *v* Ⅲ *adj* zdumiony; pełen zdumienia; niedowierzający
wonderingly ['wʌndəriŋli] *adv* (patrzeć itd.) w zdumieniu <ze zdumieniem>; (słuchać itd.) z niedowierzaniem
wonder-struck ['wʌndə,strʌk], **wonder-stricken** ['wʌndə,strikn] *adj* zdumiony; osłupiały ze zdumienia
wonder-worker ['wʌndə,wə:kə] *s* cudotwórca
wonder-working ['wʌndə,wə:kiŋ] *adj* cudowny, cudotwórczy
wondrous ['wʌndrəs] Ⅰ *adj poet* zdumiewający; cudowny Ⅲ *adv lit tylko przed przymiotnikiem*: zdumiewająco, cudownie; **he was** ~ **kind** on był zdumiewająco uprzejmy
wonky ['wɔnki] *adj sl* 1. chwiejny, chwiejący się, niepewny, rozklekotany 2. niezdrowy; słaby; **to feel** ~ czuć się niepewnie na nogach
wont [wount] Ⅰ *adj praed* 1. *w zwrocie*: **to be** ~ **to** _ mieć zwyczaj ... (coś robić, mówić itd.); **he was** ~ **to come here every day** zwykł był tu przychodzić codziennie 2. *tłumaczy się także przez formę częstotliwą*: **so my uncle was** ~ **to say** tak mawiał wujek Ⅲ *s* zwyczaj, przyzwyczajenie; **use and** ~ utarty zwyczaj; **it is my** ~ **to** _ mam zwyczaj ... (coś robić); **according to** <**as was**> **his** ~ swoim zwyczajem Ⅲ *v aux †* (*praet* **wont** *pp* **wont, wonted** ['wountid]) mieć zwyczaj (coś robić); **he** ~ **to** _ zwykł był ... *zob* **wonted**
won't [wount] = **will not**

wonted ['wountid] Ⅰ *zob* **wont** *v* Ⅲ *adj* zwykły, zwyczajny
woo [wu:] *vt* 1. zalecać się (**a woman** do kobiety); starać się (**a woman** o kobietę); zabiegać o względy (**a woman** kobiety); umizgać się (**a woman** do kobiety) 2. ubiegać się (**fame** etc. o sławę itd.); gonić (**fame** etc. za sławą itd.); dążyć (**fortune** etc. do majątku itd.); *przen* **to** ~ **one's pillow** przytulić się do poduszki 3. nagabywać <napastować, usilnie prosić> (**sb to sth** <**to do sth**> kogoś o coś <żeby coś zrobił>); namawiać (**sb to sth** <**to do sth**> kogoś do czegoś <żeby ktoś coś zrobił>) *zob* **wooing**
↓wood [wud] Ⅰ *s* 1. lasek; (*także pl* ~s) las, puszcza; ~ **of beech trees** las bukowy; **to take to the** ~s a) uciec do lasu b) *am* uchylać się od swych obowiązków <od odpowiedzialności>; **to get out of the** ~ uporać się z trudnościami; **you are not yet out of the** ~s jeszcze cię niejedno czeka; nie krzycz jeszcze "hop"; *przen* **he cannot see the** ~ **for the trees** nie widzi lasu spoza drzew 2. drewno, drzewo (jako materiał opałowy itd.); drzewo na opał 3. *handl* beczka; **beer from the** ~ piwo beczkowe 4. (*w grze w bowls*) kula; (*w grze w golfa*) drewniany kij 5. *muz zbior* instrumenty drewniane, drzewo Ⅲ *attr* drewniany; drzewny; (*o rąbaniu itd*) drzewa; (*w nazwach roślin i zwierząt*) leśny Ⅲ *vt* 1. zalesi-ć/ać 2. z/robić zapas drzewa opałowego *zob* **wooded**
wood-anemone ['wud-ə'nemənɪ] *s bot* zawilec gajowy, niestrętek
wood-ant ['wud,ænt] *s zoo* mrówka rudnica
wood-ash ['wud,æʃ] *s* popiół drzewny
woodbind ['wudbaind], **woodbine** ['wudbain] *s bot* wiciokrzew pomorski
wood-block ['wud,blɔk] *s* 1. klisza drewniana; drzeworyt 2. kostka drewniana (do brukowania)
wood-carver ['wud,ka:və] *s* drzeworytnik
wood-carving ['wud,ka:viŋ] *s* drzeworytnictwo
wood-chat ['wud,tʃæt] *s zoo* dzierzba (ptak)
wood-chuck ['wud,tʃʌk] *s zoo* świstak amerykański
wood-coal ['wud,koul] *s* węgiel drzewny
woodcock ['wud,kɔk] *s* (*pl* ~) *zoo* słonka, bekas
woodcraft ['wud,kra:ft] *s* znajomość lasu w celach łowieckich
woodcraftsman ['wud,kra:ftsmən] *s* (*pl* **woodcraftsmen** ['wud,kra:ftsmən]) *s* traper; myśliwy
woodcut ['wud,kʌt] *s* drzeworyt
woodcutter [,wud,kʌtə] *s* drzeworytnik
wooded ['wudid] Ⅰ *zob* **wood** *v* Ⅲ *adj* lesisty; zalesiony
wooden ['wudn] *adj* 1. drewniany; **a** ~ **horse** koń trojański; ~ **walls** *†* angielska (żaglowa) flota wojenna; ~ **head** tępa pała 2. (*o człowieku, ruchach itd*) drewniany, sztywny; (*o spojrzeniu*) bez wyrazu; ~ **spoon** a) łyżka drewniana (kuchenna) b) *uniw* (*w Cambridge*) łyżka drewniana ofiarowywana ostatniemu z przyjętych kandydatów c) ostatni z przyjętych kandydatów; **pot to take the** ~ **spoon** a) być ostatnim u mety b) zamykać pochód
wood-engraver ['wud-en,greivə] *s* drzeworytnik
wood-engraving ['wud-en,greiviŋ] *s* drzeworytnictwo
wood-headed ['wud,hedid] *adj* tępy; głupi

wood-fibre ['wud‚faibə] *s* 1. włókno drzewne 2. miazga drzewna

wood-gas ['wud‚gæs] *s* gaz drzewny

wood-grouse ['wud‚graus] *s zoo* cietrzew

wood-house ['wud‚haus] *s* drewutnia

wood-ibis ['wud‚aibis] *s zoo* dławigad (ptak z rodziny ibisów)

woodland ['wudlənd] ① *s* lesisty okręg; las ③ *adj* lesisty; leśny

wood-lark ['wud‚la:k] *s zoo* lerka (skowronek borowy)

wood-leopard ['wud‚lepəd] *s zoo* trociniarka, drzewojad (motyl)

wood-lock ['wud‚lɔk] *s mar* zatyczka sterowa

wood-louse ['wud‚laus] *s* (*pl* **wood-lice** ['wud‚lais]) *zoo* stonoga

woodman ['wudmən] *s* (*pl* **woodmen** ['wudmən]) 1. drwal 2. leśnik

wood-notes ['wud‚nouts] *spl* 1. leśny śpiew; śpiew ptactwa leśnego 2. samorzutna poezja

wood-nymph ['wud‚nimf] *s* 1. driada, nimfa leśna 2. *zoo* koliber 3. *zoo* odmiana ćmy

wood-paper ['wud‚peipə] *s* papier drzewny

woodpecker ['wud‚pekə] *s zoo* dzięcioł

wood-pigeon ['wud‚pidʒin] *s zoo* dziki gołąb, turkawka

wood-pulp ['wud‚pʌlp] *s* miazga drzewna

wood-ruff ['wud‚rʌf] *s bot* marzanna wonna

wood-sawyer ['wud‚sɔ:jə] *s* tracz

wood-shed ['wud‚ʃed] *s* drewutnia

woodsman ['wudzmən] *s* (*pl* **woodsmen** ['wudzmən]) 1. człowiek z lasu 2. traper

wood-sorrel ['wud‚sɔrəl] *s bot* szczawnik zajęczy

wood-tar ['wud‚ta:] *s* smoła drzewna

wood-spirit ['wud‚spirit] *s* spirytus drzewny; alkohol metylowy

wood-warbler ['wud‚wɔ:blə] *s zoo* świstunka zielonawa

wood-wasp ['wud‚wɔsp] *s zoo* osa (budująca gniazda wiszące u gałęzi drzew)

wood-waxen ['wud‚wæksn] *s bot* janowiec barwierski

wood-wind ['wud‚wind] *attr muz* ~ **instruments** *zbior* drzewo; instrumenty drewniane

wood-wool ['wud‚wul] *s* wełna drzewna

woodwork ['wud‚wə:k] *s* 1. wyroby z drewna <drzewne> 2. *bud* część drewniana konstrukcji, konstrukcje drewniane 3. roboty ciesielskie <stolarskie>; *pot* stolarka

woodworker ['wud‚wə:kə] *s* stolarz; cieśla; tokarz

woody ['wudi] *adj* 1. (*o okolicy*) lesisty 2. drzewiasty

wooer ['wuə] *s* zalotnik

woof [wu:f] *s tekst* wątek

wool [wul] ① *s* 1. wełna; **long** <carding> ~ wełna zgrzebna; **long** <combing> ~ wełna czesankowa; **greasy** ~ wełna potna; **degreased** ~ wełna odtłuszczona; **glass** ~ wata szklana; **cotton** ~ wata; **lead** ~ wełna ołowiana; **rock** ~ wełna skalna; **skin** ~ wełna garbarska; **steel** ~ wełna <wata> stalowa; **to pull** ~ **over sb's eyes** mydlić komuś oczy; sypać komuś piasek w oczy 2. wełniane rzeczy (z odzieży); **it is safest to wear** ~ najlepiej jest chodzić w wełnianych rzeczach 3. wełniste <kręte> włosy; **to lose one's** ~ zezłościć się; *pot* wyskoczyć ze skóry (ze złości); **to keep one's** ~ **on** panować <nie s/tra-

cić panowania> nad sobą ③ *attr* wełniany; (*o rynku itd*) wełny

wool-ball ['wul‚bɔ:l] *s* 1. kłębek wełny 2. *wet* gromadzenie się wełny w żołądku (owcy)

wool-bearing ['wul‚beəriŋ] *adj* wełnorodny

wool-carder ['wul‚ka:də] *s* gręplarz

wool-carding ['wul‚ka:diŋ] *s* gręplowanie wełny

wool-combing ['wul‚koumiŋ] *s* czesanie wełny

woold [wu:ld] *vt mar* obwiąz-ać/ywać (reję itd.)

woolen ['wulən] *am* = **woollen**

wool-fat ['wul‚fæt] *s* lanolina; tłuszcz z wełny owczej

wool-fell ['wul‚fel] *s* owcza <barania> skóra (z runem); baranica

wool-gathering ['wul‚gæðəriŋ] ① *s* roztargnienie; rozproszenie uwagi; rozmarzenie; gapiostwo; bujanie w obłokach ③ *adj* roztargniony; z rozproszoną uwagą; zagapiony; nieprzytomny myślą ‖ **to be** ~ bujać w obłokach

wool-grower ['wul‚grouə] *s* hodowca owiec

wool-hall ['wul‚hɔ:l] *s* giełda wełny

woollen ['wulin] ① *adj* wełniany ③ *s* (*pl* ~s) tkaniny wełniane

woolliness ['wulinis] *s* 1. wełnistość 2. matowość (głosu) 3. brak precyzji; niedokładność 4. (*w rysunku, konturach*) brak wyrazistości <ostrości> 5. (*w stylu*) wodnistość; mętność 6. mętność umysłu; mglisty sposób myślenia 7. włochatość

▲ **woolly** ['wuli] *adj* 1. wełnisty 2. (*o głosie*) matowy 3. (*o głowie*) kędzierzawy 4. (*o rysunku, konturach*) niewyraźny; nieczysty; zamazany 5. (*o stylu*) wodnisty; mętny 6. (*o sposobie myślenia*) mętny; mglisty 7. włochaty

wool-pack ['wul‚pæk] *s* wańtuch wełny

wool-sack ['wul‚sæk] *s* 1. wańtuch <wór> wełny 2. **the Woolsack** fotel kanclerski w Izbie Lordów; **to aspire to (reach) the Woolsack** mieć aspiracje do godności kanclerza Izby Lordów

wool-shears ['wul‚ʃiəz] *spl* nożyce do strzyżenia owiec

wool-sorter ['wul‚sɔ:tə] *s* brakarz wełny; ~**'s disease** wąglik

wool-stapler ['wul‚steiplə] *s* hurtownik wełny

wool-waste ['wul‚weist] *s* odpadki wełny

wool-work ['wul‚wə:k] *s* haft wełniany imitujący gobelin

Woolworth's ['wulwə:θs] = **five-and-ten-cents store**

Woolwich ['wulidʒ] *spr* akademia wojskowa w mieście tejże nazwy

woorali [wu'rɔ:li], **woorara** [wu'ra:rə] *s farm* kurara

Wop [wɔp] *s am sl pog* imigrant włoski; Włoch, Włoszka

▲ **word** [wə:d] ① *s* 1. wyraz; słowo; słówko; **beyond** ~s nie do opisania; **to a** ~ literalnie, dosłownie; **in other** ~s innymi słowy; inaczej mówiąc; **in a** <one> ~ słowem ...; **in so many** ~s dosłownie tak; słowo w słowo; ~ **for** ~ (przetłumaczyć) dosłownie <słowo w słowo, słowo za słowem>; **with these** ~s _ to rzekłszy ...; **to coin a** ~ ukuć nowy wyraz; **to put into** ~s wypowiedzieć; **that's not the** ~ **for it** to nie jest właściwy wyraz na określenie tego; **a** ~ **in** <out of> **season** rada udzielona w porę <nie w porę>; **fair** ~s komplementy; **high** <hot, sharp> ~s mocne słowa; obelgi; **big** ~s przechwałki; **fan-**

faronada; samochwalstwo; **to have a ~ with sb** zamienić z kimś parę słów; rozmówić się z kimś; **to have ~s with sb** mieć ostrą wymianę zdań z kimś; **to waste ~s** mówić na próżno; tracić czas (na słowa); mówić na wiatr; **the last ~ in** __ ostatnie słowo w zakresie ...; ostatni krzyk ... (czegoś); **a truer ~ was never spoken** to święta prawda; **to say a good ~ for sb** szepnąć słówko <wstawić się> za kimś; *wojsk* **a ~ of command** komenda; **a ~ to the wise** mądrej głowie dość po słowie; **it was too good** <funny etc.> **for ~s** tego się nie da opisać; **a man who hasn't a ~ to throw at a dog** mruk; **one ~ led to another** od słowa do słowa (i skończyło się na...); **he suited the action to the ~** od słów przeszedł do czynów; jako rzekł tak i zrobił; **to have no ~s for** __ nie mieć słów dla ... (czegoś); *pot* **to eat one's ~s** odszczekać; **he is a man of few ~s** on nie lubi dużo mówić; **he is a man of many ~s** on lubi gadać <dużo mówić>; **a play upon ~s** gra słów; kalambur; **to have the last ~** mieć ostatnie słowo 2. mowa; **bold in ~s** śmiały tylko w mowie; *pot* mocny w pysku; **by ~ of mouth** ustnie 3. wiadomość; wieść; **to send ~ to sb** zawiad-omić/amiać kogoś; **~ came of** __ nadeszła wieść o...; **to leave ~** zostawić wiadomość (u kogoś); **I take your ~ for it** uwierzę ci na słowo 4. dane (komuś) słowo; **to take sb at his ~** trzymać kogoś za słowo; **to keep** <break> **one's ~** dotrzym-ać/ywać <nie dotrzym-ać/ywać> słowa; upon my ~! słowo daję!; *pot* jak Boga kocham!; **a man of his ~** człowiek solidny <słowny, *pot* który nie robi z gęby cholewy>; **to be as good as one's ~** zrobić tak jak się powiedziało; **to be better than one's ~** dać więcej <zrobić lepiej> niż się obiecało; **his ~ is as good as his bond** można mu w pełni zaufać 5. rozkaz 6. *wojsk* hasło; parol 7. hasło dnia <chwili>; dewiza; **sharp's the ~** trzeba się spieszyć; żywo! 8. *rel* **the Word of God** Pismo Święte [III] *vt* s/formułować; z/redagować; wypowi-edzieć/adać; wyra-zić/żać; ub-rać/ierać w szatę słowną; przyb-rać/ierać w słowa *zob* **wording**

♦**word-blind** ['wə:d,blaind] *adj* niezdolny do uchwycenia sensu słów

♦**word-book** ['wə:d,buk] *s* słownik

word-formation ['wə:d-fɔ:,meiʃən] *s* słowotwórstwo

wordiness ['wɔ:dinis] *s* wielomówność; obfitość słów; gadatliwość; rozwlekłość (stylu)

wording ['wɔ:diŋ] [I] *zob* **word** *v* [II] *s* sformułowanie; redakcja (tekstu); sposób wypowiedzenia; dobór słów

wordless ['wɔ:dlis] *s* niemy; oniemiały (ze zdumienia itd.); (obraz itd.) bez słów

word-painting ['wɔ:d,peintiŋ] *s* opis słowny

word-perfect ['wɔ:d'pə:fikt] *adj* (*o aktorze itd*) mający rolę doskonale opanowaną <wyuczoną na pamięć>

word-play ['wə:d,plei] *s* gra słów

word-splitter ['wə:d,splitə] *s* człowiek dzielący włos na czworo

word-square ['wə:d,skwɛə] *s* kwadrat magiczny (zespół wyrazów, które, napisane jedno pod drugim, dają ten sam wynik, czytane poziomo jak i pionowo np.: **rat, ado, too**)

wordy ['wə:di] *adj* 1. wielomówny; gadatliwy 2.

(*o stylu*) rozwlekły 3. (*o walce, pojedynku*) słowny 4. wielosłowny; rozwlekle sformułowany

wore *zob* **wear**

♦**work** [wə:k] [I] *s* 1. praca; robota; zajęcie; **hard ~** ciężka praca; wielki trud; żmudna robota; **out of ~** bezrobotny; **regular ~** stałe zajęcie; **to set to ~** zab-rać/ierać się do pracy <roboty>; **to set sb to ~** zaprzęgnąć kogoś do roboty; **a good day's ~** dobrze zapełniony <pracowity, pracowicie spędzony> dzień; **he never does a stroke of ~** nigdy palcem nie kiwnie; **when do you get to your ~?** kiedy przychodzisz do pracy <do swego zajęcia>?; **to be at ~** a) (*o człowieku*) być zajętym (**upon sth** czymś) b) być w pracy c) (*o fabryce*) być czynnym d) (*o mocach, wpływach, różnych czynnikach itd*) działać; **to go about one's ~** zaj-ąć/mować się swoją pracą; **it was the ~ of a moment** to trwało jedną chwilę; **a beautiful piece of ~** piękna robota; ładne dzieło; **to make short ~ of sth** w krótkim czasie <*pot* raz—dwa> uporać <rozprawi-ć/ać, załatwi-ć/ać> się z czymś; **the wine** <poison etc.> **had done its ~** trunek <trucizna itd.> zrobił/a swoje; **to go to ~** zabrać się do dzieła 2. *fiz* energia; **to convert heat into ~** przemieni-ć/ać ciepło w energię 3. zadanie; **to have one's ~ cut out for one** a) wiedzieć, co się ma robić; mieć ułożony program; b) mieć pełne ręce roboty; **it's all in the day's ~** to należy do codziennych zajęć 4. robota, robótka (kobieca); lekcja (ucznia); **bring your ~ downstairs** zejdź na dół ze swoją robotą 5. praca, dzieło; utwór (muzyczny, literacki, naukowy); **a ~ of art** dzieło sztuki; **the ~s of God** wszechstworzenie 6. uczynek (miłosierny itd.); **the devil and his ~s** szatan i wszystko co jego jest 7. *wojsk pl* **~s** fortyfikacje; umocnienia 8. *pl* **~s** mechanizm; (*w zegarku itd*) werk 9. *pl* **~s** roboty publiczne; (*w Anglii*) **the Office of Works** urząd robót publicznych 10. *pl* **~s** (*często ze składnią sing*) fabryka; zakłady (przemysłowe); **iron ~s** zakłady przemysłowe <metalurgiczne>; **brick ~s** cegielnia; **glass ~s** huta szkła 11. ozdoby; dekoracja (wnętrza, umeblowania itd.); **wood ~** boazeria 12. *pl* **~s** *mar* części statku (nawodne, podwodne itd.) [II] *vi* (*praet* **worked** [wə:kd], *pp* **worked, wrought** [rɔ:t]) 1. po/pracować (**at sth** przy czymś <nad czymś>; **in sth** w czymś — drzewie, metalu itd.); **he is hard to ~ with** z nim ciężko pracować 2. (*o różnych siłach, czynnikach itd*) działać; wejść/wchodzić w grę 3. (*o maszynie itd*) działać; chodzić; funkcjonować; pracować; być na chodzie; **things are ~ing smoothly** wszystko idzie gładko 4. (*o maszynie*) *z zaprzeczeniem*: nie działać; nie funkcjonować; być zepsutym; stać 5. (*o planie itd*) działać; uda-ć/wać <pow-ieść/odzić> się; da-ć/wać się przeprowadzić 6. (*o planie itd*) *z zaprzeczeniem*: nie uda-ć/wać <nie pow-ieść/odzić> się; nie da-ć/wać się przeprowadzić; zaw-ieść/odzić; spalić na panewce 7. (*o leku itd*) za/działać; oddziaływać; po/skutkować 8. (*o myśli itd*) działać (**on sb's mind** komuś na mózg) 9. (*o piwie itd*) s/fermentować 10. (*o twarzy*) za/drgać; wykrzywi-ć/ać się 11. *z przymiotnikami*: **to ~ flat** wyrobić się; **the door ~ed loose** zawiasy u drzwi się wyrobiły

12. *z przyimkami*: ~ **against**; **to** ~ **against** — zwalczać ... (kogoś, coś); **to** ~ **against sb** kopać dołki pod kimś; ~ **for**; **to** ~ **for sth** walczyć o coś; dążyć do czegoś; ~ **through**; **to** ~ **through sth** przedrzeć się przez coś; **his elbow** ~**ed through his sleeve** łokieć mu wychodził z rękawa; ~ **with**; **to** ~ **with** współpracować <współdziałać> z ... [III] *vt* 1. wymagać pracy (**sb** od kogoś); wyzysk-ać/iwać; **he** ~**ed his fingers to the bone** urabiał sobie ręce po łokcie 2. po/pracować (**a machine etc.** przy maszynie itd.); operować; obsługiwać; wprawi-ć/ać w ruch (hamulec, pompę itd.) 3. (*o energii mechanicznej itd*) poruszać (maszynę itd.) 4. przeprowadz-ić/ać (plan itd.); wprowadz-ić/ać w życie; z/realizować 5. dokon-ać/ywać; u/czynić; wyw-rzeć/ierać (wpływ); s/powodować (coś); wprowadz-ić/ać (zmian-ę/y); **to** ~ **miracles** a) *dosł* działać <czynić> cuda b) *przen* dokaz-ać/ywać cudów; **to** ~ **a cure** wyleczyć chorego; **to** ~ **mischief** narobić <wyrządz-ić/ać> dużo złego; **to** ~ **the ruin of sb** doprowadzić kogoś do ruiny 6. po/kierować (**sth** czymś) 7. *mat* rozwiąz-ać/ywać (zadanie); **to** ~ **a sum** z/robić obliczenie; **to** ~ **sums** rachować 8. wyszy-ć/wać 9. wprowadz-ić/ać (**sth into sth** coś do czegoś); doprowadz-ić/ać (**sb into** — kogoś do ... — wściekłości itd.); wprawi-ć/ać (**sb into a rage** kogoś w szał) 10. u/torować (**one's way** sobie drogę); **to** ~ **one's way to a place** przedosta-ć/wać <prze-drzeć/dzierać> się dokądś; **to** ~ **one's way through the university** zarabiać na siebie w czasie studiów 11. obr-obić/abiać (drzewo, metal itd.); ur-obić/abiać (glinę itd.) 12. fasonować 13. eksploatować (kopalnię itd.); prowadzić (gospodarstwo rolne itd.) 14. (*o agencie podróżującym*) objeżdżać (rejon) 15. odr-obić/abiać (**one's passage etc.** koszty swego przejazdu na statku itd.) 16. *pot* wykorzyst-ać/ywać (**one's connections etc.** znajomości itd.) [IV] *vr* ~ **oneself** 1. wprawi-ć/ać się (**into a rage etc.** w szał itd.) 2. **to** ~ **oneself to death** zaharow-ać/ywać się (na śmierć)

~ **away** *vi* zawzięcie pracować

~ **down** *vi* obniż-yć/ać <obsuwać> się powoli

~ **in** [I] *vt* 1. wprowadz-ić/ać <wpl-eść/atać> (temat, szczegół) 2. wprowadz-ić/ać (coś — klin itd.) z wysiłkiem <po odrobinie> [II] *vi* wchodzić powoli <po odrobinie>; przedostawać się

~ **off** *vt* 1. pozby-ć/wać się (**sth** czegoś) 2. *sl* sprzątnąć (**sb** kogoś)

~ **on** *vi* praoować dalej; nie przesta-ć/wać pracować

~ **out** [I] *vt* 1. przeprowadz-ić/ać (projekt itd.); z/realizować; odsi-edzieć/adywać (karę); *przen* **to** ~ **out one's destiny** być kowalem własnego losu 2. opracow-ać/ywać (projekt itd.) 3. przepracow-ać/ywać (okres czasu itd.); odr-obić/abiać (dług itd.) 4. oblicz-yć/ać; wykalkulować; rozwiąz-ać/ywać (zadanie arytmetyczne itd.) 5. wyczerp-ać/ywać zasoby (**a mine etc.** kopalni itd.); wyeksploatować [II] *vi* 1. wydosta-ć/wać się (na zewnątrz) 2. s/kończyć się (dobrze, źle itd.) 3. wynosić (pewną kwotę itd.); **the bill** ~**s out at 25s** rachunek wynosi 25 szylingów 4. *mat* (*o zadaniu*) dać się rozwiązać; **it doesn't** ~ **out** nie wychodzi [III] *vr* (*o procesie chemicznym*) **to** ~ **itself out** wyczerp-ać/ywać <s/kończyć> się; (*o uczuciu, wzruszeniu itd*) wyczerp-ać/ywać się; przemi-nąć/jać

~ **up** [I] *vi* piąć <wspinać> się w górę; podn-ieść/osić się [II] *vt* 1. rozwi-nąć/jać 2. doprowadz-ić/ać powoli <z wysiłkiem> (**sth** do czegoś); wywoł-ać/ywać (zamieszki itd.) 3. wyr-obić/abiać sobie (klientelę itd.) 4. opracow-ać/ywać (temat itd.) 5. doprowadz-ić/ać (audytorium itd. do pewnego stanu podniecenia itd.) [III] *vr* ~ **oneself** stopniowo doprowadz-ić/ać się (**into a rage etc.** do wściekłości itd.)

zob **working**

workable ['wə:kəbl] *adj* 1. możliwy <nadający się> do obróbki <uprawy, eksploatacji>; (*o kopalni itd*) rentowny, opłacalny 2. (*o projekcie itd*) wykonalny; realny; możliwy do przeprowadzenia

workaday ['wə:kəˌdei] *adj* 1. (*o ubraniu*) codzienny; roboczy 2. (*o zajęciach itd*) codzienny; powszedni 3. (*o świecie*) prozaiczny; monotonny; szary

work-bag ['wə:kˌbæg] *s* robótka (kobieca); przybory do szycia <wyszywania itd.>

work-basket ['wə:kˌba:skit] *s* koszyk z robótką (kobiecą) <z przyborami do szycia>

work-box ['wə:kˌbɔks] *s* pudełko <kaseta> z robótką (kobiecą) <z przyborami do szycia>

workbench ['wə:kˌbentʃ] *s* warsztat (stolarski itd.)

work-day ['wə:kˌdei] *s* dzień powszedni <roboczy>

worker ['wə:kə] *s* 1. pracownik; człowiek pracujący <należący do świata pracy>; robotnik; **a hard** ~ a) człowiek pracowity b) człowiek intensywnie pracujący (umysłowo) <ciężko pracujący (fizycznie)>; **a** ~ **bee, ant** (pszczoła, mrówka) robotnica 2. **a** ~ **of miracles** cudotwórca; człowiek czyniący cuda

work-fellow ['wə:kˌfelou] *s* współtowarzysz pracy, współpracownik

workhouse ['wə:kˌhaus] *s* 1. przytułek 2. *am* dom poprawczy

working ['wə:kiŋ] [I] *zob* **work** *v* [II] *adj* 1. pracujący; (*o robotniku*) fizyczny; **the** ~ **class** klasa pracująca; świat pracy; proletariat 2. działający; czynny; (*o częściach maszyny*) ruchomy; (*o fabryce*) czynny, w ruchu 3. wystarczający; dostateczny; **a** ~ **hypothesis** hipoteza robocza; **a** ~ **agreement** <**basis**> a) porozumienie w sprawie współpracy (dwóch firm, instytucji itd.) b) wspólna platforma; płaszczyzna współpracy; *parl* **a** ~ **majority** wymagana większość; **a** ~ **knowledge** praktyczna znajomość (języka, zawodu itd.) 4. fermentujący [III] *s* 1. praca; robota; działanie; ~ **hours** a) godziny pracy <urzędowania> b) (*w sklepie*) godziny sprzedaży; **a** ~ **day** a) dzień powszedni; dzień roboczy; dzień pracy; b) roboczodniówka; ~ **capital** kapitał obrotowy; ~ **clothes** ubranie robocze; ~ **costs** koszty eksploatacji; ~ **expenses** wydatki administracyjne <na administrację> 2. działanie; funkcjonowanie; ruch; *techn* ~ **load** obciążenie robocze; ~ **order** stan używalności; **in** ~ **order** w stanie używalności, *pot* na chodzie; ~ **plan** <**drawing**> dokumentacja; plan <rysunek> roboczy 3. eksploatacja (kopalni itd.); *górn* wybieranie; **system** wybierania kopaliny 4. obróbka 5. drganie <wykrzywienie> (twarzy)

working-out ['wə:kiŋ'aut] *s* 1. rozwiązanie (zagadnienia) 2. opracowanie (projektu itd.) 3. obliczenie; kalkulacja

workless ['wə:klis] *adj* bezrobotny; (*o człowieku*) bez zajęcia

▲**workman** ['wə:kmən] *s* (*pl* **workmen** ['wə:kmən]) 1. robotnik; pracownik fizyczny; **workmen's dwellings** bloki robotnicze; **Workmen's Compensation Act** ustawa o bezpieczeństwie pracy 2. fachowiec

workmanlike ['wə:kmən,laik] *adj* fachowo zrobiony <wykonany, przeprowadzony>

workmanship ['wə:kmənʃip] *s* 1. wykonanie; jakość wykonania; robota (fachowa); (*o produkcie, towarze itd*) **of good** <**poor etc.**> ~ dobrze <kiepsko itd.> wykonany 2. fachowość; umiejętność

work-out ['wə:k'aut] *s* 1. *sport* trening; zaprawa 2. próba

workpeople ['wə:k,pi:pl] *spl* robotnicy; świat pracy; lud pracujący

work-room ['wə:k,rum] *s* pracownia

▲**workshop** ['wə:k,ʃɔp] Ⅰ *s dosł i przen* warsztat Ⅲ *adj* warsztatowy

work-shy ['wə:k,ʃai] Ⅰ *adj* (*o człowieku*) unikający wysiłku; stroniący od pracy Ⅲ *s* nierób, bumelant

work-table ['wə:k,teibl] *s* stolik do robótek kobiecych

workwoman ['wə:k,wumən] *s* (*pl* **workwomen** ['wə:k,wimin]) robotnica; pracownica fizyczna

▲**world** [wə:ld] Ⅰ *s* 1. świat; ziemia; **a man of the** ~ człowiek światowy; **the other** <**next**> ~ a) przyszłe <pozagrobowe> życie b) drugi <tamten> świat; ~ **without end** na wieki wieków; **I would give the** ~ **to** — wszystko bym dał, żeby (tylko) ...; **she is all the** ~ **to me** ona jest dla mnie wszystkim <całym światem>; **to carry the** ~ **before one** porwać za sobą wszystkich; **to make the best of both** ~s pogodzić sprawy duchowe i świeckie; **for all the** ~ **like** — kropka w kropkę taki sam, jak ...; **in the** ~ na <w> świecie; **not for all the** ~ za żadne skarby; **to come to the** ~ przyjść na świat; (*o matce*) **to bring into the** ~ powić; **to go out of this** ~ rozstać się z tym światem; **how goes the** ~ **with** — jak się powodzi ...; **the** ~ **was all before him** świat stał przed nim otworem; **what** <**where etc.**> **in the** ~ co <gdzie itd.> właściwie; cóż <gdzież itd.> 2. kula ziemska; świat; **the Old World** starożytność; **the New World** Nowy Świat <Ameryka>; **to the** ~**'s end** na koniec świata 3. sfery <koła, świat> (*naukow-e/y itd.*) 4. masa; mnóstwo; **a** ~ **of meaning** ogromne znaczenie; **a** ~ **of trouble** masa kłopotów, kłopotu co niemiara; **a** ~ **of waters** bezmiar wody; **a whole** ~ **better** o (całe) niebo lepszy; **a** ~ **too wide** o wiele za szeroki; *sl* **tired to the** ~ skonany; ledwo żywy (ze zmęczenia); *sl* **drunk to the** ~ zalany do nieprzytomności <w sztok, w pestkę> Ⅲ *attr* (*o polityce, języku itd*) światowy

world-famous ['wə:ld,feiməs] *adj* światowej sławy; słynny na cały świat

worldliness ['wə:ldlinis] *s* 1. światowość 2. zamiłowanie <przywiązanie> do rzeczy ziemskich <do rozkoszy, do spraw doczesnych>

worldling ['wə:ldliŋ] *s* światowiec

worldly ['wə:ldli] *adj* 1. doczesny; ~ **wisdom** doświadczenie życiowe 2. ziemski; materialny 3. przywiązany do świata doczesnego 4. światowy 5. świecki

worldly-minded ['wə:ldli,maindid] *adj* pochłonięty sprawami materialnymi; przyziemny

worldly-wise ['wə:ldli'wais] *adj* mający wielkie doświadczenie życiowe

world-power ['wə:ld,pauə] *s* wielkie mocarstwo

world-series ['wə:ld,siəriz] *spl sport* mistrzostwa w baseballu

world-weary ['wə:ld,wiəri] *adj* zmęczony <znużony> życiem

world-wide ['wə:ld,waid] *adj* (*o sławie, kryzysie itd*) światowy

worm [wə:m] Ⅰ *s* 1. glista; dżdżownica; robak; czerw; *med* **to have** ~s mieć robaki; **even a** ~ **will turn** i anielska cierpliwość kiedyś się kończy; *przen* **he is now food for** ~s robaki go już toczą; *przen* **the** ~ **of conscience** wyrzuty sumienia; *przen* **I am a** ~ **to-day** mam chandrę dzisiaj 2. *przen* (*o człowieku*) zero, marny robak 3. *techn* ślimak; **conveyor** ~ przenośnik ślimakowy <śrubowy> 4. grajcar <świderek spiralny> <do wydobywania flejtucha ze strzelby> Ⅱ *vr* ~ **oneself** przekra-ść/dać się (**through sth** przez coś); wkra-ść/dać się (**into sth** do czegoś w coś — czyjeś łaski itd.); wykra-ść/dać się (**out of sth** z czegoś) Ⅲ *vt* 1. *w zwrotach*: to ~ **one's way** przekra-ść/dać się (**through sth** przez coś); wkra-ść/dać się (**into sth** do czegoś <w coś> — czyjeś łaski itd.); wykra-ść/dać się (**out of sth** z czegoś) 2. wydoby-ć/wać (**a secret out of sb** tajemnicę od kogoś) 3. *ogr* oczy-ścić/szczać (grządkę) z robaków

worm-cast ['wərm,ka:st] *s* wydalina dżdżownicy

worm-eaten ['wə:m,i:tən] *adj* 1. (*o drewnie itd*) s/toczony przez robaki 2. (*o owocu*) robaczywy

worm-fishing ['wə:m,fiʃiŋ] *s wędk* łowienie ryb na robaka

worm-gear ['wə:m,giə] *s techn* przekładnia ślimakowa

worm-grass ['wə:m,gra:s] *s bot* rozchodnik

worm-hole ['wə:m,houl] *s* dziura <kanał> wytoczon-a/y przez robaka <owada> (w drewnie, owocu itd.)

wormlike ['wə:m,laik] *s* robakowy, przypominający kształtem <podobny do> robaka

worm-pipe ['wə:m,paip] *s techn* wężownica

worm-powder ['wəm,paudə] *s farm* proszek na robaki

worm-seed ['wə:m,si:d] *s farm* kwiat bylicy czerwiogubnej

worm-wheel ['wə:m,wi:l] *s techn* koło ślimakowe, ślimacznica

wormwood ['wə:m,wud] *s* 1. *bot farm* bylica piołun; piołun 2. *przen* przykrość; zmartwienie

wormy ['wə:mi] *adj* 1. robaczywy; stoczony przez robaki 2. = **wormlike**

worn [wo:n] Ⅰ *zob* **wear** *v* Ⅲ *adj* 1. (*o garderobie*) używany; noszony 2. (*o twarzy*) zniszczony; poorany bruzdami

worrier ['wʌriə] *s* 1. pies <wilk> chwytający owce za gardło 2. człowiek dokuczliwy 3. człowiek wiecznie martwiący się <zatroskany>

worriless ['wʌrilis] *adj* (*o człowieku*) beztroski; bez <wolny od> zmartwień <trosk>

worriment ['wʌrimənt] *s am* zmartwienie; troska

worrisome ['wʌrisəm] *adj* trapiący; dokuczliwy

worrit ['wʌrit] *sl* = **worry** *v*

worry ['wʌri] *v* (**worried** ['wʌrid], **worried**) ① *vt* 1. (*o psie*) chwy-cić/tać (owcę itd.) za gardło; kąsać; rozszarp-ać/ywać 2. (*o człowieku*) dokucz--yć/ać <nie da-ć/wać spokoju> (**sb** komuś); niepokoić; za/dręczyć, zadręczać; za/męczyć; z/martwić; **don't let that ~ you** nie martw się o to; nie trap się tym; **to be worried** = ~ *vi*; **to ~ one's head about sb, sth** martwić <trapić> się o kogoś, coś; **what's ~ing you?** czym się martwisz? 3. narzucać się (**sb** komuś); napastować; naprzykrzać się (**sb** komuś); *pot* wiercić dziurę w brzuchu (**sb** komuś) ③ *vr* ~ **oneself** s/trapić <z/martwić, za/niepokoić> się (**about sb, sth** kimś, czymś) ③ *vi* s/trapić <z/martwić, za/niepokoić> się (**about sb, sth** kimś, czymś): **don't (you) ~ bądź <możesz być> spokojny; am I should ~?** ja bym się zmartwił?; mam się czym martwić; mam dość innych zmartwień

  ~ **along** *vi* jakoś sobie po/radzić

  ~ **out** *vt w zwrocie*: **to ~ out a problem** uporać się z jakimś problemem

worse [wə:s] ① *adj comp od* **bad** 1. gorszy; **to get ~** pog-orszyć/arszać się; **to make sth ~** pog-orszyć/arszać coś; **to make things <matters> ~** na domiar złego; **~ and ~** coraz gorszy; **nothing ~ than** __ drobnostka <nic takiego> tylko ... (zdarcie skóry, grypa itd.); **what is ~** co gorsza; **to be none the ~ for sth** nic nie ucierpieć <nie stracić> na czymś; (*o garderobie itd*) **the ~ for wear** podniszczony; **the ~ for drink** podpity, podchmielony; **I am none the ~ for it** a) wyszedłem z tego bez szwanku b) nic mi to nie zaszkodziło 2. czujący się gorzej; słabszy; **to be <feel> ~** mieć <czuć> się gorzej; **the patient is ~** pacjent ma <czuje> się gorzej <jest słabszy>; pacjentowi się pogorszyło ③ *adv comp od* **badly** 1. gorzej; **~ and ~** coraz gorzej; **~ still** co gorsza; **~ than ever** gorzej, niż kiedykolwiek; **I like him none the ~** moja sympatia do niego wcale nie zmalała; on nic nie stracił w moich oczach; **to think the ~ of sb** mieć o kimś gorszą opinię niż przedtem; **to be ~ off than before** znaleźć się w jeszcze gorszej sytuacji; **he is ~ than useless** nie ma z niego pożytku, ale wręcz przeszkadza; **the patient was taken ~** stan pacjenta pogorszył się 2. jeszcze bardziej <więcej> (nienawidzić, bać się itd.) ③ *s* coś gorszego; **a change for the ~** zmiana na gorsze; **but ~ followed** ale to, co nastąpiło było jeszcze gorsze; **he had ~ to tell** miał jeszcze gorsze wieści (do zakomunikowania); **I have seen ~** widziałem gorsze rzeczy; **things went from bad to ~** sytuacja pog-orszyła/arszała się: **so much the ~** tym gorzej; **to have <to put to> the ~** ponieść <zadać> klęskę <porażkę>; **from bad to ~** coraz gorzej

worsen ['wə:sən] ① *vi* pog-orszyć/arszać się ② *vt* pog-orszyć/arszać

worship ['wə:ʃip] ① *s* 1. † szacunek; uszanowanie; **Your Worship** czcigodny pan (tytuł używany przy zwracaniu się do sędziów i burmistrzów) 2. cześć boska; uwielbienie; ~ **of images** bałwo-

chwalstwo 3. wyznanie religijne 4. (*także* **public ~**) nabożeństwo; **place of ~** świątynia; **hours of ~** godziny nabożeństw 5. uwielbienie (kogoś, czegoś); cześć (**of sb** dla kogoś); kult; **hero ~** kult bohaterstwa ② *vt* (**-pp-**) 1. czcić; odda-ć/wać cześć boską (**the Creator etc.** Stwórcy itd.) 2. uwielbi-ć/ać, wielbić; czcić; mieć uwielbienie (**one's mother etc.** dla matki itd.) ③ *vi* chodzić do kościoła <zboru, cerkwi, meczetu itd.>; modlić się; odprawi-ć/ać praktyki religijne; **where does he ~?** do którego kościoła on chodzi?; (*o buddyście, mahometaninie itd*) gdzie on odbywa swoje praktyki religijne?

worshipful ['wɔ:ʃipful] *adj* czcigodny (tytuł nadawany członkom gildii londyńskich, sędziom itd.)

worshipper ['wə:ʃipə] *s* wielbiciel/ka; czciciel/ka; (*w świątyni*) **the ~s** wierni

worst [wə:st] ① *adj sup od* **bad** najgorszy ② *adv sup od* **bad** <**badly**> 1. najgorzej 2. najbardziej (nienawidzić itd.); najwięcej (się bać itd.) ③ *s* najgorsze; **the ~ of it is that** __ najgorsze jest to, że ...; **the ~ is over** najgorsze mamy za sobą; **at the ~** w najgorszym razie; **things are <were> at their ~** już nie może <nie mogło> być gorzej; **if it <if the ~> comes to the ~** w najgorszym wypadku; jeżeli już innego wyjścia nie będzie; **to get the ~ of it** przegrać sprawę; kiepsko wyjść na czymś; **to make the ~ of sth** przedstawić (coś) w najgorszym świetle <w najczarniejszych barwach> ④ *vt* pokon-ać/ywać; pobić zada-ć/wać klęskę (**sb** komuś)

worsted¹ ['wə:stid] *zob* **worst** *v*; **to be ~** ulec w walce; ponieść klęskę <porażkę>

worsted² ['wustid] ① *s tekst* samodział ② *adj* wełniany; (*o wyrobie*) z czesanej wełny

wort [wə:t] *s* 1. brzeczka (piwna) 2. *rz* ziele

worth¹ [wə:θ] ① *s* 1. wartość (człowieka, przedmiotu itd.); cena (przedmiotu itd.); zasługi; **a person of ~** wartościowy człowiek; **a work <discovery etc.> of great ~** bardzo cenne dzieło <odkrycie itd.>; **of little ~** o niewielkiej wartości; mało wartościowy; **of no ~** bezwartościowy 2. równowartość danej kwoty w towarze; **I want a shilling's ~ of** __ proszę mi dać za szylinga... (cukru, masła itd.); **to have <get> one's money's ~** dobrze kupić; **I want my money's ~** chcę, żeby mi się to opłaciło; chcę sobie użyć za moje pieniądze; ja płacę i wymagam ② *adj praed* 1. wart; **what is this ~?** co to jest warte?; jaka jest wartość tego?; **that is ~ sth** to coś warte; **what is the złoty ~?** jaka jest wartość <jaki jest kurs> złotego?; **a bird in the hand is ~ two in the bush** lepszy wróbel w garści, niż kanarek na dachu; **it isn't ~ the money** to się nie opłaca; to za drogo 2. zasługujący (**sth na coś**); godny <wart> (**sth** czegoś); **it isn't ~ notice** to nie zasługuje na uwagę; **it is ~ hearing <reading, the trouble etc.>** warto tego posłuchać <to przeczytać, zadać sobie trud itd.>; **it isn't ~ while** a) nie warto b) to nie warte zachodu; **the play is ~ seeing, it is ~ while to see the play** warto zobaczyć tę sztukę; **it's (very much) ~ while** a) (bezwzględnie) warto b) to jest (rzeczywiście) warte zachodu; **it is ~ it** a) *pot* = **it is ~ while** b) to się opłaca; warto; **the game is not ~ the candle** gra nie warta świeczki; **I give it you <take it>**

for what it's ~ podaję ci to <tę wiadomość> bez żadnej gwarancji; wierz, albo nie; **it would have been as much as his life was** ~ a) nadstawiałby karku b) ryzykowałby swoim życiem; to by mogło go kosztować życie 3. (*o człowieku*) posiadający majątek wartości ...; **the old man was** <died> ~ **10 000** staruszek miał <zostawił> majątek wartości 10 000; **to run** <pull etc.> for **all one is** ~ biec <ciągnąć itd> z całych sił

worth² [wə:θ] † *vt w zwrocie*: **woe** ~ **the day** <hour etc.> przeklinam ten dzień <tę godzinę itd.>

worthiness ['wə:ðinis] *s* zasługi

worthless ['wə:θlis] *adj* 1. bezwartościowy; **a** ~ **man** <fellow> nicpoń 2. (*o wymówkach, argumentach*) gołosłowny; pusty

worth-while ['wə:θ'wail] *adj* wart zachodu; opłacający się; **it was a** ~ **experiment** eksperyment <próba> był/a wart/a zachodu; **it is a** ~ **effort** ten wysiłek się opłaca; warto się potrudzić

worthy ['wə:ði] ☐ *adj* 1. (*o człowieku*) godny; zacny; szanowny; szanowany; zasługujący na powszechny szacunek; (*o życiu*) cnotliwy 2. (*zw protekcjonalnie*) poczciwy; **the** ~ **rustic** poczciwy chłopina 3. zasługujący (of sth na coś); godny (of sth czegoś — uwagi itd.); **it is** ~ **of remembrance** <to be remembered> to zasługuje na uwagę; to jest godne pamięci; **he is** ~ **of reward** <of being rewarded> on zasługuje na nagrodę; **he is not** ~ **my steel** <of my steel> on nie jest godzien mojej szabli; **a** ~ **adversary** godny przeciwnik 4. stosowny (sth <of sth> do czegoś); **words** ~ **the occasion** <of the occasion> słowa stosowne do uroczystości; **a** ~ **reward** stosowna <odpowiednia> nagroda ☐ *s* człowiek godny <wybitny, zasłużony, cieszący się powszechnym szacunkiem>

wot *zob* **wit³**

would *zob* **will**

would-be ['wud,bi:] *adj* 1. rzekomy; domniemany; tak zwany 2. niedoszły (bohater, morderca, kandydat itd.)

wound¹ [wu:nd] ☐ *s* 1. rana; skaleczone miejsce; **bullet** ~ rana od kuli; **a knife** ~ rana cięta <zadana nożem>; **to inflict a** ~ zadać ranę 2. skaleczenie <uszkodzenie> (rośliny) 3. uszczerbek (dla czyjejś reputacji); urażenie czyichś uczuć; **to inflict a** ~ **on sb's reputation** <feelings> nadszarpnąć czyjąś reputację <urazić czyjeś uczucia> ☐ *vt* 1. z/ranić; zada-ć/wać ranę (sb komuś) 2. s/kaleczyć <uszkodzić> (roślinę) 3. nadszarpnąć (czyjąś reputację); ura-zić/żać (czyjeś uczucia) *zob* **wounded, wounding**

wound² *zob* **wind²**

wounded ['wu:ndid] ☐ *zob* **wound¹** *v* ☐ *adj* 1. ranny; ~ **heart** złamane serce 2. (*o dumie, próżności itd*) urażony

wounding ['wu:ndiŋ] ☐ *zob* **wound¹** *v* ☐ *adj* bolesny

woundwort ['wu:nd,wə:t] *s bot* nazwa kilku roślin o właściwościach leczniczych (czyściec, przelot pospolity, żywokost)

▲**wove(n)** *zob* **weave**

wow [wau] *s am sl* świetna <kapitalna> rzecz; *teatr* szlagier

wowser ['wauzə] *s* (*w Australii*) zawzięty purytanin

wrack [ræk] *s* 1. zniszczenie; ruina; zrujnowanie; **to go to** (w)**rack and ruin** rozpa-ść/dać się; z/niszczeć 2. wodorosty wyrzucone przez fale na brzeg i używane jako nawóz

wraith [reiθ] *s* widmo <duch> człowieka rzekomo ukazując-e/y się tuż przed jego śmiercią lub po śmierci

wrangle ['ræŋgl] ☐ *vi* po/kłócić <wykłócać> się; użerać <pot awanturować> się ☐ *vt* (*o kowboju*) pilnować (pasącego się stada na prerii) ☐ *s* kłótnia; burda; awantura

wrangler ['ræŋglə] *s* 1. kłótnik; awanturnik 2. *uniw* (*w Cambridge*) kandydat, który zdał egzamin z matematyki z wyróżnieniem 3. *am* kowboj

wranglership ['ræŋgləʃip] *s uniw* (*w Cambridge*) odznaczenie kandydata, który zdał egzamin z matematyki z wyróżnieniem

wrap [ræp] *v* (-pp-) ☐ *vt* 1. zawi-nąć/jać <opakow-ać/ywać> (paczkę itd.); owi-nąć/jać <zakutać, otul-ić/ać> (kogoś w koc itd.) 2. spowi-ć/jać (dziecko itd.); okry-ć/wać (coś tajemnicą itd.); ukry-ć/wać (swoją myśl itd.); **a mountain-top** ~**ped in mist** szczyt górski spowity <okryty> mgłą 3. owi-nąć/jać (sth round one się czymś — szalem itd.); zuży-ć/wać (coś) na opakowanie (round a parcel etc. paczki itd.); ~ **plenty of paper round it** nie żałuj papieru (na opakowanie tego) ☐ *vr* ~ **oneself** owi-nąć/jać <zakutać, otul-ić/ać> się (in sth czymś) ☐ *vi* (*o brzegach przedmiotów*) zachodzić na siebie <jeden na drugi>

~ **up** ☐ *vt* 1. = **wrap** *vi* 2. ciepło ubrać ☐ *vi* = **wrap** *vr zob* **wrapped** ☐ *s* 1. szal, chusta 2. peleryna

wrappage ['ræpidʒ] *s* opakowanie

wrapped [ræpt] ☐ *zob* **wrap** *v* ☐ *adj* 1. pochłonięty (in sth czymś) 2. zakochany (in sb w kimś); zaślepiony (in sb w kimś) 3. ściśle związany (in sth z czymś); uzależniony (in sth od czegoś)

wrapper ['ræpə] *s* 1. pakowacz 2. opakowanie 3. opaska (na drukach wysyłanych pocztą); banderola 4. teczka (na akta urzędowe itd.) 5. obwoluta (książki) 6. *techn* otulina; osłona 7. szlafrok (damski) 8. liść tytoniu okrywający cygara wyborowej jakości

wrapping ['ræpiŋ] ☐ *zob* **wrap** *v* ☐ *s* opakowanie

wrapping-paper ['ræpiŋ,peipə] *s* papier do pakowania

wrap-rascal ['ræp,ra:skəl] † *s* płaszcz

wrapt [ræpt] = **rapt**

wrasse [ræs] *s zoo* wargacz (ryba)

wrath [rɔ:θ] *s lit* gniew; oburzenie; **vessels** <children> **of** ~ ofiary gniewu bożego; **slow to** ~ nieskory do gniewu; **to bottle up one's** ~ pohamować gniew

wrathful ['rɔ:θful] *adj* gniewny

wreak ['ri:k] *vt* 1. † pomścić 2. wyw-rzeć/ierać (one's vengeance zemstę) 3. wyładow-ać/ywać (one's rage upon sb swoją wściekłość na kimś) 4. da-ć/wać upust (one's fury etc. swej złości itd.)

wreath [ri:θ] *s* (*pl* ~**s** ['ri:ðz]) 1. wieniec, wianuszek 2. girlanda 3. kółko <koło, krąg, kłąb, wstęga, spirala> (dymu itd.)

wreathe ['ri:ð] ☐ *vt* 1. ot-oczyć/aczać <ozd-obić/

abiać, zdobić> wieńc-em/ami <girland-ą/ami>; (*o chmurach, mgle itd*) spowi-ć/jać (szczyt górski itd.); **a face ~d in smiles** twarz promieniejąca uśmiechem 2. upl-eść/atać wie-niec/ńce <girland-ę/y> (**flowers etc.** z kwiatów itd.) 3. opl-eść/atać (**one's arms round sb** kogoś ramionami); ob-jąć/ejmować (**one's arms round sb** kogoś ramionami) III *vr* 1. (*o wężu itd*) ~ **itself** opl-eść/atać sobą; okręc-ić/ać się; **the snake ~d itself round its prey** wąż okręcił się wokół swej ofiary <opłótł swą ofiarę> 2. spleść, splatać (z sobą) III *vi* 1. (*o dymie*) s/kłębić się; un-ieść/ osić się w górę kłębami <kręgami, spiralami> 2. okręc-ić/ać się (dookoła czegoś); opl-eść/atać (**round sth** coś)

wreck [rek] I *s* 1. rozbicie się (statku); katastrofa na morzu 2. zagłada; zniszczenie; ruina; przekreślenie (nadziei); zniweczenie (planów itd.); zaprzepaszczenie (możliwości itd.) 3. wrak; szczątki rozbitego statku; towar <przedmiot> wyrzucony przez fale na brzeg 4. rozbitek życiowy; człowiek zniszczony fizycznie <moralnie, majątkowo>; ruina; **he is but a <the> ~ of his former self** to nie ten sam człowiek; cień tylko pozostał z niego; **a nervous ~** człowiek ze starganymi nerwami; *przen* kłębek nerwów; **to make a ~ of sb** zniszczyć <zrujnować> kogoś 5. budynek <samochód itd.> w stanie ostatecznego zniszczenia II *vt* 1. s/powodować rozbicie <katastrofę> (**a ship** statku); (*o statku*) **to be ~ed** rozbi-ć/jać się; ule-c/gać rozbiciu 2. s/powodować katastrofę (**a train, motor-car etc.** pociągu, samochodu itd.) 3. z/rujnować; doprowadzić do stanu zniszczenia <zniszczyć (budynek itd.; **one's health etc.** sobie zdrowie itd.); s/targać (**one's nerves** sobie nerwy); przekreśl-ić/ać (**sb's hopes** czyjeś nadzieje); z/niweczyć (czyjeś plany); zaprzepa-ścić/szczać (możliwości itd.) III *vi* 1. ule-c/gać rozbiciu; rozbi-ć/jać się 2. ule-c/gać katastrofie; mieć wypadek <awarię>

wreckage ['rekidʒ] *s* 1. wrak/i; szczątek/ki rozbitego statku 2. gruzy

⦙**wrecker** ['rekə] *s* 1. niszczyciel; sprawca katastrofy 2. złoczyńca powodujący rozbicie statku, celem przywłaszczenia sobie jego ładunku 3. człowiek przywłaszczający sobie dobro wyrzucone na brzeg przez fale 4. przedsiębiorca ratujący uszkodzony statek; pogotowie (samochodowe itd.); instytucja <przedsiębiorstwo> usuwające szczątki (pociągu itd.) pozostałe po katastrofie

wren [ren] *s zoo* strzyżyk (ptak)

Wren [ren] *s* kobieta odbywająca służbę wojskową w żeńskiej formacji pomocniczej brytyjskiej marynarki wojennej

wrench [rentʃ] I *vt* 1. szarp-nąć/ać (**sb, sth** kogoś <kimś>, coś <czymś>) 2. gwałtownie <gwałtownym ruchem> skręc-ić/ać <przekręc-ić/ać>; wywichnąć <zwichnąć> (**one's ankle etc.** sobie nogę w kostce itd.) 3. *przen* przekręc-ić/ać (fakty itd.) ~ **away** <off, out> I *vi* wyr-wać/ywać; ur- -wać/ywać; od-erwać/rywać III *vr* ~ **oneself** wyr-wać/ywać <od-erwać/rywać> się III *s* 1. szarpnięcie; wyr-wanie/ywanie 2. skręc-e-nie/anie <przekręc-enie/anie> gwałtownym <na-głym> ruchem 3. *przen* ból (rozstania itd.); **to**

give a ~ = to ~ *vt* 1. 4. zwichnięcie, wywichnięcie 5. *techn* klucz maszynowy; **box ~** klucz nasadowy

wrest [rest] I *vt* 1. przekręc-ić/ać (fakty, znaczenie słów itd.) 2. wyr-wać/ywać (**sth from sb** coś komuś); *przen* wydoby-ć/wać (**evidence <a confession etc.> from sb** zeznanie <przyznanie się do winy itd.> od kogoś) III *s muz* klucz do strojenia (harfy, fortepianu itd.)

wrest-block ['rest‚blɔk] *s* płyta fortepianu

wrestle ['resl] I *vi* borykać <mocować, zmagać> się; walczyć, prowadzić walkę <zapasy>; **to ~ with God <in prayer>** modlić się żarliwie III *vt* mocować <zmagać> się (**sb z kimś) ~ **down** *vt* pokon-ać/ywać ~ **out** *vt* wyp-rzeć/ierać *zob* **wrestling** III *s* 1. zapasy; pojedynek zapaśniczy 2. walka; zapasy; borykanie <mocowanie, zmaganie, pasowanie> się

wrestler ['reslə] *s* zapaśnik

wrestling ['reslin] I *zob* **wrestle** *v* III *s* zapaśnictwo

wrest-pin ['rest‚pin] *s muz* stroik (fortepianu itd.)

wrest-plank ['rest‚plæŋk] = **wrest-block**

wretch [retʃ] *s* 1. nieszczęśnik, nieszczęsny człowiek; **poor ~** biedaczysko 2. łotr; łajdak, nikczemnik; szuja; kanalia 3. *żart* szelma; szelmowskie <diabelskie> nasienie

wretched ['retʃid] *adj* 1. nieszczęśliwy; biedny; **to look ~** mieć nieszczęśliwą <żałosną> minę 2. nędzny; marny; żałosny 3. ohydny; wstrętny; paskudny 4. nieszczęsny; fatalny 5. nędzny, kiepski; mizerny; (*o gatunku itp*) podły ‖ ~ **stupidity** bezdenna głupota

wretchedness ['retʃidnis] *s* 1. poczucie nieszczęścia; niedola 2. chandra; czarne myśli; rozpacz 3. nikczemność 4. marność; lichota 5. okropny <beznadziejny, rozpaczliwy> stan (pogody itd.)

wrick, rick [rik] I *vt* lekko naderwać; zwichnąć III *s* lekkie naderwanie (mięśnia); zwichnięcie (stawu)

wriggle ['rigl] I *vi* 1. wić <zwijać> się; kurczyć i rozkurczać się; kręcić <wiercić> się (na krześle itd.); (*o rybie itd*) trzepotać się 2. wywi-nąć/jać <wykręc-ić/ać, wyśliz-nąć/giwać> się (**out of a difficulty etc.** z trudności itd.) 3. wkręc-ić/ać <wśliz-nąć/giwać> się (**into sth** do czegoś <w coś> — czyjeś łaski itd.) III *vr* ~ **oneself** wywi- -nąć/jać <wykręc-ić/ać, wyśliz-nąć/giwać> się (**out of sth** z czegoś); wkręc-ić/ać <wśliz-nąć/ giwać> się (**into sth** do czegoś <w coś>) III *vt* 1. kręcić (**sth** czymś); **to ~ one's body** kręcić <wić> się; **to ~ one's hand etc. out of sth** wykręcać rękę itd. z czegoś 2. wkręcić (podstępnie); przemycić; **to ~ one's way into sth** wkręc-ić/ać się do czegoś; **to ~ one's way out of sth** wy-kręc-ić/ać się z czegoś ~ **along** *vi* posuwać się wijąc ~ **in** *vi* wkręc-ić/ać się ~ **out** *vi* wykręc-ić/ać <wywi-nąć/jać> się ~ **through** *vi* prześliz-nąć/giwać się IV *s* 1. ruch falisty; wicie <kręcenie, wiercenie> się 2. wygi-ęcie/nanie; zakręt

wriggler ['riglə] *s* 1. wijące się stworzenie 2. *przen* (*o człowieku*) krętacz

wright [rait] † *s* mistrz

wring [rin] I *vt* (**wrung** [rʌŋ], **wrung**) 1. wykręc-ić/ać (mokrą ścierkę itd.); wyż-ąć/ymać 2. uścisnąć/ściskać (**sb's hand** komuś rękę); **to ~ one's hands** załamywać ręce 3. (*o wzruszeniu itd*) ściskać (**sb's heart** komuś serce); **it wrung my heart** serce mi się krajało 4. ukręc-ić/ać (**a chicken's neck** kurczęciu szyję); *przen* **to ~ sb's neck** ur-wać/ywać komuś głowę 5. wyż-ąć/ymać (wodę z bielizny itd.); wycis-nąć/kać (**tears from sb** komuś łzy z oczu); **wymóc** (**sth out of sb** <**from sb**> coś na kimś); wymu-sić/szać <wydu-sić/szać> (**sth from** <**out of**> coś od kogoś) 6. przekręc-ić/ać <zniekształc-ić/ać, zmieni-ć/ać> (sens, znaczenie czegoś itd.)

~ **out** *vt* wycis-nąć/kać; wyż-ąć/ymać *zob* **wringing** Ⅲ *s* 1. ściśnięcie; uścisk; **to give sb's hand a ~** mocno uścisnąć komuś rękę 2. wyżymanie; **to give the clothes a ~** wykręc-ić/ać <wyż-ąć/ymać> bieliznę

wringer ['riŋə] *s* wyżymaczka

wringing ['riŋiŋ] Ⅰ *zob* **wring** *v* Ⅲ *adj w zwrocie*: ~ **wet** przemoczony do nitki

wrinkle[1] ['riŋkl] Ⅰ *s* 1. zmarszczka 2. fałd, fałdka; sfałdowanie; zmarszczenie Ⅲ *vt* 1. z/marszczyć; pokry-ć/wać zmarszczkami 2. z/miąć; pomarszczyć; **to be ~d** ułożyć/układać się w zmarszczki <fałdy, fałdki> Ⅲ *vi* 1. (*także* **to ~ up**) z/marszczyć <po/marszczyć> się; ułożyć/układać się w zmarszczki <fałdy, fałdki> 2. z/miąć <pomiąć> się

wrinkle[2] ['riŋkl] *s* 1. (dobry) pomysł; sztuczka; trick 2. dobra rada; **he is full of ~s** on zawsze powie coś, o czym warto wiedzieć; on zawsze dobrze poradzi

wrinkly ['riŋkli] *adj* 1. pomarszczony, zmarszczony; pokryty zmarszczkami 2. zmięty, pomięty

wrist [rist] *s* 1. *anat* nadgarstek, napięstek, przegub <kiść> (ręki) 2. (*w szermierce, prestidigitatorstwie itd*) umiejętność <sztuka> wykonywania ruchów ręki bez poruszania przedramieniem 3. mankiet; rękawek (u bluzki itd.) 4. = ~**-pin**

wristband ['rist,bænd] *s* mankiet; rękawek

wrist-bone ['rist,boun] *s anat* kość nadgarstka; nadgarstek; napięstek

wrist-drop ['rist,drɔp] *s med* opadnięcie ręki (porażenie przy zatruciu ołowiem)

wristlet ['ristlit] *s* 1. bransoletka; pasek do zegarka na rękę; ~ **watch** zegarek na rękę 2. *pl* ~**s** kajdany

wrist-pin ['rist,pin] *s techn* czop

wrist-watch ['rist,wɔtʃ] *s* zegarek na rękę

writ[1] [rit] *s* 1. *rel* **the Holy** <**Sacred**> ~ Pismo święte 2. *prawn* nakaz (sądu); rozporządzenie (urzędowe); **to serve a ~ on** <**to issue a ~ against**> **sb** pos-łać/yłać komuś nakaz sądowy; wystarać się (w sądzie) o nakaz przeciw komuś

writ[2] [rit] † *zob* **write**; ~ **large** pisany dużymi literami; *przen* oczywisty; rzucający się w oczy; wyraźny; **it is ~ large in __** to się wyraźnie przejawia <widzi> w...; **it is ~ in water** to poszło w niepamięć

write [rait] *v* (*praet* **wrote** [rout], **writ** [rit] †, *pp* **written** ['ritn], **writ** †) Ⅰ *vt* na/pisać; spis-ać/ywać; zapis-ać/ywać; wypis-ać/ywać; wystawi-ć/ać (czek, pokwitowanie itd.); **to ~ a good hand** mieć ładny charakter pisma; **the sheet was written all over** arkusz był cały zapisany; **to be written on sb's face** a) malować

się <być widocznym> na czyjejś twarzy b) (*o strachu, uczciwości itd*) patrzeć komuś z oczu; **that's nothing to ~ home about** a) nie ma czym się chwalić b) nie ma w tym nic nadzwyczajnego; **to ~ one's name** a) podpis-ać/ywać się b) wpis-ać/ywać się (**in a book** etc. do książki itd.); **it is written that __** (w statucie itd.) czytamy <*pot* pisze>, że... Ⅲ *vi* 1. pis-ać/ywać (**do kogoś**) 2. (zawodowo itd.) pis-ać/ywać (**for a paper** etc. do gazety itd.)

~ **back** Ⅰ *vi* odpis-ać/ywać (komuś) Ⅲ *vt* **księgow** wy/stornować

~ **down** Ⅰ *vt* 1. na/pisać; zapis-ać/ywać; spis-ać/ywać; za/notować 2. źle <ujemnie> się wyra-zić/żać (**sb, sth** o kimś, czymś); *pot* osmarować 3. określ-ić/ać (**sb an ass** etc. <**as an ass** etc.> kogoś jako osła itd.); mieć (**sb a fool** etc. <**as a fool** etc.> kogoś za głupca itd.) 4. **księgow** odpis-ać/ywać częściowo; obniż-yć/ać zapis (**sth** czegoś — pozycji inwentarzowej itd.) Ⅲ *vr* ~ **oneself** poda-ć/wać się (w piśmie) (**doctor** etc. za doktora itd.); podpis-ać/ywać się (**doctor** etc. tytułem doktorskim itd.)

~ **in** *vt* wpis-ać/ywać

~ **off** *vt* 1. na/pisać na poczekaniu; s/komponować <z/redagować> od ręki 2. **księgow** za/księgować; odpis-ać/ywać dług; wy/stornować

~ **out** Ⅰ *vt* 1. na/pisać <przepis-ać/ywać> na czysto; sporządz-ić/ać (dokument itd.); na/pisać (**in full** w całej rozciągłości) 2. na/pisać <wypis-ać/ywać> (receptę) 3. na/pisać <wystawi-ć/ać> (czek itd.) Ⅲ *vr* ~ **oneself** (*o pisarzu*) s/kończyć <wyczerp-ać/ywać> się

~ **up** *vt* 1. doprowadz-ić/ać (pamiętnik, księgowość itd.) do dnia bieżącego 2. na/pisać sprawozdanie (**sth** z czegoś); obszernie <szczegółowo> opis-ać/ywać (zdarzenie itd.) 3. pochwal-ić/ać; na/pisać pochwałę (**sth** czegoś)

writer ['raitə] *s* 1. (*w liście*) piszący te słowa; niżej podpisany 2. pisarz; **a woman ~** pisarka; ~**'s cramp** <**palsy**> skurcz ręki 3. podręcznik pisania (w obcym języku itd.) 4. (*w niektórych urzędach*) pisarz 5. *szkoc* ~ **to the signet** adwokat; doradca prawny 6. autor; **the present ~** autor niniejsze-j/go pracy <artykułu>

writhe [raið] Ⅰ *vt* wykręcać ciało to w jedną, to w drugą stronę; wykrzyw-ić/iać (twarz); skręc-ić/ać (włosy itd.) Ⅲ *vi* 1. wić <skręcać> się (**with agony** etc. z bólu itd.); spazmować; **to make sb ~** przyprawi-ć/ać kogoś o spazmy 2. zżymać się (**under** <**at**> **an insult** etc. na zniewagę itd.; **with shame** ze wstydu) Ⅲ *vr* ~ **oneself free** wykręc-ić/ać <wywi-nąć/jać> się

writing ['raitiŋ] Ⅰ *zob* **write** *v* Ⅲ *s* 1. pisanie; pismo; **to give sth in ~** da-ć/wać coś na piśmie; **to put down in ~** zapis-ać/ywać, za/notować; ~ **paper** <**materials** etc.> papiery <przybory itd.> do pisania; **his ~ is good** on ma ładne pismo <ładny charakter pisma>; *prawn* **evidence in ~** dowody pisemne; **the ~ on the wall** a) *dosł* ostrzeżenie: Mane-Tekel-Fares b) *przen* zapowiedź katastrofy <nieszczęścia>; ostatnie ostrzeżenie 2. sztuka pisania; piśmiennictwo; **the ~ profession** zawód pisarski 3. praca literacka; dzieło; **a good piece of ~** dobrze napi-

sana rzecz; **the ~s of** _ dzieła <prace, twórczość>... (danego autora)
writing-block ['raitiŋ,blɔk] _s_ blok listowy
writing-book ['raitiŋ,buk] _s_ zeszyt do ćwiczeń w pisaniu
writing-case ['raitiŋ,keis] _s_ przybory do pisania
writing-desk ['raitiŋ,desk] _s_ biurko
writing-ink ['raitiŋ,iŋk] _s_ atrament
writing-master ['raitiŋ,mɑ:stə] _s_ nauczyciel pisania
writing-pad ['raitiŋ,pæd] _s_ 1. teczka na biurko 2. bibularz 3. blok listowy
writing-set ['raitiŋ,set] _s_ komplet na biurko
writing-table ['raitiŋ,teibl] = **writing-desk**
written ['ritn] Ⅰ _zob_ write _v_ Ⅲ _adj_ (_o rozkazie itd_) pisemny
wrong [rɔŋ] Ⅰ _adj_ 1. nie w porządku, zepsuty; w złym stanie; **sth is ~ with this** coś tutaj jest nie w porządku; _pot_ coś tu nie gra; **my liver is <has gone, has got> ~** coś jest nie w porządku z moją wątrobą; **what's ~ with you?** co ci jest?; _pot_ **what's ~ with this?** co masz <macie> temu do zarzucenia?; a cóż w tym złego widzisz <widzicie>?; **what's ~ with this book <pen etc.>?** dlaczego nie ta książka <to pióro itd.>?; **he is ~ in the head** on ma źle w głowie 2. zły; grzeszny; brzydki; nieszlachetny; godny potępienia; **lying is ~, it is ~ to lie** kłamstwo jest grzechem <rzeczą niegodną, godną potępienia>; **it was ~ of him to say that** to nieładnie z jego strony, że tak powiedział 3. niestosowny; **he always does the ~ thing** a) on wszystko robi nie tak jak należy b) on zawsze musi psocić 4. niewłaściwy; mylny; błędny; fałszywy; _pot_ nie ten; **to take the ~ way** pójść niewłaściwą drogą <w niewłaściwą stronę>; **the ~ answer** mylna odpowiedź; **on the ~ scent** na fałszywym tropie; _przen_ **to hold the ~ end of the stick** niewłaściwie ujmować coś; mylić się; opacznie coś zrozumieć <tłumaczyć>; **the ~ side foremost** tyłem do przodu; **to be in the ~ box** znajdować się w niewygodnej sytuacji; być w kłopocie; **I took the ~ umbrella** wziąłem nie swój parasol; (_w telefonie_) **~ number** pomyłka; **to get out of bed on the ~ side** wstać z łóżka lewą nogą; **it's the ~ shop <map etc.>** to nie ten sklep <ta mapa itd.> 5. (_o stronie tkaniny_) lewy; **~ side out** na wywrót; na odwrót 6. niedobry; niekorzystny; **to be on the ~ side of 60** mieć przekroczone 60 lat życia; być po sześćdziesiątce 7. (_o człowieku_) (będący) w błędzie; **to be ~** mylić się; nie mieć racji <słuszności>; być w błędzie; **not far ~** niedaleki od prawdy; **you were not far ~** niewiele się pomyliłeś; byłeś bliski prawdy; byłbyś trafił; (_o zegarku_) **to be ~** źle chodzić Ⅲ _s_ 1. zło; **right and ~** dobro i zło; **to do ~** czynić źle 2. grzech; wykroczenie; **to do ~** z/grzeszyć; popełni-ć/ać wykroczeni-e/a 3. niesprawiedliwość; krzywda; _prawn_ poniesiona szkoda; uszczerbek, strata; **right and ~** to co sprawiedliwe i to, co niesprawiedliwe; **to do ~ to sb, to do sb a ~** wyrządzić komuś krzywdę; s/krzywdzić kogoś; **a sense of ~** poczucie krzywdy 4. wina; **to be in the ~** być winnym; **to acknowledge oneself in the ~** uznać swoją winę; **to put sb <oneself> in the ~** z/robić z kogoś <z siebie> winowajcę 5. przestępstwo Ⅲ _adv_ 1. nie-

właściwie; mylnie; błędnie; fałszywie; źle; **to answer ~** dać mylną <błędną> odpowiedź; **to do a sum ~** mylnie <błędnie> rozwiązać zadanie matematyczne; **to guess ~** źle trafić; nie zgadnąć; **to lead sb ~** fałszywie kogoś skierować; **to tell sb ~** mylnie kogoś poinformować 2. źle; zdrożnie; **to do ~** czynić źle; niewłaściwie <zdrożnie> post-ąpić/ępować; _am_ **to get in ~ with sb** nara-zić/żać się komuś; _am_ **to get sb in ~ with sb** poróżni-ć/ać kogoś z kimś 3. źle; niekorzystnie; niefortunnie; **to go ~** a) (_o człowieku_) pójść/iść w niewłaściwym kierunku; z/mylić drogę; zb-oczyć/aczać z drogi; pobłądzić, zabłądzić b) (_o człowieku_) po/mylić się; popełni-ć/ać błąd c) (_o człowieku_) zejść/schodzić na złą drogę<na manowce>d) (_o mechanizmie itd_) ze/psuć się e) (_o instytucji, przedsiębiorstwie itd_) mieć trudności; popa-ść/dać w kłopoty f) (_o planach itd_) zaw-ieść/odzić; spal-ić/ać na panewce Ⅳ _vt_ s/krzywdzić; wyrządz-ić/ać krzywdę (**sb** komuś); być niesprawiedliwym (**sb dla** <wobec> kogoś); niesłusznie posądzać kogoś; **to ~ sb out of sth** wyłudz-ić/ać coś od kogoś
wrong-doer ['rɔŋ'duə] _s_ 1. grzesznik 2. krzywdziciel 3. przestępca
wrong-doing ['rɔŋ,duiŋ] _s_ 1. zły czyn; grzech 2. bezprawie; niesprawiedliwość; krzywda (wyrządzona komuś) 3. czyn karygodny; wykroczenie; przestępstwo
wrongful ['rɔŋful] _adj_ 1. (_o czynie_) zły 2. niesprawiedliwy; krzywdzący 3. bezprawny
wrongfulness ['rɔŋfulnis] _s_ 1. niesprawiedliwość (postępowania) 2. bezprawie
wrong-headed ['rɔŋ'hedid] _adj_ przewrotny; uparty
wrong-headedness ['rɔŋ'hedidnis] _s_ przewrotność; upór
wrongous ['rɔŋəs] _adj szkoc_ niesprawiedliwy; bezprawny
wrote _zob_ **write**
wroth [rouθ] _adj praed lit_ zły; zagniewany; gniewny
wrought [rɔ:t] Ⅰ _zob_ work _v_ Ⅲ _adj_ 1. fasonowany 2. misternej roboty 3. (_o metalu_) kuty
wrought-iron ['rɔ:t,aiən] Ⅰ _s_ kute żelazo Ⅲ _adj_ (_o przedmiocie_) z kutego żelaza
wrought-up ['rɔ:t'ʌp] _adj_ podniecony; podekscytowany; zemocjonowany; zdenerwowany; **to be ~** być w wielkim napięciu
wrung _zob_ **wring** _v_
wry [rai] _adj_ (_comp_ **wrier, wryer** ['raiə]; _sup_ **wriest, wryest** ['raiist]) krzywy; przekrzywiony; skrzywiony; **a ~ face** grymas; kwaśna mina; wykrzywiona twarz; **a ~ smile** wymuszony uśmiech
wrybill ['rai,bil] _s zoo_ nowozelandzka siewka (ptak)
wryfaced ['rai,feist] _adj_ (_o człowieku_) z wykrzywioną twarzą
wry-mouthed ['rai,mauðd] _adj_ 1. krzywousty 2. ironicznie chwalący
wryneck[1] ['rai,nek] _s zoo_ krętogłów (ptak)
wryneck[2] [rai'nek] _s med_ skrzywiona szyja
wry-necked ['rai,nekt] _adj_ (_o człowieku_) ze skrzywioną szyją
wryness ['rainis] _s_ skrzywienie; wykrzywienie; przekrzywienie
wulfenite ['wulfi,nait] _s miner_ wulfenit

wurtzite ['wəːtsait] *s miner* wurcyt
Wyandotte ['waiən,dɔt] *s* amerykańska rasa drobiu
wych-elm ['witʃ,elm] *s bot* wiąz górski; brzest
Wycliffite ['wikli,fait] *s rel* wyznawca doktryny Wyclifa

wye [wai] *s* 1. *litera* y 2. *techn* trójnik skośny
Wykehamist ['wikəmist] *s* wychowanek Winchester College
wynd [waind] *s szkoc* uliczka
wyvern ['waivən] = **wivern**

X

↑X, x [eks] *litera* x (*pl* **xs, x's** ['eksiz])
xanthate ['zænθeit] *s chem* ksantogenian
xanthein ['zænθiin] *s chem* ksanteina, żółty barwnik roślinny
xanthic ['zænθik] *adj chem* ksantenowy
xanthin ['zænθin], **xanthine** ['zænθain] *s chem* ksantyna
Xanthippe [zæn'θipi] *spr* Ksantypa; *przen* złośnica
xanthoma ['zænθəmə] *s med* żółta kępka, żółtak
xanthophyll ['zænθəfil] *s chem* ksantofil
xanthous ['zænθəs] *adj* (*o rasie*) żółty, mongolski
x-bit ['eks,bit] *s techn* krzyżowe ostrze świdra
x-bracing ['eks,breisiŋ] *s bud* wiązanie krzyżowe
xebec ['ziːbek] *s mar* szebeka (trójmasztowy statek śródziemnomorski)
xenolith ['zenəliθ] *s geol* ksenolit
xenon ['zenon] *s chem* ksenon
xenophobia [,zenə'foubiə] *s* ksenofobia
xerasia [ziːə'reiziə] *s med* chorobliwa suchość włosów
xi [gzai] *s gr litera* ksi
xiphias ['zifiəs] *s zoo* włócznik (ryba)

xiphoid [zi'fɔid] *adj anat* mieczykowaty
Xmas ['krisməs] = **Christmas**
↑x-ray ['eks,rei] □ *adj* rentgenowski; ~ **examination** prześwietl-enie/anie (promieniami Roentgena); ~ **picture** rentgenogram; ~ **spectrum** widmo promieniowania rentgenowskiego Ⅲ *vt* ['eks 'rei] 1. prześwietl-ić/ać (promieniami Roentgena) 2. z/robić rentgenogram (**sb** komuś; **sth** czegoś)
xylem ['zailem] *s bot* ksylem, drewno (tkanka roślinna)
xylene ['zailiːn] *s chem* ksylen, dwumetylobenzen
xylograph ['zailou'graːf] *s* drzeworyt
xylographer [zai'lɔgrəfə] *s* drzeworytnik
xylography [zai'lɔgrəfi] *s* drzeworytnictwo
xylolite ['zailə,lait] *s bud* ksylolit
xylophagous [zai'lɔfəgəs] *s zoo* drewnożerny
xylonite ['zailə,nait] *s* celuloid
xylophone ['zailə,foun] *s muz* ksylofon
xyster ['zistə] *s med* nożyk do skrobania kości
xyst [zist], **xystus** ['zistəs] *s* (*u staroż. Greków*) sklepiona galeria (przeważnie do ćwiczeń atletycznych)

Y

Y, y [wai] *litera* y (*pl* **ys, y's** [waiz])
yacht [jɔt] □ *s* jacht Ⅲ *vi* 1. po/płynąć <pływać po/żeglować> jachtem <na jachcie>; uprawiać sport żeglarski 2. wziąć/brać udział w regatach jachtowych *zob* **yachting**
yacht-club ['jɔt,klʌb] *s* jacht-klub
yachting ['jɔtiŋ] □ *zob* **yacht** *v* Ⅲ *s* jachting, sport żeglarski
yachtsman ['jɔtsmən] *s* (*pl* **yachtsmen** ['jɔtsmən]) żeglarz (sportowiec)
yachtsmanship ['jɔtsmənʃip] *s* umiejętność żeglowania jachtem
yaffil ['jæfil], **yaffle** ['jæfl] *s zoo* zielony dzięcioł
yah [jaː] *interj* 1. (*obrzydzenie*) fe! 2. (*wyśmiewanie się*) phi!
yahoo [jə'huː] *s* człowiek-bestia (z „Podróży Gulliwera")
Yahveh ['jaːvei] *spr bibl* Jehowa
yak [jæk] *s zoo* jak (byk tybetański)
Yakut [jə'kuːt] *s* Jakut (członek szczepu zamieszkałego na Syberii)
Yale [jeil] *spr attr* ~ **lock** zatrzask automatyczny Yale; zamek patentowy

yam [jæm] *s bot* 1. ignam (roślina tropikalna posiadająca mączyste bulwy) 2. *am* słodki ziemniak
Yank [jæŋk] *s pot* = **Yankee**
↑Yankee ['jæŋki] □ *s* 1. Yankes, mieszkaniec Nowej Anglii 2. Jankes, żołnierz wojsk federalnych w wojnie domowej 3. Jankes, Amerykanin Ⅲ *attr* amerykański; ~ **Doodle** amerykański hymn narodowy; ~ **notions** amerykańskie pomysły
yankeefied ['jæŋki,faid] *adj* zamerykanizowany
yaourt ['jaːuət] = **yog(h)urt**
yap [jæp] □ *vi* (**-pp-**) 1. (*o małym psie*) wrzaskliwie za/szczekać 2. *pot* (*o człowieku*) trajkotać, trajlować Ⅲ *s* 1. wrzaskliwe szczekanie 2. *pot* trajkotanie, trajlowanie
yapock ['jæpɔk] *s zoo* południowoamerykański opos wodny
yapp [jæp] *s* skórkowa oprawa wystająca poza brzegi książki
yarborough ['jaːbərə] *s karc* same blotki w karcie; *pot* mizeria, plaża
yard¹ [jaːd] *s* 1. jard (jednostka miary = 0,914 m) 2. *mar* reja; **to man the ~s** odda-ć/wać honory (na jachcie, statku)

↟ **yard²** [jɑ:d] ⬚ *s* 1. dziedziniec 2. podwórze 3. (*także* **farm** ∼) obejście gospodarskie 4. (*także* **marshalling** ∼, **railway-**∼) dworzec przetokowy 5. (*także* **tan-**∼) garbarnia 6. (*także* **brick-**∼) cegielnia 7. (*także* **stock-**∼) zagroda 8. skład (drzewa, węgla) 9. **the Yard = Scotland Yard** *zob* **Scotland** 10. † prącie ⬚ *vt* 1. zapędz-ić/ać (bydło) do zagrody 2. trzymać (bydło) w zagrodzie

yardage¹ ['jɑdidʒ] *s* metraż

yardage² ['jɑ:didʒ] *s* 1. trzymanie bydła w zagrodzie 2. opłata za trzymanie bydła w zagrodzie

yard-man ['jɑ:d,mæn] *s* (*pl* **yard-men** ['jɑ:d,men]) 1. robotnik w składzie drzewa <węgla> 2. parobek 3. robotnik na dworcu przetokowym

yard-master ['jɑ:d,mɑ:stə] *s* kierownik dworca przetokowego

yard-measure ['jɑ:d,meʒə] *s* jard (taśma, kij, pręt metalowy do mierzenia)

yardsman ['jɑ:dzmən] = **yard-man**

yard-stick ['jɑ:d,stik] *s* 1. jard (kij, pręt metalowy do mierzenia tkanin itd.) 2. *przen* miara; kryterium; **to measure other people by one's own** ∼ mierzyć innych swoją miarką

yarn [jɑ:n] ⬚ *s* 1. przędza 2. włókno 3. *pot* opowiadanie; historia, historyjka; **to spin a** ∼ opowiadać; **to spin** ∼**s** opowiadać niestworzone historie <duby smalone> ⬚ *vi* opowiadać niestworzone historie, pleść (duby smalone)

yarn-beam ['jɑ:n,bi:m], **yarn-roll** ['jɑ:n,roul] *s tekst* wał osnowowy

yarrow ['jærou] *s bot farm* krwawnik pospolity

yashmak ['jæʃmæk] *s* jaszmak (zasłona na twarz u mahometanek)

yataghan ['jætəgən] *s* jatagan

yaw [jɔ:] ⬚ *vi lotn mar* zb-oczyć/aczać ⬚ *s lotn mar* zb-oczenie/aczanie

yawl¹ [jɔ:l] *s* jolka (łódź żaglowa lub wiosłowa)

yawl² [jɔ:l] ⬚ *vi* za/wyć ⬚ *s* wycie

yawn [jɔ:n] ⬚ *vi* 1. (*o przepaści itd*) ziać, zionąć 2. (*o człowieku, zwierzęciu*) za/ziewać, ziewnąć; **to make sb** ∼ przyprawi-ć/ać kogoś o ziewanie ⬚ *vt* powiedzieć/mówić (coś) ziewając

∼ **away** *vt* przeziewać (godziny, całe życie itd.)

∼ **off** *vt w zwrocie*: **to** ∼ **one's head off** śmiertelnie się nudzić

zob **yawning** ⬚ *s* ziewnięcie, ziewanie

yawning ['jɔ:niŋ] ⬚ *zob* **yawn** *v* ⬚ *adj* 1. (*o człowieku*) ziewający 2. (*o przepaści itd*) ziejący ⬚ *s* ziewnięcie; ziewanie

yawningly ['jɔ:niŋli] *adv* ziewając

yaws [jɔ:z] *s med* frambezja (tropikalna choroba skóry)

Y-axis ['wai'æksis] *s mat* oś Y; oś rzędnych

Y-branch ['wai,brɑ:ntʃ] *s techn* rozgałęzienie w kształcie litery Y

ycleped, yclept [i'klept] *adj żart* zwany; nazwany

ye¹ [je] = **the**

ye² [ji:] † *pron* wy

yea [jei] † ⬚ *adv* 1. tak 2. zaprawdę; zaiste 3. ba; nawet; **readily** ∼ **eagerly** chętnie, ba, nawet z rozkoszą ⬚ *s* (*w głosowaniu*) głos za wnioskiem; **the** ∼**s have it** wniosek przyjęty

yeah [jə:] *interj am* ale!?; czyżby!?; nie może być!?

yean [ji:n] † ⬚ *vi* (*o owcy, kozie*) o/kocić się ⬚ *vt* (*o owcy, kozie*) u/rodzić

yeanling ['ji:nliŋ] *s* 1. jagnię 2. koźlę

year [jə:] *s* 1. rok (kalendarzowy, szkolny, budżetowy itd.); **from** ∼ **to** ∼ z roku na rok; ∼ **in,** ∼ **out** przez cały (długi) rok; **jak rok długi; in the** ∼ **one** kiedyś tam; **it's** ∼ <*pot* **donkey's** ∼**s**> **since I** __ od lat już nie ... (widziałem, słyszałem itd.); ∼**s ago** przed laty, szereg lat temu 2. *pl* ∼**s** wiek (człowieka); **to be young for one's** ∼**s** nie wyglądać na swój wiek; **(advanced) in** ∼**s** starszy; podstarzały; w podeszłym wieku; zaawansowany w latach

year-book ['jə:,buk] *s* rocznik (statystyczny itd.)

yearling ['jə:liŋ] *s* jednoroczne zwierzę; roczniak

year-long ['jə:,lɔŋ] *adj* trwający <ciągnący się> od roku

yearly ['jə:li] ⬚ *adj* 1. (*o uroczystości itd*) doroczny, coroczny 2. całoroczny; roczny; jednoroczny ⬚ *adv* 1. rokrocznie 2. (zdarzający się, powtarzający się) raz do roku <raz na rok>

yearn [jə:n] ⬚ *vi* 1. za/tęsknić (**for** <**after**> **sb, sth** za kimś, czymś); tęsknić <wzdychać> (za kimś, czymś <do kogoś, czegoś>); **to** ∼ **to do sth** tęsknić za z/robieniem czegoś; wzdychać do tego, żeby coś zrobić 2. współczu-ć/wać (**to** <**towards**> **sb** komuś) ⬚ † *v impers w zwrocie*: **it** ∼**s me** a) tęskno mi b) serce moje napełnia się bólem *zob* **yearning**

yearning ['jə:niŋ] ⬚ *zob* **yearn** *v* ⬚ *adj* tęskny ⬚ *s* tęsknota

yearningly ['jə:niŋli] *adv* 1. tęsknie 2. z tęsknotą

yeast [ji:st] *s* drożdże

yeast-fungus ['ji:st,fʌŋgəs] *s bot* grzybek drożdżowy

yeast-powder ['ji:st,paudə] *s* suche drożdże, proszek do pieczenia

yeasty ['ji:sti] *adj* 1. pienisty, spieniony 2. wzburzony; burzliwy 3. (*o człowieku*) powierzchowny 4. (*o stylu itd*) napuszony

yegg [jeg], **yeggman** ['jegmən] *s am sl* kasiarz; włamywacz

yelk [jelk] = **yolk**

yell [jel] ⬚ *vi* 1. za/wyć (**with pain etc.** z bólu itd.); ry-knąć/czeć (**with laughter etc.** ze śmiechu itd.); wrz-asnąć/eszczeć ⬚ *vt* (*także* **to** ∼ **out**) wrzasnąć, ryknąć (wydając rozkazy, polecenie itd.) ⬚ *s* 1. wycie; ryk; wrzask 2. *am uniw szk* charakterystyczny ryk studentów <uczniów> jako wyraz dopingu, radości itd.

↟ **yellow** ['jelou] ⬚ *adj* 1. żółty; **to go** <**get, become, turn**> ∼ z/żółknąć; *med* ∼ **fever** <**Jack**> żółta febra; ∼ **metal** mosiądz; ∼ **ochre** żółcień ochry; **the** ∼ **race** żółta rasa; *przen* ∼ **press** prasa sensacyjna; ∼ **soap** mydło marsylskie; *anat* ∼ **spot** żółta plamka (w siatkówce oka) 2. *przen* żółty z zazdrości; zawistny 3. *pot* tchórzliwy ⬚ *s* 1. żółt-y/a kolor <barwa> 2. *pot* tchórzostwo 3. *pl* ∼**s** *med* żółtaczka 4. żółtko 5. *am* choroba brzoskwiń ⬚ *vt* nada-ć/wać żółty kolor (**sth** czemuś) ⬚ *vi* po/żółknąć *zob* **yellowed**

yellowback ['jelou,bæk] *s* 1. sensacyjna powieść w broszurowym wydaniu 2. zbroszurowana francuska powieść

yellow-boy ['jelou,bɔi] *s sl* złota moneta

yellow-bunting ['jelou,bʌntiŋ] = **yellow-hammer**

yellow-dog ['jelou,dɔg] ⬚ *s* szuja; szubrawiec

| | adj am ~ **contract** umowa o pracę sprzeczna z regulaminem Związków Zawodowych

yellowed ['jeloud] | | zob **yellow** v | | adj pożólkły

yellow-hammer ['jelou͵hæmə] s zoo trznadel

yellowish ['jeloui∫] adj żółtawy

yellowness ['jelounis] s żółty kolor (czegoś)

yelp [jelp] | | vi za/skamleć; za/skowyczeć | | s skamlenie; skowyt

yen[1] [jen] s (pl ~) jen (japońska jednostka monetarna)

yen[2] [jen] | | s am sl wyrywanie się (do czegoś) | | vi am sl rwać się (do czegoś)

yeoman ['joumən] s (pl **yeomen** ['joumən]) 1. gospodarz średniorolny 2. żołnierz formacji zwanej "yeomanry" 3. **Yeoman of the Guard** = **beefeater** 4. mar podoficer kancelaryjny na okręcie wojennym; ~('s) **service** cenna pomoc udzielona w potrzebie

yeomanly ['joumənli] adj 1. średniorolny 2. dzielny 3. (o człowieku) bez pretensji; prosty

yeomanry ['joumənri] s 1. klasa gospodarzy <chłopów> średniorolnych 2. formacja kawalerii rekrutująca się z gospodarzy <chłopów> średniorolnych posiadających własne wierzchowce

yep [jep] am = **yes**

yer [jə] pot = **you**

yes [jes] | | adv 1. tak; tak jest; owszem 2. pytająco: ~? tak?; czy tak?; nieprawdaż?; słucham?; czyżby? 3. wtrącone nawiasowo między dwa zdania: ~ **and** __ ba; powiem więcej; a nawet ...; I. **could do it easily, ~ and twice as much** mógłbym to zrobić z łatwością, ba <powiem więcej, a nawet> zrobiłbym dwa razy tyle 4. wojsk ~, Sir rozkaz! | | s (pl ~es) odpowiedź twierdząca; powiedzenie: "tak"; **confine yourself to yes(es) and no(es)** masz się ograniczyć do powiedzenia: "tak" lub "nie"

yes-man ['jes͵mæn] s (pl **yes-men** ['jes'men]) pot człowiek nie mający własnego zdania <zgadzający się z każdą wypowiedzią>

yesterday ['jestədi] | | s 1. wczorajszy dzień; **the whole of** ~ cały dzień wczorajszy; ~'s __ wczorajszy ... (dziennik itd.); **of** ~ wczorajszy; świeży; świeżej daty; niedawny 2. pl ~s przeszłość; minione dni <czasy> | | attr ~ **morning** <**evening**> wczoraj rano <wieczorem> | | adv wczoraj; **the day before** ~ przedwczoraj; ~ **week** wczoraj minął tydzień (odkąd ...)

yestermorn(ing) ['jestə͵mɔːn(iŋ)] adv poet wczoraj rano

yesternight ['jestənait] adv poet ubiegłej nocy

yester-year ['jestə͵jəː] adv poet zeszłego <ubiegłego> roku

yestreen [͵jes'triːn] adv szkoc wczorajszego wieczoru

yet [jet] | | adv 1. (wciąż) jeszcze; **not** ~ jeszcze nie; **there is** ~ **time** jeszcze jest czas; **there is one** ~ **missing** wciąż jeszcze brak jednej (człowieka itd.); **while** ~ póki jeszcze 2. w pytaniach: już; **is he dead** ~? czy już umarł?; **need you go** ~? czy musisz już iść? 3. dotychczas; dotąd; do tej pory; **the largest** ~ **found** największy, jaki dotychczas <dotąd> znaleziono; **as** ~ jak dotąd; dotychczas; na razie; **it has worked well as** ~ jak dotąd <na razie> to dobrze działa 4. wyraża wiarę, że mimo wszystko coś się stanie: **I will be even with**

you ~ jeszcze się z tobą porachuję 5. przed stopniem wyższym: jeszcze; **a** ~ **more difficult task** jeszcze trudniejsze zadanie 6. a jednak; **it is strange and** ~ **true** to dziwne, a jednak prawdziwe 7. w zdaniach przeczących z **nor**: też <także> (nie); ani nawet; **he won't listen to me nor** ~ **to her** on nie chce mnie słuchać i jej także nie <ani nawet jej> | | conj a jednak; a mimo to <pomimo tego>; **he worked well** ~ **he failed** dobrze się uczył, a jednak <a mimo to, pomimo tego> nie zdał

yew [juː] | | s bot cis | | adj cisowy

Yiddish ['jidi∫] s język nowohebrajski

↓ **yield** [jiːld] | | vt 1. wyda-ć/wać (z siebie); **the ore** ~**s a precious metal** ta ruda dostarcza <jest źródłem> cennego metalu 2. da-ć/wać (wyniki, owoce itd.); **the cow** ~**s x gallons of milk** ta krowa daje x galonów mleka 3. dostarcz-yć/ać; **the grapes** ~ **an excellent wine** te winogrona dają doskonałe wino 4. wydziel-ić/ać (zapach itd.) 5. rodzić (plony itd.); **the land** ~**s nothing but weeds** na tej ziemi nic się nie rodzi, prócz chwastów 6. przyn-ieść/osić (korzyść, procent od włożonego kapitału itd.) 7. przyzna-ć/wać słuszność (**a point etc. to sb** komuś w jakiejś sprawie itd.) 8. ust-ąpić/ępować (**sth to sb** komuś czegoś); z/rezygnować (**a right, privilege etc.** z prawa, przywileju itd.) 9. odda-ć/wać (twierdzę, więźnia, pierwszeństwo itd.) | | vr ~ **oneself** podda-ć/wać się; odda-ć/wać się; odda-ć/wać się w czyjeś ręce | | vi 1. podda-ć/wać się (przewadze itd.); ust-ąpić/ępować (**to pressure** pod naporem itd.); ule-c/gać (pokusie itd.); **to** ~ **to none** <**to nobody**> **in** __ nikomu nie ustępować pod względem ... 2. (o ziemi) rodzić (**well, poorly etc.** obficie, słabo itd.) 3. (o budynku itd) osi-ąść/adać 4. załam-ać/ywać się (pod ciężarem) 5. (o linie itd) ur-wać/ywać się zob **yielding** | | s 1. plon 2. wydobycie (węgla z szybu itd.) 3. wydajność; (u krowy) mleczność <udój>; omłot (zboża) 4. osiadanie; poddawanie się

yielding ['jiːldiŋ] | | zob **yield** v | | adj ustępliwy | | s wydajność

ylang-ylang ['iːlæŋ'iːlæŋ] s bot ylang-ylang (roślina malajska); farm ~ **oil** olejek ylang-ylang

y-line ['wai͵lain] = **y-axis**

y-moth ['wai͵mɔθ] s zoo błyszczka (ćma)

yodel ['joudl] | | vi jodłować (po tyrolsku) | | s jodłowanie

yoga ['jougə] s jogizm (system filozoficzno-religijny)

yoghourt, yogurt ['jougəːt] jogurt

yogi ['jougi] s joga

yo-heave-ho ['jou͵hiːv'hou] interj dla skoordynowania wspólnego wysiłku: hej-hop!; o-raz!

yoicks [jɔiks] interj (do psów) bierz go!; huzia!

yoke [jouk] s 1. jarzmo; przen niewola; **to shake off the** ~ zrzuc-ić/ać jarzmo (niewoli); **the marriage** ~ jarzmo małżeńskie 2. pl ~s para sprzężonych wołów roboczych; sprzężaj 3. hist ~ **of land** obszar ziemi, który można było zaorać parą wołów w ciągu jednego dnia 4. nosidła (na wiadra) 5. karczek (sukni, koszuli) 6. jarzmo dzwonu (belka, na której dzwon wisi) 7. techn kabłąk; strzemię; obejma; jarzmo 8. jarzmo (magnetyczny) | | vt 1. ujarzmi-ć/ać; na-łożyć/kładać jarzmo (**an animal** zwierzęciu) 2.

zaprzęg-nąć/ać <sprzęg-nąć/ać> w jarzmie 3. po/łączyć 4. zawie-sić/szać (dzwon) na jarzmie Ⅲ *vi* (*o wołach itd*) ciągnąć w jarzmie

yoke-bone ['jouk͵boun] *s anat* kość jarzmowa

yoke-fellow ['jouk͵felow] *s* współtowarzysz (życia, pracy itd.)

yokel ['joukəl] *s* kmiotek, kmieć; rataj; prostak; wieśniak; chłopek ze wsi

yokemate ['jouk͵meit] = **yoke-fellow**

yoke-line ['jouk͵lain], **yoke-rope** ['jouk͵roup] *s mar* sterówka

yolk [jouk], **yelk** [jelk] *s* 1. żółtko (jaja) 2. tłuszczopot, tłuszcz z wełny owczej; **wool in the ~** wełna potna

yolk-bag ['jouk͵bæg], **yolk-sack** ['jouk͵sæk] *s* błona żółtkowa

yon [jɔn] = **yonder**

yonder ['jɔndə] Ⅰ *adv lit dial* tam Ⅱ *adj* ten, tamten, ów Ⅲ *pron dial* (*o wymienionym poprzednio człowieku, przedmiocie itd*) on, ona, ono, ten-że

yore [jɔ:] *s* **of ~** ongiś; niegdyś; dawniej

yorker ['jɔ:kə] *s* (*w krykiecie*) trudna do odbicia piłka ciśnięta tak, by trafiła pod samym palantem

Yorkist ['jɔ:kist] *s hist* stronnik dynastii York (w wojnach Dwóch Róż)

Yorkshire ['jɔ:kʃə] *spr w zwrocie*: **to come the ~ on sb** oszuk-ać/iwać <nab-rać/ierać> kogoś; *kulin* **~ pudding** pieczeń zapiekana w cieście; **~ stone** piaskowiec Yorkshiru

Yorkshireman ['jɔ:kʃəmən] *s* (*pl* **Yorkshiremen** ['jɔ:kʃəmən]) mieszkaniec hrabstwa Yorkshire; człowiek rodem z hrabstwa Yorkshire

you [ju:] *pron* 1. wy; ty; pan; pani; państwo; **~ and me** ty i ja; ja z tobą; **between ~ and me** (mówiąc) między nami; **all of ~** wy wszyscy; **there's a... for ~** ! to ci dopiero... (strzał, gratka, pech itd.) 2. † = **yourself; sit ~ down** usiądź 3. *tłumaczy się przez polską formę bezosobową*: się; człowiek; **~ can never tell** nigdy nie wiadomo; **~ never know** nigdy się nie wie; nigdy nie wiadomo; **~ soon get used to it** człowiek w krótkim czasie przyzwyczaja się do tego

you'd [jud] = **you had; you would**

you'll [jul] = **you will**

young [jʌŋ] Ⅰ *adj* 1. młody; **a ~ man** młodzieniec; *przen* **a ~ man in a hurry** niecierpliwy reformator; **a ~ lady** panienka; młoda osoba; **my ~ man** moja sympatia; mój narzeczony; **my ~ woman** moja sympatia; moja narzeczona; **the ~ ones** a) dzieci b) młode (zwierzęta); **~ people** młodzież; **look here, my ~ man** posłuchaj no, młodzieńcze!; **to grow ~ again** odmłodnieć; **you look ~er** odmłodniałeś 2. młodzieńczy; **in my <his etc.> ~ days** za młodu; w mojej <jego itd.> młodości; kiedy byłem <był itd.> młody 3. (*o trawie, roślinności itd*) świeży 4. (*o miłości itd*) początkujący; kiełkujący 5. niedoświadczony; **he is ~ in crime** to niedoświadczony zbrodniarz <przestępca> 6. (*o okresie czasu, nocy, roku, stuleciu itd*) niedawno <świeżo, dopiero co> rozpoczęty 7. miniaturowy Ⅲ *s* 1. młode (zwierząt); potomstwo; **with ~ ciężarna**; brzemienna; **to care for its ~**

dbać o potomstwo; **to bring forth ~** rodzić 2. *pl* **the ~** młodzież; **books for the ~** książki <lektura> dla młodzieży

youngish ['jʌŋiʃ] *adj* dość młody

youngling ['jʌŋliŋ] *s* 1. dziecko; młodzieniec; młoda osoba 2. młode zwierzę, szczenię

youngster ['jʌŋstə] *s* 1. dziecko 2. chłopak 3. *pl* **~s** dzieci; *przen* drobiazg (małe dzieci)

younker ['jʌŋkə] *s* 1. † młodzieniec 2. (*o Niemcu*) junkier

your [jɔ:] *adj* 1. twój; wasz; pański; pana; pani; państwa; (*w odniesieniu do 2. pers*) swój; **are you sure it's ~ book you've taken?** czy na pewno swoją książkę wziąłeś? 2. *w odniesieniu do* **you** *w znaczeniu bezosobowym*: **you never know ~ luck** nigdy nie wiadomo, co człowieka spotka (może spotkać) 3. ten słynny <sławetny>; **so that's ~ fox-hunting** a więc tak wygląda to słynne <sławetne> polowanie na lisa par force 4. taki; **~ facetious bore is the worst of all** nie ma gorszego nudziarza od takiego, który sili się na dowcip <któremu zdaje się, że jest dowcipny> 5. *przy uogólnieniach bez odpowiednika polskiego*: **~ true reformer knows no compromise** prawdziwy reformator nie zna kompromisu

you're [juə] = **you are**

yours [jɔ:z] Ⅰ *pron* 1. *w zastępstwie rzeczownika uprzednio wymienionego*: twój; wasz; pański; pana, pani, państwa; (*w odniesieniu do 2. pers*) swój; **are you sure that book is ~?** czy to na pewno twoja książka?; **you've lost ~ and taken mine** zgubiłeś swoją a wziąłeś moją 2. *w konstrukcji*: **a + rzeczownik + of ~** : pewien <jakiś> twój <wasz, pański, pana, pani, państwa> ...; *najczęściej nie różni się w tłumaczeniu od* **your** *adj*; **a friend of ~ told me that** powiedział mi to pewien twój przyjaciel; **it was a mistake of ~** to była twoja pomyłka; **I am no child of ~** nie jestem twoim dzieckiem 3. *handl* (*w korespondencji*) wasze (cenne) pismo; **~ of the 1st inst.** wasze (cenne) pismo z 1-go bm. Ⅲ *adj praed* twój...; **it is ~ if you will accept it** to (jest, będzie) twoje jeżeli zechcesz to przyjąć ode mnie; (*w listach*) **~ truly <sincerely etc.>** z poważaniem itd.; *pot* (*w barze itd*) **what's ~?** co weźmiesz?; co zamawiasz?

yourself [jɔ:'self] *pron* (*pl w odniesieniu do grupy osób*: **yourselves** [jɔ:'selvz]) 1. się; siebie; sobie 2. sam, we własnej osobie; osobiście; **you are ~ again** przyszedłeś <przyszliście> do siebie (po chorobie, wstrząsie psychicznym itp.) 3. (*także by* **~**) sam, własnoręcznie, samodzielnie, bez niczyjej pomocy 4. sam (bez towarzystwa); **you came by ~** przyszedłeś <przyszliście> sam/i; **you live by ~** mieszkasz <mieszkacie> sam/i 5. *w zwrocie*: **you are not ~** ty <wy> jesteś/cie nieswój <nieswoi>

youth [ju:θ] *s* 1. młodość, wczesny okres (w historii świata, narodu itd.) 2. (*pl* **youths** [ju:ðz]) młodzieniec; młody człowiek 3. młodzież; **~ hostel** schronisko młodzieżowe; młodzieżowy dom noclegowy (dla wycieczkowiczów)

youthful ['ju:θful] *adj* 1. młody; (*o przestępcy*) młodociany 2. młodzieńczy; (*o błędach itd*) młodości

youthfulness ['ju:θfulnis] *s* 1. młodość 2. młodzieńczość; młodzieńcz-y/e wygląd <usposobienie itd.>

you've [ju:v] = **you have**

yowl [jaul] = **yawl**

yperite ['i:pə,rait] *s chem* iperyt, gaz gorczyczny

Y-shaped ['wai,ʃeipt] *adj (o przedmiocie, rysunku itd)* kształtu litery Y

ytterbium [i'tə:bjəm] *s chem* iterb

yttrium ['itriəm] *s chem* itr

yucca ['jʌkə] *s bot* juka

yuft [juft] *s* jucht, skóra juchtowa

Yugo-Slav ['ju:gou'slɑ:v] = **Jugoslav**

Yule [ju:l] *s* święta Bożego Narodzenia

Yule-log ['ju:l,log] *s* polano spalane w kominku w wigilię Bożego Narodzenia

Yuletide ['ju:l,taid] *s* okres świąt Bożego Narodzenia

Z

Z,z [zed] *litera* z *(pl* zs, z's [zedz])

zaffer, zaffre ['zæfə] *s chem* emalia kobaltowa, saflor

zambo ['zæmbou] *s* metys/ka

zamindar ['zæmin,dɑ:] = **zemindar**

zany ['zeini] *s* 1. *hist* pomocnik błazna 2. głupek; półgłówek, błazen

Zarathustrian [,zærə'θu:striən] = **Zoroastrian**

zareba, zariba [zə'ri:bə] *s (w Sudanie)* zasiek z cierni

zeal [zi:l] *s* gorliwość, zapał

zealot ['zələt] *s* gorliwiec; zagorzalec; zelant, zelota

zealotism ['zelə,tizəm], **zealotry** ['zelətri] *s* zagorzalstwo

zealous ['zeləs] *adj* gorliwy; zapalony; zagorzały; żarliwy; **to be ~ in doing sth** z/robić coś gorliwie <żarliwie, z zapałem>; **to be ~ for sth** być zapalonym <palić się> do czegoś

‖ **zebra** ['zi:brə] □ *s zoo* zebra □ *attr* pręgowany; pręgowaty; **~ markings** pręgi, zebrowanie; **~ crossing** znaczone miejsce przechodzenia przez ulicę <jezdnię>; zebra

zebu ['zi:bu:] *s zoo* zebu

zed [zed] *s litera* z

zedoary ['zedouəri] *s bot farm* cytwar

zemindar ['zemin,dɑ:] *s hist* (*w Indiach*)1. *(za cesarstwa Mogułów)* gubernator i dzierżawca podatków 2. właściciel ziemski płacący podatki bezpośrednio skarbowi brytyjskiemu

zenana [ze'nɑ:nə] *s* kwatery kobiece w domu zamożnego Hindusa; **~ mission** misja mająca na celu roztaczanie opieki nad kobietami odosobnionymi w domach bogatych Hindusów; **~ cloth** lekka tkanina na szaty kobiece

Zend [zend] *s* język Awesty

zenith ['zeniθ] *s astr* zenit; *przen* zenit <szczyt> (sławy itd.)

zenithal ['zeniθəl] *adj* zenitowy

zeolite ['zi:ə,lait] *s miner* zeolit

zephyr ['zefə] *s* 1. *lit* wietrzyk 2. *tekst* zefir 3. koszulka sportowa

Zepp [zep] *s pot skr* **Zeppelin**

Zeppelin ['zepəlin] *s* zepelin, sterowiec

‖ **zero** ['ziərou] □ *s (pl* ~s) zero; *fiz* **absolute ~** zero bezwzględne <absolutne> □ *attr* zerowy; **~ hour** a) *wojsk* godzina rozpoczęcia ataku b) *przen* godzina rozpoczęcia działania; chwila decydująca

zest [zest] *s* 1. przyjemność, smak; pikanteria; **to**

add (a) ~ to sth doda-ć/wać smaku <pikanterii> czemuś; uprzyjemni-ć/ać coś; **with ~** z prawdziwą przyjemnością; z satysfakcją 2. ochota; zapał; werwa; animusz; **to do sth with ~** ochoczo <z zapałem> coś robić 3. pikanteria

zeta ['zi:tə] *gr litera* dzeta

Zeus [zju:s] *spr mitol* Zeus

zibet ['zibet] *s zoo* cybet (zwierzę azjatyckie)

zigzag ['zigzæg] □ *s* 1. zygzak 2. linia <droga, ścieżka itd.> zygzakowata □ *adj* zygzakowaty □ *vt* (-**gg-**) ułoży-ć/układać <ustawi-ć/ać> w zygzak □ *vi* (-**gg-**) iść <posuwać się, ciągnąć się> zygzakami

zigzaggy ['zigzægi] *adj* zygzakowaty

zillah ['zilə] *s* okręg administracyjny w Indiach

‖ **zinc** ['ziŋk] □ *s* 1. cynk 2. *(także* **sheet ~**) blacha cynkowa □ *adj* cynkowy; **~ oxide** tlenek cynkowy; biel cynkowa; **~ plate** blacha cynkowa □ *vt (praet pp* **zinced** [ziŋkt], **zinked, zincked**; *ppraes* **zincing** ['ziŋkiŋ], **zinking, zincking** po/cynkować

zincic ['ziŋkik] *adj* cynkowy

zinciferous, zin(c)kiferous [ziŋ'kifərəs] *adj* bogaty w <zawierający> cynk

zincify, zin(c)kify ['ziŋki,fai] *vt* (**zin(c)kified** ['ziŋki,faid]; **zin(c)kifying** ['ziŋki,faiiŋ]) cynkować

zincite ['ziŋkait] *s miner* cynkit

zinco ['ziŋkou] *s skr* **zincograph**

zincograph ['ziŋkou,grɑ:f] □ *s* 1. cynkografia; chemigrafia 2. odbitka z kliszy cynkograficznej □ *vt* odbi-ć/jać (rysunki) techniką cynkografii

zincography [ziŋ'kɔgrəfi] *s* cynkografia; chemigrafia

zinc-worker ['ziŋk,wə:kə] *s* blacharz

zinc-works ['ziŋk,wə:ks] *s* cynkownia

Zingaro ['ziŋgə,rou] *s (pl* **zingari** ['ziŋgə,ri:]) Cygan/ka

zinnia ['ziniə] *s bot* cynia, zinnia

Zion ['zaiən] *spr* Syjon

Zionism ['zaiə,nizəm] *s* Syjonizm

Zionist ['zaiənist] *s* Syjonista

‖ **zip** [zip] □ *s* 1. świst (kuli, strzały itd.) 2. *przen* werwa; żywość; *pot* **put a ~ into it!** z życiem! □ *vi* (-**pp-**) przel-ecieć/atywać ze świstem

zip-fastener ['zip,fɑ:snə] *s* zamek błyskawiczny

zipper ['zipə] = **zip-fastener**

zippy ['zipi] *adj pot* żywy, pełen werwy; *(o człowieku)* z animuszem

zircon ['zə:kɔn] *s miner* cyrkon

zirconia [zə:'kouniə] s chem dwutlenek cyrkonu
zirconic [zə:'konik] adj cyrkonowy
zirconium [zə:'kouniəm] s chem cyrkon
zither ['ziθə] s muz cytra
zitherist ['ziθərist] s muz cytrzysta
zithern ['ziθən] = zither
zloty ['zloti] s (pl zlotys ['zlotiz]) złoty (polski)
zoar ['zouə] s bibl schronienie, miejsce schronienia
zodiac ['zoudi,æk] s astr zodiak
zodiacal [zou'daiəkəl] adj zodiakalny; ~ light
światło zodiakalne; zorza zwierzyńcowa
zollverein ['tsol-fe,rain] s unia celna
▮ zombi(e) ['zombi] s 1. (w Afryce Zachodniej) bóg-
-python 2. bóg-wąż (obrzędów voodoo Murzynów
Indii Zachodnich) 3. trup przywrócony do życia
za pomocą praktyk czarnoksięskich
▮ zonal ['zounl] adj strefowy; idący <pojawiający
się> pasami
zone [zoun] Ⅰ s 1. † pas(ek); maiden ~ pas
cnoty; to loose the maiden ~ of _ pozbawi-
-ć/ać dziewictwa... (kogoś) 2. pas; pasmo 3.
strefa Ⅱ vt po/dzielić na strefy (miasto, okręg
itd.)
zoo [zu:] s ogród zoologiczny
zoochemistry ['zouou'kemistri] s zoochemia
zoogeography ['zouou-dʒi'ogrəfi] s zoogeografia
zoographer [zou'ogrəfə] s zoograf
zoolatry [zou'olətri] s cześć boska oddawana zwie-
rzętom
zoolite ['zouə,lait] s zoolit, skamienielina, fosylia
zoological [zouə'lodʒikəl] adj zoologiczny; ~ garden ogród zoologiczny, zwierzyniec
zoologist [zou'olədʒist] s zoolog
zoology [zou'olədʒi] s zoologia
zoom [zu:m] Ⅰ vi 1. furczeć; warkotać; za/bu-
czeć; za/brzęczeć; (o samochodzie itd) jechać
<przeje-chać/żdżać> z warkotem 2. sl lotn pod-
-erwać/rywać się; wzl-ecieć/atywać stromo <pio-
nowo> w górę Ⅱ s 1. warkot; buczenie; brzęczenie 2. sl lotn pionowe wznoszenie się; pionowe poderwanie samolotu
zoomagnetism [,zouou'mægnə,tizəm] s zoomagne-
tyzm, magnetyzm zwierzęcy

zoomorphism [,zouou'mo:fizəm] s zoomorfizm,
przedstawi-enie/anie bóstwa w postaci zwierzęcej
zoonomy [zou'onəmi] s zoonomia, fizjologia zwierząt
zoophagous [zou'ofəgəs] adj mięsożerny
zoophyte ['zouə,fait] s zoofit
zoosperm ['zouou,spə:m] s spermatozoon, plem-
nik
zootechnic [,zouou'teknik] adj zootechniczny
zootechny [,zouou'tekni] s zootechnika
zootomy [zou'otəmi] s zootomia (anatomia zwierząt)
Zoroastrian [,zorou'æstriən] s wyznawca zoro-
astryzmu
zoster · ['zostə] s med półpasiec
zouave [zu'ɑ:v] s żuaw (żołnierz piechoty algier-
skiej)
zounds [zaundz] † interj na Boga!
zucchetta [tsu'ketə], zucchetto [tsu'ketou] s piuska (duchownego)
Zulu ['zu:lu:] Ⅰ s 1. Zulus/ka 2. język zuluski
Ⅱ adj zuluski; (o zwyczajach itd) Zulusów
zygoma [zai'goumə] s anat kość jarzmowa <li-
cowa>
zygomatic [,zaigou'mætik] adj anat jarzmowy,
licowy
zygophyllaceae [,zaigoufi'leisi,i:] spl bot (rośliny)
parolistowate
zygophyllum [,zaigou'filəm] s bot parolist wschodni
zygosis [zai'gousis] s biol zygoza (zjawisko zrasta-
nia się wymoczków)
zygote ['zaigout] s biol zygota (komórka powstająca z połączenia się dwóch gamet)
zymase ['zaimeis] s chem zymaza
zyme [zaim] s ferment, zaczyn
zymogen ['zaimədʒin] s zymogen, proferment
zymology [zai'molədʒi] s nauka o fermentach
<o procesach fermentacyjnych>
zymosis [zai'mousis] s proces fermentacji <kiś-
nienia>
zymotic [zai'motik] adj fermentacyjny; ~ disease
choroba zakaźna

GEOGRAPHICAL NAMES

NAZWY GEOGRAFICZNE

Aachen ['ɑːkən] Akwizgran
Abbotsford ['æbətsfəd] Abbotsford
Aberdeen [ˌæbə'diːn] 1. miasto Aberdeen 2. = Aberdeenshire
Aberdeenshire [ˌæbə'diːnʃiə] hrabstwo Aberdeenshire (Szkocja)
Abkhazia, Abkhasia [ɑːb'kɑːziə] Abchazja
Abkhazian ASSR [ɑːb'kɑːziən] Abchazka ASRR
Abyssinia [ˌæbi'sinjə] Abisynia
Accra [ə'krɑː] Akra
Addis Ababa ['ædis'ɑːbəbə] Addis Abeba
Adelaide ['ædəlid] Adelaida
Aden ['eidn] Aden
Adirondack [ˌædi'rɔndæk] Adirondack
Admiralty Islands ['ædmərəlti'ailəndz] Wyspy Admiralicji
Adriatic [ˌeidri'ætik]; Adriatic Sea [ˌeidri'ætik'siː] Adriatyk, Morze Adriatyckie
Adygei, Adygey Autonomous Region [ˌɑːdi'gei-ɔːˈtɔnɔməs'riːdʒən] Adygejski Obwód Autonomiczny
Adzhar ASSR ['ædʒɑː] Adżarska ASRR
Aegean Sea [iː'dʒiən'siː] Morze Egejskie
▲Afghanistan [æf'gænis'tæn] Afganistan
▲Africa ['æfrikə] Afryka
Agadir ['ægədiə] Agadir
Agincourt ['ædʒinˌkɔːt] Azincourt
Agra ['ɑːgrə] Agra
Aix-la-Chapelle ['eikslɑːʃæ'pel] = Aachen
Ajaccio [ə'jætʃiˌou] Ajaccio
Akkra ['ækrə] Akra
Alabama [ælə'bæmə] Alabama
Aland Islands ['ɑːlənd'ailəndz] Wyspy Alandzkie
Alaska [ə'læskə] Alaska
Albania [æl'beinjə] Albania; People's Republic of Albania ['piːplz-ri'pʌblikəv-æl'beinjə] Albańska Republika Ludowa
Albany ['ɔːlbəni] Albany
Albert Lake ['ælbət'leik] Albert Lake
Alberta [æl'bəːtə] Alberta
Aleutian Islands [ə'luːʃjən'ailəndz] Aleuty, Wyspy Aleuckie
Alexandria [ˌælig'zɑːndriə] Aleksandria
Algeria [æl'dʒiəriə] Algeria, Algieria
Algiers [æl'dʒiəz] Alger, Algier
Alleghany Mountains ['æligəni'mauntinz] Allegheny
Alps [ælps] Alpy
Alsace ['ælsæs] Alzacja
Altai [æl'teiai] Ałtaj
Altai Territory [æl'teiai'teritəri] Kraj Ałtajski
Amazon ['æməzən] Amazonka
America [ə'merikə] Ameryka
Amsterdam ['æmstə'dæm] Amsterdam

Amundsen Sea <Gulf> ['ɑːmundsən'siː:<gʌlf>] Morze <Zatoka> Amundsena
Amur [ə'muə] Amur
Anam ['ænəm] = Annam
Anatolia [ˌænə'touljə] Anatolia
Andalusia [ˌændə'luːzjə] Andaluzja
Andes ['ændiːz] Andy
Anglesey ['ænglsi] hrabstwo Anglesey (Walia)
Angola [æŋ'goulə] Angola
Angus ['æŋgəs] = Forfar
Ankara ['æŋkərə] Ankara
Annam ['ænəm] Annam
Antarctica [æn'tɑːktikə] = Antarctic Continent
Antarctic Continent [æn'tɑːktik'kɔntinənt] Antarktyda
▲Antilles [æn'tiliːz] Antyle
Antrim ['æntrim] hrabstwo Antrim (Irlandia)
Antwerp ['æntwəːp] Antwerpia
Appenines ['æpiˌnainz] Apeniny
Appelachian Mountains [æpə'lækjən'mauntinz] Appalachy
Appomattox [ˌæpə'mætəks] Appomattox
Arabia [ə'reibjə] Arabia
Arabian Sea [ə'reibjən'siː] Morze Arabskie
Archangel [ɑː'keindʒəl] = Arkhangelsk
Arctic Ocean ['ɑːktik'ouʃən] Morze Arktyczne, Ocean Lodowaty Północny
▲Argentina [ˌɑːdʒən'tiːnə] = Argentine Republic
Argentine Republic ['ɑːdʒənˌtain-ri'pʌblik] Argentyna
Argyll [ɑː'gail] = Argyllshire
Argyllshire [ɑː'gailʃiə] hrabstwo Argyllshire (Szkocja)
Arizona [ˌæri'zounə] Arizona
Arkansas ['ɑːkənˌsɔː] Arkansas
Arkhangelsk [ˌɑː'keindʒəlsk] Archangielsk
Armagh ['ɑːmə] hrabstwo Armagh (Irlandia)
Armenia [ɑː'miːnjə] Armenia
Armenian SSR [ɑː'miːnjən] Armeńska SRR
Ascension Island [ə'senʃən'ailənd] Wyspa Wniebowstąpienia
Ascot ['æskət] Askot
Ashkhabad [ˌɑː'ʃkɑː'bɑːd] Aszchabad
Asia ['eiʃə] Azja
Asia Minor ['eiʃə'mainə] Azja Mniejsza
Assissi [ə'siːziː] Asyż
Assouan, Assuan [ˌæsu'æn] Asuan
Assyria [ə'siriə] Asyria
Astrakhan [ˌæstrə'kæn] Astrachań
Asturias [æs'tuəriæs] Asturia
Aswan [ˌæsu'æn] = Assouan
Athens ['æθinz] Ateny
Atlanta [ət'læntə] Atlanta
Atlantic, Atlantic Ocean [ət'læntik'ouʃən] Atlantyk, Ocean Atlantycki

Atlantic City [ət'læntik'siti] Atlantic City
Atlas Mountains ['ætləs'mauntinz] Góry Atlasu, Atlas
Auckland Islands ['ɔ:klənd'ailəndz] Auckland
Augsburg ['ɔ:gzbə:g] Augsburg
Auschwitz ['ouʃvits] Oświęcim
Austerlitz ['ɔ:stəlits] Austerlitz
Australasia [,ɔstrə'leiʒjə] Oceania
⁘ Australia [ɔs'treiljə] Australia
⁘ Austria ['ɔstriə] Austria
Austria-Hungary ['ɔstriə'hʌŋgəri] Austro-Węgry
Avon ['eivən] (rzeka) Avon
Ayr = Ayrshire
Ayrshire ['ɛəʃiə] hrabstwo Ayrshire (Szkocja)
Azerbaijan [,a:zəbai'dʒa:n] Azerbajdżan; Azerbaijan SSR Azerbajdżańska SRR
Azores [ə'zɔ:z] Azory
Azov ['a:zɔv], Sea of ~ Morze Azowskie

Babylon ['bæbilən] Babilon
Baffin Bay ['bæfin'bei] Morze Baffina
Baffin Island ['bæfin'ailənd] Ziemia Baffina
Bag(h)dad [bæg'dæd] Bagdad
Bahama Islands [bə'ha:mə'ailəndz] Wyspy Bahama
Bahrain ['ba:rain], Bahrein [ba:'rein] Bahrejn
Baikal ['baika:l] Bajkał
Baku [ba:'ku:] Baku
Balaclava [,bælə'kla:və] Balaklawa
Balearic Islands [,bæli'ærik'ailəndz] (Wyspy) Baleary
Balkans ['bɔ:lkənz] Bałkany
Balmoral [bæl'mɔrəl] Balmoral
Baltic ['bɔ:ltik] Bałtyk
Baltimore ['bɔ:lti,mɔ:] Baltimore
Baluchistan [bə'lu:tʃis,ta:n] Beludżystan
Banaras [bə'na:rəs] Benares
Bandung [bæn'duŋ] Bandung
Banff [bæmf] = Banffshire
Banffshire ['bæmfʃiə] hrabstwo Banffshire (Szkocja)
Bangkok ['bæŋkɔk] Bangkok
Bannockburn ['bænək,bə:n] Bannockburn
Barbados [ba:'beidouz] Barbados
Barbary States ['ba:bəri'steits] Berberia
Barcelona [,ba:si'lounə] Barcelona
Barents Sea ['ba:rənts'si:] Morze Barentsa
Basel ['ba:zəl], Basle [ba:l] Bazyleja
Bashkir ['bæʃkiə] ASSR Baszkirska ASRR
Basle = Basel
Basque Provinces ['bæsk'prɔvinsiz] Kraj Basków
Basra ['bæzrə] Basra
Batavia [bə'teivjə] Batawia, Dżakarta
Bath [ba:θ] Bath
Battersea ['bætəsi] dzielnica Londynu na południe od Tamizy
Batum [ba:'tu:m] Batumi
Bavaria [bə'veəriə] Bawaria
Bavarian Alps [bə'veərjən'ælps] Alpy Bawarskie
Bechuanaland [,betʃu'a:nə,lænd] Beczuana
Bedford ['bedfəd] Bedford
Bedfordshire ['bedfədʃiə] hrabstwo Bedfordshire
Beirut [bei'ru:t] Bejrut
Belfast [bel'fa:st] Belfast
⁘ Belgium ['beldʒəm] Belgia
Belgrade [bel'greid] Belgrad
Belorussian [bi,elou'rʌʃən] SSR Białoruska SRR
Belzen ['belzən] Belsen

Benares [bi'na:ri:z] = Banaras
Benelux ['beni,lʌks] Beneluks
Bengal [beŋ'gɔ:l] Bengalia
Bengal [beŋ'gɔ:l], Bay of ~ Zatoka Bengalska
Ben Nevis [ben'nevis] Ben Nevis
Berchtesgaden ['bə:ktis'ga:dn] Berchtesgaden
Bergen ['bə:gən] Bergen
Bering Sea <Strait> ['beriŋ'si:<streit>] Morze <Cieśnina> Beringa
Berkshire ['ba:kʃiə] hrabstwo Berkshire
⁘ Berlin [bə:'lin] Berlin
Bermondsey ['bə:məndzi] dzielnica Londynu na południe od Tamizy
Bermuda [bə:'mju:də] Islands (Wyspy) Bermudy
Bern, Berne [bə:n] Berno
Bernese Alps [bə:'ni:z'ælps] Alpy Berneńskie
Berwick ['berik] 1. miasto Berwick 2. = Berwickshire
Berwickshire ['berikʃiə] hrabstwo Berwickshire (Szkocja)
Bessarabia [,besə'reibjə] Besarabia
Bethlehem ['beθli,hem] Betlejem
Bethnal Green ['beθnəl'gri:n] dzielnica Londynu na północ od Tamizy
Beverley ['bevəli] Beverley
Beyrouth [bei'ru:t] = Beirut
Biarritz ['biərits] Biarritz
Bikini [bi'ki:ni] Bikini
Birmingham ['bə:miŋəm] Birmingham
Biscay ['biskei], Bay of ~ Zatoka Biskajska
Bizerta [bi'zə:tə], Bizerte [bi'zə:t] Bizerta
Black Forest ['blæk'fɔrist] Czarny Las, Szwarcwald
Blackpool ['blækpu:l] Blackpool
Black Sea ['blæk'si:] Morze Czarne
Blenheim ['blenim] Blenheim
Blue Mountains ['blu:'mauntinz] Góry Błękitne
Bohemian Forest [bə'hi:mjən'fɔrist] Las Czeski
Bolivar [bɔ'li:va:] Bolivar
Bolivia [bə'liviə] Boliwia
Bologna [bə'lounjə] Bolonia
Bombay ['bɔmbei] Bombaj
Bonn [bɔn] Bonn
Bordeaux [bɔ:'dou] Bordeaux
Borneo ['bɔ:ni,ou] Borneo
Bosnia and Herzegovina ['bɔzniə ənd 'heətsəgou'vi:nə] Bośnia i Hercegowina
Bosphorus ['bɔsfərəs], Bosporus ['bɔspərəs] Bosfor
Boston ['bɔstən] Boston
Bothnia ['bɔθniə], Gulf of ~ Zatoka Botnicka
Bournemouth ['bɔ:nməθ] Bournemouth
Bradford ['brædfəd] Bradford
Brahmaputra [,bra:mə'pu:trə] Brahmaputra
Brandenburg ['brændən,bə:g] Brandenburgia
Bratislava [,brætis'la:və] Bratysława
Brazil [brə'zil] Brazylia
Brecknock ['breknɔk] = Brecknockshire
Brecknockshire ['breknɔkʃiə] hrabstwo Brecknockshire (Walia)
Bremen ['breimən] Brema
Brighton ['braitn] Brighton
Brisbane ['brizbən] Brisbane
Bristol ['bristl] Bristol
Britain ['britn], Great ~ Wielka Brytania
British Columbia ['britiʃ-kə'lʌmbiə] Kolumbia Brytyjska (Kanada)

British Commonwealth (of Nations) ['britiʃ'kəmən welθ(-əv'neiʃənz)] Wspólnota Brytyjska

British Guiana ['britiʃ gi'ɑ:nə] Gujana Brytyjska

British Honduras ['britiʃ hɔn'djuərəs] Honduras Brytyjski

British Isles ['britiʃ'ailz] Wyspy Brytyjskie

British Somaliland ['britiʃ sou'mɑ:li,lænd] Somali Brytyjskie

Bronx [brɔŋks] Bronx (rzeka i dzielnica Nowego Jorku)

Brooklyn ['bruklin] Brooklyn (dzielnica Nowego Jorku)

Brunswick ['brʌnzwik] Brunszwik

Brussels ['brʌslz] Bruksela

Bryn Mawr [brin'mɔ:] Bryn Mawr

Bucharest ['bju:kə,rest] Bukareszt

Buchenwald ['bu:kən'vɑ:lt] Buchenwald

Buckingham ['bʌkiŋəm] = Buckinghamshire

Buckinghamshire ['bʌkiŋəmʃiə] hrabstwo Buckinghamshire

Bucovina, Bukovina [,bukə'vi:nə] Bukowina

Budapest ['bju:də'pest] Budapeszt

Buenos Aires ['bwenəs'aiəriz] Buenos Aires

Buffalo ['bʌfə,lou] Buffalo

↟ Bulgaria [bʌl'gɛəriə] Bułgaria

Buriat-Mongol = Buryat-Mongol

↟ Burma ['bə:mə] Birma

Buryat-Mongol <Buryat-Mongolian> ['buriɑ:t'mɔŋ gɔl<'buriɑ:tmɔŋ'gouljən>] ASSR Buriacko-Mongolska ASRR

Bute [bju:t] = Buteshire

Buteshire ['bju:tʃiə] hrabstwo Buteshire (Szkocja)

Byelorussia [bi,elou'rʌʃə] = Belorussian SSR

Byzantium [bi'zæntiəm] Bizancjum

Cabot Strait ['kæbət'streit] Cieśnina Cabota

Cader Idris ['kædər'idris] szczyt Cader Idris (Walia)

Cadiz [kə'diz] Kadyks

Caernarvon [kə'nɑ:vən] = Carnarvonshire

Cairo ['kaiə,rou] Kair

Caithness ['keiθnes] hrabstwo Caithness (Szkocja)

Calabria [kə'læbriə] Półwysep Kalabryjski

Calais ['kælei] Calais

Calcutta [kæl'kʌtə] Kalkuta

Caledonian Canal [,kæli'dounjən kə'næl] Kanał Kaledoński

California [kæli'fɔ:niə] Kalifornia

Camberwell ['kæmbəwəl] dzielnica Londynu na południe od Tamizy

Cambodia [kæm'boudiə] Kambodża

Cambrian Mountains ['kæmbriən 'mauntinz] Góry Kambryjskie (Walia)

Cambridge ['keimbridʒ] Cambridge

Cambridgeshire ['keimbridʒʃiə] hrabstwo Cambridgeshire

Camden ['kæmdən] Camden

Cameroon ['kæmə,ru:n] Kamerun

Campeche [kæm'pi:tʃi] Campeche (Meksyk)

↟ Canada ['kænədə] Kanada

Canada East ['kænədə 'i:st] = Quebec Province

Canada West ['kænədə 'west] = Ontario Province

Canal Zone [kə'næl ,zoun] = Strefa Kanału Panamskiego dzierżawiona przez St. Zjednoczone

Canary Islands [kə'nɛəri'ailəndz] Wyspy Kanaryjskie

Canaveral [kə'nævərl] Canaveral

Canberra ['kænbərə] Canberra

Canterbury ['kæntəbəri] Canterbury

Canton [kæn'tɔn] Kanton

Cape Breton Island ['keip'britn'ailənd] Cape Breton

Cape of Good Hope ['keip əv 'gud 'houp] Przylądek Dobrej Nadziei

Capetown, Cape Town ['keip,taun] Kapsztad, Capetown

Cape Province ['keip'prɔvins] Kraj Przylądkowy

Capri ['kɑ:pri] Kaprea

Caracas [kə'rækəs] Caracas

Cardiff ['kɑ:dif] Cardiff

Cardigan ['kɑ:digən] = Cardiganshire

Cardiganshire ['kɑ:digənʃiə] hrabstwo Cardiganshire (Walia)

Caribbean Sea [,kæri'biən'si:] Morze Karaibskie

Carlisle ['kɑ:lail] Carlisle

Carmarthen [kə'mɑ:ðən] = Carmarthenshire

Carmarthenshire [kə'mɑ:ðənʃiə] hrabstwo Carmarthenshire (Walia)

Carnarvonshire [kə'nɑ:vənʃiə] hrabstwo Carnarvonshire (Walia)

Carolinas [,kærə'lainəz] stany: Północna i Południowa Karolina

Caroline Islands ['kærə,lain'ailəndz] Wyspy Karoliny

Carpathians [kɑ:'peiθjənz], Carpathian Mountains [kɑ:'peiθjən'mauntinz] (góry) Karpaty

Carthage ['kɑ:θidʒ] Kartagina

Casablanca [,kæsə'blæŋkə] Casablanca

Cashmere [kæʃ'miə] Kaszmir

Caspian Sea ['kæspiən'si:] Morze Kaspijskie

Castile [kæs'ti:l] Kastylia

Catalonia [,kætə'louniə] Katalonia

Caucasus (the) ['kɔ:kəsəs] Kaukaz

Celebes [se'li:biz] Celebes

Ceylon [si'lɔn] Cejlon

Chad [tʃæd] Czad

Chaldea [kæl'diə] Chaldeja

Channel Islands ['tʃænl'ailəndz] Wyspy Normandzkie

Chatham Islands ['tʃætəm'ailəndz] Wyspy Chatham

Chatham Strait ['tʃætəm'streit] Chatham Strait

Chechen-Ingush ASSR [tʃi'tʃen-in'gu:ʃ] Czeczeńsko-Inguska ASRR

Chelsea ['tʃelsi] dzielnica Londynu na północ od Tamizy

Cherkess Autonomous Region [tʃə:'kes-ɔ:'tɔnəməs 'ri:dʒən] Czerkaski Obwód Autonomiczny

Cheshire ['tʃeʃə] hrabstwo Cheshire

Chester ['tʃestə] Chester

Cheviot Hills ['tʃeviət'hilz] Wyżyny Cheviot

Chicago [ʃi'kɑ:gou] Chicago

Chile ['tʃili] Chile

Chiltern Hills ['tʃiltən'hilz] Wyżyny Chiltern

↟ China ['tʃainə] Chiny

China Sea ['tʃainə'si:] Morza: Wschodniochińskie i Południowochińskie

Chinese People's Republic ['tʃai'ni:z'piplz-ri'pʌ blik] Chińska Republika Ludowa

Chinese Turkestan ['tʃai'ni:z,tə:kis'tɑ:n] = Kashgaria

Christmas Island ['krisməs'ailənd] Wyspa Bożego Narodzenia

Chukcha Sea ['tʃuktʃə'si:] Morze Czukockie

Chuvash ASSR ['tʃu:va:ʃ] Czuwaska ASRR
Cincinnati [ˌsinsi'næti] Cincinnati
Clackmannan [klæk'mænən] = Clackmannanshire
Clackmannanshire [klæk'mænənʃiə] hrabstwo Clackmannanshire (Szkocja)
Cleveland ['kli:vlənd] Cleveland
Clyde [klaid] Clyde
Coast Range Mountains ['koust'reindʒ'mauntinz] Góry Nadbrzeżne
Cochin China ['kɔtʃin'tʃainə] Kochinchina
Colombia [kə'lɔmbiə] Kolumbia
Colombo [kə'lʌmbou] Kolombo
Colorado [ˌkɔlə'ra:dou] Kolorado
Columbia [kə'lʌmbiə] Kolumbia; District of ~ Dystrykt Kolumbia
Comoro Islands ['kɔmərou'ailəndz] Komory
↟Congo ['kɔŋgou] Kongo
Connecticut [kə'netikət] Connecticut
Constance Lake ['kɔnstəns'leik] Jezioro Bodeńskie
Constantinople [ˌkɔnstænti'noupl] Konstantynopol
Cook Islands ['kuk'ailəndz] Wyspy Cooka
Copenhagen [ˌkoupn'heigən] Kopenhaga
Coral Sea ['kɔrəl'si:] Morze Koralowe
Cordilleras [ˌkɔ:di'ljeərəz] Kordyliery
Cordova ['kɔ:dəvə] Kordowa
Corea [kə'riə] Korea
Corfu [kɔ:'fu:] Korfu
Corinth ['kɔrinθ] Korynt
Cork [kɔ:k] Cork (miasto i hrabstwo w Irlandii)
Cornwall ['kɔ:nwəl] Kornwalia
Corsica ['kɔ:sikə] Korsyka
Costa Rica ['kɔstə'ri:kə] Kostarika
Cotswold Hills ['kɔtswould'hilz] Wyżyny Cotswold
Coventry ['kɔvəntri] Coventry
Cracow ['krækou] Kraków
Crete [kri:t] Kreta
Crimea [krai'miə] Krym
Croatia [krou'eiʃə] Chorwacja
Cuba ['kju:bə] Kuba
Cumberland ['kʌmbələnd] hrabstwo Cumberland
Cumbrian Mountains ['kʌmbriən'mauntinz] Góry Cumbrian
Curitiba [ˌkuri'ti:bə] Kurytyba
Cyclades ['siklə,di:z] Cyklady
↟Cyprus ['saiprəs] Cypr
Cyrenaica [ˌsaiəri'neiikə] Cyrenajka
↟Czechoslovakia ['tʃəkou-slou'vækiə] Czechosłowacja; Socialist Republic of ~ Czechosłowacka Republika Socjalistyczna

Dachau ['da:kou] Dachau
Dagestan [ˌdæges'tæn] Dagestan
Dagestan SSR [dægəs'tæn] Dagestańska ASRR
Dahomey [də'houmi] Dahomej
Dakar ['dækə] Dakar
Dakota [də'koutə] Dakota
Dalmatia [dæl'meiʃjə] Dalmacja
Damascus [də'mæskəs] Damaszek
Dantzig ['dæntsig] = Danzig
Danube ['dænju:b] Dunaj
Danzig ['dæntsig] Gdańsk
Dardanelles [ˌda:də'nelz] Dardanele
Dartmoor ['da:tmuə] Dartmoor
Davis Strait ['deivis'streit] Cieśnina Davisa
Dead Sea ['ded'si:] Morze Martwe

Death Valley ['deθ'væli] Dolina Śmierci
Delaware ['delə,wɛə] Delaware
Delhi ['deli] Delhi
Denbigh ['denbi] = Denbighshire
Denbighshire ['denbiʃiə] hrabstwo Denbighshire (Walia)
↟Denmark ['denma:k] Dania
Dentford ['detfəd] dzielnica Londynu na południe od Tamizy
Derby [da:bi] = Derbyshire
Derbyshire ['da:biʃiə] hrabstwo Derbyshire
Derwent ['də:went] Derwent
Des Moines [di'mɔin] Des Moines
Detroit [di'trɔit] Detroit
Devon ['devn] = Devonshire
Devonshire ['devnʃiə] hrabstwo Devonshire
District of Columbia ['distriktəv-kə'lʌmbiə] zob Columbia
Djakarta [dʒə'ka:tə] Djakarta
Djibouti [dʒi'bu:ti] = Jibuti
Dnieper ['dni:pə] Dniepr
Dniester ['dni:stə] Dniestr
Dobruje, Dobrudja [də'bru:dʒə] Dobrudża
Dolomites ['dɔlə,maits] Dolomity
Dominican Republic [də'minikən-ri'pʌblik] Dominikana, Republika Dominikańska
Doncaster ['dɔŋkəstə] Doncaster
Dorset ['dɔ:sit] = Dorsetshire
Dorsetshire ['dɔ:sitʃiə] hrabstwo Dorsetshire
Dover ['douvə] Dover
Dover ['douvə], Straits of ~ Cieśnina Kaletańska
Down [daun] = Downshire
Downshire ['daunʃiə] hrabstwo Downshire (Irlandia)
Dresden ['drezdən] Drezno
Dublin ['dʌblin] Dublin (miasto i hrabstwo irl.)
Dubrovnik [du:'brɔvnik] Dubrownik
Dulwich ['dʌlidʒ] dzielnica Londynu na południe od Tamizy
Dumbarton [dʌm'ba:tn] = Dumbartonshire
Dumbartonshire [dʌm'ba:tnʃiə] hrabstwo Dumbartonshire (Szkocja)
Dumfries [dʌm'fri:s] = Dumfriesshire
Dumfriesshire [dʌm'fri:sʃiə] hrabstwo Dumfriesshire (Szkocja)
Dundee ['dʌndi:] Dundee
Dunkirk ['dʌnkə:k] Dunkierka
Dunsinane ['dʌnsinən] Dunsinane
Durham ['dʌrəm] Durham (miasto i hrabstwo)
Dvina ['dvi:nə] Dźwina

East Anglia ['i:st'ængliə] Wschodni Okręg Anglii
Easter Island ['i:stər'ailənd] Wyspa Wielkanocna
East India <Indies> ['i:st'indiə <'indiz>] Indie Wschodnie
East Lothian ['i:st'louðjən] = Haddingtonshire
East Prussia ['i:st'prʌʃə] Prusy Wschodnie
Ecuador [ˌekwə'dɔ:] Ekwador
Edinburgh ['edinbərə] Edynburg
Edinburghshire ['edinbərəʃiə] = Midlothian
↟Egypt ['i:dʒipt] Egipt
Eire ['ɛərə] Irlandia (niezależna republika irlandzka)
El Alamein ['el-ælə'mein] El Alamein
Elba ['elbə] Elba
Elbe [elb] Łaba

Elginshire ['elginʃiə] hrabstwo Elginshire (Szkocja)
Ely ['i:li] 1. miasto Ely 2. = Isle of Ely
England ['iŋglənd] Anglia
English Channel ['iŋgliʃ'tʃænl] Kanał La Manche
Erie ['iəri], Lake ~ (Jezioro) Erie
Eritrea [,eri'triə] Erytrea, Erytreja
Essex ['esiks] hrabstwo Essex
Estonia [es'touniə] Estonia
Estonian SSR [es'touniən] Estońska SRR
↓ Ethiopia [,i:θi'oupiə] Etiopia
Etna ['etnə] Etna
Euphrates [ju:'freiti:z] Eufrat
Europe ['juərəp] Europa
Eurasia [juə'reiʒə] Eurazja
Everest ['evərist] Czomolungma, Mt. (Mount) Everest
Exeter ['eksətə] Exeter

Falaise [fə'leiz] Falaise
Falkland Islands ['fɔ:lklənd'ailəndz] Falklandy, Wyspy Falklandzkie
Fermanagh [fə'mænə] hrabstwo Fermanagh (Irlandia)
Fife [faif] = Fifeshire
Fifeshire ['faifʃiə] hrabstwo Fifeshire (Szkocja)
Finland ['finlənd] Finlandia
Finsbury ['finzbəri] dzielnica Londynu na północ od Tamizy
Firth of Forth ['fə:θəv'fɔ:θ] (Zatoka) Firth of Forth
Flanders ['fla:ndəz] Flandria
Flint [flint] = Flintshire
Flintshire ['flintʃiə] hrabstwo Flintshire (Walia)
Florence ['flɔrəns] Florencja
Florida ['flɔridə] Floryda
Forfar ['fɔ:fə] = Forfarshire
Forfarshire ['fɔ:fəʃiə] hrabstwo Forfarshire (Szkocja)
Formosa [fɔ:'mousə] Formoza zob Taiwan
↓ France [fra:ns] Francja
Frisian Islands ['friziən'ailəndz] Wyspy Zachodniofryzyjskie
Fulham ['fuləm] dzielnica Londynu na północ od Tamizy
Fujiyama ['fu:dʒi'ja:mə] Fudżijama

Gabon ['ga:bən]; Gaboon, Gabun [gə'bu:n] Gabon
Galilee ['gæli,li:] Galilea; Sea of ~ Morze Galilejskie
Gallipoli [gə'lipəli] Gallipoli
Galway ['gɔ:lwei] hrabstwo Galway (Irlandia)
Gambia ['gæmbiə] Gambia
Ganges ['gændʒi:z] Ganges
Gaul [gɔ:l] Galia
Gdansk [gdænsk] Gdańsk
Gdynia ['gdi:njə] Gdynia
Geneva [dʒi'ni:və] Genewa; Lake of ~ Jezioro Genewskie <Lemańskie>
Genoa ['dʒenouə] Genua
Georgia[1] ['dʒɔ:dʒiə] stan Georgia
Georgia[2] ['dʒɔ:dʒiə] Gruzja
Georgian SSR ['dʒɔ:dʒiən] Gruzińska SRR
German Democratic Republic ['dʒə:mən,demə'krætik-ri'pʌblik] Niemiecka Republika Demokratyczna

German Federal Republic ['dʒə:mən'fedərəl-ri'pʌblik] Niemiecka Republika Federalna
↓ Germany ['dʒə:məni] Niemcy
Gibraltar [dʒi'brɔ:ltə] Gibraltar
Glamorgan [glə'mɔ:gən] = Glamorganshire
Glamorganshire [glə'mɔ:gənʃiə] hrabstwo Glamorganshire (Walia)
Glasgow ['gla:sgou] Glasgow
Glencoe [glen'kou] Glencoe
Gloucester ['glɔstə] Gloucester
Gloucestershire ['glɔstəʃiə] hrabstwo Gloucestershire
Goa ['gouə] Goa
Gobi ['goubi] Gobi
Gold Coast ['gould'koust] Złote Wybrzeże
Gorno-Altai Autonomous Region ['gɔ:nə-əl'tai-ɔ:'tɔnɔməs'ri:dʒən] Górnoałtajski Obwód Autonomiczny
Gorno-Badakhshan Autonomous Region ['gɔ:nə'ba:dak'ʃa:n-ɔ:'tɔnɔməs'ri:dʒən] Górnobadachszański Obwód Autonomiczny
Grampian Hills ['græmpjən'hilz] (Wyżyny) Grampian
Granada [grə'na:də] Grenada
Great Britain ['greit'britn] = Britain
Great Lakes ['greit'leiks] Wielkie Jeziora
↓ Greece [gri:s] Grecja
Greenland ['gri:nlənd] Grenlandia
Greenwich ['grinidʒ] Greenwich
Gross Rosen [grɔs'rouzn] Gross Rosen
Guatemala [,gwæti'ma:lə] Gwatemala
↓ Guiana [gi'a:nə] Gujana
↓ Guinea ['gini] Gwinea
Gulf States ['gʌlf'steits] stany A. P. leżące nad Zatoką Meksykańską

Hackney ['hækni] dzielnica Londynu na północ od Tamizy
Haddington ['hædiŋtən] = Haddingtonshire
Haddingtonshire ['hædiŋtənʃiə] hrabstwo Haddingtonshire (Szkocja)
Hague (the) [heig] Haga
Haiti ['heiti] Haiti
Halfaya [hæl'faiə] Halfaya
Halifax ['hæli,fæks] Halifax
Hamburg ['hæmbə:g] Hamburg
Hammersmith ['hæməsmiθ] dzielnica Londynu na północ od Tamizy
Hampshire ['hæmpʃiə] hrabstwo Hampshire
Hampstead ['hæmstid] dzielnica Londynu na północ od Tamizy
Hannover ['hænəvə] Hanower
Hanoi [hæ'nɔi] Hanoi
Hastings ['heistiŋz] Hastings
Havana [hə'vænə] Hawana
Hawaii [ha:'waii] Hawaje
Hawaiian Islands [hə'wa:iiən'ailəndz] Wyspy Hawajskie
Hebrides ['hebri,di:z] Hebrydy
Hedjaz, Hejaz [hi'dʒæz] Hidżaz, Hejaz
Helsinki ['helsiŋki] Helsinki
Hereford ['herifəd] = Herefordshire
Herefordshire ['herifədʃiə] hrabstwo Herefordshire (Walia)
Hertford ['ha:tfəd] 1. miasto Hertford 2. = Hertfordshire

Hertfordshire ['ha:tfədʃiə] hrabstwo Hertfordshire
Herzegovina zob Bosnia
Himalayas (the) [ˌhiməˈlejəz] Himalaje
Hindustan [ˌhinduˈsta:n] Hindustan
Hiroshima [ˌhiroˈʃi:mə] Hiroszima
Holborn[1] ['houbən] Holborn
Holborn[2] ['houbən] dzielnica Londynu na północ od Tamizy
Holland ['hɔlənd] Holandia
Hollywood ['hɔliwud] Hollywood
Honduras [hɔnˈdjuərəs] Honduras
↟ Hong Kong [hɔŋˈkɔŋ] Hongkong
Honolulu [ˌhɔnəˈlu:lu:] Honolulu
Horn [hɔ:n], Cape ~ (przylądek) Horn
Hudson Bay ['hʌdsnˈbei] Zatoka Hudsona
Hull [hʌl] Hull
Humber ['hʌmbə] Humber (rzeka)
Hungarian People's Republic [hʌŋˈgeərjənˈpi:plz-ıˈpʌblik] Węgierska Republika Ludowa
Hungary ['hʌŋgəri] Węgry
Huntingdon ['hʌntiŋdən] = Huntingdonshire
Huntingdonshire ['hʌntiŋdənʃiə] hrabstwo Huntingdonshire
Hyderabad ['haidərəˌba:d] Hajderabad

Iberian Peninsula [aiˈbiəriən-piˈninsjulə] Półwysep Iberyjski
Iceland ['aislənd] Islandia
Idaho ['aidəˌhou] Idaho
Illinois [ˌiliˈnɔi] Illinois
India ['indiə] India
Indiana [ˌindiˈænə] Indiana
Indianapolis [ˌindiəˈnæpəlis] Indianapolis
Indian Ocean ['indiənˈouʃn] Ocean Indyjski
Indies ['indiz], East ~ Indie Wschodnie
Indo-China, Indochina ['indouˈtʃainə] Indochiny
↟ Indonesia [ˌindouˈni:zjə] Indonezja
Indus ['indəs] Indus
Inverness [ˌinvəˈnes] 1. miasto Inverness 2. = Inverness-shire
Inverness-shire [ˌinvəˈnesʃiə] hrabstwo Inverness-shire (Szkocja)
Ionian Sea <Islands> [aiˈounjənˈsi: <ˈailəndz>] Morze <Wyspy> Jońskie
Iowa ['aiouə] Iowa
Irak [iˈra:k] = Iraq
Iran [iˈra:n] Iran
Iraq [iˈra:k] Irak
↟ Ireland ['aiələnd] Irlandia
Irish Free State ['airiʃ-fri:ˈsteit] Republika Irlandzka
Irish Sea ['airiʃˈsi:] Morze Irlandzkie
Iron Gate ['aiənˈgeit] Żelazna Brama
Isfahan [ˌisfəˈha:n] Isfahan
Isle of Ely ['ailəvˈi:li] hrabstwo Isle of Ely
Islington ['izliŋtən] dzielnica Londynu na północ od Tamizy
Ispahan [ˌispəˈha:n] = Isfahan
Israel ['izreiəl] Izrael
Istanbul [ˌistænˈbu:l] Istanbul
Istrian Peninsula ['istriən-piˈninsjulə] (półwysep) Istria
↟ Italy ['itəli] Włochy
Ivory Coast ['aivəriˈkoust] Wybrzeże Kości Słoniowej

Jaffa ['dʒæfə] Jafa
Jamaica [dʒəˈmeikə] Jamajka
Japan [dʒəˈpæn] Japonia
Java ['dʒa:və] Jawa
Java See ['dʒa:vəˈsi:] Morze Jawajskie
Jericho ['dʒeriˌkou] Jerycho
Jersey ['dʒə:zi] Jersey
Jerusalem [dʒəˈru:sələm] Jerozolima
Jewish Autonomous Region ['dʒuiʃ-ɔˈtɔnɔməsˈri:dʒən] Żydowski Obwód Autonomiczny
Jibuti [dʒiˈbu:ti] Dżibuti
Johannesburg [dʒouˈhænisˌbə:g] Johannesburg
Jordan ['dʒɔ:dn] Jordan, Jordania
Judea [dʒu:ˈdiə] Judea
Jugoslavia ['ju:gouˈsla:viə] = Yugoslavia
Jura ['dʒuərə] Jura
Jutland ['dʒʌtlənd] Jutlandia

Kabardino-Balkarian ASSR [ˌkæbəˈdi:nou-bælˈkeəriən] Kabardyńsko-Bałkarska ASRR
Kabul [kəˈbu:l] Kabul
Kalmyk<Kalmuck> ASSR ['kælmik <kælˈmuk>] Kałmucka ASRR
Kamchatka [kæmˈtʃætkə] Kamczatka
Kansas ['kænzəs] Kansas
Kansas City ['kænzəsˈsiti] Kansas City
Karachaev <Karachai> Autonomous Region [ˌkærəˈtʃa:jef<ˌkærəˈtʃai>ɔ:ˈtɔnɔməsˈri:dʒən] Karaczajsko-Czerkieski Obwód Autonomiczny
Karachi [kəˈra:tʃi] Karaczi
Kara-Kalpak ASSR [ˌka:rə-kəlˈpa:k] Karakałpacka ASRR
Kara Sea ['ka:rəˈsi:] Morze Karskie
Karelia [kəˈri:liə] Karelia; Karelish SSR [kəˈri:liʃ] Karelska ASRR
Kashgaria ['kæʃga:rjə] Kaszgaria
Kashmir [kæʃˈmiə] = Cashmere
Katanga [kəˈtæŋgə] Katanga
Kaunas ['kauna:s] Kowno
Kazakh SSR [kəˈza:k] Kazachska SRR
Kazakhstan, Kazakstan ['ka:za:kˈsta:n] Kazachstan
Kensington ['kenziŋtən] dzielnica Londynu na północ od Tamizy
Kent [kent] hrabstwo Kent
Kentucky [kenˈtʌki] Kentucky
↟ Kenya ['ki:njə] Kenia
Kerry ['keri] hrabstwo Kerry (Irlandia)
Kew [kju:] dzielnica Londynu na płd. od Tamizy
Khakass Autonomous Region [keˈkæs-ɔ:ˈtɔnɔməsˈri:dʒən] Chakaski Obwód Autonomiczny
Kharkov ['ka:kɔf] Charków
Khartoum [ka:ˈtu:m] Chartum
Kiev ['ki:ev] Kijów
Kildare [kilˈdeə] hrabstwo Kildare (Irlandia)
Kilimanjaro [ˌkilimænˈdʒa:rou] Kilimandżaro
Kilkenny [kilˈkeni] hrabstwo Kilkenny (Irlandia)
Kincardine [kinˈka:din] hrabstwo Kincardine (Szkocja)
Kinross [kinˈrɔs] = Kinross-shire
Kinross-shire [kinˈrɔsʃiə] hrabstwo Kinross-shire (Szkocja)
Kirgiz <Kirghiz> SSR ['kə:giz] Kirgiska SRR
Klondike ['klɔndaik] Klondike
Komi ASSR ['koumi] Komi ASRR
↟ Korea [kɔˈriə] Korea; Korean People's Democratic Republic [kɔˈriənˈpi:plz,deməˈkrætik-riˈpʌblik] Koreańska Republika Ludowo-Demokratyczna;

South-Korean Republic [,sauθ-kɔ'riən-ri'pʌblik] Republika Południowo-Koreańska
Kosciusko Mount [,kɔzi'ʌskou'maunt] Góra Kościuszki
Krasnodar Territory [,kra:snə'da:'teritri] Krasnodarski Kraj
Krasnoyarsk Territory [,kra:snɔ'ja:sk'teritri] Krasnojarski Kraj
Kurdistan [,ku:dis'ta:n] Kurdystan
Kuril <Kurile> Islands [ku'ri:l'ailəndz] Kuryle, Wyspy Kurylskie
Kuwait [ku'weit] Kuweit
Kwantung [kwa:n'tuŋ] Kuangtung

Labrador ['læbrə'dɔ:] Labrador
Lahore [lə'hɔ:] Lahaur
Lake District ['leik'distrikt] Okręg Jezior
Lambeth ['læmbəθ] dzielnica Londynu na południe od Tamizy
Lanark ['lænək] = Lanarkshire
Lanarkshire ['lænəkʃiə] hrabstwo Lanarkshire
Lancashire ['lænkæʃiə] hrabstwo Lancashire
Lancaster ['læŋkəstə] 1. miasto Lancaster 2. = Lancashire
⧘ Laos [lauz] Laos
Lapland ['læplənd] Laponia
Lassa ['læsə] Lhasa
Latvia ['lætviə] Łotwa
Latvian SSR ['lætviən] Łotewska SRR
Lebanon ['lebənɔn] Liban
Leeds [li:dz] Leeds
Leeward Islands ['li:wəd'ailəndz] Wyspy Podwietrzne
Leicester ['lestə] 1. miasto Leicester 2. = Leicestershire
Leicestershire ['lestəʃiə] hrabstwo Leicestershire
Leipzig ['laipzig] Lipsk
Lena ['leinə] Lena
Leningrad ['lenin,græd] Leningrad
Lewisham ['luiʃəm] dzielnica Londynu na południe od Tamizy
Lhasa ['la:sə], Lhassa ['læsə] Lhasa
⧘ Liberia [lai'biəriə] Liberia
⧘ Libya ['libiə] Libia
Liechtenstein ['li:ktən,ʃtain] Liechtenstein
Lima ['limə] Lima
Limerick ['limərik] hrabstwo Limerick (Irlandia)
Lincoln ['liŋkən] 1. miasto Lincoln 2. = Lincolnshire
Lincolnshire ['liŋkənʃiə] hrabstwo Lincolnshire
Linlithgow [lin'liθgou] 1. miasto Linlithgow 2. = Linlithgowshire
Linlithgowshire [lin'liθgouʃiə] hrabstwo Linlithgowshire (Szkocja)
Lisbon ['lizbən] Lizbona
Lithuania [,liθju'einiə] Litwa
Lithuanian SSR [,liθju'einjən] Litewska SRR
Liverpool ['livə,pu:l] Liverpool
Locarno [lɔ'ka:nou] Lokarno
Lodz [lɔdz] Łódź
Lombardy ['lɔmbədi] Lombardia
London ['lʌndən] Londyn
Londonderry [,lʌndən'deri] Londonderry (miasto i hrabstwo irl.)
Longford ['lɔŋfəd] hrabstwo Longford (Irlandia)
Lorraine [lɔ'rein] Lotaryngia
Los Angeles [lɔs'ændʒi,li:z] Los Angeles

Lothian ['louðjən] okręg Lothian
Louisiana [lu,i:zi'ænə] Louisiana
Louisville ['luivil] Louisville
Louth [lauð] hrabstwo Louth (Irlandia)
Low Countries ['lou'kʌntriz] Niderlandy
Lucerne [lu'sə:n] Lucerna
Lucknow ['lʌknau] Lucknow
⧘ Luxemburg ['lʌksəm,bə:g] Luksemburg
Luxor ['lʌksɔ:] Luksor
Lvov [lvɔv] Lwów
Lydia ['lidiə] Lidia

Macedonia [,mæsi'douniə] Macedonia
Madagascar [,mædə'gæskə] Madagaskar
Madeira [mə'diərə] Madera
Madras [mə'dra:s] Madras
Madrid [mə'drid] Madryt
Magellan [mə'gelən], Strait of ∼ Cieśnina Magellana
Maggiore [,mædʒi'ɔ:ri], Lake ∼ Jezioro Maggiore
Maidenek [mai'denek] Majdanek
Main [mein] Men
Maine [mein] Maine
Majorca [mə'dʒɔ:kə] Majorka
Malacca [mə'lækə] Malakka
Malaga ['mæləgə] Malaga
Malay Archipelago [mə'lei,a:ki'peli,gou] Archipelag Malajski
Malay Peninsula [mə'lei-pi'ninsjulə] Półwysep Malajski
⧘ Malaya [mə'leiə] Malaje
Maldive Islands ['mældaiv'ailəndz] Malediwy
Mali ['ma:li] Mali
Malta ['mɔ:ltə] Malta
Malvern Hills ['mɔ:lvən hilz] Wyżyny Malvern
Man [mæn], Isle of ∼ Wyspa Man
Manchester ['mæntʃistə] Manchester
Manchuria [mæn'tʃuəriə] Mandżuria
Manhattan [mæn'hætn] Manhattan
Manila [mə'nilə] Manila
Manitoba [,mæni'toubə] Manitoba (Kanada)
Mari ASSR ['ma:ri] Maryjska ASRR
Maritime Territory ['mæri,taim 'teritri] Kraj Nadmorski
Marmora Sea ['ma:mərə'si:] Morze Marmara
Marshall Islands ['ma:ʃl'ailəndz] Wyspy Marshalla
Martinique [,ma:ti'ni:k] Martynika
Maryland [ꬶæərilænd] Maryland
Marylebone ['mærələbən] dzielnica Londynu na północ od Tamizy
Massachusetts [,mæsə'tʃu:sets] Massachusetts
Masuria [mə'sjuəriə] Mazury
Masurian Lakes ['mə'sjuərjən'leiks] Mazurskie Pojezierze
⧘ Mauretania [,mɔ:ri'teiniə] Mauretania
Mauthausen ['mauthauzn] Mauthausen
Meath [mi:θ] hrabstwo Meath (Irlandia)
Mecca ['mekə] Mekka
Mediterranean Sea [,meditə'reinjən 'si:] Morze Śródziemne
Melanesia ['melə'ni:zjə] Melanezja
Melbourne ['melbən] Melbourne
Memel ['meiməl] Kłajpeda
Memphis ['memfis] Memphis
Mendip Hills ['mendip'hilz] Wyżyny Mendip Hills
Merionethshire [,meri'ɔniθʃiə] hrabstwo Merionethshire (Walia)

Mesopotamia [ˌmesəpə'teimjə] Mezopotamia
Mexico ['meksi‚kou] Meksyk
Miami [mai'æmi] Miami
Michigan ['miʃigən] Michigan
Middle America ['midl-ə'merikə] Ameryka Środkowa
Middlesex ['midl‚seks] hrabstwo Middlesex
Midlands ['midləndz] hrabstwa środkowej Anglii
Midlothian [mid'louðjən] hrabstwo Midlothian (Szkocja)
Milan [mi'læn] Mediolan
Milwaukie [mil'wɔ:ki] Milwaukie
Minneapolis [ˌmini'æpəlis] Minneapolis
Minnesota [ˌmini'soutə] Minnesota
Mississipi [ˌmisi'sipi] Mississipi
Missouri [mi'suəri] Missouri
Moldavia [mɔl'deivjə] Mołdawia
Moldavian SSR [mɔl'deivjən] Mołdawska SRR
Moluccas [mə'lʌkəz] Moluki
ⵗ Monaco ['mɔnə‚kou] Monako
Mongolia [mɔŋ'gouljə] Mongolia
Mongolian People's Republic [mɔŋ'gouljən 'pi:plz ri'pʌblik] Mongolska Republika Ludowa
Mongolo-Buryat ASSR [mɔŋ'gɔlou-buri'æt] Buriacko-Mongolska ASRR
Monmouth ['mɔnməθ] 1. miasto Monmouth 2. = Monmouthshire
Monmouthshire ['mɔnməθʃiə] hrabstwo Monmouthshire
Montana [mɔŋ'tænə] Montana
Mont Blanc [mɔ:m'blɑ:ŋ] Mont Blanc
Montenegro [ˌmɔnti'ni:grou] Czarnogóra
Montevideo [ˌmɔnti'vidiou] Montevideo
Montgomery [mənt'gʌməri] 1. miasto Montgomery 2. = Montgomeryshire
Montgomeryshire [mənt'gʌməriʃiə] hrabstwo Montgomeryshire (Walia)
Montreal [ˌmɔntri'ɔ:l] Montreal
Moravia [mɔ'reivjə] Morawy
Moray ['mʌri] = Morayshire
Morayshire ['mʌriʃiə] = Elginshire
Mordvinian ASSR ['mɔ:dvinjən] Mordwińska ASRR
Morocco [mə'rɔkou] Maroko
Moscow ['mɔskou] Moskwa
Mozambique [ˌmouzəm'bi:k] Mozambik
Munich ['mju:nik] Monachium
Mysore [mai'sɔ:] Mysore

Nagasaki [ˌnægə'sɑ:ki] Nagasaki
Nagorno-Karabakh Autonomous Region [nə'gɔ:nə-kærə'bɑ:k ɔ:'tɔnəməs'ri:dʒən] Nagorno-Karabachski Obwód Autonomiczny
Nairn [neən] 1. miasto Nairn 2. = Nairnshire
Nairnshire ['neənʃiə] hrabstwo Nairnshire
Nakhichevan ASSR ['nɑ:kitʃə'vɑ:n] Nachiczewańska ASRR
Naples ['neiplz] Neapol
Narvik ['nɑ:vik] Narwik
Nazareth ['næzəriθ] Nazaret
Nebraska [ni'bræskə] Nebraska
Neisse ['naisi] Nysa
Nepal [ni'pɔ:l] Nepal
ⵗ Netherlands ['neðələndz] Niderlandy
Nevada [ne'vɑ:də] Nevada
New Brunswick ['nju:'brʌnswik] Nowy Brunszwik (Kanada)

Newcastle ['nju:‚kɑ:sl] Newcastle
New Delhi [nju:'deli] Nowe Delhi
New England [nju:'iŋglənd] Nowa Anglia
Newfoundland [nju:'faundlənd] Nowa Fundlandia (Kanada)
New Guinea [nju:'gini] Nowa Gwinea
New Hampshire [nju:'hæmpʃiə] New Hampshire
New Hebrides [nju:'hebri‚di:z] Nowe Hebrydy
New Jersey [nju:'dʒə:zi] New Jersey
New Mexico [nju:'meksi‚kou] Nowy Meksyk
New Orleans ['nju:'ɔ:liənz] Nowy Orlean
New South Wales ['nju:‚sauθ'weilz] Nowa Południowa Walia
New York City [nju:'jɔ:k'siti] Nowy Jork
New York (State) [nju:'jɔ:k ('steit)] (stan) Nowy Jork
ⵗ New Zealand [nju:'zi:lənd] Nowa Zelandia
Niagara Falls [nai'ægərə'fɔ:lz] Wodospady Niagary
Nice [ni:s] Nicea
Nicaragua [ˌnikə'rægjuə] Nikaragua
Nicosia [ˌnikou'siə] Nikozja
Niger ['naidʒə] Niger
ⵗ Nigeria [nai'dʒiəriə] Nigeria
Nile [nail] Nil
Nineveh ['ninivi] Niniwa
ⵗ Norfolk ['nɔ:fək] hrabstwo Norfolk
Normandy ['nɔ:məndi] Normandia
North America ['nɔ:θ-ə'merikə] Ameryka Północna
Northampton ['nɔ:θæmtən] 1. miasto Northampton 2. = Northamptonshire
Northamptonshire [nɔ:'θæmptənʃiə] hrabstwo Northamptonshire
North Cape ['nɔ:θ'keip] Przylądek Północny
North Carolina [nɔ:θ‚kærə'lainə] Karolina Północna
North Dakota ['nɔ:θ-də'koutə] Dakota Północna
Northern Ireland ['nɔ:ðən'aiələnd] Irlandia Północna
North Ossetian ASSR ['nɔθ-ə'setjən] Północnoosetyńska ASRR
North Sea ['nɔ:θ'si:] Morze Północne
Northumbria [nɔ:'θʌmbriə] Northumbria
Northumberland [nɔ:'θʌmbələnd] hrabstwo Northumberland
Northwest Territories ['nɔ:t‚west'teritəriz] Terytorium Północno-Zachodnie (Kanady)
ⵗ Norway ['nɔ:wei] Norwegia
Norwich ['nɔridʒ] Norwich
Nottingham ['nɔtiŋəm] 1. miasto Nottingham 2. = Nottinghamshire
Nottinghamshire ['nɔtiŋəmʃiə] hrabstwo Nottinghamshire
Nova Scotia ['nouvə'skouʃə] Nowa Szkocja (Kanada)
Nubia [nju:biə] Nubia
Nurnberg ['njuən‚bə:g] Norymberga
Nyaasaland ['njæsə‚lænd] Niasa

Oceania [ˌouʃi'einjə] Oceania
Oder ['oudə] Odra
Odessa [ou'desə] Odessa
Offaly ['ɔfəli] hrabstwo Offaly (Irlandia)
Ohio [ou'haiou] Ohio
Okhotsk [ou'kɔtsk], Sea of ~ Morze Ochockie
Oklahoma [ˌouklə'houmə] Oklahoma

Olympus [ou'limpəs] Olimp
Oman [ou'mɑːn] Oman
Ontario Province [ɔn'tɛəri,ou'prɔvins] Prowincja Ontario (Kanada)
Orange Free State ['ɔrindʒ'friː'steit] Orania
Oregon ['ɔrigən] Oregon
Orkneys ['ɔːkniz] Orkady (wyspy i hrabstwo w Szkocji)
Oslo ['ɔzlou] Oslo
Ostend ['ɔstend] Ostenda
Ottawa ['ɔtəwə] Ottawa
Oxford ['ɔksfəd] 1. miasto Oksford 2. = Oxfordshire
Oxfordshire ['ɔksfədʃiə] hrabstwo Oxfordshire

♦ Pacific Islands [pə'sifik'ailəndz] Wyspy Pacyfiku
Pacific Ocean [pə'sifik'ouʃən] Ocean Spokojny, Pacyfik
Paddington ['pædiŋtən] dzielnica Londynu na północ od Tamizy
♦ Pakistan [,pɑːkis'tɑːn] Pakistan
Palestine ['pælis,tain] Palestyna
Palm Beach ['pɑːm'biːtʃ] Palm Beach
♦ Panama [,pænə'mɑː] Panama; ~ Canal Kanał Panamski
♦ Papua ['pæpjuə] Papua
Paraguay ['pærə,gwai] Paragwaj
Parana [,pɑːrə'nɑː] Parana
Paris ['pæris] Paryż
Parnassus [pɑː'næsəs] Parnas
Parthia ['pɑːθjə] Partia
Patagonia [,pætə'gounjə] Patagonia
Pearl Harbour ['pəːl'hɑːbə] Pearl Harbour
Peebles ['piːblz] 1. miasto Peebles 2. = Peeblesshire
Peeblesshire ['piːblzʃiə] hrabstwo Peeblesshire (Szkocja)
Peking ['piːkiŋ] Pekin
Peloponnesus ['peləpə'niːsəs], Peloponnese [,pelə pə'niːs] Peloponez
Pembrokeshire ['pembrukʃiə] hrabstwo Pembrokeshire (Walia)
Penang [pi'næŋ] Penang
Pennine Chain ['penain'tʃein] Góry Pennińskie
Pennsylvania [,pensil'veinjə] Pensylwania
Persia ['pəːʃə] Persja
Persian Gulf ['pəːʃən'gʌlf] Zatoka Perska
Peru [pə'ruː] Peru
Peterborough ['piːtə,bʌrə] Peterborough
Philadelphia [,filə'delfiə] Filadelfia
Philippine Islands [,fili'piːn'ailəndz] = Philippines
♦ Philippines [,fili'piːnz] Filipiny
Phoenicia [fi'niʃiə] Fenicja
Phrygia ['fridʒiə] Frygia
Pisa ['piːzə] Piza
Pittsburg ['pitsbəːg] Pittsburg
Plymouth ['pliməθ] Plymouth
Podolia [pə'douliə] Podole
Poland ['poulənd] Polska; Polish People's Republic ['pouliʃ'piːplz-ri'pʌblik] Polska Rzeczpospolita Ludowa
♦ Polynesia [,poli'niːzjə] Polinezja
Pomerania [,pomə'reinjə] Pomorze
Pontine Marshes ['pontain'mɑːʃiz] Błota Pontyjskie

Poplar ['poplə] dzielnica Londynu na północ od Tamizy
Port Arthur ['poːt'ɑːθə] Port Artur
Port Said ['poːt'said] Port Said
Portsmouth ['poːtsməθ] Portsmouth
Portugal ['poːtjugəl] Portugalia
Potomac [pə'toumæk] Potomac
Potsdam ['potsdæm] Poczdam
Prague [prɑːg] Praga
Pretoria [pri'toːrjə] Pretoria
Prince Edward Island ['prins'edwəd'ailənd] Wyspa Księcia Edwarda (prowincja Kanady)
Prussia ['prʌʃə] Prusy
Punjab ['pʌn'dʒɑːb] Pendżab
Pyrenees [pirə'niːz] Pireneje

Qatar [kɔ'tɑː] Katar
Quebec (Province) [kwi'bek ('prɔvins)] (Provincja) Quebec (Kanada)
Quito ['kiːtou] Quito

Rabat [re'bɑːt] Rabat
Radnor ['rædnə] = Radnorshire
Radnorshire ['rædnəʃiə] hrabstwo Radnorshire (Walia)
Rangoon [ræŋ'guːn] Rangun
Reading ['rediŋ] Reading
Red Sea ['red'siː] Morze Czerwone
Renfrew ['renfruː] 1. miasto Renfrew 2. = Renfrewshire
Renfrewshire ['renfruːʃiə] hrabstwo Renfrewshire (Szkocja)
Reykjavik ['reikjə,viːk] Reykjavik
Rhine [rain] Ren
Rhode Island ['round,ailənd] Rhode Island
♦ Rhodesia [rou'diːzjə] Rodezja
Riga ['riːgə] Ryga
Rio de Janeiro ['riːoudə-dʒə'niərou] Rio de Janeiro
Rochester ['rɔtʃistə] Rochester
Rockies ['rɔkiz], Rocky Mountains ['rɔki'mauntinz] Góry Skaliste
Romania [ru'meinjə] = R(o)umania
Rome [roum] Rzym
Roscommon [rɔs'kɔmən] hrabstwo Roscommon (Irlandia)
Ross and Cromarty ['rɔsənd'krɔməti] hrabstwo Ross and Cromarty (Szkocja)
Ross-shire ['rɔsʃiə] = Ross and Cromarty
♦ R(o)umania [ru'meinjə] Rumunia; R(o)umanian People's Republic [ru'meinjən'pi:plz-ri'pʌblik] Rumuńska Republika Ludowa
Roxburgh ['rɔksbərə] = Roxburghshire
Roxburghshire ['rɔksbərəʃiə] hrabstwo Roxburghshire (Szkocja)
♦ Ruanda [ru'ændə] Ruanda
♦ Ruanda-Urundi [ru'ændə-u'rundi] Ruanda-Urundi
Runnymede ['rʌni,miːd] Runnymede
Russia ['rʌʃə] Rosja
Russian Soviet Federative Socialist Republic ['rʌʃən'souviet'fedə,reitiv'souʃəlist-ri'pʌblik] Rosyjska Federacyjna Socjalistyczna Republika Radziecka
Rutland ['rʌtlənd] = Rutlandshire
Rutlandshire ['rʌtləndʃiə] hrabstwo Rutlandshire

Saar [zɑː] Saara
Sachsenhausen ['zɑːksən'hauzn] Sachsenhausen

Sahara [sə'hɑːrə] Sahara
Saigon [sai'goun] Sajgon
Saint Helena [,sent-i'liːnə] Wyspa Świętej Heleny
Saint-Lawrence River <Cape, Gulf> [snt'lɔrəns ,rivə <,keip,gʌlf>] Rzeka <Przylądek, Zatoka> Św. Wawrzyńca
Saint Pancras [sn'pæŋkrəs] dzielnica Londynu na północ od Tamizy
Sakhalin [,sækə'liːn] Sachalin
Salisbury ['sɔːlzbəri] Salisbury
Salonika [sə'lɔnikə] Saloniki
Salt Lake City ['sɔːlt,leik'siti] Salt Lake City
Salvador ['sælvə,dɔː] Salvador
Samoa [sə'mouə] Samoa
Sandhurst ['sændhəːst] Sandhurst
San Domingo [sæn-də'miŋgou] = Dominican Republic
San Francisco [,sæn-frən'siskou] San Francisco
Santiago [,sænti'ɑːgou], Santiago
Sao Paulo [soum'pou,luː] Sao Paulo
Saragossa [særə'gɔsə] Saragossa
Sarawak [sə'rɔːwək] Sarawak
Sardinia [sɑː'dinjə] Sardynia
Saskatchewan [səs'kætʃi,wɔn] Saskatchewan
Saudi Arabia ['saudi-ə'reibjə] Arabia Saudyjska
Savannah [sə'vænə] Savannah
Savoy [sə'vɔi] Sabaudia
Saxony ['sæksəni] Saksonia
Scandinavia [,skændi'neivjə] Skandynawia
Scotland ['skɔtlənd] Szkocja
Seattle [si'ætl] Seattle
Seine [sein] Sekwana
Selkirk ['selkəːk] 1. miasto Selkirk 2. = Selkirkshire
Selkirkshire ['səlkəːkʃiə] hrabstwo Selkirkshire (Szkocja)
Senegal [,seni'gɔːl] Senegal
Seoul [soul] Seul
Serbia ['səːbjə] Serbia
Severn ['sevən] Severn
Shanghai [ʃæŋ'hai] Szanghaj
Sheffield ['ʃefiːld] Sheffield
Shetland Islands ['ʃetlənd'ailəndz] Szetlandy (wyspy i hrabstwo w Szkocji)
Shoreditch ['ʃɔːditʃ] dzielnica Londynu na północ od Tamizy
Shrewsbury ['ʃrouzbəri] Shrewsbury
Shropshire ['ʃrɔpʃiə] hrabstwo Shropshire
Siam [sai'æm] Syjam
Siberia [sai'biəriə] Syberia
Sicily ['sisili] Sycylia
Sidon ['saidn] Sydon
Sierra Leone ['sierə-li'oun] Sierra Leone
Sikkim ['sikim] Sikkim
Silesia [sai'liːzjə] Śląsk
Simla ['simlə] Simla
Sinai ['saini,ai] Synaj
Singapore [,siŋgə'pɔː] Singapur
Skye [skai] (Wyspa) Skye
Slavonia [slə'vouniə] Slawonia
Slovakia [slou'vækiə] Słowacja
Slovenia [slou'viːnjə] Słowenia
Sofia ['soufiə] Sofia
Solomon Islands ['sɔləmən'ailəndz] Wyspy Salomona
Somaliland [sou'mɑːli,lænd] Somali
Somerset ['sʌməset] hrabstwo Somerset

Somersetshire ['sʌməsitʃiə] = Somerset
South African Union [sauθ'æfrikən,juːnjən] Związek Południowej Afryki
South America ['sauθ-ə'merikə] Ameryka Południowa
Southampton [sauθ'æmtən] Southampton
South Carolina ['sauθ,kærə'lainə] Karolina Południowa
South Dakota ['sauθ-də'koutə] Dakota Południowa
Southern Ocean ['sʌðən'ouʃn] Ocean Lodowaty Południowy
Southwark ['sʌðək] dzielnica Londynu na południe od Tamizy
Soviet Russia ['souviet'rʌʃə] = Russian Soviet Federative Socialist Republic
Spain [spein] Hiszpania
Sparta ['spɑːtə] Sparta
Springfield ['spriŋfiːld] Springfield
Stafford ['stæfəd] = Staffordshire
Staffordshire ['stæfədʃiə] hrabstwo Staffordshire
Stalingrad [,stɑ:lin'græd] Stalingrad
Stamboul [stæm'buːl] Istanbul
Stavropol Territory [stəv'rɔpol'teritri] Kraj Stawropolski
Stepney ['stepni] dzielnica Londynu na północ od Tamizy
Stettin ['stetin] Szczecin
Stirling ['stəːliŋ] 1. miasto Stirling 2. = Stirlingshire
Stirlingshire ['stəːliŋʃiə] hrabstwo Stirlingshire (Szkocja)
Stockholm ['stɔkhoum] Sztokholm
Stoke Newington [stouk'njuiŋtən] dzielnica Londynu na północ od Tamizy
St Marylebone [snt'mæərələ,boun] = Marylebone
St Pancras [snt'pæŋkrəs] = Saint Pancras
Straits Settlements ['streits'setlmənts] dawne posiadłości brytyjskie na Malajach
Stratford on Avon ['strætfədɔn'eivən] Stratford
Sudan [suː'dæn] Sudan
Sudeten [suː'detən], Sudetes [suː'diːtiːz] Sudety
Suez ['suːiz] Suez; ~ Canal Kanał Sueski
Suffolk ['sʌfək] hrabstwo Suffolk
Sumatra [su'mɑːtrə] Sumatra
Superior [sju'piəriə], Lake ~ Jezioro Górne
Surrey ['sʌri] hrabstwo Surrey
Sussex ['sʌsiks] hrabstwo Sussex
Sutherland ['sʌðələnd] = Sutherlandshire
Sutherlandshire ['sʌðələndʃiə] hrabstwo Sutherlandshire (Szkocja)
Swabia ['sweibjə] Szwabia
Swaziland ['swɑːzi,lænd] Suazi
Sweden ['swiːdn] Szwecja
Switzerland ['switsələnd] Szwajcaria
Sydenham ['sidnəm] dzielnica Londynu na południe od Tamizy
Syria ['siriə] Syria

Tadzhik <Tadjik> SSR ['tɑːdʒik] Tadżycka SRR
Tadzhikistan, Tadjikistan [,tɑːdʒiki'stɑːn] = Tadzhik SSR
Tagus ['teigəs] Tag
Tahiti [tɑː'hiti] Tahiti
Taiwan [tai'wæn] Taiwan
Tallin(n) ['tælin] Tallinn
Tanganyika [,tæŋgə'njiːkə] Tanganika
Tangier [tæn'dʒiə] Tanger

Tannenberg ['tænən'bə:g] Stębark
Tashkent [tæʃ'kent] Taszkient
Tasmania [tæz'meinjə] Tasmania
Tatar ASSR ['tɑ:tə] Tatarska ASRR
Tatarstan ['tɑ:tə'stɑ:n] Tataria
Tatra ['tɑ:trə], ~ Mountains Tatry
Taurus ['tɔ:rəs] Taurus
Tbilisi [tbi'lisi] Tbilisi
Tehran [te'rɑ:n], Teheran [tiə'rɑ:n] Teheran
Tel Aviv [tel'ɑ:viv] Tel-Awiw
Tennessee [,tene'si:] Tennessee
Teschen ['teʃn] Cieszyn
Texas ['teksəs] Teksas
↟Thailand ['tailænd] Tai, Syjam
Thames [temz] Tamiza
Thebes [θi:bz] Teby
Thermopylae [θə:'mɔpi,li:] Termopile
Thuringia [,θjuə'rindʒiə] Turyngia
Tiber ['taibə] Tyber
Tibet [ti'bet] Tybet
Tiflis ['tiflis] = Tbilisi
Tigris ['taigris] Tygrys
Tipperary [,tipə'rɛəri] Tipperary
Tirana [ti'rɑ:nə] Tirana
Tirol ['tirəl] = Tyrol
↟Togo ['tougou], Togoland ['tougou,lænd] Togo
Tokyo ['toukj,ou] Tokio
Toledo [tɔ'leidou] Toledo
Toronto [tə'rɔntou] Toronto
Trafalgar [trə'fælgə] Trafalgar
Transjordan [trænz'dʒɔ:dn] Transjordania
Transvaal ['trænzvɑ:l] Transwal
Transylvania [,trænsil'veinjə] Siedmiogród
Trent[1] [trent] Trydent (miasto)
Trent[2] [trent] Trent (rzeka)
Trieste [tri'est] Triest
Tripoli ['tripəli] Trypolis
Tripolitania [,tripəli'teinjə] Trypolitania
Tunis ['tju:nis] Tunis
Tunisia [tju'niziə] Tunezja
↟Turkey ['tə:ki] Turcja
Turkestan, Turkistan [,tə:kis'tɑ:n] Turkiestan
Turkmen SSR ['tə:kmen] Turkmeńska SRR
Tuscany ['tʌskəni] Toskania
Tuva ['tu:və] Tuwiński Obwód Autonomiczny
Tyrol ['tirəl] Tyrol
Tyrone [ti'roun] hrabstwo Tyrone (Irlandia)
Tyrrhenian Sea [ti'ri:njən'si:] Morze Tyrreńskie

Udmurt SSR ['u:dmuət] Udmurcka ASRR
↟Uganda [ju'gændə] Uganda
Ukraine [ju'krein] Ukraina
Ukrainian SSR [ju'kreinjən] Ukraińska SRR
Ulhan Bator [u'lɑ:n'bɑ:tə] Ułan Bator
Ulster ['ʌlstə] Ulster
Union of South Africa ['ju:njənəv'sauθ'æfrikə] Związek Południowej Afryki
Union of Soviet Socialist Republics ['ju:njənəv 'souviet'souʃəlist-ri'pʌbliks] Związek Socjalistycznych Republik Radzieckich
United Kingdom of Great Britain and Northern Ireland [ju'naitid'kiŋdəməv'greit'britnənd'nɔ:ðən 'aiələnd] Zjednoczone Królestwo Wielkiej Brytanii i Północnej Irlandii
↟United States of North America [ju'naitid,steits əv'nɔ:θ-ə'mərikə] Stany Zjednoczone Ameryki Północnej

Upper Silesia ['ʌpəsai'li:zjə] Górny Śląsk
Upper Volta ['ʌpə'vɔltə] Górna Wolta
Ur [ə:] Ur
Ural Mountains ['juərəl 'mauntinz] Ural
Urga [uə'gɑ:] = Ulhan Bator
Uruguay ['urug,wai] Urugwaj
Urundi [u'rundi] Urundi
Utah ['ju:tɑ:] Utah
Utrecht ['ju:trekt] Utrecht
Uzbek SSR ['uzbek] Uzbecka SRR

Valencia [və'lenʃiə] Walencja
Valladolid [,vælədə'lid] Valladolid
Valparaiso [,vælpə'raizou] Valparaiso
Vancouver [væn'ku:və] Vancouver
Varna ['vɑ:nə] Warna
↟Vatican City ['vætikən'siti] Watykan
Venezuela ['vene'zueilə] Wenezuela
Venice ['venis] Wenecja
Veracruz ['veərə'kruz] Veracruz (Meksyk)
Vermont [və:'mɔnt] Vermont
Versailles [vɛə'sai] Wersal
Vesuvius [vi'su:vjəs] Wezuwiusz
Victoria [vik'tɔ:rjə] Wiktoria
Vienna [vi'enə] Wiedeń
↟Viet-Nam [vjet'nɑ:m]; Democratic Republic of ~ [,demə'krætik-ri'pʌblik-əv-vjet'nɑ:m] Demokratyczna Republika Wietnamu
Vilna ['vilnə], Vilnius ['vilnjus] Wilno
Virginia [və'dʒinjə] Wirginia
↟Virgin Islands ['və:dʒin'ailəndz] Wyspy Dziewicze
Vistule ['vistjulə] Wisła
Volga ['vɔlgə] Wołga
Volhynia [vɔl'hiniə] Wołyń

Walachia, Wallachia [wə'leikjə] Wołoszczyzna
Wales [weilz] Walia
Wandsworth ['wɔndzwəθ] dzielnica Londynu na południe od Tamizy
Warsaw ['wɔ:sɔ:] Warszawa
Warwick ['wɔrik] 1. miasto Warwick 2. = Warwickshire
Warwickshire ['wɔrikʃiə] hrabstwo Warwickshire
Washington ['wɔʃiŋtən] stan <miasto> Waszyngton
Waterford ['wɔtəfəd] hrabstwo Waterford (Irlandia)
Waterloo [,wɔ:tə'lu:] Waterloo
Wembley ['wembli] Wembley
Weser ['veizə] Wezera
Wessex ['wesiks] hrabstwo Wessex
West Indies ['west'indiz] Indie Zachodnie
West Lothian [west'louðjən] hrabstwo West Lothian (Szkocja)
Westminster ['wesminstə] dzielnica Londynu na południe od Tamizy
Westmorland ['westmələnd] hrabstwo Westmorland
West Virginia ['westvə:'dʒinjə] Wirginia Zachodnia
White Russia ['wait'rʌʃə] Białoruś; White Russian SSR ['wait'rʌʃən] Białoruska SRR
White Sea ['wait'si:] Morze Białe
Wicklow ['wiklou] hrabstwo Wicklow (Irlandia)
Wigtown ['wigtən] 1. miasto Wigtown 2. = Wigtownshire

Wigtownshire ['wigtənʃiə] hrabstwo Wigtownshire (Szkocja)
Wiltshire ['wiltʃiə] hrabstwo Wiltshire
Winchester ['wintʃistə] Winchester
Winnipeg ['wini‚peg] Winnipeg
Wisconsin [wis'kɔnsin] Wisconsin
Woolwich ['wulidʒ] dzielnica Londynu na południe od Tamizy
Worcester ['wustə] 1. miasto Worcester 2. = Worcestershire
Worcestershire ['wustəʃiə] hrabstwo Worcestershire
Wyoming [wai'oumiŋ] Wyoming

Yakutsk ASSR [jə'kuːtsk] Jakucka ASRR
Yalta ['jæltə] Jałta
Yangtse-Kiang ['jɑːŋtse'kjɑːŋ] Jangcy, Jangcy-ciang
Yaounda, Yaunde [jɑː'undei] Yaoundé
Yellow Sea ['jelou'siː] Morze Żółte

Yellowstone ['jelou‚stoun] Yellowstone
Yerevan ['jerə'vɑːn] Erewan
Yokohama [‚joukə'hɑːmə] Jokohama
York [jɔːk] 1. miasto York 2. = **Yorkshire**
Yorkshire ['jɔːkʃiə] hrabstwo Yorkshire
Yugoslavia ['juːgou'slɑːvjə] Jugosławia; **Socialist Federative Republic of** ～ ['souʃəlist'fedə‚reitiv ri'pʌblik‑əv'juːgou'slɑːvjə] Socjalistyczna Federacyjna Republika Jugosławii
Yukon ['juːkɔn] Yukon
Yunnan [ju'nɑːn] Junan

Zagreb ['zɑːgreb] Zagrzeb
Zambezi [zæm'biːzi] Zambezi
Zanzibar [‚zænzi'bɑː] Zanzibar
Zealand ['ziːlənd] Zelandia
Zululand ['zuːluː‚lænd] Zulu
Zurich ['zjuərik] Zurych

A LIST OF CHRISTIAN NAMES

SPIS IMION

Aaron ['ɛərən] m Aaron
Abel ['eibəl] m Abel
Abigail ['æbi,geil] f Abigail
Abraham ['eibrə,hæm] m Abraham
Absalom ['æbsələm] m Absalom
Ada ['eidə] f Ada
Adalbert ['ædəl,bə:t] m Adalbert, Wojciech
Adam ['ædəm]⁓m Adam
Addy ['ædi] = Adelina
Adela ['ædilə] f Adela
Adelaide ['ædi,leid] f Adelajda
Adelina [,ædi'li:nə], Adeline ['ædi,li:n] f Adelina
Adolphus [ə'dɔlfəs] m Adolf
Adrian ['eidriən] m Adrian
Agatha ['ægəθə] f Agata
Aggie, Aggy ['ægi] = Agnes
Agnes ['ægnis] f Agnieszka
Aileen ['eili:n, 'aili:n] f Helena
Ailie ['eili] = Alison, Alice, Helen
Alban ['ɔ:lbən] m Alban
Albert ['ælbət] m Albert
Alec(k) ['ælik] = Alexander
Alethea [,æli'θiə] f Aletea
Alexander [,ælig'za:ndə] m Aleksander
Alexandra [,ælig'za:ndrə] f Aleksandra
Alexis [ə'leksis] m Aleksy
Alf(ie) ['ælf(i)] = Alfred
Alfred ['ælfred] m Alfred
Algernon ['ældʒənən] m Algernon
Alice ['ælis] f Alicja
Aline [æ'li:n] = Adeline
Alison ['ælisn] f Alison
Allan ['ælən] m Allan
Allie, Ally ['æli] = Alice
Aloys [ə'louis] = Aloysius
Aloysius [,ælou'i:ziəs] m Alojzy
Alphonso [æl'fɔnzou], Alphonsus [æl'fɔnsəs] m Alfons
Amabel ['æmə,bel] f Amabel
Amadeus [,æmə'diəs] m Amadeusz
Amanda [ə'mændə] f Amanda
Ambrose ['æmbrouz] m Ambroży
Amelia [ə'mi:ljə] f Amelia
Amy ['eimi] f Amata
Andrew ['ændru:] m Andrzej
Andy ['ændi] = Andrew
Aneurin [ə'naiərin] m Aneuryn
Angelica [æn'dʒelikə] f Aniela, Angela
Angus ['æŋgəs] m Angus
Ann(e) [æn] f Anna
Anna ['ænə] = Ann
Annabel ['ænə,bel], Annabella [,ænə'belə] f Annabella
Annis ['ænis] = Agnes
Anthea [æn'θiə] f Antea

Anthony, Antony ['æntəni] m Antoni
Antonia [æn'tounjə] f Antonina
Arabella [ærə'belə] f Arabella
Archibald ['a:tʃibəld] m Archibald
Arnold ['a:nld] m Arnold
Arthur ['a:θə] m Artur
Asa ['eisə] m Asa
Athanasius [,æθə'neiʃəs] m Atanazy
Athelstan ['æθəlstən], Athelstane ['æθəl,stein] m Atelstan
Aubrey ['ɔ:bri] m Alberyk
Audrey ['ɔ:dri] f Audrey
Augustine [ɔ:'gʌstin] m Augustyn
Augustus [ɔ:'gʌstəs] m August
Aurelia [ɔ:'ri:ljə] f Aurelia
Aurelius [ɔ:'ri:ljəs] m Aureliusz
Austin ['ɔ:stin] m Augustyn
Averil ['ævəril] f Aweryl
Avis ['ævis] f Awia
Aylmer ['eilmə] m Aylmer
Aylwin ['eilwin] m Aylwin

Bab [bæb] = Barbara
Babbie ['bæbi] = Barbara
Babs ['bæbz] = Barbara
Baldwin ['bɔ:ldwin] m Baldwin
Balthazar, Balthasar ['bælθəzə] m Baltazar
Baptist ['bæptist] m Baptysta
Barbara ['ba:bərə] f Barbara
Bardolph ['ba:dɔlf] m Bardolf
Barnabas ['ba:nəbəs], Barnaby ['ba:nəbi] m Barnabas
Barney ['ba:ni] = Barnabas, Bernard
Barry ['bæri] m Barry
Bart [ba:t] = Bartholomew
Bartholomew [ba:'θɔlə,mju:] m Bartłomiej
Basil ['bæzil] m Bazyli
Bat [bæt] = Bartholomew
Beatrice ['biətris] f Beatrycze
Beatrix ['biətriks] = Beatrice
Becky ['beki] = Rebecca
Belinda [bi'lində] f Belinda
Bell, Belle [bel] = Isabella, Annabel, Arabella
Bella ['belə] = Isabella, Annabel, Arabella
Ben [ben] = Benjamin
Benedick ['benidik] = Benedict
Benedict ['benidikt] m Benedykt
Benjamin ['bendʒəmin] m Benjamin
Benjie ['bendʒi] = Benjamin
Bennet ['benit] = Benedict
Berenice [,beri'naisi:, ,beri'ni:si:, 'beri,ni:s] f Berenika
Bernard ['bə:nəd] m Bernard
Bert [bə:t] = Albert, Bertha, Bertram, Herbert
Bertha ['bə:θə] f Berta

Bertie ['bə:ti] = **Albert, Bertram**
Bertram ['bə:trəm] *m* Bertram
Beryl ['beril] *f* Beryl
Bess [bes] = **Elizabeth**
Bessie ['besi] = **Elizabeth**
Beth [beθ] = **Elizabeth**
Bethia [be'θaiə] *f* Betia
Bevis ['bevis] *m* Bewis
Biddy ['bidi] = **Bridget**
Bill [bil] = **William**
Blanch(e) [blɑ:ntʃ] *f* Blanka
Bob [bɔb] = **Robert**
Boris ['bɔris] *m* Borys
Brenda ['brendə] *f* Brenda
Brian ['braiən] *m* Brian
Bridget ['bridʒit] *f* Brygida
Bruce [bru:s] *m* Bruce

Caleb ['keilib] *m* Kaleb
Camilia [kə'miljə] *f* Kamila
Candida ['kændidə] *f* Candida, Kandyda
Carlotta [kɑ:'lɔtə] *f* Karolina
Carol ['kærəl] = **Caroline**
Caroline ['kærə,lain, 'kærə,li:n] *f* Karolina
Casimir ['kæsimiə] *m* Kazimierz
Catherine ['kæθərin] *f* Katarzyna
Cecil ['sesl] *m* Cecil
Cecilia [si'siljə] *f* Cecylia
Cecily ['sesili], Cicely ['sisili] = **Cecilia**
Cedric ['sedrik] *m* Cedryk
Celia ['si:liə] *f* Celia
Charles [tʃɑ:lz] *m* Karol
Charley ['tʃɑ:li] = **Charles**
Charlie ['tʃɑ:li] = **Charles**
Chloe ['kloui] *f* Chloe
Chloris ['klɔ:ris] *f* Chloris
Chris [kris] = **Christian, Christina, Christopher**
Chrissie ['krisi] = **Christina**
Christabel ['kristə,bel] *f* Christabel
Christian ['kristiən] *m* Krystian
Christiana [,kristi'ɑ:nə] = **Christina**
Christie, Christy ['kristi] = **Christian**
Christina [kris'ti:nə] *f* Krystyna
Christopher ['kristəfə] *m* Krzysztof
Cicely ['sisili] = **Cecilia**
Cissie, Cissy ['sisi] = **Cecilia**
Clara ['kleərə] *f* Klara
Clare [kleə] = **Clara**
Clarence ['klærəns] *m* Clarence
Claribel ['klæri,bel] *f* Claribel
Clarice ['klæris] *f* Klarysa
Clarissa [klə'risə] = **Clarice**
Claud(e) [klɔ:d] *m* Klaudiusz
Claudia ['klɔ:djə] *f* Klaudia
Claudius ['klɔ:djəs] = **Claud**
Clem [klem] = **Clement**
Clement ['klemənt] *m* Klemens
Clementina [,klemən'ti:nə] *f* Klementyna
Clementine ['klemən,tain] = **Clementina**
Clive [klaiv] *m* Clive
Clotilda, Clothilda [klou'tildə] *f* Klotylda
Colin ['kɔlin] = **Nicholas**
Connie ['kɔni] = **Constance**
Connor ['kɔnə] *m* Connor
Conrad ['kɔnræd] *m* Konrad
Constance ['kɔnstəns] *f* Konstancja
Cora ['kɔ:rə] *f* Cora

Coralie ['kɔrəli] *f* Koralia
Cordelia [kɔ:'di:ljə] *f* Kordelia
Corinna [kɔ'rinə] *f* Korynna
Cornelia [kɔ:'ni:ljə] *f* Kornelia
Cornelius [kɔ:'ni:ljəs] *m* Korneliusz
Corney ['kɔ:ni] = **Cornelius**
Corny ['kɔ:ni] = **Cornelius**
Cosmo ['kɔzmou] *m* Kosma
Crispian ['krispiən] = **Crispin**
Crispin ['krispin] *m* Kryspin
Cuthbert ['kʌθbət] *m* Kutbert
Cynthia ['sinθiə] *f* Cyntia
Cyprian ['sipriən] *m* Cyprian
Cyriac ['siriək] *m* Kwiriak
Cyril ['siril] *m* Cyryl
Cyrus ['sairəs] *m* Cyrus

Daisy ['deizi] = **Margaret**
Damian ['deimiən] *m* Damian
Dan [dæn] = **Daniel**
Daniel ['deinjəl] *m* Daniel
Danny ['dæni] = **Daniel**
Daphne ['dæfni] *f* Dafne
Dave [deiv] = **David**
David ['deivid] *m* Dawid
Davy ['deivi] = **David**
Deborah ['debərə] *f* Debora
Delia ['di:ljə] *f* Delia
Demetrius [di'mi:triəs] *m* Dymitr
Denis, Dennis ['denis] *m* Dionizy
Denise [di'ni:z] *f* Dioniza
Derek, Derrick ['derik] = **Theodoric**
Desideratus [di,sidə'reitəs] *m* Desideratus
Desiderius [,dezi'diəriəs] *m* Dezydery
Desmond ['dezmənd] *m* Desmond
Diana [dai'ænə] *f* Diana
Dick [dik] = **Richard**
Diggory ['digəri] *m* Diggory
Dilys ['dilis] *f* Dilys
Dinah ['dainə] *f* Dina
Dionysius [,daiə'nisiəs] = **Denis**
Dol(l) [dɔl] = **Dorothy**
Dolly ['dɔli] = **Dorothy**
Dolores [dɔ'lɔ:ri:z] *f* Dolores
Dominic [dɔ'minik] *m* Dominik
Donald ['dɔnəld] *m* Donald
Dora ['dɔ:rə] *f* Dora
Dorcas ['dɔ:kəs] *f* Dorcas
Doreen [dɔ:'ri:n] *f* Doreen
Doris ['dɔris] *f* Doris
Dorothea [,dɔrə'θiə] = **Dorothy**
Dorothy ['dɔrəθi] *f* Dorota
Dougal ['du:gəl] *m* Dougal
Douglas ['dʌgləs] *m* Douglas
Dudley ['dʌdli] *m* Dudley
Dugald ['du:gəld] = **Dougal**
Dulcie ['dʌlsi] *f* Dulcja
Duncan ['dʌŋkən] *m* Dunkan

Eben ['ebən] = **Ebenezer**
Ebenezer [,ebə'ni:zə] *m* Ebenezer
Ed [ed] = **Edgar, Edmund, Edward, Edwin**
Eddie ['edi] = **Edgar, Edmund, Edward, Edwin**
Edgar ['edgə] *m* Edgar
Edith ['i:diθ] *f* Edyta
Edmund ['edmənd] *m* Edmund
Edna ['ednə] *f* Edna

Edward ['edwəd] m Edward
Edwin ['edwin] m Edwin
Effie ['efi] = Euphemia
Egbert ['egbət] m Egbert
Eileen [ai'liːn] = Helen
Elaine [i'lein] = Helen
Eldred ['eldrid] m Eldred
Eleanor, Elinor ['elinə] f Eleonora
Eleazer [ˌeli'eizə] m Eleazer
Elfleda [el'fliːdə] f Elfleda
Elfreda [el'fredə] f Elfreda
Elgiva [el'dʒaivə] f Elgiwa
Eli ['iːli] m Eli
Elias [i'laiəs] m Eliasz
Elijah [i'laidʒə] = Elias
Elisabeth, Elizabeth [i'lizəbəθ] f Elżbieta
Eliza [i'laizə] = Elizabeth
Ella ['elə] = Eleanor, Isabella
Elma ['elmə] f Elma
Elmer ['elmə] m Elmer
Eloisa [ˌelou'iːzə] = Heloise
Elsa ['elsə] = Elizabeth, Alison, Alice
Elsie ['elsi] = Elizabeth, Alison, Alice
Elspet ['elspit] = Elizabeth
Elspeth ['elspeθ] = Elizabeth
Elvira [el'vaiərə] f Elwira
Emery, Emory ['eməri] m Emery, Emmeryk, Emory
Emilia [i'miljə] = Emily
Emily ['emili] f Emilia
Emm [em] = Emma
Emma ['emə] f Emma
Emmanuel [i'mænjuəl] m Emanuel
Emmeline ['emiˌliːn] f Emelina
Emmie ['emi] = Emma
Emrys ['emris] = Ambrose
Ena ['iːnə] f Ena
Enid ['iːnid] f Enida
Enoch ['iːnɔk] m Enoch
Ephraim ['iːfreiim] m Efrem, Efraim
Erasmus [i'ræzməs] m Erazm
Erastus [i'ræstəs] m Erastus
Eric ['erik] m Eryk
Erica ['erikə] f Eryka
Ermentrude ['əːminˌtruːd] f Ermentruda
Ernest ['əːnist] m Ernest
Esaw ['iːsɔː] m Ezaw
Esme ['ezmi] m Esme
Esmeralda [ˌezmə'ræeldə] f Esmeralda
Essie ['esi] = Esther
Estella [es'telə] f Estella
Estelle [es'tel] = Estella
Esther ['estə] f Estera
Ethel ['eθəl] f Etel
Ethelbert ['eθəlˌbəːt] m Etelbert
Etheldred ['eθəlˌdred] = Audrey
Ethelind ['eθəlind] f Etelinda
Ethelinda [ˌeθə'lində] = Ethelind
Etta ['etə] = Henrietta
Eugene [juː'ʒein] m Eugeniusz
Eugenia [juː'dʒiːnjə] f Eugenia
Eulalia [juː'leiljə] f Eulalia
Eunice ['juːniˌsi] f Eunice
Euphemia [juː'fiːmjə] f Eufemia
Euphie ['juːfi] = Euphemia
Eusebius [juː'siːbjəs] m Euzebiusz
Eustace ['juːstəs] m Eustachy

Eustachius [juː'steikjəs] = Eustace
Eva ['iːvə] f Ewa
Evan ['evən] = John
Evangeline [i'vændʒəˌliːn] f Ewangelina
Eve [iːv] = Eva
Evelina [ˌevi'liːnə] = Eva
Eveline, Evelyn ['iːvlin] = Eva
Everard ['evəˌrɑːd] m Ewerard
Ewan, Ewen ['juːən] = Owen
Ezra ['ezrə] m Ezdrasz

Fabian ['feibjən] m Fabian
Faith [feiθ] f Faith
Fanny ['fæni] = Frances
Farguhar ['fɑːkə] m Farkwar
Faustina [fɔː's'tinə] f Faustyna
Faustine [fɔː's'tiːn] = Faustina
Fay [fei] f Fay
Felice [fi'liːs] = Felicia
Felicia [fi'lisiə] f Felicja
Felix ['fiːliks] m Feliks, Szczęsny
Ferdinand ['fəːdinənd] m Ferdynand
Fergus ['fəːgəs] m Fergus
Fidelia [fi'diːljə] f Fidelia
Fiona [fi'ounə] f Fiona
Flo [flou] = Flora
Flora ['flɔːrə] f Flora
Florence ['flɔrəns] f Florentyna
Florry ['flɔri] = Florence
Flossie ['flɔsi] = Florence
Frances ['frɑːnsis] f Franciszka
Francie ['frɑːnsi] = Francis, Frances
Francis ['frɑːnsis] m Franciszek
Frank [fræŋk] = Francis
Freda ['friːdə] = Frieda
Frederic(k) ['fredrik] m Fryderyk
Frederica [ˌfredə'riːkə] f Fryderyka
Frieda ['friːdə] f Freda
Fulk [fʌlk] m Fulk

Gabby ['gæbi] = Gabriel
Gabe [geib] = Gabriel
Gabriel ['geibriəl] m Gabriel
Gareth ['gærəθ] m Gareth
Gavin ['gævin] m Gawin
Gene [dʒiːn] = Eugene, Eugenia
Genevieve [ˌdʒeni'viːv] f Genowefa
Geoffrey ['dʒefri] m Geoffrey, Galfryd
Geordie ['dʒɔːdi] = George
George [dʒɔːdʒ] m Jerzy
Georgia ['dʒɔːdʒə] = Georgina
Georgiana [ˌdʒɔːdʒi'ɑːnə] = Georgina
Georgie, Georgy ['dʒɔːdʒi] = George
Georgina [ˌdʒɔː'dʒiːnə] f Georgina
Gerard ['dʒerəd] m Gerard
German ['dʒəːmən] m German
Germaine [ʒəː'mein] f Germana
Gert [dʒəːt], Gertie ['dʒəːti] = Gertrude
Gertrude ['gəːtruːd] f Gertruda
Gervas ['dʒəːvəs] = Gervase
Gervase ['dʒəːvəs] m Gerwazy
Gideon ['gidiən] m Gideon
Gil [gil] = Gilbert, Giles
Gilbert ['gilbət] m Gilbert
Giles [dʒailz] m Egidiusz
Gill [dʒil] = Juliana
Gillian ['dʒiljən] = Juliana

Gladys ['glædis] f Klaudia
Gloria ['glɔːriə] f Gloria
Godfrey ['gɔdfri] m Gotfryd
Godwin ['gɔdwin] m Godwin
Gordon ['gɔːdən] m Gordon
Grace [greis] f Gracja
Gregory ['gregəri] m Grzegorz
Greta ['griːtə] = Margaret
Griffith ['grifiθ] m Griffith
Griselda [gri'zeldə] f Gryzelda
Grizel, Grizzel, Grissel ['grizl] = Griselda
Gustavus [gus'taːvəs] m Gustaw
Guy [gai] m Wit
Gwendolen ['gwendəlin] f Gwendalina
Gwyneth ['gwiniθ] f Gwyneth

Hab [hæb] = Halbert
Habbie ['hæbi] = Halbert
Hadrian ['heidriən] = Adrian
Hal [hæl] = Henry
Halbert ['hælbət] = Albert
Hamish ['heimiʃ] = James
Hannah ['hænə] = Ann
Harold ['hærəld] m Harold
Harriet, Harriot ['hæriət] = Henrietta
Hartley ['haːtli] m Hartley
Hatty ['hæti] = Henrietta
Hazel ['heizəl] f Hazel
Heather ['heðə] f Heather
Heck [hek] = Hector
Hector ['hektə] m Hektor
Hedwig ['hedwig] f Jadwiga
Helen ['helin] f Helena
Helena ['helinə] = Helen
Helga ['helgə] f Helga
Heloise ['helou,iːz] f Heloiza
Henrietta [,henri'etə] f Henryka
Henry ['henri] m Henryk
Herbert ['həːbət] m Herbert
Hercules ['həːkjuˌliːz] m Herkules
Herman(n) ['həːmən] m Herman
Hermione [həˈmaiəni] f Hermiona
Hester ['hestə] = Esther
Hetty ['heti] = Henrietta
Hew [hjuː] = Hugh
Hezekiah [,heziˈkaiə] m Ezekiasz
Hilaria [hiˈlɛərjə] f Hilaria
Hilary ['hiləri] m Hilary
Hilda ['hildə] f Hilda
Hildebrand ['hildəˌbrænd] m Hildebrand
Hiram ['haiərəm] m Hiram
Hob [hɔb] = Halbert, Robert
Hobbie ['hɔbi] = Halbert, Robert
Honor ['ɔnə] f Honorata
Honora [hɔ'nɔːrə] = Honor
Honoria [hɔ'nɔːriə] = Honor
Honorius [hou'nɔːriəs] m Honoriusz
Hope [houp] m f Hope
Horace ['hɔris] m Horacy
Horatia [hɔ'reiʃiə] f Horacja
Horatio [hɔ'reiʃiˌou] = Horace
Hortensia [hɔːˈtensiə] f Hortensja
Hubert ['hjuːbət] m Hubert
Huggin ['hʌgin] = Hugh
Hugh [hjuː] m Hugo
Hughie ['hjui] = Hugh
Hugo ['hjuːgou] = Hugh

Hulda ['huldə] f Hulda
Humbert ['hʌmbət] m Humbert
Humph [hʌmf] = Humphrey
Humphrey, Humphry ['hʌmfri] m Onufry
Hyacinth ['haiəsinθ] m Hiacynt

Iain, Ian ['iən] = John
Ianthe [ai'ænθi] f Ianthe
Ib [ib], Ibby ['ibi] = Isabella
Ida ['aidə] f Ida
Ifan ['iːvən] = John
Ifor ['iːvɔː] = Ivo, Ivor
Ignatius [ig'neiʃəs] m Ignacy
Igor ['iːgɔː] m Igor
Ik, Ike [aik] = Isaac
Ines, Inez ['ainez] = Agnes
Ingeborg ['ingiˌbɔːg] f Ingeborga
Ingram ['ingrəm] m Ingram
Ingrid ['ingrid] f Ingrid, Ingryda
Inigo ['iniˌgou] m Inigo
Ira ['airə] m Ira
Irene [ai'riːni, ai'riːn] f Irena
Iris ['airis] f Iris
Irmentrude ['əːminˌtruːd] = Ermentrude
Isa ['iːzə] = Isabel
Isaac, Izaak ['aizək] m Izaak
Isabel, Isobel ['izəˌbel] = Isabella
Isabella [ˌizə'belə] f Izabella
Isadora [ˌizə'dɔːrə] = Isidora
Isaiah [ai'zaiə] m Izajasz
Isbel ['izbel] = Isabella
Isidora [ˌiziˈdɔːrə] f Izydora
Isidore ['iziˌdɔː] m Izydor
Isold, Isolde [i'zɔld] = Isolda
Isolda [i'zɔldə] f Izolda
Israel ['izreiəl] m Izrael
Ivan ['aivən] = John
Ivo ['aivou] m Iwo
Ivor ['aivɔː] = Ivo
Ivy ['aivi] m f Ivy

Jabez ['dʒeibiz] m Jabez
Jack [dʒæk] = John
Jacob ['dʒeikəb] = James
Jacobina [ˌdʒeikəˈbiːnə] f Jacobina
Jacqueline ['dʒækliːn] f Jacquelina
Jake [dʒeik] = Jacob
James [dʒeimz] m Jakub
Jane [dʒein] f Janina
Janet ['dʒænit] f Janet
Janey, Janie ['dʒeini] = Jane
Jared ['dʒeirid] m Jared
Jean [dʒiːn] = Jane
Jedediah, Jedidiah [ˌdʒediˈdaiə] m Jedydiasz
Jeffrey ['dʒefri] = Geoffrey
Jemima [dʒiˈmaimə] f Jemima
Jen [dʒen] = Jane
Jenifer, Jennifer ['dʒenifə] f Jenifer
Jennie, Jenny ['dʒeni] = Jane
Jeremiah [ˌdʒeriˈmaiə] m Jeremiasz
Jeremias [ˌdʒeriˈmaiəs] = Jeremiah
Jeremy ['dʒerimi] = Jeremiah
Jerome ['dʒerəm] m Hieronim
Jerry ['dʒeri] = Jeremy, Gerard, Jerome
Jervis ['dʒəːvis] = Gervase
Jess [dʒes] = Janet
Jesse ['dʒesi] m Jesse

Jessica ['dʒesikə] f Jassica
Jessie ['dʒesi] = Janet
Jethro ['dʒeθrou] m Jethro
Jill [dʒil] = Juliana
Jillian ['dʒiljən] = Juliana
Jim [dʒim] = James
Jimmie ['dʒimi] = James
Joachim ['dʒouəkim] m Joachim
Joan [dʒoun] = Joanna
Joann [dʒou'æn] = Joanna
Joanna [dʒou'ænə] f Joanna
Jocelyn, Jocelin, Joceline ['dʒɔslin] m Jocelyn
Jock [dʒɔk] = John
Jodocus [dʒou'doukəs] m Jodok
Jodoca [dʒou'doukə] f Jodoka
Jo, Joe [dʒou] = Joseph, Josepha, Josephine
Joel ['dʒouəl] m Joel
Joey ['dʒoui] = Joseph
John [dʒɔn] m Jan
Johnnie ['dʒɔni] = John
Jonah ['dʒounə] = Jonas
Jonas ['dʒounəs] m Jonasz
Jonathan ['dʒɔnəθən] m Jonatan
Jos [dʒɔs] = Joseph
Joseph ['dʒouzif] m Józef
Josepha [dʒou'si:fə, dʒou'zefə] f Józefa
Josephine ['dʒouzi,fi:n] = Josepha
Josiah [dʒou'zaiə] m Joziasz
Josias [dʒou'zaiəs] = Josiah
Joy [dʒɔi] f Joy
Joyce [dʒɔis] = Jocelyn
Judith ['dʒu:diθ] f Judyta
Judy ['dʒu:di] = Judith
Jule [dʒu:l] = Julian
Julia ['dʒu:ljə] f Julia
Julian ['dʒu:ljən] m Julian
Juliana [,dʒu:li'a:nə] f Julia(nna)
Juliet ['dʒu:ljət] = Julia
June [dʒu:n] f June
Justina [dʒʌs'ti:nə] f Justyna
Justine ['dʒʌsti:n] = Justina
Justinian [dʒʌs'tiniən] m Justynian
Justus ['dʒʌstəs] m Justyn

Karen ['ka:rən] = Catherine
Kate [keit] = Catherine
Katherine ['kæθərin] = Catherine
Kathleen ['kæθli:n] = Catherine
Keith [ki:θ] m Keith
Kenelm ['kenelm] m Kenelm
Kenneth ['keniθ] m Kenneth
Kester ['kestə] = Christopher
Keziah [ki'zaiə] f Keziah
Kirsteen [kə:s'ti:n] = Christian
Kirsty ['kə:sti] = Christian
Kit [kit] = Christopher, Catherine
Kitty ['kiti] = Catherine

Lachlan ['læklən] m Lachlan
Lambert ['læmbət] m Lambert
Lance [la:ns] m Lance
Lancelot ['la:nslət] = Lance
Launcelot ['la:nslət] = Lance
Laura ['lɔ:rə] f Laura
Laurence ['lɔ:rəns] m Wawrzyniec
Larry ['læri] = Laurence
Lavinia [lə'viniə] f Lawinia

Lawrence ['lɔ:rəns] = Laurence
Lazarus ['læzərəs] m Łazarz
Leander [li'ændə] m Leander
Leila ['li:lə] f Leila
Lemuel ['lemjuəl] m Lemuel
Lena ['li:nə] = Helena, Magdalen
Leo ['liou] m Leon
Leonard ['lenəd] m Leonard
Leonora [liə'nɔ:rə] = Eleanor
Leopold ['liə,pould] m Leopold
Leslie, Lesley ['lezli] m f Leslie
Letitia, Laetitia [li'tiʃiə] f Letycja
Lettice ['letis] = Letitia
Lettie, Letty ['leti] = Letitia
Lew [lu:] = Lewis
Lewie ['lui] = Lewis
Lewis ['luis] m Ludwik
Liam ['li:əm] = William
Lily ['lili] f Lilia
Lil(l)ian ['liljən] f Lilianna
Linda ['lində] f Linda
Lionel ['laiənl] m Lionel
Lisa, Liza ['li:zə] = Elizabeth
Liz [liz] = Elizabeth
Lizzie ['lizi] = Elizabeth
Llewelyn [lu'elin] m Llewelyn
Lloyd [lɔid] m Lloyd
Lodowick ['lɔdəwik] = Lewis
Lois ['louis] f Lois
Lorenzo [lɔ'renzou] = Laurence
Lorinda [lɔ'rində] = Laura
Lorna ['lɔ:nə] f Lorna
Lottie ['lɔti] = Caroline
Louis ['luis] = Lewis
Louisa [lu'i:zə] f Ludwika
Louise [lu'i:z] = Louisa
Lucas ['lu:kəs] m Łukasz
Luke [lu:k] = Lucas
Luther ['lu:θə] m Luter
Lydia ['lidiə] f Lidia

Mabel ['meibəl] = Amabel
Madge [mædʒ] = Margaret
Madoc ['mædək] m Madoc
Mag [mæg] = Margaret
Magdalen ['mægdəlin] f Magdalena
Magdalene ['mægdə,li:n] = Magdalen
Maggie ['mægi] = Margaret
Magnus ['mægnəs] m Magnus
Maida ['meidə] f Maida
Maisie ['meizi] = Margaret
Malachi ['mælə,kai] m Malachiasz
Malcolm ['mælkəm] m Malcolm
Malise ['mælis] m Malise
Mamie ['meimi] = am Margaret, Mary
Manuel ['mænjuəl] = Emmanuel
Marcus ['ma:kəs] = Mark
Margaret ['ma:gərit] f Małgorzata
Maria [mə'raiə] = Mary
Marian ['meəriən] f Marianna
Marianne [,meəri'æn] = Marian
Marigold ['mæri,gould] f Marigold
Marina [mə'ri:nə] f Maryna, Marina
Marion ['meəriən] = Marian
Marjory ['ma:dʒəri] = Margaret
Mark [ma:k] m Marek
Marmaduke ['ma:mə,dju:k] m Marmaduke

Martha ['mɑ:θə] f Marta
Martin ['mɑ:tin] m Marcin
Mary ['meəri] f Maria
Mat [mæt] = Martha, Mathilda, Matthew
Mathilda [mə'tildə] f Matylda
Matthew ['mæθju:] m Mateusz
Matty ['mæti] = Martha, Mathilda, Matthew
Maud, Maude [mɔ:d] = Mathilda, Magdalen
Maurice ['mɔris] m Maurycy
Mavis ['meivis] f Mavis
Max [mæks] = Maximilian
Maximilian [,mæksi'miljən] m Maksymilian
May [mei] f May
Meave [meiv] f Meave
Meg [meg] = Margaret
Melissa [me'lisə] f Melissa
Mercy ['mə:si] f Mercy
Meta ['mi:tə] = Margaret
Michael ['maikl] m Michał
Mick [mik] = Michael
Micky ['miki] = Michael
Mike [maik] = Michael
Mildred ['mildred] f Mildred
Miles ['mailz] m Miles
Millicent ['milisnt] f Millicent
Millie ['mili] = Mildred, Millicent, Emilia, Amelia
Mima ['maimə] = Jemima
Mina ['mi:nə] = Wilhelmina
Minna ['minə] f Minna
Minnie ['mini] = Minna, May, Wilhelmina
Mirabel ['mirə,bel] f Mirabel
Miranda [mi'rændə] f Miranda
Miriam ['miriəm] = Mary
Moira ['mɔiərə] f Moira
Molly ['mɔli] = Mary
Mona ['mounə] f Mona
Monica ['mɔnikə] f Monika
Montagu(e) ['mɔntə,gju:] m Montague
Monty ['mɔnti] = Montague
Morag ['mɔ:ræg] m Morag
Morgan ['mɔ:gən] m Morgan
Morgana [mɔ:'gɑ:nə] f Morgana
Morris ['mɔris] = Maurice
Mortimer ['mɔ:timə] m Mortimer
Moses ['mouziz] m Mojżesz
Moyna ['mɔinə] f Moyna
Mungo ['mʌngou] m Mungo
Murdo ['mə:dou] m Murdo
Muriel ['mjuəriəl] f Muriel
Myra ['mairə] f Myra
Myrtilla [mə:'tilə] = Myrtle
Myrtle ['mə:tl] f Myrtle
Mysie ['maizi] = Margaret

Nahum ['neihəm] m Nahum
Nan [næn] = Ann
Nance [næns] = Ann, Agnes
Nancie ['nænsi] = Ann, Agnes
Nanty ['nænti] = Anthony
Naomi [nei'oumi] f Naomi
Nat [næt] = Nathaniel, Nathan, Natalia
Natalia [nə'teiljə, nə'tɑ:ljə] f Natalia
Natalie ['nætəli] = Natalia
Nathan ['neiθən] m Natan
Nathaniel [nə'θænjəl] m Nataniel
Ned [ned] = Edward, Edgar, Edmund, Edwin

Neddie, Neddy ['nedi] = Edward, Edgar, Edmund, Edwin
Nehemiah [,ni:i'maiə] m Nehemiasz
Neil [neil] = Nigel
Nell [nel] = Helen, Ella, Eleanor
Nessa ['nesə] = Agnes
Nessie ['nesi] = Agnes
Nesta ['nestə] = Agnes
Netta ['netə] = Janet, Henrietta
Neville ['nevil] m Nevil
Nichol ['nikəl] = Nicholas
Nicholas ['nikələs] m Mikołaj
Nick [nik] = Nicholas
Nicodemus [,nikə'di:məs] m Nikodem
Nicola ['nikələ] f Michalina
Nicolas ['nikələs] = Nicholas
Nigel ['naidʒəl] m Nigel
Nina ['ni:nə, 'nainə] = Ann
Ninian ['ninjən] m Ninian
Nita ['ni:tə] = Jane
Noah ['nouə] m Noe
Noel ['nouel] m f Noel
Noll [nɔl] = Olivia
Nora ['nɔ:rə] f Nora
Noreen [nɔ'ri:n] = Nora
Norman ['nɔ:mən] m Norman
Norna ['nɔ:nə] f Norna

Obadiah [,oubə'daiə] m Obediasz
Octavia [ɔk'teivjə] f Oktawia
Octavius [ɔk'teivjəs] m Oktawiusz
Octavus [ɔk'teivəs] = Octavius
Odette [ou'det] = Ottilia
Odo ['oudou] = Otto
Olaf ['ouləf] m Olaf
Olga ['ɔlgə] f Olga
Oliver ['ɔlivə] m Oliver
Olivia [ɔ'liviə] f Oliwia
Olympia [ou'limpiə] f Olimpia
Ophelia [ɔ'fi:ljə] f Ofelia
Osbert ['ɔzbə:t] m Osbert
Oscar ['ɔskə] m Oskar
Osmond, Osmund ['ɔzmənd] m Osmund
Osric ['ɔzrik] m Osric
Oswald ['ɔzwəld] m Oswald
Oswin ['ɔzwin] m Oswin
Ottilia [ɔ'tiljə] f Otylia
Otto ['ɔtou] m Otton
Owen ['ouin] m Owen

Paddy ['pædi] = Patrick, Patricia
Pamela ['pæmilə] f Pamela
Parnel ['pɑ:nəl] = Petronella
Pat [pæt] = Patrick, Patricia, Martha
Patience ['peiʃəns] f Patience
Patricia [pə'triʃə] f Patrycja
Patrick ['pætrik] m Patrycy
Patty ['pæti] = Martha, Patience
Paul [pɔ:l] m Paweł
Paula ['pɔ:lə] f Paulina
Paulina ['pɔ:linə] = Paula
Pauline [pɔ:'li:n] = Paula
Pearl [pə:l] f Pearl
Peg [peg] = Margaret
Peggy ['pegi] = Margaret
Pen [pen] = Penelope
Penelope [pi'neləpi] f Penelopa

Pepe [pi:p] = Joseph
Pepito [pi'pi:tou] = Joseph
Perceval, Percival ['pə:sivəl] m Persiwal
Percy ['pə:si] m Percy
Perdita ['pə:ditə] f Perdita
Peregrine ['perigrin] m Peregryn
Perkin ['pə:kin] = Peter
Pernel ['pə:nəl] = Petronella
Persis ['pə:sis] f Persyda
Peter ['pi:tə] m Piotr
Peterkin ['pi:təkin] = Peter
Petronella [,petrə'nelə] f Petronela
Petronilla [,petrə'nilə] = Petronella
Phelim ['fi:lim] m Phelim
Phil [fil] = Philip
Philemon [fi'li:mɔn] m Filemon
Philip ['filip] m Filip
Philippa [fi'lipə] f Filipa
Phillida ['filidə] = Phillis
Phillis ['filis] f Filys
Phineas, Phinehas ['fini,æs] m Fineasz
Phoebe ['fi:bi] f Febe
Piers [piəz] = Peter
Polly ['pɔli] = Mary
Primrose ['primrouz] f Primrose
Priscilla [pri'silə] f Pryscyliana, Priscilla
Prudence ['pru:dəns] f Prudencja
Prudy ['pru:di] = Prudence
Prue [pru:] = Prudence

Queenie ['kwi:ni] f Queenie
Quentin ['kwentin] = Quintin
Quintin ['kwintin] m Kwintyn

Rachael, Rachel ['reitʃəl] f Rachela
Ralph [rælf] m Ralf
Ranald ['rænəld] = Reginald
Randal ['rændl] = Randolph
Randolph ['rændɔlf] m Randolf
Raoul [rə'u:l] = Ralph
Raphael ['reifl] m Rafael
Rasmus ['ræzməs] = Erasmus
Rastus ['ræstəs] = Erastus
Ray[1] [rei] f Ray
Ray[2] [rei] = Rachel, Raymond
Raymond, Raymund ['reimənd] m Rajmund
Rayner ['reinə] m Rayner
Rebecca [ri'bekə] f Rebeka
Reginald ['redʒinəld] m Reginald
Renata [rə'na:tə] f Renata
René [rə'nei] m Rene
Renée [rə'nei] = Renata
Reuben ['ru:bən] m Ruben
Rex [reks] m Rex
Reynold ['reinould] = Reginald
Rhoda ['roudə] f Rhoda
Rhys [ri:s] m Rhys
Ricarda [ri'ka:də] f Ryszarda
Richard ['ritʃəd] m Ryszard
Richie ['ritʃi] = Richard
Rick [rik] = Richard
Ringan ['riŋgən] = Ninian
Rita ['ri:tə] = Margaret
Rob [rɔb] = Robert
Robbie ['rɔbi] = Robert
Robert ['rɔbət] m Robert
Roberta [rou'bə:tə] f Roberta

Roddy ['rɔdi] = Roderick
Roderick ['rɔdərik] m Roderyk
Rodge [rɔdʒ] = Roger
Rodney ['rɔdni] m f Rodney
Rodolph ['rɔdɔlf] = Rudolph
Roger ['rɔdʒə] m Roger
Roland ['roulənd] m Roland
Rolf [rɔlf] m Rudolf
Ronald ['rɔnəld] = Reginald
Rory ['rɔ:ri] m Rory
Rosa ['rouzə] = Rose
Rosabel ['rouzə,bel] = Rosabella
Rosabella [,rouzə'belə] f Rozabella
Rosalia [rou'zeiliə] = Rosalie
Rosalie ['rouzəli, 'rɔzəli] f Rozalia
Rosalind ['rouzəlind] f Rozalinda
Rosaline [,rouzə'li:n] = Rosalind
Rosamond, Rosamund ['rouzəmənd] f Rozamunda
Rose [rouz] f Róża
Rosemary ['rouzməri] f Róża Maria
Rowena [rou'i:nə] f Rowena
Roy [rɔi] m Roy
Rubina [ru:'bi:nə] = Ruby
Ruby ['ru:bi] f Rubina
Rudolf, Rudolph ['ru:dɔlf] m Rudolf
Rufus ['ru:fəs] m Rufus
Rupert ['ru:pət] m Rupert
Ruth [ru:θ] f Ruta

Sadie ['seidi] = Sara, Sarah
Sal [sæl] = Sara, Sarah
Sally ['sæli] = Sara, Sarah
Salome [sə'loumi] f Salome
Sam [sæm] = Samuel
Sammy ['sæmi] = Samuel
Samson, Sampson ['sæmsən] m Samson
Samuel ['sæmjuəl] m Samuel
Sancho ['sæntʃou] m Sancho
Sandy ['sændi] = Alexander
Sara, Sarah ['særə] f Sara
Saul [sɔ:l] m Saul
Seamas, Seamus ['ʃeiməs] = James
Sean [ʃɔ:n] = John
Sebastian [si'bæstjən] m Sebastjan
Secundus [si'kʌndəs] m Sekundus
Selina [si'li:nə] f Selina
Septimus ['septiməs] m Septimiusz
Seth [seθ] = Set
Sextus ['sekstəs] m Sekstus
Shamus ['ʃeiməs] = James
Shane [ʃein] = Sean
Sheila ['ʃi:lə] = Celia, Cecilia
Shirley ['ʃə:li] f Shirley
Sholto ['ʃɔltou] m Sholto
Sib [sib] = Sibyl, Sybil
Sibyl ['sibil] f Sibilla
Sidney ['sidni] m f Sidney
Siegfried ['si:gfri:d] m Zygfryd
Sigismund ['sigismənd] m Zygmunt
Silas ['sailəs] m Silas
Silvanus [sil'veinəs] m Sylwan
Silvester [sil'vestə] m Sylwester
Silvia ['silviə] f Sylwia
Silvius ['silviəs] m Sylwiusz
Sim [sim] = Simon
Simeon ['simiən] = Simon
Simmy ['simi] = Simon

Simon ['saimən] *m* Szymon
Sol [sɔl] = Solomon
Solly ['sɔli] = Solomon
Solomon ['sɔləmən] *m* Salomon
Sophia [sə'faiə] *f* Zofia
Sophie, Sophy ['soufi] = Sophia
Sophronia [sə'frouniə] *f* Sofronia
Stanislas ['stænis,læs] = Stanislaus
Stanislaus ['stænis,lɔ:s] *m* Stanisław
Steeve [sti:v] = Stephen
Steevie ['sti:vi] = Stephen
Stella ['stelə] *f* Stella
Stephana ['stefənə] *f* Stefania
Stephen ['sti:vən] *m* Stefan
Sue [su:] = Susan
Susan ['su:zn] *f* Zuzanna
Susanna(h) [su:'zænə] = Susan
Susie, Susy ['su:zi] = Susan
Sybil ['sibil] = Sibyl
Sydney ['sidni] = Sidney
Sylvester [sil'vestə] = Silvester
Sylvia ['silviə] = Silvia

Tabitha ['tæbiθə] *f* Tabita
Taffy ['tæfi] = David
Talbot ['tælbət] *m* Talbot
Terence ['terəns] *m* Terencjusz
Teresa [tə'ri:zə] *f* Teresa
Terry ['teri] = Terence, Teresa
Tessa ['tesə] = Teresa
Thaddaeus, Thaddeus ['θædiəs] *m* Tadeusz
Thaddy ['θædi] = Thaddaeus
Thecla ['θeklə] *f* Tekla
Thelma ['θelmə] *f* Telma
Theobald ['θiə,bɔ:ld] *m* Teobald
Theoderic, Theodorie [θi'ɔdərik] *m* Teodoryk
Theodora [θiə'dɔ:rə] *f* Teodora
Theodore ['θiə,dɔ:] *m* Teodor
Theodosia [θiə'dousiə] *f* Teodozja
Theodosius [θiə'dousiəs] *m* Teodozjusz
Theophilus [θi'ɔfiləs] *m* Teofil
Theresa [ti'ri:zə] = Teresa
Thomas ['tɔməs] *m* Tomasz
Thorold ['θɔrəld] *m* Torold
Tib [tib] = Isabella
Tibbie ['tibi] = Isabella
Tilly ['tili] = Matilda
Tim [tim] = Timothy
Timothy ['timəθi] *m* Tymoteusz
Titus ['taitəs] *m* Tytus
Tobias [tə'baiəs] *m* Tobiasz
Toby ['toubi] = Tobias
Tom [tɔm] = Thomas
Tony ['touni] = Anthony
Tracy ['treisi] *m f* Tracy
Tristan ['tristən] *m* Trystan
Tristram, Tristrem ['tristrəm] *m* Trystram
Trixy ['triksi] = Beatrice
Turlough ['tə:lou] *m* Turlough
Tybalt ['tibəlt] = Theobald

Uchtred ['ju:trid] *m* Uchtred
Ulick ['ju:lik] *m* Ulick
Ulric ['ulrik] *m* Ulrych
Ulrica ['ʌlrikə] *f* Ulryka
Ulysses [ju'lisi:z] *m* Ulisses
Una ['ju:nə] *f* Una
Urban ['ə:bən] *m* Urban
Uriah [ju'raiə] *m* Uriasz
Ursula ['ə:sələ] *f* Urszula

Valentine ['vælən,tain] *m* Walenty
Valeria [və'liəriə] *f* Waleria
Valerian [və'liəriən] *m* Walerian
Vanessa [və'nesə] *f* Wanessa
Venetia [vi'ni:ʃə] *f* Wenecja
Vera ['viərə] *f* Wera
Vere [viə] *m f* Were
Veronica [vi'rɔnikə] *f* Weronika
Vesta ['vestə] *f* Westa
Victor ['viktə] *m* Wiktor
Victoria [vik'tɔ:riə] *f* Wiktoria
Vida ['vi:də] *f* Wida
Vincent ['vinsənt] *m* Wincenty
Viola ['vaiələ] *f* Wiola
Violet ['vaiəlit] = Viola
Virginia [və'dʒinjə] *f* Wirginia
Vivian ['viviən] *m* Wiwian
Vivien ['viviən] *f* Wiwien

Walt [wɔ:lt] = Walter
Walter ['wɔ:ltə] *m* Walter
Wat [wɔt] = Walter
Watty ['wɔti] = Walter
Wendy ['wendi] *f* Wendy
Wilfred, Wilfrid ['wilfrid] *m* Wilfryd
Wilhelmina [,wilheł'mi:nə] *f* Wilhelmina
Will [wil] = William
William ['wiljəm] *m* Wilhelm
Willie ['wili] = William
Wilmett, Wilmot ['wilmət] = Wilhelmina
Win [win] = Winifred
Winifred ['wini,fred] *f* Winifred
Winnie ['wini] = Winifred
Winston ['winstən] *m* Winston

Xavier ['zæviə] *m* Ksawery

Yve, Yves [i:v] = Ivo
Yvette [i'vet] = Yvonne
Yvonne [i'vɔn] *f* Iwona

Zach [zæk] = Zachariah
Zachariah [,zækə'raiə] *m* Zachariasz
Zachary ['zækəri] = Zachariah
Zacheriah [,zækə'raiə] = Zachariah
Zack [zæk] = Zachariah
Zedekiah [,zedi'kaiə] *m* Zedekiasz
Zenobia [zi'noubiə] *f* Zenobia
Zoe ['zoui] *f* Zoe

A LIST OF FAMOUS NAMES AND OF WELL-KNOWN CHARACTERS IN LITERATURE

SPIS CZĘSTO SPOTYKANYCH NAZWISK SŁAWNYCH ANGLIKÓW I AMERYKANÓW ORAZ POSTACI LITERACKICH

Abercrombie [ˈæbəˌkrʌmbi]
Acheson [ˈætʃisn]
Adam [ˈædəm]
Addison [ˈædisn]
Aguecheek [ˈeigjuˌtʃiːk]
Ainsworth [ˈeinzwəθ]
Alcott [ˈɔːlkət]
Alice [ˈælis]
Andrews [ˈændruːz]
Antonio [ænˈtouniˌou]
Arbuthnot [aːˈbʌθnət]
Ariel [ˈɛəriəl]
Arnold [ˈaːnld]
Armstrong [ˈaːmstrɔŋ]
Asquith [ˈæskwiθ]
Astor [ˈæstə]
Atkins [ˈætkinz]
Attlee [ˈætli]
Aubry [ˈɔːbri]
Audrey [ˈɔːdri]

Babington [ˈbæbiŋtən]
Bacon [ˈbeikən]
Baden-Powell [ˈbeidnˈpouel]
Bagehot [ˈbædʒət]
Bailey [ˈbeili]
Baldwin [ˈbɔːldwin]
Balfour [ˈbælfuə]
Banquo [ˈbæŋkwou]
Barclay [ˈbaːkli]
Barcley [ˈbaːkli]
Bardolph [ˈbaːdəlf]
Barnes [baːnz]
Barret [ˈbærət]
Baskerville [ˈbæskəvil]
Bassanio [bəˈsaːniˌou]
Bates [beits]
Battenberg [ˈbætnbəːg]
Beaconsfield [ˈbiːkənzfiːld]
Beauchamp [ˈbiːtʃəm]
Beatrice [ˈbiətris]
Beaverbrook [ˈbiːvəˌbruk]
Becket [ˈbekit]
Bede [biːd]
Beecham [ˈbiːtʃəm]
Beecher-Stowe [ˈbiːtʃəˌstou]
Beerbohm [ˈbiəboum]
Belch [beltʃ]
Bellamy [ˈbeləmi]
Benedick [ˈbenidik]
Bennet [ˈbenit]
Bentham [ˈbentəm]
Berkeley [ˈbaːkli]
Besant [ˈbezənt]
Bevan [ˈbevən]

Beveridge [ˈbevəridʒ]
Bevin [ˈbevin]
Blake [bleik]
Boleyn [ˈbulin]
Booth [buːð]
Borrow [ˈbɔrou]
Bottom [ˈbɔtəm]
Bottomley [ˈbɔtəmli]
Bowles [boulz]
Bradshaw [ˈbrædʃɔː]
Bradwardine [ˈbrædwəˌdiːn]
Bromley [ˈbrɔmli]
Brontë [ˈbrɔnti]
Brooke [bruk]
Brown [braun]
Browning [ˈbrauniŋ]
Bruce [bruːs]
Bryan [ˈbraiən]
Bryce [brais]
Buchan [ˈbʌkən]
Buchanan [bjuˈkænən]
Buck [bʌk]
Buckingham [ˈbʌkiŋəm]
Bulwer [ˈbulwə]
Bunyan [ˈbʌnjən]
Burke [bəːk]
Burne-Jones [bəːnˈdʒounz]
Burns [bəːnz]
Burton [ˈbəːtn]
Butler [ˈbʌtlə]
Byrd [bəːd]
Byrnes [bəːnz]
Byron [ˈbaiərən]
Bysshe [biʃ]

Cadogan [kəˈdʌgən]
Caedmon [ˈkædmən]
Cain [kein]
Caldwell [ˈkɔːldwəl]
Camden [ˈkæmdən]
Campbell [ˈkæmbl]
Candida [ˈkændidə]
Canning [ˈkæniŋ]
Carlisle [ˈkaːlail]
Carlyle [ˈkaːlail]
Carmichael [kaːˈmaikl]
Carnegie [kaːˈnegi]
Carr [kaː]
Carroll [ˈkærəl]
Carson [ˈkaːsn]
Casaubon [kəˈsɔːbən]
Casement [ˈkeismənt]
Cassio [ˈkæsiˌou]
Castlereagh [ˈkaːslˌrei]
Cavendish [ˈkævəndiʃ]

Cedric [ˈsiːdrik, ˈsedrik]
Chamberlain [ˈtʃeimbəlin]
Chatham [ˈtʃætəm]
Chaucer [ˈtʃɔːsə]
Chelmsford [ˈtʃelmsfəd]
Chesterfield [ˈtʃestəˌfiːld]
Chesterton [ˈtʃestətn]
Chippendale [ˈtʃipənˌdeil]
Christie [ˈkristi]
Churchill [ˈtʃəːtʃil]
Chuzzlewit [ˈtʃʌzlwit]
Clarendon [ˈklærəndən]
Claudius [ˈklɔːdjəs]
Clay [klei]
Cleveland [ˈkliːvlənd]
Clifford [ˈklifəd]
Clive [klaiv]
Cochrane [ˈkɔkrin]
Coleridge [ˈkoulridʒ]
Compton [ˈkɔmtən]
Congreve [ˈkɔŋgriːv]
Connaught [ˈkɔnɔːt]
Conrad [ˈkɔnræd]
Constable [ˈkʌnstəbl]
Conway [ˈkɔnwei]
Cook [kuk]
Cooper [ˈkuːpə]
Copperfield [ˈkɔpəˌfiːld]
Cowper [ˈkaupə]
Cowper poeta [ˈkuːpə]
Crashaw [ˈkræʃɔː]
Crawford [ˈkrɔːfəd]
Cromwell [ˈkrɔmwəl]
Cronin [ˈkrounin]
Crusoe [ˈkruːsou]
Cunard [ˈkjuːnaːd]
Curwood [ˈkəːwud]
Curzon [ˈkəːzn]
Cymbeline [ˈsimbiˌliːn]

Dalton [ˈdɔːltən]
Darlington [ˈdaːliŋtən]
Darnley [ˈdaːnli]
Darwin [ˈdaːwin]
Davies [ˈdeivis]
Davy [ˈdeivi]
Dawes [dɔːz]
Defoe [dəˈfou]
De la Mare [ˌdeləˈmɛə]
De Quincey [dəˈkwinsi]
de Valera [dəˌvəˈlɛərə]
Dewey [ˈdjuːi]
Dickens [ˈdikinz]
Disraeli [dizˈreili]
Dombey [ˈdɔmbi]

Donovan ['dɔnəvən]
Doolittle ['du:litl]
Dos Passos [dɔs'pæsəs]
Douglas ['dʌgləs]
Dowden ['daudn]
Dowson ['dausn]
Doyle [dɔil]
Drake [dreik]
Dreiser ['draizə, 'draisə]
Dromio ['droumi,ou]
Dryden ['draidn]
Dulles ['dʌlis]
Dunbar [dʌn'ba:]
Dunlop ['dʌnlɔp]
Durham ['dʌrəm]
Durward ['də:wəd]

Eden ['i:dn]
Edgar ['edgə]
Edison ['edisn]
Egeus [i:'dʒi:əs]
Eglantine ['eglən,tain]
Eisenhower ['aizən,hauə]
Elgar ['elgə]
Eliot ['eljət]
Elliot ['eljət]
Emerson ['eməsn]
Emilia [i'miliə]
Erskine ['ə:skin]
Etheredge ['eθəridʒ]
Evans ['evənz]
Eyre [ɛə]

Fahrenheit ['færən,hait]
Fagin ['feigin]
Falstaff ['fɔ:lsta:f]
Faraday ['færədi]
Fast [fɑ:st, am fæst]
Faulkner ['fɔ:knə]
Fawcett ['fɔ:sit]
Fawkes [fɔ:ks]
Fielding ['fi:ldiŋ]
Fletcher ['fletʃə]
Flibbertigibbet ['flibəti'dʒibit]
Florizel ['flɔrizel]
Forster ['fɔ:stə]
Forsyte ['fɔ:sait]
Franklin ['fræŋklin]
Fraser ['freizə]
Frazer ['freizə]
Freeman ['fri:mən]
Friar Tuck ['fraiə'tʌk]
Froude [fru:d]
Fuller ['fulə]

Gainsborough ['geinzbərə]
Galsworthy ['gɔ:lzwə:ði]
Gardiner ['ga:dnə]
Gardner ['ga:dnə]
Garrick ['gærik]
Gaskell ['gæskəl]
Gershwin ['gə:ʃwin]
Gibbon ['gibən]
Gibbs [gibz]
Gissing ['gisiŋ]
Gladstone ['glædstoun]
Gloucester ['glɔstə]

Gobbo ['gɔbou]
Goldsmith ['gouldsmiθ]
Goneril ['gɔnəril]
Gooch [gu:tʃ]
Gordon ['gɔ:dn]
Gower ['gauə]
Graham ['greiəm]
Gratiano [,gra:ʃi'a:nou]
Graves [greivz]
Gray [grei]
Green [gri:n]
Greene [gri:n]
Greig [greg]
Gresham ['greʃəm]
Gulliver ['gʌlivə]

Haig [heig]
Hakluyt ['hæklu:t]
Haldane ['hɔ:ldein]
Halifax ['hæli,fæks]
Hamlet ['hæmlit]
Harding ['ha:diŋ]
Hardy ['ha:di]
Harlow ['ha:lou]
Harlowe ['ha:lou]
Harriman ['hæ:rimən]
Harvey ['ha:vi]
Hastings ['heistiŋz]
Hawthorne ['hɔ:θɔ:n]
Hazlitt ['hæzlit]
Hearn [hə:n]
Hearne [hə:n]
Hemans ['hemənz]
Hemingway ['hemiŋwei]
Heywood ['heiwud]
Hiawatha [,haiə'wɔ:θə]
Higgins ['higinz]
Hobbes [hɔbz]
Hodgson ['hɔdʒsn]
Hogarth ['houga:θ]
Holmes [houmz]
Hood [hud]
Hoover ['hu:və]
Horatio [hɔ'reiʃiou]
Housman ['hausmən]
Houston ['hu:stən]
Hove [houv]
Howe [hau]
Howells ['hauəlz]
Huckleberry ['hʌklbəri]
Hudibras ['hju:di,bræs]
Hughes [hju:z]
Hume [hju:m]
Hutchinson ['hʌtʃinsn]
Huxley ['hʌksli]
Hyde [haid]
Hyndman ['haindmən]

Iachimo [i'æki,mou]
Iago [i'a:gou]
Imogen ['imoudʒən]
Irvine ['ə:vin]
Irving ['ə:viŋ]
Ivanhoe ['aivən,hou]

Jackson ['dʒæksən]
Jameson ['dʒeimsən]

Jaques ['dʒeikwiz]
Jefferson ['dʒefəsn]
Jekyll ['dʒi:kil]
Jerome [dʒə'roum]
Jessica ['dʒesikə]
Johnson ['dʒɔnsn]
Jonson ['dʒɔnsn]
Jones [dʒounz]
Joyce [dʒɔis]
Juliet ['dʒu:ljət]

Katharina [,kæθə'ri:nə]
Kaye-Smith [kei'smiθ]
Kean [ki:n]
Keats [ki:ts]
Keith [ki:θ]
Kennedy ['kenədi]
Kerr [kə:]
Keynes [keinz]
Kim [kim]
Kinglake ['kiŋleik]
Kingsley ['kiŋzli]
Kipling ['kipliŋ]
Kitchener ['kitʃinə]
Knox [nɔks]

Laertes [lei'ə:ti:z]
Lamb [læm]
Landor ['lændɔ:]
Langland ['læŋlənd]
Lawrance ['lɔrəns]
Lawrence ['lɔrəns]
Lear [liə]
Leigh [li:]
Lewes ['lu:is]
Lewis ['lu:is]
Ley [li:]
Lincoln ['liŋkən]
Lindsay ['linzi]
Lionel ['laiənl]
Livesey ['laivzi]
Livingstone ['liviŋstən]
Lloyd [lɔid]
Lloyd George ['lɔid'dʒɔ:dʒ]
Locke [lɔk]
London ['lʌndən]
Longfellow ['lɔŋ,felou]
Lonsdale ['lɔnzdeil]
Lorenzo ['lɔren,zou]
Lothian ['louðiən]
Loughton ['lautn]
Lovelace ['lʌvleis]
Lowe [lou]
Lowell ['louəl]
Lubbock ['lʌbək]
Lyall ['laiəl]
Lyell ['laiəl]
Lyly ['lili]
Lyons ['laiənz]
Lysander [lai'sændə]
Lyttleton ['litltən]
Lytton ['litn]

MacAdam [mək'ædəm]
MacArthur [mək'a:θə]
Macaulay [mə'kɔ:li]
Macbeth [mək'beθ]

MacCallum [mək'kæləm]
MacCarthy [mək'ka:θi]
Mac Donald, Macdonald [mək'dɔnəld]
MacDuff [mək'dʌf]
Mackenzie [mə'kenzi]
Mackintosh ['mækin,tɔʃ]
Maclaren [mək'lærən]
MacLaughlin [mək'lɔklin]
Maclean [mə'klein]
Macleod [mə'klaud]
Macmahon [mək'ma:ən]
Macmillan [mək'milən]
Macpherson [mək'fə:sn]
Madison ['mædisn]
Makepeace ['meikpi:s]
Malcolm ['mælkəm]
Malthus ['mælθəs]
Malvolio [mæl'vouljou]
Mandeville ['mændəvil]
Mansfield ['mænsfi:ld]
Mark Antony [ma:k'æntəni]
Marlborough ['ma:lbərə]
Marlowe ['ma:lou]
Marryat ['mæriət]
Marshall ['ma:ʃl]
Masefield ['meisfi:ld]
Mason ['meisn]
Mathews ['mæθju:z]
Matthews ['mæθju:z]
Maugham [mɔ:m]
Maurice ['mɔris]
Mayhew ['meihju:]
Mencken ['menkən]
Menuhin ['menjuin]
Mercutio [mə:'kju:ʃjou]
Meredith ['merədiθ]
Merton ['mə:tn]
Metcalfe ['metka:f]
Meynell ['meinl]
Micawber [mi'kɔ:bə]
Milford ['milfəd]
Millais ['milei]
Milnes [milnz]
Milton ['miltən]
Mitchell ['mitʃəl]
Monmouth ['mɔnməθ]
Monroe [mən'rou]
Montague ['mɔntə,gju:]
Montgomery [mənt'gʌməri]
Moore [muə]
More [mɔ:]
Morris ['mɔris]
Morse [mɔ:s]
Mortimer ['mɔ:timə]
Morton ['mɔ:tn]
Mowatt ['mauət]
Mowbray ['moubrei]
Mulgrave ['mʌlgreiv]
Munro [mʌn'rou]
Murchison ['mə:tʃisn]
Murdstone ['mə:dstən]
Murphy ['mə:fi]

Napier ['neipiə]
Nash [næʃ]
Nashe [næʃ]

Neill [ni:l]
Nelson ['nelsn]
Nevil ['nevil]
Neville ['nevil]
Newman ['nju:mən]
Newton ['nju:tn]
Nichols ['nikɔlz]
Nicholson ['nikəlsn]
Nickleby ['niklbi]
Norris ['nɔris]
Northcliffe ['nɔ:θklif]
Norton ['nɔ:tn]

Oates [outs]
Oberon ['oubərən]
O'Brien [ou'braiən]
O'Byrne [ou'bə:n]
O'Casey [ou'keisi]
O'Connel [ou'kɔnl]
O'Connor [ou'kɔnə]
O'Doherty [ou'douəti]
O'Donnel [ou'dɔnl]
O'Dwyer [ou'dwaiə]
O'Flaherty [ou'flɛəti]
Ogilvie ['ougilvi]
O'Grady [ou'greidi]
O'Hara [ou'ha:rə]
O'Kelly [ou'keli]
Olivia [ɔ'liviə]
Olivier [ɔ'liviə]
O'Neal [ou'ni:l]
O'Neill [ou'ni:l]
Ophelia [ɔ'fi:ljə]
Orczy ['ɔ:ksi]
Orlando [ɔ:'lændou]
O'Rourke [ou'rɔ:k]
Osborne ['ɔzbən]
O'Shea [ou'ʃei]
O'Sullivan [ou'sʌlivən]
Othello [ou'θelou]
Owen ['ouin]

Page [peidʒ]
Pain [pein]
Paine [pein]
Palmer ['pa:mə]
Palmerston ['pa:məstən]
Pan [pæn]
Parker ['pa:kə]
Parnell [pa:'nel]
Pater ['peitə]
Paterson ['pætəsn]
Peabody ['pi:,bodi]
Pears [piəz]
Pearson ['piəsn]
Peel [pi:l]
Peele [pi:l]
Peggotty ['pegəti]
Pelham ['peləm]
Pendennis [pen'denis]
Pepys [pi:ps]
Percy ['pə:si]
Perdita ['pə:ditə]
Perkins ['pə:kinz]
Petruchio [pi'tru:ki,ou]
Philips ['filips]
Phillipps ['filips]

Pickwick ['pikwik]
Pierson ['piəsn]
Pinero [pi'niə,rou]
Pinkerton ['piŋkətn]
Pitman ['pitmən]
Pitt [pit]
Plummer ['plʌmə]
Poe [pou]
Pollitt ['pɔlit]
Polonius [pə'lounjəs]
Ponsonby ['pɔnsnbi]
Poole [pu:l]
Pope [poup]
Portia ['pɔ:ʃə]
Porter ['pɔ:tə]
Powell ['pouel]
Powis ['pouis]
Powys ['pouis]
Priestley ['pri:stli]
Primrose ['primrouz]
Prospero ['prɔspə,rou]
Puck [pʌk]
Pullman ['pulmən]
Purcell ['pə:sl]
Putnam ['pʌtnəm]
Pygmalion [pig'meiljən]

Quickly ['kwikli]
Quiller-Couch ['kwilə'ku:tʃ]
Quince [kwins]
Quincey ['kwinsi]

Raeburn ['reibən]
Raglan ['ræglən]
Rale(i)gh ['rɔ:li]
Ramsay ['ræmzi]
Ratcliffe ['rætklif]
Rawlins ['rɔ:linz]
Reade [ri:d]
Reading ['rediŋ]
Regan ['ri:gən]
Remington ['remiŋtən]
Reuter ['rɔitə]
Reynolds ['renldz]
Rhodes [roudz]
Richardson ['ritʃədsn]
Rip Van Winkle ['ripvæn'wiŋkl]
Robertson ['robətsn]
Robinson ['robinsn]
Robsart ['robsa:t]
Rockefeller ['rɔki,felə]
Rolls-Royce ['roulz'rɔis]
Romeo ['roumi,ou]
Romney ['romni]
Roosevelt ['ru:svelt, am 'rouze
  velt]
Rosalind ['rozəlind]
Rosebery ['rouzbəri]
Rossetti [ro'seti]
Rothermere ['roðəmiə]
Routledge ['rautlidʒ]
Rowland ['roulənd]
Rudge [rʌdʒ]
Runciman ['rʌnsimən]
Rusk [rʌsk]
Ruskin ['rʌskin]
Russell ['rʌsl]

Rutherford ['rʌðəfəd]
Ryan ['raiən]

Sackville ['sækvil]
Salisbury ['sɔ:lzbəri]
Sampson ['sæmsn]
Sandburg ['sændbə:g]
Sanders ['sa:ndəz]
Sandwich ['sænwitʃ]
Sargent ['sa:dʒənt]
Sassoon [sə'su:n]
Saunders ['sɔ:ndəz]
Savage ['sævidʒ]
Sawyer ['sɔ:jə]
Scott [skɔt]
Scrooge [skru:dʒ]
Seeley ['si:li]
Selkirk ['selkə:k]
Seymour ['si:mɔ:]
Shackleton ['ʃækltn]
Shaftesbury ['ʃa:ftsbəri]
Shakespeare ['ʃeikspiə]
Shallow ['ʃælou]
Shandy ['ʃændi]
Shaw [ʃɔ:]
Shelley ['ʃeli]
Sheridan ['ʃeridn]
Sherlock ['ʃə:lɔk]
Sherwood ['ʃə:wud]
Shirley ['ʃə:li]
Shrewsbury ['ʃrouzbəri]
Shylock ['ʃailɔk]
Sidney ['sidni]
Silence ['sailəns]
Simpson ['simsn]
Sinclair ['siŋkleə]
Singer ['siŋə]
Sitwell ['sitwel]
Skeat [ski:t]
Smiles [smailz]
Smith [smiθ]
Smollett ['smɔlit]
Smuts [smʌts]
Snowden ['snoudn]
Soames [soumz]
Somerset ['sʌməsit]
Southey ['sauði, 'sʌði]
Spalding ['spɔ:ldiŋ]
Spencer ['spensə]
Spenser ['spensə]
Stanley ['stænli]
Steele [sti:l]
Steevens ['sti:vnz]
Steinbeck ['stainbek]
Steinway ['stainwei]
Stephenson ['sti:vnsn]

Sterne [stə:n]
Stevenson ['sti:vnsn]
Stewart ['stjuət]
Stirling ['stə:liŋ]
Stowe [stou]
Strachey ['streitʃi]
Stuart ['stjuət]
Sullivan ['sʌlivən]
Surrey ['sʌri]
Sutton ['sʌtn]
Swift [swift]
Swinburne ['swinbə:n]
Swinnerton ['swinətn]
Sykes [saiks]
Symonds ['saiməndz]
Synge [siŋ]

Taft [ta:ft, am tæft]
Talbot ['tɔ:lbət]
Tate [teit]
Taylor ['teilə]
Tennyson ['tenisn]
Tess [tes]
Thackeray ['θækəri]
Thisbe ['θizbi]
Thompson ['tɔmsn]
Thoreau ['θɔ:rou]
Thornton ['θɔ:ntən]
Thorpe [θɔ:p]
Tindale ['tindl]
Titania [ti'ta:njə]
Touchstone ['tʌtʃstoun]
Toynbee ['tɔinbi]
Tracy ['treisi]
Trelawney [tri'lɔ:ni]
Trevelyan [tri'veljən]
Troilus ['trouiləs]
Trollope ['trɔləp]
Truman ['tru:mən]
Tudor ['tju:də]
Tupman ['tʌpmən]
Turner ['tə:nə]
Twain [twein]
Twist [twist]
Tybalt ['tibəlt]
Tylor ['tailə]
Tyndale ['tindl]

Udall ['ju:dl]
Unwin ['ʌnwin]
Upton ['ʌptən]
Urquhart ['ə:kət]
Usher ['ʌʃə]

Valentine ['væləntin]
Vaughan [vɔ:n]
Vickers ['vikəz]

Viola ['vaiələ]
Volpone [vɔl'pouni]

Walker ['wɔ:kə]
Wallace ['wɔlis]
Walpole ['wɔ:lpoul]
Walton ['wɔ:ltən]
Ward [wɔ:d]
Warwick ['wɔrik]
Washington ['wɔʃiŋtən]
Watson ['wɔtsn]
Watt [wɔt]
Watts [wɔts]
Waugh [wɔ:]
Waverley ['weivəli]
Webster ['webstə]
Weller ['welə]
Wellesley ['welzli]
Wellington ['weliŋtən]
Wells [welz]
Wendy ['wendi]
Wesley ['wezli]
Wharton ['wɔ:tn]
Whistler ['wislə]
Whitaker ['witikə]
Whiteoak ['waitouk]
Whitman ['witmən]
Whittier ['witiə]
Wickliffe ['wiklif]
Wilberforce ['wilbə,fɔ:s]
Wilde [waild]
Wilder ['waildə]
Wilkes [wilks]
Williams ['wiljəmz]
Willoughby ['wiləbi]
Wilson ['wilsn]
Windermere ['windəmiə]
Winkle ['wiŋkl]
Winslow ['winzlou]
Wodehouse ['wudhaus]
Wollstonecraft ['wulstən,kra:ft]
Wolseley ['wulzli]
Wolsey ['wulzi]
Wordsworth ['wə:dzwəθ]
Wren [ren]
Wright [rait]
Wyatt ['waiət]
Wycherley ['witʃəli]
Wyclif, Wycliffe ['wiklif]

Yale [jeil]
Yate [jeit]
Yeats [jeits]
Yorick ['jɔrik]
Young [jʌŋ]

Zangwill ['zæŋgwil]

ENGLISH AND AMERICAN COMMON ABBREVIATIONS AND CONTRACTIONS
POWSZECHNIE STOSOWANE SKRÓTY ANGIELSKIE I AMERYKAŃSKIE

A = 1. **absolute temperature** *fiz* temperatura absolutna 2. **alto** *muz* alt 3. **anode** *elektr* anoda 4. **area** powierzchnia; pole przekroju 5. **argon** *chem* argon

A,Å = **Angström unit** *opt nukl* angstrem

A,a = **ampere** *elektr* amper

A1 *zob słownik pod* A

⧫a. = 1. **about** około; mniej więcej 2. **acre** *miern* akr 3. **active** aktywny, czynny 4. **are** *miern* ar 5. **attached** załączony, w załączeniu

⧫AA, A.A. = **anti-aircraft** *wojsk* przeciwlotniczy

AA, aa = **ana** *med* po, taka sama ilość (w recepturze)

A.A. = 1. **Architectural Association** Stowarzyszenie Architektów 2. **American Army** Armia Amerykańska 3. **Associate in Arts** członek Towarzystwa Sztuk Pięknych 4. **Automobile Association** Związek Automobilowy

a.a. = **always afloat** *mar* z zastrzeżeniem dostatecznej głębokości dla statku

a/a = **for account of** *ekon* na rachunek

AAA = **anti-aircraft artillery** *wojsk* artyleria przeciwlotnicza

⧫A.A.A. = 1. **amalgama** *metalurg* amalgamat, ortęć 2.**Amateur Athletic Association** Amatorski Związek Atletyczny 3. **American Automobile Association** Amerykański Związek Automobilowy 4. = AAA 5. **Australian Automobile Association** Australijski Związek Automobilowy

⧫A.A.A.A. = **Associated Actors and Artists of America** Stowarzyszenie Aktorów i Artystów Ameryki

A.A.A.F. = **Anglo-American Air Force** Angielsko-amerykańskie Siły Lotnicze

A.A.A.L., A.A.A.&L. = **American Academy of Arts and Letters** Amerykańska Akademia Sztuk i Literatury

⧫A.A.A.S. = **American Association for the Advancement of Science** Amerykańskie Stowarzyszenie Popierania Postępu Nauk

AAC = **automatic amplitude control** *elektr* automatyczna regulacja amplitudy

A.A.C. = **anno ante Christum** przed naszą erą (p.n.e.)

A.A.Def.Hq. = **Anti-Aircraft Defence Headquarters** Główna Kwatera Obrony Przeciwlotniczej

A.A.E. = **American Association of Engineers** Amerykańskie Stowarzyszenie Inżynierów

AAF = 1. **Army Airfield** *am* lotnisko wojskowe 2. **Army Air Force** *am* Wojskowe Siły Lotnicze 3. **Auxiliary Air Force** Pomocnicze Siły Lotnicze

A.A.F. = AAF 3.

AAFCE = **Allied Air Forces, Central Europe** Alianckie Siły Lotnicze w Europie Środkowej

AAFS = **American Ambulance and Field Service** Amerykańska Wojskowa Służba Medyczno-Sanitarna

AAFTC = **Army Air Force Training Centre** *am* Ośrodek Ćwiczebny Wojskowych Sił Lotniczych

AAG = **Assistant Adjutant-General** Naczelnik Działu Sztabu Generalnego

A.A.G. = **Association of American Geographers** Stowarzyszenie Geografów Amerykańskich

AAM = **air-to-air missile** *wojsk* pocisk (klasy) powietrze—powietrze

A Amb Serv = **Army Ambulance Service** Wojskowa Służba Sanitarno-Transportowa

AAMC = **Australian Army Medical Corps** Korpus Sanitarny Armii Australijskiej

A.A. of A. = **Automobile Association of America** Stowarzyszenie Automobilistów Ameryki

AAOP = **Anti-Aircraft Observation Post** *wojsk* Punkt Obserwacyjny Obrony Przeciwlotniczej

AAOR = **Anti-Aircraft Operation Room** *wojsk* Punkt Obrony Przeciwlotniczej

AAP = **Australian Associated Press** Australijska Zjednoczona Informacja Prasowa

A.A.R. = **Association of American Railroads** Stowarzyszenie Kolei Amerykańskich

A.A.R., a.a.r. = **Against all risks (marine insurance)** *handl* wszystkie ryzyka pokryte (ubezpieczenie morskie)

a & r. = **air and rail** *handl* samolotem i koleją

AAS = 1. **Anti-Aircraft Service** *wojsk* Obrona <Ochrona, Służba> Przeciwlotnicza 2. = A Amb Serv 3. **Auxiliary Ambulance Service** *wojsk* Pomocnicza Służba Sanitarno-Transportowa

A.A.S. = 1. **Academiae Americanae Socius** Członek Akademii Amerykańskiej 2. **American Academy of Arts and Sciences** Amerykańska Akademia Nauk Humanistycznych i Przyrodniczych 3. **American Astronomical Society** Amerykańskie Towarzystwo Astronomiczne 4. **Australian Academy of Science** Australijska Akademia Nauk

AASC = **Australian Army Service Corps** Australijski Korpus Sił Zbrojnych

AASW = **American Association of Scientific Workers** Amerykańskie Stowarzyszenie Pracowników Naukowych

AATCC, A.A.T.C.C. = **American Association of Textile Chemists and Colorists** Amerykańskie Towarzystwo Chemików i Farbiarzy Włókienniczych

AATM = **American Academy of Tropical Medicine** Amerykańska Akademia Medycyny Tropikalnej

A.A.U. = **Amateur Athletic Union** Amatorski Związek Atletyczny

AAUP, A.A.U.P. = **American Association of Uni-**

versity Professors Amerykańskie Stowarzyszenie Profesorów Uniwersyteckich

A Avn = **Army Aviation** *wojsk* Lotnicze Siły Zbrojne; Lotnictwo Wojskowe

AB = **Air Base** Baza Lotnicza

A.B. = 1. **able-bodied seaman** marynarz drugiej kategorii 2. **Baccalaureus Artium** *zob* **B.A.** 1.

Ab = **alabamine** *chem* alabam *zob* **At**

ab. = **a.** 1.

a.b. = **as before** jak wyżej

ABA = **American Bankers' Association** Amerykańskie Towarzystwo Bankierów

A.B.A. = **Amateur Boxing Association** Amatorski Związek Bokserski

abbr., abbrev. = 1. **abbreviated** skrócony 2. **abbreviation** skrót, skrócenie

ABC = **atomic, biological and chemical (warfare)** wojna atomowa, biologiczna i chemiczna

A.B.C. = 1. **abecadło** 2. (alfabetycznie ułożony) rozkład jazdy kolejowej 3. **American Broadcasting Company** Amerykańskie Radio 4. **Australian Broadcasting Commission** Australijska Komisja Radiofoniczna

A.B.C., abc = **automatic bass compensation** *radio* automatyczna kompensacja basów (niskich tonów)

abc = 1. **automatic bias control** *radio* automatyczna regulacja napięcia początkowego 2. **automatic brightness control** *tv* automatyczna regulacja jaskrawości

ab init. = **ab initio** od początku

ABMTM = **Associated British Machine Tool Makers** Zjednoczeni Brytyjscy Konstruktorzy Obrabiarek

abn = **airborne** lotniczy, pokładowy

Abn Div = **Airborne Division** Dywizja Powietrzno-Desantowa

A-bomb = **atomic bomb** bomba atomowa

Abp. = **Archbishop** arcybiskup

abr. = 1. **abridged** skrócony 2. **abridgment** skrót, skrócenie

A.B.S. = **American Bible Society** Amerykańskie Stowarzyszenie dla Propagowania Biblii

abs. = **absolute** absolutny; bezwzględny

Abs. E. = **absolute error** błąd absolutny

Abs. feb. = **absente febre** *med* gdy nie ma gorączki

ABSiE = **American Broadcasting System in Europe** Amerykańskie Radio w Europie

abs. t. = **absolute temperature** temperatura absolutna

abstr. = **abstract** skrót, wyciąg (z literatury)

Abt, abt = **a.** 1.

AC = 1. **as cast** *metalurg* w stanie lanym 2. **automatic computer** *elektron* maszyna licząca

A.C. = 1. **Aero Club** Aeroklub 2. **air cooled** chłodzony powietrzem 3. **Aircraftsman** szeregowiec w lotnictwie 4. **Alpine Club** Klub Alpinistyczny 5. **alternating current** *elektr* prąd zmienny 6. **analytical chemist** chemik analityk 7. **Anglo-Catholic** anglikanin 8. **ante Christum (natum)** przed narodzeniem Chrystusa; przed naszą erą (p.n.e.) 9. **Appeal Court** Sąd Apelacyjny 10. **Athletic Club** Klub Atletyczny

A/C, A/c, a/c = **account/current** *bank* rachunek bieżący; konto

Ac. = 1. **acetyl** *chem* acetyl 2. **actinium** *chem* aktyn

A.c. = 1. **American conditions** *handl* warunki amerykańskie 2. **ante cibum** *med* przed jedzeniem

ac, ac. = **a.** 2.

a.c. = 1. **aerodynamic centre** środek aerodynamiczny 2. **aircraft** samolot

a.c., a-c = **A.C.** 5.

A.C.A. = 1. **Aeroclub of America** Aeroklub Amerykański 2. **Associate of the Institute of Chartered Accountants** członek Związku Dyplomowanych Księgowych Koncesjonowanych

ACB = 1. **Assault Combat Battalion** *am* batalion szturmowy 2. umowny sygnał przymusowego lądowania na skutek braku paliwa

Acc. = **accommodation** przystosowanie, akomodacja

Acc., acc. = 1. **acceptance** *handl* akcept, akceptacja 2. **accepted** za/akceptowany; zaakceptowano; przyjęto 3. **account** *handl* rachunek 4. **accountant** księgowy 5. **accusative** *gram* biernik

accrd = **accrued** *handl* narosły

Acct. = 1. = **Acc., acc.** 3. 2. **Account current** *handl* rachunek bieżący

ACD = **Armoured Car Division** Dywizja Pancerna

A. Cdre = **Air Commodore** komandor lotnictwa

A.C.E. = **anaesthetic mixture (alcohol, chloroform, ether)** *med* środek usypiający (alkohol, chloroform, eter)

ACG = **Assault Combat Group** *am* czołówka desantowa

ACGB = **Arts Council of Great Britain** Rada Artystyczna Wielkiej Brytanii

A. CH. = **acetylcholine** *chem* acetylocholina

ACI = 1. **American Concrete Institute** Amerykański Instytut Betonu 2. **Army Council Instruction** instrukcje rady wojskowej

ack., ackgt, ackn't = **acknowledgment** *ekon* potwierdzenie

ackn'd = 1. **acknowledge** *handl* potwierdzam/y 2. **acknowledged** *handl* potwierdzony

AC of S = **Assistant Chief of Staff** zastępca szefa sztabu

A Com = **A. Cdre**

A.C.P. = **American College of Physicians** Amerykańskie Kolegium Lekarzy

ACR = 1. **aerodrome control radar** *lotn* radar kontroli lotniska 2. **Allied Commission on Reparations** Aliancka Komisja do Spraw Odszkodowań Wojennych

ACS = 1. **Allied Chiefs of Staff** Alianccy Szefowie Sztabu 2. **Army Communications Service** Wojskowa Służba Łączności 3. **Assistant Chief of Staff** zastępca szefa sztabu

A.C.S. = 1. **American Chemical Society** Amerykańskie Towarzystwo Chemiczne 2. **American College of Surgeons** Amerykańskie Kolegium Chirurgiczne

A/cs Pay, a/cs pay = **accounts payable** *handl* rachunki do zapłacenia

A.C.S.R. = **American Council for Soviet Relations** Amerykańska Rada do Spraw Stosunków Wzajemnych ze Związkiem Radzieckim

A/cs Rec., a/cs rec. = **accounts receivable** *handl* rachunki do inkasa

act. = **active** czynny

actg = acting działający; pełniący obowiązki
ACTH = adrenocorticotropical hormone *med* adrenokortykotropina
▲ACTU = Arbitration Court of Trade Unions Sąd Rozjemczy Związków Zawodowych
A.C.U. = Auto-cycle Union Związek Motocyklowy
Ac Univ = Acadia University Uniwersytet Akadyjski (Kanada)
A.D. = Anno Domini roku Pańskiego ...; ... naszej ery (n.e.)
A.D., a.d. = air-dried wysuszony na powietrzu
ad. = adv., advt
a.d., a/d = after date po terminie płatności; od dnia; po dniu; po dacie
A.D.A. = 1. American Dental Association Amerykańskie Stowarzyszenie Stomatologów 2. American Diabetic Association Amerykańskie stowarzyszenie lekarzy zajmujących się cukrzycą 3. American Dietetic Association Amerykańskie Stowarzyszenie Dietetyków
A-day = Army day *am* święto wojska amerykańskiego (6. IV.)
▲ADC = Armistice Day Ceremony *am* obchód Rocznicy Zawieszenia Broni po pierwszej wojnie światowej (11. XI)
A.D.C. = 1. aide-de-camp *wojsk* adjutant 2. Amateur Dramatic Club Amatorski Klub Sceniczny
AD Comd = Air Defense Command *am* Dowództwo Obrony Przeciwlotniczej
Ad def. an. = ad defectionem animi *med* aż do omdlenia
Ad deliq = ad deliquium *med* do omdlenia
ADF = Air Defense Force *am* Oddziały Obrony Przeciwlotniczej
A.D.F. = automatic direction-finder *lotn* radiokompas; radionamiernik
Ad feb. = adstande febre przy istnieniu gorączki
ad fin. = ad finem ku końcowi, do końca
A.D.G.B. = Air Defence of Great Britain obrona przeciwlotnicza Wielkiej Brytanii
Adhib. = adhibendus *med* należy podać
ad inf. = ad infinitum w nieskończoność
ad init. = ad initium na początek; do początku
ad int. = ad interim chwilowo, tymczasowo
Adj., Adjt., = adjutant *wojsk* adjutant
Adjt.-Gen. = Adjutant-General *wojsk* generał-adjutant
ad lib. = ad libitum dowolnie, do woli
ad loc. = ad locum w miejscu
Adm., adm. = 1. Administration administracja 2. Admiral admirał 3. Admiralty admiralicja
ADS = Advanced Dressing Station punkt opatrunkowy w przedniej linii bojowej
Adv. = 1. advance *ekon* zaliczka 2. advice *handl* awiz 3. advised *handl* awizowany
adv. = ad valorem *ekon* według wartości, w zależności od wartości
adv., advt = advertisement ogłoszenie; reklama; inserat
AE = 1. Army Education akcja oświatowa w wojsku 2. Aviation Engineer inżynier lotnictwa 3. Assistant Engineer młodszy inżynier
A.E. = Agricultural Engineer inżynier rolnictwa
A.E.A. = American Economic Association Amerykański Związek Ekonomiczny
AEAF = Allied Expeditionary Air Forces Alianckie Ekspedycyjne Siły Lotnicze

▲AEC = Atomic Energy Commission Komisja do Spraw Energii Atomowej
A.E.C.B. = Atomic Energy Control Board Rada Nadzorcza Energii Atomowej (Anglii i Kanady)
AEF = 1. Allied Expeditionary Forces Alianckie Siły Ekspedycyjne 2. American Expeditionary Forces Amerykańskie Siły Ekspedycyjne
aeg, aegrot = aeger, aegrotat (*o pracowniku*) na zwolnieniu chorobowym
A.E.R.E., AERE = Atomic Energy Research Establishment Ośrodek <Zakład> Badawczy Energii Atomowej
aeron = aeronautics aeronautyka
AES = 1. American Entomological Society Amerykańskie Towarzystwo Entomologiczne 2. American Ethnological Society Amerykańskie Towarzystwo Etnologiczne 3. American Eugenics Society Amerykańskie Towarzystwo Eugeniczne
A.E.S. = 1. Agricultural Experiment Station Rolnicza Stacja Doświadczalna 2. American Electrochemical Society Amerykańskie Towarzystwo Elektrochemiczne
aet, aetat. = aetatis (będący) w wieku...
A.E.T.C. = All-England Lawn Tennis Club Ogólnobrytyjski Klub Tenisowy
A.E.U. = Amalgamated Engineering Union Związek Zawodowy Zjednoczonych Inżynierów Techników
AEW = airborne early warning (radar) *lotn* radar ostrzegawczy na samolocie
▲AF = Atlantic Fleet Flota Atlantycka
A.F. = 1. Admiral of the Fleet admirał dowodzący flotą 2. Assault Force oddział szturmowy
A.F., a.f. = audio-frequency częstotliwość akustyczna <dźwiękowa>
AFA = 1. Advertising Federation of America Amerykańska Federacja Agentów <Agencji> Reklamowych 2. American Federation of Arts Amerykańska Federacja Artystyczna
A.F.A. = 1. Amateur Football Association Amatorski Związek Piłkarski 2. American Foundrymen's Association Amerykański Związek Zawodowy Hutników
AFB = Air Force Base *am* baza lotnicza
A.F.B. = air freight bill *handl* konosament lotniczy
AFC = 1. Air Force Cross Krzyż Lotniczy (order) 2. Automatic Flight Control sterowanie automatyczne
A.F.C., a.f.c. = automatic frequency control *radio* automatyczne dostrajanie; urządzenie do automatycznego dostrajania
Afft = affidavit afidawit, oświadczenie pod przysięgą
A.F.L. = American Federation of Labour Amerykański Związek Zawodowy Pracowników
AFM = 1. Air Force Medal medal lotniczy (odznaczenie) 2. American Federation of Musicians Amerykańska Federacja Muzyków
AFN = American Forces Network Amerykańska Wojskowa Sieć Radiowa
AFNORTH = Allied Air Forces, Northern Europe Alianckie Siły Lotnicze w Europie Północnej
Afr = Africa Afryka
Afr. = airframe *lotn* płatowiec

AFSOUTH = Allied Air Forces, Southern Europe Alianckie Siły Lotnicze w Europie Południowej
AFT = audio-frequency transformer *radio* transformator częstotliwości akustycznej
A.F.V. = armoured fighting vehicle pancerny pojazd bojowy
A.G. = 1. = Adjt.-Gen. 2. Attorney-General *sąd* prokurator generalny
Ag = argentum (silver) *chem* srebro
ag. = against przeciw(ko)
A.G.C., a.g.c. = automatic gain control *radio* automatyczna regulacja wzmocnienia
Agcy = Agency agencja
agg. = aggregate zestaw, agregat
AGI = American Geological Institute Amerykański Instytut Geologiczny
agr., agric. = 1. agricultural rolniczy 2. agriculture rolnictwo 3. agricultur(al)ist rolnik
agrd. = agreed umówiony; uzgodniony
agrt = agt
AGS = American Geographical Society Amerykańskie Towarzystwo Geograficzne
A.G.S. = Australian Geographical Society Australijskie Towarzystwo Geograficzne
Agt., agt = Agent agent
agt = agreement układ, porozumienie, umowa
AGU = American Geophysical Union Amerykańskie Zjednoczenie Geofizyczne
A.G.U. = American Geographical Union Amerykańskie Zjednoczenie Geograficzne
AH = 1. Air Headquaters Główna Kwatera Lotnictwa 2. umowne oznaczenie okrętu sanitarnego
Ah, ah, a.h. = ampere-hour *elektr* amperogodzina
A.H. = anno Hegirae roku Hidży
AHA = 1. American Historical Association Amerykański Związek Historyczny 2. American Hospital Association Amerykańskie Zjednoczenie Szpitalne 3. Army Hospital Corps Wojskowy Korpus Sanitarny
AHCG = Allied High Commission for Germany Wysoka Komisja Alliancka dla Niemiec
A.H.P. = 1. actual horse-power rzeczywista moc w koniach mechanicznych 2. Assistant House Physician *med* asystent oddziału wewnętrznego
AHQ = 1. Air Headquarters Główna Kwatera Lotnictwa 2. Army Headquarters Główna Kwatera Armii
A.H.S. = Assistant House Surgeon *med* asystent oddziału chirurgicznego
⧙ AI = aircraft interception *lotn* radiolokacja
A.I.C. = 1. American Institute of Chemists Amerykański Związek Chemików 2. Associate of the Institute of Chemistry członek Instytutu Chemii
A.I.C.E. = Associate of the Institute of Civil Engineers członek Związku Dyplomowanych Inżynierów Lądowych
AIEE = American Institute of Electrical Engineers Stowarzyszenie Amerykańskich Inżynierów Elektryków
A.I.E.E. Standards = American Institute of Electrical Engineers Standards Normy Stowarzyszenia Amerykańskich Inżynierów Elektryków
A.I.M.E. = 1. Associate of the Institute of Mechanical Engineers członek Związku Inżynierów Mechaników 2. Associate of the Institute of Mining Engineers członek Związku Inżynierów Górników

A.I.Mech.E. = Associate of the Institute of Mechanical Engineers Członek Związku <Stowarzyszenia> Inżynierów Mechaników
AIMME = American Institute of Mining and Metallurgical Engineers Amerykański Związek <Stowarzyszenie> Inżynierów Górnictwa i Metalurgii
A.I.M. & M.E. = AIMME
A Int = Air Intelligence Wywiad Sił Powietrznych
AIRCENT = Allied Air Forces, Central Europe Alianckie Siły Lotnicze w Europie Środkowej
AIRNORTH = Allied Air Forces, Northern Europe Alianckie Siły Lotnicze w Europie Północnej
AIRSOUTH = Allied Air Forces, Southern Europe Alianckie Siły Lotnicze w Europie Południowej
⧙ AL = Army List Wykaz Angielskiego Korpusu Oficerskiego
Al = aluminium *chem* aluminium, glin
Ala. = Alabama *am geogr* Stan Alabama
A.L.A.M. = Association of Licensed Automobile Manufacturers Towarzystwo Koncesjonowanych Wytwórców Samochodowych
Alas. = Alaska *am geogr* Alaska
Ala Univ = University of Alabama *am* Uniwersytet Stanu Alabama
A.L.A.W.F. = American League against War and Fascism Amerykańska Liga dla Zwalczania Wojny i Faszyzmu
Alba = Alberta Alberta (prowincja Kanady)
alc. = alcohol alkohol
A.L.C.M. = Associate of the London College of Music członek Londyńskiego Kolegium Muzycznego
Ald. = Alderman członek Rady Miejskiej; członek Rady Hrabstwa
ALFSEA = Allied Land Forces in South East Asia Alianckie Siły Lądowe we Wschodniopołudniowej Azji
Alf Univ = Alfred University *am* Uniwersytet Alfredzki
A.L.S. = Associate of the Linnean Society członek Towarzystwa im. Linneusza
alt. = 1. alternate zmieniać 2. alternating zmienny 3. alternations zmiany 4. altitude wysokość nad poziom morza
AM = amplitude modulation *radio* modulacja amplitudy
A.M. = Artium Magister magister nauk humanistycznych
Am = 1. americium *chem* ameryk 2. ammonium *chem* amon
Am. = 1. America Ameryka 2. American amerykański
a.m. = 1. ante meridiem (before noon) przed południem 2. above mentioned wyżej wspomniany
AMA = 1. American Medical Association Amerykańskie Stowarzyszenie Lekarzy 2. American Military Attaché Amerykański Attaché Wojskowy
A.M.D.S. = Association of Military Dental Surgeons Stowarzyszenie Wojskowych Lekarzy Stomatologów
AMEMB = American Embassy Ambasada Amerykańska
Amer. = Am. 2.
AMF = Australian Military Forces Australijskie Siły Zbrojne

A.M.I.C.E. = Associate Member of the Institute of Civil Engineers = A.I.C.E.

A.M.I. Chem E. = Associate Member of the Institute of Chemical Engineers członek Związku Inżynierów Chemików

A.M.I.E.E. = Associate Member of the Institute of Electrical Engineers członek Związku Inżynierów Elektryków

A.M.I.Mech E. = Associate Member of the Institute of Mechanical Engineers członek Związku Inżynierów Mechaników

AMMI = American Merchant Marine Institute Instytut Amerykańskiej Marynarki Handlowej

A.M.O. = Assistant Medical Officer zastępca lekarza urzędowego

AMP = American Military Police Amerykańska Policja Wojskowa

Amp., amp. = A, a

amp.-hr. = ampere-hour *elektr* amperogodzina

AMPI = Associate Member of the Town Planning Institute członek Instytutu Urbanistyki

AMS = 1. American Mathematical Society Amerykańskie Towarzystwo Matematyczne 2. American Meteorological Society Amerykańskie Towarzystwo Meteorologiczne 3. Army Map Service Wojskowa Służba Kartograficzna

A.M.S. = 1. Army Medical Service Wojskowa Służba Zdrowia 2. Army Medical Staff Personel Wojskowej Służby Zdrowia

Am.Soc.C.E. = American Society of Civil Engineers Amerykańskie Towarzystwo Inżynierów Lądowych

Am.Soc.M.E. = American Society of Mechanical Engineers Amerykańskie Towarzystwo Inżynierów Mechaników

amt = amount suma

amts = amounts sumy

amu, a.m.u. = atomic mass unit *nukl* jednostka masy atomowej (j.m.a.)

A.N., a.n. = arrival notice zawiadomienie o przybyciu

an. = anode *elektr* anoda

a.n. = above named wyżej wymieniony

⬆**ANA** = 1. American Nature Association Amerykańskie Stowarzyszenie Przyrodnicze 2. American Neurological Association Amerykańskie Stowarzyszenie Neurologiczne 3. Australian National Airways Australijskie Państwowe Linie Lotnicze

A.N.A. = 1. American Nurses' Association Amerykański Związek Pielęgniarek 2. Associate National Academician członek (Kanadyjskiej) Akademii Państwowej

anal. = 1. analogous analogiczny 2. analogy analogia 3. analysis analiza 4. analytical analityczny

anat. = 1. anatomical anatomiczny 2. anatomy anatomia

anon. = anonymous anonimowy, bezimienny

ANC-in-C = Allied Naval Commander-in-Chief głównodowodzący Alianckich Sił Morskich

ANG = American Newspapers Guild Amerykański Związek Zawodowy Wydawnictw Prasowych

Angl. = Anglican anglikański

ANL = automatic noise limiter *radio* automatyczny ogranicznik szumów

ANPA = American Newspaper Publishers' Association Amerykańskie Stowarzyszenie Wydawców Gazet

A.N.R.C. = 1. American National Red Cross Amerykański Czerwony Krzyż 2. Australian National Research Council Australijska Rada Naukowo-Badawcza

ans. = 1. answer odpowiedź 2. answered odpowiedziano

ANSP = Academy of Natural Sciences of Philadelphia Filadelfijska Akademia Nauk Przyrodniczych

answ. = ans.1.

answ., answ'd = ans. 2.

anthrop. = 1. anthropological antropologiczny 2. anthropology antropologia

A.N.U. = Australian National University Australijski Uniwersytet Państwowy

ANZAC = Australian and New Zealand Army Corps Australijsko-Nowozelandzki Korpus Wojskowy (w pierwszej wojnie światowej)

AO = Army Order rozkaz dzienny armii

AO Dep = Army Ordnance Department Dział Zaopatrzenia Artyleryjsko-Technicznego Wojsk Lądowych

A.O.T.A. = American Occupational Therapy Association Amerykański Związek Terapii Zajęciowej

⬆**AP** = armour-piercing *wojsk* przeciwpancerny

A.P. = 1. Associated Press *am* Zjednoczona Informacja Prasowa 2. Atlantic Pact Pakt Atlantycki

A.P., a.p. = 1. account payable *handl* rachunek płatny 2. additional premium dodatkowa premia

A/P = 1. Authority to purchase <to pay> *handl* upoważnienie do zakupu <do zapłaty>

APA = 1. American Pharmaceutical Association Amerykańskie Stowarzyszenie Farmaceutyczne 2. American Philological Association Amerykańskie Stowarzyszenie Filologiczne 3. American Physiotherapy Association Amerykańskie Stowarzyszenie Fizjoterapeutów 4. American Press Association Amerykańskie Stowarzyszenie Prasowe

APC = Approach Control Dyspozytornia Lotniska

A.P.C. = automatic phase control *elektr* automatyczna regulacja fazy

APF = Australian Permanent Forces Australijska Stała Armia

A.P.I. = American Petroleum Institute Amerykański Instytut Naftowy

A.P.H.A. = American Public Health Association Amerykańskie Stowarzyszenie Służby Zdrowia Publicznego

A. Phys. S. = American Physical Society Amerykańskie Towarzystwo Fizyczne

APM = Assistant Provost Marshal zastępca komendanta żandarmerii

A.P.N. = Atlantic Pact Nations Państwa Paktu Atlantyckiego

Apoc. = 1. Apocalypse *bibl* Apokalipsa 2. Apocrypha apokryfy

app. = 1. appendix dodatek (do publikacji itd.); załącznik 2. appended dodany 3. appointed wyznaczony; mianowany 4. approved zaaprobowany, zatwierdzony

appd = app. 4.

APPR = Army package power reactor *nukl* wojskowy reaktor energetyczny przewoźny

appr. = apprentice uczeń; czeladnik; praktykant

approx. = approximately w przybliżeniu; mniej więcej; około

Apr. = April kwiecień

APS = 1. **American Peace Society** Amerykańskie Towarzystwo Obrony Pokoju 2. **American Philosophical Society** Amerykańskie Towarzystwo Filozoficzne 3. **American Physiological Society** Amerykańskie Towarzystwo Fizjologiczne 4. **Army Postal Service** Poczta Wojskowa

A.P.S. = 1. **American Physical Society** Amerykańskie Towarzystwo Fizyczne 2. **Associate of the Pharmaceutical Society** członek Towarzystwa Farmaceutycznego

a.p.s.i. = **amper per square inch** *elektr* amper na cal kwadratowy

A.P.U. = **auxiliary power unit** *techn* pomocniczy zespół silnikowy; silnik pomocniczy

A.Q. = **achievement quotient** współczynnik wykonania

Aq, aq = **aqua** woda

aq. dest. = **aqua destillata** woda destylowana

AQMG = **Assistant Quartermaster-general** zastępca generała kwatermistrza

AR = **Automatic Rifle** karabin automatyczny

A.R. = 1. **accounts receivable** *handl* rachunki do inkasa 2. **aircraft rocket** rakieta lotnicza 3. **analytical reagent** *chem* odczynnik do analizy

A.R., A/R, a.r., a/r = **all risks** *handl* wszystkie ryzyka

Ar = umowne oznaczenie działa przeciwlotniczego

Ar. = **argentum (silver)** *chem* srebro

ar. = 1. **aromatic** aromatyczny 2. **arrival** przybycie

a.r. = **anno regni...** w roku panowania...

A.R.A. = 1. **American Railway Association** Amerykański Związek Kolei 2. **Associate of the Royal Academy** członek Akademii Królewskiej

A.R.Ae.S. = **Associate of the Royal Aeronautical Society** członek Królewskiego Towarzystwa Aeronautycznego

ARAF = **Australian Royal Air Forces** Australijskie Królewskie Siły Powietrzne

A.R.A.L. = **Associate of the Royal Academy of Literature** członek Królewskiej Akademii Literatury

A.R.A.M. = **Associate of the Royal Academy of Music** członek Królewskiej Akademii Muzycznej

A.R.S.B.A. = **Associate of the Royal Society of British Architects** członek Królewskiego Towarzystwa Architektów Brytyjskich

arbtrn = **arbitration** *handl* arbitraż

arbtror = **arbitrator** *handl* arbiter

A.R.C. = 1. **American Radio Corporation** Amerykańskie Radio 2. **American Red Cross** Amerykański Czerwony Krzyż 3. **Automobile Racing Club** Automobilowy Klub Wyścigowy

A.R.C.A. = **Associate of the Royal College of Art** członek Królewskiego Kolegium Sztuk Pięknych

arcft = **aircraft** samolot

A.R.C.M. = **Associate of the Royal College of Music** członek Królewskiego Kolegium Muzycznego

A.R.C.S. = **Associate of the Royal College of Science** członek Królewskiego Kolegium Nauk

A.R.E. = **Associate of the Royal Society of Painters, Etchers and Engravers** członek Królewskiego Towarzystwa Artystów Malarzy, Akwaforcistów i Sztycharzy

arg. = **argentum (silver)** *chem* srebro

Argyl. = **Argyllshire** hrabstwo Argyllshire

A.R.H.A. = **Associate of the Royal Hibernian Academy** członek Królewskiej Akademii Irlandzkiej

A.R.I.C.R. = **American-Russian Institute for Cultural Relations** Amerykańsko-Rosyjski Instytut Wymiany Kulturalnej

A.R.I.B.A. = **Associate of the Royal Institute of British Architects** członek Królewskiego Związku Architektów Brytyjskich

arith. = **arithmetic** arytmetyka

Ariz. = **Arizona** *am* stan Arizona

Ark. = **Arkansas** *am* stan Arkansas

A.R.M.S. = **Associate of the Royal Society of Miniature Painters** członek Królewskiego Towarzystwa Miniaturzystów

A.R.P. = **Air Raid Precautions** cywilna (bierna) obrona przeciwlotnicza

A.R.P.S. = **Associate of the Royal Photographic Society** członek Królewskiego Towarzystwa Fotograficznego

arr. = 1. **arrangement** załatwienie; ułożenie 2. **arranged** załatwione, ułożone 3. **arrival** godzina przyjazdu (pociągu itd.); przybycie 4. **arrive** przybywać

A.R.S.A. = 1. **Associate of the Royal Scottish Academy** członek Królewskiej Szkockiej Akademii 2. **Associate of the Royal Society of Arts** członek Królewskiego Towarzystwa Artystycznego

A.R.S.L. = **Associate of the Royal Society of Literature** członek Królewskiego Towarzystwa Literackiego

A.R.S.M. = **Associate of the Royal School of Mines** członek Królewskiej Akademii Górniczej

A.R.S.W. = **Associate of the Royal Scottish Society of Painters in Water Colours** członek Królewskiego Szkockiego Towarzystwa Akwarelistów

Art., art. = 1. **article** artykuł; paragraf; punkt umowy 2. **artificial** sztuczny

ARU = **American Railways Union** Amerykański Związek Zawodowy Kolejarzy

A.R.U. = **Australian Railways Union** Australijski Związek Zawodowy Kolejarzy

A.R.W.E.A. = **Associate of the Royal West of England Academy** członek Królewskiej Akademii Zachodnioangielskiej

A.S. = 1. **Academy of Science** Akademia Nauk 2. **Anglo-Saxon** język anglosaski

A/S., A/s., a./s. = **account sales** *ekon* rozliczenie ze sprzedaży

As, As. = 1. **arsenic** *chem* arsen 2. **astigmatism** *med* niezborność

as. = **asymmetric** asymetryczny

a.s. = **at sight (after sight)** za okazaniem

ASA = **Acoustical Society of America** Amerykańskie Towarzystwo Akustyczne

A.S.A. = 1. **Amateur Swimming Association** Amatorski Związek Pływacki 2. **American Standards Association** Amerykański Komitet Normalizacyjny

A.S.C. = **automatic selectivity control** *radio* automatyczna regulacja selektywności

ASCE = **American Society of Civil Engineers** Amerykańskie Towarzystwo Inżynierów Lądowych

ASDIC = **Anti-Submarine Detection Investigation Committee** Komitet Badania Środków Obronv przed Łodziami Podwodnymi

A.S.D.R. = **American Society of Dental Radio-**

graphers Amerykańskie Towarzystwo Radiologów Stomatologicznych

A.S.E. = **Amalgamated Society of Engineers** Stowarzyszenie Inżynierów Techników

ASEA = **American Society of Engineers and Architects** Amerykańskie Towarzystwo Inżynierów i Architektów

ASG = **Assistant Secretary General** Zastępca Sekretarza Generalnego

A.S.I.R. = **airspeed indicator reading** *lotn* wskazywana prędkość lotu

ASM = **air-to-surface missile** *wojsk* pocisk (klasy) powietrze—ziemia

A.S.M.E. = **American Society of Mechanical Engineers** Amerykańskie Stowarzyszenie Inżynierów Mechaników

ASMP = **American Society of Miniature Painters** Amerykańskie Towarzystwo Miniaturzystów

ASMS = **American-Soviet Medical Society** Amerykańsko-Radzieckie Towarzystwo Lekarskie

ASR = **airport surveillance** *lotn* stacja radiolokacyjna zbliżania

asroc = **antisubmarine rocket** *wojsk* rakieta przeciw okrętom podwodnym

Ass., Assoc. = **Assoc, assoc.** 2.

ass. = **Asst., Asst**

assd = 1. **assessed** wymierzony podatek 2. **assured** ubezpieczony 3. **assorted** wysortowany

Assn, assn = **Assoc, assoc.** 2.

Assoc, assoc. = 1. **associate** współpracownik; członek stowarzyszenia; stowarzyszony 2. **zastępca** 3. **association** stowarzyszenie, związek

assoc'n = **Assoc, assoc.** 3.

ASSR = **Autonomous Soviet Socialist Republic** Autonomiczna Socjalistyczna Republika Radziecka (ASRR)

Asst., Asst = **assistant** asystent; zastępca; pomocnik

ass't = **assessment** wymiar (podatku, cła)

A.S.T. = 1. **Aircraft Standard thread** *lotn* angielski normalny gwint lotniczy 2. **Atlantic Standard Time** atlantycki czas normalny

astr., astron = **astronomy** astronomia

astron. = **astronomy** astronomia

AT = 1. **Ambulance Train** Pociąg Sanitarny 2. **antitank** *wojsk* przeciwczołgowy

A.T. = 1. **air temperature** temperatura powietrza 2. = **A.S.T.** 2.

A/T = **American terms** warunki amerykańskie

At = 1. **astatine** *chem* astat; 2. = **Ab**

at. = 1. = **atm** 2. **atomic** atomowy

a. t. = **ampere-turn** *elektr* amperozwój

ATC = 1. **air traffic control** *lotn* kontrola ruchu lotniczego 2. **Air Training Camp** Lotniczy Obóz Ćwiczebny 3. **Air Transport Command** Dowództwo Transportu Lotniczego 4. **automatic tuning control** *radio* strojenie automatyczne

A.T.C. = **automatic train control** *kolej* samoczynna kontrola biegu pociągu

A.T.C.L. = **Associate of Trinity College (of Music), London** członek Trinity College w Londynie

A Tk, A/Tk = **anti-tank** (*o broni itd*) przeciwczołgowy

Atl. = **Atlantic** atlantycki

atm = **atmosphere** *fiz* atmosfera (jednostka)

atm. = 1. **atmospheric** atmosferyczny 2. **atmospherics** zakłócenia atmosferyczne

at. no. = **atomic number** liczba atomowa

at. pr. <press> = **atomic pressure** ciśnienie atmosferyczne

A.T.S. = 1. **antitetanic serum** *med* surowica przeciwtężcowa 2. **Auxiliary Territorial Service** Pomocnicza Służba Wojskowa

A.T.O. = **assisted take-off** *lotn* start wspomagany

Att. = **attorney** pełnomocnik; adwokat

att. = 1. **attached** załączony 2. **attention** uwaga

Att.-Gen = **Attorney-General** prokurator generalny

attn = **att.** 2.

at. wt. = **atomic weight** *fiz* ciężar atomowy

Å.U., Å.u., a.u. = **A,Å**

Au = **aurum (gold)** *chem* złoto

Aug. = **August** sierpień

AUM = **air-to-underwater missile** *wojsk* pocisk (klasy) powietrze—głębina wodna

Austl., Austr. = **Australia** Australia

A.U.T. = **Association of University Teachers** Stowarzyszenie Wykładowców Uniwersyteckich

auto. = **automatic** automatyczny

AUW = **all-up weight** *lotn* ciężar całkowity

av., avdp., avoir = **avoirdupois** angielski system wagowy

av., ave. = **avenue** aleja; ulica

av., avg. = **average** przeciętny; średnia

A.V.C. = **automatic volume control** *radio* automatyczna regulacja wzmocnienia

AVTUR = **aviation kerosene** nafta do lotniczych silników odrzutowych

A.W., A/W = **Actual Weight** ciężar rzeczywisty

A/W = 1. **at. wt.** 2. **a.w.**

a.w. = **all water (transportation)** *handl* drogą wodną (transport)

a/w = **actual weight** ciężar rzeczywisty

AWB, A.W.B., a.w.b. = **airway bill** *handl* konosament lotniczy

AWG = **American Wire Gauge** amerykańskie znormalizowane średnice drutu; amerykańskie normy na średnice drutu

AWS = 1. **Aircraft Warning Service** *am* Przeciwlotnicza Służba Alarmowa 2. **American War Standards** Amerykańskie Normy Wojenne

AW Sm = **Air Warning System** *am* Przeciwlotniczy System Alarmowy

a.w.u. = **atomic weight unit** jednostka masy atomowej

ax. = **axiom** pewnik

Az. = **azote (nitrogen)** *chem* azot

B = 1. **degree Baumé** *chem* stopień Baumé 2. **borum (boron)** *chem* bor 3. **breadth** szerokość 4. **British thermal unit** brytyjska jednostka ciepła

B. = 1. **British** brytyjski 2. **born** urodzony 3. **Bachelor** *zob* **b.1.**

b. = 1. **bachelor** pierwszy stopień naukowy (niższy od stopnia magistra) nadawany absolwentom kończącym uniwersytet; bakałarz, bakalaureus 2. **born** urodzony 3. **bar** *fiz* bar (jednostka ciśnienia)

B.A. = 1. **Baccalaureus Artium, Bachelor of Arts** bakalaureus nauk podstawowych *zob* **b.1.** 2. **British Academy** Akademia Brytyjska 3. **British Airways** Brytyjskie Linie Lotnicze 4. **British As-**

sociation for the Advancement of Science Brytyjskie Stowarzyszenie Popierania Postępu Nauk
Ba = barium *chem* bar
ba. = b.l.
B.A.A. = British Astronomical Association Brytyjskie Stowarzvszenie Astronomiczne
B.A.A.S. = B.A. 4.
BABS = blind approach beacon system *lotn* system lądowania na radiolatarnię
Bach., bach. = b. 1.
Bact. = bacteriology bakteriologia
B.A.E.A. = British Atomic Energy Authority Brytyjski Urząd do Spraw Energii Atomowej
B.Agr. = Bachelor of Agriculture bakalaureus rolnictwa *zob* b. 1.
BAL = British Anti-Lewisite *med* BAL (odtrutka na arsen i rtęć)
BAL, bal. = balance *bank handl* saldo; bilans
balun = balanced to unbalanced (unit) *radio* układ równoważący
BAOR = British Army on the Rhine Brytyjska Armia na Renie
bar. = 1. barometer barometr 2. barometric barometryczny
BARC = British Automobile Racing Club Brytyjski Automobilowy Klub Wyścigowy
Bart. = Baronet baronet (dziedziczny tytuł szlachecki)
B.A.S. = British Anatomical Society Brytyjskie Towarzystwo Anatomiczne
B.A.S., B.A.Sc = Bachelor of Agricultural Science bakalaureus nauk rolniczych *zob* b. 1.
b. & s. = brandy and soda wódka z wodą sodową
bat. = 1. battalion *wojsk* batalion 2. battery *wojsk* bateria
Batn. = bat 1.
Batt = bat.
B.B. = best best *handl* najlepszej jakości
B.B.C. = British Broadcasting Corporation Brytyjskie Radio
bbl = barrel beczka (jednostka objętości)
BC = 1. Battle Cruiser krążownik 2. Bomber Command dowództwo lotnictwa bombowego
B.C. = 1. = B.Ch. 2. Bachelor of Chemistry bakalaureus chemii *zob* b. 1. 3. Bachelor of Commerce bakalaureus nauk ekonomicznych *zob* b. 1. 4. Battery Commander *wojsk* dowódca baterii 5. Before Christ przed Chrystusem, przed naszą erą (p.n.e.) 6. Birth Control regulacja urodzeń 7. Borough Council Dzielnicowa Rada Miejska 8. British Columbia *geogr* Brytyjska Kolumbia 9. British Council Brytyjska Rada Wymiany Kulturalnej
B/C = bill for collection *bank handl* weksel do inkasa
BCA = 1. Battery Commander's Assistant zastępca dowódcy baterii 2. British Central Africa Brytyjska Afryka Środkowa 3. British Continental Airways Brytyjskie Kontynentalne Linie Lotnicze
B.C.D., BC Dis = Bad conduct discharge wydalenie z wojska z powodu złego prowadzenia się
B.C.E. = Bachelor of Civil Engineering bakalaureus inżynierii lądowej *zob* b. 1.
B.Ch. = Baccalaureus Chirurgiae (Bachelor of Surgery) bakalaureus chirurgii *zob* b. 1.
B.Ch.D. = Baccalaureus Chirurgiae Dentum

(Bachelor of Dental Surgery) bakalaureus chirurgii dentystycznej *zob* b. 1.
BCI = broadcast interference zakłócenia radiofoniczne
B.C.L. = 1. Bachelor of Civil Law bakalaureus prawa cywilnego *zob* b. 1. 2. broadcast listener słuchacz radiowy <radiofoniczny>
B.C.N., BCON = British Commonwealth of Nations Brytyjska Wspólnota Narodów
B. Comm. = Bachelor of Commerce bakalaureus nauk ekonomicznych *zob* b. 1.
B.D. = Bachelor of Divinity bakalaureus teologii *zob* b. 1.
B/D = Battle Dress mundur polowy
Bd = brought down zredukowany, obniżony
B.D.A. = British Dental Association Brytyjskie Stowarzyszenie Dentystów
Bde = Brigade brygada
Bde Comdr = Brigade Commander dowódca brygady
bd. ft. = board foot jednostka objętości dla drewna (= 2359,8 cm^2)
bdg = 1. boarding *bud* deskowanie 2. building budynek
Bdr = 1. Brigadier Dowódca Brygady 2. Bombardier bombardier (w lotnictwie i w artylerii)
B.D.S. = B. Ch. D
B.D.S.T. = British double summer time brytyjski podwójny czas letni
BDV = breakdown voltage *elektr* napięcie przebicia
⧫B.E. = 1. Bachelor of Engineering bakalaureus nauk technicznych *zob* b. 1. 2. Bank of England Bank Angielski
B.E., B/E, b/e = bill of exchange *handl* weksel
B/E = Bill of entry *mar* zgłoszenie celne; deklaracja celna
Be = beryllium (glucinium) *chem* beryl *zob* Gl
BEA = B.E.A. 2.
B.E.A. = 1. British East Africa *geogr* Brytyjska Afryka Wschodnia 2. British European Airways Brytyjskie Europejskie Linie Lotnicze 3. British Electricity Authority Brytyjski Zarząd Elektroenergetyczny
B.E.A.M.A. = British Electrical and Allied Manufacturers' Association Brytyjskie Stowarzyszenie Przemysłowców Elektrotechnicznych i Pokrewnych
B.E.C.C. = British Empire Cancer Campaign Wszechbrytyjska Organizacja do Walki z Rakiem
B.Ed. = Bachelor of Education bakalaureus nauk pedagogicznych *zob* b. 1.
B'ham = Birmingham (miasto) Birmingham
Beds. = Bedfordshire hrabstwo Bedfordshire
B.E.F. = British Expeditionary Force Brytyjski Korpus Ekspedycyjny
bef. = before przed
B.E.I. = British East Indies Brytyjskie Indie Wschodnie
B.E.L. = Bachelor of English Literature bakalaureus literatury angielskiej *zob* b. 1.
Belg. = 1. Belgian belgijski 2. Belgium Belgia
b.e.m.f. = back electromotive force siła przeciwelektromotoryczna
B.Eng. = B.E. 1.
BEPO = British experimental pile 0 doświadczalny reaktor brytyjski o mocy równej zeru

Berks. = **Berkshire** hrabstwo Berkshire

Berw. = **Berwick** hrabstwo Berwickshire

B.E.S.A. = **British Engineering Standards Association** Brytyjskie Stowarzyszenie Normalizacji Przemysłowej

betw. = **between** pomiędzy

Be V = **billion elektron volts** *elektr* miliard elektronowoltów

BF = 1. **Battle Fleet** Flota Wojenna 2. **Blue Flag** Niebieska Flaga (sygnał umowny)

B.F. = **Bachelor of Finance** bakalaureus nauk ekonomicznych *zob* **b.** 1.

B/f, b/f = **brought forward** *księgow* do przeniesienia

B.F.A. = **Bachelor of Fine Arts** bakalaureus sztuk pięknych *zob* **b.** 1.

B.F.A.S. = **British Fine Arts Society** Brytyjskie Towarzystwo Sztuk Pięknych

B.F.B.P.W. = **British Federation of Business and Professional Women** Brytyjska Federacja Kobiet Pracujących w Handlu i Wolnych Zawodach

BFDC = **Bureau of Foreign and Domestic Commerce** Biuro Handlu Zagranicznego i Wewnętrznego

B.F.N. = **British Forces Network** Sieć Łączności Wojsk Brytyjskich

B.G.A. = **British Gliding Association** Brytyjski Związek Szybowcowy

bght = **bought** *handl* zakupiono

B/H = **Bill of Health** *mar* świadectwo zdrowia

B/H loop = **magnetic hysteresis loop** pętla histerezy magnetycznej

BHN = **Brinell hardness number** twardość według Brinella

B.H.P., b.h.p. = **brake horse-power** *techn* moc użyteczna <efektywna> w koniach mechanicznych

BHQ = **Battalion Headquarters** sztab batalionu

Bi = **bismuthum (bismuth)** *chem* bizmut

B.I.A.E. = **British Institute of Adult Education** Brytyjski Instytut Dokształcania Dorosłych

Bib. = **bibe (drink)** wypij

Bibl., bibl. = **bibliographical** bibliograficzny

biblio(g). = **bibliography** bibliografia

B.i.d. = **bis in die (twice daily)** *med* dwa razy dziennie

B.I.F. = **British Industries Fair** Brytyjskie Targi Przemysłowe

biog. = **biography** biografia

biol. = **biology** biologia

BIP, bip = **bipartite** (*o organach nadzoru sojuszniczego w NRF*) angielsko-amerykański

B.I.P.O. = **British Institute of Public Opinion** Brytyjski Instytut dla Badania Opinii Publicznej

Birm. = **Birmingham University** Uniwersytet w Birmingham

▲ **B.I.S.** = 1. **Bank for International Settlements** Bank Rozrachunków Międzynarodowych 2. **British Interplanatory Society** Brytyjskie Towarzystwo Lotów Międzyplanetarnych 3. **British Imperial System ot Units** angielski system jednostek miar

Bk = 1. **Bank** Bank 2. **berkelium** *chem* berkel

bkg = 1. **banking** bankowość 2. **bookkeeping** księgowość

bkpg = **bkg** 2.

bkpr = **bookkeeper** księgowy

bkpt = **bkrpt**

bkrpt = **bankrupt** (*o człowieku, przedsiębiorstwie*) niewypłacalny

B.L. = 1. **Bachelor of Law** bakalaureus prawa *zob* **b.** 1. 2. **Bachelor of Letters** bakalaureus literatury *zob* **b.** 1.

B.L., B/L, b.l., b/l = **bill of lading** *handl mar* list przewozowy; konosament

B.L.A. = **British Liberation Army** Brytyjska Armia Wyzwoleńcza (w czasie drugiej wojny światowej)

bldg = **building** budynek

B.Litt. = **Bachelor of Letters** bakalaureus liteatury *zob* **b.** 1.

blk = **bulk** masa

Blvd, blvd = **boulevard** bulwar

B.M. = 1. **Bachelor of Medicine** bakalaureus medycyny *zob* **b.** 1. 2. **British Museum** Muzeum Brytyjskie 3. **board measure** miara objętości drewna

B.M., b.m. = **bench mark** *geol* punkt niwelacyjny, reper

B.M.A. = 1. **British Medical Association** Brytyjskie Stowarzyszenie Lekarzy 2. **British Military Administration** Brytyjska Administracja Wojskowa 3. **British Military Attaché** Brytyjski Attaché Wojskowy

B.M.E. = **Bachelor of Mining Engineering** bakalaureus górnictwa *zob* **b.** 1.

B.Mech.E. = **Bachelor of Mechanical Engineering** bakalaureus mechaniki *zob* **b.** 1.

B.Med. = **B.M.** 1.

b.m.e.p = **brake mean effective pressure** *techn* średnie ciśnienie użyteczne hamowane

BMH = **British Military Hospital** Brytyjski Szpital Wojskowy

B.M.J. = **British Medical Journal** Brytyjski Przegląd Lekarski

B.M.N. = **British Merchant Navy** Brytyjska Marynarka Handlowa

B.Mus. = **Bachelor of Music** bakalaureus muzyki *zob* **b.** 1.

BN, B.N. = **bank-note** banknot

B/O, B/o, b/o = **brought over** z przeniesienia

b.o. = **branch office** *handl* oddział, filia

B.O.A. = **British Olympic Association** Brytyjskie Stowarzyszenie Igrzysk Olimpijskich

B.O.A.C. = **British Overseas Airways Corporation** Towarzystwo Brytyjskich Zamorskich Linii Powietrznych

B. of T., B.O.T. = **Board of Trade** Ministerstwo Handlu

bos'n = **boatswain** *mar* bosman

bot. = 1. **botanical** botaniczny 2. **botanist** botanik 3. **botany** botanika 4. **bottle** butelka

Boul., boul. = **Blvd, blvd**

B.P. = 1. **Bachelor of Painting** bakalaureus malarstwa artystycznego *zob* **b.** 1. 2. **Bachelor of Philosophy** bakalaureus filozofii *zob* **b.** 1. 3. **British Pharmacopoeia** farmakopea brytyjska 4. **the British Public** społeczeństwo brytyjskie 5. **blood pressure** *med* ciśnienie krwi

B.P., bp = **boiler pressure** ciśnienie w kotle

Bp. = **Bishop** biskup

b.p. = 1. **barometric pressure** ciśnienie barometryczne 2. **below proof** (*o cieczy*) nie zawierający przepisowego procentu alkoholu; poniżej ustalonego stężenia 3. **boiling point** *fiz* punkt wrzenia; temperatura wrzenia

bp. = **birthplace** miejsce urodzenia

B.P.C. = **British Pharmaceutical Codex** Brytyjski Kodeks Farmaceutyczny

BPE = **Boiling Point Elevation** *fiz* podwyższenie temperatury wrzenia

B.P.E. = **Bachelor of Physical Education** bakalaureus wychowania fizycznego *zob* **b.** 1.

B.P.O. = **British Post Office** Zarząd Poczty Brytyjskiej

B.R. = **boiler room** kotłownia

B/R, b.r. = **bills receivable** *ekon* weksle do inkasa

Br = **bromum (bromine)** *chem* brom

Br. = **Brit.**

br = **boiling range** zakres temperatur wrzenia

Braz. = 1. **Brazil** Brazylia 2. **Brazilian** brazylijski

Br.C., Br.Col. = **B.C.** 8.

B.R.C.S. = **British Red Cross Society** Brytyjski Czerwony Krzyż

Br.E.Af. = **B.E.A.** 1.

Brecs = **Brecknockshire** hrabstwo Brecknockshire

Br.Gn. = **British Guiana** Brytyjska Gujana

Br.Hon. = **British Honduras** Brytyjski Honduras

Brig = 1. **Brigade** brygada 2. **Brigadier** brygadier

Brig.-Gen. = **Brigadier-General** generał brygady

Brig Hq = **Brigade Headquarters** sztab brygady

BRIMILHOSP = **BMH**

Brist. Univ. = **Bristol University** Uniwersytet w m. Bristol

Brit., Br. = 1. **Britain** Wielka Brytania 2. **Britannia** Wielka Brytania 3. **British** brytyjski

bros. = **bothers** *handl* bracia

Br. Som. = **British Somali** Brytyjskie Somali

Brt fwd = **brought forward** do przeniesienia

Br. Univ. = **Brown University** *am* Uniwersytet im. Browna

BS = **B.S.** 4.

B.S. = 1. **Bachelor of Surgery** bakalaureus chirurgii *zob* **b.** 1. 2. **Bachelor of Science** bakalaureus nauk przyrodniczych *zob* **b.** 1. 3. **British Standard** Norma Brytyjska 4. **Bureau of Standards** *am* Urząd do Spraw Normalizacji

B/S, b.s. = **bill of sale** *ekon* dokument do inkasa

B.S.A. = 1. **Bachelor of Agricultural Science** bakalaureus rolnictwa *zob* **b.** 1. 2. **Birmingham Small Arms (Company)** Birminghamskie Towarzystwo Produkcji Broni Ręcznej 3. **British South Africa** Brytyjska Afryka Południowa 4. **Boy Scouts of America** Związek Harcerstwa Amerykańskiego

B.Sc. = **Bachelor of Science** bakalaureus nauk przyrodniczych *zob* **b.** 1.

B.S.I. = **British Standards Institute** Brytyjski Instytut Normalizacji

BSOM = **Br. Som.**

B.S.S. = **British Standard Specifications** Zbiór Norm Brytyjskich

BST = **British Summer Time** brytyjski czas letni

Bt. = **Bart.**

bt = **bought** *handl* zakupiono

B.T.C. = **British Transport Commission** Brytyjski Komitet Komunikacyjny

B.Th.U., B.t.u., Btu = **British Thermal Unit** brytyjska jednostka ciepła

Btn = **bat** 1.

B.T.U. = **Board of Trade Unit** *elektr* kilowatogodzina

Bty = **bat** 2.

Bu = **butyl** *chem* butyl

Bucks = **Buckinghamshire** hrabstwo Buckinghamshire

B.U.J. = **Baccalaureus Utriusque Juris** bakalaureus obojga praw *zob* **b.** 1.

Bulg. = 1. **Bulgaria** Bułgaria 2. **Bulgarian** bułgarski

B.U.P. = **British United Press** Zjednoczona Prasa Brytyjska

bur. = **bureau** biuro

B.V. = **vapour** <*am* vapor> **bath** kąpiel parowa

B.V., B/V, B/v., b.v. = **book value** *handl* wartość książkowa

B/V = **book value** *ekon* wartość inwentarzowa

BW = **Biological Warfare** wojna biologiczna

B.W.G. = **Birmingham Wire Gauge** birminghamskie znormalizowane średnice drutu

B.W.I. = **British West Indies** Brytyjskie Indie Zachodnie

BWK = **brickwork** *bud* mur; roboty murowe

BWR = **boiling-water reactor** reaktor wodny wrzący

BWT = **British Winter Time** brytyjski czas zimowy

B.W.T.A. = **British Women's Temperance Association** Brytyjski Związek Abstynentek

BWM = **British War Medal** Brytyjski Medal Wojenny

Bz = **benzoyl** *chem* benzoil

Bz. = **benzene** *chem* benzen

C = 1. **carbon** *chem* węgiel 2. **coulomb** *elektr* kulomb (jednostka) 3. **cent (hundred)** sto

C. = 1. **C** 1. 2. **Celsius, Centigrade** *fiz* stopień w skali Celsjusza 3. **cent** sto

$°C$ = **C.** 2.

C3 = najniższa kategoria zdolności do służby wojskowej

c. = 1. **cent** *am* cent 2. **centime** centym 3. **chapter** rozdział 4. **circa, circiter** około; mniej więcej 5. **contact** kontakt 6. **cum (with)** z 7. **current** bieżący

CA = 1. **Canadian Army** armia kanadyjska 2. **Civil Aviation** lotnictwo cywilne 3. **Consular Agent** agent konsularny 4. **Corps Area** *am* okręg korpusu

CA. = **chronological age** wiek kalendarzowy

C.A. = 1. **Chartered Accountant** dyplomowany księgowy koncesjonowany 2. **Central America** Ameryka Środkowa 3. **Chief Accountant** główny księgowy 4. **Coal Age** wiek węgla

Ca = **calcium** *chem* wapń

ca = **cathode** *elektr* katoda

ca, ca. = **c.** 4.

CAD, C.A.D. = **cash against documents** *handl* płatne gotówką wzamian za dokumenty przewozowe

CAEC = **Canadian Atomic Energy Commission** Kanadyjska Komisja do Spraw Energii Atomowej

C.A.F. = **Central African Federation** Federacja Afryki Środkowej

Caith. = **Caithness** hrabstwo Caithness

Cal = **kilogram-calorie** *fiz* kilokaloria

Cal. = 1. **California** *am geogr* Stan Kalifornia 2. large **calorie** *fiz* kilokaloria (kaloria duża)

cal = **calorie** *fiz* kaloria (jednostka), kaloria mała

Calif = Cal. 1.

Cal. I. of Tech, Cal Tech, Caltech = **California Institute of Technology** Kalifornijski Instytut Technologii

Cal Univ = **University of California** Uniwersytet Kalifornijski

Camb. = **Cambridge** Cambridge

Cambs = **Cambridgeshire** hrabstwo Cambridgeshire

Can. = 1. **Canada** Kanada 2. **Canadian** kanadyjski 3. **Canon** *kośc* kanonik

CANAIRHEAD = **Canadian Air Forces Headquarters** Główna Kwatera Kanadyjskich Sił Lotniczych

canc. = 1. **cancel** anulować 2. **cancellation** anulacja 3. **cancelled** anulowany

CANFOR = **Canadian Forces** Kanadyjskie Siły Zbrojne

Cant. = **Canticles** *bibl* Pieśń nad Pieśniami

Cantab = **Cantabrigiensis** (absolwent itd.) Uniwersytetu w Cambridge

cap. = 1. **capacity** pojemność 2. **capital** *druk* wersalik 3. **capitulum** (**chapter**) rozdział

CAPC = **Canadian Army Provost Corps** żandarmeria kanadyjska

caps = **capitals** *druk* wersaliki

Capt. = **Captain** *wojsk* kapitan

Card(s), Cardig. = **Cardiganshire** hrabstwo Cardiganshire

CARE, Care = **Co-operative American Remittance for Europe** Amerykańskie Spółdzielcze Towarzystwo Przesyłek do Europy

Carmarths. = **Carmarthenshire** hrabstwo Carmarthenshire

Carn. = **Carnarvonshire** hrabstwo Carnarvonshire

Carn Inst = **Carnegie Institute of Technology** *am* Instytut Technologii Carnegie'go

carr. fwd = **carriage forward** koszty transportu <przewozowe> do uiszczenia

carr. pd = **carriage paid** koszty transportu <przewozowe> pobrano; franco fracht (koszt dostawy do miejsca przeznaczenia ponosi sprzedawca); sprzedaż z warunkiem dostawy; (*dla przesyłek pocztowych*) franco porto, ofrankowany

CARTB = **Canadian Association of Radio and Television Broadcasters** Kanadyjski Związek Zawodowy Pracowników Radia i Telewizji

cat. = **catalogue** katalog

Cath. = **Catholic** katolicki; katolik

cath = **ca**

Cav., cav. = **cavalry** *wojsk* kawaleria

C.B. = 1. **Cape Breton** *geogr* okręg Cape Breton w Nowej Szkocji (Kanada) 2. **central battery** *telkom* centralna bateria 3. **Companion of the Order of the Bath** Kawaler Orderu Łaźni 4. **Confinement to Barracks** *wojsk* areszt koszarowy 5. **County Borough** obwód w hrabstwie o ludności 50.000 mieszkańców

Cb = **columbium (niobium)** *chem* kolumb (niob) *zob* **Nb**

CBC = **Canadian Broadcasting Corporation** Radio Kanadyjskie

c.b.c. = **complete blood count** całkowita liczba krwinek

C.B.E. = **Commander of the Order of the British Empire** Komandor Orderu Imperium Brytyjskiego

CBS = **Columbia Broadcasting System** *am* Radio "Kolumbia"

C.C. = 1. **Caius College** *uniw* nazwa jednego z kolegiów tworzących Uniwersytet w Cambridge 2. **Chamber of Commerce** Izba Handlowa 3. **Cape Colony** *geogr* Prowincja Przylądka Dobrej Nadziei 4. **Company Commander** *wojsk* dowódca kompanii 5. **Concentration Camp** obóz koncentracyjny 6. **continuous current** *elektr* prąd stały 7. **County Council** Rada Hrabstwa 8. **Cricket Club** Klub Krykietowy 9. **custom charges** *handl* opłaty celne 10. **Cycling Club** Klub Kolarski

c.c., cc. = **cubic centimeter** centymetr kubiczny <sześcienny>

C.C.A. = **County Councils' Association** Związek Rad Hrabstw

C.C.C. = 1. **Central Criminal Court** Centralny Sąd Karny 2. **Commodity Credit Corporation** Towarzystwo Kredytu Towarowego

CCG = **(Allied) Control Commission for Germany** Sojusznicza Komisja Zwierzchnicza w Niemczech

C.C.H.E. = **Central Council for Health Education** Centralna Rada Kształcenia Pracowników dla Służby Zdrowia

ccm = **c.c., cc.**

C.C.M.H. = **Central Council for Mental Health** Centralna Rada do Spraw Zdrowia Psychicznego

C.C.R.P.T. = **Central Council for Recreative Physical Training** Centralna Rada do Spraw Rekreacyjnych Ćwiczeń Fizycznych

CCS, C.C.S. = **Casualty Clearing Station** Stacja Ewakuacyjna Rannych i Chorych

C.C.S.B. = **Central Council for School Broadcasting** Centralna Rada Audycji Radiowych dla Szkół

cct. = **circuit** obwód

ccv = **closed circuit voltage** *elektr* napięcie przy obwodzie zamkniętym

ccw = **counterclockwise** w kierunku przeciwnym do ruchu wskazówek zegara

CD = 1. **Canadian Division** dywizja kanadyjska 2. **Coastal Defence** obrona wybrzeża

C.D. = 1. **Chancery Division** sąd cywilny 2. **Civil Defence** obrona cywilna 3. **Corps Diplomatique** korpus dyplomatyczny 4. **Contagious Diseases (Act)** Ustawa o Chorobach Zakaźnych 5. **current density** *elektr* gęstość prądu

Cd = **cadmium** *chem* kadm

cd. = 1. **carried** *handl* przewieziony 2. **carried forward** do przeniesienia 3. **conditional** warunkowy

CDA = **Civil Defense Administration** *am* Administracja Obrony Cywilnej

C Def = **CD** 2.

c.d.v. = **carte-de-visite** fotografia formatu wizytówki

CE = 1. **Chief Engineer** inżynier naczelny 2. **Counter-espionage** kontrwywiad

CE, C.E. = **Corps of Engineers** korpus wojsk inżynierskich

C.E. = 1. **Chemical Engineer** inżynier chemik 2. = = **CE** 1. 3. **Civil Engineer** inżynier lądowy i wodny 4. **Church of England** Kościół Anglikański

Ce = **cerium** *chem* cer

C.E.A. = **Central Electicity Authority** Centralny Zarząd Elektroenergetyki

C.E.B. = **Central Electricity Board** Centralny Urząd Energetyki

CEF = 1. **Canadian Expeditionary Force** Kanadyjskie Wojska Ekspedycyjne 2. **counter-electromotive force** siła przeciwelektromotoryczna

Cel = C. 2.

Celt = **Celtic** celtycki

c.e.m.f. = **CEF** 2.

Cent. = **Centigrade** (stopień) w skali Celsjusza

cent. = 1. **centum** sto 2. **central** centralny 3. **century** wiek; stulecie

Centig. = C. 2.

ceram = **ceramics** ceramika

cert. = 1. **certificate** zaświadczenie 2. **certified** poświadczony 3. **certify** zaświadczyć

C.E.T., CET = **Central European Time** czas środkowo-europejski

C.F. = 1. **Chaplain to the Forces** kapelan wojskowy 2. **Chemists' Federation** Federacja Chemików

C.F., c.f. = 1. **carried forward** *handl bank* do przeniesienia 2. **cost and freight** *handl* koszt i fracht

C.F., c.f. & i. = **cost, freight and insurance** *handl* koszt, fracht i ubezpieczenie

Cf = **californium** *chem* kaliforn

cf = **confer** (**compare**), zobacz (zob.), porównaj (por.)

c.f. = 1. **centrifugal force** siła odśrodkowa 2. **cubic foot** stopa sześcienna 3. **cut film** film płaski

c.f.i. = **cost, freight and insurance** *handl* cena (towaru) łącznie z kosztami transportu i ubezpieczenia

C.F.L. = **Canadian Federation of Labour** Kanadyjska Federacja Pracy

C.f.o. = **cancelling former order** zniesienie poprzedniego rozkazu

C.G., c.g. = **centre of gravity** *fiz* środek ciężkości

C.-G. = 1. **Commissary-General** *wojsk* główny intendent 2. **Consul-General** konsul generalny

Cge fwd = **carr. fwd**

Cge pd = **carr. pd**

C.G.H. = **Cape of Good Hope** *geogr* Przylądek Dobrej Nadziei

C.G.M. = **Conspicuous Gallantry Medal** medal za wybitną odwagę

cgm. = **centigramme** centygram (jednostka wagi = 0,01 kg)

CGS = **Chief of the General Staff** szef Sztabu Głównego

C.G.S. = **Canadian Geographical Society** Kanadyjskie Towarzystwo Geograficzne

C.G.S., c.g.s. = **centimeter-gramme-second system** system metryczny centymetr-gram-sekunda

C.H. = 1. **Clearing house** Izba Rozrachunkowa 2. **Custom House** Urząd Celny 3. **Companion of Honour** (odznaczony) Order(em) Zasługi

c.h. = **central heating** centralne ogrzewanie

ch., chap. = **chapter** rozdział

CHANCOM = **Channel Command** dowództwo NATO w rejonie Kanału La Manche

Chap. = **Chaplain** kapelan

Chap-Gen = **Chaplain-General** generał kapelan

Chas. = **Charles** Karol

Ch.B. = **Chirurgiae Baccalaureus** bakalaureus chirurgii *zob* b. 1.

Ch.C(h). = **Christ Church** nazwa jednego z kolegiów tworzących Uniwersytet w Oksfordzie

Ch.D. = **Doctor of Chemistry** doktor chemii

Ch.E. = **Chemical Engineer** inżynier chemik

chem. = 1. **chemical** chemiczny 2. **chemist** chemik 3. **chemistry** chemia

Chem. Soc. = **Chemical Society (London)** Londyńskie Towarzystwo Chemiczne

Ches. = **Cheshire** hrabstwo Cheshire

ch. fwd = **charges forward** koszty do uiszczenia

Ch.M. = **Chirurgiae Magister** magister chirurgii

ch. ppd. = **charges prepaid** koszty z góry opłacone

chq. = **cheque** czek

Chron. = **Chronicles** *bibl* Kroniki

CI = **Counter-Intelligence** kontrwywiad

C.I. = 1. **cast iron** *metalurg* żeliwo 2. **Channel Islands** *geogr* Wyspy Normandzkie 3. **Imperial Order of the Crown of India** Cesarski Order Korony Indii

C/I = **Certificate of Insurance** polisa ubezpieczeniowa

C.-I., c.i. = **cost and insurance** *handl* koszt i ubezpieczenie

C.i.a. = **cash in advance** gotówka z góry

CIB = 1. **Canadian Infantry Brigade** Kanadyjska Brygada Piechoty 2. **Counter-Intelligence Branch** Oddział Kontrwywiadu

CIC = **Counter-Intelligence Center** *am* Ośrodek Kontrwywiadu

C.I.D. = 1. **Committee of Imperial Defence** Komitet Obrony Imperium Brytyjskiego 2. **Criminal Investigating Department** Urząd Śledczy dla Spraw Kryminalnych (Scotland Yard)

C.I.E. = **Companion of the Order of the Indian Empire** kawaler Orderu Imperium Indyjskiego

C.I.F., c.i.f. = **cost, insurance, freight** cena (towaru) łącznie z kosztami transportu i ubezpieczenia

C.I.G.S. = **Chief of the Imperial General Staff** Szef Sztabu Imperium Brytyjskiego

C.-in-C., C-in-C = **Commander-in-Chief** głównodowodzący

CINCAFMED = **Commander-in-Chief, Allied Forces, Mediterranean Command** Głównodowodzący Alianckimi Siłami Okręgu Śródziemnomorskiego

CINCAIRCENT = **Commander-in-Chief, Allied Air Forces, Central Europe** Głównodowodzący Alianckimi Siłami Powietrznymi

CINCCENT = **Commander-in-Chief, Allied Forces, Central Europe** Głównodowodzący Alianckimi Siłami w Europie Środkowej

CINCEUR = **Commander-in-Chief, Europe** Głównodowodzący Wojskami Amerykańskimi w Europie

CINCLANT = **Commander-in-Chief, Atlantic Fleet** *am* Głównodowodzący Flotą Atlantycką

CINCSOUTH = **Commander-in-Chief, Allied Forces, Southern Europe** Głównodowodzący Alianckimi Siłami w Europie Południowej

Cinc Univ = **University of Cincinnati** *am* Uniwersytet w Cincinnati

CINPAC = **Commander-in-Chief, Pacific Fleet** Głównodowodzący Flotą Pacyfiku

♦C.I.O. = **Committee <Congress> of Industrial Organizations** *am* Związek Związków Zawodowych

cir. = **circ.**

circ. = **circa, circiter (about)** około, mniej więcej

CIT = California Institute of Technology Kalifornijski Instytut Technologii

cit. = citation cytat

CITY = Carnegie Institute of Technology Instytut Technologiczny Carnegie'go

Civ Avn = Civil Aviation lotnictwo cywilne

C.J. = Chief Justice *sąd* Prezes Sądu Najwyższego

ck, ck. = check *handl bank am* czek

CL = centre line linia środkowa; oś rysunku

Cl = chlorine *chem* chlor

cl. = 1. centilitre centylitr 2. class klasa 3. clause paragraf

class. = 1. classic klasyczny 2. classification klasyfikacja

Cl Univ = Clark University *am* Uniwersytet im. Clarka

CM = 1. Chief Mechanic główny mechanik 2. Court Martial Sąd Wojenny

C.M. = 1. Chirurgiae Magister magister chirurgii 2. Certificated Master *mar* kapitan dyplomowany 3. common metre zwykły metr 4. Corresponding Member członek korespondent

C/M = certificate of manufacture świadectwo wyrobu

Cm = curium *chem* kiur

cm. = centimeter centymetr

c.m. = cras mane (tomorrow morning) jutro rano

C.M.A. = Canadian Medical Association Kanadyjski Związek Lekarzy

CMF = 1. Canadian Military Forces Kanadyjskie Siły Zbrojne 2. Commonwealth Military Forces Siły Zbrojne Brytyjskiej Wspólnoty Narodów

C.M.G. = Companion of the Order of St Michael and St George kawaler Orderu Św. Michała i Św. Jerzego

CM Hq = Canadian Military Headquarters Główna Kwatera Wojsk Kanadyjskich

C.M.I. = Canadian Mining Institute Kanadyjski Instytut Górniczy

C.M.I.A. = Coal Mining Institute of America Instytut Górniczy Stanów Zjednoczonych

cml = commercial handlowy

C/N = 1. circular note okólnik 2. credit note *handl bank* nota kredytowa

c.n. = cras nocte (tomorrow night) jutro w nocy

C.N.D. = Campaign for Nuclear Disarmament kampania o rozbrojenie nuklearne

CNR = Canadian National Railways Kanadyjskie Koleje Państwowe

CO, c.o. = Conscientious objector człowiek uchylający się od służby wojskowej, motywując to względami religijnymi

C.O. = 1. Colonial Office Ministerstwo do Spraw Kolonii 2. Commanding Officer *wojsk* dowódca

Co = cobalt *chem* kobalt

Co. = Company kompania; spółka, towarzystwo

c/o = 1. care of (*w adresie*) z listami ... 2. Certificate of origin świadectwo pochodzenia

coad. = coadjutor *kośc* sufragan

Coch. mag. = cochleare magnum (tablespoonful) *med* po łyżce stołowej

Coch. med. = cochleare medium (dessertspoonful) *med* po łyżce deserowej

Coch. parv. = cochleare parvum (teaspoonful) *med* po łyżeczce do herbaty

Co Comdr = Company Commander dowódca kompanii

Coct. = coctio (boiling) wrzenie; gotowanie

C.O.D. = 1. cash on delivery *handl* płatne gotówką przy dostawie 2. Concise Oxford Dictionary Średni Słownik Oksfordzki

coef. = coefficient współczynnik

C. of E. = Church of England Kościół Anglikański

cog. = cognate *dosł i przen* pokrewny

Col. = 1. Colonel *wojsk* pułkownik 2. Colorado *am* stan Kolorado

Coll. = College *univ* kolegium; *szk* szkoła

Colo. = Colorado *am* stan Kolorado

colog = cologarithm *mat* kologarytm

Coloss. = Colossians *bibl* List do Kolosan

Col. Sergt = Colour Sergeant sierżant sztabowy

Col Univ = Columbia University *am* Uniwersytet "Columbia"

Com. = 1. Commander *wojsk* dowódca 2. Committee komitet 3. Commissioner komisarz 4. Commodore *mar* komandor

com. = 1. commerce handel 2. common pospolity; zwyczajny

COMAIRCEN = Commander of the Allied Air Forces, Central Europe Dowódca Alianckich Sił Powietrznych w Europie Środkowej

COMAIRSOUTH = Commander of the Allied Air Forces, Southern Europe Dowódca Alianckich Sił Powietrznych w Europie Południowej

Comd = 1. Command dowództwo 2. Commander dowódca

Comdr. = Commander dowódca

Comdt. = Commandant komendant

Com.-in-Chief = Commander-in-Chief głównodowodzący

Comp. = 1. composition skład, kompozycja 2. compound złożony 3. związek (chemiczny)

comp., compar. = comparative *gram* stopień wyższy <drugi>

Con. = Consul konsul

con. = contra przeciw

conc. = 1. concentrate koncentrat 2. concentrated *chem* stężony

concn. = concentration *chem* stężenie

cond. = conductivity *fiz* przewodność

Cong. = Congress kongres

Conn. = Connecticut *am* stan Connecticut

Cons. = 1. conserva (conserve) zachowaj 2. consul konsul

const. = constant stały, stała wielkość

Cont. = 1. contents zawartość, treść 2. continue kontynuować 3. contusus (bruised) stłuczony, kontuzjowany

condt = continued dalszy ciąg (c.d.)

contemp. = contemporary współczesny

contr. = 1. contraction *med* zwężenie, skurcz 2. contrary odwrotnie, przeciwnie

Cont. rem. = continuetur remedium (repeat the drug) powtórz lekarstwo

co-op. = 1. co-operative society spółdzielnia 2. co-operative stores spółdzielnia (sklep)

cop. = copper *chem* miedź

copr. = copyright, copyrighted prawa autorskie zastrzeżone

coq. = coque (boil) zagotuj

Cor. = Corinthians *bibl* List do Koryntian

corr. = 1. **corrected** poprawiony 2. **correspondent** korespondent 3. **corresponding** odpowiadający
Cor(r). Mem. = **Corresponding Member** członek korespondent
C.O.S. = 1. **cash on shipment** *handl* płatne gotówką przy załadowaniu 2. **Charity Organizations Society** Zjednoczenie Towarzystw Dobroczynnych
cos. = **cosine** *mat* cosinus
COSSAC = **Chief of Staff, Supreme Allied Command** Szef Sztabu Naczelnego Dowództwa Alianckiego
cosec. = **cosecant** *mat* cosecans, dosieczna
cot = **cotangent** *mat* cotangens, dotyczna
C.P. = 1. **Cape Province** *geogr* Kraj Przylądkowy 2. = **carr. pd** 3. **Clerk of the Peace** pisarz sądowy 4. **Common Pleas** *sąd* Sąd Cywilny (nie istniejący obecnie)
C.P., CP, cp = **chemically pure** chemicznie czysty
Cp = **Lu**
cp. = **compare** porównaj (por.)
c.p. = **candle-power** *opt* światłość
‡**CPA** = 1. **Canadian Pacific Air Lines** Kanadyjskie Linie Lotnicze na Pacyfiku 2. **Communist Party of Australia** Australijska Partia Komunistyczna
CPAL = **CPA** 1.
C.P.C. = **Clerk of the Privy Council** pisarz <sekretarz> Tajnej Rady
cpd. = **compound** 1. związek chemiczny 2. złożony
C. pd = **carr. pd**
C.P.G.B. = **Communist Party of Great Britain** Komunistyczna Partia Wielkiej Brytanii
Cpl. = **Corporal** *wojsk* kapral
C.P.R. = **Canadian Pacific Railway** Kolej Transkanadyjska
C.P.S. = **Custos Privati Sigilli** Strażnik Małej Pieczęci
‡**C.P.U.S.A.** = **Communist Party of the United States of America** Komunistyczna Partia Stanów Zjednoczonych A.P.
C.R. = **compression ratio** stopień sprężania
Cr = **chromium** *chem* chrom
cr. = **credit** *księgow* strona „ma"
CRA = **Commander of the Royal Artillery** Dowódca Królewskiej Artylerii
CRE = **Commander of the Royal Engineers** Dowódca Królewskich Saperów
cresc. = **crescendo** *muz* crescendo
crim. con. = **criminal conversation** *prawn* zakazany stosunek płciowy
crit. = **critical** krytyczny
C.R.T. = **cathode-ray tube** lampa elektronopromieniowa
C.S. = 1. **Civil Service** administracja <służba> państwowa 2. **Clerk to the Signet** zastępca prawny 3. **Custos Sigilli** Strażnik Małej Pieczęci 4. **Chemical Society** Towarzystwo Chemiczne
Cs = **caesium (cesium)** *chem* cez
C.S.A. = **Confederate States of America** Stany Skonfederowane (Południowe) w amerykańskiej wojnie cywilnej <secesyjnej>
C.S.I. = **Companion of the Star of India** kawaler Orderu Gwiazdy Indii
C.S.M. = **Company Sergeant-Major** *wojsk* sierżant sztabowy

CST, C.S.T. = **Central Standard Time** czas urzędowy środkowoamerykański
C/T = **cable transfer** przekaz telegraficzny
Ct = **celtium (hafnium)** *chem* celt (hafn)
Ct. = **Connecticut** *am* stan Connecticut
‡**ct.** = **cent** sto
C.T.C. = 1. **centralized traffic control** *kolej* dyspozytorskie urządzenie nastawcze; scentralizowany rozrząd ruchu pociągów 2. **Cyclist's Touring Club** Kolarskie Towarzystwo Turystyczne
C.U. = 1. **Cambridge University** Uniwersytet w Cambridge 2. = **Col Univ**
Cu = **cuprum (copper)** *chem* miedź
cu., cub. = **cubic** sześcienny, kubiczny
Cumb. = **Cumberland** hrabstwo Cumberland
Cumb Univ = **University of Cumberland** *am* Uniwersytet Cumberlandzki
C.V. = 1. **calorific value** ciepło spalania; wartość opałowa 2. **cras vespera (tomorrow evening)** jutro wieczorem
C.V.O. = **Commander of the Royal Victorian Order** komandor Orderu Wiktoriańskiego
CW = **continuous wave** fala ciągła
C.W.O., c.w.o. = **cash with order** *handl* płatne w gotówce przy zamówieniu
cw = **clockwise** w kierunku zgodnym z ruchem wskazówek zegara
c.w. = **commercial weight** waga handlowa
cwt. = **hundredweight** centnar angielski, kwintal (112 funtów = 50 kg 802 g)
cyl. = 1. **cylinder** cylinder 2. **cylindrical** cylindryczny

D = 1. **density** gęstość 2. **doctor** doktor
D. = **Duke** książę
2-D = **two-dimensional** dwuwymiarowy
3-D = **three-dimensional** trójwymiarowy
‡**d.** = 1. **denarius (penny)** pens; **denarii (pence)** pensy 2. **died** zmarł
DA = **Deputy Assistant** zastępca dowódcy
D.A., d.a. = **direct action** bezpośrednie działanie
D/A = **deposit account** *ekon* rachunek depozytowy
d.a. = **delayed action** zwłoka
dag. = **decagram** dekagram
D. Agr. = **Doctor of Agriculture** doktor rolnictwa
Dak = **Dakota** *am* stan Dakota
Dan = **Danish** duński
Dan. = **Daniel** Daniel
DASH = **drone anti-submarine helicopter** helikopter bez załogi do zwalczania okrętów podwodnych
DB = **Disciplinary Barracks** *am* areszt
D.B.E. = **Dame of the Order of the British Empire** Komandorka <Dama> Orderu Imperium Brytyjskiego
dbl. = **double** podwójny
D-bomb = **depth bomb** bomba głębinowa
‡**DC** = 1. **Dental Corps** Oddział Dentystyczny 2. **Deputy Chief** zastępca kierownika 3. **District Commander** dowódca okręgu 4. **Divisional Commander** dowódca dywizji
D.C. = 1. **decimal system** układ dziesiętny (miar i wag) 2. **Diplomatic Corps** korpus dyplomatyczny 3. **direct current** *elektr* prąd stały 4. **District**

of Columbia *am* okręg Kolumbii (ze stolicą USA, Waszyngtonem)

D.C.H. = **Diplomate in Child Health** dyplomowany pediatra

DC-in-C = **Deputy Commander-in-Chief** zastępca głównodowodzącego

D.C.L. = **Doctor of Civil Law** doktor prawa świeckiego

D.C.M. = **Distinguished Conduct Medal** *wojsk* (odznaczony) Krzyż(em) Walecznych

DD = 1. **Deputy Director** zastępca dyrektora <naczelnika> 2. **Department of Defense** *am* Ministerstwo Obrony

D.D. = **Divinitatis Doctor** doktor teologii

D/D, D/d = ... **days after delivery** ... dni po dostarczeniu

D/d = ... **days after date** ... dni od daty wystawienia

dd., d/d = **delivered** *handl* dostarczony

d.d. = **day's date** dzisiaj, w dniu dzisiejszym

d-d = **damned** przeklęty

D.D.D. = **dat, dicat, dedicat** (od autora) ofiaruję ...

D.D.S. = **Doctor of Dental Surgery** doktor chirurgii stomatologicznej

D.D.T. = **dichlorodiphenyltrichloroethane** DDT (proszek owadobójczy)

D.E. = 1. **differential equation** *mat* równanie różniczkowe 2. **Doctor of Engineering** doktor nauk technicznych 3. **Doctor of Entomology** doktor entomologii

Dec. = **December** grudzień

dec. = 1. **deceased** zmarły 2. **decimetre** decymetr

decim. = **dec.** 2.

D. Eco., D. Econ. Sc. = **Doctor of Economic Science** doktor nauk ekonomicznych

def. = 1. **definite** określony 2. **definition** definicja; określenie

deg. = **degree** *fiz* stopień (temperatury)

Del. = **Delaware** *am* stan Delaware

del., delt. = **delineavit** rysował (rys.) ...; wykonał (wyk.) ...

Del Univ = **University of Delaware** Uniwersytet Stanu Delaware

Dem. = **Democrat** *am* członek Partii Demokratycznej

D.E.M.S. = **Defensively Equipped Merchant Ship** defensywnie uzbrojony statek marynarki handlowej

D. Eng. = **D.E.** 2.

Den Univ = **Denison University** *am* Uniwersytet im. Denisona

Denv. Univ. = **Denver University** *am* Uniwersytet Denverski

Dep. = **Department** *admin* dział, oddział, departament; *uniw* katedra

dep = **departure** (*w rozkładzie jazdy*) odjazd, godzina odjazdu

DEPOL = **Police Department** Policja

dept. = **dep.** 1.

Dept Agr = **Department of Agriculture** *am* Ministerstwo Rolnictwa

Depy = **Deputy** zastępca

Derbs = **Derbyshire** hrabstwo Derbyshire

desc. = **descendant** potomek

dest. = **destilled** destylowany

Deut. = **Deuteronomy** *bibl* Deuteronomion, Piąta Księga Pięcioksięgu

Devon = **Devonshire** hrabstwo Devonshire

D.F. = 1. **Dean of the Faculty** *uniw* Dziekan Wydziału 2. **Defender of the Faith** obrońca wiary 3. **Direction(al) Finding** *fiz* radionamierzanie

D.F.C. = **Distinguished Flying Cross** odznaczenie przyznawane oficerom lotnictwa

D.F.M. = **Distinguished Flying Medal** odznaczenie przyznawane szeregowym i podoficerom lotnictwa

DG = **Director-General** naczelny dyrektor

D.G. = **Directorate-General** Naczelna Dyrekcja

Dg = **decagramme** dekagram

dg. = **decigramme** decygram

D Hq = **Division Headquarters** sztab dywizji

DI = **Divisional Inspector** inspektor dywizyjny

D.I. = **daily inspection** *lotn* przegląd dzienny

di., dia., diam. = **diameter** średnica

dil. = **dilute** *chem* rozcieńczony

D.I.N. = **Deutsche Industrie Norm** Niemiecka Norma Przemysłowa

D. Ing = **D.E.** 2.

Dl of Techn = **Detroit Institute of Technology** *am* Instytut Technologii w Detroit

Dion = 1. **Division** oddział, wydział 2. **Division** *wojsk* dywizja

Dir = 1. **Director** dyrektor 2. **Directorate** dyrekcja

disbs = **disbursement** wydatki

Div = **Dion**

Div Hq = **D Hq**

dkg = **decagram** dekagram

D. Kr. = **Denmark Krone** korona duńska

DL = **delinquency list** *wojsk* wykaz przewinień

D.L. = **Deputy Lieutenant** zastępca namiestnika

Dl = **decalitre** dekalitr

dl = **decilitre** decylitr

D.Lit(t). = **Doctor Litterarum** <Litteraturae> doktor literatury

D.L.O. = 1. **Dead-letter Office** Dział Listów Niedoręczonych (wskutek wadliwego zaadresowania itd.) 2. **Diplomate of Laryngology and Otology** dyplomowany laryngolog <lekarz chorób uszu i gardła>

DM = **Deutsche Mark** marka niemiecka

D.M. = 1. **Doctor of Mathematics** doktor matematyki 2. **Doctor of Medicine** doktor medycyny 3. **Doctor of Music** doktor muzykologii

Dm = **decametre** dekametr

dm. = **decimeter** decymetr

D.M.D. = **Doctor in Dental Medicine** doktor stomatologii

DME = **distance measuring equipment** *lotn* odległościomierz radiowy

DMI = **Director of Military Intelligence** dyrektor wywiadu wojskowego

D. Mus. = **D.M.** 3.

DN = **Department of the Navy** *am* Ministerstwo Marynarki Wojennej

D/N = **debit note** *handl bank* nota debetowa

DND = **Department of National Defence** (Kanadyjskie) Ministerstwo Obrony Narodowej

DNI = **Director of Naval Intelligence** Dyrektor Wywiadu Marynarki Wojennej

D.o. = **Diplomate in ophthalmology** dyplomowany okulista

D/O = **delivery order** *handl* zlecenie dostawy

do. = **ditto** tak samo; tenże; wyżej wymieniony
doc. = 1. **doctor** doktor 2. **document** dokument
3. **domestic** domowy
Doc. Eng. = **D.E.** 2.
D. of I. = **Director of Intelligence** dyrektor wywiadu
dol. = **dollar** dolar
D.O.R.A. = **Defence of the Realm Act** Ustawa o Obronie Królestwa
Dors. = **Dorsetshire** hrabstwo Dorsetshire
doz. = **dozen** tuzin
D.P. = **Displaced Person** wysiedlony; przesiedlony
D/P, d/p = **documents against payment** *handl* dokumenty w zamian za uiszczenie należności
DPH = **diamond pyramid hardness** *fiz* twardość według Vickersa
D.Ph. = **Doctor Philosophiae** doktor filozofii
dpm = **desintegration per minute** *nukl* liczba rozpadów na minutę
dps. = **desintegration per second** *nukl* liczba rozpadów na sekundę
dpt. = **dept.**
DP Univ = **De Paul University** Uniwersytet im. De Paula
DQ = **Detention Quarters** areszt
D Qm = **Divisional Quartermaster** kwatermistrz dywizyjny
Dr. = 1. **Doctor** doktor 2. **debtor** dłużnik
Dr.Bot. = **Doctor of Botany** doktor botaniki
Dr.Chem. = **Doctor of Chemistry** doktor chemii
D Repat = **Director of Repatriation** *am* Dyrektor Biura Repatriacyjnego
Dr.Jur. = **Doctor Juris** doktor praw
Dr Nat. His. = **Doctor of Natural History** doktor nauk przyrodniczych
Dr Nat. Sc. = **Doctor of Natural Science** doktor nauk przyrodniczych
Dr Phil. = **Doctor of Philosophy** doktor filozofii
Dr Phys. Sc. = **Doctor of Physical Science** doktor fizyki
DRV = **Democratic Republic of Vietnam** Wietnamska Republika Ludowo-Demokratyczna
DS = **Dressing Station** punkt opatrunkowy
D.S. = 1. **Doctor of Science** doktor nauk przyrodniczych 2. **Driving School** Szkoła Jazdy Samochodowej
D/S, d.s. = ...**days after sight** *handl bank* ...dni od daty okazania
D.S.C. = **Distinguished Service Cross** odznaczenie przyznawane młodszym oficerom marynarki wojennej
D.Sc. = **Doctor of Science** doktor nauk przyrodniczych
D.S.M. = **Distinguished Service Medal** odznaczenie przyznawane marynarzom i podoficerom marynarki wojennej
D.S.O. = **Distinguished Service Order** medal przyznawany oficerom w wojsku i marynarce wojennej
D.S.T. = 1. **Daylight Saving Time** czas letni 2. **Doctor of Sacred Theology** Doktor Świętej Teologii
D.T., D.Th., D. Theol = **D.S.T.** 2.
D.T.('s)., d.t.('s). = **delirium tremens** obłęd opilczy
D.U. = **Durham University** Uniwersytet Durham

Dumb. = **Dumbartonshire** hrabstwo Dumbartonshire
Dumf. = **Dumfriesshire** hrabstwo Dumfriesshire
D Univ = **University of Denver** Uniwersytet Denverski
dup. = **duplicate** duplikat
Dur, Durh = **Durhamshire** hrabstwo Durhamshire
Durh. = **D.U.**
D.V.M. = **Doctor of Veterinary Medicine** doktor nauk weterynaryjnych
Dvn = **Dion**
d.v.p. = **decessit vita patris** *prawn* zmarł za życia ojca
D.V.S. = **Doctor of Veterinary Surgery** doktor chirurgii weterynaryjnej
D.W. = **deadweight** nośność (statku)
d.w. = **dead weight** ciężar własny (konstrukcji)
dwt. = **pennyweight** jednostka wagi (ok. $1^1/_2$ grama)
Dy = **dysprosium** *chem* dysproz
D/y = **delivery** dostawa, dostarczenie; wydanie
dy = **delivery** dostawa
D.Z. = **Doctor of Zoology** doktor zoologii
dz. = **doz.**

E = **einsteinium** *chem* einstein
E. = 1. **East** wschód 2. **experimenter** badacz
e. = **electron** elektron
EA = 1. **East Africa** Wschodnia Afryka 2. **Endemic Areas** strefy endemiczne 3. **Enemy aircraft** samolot nieprzyjacielski 4. **Enemy Area** strefa nieprzyjacielska 5. **European Army** Europejska Armia (NATO)
E.A. = **Economic Adviser** doradca w sprawach ekonomicznych
EAC, EA Com = **East African Command** dowództwo wschodnioafrykańskie
EAF = 1. **East African Forces** Wschodnioafrykańskie Wojska 2. **Expeditionary Air Forces** Ekspedycyjne Siły Lotnicze
EAR = **Engineer Amphibian Regiment** Saperski Pułk Desantowy Pojazdów Amfibii
E.A.S. = **equivalent air speed** *lotn* prędkość równoważna lotu
EASTCOM = **Eastern Command** dowództwo okręgu wschodniego
E. & O. E. = **Errors and Omissions Excepted** *handl* z zastrzeżeniem błędów i opuszczeń
E.B. = **elementary body** ciało elementarne
E.B., E. Br. = **Encyclopaedia Britannica** Encyklopedia Brytyjska
EBB, EB.B. = **extra best** best najwyższego gatunku, najlepszej jakości
EBU = **European Broadcasting Union** Europejska Unia Radiofoniczna
E by N = **East by North** *mar* (kierunek w róży kompasowej) Wschód ku Północy (EkN)
E by S = **East by South** *mar* (kierunek w róży kompasowej) Wschód ku Południowi (EkS)
EC = **EASTCOM**
E.C. = **East Central** wschodni obwód pocztowy śródmieścia Londynu
Eccl., Eccles. = **Ecclesiastes** *bibl* Księga Eklezjastesa
Ecclus. = **Ecclesiasticus** *bibl* Księga Eklezjastyka
ECG, e.c.g. = **electrocardiogram** elektrokardiogram

E Cmd = EASTCOM
econ = 1. **economic** ekonomiczny; gospodarczy; oszczędny 2. **economics** ekonomia 3. **economy** ekonomia; oszczędność
ED = 1. **Engineering Department** Dział <Wydział> Techniczny 2. **Equipment Department** Dział <Wydział> Zaopatrzenia 3. **Experimental Department** Dział <Wydział> Doświadczalny
E.D. = **Doctor of Engineering** doktor nauk technicznych
▲**ed.** = 1. **edited** (*o publikacji*) wydany; w opracowaniu ... 2. **editor** redaktor (publikacji); wydawca
EDC = **European Defence Community** Europejska Wspólnota Obronna
EDF = **European Defence Force** Europejskie Siły Obronne (NATO)
Edin. = **Edinburgh** Edynburg
edit. = **ed.**
Ed. M. = **Master of Education** magister nauk pedagogicznych
Edm. = **Edmund** Edmund
edn = **edition** wydanie
educ. = 1. **education** wychowanie, wykształcenie 2. **educational** wychowawczy
Edw. = **Edward** Edward
EE = 1. **Envoy Extraordinary** poseł nadzwyczajny 2. **Experimental Establishment** zakład doświadczalny
E.E., e.e. = **errors excepted** *handl bank* z zastrzeżeniem błędów i (p)omyłek
▲**EEC** = **European Economic Council** Europejska Rada Ekonomiczna
EEF = **Estimate of Enemy Force** oszacowanie sił nieprzyjaciela
E. Equat. Afr. = **Eastern Equatorial Africa** Wschodnia Afryka Równikowa
EET = **East European Time** czas wschodnioeuropejski
EF = **Expeditionary Forces** wojska ekspedycyjne
eff = **efficiency** moc; wydajność; zdolność; *mech* sprawność
EFS = **Effective Fighting Strength** efektywna siła bojowa
Eg, Egy = **Egypt** Egipt
e.g. = **exempli gratia (for example)** na przykład
EHF = **extremely high frequency** *elektr* częstotliwość fal minimetrowych
E.H.P. = **effective horse-power** moc użyteczna <efektywna>
E.H.T. = **extra high tension** najwyższe napięcie
EI = **East Indies** Indie Wschodnie
E.I. = **East India** India Wschodnia
E.I.C. = **Engineering Institute of Canada** Kanadyjski Instytut Techniczny
E.I.C.S. = **East India Company's Service** W Służbie Towarzystwa Wschodnioindyjskiego
ejusd. = **ejusdem** tegoż autora
E.L. = **East Lothian** hrabstwo East Lothian
ELEC = **European League for Economic Co-operation** Europejska Liga Współpracy Ekonomicznej
elec., elect. = 1. **electric, electrical** elektryczny 2. **electricity** elektryczność
electrochem. = 1. **electrochemical** elektrochemiczny 2. **electrochemistry** elektrochemia

electrophys. = 1. **electrophysical** elektrofizyczny 2. **electrophysics** elektrofizyka
elem. = 1. **elementary** elementarny 2. **elements** elementy; pierwiastki
EM = **Eastern Mediterranean** Śródziemnomorski Okręg Wschodni
E.M. = **Engineer of Mines** inżynier górnik
Em. = **emanation** emanacja
emb. = **embargo** *handl* embargo
E.M.F., e.m.f. = **electromotive force** *elektr* siła elektromotoryczna
E.M.S. = **emergency medical service** pomoc lekarska w nagłych wypadkach
E.M.U., e.m.u., emu = **electromagnetic unit** *fiz* jednostka elektromagnetyczna
enc., encl. = 1. **enclosed** załączony 2. **enclosure** załącznik
Ency Amer = **Encyclopaedia Americana** Encyklopedia Amerykańska
Ency Brit = **Encyclopaedia Britannica** Encyklopedia Brytyjska
E.N.E., ENE = **East-North-East** wschodnio-północny wschód
Eng., Engl = 1. **England** Anglia 2. **English** angielski
eng. = 1. **engineer** inżynier; technik 2. **engine** silnik; maszyna 3. **engraver** rytownik, grawer
engg = **engineering** technika
engr = **eng.** 1.
entom. = **entomology** entomologia
EO = 1. **Education Officer** oficer oświatowy 2. **Embarkation Officer** komendant Działu Załadunku Wojsk 3. **Emergency Office** pogotowie 4. **Enemy Occupied** (*o terenie*) zajęty przez nieprzyjaciela; okupowany
e.o.m. = **end of month** koniec miesiąca
E.O.S. = **End of season** koniec sezonu
E.O.T. = **Enemy Occupied Territory** obszar zajęty przez nieprzyjaciela <okupowany>
EP = **extended play** *akust* (*o płycie*) długogrająca
EP, ep = **Enemy position** stanowisko nieprzyjaciela
Ep. = **Epistle** *kośc* lekcja, epistoła
Eph. = **Ephesians** *bibl* List do Efezów
Epis., Episc. = **Episcopal** biskupi
E.P.T. = **excess profits tax** podatek od nadmiernych dochodów
eq = **equation** *mat* równanie
eq. = 1. **equal** równy 2. **equivalent** równowartość, równoznacznik, równoważnik
Eq Af, E Afr = **Equatorial Africa** Afryka Równikowa
equ. = **eq**
E.R. = 1. **East Riding** wschodni okręg hrabstwa Yorkshire 2. **Edwardus Rex** Edward Król 3. **Elisabeth Regina** Elżbieta Królowa
Er = **erbium** *chem* erb
▲**ERP** = **European Recovery Program** *am* Program Dźwignięcia Europy (Plan Marshalla)
E.R.P. = **effective radiated power** skuteczna moc promieniowania
erron. = **erroneous** błędny
E.S.E., ESE = **East-south-east** wschodnio-południowy wschód
esp. = **especially** szczególnie, zwłaszcza, w szczególności
Esq. = **Esquire** (*w adresie*) JWPan
EST = 1. **Eastern Standard Time** czas urzędo-

wy, wschodnio-amerykański czas urzędowy 2.
electroshock therapy leczenie wstrząsem elektrycznym

est = **established** (*o przedsiębiorstwie*) założony (w roku...)

Esth. = **Esther** *bibl* Estera

E.S.U., e.s.u. = **electrostatic unit** *elektr* jednostka elektrostatyczna

ET = **Eastern Time** czas wschodni

ETA = **estimated time of arrival** *lotn* przewidywany czas przylotu

Et. = **ethyl** etyl

et al. = 1. **et alibi** oraz gdzie indziej 2. **et alia** i inne (rzeczy) 3. **et alii** i inni

etc. = **et cetera (and so on)** i tak dalej (i.t.d.), i inne; **et ceteri** i inni

ETD = **estimated time of departure** *lotn* przewidywany czas odlotu

et seq. = **et sequens** i następny

et seqq. = 1. **et sequentes** i następni 2. **et sequentia** i następne (rzeczy)

ETO = **European Theatre of Operations** Europejski Teatr <Obszar> Działań Wojennych

ETOUSA = **European Theater of Operations, United States Army** Armia Stanów Zjednoczonych w Europejskim Teatrze <Obszarze> Działań Wojennych

E.T.U. = **Electrical Trades-Union** Związek Zawodowy Elektryków

etym., etymol. = **etymology** etymologia

Eu = **europium** *chem* europ

EUCOM = **European Command** Dowództwo Wojsk Amerykańskich w Europie

euphem. = **euphemism** eufemizm

eV = **electron-volt** elektronowolt

EWT = **Eastern winter time** wschodni czas zimowy

Ex = **exchange** *handl* giełda; kurs

Ex. = **Exodus** *bibl* Księga Wyjścia

ex. = 1. **examined** wypróbowany, skontrolowany, sprawdzony 2. **example** przykład

exam. = **examination** badanie, egzamin

Exc. = **Excellency** Ekscelencja

exc. = **except** wyjąwszy, z wyjątkiem, z wyłączeniem

exch. = **exchange** wymiana, zamiana

excl. = **exclusive** wyłączony; ekskluzywny

Ex.com. = **Executive Committee** Komitet Wykonawczy

exec. = **executive** wykonawczy

EXFOR, ExpF = **Expeditionary Forces** Ekspedycyjne Wojska

Exod. = **Ex.**

ex off. = **ex officio** z urzędu

exp. = 1. **expenses** *handl bank* wydatki 2. **export** *handl* eksport 3. **express** ekspres

ext = **external** zewnętrzny

ext. = **extract** ekstrakt

ex whse = **ex warehouse** *handl* loco skład <magazyn>

Ez. = **Ezra** *bibl* Ezra

Ezek. = **Ezekiel** *bibl* Ezekiel

F = 1. **farad** *elektr* farad 2. **fluorine** *chem* fluor 3. **speed of lens** jasność obiektywu

F, F., °F = **Fahrenheit** w skali Fahrenheita

f. = 1. **farad** *elektr* farad 2. **farthing** *zob słownik*

3. **fathom** miara stosowana przy mierzeniu głębokości (= 1 m 829 cm) 4. **focal distance** *fot* ogniskowa 5. **foot (feet)** stopa (stopy) 6. **forte** *muz* forte 7. **franc** frank 8. **furlong** miara długości (= 201 m)

FA = 1. **Family allowance** dodatek rodzinny 2. **Field allowance** dodatek polowy 3. **Field ambulance** sanitarka polowa 4. **Field Army** armia polowa 5. **Field artillery** artyleria polowa 6. **Financial adviser** doradca finansowy

F.A. = 1. **Fine Arts** sztuki piękne 2. **Football Association** Związek Piłki Nożnej

F/A = **Fighter aircraft** samolot bojowy

Fa. = **Florida** *am* stan Floryda

F.A.A. = **Fleet Air Arm** lotnictwo marynarki wojennej

f.a.a. = **free of all average (policy)** (polisa ubezpieczeniowa) bez ryzyka z tytułu awarii

F.A.C.P. = **Fellow of the American College of Physicians** członek Amerykańskiego Kolegium Lekarskiego

F.A.C.S. = **Fellow of the American College of Surgeons** członek Amerykańskiego Kolegium Chirurgów

F Adm = **Fleet Admiral** admirał floty

F.A.G.S. = **Fellow of the American Geographical Society** członek Amerykańskiego Towarzystwa Geograficznego

Fahr. = **Fahrenheit** w skali Fahrenheita

fam. = 1. **familiar** znany; poufały 2. **family** rodzina

F.A.P. = **First Aid Post** punkt opatrunkowy

F.A.P.S. = **Fellow of the American Physical Society** członek Amerykańskiego Towarzystwa Fizycznego

f.a.q. = 1. **fair average quality** przeciętnej jakości 2. **free alongside quay** *handl* franco nabrzeże

FAS = 1. **Field Ambulance Service** polowa służba sanitarna 2. **Florida Academy of Sciences** Akademia Nauk na Florydzie

F.A.S. = 1. **Federation of American Scientists** Federacja Amerykańskich Przyrodników 2. **Fellow of the Actarial Society** członek Towarzystwa Kalkulatorów Ubezpieczeniowych 3. **Fellow of the Anthropological Society** członek Towarzystwa Antropologicznego 4. **Fellow of the Society of Arts** członek Towarzystwa Artystycznego

f.a.s. = **free alongside ship** *handl* (*o warunkach sprzedaży towaru*) łącznie z dostawą do burty statku

fath. = **f.** 3.

fax = **fascimile** fototelegram

F.B. = **fire brigade** straż pożarna

F.B.A. = **Fellow of the British Academy** członek Akademii Brytyjskiej (nauk humanistycznych)

FBI = **Federal Bureau of Investigation** *am* Federalne Biuro Śledcze

FBI, F.B.I. = **Federation of British Industries** Związek Przemysłowców Brytyjskich

F.B.S. = **Fellow of the Botanical Society** członek Towarzystwa Botanicznego

F.C. = **Football Club** Klub Piłki Nożnej

F.C.A. = **Fellow of the Institute of Chartered Accountants** członek Związku Dyplomowanych Księgowych Koncesjonowanych

FCB = **Frequency Control Board** Biuro Kontroli Częstotliwości

FCC = **Federal Communication Commission** Federalna Komisja Telekomunikacyjna

F.C.C. = **First Class Certificate** dyplom I stopnia

F.C.I. = **Fellow of the Institute of Commerce** członek Instytutu Handlowego

F.C.I.C. = **Fellow of the Canadian Institute of Chemistry** członek Kanadyjskiego Instytutu Chemicznego

F Com = **Fighter Command** dowództwo lotnictwa myśliwskiego

F.C.S. = **Fellow of the Chemical Society** członek Towarzystwa Chemicznego

F.D. = **Fidei Defensor** obrońca wiary

F.D.I. = **International Dental Federation** Międzynarodowa Federacja Stomatologów

f.d. = **free delivery** *handl* cena łącznie z dostawą

FDR = **Franklin Delano Roosevelt** *am* b. prezydent St. Zjedn.

F-drive = **front drive** napęd na przednie koła

FDS law = **Fermi-Dirac-Sommerfeld law** *fiz* prawo Fermiego, Diraca i Sommerfelda

FEAF = **Far East Air Forces** Siły Powietrzne Dalekiego Wschodu

Feb. = **February** luty

Fe = **ferrum (iron)** *chem* żelazo

FEC = **Far East Command** Dowództwo Wojsk Dalekiego Wschodu

fec. = **fecit** wykonał (wyk.)...

Fed. Mal. St = **Federated Malay States** Federacja Malajska

FEF = 1. **Far East Fleet** Flota Dalekiego Wschodu 2. **French Expeditionary Forces** Francuskie Wojska Ekspedycyjne

FES = **Florida Entomological Society** Towarzystwo Entomologiczne Stanu Floryda

F.E.S. = 1. **Fellow of the Entomological Society** członek Towarzystwa Entomologicznego 2. **Florida Engineering Society** Towarzystwo Techniczne Stanu Floryda

FET = **Far East Time** Czas Dalekiego Wschodu

ff = **fortissimo** *muz* fortissimo

ff. = **following (pages)** następujące <następne, dalsze> (strony)

fff = **fortississimo** *muz* fortississimo

F.F.P.S. = **Fellow of the Faculty of Physicians and Surgeons** członek Związku Lekarzy i Chirurgów

F.F.R. = **Fellow of the Faculty of Radiologists** członek Związku Radiologów

F.F.S. = **Fellow of the Faculty of Sciences** członek Związku Przyrodników

f.g.a. = **free of general average** *handl* bez skutków awarii ogólnej

F Gru = **Fighter Group** *lotn* grupa myśliwska

F.G.S. = **Fellow of the Geological Society** członek Towarzystwa Geologicznego

F.G.S.A. = **Fellow of the Geological Society of America** członek Amerykańskiego Towarzystwa Geologicznego

FH = **Field Hospital** szpital polowy

F.H. = **fire hydrant** hydrant przeciwpożarowy

FHA = **Federal Housing Administration** Urząd Federalny Budownictwa Mieszkaniowego

F.H.R. = **Federal House of Representatives** Izba Reprezentantów Australijskiej Federacji

F.H.S. = **Fellow of the Historical Society** członek Towarzystwa Historycznego

F.I.Ae.S. = **Fellow of the Institute of Aeronautical Sciences** członek Instytutu Nauk Aeronautycznych

F.I.C. = **Fellow of the Institute of Chemistry (of Great Britain and Ireland)** członek Instytutu Chemii (Wielkiej Brytanii i Irlandii)

Fi Comd = **F Com**

F.I.C.S. = **Fellow of the International College of Surgeons** członek Międzynarodowego Kolegium Chirurgów

fi. fa. = **fieri facias** dopilnować wykonania

fig. = 1. **figuratively** w przeńośni; w znaczeniu przenośnym 2. **figure** rycina; ilustracja

Fi Gp = **F Gru**

F.I.J. = **Fellow of the Institute of Journalists** członek Związku Dziennikarzy

f.i.o. = **free in and out** *handl* (*o stawce frachtowej*) bez kosztów załadunku i wyładunku

FIS = **flight information service** służba informacji lotniczej

F.I.T., f.i.t. = **free in truck** *handl* franco wagon

fl. = 1. **florin** florin (moneta) 2. **fluid** płynny

FLA = **First Lord of the Admiralty** Minister Marynarki Wojennej

F.L.A. = **Fellow of the Librarian Association** członek Stowarzyszenia Bibliotekarzy

Fla. = **Florida** *am* stan Floryda

Fla Univ = **University of Florida** Uniwersytet Stanu Floryda

Flor. = **Fla.**

fl. pt. = **flash point** temperatura zapłonu

F.L.S. = **Fellow of the Linnean Society** członek Towarzystwa im. Linneusza

Flt Lt = **Flight Lieutenant** porucznik lotnictwa

F.M. = **Field Marshal** marszałek polny

Fm = **fermium** *chem* ferm

fm = **f 3.**

F.M.D. = **Foot-and-mouth disease** *wet* pryszczyca

FMK, Fmk = **Finnish mark** marka fińska

FMS = **Fed. Mal. St.**

F.M.S.A. = **Fellow of the Mineralogical Society of America** członek Amerykańskiego Towarzystwa Mineralogicznego

F.O. = 1. **Field Officer** *wojsk* oficer sztabowy 2. **Foreign Office** Brytyjskie Ministerstwo Spraw Zagranicznych

fo. = **folio** folio

f/o = **for orders** na zlecenie; w oczekiwaniu na dalsze zlecenie

F.O.B., f.o.b. = **free on board** *handl* (*o cenie towaru*) franco statek, łącznie z dostawą na pokład

f.o.c. = **free of charge** *handl* bez ponoszenia kosztów

f.o.q. = **free on quay** *handl* (*o cenie towaru*) łącznie z dostawą na nadbrzeże

f.o.r. = **free on rail** *handl* (*o cenie towaru*) franco wagon, łącznie z dostawą i załadowaniem do wagonu kolejowego

f.o.t. = **free on trucks** *am handl* (*o cenie towaru*) łącznie z załadowaniem do wagonu lub na samochód ciężarowy

f.o.w. = **free on wagon** *handl* (*o cenie towaru*) łącznie z załadowaniem do wagonu

F.P. = **fire-plug** hydrant przeciwpożarowy

f.p. = **fortepiano** *muz* forte-piano

f.p. = 1. **fire-proof** ogniotrwały 2. **freezing point**

fiz punkt zamarzania; temperatura krzepnięcia 3. **freight prepaid** przewoźne z góry opłacone

f.p.a. = **free of particular average** bez skutków awarii szczególnej

F.Phys.S. = **Fellow of the Physical Society** członek Towarzystwa Fizycznego

f.p.m. = ... **feet per minute** ... stóp na minutę

F.P.S. = 1. **Fellow of the Philharmonical Society** członek Towarzystwa Filharmonicznego 2. **Fellow of the Philological Society** członek Towarzystwa Filologicznego 3. **Fellow of the Philosophical Society** członek Towarzystwa Filozoficznego

f.p.s. = ... **feet per second** ... stóp na sekundę

Fr = **francium** *chem* frank, frans

Fr. = 1. **Father** ksiądz; ojciec (zakonu) 2. **French** francuski

fr. = **fragment** odcinek, fragment

fr(s) = **franc(s)** frank(i)

F.R.Ae.S. = **Fellow of the Royal Aeronautical Society** członek Królewskiego Towarzystwa Aeronautycznego

F.R.A.I. = **Fellow of the Royal Anthropological Institute** członek Królewskiego Towarzystwa Antropologicznego

F.R.A.M. = **Fellow of the Royal Académy of Music** członek Królewskiej Akademii Muzycznej

F.R.A.S. = **Fellow of the Royal Astronomical Society** członek Królewskiego Towarzystwa Astronomicznego

F.R.B. = **Federal Reserve Bank** *am* Federalny Bank Rezerw

F.R.B.S. = **Fellow of the Royal Botanic Society** członek Królewskiego Towarzystwa Botanicznego

F.R.C.M. = **Fellow of the Royal College of Music** członek Królewskiego Kolegium Muzycznego

F.R.C.O.G. = **Fellow of the Royal College of Obstetricians and Gynaecologists** członek Królewskiego Kolegium Lekarzy Położnictwa i Ginekologii

F.R.C.P. = **Fellow of the Royal College of Physicians** członek Królewskiego Kolegium Lekarzy

F.R.C.S. = **Fellow of the Royal College of Surgeons** członek Królewskiego Kolegium Chirurgów

F.R.C.S.E. = **Fellow of the Royal College of Surgeons, Edinburgh** członek Królewskiego Kolegium Chirurgów w Edynburgu

F.R.C.V.S. = **Fellow of the Royal College of Veterinary Surgeons** członek Królewskiego Kolegium Lekarzy Weterynarii

F.R.Econ.S. = **Fellow of the Royal Economic Society** członek Królewskiego Towarzystwa Ekonomicznego

FRG = **Federal Republic of Germany** Niemiecka Republika Federalna

F.R.G.S. = **Fellow of the Royal Geographical Society** członek Królewskiego Towarzystwa Geograficznego

F.R.Hist.S. = **Fellow of the Royal Historical Society** członek Królewskiego Towarzystwa Historycznego

F.R.H.S. = **Fellow of the Royal Horticultural Society** członek Królewskiego Towarzystwa Ogrodniczego

Fri. = **Friday** piątek

F.R.I.B.A. = **Fellow of the Royal Institute of British Architects** członek Królewskiego Instytutu Architektów Brytyjskich

Frisco = **San Francisco**

FRITALUX = **France, Italy and Benelux** Francja, Włochy i Beneluks

Frm. = **framing** szkielet konstrukcji

F.R.Met.S. = **Fellow of the Royal Meteorological Society** członek Królewskiego Towarzystwa Meteorologicznego

F.R.M.S. = **Fellow of the Royal Microscopical Society** członek Królewskiego Towarzystwa do Spraw Mikroskopii

F.R.P.S. = **Fellow of the Royal Photographic Society** członek Królewskiego Towarzystwa Fotograficznego

F.R.S. = **Fellow of the Royal Society** członek Towarzystwa Królewskiego

F.R.S.A. = **Fellow of the Royal Society of Arts** członek Królewskiego Towarzystwa Artystycznego <Sztuk Pięknych>

F.R.S.C. = **Fellow of the Royal Society of Canada** członek Królewskiego Towarzystwa Kanady

F.R.S.E. = **Fellow of the Royal Society, Edinburgh** członek Królewskiego Towarzystwa w Edynburgu

F.R.S.G.S. = **Fellow of the Royal Scottish Geographical Society** członek Królewskiego Szkockiego Towarzystwa Geograficznego

F.R.S.L. = 1. **Fellow of the Royal Society, London** członek Królewskiego Towarzystwa w Londynie 2. **Fellow of the Royal Society of Literature** członek Królewskiego Towarzystwa Literackiego

F.R.S.M. = **Fellow of the Royal Society of Medicine** członek Królewskiego Towarzystwa Lekarzy

F.R.S.S.A. = **Fellow of the Royal Scottish Society of Arts** członek Królewskiego Szkockiego Towarzystwa Artystycznego <Sztuk Pięknych>

frt. = **freight** fracht, przewoźne

Frt fwd = **freight forward** koszty frachtu do uiszczenia

Frt ppd = **freight prepaid** koszty frachtu pobrano

F.S. = 1. **Fabian Society** Towarzystwo Fabiańskie 2. **forged steel** stal kuta

F.S., f/s = **factor of safety** współczynnik bezpieczeństwa

f.s. = **free at station** *handl* z dostawą do stacji, franco stacja

F.S.E. = **Fellow of the Society of Engineers** członek Stowarzyszenia Inżynierów

F.S.R. = **Field Service Regulations** *wojsk* regulamin polowy

FSS = **Field Security Service** Polowa Służba Bezpieczeństwa

ft. = **foot** <**feet**> stopa <stopy> (jednostka długości)

F.T.C. = **Federal Trade Commission** *am* Federalna Komisja do Spraw Handlowych (USA)

F.T.C.L. = **Fellow of Trinity College (of Music), London** członek Akademii Muzycznej "Trinity College" w Londynie

fth. = **fathom** *zob* f. 3.

ft.p.m. = **f.p.m.**

ft.p.s. = **f.p.s.**

F Univ = **Fordham University** Uniwersytet Fordhamski

fur. = f. 8.

Furm Univ = **Furman University** Uniwersytet Furmański

fut. = **future** przyszłość, przyszły

FW, F.W. = **fresh water** woda słodka

f.w.b. = **four wheel brakes** *auto* hamulce na cztery koła

FWD = **Four-wheel drive** *auto* napęd na cztery koła

fwdd = **forwarded** wysłany

FY, Fy, FYr = **fiscal year** *ekon* rok finansowy

G = 1. **gauge** kaliber; rozmiar 2. **gauss** *fiz* gaus (jednostka) 3. **General Staff** sztab generalny 4. **General-Staff Officer** oficer sztabu generalnego 5. **gravitation constant** *fiz* stała grawitacji

G-1 = 1. **Assistant Chief of Staff for Personnel** zastępca szefa sztabu do spraw personalnych 2. **First Section, General Staff** Pierwszy Oddział Sztabu Generalnego (zajmujący się sprawami personalnymi)

G-2 = 1. **Assistant Chief of Staff for Military Intelligence** zastępca szefa sztabu do spraw wywiadu 2. **Second Section, General Staff** Drugi Oddział Sztabu Generalnego (zajmujący się wywiadem)

G-3 = 1. **Assistant Chief of Staff for Operations and Training** zastępca szefa sztabu do spraw operacyjno-szkoleniowych 2. **Third Section, General Staff** Trzeci Oddział Sztabu Generalnego (zajmujący się sprawami operacyjno-szkoleniowymi)

G-4 = 1. **Assistant Chief of Staff for Supply** zastępca szefa sztabu do spraw zaopatrzenia 2. **Fourth Section, General Staff** Czwarty Oddział Sztabu Generalnego (zaplecze)

G-5 = 1. **Assistant Chief of Staff for Civil Affairs** zastępca szefa sztabu do spraw administracji 2. **Fifth Section, General Staff** Piąty Oddział Sztabu Generalnego (zajmujący się administracją)

G-6 = 1. **Assistant Chief of Staff for Public Relations and Psychological Warfare** zastępca szefa sztabu do spraw informacji i wojny psychologicznej 2. **Sixth Section, General Staff** Szósty Oddział Sztabu Generalnego (zajmujący się informacją i wojną psychologiczną)

g = **acceleration of gravity** *fiz* przyspieszenie ziemskie

g. = 1. **acceleration of gravity** przyspieszenie ziemskie 2. **gram(me)** gram 3. **guinea** gwinea (angielska jednostka monetarna wartości 21 szylingów)

Ga = **gallium** *chem* gal

Ga. = **Georgia** *am* stan Georgia

G.A. = 1. **General agent** *handl* wyłączny przedstawiciel 2. **General Assembly** zgromadzenie ogólne

Gal = **Galatians** *bibl* List do Galatów

gal(l). = **gallon(s)** galon(y)

GAM = 1. **guided aircraft missile** *wojsk* pocisk kierowany lotniczy 2. **guided air missile** pocisk rakietowy zdalnie kierowany

GAR = 1. **guided air rocket** rakieta zdalnie kierowana 2. **guided aircraft rocket** *wojsk* rakieta kierowana lotnicza

gas., gasso. = **gasoline** *am* benzyna

Ga Univ = **University of Georgia** Uniwersytet Stanu Georgia

GB, G.B. = **Great Britain** Wielka Brytania

G.B. & I. = **Great Britain and Ireland** Wielka Brytania i Irlandia

G.B.E. = **Grand Cross of the British Empire** Wielki Krzyż Imperium Brytyjskiego

G.B.S. = **George Bernard Shaw**

GC = 1. **grade crossing** przejazd kolejowy 2. **General Cargo** *handl* ładunek drobnicowy 3. **Gold Coast** Złote Wybrzeże 4. **Good conduct** nienaganne prowadzenie się 5. **Group Captain** *lotn* pułkownik lotnictwa

G.C.B. = **Grand Cross of the Bath** Wielki Krzyż Orderu Łaźni

G.C.D. = **Grand Cross of Hanover** Wielki Krzyż Hanoweru

G.C.I.E. = **Grand Commander of the Indian Empire** Wielki Komandor Cesarstwa Indii

GCM = **General Court Martial** *am* Generalny <Wyższy> Sąd Wojenny

G.C.M., g.c.m. = **Greatest Common Measure** *mat* największy wspólny dzielnik

G.C.M.G. = **Grand Cross of St Michael and St George** Wielki Krzyż Orderu Św. Michała i Św. Jerzego

GCO = **General Commanding Officer** generał dowodzący

G Cpt = **GC** 5.

G.C.S.I. = **Grand Commander of the Star of India** Wielki Komandor Gwiazdy Indii

G.C.V.O. = **Grand Cross of the Victorian Order** Wielki Krzyż Orderu Wiktoriańskiego

Gd = **gadolinium** *chem* gadolin

Gdns. = **Gardens** (*dosłownie oraz w nazwach pewnych bloków miejskich*) ogrody

gdnt = **gradient** kąt nachylenia

GDR = **German Democratic Republic** Niemiecka Republika Demokratyczna

G.E. = **Geological Engineer** inżynier-geolog

Ge = **germanium** *chem* german

Gen. = 1. **General** *wojsk* generał 2. **Genesis** *bibl* Genezis 3. **genus** rodzaj

gen = **genus** *bot zoo* rodzaj

gent. = **gentlemen** panowie; mężczyźni

Geo = **Georgia** *am* stan Georgia

Geo. = **George** Jerzy

geod = **geodesy** geodezja

geod. = 1. **geodesy** geodezja 2. **geodetic** geodezyjny

geog. = **geography** geografia

geol = **geology** geologia

geol. = 1. **geological** geologiczny 2. **geologist** geolog 3. **geology** geologia

geom, geom. = 1. **geometrical** geometryczny 2. **geometry** geometria

geophys = **geophysics** geofizyka

GF = **Ground Forces** Wojska Lądowe

G.F.S. = **Girls' Friendly Society** Stowarzyszenie Dobroczynne dla Dziewcząt

GFTU, G.F.T.U. = **General Federation of Trade Unions** Powszechna Federacja Związków Zawodowych

G'gow = **Glasgow**

GH, GHQ = **General Headquarters** kwatera główna

G.I. = **Government Issue** *am wojsk* emisja rządowa; *przen* powszechnie stosowana nazwa żołnierzy amerykańskich w czasie drugiej wojny światowej; szeregowiec amerykański

Gib. = **Gibraltar** Gibraltar

Gl = Glucinium (Beryllium) *chem* glucyl (beryl)
gl = glass szkło
gl. = glażing szklenie
Glam, Glam., Glamorg = Glamorganshire hrabstwo Glamorganshire
Glas = Glasgow
Glas. = Glasgow University Uniwersytet w m. Glasgow
Glos. = Gloucestershire hrabstwo Gloucerstershire
gloss. = glossary słownik z objaśnieniami; słownik pojęć specjalnych <branżowych>
G.L. radar = gun-laying radar.radar artyleryjski
G.L.S. = Geological Society of London Londyńskie Towarzystwo Geologiczne
◀GM = 1. General Manager dyrektor naczelny 2. Greenwich Meridian południk Greenwich 3. Guided Missile pocisk rakietowy zdalnie kierowany
G.M. = Grand Master Wielki Mistrz (masoński itd.)
gm. = gram(me) gram
GMAT = Greenwich Mean Astronomical Time średni czas astronomiczny Greenwich
G.M.B., g.m.b. = good merchantable brand *handl* dobrej jakości handlowej
G.M.T. = Greenwich Mean Time średni czas zachodnioeuropejski (według południka Greenwich)
gnd = ground *elektr* uziemienie
gn(s) = guinea(s) gwine-a/e
G.N.R. = Great Northern Railway dawna nazwa. linii kolejowej: Londyn — Północ
G.O., g.o. = General Office Główny Urząd; Centrala
g.o.b. = good ordinary brand *handl* dobrej zwykłej jakości
GOC, G.O.C. = General Officer Commanding generał dowodzący
GOC-in-C, Gocinc = General Officer Commanding-in-Chief generał głównodowodzący
G.O.M. = Grand Old Man miano nadawane W. E. Gladstonowi
Gonz Univ = Gonzaga University *am* Uniwersytet im. Gonzagów
Gov. = 1. Government rząd; gubernia 2. Governor gubernator
Gov. Gen. = Governor General generał gubernator
Govt. = Gov. 1.
G.P. = General practitioner lekarz praktykujący ogólnie
g.p. = gauge pressure nadciśnienie
G.P.O. = General Post Office Główny Urząd Pocztowy (w Londynie)
G.R. = Georgius Rex Król Jerzy
gr. = 1. gram(me) gram 2. grain gran
grad. = graduate absolwent
grm. = gram(me) gram
Grp Capt = GC 5.
GRUCOM = Group Commander *am* dowódca grupy
gr.wt. = gross weight waga brutto
GS = 1. General Staff sztab generalny 2. Gulf States *am* Stany graniczące z Meksykiem 3. Gulf Stream Golfsztrom
G.S. = 1. General Secretary sekretarz generalny

2. Geographical Society Towarzystwo Geograficzne 3. Geological Society Towarzystwo Geologiczne
G.S.A. = 1. Genetics Society of America Amerykańskie Towarzystwo Genetyczne 2. Geological Society of America Amerykańskie Towarzystwo Geologiczne
GSI = General Staff Intelligence (Section) Oddział Wywiadowczy Sztabu Generalnego
GSO = General Staff Officer oficer sztabu generalnego
G.t.c. = good till countermanded ważny aż do odwołania
Guar. = guaranteed gwarantowany
Guin. = Guinea *geogr* Gwinea
guin. = gn(s)
g.w. = guided weapon *wojsk* broń kierowana
G.W.R. = Great Western Railway dawna nazwa linii kolejowej: Londyn — Zachód
G.Z. = ground zero punkt zerowy (wybuchu)

H = hydrogenium (hydrogen) *chem* wodór
H, h = henry *elektr* henr (jednostka indukcyjności)
H, h, h. = hardness twardość
h. = hour(s) godzin-a/y
ha. = hectare hektar (ha)
H.A. = Heavy Artillery ciężka artyleria
HAAFSE = Headquarters, Allied Air Forces, Southern Europe Główna Kwatera Alianckich Sił Powietrznych w Południowej Europie
Hab. = Habakkuk *bibl* Prorok Habakuk
HAFMED = Mediterranean Headquarters of the Allied Forces Śródziemnomorska Główna Kwatera Alianckich Wojsk
HAFSE = Headquarters, Allied Forces, Southern Europe Główna Kwatera Alianckich Wojsk w Europie Południowej
Hag. = Haggai *bibl* Prorok Aggeusz
h. and c. = hot and cold (water laid on) (*w hotelach itd*) gorąca i zimna woda (do dyspozycji)
Hamps. = Hampshire hrabstwo Hampshire
Harv, Harv Univ = Harvard University *am* Uniwersytet im. Harvarda
Hb., Hgb = h(a)emoglobin *med* hemoglobina
H.B.M. = His <Her> Britannic Majesty JKM Król/owa Wielkiej Brytanii
HC = High Command wyższe dowództwo
H.C. = House of Commons Izba Gmin
H.C.F. = Honorary Chaplain to the Forces honorowy kapelan wojskowy
h.c.f., H.C.F. = highest common factor *mat* najwyższy wspólny dzielnik
H.D. = hard drawn *metalurg* (*o drucie*) ciągniony na zimno
HDF = high frequency direction finding station *lotn* goniometr wielkiej częstotliwości
H.E. = 1. high explosive *wojsk* materiał wybuchowy kruszący 2. His Eminence Jego Eminencja 3. His Excellency Jego Ekscelencja
He = helium *chem* hel
Heb(r) = Hebrews *bibl* List do Żydów
hectom = hm
HEDUSAFE = Headquarters, United States Air Forces in Europe Główna Kwatera Amerykańskich Sił Lotniczych w Europie

HEF = high energy fuel *lotn* paliwo wysoko-energetyczne (rakietowe)

H.E.I.C. = Honourable East India Company Towarzystwo dla Handlu z Indiami Wschodnimi

her. = heraldry heraldyka

Herefs = Herefordshire hrabstwo Herefordshire

Herts = Hertfordshire hrabstwo Hertfordshire

HF = 1. Home Fleet Flota Obrony Wybrzeża Angielskiego 2. Home Forces Wojska Obrony Terytorium Angielskiego

HF, h.f., h-f = high frequency *elektr* wielka częstotliwość

Hf = hafnium (celtium) *chem* hafn (celt)

hf. = half połowa

H.F.R.A. = Honorary Fellow of the Royal Academy honorowy członek Królewskiej Akademii (Sztuk Pięknych)

H.G. = 1. His <Her> Grace Jego <Jej> książęca Mość 2. His Holiness Jego Świątobliwość

Hg = 1. hectogramme hektogram 2. hydrargyrum (mercury) *chem* rtęć

HI = Hawaiian Islands *am geogr* Wyspy Hawajskie

HICOG = High Commissioner for Germany Wysoki Komisarz na Niemcy

Hi-Fi, hi-fi = high fidelity *akust* wysoka wierność (odtwarzania)

Hist., hist. = 1. histology histologia 2. historical historyczny 3. history historia

H.J. = hic jacet (*na nagrobku*) tu leży...

H.L. = House of Lords Izba Lordów

hl. = hectolitre hektolitr

H.M. = His <Her> Majesty Jego <Jej> Królewska Mość

hm. = hectometre hektometr

H.M.A.S. = His <Her> Majesty's Australian Ship Królewski Australijski statek <okręt>

H.M.C. = His <Her> Majesty's Customs Królewski Urząd Celny

H.M.S. = 1. His <Her> Majesty's Ship okręt Jego <Jej> Królewskiej Mości 2. His <Her> Majesty's Service w służbie Jego <Jej> Królewskiej Mości

H.M.S.O. = His <Her> Majesty's Stationery Office Wydawnictwa Administracji Państwowej

H.M.V. = His Master's Voice skrót firmowy fabryki płyt gramofonowych

H.O. = 1. Head Office Centrala 2. Home Office Brytyjskie Ministerstwo Spraw Wewnętrznych

Ho = holmium *chem* holm

ho. = house dom

Hon. = 1. Honourable tytuł należny niektórym członkom rodzin szlacheckich oraz posłom Izby Gmin 2. Honorary honorowy

Hondubrit = British Honduras Honduras Brytyjski

hor. = 1. horizon horyzont, widnokrąg 2. horizontal poziomy

hort. = horticulture ogrodnictwo

Hos. = Hosea *bibl* Prorok Ozeasz

hosp. = hospital szpital, szpitalny

H.P. = high pressure wysokie ciśnienie

H.P. = 1. House Physician lekarz miejscowy oddziału wewnętrznego 2. Houses of Parliament Parlament (londyński)

H.P., h.p. = horizontal plane płaszczyzna pozioma

h.p. = horse power (*moc w koniach parowych*) koń mechaniczny

HQ, Hq = Headquarters kwatera główna, sztab, ośrodek dyspozycyjny

H.Q. = Headquarters kwatera główna

HR, H.R. = House of Representatives *am* Izba Reprezentantów

hr. = h.

H.r., H.RD = half-round półokrągły

H.R.A. = Honorary Royal Academician honorowy członek Królewskiej Akademii (Sztuk Pięknych)

H.R.C.A. = Honorary Royal Cambrian Academician honorowy członek Królewskiej Akademii Walijskiej

H. Rept = HR, H.R.

H.R.H. = His <Her> Royal Highness Jego <Jej> Królewska Wysokość

H.R.I.P. = hic requiescit in pace (*na nagrobku*) tu spoczywa w (s)pokoju...

H.S. = heating surface powierzchnia grzejna

H.S.S. = high speed steel stal szybkotnąca

HS Univ = Hardin-Simmons' University Uniwersytet Hardin-Simmonsa

H.T., h.t. = 1. high tension *elektr* wysokie napięcie 2. high tide przypływ

ht. = 1. heat *fiz* ciepło 2. height wysokość

HTGCR = high temperature gas-cooled reactor reaktor wysokotemperaturowy

H.U. = Harv Univ

Hun, Hung = Hungary Węgry

hund. = hundred sto

Hunts. = Huntingdonshire hrabstwo Huntingdonshire

Hv A = Heavy Artillery ciężka artyleria

HVDF = high and very high frequency direction finding stations (at the same location) *lotn* goniometr bardzo wielkiej częstotliwości

HW = high water wysoki stan wody (przy przypływie)

H.W.M. = high-water mark *mar* znak wody dużej

Hy Arty = Hv A

hyd. = hydrostatics hydrostatyka

hydraul = hydraulics hydraulika

hydros. = hyd.

hyp., hypoth. = hypothesis hipoteza

Hz = hertz hertz (jednostka częstotliwości)

I = 1. moment of inertia *mech* moment bezwładności 2. iodum (iodine) *chem* jod

I. = Idaho *am* stan Idaho

i. = island wyspa

Ia. = Iowa *am* stan Iowa

I.A. = Indian Army Armia Indyjska

IAAF = International Amateur Athletic Federation Międzynarodowa Federacja Amatorsko-atletyczna

IAB = Industrial Advisory Board Komisja Poradnictwa Przemysłowego

I.A.E. = 1. Institution of Aeronautical Engineers Związek Inżynierów Aeronautyki 2. Institution of Automobile Engineers Stowarzyszenie Inżynierów Samochodowych

I. Ae. E. = I.A.E. 1.

I Ae S = Institute of Aeronautical Sciences *am* Instytut Nauk Aeronautycznych

IAF = 1. Imperial Air Force Lotnictwo Imperium Brytyjskiego 2. International Astronautical Federation Międzynarodowa Federacja Astronautyczna

I.A.F. = 1. **Indian Air Force** Lotnictwo Indyjskie 2. **International Automobile Federation** Międzynarodowa Federacja Automobilowa

IAG = **International Association of Geodesy** Międzynarodowy Związek Geodezyjny

IAH = **International Association of Hydrology** Międzynarodowy Związek Hydrologiczny

IAM = **International Association of Meteorology** Międzynarodowy Związek Meteorologiczny

IAMB = **International Association of Microbiological Societies** Międzynarodowy Związek Towarzystw Mikrobiologicznych

I.A.P. = **International Aero Press** Międzynarodowe Wydawnictwo Literatury Lotniczej

IAPO = **International Association of Physical Oceanography** Międzynarodowy Związek Fizyczno-Oceanograficzny

IAPS = **International Academy of Political Sciences** Międzynarodowa Akademia Nauk Politycznych

IAR = **Institute for Atomic Research** *am* Instytut Badań Atomowych

IAS = 1. **Institute of Aeronautical Sciences** *am* Instytut Nauk Aeronautycznych 2. **Iowa Academy of Science** Akademia Nauk Stanu Iowa

I.A.S. = **indicated air speed** *lotn* prędkość wskazywana lotu

IASPEI = **International Association of Seismology and Physics of the Earth's Interior** Międzynarodowy Związek Sejsmologii i Fizyki Wnętrza Ziemskiego

⬥**IATA** = **International Air Transport Association** Międzynarodowy Związek Transportu Powietrznego

IATME = **International Association of Terrestrial Magnetism and Electricity** Międzynarodowy Związek Badań Magnetyzmu Ziemskiego i Elektryczności

I.A.U. = **International Astronomical Union** Międzynarodowe Zjednoczenie Astronomiczne

IAU = **International Association of Universities** Międzynarodowy Związek Uniwersytecki

IAV = **International Association of Vulcanology** Międzynarodowy Związek Wulkanologiczny

IAW = **International Alliance of Women** Międzynarodowe Zjednoczenie Kobiet

IB, I Bde = **Infantry Brigade** brygada piechoty

ib., ibid = **ibidem (in the same place)** tamże, u tegoż autora, w tym samym miejscu

IBM = **Intercontinental ballistic missile** *wojsk* międzykontynentalny pocisk rakietowy

IBO = **International Broadcasting Organization** Międzynarodowa Organizacja Radiofoniczna

IBTE = **International Bureau of Technical Education** Międzynarodowe Biuro Kształcenia Technicznego

I.B.U. = **International Broadcasting Union** Międzynarodowe Zjednoczenie Radiowe

I.B.U.P.U. = **International Bureau of the Universal Postal Union** Międzynarodowe Biuro Światowego Zjednoczenia Pocztowego

IC = 1. **Intelligence Corps** służba wywiadowcza 2. **Internment Camp** obóz internowanych

I.C. = 1. **Institute of Chemistry (of Great Britain and Ireland)** Instytut Chemiczny (Wielkiej Brytanii i Irlandii) 2. **interior communication** komunikacja <łączność> wewnętrzna; telefon wewnętrzny

i/c = **in charge** (*o instytucji*) pod kierownictwem; (*o osobie*) kierownik

I.C.A.N. = **International Commission for Air Navigation** Międzynarodowa Komisja Lotnicza

ICAO, I.C.A.O. = **International Civil Aviation Organization** Międzynarodowa Organizacja Lotnictwa Cywilnego

ICBM = **IBM**

⬥**ICC** = 1. **International Chamber of Commerce** Międzynarodowa Izba Handlowa 2. **Interstate Commerce Commission** *am* Międzystanowa Komisja Handlu

I.C.E. = **Institution of Civil Engineers** Stowarzyszenie Inżynierów Budownictwa Lądowego i Wodnego

ichth. = **ichthyology** ichtiologia

ICI = **International Commission on Illumination** Międzynarodowa Komisja Oświetleniowa

I.C.I. = **Imperial Chemical Industries** nazwa firmowa wielkich zakładów chemicznych

ICO = **International Commission on Oceanography** Międzynarodowa Komisja Oceanograficzna

ICPC = **International Criminal Police Commission** Międzynarodowa Komisja dla Spraw Policji Kryminalnej

ICRC = **International Committee of the Red Cross** Międzynarodowy Komitet Czerwonego Krzyża

ICRP = **International Commission on Radiological Protection** Międzynarodowa Komisja Ochrony Radiologicznej

ICRU = **International Commission on Radiological Units** Międzynarodowa Komisja Jednostek Radiologicznych

I.C.W. = **interrupted continuous waves** *radio* fale ciągłe przerywane

ID = **Intelligence Department** <Detachment> oddział wywiadowczy, formacja wywiadowcza; tajny wywiad

I.D. = **inside diameter** średnica wewnętrzna

Id. = **Idaho** *am* stan Idaho

id. = **idem (also, likewise, as well)** tenże (autor)

i.e. = **id est (that is)** to jest (tj.)

I.E.C. = **International Electrotechnical Commission** Międzynarodowa Komisja Elektrotechniczna

I.E.E. = **Institution of Electrical Engineers** Stowarzyszenie Inżynierów Elektryków

I.E.R.C. = **International Electronic Research Corporation** Międzynarodowa Korporacja Badań Elektronowych

I.E.S. = **Illuminating Engineering Society** Towarzystwo Techniki Oświetleniowej

I.F.R.B. = **International Frequency Registration Board** Międzynarodowe Biuro Rejestracji Częstliwości

⬥**IFS, I.F.S.** = **Irish Free State** Republika Irlandzka

I.F.T.U. = **International Federation of Trade Unions** Międzynarodowa Federacja Związków Zawodowych

⬥**IGU** = **International Geographical Union** Międzynarodowe Zjednoczenie Geograficzne

IGY = **International Geophysical Year** Międzynarodowy Rok Geofizyczny

I.I.A. = **International Institute of Anthropology** Międzynarodowy Instytut Antropologiczny

IIT = Illinois Institute of Technology *am* Instytut Technologiczny Stanu Illinois

I.I.W. = International Institute of Welding Międzynarodowy Instytut Spawalnictwa

I.J. = Institute of Journalism Instytut Dziennikarski

Il = illinium (promethium) *chem* illin (promet)

ILA = International Law Association Stowarzyszenie Prawa Międzynarodowego

Ill, Ill. = Illinois *am* stan Illinois

ill. = 1. illustration rycina, ilustracja 2. illustrated ilustrowany

Ill Univ = University of Illinois Uniwersytet Stanu Illinois

ILO = 1. International Labour Office Międzynarodowe Biuro Pracy 2. International Labour Organization Międzynarodowa Organizacja Pracy

ILP = insolated lighting plant *elektr* samodzielna instalacja oświetleniowa

I.L.P. = Independent Labour Party Niezależna Partia Pracy

ILS. = Instrument Landing System *lotn* system lądowania za pomocą instrumentów

IM = interceptor missile *wojsk* pocisk kierowany przeciwlotniczy

I.M. = Isle of Man Wyspa Man

im. = imaginary part *mat* część urojona (liczby zespolonej)

⫴IMC = 1. International Meteorological Committee Międzynarodowy Komitet Meteorologiczny 2. International Music Council Międzynarodowa Rada Muzyczna 3. instrument meteorological conditions *lotn* warunki atmosferyczne do lotu na przyrządy

I.M.E. = Institution of Mining Engineers Stowarzyszenie Inżynierów Górniczych

I. Mech. E. = Institution of Mechanical Engineers Stowarzyszenie Inżynierów Mechaników

⫴IMF = 1. International Monetary Fund Międzynarodowy Fundusz Monetarny 2. International Motorcycle Federation Międzynarodowa Federacja Motocyklowa

imit. = 1. imitation imitacja, naśladownictwo 2. imitative naśladujący

I.M.M. = Institute of Mining and Metallurgy Instytut Górnictwa i Hutnictwa

IMO = International Meteorological Organization Międzynarodowa Organizacja Meteorologiczna

Imp. = 1. Imperator cesarz 2. Imperatrix cesarzowa

imp, imp. = 1. import *handl* import 2. imported importowany

imp. = 1. imperative konieczny 2. imperfect niedoskonały; wadliwy 3. impersonal nieosobowy 4. imprimatur imprimatur, zezwala się na druk

I.M.S. = Indian Medical Service Służba Lekarska Indii

IMT = International Military Tribunal Międzynarodowy Sąd <Trybunał> Wojskowy

In = indium *chem* ind

In, in = in, into w, do wewnątrz

in, in. = 1. inch(es) cal(e) 2. interest odsetki

in² = square inch cal kwadratowy (jednostka powierzchni)

in³ = cubic inch cal sześcienny (jednostka objętości)

inc. = incorporated *handl* (*o spółce handlowej*) zarejestrowany

incl. = including włącznie

incog. = incognito nie znany

incorp. = inc.

incorr. = incorrect nieprawidłowy

incr, incr. = increased powiększony

Ind. = 1. Indiana *am* stan Indiana 2. in dies (daily) dziennie

ind. = 1. independent niezależny 2. index wskaźnik, indeks 3. industrial przemysłowy

inf = infantry piechota

inf. = 1. infinity nieskończoność 2. information informacja, pouczenie

Inf Bde <Div> = Infantry Brigade <Division> brygada <dywizja> piechoty

init. = initial początkowy

in loc. cit. = in loco citato w przytoczonej pracy

inorg. = inorganic nieorganiczny

ins = 1. insulated (*o przewodzie elektrycznym*) izolowany 2. insulation izolacja, materiał izolacyjny 3. insurance ubezpieczenie

I.N.S. = International News Service Międzynarodowa Agencja Informacyjna

Insp. = Inspector inspektor

Insce = Insurance ubezpieczenie

Inst. = 1. Institute instytut 2. institution instytucja

inst. = instant (the present month) bieżącego miesiąca (bm.)

Inst. Act. = Institute of Actuaries Związek Kalkulatorów Ubezpieczeniowych

Inst. C.E. = Institution of Civil Engineers Stowarzyszenie Inżynierów Lądowych i Wodnych

Inst. E.E. = Institution of Electrical Engineers Związek Inżynierów Elektryków

Inst. M.E. = Institution of Mechanical Engineers Związek Inżynierów Mechaników

Inst. M.M. = Institution of Mining and Metallurgy Instytut Górnictwa i Hutnictwa

Inst. N.A. = Institution of Naval Architects Związek Architektów Okrętowych

insul. = ins 1.

int, int. = internal wewnętrzny

int. = 1. interior wnętrze 2. internal wewnętrzny 3. international międzynarodowy

int al, int. al. = inter alia między innymi (m.in.)

INTAVA = International Aviation Association Międzynarodowy Związek Lotniczy

intercom, intercomm = intercommunication telefon wewnętrzny (na samolocie itd.)

internat. = int. 3.

int. g. mi. = international geographical mile międzynarodowa mila geograficzna (7422 m)

in trans. = in transitu w drodze, w czasie transportu

inv, inv. = invoice *handl* faktura, rachunek

inv. = inventor wynalazca

IO = 1. Indian Ocean Ocean Indyjski 2. Intelligence Officer oficer wywiadu 3. Interpreter Officer oficer tłumacz

IOC = International Olympic Committee Międzynarodowy Komitet Olimpijski

I of M, I. of M. = I.M.

I of S = Isle of Skye Wyspa Skye

I of W = Isle of Wight Wyspa Wight

▲ **I.O.J.** = **International Organization of Journalists** Międzynarodowa Organizacja Dziennikarska

IOP = 1. **Institute of Painters** Związek Artystów Malarzy 2. **Institute of Physics** Instytut Fizyki

I.O.U. = **I owe you** jestem dłużny (rewers); kwit dłużny

I.O.W. = **Isle of Wight** wyspa Wight

▲ **IPA** = 1. **International Phonetic Alphabet** międzynarodowy alfabet fonetyczny 2. **International Phonetic Association** Międzynarodowe Stowarzyszenie Fonetyczne

I.P.T. = **Institution of Petroleum Technologists** Stowarzyszenie Technologów Naftowych

I.Q. = **intelligence quotient** współczynnik inteligencji

i.q. = **idem quod** identyczny z ...

I.R. = 1. **india-rubber** kauczuk 2. **Inland Revenue** Skarb Państwa 3. **insoluble residue** *chem* nierozpuszczalna pozostałość

Ir = **iridium** *chem* iryd

i.r. = **infra-red** podczerwony

I.R.A. = **Irish Republican Army** Irlandzka Armia Republikańska

I.R.B. = **Irish Republican Brotherhood** Irlandzkie Bractwo Republikańskie

IRBM = **intermediate range ballistic missile** *wojsk* pocisk balistyczny średniego zasięgu

IRC = **International Red Cross** Międzynarodowy Czerwony Krzyż

irreg. = 1. **irregular** nieprawidłowy 2. **irregularly** nieprawidłowo, nieregularnie

irrev. = **irrevocable** nieodwołalny

I.S. = **Indian Standard** Norma Indyjska

Is., Isa = **Isaiah** *bibl* Izajasz

▲ **ISA** = **International Standard Association** Międzynarodowe Zrzeszenie Normalizacyjne

ISC = 1. **International Students' Council** Międzynarodowa Rada Studencka 2. **Iowa State College** Kolegium Stanu Iowa

I.S.C. = **International Standards Conference** Międzynarodowy Kongres do Spraw Normalizacji

I.S.I. = **Indian Standard Institution** Indyjski Komitet Normalizacyjny

I.S.O. = **International Standardization Organization** Międzynarodowa Organizacja Normalizacyjna

I.T. = 1. **immediate transportation** *handl* transport natychmiastowy 2. **international tolerance** tolerancja międzynarodowa

▲ **ITA** = **International Touring Alliance** Międzynarodowy Związek Turystyczny

I.T.S. = 1. **international temperature scale** międzynarodowa skala temperatur 2. **International Tracing Service** Międzynarodowe Biuro Poszukiwania Osób Zaginionych

IU = **University of Idaho** Uniwersytet Stanu Idaho

IUC = **International Union of Chemistry** Międzynarodowe Zjednoczenie Chemiczne

I.U.P.A.P. = **International Union of Pure and Applied Physics** Międzynarodowa Unia Fizyki Czystej i Stosowanej

IUPN = **International Union for the Protection of Nature** Międzynarodowe Zjednoczenie Ochrony Przyrody

I.U.R. = **International Union of Railways** Międzynarodowy Związek Kolei Żelaznych

▲ **IUS** = **International Union of Students** Międzynarodowe Zjednoczenie Studenckie

Iv., i.v. = **invoice value** *handl* wartość faktury

I.W. = **Isotopic weight** *chem* ciężar izotopowy

I.W.T. = **inland water transport** transport wodny śródlądowy

I.W.W. = **Industrial Workers of the World** Światowa Organizacja Pracowników Przemysłowych

I.Y.C. = **International Youth Congress** Międzynarodowy Kongres Młodzieży

J, j. = **joule** *fiz* dżul

J/A. = **joint account** *bank handl* (na) wspólny rachunek

Jam. = **Jamaica** Jamajka

Jan. = **January** styczeń

Jas. = **James** Jakub

JATO = **jet assisted take-off** *lotn* start wspomagany silnikiem odrzutowym

JB ST Univ = **John B. Stetson University** Uniwersytet im. J. B. Stetsona

JB Univ = **John Brown University** Uniwersytet im. J. Browna

J.C. = 1. **Jurisconsult** *prawn* doradca prawny 2. **Jesus Christ** *kość* Jezus Chrystus

J.C.D. = 1. **Juris Canonici Doctor** doktor prawa kanonicznego 2. **Juris Civilis Doctor** doktor prawa cywilnego

JC Univ = **John Carroll University** Uniwersytet im. J. Carolla

J.D. = **Jurum Doctor** doktor praw

J.E.F. = **Joint Expeditionary Forces** Połączone <Sojusznicze> Wojska Ekspedycyjne

Jer. = **Jeremiah** *bibl* Jeremiasz

J.H.U., JH Univ = **John Hopkins University** Uniwersytet im. J. Hopkinsa

JIB = **Joint Intelligence Bureau** *am* Połączone Biuro Wywiadowcze

▲ **JIC** = **Joint Intelligence Committee** *am* Połączony Komitet Wywiadowczy

JIS = **Joint Intelligence Staff** *am* Połączony Sztab Wywiadowczy

Jl, Jnl = **Journal** przegląd (publikacja)

Jno. = **John** Jan

Jo. = **Joel** *bibl* Prorok Joel

Jos. = 1. **Joseph** Józef 2. **Josiah** *bibl* Prorok Jozjasz

Josh. = **Joshua** *bibl* Jozue

J.P. = **Justice of the Peace** sędzia pokoju

Jr., jr. = **Junior** junior, młodszy

JS = **Joint Staff** Połączony Sztab

J.U.D. = **Juris Utriusque Doctor** doktor obojga praw

Jud. = **Judith** *bibl* Judyta

Judg. = **Judges** *bibl* Księga Sędziów

Jul. = **July** lipiec

Jun. = **June** czerwiec

jun. = **Jr., jr.**

Junc. = **junction** węzeł kolejowy

junr. = **Jr., jr.**

Jur.D. = **Juris Doctor** doktor praw

juv. = **juvenile** młodzieńczy, młodociany

K = 1. **kalium (potassium)** potas 2. **carat** *jub* karat 3. negatywny, przeczący (umowny skrót)

°K = degree Kelvin stopień Kelvina
K. = 1. King król 2. Kelvin (skala) Kelvina
K.A. = Key Area Strefa Kluczowa
ka = cathode katoda
Kan. = Kansas *am* stan Kansas
Kans Univ = University of Kansas *am* Uniwersytet Stanu Kansas
K.B. = 1. King's Bench *sąd* Sąd Ławy Królewskiej 2. Knight of the Bath Kawaler Orderu Łaźni 3. Knight Bachelor Kawaler bez orderu (odznaczenie honorowe)
K.B.E. = Knight Commander of the Order of the British Empire Komandor Orderu Imperium Brytyjskiego
K.C. = King's Counsel Doradca Królewski (tytuł nadawany wybitnym adwokatom)
kc. = kilocycle kilocykl
K.C.B. = Knight Commander of the Bath Komandor Orderu Łaźni
K.C.H. = Knight Commander of the Order of Hanover Komandor Orderu Hanoweru
K.C.I.E. = Knight Commander of the Indian Empire Komandor Orderu Cesarstwa Indii
K.C.L. = King's College, London Królewskie Kolegium w Londynie (wchodzące w skład Uniwersytetu Londyńskiego)
K.C.M.G. = Knight Commander of St Michael and St George Komandor Orderu Św. Michała i Św. Jerzego
K.C.S.I. = Knight Commander of the Star of India Komandor Gwiazdy Indii
K.C.V.O. = Knight Commander of the Victorian Order Komandor Orderu Wiktoriańskiego
K.E. = kinetic energy energia kinetyczna
Ken. = Kentucky *am* stan Kentucky
K.G. = Knight of the Garter Kawaler Orderu Podwiązki
kg. = kilogramme kilogram
kg-cal = kilogramme-calorie *fiz* kilokaloria
K.G.C.B. = Knight of the Grand Cross of the Bath Kawaler Wielkiego Krzyża Orderu Łaźni
K.G.F. = Knight of the Golden Fleece Kawaler Orderu Złotego Runa
K.H. = Knight of Hanover Kawaler Orderu Hanoweru
K.H.C. = Honorary Chaplain to the King Honorowy Kapelan Królewski
K.H.P. = Honorary Physician to the King Honorowy Lekarz Królewski
K.H.S. = Honorary Surgeon to the King Honorowy Chirurg Królewski
kil., kilom. = kilometre kilometr, km
Kilk. = Kilkenny *irl* hrabstwo Kilkenny
kilo. = 1. kilogramme kilogram 2. kilometre kilometr
K.K.K. = Ku-Klux-Klan Ku-Klux-Klan (skrajnie reakcyjna organizacja polityczna w USA)
kl. = kilolitre kilolitr
K.L.H. = Knight of the Legion of Honour Kawaler Orderu Legii Honorowej
K.M. = Knight of Malta Rycerz Maltański
Km, km, km. = kilometre kilometr
Knt. = Knight szlachcic (posiadający szlachectwo osobiste)
K.O. = knock <knocked> out *boks* znokautować <znokautowany>

K.O.S.B. = King's Own Scottish Borderers nazwa pułkowa
K.O.Y.L.I. = King's Own Yorkshire Light Infantry nazwa pułkowa
K.P. = 1. Key Point punkt kluczowy 2. Knight of St Patrick Kawaler Orderu Św. Patrycego
KPDR = Korean People's Democratic Republic Koreańska Demokratyczna Republika Ludowa
K.R. = King's Regulations regulamin
Kr = 1. Koruna korona szwedzka 2. krypton *chem* krypton
K.R.R. = King's Royal Rifles nazwa pułku
K. S. = King's Scholar stypendysta
K.T. = 1. Knight of the Thistle Kawaler Orderu Ostu (emblematu Szkocji) 2. Knight Templar Rycerz Zakonu Templariuszy; Templariusz
Kt. = Knt.
Kt. Bach. = K.B. 3.
Kur Is, Kur Isls = Kuril Islands Wyspy Kurylskie
kV, kv = kilovolt kilowolt
K.V.A., kva = kilovolt-ampere *fiz* kilowoltoamper
K.W, Kw., kw = kilowatt kilowat
kwh, kw/h, kwhr, kw-hr = kilowatt-hour *fiz* kilowatogodzina
KWMS = Killed, wounded, missing, sick zabici, ranni, zaginieni, chorzy
Ky. = Kentucky *am* stan Kentucky
Ky Univ = University of Kentucky Uniwersytet Stanu Kentucky

L, l = 1. line linia 2. longitude długość geograficzna
L, £ = 1. libra funt szterling 2. £ E funt egipski 3. £ T funt turecki
L., l. = 1. length długość 2. lumen *fiz* lumen (jednostka strumienia świetlnego)
l. = 1. left *teatr* lewa strona sceny 2. linear liniowy 3. litre litr
L.A. = 1. = L.L.A. 2. Los Angeles Los Angeles
La = lanthanum *chem* lantan
La. = Louisiana *am* stan Louisiana
Lab. = 1. Labour Partia Pracy; świat pracy 2. Labrador *geogr* Labrador (Kanada)
lab = laboratory pracownia, laboratorium
Lab. Pty = Labour Party Partia Pracy
L.A.C. = 1. Licentiate of the Apothecaries' Company licencjat farmakologii 2. London Athletic Club Londyński Klub Atletyki
L.A.D.A. = London Air Defence Area Londyński Okręg Obrony Przeciwlotniczej
▲L.A.M. = London Academy of Music Londyńska Akademia Muzyczna
Lam. = Lamentations *bibl* Treny
lam. = laminated warstwowy
Lancs. = Lancashire hrabstwo Lancashire
LANT = Atlantic Ocean Atlantycki
Lantflt = Atlantic Fleet Amerykańska Flota Atlantycka
lat. = latitude szerokość geograficzna
La Univ = Louisiana State University Uniwersytet Stanu Louisiana
Lav Univ = Laval University Uniwersytet im. Lavala
LB = lavatory basin umywalka
lb. = libra funt (wagi)
l.b. = leg-bye (*w krykiecie*) jedna z pozycji karnych

l.b.w. = **leg before wicket** (*w krykiecie*) jedna z pozycji karnych

LC = **Landing craft** statek desantowy

L.C. = 1. **Level Crossing** przejazd przez tor kolejowy 2. **Lieutenant-Colonel** podpułkownik

L.C., L/C = **letter of credit** *handl bank* akredytywa

L.C., l/c = **lines of communication** linie komunikacyjne

l.c. = 1. **loco citato** w cytowanym miejscu 2. **left centre** *teatr* po lewej stronie dalszego planu sceny

L.C.C. = 1. **London Chamber of Commerce** Londyńska Izba Handlowa 2. **London County Council** Rada Miasta Londynu

L.Ch., L.Chir. = **Licentiatus Chirurgiae** licencjat chirurgii

L.C.D., l.c.d. = **least common denominator** *mat* najmniejszy wspólny mianownik

L.C.J. = **Lord Chief Justice** prezes Sądu Najwyższego

L.C.M., l.c.m. = **least common multiple** *mat* najmniejsza wspólna wielokrotność

L.D. = 1. **Doctor of Letters** doktor literatury 2. **London District** Okręg Londyński 3. **London Docks** port londyński

Ld. = **Lord** lord

Ldn = **London** Londyn

Ldp. = **Lordship** Jego <Wasza> Lordowska Mość

L.D.S. = **Licentiate in Dental Surgery** licencjat chirurgii dentystycznej

Leics. = **Leicestershire** hrabstwo Leicestershire

Lev. = **Leviticus** *bibl* Księga Kapłańska

Ley Univ = **Leyden University** Uniwersytet w ın. Lejdzie

LF = **linoleum floor** podłoga pokryta linoleum

L.F. = **landing facilities** *lotn* urządzenia do lądowania (np. w nocy)

L.F, L/F = **low frequency** *elektr* mała częstotliwość

L.F.P.S. = **Licenciate of the Faculty of Physicians and Surgeons** licencjat leczniczo-chirurgiczny

lg = **logarithm** *mat* logarytm

lgth. = **length** długość

LH = **Letter of Hypothecation** *handl bank* list zastawny

L.H. = **Lighthouse** latarnia morska

L.H., l.h. = 1. **latent heat of vaporization** *fiz* ciepło utajone parowania 2. **left-hand** lewy, lewostronny

L.H.D. = **left hand drive** *auto* układ kierowniczy lewostronny

l.h.s. = **left hand side** strona lewa

L.I. = **Long Island** *am geogr* Long Island

li = **lithium** *chem* lit

Lic. Med. = **Licentiate in Medicine** licencjat medycyny

Lieut. = **Lieutenant** *wojsk mar* porucznik

Lieut.-Col. = **Lieutenant-Colonel** *wojsk* podpułkownik

Lieut.-Gen. = **Licutenant-General** *wojsk* generał-porucznik

Lin., lin. = **linear** liniowy

Lincs. = **Lincolnshire** hrabstwo Lincolnshire

Linn. = **Linneus** Linneusz/a

liq. = **liquid** ciecz, ciekły

lit. = **litre** litr

Litt.D. = **Litterarum Doctor** doktor literatury

LL = 1. **local** *telegr* miejscowy 2. **Longitude and Latitude** długość i szerokość geograficzna

L.L.A. = † **Lady Literate in Arts** kobieta licencjat nauk humanistycznych

L.L.B. = **Legum Baccalaureus** bakalaureus praw *zob b. l.*

L.L.D. = **Legum Doctor** doktor praw

LMG = **light machine gun** lekki karabin maszynowy

L.Mr. = **Lord Mayor** lord mayor <burmistrz>

L.M.S. = **London Midland and Scottish Railway** dawna nazwa linii kolejowej: Londyn-Hrabstwa Centralne-Szkocja

L.M.T. = **local mean time** czas średni miejscowy

L.N.E.R. = **London and North-Eastern Railway** dawna nazwa linii kolejowej: Londyn-Północny Wschód

Lnrk = **Lanark** hrabstwo Lanark

loc.cit. = **loco citato** w cytowanym miejscu

Log., log, log. = **lg**

Lon. = **Ldn**

Lond. = **London** Londyⁿ

Long., long. = **L, l** 2.

Lou. = **Louth** hrabstwo Louth (Irl.)

Louis. Univ. = **University of Louisville** Uniwersytet w Louisville

LP = **Long Play** *muz* nagranie długogrające

L.P. = 1. **Lord Provost** tytuł burmistrza głównych miast szkockich 2. **Labour Party** Brytyjska Partia Pracy 3. **low pressure** *fiz* niskie ciśnienie

L.P.O. = **London Philharmonic Orchestra** Londyńska Orkiestra Filharmoniczna

L'pool = **Liverpool** m. Liverpool

L.P.T.B. = **London Passenger Transport Board** wydział pasażerski środków przewozowych miasta Londynu

L.R. = **long range regular aerodrome** stałe lotnisko linii długodystansowych

L.R.A.M. = **Licentiate of the Royal Academy of Music** licencjat Królewskiej Akademii Muzycznej

L.R.C.P. = **Licentiate of the Royal College of Physicians** licencjat Królewskiego Kolegium Medycznego

L.R.C.S. = **Licentiate of the Royal College of Surgeons** licencjat Królewskiego Kolegium Chirurgicznego

L.S., l.s. = **longitudinal section** przekrój podłużny

l.s. = **left side** lewa strona

L.S.A. = **Licentiate of the Society of Apothecaries** licencjat farmakologii

£.s.d. = **librae, solidi, denarii** funty szterlingi, szylingi, pensy

L.S.E. = **London School of Economics** Londyńska Szkoła Nauk Ekonomicznych

LSR = **Large Ship Reactor** reaktor do napędu dużych statków

LSU = **Louisiana State University** Uniwersytet Stanu Louisiana

L.T., l.t. = **low tension** *elektr* niskie napięcie (NN)

Lt. = **Lieut.**

L.T.A. = **Lawn-Tennis Association** Związek Tenisowy

Lt.-Col. = **Lieutenant-Colonel** podpułkownik

L.T·C.L. = **Licentiate of Trinity College of Music,**

London licencjat Londyńskiego Kolegium Muzycznego "Trinity"

Ltd., L'td, ltd. = **Limited (company)** *handl* (spółka) z ograniczoną odpowiedzialnością

L.T.E. = **London Transport Executive** Zarząd Miejskich Przedsiębiorstw Komunikacyjnych w Londynie

Lt.-Gen. = **Lieutenant-General** generał porucznik

Lt. Ho. = **L.H.**

Lu = **lutetium (lutecium)** <**cassiopeium**> *chem* lutet

lub. = **lubrication** smarowanie

Luck = **Lucknow University** Uniwersytet w m. Lucknow

LV, L.V, = **low voltage** *elektr* niskie napięcie

L.W. = **lime white** mleko wapienne

L.W.L. = **Load Water Line** *mar.* linia ładunkowa

L.W.M. = **low-water mark** *mar* znak wody małej

M = 1. **magnification** *opt* powiększenie 2. **Manitoba** Manitoba (prowincja Kanady) 3. **Meridian** południk 4. **Meteorology** Meteorologia 5. **moment** *mech* moment

M, M. = 1. **member** członek (stowarzyszenia) 2. **metal** metal

M, m = **mass** *fiz* masa

M. = **master** magister (stopień naukowy)

M., m. = **middle** środek, centrum; środkowy, średni

m, m. = 1. **metre** metr 2. **Micron** mikron 3. **mile** mila angielska (= 1609m 31cm)

m. = **married** żonaty, zamężna

MA = **Military Aviation** lotnictwo wojskowe

M.A. = 1. **Magister Artium, Master of Arts** magister nauk humanistycznych 2. **Mathematical Association** Związek Matematyków 3. **Medical Advisor** konsultant-lekarz, doradca lekarski 4. **Military Academy** *am* Akademia Wojskowa 5. **Military Attaché** Attaché Wojskowy 6. **Ministry of Agriculture** Ministerstwo Rolnictwa

Ma = **Minnesota** *am* stan Minnesota

mA, ma = **milliampere** *elektr* miliamper

MAA = **Mathematical Association** Stowarzyszenie Matematyków

M.A.A.F. = **Mediterranean Allied Air Forces** Śródziemnomorskie Alianckie Siły Powietrzne

M.A.B. = **Metropolitan Asylum Board** Stołeczny Zarząd Szpitali dla Umysłowo Chorych

Macc. = **Maccabees** *bibl* Księga Makabeuszów

mach. = **machinery** mechanika

mag. = 1. **magnetic** magnetyczny 2. **magnetism** magnetyzm 3. **magnitude** wielkość

M.A.G.B. = **Mining Association of Great Britain** Stowarzyszenie Górnicze Wielkiej Brytanii

Madr, Mad.Univ. = **Madras University** Uniwersytet w Madrasie

Ma.E. = **Master of Engineering** magister nauk technicznych; magister inżynier

Maj. = **Major** *wojsk* major

Maj.-Gen. = **Major-General** *wojsk* generał major

Mal. = **Malachi** *bibl* Prorok Malachiasz

Man. = **M 2.**

man. = **manual** ręczny

Manc. = **Victoria University of Manchester** Uniwersytet Manchesterski

Manch. = **Manchester** Manchester

Man. Dir. = **Managing Director** dyrektor

Manit. = **M 2.**

manuf. = **manufactured** produkowany, wyrabiany, wytwarzany

M.A.R. = **microanalytical reagent** *chem* odczynnik mikroanalityczny

M.Ar. = **Master of Architecture** magister architektury; magister inżynier architekt

Mar. = **March** marzec

mar. = **maritime** morski

March. = **Marchioness** markiza

marg. = **margin** margines

Marq. = **Marquess, Marquis** markiz

mas., masc. = **masculine** rodzaj(u) męski(ego)

MASAF = **Mediterranean Allied Strategical Forces** Śródziemnomorskie Alianckie Siły Strategiczne

M.A.S.M.E. = **member of the American Society of Mechanical Engineers** członek Amerykańskiego Towarzystwa Inżynierów Mechaników

Mass. = **Massachusetts** *am* stan Massachusetts

MATAF = **Mediterranean Allied Tactical Forces** Śródziemnomorskie Alianckie Siły Taktyczne

math. = 1. **mathematical** matematyczny 2. **mathematics** matematyka

maths = **mathematics** *szk pot* matematyka; rachunki

Matt. = **Matthew** *bibl* Mateusz

max. = **maximum** maksimum

M.B. = **Medicinae Baccalaureus, Bachelor of Medicine** bakalaureus medycyny *zob* **b. 1.**

M.B.E. = **Member of the Order of the British Empire** członek Orderu Imperium Brytyjskiego

M.C. = 1. **Master of Ceremonies** mistrz ceremonii 2. **Medical Corps** *am* formacja sanitarna, korpus sanitarny 3. **Member of Congress** *am* członek kongresu 4. **Military Cross** *wojsk* Krzyż Wojenny (przyznawany młodszym oficerom)

M/C, M/c = **Manchester** Manchester

M.C.C. = **Marylebone Cricket Club** Klub Krykietowy w Marylebone

M.C.E. = **Master of Civil Engineering** *am* magister budownictwa lądowego i wodnego

M.Ch. = **Magister Chirurgiae** magister chirurgii

M.Com. = **Master of Commerce** magister nauk ekonomicznych

M.C.P. = **Master in City Planning** magister urbanistyki

M.C.S. = **M. Com.**

MCS = **Military College of Science** Wojskowa Wyższa Szkoła Nauk

M.C.U. = **Motor Cycle Union** Zjednoczenie Motocyklowe

M.D. = 1. **Man. Dir.** 2. **Medicinae Doctor** doktor medycyny

Md. = **Maryland** *am* stan Maryland

Md C = **M.C. 2.**

Mddx. = **Middlesex** hrabstwo Middlesex

Mdlle. = **Mademoiselle** (*w adresie do kobiety niezamężnej*) WPani

Mdm(e) = **Madam(e)** WPani

Mdse = **merchandise** towar

M.E. = 1. **Master of Engineering** magister nauk technicznych 2. **mechanical engineer** inżynier mechanik 3. **Middle East** Środkowy Wschód 4. **mining engineer** inżynier górnik

Me, Me. = **Maine** *am* stan Maine

Mea. = **Meath** hrabstwo Meath (Irl.)

MEAF = **Mediterranean Expeditionary Allied Forces** Śródziemnomorskie Alianckie Siły Ekspedycyjne

M.E.A.F. = **Middle East Air Force** Siły Powietrzne na Środkowym Wschodzie

MEAS = **Middle East Air Staff** Środkowo-Wschodni Sztab Lotniczy

meas. = **measure** miara

M.E.C. = **Middle East Command** dowództwo środkowo-wschodnie

mech. = 1. **mechanical** mechaniczny 2. **mechanics** mechanika 3. **mechanism** mechanizm 4. **mechanized** zmechanizowany

Mech.E., Mech.Eng. = **Mechanical Engineer** inżynier mechanik

mem., memo = **memorandum** memorandum

mem. = **member** członek

Merch., merch. = **merchantable** a) handlowy b) nadający się do sprzedaży

Meri. = **Merionethshire** hrabstwo Merionethshire (Walia)

Messrs = **Messieurs** (*przed nazwiskami*) (W)Panowie

Met. = **Metropolitan** stołeczny

met. = **metallurgical** metalurgiczny

metal. = **metallurgy** metalurgia; hutnictwo

METEOR, Met Serv = **Meteorological Service** służba meteorologiczna

MF, M/F = **medium frequency** *elektr* średnia częstotliwość

M.F. = 1. **Master of Forestry** magister leśnictwa 2. **Mediterranean Fleet** Flota Śródziemnomorska 3. **Ministry of Food** Ministerstwo Aprowizacji

mF, mf = **milifarad** *elektr* milifarad

MF, μf = **microfarad** *elektr* mikrofarad

mf. = **mezzoforte** *muz* mezzoforte

M.F.G.B. = **Miners' Federation of Great Britain** Brytyjska Federacja Górnicza

M.F.H. = **Master of Foxhounds** łowczy

MFNC = **most favoured nation clause** *ekon* klauzula największego uprzywilejowania

Mfr. = **manufacturer** producent

M.G., m.g. = **machine gun** *wojsk* karabin maszynowy

Mg = **magnesium** *chem* magnez

mg, mg. = **milligram(me)** miligram

M.G.G.S. = **Major-General, General Staff** generał major Sztabu Generalnego

MGM = **Metro Goldwyn Mayer Picture Corporation** Przedsiębiorstwo Filmowe Metro Goldwyn

Mgr. = **Monsignor** *kośc* Przewielebny Ksiądz Prałat

M.H.R. = **Member of the House of Representatives** *am* członek Izby Reprezentantów

MI = 1. **Marine Insurance** *handl* ubezpieczenie morskie 2. **Military Intelligence** Wywiad Wojskowy

Mi. = **Mississipi** *am* stan Mississipi

mi. = **mile** mila

M.I.Ae.S. = **Member of the Institute of Aeronautical Sciences** członek Instytutu Nauk Aeronautycznych

Mic. = **Micah** *bibl* Prorok Micheasz

M.I.C.E. = **Member of the Institution of Civil Engineers** członek Związku Inżynierów Budownictwa Lądowego i Wodnego

Mich. = **Michigan** *am* stan Michigan

Midd'x, Midx = **Middlesex** hrabstwo Middlesex

M.I.E.E. = **Member of the Institution of Electrical Engineers** członek Stowarzyszenia Inżynierów Elektryków

M.I.J. = **Member of the Institute of Journalists** członek Instytutu Dziennikarskiego

Mil. Att. = **M.A. 5.**

MILID = **Military Intelligence Division** Oddział Wywiadu Wojskowego

Milw = **Milwaukee** *am* miasto Milwaukee

M.I.Mech.E. = **Member of the Institution of Mechanical Engineers** członek Związku Inżynierów Mechaników

M.I.M.M. = **Member of the Institution of Minnig and Metallurgy** członek Związku Inżynierów Górników i Metalurgów

min = **minute** minuta

min. = 1. **mineralogical** mineralogiczny 2. **mineralogy** mineralogia

Min.E. = **mining engineer** inżynier górnik

Minn. = **Minnesota** *am* stan Minnesota

Min. Plen. = **Minister Plenipotentiary** minister pełnomocny

M.Inst.C.E. = **Member of the Institution of Civil Engineers** członek Stowarzyszenia Inżynierów Budownictwa Lądowego i Wodnego

M.I.S. = **Mining Institute of Scotland** Szkocki Instytut Górniczy

misc. = **miscellaneous** rozmaite

Miss. = **Mississipi** *am* stan Mississipi

M.I.T. = 1. **Madras Institute of Technology** Instytut Technologiczny w Madrasie 2. **Massachusetts Institute of Technology** Instytut Technologiczny Stanu Massachusetts

Mk = **Mark** marka (jednostka pieniężna)

mkd = **marked** znaczony

MKS = **metre-kilogram-second** metr-kilogram-sekunda (MKS)

ml. = **millilitre** mililitr

M.L.A. = 1. **Member of the Legislative Assembly** członek Zgromadzenia Prawodawczego 2. **Modern Language Association** Związek Języków Nowożytnych

M.L.C. = **Member of the Legislative Council** członek Rady Prawodawczej

M.Litt. = **Master of Literature** magister literatury

Mlle = **Mdlle**

M.M. = 1. **Military Medal** *wojsk* Krzyż Walecznych 2. **Messrs**

mm. = **millimetre(s)** milimetr(y)

M.M.E. = **Master of Mechanical Engineering** magister inżynier mechanik

M.N. = **Merchant Navy** marynarka handlowa

Mn = **manganum (manganese)** *chem* mangan

M.N.A.S. = **Member of the National Academy of Sciences** *am* członek Państwowej Akademii Nauk

M.N.D. = **Ministry of National Defence** (Kanadyjskie) Ministerstwo Obrony Narodowej

M.N.I. = **Ministry of National Insurance** Ministerstwo Ubezpieczeń

M.O. = **Medical Officer** lekarz wojskowy

Mo = **Molybdaenum (molybdenum)** *chem* molibden

Mo. = **Missouri** *am* stan Missouri

mo, mo. = **month** miesiąc

mod. = 1. **moderate** umiarkowany 2. **modern** nowoczesny

M.O.H. = **Ministry of Health** Ministerstwo Zdrowia

M.o.I. = **Ministry of Information** Ministerstwo Informacji

mol. = **molecule** cząsteczka

Mon. = 1. **Monmouthshire** hrabstwo Monmouthshire 2. **Monday** poniedziałek

Monsig. = **Mgr.**

Mont. = **Montana** *am* stan Montana

Mont., Montgom. = **Montgomeryshire** hrabstwo Montgomeryshire (Walia)

M.O.P. = **Ministry of Pensions** Ministerstwo Rent

M.O.S. = **Ministry of Supply** Ministerstwo Zaopatrzenia

M.O.T. = **Ministry of Transport** Ministerstwo Transportu

Mot, mot. = **motor** silnik

⚡**M.P.** = 1. **Member of Parliament** członek parlamentu 2. **Metropolitan Police** Policja Stołeczna 3. **military police** *am wojsk* żandarmeria 4. = **M.O.P.**

m.p. = **melting point** *fiz* temperatura topnienia

M.Ph = **Master of Philosophy** *am* magister filozofii

m.p.h. = **miles per hour** ... mil na godzinę

M.P.S. = 1. **Member of the Pharmaceutical Society** członek Towarzystwa Farmaceutycznego 2. **Member of the Philological Society** członek Towarzystwa Filologicznego

M.R. = 1. **Master of the Rolls** archiwariusz naczelny 2. **medium range regular aerodrome** stałe lotnisko linii średniodystansowych

Mr. = **Mister** (*przed nazwiskiem*) Pan

M.R.A.S. = 1. **Member of the Royal Academy of Science** członek Królewskiego Towarzystwa Nauk Przyrodniczych 2. **Member of the Royal Asiatic Society** członek Królewskiego Towarzystwa Kultur <Spraw> Azjatyckich

M.R.C. = **Medical Research Council** Rada Naukowo-Lekarska

M.R.C.C. = **Member of the Royal College of Chemistry** członek Królewskiego Kolegium Chemicznego

M.R.C.O.G. = **Member of the Royal College of Obstetricians and Gynaecologists** członek Królewskiego Kolegium Położników i Ginekologów

M·R.C.P. = **Member of the Royal College of Physicians** członek Królewskiego Kolegium Lekarzy

M.R.C.S. = **Member of the Royal College of Surgeons** członek Królewskiego Kolegium Chirurgów

M.R.C.V.S. = **Member of the Royal College of Veterinary Surgeons** członek Królewskiego Kolegium Lekarzy Weterynarii

M.R.G.S. = **Member of the Royal Geographical Society** członek Królewskiego Towarzystwa Geograficznego

M.R.I.A. = **Member of the Royal Irish Academy** członek Królewskiej Akademii Irlandzkiej

Mrs. = **Mistress** (*przed nazwiskiem mężatki*) Pani

M.R.S.A. = **Member of the Royal Society of Arts** członek Królewskiego Towarzystwa Sztuk Pięknych

M.R.S.L. = **Member of the Royal Society of Li-** **terature** członek Królewskiego Towarzystwa Lite-rackiego

M.R.S.T. = **Member of the Royal Society of Teachers** członek Królewskiego Towarzystwa Nauczycielskiego

M.S. = 1. **manuscript** rękopis 2. **Master of Surgery** magister chirurgii 3. **mine superintendent** *górn* kierownik szybu 4. = **M.Sc.**

M.S., M/S = **Motor Ship** statek motorowy, motorowiec

M/S., m.s. = **months' sight, months after sight** (*o płatności weksla*) płatny ... miesiące <miesięcy> po okazaniu

M.S.A. = 1. **Member of the Society of Apothecaries** członek Stowarzyszenia Aptekarzy 2. **Member of the Society of Arts** członek Towarzystwa Sztuk Pięknych 3. **Mineralogical Society of America** Amerykańskie Towarzystwo Mineralogiczne

M.Sc. = **Magister Scienciarum** <Master of Science> magister nauk przyrodniczych

M.S. in Ch.E. = **Master of Science in Chemical Engineering** magister nauk ścisłych w zakresie technologii chemicznej

m.s.l. = **mean sea level** średni poziom morza, średni stan wody

M.S.U. = **Michigan State University** *am* Uniwersytet Stanu Michigan

MT, mt = **megaton** megatona

M.T. = 1. **mechanical transport** transport mechaniczny 2. **motor transport** transport samochodowy

M/T, m.t. = **motor traction** kolej <trakcja> motorowa

Mt = **Mount** góra; szczyt

M.T.B. = **motor torpedo-boat** *mar* ścigacz torpedowy

M.T.C.P. = **Ministry of Town and Country Planning** Ministerstwo Planowania Urbanistyczno--Wiejskiego

mth. = **month** miesiąc

mtge = **mortage** *handl bank* zabezpieczenie hipoteczne, hipoteka

Mth = **Mea.**

M.T.P.I. = **Member of the Town Planning Institute** członek Stowarzyszenia Urbanistów

MTR = **Material Testing Reactor** *nukl* reaktor do badania materiałów

Mt Rev. = **Most Reverend** Przewielebny ...

MTZ = **Mediterranean Zone** strefa śródziemnomorska

M.U. = 1. **Motor Union** Związek Samochodowy 2. **Musicians' Union** Związek Muzyczny

MUF = **maximum usable frequency** *radio* maksymalna częstotliwość użytkowa

mun. = **municipal** miejski

M.U.S.A. = **Multiple Unit Steerable Antenna** *radio* układ antenowy MUSA

Mus.B(ac). = **Bachelor of Music** bakalaureus muzykologii *zob* b. 1.

Mus.D. = **Doctor of Music** doktor muzykologii

Mus.M. = **Master of Music** magister muzykologii

M.V. = 1. **motor vessel** statek motorowy 2. **muzzle velocity** *wojsk* prędkość początkowa pocisku

Mv = 1. **megavolt** megawolt 2. **mendelevium** *chem* mendelew

mv = **millivolt** miliwolt

M.V.O. = **Member of the Royal Victorian Order** członek Królewskiego Orderu Wiktoriańskiego

mw = **milliwatt** miliwat

Mw = **megawatt** megawat

M.W.B. = **Metropolitan Water Board** Kierownictwo Wodociągów Stołecznych

myth = **mythology** mitologia

MZ = **MTZ**

Mx. = **Mddx**

N = 1. **nitrogenium** (**nitrogen**) *chem* azot 2.· **normal** normalny 3. **Avogadro's number** *fiz* liczba Avogadro 4. **number of turns** (**of a winding**) *elektr* liczba zwojów (uzwojenia)

N. = 1. **Naval Attaché** Attaché Morski 2. **Navy** Marynarka Wojenna 3. **Navy Department** *am* Ministerstwo Marynarki Wojennej 4. **noon** południe 5. **North** północ

n = **neutron** *fiz* neutron

N.A. = 1. **National Academician** członek Akademi Państwowej 2. **National Academy** *am* Akademia Państwowa 3. **Naval Aviation** Lotnictwo Marynarki Wojennej 4. **North America** Ameryka Północna

Na = 1. **natrium** (**sodium**) *chem* sód 2. **Nebraska** *am* stan Nebraska

n/a = **no account** *bank* nie posiada rachunku

N.A.A. = **National Aeronautical Association** Krajowy Związek Aeronautyczny

N.A.C.C. = **National Automobile Chamber of Commerce** *am* Krajowa Izba Handlu Samochodami

N.A.A.C.P. = **National Association for the Advancement of Coloured People** *am* Krajowe Stowarzyszenie Podniesienia Poziomu Kulturalnego Kolorowych

Na Att = **N. 1.**

NAC = **North Atlantic Council** Rada Północno-Atlantycka

N.A.C.D. = **National Association for Civil Defence** Krajowe Stowarzyszenie Obrony Cywilnej

Nah. = **Nahum** *bibl* Prorok Nahum

N.A.H.T. = **National Association of Head Teachers** Krajowe Stowarzyszenie Dyrektorów Szkół

N.A.J. = **National Association of Journalists** Krajowe Stowarzyszenie Dziennikarzy

NANS = **Nevada Academy of Natural Sciences** Akademia Nauk Przyrodniczych Stanu Nevada

NAS = **Nebraska Academy of Sciences** *am* Akademia Nauk Stanu Nebraska

N.A.S. = **National Academy of Sciences** *am* Państwowa Akademia Nauk

N.A.S.D.U. = **National Amalgamated Stevedores' and Dockers' Union** Krajowy Zjednoczony Związek Zawodowy Robotników Portowych

Nat. Hist. = **Natural History** nauki przyrodnicze; przyroda

⬧**NATO, N.A.T.O.** = **North Atlantic Treaty Organization** Organizacja Paktu Północnoatlantyckiego

Nat. Sc. D. = **Doctor of Natural Sciences** Doktor Nauk Przyrodniczych

N.B. = 1. **New Brunswick** *geogr* prowincja Nowy Brunswick (Kanada) 2. **North Britain** Północna Brytania, Szkocja 3. **Nota Bene** nota bene

Nb = **niobium** <*am* **columbium Cb**> *chem* niob

NBC = **National Broadcasting Company** *am* Radio Amerykańskie

⬧**NBS, N.B.S.** = **National Bureau of Standards** *am* Państwowy Urząd Normalizacyjny

NbyE = **North by East** *mar* (kierunek róży kompasowej) Północ ku Wschodowi (NkE)

NbyW = **North by West** *mar* (kierunek róży kompasowej) Północ ku Zachodowi (NkW)

⬧**NC** = **nitrocellulose** *chem* nitroceluloza

N.C. = 1. **North Carolina** *am* stan Północna Karolina 2. **North Central** obwód pocztowy Londynu: północne śródmieście

N.C., N Car = **North Carolina** *am* stan Karolina Północna

N.C.B. = **National Coal Board** Brytyjski Zarząd Przemysłu Węglowego

N.C.L. = **National Council of Labour** Krajowa Rada Pracy

N.C.O. = **non-commissioned officer** *wojsk* podoficer

N.C.U. = **National Cyclists' Union** Krajowy Związek Kolarski

NCV., n.c.v. = **no commercial value** *handl* bez wartości handlowej

N.D. = **North Dakota** *am* stan Północna Dakota

N.D., n.d. = **no date** *bank* (adnotacja na czeku) bez daty

Nd = **neodymium** *chem* neodym

N. Dak. = **N.D.**

NDB = **non-directional radio beacon** *lotn* radiolatarnia bezkierunkowa

ND Univ = **University of North Dakota** *am* Uniwersytet Stanu Dakoty Północnej

N.E., NE = 1. **North East** północny wschód 2. **New England** *am geogr* Nowa Anglia

N/E. = **no effects** *bank* nie. ma pokrycia

Ne = **neon** *chem* neon

Neb. = **Nebraska** *am geogr* Nebraska

NEbyE = **North-East by East** *mar* (kierunek róży kompasowej) Północny Wschód ku Wschodowi (NEkE)

NEbyN = **North-East by North** *mar* (kierunek róży kompasowej) Północny Wschód ku Północy (NEkN)

N.E.C. = **National Electric Code** Państwowe Przepisy Elektryczne

N.E.D. = 1. **National English Dictionary** Wielki Słownik Angielski (obecnie OED Oksfordzki Słownik Języka Angielskiego) 2. **New English Dictionary** *obecnie* OED

Neh. = **Nehemiah** *bibl* Księga Nehemiasza

nem.con. = **nemine contradicente** bez sprzeciwu, (uchwalono) jednogłośnie

NEMA = **National Electrical Manufacturers' Association** Ogólnokrajowe Zrzeszenie Producentów Elektrotechnicznych

nem.diss. = **nemine dissentiente** bez sprzeciwu; (uchwalono) jednogłośnie

N.Eng. = **New England** *am geogr* Nowa Anglia

NEPA = **nuclear energy propulsion for aircraft** napęd jądrowy do samolotów

NERO = **Natrium Experimental Reactor 0** doświadczalny reaktor sodowy o mocy równej zeru

Neth. = **Netherlands** Niderlandy

NES, n.e.s. = not elsewhere specified nie wymieniony gdzie indziej

N.E.S.C. = National Electric Safety Code Państwowe przepisy bezpieczeństwa dotyczące urządzeń elektrycznych

NE Univ = North-Eeastern University am Uniwersytet Północno-Wschodni

Nev. = Nevada am stan Nevada

Nev Univ = University of Nevada am Uniwersytet Stanu Nevada

New M. = N.M., N.Mex.

N.F., N/f, n/f = no funds handl bank brak pokrycia

N.F., Nfd. = Newfoundland am geogr Nowa Fundlandia

N.F.C.T. = National Federation of Class Teachers Krajowa Federacja Nauczycielska

Nfld = Memorial University of Newfoundland Uniwersytet Nowofundlandzki

N.F.U. = National Farmers' Union Krajowe Zjednoczenie Rolników

NG = nitroglycerine nitrogliceryna

NGA = National Gallery of Art Narodowa Galeria Sztuk Pięknych

N. Geo. M. = National Geographic Magazine am Narodowy Przegląd Geograficzny

N.G.S. = National Geographic Society Krajowe Towarzystwo Geograficzne

N.H. = New Hampshire am stan New Hampshire

N.H.I. = National Health Insurance Krajowe Ubezpieczenia Społeczne

n.h.p. = nominal horse-power moc nominalna

N.H.S. = National Health Service Państwowa Służba Zdrowia

NH Univ = University of New Hampshire am Uniwersytet Stanu New Hampshire

N.I. = 1. National Insurance Ubezpieczenia Państwowe 2. Naval Intelligence Wywiad Marynarki Wojennej 3. Northern Ireland Irlandia Północna

N.I.D. = Naval Intelligence Division Oddział Wywiadowczy Marynarki Wojennej

N. Ire = N.I. 3.

N.J. = New Jersey am stan New Jersey

N.Lat. = North Latitude północna szerokość geograficzna

NLB = National Labour Board am Państwowy Urząd Pracy

NM = nautical mile mila morska

N.M., N.Mex. = New Mexico am stan Nowy Meksyk

N. Mex. Univ. = University of New Mexico Uniwersytet Stanu Nowy Meksyk

NNE, N.N.E. = North-North-East północno-północny wschód

NNW, N.N.W. = North-North-West północno-północny zachód

N.O. = New Orleans am stan Nowy Orlean

No = number numer (Nr.)

non-com. = N.C.O.

norm. = normalized znormalizowany

Northamts. = Northamptonshire hrabstwo Northamptonshire

Northmb. = Northumberland hrabstwo Northumberland

Nos. = numbers numery

NOTAM = notice to airmen lotn notam, informacje dla załóg

Notts. = Nottinghamshire hrabstwo Nottinghamshire

Nov. = November listopad

N.P. = notary public notarjusz, rejent

Np = neptunium chem neptun

N.P.A. = National Petroleum Association am Krajowe Zrzeszenie Naftowe

NPB = National Planning Board am Państwowy Urząd Planowania

N. Ph. D. = Doctor of Natural Philosophy Doktor Nauk Fizycznych

N.P.L. = National Physical Laboratory Państwowe Laboratorium Fizyczne

n.p.t. = normal pressure and temperature warunki normalne ciśnienia i temperatury

N.R. = North Riding północny okręg hrabstwa Yorkshire

N.R.C. = National Red Cross Angielski Czerwony Krzyż

N.S. = 1. new style nowy styl 2. Nova Scotia Nowa Szkocja (Kanada)

N.S.O. = National Symphony Orchestra Narodowa Orkiestra Symfoniczna

N.S.P.C.A. = National Society for the Prevention of Cruelty to Animals Towarzystwo Ochrony Zwierząt

N.S.P.C.C. = National Society for the Prevention of Cruelty to Children Towarzystwo Ochrony Dzieci

N. Staffs = University College of North Staffordshire Uniwersytet Północnego Staffordshire'u

N.S.W. = New South Wales geogr Nowa Południowa Walia

N.S.W.U.T. = New South Wales University of Technology Nowo-Południowo-Walijski Uniwersytet Techniczny

N.T. = 1. New Testament bibl Nowy Testament 2. Northern Territory of Australia geogr Okręg Północny Australii

N° 10 = Number Ten, Downing Street rezydencja premiera brytyjskiego

N.T.A. = National Technical Association am Krajowe Stowarzyszenie Techniczne

N.T.P., n.t.p. — normal temperature and pressure warunki normalne temperatury i ciśnienia

N.T.S.C. = National Television System Committee Krajowy Komitet do Spraw Sieci Telewizyjnej

nt. wt. = net weight waga netto

N.U. = name unknown nazwisko nieznane

N.U.I. = National University of Ireland Irlandzki Uniwersytet Narodowy

N.U.J. = National Union of Journalists Krajowy Związek Dziennikarzy

N.U.M. = National Union of Miners Krajowy Związek Górniczy

Num(b). = Numbers bibl Księga Liczb

numis(m). = numismatics numizmatyka

N.U.P.E. = National Union of Public Employees Krajowy Związek Urzędników Państwowych

N.U.R. = National Union of Railwaymen Krajowy Związek Kolejarzy

N.U.S. = 1. National Union of Seamen Krajowy Związek Żeglarzy 2. National Union of Students Krajowy Związek Studentów

N.U.T. = National Union of Teachers Krajowy Związek Nauczycielski

N.U.W.T. = National Union of Women Teachers Krajowy Związek Nauczycielek

N.V.M. = Nativity of the Virgin Mary Narodzenie Matki Boskiej

NW, N.W. = North-West północny zachód

NWbyN = North-West by North mar (kierunek róży kompasowej) Północny Zachód ku Północy (NWkN)

NWbyW = North-West by West mar (kierunek róży kompasowej) Północny Zachód ku Zachodowi (NWkW)

NWC = National War College am Państwowa Wyższa Szkoła Wojskowa

N.W.P(rov). = North-West Provinces of India prowincje północno-zachodnie Indii

NWS = North-Western States am Stany Północno-Zachodnie

N.W.T. = Northwest Territories (of Canada) Terytoria Północno-Zachodnie (Kanady)

NW Univ = Northwestern University am Uniwersytet Północno-Zachodni

N.Y. = New York am 1. Nowy Jork 2. stan Nowy Jork

NYAM = New York Academy of Medicine am Nowojorska Akademia Medycyny

NYAS = New York Academy of Sciences am Nowojorska Akademia Nauk

N.Y.C. = New York City am miasto Nowy Jork

NYLS = New York Law School am Nowojorska Szkoła Prawa

NYU = New York University am Uniwersytet Nowojorski

N.Y.Z.S. = New York Zoological Society am Nowojorskie Towarzystwo Zoologiczne

N.Z. = New Zealand Nowa Zelandia

N.Z.A.S. = New Zealand Association of Scientists Nowozelandzkie Stowarzyszenie Przyrodnicze

N.Z.E.F. = New Zealand Expeditionary Forces Nowozelandzkie Wojska Ekspedycyjne

N.Z.G.S. = New Zealand Geographical Society Nowozelandzkie Towarzystwo Geograficzne

O = 1. open otwarty 2. oxygenium (oxygen) chem tlen

O. = 1. Ohio am stan Ohio 2. order handl zamówienie; zlecenie

o = ohm elektr om

O/a, o/a, o.a = on account bank na rachunek; a conto; tytułem zaliczki; na poczet (czegoś)

o. & r. = ocean and rail handl (o transporcie) morski i kolejowy

O.A.C. = Ontario Agricultural College Wyższa Szkoła Rolnicza Prowincji Ontario (Kanada)

ǂ OAS = Organization of American States Organizacja Stanów Amerykańskich (Sojusz Panamerykański)

ob. = obiit zmarł ...

Ob., Obad = Obadiah bibl Prorok Abdiasz

O.B.E. = Order of the British Empire Order Imperium Brytyjskiego

OB/L = Order Bill of Lading handl konosament na zlecenie

O.B.M., o.b.m. = ordnance bench mark geod reper, znak wysokościowy

obs, obs. = obsolete przestarzały, obecnie nie używany

obsol. = obsolescent (o wyrazie itd) wychodzący z użycia

Obsn Fl = Observation flight lot wywiadowczy

ob.s.p. = obiit sine prole zmarł bez potomstwa

OC = Overseas Command am Zamorska Grupa Wojskowa

O.C. = 1. Officer Commanding dowódca 2. Official Classification klasyfikacja urzędowa

occ = 1. occupation okupacja 2. occupational okupacyjny

OCD = Office of Civilian Defense am Oddział Obrony Cywilnej

OCF = Office, Chief of Finance am Kancelaria Szefa Wydziału Wojskowo-Finansowego

OCS = Office, Chief of Staff Kancelaria Szefa Sztabu

Oct. = October październik

OCV = open circuit voltage elektr napięcie (ogniwa, baterii) przy obwodzie otwartym

OD = 1. Officer of the Day am dyżurny oficer 2. Order of the Day Rozkaz dzienny 3. Ordnance Department Oddział artyleryjsko-techniczny

O.D., o.d. = outside diameter średnica zewnętrzna

O/D, o/d = on demand handl na żądanie

OE = Old English język staroangielski

OED = Oxford English Dictionary (Wielki) Słownik Oksfordzki Języka Angielskiego

O.E.E.C. = Organization for European Economic Co-operation Wspólnota Europejska

off. = 1. official adm urzędowy 2. officinal farm (o ziołach) lekarski; (o lekarstwie) urzędowo zatwierdzony

O.F.S. = Orange Free State geogr Orania

OGM = Office of Guided Missiles oddział pocisków rakietowych zdalnie kierowanych

O.H. = open-hearth furnace piec martenowski

O.H., o.h. = 1. on hand handl (o towarze) na składzie 2. (o piśmie) otrzymany

O.H.M.S. = on His <Her> Majesty's Service w służbie Jego <Jej> Królewskiej Mości (napis na pismach urzędowych)

O.H.S. = Oxford Historical Society Oksfordzkie Towarzystwo Historyczne

O.H. steel = open hearth steel stal martenowska

OJCS = Office of Joint Chiefs of Staff am Kancelaria Połączonych Szefów Sztabu

O.K. = all correct wszystko w porządku, bardzo dobrze; zgodne

Okla. = Oklahoma am stan Oklahoma

ol. = oleum (oil) olej

Old Test. = Old Testament bibl Stary Testament

O.M. = 1. Order of Merit Order Zasługi 2. organic matter substancja organiczna

O.M.C. = Oxford Military College Oksfordzkie Kolegium Nauk Wojskowych

ONI = Office of Naval Intelligence am Oddział Wywiadowczy Marynarki Wojennej

Ont. = Ontario geogr Ontario (prowincja Kanady)

OO = umowny sygnał: do całego korpusu oficerskiego

O.O. = 1. Orderly Officer oficer dyżurny 2. Ordnance Officer Szef Oddziału Artyleryjsko-Technicznego

O.P. = 1. open policy ubezpieczenie bieżące 2.

opposite prompter *teatr* prawa <*am* lewa> strona sceny, patrząc w kierunku widowni

Op = **operation** *wojsk* operacja, akcja

o.p. = **out of print** (*o wydawnictwie*) wyczerpany

op. cit. = **opere citato** w cytowanym dziele

Opg = **opening** otwór

O.P.M. = **Office, Provost Marshal** Kancelaria Szefa Żandarmerii

o.p.o. = **one price only** *handl* cena jednolita

Opt., opt. = 1. **optical** optyczny 2. **optics** optyka

OR = **Reserve Officer** oficer rezerwowy

O.R., o.r. = **owner's risk** *ekon* na ryzyko właściciela

O.R.C. = 1. **Officers' Reserve Corps** *am* Rezerwowy Korpus Oficerski 2. **Orange River Colony** obecnie: **O.F.S.**

Ore(g). = **Oregon** *am* stan Oregon

org. = **organic** organiczny

orig. = **original** oryginalny

Ork. Is = **Orkney Islands** Orkady

ortho = **orthochromatic** *fot* ortochromatyczny

ORSORT = **Oak Ridge School of Reactor Technology** *am* Szkoła Technologii Reaktorowej w Oak Ridge

O.S. = 1. **on spot** *handl* (*o towarze*) na miejscu; niezwłocznie, natychmiast, na poczekaniu 2. **Old Style** (według) Starego Stylu 3. **on sample** *handl* według próbki 4. **Ordinary Seaman** *mar* marynarz 3-ej kategorii

O/S, o/S, o/s = **Out of Stock** *handl* nie ma (towaru) na składzie, brak na składzie; zapas (towaru) wyczerpany

Os = **osmium** *chem* osm

OSA = 1. **Office of the Secretary of the Army** *am* Kancelaria Ministra Spraw Wojskowych 2. **Optical Society of America** Amerykańskie Stowarzyszenie Optyczne

O.S.A. = **of the Order of St. Augustine** Zakonu Augustianów

O.S.B. = **of the Order of St. Benedict** Zakonu Benedyktyńskiego

OSD = **Office of the Secretary of Defense** *am* Kancelaria Ministra Obrony Narodowej

O.S.D. = **of the Order of St. Dominic** Zakonu Dominikańskiego

O.S.F. = **of the Order of St. Francis** Zakonu Franciszkańskiego

o.s.p. = **ob.s.p.**

OSR = **Office of Scientific Research** *am* Biuro Badań Naukowych

O.T. = **Old Testament** *bibl* Stary Testament

O.T.C. = 1. **Officers' Training Corps** przysposobienie oficerskie 2. **Officers' Training Camp** Oficerski Obóz Ćwiczebny 3. **Operational Training Centre** Operacyjny Ośrodek Ćwiczebny

O.T.S. = **Officers' Training School** Szkoła Oficerska

O.U. = **Oxford University** Uniwersytet Oksfordzki

O.U.B.C. = **Oxford University Boat Club** Klub Wioślarski Uniwersytetu Oksfordzkiego

O.U.D.C. = **Oxford University Dramatic Society** Koło Dramatyczne Uniwersytetu Oksfordzkiego

Ov. Comd = **OC**

OVR = **Office of Vocational Rehabilitation** Biuro dla Spraw Przywracania Zdolności Zarobkowania Zawodowego

Oxon. = 1. **Oxfordshire** hrabstwo Oksfordshire 2.

Oxoniensis *uniw* (wychowanek itd.) Uniwersytetu Oksfordzkiego

oz. = **ounce** uncja

ozs = **ounces** uncje

P = 1. **phosphorus** *chem* fosfor 2. **portable** przenośny 3. **pressure** nacisk, napór, ciśnienie

P. = **part** część

◢**p.** = 1. **page** stronica 2. **pint** miara pojemności (= 0,568 l) 3. **prime** początkowy

PA = **Pacific Army** *am* Armia Pacyfiku (wojska lądowe w rejonie Oceanu Spokojnego)

P.A. = **Press Association** Zjednoczenie Prasowe

P.A., P/A, P/A. = **Power of Attorney** pełnomocnictwo

Pa = 1. **protactinum** *chem* protaktyn 2. **Pennsylvania** *am* stan Pensylwania

p.a. = **per annum** rocznie

PAA, P.A.A. = **Pan-American Airways** Panamerykańskie Linie Lotnicze

PAC = 1. **Pacific Air Command** Dowództwo Lotnictwa w rejonie Oceanu Spokojnego 2. **Pan-American Congress** Kongres Panamerykański 3. **President of the Air Council** Prezes Rady Lotnictwa Wojskowego

Pac.O., Pac. Oc. = **Pacific Ocean** Ocean Spokojny

PAFA = **Pennsylvania Academy of Fine Arts** Akademia Sztuk Pięknych Stanu Pensylwania

PAI = **Panama Airways Incorporated** Panamskie Linie Lotnicze

P.A.I.M.E.G. = **Pan-American Institute of Mining Engineering and Geology** Panamerykański Instytut Górnictwa i Geologii

paint. = **painting** malarstwo

◢**PAL** = **Philippine Air Lines** Filipińskie Linie Lotnicze

Pal. = **Palestine** Palestyna

pal. = 1. **paleography** paleografia 2. **paleontology** paleontologia

palaeont. = **palaeontology** paleontologia

PAMA = **Pan-American Medical Association** Panamerykański Związek Lekarski

Pan. = **Panama** Panama

PANAIR = **Pan-American Airways** Panamerykańskie Linie Lotnicze

P. & L. a/c = **Profit and loss account** rachunek zysków i strat

pap. = **paper** papier

PAR = **precision approach radar** *lotn* stacja radiolokacyjna lądowania

par. = 1. **paragraph** paragraf 2. **parallel** równoległy 3. **parenthesis** nawias

Para. Bde = **Parachute Brigade** brygada desantowców-spadochroniarzy

pars. = **paragraphs** paragrafy

P.A.T. = **Pacific Air Transport** Linie Lotnicze Pacyfiku

pat. = **patent** patent

Pat. Off. = **Patent Office** *am* Urząd Patentowy

patt. = **pattern** wzór; próbka

PAU = **Pan-American Union** Zjednoczenie Panamerykańskie

PA Univ = **University of Pennsylvania** Uniwersytet Stanu Pensylwania

payt, payt. = **payment** wpłata; płatność

P.B. = 1. **Pharmacopoeia Britannica** brytyjska farmakopea 2. **Philosophiae Baccalaureus** bakalaureus filozofii *zob* b. 1. 3. **Pilotless Bomber** bombowiec bez pilota

P.C. = 1. **Panama Canal** Kanał Panamski 2. **Paymaster-in-Chief** Szef Wydziału Finansowego Ministerstwa Spraw Wojskowych 3. **Police Constable** komisarz policji; policjant 4. **prime cost** *handl bank* koszt własny 5. **Privy Councillor** członek Tajny Rady Królewskiej

P/C, P/c, p/c = **price-current** cennik

P/C, p/c = **petty cash** drobna gotówka (w kasie)

p.c. = 1. **per cent(um)** procent; od sta 2. **post card** pocztówka

PCD = 1. **Panama Canal Defense** *am* Obrona Kanału Panamskiego 2. **Panama District** okręg panamski 3. **Panama Coastal Defense** *am* Obrona Wybrzeża Panamskiego

pcl = **parcel** paczka

pcs = **pieces** sztuki

p.c.v. = **percentage value** wartość procentowa

PCZ = **Panama Canal Zone** strefa Kanału Panamskiego

PD = **Ph. D.**

Pd., P'd, pd, pd. = **paid** zapłacone

Pd = **palladium** *chem* pallad

pd = **painted** pomalowany

p.d. = 1. **per day** dziennie 2. **potential difference** *elektr* różnica potencjałów (napięcia)

Pd. D. = **Pedagogiae Doctor** doktor nauk pedagogicznych

P.D.L. = **pass down the line** *am* podaj dalej

Pd. M. = **Pedagogiae Magister** magister nauk pedagogicznych

P.E.C., pec = **photoelectric cell** komórka fotoelektryczna

P.E. = **potential energy** energia potencjalna

P.E.N., PEN = **Poets, Playwrights, Editors, Essayists and Novelists** Literaci; PEN Club; Związek Literatów

Penn. = **Pa.**

Pent. = **Pentagon** nazwa gmachu w którym mieści się Ministerstwo Spraw Wojskowych Stanów Zjednoczonych; *przen* Ministerstwo Spraw Wojskowych Stanów Zjednoczonych

P.E.P., PEP = **Political and Economic Planning** planowanie polityczno-ekonomiczne

per. = 1. **period** okres 2. **periodical** okresowy

per an. = **per annum** rocznie; na rok

per cap. = **per capita** *ekon* na głowę

per cent, per ct. = **per centum** procent; od sta

perf. = **perforated** dziurkowany, perforowany

perp. = **perpendicular** prostopadły

per pro. = **per procurationem** w zastępstwie (w/z)

Pet. = **Peter** *bibl* Piotr

pet = **petrol** benzyna

Pet Pt = **Petrol Point** stacja benzynowa

Pet. Sta. = **petrol station** stacja benzynowa

pf. = **pfennig** fenig

pf, p-f = **power factor** *elektr* współczynnik mocy

P.G. = **paying guest** (*w pensjonacie itd*) gość pełnopłatny; lokator

Ph. = **phase** faza

p.h. = **per hour** na godzinę

Ph.B. = **Philosophiae Baccalaureus** bakalaureus filozofii *zob* b. 1.

Ph.C. = **Pharmaceutical Chemist** chemik farmaceuta

Ph.D. = **Philosophiae Doctor** doktor filozofii

Phil. = 1. **Philadelphia** *am* miasto Filadelfia 2. **Philippians** *bibl* List do Filipian

Phil. D. = **Ph. D.**

Phil. Is., Phil Isls = **P.I.**

Phil Univ = **Phillips University** *am* Uniwersytet im. Phillipsa

phon. = **phonetics** fonetyka

phot. = **photography** fotografia

photom. = **photometry** fotometria

PHS = **Public Health Service** Społeczna Służba Zdrowia

phys. = 1. **physical** fizyczny 2. **physics** fizyka

P.I. = **Philippine Islands** *geogr* Filipiny

pibal = **pilot balloon** *lotn* balon-sonda

pinx. = **pinxit** malował ...; wykonał (wyk.) ...

Pitt, Pitts Univ. = **University of Pittsburgh** Uniwersytet Pitsburski

pkg. = 1. **package** paczka; przesyłka 2. **packing** opakowanie; pakowanie

P.L. = **Pharmacopoeia Londinensis** Farmakopea Londyńska

P/L = **Profits and Loss** *księgow* rachunek strat i zysków

pl. = **place** miejsce; miejscowość

P.L.A. = **Port of London Authority** Kapitanat Portu Londyńskiego

plat. = **platoon** pluton

pln = **plan** plan

P.M. = 1. **Police Magistrate** sędzia sądu policyjnego (dla drobnych przekroczeń) 2. **Post Master** naczelnik poczty 3. **post mortem** (o sekcji zwłok) pośmiertny 4. **Prime Minister** premier 5. **Provost Marshal** komendant żandarmerii

P.M., p.m. = **post meridiem** po południu

Pm = **promethium** *chem* promet

Pm. = **premium** premia

PMF = **Panama Military Force** Panamskie Siły Zbrojne

P.M.G. = **Postmaster General** Minister Poczt i Telegrafów

p.n., P/N. = **promissory note** kwit dłużny

pneum. = **pneumatic** pneumatyczny

pnt = **point** punkt

PNYA = **Port of New York Authority** Kapitanat Portu Nowojorskiego

P.O. = 1. **Pacific Ocean** Ocean Spokojny 2. **Petty Officer** *mar* młodszy oficer 3. **postal order** przekaz pocztowy 4. **Post Office** Zarząd Pocztowo-Telekomunikacyjny; Urząd Pocztowy 5. **Province of Ontario** Prowincja Ontario (Kanada)

Po = **polonium** *chem* polon

po = **pole** biegun

P.O.B. = **post-office box** skrzynka pocztowa

P.O.D., p.o.d = **pay on delivery** *handl* (*o towarze*) płatny przy odbiorze

Pol. = 1. **Poland** Polska 2. **Polish** polski

Pol. Econ., pol. econ. = **political economy** ekonomia polityczna

P.O.O. = **post-office order** przekaz pieniężny

P.O.P. = **printing-out paper** *fot* papier kopiowy <do kopiowania>

pop. = **population** ludność

pos. = **positive** dodatni

P.O.S.B. = **Post Office Savings Bank** Pocztowa Kasa Oszczędności

P.O.W. = **Prisoner of War** jeniec wojenny
P.P., P.p., p.p. = **per procurationem** *ekon* z upoważnienia (z up.), w zastępstwie (w/z)
P.P., p.p. = **post paid** frankowane; opłata pocztowa zapłacona
pp. = 1. **pages** stronice 2. **pianissimo** *muz* pianissimo
P.P.C. = **pour prendre congé** dopisek na bilecie wizytowym zostawionym przy złożeniu wizyty pożegnalnej
ppd, ppd. = **prepaid** *ekon* zapłacony z góry
ppm = **parts per million** *chem* części na milion
ppp. = **pianissssimo** *muz* pianississimo
P.P.S. = **post postscriptum** dodatkowy dopisek (w liście)
ppt = **prompt** natychmiast
P.Q. = **Province of Quebec** Prowincja Kwebek (Kanada)
P.R. = **Public Relations Department** Służba Informacyjna
Pr = **praseodymium** *chem* prazeodym
Pr., pr = **price** cena
pr, pr. = **pair** para, obie sztuki
P.R.A. = **President of the Royal Academy** Prezes Królewskiej Akademii Sztuk Pięknych
prec. = **preceding** poprzedzający
pres. = **present** obecny
prev. = **previously** uprzednio, przedtem
Pri. = **Private** *wojsk* szeregowiec
P.R.I.B.A. = **President of the Royal Institute of British Architects** Prezes Królewskiego Związku Architektów Brytyjskich
Prin., Princ Univ = **Princeton University** Uniwersytet Princetoński
pro. = **professional** zawodowy
proc. = **process** proces
Proc. I.E.E. = **Proceedings of the Institution of Electrical Engineers** Sprawozdania Stowarzyszenia Inżynierów Elektryków (*tytuł czasopisma brytyjskiego*)
Prof., prof. = **professor** profesor
pro tem. = **pro tempore** chwilowo, tymczasowo
Prov. = **Proverbs** *bibl* Księga Przysłów
Prov. Que. = **P.Q.**
prox, prox. = **proximo** przyszłego miesiąca
◄**PRS** = **Pacific Rocket Society** *am* Towarzystwo Rakietowych Podróży Międzyplanetarnych
P.R.S. = **President of the Royal Society** Prezes Królewskiego Towarzystwa (Nauk Przyrodniczych)
P.S. = 1. **passed school** absolwent (danej uczelni) 2. **Permanent Secretary** sekretarz stały 3. **Petrol Station** stacja benzynowa 4. **Philharmonic Society** Towarzystwo Filharmoniczne 5. **Physical Society** Towarzystwo Fizyczne 6. **Police Sergeant** sierżant policji 7. **post scriptum** dopisek (w liście) 8. **Privy Seal** Mała Pieczęć 9. **prompt side** *teatr* prawa <*am* lewa> strona sceny, patrząc w kierunku widowni
p.s. = **per second** na sekundę
Ps., Psa. = **Psalms** *bibl* Księga Psalmów
P.S.C. = **Passed Staff College** *wojsk* posiadający dyplom Sztabu Generalnego
pseud. = **pseudonym** pseudonim
p.s.v. = **public service vehicle** pojazd użyteczności publicznej

P.T. = 1. **passenger train** pociąg pasażerski 2. **Physical Training** wychowanie fizyczne 3. **post-town** miasto posiadające urząd pocztowy 4. **Pupil Teacher** praktykujący nauczyciel
Pt. = **platinum** *chem* platyna
pt. = **p. 2.**
ptbl = **portable** przenośny
ptd = **patented** opatentowany
Pte. = **Pri.**
P.T.O. = **Please turn over** proszę odwrócić, verte
Pu = **plutonium** *chem* pluton
pub, pub., publ. = 1. **publication** publikacja, wydanie 2. **published** wydany, opublikowany 3. **publisher** wydawca
pulv. = **pulvis** proszek
P.V.C., pvc = **polyvinyl chloride** *chem* polichlorek winylu
◄**P.W.A., PWA** = **Public Works Department** Wydział Robót Publicznych
PWR = **Power reactor** reaktor energetyczny
pwt. = **pennyweight** jednostka wagi, około 1½ grama
P.W.U. = **Postal Workers' Union** Związek Zawodowy Pracowników Pocztowych
pyrotech. = **pyrotechnics** pirotechnika
P.X. = **private exchange** prywatna centrala telefoniczna

Q = 1. **Quartermaster** kwatermistrz 2. **Quartermaster's Department** kwatermistrzostwo
Q, q. = **quarter** ćwierć; ćwiartka, czwarta część
◄**Q** = **Queen** (*w szachach*) królowa
Q. = pseudonim pisarza Sir A. T. Quiller-Couch
Q.A.B. = **Queen Anne's Bounty** fundusz utworzony rozporządzeniem Królowej Anny na rzecz ubogich członków kleru anglikańskiego
Q.A.O. = **Queen Alexandra's Own** nazwa pułku
Q.B. = 1. **Queen's Bench** Sąd Ławy Królewskiej 2. **Queen's Bays** *wojsk* nazwa pułku
Qbc = **Quebec** Prowincja Kwebek
Q.C. = **Queen's Counsel** Doradca Królowej (*tytuł nadawany wybitnym adwokatom*)
Q.E. = **quadrant elevation** *wojsk* kąt podniesienia (lufy)
Q.E.D., q.e.d. = **quod erat demonstrandum** *mat* co należało udowodnić
Q.F. = **quick-firing** *wojsk* szybkostrzelny
Q.H.C. = **Queen's Honorary Chaplain** Honorowy Kapelan Królowej
Q.H.P. = **Queen's Honorary Physician** Honorowy Lekarz Królowej
Q.H.S. = **Queen's Honorary Surgeon** Honorowy Chirurg Królowej
QK = **quite correct** *am* całkowicie zgodne
Q'ld = **Queensland (Australian) University** Uniwersytet Stanu Queensland (w Australii)
qlty = **quality** jakość; gatunek
Q.M. = **Quartermaster** *wojsk* kwatermistrz
qnty = **quantity** ilość
Q.O. = **Queen's Own Regiment** nazwa pułku
Q.O.C.H. = **Queen's Own Cameron Highlanders** nazwa pułku
Q.O.R. = **Queen's Own Rifles** nazwa pułku
qr. = 1. **quarter** kwarta 2. **quarterly** kwartalnie 3. **quire** libra (papieru)
Q.S. = **Quarter Sessions** *sąd* Sąd Objazdowy
Qt, qt = **quart** kwarta

qts, qts. = quarts kwarty
qto = quarto (format) ćwiartka, inkwarto
Qu = quinine chinina
Qu., Q. Univ. = Queen's University Uniwersytet Królowej (Kanada)
quart. = quarterly kwartalnie, co kwartał
Qual. = 1. quality jakość 2. qualitative jakościowy
Quant. = quantitative ilościowy
Que. = Quebec geogr Kwebek
Queensl. = Queensland geogr Queensland
ques. = question pytanie, zagadnienie, sprawa, kwestia
quot. = quotation handl kwotacja
q.v. = quod vide zobacz (zob.), óbacz (ob), patrz

R = 1. Réaumur stopień <skala> Réaumura 2. resistance elektr oporność
R. = 1. Radio radio 2. reaction reakcja 3. Réaumur fiz (w skali) Réaumura 4. Railway Kolej Żelazna 5. Rex król; Regina królowa
R., r. = 1. radius mat promień 2. river rzeka
r = röntgen rentgen
R.A. = 1. Rear Admiral kontradmirał 2. Royal Academician członek Królewskiej Akademii (Sztuk Pięknych) 3. Royal Academy Królewska Akademia (Sztuk Pięknych) 4. Royal Artillery Artyleria Królewska
Ra = radium chem rad
ra = radio radio
R.A.A. = Royal Academy of Arts Królewska Akademia Sztuk Pięknych
R.A.A.F. = Royal Australian Air Force Królewskie Australijskie Lotnictwo
Rabb = Rabbinical rabiniczny, rabinowy
R.A.C. = 1. Royal Aero Club Królewski Aeroklub 2. Royal Agricultural College Królewska Wyższa Szkoła Rolnicza 3. Royal Armoured Corps Królewski Korpus Pancerny 4. Royal Automobile Club Królewski Klub Automobilowy
R.A.D. = Royal Academy of Dancing Królewska Akademia Tańca
Rad. = 1. Radical (o partii) radykalny 2. radical mat pierwiastek 3. radioactivity radioaktywność 4. chem radium rad 5. Radnorshire hrabstwo Radnorshire (Walia)
rad. = radix mat zasada (układu liczbowego)
R.A.D.A. = Royal Academy of Dramatic Art Królewska Akademia Dramatyczna
R. Ae. S. = Royal Aeronautical Society Królewskie Towarzystwo Aeronautyczne
R.A.F. = 1. Royal Air Force Królewskie Lotnictwo Brytyjskie 2. Royal Aircraft Factory Królewskie Zakłady Produkcyjne Sprzętu Lotniczego
R.A.F.C. = Royal Air Force College Królewskie Kolegium Lotnicze
RAFHOS, R.A.F. Hosp = Royal Air Force Hospital Szpital Królewskiego Lotnictwa
R.A.F.V.R. = Royal Air Force Volunteer Reserve Rezerwa Ochotnicza Królewskiego Lotnictwa
R.A.M. = Royal Academy of Music Królewska Akademia Muzyczna
R.A.M.C. = Royal Army Medical Corps Korpus Medyczny Królewskich Sił Zbrojnych
R.A.N. = Royal Australian Navy Królewska Australijska Marynarka Wojenna

R.A.O.C. = Royal Army Ordnance Corps Artyleria Królewskich Sił Zbrojnych
R.A.P.C. = Royal Army Pay Corps Służba Płatnicza Królewskich Wojsk Lądowych
R.A.S. = 1. Royal Academy of Science Królewska Akademia Nauk 2. Royal African Society Królewskie Towarzystwo dla Spraw Afrykańskich 3. Royal Agricultural Society Królewskie Towarzystwo Rolnicze 4. Royal Asiatic Society Królewskie Towarzystwo Archeologii Azjatyckiej 5. Royal Astronomical Society Królewskie Towarzystwo Astronomiczne
R.A.S.C. = 1. Royal Army Service Corps Służba Zaopatrzenia i Transportu Królewskich Wojsk Lądowych 2. Royal Astronomical Society of Canada Królewskie Kanadyjskie Towarzystwo Astronomiczne
RATO = rocket-assisted take-off lotn start wspomagany silnikami rakietowymi
RAUS = Regular Army of the United States Armia Stała Stanów Zjednoczonych
R.A.X. = rural automatic exchange wiejska automatyczna centrala telefoniczna
R.B. = Rifle Brigade brygada strzelecka
Rb = rubidium chem rubid
R.B.A. = Royal Society of British Artists Królewskie Towarzystwo Artystów Brytyjskich
RBE = relative biological effectiveness względna skuteczność biologiczna (WSB)
R.B.S. = 1. Royal Botanic Society Królewskie Towarzystwo Botaniczne 2. Royal Society of British Sculptors Królewskie Towarzystwo Rzeźbiarzy Brytyjskich
R.C., r.c. = remote control sterowanie zdalne
R.C. = 1. Red Cross Czerwony Krzyż 2. right centre teatr prawa strona środka sceny 3. Roman Catholic rzymski katolik 4. remote control sterowanie zdalne
R.C.A. = 1. Radio Corporation of America Radio Amerykańskie 2. Railway Clerks' Association Stowarzyszenie Urzędników Kolejowych 3. Royal Cambrian Academy Królewska Akademia Walijska 4. Royal Canadian Army Królewska Armia Kanadyjska 5. Royal College of Art Królewskie Kolegium Sztuk Pięknych
R.C.A.F. = Royal Canadian Air Force Królewskie Lotnictwo Kanadyjskie
r. c. & l. = rail, canal and lake handl (o przewozie) koleją żelazną, kanałem i jeziorem
R.C.Ch. = Roman Catholic Church Kościół Rzymsko-Katolicki
R.C.I. = Royal Canadian Institute Królewski Instytut Kanadyjski
R.C.M. = Royal College of Music Królewska Wyższa Szkoła Muzyczna
R.C.M.P. = Royal Canadian Mounted Police Królewska Kanadyjska Policja Konna
R.C.N. = Royal Canadian Navy Królewska Kanadyjska Marynarka Wojenna
R.C.P. = Royal College of Physicians Królewskie Kolegium Lekarskie
R.C.V.S. = Royal College of Veterinary Surgeons Królewskie Kolegium Chirurgów Weterynaryjnych
R.C.S. = Royal College of Surgeons Królewskie Kolegium Chirurgów
R.D., R/D = referred to drawer bank (adnotacja

na czeku) zwrot do wystawcy (z powodu braku pokrycia)

Rd., rd = **Road** droga; szosa; (*przy nazwie*) ulica

rd = **round** okrągły

R.D.C. = **Royal Defence Corps** Królewski Korpus Obrony Cywilnej

rdo = **radio** radio

Rdo Int = **Radio Intelligence** radiowywiad

Rdo Sec = **Radio Section** sekcja radiowa

Rdo Trans = **Radio Transmitter** stacja radionadawcza

RDQ = **Regimental Detention Quarters** areszt pułkowy

R.E. = 1. **Royal Engineers** Królewski Pułk Saperów 2. **Royal Exchange** Królewska Giełda (w Londynie) 3. **Royal Society of Etchers and Engravers** Królewskie Towarzystwo Akwaforcistów i Rytowników

Re = **rhenium** *chem* ren

re = **real part** *mat* część rzeczywista (liczby zespolonej)

R.E.A.N. = **Royal East African Navy** Królewska Flota Wschodnio-Afrykańska

Rear-Adm. = **Rear-Admiral** kontradmirał

recd. = **received** otrzymałem; kwituję odbiór

red. = **reduction** redukcja

R.E.F. = **Royal Engineer Force** Królewskie Formacje Saperskie

ref. = 1. **reference** *handl* opinia, referencje 2. **referring to** dotyczy, dotyczący

refl. = 1. **reflection** odbicie 2. **reflex** refleks, odruch

reg. = 1. **region** obszar, zakres 2. **registered** zarejestrowany; zapisany

regd. = **registered** (*o liście*) polecony

Reg. Prof. = **Regius Professor** profesor przy katedrze założonej przez Henryka VIII

Regt. = **Regiment** pułk

Reg. U.S. Pat. Off. = **registered in the United States Patent Office** zarejestrowany w Biurze <Urzędzie> Patentowym St. Zjedn.

rel. = 1. **relating** odnośny 2. **relative** względny

rem. = **remark** uwaga; adnotacja

Rep, rep = 1. **repeat** powtórz 2. **report** sprawozdanie; raport

repr. = **reprinted** (*o wydawnictwie*) wznowiony

req. = **required** wymagane

Res. Phys = **Resident Physician** ordynator rezydujący w szpitalu

res. = 1. **reserve** rezerwa 2. **resistance** odporność

Ret, Retd. retd = **Retired** emerytowany

RETMA = **Radio-Electronics-Television Manufacturers' Association** Stowarzyszenie Wytwórców Sprzętu Radiowego, Elektronicznego i Telewizyjnego

Rev. = 1. **Revelations** *bibl* Księga Objawienia 2. **Reverend** *kośc* Wielebny ...

rev. = **revolutions** *techn* obroty

Revd. = **Rev.** 2.

Rev.Ver. = **Revised Version** zrewidowana wersja (biblii)

R.F. = 1. **Regular Forces** armia stała; Regularne Siły Zbrojne 2. **République Française** Republika Francuska

R.F., r.f. = **radio frequency** częstotliwość radiowa (wielka)

R.F.A. = **Royal Field Artillery** Królewska Artyleria Polna

R.F.C. = **Royal Flying Corps** = **R.A.F.** 1. (późniejsza nazwa)

RFT = **radiotelephony** radiotelefonia

R.G.A. = **Royal Garrison Artillery** Królewska Artyleria Garnizonowa

R.G.G. = **Royal Grenadier Guards** Grenadierzy Gwardii Królewskiej

R.G.S. = **Royal Geographical Society** Królewskie Towarzystwo Geograficzne

Rgt. = **Regt.**

RH = **relative humidity** *fiz* wilgotność względna

R.H. = 1. **Royal Highlanders** nazwa pułku 2. **Royal Highness** (Jego <Jej>) Królewska Wysokość

Rh = **rhodium** *chem* rod

r.h. = **right hand** prawa ręka; prawy; prawostronny

R.H.A. = **Royal Hibernian Academy** Królewska Akademia Irlandzka

R.H.G. = **Royal Horse Guards** Królewska Gwardia Konna

R.H.D. = **right hand drive** *auto* układ kierowniczy prawostronny

R. Hist. S. = **R.H.S.** 1.

R. Hq. = **Regimental Headquarters** sztab pułku

R.H.S. = 1. **Royal Historical Society** Królewskie Towarzystwo Historyczne 2. **Royal Horticultural Society** Królewskie Towarzystwo Ogrodnicze 3. **Royal Humane Society** Królewskie Towarzystwo Ochrony Zwierząt

R.I. = **Rhode Island** *am* stan Rhode Island

R.I.A. = **Royal Irish Academy** Królewska Akademia Irlandzka

RIAF = **Royal Indian Air Force** Królewskie Lotnictwo Indyjskie

R.I.A.M. = **Royal Irish Academy of Music** Królewska Irlandzka Akademia Muzyczna

RIAS = **Radio Station in American Sector, Berlin** Stacja Radionadawcza w Amerykańskim Sektorze Berlina

R.I.B.A. = **Royal Institute of British Architects** Królewski Instytut <Związek> Architektów Brytyjskich

Rich Univ = **University of Richmond** *am* Uniwersytet Richmondzki

RID = **Radio Intelligence Division** Oddział Radiowywiadu

R.I.E. = **radio interference eliminator** filtr przeciw zakłóceniom radiowym

RIO = **Regional Intelligence Office** wywiad okręgowy

R.I.O. = **Regimental Intelligence Officer** szef wywiadu pułkowego

R.I.P. = **requiescat in pace** pokój jego <jej> duszy

RL = **rocket launcher** wyrzutnia rakietowa

R.L.S. = **Robert Louis Stevenson** nazwisko sławnego pisarza

Rlwy, Rly, rly. = **railway** kolej żelazna

RM = **radio message** radiogram

R.M. = 1. **Royal Mail** Poczta Królewska 2. **Royal Marines** Strzelcy Królewskiej Marynarki Wojennej

R.M.A. = 1. **Radio Manufacturers' Association** Związek Wytwórców Radiowych 2. **Royal Marine Artillery** Królewska Artyleria Morska 3. **Royal Military Academy** Królewska Akademia Wojskowa

R.M.C. = **Royal Military College** Królewska Szkoła Wojskowa

R. Met. S. = **Royal Meteorological Society** Królewskie Towarzystwo Meteorologiczne

R.M.L.I. = **Royal Marine Light Infantry** Lekka Piechota w Królewskiej Marynarce Wojennej

R.M.O. = **Regimental Medical Officer** lekarz pułkowy, naczelny lekarz pułku

R.M.S. = 1. **Royal Mail Steamer** Królewski Statek Pocztowy 2. **Royal Microscopical Society** Królewskie Towarzystwo do Spraw Mikroskopii 3. **Royal Society of Miniature Painters** Królewskie Towarzystwo Miniaturzystów

R.N. = **Royal Navy** Królewska Marynarka Wojenna

Rn = **radon** chem radon

R.N.A.F. = **Royal Naval Air Force** Królewskie Lotnictwo Morskie

R.N.C. = **Royal Naval College** Królewska Szkoła Morska

R.N.L.I. = **Royal National Lifeboat Institution** Królewskie Krajowe Stowarzyszenie Ratownicze

R.N.R. = **Royal Naval Reserve** Rezerwa Królewskiej Marynarki Wojennej

R.N.V.R. = **Royal Naval Volunteer Reserve** Królewska Morska Rezerwa Ochotnicza

R.N.Z.A. = **Royal New Zealand Army** Królewska Armia Nowozelandzka

R.N.Z.N. = **Royal New Zealand Navy** Nowozelandzka Królewska Marynarka Wojenna

R.O. = **Royal Observatory** Królewskie Obserwatorium

ro. = **roughly** z grubsza; w przybliżeniu

Robt. = **Robert** Robert

Roch. Univ. = **University of Rochester** am Uniwersytet Rochesterski

R. of O. = **Reserve of Officers** Rezerwa Oficerska

R.O.I. = **Royal Institute of Oil Painters** Królewski Związek Artystów Malarzy

Rom. = **Romans** bibl List do Rzymian

Rom.Cath. = **Roman Catholic** 1. rzymsko-katolik 2. rzymsko-katolicki

Ro. S.P.A. = **Royal Society for the Prevention of Accidents** Królewskie Towarzystwo dla Zapobiegania Nieszczęśliwym Wypadkom

Roy. Soc. = **Royal Society** Królewskie Towarzystwo (Popierania Nauk Przyrodniczych)

R.P. = 1. **reply paid** odpowiedź z góry opłacona 2. **Royal Society of Portrait Painters** Królewskie Towarzystwo Portrecistów

R.P.D. = **Regius Professor of Divinity** profesor teologii zob Reg. Prof.

RPI = **Rensselaer Polytechnic Institute** am Rensselaerski Instytut Politechniczny

R.P.I. = **Railway Progress Institute** am Instytut Postępu Kolejnictwa

RRB/L = **Railroad Bill of Lading** handl konosament kolejowy

r.p.m. = **revolutions per minute** techn obroty na minutę (obr/min)

RPS, r.p.s. = **revolutions per second** techn obroty na sekundę (obr/s)

R.P.S. = **Royal Photographic Society** Królewskie Towarzystwo Fotograficzne

R.R. = **Right Reverend** ... Przewielebny ...

R.R.C. = **Royal Red Cross** Order Czerwonego Krzyża

R.S. = **Royal Society** Królewskie Towarzystwo (Nauk Przyrodniczych)

R.S.A. = **Royal Scottish Academy** Królewska Szkocka Akademia

R.S.C. = **Royal Society of Canada** Kanadyjskie Królewskie Towarzystwo (Nauk Przyrodniczych)

R.S.D. = **Royal Society of Dublin** Dublińskie Królewskie Towarzystwo (Nauk Przyrodniczych)

R.S.E. = **Royal Society of Edinburgh** Edynburskie Królewskie Towarzystwo (Nauk Przyrodniczych)

R.S.F.S.R. = **Russian Socialist Federated Soviet Republic** Rosyjska Socjalistyczna Federacyjna Republika Radziecka

R.S.L. = 1. **Royal Society of Literature** Królewskie Towarzystwo Literackie 2. **Royal Society, London** Królewskie Towarzystwo (Nauk Przyrodniczych) w Londynie

R.S.M. = 1. **Regimental Sergeant Major** pułkowy sierżant sztabowy 2. **Royal Society of Medicine** Królewskie Towarzystwo Lekarskie

R.S.P.B. = **Royal Society for the Protection of Birds** Królewskie Towarzystwo Ochrony Ptaków

R.S.P.C.A. = **Royal Society for the Prevention of Cruelty to Animals** Królewskie Towarzystwo Ochrony Zwierząt

R.S.P.C.C. = **Royal Society for the Prevention of Cruelty to Children** Królewskie Towarzystwo Ochrony Dzieci

R.S.V.P. = **répondre s'il vous plaît** uprasza się o odpowiedź

R.S.W. = **Royal Scottish Society of Painters in Water-Colours** Królewskie Szkockie Towarzystwo Akwarelistów

R.T., R/T = 1. **Radiotelegraph(y)** radiotelegrafia 2. **Radiotelephon-e/y** radiotelefon(ia), radiokomunikacja foniczna

R.T., Rt = **road traffic** ruch drogowy

R.T.C. = **Royal Tank Corps** Królewski Korpus Pancerny

RTG = **radiotelegraphy** radiotelegrafia

Rt. Hon. = **Right Honourable** Wasza Wysokość (tytuł należny niektórym dygnitarzom i niektórym członkom szlachty)

R.T.M.A. = **Radio-Television Manufacturers' Association** am Związek Producentów Urządzeń Radiowych i Telewizyjnych

R.T.R. = **Royal Tank Regiment** Królewski Pułk Czołgów

R/T receiver = **radio-telephone receiver** odbiornik radiotelefoniczny

Rt.Rev. = **R.R.**

RTT = **radioteletypewriter** dalekopis radiowy

RTV = **rocket test vehicle** pocisk rakietowy badawczy

R.U. = **Rugby Union** Związek Rugbistów

Ru = **ruthenium** chem ruten

R.U.I. = **Royal University of Ireland** Królewski Uniwersytet Irlandzki

R.U.R. = **Royal Ulster Rifles** nazwa pułku

Russ. = **Russian** rosyjski

R.V. = **Revised Version** zrewidowana wersja (biblii)

R.V.C. = **Rifle Volunteer Corps** Ochotniczy Korpus Strzelecki

R.W. = **Right Worshipful** Wielce Czcigodny (*tytuł należny gildiom londyńskim, sędziom i innym dygnitarzom*)

R/W = **right of way** pierwszeństwo przejazdu

R.W.A. = **Royal West of England Academy** Królewska Akademia Zachodnio-Angielska

R.W.B. = **rear wheel brakes** *auto* hamulce na tylnych kołach

R.W.C. = **Royal War College** Królewska Szkoła Wojenna

RWMA = **Resistance Welder Manufacturers' Association** *am* Stowarzyszenie Producentów Zgrzewarek Oporowych

R.W.S. = **Royal Society of Painters in Water Colours** Królewskie Towarzystwo Akwarelistów

Ry. = **railway** kolej żelazna

R.Y.S. = **Royal Yacht Squadron** Królewska Eskadra Jachtowa

Ry Stn = **railway station** stacja kolejowa

Rx., rx. = 1. **tens of rupees** dziesiątki rupii 2. **rocks** skały

S = **sulphur** *chem* siarka

S. = 1. **Saint** święty (św.) 2. **society** towarzystwo; spółka handlowa 3. **South** południe

$ = **dollar** *am* dolar

↕**s.** = **second(s)** sekund-a/y

S.A. = 1. **Salvation Army** Armia Zbawienia 2. **Sex Appeal** zew płci; atrakcyjność dla płci odmiennej 3. **Small Arms** broń ręczna strzelecka 4. **South Africa** Afryka Południowa 5. **South America** Ameryka Południowa 6. **South Australia** Australia Południowa

s.a. = **self-acting** samoczynny, automatyczny

S.A.C. = **Scottish Automobile Club** Szkocki Klub Automobilowy

SACEUR = **Supreme Allied Commander in Europe** naczelny wódz Alianckich Wojsk w Europie

SACLANT = **Supreme Allied Commander, Atlantic** naczelny wódz Alianckich Wojsk w Rejonie Atlantyku

S.A.E. = **Society of Automobile Engineers** <**Society of Automotive Engineers**> *am* Towarzystwo Inżynierów Samochodowych

S.Afr. = **South Africa** Afryka Południowa

SAGA = **Society of American Graphic Artists** Towarzystwo Artystów Grafików Amerykańskich

SAH, SA Hq = **Supreme Allied Headquarters** Główna Kwatera Naczelnego Dowództwa Alianckiego

Salop. = **Salopiensis (Comitatus)** hrabstwo Shropshire

Sam. = **Samuel** Samuel

SAS = **Scandinavian Airlines System** Skandynawskie Linie Lotnicze

Sask. = **Saskatchewan** *geogr* Saskatchewan (prowincja Kanady)

Sask Univ = **University of Saskatchewan** Uniwersytet (Prowincji) Saskatchewan (Kanada)

Sat. = **Saturday** sobota

sat. = **saturated** nasycony

S.A.X. = **semi-automatic exchange** centrala telefoniczna półautomatyczna

S.B. = 1. **Scientiae Baccalaureus** *am* bakalaureus nauk przyrodniczych *zob* b. 1. 2. **simultaneous broadcasting** *radio* nadawanie równoczesne 3. **stretcher bearer** *wojsk* sanitariusz

SbyE = **South by East** *mar* (*kierunek w róży kompasowej*) Południe ku Wschodowi (SkE)

SbyW = **South by West** *mar* (*kierunek w róży kompasowej*) Południe ku Zachodowi (EkW)

SC = **Supreme Commander** naczelny wódz

S.C. = 1. **short circuit** *elektr* zwarcie 2. **South Carolina** *am* stan Południowa Karolina 3. **South Central** Południowośrodkowy Obwód Pocztowy Londynu

Sc = **scandium** *chem* skand

Sc. = 1. **science** nauka 2. **Scotland** Szkocja

S. Cal. Univ. = **University of South Carolina** Uniwersytet Stanu Południowa Karolina

SCAP = 1. **Supreme Command Allied Powers** Naczelne Dowództwo Sojusznicze 2. **Supreme Commander of Allied Powers** Naczelny Wódz Państw Sojuszniczych

S.C.A.P.A., Scapa = **Society for the Checking of Abuses of Public Advertising** Towarzystwo dla Zapobiegania Nadużywaniu Tablic Reklamowych

Sc.B. = **Scientiae Baccalaureus** bakalaureus nauk przyrodniczych *zob* b. 1.

S.C.C. = **Sea Cadet Corps** Szkoła Morska

Sc.D. = **Scientiae Doctor** doktor nauk przyrodniczych

sci = **Sc.** 1.

scil. = **scilicet** mianowicie: a to...

S.C.L. = **Student of the Civil Law** Student Prawa Cywilnego

S.C.M. = **Student Christian Movement** Studencki Ruch Chrześcijański

Sc. M. = **M. Sc.**

SC of US = **Supreme Court of the United States** Sąd Najwyższy Stanów Zjednoczonych

scr. = **scruple** jednostka wagi (= 20 g)

Script. = **Scripture** Pismo Święte

Scrt. = **Sanscrit** sanskryt

sculp., sculpt = **sculpsit** rzeźbił...; wykonał (wyk)...

SC Univ = **S. Cal. Univ.**

S. D. = 1. = **Sc. D.** 2. **State Department** *am* Ministerstwo Spraw Zagranicznych

S. Dak. = **South Dakota** *am* stan Południowa Dakota

S.D.F. = **Social Democratic Federation** Socjaldemokratyczna Federacja

S.D.P. = **Social Democratic Party** Partia Socjaldemokratyczna

S.E., SE = **South-East** południo-wschód

S.E. = **Society of Engineers** Towarzystwo Techniczne

Se = **selenium** *chem* selen

S.E. and C.R. = **South East and Chatham Railway** dawna nazwa angielskiej południo-wschodniej linii kolejowej

↕**S.E.A.T.O., Seato** = **South-East Asian Treaty Organization** Organizacja Paktu Południowo-Wschodnio-Azjatyckiego

SEbyE = **South-East by East** *mar* (*kierunek róży kompasowej*) Południowy Wschód ku Wschodowi (SEkE)

SEbyS = **South-East by South** *mar* (*kierunek róży kompasowej*) Południowy Wschód ku Południowi (SEkS)

Sec., sec. = **secretary** sekretarz

sec, sec. = 1. **secant** *mat* secans 2. **second** sekunda 3. **secretary** sekretarz 4. **section** sekcja, dział 5.

sector sektor 6. **security** bezpieczeństwo; zabezpieczenie

Sec A = Secretary of the Army *am* Minister Spraw Wojskowych

Sec Def = Secretary of Defense *am* Minister Obrony Narodowej

SECOM = Sector Commander dowódca rejonu

S.E. Comd. = South Eastern Command Dowództwo Południowo-Wschodnie

S.E.C.R. = S.E. and C.R.

Secstate = Secretary of State *am* sekretarz stanu

Sen. = 1. **senior** senior 2. **Senator** senator

Sept. = September wrzesień

seq. = sequens następujący; następny

seqq. = 1. (*w odniesieniu do rzeczownika osobowego w pl*) **sequentes** następujący 2. (*w odniesieniu do rzeczownika rzeczowego w sing*) **sequentia** następujące (rzeczy itd.); to co następuje...

S.E.R. = S.R.

ser. = series seria; szereg

Serg., Sergt. = Sergeant sierżant

S.F. = Sinn Fein nazwa irlandzkiego ruchu nacjonalistycznego

S/F = supersonic frequency *akust* częstotliwość naddźwiękowa

S.F.A. = Scottish Football Association Szkocki Związek Piłki Nożnej

SF Univ = University of San Francisco *am* Uniwersytet w San Francisco

s.g. = specific gravity ciężar gatunkowy

sh. = shilling szyling

S.H.E. = Society of Highway Engineers Stowarzyszenie Inżynierów Drogowych

SHAEF = Supreme Headquarters, Allied Expeditionary Forces Główna Kwatera Naczelnego Dowództwa Sojuszniczych <Alianckich> Wojsk Ekspedycyjnych

SHAPE = Supreme Headquarters of Allied Powers in Europe Główna Kwatera Naczelnego Dowództwa Mocarstw Sojuszniczych <Alianckich> w Europie

Sheff Univ = Sheffield University Uniwersytet w Sheffield

Shet, Shet Isls = Shetland Islands *geogr* Wyspy Szetlandy

SHM, S.H.M. = simple harmonic motion *fiz* ruch harmoniczny prosty

SHq, SHQ = Supreme Headquarters Główna Kwatera Naczelnego Dowództwa

SHQEA = Supreme Headquarters of the European Army Główna Kwatera Naczelnego Dowództwa Armii Europejskiej

shtg = shortage *ekon* niedobór, deficyt

Si = silicium (silicon) *chem* krzem

SIB = Special Intelligence Bureau *am* Biuro Specjalnego Wywiadu

S.I.E. = Society of Industrial Engineers Stowarzyszenie Inżynierów Przemysłowych

SIG = Signals *wojsk* łączność

Sig C = Signal Corps *am* Wojska Łączności

SIS = Special Investigation Service Służba Specjalnych Badań

sin = sine *mat* sinus

S.J. = Societas Jesu Towarzystwo Jezusowe, Zakon Jezuitów

S.J.C. = Supreme Judicial Court *am* Sąd Najwyższy

Skr., Skrt. = Scrt.

S.L. = 1. **Solicitor-at-Law** doradca prawny 2. **South Latitude** południowa szerokość geograficzna

S.L., sl., s.l. = sea level poziom morza

S. Lat = S.L. 2.

Slav. = 1. **Slavic** słowiański 2. **Slavonic** slawoński

slt = searchlight reflektor

S.M. = Sergeant Major *wojsk* starszy sierżant

Sm = samarium *chem* samar

S.M.E. = School of Military Engineering Wojskowa Szkoła Techniczna

SMG = submachine gun pistolet maszynowy

SMI = School of Military Intelligence Szkoła Wywiadu Wojskowego

Smith. Inst. = Smithsonian Institution *am* Instytut im. Smithsona

S.M. Lond. Soc. = Societatis Medicae Londiniensis Socius członek Londyńskiego Towarzystwa Lekarskiego

S.M.O. = 1. **School Medical Officer** lekarz szkolny 2. **Senior Medical Officer** starszy lekarz

s.m.p. = sine mascula prole (zmarł) bez potomstwa męskiego

SMPE = Society of Motion Picture Engineers Stowarzyszenie Inżynierów Filmowych

SMPTE = Society of Motion Picture and Television Engineers Stowarzyszenie Inżynerów Filmowych i Telewizyjnych

sq. in. = square inch cal kwadratowy

S.M.R.E. = Safety of Mines Research Establishment Brytyjski Instytut Bezpieczeństwa Pracy w Górnictwie

Sn = stannum (tin) *chem* cyna

SNSE = Society of Nuclear Scientists and Engineers *am* Towarzystwo Teoretyków i Inżynierów Nukleoniki

S.O. = Staff Officer oficer sztabowy

s.o. = seller's option *handl gield* premiowa transakcja terminowa

Soc. = society towarzystwo; spółka handlowa

Sol., Solr. = Solicitor doradca prawny

Sol.-Gen = Solicitor General Zastępca Prokuratora Generalnego

Som. = Somerset hrabstwo Somerset

sop. = soprano *muz* sopran

SOS, S.O.S. = save our souls *radio* sygnał wzywania pomocy

SOTA = Sec A

Sov. = Soviet radziecki

Sov. Un. = Soviet Union Związek Radziecki

Sp. = spirit spirytus

S.P.C.A. = N.S.P.C.A.

S.P.C.C. = N.S.P.C.C.

S.P.C.K. = Society for the Propagation of Christian Knowledge Towarzystwo dla Propagowania Wiedzy Chrześcijańskiej

Spec. = specification specyfikacja; wykaz wysłanych towarów

S.P.G. = Society for the Propagation of the Gospel Towarzystwo dla Propagowania Ewangelii

S.P.G.B. = Socialist Party of Great Britain Socjalistyczna Partia Wielkiej Brytanii

S.R. = **South-Eastern Railway** nazwa dawnej linii kolejowej

S.S. = 1. **Secret Service** tajna służba 2. **Secretary of State** sekretarz stanu

S.S., S/S, s.s. = **steamship** statek parowy

S.S.C. = **Societas Sancti Crucis** Towarzystwo Św. Krzyża.

S.S.D. = 1. **Sanctissimus Dominus** Jego Świątobliwość 2. **Secret Service Division** Tajna Policja U.S.A.

S.S.E., SSE = **South-South-East** południo-południowy wschód

S.S.R. = **Soviet Socialist Republic** Socjalistyczna Republika Radziecka (SRR)

S.S.W., SSW = **South-South-West** południo-południowy zachód

S.T. = **summer time** czas letni

St. = 1. **Saint** święty (św.) 2. **Strait** cieśnina 3. **Street** ulica

s.t. = **short ton** tona amerykańska (=907,18 kg)

st. = **stone** jednostka wagi (= 6,348 kg)

Staff. = **Staffordshire** hrabstwo Staffordshire

Stan. = **Stanford University** am Uniwersytet Stanfordzki

St. And. = **Saint Andrews University** Uniwersytet w Saint Andrews (Szkocja)

stat. = 1. **statics** statyka 2. **statistics** statystyka

S.T.B. = **Sacrae Theologiae Baccalaureus** bakalaureus świętej teologii

S.T.D. = **Sacrae Theologiae Doctor** doktor świętej teologii

Std, std. = **standard** norma, standard

Ste. = **Sainte** Św(ięta)

ster., sterl. = **sterling** szterling

St. Ex. = **Stock Exchange** Giełda

Stfd Univ = **Stan.**

stg. = **sterl.**

stge = **storage** 1. magazyn; zbiornik 2. opłata za magazynowanie

St. J. Univ. = **Saint John's University** am Uniwersytet pod wezwaniem Św. Jana w (mieście) Toledo (U.S.A.)

Stk = **stock** skład, magazyn

St. L. Univ. = **Saint Louis University** am Uniwersytet w (mieście) Saint Louis

S.T.M. = **Sacrae Theologiae Magister** magister świętej teologii

Stn = 1. **Station** stacja, dworzec kolejowy 2. stanowisko wojsk

STOL = **short take-off and landing** lotn krótki start i lądowanie

S.T.P. = **Sacrae Theologiae Professor** profesor świętej teologii

str. = **steamer** parowiec

stud. = **student** student

S.U. = **Soviet Union** Związek Radziecki

Sub-Lt = **Sub-Lieutenant** podporucznik (marynarki wojennej)

Sun. = **Sunday** niedziela

Sup. = **Supply** zaopatrzenie

Su. P. = **Supply Point** Punkt Zaopatrzenia

sup. = **superior** lepszy; wyższej jakości

suppt. = **supplement** dodatek; uzupełnienie

Supt. = **Superintendent** inspektor, kontroler

Surg., surg. = 1. **surgeon** chirurg 2. **surgery** chirurgia; gabinet zabiegowy

Surg Col = **Surgeon Colonel** lekarz pułkownik

Surg Gen = **Surgeon General** lekarz generał

surv. = 1. **surveying** miernictwo 2. **surveyor** mierniczy

Surv.-Gen. = **Surveyor-General** Naczelny Geometra

S.V. = **Sanctitas Vestra** Wasza Świątobliwość

s.v. = **sub voce** pod słowem...; pod tytułem...

S.W. = **short waves** radio krótkie fale

S.W., SW = 1. **South-West** południowy zachód 2. **South Wales** geogr Południowa Walia

S.W.A., S.W.Afr. = **South-West Africa** Afryka Południowo-Zachodnia

SWbyS = **South-West by South** mar (kierunek w róży kompasowej) Południowy Zachód ku Południowi (SWkS)

SWbyW = **South-West by West** mar (kierunek w róży kompasowej) Południowy Zachód ku Zachodowi (SWkW)

S.W.G. = **standard wire gauge** brytyjskie znormalizowane średnice drutu

S.Y. = **Steam Yacht** jacht parowy

S. Yd. = **Scotland Yard** Centralny Zarząd Policji Londyńskiej

Syd. = **Sydney University** Uniwersytet w Sydney (Australia)

sym. = 1. **symbol** symbol 2. **symmetrical** symetryczny

syn. = **synonim** synonim

sync. = 1. **synchronous** synchroniczny 2. **synchronization** synchronizacja

Syr., Syr. Univ. = **University of Syracuse** am Uniwersytet w (mieście) Syracuse

syst. = **system** system

T = 1. **absolute temperature** fiz temperatura bezwzględna 2. **tank** czołg 3. **target** cel 4. **telegram** telegram 5. **telephone** telefon 6. **time** czas 7. **ton** tona 8. **tracer** pocisk świetlny 9. **train** pociąg 10. **transport** przewóz 11. **trench** okop 12. **triangle** trójkąt

t = 1. **temperature** temperatura 2. **time** czas 3. **ton** tona

t. = **ton** tona

T.A. = 1. **Technical Adviser** doradca techniczny 2. **telegraphic address** adres telegraficzny 3. **Territorial Army** Armia Terytorialna (Brytyjskie Wojsko Ochotnicze) 4. **Tractor Artillery** artyleria ciągnikowa

Ta = **tantalum** chem tantal

TAA = **Technical Assistance Administration (UNO)** Administracja Spraw Niesienia Pomocy Technicznej (ONZ)

TAB = **Technical Assistance Board (UNO)** Komisja Pomocy Technicznej (ONZ)

TAC = **Tactical Air Command** am Taktyczne Dowództwo Lotnicze

T.A.F. = **Tactical Air Force** Taktyczne Siły Lotnicze

tal qual. = **talis qualis** za porządkiem

Tam. = **Tamil** język Tamil

tan, tan. = **tangent** mat styczna, tangens

tar. = **tariff** ekon taryfa

TAS = **Tennessee Academy of Science** am Akademia Nauk Stanu Tennessee

T.A.S. = **true air speed** lotn prędkość rzeczywistą lotu

Tasm. = **Tasmania** Tasmania

T.B. = 1. **Tariff Bureau** Biuro Taryfowe 2. **torpedo-boat** *mar wojsk* ścigacz torpedowy 3. **tuberculosis** gruźlica

t.b. = **trial balance** *ekon* bilans brutto

Tb = **terbium** *chem* terb

T.B.D. = **torpedo-boat destroyer** kontrtorpedowiec

tbs. = **tablespoon** *med* łyżka stołowa

TC = **till countermanded** *handl* aż do odwołania (zamówienia)

T.C. = 1. **Tank Corps** *wojsk* Wojsko Pancerne 2. **till countermanded** aż do odwołania

Tc = **technetium** *chem* technet

T.C.D. = **Trinity College, Dublin** Kolegium „Trinity" w Dublinie

T.C.F. = **Touring Club de France** Francuski Touring Klub

T.C.O. = **Trinity College, Oxford** Kolegium „Trinity" w Oxfordzie

TCPA = **Town and Country Planning Association** Stowarzyszenie Planowania Miast i Wsi

TD = **Treasury Department** *am* Ministerstwo Finansów <Skarbu>

T.D. = **Territorial Officers' Decoration** odznaczenia przyznawane oficerom Armii Terytorialnej

T.E. = 1. **thermal efficiency** sprawność cieplna 2. **tractive effort** siła pociągowa

Te = **tellurium** *chem* tellur

tech., techn. = 1. **technical** techniczny 2. **technology** technologia

technol. = 1. **technological** technologiczny 2. **technologically** technologicznie

tel. = 1. **telegram** telegram 2. **telegraph** telegraf 3. **telephone** a) telefon b) telefoniczny

teleg. = **telegraph** a) telegraf b) telegraficzny

temp. = 1. **temporal** chwilowy, tymczasowy 2. **temperature** temperatura

Tenn. = **Tennessee** *am* stan Tennessee

Tenn Univ = **University of Tennessee** Uniwersytet Stanu Tennessee

tens. str. = **tensile strength** *mech* wytrzymałość na rozciąganie

Ter., ter., Terr., terr. = 1. **Terrace** (*przy nazwie*) ulica 2. **territory** *geogr* terytorium

term. = 1. **terminal** końcowy, graniczny 2. **termination** zakończenie

Terr. A. = **T.A.** 3.

Teut. = **teutonic** Teutoński

Tex. = **Texas** *am* stan Teksas

Tex Univ = **University of Texas** *am* Uniwersytet Stanu Teksas

T.F. = **Territorial Force** Wojska Terytorialne

tfr = **transfer** *handl bank* przekaz

T.G.W.U. = **Transport and General Workers' Union** Związek Zawodowy Transportowców i Pracowników Niewykwalifikowanych

Th = **thorium** *chem* tor

Th. = 1. **Thomas** Tomasz 2. **Thursday** czwartek

Th. D. = **Theologiae Doctor** doktor teologii

theat. = **theatre** teatr

Theo. = **Theodore** Teodor

theol. = **theology** teologia

theor. = **theorem** teorem

therap. = **therapeutics** terapia

therm. = **thermometer** termometr

Thess. = **Thessalonians** *bibl* List do Tesaloniczan

Tho., Thos = **Thomas** Tomasz

THQ = **Theatre Headquarters** Sztab Terenu Działań Wojennych

Ti = **titanium** *chem* tytan

t.i.d. = **ter in die** trzy razy w czasie dnia

Tim. = **Timothy** *bibl* List do Tymoteusza

tinct. = **tincture** tynktura, nalewka

Tit. = **Titus** *bibl* List do Tytusa

tit. = **title** tytuł

T.J. = **turbo-jet** odrzutowiec

T/L = **time loan** *handl bank* pożyczka terminowa

Tl = **thallium** *chem* tal

TM = **tactical missile** pocisk (kierowany) taktyczny

Tm = **thullium** *chem* tul

T.M.O. = **telegraph money order** przekaz telegraficzny

TNT, T.N.T. = **Trinitro-toluene** trotyl

TO = 1. **Technical Observer** obserwator techniczny 2. **Telegraph Office** Biuro Telegraficzne 3. **Telephone Office** Biuro Telefonów

T/O = **transoceanic** transoceaniczny

T.O., t.o. = 1. **telegraph office** telegraf 2. **telephone office** telefon 3. **Transport Officer** oficer transportowy 4. **turn over** odwrócić, verte

Toc H. *zob słownik* **toc**

Tol Univ = **University of Toledo** *am* Uniwersytet w (mieście) Toledo

topog. = **topography** topografia

Tor., Tor Univ = **University of Toronto** Uniwersytet w m. Toronto (Kanada)

tox., toxicol = **toxicology** toksykologia

TP = **teleprinter** dalekopis

t.p. = **title page** strona tytułowa

T.P.I. = **Town Planning Institute** Instytut Urbanistyki

tr = **tare** tara

tr. = 1. **trace** ślad 2. **translation** tłumaczenie

trans. = **transportation** przewóz, przewiezienie

transf. = **transferred** przeniesiony

transl. = 1. **translated** przetłumaczone 2. **translation** tłumaczenie

Treas. = **treasurer** skarbnik

T.R.H. = **Their Royal Highnesses** Ich Królewskie Wysokości

trig., trigon. = **trigonometry** trigonometria

trit. = **triturate** utrzeć

trop. = **tropic, tropical** tropikalny

Trs. = **Trustees** członkowie zarządu

T.S., ts = **tensile strength** wytrzymałość na rozciąganie

TSH, T.S.H. = **thyroid stimulating hormone** *med* hormon pobudzający tarczycę

T.S.O. = **town sub-office** filia miejska

TT = **teletype** dalekopis

T.T. = **teetotaller** abstynent

T.U. = **Trade Union** Związek Zawodowy

Tu. = **Tuesday** wtorek

TUC = **Trades Union Council** Rada Związków Zawodowych

T.U.C. = **Trades Union Congress** Kongres Związków Zawodowych

Tues. = **Tu.**

TUSAFG = **Turkey United States Air Force Group** Grupa Amerykańskich Sił Lotniczych w Turcji

TUSAG = **Turkey United States Army Group** Grupa Armii Stanów Zjednoczonych w Turcji

ŢUSNG = Turkey United States Navy Group Grupa Morska Stanów Zjednoczonych w Turcji

TV = television telewizja

T.V.A. = Tennessee Valley Authority *am* Zarząd Zakładów Użyteczności Publicznej w Dolinie Tennessee

T.W.I. = training within industry szkolenie wewnątrzzakładowe

TWU, T.W.U.A. = Textile Workers' Union of America Związek Zawodowy Pracowników Tekstylnych w Ameryce

T.W.U. = Transport Workers' Union (of America) Związek Zawodowy Transportowców

ŢWX = teletypewriter exchange service *telegr* służba teleksowa

Ty, typ, typ. = 1. type typ; rodzaj 2. typical typowy

Typ., typo. = typography typografia

U = uranium *chem* uran

u. = unit jednostka

UA = United Aircraft Corporation Zjednoczenie Lotnicze

U.A. = University of Adelaide Uniwersytet w (mieście) Adelaide

UAL = United Air Lines Zjednoczone Linie Lotnicze

UASAL = Utah Academy of Sciences, Arts and Letters Akademia Nauk Przyrodniczych i Humanistycznych oraz Literatury Stanu Utah

UBC = Univ BC

UCDWR = University of California, Department of War Research *am* Wydział Badań Wojennych Uniwersytetu Kalifornijskiego

U.C.L. = University College, London jedno z kolegiów stanowiących Uniwersytet Londyński

UCLA = University of California, Los Angeles Uniwersytet Kalifornijski w Los Angeles

UCRL = University of California Research Laboratory Laboratorium Naukowe Uniwersytetu Kalifornijskiego

UDC = universal decimal classification międzynarodowa klasyfikacja dziesiętna

U.D.C. = Urban District Council Miejska Rada Dzielnicowa

U Fla = University of Florida Uniwersytet Stanu Floryda

U.G., u/g = underground pod ziemią; podziemny

UI = University of Illinois Uniwersytet Stanu Illinois

U.K. = United Kingdom (of Great Britain and Ireland) Zjednoczone Królestwo (Wielkiej Brytanii i Irlandii)

ult. = 1. ultimate ostateczny 2. ultimo zeszłego <ubiegłego> miesiąca

UM = University of Michigan *am* Uniwersytet Stanu Michigan

u.m. = under mentioned niżej podany, poniżej wzmiankowany

UNAEC = United Nations Atomic Energy Commission Komisja Atomowa Organizacji Narodów Zjednoczonych

U.N.B. = University of New Brunswick Uniwersytet Prowincji Nowy Brunszwik (Kanada)

UNC = United Nations Command Dowództwo Narodów Zjednoczonych

UNCOK = United Nations Commission for Korea Komisja Narodów Zjednoczonych do Spraw Koreańskich

⧫UNESCO, U.N.E.S.C.O. = United Nations Economic, Scientific and Cultural Organization Organizacja Naukowo-Kulturalna Narodów Zjednoczonych, UNESCO

⧫UNFAO = United Nations Food and Agriculture Organization Komisja Narodów Zjednoczonych do Spraw Wyżywienia i Rolnictwa

UNGA = United Nations General Assembly Zgromadzenie Ogólne Narodów Zjednoczonych

univ. = university uniwersytet

Univ BC = University of British Columbia Uniwersytet Kolumbii Brytyjskiej

Univ of Alta = University of Alberta Uniwersytet Prowincji Alberta (Kanada)

UNO, U.N.O. = United Nations Organization Organizacja Narodów Zjednoczonych (ONZ)

UNRRA, U.N.R.R.A. = United Nations Relief and Rehabilitation Administration Biuro Narodów Zjednoczonych do Spraw Niesienia Pomocy i Odbudowy Obszarów Zniszczonych (UNRRA)

Un-Sec = Under-Secretary *am* podsekretarz

Un. So. Afr. = Union of South Africa Związek Południowej Afryki

U of C = University of Colorado *am* Uniwersytet Stanu Kolorado

U of P = University of Pennsylvania *am* Uniwersytet Stanu Pensylwania

U of S = University of South Carolina *am* Uniwersytet Stanu Południowa Karolina

up. = upper górny, wyższy

U.S. = United States Stany Zjednoczone (A.P.)

u.s. = 1. under seal *handl* pod zamknięciem celnym 2. ut supra jak wyżej

U.S.A. = 1. Union of South Africa Unia Południowo-Afrykańska 2. United States of America Stany Zjednoczone Ameryki Północnej 3. United States Army Armia Stanów Zjednoczonych Ameryki Północnej

USAEC = United States Atomic Energy Commission Komisja Energii Atomowej Stanów Zjednoczonych

USAF = 1. United States Air Force Lotnictwo Stanów Zjednoczonych 2. United States Army Forces Siły Zbrojne Stanów Zjednoczonych

USAFBI = United States Army Forces on the British Isles Amerykańskie Siły Zbrojne na Wyspach Brytyjskich

USAFE, USAFEUR = United States Air Forces in Europe Siły Powietrzne Stanów Zjednoczonych w Europie

U.S.Afr. = Un. So. Afr.

U.S.B.S. = United States Bureau of Standards Biuro Normalizacyjne Stanów Zjednoczonych

USC = 1. United States Code szyfr Stanów Zjednoczonych 2. United States Congress Kongres Stanów Zjednoczonych 3. United States Constabulary Forces Policja Stanów Zjednoczonych

USEF = United States Expeditionary Forces Ekspedycyjne Wojska Stanów Zjednoczonych

U.S.G.S. = United States Geological Survey Urząd Geologii Stanów Zjednoczonych

USHC, USHICOG = United States High Commissioner for Germany Wysoki Komisarz Stanów Zjednoczonych na Niemcy

U.S.M. = United States Mail poczta Stanów Zjednoczonych A.P.

USMA = United States Military Academy *am* Akademia Wojskowa Stanów Zjednoczonych

USMP = 1. United States Military Police Żandarmeria Stanów Zjednoczonych 2. United States Mint, Philadelphia Mennica Stanów Zjednoczonych w Filadelfii

USN, U.S.N. = United States Navy Marynarka Wojenna Stanów Zjednoczonych A.P.

USNA = 1. United States Naval Academy Akademia Morska Stanów Zjednoczonych 2. United States Naval Attaché Attaché Morski Stanów Zjednoczonych

U.S.N.A. = United States Naval Academy Akademia Morska Stanów Zjednoczonych

USNAVCOM = United States Naval Command Dowództwo Marynarki Wojennej Stanów Zjednoczonych

U.S.P. = 1. United States Patent Office Urząd Patentowy Stanów Zjednoczonych 2. United States Pharmacopoeia Farmakopea Stanów Zjednoczonych A.P.

U.S.Pharm. = U.S.P. 2.

U.S.P.H.S. = United States Public Health Service *am* Służba Zdrowia Publicznego Stanów Zjednoczonych A.P.

USPO, U.S.P.O. = United States Patent Office Urząd Patentowy Stanów Zjednoczonych

USS, U.S.S. = United States Standard norma Stanów Zjednoczonych

U.S.S. = 1. United States Senate Senat Stanów Zjednoczonych 2. United States ship <steamer> statek Stanów Zjednoczonych A.P.

U.S.S.C. = United States Supreme Court Sąd Najwyższy Stanów Zjednoczonych A. P.

USSR, U.S.S.R. = Union of Soviet Socialist Republics Związek Socjalistycznych Republik Radzieckich

usu. = usually zwykle

U.S.W. = ultrashort waves *radio* fale ultrakrótkie

Ut. = Utah *am* stan Utah

U.T. = universal time czas uniwersalny (przyjęty umownie)

u.t. = usual terms *handl* na zwykłych warunkach

ut dict. = ut dictum jak powiedziano

ut. inf. = ut infra jak poniżej

u.t.s. = ultimate tensile strength wytrzymałość na rozciąganie

ut sup. = ut supra jak wyżej

UTW = T.W.U.

u.v. = ultra-violet ultrafioletowy

UW = University of Wisconsin Uniwersytet Stanu Wisconsin

ux. = uxor *prawn* żona

V = vanadium *chem* wanad

V, v, v. = 1. verse *bibl* werset 2. versus *prawn* przeciw 3. vide zobacz (zob.) 4. volt *elektr* wolt

V. = vicinal sąsiedni

V1 = German flying bomb niemiecka bomba latająca V1

V2 = German flying rocket niemiecka rakieta latająca V2

VA, va = volt-ampere woltoamper

V.A. = 1. Royal Order of Victoria and Albert Królewski Order Królowej Wiktorii i Księcia Alberta 2. Vicar Apostolic delegat apostolski 3. Vice-Admiral wiceadmirał

Va. = Virginia *am* stan Virginia

vac. = vacuum ciśnienie zmniejszone, próżnia

V.A.D. = Voluntary Aid Detachment Ochotnicze Towarzystwo Niesienia Pomocy Rannym

val = value *handl bank* wartość; waluta; cena

var. = variant wariant

Vat. = Vatican Watykan

V.C. = 1. Vice-Chairman wiceprzewodniczący 2. Vice-Chancellor wicekanclerz 3. Vice-Consul wicekonsul 4. Victoria Cross *wojsk* Krzyż Wiktorii (za waleczność na polu walki)

V.D. = 1. Volunteer (Officers') Decoration *wojsk* (Oficerskie) Odznaczenie za Służbę Ochotniczą 2. venereal disease choroba weneryczna

V.D.G. = venereal disease gonorrh(o)ea *med* choroba weneryczna rzeżączka

V.D.S. = venereal disease syphilis *med* choroba weneryczna kiła <syfilis>

VE = Victory in Europe zwycięstwo w Europie

VE-Day = Victory in Europe Day dzień zwycięstwa w Europie (8.5.1945)

vehs = vehicles pojazdy

vel. = velocity prędkość

Ven. = Venerable *kośc* Sługa Boży (*pierwszy stopień w przewodzie kanonizacyjnym*)

Ver., Verm. = Vermont *am* stan Vermont

verb (sat.) sap. = verbum sat (est) sapienti mądrej głowie dość dwie słowie

Vert. = Vertebrata *zoo* kręgowce

ves. = vessel naczynie

Vet., Veter. = Veterinary Surgeon chirurg (lekarz) weterynaryjny

VF, vf, v-f = voice frequency częstotliwość akustyczna

V.G. = Vicar-General *kośc* wikariusz generalny

v.g. = very good bardzo dobry; bardzo dobrze

VHF = very high frequency *radio* bardzo wielka częstotliwość

v-h-f antenna = very-high-frequency antenna *radio* antena ultra-krótkofalowa

vib = vibration drganie

Vic = Victoria stan Wiktoria (Australia)

vc. = vicinal sąsiedni

vid. = vide zobacz (zob.)

vil. = village wieś

V.I.P. = Very Important Person bardzo ważna osobistość

Vis., Visc. = Viscount wicehrabia

viz. = videlicet mianowicie; a to...

VJ = Victory in <over> Japan dzień zwycięstwa w Japonii <nad Japonią> (1.9.1945)

VLF = very low frequency *radio* bardzo mała częstotliwość

VMC = visual meteorological conditions *lotn* warunki meteorologiczne lotu z widocznością ziemi

vocab. = vocabulary słowniczek

vol. = volume(n) tom (książki); objętość

VOLMET = meteorological information for aircraft in flight informacje meteorologiczne dla samolotu w locie

V.P. = Vice-president wiceprezes

V.R. = 1. Victoria Regina Wiktoria Królowa 2. variable radius *mat* zmienny promień krzywizny

V.R.I. = Victoria Regina et Imperatrix Wiktoria Królowa i Cesarzowa

V.Rev. = Very Reverend Przewielebny ...
V.S. = Vet.
Vt. = Vermont *am* stan Vermont
VTO = vertical take-off *lotn* start pionowy
VTOL = vertical take-off and landing *lotn* pionowy start i lądowanie
Vul., Vulg. = Vulgate Wulgata
vulg. = vulgar wulgarny
V.V., v.v. = vice versa na odwrót
V.W. = vessel wall ściana naczyniowa

W = wolframum, wolfram, tungsten *chem* wolfram
W, W. = West zachód
W. w. = watt *elektr* watt
w. = week tydzień
W.A. = 1. West Africa Afryka Zachodnia 2. Western Australia Zachodnia Australia
W.A.A.F. = Women's Auxiliary Air Force Service Żeńska Służba Pomocnicza w Lotnictwie Królewskim
W.A.A.S.C. = Women's Army Auxiliary Service Corps Kobiecy Korpus Służby Pomocniczej przy Armii Brytyjskiej
WAC, Wac = Women's Army Corps Kobiecy Korpus przy Armii Brytyjskiej
W.A.C. = World Air Chart mapa lotnicza świata
W.Afr.R. = West Africa Regiment Pułk Zachodnio-Afrykański
W.A.P.C. = Women's Auxiliary Police Corps Kobiecy Pomocniczy Korpus Policyjny
War. = Warwickshire hrabstwo Warwickshire
W.A.S. = Washington Academy of Sciences *am* Waszyngtońska Akademia Nauk
WASAL = Wisconsin Academy of Sciences and Letters *am* Akademia Nauk Przyrodniczych i Literatury Stanu Wisconsin
Wash. = Washington *am* stan Washington
Wash., Wash Univ = Washington University *am* Uniwersytet Waszyngtoński
WASP = Women's Air Force Service Pilots Lotniczki Żeńskiej Pomocniczej Służby Lotniczej
W. Aus., W. Aust. = Western Australia Australia Zachodnia
WB = Weather Bureau *am* Urząd Meteorologiczny
W/B = way bill *handl* list przewozowy (dowód wysyłki towaru)
WbyN = West by North *mar* (*kierunek w róży kompasowej*) Zachód ku Północy (WkN)
WbyS = West by South *mar* (*kierunek w róży kompasowej*) Zachód ku Południowi (WkS)
WC = War College *am* Szkoła Wojenna
W.C. = 1. War Cabinet Gabinet Wojenny 2. War Council Rada Wojenna 3. Water-Closet ubikacja (W.C.) 4. water-cooled chłodzony wodą 5. West Central Zachodnio-Środkowy Obwód Pocztowy w Londynie 6. Western Command Dowództwo Okręgu Zachodniego
w.c. = without charge *handl* bez obciążenia; bez kosztów
WCC = 1. War Crimes Commission Komisja do Spraw Zbrodni Wojennych 2. World Council of Churches Światowa Rada Wyznaniowa
W.D. = War Department *am* Ministerstwo Wojny

Wd., wd, w/d = warranted gwarantowany, z gwarancją
wdt = width szerokość
W.E.A. = Workers' Educational Association Robotniczy Związek Dokształceniowy
Wed. = Wednesday środa
w.e.f. = with effect from __ *handl bank* z ważnością od ...
Wesl Univ = Wesleyan University *am* Uniwersytet Wesleyański
w.g. = water gauge wodowskaz
WH = White House *am* Biały Dom
WH, W-h, wh., whr. = watt-hour watogodzina
W.H.O. = World Health Organization Światowa Organizacja Zdrowia
whse = warehouse skład, magazyn, dom towarowy
W.I. = West Indies Indie Zachodnie
WIAB = Wistar Institute of Anatomy and Biology *am* Instytut Anatomii i Biologii im. Wistara
W.I.I.U. = Workers' International Industrial Union Międzynarodowe Zjednoczenie Robotników Przemysłowych
Wilts. = Wiltshire hrabstwo Wiltshire
W.I.R. = West India Regiment Pułk Zachodnio-Indyjski
Wis. = Wisconsin *am* stan Wisconsin
Wisd. = Wisdom of Solomon *bibl* Księga Mądrości Salomona
Wk, wk = work praca
W/L, w.l. = wave length *radio* długość fal
wldr = welder spawacz
W. long. = west longitude zachodnia długość geograficzna
W.M. = white metal biały metal
Wm. = William Wilhelm
WMO = World Meteorological Organization Światowa Organizacja Meteorologiczna
W.M.S. = Wesleyan Missionary Society Wesleyańskie Towarzystwo Misyjne
W.N.W., WNW = West-North-West zachodnio-północny zachód
W.O. = War Office Ministerstwo Spraw Wojskowych
W Ont Univ = University of Western Ontario Uniwersytet Zachodniego Ontario (Kanada)
Wor. = Worshipful Czcigodny ... (*zob* R.W.)
Worcs. = Worcestershire hrabstwo Worcestershire
WP = West Point *am* Akademia Wojskowa w West Point
W.P. = weather permitting przy sprzyjających warunkach atmosferycznych
Wp. = Wor.
W.P.B. = waste-paper basket kosz (na śmieci)
W.P.C. = World Peace Council Światowa Rada Pokoju
Wpful = Wor.
WPG = West Point Graduate *am* absolwent Akademii Wojskowej w West Point
W.R. = 1. Wasserman reaction *med* odczyn Wassermana 2. West Riding Zachodni Okręg hrabstwa Yorkshire
W.R.A.F. = Women's Royal Air Force Żeńska Służba Pomocnicza w Lotnictwie Królewskim
WRC = Welding Research Council *am* Rada Badań Naukowych Spawalnictwa
W.R.N.S. = Women's Royal Naval Service Żeń-

ska Służba Pomocnicza w Królewskiej Marynarce Wojennej

wrnt. = **warrant** upoważnienie, pełnomocnictwo, nakaz

WS = **Weather Station** Stacja Meteorologiczna

W.S. = 1. **Wireless Station** Stacja Radionadawcza 2. **Writer to the Signet** adwokat (w Szkocji)

w.s. = **water surface** zwierciadło wody

W.S.W., WSW = **West-South-West** zachodnio-południowy zachód

W.T. = **wireless telegraphy** telegraf bez drutu

wt. = **weight** ciężar; waga

W/TS = **Wireless Telegraphy Station** radiostacja telegraficzna

Wt. Stn = **WS** 1.

W.Va. = **West Virginia** *am* stan Zachodnia Wirginia

W.V.S. = **Women's Voluntary Service** Żeńska Służba Ochotnicza

WW = **waterworks** wodociągi

W/W = **warehouse warrant** kwit magazynowy

WW I = **World War I** pierwsza wojna światowa

WW II = **World War II** druga wojna światowa

Wy. = **Wyoming** *am* stan Wyoming

Wyo Univ = **University of Wyoming** *am* Uniwersytet Stanu Wyoming

X = znak wskazujący, że film jest niedozwolony dla osób poniżej 16 lat

x = **ex** *handl bank giełd* bez

Xav. Univ = **Xavier University** *am* Uniwersytet pod wezwaniem Św. Franciszka Ksawerego w Cincinnati

Xe = **xenon** *chem* ksenon

x-cp. = **ex coupon** bez kuponu

x.d., x-d., x-div. = **ex dividend** bez dywidendy

x.i., x-i. = **ex interest** bez procentów; bez odsetek

Xmas = **Christmas** Boże Narodzenie

Xrds = **crossroads** skrzyżowanie dróg

X's = **radio disturbances** *radio* zakłócenia atmosferyczne

Xtian = **Christian** chrześcijański

Y = **yttrium** *chem* itr

y. = **year** rok

y, yd, yd. = **yard** jard

Yb = **ytterbium** *chem* iterb

Y.C.L. = **Young Communists' League** Związek Młodzieży Komunistycznej

yday = **yesterday** wczoraj

yds = **yards** jardy

Y.H.A. = **Youth Hostels Association** Stowarzyszenie Schronisk Młodzieżowych

Y.L.I. = **Yorkshire Light Infantry** nazwa pułku

Y.M.C.A. = **Young Men's Christian Association** Związek Młodzieży Chrześcijańskiej

Y.O. = **Yearly Output** produkcja roczna

Yorks. = **Yorkshire** hrabstwo Yorkshire

yr. = 1. **year** rok 2. **your** wasz, twój

yrs. = 1. **years** lata 2. **yours** wasz; wasz list; twój; twój list

Y.W.C.A. = **Young Women's Christian Association** Chrześcijańskie Zrzeszenie Młodzieży Żeńskiej

z. = **zero** zero

Zach. = **Zachary** Zachariasz

Zech. = **Zechariah** *bibl* Prorok Zechariasz

Zeph. = **Zephaniah** *bibl* Prorok Zefaniasz

ZEPHYR = **Zero Energy Fast Reactor** reaktor na prędkich neutronach o mocy równej zeru

ZETR = **Zero Energy Thermal Reactor** reaktor na neutronach termicznych o mocy równej zeru

ZEUS = **Zero Energy Uranium System** system reaktora uranowego o mocy równej zeru

Z.G. = **Zoological Gardens** Ogród Zoologiczny

Zl = **złoty** złoty polski

Zn = **zincum (zink)** *chem* cynk

zooch. = **zoochemistry** zoochemia

zoogeog. = **zoogeography** zoogeografia

zool. = 1. **zoology** zoologia 2. **zoological** zoologiczny

Zr = **zirconium** *chem* cyrkon

Z.S. = **Zoological Society** Towarzystwo Zoologiczne

Zz. = **zingiber (ginger)** imbir

& = **and** i

&c. = **etc.** itd.

Jan Stanisławski
Małgorzata Szercha

Suplement

O-Z

O

oafishly ['əufiʃli] *adv* 1. głupio; głupkowato; jak głupiec 2. niezdarnie; ofermowato

↑ **oak** Ⅲ *attr* ... *am* ~ **leaf cluster** ponowne odznaczenie za zasługi

oakfish ['əukfiʃ] *s zool* ryba z rodzaju *Regalecus*

Oak Ridge ['əuk‚ridʒ] *spr* miejscowość, w której mieści się centrum badań jądrowych i gdzie wyprodukowano pierwszą bombę atomową

obdurately ['ɔbdjuritli] *adv* 1. nieczuło; nieubłaganie 2. uparcie

obesely [ɔu'bi:sli] *adv* otyle; korpulentnie

↑ **object**[1] Ⅲ *attr* przedmiotowy; ~ **lesson** lekcja poglądowa

objectionably [əb'dʒekʃənəbli] *adv* 1. niewłaściwie; w sposób niepożądany 2. nieprzyjemnie; wstrętnie

objectively [ɔb'dʒektivli] *adv* 1. przedmiotowo 2. obiektywnie

objectless ['ɔbdʒiktlis] *adj* bezcelowy

oblanceolate [ɔb'lænsiəlit, ɔb'lænsiəleit] *adj bot* odwrotnie lancetowaty

↑ **oblate**[2] *adj* ... ~ **distortion** zniekształcenie spłaszczające

oblately ['ɔbleitli] *adv* w spłaszczeniu

obligatorily [əb'ligətərili] *adv* obowiązkowo; obowiązująco

obligingly [əb'laidʒiŋli] *adv* usłużnie; grzecznie; uprzejmie

obliviously [ɔb'liviəsli] *adv* nie pamiętając; przez zapomnienie

obnoxiously [əb'nɔkʃəsli] *adv* w przykry sposób; nieprzyjemnie; wstrętnie; nieznośnie; szkaradnie

obovate [ɔ'bəuveit] *adj bot* odwrotnie jajowaty

obscenely [ɔb'si:nli] *adv* 1. sprośnie; plugawo; nieprzyzwoicie 2. wstrętnie; ohydnie

obscurely [ɔb'skjuəli] *adv* 1. ciemno; mrocznie; ponuro 2. niewidocznie 3. niejasno; niezrozumiale 4. niewyraźnie; w nieokreślony sposób 5. skromnie

observably [əb'zə:vəbli] *adv* dostrzegalnie; zauważalnie; w sposób dający się zauważyć

↑ **observation** Ⅲ *attr* ... ~ **train** pociąg jadący wzdłuż trasy wyścigu (regat) dla

umożliwienia pasażerom śledzenia przebiegu imprezy

observational [‚ɔbsə'veiʃənl] *adj* obserwacyjny; oparty na obserwacji ⟨na spostrzeżeniach⟩

observingly [əb'zə:viŋli] *adv* obserwatorsko

obsolescently [‚ɔbsə'lesntli] *adv* zanikając; będąc w zaniku

obsoletely ['ɔbsəli:tli] *adv* w sposób przestarzały

obstetrically [əb‚stetrikəli] *adv med* położniczo

obstipant ['ɔbstipənt] *s* substancja wywołująca zaparcie

obstreperously [əb'strepərəsli] *adv* 1. krzykliwie; wrzaskliwie; hałaśliwie 2. opornie; niesfornie

obstructively [əb'strʌktivli] *adv* obstrukcyjnie; tamująco; zawadzająco

obtrusively [əb'tru:sivli] *adv* natrętnie

obtusely [əb'tju:sli] *adv* tępo

obversely [ɔb'və:sli] *adv* po stronie licowej ⟨prawej⟩

obversion [ɔb'və:ʃən] *s log* obwersja

obviously ['ɔbviəsli] *adv* 1. oczywiście; jasno 2. najwidoczniej; najwyraźniej

occidentally [‚ɔksi'dentəli] *adv* na sposób zachodni

↑ **occlusion** *s* 3. *meteor* okluzja

↑ **occupation** Ⅲ *attr* ~ **money** pieniądz puszczony w obieg przez rząd okupacyjny

↑ **occupational** *adj* ... ~ **fatigue** przemęczenie pracą zawodową; *nukl* ~ **exposure** ⟨**irradiation**⟩ napromienianie zawodowe

ocellated [‚ɔsi'leitid] *adj* oczkowy; cętkowany

ocellus [əu'seləs] *s zool* 1. (*u zwierząt niższych*) oczko; plamka oczna 2. (*u owada, ryby*) plamka barwna

octagonally [ɔk'tægənəli] *adj* ośmiokrotnie; oktagonalnie

↑ **octane** Ⅲ *attr* oktanowy; ~ **number** liczba oktanowa

octangular [ɔk'tæŋgjulə] *adj* ośmiokątny

octoroon [ɔktə'ru:n] *s* człowiek mający 1/8 krwi murzyńskiej; potomek białego z kwarteronką

oculomotor [‚ɔkjulə'məutə] *adj anat* (*o nerwie*) okoruchowy odd-even ['ɔd'i:vn] *adj nukl* ~ **nucleus** jądro nieparzysto-parzyste

odd-odd ['ɔd'ɔd] *adj nukl* ~ **nucleus** jądro nieparzysto-nieparzyste

odiously ['əudiəsli] *adv* wstrętnie; nienawistnie; odpychająco; obmierźle; ohydnie

odograph ['əudəgrɑ:f] *s* przyrząd rejestrujący drogę przebytą i kurs pojazdu

odontoblast [əu'dɔntəbla:st] *s anat* komórka zębinotwórcza

odontograph [əu'dɔntəgrɑ:f] *s techn* przyrząd do rysowania zarysów kół zębatych

odontoid [əu'dɔntɔid] *adj* zębowaty

odor ['əudə] *s am* = **odour**

odoriferously [əudə'rifərəsli] *adv* wonnie

Odysseus [əu'disiəs] *spr mitol* Odyseusz, Odys

oenology [i:'nɔlədʒi] *s* enologia; nauka o winach

oenometer [i:'nɔmitə] *s* przyrząd do mierzenia mocy wina

oersted ['i:sted] *s fiz* ersted, jednostka natężenia pola magnetycznego

oestrin ['i:strin] *s biochem* folikulina, estrin

oestriol ['i:striəul] *s biochem* estriol, ojstriol

oestrogen ['i:strɔdʒen] *s wet* estrogen

oestrogenic [,i:strə'dʒenik] *adj* rujotwórczy

oestrous ['i:strəs] *adj* rujowy; ~ **cycle** cykl rujowy

offbeat ['ɔfbi:t] *adj* 1. oryginalny; niecodzienny 2. mało ważny; drugorzędny

offcast ['ɔfkɑ:st] Ⅰ *s* odrzut, odrzutek Ⅲ *adj* odrzucony; wybrakowany

off-chance ['ɔftʃæns] *s am* znikoma możliwość; minimalna szansa

off-colour, *am* off-color [ɔf'kʌlə] *adj* 1. (*o kamieniu szlachetnym*) nieczystej barwy 2. (*o człowieku*) niedysponowany 3. (*o dowcipie itd.*) dwuznaczny; śliski

offenceless, *am* offenseless [ə'fenslis] *adj* 1. niewinny 2. nieobraźliwy

↑ office Ⅲ *attr* biurowy; ~ **hours** godziny urzędowania

officialese [ə'fiʃəli:z] *s* żargon urzędowy

officiary [ə'fiʃəri] *adj* (*o tytule, randze*) urzędowy

↑ officinal [... ɔ'fisinl] Ⅲ *s* roślina lekarska; ziele lecznicze

officiously [ə'fiʃəsli] *adv* natrętnie

↑ offshore Ⅰ *adv* 2. w pobliżu brzegu Ⅲ *adj* 2. przybrzeżny 3. *meteor* (*o wietrze*) odlądowy

off-site ['ɔ:f'sait] *attr* ~ **employment** praca wykonywana poza obrębem obiektu, dla którego jest przeznaczona

off-stage ['ɔfsteidʒ] *adj* znajdujący się poza sceną; zakulisowy; *tv* ~ **portable** przenośna garderoba aktorów

off-white ['ɔfwait] *adj* nieczysto biały

ogdoad ['ɔgdəuæd] *s* ósemka

ohmic ['əumik] *adj elektr* oporowy; ~ **resistance** oporność czynna

ohmmeter ['əummi:tə] *s fiz* omomierz

↑ oil Ⅰ *s* 1. ... **blown** ~ olej dmuchany; **graphite-treated** ~ olej grafitowany; **rape-seed** ~ olej rzepakowy Ⅲ *attr* 2. olejny 3. oleisty

oilily ['ɔilili] *adv* oleiście

oiltight ['ɔil,tait] *adj techn* olejoszczelny

↑ old *adj* 1. ... ~ **age** starość; **Old English** język staroangielski; **Old French** język starofrancuski; ~ **maid** stara panna; ~ **school tie** a) krawat w barwach szkoły, której się jest absolwentem b) *attr* klanowy; *zool* ~ **squaw** (*Clangula hyemalis*) lodówka (kaczka); *geogr* **Old World** Stary Świat (półkula wschodnia)

old-age ['əuld'eidʒ] *adj* (*o rencie itd.*) starczy

old-fogyish [əuld'fəugiiʃ] *adj* spierniczały

old-school-tie ['əuldsku:l'tai] *attr* klanowy; ~ **spirit** klanowość

old-womanish [əuld'wuməniʃ] *adj* starobabski

↑ old-world *adj* 4. *geogr* (ze) Starego Świata

oleaceous [əuli'eiʃəs] *adj bot* oliwkowaty

olefin ['əuləfin] *s chem* olefina

oleoresin [,əuliəu'rezin] *s* mieszanina olejków eterycznych i żywic

olibanum [əu'libənəm] *s* kadzidło

Oligochaeta ['ɔligəuki:tə] *spl zool* skąposzczety

oligocyth(a)emia [,ɔligəusai'θi:miə] *s med* niedobór elementów komórkowych krwi

oligopoly [,ɔli'gɔpəli] *s ekon* oligopol

oliguria [,ɔli'gju:riə] *s med* skąpomocz

olivenite [ɔ'livənait] *s miner* oliwenit

omasum [əu'meisəm] *s zool* księgi (trzecia część żołądka przeżuwaczy)

omber ['ɔmbə] *s am* = **ombre**

ominously ['ɔminəsli] *adv* złowieszczo

omophagous [ɔ'mɔfəgəs] *adj* żywiący się surowym mięsem

one-armed ['wʌnɑ:md] *adj* jednoręki; ~ **bandit** automat do gry hazardowej

one-dimensional [wʌndi'menʃənl] *adj* jednowymiarowy

one-group ['wʌngru:p] *adj* (*o modelu itd.*) jednogrupowy

↑ one-man *adj* ... ~ **strike** strajk wszczęty z powodu wydalenia lub niesłusznego ukarania jednego pracownika

onerously ['ɔnərəsli] *adv* uciążliwie

one-velocity ['wʌnvə'lɔsiti] *adj nukl* (*o modelu itd.*) monokinetyczny

on-shore ['ɔnʃɔ:] Ⅰ *adv* (*płynąć itd.*) ku lądowi Ⅲ *adj meteor* (*o wietrze*) dolądowy

on-site ['ɔn'sait] *attr* ~ **employment** praca wykonywana w obrębie obiektu, dla którego jest przeznaczona

ontological ['ɔntələdʒikl] *adj* ontologiczny; ~ **argument** dowód ontologiczny

oocyte ['əuəsait] *s biol* oocyt; komórka jajowa

oogenesis [əuə'dʒenəsis] s biol oogeneza; rozwój jaja

oogonium [əuə'gɔniəm] s biol 1. oogonium 2. lęgnia

oophorectomy [əuəfə'rektəmi] s med wycięcie jajnika

oophoritis [əuəfə'raitis] s med zapalenie jajnika

oosphere ['əuəsfiə] s biol nie zapłodnione jajko

opah ['əupə] s zool atlantycka barwna ryba jadalna Lampris regius

opalesce [əupə'les] vi opalizować

↑ open ⊡ adj 1. ... wojsk ~ city miasto otwarte; chem ~ chain łańcuch otwarty; dzien ~ letter list otwarty

↑ open-air adj ... ~ ionization chamber komora jonizacyjna powietrzna

↑ operating ⊞ adj 3. roboczy; ~ power ⟨temperature⟩ moc ⟨temperatura⟩ robocza

↑ operational adj 3. med operacyjny; ~ sequence kolejność czynności

↑ operative ⊡ adj 5. ... ~ procedure postępowanie operacyjne; ~ surgery chirurgia operacyjna

ophthalmitis [ɔfθəl'maitis] s med zapalenie oka

ophthalmoscope [ɔf'θælməskəup] s med wziernik oczny; oftalmoskop

ophthalmoscopy [ɔfθæl'mɔskəpi] s med badanie wziernikiem ocznym; oftalmoskopia

↑ opinion s 5. opinia publiczna; ~ poll badanie ⟨sondaż⟩ opinii publicznej

opinionaire [ɔ'pinjənɛə] s kwestionariusz wypełniany przy badaniu opinii publicznej

opinionative [ɔ'pinjənətiv] adj 1. wyrażający (czyjeś) zdanie; opiniodawczy 2. uparty

opinionatively [ɔ'pinjənətivli] adv opiniodawczo

opiumism [ɔ'pju:mizəm] s nałóg palenia ⟨zażywania⟩ opium

opponency [ə'pəunənsi] s przeciwstawianie się; opozycja

↑ opponent ⊞ s ... oponent/ka

opportunely [ɔpə'tju:nli] adv dogodnie; szczęśliwie; we właściwej porze

oppressively [ɔ'presivli] adv 1. uciążliwie 2. uciemiężająco 3. dręcząco; deprymująco; przygniatająco

opprobriously [ə'prəubriəsli] adv obraźliwie; obelżywie

↑ oppugn vt ... przeciwstawić się

oppugnant [ə'pʌgnənt] adj wrogi

opsonize ['ɔpsənaiz] vt med przysposobić do fagocytozy

optically ['ɔptikəli] adv optycznie; wzrokowo

optimistically [ɔpti'mistikəli] adv optymistycznie

optionally ['ɔpʃənəli] adv dowolnie; fakultatywnie; nie obowiązująco

optometry [ɔp'tɔmitri] s pomiar ostrości wzroku

opulently ['ɔpjuləntli] adv 1. bogato 2. obficie; zasobnie

oquassa [əu'kwɔsə] s zool (Salvelinus oquassa) amerykańska odmiana pstrąga

oracularly [ɔ'rækjuləli] adv proroczo

orally ['ɔrəli] adv 1. ustnie 2. med farm doustnie

↑ orange¹ ⊞ attr ~ pekoe ['pekəu, 'pi:kəu] wyborowy gatunek herbaty

orangite ['ɔrindʒait] s miner orangit

oratorically [ɔrə'tɔrikəli] adv po oratorsku

↑ orbit ⊞ vi 1. orbitować 2. krążyć dookoła lądowiska w oczekiwaniu na pozwolenie lądowania

↑ orbital adj 2. fiz orbitowy; ~ plane płaszczyzna orbity

orcein ['ɔ:siin] s chem orceina

orchestrally [ɔ:'kestrəli] adv orkiestralnie

orchidaceous [ɔ:ki'deiʃəs] adv storczykowaty

ordonnance ['ɔ:dənəns] s 1. układ; rozmieszczenie; rozkład 2. rozporządzenie

ordvac ['ɔ:dvæk] s rodzaj komputera elektronowego

ore-forming [ɔ:'fɔ:miŋ] adj (o płynie) rudotwórczy

oregano [ɔ'regənəu] s bot roślina z rodzaju Origanum pokrewna majerankowi

Oregon ['ɔ:rigɔn] spr attr ~ grape a) krzew amerykański Mahonia aquifolia b) jagoda tego krzewu c) godło stanu Oregon

organicism [ɔ:'gænisizəm] s filoz biol organicyzm

organic-moderated [ɔ:'gænik'mɔdəreitid] adj nukl ~ reactor reaktor z moderatorem organicznym

organiculture [ɔ:gæni'kʌltʃə] s roln metoda uprawy stosująca wyłącznie nawóz organiczny

organography [ɔ:gə'nɔgrəfi] s bot zool organografia

orgiastic [ɔ:dʒi'æstik] adj orgiastyczny

orientalism [ɔ:ri'entəlizəm] s 1. orientalizm 2. uniw orientalistyka

orientational [ɔrien'teiʃənl] adj kierunkowy; ~ oscillation drganie kierunkowe

orlon ['ɔ:lɔn] s orlon

ornamentally [ɔ:nə'mentəli] adv ornamentacyjnie; dekoracyjnie; zdobniczo

ornately [ɔ:'neitli] adv ozdobnie; (pisać, mówić) kwieciście

ornery ['ɔ:nəri] adj am 1. przykry 2. uparty 3. ordynarny

ornis ['ɔ:nis] s = avifauna ↑

ornithine ['ɔ:niθi:n] s biochem ornityna

ornithosis [ɔ:ni'θəusis] s med choroba ptasia

orogenesis [ɔrəu'dʒenəsis], orogeny [ɔ:'rɔdʒini] s orogeneza; tworzenie się gór

orology [ɔ:'rɔlədʒi] s nauka o górach

oropharynx [ɔrəu'færiŋks] s anat jama nosowogardłowa

Orpheus ['ɔ:fiəs, 'ɔ:fju:s] spr mitol Orfeusz

Orphism [ˈɔːfizəm] *s filoz* orfizm
ort [ɔːt] *s* resztka (jedzenia)
orthocentre, *am* **orthocenter** [ɔːθəuˈsentə] *s geom* ortocentr
orthoclase [ˈɔːθəukleis] *s miner* ortoklaz
orthodontia [ɔːθəuˈdɔnʃiə] *s med* ortodoncja
orthogenesis [ɔːθəuˈdʒenəsis] *s biol* ortogeneza
orthophosphoric [ɔːθəufɔsˈfɔrik] *adj chem* (*o kwasie*) (orto)fosforowy
orthopsychiatry [ɔːθəusaiˈkaiətri] *s med* ortopsychiatria
orthoptic [ɔːˈθɔptik] *adj med* korygujący zeza; ~ **exercises** ⟨**training**⟩ ćwiczenia mięśnia oka
orthoscope [ˈɔːθəskəup] *s med* przyrząd do badania oczu
orthoscopic [ɔːθəˈskɔpik] *adj* mający prawidłowy wzrok
orthostichy [ɔːˈθɔstiki] *s bot* prostnica
orthotropism [ɔːθɔˈtrɔpizəm] *s bot* ortotropizm
Osage [ˈɔsidʒ] *attr* ~ **orange** a) *bot* (*Maclura pomifera*) morwowate drzewo amerykańskie b) owoc tego drzewa podobny do pomarańczy
oscine [ˈɔsin, ˈɔsain] *adj zool* (*o ptaku*) śpiewający
oscitant [ˈɔsitənt] *adj* 1. ziewający 2. śpiący 3. nieuważny
osmology [ɔzˈmɔlədʒi] *s med* osmologia
osmometer [ɔzˈmɔmitə] *s* osmomierz; węchomierz
ostensive [ɔsˈtensiv] *adj* ostentacyjny; demonstracyjny
ostensively [ɔsˈtensivli] *adv* ostentacyjnie; demonstracyjnie
osteoarthritis [ɔstiəu-ɑːˈθraitis] *s med* zapalenie stawów i kości
osteoblast [ˈɔstiəblɑːst] *s biol* komórka kościotwórcza
osteoclasis [ɔstiˈɔkləsis] *s med* osteoklaza
osteogenesis [ɔstiəuˈdʒenəsis] *s fizj* tworzenie się kości
osteogenic [ɔstiəuˈdʒenik] *adj* osteogeniczny
osteoid [ˈɔstiɔid] *adj* podobny do kości; kostny
osteopetrosis [ɔstiəupiˈtrəusis] *s med* marmurowatość kości
osteophyte [ˈɔstiɔfait] *s med* wyrośl kostna
osteoplasty [ˈɔstiˈɔpləsti] *s med* plastyka kostna
osteosarcoma [ɔstiəusɑːˈkəumə] *s med* mięsak kostny; nowotwór kości; osteosarkoma
osteotome [ˈɔstiɔtəum] *s chir* osteotom, dłuto kostne
osteotomy [ɔstiˈɔtəmi] *s chir* przecinanie kości
ostiole [ˈɔstiəul] *s biol* otworek
otherworldly [ʌðəˈwəːdli] *adj* nie z tego świata; należący do innego świata; zaświatowy

otitis [ɔˈtaitis] *s med* zapalenie ucha; ~ **media** [ˈmiːdiə] zapalenie ucha środkowego
otolaryngology [ɔtəulæriŋˈgɔlədʒi] *s med* otolaryngologia
otolith [ˈɔtəliθ] *s anat wet* otolit; kamyczek słuchowy
Otter² [ˈɔtə] *s wojsk* pojazd amfibia mogący się poruszać po lądzie, wodzie, błocie i śniegu
ouabain [wɑːˈbɑːin] *s farm* strofantyna G
ouananiche [wɑːnəˈniːʃ] *s zool* kanadyjski łoś *Salmo Satar ouananiche*
ouija [ˈwiːdʒə] *s* przyrząd używany na seansach spirytystycznych dla zrozumienia odpowiedzi na zadawane pytania
↑ **out¹** ① *adv* 8. ... *sl* ~ **of this world** nie z tej ziemi; kapitalny; świetny
outage [ˈautidʒ] *s* 1. wylot 2. strata cieczy (w transporcie) 3. przestój 4. *handl* ubytek
outargue [autˈɑːgjuː] *vt* pokonać (kogoś) w argumentowaniu ⟨dyskusji⟩
↑ **outbreeding** *s* 2. *biol* egzogamia
outdated [autˈdeitid] *adj* przestarzały
outgas [ˈautgæs] *vt chem* odgazować; odpowietrzyć
↑ **outgoing** Ⅲ *adj* 1. ... *meteor* ~ **radiation** wypromieniowanie 2. (*o człowieku*) wylewny
outhaul [ˈauthɔːl], **outhauler** [autˈhɔːlə] *s żegl* naciągacz
↑ **outlet** Ⅲ *attr* wyjściowy; *nukl* ~ **filtre** filtr wyjściowy
outmaneuver [autməˈnuːvə] *vt am* = **outmanoeuvre**
out-of-towner [autəvˈtaunə] *s* przybysz (z innej miejscowości); nietutejszy
↑ **output** Ⅲ *attr* (*o sygnale itd.*) wyjściowy
outrageously [autˈreidʒəsli] *adv* 1. w sposób oburzający; skandalicznie 2. obraźliwie 3. horrendalnie
outré [uːˈtrei] *adj fr* przesadny; niewłaściwy
↑ **outrigger** *s* 3. *sport* odsadnia
↑ **outsize** ① *adj* ... nietypowy
outspent [ˈautspent] *adj* wyczerpany; *pot* skonany
outstroke [ˈautstrəuk] *s techn* suw kukorbowy
overactive [əuvərˈæktiv] *adj* zanadto czynny; przesadnie aktywny
overage¹ [əuvəˈreidʒ] *adj* mający przekroczoną granicę wieku; *wojsk* **he is** ~ **for the draft** on przekroczył granicę wieku poborowego
overage² [ˈəuvəridʒ] *s* nadwyżka
overbearingly [əuvəˈbɛəriŋli] *adv* 1. arogancko; wyniośle; pysznie 2. rozkazująco; apodyktycznie
↑ **overboard** Ⅲ *adj* zbytni; przesadny
overclothes [ˈəuvəkləuðz] *spl* ubranie ochronne ⟨wierzchnie⟩
overconfident [əuvəˈkɔnfidənt] *adj* zadufany w sobie; zbyt pewny (siebie)

overcorrection [əuvəkə'rekʃən] s błędy popełnione wskutek usilnego dążenia do
poprawności w mowie

overcrop [əuvə'krɔp] vt roln wyczerpywać
⟨wyjaławiać⟩ (glebę)

over-cure ['əuvə‚kiuə] techn □ vt prze-
wulkanizować □□□ s przewulkanizowanie

overdamped ['əuvədæmpt] adj techn prze-
tłumiony

overdrive ['əuvədraiv] s 1. techn przekładnia przyśpieszająca 2. aut nadbieg

overgarment [‚əuvə'ga:mənt] s wierzchnie
okrycie

overglance ['əuvəgla:ns] vt rzucić okiem
(sth na coś)

overindulge [‚əuverin'dʌldʒ] □ vt zbytnio
pobłażać ⟨folgować⟩ (sb komuś) □□□ vi
zbytnio sobie po/folgować

↑ overland □ adj ... ↑ am ~ stage dyliżans

↑ overlap □□□ s zachodzenie na siebie; ~
region zakres zachodzenia na siebie

overly ['əuvəli] adv zbytnio; zanadto

overmoderated [əuvə'mɔdəreitid] adj nukl
z nadmiarem moderatora

overpass [əuvə'pa:s, am ‚əuvə'pæs] s wiadukt

overpersuade [əuvə'pə:sweid] vt przekonać
(opornego); przełamać (czyjeś opory)

overplay [əuvə'plei] □ vi szarżować; zgrywać się □□□ vt przeszarżować (a part rolę)

overprize [əuvə'praiz] vt przeceni-ć/ać; za
wysoko o/cenić

overscore [əuvə'skɔ:] vt przekreśl-ić/ać

overshade [əuvə'ʃeid] vt ocieni-ć/ać; rzuc-
-ić/ać (swój) cień (sth na coś)

oversign [əuvə'sain] vt umieścić nazwisko
autora artykułu w nagłówku zamiast na
końcu

overspend [əuvə'spend] vi (overspent
[əuvə'spent], overspent) nadmiernie wy-
da-ć/wać

overstudy [əuvə'stʌdi] vi za dużo się u-
czyć

over-the-counter ['əuvə-ðə'kauntə] adj
giełd (o sprzedaży lub kupnie papierów
wartościowych) dokonany poza giełdą

over-the-hill ['əuvə-ðə'hil] adj wojsk 1. (o
żołnierzu) przebywający samowolnie poza jednostką 2. opuszczający się; zaniedbujący się; opieszały

overtly ['əuvətli] adv jawnie; otwarcie;
publicznie

overtrain [əuvə'trein] vt vi sport prze-
trenować

overtrick [əuvə'trik] s karc lewa nadro-
biona; nadróbka

overview [əuvə'vju:] s przegląd ⟨stresz-
czenie⟩ (pracy literackiej itd.)

overvoltage [əuvə'vəultidʒ] s elektr nadnapięcie; przepięcie

overweary [əuvə'wi:əri] adj przemęczony

overwhelmed [əuvə'welmd] □ zob overwhelm vt □□ adj 1. opanowany prze-
możnym uczuciem; ~ with grief pogrążony w smutku; ~ with joy nie posiadający się z radości; rozradowany; ~ with
gratitude z sercem przepełnionym
wdzięcznością 2. zakłopotany; speszony

↑ overwhelming □□□ adj 2. ... przemożny

overwhelmingly [əuvə'welmiŋli] adv nie-
przeparcie; przemożnie

overwrite [əuvə'rait] vt (overwrote [əuvə-
'rəut], overwritten [əuvə'ritn]) nadpisać

oviferous [əu'vifərəs] adj zool znoszący
jaja

ovisac ['əuvisæk] s zool worek jajowy

ovoflavin [‚əuvəu'fleivin] s farm ryboflawina; laktoflawina; witamina B₂; witamina G

owl's-clover [aulz'kləuvə] s bot trędowni-
kowate ziele kalifornijskie Orthocarpus
erianthus

oxazine ['ɔksəzi:n] s chem oksazyna

↑ Oxford spr attr ... biochem ~ unit międzynarodowa jednostka penicyliny = 0,6
mikrograma składnika krystalicznego

oxidase ['ɔksideiz] s biochem oksydaza

↑ oxidation □□□ attr ~ state stan utlenie-
nia

oxidation-reduction [ɔksi'deiʃən-ri'dʌkʃən]
attr nukl ~ cycle cykl utlenienia-re-
dukcji

↑ oxide □□□ attr chem tlenkowy; nukl ~
skin błonka tlenkowa

oxidizer ['ɔksidaizə] s utleniacz

oxine ['ɔksi:n] s chem oksyn

oxonium [ɔk'səuniəm] s chem jon hydro-
nowy

ox-pecker ['ɔkspekə] s zool szpak afrykański z rodzaju Buphagus

oxyacid [ɔksi'æsid] s chem tlenokwas

oxyh(a)emoglobin [‚ɔksi'hi:məu‚gləubin] s
biochem oksyhemoglobina

oxysalt ['ɔksisɔ:lt] s chem sól tlenowa

oxysulphide [‚ɔksi'sʌlfaid] s chem tiotle-
nek

oxytocic [‚ɔksi'tɔsik] s med czynnik pobudzający skurcze macicy ⟨przyśpiesza-
jący poród⟩

↑ oyster □□□ attr ~ cracker sztuciec do
otwierania ostryg; ~ farm hodowla
ostryg

ozonization [əuzənai'zeiʃən] s ozonowanie,
ozonizacja

ozonolysis [əuzə'nɔlisis] s chem ozonoliza

P

paca ['pɑːkə] s zool (Agouti paca) paka
pachouli ['pætʃuli] s bot paczula
pachuco [pə'tʃuːkəu] s am sl chuligan; bandzior
pachuke [pə'tʃuːk] adj am sl chuligański; bandziorski
pachydermous [pæki'dəːməs] adj gruboskórny
pacifier ['pæsifaiə] s 1. pacyfikator 2. środek uspokajający 3. smoczek do zabawy
↑ pack Ⅳ attr zool ~ rat gryzoń północnoamerykański Neotoma cinerea gromadzący różne drobiazgi w swej norze
↑ package Ⅰ s 3. paczkowanie (towarów); opakowywanie 4. techn kompletny zespół (maszynowy, instalacyjny itd.) Ⅲ attr ryczałtowy; nukl ~ power reactor reaktor energetyczny przewoźny || ~ pass pozwolenie na wynoszenie rzeczy osobistych z zakładu pracy; am ~ store sklep sprzedający napoje alkoholowe na wynos
↑ packer s 3. roln ugniatacz; wał do ugniatania
↑ packing Ⅲ attr fiz ~ density ⟨effect⟩ gęstość ⟨efekt⟩ upakowania; nukl ~ fraction współczynnik upakowania; ~ gland korpus dławnicy; handl ~ house przedsiębiorstwo paczkowania artykułów żywnościowych
packsack ['pæksæk] s plecak
packsaddle ['pæksædl] s juka; siodło na juki
paction ['pækʃən] s ugoda
↑ pad² Ⅰ s 7. wojsk podstawa wyrzutni rakietowej
paddlefish ['pædlfiʃ] s zool (Polyodon spathula) łyżkowiec północnoamerykański
paediatrics [ˌpiːdi'ætriks] s pediatria
paedogenesis [ˌpiːdəu'dʒenisis] s biol pedogeneza
paeon ['piːən] s prozod peon
Paiforce ['peifɔːs] s wojsk łączne siły brytyjskie stacjonowane w Persji i Iraku w czasie II wojny światowej
painfully ['peinfuli] adv boleśnie; w przykry sposób; (pracować itd.) ciężko; z trudem; mozolnie; żmudnie
painlessly ['peinlisli] adv bezboleśnie
painstakingly ['peinzteikiŋli] adv starannie; z wielką starannością; pracowicie
↑ pair Ⅳ attr nukl ~ production wytwarzanie par
paired [pɛəd] Ⅰ zob pair vt Ⅲ adj fiz parzysty; sprzężony; ~ lattices siatki parzyste ⟨sprzężone⟩
Pakistani [pɑːkis'tɑːni] s Pakista-ńczyk/nka

pal(a)eethnology [ˌpeiliəθ'nɔlədʒi] s paleoetnologia
pal(a)eobotany [ˌpeiliəu'bɔtəni] s paleobotanika
pal(a)eocene ['peiliəsiːn] s geol paleocen
pal(a)eozoic [ˌpeiliə'zəuik] adj geol paleozoiczny
pal(a)eozoology [ˌpeiliəuzəu'ɔlədʒi] s paleozoologia
palely ['peilli] adv blado
pall-bearer ['pɔːlˌbɛərə] s człowiek eskortujący trumnę
pallet ['pælit] s paleta (ładunkowa)
palletization [ˌpælitai'zeiʃən] s mar paletyzacja
palletize ['pælitaiz] vt ładować na paletach do transportu i składowania
pallidly ['pælidli] adv blado
↑ pallium s 3. meteor szara jednostajna chmura
↑ palm² Ⅲ attr palmowy; ~ sugar cukier palmowy (wyrabiany z soku niektórych palm)
palmitin ['pælmitin] s chem trójpalmityna
palomino [pælə'miːnəu] s żółtawobrązowego lub kremowego koloru koń hodowany w Stanach Zjednoczonych
paltrily ['pɔːltrili] adv licho; nędznie; marnie
palynology [pæli'nɔlədʒi] s bot analiza pyłkowa
↑ pancake Ⅲ attr ~ make-up maseczka kosmetyczna
pandanaceous [pændə'neiʃəs] adj bot pochutnikowaty
pandanus [pæn'deinəs] s bot (Pandanus) pandanowiec
↑ panel Ⅲ attr bud ~ heating centralne ogrzewanie przez promieniowanie (przewodów umieszczonych w ścianach i podłodze)
paneling ['pænəliŋ] s am = panelling
Panhellenism [pæn'helənizəm] s panhellenizm
↑ panic¹ Ⅲ vt 2. sl teatr porwać (widownię)
panic² ['pænik] s bot (Panicum) proso
panmixia [pæn'miksiə] s nukl panmiksja; związki przypadkowe
pansophy ['pænsəfi] s wszechwiedza
pantothenic [pæntə'θenik] adj chem (o kwasie) pantotenowy
pantywaist ['pæntiweist] Ⅰ s 1. spodenki dziecięce przypinane guzikami do staniczka 2. sl smarkula Ⅲ adj sl smarkaty
papain [pə'peiin, 'peipiin] s biochem papaina
papaya [pə'pɑːjə] s bot drzewo Ameryki tropikalnej Carica Papaya rodzące jadalne owoce

↑ **paper** Ⅲ *adj* 1. ... *bot* ~ **birch** północno-amerykańska odmiana brzozy *Betula papyrifera*

paper-bound [ˈpeipə‚baund] *adj* oprawny w papier, w papierowej oprawie

papilloma [pæpiˈləumə] *s med* brodawczak

papillote [ˈpæpiləut] *s* 1. papilot 2. papier owinięty dokoła kości kotleta

parabiosis [pærəbaiˈəusis] *s* 1. *biol* połączenie dwóch osobników 2. *nukl* parabioza

parablast [ˈpærəbla:st] *s biol* żółtko

parabolically [‚pærəˈbɔlikəli] *adv* parabolicznie

paraboloid [pærəbɔˈlɔid] *s mat* paraboloida

paraborn [pærəˈbɔ:n] *adj* zrzucony z samolotu na spadochronie

↑ **parachute** Ⅲ *attr* ... ~ **boat** łódź nadymana zrzucona na spadochronie; ~ **mine** mina zrzucona na spadochronie

↑ **parade** ① *s* 6. *sport* defilada

↑ **paradigm** *s* 2. wzór; przykład

paradigmatic [‚pærədigˈmætik] *adj* paradygmatyczny

paradoxically [pærəˈdɔksikəli] *adv* paradoksalnie

↑ **paraffin(e)** Ⅲ *attr* parafinowy; ~ **wax** gacz parafinowy; parafina twarda

paraformaldehyde [pærəfɔ:ˈmældihaid] *s chem* paraformaldehyd

paragraphia [pærəˈgræfiə] *s med* paragrafia

paraldehyde [pəˈrældihaid] *s chem* paraldehyd

parallax [pærəˈlæks] *s fot* paralaksa

paramagnetism [pærəˈmægnətizəm] *s fiz* paramagnetyzm

paramilitary [pærəˈmilitəri] *adj* paramilitarny

↑ **parang** *s* ... maczeta

paranoiac [pærəˈnɔiæk] ① *adj* paranoiczny Ⅲ *s* paranoi-k/czka

paraphrast [ˈpærəfræst] *s* parafrazista

paraphysis [pəˈræfisis] *s bot* wstawka, bezpłodny strzępek grzybni

parapooch [ˈpærəpu:tʃ] *s wojsk* pies zrzucony na spadochronie na tyły wroga

parapsychology [‚pærəsaiˈkɔlədʒi] *s* parapsychologia

↑ **parasitic** *adj* ... *nukl* ~ **induction** indukcja pasożytnicza; ~ **neutron capture** wychwyt pasożytniczy neutronów

parasitically [pærəˈsitikəli] *adv* pasożytniczo

parastichy [pəˈræstiki] *s bot* skośnica

parasympathetic [‚pærəsimpəˈθetik] *adj fizj* parawspółczulny

parasynapsis [pærəsiˈnæpsis] *s biol* koniugacja chromosomów w profazie

pardonably [ˈpa:dənəbli] *adv* wybaczalnie

↑ **parent** Ⅲ *attr* ... rodzicielski; *nukl* ~ **nucleus** jądro macierzyste; ~ **nuclide** nuklid macierzysty; *wojsk* ~ **plane** samolot, z którego wystrzelono pocisk samosterowny

↑ **parental** *adj* ... *nukl* ~ **age** wiek reprodukcyjny

parentally [pəˈrentəli] *adv* rodzicielsko

parenteral [pəˈrentərəl] *adj med* pozajelitowy

parenthetically [‚pærenˈθetikəli] *adv* nawiasowo

paresthesia [‚pærəˈsθi:zjə] *s* = **paraesthesia**

paretic [pəˈretik] *adj med* dotknięty niedowładem

parget(t)ing [ˈpa:dʒətiŋ] *s bud* sztukateria

↑ **parhelion** *s* ... *lotn* słońce boczne

paritol [ˈpæritɔl] *s farm* lek przeciwzakrzepowy

↑ **parity** *s* 4. *nukl* parzystość; ~ **effect** efekt parzystości

↑ **parking** Ⅲ *attr* ~ **meter** licznik do mierzenia czasu postoju samochodu na parkingu

parkway [ˈpa:kwei] *s* autostrada widokowa

parlay [ˈpa:li, pa:ˈlei] *vt* 1. powiększyć; poszerzyć 2. wykorzystać (kogoś, coś) dla intratnego przedsięwzięcia

parlor [ˈpa:lə] *s am* = **parlour**

parochially [pəˈrəukiəli] *adv* 1. parafialnie 2. *przen* parafiańsko; małomiasteczkowo

parotic [pəˈrɔtik] *adj anat zool* przyuszny

paroxytone [pəˈrɔksitəun] *adj jęz* paroksytoniczny

parsec [ˈpa:sek] *s astr* parsek

parsimoniously [pa:siˈməuniəsli] *adv* 1. oszczędnie 2. skąpo

parsonsite [ˈpa:sənsait] *s miner* parsonsyt

↑ **part** Ⅴ *attr* ~ **music** muzyka na głosy

parthenogenesis [pa:θənəuˈdʒenisis] *s biol* partenogeneza; dzieworództwo

partially [ˈpa:ʃəli] *adv* 1. częściowo 2. stronniczo; z uprzedzeniem

↑ **participation** Ⅲ *attr radio tv* ~ **show** program, w którym współuczestniczy widownia

↑ **particle** Ⅲ *attr nukl* ~ **diffusion** ⟨**velocity**⟩ dyfuzja ⟨prędkość⟩ cząstki

particulate [pa:ˈtikjulit] *nukl* ① *attr* ~ **size distribution** granulometria Ⅲ *spl* ~s makrocząstki

partitively [ˈpa:titivli] *adv* cząstkowo

partridgeberry [ˈpa:tridʒ‚beri] *s bot* (*Mitchella repens*) północnoamerykańska odmiana borówki

↑ **party** Ⅲ *attr* partyjny

↑ **pass**[1] Ⅲ *vt* 8. ... *przen* **to** ~ **the buck** zrzucić odpowiedzialność Ⅲ *s* 10. kokieteryjne spojrzenie; *pot* **to make** ~**es at sb** kokietować ⟨podrywać⟩ kogoś; **he made** ~**es at her** on się do niej dowalał; on ją podrywał

passade [pəˈseid] *s* przejechanie (konia) tam i z powrotem na pewnym odcinku

passed [pa:st, *am* pæst] ① *zob* **pass**[1] *vt* Ⅲ *adj* 1. (*o czasie*) miniony 2. (*o egzaminie*) zdany 3. (*o uczniu, studencie*) przyjęty

passer [ˈpa:sə, *am* ˈpæsə] *s* przechodzień

passifloraceous [pæsiflɔ'reiʃəs] *adj bot* mę-
czennicowaty
passionately ['pæʃənitli] *adv* 1. namiętnie
2. ogniście; zapalczywie; porywczo; żarliwie
passively ['pæsivli] *adv* 1. biernie 2. *handl*
bank bezprocentowo
↑ pastoral ① *adj* 4. duszpasterski
pastrami [pə'stra:mi] *s kulin* wołowina (z
łopatki, wędzona i ostro przyprawiona)
↑ patch Ⓜ *attr med* ~ test próba plaster-
kowa (alergii)
patchily ['pætʃili] *adv* niejednolicie; róż-
norodnie; pstro; pstrokato; w łaty
↑ patchy *adj* ... łaciaty
paternalism [pə'tə:nəlizəm] *s* kierownictwo
⟨sposób rządzenia⟩ odznaczający się oj-
cowską troskliwością
↑ path Ⓜ *attr nukl* ~ length zasięg; długość przebiegu
pathetically [pə'θetikəli] *adv* 1. patetycznie
2. wzruszająco; rozrzewniająco 3. emo-
cjonalnie
↑ pathfinder *s* 3. *lotn* radar do nawigacji
przy braku widoczności
pathogen ['pæθədʒin] *s* patogen, czynnik
chorobotwórczy
pathologically [pæθə'lɔdʒikəli] *adv* patolo-
gicznie
patiently ['peiʃəntli] *adv* 1. cierpliwie 2.
wytrwale
patois ['pætwa:] *s fr* gwara
patriarchally [ˌpeitri'a:kəli] *adv* patriar-
chalnie
patriotically [pætri'ɔtikəli] *adv* patriotycz-
nie
↑ patrol Ⓜ *attr* ~ bomber wielosilnikowy
hydroplan bojowy
pattern-bomb ['pætən'bɔm] *vt* dokonać
zmasowanego ataku bombowego
patulously ['pætjuləsli] *adv* 1. (*rozwierać*
itd.) szeroko 2. (*o drzewie — rosnąć*)
rozłożyście
↑ paw ① *s* 4. *pl* ~s (*w futrzarstwie*) łapki
(karakułowe itd.)
↑ pay-load *s* 2. *lotn* głowica, zapalnik i
pojemnik pocisku
pay-off [pei'ɔf] ① *s* 1. wypłata (poborów)
2. dzień wypłaty 3. *sl* zakończenie; the
~ was that ... skończyło się na tym,
że ...; koniec końców ... Ⓜ *adj* 1. popłatny 2. decydujący; ostateczny Ⓜ *vi*
opłacać się, być opłacalnym
↑ pay-roll Ⓜ *attr* ~ deductions potrącenia z poborów
peabody ['pi:bɔdi] *attr zool* ~ bird wróbel
północnoamerykański *Zonotrichia albi-
collis*
peaceably ['pi:səbli] *adv* 1. spokojnie 2.
zgodnie; pojednawczo
peacefully ['pi:sfuli] *adv* 1. spokojnie 2.
pokojowo 3. pojednawczo
↑ peach² Ⓜ *attr* 2. brzoskwiniowy; *bot* ~
mildew (*Sphaerotheca pannosa*) mącz-
niak brzoskwini; *zool* ~ moth (*Dicho-

crosis puncti feralis*) motyl szkodnik
brzoskwiń
↑ peach-tree Ⓜ *attr zool* ~ borer (*Sanni-
noidea exitiosa*) motyl, szkodnik brzoskwiń i moreli w Ameryce Północnej
peaker ['pi:kə] *attr nukl* ~ strip detektor
zmiany kierunku pola
↑ pear Ⓜ *attr* gruszowy; *bot* ~ rust
(*Gymnosporangium sabinae*) rdza gru-
szowa; ~ scab (*Venturia pyrina*) parch
gruszowy; *zool* ~ thrips (*Taeniothrips in-
consequences*) wciornastek owocowiec; ~
weevil (*Magdalis barbicornis*) wałczyk
↑ pearl¹ Ⓜ *attr* ... *bot* ~ millet (*Pennise-
tum glaucum*) proso perłowe
peascod, peasecod ['pi:zkɔd] *s* strączek
grochu
peccable ['pekəbl] *adj* 1. grzeszny 2. omyl-
ny
pedagogically [pedə'gɔdʒikəli] *adv* pedago-
gicznie
↑ pedal Ⓜ *attr* ~ pushers rybaczki (spodnie damskie)
pedalfer [pi'dælfə] *s roln* gleba z pozio-
mem nagromadzenia tlenków glinu i żelaza
pedantically [pi'dæntikəli] *adv* pedantycznie
pedate ['pedeit] *adj bot* (*o liściu*) palczasty
peddler ['pedlə] *s* = pedlar
peddlery ['pedləri] *s* = peddling *s*
pediatrician [ˌpediə'triʃən], pediatrist ['pe-
diətrist] *s* pediatra
pedicab ['pedikæb] *s* trycykl z budką
pediculosis [ˌpedikju'ləusis] *s med* wsza-
wica
pedicure ['pedikjuə] *s* pedicure
pedocal ['pedəkəl] *s roln* gleba z pozio-
mem nagromadzenia węglanów
pedological [ˌpedə'lɔdʒikəl] *adj* gleboznaw-
czy
pedologist [pi'dɔlədʒist] *s* gleboznawca
pedology [pi'dɔlədʒi] *s* gleboznawstwo
↑ peel¹
~ off *vi lotn* odłączyć się (od grupy)
peerlessly ['piəlisli] *adv* niezrównanie
peetweet ['pi:twi:t] *s zool* północnoamerykański brodziec *Actitis macularia*
peevishly ['pi:viʃli] *adv* 1. zrzędnie 2. ze
złością; z irytacją
Pegasus ['pegəsəs] *spr mitol* Pegaz
pejoratively ['pi:dʒɔrətivli] *adv* pejora-
tywnie; w ujemnym znaczeniu
pelargonic [pelə'gɔnik] *adj chem* (*o kwasie*) pelargonowy
pelite ['pi:lait] *s miner* pelit
pellet(ize) ['pelit(aiz)] *vt roln* preparować
nasiona ⟨ziarno⟩ przez stosowanie hor-
monów rozwojowych, środków owado-
bójczych i nawozów sztucznych dla zapewnienia dobrych plonów
pellucidly [pə'lju:sidli] *adv* 1. przezroczyście 2. jasno; zrozumiale
↑ penalty Ⓜ *attr* ... ~ rate wyższa stawka
płac
penetrance ['penitrəns] *s* 1. *biol* penetracja

(stopień przejawiania się genu) 2. *nukl* przenikalność; przenikanie; przepuszczalność

↑ **penetrating** ⟨Ⅲ⟩ *adj* 1. ... *nukl* ~ **component** ⟨shower⟩ składowa ⟨ulewa⟩ przenikliwa; ~ **radiation** promieniowanie przenikliwe ⟨twarde⟩

penetrometer [peni'trɔmitə] *s nukl* penetrometr

penicillium [peni'siliəm] *s bot* pleśń *Penicillium notatum*

pensively ['pensivli] *adv* 1. w zamyśleniu; w zadumie 2. melancholijnie

pentaerythritol [pentə'riθritɔl] *s chem* pentaerytryt

pentaploidy [‚pentə'plɔidi] *s nukl* pentaploidalność

pentose ['pentəuz] *s chem* pentoza

penuriously [pi'njuəriəsli] *adv* 1. ubogo 2. skąpo 3. jałowo

peppergrass ['pepəgrɑːs, *am* 'pepəgræs] *s* = **pepperwort**

pepsinogen [pep'sinədʒen] *s biochem* pepsynogen

peptides ['peptaidz] *spl biochem* peptydy

peptization [peptai'zeiʃən] *s chem* peptyzacja

peptonize ['peptənaiz] *vt* peptonizować

perastadics [perə'stædiks] *s* nauka o lotach kosmicznych

perborate [pə'bɔːreit] *s chem* nadtlenoboran

perbuman ['pəːbjumən] *s techn* nazwa gumy syntetycznej

perceivably [pə'siːvəbli] *adv* dostrzegalnie

percent [pə'sent] *s* procent

↑ **percentage** ⟨Ⅲ⟩ *attr* procentowy; ~ **loss** straty w procentach; *handl* ~ **shop** zakład pracy zatrudniający pewną liczbę członków związku zawodowego tytułem rekompensaty za zatrudnianie pracowników nie należących do związku

perceptibly [pə'septibli] *adv* dostrzegalnie

perceptively [pə'septivli] *adv* 1. *filoz* spostrzeżeniowo; percepcyjnie 2. spostrzegawczo

percoid ['pəːkɔid] *adj zool* okoniowaty

↑ **percolation** ⟨Ⅲ⟩ *attr* filtracyjny; *nukl* ~ **leaching** ługowanie filtracyjne

percussionist [pə'kʌʃənist] *s muz* perkusista

perdurably [pə:'djuərəbli] *adv* trwale; wiecznie

peremptorily [pə'remptərili] *adv* rozkazująco; nakazująco; apodyktycznie; stanowczo; bezapelacyjnie; ostatecznie; nieodwołalnie

perennially [pə'renjəli] *adv* 1. trwale 2. wiecznie

perfective [pə'fektiv] *adj* 1. doskonalący; udoskonalający 2. *gram* perfektywny; dokonany

perfectively [pə'fektivli] *adv* 1. udoskonalająco 2. *gram* perfektywnie

perfidiously [pə'fidiəsli] *adv* wiarołomnie; zdradziecko; perfidnie

↑ **performance** ⟨Ⅲ⟩ *attr med* ~ **test** badanie inteligencji na podstawie wykonywania poleconych czynności

perfunctorily [pə'fʌŋktərili] *adv* 1. pobieżnie; powierzchownie 2. niedbale

periblem ['peribləm] *s bot* peryblem, meristem wierzchołkowy

pericarditis [perika:'daitis] *s med* zapalenie osierdzia

perichondrium [peri'kɔndriəm] *s anat* ochrzęstna

Periclean [‚peri'kliən] *adj* peryklesowski

Pericles ['perikliːz] *spr* Perykles

pericline ['periklain] *s miner* peryklin

pericycle ['perisaikl] *s bot* perycykl

periderm ['peridəːm] *s bot* peryderma

peridium [pə'ridiəm] *s bot* (*u grzybów*) otoczka; okrywa

peridotite [‚peri'dəutait] *s miner* perydotyt

periginium [peri'dʒiniəm] *s bot* 1. pęcherzyk; mieszek 2. otoczka

perigynous [pə'ridʒinəs] *adj bot* okołozalążnikowy

perinephrium [‚peri'nefriəm] *s anat* okołonercze

perineuritis [‚perinju'raitis] *s med* zapalenie onerwia

perineurium [‚peri'njuəriəm] *s anat* onerwie

↑ **period** ⟨Ⅰ⟩ *s* 1. ... *nukl* ~ **of a radioactive element** okres połowicznego zaniku ⟨Ⅲ⟩ *attr* ... **film** ~ **hound** tropiciel anachronizmów w filmach historycznych ‖ *nukl* ~ **meter** miernik okresu

↑ **periodic**[1] *adj* 1. ... *chem* ~ **law** ⟨system⟩ układ okresowy ⟨Mendelejewa⟩

periodically [piəri'ɔdikəli] *adv* periodycznie; okresowo; cyklicznie

periotic [peri'ɔtik] *adj anat* okołouszny

perissodactyl [pə'risəu‚dæktil] *adj zool* nieparzystokopytny

peristasis [pe'ristəsis] *s biol* perystaza

peristome ['peristəum] *s* 1. *zool* perystom 2. *bot* (*u mchów*) ozębnia

peritectic [peri'tektik] *adj* perytektyczny

perithecium [peri'θiːʃiəm] *s bot* peritecjum, otocznia

Peritricha [pe'ritrikə] *spl zool* wkołorzęse

permafrost ['pəːməfrɔst] *s geogr* zmarzlina

↑ **permanent** *adj* 2. *nukl* ostateczny; ~ **disposal of wastes** usuwanie ostateczne odpadów; ~ **storage** składowanie ostateczne

permissibly [pə'misibli] *adv* dopuszczalnie

↑ **permissive** *adj* 4. (*o społeczeństwie*) pobłażliwy (dla młodzieży w sprawach obyczajowych)

permissively [pə'misivli] *adv* 1. przyzwalająco; zezwalająco 2. w sposób dozwolony 3. pobłażliwie

perniciously [pə'niʃəsli] *adv* szkodliwie; zgubnie

peroneal [‚perə'niəl] *adj anat* strzałkowy

Peronista [perə'nistə] *s polit* peronista

perpendicularly [pə:pən'dikjuləli] adv 1. prostopadle 2. pionowo

perpetually [pə'petjuəli] adv 1. wiecznie 2. bezustannie; wciąż

persalts [pə'sɔːlts] spl chem sole nadtlenowe; nadsole

Perseus ['pə:sju:s, 'pə:siəs] spr mitol Perseusz

perseveringly [pə:si'viəriŋli] adv wytrwale ↑ Persian [] adj ... ~ lamb karakuł

persistently [pə'sistəntli] adv 1. wytrwale 2. uporczywie 3. trwale

↑ personnel [] attr ~ audit okresowe sprawdzanie polityki personalnej pracodawcy; ~ department dział kadr; ~ management kierownictwo personalne

persorption [pə:'sɔːpʃən] s fiz chem pochłanianie (gazu) przez ciało stałe

perspicaciously [pə:spi'keiʃəsli] adv bystro; przenikliwie; mądrze; przewidująco

perspicuously [pə'spikjuəsli] adv jasno; wyraźnie; dobitnie; zrozumiale

persulphuric [pə:səl'fju:rik] adj chem nadsiarkowy

pertinaciously [pə:ti'neiʃəsli] adv uparcie; zawzięcie; uporczywie

pertinently ['pə:tinəntli] adv 1. stosownie; trafnie; słusznie 2. w związku (to the matter in hand z omawianą sprawą, z tematem)

pertly ['pə:tli] adv zuchwale; impertynencko

pertussis [pə:'tʌsis] s med ·koklusz; krztusiec

per-unit [pə'ju:nit] adj jednostkowy; nukl ~ energy cost koszt jednostkowy energii

perversely [pə:'və:sli] adv 1. przewrotnie 2. uparcie; przekornie 3. perwersyjnie

pessimal ['pesiməl] adj najgorszy

pessimistically [pesi'mistikəli] adv pesymistycznie

pessimum ['pesiməm] s (pl pessima ['pesimə]) najgorsze; najgorszy stan

pesthole ['pesthəul] s siedlisko zarazy

pesticide ['pestisaid] s pestycyd

petalody ['petələdi] s bot przekształcenie pręcików w płatki

petalous ['petələs] s bot mający płatki

petcock ['petkɔk] s techn mały kurek (spustowy, odpowietrzający itd.)

petiolate ['petiəleit] adj bot szypułkowaty

petrochemical [,petrəu'kemikl] adj petrochemiczny

petrochemistry [,petrəu'kemistri] s petrochemia

petrology [pe'trɔlədʒi] s petrologia

petrosal [pi'trəusəl] adj anat skalisty; odnoszący się do kości skalistej

pettily ['petili] adv 1. drobno 2. małostkowo; małodusznie; ciasno

pettishly ['petiʃli] adv drażliwie; w rozdrażnieniu: z rozdrażnieniem

petulantly ['petjuləntli] adv 1. w rozdrażnieniu; z rozdrażnieniem 2. drażliwie

pewit ['pi:wit, 'pju:it] s = phoebe ↑

peyote [pei'jəuti] s bot kaktus Laphophora williamsi

pH ['pi:'eitʃ] chem [] s symbol stężenia jonów wodorowych oraz stopnia kwasoty [] attr pH meter przyrząd do mierzenia kwasoty i alkaliczności roztworów

phagocytosis [,fægəusai'təusis] s med fagocytoza

phallicism ['fælisizəm] s kult faliczny

pharisaically [,færi'zeikəli] adv faryzeuszowsko

pharmaceutically [,fɑ:mə'sjutikəli] adv farmaceutycznie; aptekarsko

pharmacological [,fɑ:məkə'lɔdʒikl] adj farmakologiczny

pharmacologically [,fɑ:məkə'lɔdʒikəli] adv farmakologicznie

pharyngoscopy [færiŋ'gɔskəpi] s med wziernikowanie gardła

↑ phase [] attr nukl fazowy; ~ velocity prędkość fazowa [] vt dzielić na okresy

phasotron ['feizətrɔn] s nukl fazotron

phelloderm ['feladə:m] s bot felloderma

phellogen ['feladʒin] s bot fellogen; miazga korkorodna

phenanthrene [fi'nænθri:n] s chem fenantren

phenazine ['fenəzi:n] s chem fenazyna

phenetidine [fi'netidi:n] s chem fenetydyna

phenetole ['fenitəul] s chem fenetol

phenobarbital [,fi:nəu'ba:bitəl] s farm luminal; gardenal

phenolate ['fi:nəleit] s chem fenolan

phenolics [fi'nɔliks] spl fenoplasty

phenolize ['fi:nəlaiz] vt med poddawać działaniu fenolu

phenolphthalein [,fi:nɔl'fθæliin] s chem fenolftaleina

phenomenalism [fi'nɔminəlizəm] s filoz fenomenalizm

phenomenally [fi'nɔminəli] adv 1. fenomenalnie 2. niezwykle 3. zjawiskowo

phenomenology [fi,nɔmi'nɔlədʒi] s filoz fenomenologia

phenotype ['fi:nətaip] s biol fenotyp

phenoxide [fi'nɔksaid] s = phenolate ↑

phenylbutazene [fenil'bju:təzi:n] s chem lek przeciwreumatyczny

phenylene ['fenili:n] s chem fenylen

philodendron [filɔ'dendrɔn] s bot filodendron

philosophism [fi'lɔsəfizəm] s filozofizm

phlebitis [fli'baitis] s med zapalenie żył

phlogiston [flɔ'dʒistɔn] s flogiston

phlogopite ['flɔgəpait] s miner flogopit

phlor(h)izin ['flɔrizin] s chem florydzyna

phlyctena [flik'ti:nə] s med pryszczyk; pęcherzyk po oparzeniu

phobia ['fəubiə] s lęk; fobia

phocine ['fəusain] adj zool foczy

phoebe ['fi:bi] s zool północnoamerykańska muchołówka z rodzaju Sayornis

Phonevision [,fəuni'viʒən] s 1. system szyfrowanych programów telewizyjnych wyłącznie dla subskrybentów 2. zapewniający dobry odbiór system nadawania programów przez tv i radio

phonogenic [ˌfəunəu'dʒenik] adj posiadający miły głos

phonogram ['fəunəgræm] s znak fonograficzny

phonolite ['fəunəlait] s miner fonolit

phonon ['fəunɔn] s nukl fonon

phonophile ['fəunəfail] s zbieracz płyt gramofonowych

phonophobia [ˌfəunə'fəubiə] s lęk przed dźwiękami

phonoscope ['fəunəskəup] s fonoskop

phosphatases [fɔsfə'teisi:z] s biochem fosfatazy

phosphatic [fɔs'fætik] adj fosfatowy

phosphine ['fɔsfi:n] s chem fosforiak, fosforowodór, fosfina

phosphonium [fɔs'fəuniəm] s chem fosfon

phosphoproteins [ˌfɔsfəu'prəutiinz] spl biochem fosfoproteiny

phosphor ['fɔsfɔ:] s 1. chem fosfor 2. masa świecąca

phosphorism ['fɔsfərizəm] s med przewlekłe zatrucie fosforem

phosphorylases [fɔs'fɔrileisiz] spl biochem fosforylazy

phosphuranylite [ˌfɔsfju'rænilait] s miner fosfuranilit

phosphuret(t)ed [ˌfɔsfə'reitid] adj na/fosforowany

photic ['fɔtik] adj 1. świetlny 2. świecący 3. przenikalny dla światła

photoactinic [ˌfəutəuæk'tinik] adj wysyłający promienie świetlne

photocathode [ˌfəutəu'kæθəud] s nukl fotokatoda

photochromatic [ˌfəutəukrə'mætik] adj fotochromatyczny

photocomposer [ˌfəutəkəm'pəuzə] s druk fotosetter

photodisintegration [ˌfəutəudisˌinti'greiʃən] s nukl fotorozpad

photodrama [ˌfəutəu'dra:mə] s = **photoplay**

photoelectric [ˌfəutəu-i'lektrik] adj fiz fotoelektryczny

photoelectron [ˌfəutəu-i'lektrɔn] s fotoelektron

photoemission [ˌfəutəu-i'miʃən] s fotoemisja

photofission [ˌfəutəu'fiʃən] s nukl fotorozszczepienie

photoflash ['fəutəuˌflæʃ] attr fot ~ **lamp** flesz

photogene [ˌfəutəu'dʒi:n] s powidok

photogrammetry [ˌfəutəu'græmitri] s fotogrametria

photoionization [ˌfəutəuˌaiənai'zeiʃən] s nukl fotojonizacja

photokinesis [ˌfəutəuki'ni:sis] s fotokineza

photolysis [fəu'tɔlisis] s fotoliza

photomacrograph [ˌfəutəu'mækrəgra:f] s zdjęcie fotomakrograficzne

photomeson [ˌfəutəu'mi:sən] s nukl fotomezon

photomicrograph [ˌfəutəu'maikrəgra:f] s fotomikrografia; zdjęcie fotomikrograficzne

photomontage [ˌfəutəumɔn'ta:ʒ] s fotomontaż

photon ['fəutɔn] fiz ☐ s foton ☐ attr ~ **absorption** pochłanianie fotonów; ~ **energy** ⟨spin⟩ energia ⟨spin⟩ fotonu

photoneutron [ˌfəutəu'nju:trɔn] s nukl fotoneutron

photonuclear [ˌfəutəu'nju:kliə] adj nukl fotojądrowy

photo-offset [ˌfəutəu'ɔfset] s druk fotooffset

photophilous [fəu'tɔfiləs] s światłolubny

photophobia [ˌfəutəu'fəubiə] s med światłowstręt

photoproduction [ˌfəutəuprə'dʌkʃən] s nukl fotoemisja

photoproton [ˌfəutəu'prɔtɔn] s nukl fotoproton

photosensitive [ˌfəutəu'sensitiv] adj światłoczuły

phototaxis [ˌfəutə'tæksis] s fototaksja

phototherapy [ˌfəutə'θerəpi] s med światłolecznictwo

phototransistor [ˌfəutətræn'zistə] s fiz fototranzystor

phototropic [ˌfəutə'trɔpik] adj biol fototropiczny

phototropism [ˌfəutə'trɔpizəm] s biol fototropizm

phototube ['fəutətju:b] s elektr fotonówka

phototypography [ˌfəutəti'pɔgrəfi] s druk fototypografia

phrasal ['freizl] adj frazowy; zwrotowy; wyrażeniowy

phrase-marker ['freiz'ma:kə] s jęz znacznik zdaniowy ⟨frazowy⟩

phraseogram ['freiziəgræm] s symbol ⟨znak⟩ (stenograficzny) zastępujący zwrot ⟨wyrażenie⟩

↑ **phraseology** s 2. język fachowy 3. piękne słowa; czcza gadanina

phthiocol ['fθaiəkɔl] s biochem fillochinon, witamina K

Phycomycetes [ˌfaikəumai'si:ti:z] spl bot glonowce

phyletic [fai'letik] adj rasowy; gatunkowy; filogenetyczny

phylloclade ['filəkleid] s bot spłaszczona gałąź; gałęziak

phyllode ['filəud] s bot ogonek przekształcony w liść

phyllotaxis [ˌfilə'tæksis], **phyllotaxy** [ˌfilə'tæksi] s układ liści na łodydze

↑ **physical** adj 1. ... ~ **therapy** fizjoterapia; przyrodolecznictwo

physically ['fizikəli] adv 1. fizycznie; fizykalnie 2. cieleśnie; fizycznie

physiologically [ˌfiziə'lɔdʒikəli] adv fizjologicznie

physiotherapy [ˌfiziə'θerəpi] s fizjoterapia

physostigmine [ˌfaisəu'stigmi:n] *s chem* fizostygmina; eseryna

phytin ['faitin] *s biochem farm* fityna

phytogenic [ˌfaitəu'dʒenik] *adj* fitogeniczny

phytohormone [ˌfaitəu'hɔ:məun] *biochem* Ⅰ *s* hormon roślinny Ⅲ *attr* ~ **damage** uszkodzenie hormonu roślinnego

phytoserology [ˌfaitəusə'rɔlədʒi] *s* serologia roślin

phytosociology [ˌfaitəuˌsəuʃi'ɔlədʒi] *s biol* fitosocjologia; socjologia roślin

piceous ['pisiəs] *adj* smołowaty; czarny jak smoła

pickling ['piklіŋ] Ⅰ *zob* **pickle¹** *vt* Ⅲ *s* 1. *kulin* marynowanie 2. *nukl* trawienie

↑ **pick-up** Ⅲ *attr nukl* ~ **loop** cewka pomiarowa

picrate ['pikreit] *s chem* pikrynian

↑ **picture** Ⅲ *attr tv* ~ **resolution** jasność obrazu

piece-dyed ['pi:sdaid] *adj (o tkaninie)* farbowany po utkaniu

pieridine [pai'eridain] *adj zool* bielinkowaty

↑ **pig¹** Ⅲ *attr hut* surówkowy; ~ **bed** podłoga hali rozlewniczej przed wielkim piecem

pigfish ['pigfiʃ] *s zool* nazwa wielu rozmaitych ryb, np. *Orthopristis chrysopterus* z południowego brzegu Atlantyku w Stanach Zjednoczonych

piggishly ['pigiʃli] *adv* 1. wstrętnie; brudno; niechlujnie; *sl* po świńsku 2. ordynarnie 3. żarłocznie 4. uparcie 5. samolubnie

pika ['paikə] *s zool* nazwa kilku gryzoni Ameryki Północnej, np. *Ochotona princeps*

↑ **pike¹** Ⅲ *attr zool* szczupakowaty; ~ **perch** sandacz amerykański *Stizostedion vitreum*

pilbarite ['pilbərait] *s miner* pilbaryt

↑ **pile¹** Ⅲ *attr nukl* reaktorowy; ~ **period** ⟨**poisoning**⟩ okres ⟨zatrucie⟩ reaktora

pileated ['pailieitid] *adj zool* czubaty; ~ **woodpecker** dzięcioł północnoamerykański *Ceophloeus pileatus*

pileous ['pailiəs] *adj* owłosiony; włochaty

piliform ['pilifɔ:m] *adj* włosowaty

piling ['pailіŋ] Ⅰ *zob* **pile²** *vt* Ⅲ *s* palowanie; *zbior* pale

↑ **pilot** Ⅲ *attr* 1. próbny; ~ **product** próbny produkt 2. kontrolny; ~ **lamp** lampka kontrolna

pilotless ['pailətlis] *adj lotn* bezzałogowy

pimola [pi'məulə] *s kulin* oliwka z pimentowym nadzieniem

piña ['pi:niə] *s* 1. ananas 2. napój ananasowy

pinaceous [pai'neiʃəs] *adj bot* sosnowaty

pinacoid ['pinəkɔid] *s (w krystalografii)* dwuścian

↑ **pinch** Ⅲ *s* 5. *nukl* skurcz Ⅳ *attr nukl* skurczowy; ~ **discharge** wyładowanie

skurczowe; ~ **instability** niestabilność skurczu

↑ **pinched** *adj* 3. *fiz (o gazie)* sprężony; ~ **gas discharge** wyładowanie w gazie sprężonym

↑ **pine¹** Ⅲ *attr* ... ~ **needle** igła sosnowa; *zool* ~ **grosbeak** zięba *Pinicola enucleator*; ~ **siskin** zięba północnoamerykańska *Spinus pinus*; ~ **warbler** amerykańska gajówka *Dendroica pinus*

pinfish ['pinfiʃ] *s zool* okoniokształtna ryba amerykańska *Lagdon rhomboides*

↑ **pink¹** Ⅲ *adj* 2. *(także* ~**o)** ... komunizujący

pinkster ['piŋkstə] *attr bot* ~ **flower** *(Azalea nudiflora)* dzika azalia

pinna ['pinə] *s* 1. *bot* listek liścia pierzastego 2. *anat* małżowina uszna

pinnatifid [pi'nætifid] *adj bot* pierzastowrębny

pinnatipartite [pi'nætipa:tait] *adj bot* pierzastosieczny

pinnatisect [pi'nætisekt] *adj bot* pierzastodzielny

piñon ['pinjən] *s* 1. *bot* sosna amerykańska 2. jadalne nasiona sosny amerykańskiej

↑ **pinpoint** Ⅲ *attr* 2. dokładny, precyzyjny

pinta ['pintə] *s med* treponematoza

↑ **pinto** Ⅲ *attr bot* ~ **bean** fasola *Phaseolus vulgaris*

pinweed ['pinwi:d] *s bot* roślina z posłonkowatego rodzaju *Lechea*

pinworm ['pinwə:m] *s zool (Enterobius vermicularis)* owsik

pion ['paiɔn] *s nukl* pion

↑ **pip²** *s* 6. radar

↑ **pipe** Ⅰ *s* 14. *nukl* rura; jama usadowa

piperaceous [ˌpipə'reiʃəs, paipə'reiʃəs] *adj bot* pieprzowaty

piperidine [pi'peridi:n, 'pipərədi:n] *s chem* piperydyna

piperine ['pipəri:n] *s chem* piperyna

piperonal ['pipərənəl] *s chem* piperonal; heliotropina

pipestem ['paipstem] *s* cybuch

pipsissewa [pip'sisəwə] *s* 1. *bot (Chimaphila umbellata)* pomocnik baldaszkowaty 2. *farm* liście pomocnika baldaszkowatego

↑ **piston** Ⅲ *attr techn* tłokowy; ~ **ring** pierścień tłokowy

pit² [pit] *s am* pestka (owocu)

pita ['pi:tə] *s* włókno (agawy i innych roślin) używane do wyrobu lin itp.

↑ **pitch²** Ⅲ *s* 13. cel; sytuacja; **what's the** ~? o co właściwie chodzi? Ⅳ *attr techn* podziałowy; ~ **circle** **(line)** koło podziałowe (w kole zębatym)

piteously ['pitiəsli] *adv* żałośnie; nędznie

pithily ['piθili] *adv* 1. jędrnie 2. soczyście 3. treściwie: zwięźle

pitiably ['pitiəbli] *adv* żałośnie; nędznie; w sposób godny pożałowania

pitifully [ˈpitifuli] *adv* 1. litościwie 2. żałośnie; nędznie

pitilessly [ˈpitilisli] *adv* bezlitośnie; niemiłosiernie

Pitot [ˈpi:təu] *spr attr lotn* ~ **tube** rurka Pitota; rurka aerodynamiczna

pitter-patter [ˈpitəˈpætə] *s* tupotanie

pittinite [ˈpitinait] *s miner* pittynit

pityriasis [pitiˈraiəsis] *s med* grzybicza choroba skóry

pix [piks] *s sl* 1. zdjęcie 2. obraz

pizza [ˈpi:tsə] *s kulin* pizza (potrawa włoska)

placably [ˈpleikəbli] *adv* dobrotliwie; wyrozumiale

placatory [ˈplækətəri] *adj* pojednawczy

↑ **place** III *attr* miejscowy; lokalny; *sport* ~ **kick** wykop z miejsca

placement [ˈpleismənt] *s* 1. umieszcz-enie/anie; u/lokowanie; postawienie/stawianie; położenie/kładzenie; posadzenie/sadzanie 2. zatrudni-enie/anie (pracowników) 3. położenie; pozycja 4. *ekon* lokata (kapitału) 5. *sport* ustawienie piłki do wykopu z miejsca

placentation [plæsənˈteiʃən] *s* 1. *anat zool* ustalenie się łożyska 2. *bot* układ łożysk zalążni

placidly [ˈplæsidli] *adv* łagodnie; spokojnie; pogodnie

plagiotropism [ˌpleidʒiəˈtrɔpizəm] *s bot* plagiotropizm

plaguily [ˈpleigili] *adv pot* nieznośnie; diabelsko; cholernie

plaintively [ˈpleintivli] *adv* żałośnie; płaczliwie

planarian [pləˈnεəriən] *s zool* wirek

planchet [ˈplæntʃit] *s nukl* krążek

↑ **plane**³ III *attr* ~ **table** stolik topograficzny ⟨mierniczy⟩

planer [ˈpleinə] *attr bot* ~ **tree** wiązowate drzewo amerykańskie *Planera aquatica*

planet³ [ˈplænit] *s* (*także* ~ **wheel**) *techn* koło obiegowe (w przekładni obiegowej)

planet-struck [ˈplænitstrʌk], **planet-stricken** [ˈplænitˈstrikən] *adj* 1. oszołomiony 2. przerażony

planform [ˈplænfɔ:m] *s lotn* obrys (skrzydła)

planner [ˈplænə] *s* planista

↑ **plant**¹ III *attr* ... ~ **warfare** wojna chemiczna niszcząca roślinność na terenie nieprzyjaciela || (*w czasie II wojny światowej*) ~ **shopper** pracownik wyznaczony przez pracodawcę do dokonywania zakupów dla całego personelu

plant² [plɑ:nt, *am* plænt] *s* człowiek zdobywający zaufanie przestępcy dla uzyskania od niego informacji o dokonanym czynie; *pot* kapuś

↑ **plasma** I *s* 3. *fiz* plazma III *attr* ~ **dynamics** ⟨**physics, radiation**⟩ dynamika ⟨fizyka, promieniowanie⟩ plazmy

plasmagene [ˈplæsmədʒi:n] *s biol* plasmogen

plasminogen [plæsˈminədʒin] *s biochem* plazminogen

plasmoderma [plæsməˈdə:mə] *s biol* plazmoderma

plasmolysis [plæzˈmɔlisis] *s bot* plazmoliza

plasmosome [ˈplæzməsəum] *s biol* 1. jąderko (komórki) 2. ziarnistość Altmana

plasticizer [ˈplæstisaizə] *s* zmiękczacz, plastyfikator

plastid [ˈplæstid] *s biol* plastyd

plastilock [ˈplæstilɔk] *s* nazwa syntetycznego cementu

plastogene [ˈplæstədʒi:n] *s biol* gen przenoszony za pośrednictwem plastydów

↑ **plate** III *attr nukl* półkowy; ~ **spacing** odstęp półek

↑ **plateau** *s* 3. stan trwały 4. *nukl* plateau

platelet [ˈpleitlit] *biol* I *s* trombocyt III *attr* ~ **count** liczba trombocytów

↑ **platform** I *s* 6. podest 7. sztuczny satelita Ziemi do celów pomiarowych, łączności i elektroniki

platiniridium [ˌplætiniˈridiəm] *s techn* platynoiryd

platinoid [ˈplætinɔid] *s* stop z grupy Cu-Zu-Ni-W

platonize [ˈpleitənaiz] *vt vi filoz* platonizować

Platyhelminthes [plætiˈhelminθi:z] *spl zool* taśmowce

plausibly [ˈplɔ:zibli] *adv* 1. wiarogodnie, wiarygodnie 2. z pozorami prawdziwości 3. (*zachowywać się*) obleśnie

↑ **playback** I *s* 2. *film tv* playback III *attr* ~ **machine** = **turntable** 3. ↑

playdown [ˈpleidaun] *s sport* dogrywka

playfully [ˈpleifuli] *adv* 1. figlarnie; filuternie; swawolnie; wesoło 2. żartobliwie

pleasantly [ˈplezəntli] *adv* przyjemnie; mile

pleasingly [ˈpli:ziŋli] *adv* przyjemnie; mile; sympatycznie; ujmująco

plectognath [ˈplektɔgnæθ] *s zool* ryba zrosłoszczęka

plectron [ˈplektrən] *s muz* plektron

pleiotropism [plaiəˈtrɔpizəm] *s biol* plejotropizm

plenteously [ˈplentiəsli] *adv poet* obficie; w obfitości

pleochroic [pliəˈkrɔik] *adj* wielobarwny; pleochroiczny

pleochroism [pliəˈkrɔizəm] *s miner* pleochroizm

pleonastically [pliəˈnæstikəli] *adv* pleonastycznie

↑ **plethoric** *adj* 2. nadmierny

plethorically [pleˈθɔrikəli] *adv* 1. nadmiernie 2. *med* krwiście

↑ **pleurisy** III *attr bot* ~ **root** amerykańska roślina trojeściowata *Asclepias tuberosa*

pleurodynia [ˌpluræuˈdiniə] *s med* ból opłucnowy

pleuston [ˈplu:stɔn] *s biol* pleuston

plexiglass [ˈpleksiglɑ:s, *am* ˈpleksiglæs] *s* **pleksiglas**

pliantly ['plaiəntli] *adv* 1. giętko 2. podatnie 3. zgodliwie

pliobond [plaiə'bɔnd] *s techn* nazwa syntetycznego cementu

ploidy ['plɔidi] *s biol* ploidia

plow [plau] *s vt vi am* = **plough**

pluckily ['plʌkili] *adv* śmiało; odważnie; dzielnie; zuchowato

↑ **plug** Ⓘ *s* 12. forsowna reklama; dodatnie ⟨korzystne⟩ reklamowanie 13. *radio tv* wstawka reklamowa w programie 14. *pot* bubel, buble Ⓘ *vt vi* 6. forsownie reklamować

↑ **plummet** Ⓘ *vi* 1. s/paść 2. nurkować

plumply ['plʌmpli] *adv* pulchnie; zażywnie

plunderage ['plʌndridʒ] *s* 1. grabież; plądrowanie; rabunek 2. (*w prawie morskim*) przywłaszczanie sobie towaru na statku 3. łup

plunging ['plʌndʒiŋ] Ⓘ *zob* **plunge** *v* Ⓘ *adj wojsk* ~ **fire** ogień ze stanowiska wyżej położonego niż cel; ~ **neckline** głęboki trójkątny dekolt

plurally ['pluərəli] *adv* w liczbie mnogiej

↑ **plush** Ⓘ *adj sl* szykowny

↑ **plutonium** Ⓘ *attr* (*o reaktorze itd.*) plutonowy

plutons ['plu:tɔnz] *spl geol* plutonity

pluvious ['plu:viəs] *adj* deszczowy

↑ **pneumatics** *spl* ... (nauka o własnościach fizycznych gazów)

pneumatology [ˌnju:mə'tɔlədʒi] *s filoz* pneumatologia; wiara w duchy

pneumatolysis [ˌnju:mə'tɔlisis] *s geol* pneumatoliza

pneumatophore [ˌnju:mətə'fɔ:] *s* 1. *bot* korzeń oddechowy 2. *zool* pneumatofor

pneumococcus [ˌnju:mə'kɔkəs] *s med* pneumokok

pneumodynamics [ˌnju:məudai'næmiks] *s* = **pneumatics**

pneumogastric [ˌnju:mə'gæstrik] *adj* żołądkowo-płucny

pneumonectomy [ˌnju:mə'nektəmi] *s med* wycięcie tkanki płucnej

poaceous [pəu'eiʃəs] *adj bot* trawiasty

pocky ['pɔki] *adj* dziobaty (po ospie)

podiatry ['pɔdiətri] *s med* leczenie wad i chorób stóp

podophyllum [pɔdə'filəm] *s farm* kłącze stopkowca tarczowatego

podsol ['pɔdsɔl] *s roln* bielica

podsolization [ˌpɔdsɔlai'zeiʃən] *s roln* proces bielicowania (gleby)

podzol ['pɔdzɔl] *s* = **podsol**

↑ **poet** *s* ... ~ **laureate** a) (*w Wielkiej Brytanii*) poeta nadworny b) (*w Stanach Zjednoczonych*) poeta narodowy c) † wybitny poeta

pogonia [pɔ'gɔniə] *s bot* orchidea z rodzaju *Pogonia*

pogy ['pəugi] *s zool* 1. = **menhaden** 2. (*Holconotus rhodoterus*) amerykańska odmiana okonia

poinciana [ˌpɔinsi'einə] *s bot* 1. roślina z rodzaju *Poinciana* 2. drzewo Madagaskaru *Delionix regia* obecnie uprawiane na wielką skalę dla jego kwiatów

poinsettia [pɔin'setiə] *s bot* (*Euphorbia pulcherrima*) poinsecja, wilczomlecz piękny

↑ **point** *s* 2. ... **Point Four** program rządu Stanów Zjednoczonych pomocy technicznej dla krajów słabo rozwiniętych Ⓘ *attr* 2. ostrzowy; *nukl* punktowy; ~ **mutation** (**particle, singularity**) mutacja ⟨cząstka, właściwość⟩ punktowa

pointedly ['pɔintidli] *adv* 1. sarkastycznie; uszczypliwie; zjadliwie; zgryźliwie 2. dosadnie; niedwuznacznie; wyraźnie

pointlessly ['pɔintlisli] *adv* 1. bezsensownie 2. bez związku z tematem; ni w pięć, ni w dziewięć

poisonously ['pɔizənəsli] *adv* 1. toksycznie; trująco 2. szkodliwie

↑ **polar** Ⓘ *adj* 1. ... *biol* ~ **body** ciałko kierunkowe ⟨polarne⟩

polarisability [ˌpəulə,raizə'biliti] *s fiz* polaryzowalność

polariscope [pɔ'læriskəup] *s fiz* polaryskop

polarograph [pɔ'lærəgra:f] *s fiz* polarograf

polaroid ['pəulərɔid] *s fiz* polaroid

↑ **pole³** Ⓘ *attr* biegunowy; *nukl* ~ **gap** szczelina biegunowa

polemoniaceous [ˌpɔli,mɔni'eiʃəs] *adj bot* wielosiłowaty

polio ['pəuliəu] *s* = **poliomyelitis**

↑ **Polish¹** Ⓘ *adj* ... ~ **People's Republic** Polska Rzeczpospolita Ludowa; ~ **Scouts' Association** Związek Harcerstwa Polskiego; ~ **United Workers' Party** Polska Zjednoczona Partia Robotnicza

politically [pə'litikəli] *adv* politycznie

politico [pɔ'litikəu] *s* polityk

↑ **poll²** Ⓘ *s* 6. badanie opinii publicznej Ⓘ *vt* 7. badać opinię publiczną

poll⁴ [pəul] *attr wet* ~ **evil** norzyca, kretowina (u konia)

pollex ['pɔliks] *s anat* kciuk

polliniferous [pɔli'nifərəs] *adj bot* pyłkodajny

pollinosis [ˌpɔli'nəusis] *s med* katar sienny

pollster ['pəulstə] *s* badacz opinii publicznej; ankieter

polly² ['pɔli] *attr wojsk* ~ **plane** samolot zaopatrzony w głośnik dla przekazywania wiadomości na ziemię

↑ **polo** Ⓘ *attr* ~ **shirt** koszula z golfem; ~ **neck** (kołnierz) golf

polyamide ['pɔliæmid] *s chem* poliamid

polybutane [pɔli'bju:tein] *s chem* polibutan

Polychaeta ['pɔliki:tə] *spl zool* wieloszczety

polychasium [pɔli'keizjəm] *s bot* kwiatostan wielodzielny

polyconic [pɔli'kɔnik] *adj geom* (*o rzucie*) wielostożkowy

polycyth(a)emia [pɔlisi'θi:miə] *s* policytemia, czerwienica

polyembryony [ˌpɔliembri'əuni] *s biol* poliembrionia

polyenergetic [ˌpɔliˌenə'dʒetik] *adj nukl* polienergetyczny; ~ **neutron radiation** promieniowanie neutronowe polienergetyczne

polyester [ˌpɔli'estə] *s chem* poliester

polyethylene [ˌpɔli'eθəli:n] *s chem* polietylen

polygenes ['pɔlidʒi:nz] *spl biol* poligeny

polygonaceous [ˌpɔligə'neiʃəs] *adj bot* rdestowaty

polygonum [pɔ'ligənəm] *s bot* rdest

polygynous [pɔ'lidʒinəs] *adj* 1. wielożenny; poligamiczny 2. *bot* wielosłupkowy

polygyny [pɔ'lidʒini] *s* 1. wielożeństwo; poligamia 2. *bot* wielosłupkowość

polyhistor [pɔli'histə] *s* polihistor

Polyhymnia [pɔli'himniə] *spr mitol* polihymnia

polymerization [ˌpɔlimərai'zeiʃən] *s chem* polimeryzacja

polymerize ['pɔliməraiz] *vt vi* polimeryzować

polymerous [pɔ'limərəs] *adj* polimeryczny; wielodzielny

polymethyl [ˌpɔli'meθil] *s chem* polimetyl; ~ **methacrylate** polimetakrylan metylu

polymyxin [pɔli'miksin] *s chem farm* polimiksyna

polypary [pɔ'lipəri] *s zool* polipnik

polyphase ['pɔlifeiz] *adj elektr* wielofazowy

polypropylene [ˌpɔli'prɔpili:n] *s chem* polipropylen

polysaccharide [ˌpɔli'sækəraid] *s chem* polisacharyd, wielocukier

polystyrene [pɔli'staiəri:n] *s chem* polistyren

polysulphide [pɔli'sʌlfaid] *s chem* wielosiarczek, nadsiarczek

polytonality [pɔlitə'næliti] *s muz* politonalność

polyuria [pɔli'juəriə] *s med* wielomocz

polyvinyl [pɔli'vinil] *chem* Ⅱ *s* poliwinyl Ⅲ *attr* ~ **acetal** poliwinyloacetal; ~ **acetate** polioctan winylu; ~ **chloride** polichlorek winylu

polyzoarium [ˌpɔlizəu'ɛəriəm] *s zool* kolonia mszywiołów

pomaceous [pɔ'meiʃəs] *adj bot* jabłeczny; jabłkowy

pompano ['pɔmpənəu] *s zool* 1. rvba jadalna z rodzaju *Trachinotus* 2. ceniona ryba jadalna kalifornijska *Palometus simillimus*

pompously ['pɔmpəsli] *adv* 1. wystawnie; paradnie; okazale 2. pompatycznie; z napuszeniem; z nadęciem

↑ **pond** Ⅲ *attr* stawowy; ~ **scum** wodorostv słodkowodne

pontifically [pɔn'tifikəli] *adv* pontyfikalnie

↑ **pony** Ⅲ *attr* ~ **edition** skrócone wydanie (książki, czasopisma) w małym formacie

pooch [pu:tʃ] *s sl* kundel

poon [pu:n] *s bot* wschodnioindyjskie drze-

wo z rodzaju *Calophyllum*, z którego wyrabia się maszty, reje, bomy

↑ **poop**[1] Ⓥ *attr* rufowy; ~ **deck** pokład rufowy

poop[4] [pu:p] *vt sl* zmordować; zmęczyć

pooped [pu:pt] Ⅰ *zob* **poop**[4] *vt* ↑ Ⅲ *adj sl* zmachany; skonany

↑ **poor** Ⅰ *adj* 1. ... *am* ~ **white** biały biedak; ~ **white trash** biała biedota; biali nędzarze; biała nędza

popper ['pɔpə] *s* patelnia do prażenia kukurydzy

popularly ['pɔpjuləli] *adv* popularnie; przystępnie; potocznie

popular-science ['pɔpjulə'saiəns] *adj* popularnonaukowy; ~ **publications** literatura popularnonaukowa

↑ **population** Ⅲ *attr* ludnościowy; ~ **parameter** parametr ludnościowy

populously ['pɔpjuləsli] *adv* ludnie

↑ **pork** Ⅲ *attr* wieprzowy; ~ **barrel** = **pork** *s* 2.

porphyrins ['pɔ:firinz] *spl biochem* porfiryny

porphyritic [ˌpɔ:fi'ritik] *adj miner* porfirytyczny, porfirytowy

porphyroid [ˌpɔ:fi'rɔid] *s miner* porfiroid

↑ **port**[1] Ⅲ *attr* ... ~ **authority** komenda portu

portal-to-portal ['pɔ:tltə'pɔ:tl] *attr* ~ **payment** wynagrodzenie za dojście od bramy zakładu pracy do wyznaczonego stanowiska

portentously [pɔ:'tentəsli] *adv* 1. złowieszczo; złowrogo 2. w cudowny sposób

Poseidon [pɔ'saidɔn] *spr mitol* Posejdon

↑ **position** Ⅰ *s* 2. ... *geogr* **geographic** ~ położenie geograficzne

positron ['pɔzitrɔn] *s nukl* pozytron

positronium [pɔzi'trɔniəm] *s fiz* pozytronium

postaxial [pəust'æksiəl] *adj anat* pozaosiowy

posthumously ['pɔstjuməsli] *adv* pośmiertnie

posticous ['pɔstikəs] *adj bot* dolny; tylny

posturize ['pɔstʃəraiz] *vi* pozować; przybierać pozy

↑ **pot** Ⅰ *s* 13. *sl* marihuana Ⓥ *attr* 1. *kulin* garnkowy; ~ **roast** duszona wołowina 2. *ogr* doniczkowy; ~ **culture** uprawa w wazonach; ~ **plant** roślina doniczkowa; ~ **test** doświadczenie wazonowe ‖ *bot* ~ **marigold** (*Calendula*) nagietek

potassic [pɔ'tæsik] *adj* potasowy

↑ **potassium** Ⅲ *attr chem* potasowy (węglan, azotan, wodorotlenek itd.)

↑ **potential** Ⅲ *attr* potencjałowy; *nukl* ~ **pulse** impuls napięcia

potentially [pɔ'tenʃəli] *adv* potencjalnie

potently ['pəutəntli] *adv* 1. potężnie; silnie; mocno 2. przekonywająco 3. (*o leku* — *działać*) skutecznie

potiche [pɔ'ti:ʃ] *s* waza (ozdobna); wazon(ik)

potlatch ['pɔtlætʃ] *s* (*u Indian*) 1. uroczy-

stość zimowa 2. obdarowywanie prezentami przy równoczesnym niszczeniu dobytku na znak bogactwa
potoroo [pɔtə'ruː] *s zool* kangur szczur
potted ['pɔtid] Ⓘ *zob* **pot** *vt* Ⓘ *adj* 1. *kulin*
duszony 2. *kulin* za/wekowany; konserwowy; konserwowany (w weku) 3. *sl* zalany; pod gazem; na bańce
↑ **potter**[1] *s ...* ~**'s field** a) *bibl* rola garncarzowa b) cmentarz dla obcych i ubogich; ~**'s wheel** koło garncarskie
pouched [pautʃt] Ⓘ *zob* **pouch** *vt* Ⓘ *adj*
zool zaopatrzony w torbę
poulard [pu:'la:d] *s* pularda
↑ **pounce**[2] Ⓘ *attr* pumeksowy; ~ **boy** pudełko z proszkiem węglowym do odbijania rysunków
poundal ['paundəl] *s fiz* poundal (jednostka
siły = 0,0141 kG)
pound-foolish [paund'fu:liʃ] *adj zob* **pennywise**
↑ **powder** Ⓜ *attr* prochowy; proszkowy;
wojsk ~ **magazine** prochownia; *techn*
~ **metallurgy** metalurgia prochów; *med*
~ **pattern** rentgenogram proszkowy; *†*
~ **room** gotowalnia; buduar
↑ **power** Ⓘ *s* 2. ... *techn* **engine** ~ moc
silnika; **rated** ~ moc nominalna Ⓜ *attr*
1. *polit* mocarstwowy 2. *techn* silnikowy;
o napędzie mechanicznym; ~ **output** moc
użyteczna; *aut* ~ **brake** hamulec z urządzeniem wspomagającym; ~ **pack** kompletny zespół silnikowy; ~ **steering** serwosterowanie 3. *nukl* energetyczny; ~
breeder reactor ⟨pile⟩ reaktor rozmnażający energetyczny; ~ **density ⟨level⟩** gęstość ⟨poziom⟩ mocy; ~ **output** moc oddawana; ~ **source ⟨supply⟩** źródło ⟨dostawa⟩ energii
powerless ['pauəlis] *adj* bezsilny
powerlessly ['pauəlisli] *adv* bezsilnie
praemunire [ˌpri:mju'nairi] *s prawn* **Statutes of** ~ statuty przeciw odwoływaniu
się do władzy kościelnej w sprawach podlegających władzy monarszej; **writ of**
~ zarzut odwoływania się do papieża w
sprawie podlegającej jurysdykcji króla
pragmatically [præg'mætikəli] *adv* pragmatycznie
praiseworthily [preiz'wə:ðili] *adv* chwalebnie; w sposób godny pochwały
prankish ['præŋkiʃ] *adj* psotny
prat(t)fall ['prætfɔ:l] *s* 1. upadek na po
śladki 2. *przen* ośmieszenie się
prattling ['prætliŋ] Ⓘ *zob* **prattle** *v* Ⓜ *adj*
szczebioczący; gaworzący
prattlingly ['prætliŋli] *adv* szczebiocząc;
gaworząc
Praxiteles [præk'sitəli:z] *spr* Praksyteles
prayerfully ['preəfuli] *adv* 1. pobożnie 2.
modlitewnie; błagalnie
preaching ['pri:tʃiŋ] Ⓘ *zob* **preach** *v* Ⓜ *s*
kaznodziejstwo
preadolescent [ˌpri:ædə'lesənt] *adj* (o czło
wieku) w wieku przed pokwitaniem

preamplifier [pri'æmplifaiə] *s nukl* wzmacniacz wstępny; przedwzmacniacz
preappoint [priə'pɔint] *vt* uprzednio wyznaczyć
preaxial [pri'æksiəl] *adj anat* przedosiowy
Pre-Cambrian [pri:'kæmbriən] *adj geol*
prekámbryjski
precariously [pri'kɛəriəsli] *adv* 1. *prawn*
odwołalnie 2. niepewnie; wątpliwie; niestale; nietrwale 3. niebezpiecznie; ryzykownie
preceptive [pri'septiv] *adj* nakazujący
preceptively [pri'septivli] *adv* nakazująco
preciously ['preʃəsli] *adv* 1. kosztownie 2.
cennie 3. (*mówić itd.*) afektowanie
precipitin [pri'sipitin] *s chem* precypitynna
precipitously [pri'sipitəsli] *adv* stromo; urwiście
preclinical [pri:'klinikl] *adj* przedkliniczny;
poprzedzający ukazanie się objawów
preclusively ·[pri'klu:sivli] *adv* wykluczając; uniemożliwiając
precociously [pri'kəuʃəsli] *adv* przedwcześnie
↑ **precondition** Ⓜ *vt* przygotować (**sb to**
⟨**for**⟩ **sth** kogoś do czegoś, na coś; **sth. to**
⟨**for**⟩ **sth** coś do czegoś); przysposobić (**sth**
to ⟨**for**⟩ **sth** coś do czegoś)
precritical ['pri:kritikl] *adj med* przedkryzysowy
pre-cut [pri:'kʌt] *adj* = **prefabricated** ↑
predaciously [pri'deiʃəsli] *adv* drapieżnie
↑ **predate** Ⓜ *s* ['pri:deit] *dzień* wczesne
wydanie (gazety itd. przeznaczone dla
prowincji)
predatism ['predətizəm] *s* drapieżność
predesignate [pri:'dezigneit] *vt* z góry wyznaczyć ⟨przeznaczyć⟩
predeterminate [pri:di'tə:minit] *adj* z góry
postanowiony ⟨ustalony⟩
predetonation [ˌpri:detə'neiʃən] *s* przedwczesny wybuch (bomby atomowej)
predicable ['predikəbl] Ⓘ *s filoz gram* orzecznik Ⓜ *attr gram* orzecznikowy; ~
adjective ⟨noun⟩ orzecznik przymiotny
⟨rzeczowny⟩
prediction [pri'dikʃən] *s* przepowiednia
predictor [pri'diktə] *s wojsk* przelicznik;
aparat do kierowania ogniem artylerii
przeciwlotniczej
predigestion [pri:di'dʒestʃən] *s* trawienie
przedwstępne (poza ustrojem)
prefabricated [pri:'fæbrikeitid] Ⓘ *zob* **prefabricate** *vt* Ⓜ *adj* prefabrykowany
↑ **preferential** *adj* ... ~ **shop** zakład pracy,
w którym członkowie związku zawodowego mają pierwszeństwo przy rekrutacji personelu; *nukl* ~ **flow** przepływ
przeważający
↑ **pregnant** *adj* 7. *med* ciążowy
prejudicially [predʒu'diʃəli] *adv* krzywdząco; nieprzychylnie; z uszczerbkiem; z
ujmą

preliminarily [pri'liminərili] *adv* (przed)-
wstępnie; przygotowawczo

prelusively [pri'lju:sivli] *adv* jako wstęp

prematurely [ˌpremə'tjuəli] *adv* 1. przedwcześnie 2. pochopnie

premix ['pri:ˌmiks] *s techn* przedmieszka

premunition [ˌpri:mju'niʃən] *s med* uod-
pornienie względne

↑ **prepay** *vt* ... dokon-ać/ywać przedpłaty;
przedpłac-ić/ać

prepayment [pri:'peimənt] *s* przedpłata

prepositionally [prepə'ziʃənəli] *adv gram*
przyimkowo

prepossessingly [ˌpripə'zesiŋli] *adv* mile;
sympatycznie; ujmująco

preposterously [pri'pɔstərəsli] *adv* niedorzecznie; absurdalnie; bezsensownie

prescriptively [pri'skriptivli] *adv* w drodze nakazu

presell [pri'sel] *vt handl* przygotować grunt
dla sprzedaży (**an article** artykułu)

preset [pri'set] *adj wojsk* ~ **guidance** kierowanie programowe pocisku

↑ **press¹** ⬜ *vt* 2. ... **to** ~ **records** tłoczyć
płyty gramofonowe

pressboard ['presbɔ:d] *s* 1. preszpan 2. rę-
kawnik (do prasowania)

pressor ['presə] *adj fizj* podnoszący ciśnienie krwi

↑ **pressure** ⬛ *attr* ... ~ **head** wysokość ciśnienia; *nukl* ~ **pulse** ⟨**wave**⟩ impuls ⟨fa-
la⟩ ciśnienia

pressurize ['preʃəraiz] *vt fiz lotn* utrzy-
m-ać/ywać zwiększone ciśnienie (w ka-
binie ciśnieniowej samolotu itd.)

pressurized ['preʃəraizd] ⬜ *zob* **pressurize**
vt ↑ ⬛ *adj* (o reaktorze) ciśnieniowy; ~
casing obudowa ciśnieniowa

presswork ['preswə:k] *s* 1. drukowanie;
druk 2. (*w dziedzinie tworzyw sztucznych*) wyroby tłoczone

prestress ['pri:stres] *vt bud* sprężać (be-
ton)

pretentiously [pri'tenʃəsli] *adv* pretensjonalnie

↑ **preternatural** *adj* ... nadnaturalny; niezwykły; anormalny

preternaturally [ˌpri:tə'nætʃərəli] *adv* w
sposób nadprzyrodzony; nadnaturalnie;
niezwykle; anormalnie

prevailingly [pri'veiliŋli], **prevalently**
['prevələntli] *adv* w przeważającej mierze ⟨ilości, liczbie⟩

↑ **pre-view** *s* ... wstępna projekcja (filmu)

previously ['pri:viəsli] *adv* poprzednio; u-
przednio; przedtem

↑ **price** ⬛ *attr* ... ~ **control** regulacja cen;
~ **war** wojna cen

↑ **prickly** *adj* 1. ... ~ **pear** jadalny owoc
opuncji; *bot* ~ **poppy** meksykański mak
Argemone mexicana

prier ['praiə] *s* człowiek wścibski; wścibinos

priggishly ['prigiʃli] *adv* 1. pedantycznie
2. zarozumiale 3. kołtuńsko

primaquine ['primɔkwi:n] *s farm* lek przeciwmalaryczny

primevally [praim'i:vəli] *adv* pierwotnie;
od pradawnych czasów

primine ['praimin] *s bot* zewnętrzna okrywa zalążni

priming ['praimiŋ] ⬜ *zob* **prime²** *v* ⬛
adj mal ~ **paint** farba gruntowa

primitively ['primitivli] *adv* 1. pierwotnie;
początkowo 2. prymitywnie

primitivism ['primitivizəm] *s* prymitywizm

primly ['primli] *adv* 1. sztywno 2. pedantycznie 3. wyszukanie; wymuskanie 4.
afektowanie; sztucznie; przesadnie

primordially [prai'mɔ:djəli] *adv* 1. pierwotnie; początkowo; odwiecznie 2. zasadniczo; podstawowo

primordium [prai'mɔ:diəm] *s biol* zawią-
zek

primulaceous [primju'leiʃəs] *adj bot* pier-
wiosnkowaty

prince's-feather ['prinsiz,feðə] *s bot* (*Ama-
ranthus hypochondriacus*) odmiana szar-
łatu

principally ['prinsipəli] *adv* głównie; przeważnie; w głównej mierze; szczególnie

principled ['prinsipld] *adj* z zasadami

printed ['printid] ⬜ *zob* **print** *vt* ⬛ *adj*
drukowany; ~ **matter** druk (jako przesyłka pocztowa); *radio* ~ **wire** obwód
drukowany

printery ['printəri] *s am* drukarnia

priorite ['praiərait] *s miner* prioryt

prismatically [priz'mætikəli] *adv* pryzma-
tycznie

prissy ['prisi] *adj am sl* pedantyczny; drobiazgowy

privately ['praivitli] *adv* 1. prywatnie 2. w
sekrecie; w tajemnicy; poufnie 3. osobiście 4. intymnie 5. indywidualnie 6. nie-
jawnie; (*odbywać się*) przy drzwiach zamkniętych

probably ['prɔbəbli] *adv* prawdopodobnie

↑ **probe** ⬜ *s* 5. *nukl* sonda; próbnik

problematically [prɔbli'mætikəli] *adv* pro-
blematycznie

procaine [prəu'kein] *s farm* prokaina

procarp ['prəuka:p] *s bot* żeński organ rozrodczy u glonów

↑ **process** ⬛ *vt* 1. ... przerabiać ⬛ *attr nukl*
~ **development** rozwój procesu; ~ **gas**
gaz roboczy; reagent gazowy; ~ **heat reactor** reaktor ciepłowniczy przemysłowy

processed [prəu'sest] ⬜ *zob* **process** *vt* ⬛
adj 1. przetworzony; przerobiony 2. *kulin*
konserwowany; konserwowany; pasteryzo-
wany 3. (o skórze) wyprawiony || ~ **pro-
duct** przetwór; produkt przerobu

↑ **processing** ⬛ *s techn chem* przerób

procreant ['prəukriənt] *adj* rodzący

proctoscope ['prɔktəskəup] *s med* wziernik
odbytniczy

procurable [prə'kjuərəbl] *adj* możliwy do
zdobycia ⟨do uzyskania⟩

prodigally ['prɔdigəli] *adv* rozrzutnie; marnotrawnie

prodigiously [prə'didʒəsli] *adv* 1. cudownie; fantastycznie 2. ogromnie; kolosalnie; w potwornych rozmiarach
↑ **producer** *s* 1. ... *ekon* ~'s **goods** środki produkcji
↑ **product** Ⅲ *attr nukl* ~ **nucleus** jądro wytworzone; ~ **particle** cząstka wytworzona
↑ **production** Ⅲ *attr* ... wytwórczy; *nukl* ~ **reactor** reaktor wytwórczy
productively [prə'dʌktivli] *adv* 1. produkcyjnie 2. produktywnie; wydajnie 3. płodnie 4. rentownie
↑ **productivity** Ⅲ *attr* ~ **wages** płaca uzależniona od produkcji
profanely [pro'feinli] *adv* 1. świecko 2. pogańsko 3. bluźnierczo 4. w nieprzyzwoitych słowach; nieprzyzwoicie
↑ **professional** Ⅰ *adj* ... profesjonalny
professionally [prə'feʃənəli] *adv* profesjonalnie; zawodowo; fachowo
professorially [profə'sɔ:riəli] *adv* po profesorsku
↑ **profile** Ⅰ *s* 4. szkic (historyczny, biograficzny itd.) Ⅲ *vt* 1. ... na/szkicować
profitably ['profitəbli] *adv* 1. pożytecznie; korzystnie 2. zyskownie; rentownie; intratnie
profoundly [prə'faundli] *adv* 1. głęboko; do głębi 2. zupełnie; całkowicie 3. gruntownie; dogłębnie; wyczerpująco
profusely [pro'fju:zli] *adv* 1. hojnie; szczodrze 2. obficie 3. nadmiernie
progestational [ˌprəudʒes'teiʃənl] *adj* przedciążowy
progesterone [pro'dʒestərəun] *s biochem* progesteron
↑ **program(me)** Ⅲ *attr* ~ **music** muzyka programowa
↑ **progressive** Ⅲ *adj* 1. ... *nukl* ~ **wave** fala bieżąca ⟨wędrowna⟩
progressively [prə'gresivli] *adv* 1. progresywnie; wzrastająco 2. stopniowo 3. postępowo
prohibitively [pro'hibitivli] *adv* 1. prohibicyjnie; ochronnie 2. niedostępnie
↑ **project** Ⅰ *s* 2. *uniw* praca naukowa 3. *bud* osiedle
projectionist [prə'dʒekʃənist] *s kino* operator ⟨wyświetlający film⟩
prolactin [prə'læktin] *s biochem* prolaktyna
prolans ['prəulənz] *s biochem* prolany
↑ **prolate** *adj* 1. ... ~ **distortion** zniekształcenie wydłużające
proleg ['prəuleg] *s zool* wyrostek; odnóże; przydatek
prolifically [prə'lifikəli] *adv* płodnie
proline ['prolin] *s biochem* prolina
↑ **prolixity** *s* ... rozlewność (stylu itd.)
prolixly [prə'liksli] *adv* rozwlekle
prolixness [prə'liksnis] *s* rozlewność (stylu itd.); rozwlekłość
prolusion [prə'lju:ʒən] *s* 1. wstęp; prolog; preludium 2. artykuł ⟨esej⟩ wstępny
prom² [prom] *s am* dancing (studencki)

promethium [prə'mi:θiəm] *s chem* promet
prominently ['prominəntli] *adv* 1. wydatnie 2. znacznie 3. wybitnie; sławnie
promiscuously [prə'miskjuəsli] *adv* 1. w nieładzie; bezładnie 2. bez wyboru; bez względu na płeć i wiek 3. wspólnie 4. cudzołożnie 5. przypadkowo; bez specjalnego celu ⟨powodu⟩
promisingly ['promisiŋli] *adv* obiecująco
↑ **prompt** Ⅰ *adj* 2. ... *nukl* ~ **neutron** neutron natychmiastowy; ~ **poison** zatrucie wywołane przez neutrony natychmiastowe; ~ **reactivity** reaktywność wytworzona przez neutrony natychmiastowe
promycelium [ˌprəumai'si:liəm] *s bot* przedgrzybnia
pronephros [prəu'nefrəs] *s* pranercze
pronghorn ['proŋhɔ:n] *s zool* (*Antilocarpa americana*) antylopa widłoroga
proof-spirit ['pru:f'spirit] *s* roztwór alkoholowy zawierający przepisową objętość czystego alkoholu
↑ **prop¹** Ⅿ *attr* podpierający; *bot* ~ **root** korzeń powietrzny podpierający łodygę
prop⁴ [prop] Ⅰ *s sl lotn* = **propeller** Ⅲ *attr* ~ **jet** = **propjet** ↑
↑ **propaganda** Ⅲ *attr* ... ~ **balloon** balon do zrzucania ulotek propagandowych
propagandize ['propəgəndaiz] *vt* propagować; uprawiać propagandę (**sth** czegoś)
propellant [prə'pelənt] *s* materiał pędny; paliwo (rakietowe itd.); **colloidal** ~ proch bezdymny; **solid** ~ materiał pędny stały
↑ **propeller** Ⅲ *attr* śmigłowy; ~ **turbine** turbina śmigłowa
↑ **proper** *adj* 6. ... *nukl* ~ **energy** energia własna
prophase ['prəufeiz] *s* 1. *biol* profaza 2. *nukl* faza wstępna
prophetically [prə'fetikəli] *adv* proroczo
prophylactically [profi'læktikəli] *adv* profilaktycznie; zapobiegawczo
propionic [propi'onik] *adj chem* propionowy
propitiously [prə'piʃəsli] *adv* 1. pomyślnie; sprzyjająco 2. życzliwie; przychylnie; łaskawie
propjet ['propdʒet] *attr lotn* (o *silniku*) turbośmigłowy
↑ **proportional** Ⅰ *adj* ... *nukl* ~ **band** ⟨**region**⟩ przedział ⟨zakres⟩ proporcjonalności
proportionally [prə'pɔ:ʃənəli] *adv* proporcjonalnie; współmiernie; odpowiednio; stosownie
proprioceptive [prəupriə'septiv] *adj fizj* odbierając bodźce z własnego ustroju ⟨z własnych tkanek⟩
proptosis [prop'təusis] *s med* wytrzeszcz
↑ **propulsive** *adj* ... ~ **efficiency** sprawność (śmigła)
propyl ['propil] *s chem* propyl
↑ **propylene** Ⅲ *attr chem* (o *glikolu itd.*) propylenowy
prosaically [prə'zeikəli] *adv* prozaicznie

prosaism [prəu'zeiizəm] *s* prozaiczność; proza
prosencephalon [prɔsen'sefəlɔn] *s anat* przodomózgowie
prosily ['prəuzili] *adv* 1. prozaicznie; prozą; w prozie 2. nudno 3. prozaicznie; przyziemnie; banalnie
proslavery [prəu'sleivəri] *s* popieranie niewolnictwa (Murzynów)
prosperously ['prɔspərəsli] *adv* 1. z powodzeniem; kwitnąco 2. w dobrobycie 3. pomyślnie
prosthetic [prɔs'θetik] *adj chem* prostetyczny
prosthodontia [prɔsθɔ'dɔnʃiə] *s* protetyka dentystyczna
prostigmin [prɔ'stigmin] *s farm* prostygmina
protamines ['prəutəmi:nz] *spl biochem* protaminy
protectant [prə'tektənt] *s* środek ochronny
↑ **protection** III *attr nukl* ~ **survey** służba ochrony
protectively [prə'tektivli] *adv* 1. ochronnie 2. zapobiegawczo
protectory [prə'tektəri] *s* zakład opieki nad bezdomnymi dziećmi i młodocianymi przestępcami
proteinase ['prəutiineis] *s biochem* proteinaza
proteolysis [,prəuti'ɔlisis] *s biochem* proteoliza
proteolytic [,prəutiə'litik] *adj biochem* proteolityczny
proterozoic [prɔtirəu'zəuik] *adj geol* proterozoiczny
prothallium [prəu'θæliəm] *s bot* przedrośle
prothesis ['prɔθəsis] *s jęz* proteza; zjawisko pojawiania się elementu wokalicznego lub spółgłoskowego w nagłosie wyrazu
prothrombin [prəu'θrɔmbin] *s biochem* protrombina
protist ['prəutist] *s biochem* jednokomórkowy organizm pierwotny
protium ['prəutiəm] *s chem* prot, wodór lekki
protoactinium [,prəutəuæk'tiniəm] *s chem* protoaktyn, protaktyn
protogine ['prəutədʒin] *s geol* protogin
protomartyr [,prəutə'mɑ:tə] *s* protomęczennik
protonema [,prəutə'ni:mə] *s bot* 1. (*u mchów*) splątek 2. (*u wodorostów*) stadium nitkowate
proton-neutrino ['prəutɔn'nju:trinəu] *attr nukl* ~ **field** pole układu proton-neutrino
proton-neutron ['prəutɔn'nju:trɔn] *attr nukl* ~ **force** siła oddziaływania między protonem i neutronami
proton-proton ['prəutɔn'prəutɔn] *attr nukl* ~ **chain** łańcuch reakcji protonów z protonami; ~ **force** siła oddziaływania między protonem i protonem
proton-synchrotron ['prəutɔn'sinkrətrɔn] *s nukl* synchrotron protonowy
↑ **prototype** III *attr* prototypowy
protrusive [prə'tru:siv] *adj* wystający; sterczący
proverbially [prə'və:biəli] *adv* przysłowiowo
providentially [prɔvi'denʃəli] *adv* zrządzeniem opatrzności; opatrznościowo
providently ['prɔvidəntli] *adv* 1. przezornie 2. skrzętnie
provincially [prə'vinʃəli] *adv* 1. prowincjonalnie; zaściankowo 2. rejonowo
provisionally [prə'viʒənəli] *adv* prowizorycznie; tymczasowo
provitamin [prəu'vaitəmin] *s biochem* prowitamina
provocatively [prə'vɔkətivli], **provokingly** [prə'vəukiŋli] *adv* prowokacyjnie; prowokująco
↑ **prowl** I *vi* 2. wałęsać się; łazić 3. podkradać się; węszyć w poszukiwaniu łupu ⟨zdobyczy⟩ III *attr* ~ **car** patrolowy samochód policyjny z krótkofalówką; *sl* suka
proximately ['prɔksimitli] *adv* w bezpośrednim sąsiedztwie
↑ **proximity** III *attr* zbliżeniowy; ~ **fuse** zapalnik zbliżeniowy
prudently ['pru:dəntli] *adv* rozważnie; ostrożnie; roztropnie; z wielkimi ostrożnościami
prudishly ['pru:diʃli] *adv* pruderyjnie
pruning ['pru:niŋ] I *zob* **prune²** *vt* II *s ogr* cięcie; prześwietlanie gałęzi; podkrzesywanie drzew stojących III *attr* ~ **hook** sekator na drążku; ~ **knife** sierpak; nóż ogrodniczy
pruriently ['pru:riəntli] *adv* lubieżnie
pruriginous [pru'ridʒinəs] *adj* swędzący
Prussianism ['prʌʃənizəm] *s* pruski duch, prusactwo
pryer ['praiə] *s* = **prier**
prying ['praiiŋ] I *zob* **pry¹** *vi* II *adj* wścibski; podglądający; ciekawski
psalterium [sɔ:l'tiəriəm] *s* = **omasum**
psammite ['sæmait] *s miner* psamity
psephite ['si:fait] *s miner* sefity; okruchowce
pseudocarp ['sju:dəkɑ:p] *s bot* nibyowoc
pseudogravitational [,sju:dəugrævi'teiʃənl] *adj* pseudograwitacyjny
pseudolearned [,sju:də'lə:nid] *adj* pseudonaukowy
pseudomorphism [,sju:də'mɔ:fizəm] *s* pseudomorfizm
pseudopodium [,sju:də'pəudiəm] *s zool* nibynóżka; pseudopodium
pseudoscalar [,sju:də'skeilə] *adj fiz* pseudoskalarny; ~ **vector** pseudowektor
psoas ['səuæs] *s anat* mięsień lędźwiowo-udowy
psychasthenia [,saitʃəs'θi:niə] *s med* psychastenia
↑ **psychic** I *adj* ... ~ **income** pozamaterialna nagroda (uznanie, podniesienie prestiżu, poczucie społecznej użyteczności itd.)

psychically ['saikikəli] adv psychicznie
psychoanalist [ˌsaikəu'ænəlist] s med psychoanalityk
psychoanalytical [ˌsaikəuænə'litikļ] adj med psychoanalityczny
psychobiological [ˌsaikəubaiə'lɔdʒikļ] adj psychobiologiczny
psychobiology [ˌsaikəbai'ɔlədʒi] s psychobiologia
psychoeducational [ˌsaikəuedju:'keiʃənlļ adj psychopedagogiczny
psychogenesis [ˌsaikəu'dʒenisis] s psychogeneza
psychogenetic [ˌsaikəudʒi'netik] adj psychogenetyczny
psychogenic [ˌsaikəu'dʒi:nik] adj psychogenny
psychograph ['saikəgrɑ:f] s psychogram
psychologically [ˌsaikə'lɔdʒikəli] adv psychologicznie
psychometric [ˌsaikə'metrik] ⊡ adj psychometryczny ▥ spl ~s = psychometria
psychoneurosis [ˌsaikəunju:'rəusis] s med psychoneuroza, psychonerwica
psychoneurotic [ˌsaikəunju:'rɔtik] adj psychoneurotyczny, psychonerwicowy
psychopathic [ˌsaikəu'pæθik] adj psychopatyczny
psychophysics [ˌsaikəu'fiziks] s psychofizyka
psychosomatic [ˌsaikəusəu'mætik] adj psychosomatyczny; ~ medicine psychosomatyka
psychosurgeon [ˌsaikəu'sə:dʒən] s med chirurg leczący choroby psychiczne drogą operacji mózgu
PT ['pi:'ti:] attr am mar ~ boat łódź torpedowa
pteridophyte ['teridəufait] s bot paprotnik
pterygoid ['terigɔid] adj anat skrzydełkowaty
↑ public ⊡ adj 1. ... ~ domain dobro publiczne; ~ liability odpowiedzialność cywilna
public-address ['pʌblikə'dres] attr radio ~ system system megafonów (gigantofonów)
publicize ['pʌblisaiz] vt 1. podać do ogólnej wiadomości 2. roz/reklamować
publicly ['pʌblikli] adv 1. publicznie; jawnie 2. powszechnie
public-spirited ['pʌblik'spiritid] adj dbały o dobro publiczne; ożywiony duchem obywatelskim
↑ puddle ▥ attr sl ~ jumper = jeep
pueblo ['pwebləu] s am 1. wieś indiańska 2. Indianin
puffer ['pʌfə] s zool ryba ciepłych mórz Spheroides (nadymająca się do kształtu kuli)
puli ['pu:li] s rasa psa gospodarskiego
pull-tube ['pul,tju:b] s nukl rura wyciągowa
pulmotor ['pulməutə] s sztuczne płuca; respirator mechaniczny

↑ pulp ⊡ s 6. brukowa gazeta; brukowe czasopismo
pulpiteer [ˌpulpi'tiə] s pog krzykacz ambonowy; kaznodzieja
pulpwood ['pʌlpwud] s leśn papierówka
↑ pulpy adj 2. ... wet ~ kidney disease rozmiękczenie nerki (u jagniąt)
pulsating [pʌl'seitiŋ] ⊡ zob pulsate v ▥ adj nukl (o polu magnetycznym) tętniący
↑ pulsation ▥ attr nukl ~ period okres tętnienia
↑ pulse¹ ▥ attr 1. impulsowy; nukl ~ ionization chamber komora jonizacyjna impulsowa; ~ amplifier ⟨chopper, integration⟩ wzmacniacz ⟨selektor, całkowanie⟩ impulsów 2. techn pulsacyjny
pulsed [pʌlst] adj nukl impulsowy
pulse-jet ['pʌlsdʒet] s lotn silnik odrzutowy pulsacyjny
pulvinus [pʌl'vainəs] s bot poduszka liścia
pumping ['pʌmpiŋ] ⊡ zob pump¹ v ▥ s pompowanie ▥ attr ~ station pompownia
pumpwell ['pʌmpwel] s mar studzienka pompy
↑ punch¹ ▥ attr ~ press dziurkarka
↑ punch³ ▥ attr ~ line pointa (opowiadania itd.)
punch-drunk ['pʌntʃ,drʌŋk] adj praed (o pięściarzu) zamroczony; oszołomiony (ciosem)
punching ['pʌntʃiŋ] ⊡ zob punch² vt ▥ attr boks ~ bag worek treningowy
punctation [pʌŋk'teiʃən] s 1. nakrapianie; cętkowanie 2. kropka; cętka
punctiliously [pʌŋk'tiljəsli] adv drobiazgowo; skrupulatnie; pedantycznie
punctually ['pʌŋktjuəli] adv 1. punktualnie 2. dokładnie
pungently ['pʌndʒəntli] adv 1. (smakować itd.) ostro; cierpko; pikantnie 2. (boleć itd.) ostro; kłująco 3. (wypowiadać się itd.) cierpko; zgryźliwie; zjadliwie; sarkastycznie 4. (opowiadać dowcip itd.) pikantnie
pupiparous [pju'pipərəs] adj zool wydający poczwarki
↑ puppetry s 2. teatr sztuka operowania marionetkami
↑ pure adj 1. ... biol ~ culture czysta kultura (bakterii); leśn ~ stand drzewostan lity (jednogatunkowy) 3. ... ~ line breeding hodowla w czystej linii
pure-bred ['pjuəbred] adj czystej rasy
purine [piu'rain] s chem puryna
↑ purple ⊡ adj ... wojsk Purple Heart medal nadawany wszystkim wojskowym rannym w akcji; zool ~ martin duża jaskółka amerykańska Progne subis; bot ~ medic (Medicago sativa) lucerna
purposively ['pə:pəsivli] adv 1. celowo 2. rozmyślnie 3. zdecydowanie; stanowczo
↑ purpura s 3. med plamica
↑ pursuit ▥ attr pościgowy; wojsk ~ plane pościgowiec

↑ **push** Ⅳ *attr* naciskowy; ~ **button** przycisk; przełącznik wciskowy; guzik naciskowy; *nukl* ~ **rod** pręt wypychający

push-button ['puʃ,bʌtn] *attr* ~ **war** wojna przyszłości, w której za naciśnięciem guzika będzie się niszczyć obiekty nieprzyjaciela

↑ **pusher** *s* 7. *pot* handlarz narkotykami

pushover ['puʃəuvə] *s* 1. łatwizna; *pot* samograj 2. przeciwnik łatwy do pokonania 3. człowiek o słabym charakterze 4. *lotn* zwrot samolotu do lotu nurkowego

pusillanimously [ˌpju:si'læniməsli] *adv* 1. małodusznie 2. lękliwie

pustulant ['pʌstjulənt] *s med* środek wywołujący krosty (bąble)

↑ **pustule** *s* 2. bąbel(ek)

↑ **put**¹
~ **down** Ⅲ *vi lotn* lądować

putamen [pju:'teimən] *s* 1. *bot* łupina orzecha; ścianka pestki 2. *zool* błonka otaczająca jajo ptasie

putrescible [pju:'tresibl] *adj* skłonny do gnicia; podatny na gnicie

putrescine [pju:'tresi:n] *s biochem* putrescyna

puttyroot ['pʌtiru:t] *s bot* amerykańska roślina storczykowata *Aplectrum hyemale*

put-up [put'ʌp] *adj* z góry ułożony; ukartowany; zaaranżowany

pycnidium [pik'nidiəm] *s bot* pyknidium

pyelography [paii'lɔgrəfi] *s med* radiografia miedniczek nerkowych

pyogenic [paiə'dʒenik] *adj med* ropotwórczy

pyoid [pai'ɔid] *adj* ropiasty

↑ **pyramid** Ⅰ *s* 1. ... *przen* **socioeconomic** ~ piramida społecznoekonomiczna Ⅲ *vi* wznosić ⟨piętrzyć⟩ się piramidalnie Ⅲ *vt* piętrzyć (coś) piramidalnie

pyramidally [pi'ræmidəli] *adv* piramidalnie; na kształt piramidy

pyrargyrite [pai'rɑ:dʒirait] *s miner* pirargiryt

pyrex ['paireks] *s* pyreks; szkło ognioodporne

pyrheliometer [piə,hi:li'ɔmitə] *s astr* pyrheliometr

pyricidin [pi'risidi:n] *s farm* lek przeciwgruźliczy

pyrimethamine [piri'meθəmi:n] *s farm* silny środek przeciwmalaryczny

pyrimidine [pai'rimidi:n] *s chem* pirymidyna

pyrocatechol [pairə'kætikɔl] *s chem* pirokatechina

pyrochlore ['pairəklɔ:] *s chem* pirochlor

pyroelectric [ˌpairəu-i'lektrik] *adj* piroelektryczny

pyroelectricity [ˌpairəu-elik'trisiti] *s* piroelektryczność

pyrogallol [ˌpairəu'gælɔl] *s chem* pyrogalol

pyrogenic [pairə'dʒenik] *adj geol* pyrogeniczny

pyrography [pai'rɔgrəfi] *s* pirografia

pyrolusite [pairə'lu:sait] *s miner* piroluzyt

pyrolysis [pai'rɔlisis] *s chem* piroliza

pyromania [ˌpairə'meiniə] *s med* piromania

pyrometallurgy [ˌpairə'metələ:dʒi] *s* pirometalurgia; metalurgia ogniowa

pyrophillite [pairə'filait] *s miner* pirofilit

pyrophosphoric [ˌpairəfɔs'fɔrik] *adj* (*o kwasie*) pirofosforowy

pyrotron ['pairətrɔn] *s nukl* pirotron

pyrrhotine ['pirətain], **pyrrhotite** ['pairətait] *s* pirrotyn

pyrrole [pi'rəul] *s chem* pirol

pyrrolidine [pi'rəulidi:n] *s chem* pirolidyna

pyruvic [pai'ru:vik] *adj chem* (*o kwasie*) pirogronowy

Pythagoras [piθə'gɔrəs] *spr* Pitagoras

Q

quack³ [kwæk] *attr* ~ **grass** (*Agropyron repens*) perz

quadratic [kwɔd'rætik] *adj mat* kwadratowy; drugiego stopnia

quadricentennial [ˌkwɔdrisen'teniəl] *adj* czterechsetletni

quadriceps ['kwɔdriseps] *s anat* mięsień czwórgłowy

quadriplegia [kwɔdri'pli:dʒiə] *s med* porażenie wszystkich czterech kończyn

quadrumanous [kwɔd'ru:mənəs] *adj* (*o małpie*) czwororęki

quadruplex ['kwɔdrupleks] *adj* poczwórny

quadrupole ['kwɔdrupəul] Ⅰ *s* kwadrupol Ⅲ *attr* (*o momencie*) kwadrupolowy

quahog [kwɔ'hɔg] *s zool* amerykański mięczak jadalny *Venus mercenaria*

quaintly ['kweintli] *adv* osobliwie; w ciekawy sposób; niezwykle; oryginalnie

qualitatively ['kwɔlitətivli] *adv* jakościowo

qualmishly ['kwɔ:miʃli] *adv* mdło

quandong ['kwɔndɒŋ] *s bot* (*Fusanus acuminatus*) brzoskwinia australijska

quantifier ['kwɔntifaiə] *s* oznacznik ilościowy

quantitatively ['kwɔntitətivli] *adv* ilościowo

↑ **quantum** Ⅲ *attr* ... ~ **theory** teoria kwantów; *nukl* ~ **jump** ⟨**state**⟩ przeskok ⟨stan⟩ kwantowy; ~ **yield** wydajność kwantowa

quarreller, *am* **quarreler** ['kwɔrələ] *s* kłótnik

quarrelsomely ['kwɔrəlsəmli] *adv* kłótliwie; swarliwie

↑ **quarter** Ⅿ *attr* 1. ćwierciowy; *muz* ~ **note** ćwierćnuta; ~ **tone** ćwierć tonu 2. kwartalny; ~ **sessions** kwartalny sąd objazdowy

quarterback ['kwɔ:təbæk] *vt* planować; kierować

quarter-hour ['kwɔtərauə] *s* kwadrans

quartering ['kwɔ:təriŋ] Ⅰ *zob* **quarter** *v* Ⅲ *s* 1. rozkwaterowanie 2. *zbior* kwatery 3. ćwiartkowanie

↑ **quartz** Ⅲ *attr* kwarcowy; ~ **glass** szkło kwarcowe; ~ **clock** zegar kwarcowy

quass [kwɔ:s] *s* kwas (pitny)

quavering ['kweivəriŋ] Ⅰ *zob* **quaver** *v* Ⅲ *adj* (*o głosie*) drżący; trzęsący się

quaveringly ['kweivəriŋli] *adv* drżącym ⟨niepewnym⟩ głosem

queasily ['kwi:zili] *adv* z uczuciem mdłości; mdląco

quebracho [ke'brɑ:kəu] *s bot* drzewa południowoamerykańskie *Schinopsis Lorentzii* ⟨*Balomsae*⟩ itd., których drewno i kora używane są w barwierstwie i garbarstwie

↑ **queen** Ⅰ *s* ‖ *bot* ~ **of the prairie** ziele łąkowe *Filipendula rubra*

↑ **queer** Ⅰ *adj* 5. homoseksualny Ⅲ *s* homoseksualista

↑ **quench** Ⅲ *attr nukl* gaszący; ~ **condenser** kondensator gaszący

quenching ['kwentʃiŋ] Ⅰ *zob* **quench** *vt* Ⅲ *adj* gaszący; *nukl* ~ **resistor** opornik gaszący

quercetin ['kwɔ:sitin] *s chem* kwercetyna

querulously ['kweruləsli] *adv* z narzekaniem; zrzędnie; gderliwie; płaczliwym tonem

questionably ['kwestʃənəbli] *adv* niejasno; wątpliwie; spornie

questionless ['kwestʃənlis] *adj* niewątpliwy; (będący) bez kwestii; **it is** ~ to nie ulega kwestii

quick-freeze ['kwik'fri:z] *vt* poddawać ⟨żywność⟩ szybkiemu zamrażaniu

quick-freezing ['kwik'fri:ziŋ] Ⅰ *zob* **quick-freeze** *vt* ↑ Ⅲ *s* szybkie zamrażanie

↑ **quickie** Ⅰ *s* 3. coś zrobionego ⟨sporządzonego, skonsumowanego⟩ naprędce ⟨na poczekaniu⟩; cos zaimprowizowanego Ⅲ *adj* zrobiony szybko ⟨napredce⟩

quickly ['kwikli] *adv* szybko; prędko; rychło; żywo, naprędce

quietly ['kwaiitli] *adv* 1. spokojnie; cicho 2. łagodnie

↑ **quilting** Ⅲ *attr* ~ **bee** zebranie kobiet, w czasie którego robi się kołdry na cele dobroczynne

quinacrine [kwinə'kri:n] *s farm* atabryna

quinidine ['kwinidi:n] *s chem* chinidyna

quinoidin [kwi'nɔidi:n] *s farm* chinoidyna

quinol [kwi'nɔl] *s chem* hydrochinon

quinoline [kwinə'li:n] *s chem* chinolina

quinone [kwi'nəun] *s chem* chinon

quintillion [kwin'tiliən] *s* kwintylion (w Stanach Zjednoczonych i Francji 10^{18}; w Anglii i Niemczech 10^{30})

quipster ['kwipstə] *s* żartowniś

Quonset ['kwɔnset] *attr* ~ **hut** barak (prefabrykowany w miejscowości Quonset)

R

↑ **rabbit**[1] Ⅲ *attr* zajęczy; *med* ~ **fever** tularemia

rabidly ['ræbidli] *adv* 1. wściekle; z wściekłością 2. (*dyskutować itd.*) z zacietrzewieniem

↑ **rac(c)oon** Ⅲ *attr* ~ **dog** pies wschodnioazjatycki z rodziny *Nycterentes* podobny do szopa

↑ **race**[1] Ⅲ *attr* rasowy; plemienny; ~ **riot** rozruchy na tle rasowym; ~ **suicide** samowyniszczenie plemienne ⟨zbiorowe⟩

racemization [rəsimi'zeiʃən] *s chem* racemizacja

racism ['reisizəm] *s* rasizm

racist ['reisist] Ⅰ *s* rasista Ⅲ *adj* rasistowski; rasistyczny

↑ **rack**[3] Ⅰ *s* 2. *techn* zębatka; koło zębate; ~ **and pinion** koło zębate współpracujące z zębatką

rack-and-pinion ['ræk-ənd'piniən] *attr* zębatkowy; zębaty; ~ **press** prasa zębatkowa; ~ **railway** = **rack-railway**

↑ **racket**[2] Ⅰ *s* 4. ... afera (dewizowa, szpiegowska itd.)

↑ **racketeer** *s* ... aferzysta

racon ['reikən] *s lotn* latarnia radiolokacyjna

rad[2] [ræd] *s nukl* rad (jednostka pochłoniętej dawki promieniowania)

radac ['reidæk] *s* rodzaj komputera elektronowego

radarscope ['reidɑ:skəup] *s* ekran radarowy

↑ **radial** Ⅰ *adj* ‖ *nukl* ~ **diffusion** ⟨**dimension**⟩ dyfuzja ⟨wymiar⟩ w kierunku promienia; ~ **position** położenie na promieniu; ~ **velocity** prędkość wzdłuż promienia

↑ **radiant** Ⅰ *adj* 2. *nukl* (*o energii*) promienisty; ~ **heating** nagrzewanie przez promieniowanie

↑ **radiation** Ⅲ *attr* 1. radiacyjny; ~ **chemistry** chemia radiacyjna; ~ **length** ⟨**width**⟩ długość ⟨szerokość⟩ radiacyjna 2. (dotyczący) promieniowania; ~ **beam**

⟨**density, hazard** etc.⟩ wiązka ⟨gęstość, niebezpieczeństwo itd.⟩ promieniowania 3. (dotyczący) napromienienia; ~ **effect** efekt napromienienia; ~ **history** historia napromienienia; ~ **sterilization** sterylizacja przez napromienienie; ~ **death** śmierć wskutek napromienienia; ~ **exposure** napromienienie 4. popromienny; ~ **injury** uszkodzenie popromienne; ~ **sickness** choroba popromienna 5. promieniotwórczy; ~ **equilibrium** równowaga promieniotwórcza ‖ ~ **genetics** radiogenetyka; ~ **therapy** radioterapia; ~ **sensitive** radioczuły

radiation-induced [ˌreidiˈeiʃən-inˈdju:st] *adj* popromienny

radiative [ˌreidiˈeitiv] *adj nukl* 1. radiacyjny; ~ **capture** wychwyt radiacyjny; ~ **transition** przejście radiacyjne; ~ **recombination** rekombinacja radiacyjna 2. promieniotwórczy; ~ **decay** rozpad promieniotwórczy; ~ **equilibrium** równowaga promieniotwórcza

↑ **radio** Ⅲ *attr* 1. ... ~ **wave** fala radiowa; *lotn* ~ **beacon** radiolatarnia

radioactinium [ˌreidiəuˈæktiniəm] *s nukl* radioaktyn

radioactivation [ˌreidiəuˈæktiˈveiʃən] *attr nukl* ~ **analysis** analiza aktywacyjna

↑ **radio-active** *adj* ... *nukl* ~ **fall-out** opad promieniotwórczy; ~ **radiation** promieniowanie jądrowe; ~ **recoil** odrzut radiacyjny; ~ **half-life** okres połowicznego zaniku; ~ **barium** radiobar; ~ **carbon** radiowęgiel; ~ **iodine** radiojod

radioautograph [ˌreidiəuˈɔ:təgrɑ:f] *s* autoradiogram

radiobiologic [ˌreidiəuˌbaiəˈlɔdʒik] *adj* radiobiologiczny

radiobiology [ˌreidiəubaiˈɔlədʒi] *s* radiobiologia

radiochemical [ˌreidiəuˈkemikəl] *adj* radiochemiczny

radiochemistry [ˌreidiəuˈkemistri] *s* radiochemia; chemia pierwiastków promieniotwórczych

radiocolloid [ˌreidiəuˈkɔlɔid] *s* koloid promieniotwórczy

radiocontamination [ˌreidiəukɔntæmiˈneiʃən] *s* skażenie promieniotwórcze

radiofrequency [ˌreidiəuˈfri:kwənsi] Ⅰ *s* częstotliwość radiowa; wielka częstotliwość Ⅲ *attr* ⟨*widmo, promieniowanie, składowa*⟩ o częstotliwości radiowej

radiogenic [ˌreidiəuˈdʒenik] *adj* radiogeniczny

↑ **radiograph** *s* 1. ... radiogram

radio-induced [ˌreidiəu-inˈdju:st] *adj* popromienny

radioisotope [ˌreidiəuˈaisətəup] *s* izotop promieniotwórczy

↑ **radiological** *adj* ... radiologiczny

↑ **radiologist** *s* ... radiolog

radioluminescence [ˌreidiəuˌlumiˈnesəns] *s* radioluminescencja

radiolysis [ˌreidiˈɔlisis] *s* radioliza

radiometeorograph [ˌreidiəuˌmitiˈɔrəgrɑ:f] *s* radiosonda

radiometric [ˌreidiəuˈmetrik] *adj* radiometryczny

radionuclide [ˌreidiəuˈnjuklaid] *s* nuklid promieniotwórczy; radionuklid

radioresistance [ˌreidiəuriˈzistəns] *s* odporność na promieniowanie

radioresonance [ˌreidiəuˈrezənəns] *s* radiorezonans

radiosensitivity [ˌreidiəuˌsensiˈtiviti] *s* czułość na promieniowanie

radiothermy [ˌreidiəuˈθə:mi] *s med* diatermia krótkofalowa

radiothorium [ˌreidiəuˈθɔ:riəm] *s* radiotor

radiumtherapy [ˌreidiəmˈθərəpi] *s med* leczenie radem

↑ **radius** Ⅲ *attr* ~ **vector** a) *astr* wektor przyłożony ⟨umiejscowiony⟩ b) *mat* promień wodzący

raffinate [ˈræfineit] *s* rafinat

raffinose [ˈræfinəus] *s chem* rafinoza

raffishly [ˈræfiʃli] *adv* 1. ordynarnie 2. łobuzersko 3. rozpustnie

↑ **rain** Ⅴ *attr* deszczowy; *am* ~ **check** bilet uprawniający do wstępu na imprezę odwołaną z powodu deszczu

rakishly [ˈreikiʃli] *adv* 1. hulaszczo; rozpustnie 2. chwacko; dziarsko; zawadiacko; zadzierzyście

↑ **ram** Ⅲ *attr lotn* ~ **effect** spiętrzenie; zjawisko spiętrzenia

ramjet [ˈræmdʒet] *s lotn* silnik strumieniowy ⟨naporowy⟩

randomization [ˌrændəmaiˈzeiʃən] *s* przypadkowy wybór danych

↑ **range** Ⅰ *vt* 7. ustalić odległość (obiektu) przy pomocy instrumentów elektronowych Ⅴ *s* 8. odległość (obiektu) Ⅴ *attr nukl* ~ **straggle** ⟨**straggling**⟩ rozrzut przebiegów

rankly [ˈræŋkli] *adv* 1. bujnie 2. smrodliwie 3. ordynarnie; wstrętnie; obrzydliwie 4. wierutnie

ranunculaceous [rəˌnʌŋkjuˈleiʃəs] *adj bot* jaskrowaty

raobs [ˈreiɔbz] *s* dane uzyskane przez radiosondę

rapaciously [rəˈpeiʃəsli] *adv* drapieżnie; chciwie; zachłannie; łupieżczo

raphides [ˈræfidi:z] *spl bot* kryształki szczawianu wapnia

rapidly [ˈræpidli] *adv* 1. szybko; bystro; prędko; (*płynąć itd.*) wartko 2. stromo

rapturously [ˈræptʃərəsli] *adv* z zachwytem; entuzjastycznie; frenetycznie; w uniesieniu; z uniesieniem

rarely [ˈrɛəli] *adv* 1. rzadko; rzadko kiedy 2. (*o płynach itd.*) w rozrzedzeniu 3. niezwykle; nadzwyczajnie

↑ **rascal** Ⅰ *s* 2. rodzaj pocisku sterowanego

rason [ˈreisən] *s* radiosonda

rasorial [rəˈsɔ:rjəl] *adj zool* (*o ptaku*) grzebiący; kurowaty

↑ **rat**[1] Ⅲ *attr* szczurzy; *przen* ~ **race**

a) manewr lotniczy, w którym każdy samolot w formacji leci tuż za ogonem poprzednika b) *sl* zażarte współzawodnictwo c) *sl* zamęt; bieganina

rat-bite ['rætbait] *attr med* ~ **fever** gorączka szczurza

↑ **rate**[1] ☐ *s* 10. częstość (pojawiania się) 11. *nukl* natężenie Ⓜ *attr nukl* ~ **meter** miernik natężenia

rated ['reitid] ☐ *zob* **rate**[1] *vt* Ⅲ *adj fiz* znamionowy; *nukl* ~ **capacity** moc znamionowa

raticide ['rætisaid] *s* trutka na szczury

rationally ['ræʃənəli] *adv* racjonalnie; sensownie; rozsądnie

rato ['reitəu] *s* (*w rakietnictwie*) start wspomagany rakietą startową

↑ **rattle-snake** Ⅲ *attr bot* ~ **plantain** storczyk *Goodyeara*; ~ **root** (*Prenanthes*) przenęt; ~ **weed** (*Hieracium venosum*) jastrzębiec

↑ **rat-trap** *s* 2. trudna sytuacja; *przen* potrzask

raucously ['rɔːkəsli] *adv* ochryple

↑ **rave** Ⓜ *adj* rozpływający się w pochwałach

ravelment ['reivəlmənt] *s* plątanina; gmatwanina

ravenously ['rævənəsli] *adv* 1. jak zgłodniałe stworzenie 2. żarłocznie; łapczywie 3. drapieżnie

ravioli [rævi'əuli] *spl* pierożki

ravishingly ['ræviʃiŋli] *adv* zachwycająco; porywająco; czarownie

rawhide ['rɔːhaid] ☐ *s* 1. surowa skóra bydlęca 2. bykowiec Ⅲ *vt* wy/chłostać bykowcem

rawin ['rəuin] *s* obserwacja wiatrów na dużych wysokościach przy pomocy instrumentów elektronowych

↑ **ray**[1] Ⓜ *attr bot* ~ **flower** ⟨**floret**⟩ kwiatek kwiatostanu złożonego

razon ['reizən] *attr wojsk* ~ **bomb** rodzaj pocisku sterowanego

↑ **razor-back** Ⅲ *s* dzika świnia Ameryki Północnej

razz [ræz] *am sl* ☐ *vt* naciągać ⟨nabierać⟩ (kogoś); wyśmiewać; żartować (**sb** z kogoś) Ⅲ *s* 1. naciąganie; nabieranie; wyśmiewanie 2. ostra krytyka

r-colored [ɑr'kʌləd] *adj am* (*o samogłosce*) wymawiany ze specyficzną amerykańską retrofleksją

reacting [ri'æktiŋ] ☐ *zob* **react** *vi* Ⅲ *adj* reakcyjny; (*o paliwie, plazmie*) czynny

↑ **reaction** Ⅲ *attr nukl* (dotyczący) reakcji; ~ **energy** ⟨**power, product**⟩ energia ⟨moc, produkt⟩ reakcji

↑ **reactor** Ⅲ *ottr* reaktorowy; ~ **equation** ⟨**tube, synchronizing etc.**⟩ równanie ⟨kanał, synchronizacja itd.⟩ reaktora

↑ **readership** *s* 2. poczytność

↑ **ready** Ⓥ *attr lotn* ~ **room** sala odpraw

reagent [ri'eidʒənt] *s* reagent

↑ **real**[1] ☐ *adj* 1. ... *mat* ~ **number** liczba rzeczywista 2. ... ~ **wages** realne płace

realistically [riə'listikəli] *adv* realistycznie

rearrangement [riə'reindʒmənt] *s* przemiana; przestawienie; *nukl* ~ **of the outer electronic structure of the atoms** przebudowa zewnętrznych powłok elektronowych atomu

reassuringly [riə'ʃuəriŋli] *adv* uspokajająco

rebelliously [ri'beljəsli] *adv* 1. buntowniczo 2. opornie 3. powstańczo

reborn ['riːbɔːn] *adj* odrodzony; na nowo narodzony

recap[1] [riː'kæp] *vt aut* bieżnikować (oponę)

recap[2] [riː'kæp] ☐ *s* = **recapitulation** Ⅲ *vt* = **recapitulate**

recapitalize [riː'kæpitəlaiz] *vt* odnowić (zmienić) kapitał (przedsiębiorstwa)

receivable [ri'siːvəbl] *adj* (*o płatnościach*) należny

↑ **receiving** Ⅲ *attr radio* ~ **set** odbiornik

↑ **receptacle** *s* 1. ... pojemnik

↑ **receptionist** *s* ... recepcjonist-a/ka

receptively [ri'septivli] *adv* 1. chłonnie 2. podatnie; wrażliwie 3. chętnie

↑ **recessional** *adj* ... ~ **hymn** hymn śpiewany na zakończenie nabożeństwa

recipience [ri'sipiəns] *s* 1. przyjęcie; przyjmowanie 2. chłonność 3. podatność; wrażliwość

↑ **reciprocal** *adj* 1. ... *biol* ~ **translocation** wzajemna translokacja

reciprocally [re'siprəkəli] *adv* wzajemnie; obustronnie; obopólnie

recklessly ['reklisli] *adv* 1. nierozważnie; niebacznie; lekkomyślnie 2. brawurowo; zuchowato; szaleńczo; wariacko; (*pędzić itd.*) na oślep

reclusion [ri'kluːʒən] *s* 1. samotność 2. pustelnicze życie

↑ **recoil** Ⅲ *attr nukl* (dotyczący) odrzutu; ~ **electron** ⟨**nucleus, proton**⟩ elektron ⟨jądro, proton⟩ odrzutu

recoilless [ri'kɔilis] *adj* bezodrzutowy; (*w rakietnictwie*) ~ **rifle** bezodrzutowa wyrzutnia rakiet

↑ **recollective** [rekə'lektiv] *adj* 2. wspomnieniowy

recollectively [rekə'lektivli] *adv* wspomnieniowo

recombination [rekɔmbi'neiʃən] *s nukl* rekombinacja

reconditely [rekən'daitli] *adv* 1. tajemniczo 2. niezrozumiale; zawile 3. w zapoznaniu

reconstructed [riːkən'strʌktid] ☐ *zob* **reconstruct** *vt* Ⅲ *adj* (*o człowieku*) o nastawieniu politycznym i ekonomicznym postępowym i liberalnym

reconstructive [riːkən'strʌktiv] *adj* odbudowujący; odtwarzający

reconvert [ˌriːkən'vəːt] *vt* przestawić (zakład przemysłowy) z produkcji wojennej na pierwotną

↑ **record** Ⅲ *attr* ~ **player** adapter

↑ **recovery** *s* 1. ... *nukl* regeneracja (uranu); odnowa

↑ **recreation** Ⅲ *attr* rekreacyjny; ~ **room** sala rekreacyjna

rectangularly [rek'tæŋgjulǝli] *adv* prostokątnie

rectilinearly [rekti'liniǝli] *adv* 1. prostoliniinie 2. po linii prostej

rectocele ['rektǝsi:l] *s med* uchyłek odbytnicy

rectus ['rektǝs] *s* (*pl* **recti** ['rektai]) mięsień prosty

recycle ['ri:saikl] *vt nukl* zawracać do obiegu; ~**d fuel** paliwo krążące

↑ **red** Ⅰ *adj* 1. ... ~ **hat** kapelusz kardynalski; ~ **lead** minia ołowiana; *bot* ~ **algae** krasnorosty; ~ **cedar** (*Juniperus virginiana*) jałowiec wirginijski; ~ **clover** (*Trifolium pratense*) koniczyna łąkowa; ~ **fir** (*Abies magnifica*) sosnowate drzewo amerykańskie; ~ **oak** nazwa kilku gatunków dębu amerykańskiego; ~ **osier** (*Salix purpurea*) wiklina; *zool* ~ **deer** (*Cervus elaphus*) jeleń; ~ **drum** (*Sciaenops ocellata*) amerykańska ryba jadalna z rodziny *Sciaenidae*; ~ **hind** (*Epinephelus guttatus*) amerykańska ryba jadalna Ⅲ *vi lotn* **to** ~ **out** doznać uderzenia krwi do głowy (podczas wykonywania pewnych ewolucji lotniczych)

redbait ['redbeit] *vt* prześladować za komunizm

redbird ['redbǝ:d] *s zool* 1. (*Cardinalis cardinalis*) kardynał 2. (*Pyrrhula*) gil

red-blooded [red'blʌdid] *adj* krwisty

↑ **redcap** *s* 2. *am* bagażowy

↑ **red-heated** *adj* ... *zool* ~ **woodpecker** amerykański dzięcioł *Melanerpes erythrocephalus*

redintegration [,redinti'greiʃǝn] *s* 1. odnowienie; wznowienie 2. restytucja; restytuowanie

↑ **re-do** *vt* 3. przemalować ⟨odmalować⟩ (mieszkanie itd.); wytapetować na nowo (pokój itd.)

redroot ['redru:t] *s bot* północnoamerykańskie ziele *Lachnanthes tinctoria*

redtop ['redtɔp] *s bot* (*Agrostis alba*) mietlica biaława

↑ **reduce** Ⅰ *vt* 2. ... **to** ~ **weight** zrzuc-ić/ać wagę

reductant [ri'dʌktǝnt] *s* czynnik redukujący

reductase [ri'dʌkteis] *s biochem* reduktaza

reductionism [ri'dʌkʃǝnizǝm] *s* redukcjonizm

reductor [ri'dʌktǝ] *s techn* reduktor

↑ **reed** Ⅲ *attr bot* ~ **bent** (*Calamaghostis*) trzcinnik; *zool* ~ **bunting** (*Emberiza schoeniclus*) potrzos; *muz* ~ **organ** organy stroikowe; ~ **pipe** piszczałka stroikowa

reedbird ['ri:dbǝ:d] *s zool* północnoamerykański ptak śpiewający *Dolichonyx oryzivorus*

reedbuck ['ri:dbʌk] *s zool* antylopa afrykańska z rodzaju *Redunca*

re-educate [ri:'edjukeit] *vt* przeszk-olić/alać

reefer[2] ['ri:fǝ] *s* statek chłodnia; wagon chłodnia; samochód chłodnia

reefer[3] ['ri:fǝ] *s sl* papieros z marihuany

↑ **reflector** Ⅲ *attr nukl* (dotyczący) reflektora; ~ **control** sterowanie reflektorem; ~ **saving** zysk z reflektora

reflectoscope [ri'flektǝskǝup] *s* defektoskop ultradźwiękowy

reflexively [ri'fleksivli] *adv gram* zwrotnie

reflux [ri'flʌks] *nukl* Ⅰ *s* flegma Ⅲ *attr* (dotyczący) deflegmacji; ~ **condenser** deflegmator; ~ **ratio** współczynnik deflegmacji

regardfully [ri'gɑ:dfuli] *adv* 1. starannie; uważnie; troskliwie; z dbałością 2. z szacunkiem

regardlessly [ri'gɑ:dlisli] *adv* niestarannie; niedbale; niebacznie; nieuważnie

regeneratively [ri'dʒenǝreitivli] *adv* regeneracyjnie

regionally ['ri:dʒǝnǝli] *adv* regionalnie; okręgowo; rejonowo

registered ['redʒistǝd] Ⅰ *zob* **register** *vt* Ⅲ *adj* 1. zarejestrowany 2. (*o przesyłce pocztowej*) polecony 3. (*o zwierzętach rasowych*) rodowodowy; z rodowodem 4. (*o budynkach*) zabytkowy

regma ['regmǝ] *s bot* owoc dzielący się na jednonasienne części

regolith ['regǝliθ] *s miner* regolit

regretfully [ri'gretfuli] *adv* 1. ze skruchą 2. z żalem; z ubolewaniem

regrettably [ri'gretǝbli] *adv* 1. w sposób godny pożałowania 2. niestety

↑ **regulus** *s* 6. **Regulus** nazwa typu bezzałogowego statku powietrznego

rehabilitative [rihǝ'bilitǝtiv] *adj* rehabilitacyjny; rewalidacyjny

reify ['ri:ifai] *vt* s/konkretyzować

reinforced ['ri:infɔst] Ⅰ *zob* **reinforce** *vt* Ⅲ *adj* (*o betonie*) zbrojony; ~ **concrete** żelbet

rejuvenize [ri'dʒu:vinaiz] *vt vi* = **rejuvenate**

relativistic [,relǝti'vistik] *adj* relatywistyczny

relativize ['relǝtivaiz] *vt* relatywizować

relator [ri'leitǝ] *s* opowiadający; narrator

↑ **relaxation** Ⅲ *attr* (dotyczący) relaksacji; ~ **time** ⟨**length**⟩ czas ⟨długość⟩ relaksacji ⟨odpoczynku⟩

relentlessly [ri'lentlisli] *adv* 1. nieugięcie; nieustępliwie 2. nieubłaganie; bezlitośnie; srogo

reliably [ri'laiǝbli] *adv* 1. pewnie; solidnie; niezawodnie 2. rzetelnie 3. wiarogodnie, wiarygodnie

↑ **relief**[2] Ⅲ *attr* ~ **map** mapa plastyczna; (*w fabryce itd.*) ~ **shift** dodatkowa zmiana robocza

religiously [ri'lidʒəsli] adv 1. pobożnie; religijnie 2. skrupulatnie

relocation [ˌriːləu'keiʃən] Ⓛ s przemieszczenie Ⓘ attr ~ camp obóz dla przymusowo przesiedlonych

reluctantly [ri'lʌktəntli] adv niechętnie

rem [rem] s fiz rem

remediably [ri'miːdjəbli] adv w sposób możliwy do naprawy

remilitarization [riːˌmilitərai'zeiʃən] s remilitaryzacja

↑ reminisce vt 3. przypominać sobie

remorsefully [ri'mɔːsfuli] adv ze skruchą

remorselessly [ri'mɔːslisli] adv 1. bez wyrzutów sumienia; bez skrupułów 2. bezlitośnie

↑ remote Ⓘ s radio tv program nadawany spoza studia; transmisja (z sali koncertowej, stadionu itd.)

remotion [ri'məuʃən] s usunięcie

remoulade [remu'laːd] s kulin sos do sałaty w rodzaju majonezu

remuneratively [ri'mjuːnərətivli] adv korzystnie; zyskownie; intratnie

renege [ri'niːg] vi = renegue

renegotiate [ˌriːni'gəuʃieit] vt ustalić nowe warunki na dostawy dla państwa w ramach walki z nadmiernymi zyskami wojennymi

renitent [ri'nitənt] adj oporny; stawiający opór

rennin ['renin] s biochem chymozyna

rensselaerite ['rensələrait] s miner renseleryt

↑ rental Ⓘ adj dzierżawczy; ~ library wypożyczalnia książek

rent-seck ['rentsek] s prawo dzierżawy wykluczające możność sekwestrowania mienia dzierżawcy

rep [rep] s fiz rep

reparably ['repərəbli] adv 1. w sposób możliwy do naprawienia 2. z możliwością wynagrodzenia straty

repentantly [ri'pentəntli] adv ze skruchą

repetitious [repi'tiʃəs] adj powtarzający się

repetitiously [repi'tiʃəsli] adv z licznymi powtórzeniami

replevy [ri'plevi] vt odzyskać zajęte mienie

reportorial [ˌrepɔː'tɔːriəl] adj reporterski; sprawozdawczy

reposefully [ri'pəuzfuli] adv 1. spokojnie; w spokoju 2. uspokajająco

reposition [ˌriːpə'ziʃən] s med odprowadzenie (przepukliny, złamanej kości)

reprehensibly [ˌrepri'hensibli] adv nagannie; karygodnie; w sposób zasługujący na naganę

representatively [ˌrepri'zentətivli] adv 1. działając ⟨występując⟩ jako przedstawiciel 2. reprezentacyjnie 3. polit na zasadzie reprezentacji 4. typowo; okazowo

repressively [ri'presivli] adv represyjnie; w drodze represji

reprivatization [riːˌpraivətai'zeiʃən] s reprywatyzacja

reprivatize [riː'praivətaiz] vt z/reprywatyzować

reprobative ['reprəbeitiv] adj potępiający

reprobatively [ˌreprə'beitivli] adv z potępieniem; potępiająco

reprocessing [ˌriː'prə'sesiŋ] s 1. ponowna obróbka 2. nukl przerób

reproductively [ˌriːprə'dʌktivli] adv 1. reprodukcyjnie 2. rozrodczo

reproval [ri'pruːvəl] s = reproof[1]

reprovingly [ri'pruːviŋli] adv z wyrzutem; z dezaprobatą

↑ republican Ⓛ adj ... Republican Party Partia Republikańska (w USA)

repugnantly [ri'pʌgnəntli] adv 1. ze wstrętem; z odrazą 2. opornie

↑ repulsive adj 1. ... nukl ~ energy ⟨force⟩ energia ⟨siła⟩ odpychania

repulsively [ri'pʌlsivli] adv odpychająco; wstrętnie; odrażająco

reputably ['repjutəbli] adv chlubnie; zaszczytnie

requisitely ['rekwizitli] adv koniecznie; z konieczności

reradiation [riːˌreidi'eiʃən] s fiz promieniowanie wtórne

rescissory [ri'sizəri] adj odwoławczy

↑ research Ⓘ attr 1. poszukiwawczy; badawczy; naukowy; ~ library biblioteka naukowa 2. nukl (o reaktorze, laboratorium) badawczy

resedaceous [resi'deiʃəs] adj bot rezedowaty

resentfully [ri'zentfuli] adv 1. z urazą 2. z oburzeniem

↑ reservation s 5. ... (także pl ~s) rezerwacja, rezerwacje 6. miejscówka

↑ reservoir Ⓘ attr med ~ host nosiciel (bakterii, zarazków)

resiliently [ri'zilijəntli] adv elastycznie; sprężyście; prężnie; techn odprężnie

resinate ['rezineit] vt zaprawi-ć/ać (impregnować) żywicą

resinography [rezi'nɔgrəfi] s nauka o syntetycznych żywicach

resinoid ['rezinɔid] Ⓛ adj żywicowaty Ⓘ s rezinoid

↑ resistance Ⓛ s 3. techn ... flame ~ ogniotrwałość; acid ~ odporność na działanie kwasów; abrasion ~ odporność na ścieranie 6. polit ruch oporu

↑ resistant adj 1. ... flame ~ ogniotrwały; acid ~ kwasoodporny

↑ resistivity s ... techn surface ~ odporność powierzchniowa

resistlessly [ri'zistlisli] adv nieodparcie

resistor [ri'zistə] s elektr opornik

resloom ['resluːm] s tekst włókno syntetyczne zapobiegające kurczeniu się i mięciu tkanin

resojet [ˌresəu'dʒet] s = pulse-jet

resolutely ['rezəljuːtli] adv zdecydowanie; śmiało; rezolutnie; stanowczo

↑ resolution 10. nukl rozdzielczość

resolving [ri'sɔlviŋ] Ⓛ zob resolve v Ⓘ attr

nukl rozdzielczy; ~ **power** ⟨**time**⟩ zdolność ⟨czas⟩ rozdzielczy
↑ **resonance** Ⅲ *attr* rezonansowy; ~ **region** zakres rezonansu
↑ **resonant** *adj* 4. *nukl* (*o oscylacji itd.*)
rezonansowy
resonate [ˈrezəneit] *vi* 1. rozbrzmiewać 2.
fiz rezonować, drgać w rezonansie
resorcinol [riˈzɔːsinəl] *s chem* rezorcyna
resourcefully [riˈsɔːsfuli] *adv* pomysłowo;
zaradnie
respectably [risˈpektəbli] *adv* 1. godnie;
chwalebnie 2. uczciwie; porządnie 3. pokaźnie
↑ **response** Ⅱ *attr nukl* ~ **time** czas odpowiedzi ⟨zadziałania⟩
responsibly [risˈpɔnsibli] *adv* odpowiedzial-
nie
responsively [risˈpɔnsivli] *adv* 1. wrażliwie 2. żywo reagując
↑ **rest**[1] Ⅳ *attr* spoczynkowy; *nukl* ~
energy ⟨**mass**⟩ energia ⟨masa⟩ spoczynkowa
restfully [ˈrestfuli] *adv* kojąco; uspokajająco
resting [ˈrestiŋ] Ⅱ *zob* **rest** *v* Ⅲ *adj bot
biol* (będący) w stanie spoczynku; spoczynkowy; ~ **body** przetrwalnik
restively [ˈrestivli] *adv* 1. narowiście;
krnąbrnie; opornie 2. nerwowo; niespokojnie
↑ **restore** *vt* 5. przywrócić (artykułowi spo-
żywczemu) wartości odżywcze utracone
w czasie przerobu
restoring [risˈtɔːriŋ] Ⅱ *zob* **restore** *vt* Ⅲ
adj nukl ~ **force** siła powrotu; zdolność
odnowy
restrictively [risˈtriktivli] *adv* ogranicza-
jąco
↑ **retaining** Ⅲ *adj* ... *nukl* ~ **ring** pierścień
dławiący
rete [ˈriːtiː] *s* sieć; siateczka
retene [riːˈtiːn] *s chem* reten
↑ **retention** Ⅱ *s* 5. *nukl* retencja Ⅲ *attr* retencyjny; ~ **coefficient** współczynnik re-
tencji; ~ **time** czas retencyjny
reticently [ˈretisəntli] *adv* 1. powściągliwie
2. małomównie
retinite [ˈretinait] *s miner* retynit
retinitis [retiˈnaitis] *s med* zapalenie siatkówki
retinoscope [ˈretinəskəup] *s med* skiaskop
retinoscopy [retiˈnɔskəpi] *s med* skiaskopia
retorsion [riˈtɔːʃən] *s* = **retortion**
retroactively [ˌretrəuˈæktivli] *adv* retroak-
tywnie; (*o zarządzeniu itd.*) z działaniem
⟨działając⟩ wstecz
retro-rocket [ˌretrəuˈrɔkit] *s wojsk* pocisk
rakietowy wystrzelony z samolotu w kierunku przeciwnym do jego lotu
retrospectively [ˌretrəuˈspektivli] *adv* re-
trospektywnie; w retrospekcji
returnee [ritəːˈniː] *s wojsk* żołnierz, który
powrócił do kraju po odbyciu służby za-
morskiej

retuse [riˈtjuːs] *adj bot* (*o liściu*) mający
płytkie wcięcie na szczycie
re-used [riːˈjuːzd] *adj* (*o wełnie*) powtórnie przystosowana do użytku
revegetate [riːˈvedʒiteit] *vi* (*o roślinności*)
ożywać
revengefully [riˈvendʒfuli] *adv* mściwie
reverently [ˈrevərəntli] *adv* z czcią, z szacunkiem
revocably [ˈrevəkəbli] *adv* odwołalnie
revolvement [riˈvɔlvmənt] *s* stałe odnawia-
nie starzejących się zapasów
Rh [ɑːˈreitʃ] *attr biochem* ~ **factor** czynnik Rh
rhabdomancy [ˈræbdəmənsi] *s* różdżkarstwo; poszukiwania przy pomocy różdżki
rhabdomyoma [ˌræbdəmaiˈəumə] *s med*
mięśniak prążkowanokomórkowy
rhamnaceous [ræmˈneiʃəs] *adj bot* szakła-
kowaty
rheology [riːˈɔlədʒi] *s* reologia; nauka o ruchu cieczy (np. krwi w sercu, naczy-
niach)
rheometer [riːˈɔmitə] *s* przyrząd do badania szybkości prądu cieczy (np. krwi)
rheotaxis [ˌriːəˈtæksis] *s* reotaksja
rheotropism [riːəˈtrɔpizəm] *s biol* reotro-
pizm
rhesus [ˈriːsəs] *s zool* (*Macacus rhesus*) re-
zus
Rhesus-factor [ˈriːsəsˌfæktə] *s biochem*
czynnik Rh
rheum [ruːm] *s med* 1. wydzielina śluzowa
2. katar
rheumatoid [ˌruːməˈtɔid] *adj med* gośćcowy
Rhine [rain] *spr attr* reński; ~ **wine** wino
reńskie
rhinencephalon [raininˈsefələn] *s anat* wę-
chomózgowie
rhinitis [raiˈnaitis] *s med* nieżyt nosa
rhino[1] [ˈrainəu] *s sl mar* ponton motorowy do akcji desantowej
Rhino[2] [ˈrainəu] *s* nazwa pojazdu amfibii
rhinofonia [ˌrainəuˈfəuniə] *s* nosowa wymowa; mówienie przez nos
rhinoscope [ˈrainəskəup] *s med* wziernik
nosowy
rhizobium [raiˈzəubiəm] *s biol* bakteria
brodawkowa
rhizocarpic [ˌraizəuˈkɑːpik], **rhizocarpous**
[ˌraizəuˈkɑːpəs] *adj bot* mający wielolet-
nie części podziemne
rhizogenic [ˌraizəuˈdʒenik] *adj bot* tworzą-
cy korzenie
rhizoid [ˈraizɔid] *s bot* rizoid, nibykorzeń
(u mszaków)
rhizome [ˈraizəum] *s bot* kłącze; rozłóg;
pęd podziemny
rhizosphere [ˈraizəsfiə] *s roln* rizosfera
rhodamine [ˈrəudəmiːn] *s chem* rodamina
rhodolite [ˈrəudəlait] *s miner* rodolit
rhodonite [ˈrəudənait] *s miner* rodonit
rhodora [rəuˈdɔːrə] *s bot* (*Rhododendron
canadensis*) rododendron kanadyjski

rhombencephalon [rɔmben'sefələn] s *anat* tyłomózgowie
rhombic ['rɔmbik] *adj* rombowy
rhonchus ['rɔŋkəs] s *med* rzężenie
rhumba ['rumbə] s *chor* rumba
rhyolite ['raiəlait] s *miner* riolit
↑ rhythm Ⅲ *attr med* ~ system metoda zapobiegania ciąży oparta na miesięcznym cyklu jajeczkowania
rhythmics ['riθmiks] s rytmika
rib² [rib] *vt sl* robić balona (sb z kogoś)
↑ ribbon Ⅰ s 6. *sl* mikrofon
riboflavin [ˌraibɔ'fleivin] s *biochem* ryboflawina
ribonucleic ['raibənju:kliik] *adj biochem* (o *kwasie*) rybonukleinowy
ribose ['raibəus] s *chem* ryboza
ribwort ['ribwə:t] s *bot* (*Plantago lanceolata*) babka lancetowata
↑ rice Ⅲ *vt* przecierać (ziemniaki) nadając im konsystencję ziarenek ryżowych Ⅲ *attr* ryżowy
ricer ['raisə] s przyrząd kuchenny do przecierania ziemniaków
ricinoleic [ˌrisinəu'li:ik] *adj chem* (o *kwasie*) rycynolowy
rickettsia [ri'ketsiə] *spl* drobnoustroje riketsia
rickettsial [ri'ketsiəl] *adj med* wywołany przez drobnoustroje riketsia
rickey ['riki] s *am* napój z dżinu i wody sodowej z sokiem cytrynowym
ridable ['raidəbl] *adj* = rideable
↑ ride Ⅰ *vi* 9. *muz* improwizować (w swingu)
↑ ridge Ⅰ s 7. *meteor* klin (of high pressure wysokiego ciśnienia)
ridiculously [ri'dikjuləsli] *adv* 1. śmiesznie; zabawnie; komicznie 2. bezsensownie; absurdalnie
riff [rif] s *muz* powtarzający się motyw muzyczny (w jazzie)
rigger ['rigə] s *bud* osłona na rusztowaniach chroniąca przechodniów przed spadającymi przedmiotami
↑ right Ⅲ *adv* 6. ... *am wojsk* ~ face! w prawo patrz!
righteously ['raitʃəsli] *adv* 1. cnotliwie 2. sprawiedliwie 3. słusznie
rightfully ['raitfuli] *adv* 1. prawnie 2. słusznie
righto [rait'əu] *interj* dobrze!
rigidly ['ridʒidli] *adv* 1. sztywno 2. surowo; twardo 3. (*postępować itd.*) nieustępliwie; nieugięcie
rigor ['rigə] s *am* = rigour
rigorous ['rigərəs] *adj* 1. surowy; ostry; rygorystyczny 2. ścisły; dokładny 3. (o *klimacie*) surowy
rigorously ['rigərəsli] *adv* 1. surowo; ostro; rygorystycznie 2. ściśle; dokładnie
rimifon ['rimifɔn] s *chem farm* lek przeciwgruźliczy
↑ ring¹ Ⅿ *attr* pierścieniowy; ~ geometry geometria pierścieniowa; ~ scalar przelicznik pierścieniowy

ringed [riŋgd] Ⅰ *zob* ring¹ *vt* Ⅲ *adj* 1. opatrzony ⟨ozdobiony⟩ pierścieniem ⟨pierścieniami⟩; upierścieniony 2. otoczony pierścieniem ⟨pierścieniami⟩ 3. pierścieniowaty
ring-necked [riŋ'nekt] *adj zool* ~ pheasant (*Phasianus torquata*) bażant obrożny
ringside ['riŋsaid] s pierwsze miejsca (podczas widowiska)
ringster ['riŋstə] s członek kliki politycznej
riotously ['raiətəsli] *adv* 1. rozpustnie 2. hałaśliwie; niesfornie 3. buntowniczo; opornie
ripely ['raipli] *adv* dojrzale
↑ ripple¹ Ⅿ *attr* ~ mark pofałdowanie piasku (przez wiatr, ruch wody)
ripples ['riplz] *spl* podoficerowie kobiecej pomocniczej formacji morskiej
ritually ['ritjuəli] *adv* rytualnie; obrzędowo
↑ river Ⅲ *adj* rzeczny; ~ novel powieść rzeka; saga
robalo ['rɔbələu] s *zool* (*Centropomus undecimalis*) ryba jadalna Florydy i Indii Zachodnich
roband ['rɔbənd] s *mar* linka
↑ robber Ⅲ *attr zool* ~ fly (*Asilus*) łowik
roble ['rəubiei] s *bot* (*Quercus lobata*) biały dąb kalifornijski
roblitz ['rɔblits] s nalot bomb latających
robomb ['rəubɔm] s = robot bomb *zob* robot
↑ robot Ⅲ *attr* ~ pilot pilot automatyczny
robustly [rəu'bʌstli] *adv* krzepko; silnie; mocno
roche moutonnée [rɔʃmu:tə'nei] s *fr geol* baraniec
↑ rock¹ Ⅲ *attr* skalny; *bot* ~ brake paproć z rodzaju *Pellaea*; ~ flower krzew amerykański z rodzaju *Crossosoma; zool* ~ bass (*Ambloplites rupestris*) słodkowodna ryba jadalna Ameryki Północnej; ~ cod = rockfish 2. ↑; ~ wren (*Salpinctes obsoletus*) strzyżyk amerykański; *techn* ~ wool wełna mineralna ⟨żużlowa⟩
↑ rocket² Ⅲ *vi* 4. (o *cenach*) skoczyć; podskoczyć zawrotnie Ⅰ *attr* rakietowy; ~ bomb bomba rakietowa; ~ engine ⟨motor⟩ silnik rakietowy; ~ field poligon do ćwiczeń z bronią rakietową; ~ launcher wyrzutnia rakiet; ~ power ⟨propulsion⟩ napęd rakietowy
rocketry ['rɔkitri] s rakietnictwo; technika rakietowa
rocketsonde ['rɔkitsɔnd] s *techn* radiosonda rakietowa
↑ rock-fish s 2. *zool* ryba morska z rodzaju *Sebastodes*
rock-ribbed ['rɔkribd] *adj* 1. skalisty 2. nieugięty
rockrose ['rɔkrəuz] s *bot* 1. (*Helianthemum*) posłonek 2. roślina posłonkowata

rockshaft ['rɔkʃɑːft] s techn wał wahadłowy

rockweed ['rɔkwiːd] s wodorost skalny

↑ rod Ⅲ attr prętowy; nukl ~ lattice siatka prętowa; ~ drive napęd prętowy

rod-type ['rɔdtaip] attr nukl ~ thermistor termistor prętowy

roentgenize ['rɔntgənaiz] vt rentgenizować

roentgenologist [ˌrɔntgi'nɔlədʒist] s rentgenolog

roentgenology [ˌrɔntgi'nɔlədʒi] s rentgenologia

roentgenopaque [ˌrɔntgenəu'peik] adj nie przepuszczający promieni X

roentgenoparent [ˌrɔntgenəu'pɛərənt] adj przepuszczający promienie X

roentgenotherapy [ˌrɔntgenəu'θərəpi] s med rentgenoterapia

Roger ['rɔdʒə] s wojsk (wyraz szyfrowy) odebrano i zrozumiano

↑ roll¹ Ⅲ attr fot ~ film rolka (błony filmowej)

rollback [rəul'bæk] s ustawowy nawrót cen do dawnego poziomu

↑ roller Ⅲ attr 1. ... ~ mill gniotownik; roln mlewnik 2. ... (w lunaparku) ~ coaster kolejka górska

↑ rolling Ⅿ attr ekon ~ adjustment okres zahamowania w niektórych gałęziach przemysłu

roman-fleuve [rɔmã'fləːv] s fr powieść rzeka; saga

roofless ['ruːflis] adj 1. (o budowie) bez dachu 2. (o człowieku) bezdomny; bez dachu nad głową

rooftree ['ruːftriː] s bud deska kalenicowa

roomily ['ruːmili] adv przestronnie

roorback ['ruəbæk] s am szkalująca plotka puszczona dla efektu politycznego

↑ root¹ Ⅿ attr bot korzeniowy; ~ habit system korzeniowy; ~ hair włośnik korzeniowy

rootstalk ['ruːtstɔːk], rootstock ['rutstɔk] s bot kłącze; rozłóg

rosaniline [rəu'zænilin] s chem czerwony barwnik anilinowy

↑ rose¹ Ⅿ attr różany; med ~ cold ⟨fever⟩ katar wywołany uczuleniem na pyłek kwiatu róży; bot ~ geranium pelargonia; ~ moss (Portulaca grandiflora) portulaka ogrodowa; zool ~ cod = rock-fish 2. ↑

rose-breasted [rəuz'brestid] adj zool ~ grosbeak zięba amerykańska Hedymeles ludovicianus

rosily ['rəuzili] adv różowo

rosinweed ['rɔzinwiːd] s bot roślina Ameryki Północnej z rodzaju Silphium

rostellum [rɔs'teləm] s bot 1. paciorkowaty wyrostek 2. (u storczyka) dziobek (znamię)

↑ rotary¹ Ⅲ s (w systemie ruchu drogowego) rondo

rotating [rəu'teitiŋ] Ⅰ zob rotate¹ v Ⅲ adj obrotowy; rotacyjny

↑ rotation Ⅲ attr obrotowy

rotenone ['rəutinɔn] s chem rotenon

roto ['rəutəu] Ⅰ s = rotogravure Ⅲ attr rotograwiurowy; ~ section dział ilustracji rotograwiurowych (w dzienniku); pot rotograwiura

rotochute ['rəutəʃuːt] s spadochron używany do wykonywania skoków z samolotów latających na dużych wysokościach z szybkością ponaddźwiękową

↑ rotor Ⅲ attr wirnikowy; lotn ~ plane wiropłat

rotorcraft ['rəutəkrɑːft, am 'rəutəkræft] s lotn wiropłat

rotundly [rəu'tʌndli] adv 1. okrągło 2. (wyrażać się itd.) górnolotnie; napuszenie 3. (o człowieku — wyglądać) pulchnie; pękato

↑ rough Ⅰ adj 12. (o rybie) niełowny Ⅱ s 8. szkic

↑ round Ⅲ adv 1. ... ~ the clock 24 godziny; całą dobę

rounding-off ['raundiŋɔf] s zaokrąglenie (liczby itd.)

roundlet ['raundlit] s kółeczko; krążek

round-the-clock ['raundðə'klɔk] adj całodzienny; (cało)dobowy

rowdily ['raudili] adv awanturniczo; hałaśliwie; zgiełkliwie; chuligańsko

rubasse ['ruːbæs] s odmiana kryształu górskiego

rubato [ruː'bɑːtəu] s muz rubato

rubbery ['rʌbəri] adj gumowaty

rubefaction [ˌruːbi'fækʃən] s wywołanie zaczerwienienia skóry (przekrwienia)

rubellite [ruː'belait] s miner rubelit

rubiaceous [ˌruːbi'eiʃəs] adj bot marzankowaty

rudderpost ['rʌdəpəust] s mar ramię sterowe (tylnicy)

rudder-stock ['rʌdəstɔk] s mar trzon sterowy

ruddle ['rʌdl] s czerwona ochra

ruddock ['rʌdək] s zool (Erithacus rubecula) rudzik

↑ ruddy adj 3. ... zool ~ duck (Erismatura jamaicensis rubida) kaczka północnoamerykańska

rudely ['ruːdli] adv 1. prymitywnie 2. gwałtownie; nagle 3. silnie; mocno; krzepko 4. niegrzecznie; nieuprzejmie; grubiańsko; obraźliwie 5. niedokładnie; powierzchownie; w przybliżeniu; z grubsza

rudimentarily ['rudimen'tɛərili] adv 1. szczątkowo 2. elementarnie; podstawowo

ruefully ['ruːfuli] adv 1. smutno 2. w sposób godny pożałowania; żałośnie

↑ ruffed adj 2. ... zool ~ grouse północnoamerykański ptak łowny Bonasa umbellus

ruga ['ruːgə] s zmarszczka; bruzda; fałda

rugate ['ruːgeit] adj pomarszczony; pofałdowany

↑ rugged adj 8. wytrwały 9. (o sporcie,

pracy) wymagający wytrwałości; ~ **individualist** zagorzały indywidualista

ruggedly ['rʌgidli] *adv* 1. nierówno; wyboiście; urwiście 2. chropowato 3. (*zachowywać się itd.*) szorstko; kostycznie; gburowato 4. (*nakazywać itd.*) surowo; bezwzględnie 5. (*brzmieć itd.*) ostro; rażąco 6. (*o deszczu — zacinać*) gwałtownie; ostro 7. wytrwale

rugosely [ru'gəusli] *adv* ze zmarszczkami; z fałdami

ruinously ['ruinəsli] *adv* 1. w ruinach; w ruinie 2. rujnująco; zgubnie; niszcząco

rumble³ ['rʌmbl] *s sl* draka ⟨rozróba⟩ między bandami młodzieżowymi

rumbly ['rʌmbli] *adj* 1. huczący; dudniący; grzmiący 2. turkoczący 3. (*o odgłosach*) burczący

↑ **rummy²** *s ... * **gin** ~ odmiana remi

↑ **rumpus** Ⅲ *attr* ~ **room** pokój do gier i zabaw w domu prywatnym

runaround ['rʌnə,raund] *s sl* wymigiwanie się

↑ **run-down** Ⅲ *s* redukcja personelu

↑ **running** Ⅳ *attr* ~ **mate** kandydat ubiegający się w wyborach o stanowisko zastępcy głównego kandydata; ~ **shed** parowozownia; *mar* ~ **knot** węzeł ławkowy

run-on [rʌn'ɔn] *adj* dodatkowy

run-through [rʌn'θru:] *s teatr* pośpieszna próba (przedstawienia)

runty ['rʌnti] *adj* karłowaty

ruptured ['ræptʃəd] Ⅰ *zob* **rupture** *vt* Ⅲ *adj* w zwrocie: ~ **duck** odznaka zwolnienia z wojska po nienagannej służbie

↑ **ruralize** Ⅲ *vi* 2. bawić na wsi

rurally ['ru:rəli] *adv* 1. wiejsko 2. sielsko

rurban ['rə:bən] Ⅰ *adj* wiejsko-miejski Ⅲ *s* chłopo-robotnik

↑ **rush²** Ⅳ *attr* (*w piłce nożnej*) ~ **line** atak

↑ **Russian** Ⅰ *adj ... * ~ **Church** kościół prawosławny; ~ **dressing** ostra przyprawa do sałaty; ~ **Revolution** Rewolucja Październikowa; ~ **Zone** strefa radziecka (*w Niemczech*); *bot* ~ **thistle** oset *Salsola tragus*; *zool* ~ **wolfhound** chart syberyjski

Russophile ['rʌsəufail] *s* rusofil

Russophobe ['rʌsəufəub] *s* rusofob

rustically ['rʌstikəli] *adv* 1. wiejsko 2. prostacko

rustily ['rʌstili] *adv* 1. rdzawo 2. w zaniedbaniu; w stanie podniszczonym

rutaceous [ru'teiʃəs] *adj bot* rutowaty

rutherford ['rʌðəfəd] *s nukl* rutherford

ruthlessly ['ru:θlisli] *adv* bez litości; bezlitośnie; niemiłosiernie; bezwzględnie; srogo

rutile ['ru:ti:l] *s miner* rutyl

rutin ['ru:tin] *s farm* rutyna

ruttish ['rʌtiʃ] *adj* lubieżny

rye² [rai] *s* (*u Cyganów*) szlachcic

S

sabadilla [sæbə'dilə] *s* 1. *bot* (*Sabadilla officinalis*) sabadyla, kichawiec 2. (*także* ~ **seeds**) *farm* nasiona sabadyli ⟨kichawca⟩

↑ **sabbath** Ⅲ *attr* niedzielny; **Sabbath school** niedzielna nauka religii; szkoła niedzielna; (*u adwentystów*) sobotnia nauka religii

saber ['seibə] *s am* = **sabre**

Sabine ['seibi:n] *adj* sabiński

sablefish ['seiblfiʃ] *s zool* ryba jadalna Pacyfiku północnego *Anoplopoma fimbria*

sabra ['sɑ:brə] *s* rodowity Izraelczyk

sabretoothed ['seibətu:θt] *adj zool* szablozęby

↑ **sabulous** *adj ... * ~ **clay** glina piaszczysta; ~ **loam** piasek słabogliniasty

sacaton ['sækətəun] *s bot* (*Sporobolus wrightii*) trawa paszowa półpustynnych okolic Ameryki Północnej

sacerdotalism [sæsə'dəutəlizəm] *s* kapłaństwo

↑ **sack¹** Ⅰ *s* 5. *am sl wojsk* wyro; bet; hamak; łóżko; **to hit the** ~, **to** ~ **in** runąć w bet; **sad** ~ oferma; niedorajda

sacque [sæk] *s* damski luźny płaszcz

↑ **sacred** *adj* 3. ... **Sacred College** kolegium kardynalskie

sacrificially [sækri'fiʃəli] *adv* ofiarnie

sacrilegiously [sækri'lidʒəsli] *adv* świętokradczo

sacrosciatic [,sækrəusai'ætik] *adj anat* krzyżowokulszowy

↑ **saddle** Ⅲ *attr* siodłowy; *bud* ~ **roof** dach dwuspadowy; *chem* ~ **soap** mydło do czyszczenia i konserwowania przedmiotów skórzanych; *nukl* ~ **point** **deformation** deformacja w punkcie siodłowym

Sadducee [sædju'si:] *s rel* saduceusz

sadiron ['sædaiən] *s* żelazko do prasowania

sadly ['sædli] *adv* 1. smutno; ze smutkiem 2. opłakanie; w sposób godny politowania; żałośnie

↑ **safe²** *adj* 2. ... ~ **period** okres niepłodności u kobiet

safeblower ['seifbləuə], **safebreaker** [seif'breikə] *s* kasiarz

safe-conduct [seif'kɔndʌkt] *s* list żelazny; glejt

safe-deposit [seifdi'pɔzit] *s* (*także* ~ **box**) *bank* schowek; skrytka; sejf

safen ['seifən] *vt* zabezpiecz-yć/ać

↑ **safety** Ⅲ *attr* ... *lotn* ~ **pilot** ubezpieczający pilot lecący w samolocie zdalnie kierowanym podczas lotu próbnego; *techn* ~ **control** system bezpieczeństwa; ~ **device** urządzenie zabezpieczające

safrole ['sæfrəul] *s chem* safrol

↑ **saga** Ⅲ *attr* ~ **novel** powieść rzeka

sagaciously [sə'geiʃəsli] *adv* mądrze; rozsądnie; rozważnie; roztropnie

↑ **sage**[1] '.Ⅰ *s* 2. *bot* = **sagebrush** Ⅲ *attr zool* ~ **hen** pardwa amerykańska; ~ **sparrow** (*Amphispiza nevadensis*) zięba północnoamerykańska

sagitta [sə'dʒitə] *s mat* strzał(k)a

saguaro [sə'gwa:rəu] *s bot* (*Carnegiea gigantea*) wysokopienny kaktus

saiga ['saigə] *s zool* (*Saiga tartarica*) suhak

sailfish ['seilfiʃ] *s zool* amerykańska ryba morska z rodzaju *Istiophorus*

sal [sæl] *s chem* sól; ~ **volatile** [və'læti- li:] węglan amonowy; sole trzeźwiące

salaciously [sə'leiʃəsli] *adv* lubieżnie; sprośnie

↑ **salamander** *s* 5. *wojsk* pojazd amfibia zdalnie kierowany używany do wysadzania min

saleite ['sæliait] *s miner* saleit

sales [seilz] Ⅲ *spl* sprzedaż; zbyt Ⅲ *attr* (dotyczący) sprzedaży; ~ **resistance** hamowanie (ograniczanie) sprzedaży; ~ **tax** podatek obrotowy

salesgirl ['seilzgə:l] *s* ekspedientka

salicaceous [sæli'keiʃəs] *adj bot* wierzbowaty

salientian [seili'enʃiən] *s* zwierzę skaczące

salify ['sælifai] *vt* 1. przemienić w sól 2. solić

↑ **saline** Ⅲ *adj* 4. *roln* zasolony; ~ **soil** gleba zasolona; soloniec 15. solankowy

Salk [sælk] *attr med* ~ **vaccine** szczepionka Salka (przeciwko chorobie Heinego-Medina)

salmonberry [sæmən'beri] *s bot* amerykańska odmiana maliny

salmonoid ['sæmənɔid] *adj zool* łososiowaty

salol ['sælɔl] *s farm* salol

saloop [sə'lu:p] *s* gorący napój z salepu

salpinx ['sælpiŋks] *s anat* 1. jajowód 2. trąbka słuchowa

↑ **salt** Ⅲ *attr* ‖ *med* ~ **rheum** przewlekły wyprysk moknący

saltant ['sæltənt] *adj* tańczący; skaczący

saltatory ['sæltətəri] *adj* 1. skaczący 2. skokowy 3. poruszający się skokami 4. *med* pląsawiczy; ~ **spasm** kurcz pląsawiczy

↑ **salting** Ⅲ *s* ... wysalanie Ⅲ *attr* wysalający; ~ **agent** substancja wysalająca

saltshaker ['sɔ:ltʃeikə] *s sl* mały mikrofon

salubriously [sə'lu:briəsli] *adv* zdrowotnie

salutarily ['sæljutərili] *adv* 1. zbawiennie 2. zdrowotnie

salutatorian [sæ,lu:tə'tɔ:riən] *s am uniw*

szk student ⟨uczeń⟩ wygłaszający mowę powitalną

↑ **salutatory** Ⅲ *s am uniw szk* mowa powitalna wygłaszana przez studenta ⟨ucznia⟩ przy uroczystościach promocyjnych

↑ **salvo**[2] *s* 1. ... *lotn* równoczesne zrzucenie całego ładunku bomb

samarskite [sə'ma:skait] *s miner* samarskit

samiresite [sə'mirizait] *s miner* samirezyt

Samoan [sə'məuən] Ⅰ *adj* samoański Ⅲ *s* język samoański

samovar ['sæməva:] *s* samowar

↑ **sample** Ⅰ *s* 1. ... **control** ~ próbka kontrolna

sampling ['sa:mpliŋ] Ⅰ *zob* **sample** *vt* Ⅲ *s* pobieranie próbek

sanctimoniously [sæŋkti'məuniəsli] *adv* świętoszkowato

Sanctus ['sæŋktəs] Ⅰ *s kośc* Sanctus (część mszy) Ⅲ *attr* ~ **bell** dzwonek ministranta

↑ **sand** Ⅳ *attr* piaskowy; piaszczysty; ~ **cast** odlew wykonany w formie piaskowej; ~ **lot** puste miejsce na peryferiach miasta użytkowane na zabawy ulicznoków i na zebrania polityczne; *bot* ~ **lily** (*Leucocrinum montanum*) roślina amerykańska mająca kwiaty podobne do lilii; *wet* ~ **crack** szczelina rogu kopytowego

↑ **sand-box** Ⅲ *attr bot* ~ **tree** (*Hura crepitans*) wilczomleczowate drzewo Ameryki tropikalnej

sandbur ['sændbə:] *s bot* nazwa kilku chwastów rosnących na gruntach piaszczystych

sandculture ['sændkʌltʃə] *s roln* uprawa roślin na piasku

sandhi ['sændi, 'sa:ndi] *attr fonet* ~ **form** sandhi

sand-hog ['sændhɔg] *s* człowiek pracujący w warunkach podwyższonego ciśnienia powietrza (przy budowie tuneli, w kesonach itd.)

↑ **sandwich** Ⅲ *attr nukl* warstwowy; ~ **plate** płyta warstwowa

sanely ['seinli] *adv* 1. zdrowo 2. rozsądnie

sanforization [,senfərai'zeiʃən] *s* sanforyzacja

sanforize ['sænfəraiz] *vt* poddawać (tkaninę) procesowi sanforyzacji

sanguinely ['sæŋgwinli] *adv* optymistycznie; ufnie

sanguiniferous [sæŋ'gwinifərəs] *adj* krwionośny

sanious ['seiniəs] *adj* posokowaty

sanitarily [sæni'teərili] *adv* higienicznie; sanitarnie; zdrowotnie

sans-culottide [sænzkju'lɔtid] *s fr* dzień uzupełniający ⟨przestępny⟩ w kalendarzu Rewolucji Francuskiej

Sansei ['sa:nsei] *s am* wnuk ⟨wnuczka⟩ japońskich imigrantów sansevieria [sænsi'viəriə] s bot sansewieria

sans-serif [sænz'serif] s druk grotesk

↑ Santa Claus spr ... Dziadek Mróz

santonica [sæn'tɔnikə] s 1. bot (Artemisia cina) cytwar 2. farm suszone kwiaty cytwaru

saphena [sə'fi:nə] s anat żyła odpiszczelowa

sapientially [sæpi'enʃəli] adv mądrze

sapiently ['seipjəntli] adv przemądrzale

sapindaceous [sæpin'deiʃəs] adj bot zapianowaty

sapor ['seipə] s smak

sapota [sə'pəutə] s bot (Sapota) sapota, sączyniec

sapotaceous [sæpə'teiʃəs] adj bot sączyńcowaty; sapotowaty

sappan-wood ['sæpən,wud] s = sapan--wood

sapphism ['sæfizəm] s safizm; miłość lesbijska

sapr(a)emia [sə'pri:miə] s med zatrucie wywołane obecnością bakterii gnilnych we krwi

saprolite ['sæprəlait] s miner saprolit

sapsago [sæp'sa:gəu] s zielony ser szwajcarski

sapsucker ['sæpsʌkə] s zool dzięcioł amerykański z rodzaju Sphyrapicus

saran [sə'ra:n] s saran; polichlorek winylidenu

sarcastically [sa:'kæstikəli] adv sarkastycznie; uszczypliwie; złośliwie

sarcenet ['sa:snit] s tekst lekki jedwabny materiał podszewkowy

sarcocarp ['sa:kəuka:p] s bot owocnia

Sarcophagidae [sa:kɔ'fædʒidi:] spl zool ścierwnice

sarcous ['sa:kəs] adj anat mięsny

Sardinian [sa:'diniən] adj sardyński

sardonically [sa:'dɔnikəli] adv sardonicznie

sargassum [sa:'gæsəm] s bot wodorost z rodzaju Sargassum

sarracenia [sa:rə'si:niə] s bot kapturnica

sarraceniaceous [sa:rə,sini'eiʃəs] adj bot kapturnicowaty

saskatoon [sæskə'tu:n] s bot 1. krzew amerykański Amelianchier canadensis 2. jagoda tego krzewu

sassywood ['sæsiwud] s bot brezyliowate drzewo Erythrophloeum guineense

↑ satellite Ⅲ attr satelitarny; ~ station satelitarna stacja międzyplanetarna

satiable ['seiʃiəbl] adj nasycalny

satinpod ['sætinpɔd] s bot roślina krzyżowa z rodzaju Lunaria

satirically [sə'tirikəli] adv satyrycznie

satisfactorily [sætis'fæktərili] adv 1. zadowalająco; w sposób zadowalający 2. dostatecznie

↑ saturation Ⅲ attr ~ point a) fiz temperatura rosienia; punkt rosy b) (w metalografii) stężenie graniczne (roztworu

stałego); wojsk ~ raid nalot skoncentrowany

Saturniidae [sætə:'ni:idi:] spl zool pawice

saucily ['sɔ:sili] adv 1. impertynencko; zuchwale 2. szelmowsko; łobuzersko 3. sl szykownie; elegancko

sauger ['sɔ:gə] s zool sandacz północnoamerykański Stizostedion canadense

saurel ['sɔ:rəl] s zool (Trachurus) duża makrela

savior ['seiviə] s am = saviour

savor ['seivə] s vi vt am = savour

↑ saw¹ Ⅳ attr ~ log drzewo tartaczne; bot ~ palmetto krzewiasta palma karłowata Serenoa repens

↑ saw-buck s 2. sl banknot dziesięciodolarowy

saw-tooth ['sɔ:tu:θ] attr piłokształtny; nukl ~ oscillator generator napięcia piłokształtnego

saw-toothed ['sɔ:tu:θt] adj ząbkowany

saxifragaceous [,sæksifrə'geiʃəs] adj bot skalnicowaty

saxtuba ['sækstubə] s muz saksofon kontrabasowy

↑ saying Ⅲ s 2. ... that goes without ~ to się samo przez się rozumie

say-so ['seisəu] s 1. pot czyjeś słowa ⟨twierdzenie⟩ 2. ostatnie słowo 3. rozkaz

scabble ['skæbl] vt obrabiać (kamień) z gruba; ociosywać

scabrously ['skeibrəsli] adv 1. chropowato; szorstko 2. drażliwie 3. delikatnie 4. (opowiadać coś itd.) drastycznie; sprośnie

scagliola [skæli'əulə] s stiuk imitujący marmur

scalar ['skelə] Ⅰ s skalar Ⅲ attr (o mezonie itd.) skalarny

scalare [skə'lɛəri] s zool (Pterophyllum scalare) ryba zrosłogardła

↑ scale³ Ⅰ s 3. ... ~ of two układ dwójkowy ⟨binarny⟩ Ⅲ attr nukl ~ factor współczynnik zmiany skali ⟨przeliczeniowy⟩

scaler ['skeilə] s fiz przelicznik

scaling³ ['skeiliŋ] Ⅰ s przeliczanie Ⅲ attr przeliczeniowy; ~ circuit układ przeliczeniowy; przelicznik; ~ factor = scale factor zob scale³ ↑

↑ scamp² vt ... s/pieprzyć

↑ scan Ⅰ vt 4. fiz analizować

scandalously ['skændələsli] adv 1. skandalicznie; gorsząco; haniebnie 2. potwarczo; oszczerczo

scandia ['skændiə] s chem tlenek skandowy

scanner ['skænə] s 1. elektr przeszukiwacz 2. nukl skaner; analizator (obrazu)

scanning ['skæniŋ] Ⅰ zob scan v Ⅲ s nukl skaning; analiza (obrazu); przegląd

scanties ['skæntiz] spl figi (rodzaj majtek)

scantily ['skæntili] adv skąpo; ubogo; kuso

scapegoatism ['skeipgəutizəm] s szukanie kozła ofiarnego

scapolite ['skæpəlait] s miner skapolit

scarabaeus [skærə'bi:əs] s 1. motyw skarabeusza w sztuce dekoracyjnej 2. klejnot w kształcie skarabeusza

↑ scare Ⅲ s ... bomb ~ panika wywołana alarmującą pogłoską o podłożonej bombie

scarificator [ˌskærifi'keitə] s nożyk do skaryfikacji

scarlatinoid [skɑ:lə'ti:nɔid] adj med podobny do płonicy; płonicowaty

scat¹ [skæt] pot Ⅰ vi zmykać; ~! zmykaj!; zwiewaj! Ⅲ vt przepłoszyć

scat², skat [skæt] s zwierzęce łajno

scathingly ['skeiðiŋli] adj zjadliwie; jadowicie

scattergood ['skætəgud] s rozrzutnik; marnotrawca

↑ scattering Ⅲ attr nukl ~ kernel jądro (całkowe) rozproszenia; ~ cross section przekrój czynny na rozpraszanie

scatteringly ['skætəriŋli] adv w rozproszeniu

scavenge vt 3. opróżniać z płynu

scenarist ['si:nərist] s scenarzyst-a/ka

scend [send] Ⅰ vi (o statku) wznosić się na fali Ⅲ s falowanie (morza)

scenically ['si:nikəli] adv scenicznie

scepter ['septə] s am = sceptre

sceptically ['skeptikəli] adv sceptycznie; z (pewnym) sceptycyzmem

↑ schedule [...am 'skedʒu:l] ...

scheelite ['ʃelait] s miner szelit

schematically [ski'mætikəli] adv schematycznie

schematism ['ski:mətizəm] s schemat; układ

schematize ['ski:mətaiz] vt schematyzować

schiller ['ʃilə] s mieniący się metaliczny blask

schilling ['ʃiliŋ] s szyling (austriacki)

schistosome ['ʃistəsəum] s zool przywra

schizogenesis [skaizəu'dʒenəsis] s biol rozmnażanie bezpłciowe (przez podział prosty)

schizoid ['skizɔid] psych Ⅰ adj schizoidalny Ⅲ s schizoid; typ schizoidalny

schizophyte ['skizəfait] s bot rozprątek

schizopod ['skizəpɔd] s zool szczeponóg

schizothymia [skizə'θaimiə] s psych schizotymia

schlieren ['ʃliərən] s miner szliry

schmaltz [ʃmɔ:lts] s sl ckliwość

schnapper ['ʃnæpə, 'snæpə] s zool australijska ryba jadalna Pagrosomus auratus

schnauzer ['ʃnautsə] s niemiecka rasa teriera

schoepite ['skɔpit] s miner skopit

scholastically [skə'læstikəli] adv 1. profesorsko; po profesorsku 2. scholastycznie

school-tie ['skultai] s = old-school tie zob old-school ↑

schooner-rigged ['sku:nəˌrigd] adj mar z ożaglowaniem typu szkuner

Schoppenhauerism [ʃɔpən'hauərizəm] s pesymistyczna filozofia Schoppenhauera

schorl [ʃɔ:l] s miner skoryl

schottische ['ʃɔtiʃ] s chor muz écossaise

schroekingerite ['ʃrɔ:kiŋərait] s miner szrekingeryt

schuss [ʃus] sport Ⅰ s szus; zjazd szusem Ⅲ vi szusować

schwa [ʃwɑ:] s jęz szwa

sciaenoid [sai'i:nɔid] s zool ryba z rodziny Sciaenidae wydająca dźwięk podobny do werbla

sciagram ['skaiəgræm] s med rentgenogram

sciential [sai'enʃl] adj 1. wiedzący; obznajomiony 2. naukowy

scientially [sai'enʃəli] adv 1. ze znajomością rzeczy 2. naukowo

scientifically [saiən'tifikəli] adv 1. naukowo 2. fachowo; umiejętnie

↑ scintillation Ⅰ s 2. nukl scyntylacja Ⅲ attr scyntylacyjny; luminescencyjny; ~ counter licznik scyntylacyjny; ~ layer warstwa luminescencyjna

↑ scissors Ⅲ attr nożycowy; sport ~ kick nożyce

sclerenchyma [skliə'reŋkimə] s bot sklerenchyma, twardziel

scleritis [skliə'raitis] s med zapalenie twardówki

scleroderma [ˌskliərəu'də:mə] s med twardzina skóry

sclerodermatous [ˌskliərəu'də:mətəs] adj zool twardoskóry

scleroid ['skliərɔid] adj twardy

scleroma [skliə'rəumə] s med twardziel

sclerometer [skliə'rɔmitə] s med twardościomierz; sklerometr

sclerosed ['skliərəust] adj stwardniały

sclerotium [skliə'rəuʃiəm] s bot (u grzybów) przetrwalnik

sclerotomy [skliə'rɔtəmi] s med wytworzenie przetoki w twardówce

scofflaw ['skɔflɔ:] s osobnik nie przestrzegający przepisów ⟨lekceważący prawo⟩

scolecite ['skɔlisait] s miner skolecyt

scolopendrid [skɔlə'pendrid] s zool skolopendra

scombroid ['skɔmbrɔid] adj zool makrelowaty

scope [skəup] s = oscilloscope

scopodromic [skɔpə'drɔmik] adj wojsk (o pocisku sterowanym) będący w drodze do celu; docelowy

scopolamine [skəu'pɔləmi:n] s farm skopolamina

scopoline ['skɔpəlin] s farm skopolina

scopulate ['skɔpjuleit] adj szczotkowaty

scorchingly ['skɔ:tʃiŋli] adv 1. upalnie; skwarno 2. (krytykować itd.) zjadliwie; ostro

↑ score Ⅰ s 10. faktyczny stan sprawy; naga prawda

scornfully ['skɔ:nfuli] adv pogardliwie; lekceważąco

scorpaenoid [skɔ:'pi:nɔid] adj zool skorpenowaty

scouring ['skauriŋ] ▯ zob scour[1] v ▢ s czyszczenie; szorowanie; bot ~ rush (Equisetum hiemale) skrzyp zimowy

scouse [skaus] s mar 1. jedzenie ⟨potrawa⟩ ⟨marynarzy⟩; bread ~ potrawa bezmięsna 2. = lobscouse

↑ scout[1] ▢ attr wywiadowczy; zwiadowczy; wojsk ~ car zwiadowczy samochód pancerny

scouting ['skautiŋ] ▯ zob scout[1] vi ▢ s wywiad; zwiady

scrabble[2] ['skræbl] s rodzaj gry towarzyskiej polegającej na tworzeniu wyrazów z podanych zespołów liter

scram [skræm] nukl ▯ s wyłączenie zagrożeniowe ▢ vt wyłączać gwałtownie ⟨reaktor⟩

scrapings ['skreipiŋz] spl 1. zeskrobane odpadki 2. zmiotki 3. uciułany grosz

scrapple ['skræpl] s kulin przysmażane plasterki kiełbasy

↑ scrappy adj 3. (o człowieku) zaczepny; wojowniczy; pot zadziorny

↑ screen ▣ attr nukl sitowy; ~ analysis analiza sitowa

↑ screening ▢ s 1. techn ekranowanie 2. nukl przesiewanie

screenplay ['skri:nplei] s scenariusz filmowy

screenwriter ['skri:nraitə] s scenarzyst-a/ka

↑ screw ▢ attr ... ~ bean a) bot (Strombocarpa odorata) czułkowate drzewo północnoamerykańskie rodzące śrubokształtne strączki b) strączki tego drzewa; techn ~ eye wkręt do drewna z oczkiem ▢ vt 5. wulg pieprzyć; pierdolić; dupczyć

screwball ['skru:bɔ:l] sl ▯ s 1. dzika muzyka swingowa 2. dziwactwa 3. (o człowieku) bzik; wariat ▢ adj 1. dziwaczny 2. (o człowieku) bzikowaty; stuknięty

screwy ['skru:i] adj sl dziwaczny; zwariowany; (o człowieku) stuknięty; zbzikowany

scribbling-paper ['skribliŋ,peipə] s papier do notatek ⟨do pisania na brudno⟩

scriber ['skraibə] s rysik (traserski)

scrimpily ['skrimpili] adv skąpo

scrimpy ['skrimpi] adj 1. szczupły; niedostateczny; skąpy 2. (o człowieku) skąpy; sknerowaty

↑ script ▢ attr ~ show serial radiowy ⟨telewizyjny⟩

scripter ['skriptə], scriptwriter ['skriptraitə] s radio film tv scenarzysta

scripturally ['skriptʃərəli] adv biblijnie

scrod [skrɔd] s am młody wątłusz (rozcięty do smażenia)

scrofulously ['skrɔfjuləsli] adv skrofulicznie

scrophulariaceous [skrɔfju,leəri'eiʃəs] adj bot trędownikowaty

scrouge [skraudʒ] ▯ vt s/tłoczyć; ściskać/nąć ▢ vi s/tłoczyć się ▢ s tłok; ścisk

↑ scrub[1] ▢ attr nukl ~ column kolumna wymywająca

scrum [skrʌm] s vi = scrummage

scrupulously ['skru:pjuləsli] adv skrupulatnie; sumiennie; pedantycznie

scrutable ['skru:təbl] adj docieczony

scrutinizingly [,skru:ti'naiziŋli] adv badawczo

scummy[2] ['skʌmi] adj podły; lichy; nikczemny; ~ trick świństwo

scup [skʌp] s zool (Stenotomus) amerykańska ryba jadalna z rodzaju Sparidae

scuppernong ['skʌpənɔŋ] s bot (Vitis labrusca) amerykańska odmiana winorośli

scurrilously ['skʌriləsli] adv 1. ordynarnie; obelżywie; rynsztokowo 2. nieprzyzwoicie; sprośnie 3. błazeńsko

scutage ['skju:tidʒ] s (w systemie feudalnym) opłata uiszczona w zamian za służbę wojskową

scutelliform [skju:'telifɔ:m] adj tarczowaty

scuttlebut ['skʌtlbʌt] s pot plota; bajka

scyphiform ['saififɔ:m] adj kielichowaty

scyphizoan [saifə'zəuən] s zool krążkopław

scyphus ['saifəs] s (pl scyphi ['saifai]) bot kielich

↑ sea ▢ attr ... ~ anchor dryfkotwa; ~ otter a) zool (Enhydra lutis) wydra morska b) mar statek towarowy; polit ~ power mocarstwo morskie; wojsk ~ mule pięcioosobowa dwumotorowa łódź do operacji desantowych; bot ~ wrack wodorosty użytkowe; zool ~ bass nazwa kilku amerykańskich ryb morskich; ~ bream nazwa kilku ryb jadalnych z rodziny Sparoidae; ~ serpent ⟨snake⟩ jadowity wąż morski z rodziny Hydrophiidae

seabee ['si:bi:] s wojsk żołnierz amerykańskich batalionów budowlanych

seaculture [si:'kʌltʃə] s uprawa jadalnych roślin morskich

↑ seal[1] ▢ attr foczy; ~ fishery = sealery

↑ seal[2] ▯ s 5. ... uszczelka 6. cecha legalizacyjna ▢ attr ~ ring sygnet; techn ~ plate płyta uszczelniająca; ~ tank pojemnik szczelny

sealant ['si:lənt] s uszczelniacz; uszczelnienie; szczeliwo

sealette ['si:let] s futro imitujące foki

sealing ['si:liŋ] ▯ zob seal[2] vt ▢ adj uszczelniający; ~ medium substancja uszczelniająca; szczeliwo ▢ s 1. uszczelnienie 2. uszczelnianie 3. cechowanie (narzędzi mierniczych)

seat-mile ['si:tmail] s (w statystyce) pasażero-mila

sebacic [si'bæsik] adj chem (o kwasie) sebacynowy

seborrh(o)ea [sebɔ'riə] s med łojotok

sebum ['si:bəm] s fizj łój

seclusive [si'klu:siv] adj odosobniający się; poszukujący odosobnienia

↑ **secondary** ① *adj* 1. ... *nukl* ~ **electron** elektron wtórny; ~ **emission** emisja elektronów wtórnych; ~ **fusion reaction** reakcja następcza fuzji; ~ **quantum number** liczba kwantowa poboczna; ~ **reactor** reaktor na paliwo pochodne

second-order [ˈsekəndˈɔːdə] *adj* drugiego stopnia; *mat* ~ **equation** równanie drugiego stopnia

secretin [siˈkriːtin] *s biochem* sekretyna

↑ **secretive** *adj* 2. *fizj* wydzielniczy

secretively [siˈkriːtivli] *adv* tajemniczo

↑ **section** ① *s* 8. strefa ③ *attr* sekcyjny; odcinkowy; strefowy

sectionalize [ˈsekʃənəlaiz] *vt* po/dzielić na sekcje ⟨sektory, strefy⟩

↑ **secular** *adj* 5. *mat* sekularny 6. *fiz* stały; ~ **equilibrium** równowaga stała

secularly [ˈsekjuləli] *adv* 1. co sto lat 2. wiecznie; odwiecznie 3. świecko

secure² [siˈkjuə] ① *vi* kończyć pracę ③ *vt* uwolnić od obowiązku ③ *s* sygnał kończenia pracy

↑ **security** ③ *attr* **Security Council** Rada Bezpieczeństwa

sedately [siˈdeitli] *adv* 1. statecznie 2. spokojnie; z równowagą

sedged [ˈsedʒd] *adj* porosły turzycą

sedgy [ˈsedʒi] *adj bot* turzycowaty

sedimentarily [ˌsedimənˈtɛərili] *adv* osadowo; jako osad

seditiously [siˈdiʃəsli] *adv* 1. buntowniczo 2. wywrotowo

seductively [siˈdʌktivli] *adv* 1. uwodzicielsko 2. kuszą; necąco

sedulously [ˈsedjuləsli] *adv* 1. pilnie; starannie 2. skwapliwie

↑ **seed** ① *s* 5. *nukl* substancja aktywna ⟨rodna⟩ ③ *vt* 5. po/działać (na chmurę) chemicznie dla wytworzenia opadu deszczu ④ *attr* nasienny; ~ **dormancy** spoczynek (fizjologiczny) nasion; ~ **extraction** wyłuszczanie nasion; ~ **fiddle** siewnik rzutowy ręczny; ~ **pickling machine** zaprawiarka nasion; ~ **testing** ocena nasion; *bot* ~ **coat** okrywa nasienna; ~ **leaf** ⟨lobe⟩ liścień; ~ **plant** roślina nasienna; ~ **tree** drzewo nasienne; nasiennik; ~ **vessel** torebka nasienna

↑ **seediness** *s* 3. *fiz* zaszczepienie kryształów

↑ **seeing** ④ *adj* widzący; **Seeing Eye** zakład tresowania psów do prowadzenia niewidomych; **Seeing Eye dog** pies tresowany do prowadzenia niewidomego

seep [siːp] *s mar* dżip amfibia

seething [ˈsiːðiŋ] ① *zob* **seethe** *v* ③ *s* 1. wrzenie 2. kotłowanie się

see-through [ˈsiːθruː] *attr pot* ~ **blouse** przezroczysta bluzka

segmentally [segˈmentəli] *adv* odcinkami; odcinkowo

sego [ˈsiːɡəu] *s* 1. (*także* ~ **lily**) *bot* amerykańska roślina kwiatowa *Calochortus Nuttallii*, będąca emblematem stanu Utah 2. jadalne korzenie tej rośliny

seism [ˈsaizəm] *s* trzęsienie ziemi

seismography [saizˈmɔɡrəfi] *s* sejsmografia

seismologist [saizˈmɔlədʒist] *s* sejsmolog

seismology [saizˈmɔlədʒi] *s* sejsmologia

seismometer [saizˈmɔmitə] *s* sejsmometr

seizing [ˈsiːziŋ] ① *zob* **seize** *v* ③ *s* 1. *mar* sejzing 2. *mar* zatarcie; zakleszczenie 3. *mar* przewiąz 4. *ryb* podwiąz

selaginella [ˌselədʒiˈnelə] *s bot* widliczka

selectee [ˌsilekˈtiː] *s am wojsk* rekrut (podczas II wojny światowej)

↑ **selective** *adj* 2. *radio techn* selektywny; *aut* ~ **transmission** selektywna skrzynia biegów 3. wyborczy 4. *am* rekrutacyjny; ~ **service** obowiązkowa służba wojskowa; **Selective Service System** ustawowy system mobilizacyjny (podczas II wojny światowej)

selenious [siˈliːniəs] *adj chem* selenawy

selenologist [ˌseliˈnɔlədʒist] *s* selenolog

selenology [ˌseliˈnɔlədʒi] *s* selenologia

selenosis [ˌseliˈnəusis] *s med* zatrucie selenem

self-absorption [selfəbˈsɔːpʃən] *s nukl* samopochłanianie; autoabsorpcja

self-addressed [selfəˈdrest] *adj* (o kopercie, pocztówce załączonej do listu) zaadresowany do siebie

self-assurance [selfəˈʃuərəns] *s* pewność siebie

self-collision [selfkəˈliʒən] *s nukl* samozderzenie

self-congruent [selfˈkɔŋgruənt] *adj nukl* samozgodny

self-constricting [selfkənˈstriktiŋ] *adj fiz* samodławiący

self-constriction [selfkənˈstrikʃən] *s fiz* samodławienie

self-content [selfkənˈtent] *s* samozadowolenie

self-defense [selfdiˈfens] *s* = **self-defence**

self-diffusion [selfdiˈfjuːʒən] *s fiz* autodyfuzja

self-energy [selfˈenədʒi] *s fiz* energia własna

self-field [selfˈfiːld] *s nukl* pole własne

self-hardening [selfˈhɑːdniŋ] *adj* (o stali) samohartowny

self-heating [selfˈhiːtiŋ] *s fiz* samoogrzewanie

self-interference [selfintəˈfiərəns] *s fiz* autointerferencja

self-mailer [selfˈmeilə] *s* druk reklamowy wysyłany bez koperty, z nadrukiem opłaty pocztowej

self-maintaining [selfmeinˈteiniŋ] *adj fiz* samopodtrzymujący

self-multiplying [selfˈmʌltiplaiiŋ] *adj fiz* samomnożący się

self-pinched [selfˈpintʃt] *adj fiz* samoskurczliwy

self-propagating [selfˌprɔpəˈgeitiŋ] *adj nukl* samoistny; ~ **reaction** reakcja samoistna

self-quenching [selfˈkwentʃiŋ] *adj nukl*

samogaszący; ~ **counter** licznik samogaszący

self-radiation [self‚reidi'eiʃən] s *nukl* promieniowanie własne

self-regulating [self'regjuleitiŋ] *adj* samosterowny; samoregulacyjny

self-regulation [self‚regju'leiʃən] s samosterowność; samoregulacja

self-reproach [selfri'prəutʃ] s wyrzuty sumienia

self-scattering [self'skætəriŋ] *adj nukl* samorozpraszanie; autodyfuzja

self-screening [self'skri:niŋ] *adj nukl* samoosłanianie; samoochronność

self-shade [‚self'ʃeid] s *techn* barwa własna

self-stabilizing [self'steibilaiziŋ] *adj* samostabilny; *nukl* ~ **reactor** reaktor samostabilny

self-supporting [selfsə'pɔ:tiŋ] *adj* = **self-maintaining** ↑

self-surrender [selfsə'rendə] s poddanie się

self-wrong [self'rɔŋ] s szkoda (krzywda) wyrządzona samemu sobie

sell-out [sel'aut] s 1. *am* wyprzedaż; wyzbycie się towaru 2. *am pot teatr* przedstawienie z całkowicie wyprzedaną widownią 3. *pot* zdrada; sprzeniewierzenie się; wystawienie (kogoś) do wiatru

selsyn ['selsin] *elektr* ⬚ s selsyn ⬚ *attr* selsynowy; ~ **motor** silnik selsynowy

sematic [si'mætik] *adj* ostrzegawczy

semiaquatic [semiæ'kwætik] *adj bot zool* półwodny

semiautomatic [semi‚ɔ:tə'mætik] *adj* półautomatyczny

semicivilized [semi'sivilaizd] *adj* na wpół cywilizowany; półdziki

semi-conductor [semikən'dʌktə] s *fiz* półprzewodnik

semidocumentary [semi‚dɔkju'mentəri] *adj* (*o utworze literackim*) półdokumentalny

semieliptical [semii liptikl] *adj* półeliptyczny

semi-empirical [semiim'pirikl] *adj fiz* półempiryczny; ~ **mass formula** półempiryczny wzór na masę

semi-lethal [semi'li:θəl] *adj* półletalny

semimonthly [semi'mʌnθli] ⬚ *adj* dwutygodniowy ⬚ s dwutygodnik

semiparasitic [semi‚pærə'sitik] *adj biol bot* półpasożytniczy

semipermeable [semi'pə:miəbl] *adj* półprzepuszczalny

semiplastic [semi'plæstik] *adj* półplastyczny

semipostal [semi'pəustl] *adj* (*o znaczku pocztowym*) z którego dochód jest częściowo przeznaczony na cele dobroczynne itd.

semirigid [semi'ridʒid] *adj* półsztywny

semiskilled ['semiskild] *adj* posiadający niepełne kwalifikacje

semisolid [semi'sɔlid] *adj* półstały

Semitics [sə'mitiks] s semitystyka

Semitist [sə'mitist, 'si:mitist] s semitysta, semitolog

semitranslucent [semitræns'lu:snt] *adj* półprzeświecający; półprzejrzysty

semitransparent [semitræns'pɛərənt] *adj* półprzezroczysty

semiyearly [semi'jə:li] ⬚ *adj* półroczny ⬚ *adv* półrocznie ⬚ s półrocznik

send³ [send] ⬚ *vi* 1. (*w muzyce jazzowej*) zachwycająco grać (improwizować) 2. wpadać w trans przy słuchaniu muzyki jazzowej 3. *sl* palić marihuanę ⬚ *vt* zachwycać (wprawiać w trans) (słuchaczy) wykonaniem muzyki jazzowej

sender² ['sendə] s muzyk jazzowy doprowadzający słuchaczy do transu

Senegalese [‚senigə'li:z] ⬚ *adj* senegalski ⬚ s Senegal-czyk/ka

sensate ['senseit] *adj* podpadający pod zmysły; dostrzegalny dla zmysłów

sensationally [sen'seiʃənəli] *adv* sensacyjnie

sensationism [sen'seiʃənizəm] s *filoz* sensualizm

sensationist [sen'seiʃənist] s *filoz* sensualista

sensationistic [sen‚seiʃə'nistik] *adj filoz* sensualistyczny

↑ **sense** ⬚ s 9. *mat* kierunek (**of a vector** wektora) ⬚ *attr* czuciowy; ~ **data** dane czuciowe; ~ **organ** narząd czucia

↑ **sensitive** ⬚ *adj* 4. *polit* o życiowym znaczeniu (dla kraju) ‖ *nukl* ~ **time** czas uczulenia (działania); ~ **volume** objętość czynna

sentential [sen'tenʃəl] *adj* o charakterze wyroku

sentimentalism [senti'mentəlizəm] s 1. sentymentalizm 2. czułostkowość

↑ **sentimentalize** [senti'mentəlaiz] ⬚ *vi* ... rozczulać się; roztkliwiać się

separability [sepərə'biliti], **separableness** ['sepərəblnis] s rozłączność

separably ['sepərəbli] *adj* rozłącznie; oddzielnie; osobno

separatee ['sepərəti:] s *am wojsk* żołnierz mający zostać zwolniony (świeżo zwolniony) z armii

separately ['sepərətli] *adv* 1. oddzielnie; odrębnie; osobno 2. indywidualnie

separates ['sepərits] *spl* części składowe ubioru damskiego (bluzki, spódnice, żakiety)

↑ **separation** ⬚ *attr* rozdzielający; rozdzielczy; *am* ~ **center** ośrodek demobilizacyjny; *nukl* ~ **column** kolumna rozdzielcza; ~ **unit** aparat rozdzielający

separative ['sepərətiv] *adj* rozdzielający; rozdzielczy

sepiolite ['si:piəlait] s pianka morska

septaria [sep'tɛəriə] *spl miner* septaria

septennially [sep'tenjəli] *adv* co siedem lat

↑ **septic** *adj* ... ~ **tank** osadnik (dół) gnilny

septicidal [septi'saidl] *adj bot* (*o owocu*)
pękający na szwach
septime ['septi:m] *s szerm* septyma
sepulchrally [si'pʌlkrəli] *adv* grobowo
↑ sequential *adj* 3. *techn* sekwencyjny
sequentially [si'kwenʃəli] *adv* 1. następująco 2. w następstwie
sequestrectomy [sikwes'trektəmi] *s med*
wycięcie martwaka
sere³ [siə] *s biol* kilka następujących po
sobie zespołów roślinnych
serenata [serə'nɑːtə] *s muz* serenada
serendipity [serən'dipiti] *s* przypadkowa
odkrywczość
serenely [sə'riːnli] *adv* 1. jasno 2. spokojnie 3. pogodnie
↑ sergeant Ⅲ *attr zool* ~ fish pelagialna
ryba makrelowata Ameryki tropikalnej:
a) *Rachycentron canodus* b) *Centropomus undecimalis*
sericea [se'riʃiə] *s bot* odmiana koniczyny
Lespedeza cuneata sericea
sericin ['serisin] *s chem* serycyna
seriema [seri'iːmə] *s zool* (*Cariama crista-
ta*) karjama
serigraph ['serigrɑːf] *s* odbitka serigra-
ficzna
serigrapher [se'rigrəfə] *s* artysta serigraf
serigraphy ['serigrəfi] *s* serigrafia
serine [sə'riːn] *s biochem* seryna
seriously ['siəriəsli] *adv* 1. poważnie 2. (*na-
myślać się*) gruntownie; głęboko
seronegative [siərəu'negətiv] *adj biochem*
surowiczo-ujemny
serotonin [serə'tɔnin] *s biochem* serotoni-
na
serpigo [sə'paigəu] *s med* posuwający się
wykwit
serranoid ['serənɔid] *s zool* (*Serranus*) o-
koń morski
serry ['seri] *vt* ścieśni-ć/ać
server ['sɔːvə] *s* 1. obsługujący 2. *tenis*
serwujący 3. *rel* ministrant
↑ service¹ Ⅲ *attr* 2. ... ~ man usługowiec;
~ station stacja obsługi samochodów; ~
engineer inżynier nadzorujący urządzenia techniczne
serviceberry ['sɔːvis‚beri] *s am* 1. *bot* świ-
dośliw(k)a *Amelanchier canadensis* 2. o-
woc świdośliwy (świdośliwki)
servitude ['sɔːvitjuːd] *s* 1. niewolnictwo 2.
przymusowe ciężkie roboty; katorga
sesquicentennial [‚seskwisen'tenjəl] Ⅱ *adj*
stupięćdziesięcioletni Ⅲ *s* stupięćdziesię-
ciolecie
set-back [set'bæk] *s arch* cofnięcie w linii zabudowania
setiform ['setifɔːm] *adj* szczeciniasty
setscrew ['setskruː] *s techn* śruba dociskowa
↑ settlement ['setlmənt] Ⅲ *attr* ~ worker
społecznik
↑ settling Ⅲ *attr* ... ~ basin osadnik
↑ set-up *s* 2. ... system; rozmieszczenie;
układ
seventeen-year [sevntiːn'jɔː] *adj zool* ~

locust (*Cicada septendecim*) amerykańska cykada zdolna przebyć 13—17 lat w
stanie larwalnym
seventh-day [‚sevnθ'dei] *adj* (*o sekcie religijnej*) świętujący w sobotę
seventy-five ['sevnti‚faiv] *s wojsk* działo
75-milimetrowe
seven-up ['sevn‚ʌp] *s* gra w karty
severable ['sevərəbl] *adj* odłączalny
↑ sex Ⅲ *attr* ... ~ appeal seks; sex appeal; she has ~ appeal ona ma sex
appeal ⟨dużo seksu⟩; ~ hygiene higiena życia płciowego; *biol* ~ hormone
hormon płciowy; ~ linkage zależność
od płci; cechy związane z chromosoma-
mi płci
sexless ['sekslis] *adj* 1. bezpłciowy 2. (*o
człowieku*) pozbawiony seksu; bez seksu
sexlessly ['sekslisli] *adv* bezpłciowo
sex-linked [seks'liŋkt] *adj biol* zależny od
płci; ~ mutation mutacja zależna od
płci
sexpartite [seks'pɑːtait] *adj* sześciodzielny;
złożony z sześciu części
sextodecimo [‚sekstəu'desiməu] *s druk* format szesnastki
sexually ['seksjuəli] *adv* płciowo; seksu-
alnie; *biol* ~ active period okres aktywności płciowej
sexuated [‚seksju'eitid] *adv* o wyróżnionej
płci; ~ chromatin chromatyna o wyróżnionej płci
sexy ['seksi] *adj sl* seksowny; z seksem
sferics ['sferiks] Ⅰ *s meteor* aparat do wykrywania burz Ⅲ *spl radio* zakłócenia
atmosferyczne
↑ shack Ⅲ *vi* to ~ up mieszkać z kimś
shad [ʃæd] *s zool* (*Alosa*) aloza
shadberry ['ʃædberi] *s* 1. *bot* (*Amelanchier*) amerykańska świdośliwa 2. owoc
świdośliwy
↑ shade Ⅰ *s* 5. ... full ~ intensywna barwa Ⅳ *attr* (*o roślinie*) ochronny; ~
plant roślina ochronna; ~ temperature
temperatura w cieniu; ~ tolerant cie-
nioznośny; cieniowytrzymały
shadowland ['ʃædəu‚lænd] *s* kraina cieni
shady ['ʃeidi] *s sl* cynk; wiadomość; informacja; to give sb a ~ dać komuś
cynk; dać znać
↑ shag¹ Ⅰ *s* 1. ... kłak Ⅲ *vt* mierzwić; ku-
dłać; kosmacić
shagbark ['ʃægbɑːk] *s bot* (*Carya ovata*)
gatunek hikory
shaggy-dog ['ʃægi-dɔg] *adj* (*o opowiadaniu*) gawędziarski
Shaitan [ʃai'tɑːn] *s* (*u Mahometan*) szatan
shake² [ʃeik] *s fiz nukl* 1/100 jednej milio-
nowej części sekundy
shakeout ['ʃeikaut] *s ekon* powrót do
względnej normy po okresie inflacji
shaking ['ʃeikiŋ] Ⅰ *zob* shake¹ *v* Ⅲ *s* 1.
potrząśnięcie; potrząsanie; trzęsienie;
wstrząśnięcie; wstrząsanie 2. *techn* wy-

trząsanie; wykłócanie 3. dreszcze Ⓘ *attr*
med ~ **palsy** drżączka porażenna; choroba Parkinsona; parkinsonizm
shallowly [ˈʃæləuli] *adv* płytko
↑ **shambles** *s* 3. ruina; zniszczenie; **to turn
a city into a** ~ obrócić miasto w perzynę
shamefacedly [ʃeimˈfeisidli] *adv* wstydli-
wie; nieśmiało; z zakłopotaniem
shamefully [ˈʃeimfuli] *adv* haniebnie; sromotnie; skandalicznie; niegodziwie
shamelessly [ˈʃeimlisli] *adv* bezwstydnie;
bezczelnie
↑ **shape** Ⓘ *s* 7. *techn* ... obrys
shapelessly [ˈʃeiplisli] *adv* bezkształtnie;
nieforemnie; niezgrabnie
sharkskin [ˈʃɑːkskin] *s tekst* ciężki materiał ubraniowy ze sztucznego jedwabiu
sharp-freeze [ˈʃɑːpfriːz] *vt* = **quick-freeze**
sharpite [ˈʃɑːpait] *s miner* szarpit
shavetail [ˈʃeivteil] *s am sl wojsk* podporucznik
↑ **shear** Ⓘ *s* 3. *fiz* ścinanie (pola magnetycznego) Ⓜ *attr techn* ~ **pin** kołek bez-
piecznikowy ścinany (w sprzęgle prze-
ciążeniowym itp.)
↑ **sheath** Ⓘ *s* 3. *nukl* powłoka Ⓘ *attr* pochwowy; pochewkowy; ~ **knife** nóż fiń-
ski
sheathing [ˈʃiːðiŋ] Ⓘ *zob* **sheathe** *vt* Ⓘ *s
nukl* powlekanie; koszulkowanie
shedder [ˈʃedə] *s* zwierzę w okresie linie-
nia
↑ **sheep** Ⓘ *attr* owczy; *bot* ~ **laurel** wrzosowaty krzew amerykański *Kalmia an-
gustifolia*; ~ **sorrel** (*Rumex acetosella*)
szczaw polny
sheepberry [ˈʃiːpˌberi] *s bot* (*Viburnum
lentago*) amerykańska odmiana kaliny
sheepcote [ˈʃiːpkəut], **sheepcot** [ˈʃiːpkɔt] *s*
zagroda dla owiec
sheepshead [ˈʃiːpshed] *s* 1. *zool* nazwa kilku ryb amerykańskich 2. jołop; bałwan
sheikdom [ˈʃeikdəm] *s* szejkanat
↑ **shell** Ⓘ *s* 16. *nukl* powłoka; warstwa Ⓥ
attr ~ **game** oszukaństwo; *bot* ~ **bean**
groch; *techn* ~ **moulding** formowanie
skorupowe; *nukl* ~ **model** model po-
włokowy jądra
shellac² [ʃeˈlæk] *vt am* 1. zdruzgotać;
zmiażdżyć; stłuc 2. zadać klęskę (**sb** komuś); pobić
shellacking [ʃəˈlækiŋ] Ⓘ *zob* **shellac²** *vt* ↑
Ⓘ *s am* lanie; pobicie
↑ **shelter** Ⓝ *attr* ~ **tent** dwuosobowy namiot składający się z dwóch płócien razem spiętych; ~ **half** połowa dwuoso-
bowego namiotu, którą każdy żołnierz
nosi z sobą
↑ **shepherd** Ⓘ *attr* pastuszy; ~('s) **dog**
owczarek
shiftily [ˈʃiftili] *adv* chytrze; przebiegle
↑ **shifting** Ⓘ *adj* 1. ... *meteor* ~ **winds**
wiatry zmienne ⟨z kierunków zmiennych⟩
shiftlessly [ˈʃiftlisli] *adv* niezaradnie
shiftlessness [ˈʃiftlisnis] *s* niezaradność

shill [ʃil] *s am sl* wspólnik oszusta zwa-
biający naiwnych klientów
shily [ˈʃaili] *adv* = **shyly**
↑ **shim** Ⓘ *attr nukl* ~ **rod** pręt kompensacyjny
shimmery [ˈʃiməri] *adj* lśniący; świecący
łagodnym blaskiem; migocący
shimming [ˈʃimiŋ] *s fiz* doregulowanie
(pola magnetycznego)
shindig [ˈʃindig] *s am sl* zabawa tanecz-
na; ubaw
↑ **shingle¹** Ⓘ *attr lotn* ~ **stowing** parkowanie samolotów tak, że ich skrzydła
zachodzą na siebie
shining [ˈʃainiŋ] Ⓘ *zob* **shine** *v* Ⓘ *adj* 1.
błyszczący; jasny; jaśniejący; świecący
2. znakomity
shinleaf [ˈʃinliːf] *s bot* ziele amerykańskie
Pyrola elliptica
shinny [ˈʃini] *s sport* odmiana hokeja
shinplaster [ˈʃinplɑːstə] *s am* 1. drobny
pieniądz 2. małowartościowy banknot
↑ **ship** Ⓘ *s* 1. ... ~ **of the line** okręt wojenny Ⓜ *attr* okrętowy; morski; żeglarski; ~ **canal** kanał spławny
↑ **shipbuilding** Ⓘ *s* ... przemysł stoczniowy
↑ **shipping** Ⓘ *adj* 2. ... (dotyczący) ekspedycji; ~ **clerk** kierownik ekspedycji; ~
room ekspedycja; dział ekspedycji
shirtwaist [ˈʃəːtweist] *s* bluzka koszulowa
wpuszczana do spódnicy lub spodni
shish-kebab [ʃiʃ-keˈbɑːb] *s kulin* turec-
ko-ormiańska potrawa z jagnięciny
shiveree [ʃivəˈriː] Ⓘ *s* kocia muzyka Ⓘ
vt urządzić (**sb** komuś) kocią muzykę
shivery² [ˈʃivəri] *adj* łamliwy; kruchy
shoaly [ˈʃəuli] *adj* usiany mieliznami
shoat [ʃəut] *s* prosiaczek
↑ **shock¹** Ⓜ *attr* uderzeniowy; *lotn* ~ **cord**
amortyzująca lina gumowa; *techn* ~ **ab-
sorber** amortyzator; zderzak; bufor; *med*
~ **therapy** terapia wstrząsowa; *fiz* ~
wave fala udarowa
shoddily [ˈʃɔdili] *adv* tandetnie
shoebill [ˈʃuːbil] *s zool* (*Balaeniceps rex*)
trzewikodziób
shoetree [ˈʃuːtriː] *s* prawidło (do bucików)
↑ **shooting** Ⓘ *attr* ... *bot* ~ **star** (*Dodeca-
theon meadia*) amerykański pierwiosnek
↑ **shop-steward** *s powinno być*: przewodniczący rady zakładowej; mąż zaufania
shoran [ˈʃɔːrən] *s techn* precyzyjny system nawigacji bliskiego zasięgu
↑ **shore¹** Ⓘ *attr* przybrzeżny; ~ **bird** ptak
przybrzeżny
shoreless [ˈʃɔːlis] *adj* 1. bezbrzeżny; niezmierzony 2. (*o wyspie itd.*) pozbawiony
miejsca do lądowania
shoreline [ˈʃɔːlain] *s* linia brzegu
shoring [ˈʃɔːriŋ] Ⓘ *zob* **shore²** *vt* Ⓘ *s bud*
1. stemplowanie 2. *zbior* podpory
↑ **short** Ⓘ *s* 10. ... krótkometrażówka
shortening [ˈʃɔːtniŋ] Ⓘ *zob* **shorten** *v* Ⓘ *s*
1. skrócenie; skrót 2. *kulin* składniki
kruchego ciasta

shortish [ˈʃɔːtiʃ] *adj* krótkawy; przykrótki
↑ **short-lived** *adj* 2. *nukl* krótkożyciowy
short-range [ˈʃɔːtreindʒ] *adj* krótkozasięgowy; o krótkim zasięgu
shortstop [ˈʃɔːtstɔp] *s fot* kąpiel przerywająca
↑ **shot¹** Ⅲ *attr nukl* ~ **effect** zjawisko śrutowe
shot-put [ˈʃɔtput] *s sport* pchnięcie kulą
shotten [ˈʃɔtn] *s zool* ryba, która świeżo złożyła ikrę
↑ **shoulder** Ⅰ *s* 6. *fiz* zagięcie (**of a curve** krzywej)
shouldn't [ˈʃudnt] = **should not**
↑ **shovel** Ⅲ *attr* o kształcie łopaty; ~ **hat** kapelusz z szerokim rondem podniesionym z boku a spuszczonym z przodu na kształt łopaty
shovelhead [ˈʃʌvlhed], **shovelnose** [ˈʃʌvlnəuz] *s zool* 1. jesiotr amerykański *Scaphirrhynchus platorhynchus* 2. rekin *Sphyrna tiburno*
↑ **show** Ⅴ *attr* ... ~ **bill** plakat
↑ **shower²** Ⅰ *s* 5. *nukl* ulewa Ⅳ *attr nukl* ~ **particle** cząstka ulewy
showily [ˈʃəuili] *adv* 1. wystawnie; paradnie; efektownie 2. krzykliwie; pretensjonalnie
show-through [ʃəuˈθruː] *s druk* przebijanie (druku ⟨pisma⟩ na drugą stronę arkusza)
shrew² [ʃruː] *s zool* (*Sorex*) ryjówka
↑ **shrinkage** Ⅲ *attr* skurczowy; skurczu; ~ **cavity** pęcherz skurczowy
↑ **shut-down** Ⅰ *s* 2. *nukl* wyłącz-enie/anie (reaktora) Ⅲ *attr nukl* (*o amplifikatorze, kanale*) wyłączeniowy
shut-off [ʃʌtˈɔf] Ⅰ *s* zamknięcie (dopływu) Ⅲ *attr nukl* ~ **rod** pręt wyłączeniowy ⟨bezpieczeństwa⟩
↑ **shut-out** Ⅲ *s* 1. zamknięcie komuś drzwi przed nosem; niewpuszczenie (kogoś) do domu 2. (*w grach, sporcie*) niedopuszczenie przeciwnika do zdobycia punktów 3. gra bezzapisowa jednej z drużyn 4. *karc* licytacja zamykająca
↑ **shutter** Ⅲ *attr fot* ~ **wind** dźwignia ⟨gałka⟩ transportu (filmu)
↑ **shuttle** Ⅰ *s* ... ~ **train** ... pociąg wahadłowy Ⅲ *attr* ~ **hole** kanał poczty pneumatycznej Ⅲ *vi* latać (jeździć, żeglować, wędrować) tam i z powrotem (między dwiema miejscowościami) Ⅳ *vt* 1. przewozić (towar, ludzi) w jedną i drugą stronę 2. przemierzać (morze itd.) w jedną i drugą stronę
shyly [ˈʃaili] *adv* 1. trwożliwie; płochliwie; bojaźliwie; nieśmiało 2. nieuchwytnie
sialagogic [saiələˈgɔdʒik], **sialagogue** [saiˈæləgɔg] *adj med* ślinopędny
sib [sib] Ⅰ *adj* pokrewny; spokrewniony Ⅲ *s* 1. krewny 2. *pl* ~s rodzeństwo; ~ **crossing** krzyżowanie między rodzeństwem

↑ **Siberian** Ⅲ *adj* ... *meteor* ~ **anticyclone** wyż syberyjski
sickeningly [ˈsikəniŋli] *adv* obrzydliwie; w sposób przyprawiający o mdłości
sickl(a)emia [sikˈliːmiə] *s biol* niedokrwistość sierpowata
↑ **sickle** Ⅲ *attr* ~ **cell anaemia** = **sicklaemia** ↑
siddur [ˈsiduə] *s* żydowska księga modlitw
side-dressing [ˈsaid-dresiŋ] *s roln* nawożenie pod korzeń
sideline [ˈsaidlain] *vt sport* wykluczyć (gracza) z gry z powodu choroby lub kontuzji
side-splittingly [saidˈsplitiŋli] *adv* przekomicznie
sideway [ˈsaidwei] *s* boczna droga
sidewinder [saidˈwaində] *s* 1. *sl* boczne uderzenie 2. *zool* (*Crotalus cerastes*) odmiana grzechotnika
↑ **sieve** Ⅲ *attr* sitowy; *bot* ~ **tubes** rurki sitowe
sightseeing [ˈsaitsiːiŋ] Ⅰ *s* turystyka; zwiedzanie; krajoznawstwo; **to go** ~ a) chodzić na wycieczki krajoznawcze b) zwiedzać (miasto itd.) Ⅲ *attr* turystyczny; krajoznawczy; ~ **bus** autokar turystyczny; ~ **tour** wycieczka turystyczna ⟨krajoznawcza⟩
sigil [ˈsidʒil] *s* pieczątka; pieczęć
↑ **sigma** Ⅲ *attr nukl* ~ **pile** kolumna termiczna
sigmatism [ˈsigmətizəm] *s* seplenienie
sigmatron [ˈsigmətrɔn] *s techn* sigmatron
↑ **sigmoid** [ˈsigmɔid] Ⅲ *adj* ... *med* ~ **flexure** zagięcie esicy
signally [ˈsignəli] *adv* 1. świetnie; znakomicie; wybitnie; niezwykle 2. wydatnie; walnie
↑ **signature** *s* 4. *radio tv* sygnał programu
significantly [sigˈnifikəntli] *adv* 1. znacząco 2. istotnie; ważnie; doniośle
↑ **silent** *adj* 1. ... *przen* ~ **butler** pojemniczek z pokrywą (na drobne odpadki, niedopałki itp.)
silica-gel [ˈsilikədʒel] *s chem* żel krzemionkowy
silicide [ˈsilisaid] *s chem* krzemek
silicification [si͵lisifiˈkeiʃən] *s geol* sylifikacja
silicify [siˈlisifai] *vi* skrzemienieć
silicle [ˈsilikl] *s bot* łuszczynka
silicones [ˈsilikəunz] *spl chem* silikony
siliculose [siˈlikjuləus] *adj* łuszczynkowaty
silique [siˈliːk] *s bot* łuszczyna
siliquose [ˈsilikwəus] *adj* łuszczynowaty
↑ **silk** Ⅳ *attr bot* ~ **cotton** kapok
silkily [ˈsilkili] *adv* jedwabiście
silkscreen [ˈsilkskriːn] Ⅰ *s* (*także* ~ **process**) *plast* serigrafia Ⅲ *attr* ekranowy; ~ **painting** farba ekranowa
silkweed [ˈsilkwiːd] *s bot* roślina trojeściowata
sillily [ˈsilili] *adv* głupio; niemądrze; nierozsądnie

silundum [si'lʌndəm] s węglik krzemu; karborund

silurid [si'ljuərid] *zool* [] s ryba sumowata [III] *adj* sumowaty

silva ['silvə] s drzewostan

↑ **silver** [III] *adj* 1. ... ~ **wedding** srebrne gody ⟨wesele⟩; *chem* ~ **bromide** bromek srebra; ~ **chloride** chlorek srebra; ~ **nitrate** azotan srebra; lapis; *wojsk* **Silver Star** odznaka nadawana wojskowym za dzielność w akcji; *zool* ~ **fox** (*Vulpes fulva*) srebrny lis

silver-bell ['silvəbel] *adj bot* ~ **tree** styrakowcowate drzewo północnoamerykańskie z rodzaju *Halesia*

silverberry ['silvə,beri] s *bot* północnoamerykański krzew *Elaeagnus argentea*

silviculture [,silvi'kʌltʃə] s hodowla lasu

simarouba [simə'ru:bə] s *bot* (*Simaruba*) biegunecznik; *farm* ~ **bark** kora z drzewa *Simaruba*

simaroubaceous [,siməru:'beiʃəs] *adj bot* biegunecznikowaty

simoleon [si'məuliən] s *am sl* dolar

simon-pure ['saimənpjuə] *adj* prawdziwy; autentyczny

simplex ['simpleks] *attr druk* ~ **printer** dalekopis

simplicidentate [,simplisi'denteit] *adj* należący do podrzędu gryzoniów *Simplicidentata*

simular ['simjulə] [] s naśladowca [III] *adj* naśladujący

simulcast ['siməlka:st, *am* 'siməlkæst] s *radio tv* program nadawany równocześnie w radio i telewizji

↑ **simultaneous** *adj* ... *mat* ~ **equations** równania równoważne

sinarchism ['sinəkizəm] s kontrrewolucyjny ruch meksykański rozpoczęty w 1937 r.

sincerely [sin'siəli] *adv* szczerze

sinfully ['sinfuli] *adv* grzesznie

singey ['sindʒi] *adj* (*o futrze*) kiepski

↑ **single** [] *adj* 8. jednorazowy; *nukl* ~ **exposure** napromienienie jednorazowe

single-foot ['singlfut] s chód konia jednochodźca

single-hit ['singlhit] *adj nukl* jednouderzeniowy

single-stage ['singlsteidʒ] *adj nukl* jednostopniowy; ~ **recycle** obieg jednostopniowy

singlet ['singlit] s 1. podkoszulek, podkoszulka 2. *sport* koszulka gimnastyczna 3. *nukl* singulet

↑ **singleton** s 2. zwierzę urodzone pojedynczo

single-tree ['singltri:] s orczyk

singly-charged ['singli,tʃa:dʒd] *adj nukl* ~ **ion** jon o ładunku pojedynczym

singularize ['singjuləraiz] *vt* wyróżni-ć/ać

singularly ['singjuləli] *adv* 1. pojedynczo; indywidualnie; jednostkowo 2. osobliwie; szczególnie; dziwnie; niezwykle

Sinicism ['sinisizəm] s zwyczaj chiński

sinisterly ['sinistəli] *adv* 1. ponuro; groźnie 2. złowieszczo; złowrogo

sinistrorse ['sinistrɔ:s] *adj* lewoskrętny

sinistrous ['sinistrəs] *adj* 1. nieszczęsny 2. = **sinistral**

sink-hole ['siŋkhəul] s *geol* ponik; strumień zanikający pod ziemią

sinlessly ['sinlisli] *adv* bezgrzesznie

sinuation [,sinju'eiʃən] s krętość; falistość

sinusitis [,sainə'saitis] s *med* zapalenie zatok

sinusoidal [,sinju'sɔidl] *adj mat* sinusoidalny

siphonage ['saifənidʒ] s przelewanie syfonem

Siphonophora [,saifə'nɔfərə] *spl zool* rurkopławy

sipid ['sipid] *adj* przyjemny w smaku

sipper ['sipə] s rurka ⟨słomka⟩ (do popijania płynu)

↑ **sit** [] *vi* 11. = **babysit** ↑

↑ **site** [III] *attr* ~ **prefabrication** budowanie osiedli mieszkaniowych z elementów prefabrykowanych

sitomania [,saitə'meiniə] s *med* żarłoczność

sitophobia [,saitə'fəubiə] s *med* jadłowstręt

sitosterol [sai'tɔstərɔl] s *chem* sitosterol

sitotherapy [,saitəu'θerəpi] s *med* leczenie dietą

↑ **sitter** s 7. = **babysitter** ↑

situs ['saitəs] s położenie; umiejscowienie (narządu)

↑ **sixth** *num* [] *adj* ... ~ **column** a) oddział piątej kolumny uprawiający szeptaną propagandę i szerzący defetyzm b) organizacja zwalczająca piątą kolumnę

sixty-fourth [,siksti'fɔ:θ] *adj* sześćdziesiąty czwarty; *muz* ~ **note** jedna sześćdziesiąta czwarta

sizing ['saiziŋ] [] *zob* **size²** *vt* [III] s 1. klejenie 2. klej

sizy ['saizi] *adj* kleisty

skat *zob* **scat²** ↑

skeg [skeg] s *mar* płetwa denna (pionowa); dejwud

skeptic ['skeptik] s *am* = **sceptic** s

sketchily ['sketʃili] *adv* szkicowo; w ogólnych zarysach; w zarysie

skete [ski:t] s klasztor grecko-katolicki

↑ **skew** [] *adj* ... ~ **arch** łuk ukośny; sklepienie łukowe

skewback ['skju:bæk] s *bud* wezgłowie ⟨wspora⟩ sklepienia

↑ **ski** [] s 2. *wojsk* wyrzutnia bomb latających w kształcie nart [III] *attr* narciarski; ~ **lift** wyciąg narciarski; ~ **suit** kombinezon narciarski

skiascope ['skaiəskəup] s *med* skiaskop

skiascopy [skai'æskəpi] s *med* skiaskopia; badanie wzroku skiaskopem

skiborne ['ski:bɔ:n] *adj wojsk* (*o oddziale, formacji*) narciarski

↑ **skid** [IV] *attr* (*w mieście*) ~ **row** ⟨**road**⟩ dzielnica ⟨ulica⟩ szumowin

skidoo ['skidu:] *interj sl* odwal się!; wynoś się!
skilfully ['skilfuli] *adv* zręcznie; sprawnie
skillful ['skilful] *adj am* = **skilful**
skimmer ['skimə] *s* damski kapelusz o płaskim denku i szerokim rondzie
skimming ['skimiŋ] Ⅰ *zob* **skim** *v* Ⅲ *s* 1. szumowanie 2. muśnięcie; muskanie 3. *pl* ~s szumowiny; piana
skimpily ['skimpili] *adv* skąpo; kuso
↑ **skin** Ⅲ *attr* ... *sport* ~ **diving** płetwonurkowanie; płetwiarstwo; *techn* ~ **friction** tarcie powierzchniowe; *nukl* ~ **dose** dawka skórna; ~ **effect** zjawisko naskórkowości; ~ **layer** warstwa powierzchniowa
skin-graft ['skin-grɑ:ft, *am* 'skin-græft] *s med* przeszczep skóry
skink [skink] *s zool* (*Eumeces*) scynk
↑ **skinner** *s* 2. oprawca
skinnery ['skinəri] *s* 1. warsztat oprawcy 2. skład skór (surowych)
↑ **skip**[1] Ⅳ *attr wojsk* ~ **bombing** bombardowanie z samolotu lecącego tuż nad ziemią
skippet ['skipit] *s* pudełko chroniące pieczęć przytwierdzoną do dokumentu
skirr [skə:] *s* furkot
skirret ['skirit] *s bot* (*Sium*) marek
skite [skait] *vi* chwalić się
skittishly ['skitiʃli] *adv* 1. płochliwie; bojaźliwie 2. figlarnie; filuternie; kokieteryjnie; kapryśnie
skivvies ['skiviz] *spl sl wojsk* bielizna osobista
skivy ['skivi] *s sl* garkotłuk
sklodovskite ['sklɔdəvskait] *s miner* skłodowskit
skoal [skəul] *interj* sto lat!
skuldoggery [skʌl'dɔgəri] *s am* oszukaństwo; kanciarstwo
↑ **skunk** Ⅲ *attr bot* ~ **cabbage** nazwa północnoamerykańskich roślin obrazkowatych: a) *Symplocarpus foetidus* b) *Lysichitum americanum*
↑ **sky** Ⅲ *attr lotn* ~ **hook** hamulce w samolocie odrzutowym o większej sile niż hamulce mechaniczne; ~ **train** szereg szybowców holowanych przez samolot; ~ **truck** duży samolot transportowy
skymarker ['skaimɑ:kə] *s wojsk* bomba sygnalizacyjna
↑ **sky-pilot** *s* 1. ... kapelan
↑ **slab** Ⅲ *attr* płytowy; *nukl* ~ **reactor** reaktor płytowy
slacks [slæks] *spl* spodnie (nie od garnituru)
slangily ['slæŋili] *adv* gwarno
↑ **slave** Ⅰ *s* 2. *techn nukl* urządzenie zdalnie sterowane używane przy pracy z materiałami radioaktywnymi
slavocracy [slei'vɔkrəsi] *s hist* warstwa posiadaczy niewolników
sleekly ['sli:kli] *adv* 1. gładko 2. lśniąco 3. z ugrzecznieniem

↑ **sleeper** *s* 4. *sl* sportowiec (aktor, utwór itp.) osiągający nieoczekiwany sukces 5. śpioszki (dziecięce)
sleepily ['sli:pili] *adv* sennie
sleeplessly ['sli:plisli] *adv* 1. bezsennie 2. czujnie
↑ **sleeve** *s* 4. koperta na płytę gramofonową; *pot* koszulka
slenderize ['slendəraiz] Ⅰ *vt* wyszczuplać Ⅲ *vi* wyszczupleć
slenderly ['slendəli] *adv* 1. smukło; wiotko; cienko 2. znikomo; skąpo; skromnie 3. (*znać kogoś, coś itd.*) słabo
↑ **slick** Ⅲ *s* 2. efektownie wydawane brukowe czasopismo
slickenside ['slikənsaid] *s geol* lustro ślizgowe (tektoniczne, uskokowe)
↑ **slide** Ⅲ *s* 7. ... diapozytyw; slajd Ⅳ *attr* ~ **fastener** zamek błyskawiczny
slimly ['slimli] *adv* 1. szczupło; wątło 2. (*liczyć na coś itd.*) słabo
slimsy ['slimzi] *adj am* słaby; kruchy; lichy; marny
↑ **sling-shot** *s am powinno być*: proca
↑ **slip** Ⅲ *s* 1. poślizg; ślizganie się; *przen* ... Ⅳ *attr nukl* ~ **stream** strumień boczny
slipcover ['slipkʌvə] *s* pokrowiec (na mebel)
slipnoose ['slipnu:z] *s* pętlica
slip-on [slip'ɔn] *adj* (*o swetrze itd.*) wkładany przez głowę
↑ **slippery** *adj* || *bot* ~ **elm** (*Ulmus fulva*) amerykańska odmiana wiązu
slipping ['slipiŋ] Ⅰ *zob* **slip** *v* Ⅲ *s* (*w boksie*) unik w bok
slipsheet ['slipʃi:t] *s druk* papier wkładany między zadrukowane arkusze dla uniknięcia odbicia się farby
↑ **slit** Ⅳ *attr wojsk* ~ **trench** rów przeciwodłamkowy; *nukl* ~ **source (of ions)** źródło szczelinowe (jonów)
slivovitz ['slivəvits] *s* śliwowica
slob [slɔb] *s* 1. błoto 2. *sl* dureń; jołop
sloe-eyed ['sləu,aid] *adj* ciemnooki
↑ **slop**[2] Ⅲ *attr* ~ **chest** zapas odzieży do sprzedania załodze w czasie rejsu
sloppily ['slɔpili] *adv* niedbale; niestarannie
slothfully ['sləuθfuli] *adv* leniwie; gnuśnie
↑ **slow** Ⅰ *adj* 9. *nukl* powolny; ~ **neutron** (**chopper**) neutron (selektor) powolny; ~ **flux** strumień neutronów powolnych
slowing ['sləuiŋ] Ⅰ *zob* **slow** *v* Ⅲ *s* zw-olnienie/alnianie; opóźni-enie/anie; *nukl* ~ **down** spowalnianie
sluggardly ['slʌgədli] *adj* próżniaczy; leniwy
sluggishly ['slʌgiʃli] *adv* leniwie; powoli; wolno; ospale; niemrawo
slung [slʌŋ] *attr* ~ **shot** pocisk na sznurku (rzemieniu, łańcuchu); proca
↑ **slurry** Ⅰ *s* 3. szlam; zawiesina Ⅲ *attr nukl* ~ **reactor** reaktor z paliwem w zawiesinie
↑ **slush**[2] Ⅳ *attr* ~ **fund** a) † pieniądze ze

sprzedaży odpadków kuchennych wydawane na drobne przyjemności b) fundusz dyskrecjonalny (na łapówki itd.)

smacking [ˈsmækiŋ] Ⅰ *zob* **smack²** *v* Ⅲ *adj* 1. (*o wietrze*) ostry; silny 2. (*gwarowo — bardzo duży*) straszny; okrutny

↑ **small** Ⅰ *adj* 1. … ~ **change** … b) *am* (*o człowieku*) płotka c) drobiazg; drobnostka; *sl* pestka; ~ **hours** … b) pierwsze godziny po północy

small-beam [smɔlˈbiːm] *attr nukl* ~ **chopper** selektor małej wiązki

smallmouth [ˈsmɔːlmauθ] *s zool* (*Micropterus dolomieu*) odmiana okonia

smalltime [ˈsmɔːltaim] *adj* drobny; podrzędny; ~ **business** przedsiębiorstwo na małą skalę

smartweed [ˈsmɑːtwiːd] *s bot* (*Polygonum hydropiper*) rdest ostrogorzki; pieprz wodny

↑ **smash** Ⅴ *attr* = **smashing** *adj*
↑ **smashing** Ⅲ *adj* 3. szałowy

smashup [ˈsmæʃʌp] *s* = **smash** *s*

smaze [smeiz] *s* lekka mgła z dymem

↑ **smear** Ⅲ *vt* 3. *am sl* rozbić (przeciwnika) w puch; położyć (kogoś) na obie łopatki 4. oczerni-ć/ać (kogoś); obsmarować (kogoś) Ⅲ *s* obsmarowanie (kogoś); potwarz; oszczerstwo Ⅴ *attr* oszczerczy; ~ **campaign** nagonka (na kogoś)

smeltery [ˈsmeltəri] *s* huta; odlewnia; gisernia

↑ **smelting** Ⅲ *s* … przetapianie

smist [smist] *s* = **smaze** ↑

smithsonite [ˈsmiθsənait] *s miner* smitsonit

smog [smɔg] *s* smog; mgła z dymem

↑ **smoke** Ⅴ *attr* ~ **jumper** członek straży leśnej, który skacze ze spadochronem w rejon objęty pożarem; *bot* ~ **tree** a) nanerczowaty krzew Europy południowej i Azji Mniejszej (*Cotinus coggygria*) b) pokrewny gatunek amerykański *Cotinus americanus*

smolder [ˈsmɔldə] *vi s am* = **smoulder** *vi s*

smooch [smuːtʃ] *vi* całować ⟨pieścić, migdalić⟩ sie

↑ **smooth** Ⅰ *adj* 5. zaokrąglony; *nukl* ~ **potential well** zaokrąglona jama potencjału

smoothen [ˈsmuːðən] Ⅰ *vt* wygładzić Ⅲ *vi* wygładzić się; nabrać gładkości

smoothly [ˈsmuːðli] *adv* gładko

smörgasbord [ˈsməːgəsbɔːd] *s* bufet z zakąskami

smurk [sməːk] *s* półmrok spowodowany dymem (nad ośrodkiem miejskim)

smuttily [ˈsmʌtili] *adv* 1. brudno 2. sprośnie

snafu [snəˈfuː] *sl wojsk* Ⅰ *s* bałagan; zamieszanie Ⅲ *adj* zabałaganiony; do góry nogami Ⅲ *vt* zabałaganić

snaggle-tooth [ˈsnægltuːθ] *s* wystający ząb

↑ **snake** Ⅲ *attr* ~ **dance** wąż (zbiorowy

taniec ⟨pochód⟩ a) rytualny b) podczas demonstracji politycznych)

snakebird [ˈsneikbəːd] *s zool* (*Plotus*) wężówka

snakeroot [ˈsneikruːt] *s farm* korzeń wężownicy wirgińskiej, wysuszone kłącze i korzenie rośliny *Aristolochia serpentaria*

↑ **snap** Ⅳ *attr* ‖ *bot* ~ **bean** fasola szparagowa

snap-away [snæpəˈwei] *s* (*w boksie*) unik w tył

snapper [ˈsnæpə] *s zool* 1. nazwa kilku ryb morskich z rodziny *Lutianidae* 2. = **snapping turtle** *zob* **snapping** ↑

snappily [ˈsnæpili] *adv* 1. zgryźliwie; kostycznie 2. żwawo; prędko

snapping [ˈsnæpiŋ] Ⅰ *zob* **snap** *v* Ⅲ *adj* 1. chwytający zębami; *zool* ~ **turtle** (*Chelydra serpentina*) żółw amerykański chwytający zębami (wroga) 2. wydający szczęk; *zool* ~ **beetle** sprężyk (wydający szczęk przy skoku)

snappishly [ˈsnæpiʃli] *adv* zgryźliwie; kostycznie

snapshotty [snæpˈʃɔti] *adj* 1. przypadkowy 2. nieoficjalny; improwizowany

↑ **snare** Ⅲ *attr wojsk* ~ **drum** bęben werblowy

snark [snɑːk] *s* potwór z bajki

snath [snæθ] *s* kosisko

↑ **sneak** Ⅴ *attr* ~ **thief** złodziej zakradający się do mieszkań

sneakingly [ˈsniːkiŋli] *adv* chyłkiem

sneak-raid [ˈsniːkreid] *s wojsk* nalot przeprowadzony w warunkach korzystnych dla atakującego (w nocy itd.)

sneaky [ˈsniːki] *adj* podkradający się; zakradający się

sneezeweed [ˈsniːzwiːd] *s bot* północnoamerykański słonecznik *Helenium autumnale*

snell [snel] *s* krótka żyłka, którą haczyk jest przywiązany do wędki

↑ **snide** Ⅲ *adj* 2. uszczypliwy

↑ **sniff** Ⅲ *vi* 1. … siąk-nąć/ać

sniffle [ˈsnifl] Ⅰ *vi* pociąg-nąć/ać nosem; siąk-nąć/ać Ⅲ *s* pociąganie nosem; siąkanie

snifter [ˈsniftə] *s techn* miniaturowy przenośny namiernik

sniggle [ˈsnigl] *vi* łowić na haczyk (**for eels** węgorze)

sniperscope [ˈsnaipəskəup] *s* = **snooperscope** ↑

snitch² [snitʃ] *vt sl* zwędzić; świsnąć; buchnąć

snobbishly [ˈsnɔbiʃli] *adv* snobistycznie

snooperscope [ˈsnuːpəskəup] *s techn* celownik z ekranem do promieni podczerwonych

snoot [snuːt] *s sl* 1. nochal 2. gęba

snort² [snɔːt] *s* haust trunku; kieliszek trunku wypity haustem

↑ **snout** Ⅰ *attr zool* ~ **beetle** ryjkowiec

↑ **snow**[1] Ⅴ *attr* śnieżny; ~ **line** granica wiecznych śniegów; *meteor* ~ **density** procentowa zawartość wody w śniegu; ~ **pellets** krupy; ~ **sampler** zgłębnik do pomiarów zawartości wody w śniegu; ~ **surveys** pomiary grubości pokrywy śnieżnej oraz zawartości wody w śniegu; *kulin* ~ **pudding** legumina z białek i żelatyny cytrynowej; *bot* ~ **plant** (*Sarcodes sanguinea*) amerykańskie ziele saprofityczne rosnące w lasach iglastych na wielkich wysokościach, często wyrastające spod śniegu; *zool* ~ **bunting** (*Plectrophenax nivalis*) śnieguła; (*w bajce*) **Snow White** Królewna Śnieżka Ⅴ *vt sl wojsk* otumanić (kogoś) nadmiarem mylnych lub bezużytecznych informacji

snowberry ['snəu,beri] *s bot* (*Symphoricarpos albus*) śnieguliczka biała

snowbush ['snəubuʃ] *s* dekoracyjny krzew o wielkiej obfitości białych kwiatów

snowclad ['snəuklæd] *adj* ośnieżony

snowplow ['snəuplau] *s am* = **snowplough**

snowshed ['snəuʃəd] *s* szałas

snowsuit ['snəusju:t] *s* kombinezon zimowy

↑ **snowy** *adj* ... *bot* ~ **gentian** goryczka śniegowa; *zool* ~ **owl** (*Nyctea nyctea*) sowa biała; ~ **plover** (*Charadrius nivosus*) siewkowaty ptak amerykański

snubby ['snʌbi] *adj* 1. (*o nosie*) lekko zadarty 2. (*o człowieku*) skłonny do robienia afrontów; arogancki; impertynencki

snugly ['snʌgli] *adv* przytulnie; wygodnie

sociably ['səuʃəbli] *adv* 1. towarzysko 2. przyjacielsko; po przyjacielsku 3. stadnie; gromadnie

↑ **social** Ⅰ *adj* 3. ... ~ **intelligence** umiejętność współżycia w społeczeństwie; ~ **medicine** medycyna społeczna; *am* ~ **security** świadczenia ze strony państwa na rzecz obywateli starych, bezrobotnych i małoletnich

↑ **socialist** Ⅲ *adj* ... **Socialist Association of Military Youth** Socjalistyczny Związek Młodzieży Wojskowej; **Socialist Association of Polish Students** Socjalistyczny Związek Studentów Polskich

socialized ['səuʃəlaizd] Ⅰ *zob* **socialize** *vt* Ⅲ *adj* uspołeczniony; ~ **medicine** uspołeczniona służba zdrowia

socially ['səuʃəli] *adv* 1. towarzysko 2. stadnie; gromadnie 3. socjalnie; społecznie

societal [səu'saiətl] *adj* społeczny; zbiorowy

sociobiological [səuʃiəu,baiə'lɔdʒikl] *adj* socjobiologiczny

sociodrama [səuʃiəu'dra:mə] *s psych* socjodrama

sociogram ['səuʃiəugræm] *s* socjogram

↑ **sociology** *s* 2. *bot* socjologia roślin; synekologia

sociometric [səuʃiəu'metrik] *adj* socjometryczny

sociometry [səuʃi'ɔmitri] *s* socjometria

↑ **sock**[1] Ⅲ *attr* skarpetkowy; ~ **suspender** podwiązka do skarpetek Ⅲ *vi lotn* **to** ~ **in** nie móc odbyć lotu z powodu złych warunków atmosferycznych

sockeye ['sɔkai] *s zool* (*Oncorhynchus nerka*) łosoś Pacyfiku

↑ **soda** Ⅲ *attr* sodowy; ~ **biscuit** ⟨**cracker**⟩ sucharek; *chem* ~ **lime** wapno sodowe; *am sl* ~ **jerk** ⟨**jerker**⟩ (człowiek) obsługujący syfon z wodą sodową

sodalite ['səudəlait] *s miner* sodalit

sodar ['səudə] *s meteor* instrument do badania warunków atmosferycznych

soddite ['sɔdait] *s chem* sodyt

↑ **sodium** Ⅲ *attr* sodowy; ~ **cooled reactor** reaktor chłodzony sodem; ~ **chloride** ⟨**chlorate, hydroxide, uranate**⟩ chlorek ⟨chloran, wodorotlenek, uranian⟩ sodowy; ~ **metabisulphite** pirosiarczyn sodowy ~ **(vapour) lamp** lampa sodowa

sofar ['səufa:] *s* system lokalizowania podwodnych wybuchów

↑ **soft** Ⅰ *adj* ‖ ~ **soap** a) *chem* mydło potasowe; *pot* szare mydło b) *przen* *pot* pochlebstwa

softa ['sɔftə] *s* muzułmański student teologii

softball ['sɔftbɔ:l] *s am sport* odmiana baseballu

↑ **soften**

~ **up** *vt wojsk* przygotowywać grunt środkami militarnymi i propagandowymi przed rozpoczęciem inwazji na terytorium nieprzyjaciela

soft-shelled ['sɔftʃeld] *adj zool* ~ **turtle** żółw z rodziny *Trionychidae*

softwood ['sɔftwud] *s* 1. miękkie drewno 2. drewno drzewa szpilkowego

↑ **soil**[1] Ⅲ *attr* gruntowy; ~ **cement** gruntocement; ~ **cultivation** uprawa gleby ⟨roli⟩; ~ **depletion** wyczerpanie gleby; ~ **lime** wapno nawozowe; ~ **science** gleboznawstwo; (*w kanalizacji*) ~ **pipe** przewód ⟨pion⟩ spustowy

soilage ['sɔilidʒ] *s roln* zielonka

solanaceous [sɔlə'neiʃəs] *adj bot* psiankowaty

↑ **solar** *adj* ... ~ **battery** elektrownia słoneczna; ~ **still** przyrząd do przetwarzania przy pomocy promieni słonecznej wody morskiej lub zanieczyszczonej w wodę zdatną do picia; (*w boksie*) ~ **knock** cios w żołądek

solarization [,səulərai'zeiʃən] *s* 1. *fot* nasłonecznienie 2. *bot* zahamowanie fotosyntezy pod wpływem silnego nasłonecznienia

solely ['səulli] *adv* jedynie; tylko; wyłącznie

solemnly ['sɔləmli] *adv* 1. uroczyście; solennie 2. poważnie; z namaszczeniem

solicitously [sə'lisitəsli] *adv* 1. starannie; pieczołowicie 2. z zatroskaniem; z zaniepokojeniem

↑ **solid** Ⅰ *adj* 1. ... *fiz* ~ **phase** faza stała; ~ **state physics** fizyka ciała stałego 9. ...

~ **angle** kąt bryłowy 10. ... ~ **geometry** geometria przestrzenna

solidago [sɔliˈdeigəu] *s bot* (*Solidago*) nawłóć

solidary [ˈsɔlidəri] *adj* solidarny

solipsism [ˈsɔlipsizəm] *s filoz* solipsyzm

solstitial [sɔlˈstiʃəl] *adj* przesileniowy

↑ **soluble** *adj* 1. ... ~ **glass** szkło wodne

↑ **solution** ▥ *attr* ~ **chemistry** chemia roztworów

somatic [səuˈmætik] *adj* somatyczny; cielesny; fizyczny; ~ **cell** komórka somatyczna; ~ **injury** uszkodzenie somatyczne

somatology [səuməˈtɔlədʒi] *s* somatologia

somber [ˈsɔmbə] *adj am* = **sombre**

sombrely, *am* **somberly** [ˈsɔmbəli] *adv* 1. ciemno; mrocznie 2. ponuro; posępnie 3. smutno; w przygnębieniu

someday [ˈsʌmdei] *adv am* któregoś dnia; kiedyś (w przyszłości)

somniloquy [səmˈniləkwi] *s* mówienie przez sen

sonance [ˈsəunəns] *s* dźwięczność

sonar [ˈsəunə] *s am* sonar

sonatina [sɔnəˈtiːnə] *s muz* sonatina

sonderclass [ˈzɔndəklaːs] *s żegl* klasa specjalna yachtu wyścigowego

↑ **song** ▥ *attr zool* ~ **sparrow** (*Melospiza melodia*) łuszczak północnoamerykański

songfest [ˈsɔŋfest] *s* zbiorowe śpiewanie pieśni

songful [ˈsɔŋful] *adj* melodyjny

↑ **sonic** *adj* ... ~ **barrier** bariera dźwięku

sonobuoy [ˈsɔnəˌbɔi] *s radio* boja dźwiękowa (wykrywająca i transmitująca podwodne odgłosy)

sonship [ˈsʌnʃip] *s* synostwo; bycie synem

sooner [ˈsuːnə] Ⅱ *adv comp* ↑ **soon** ▥ *s am sl* 1. osadnik zajmujący grunt rządowy przed terminem legalnego nabycia celem zyskania korzystnego wyboru miejsca 2. człowiek, który zdobywa przewagę, wyprzedzając nieuczciwie współubiegających się 3. **Sooner** obywatel stanu Oklahoma

soothingly [ˈsuːðiŋli] *adv* uspokajająco; uśmierzająco; kojąco; łagodząco

sophistically [səˈfistikəli] *adv* sofistycznie; wykrętnie

↑ **sophisticated** ▥ *adj* 2. ... ultranowoczesny; *pot* udziwniony

sopor [ˈsəupɔː] *s med* chorobliwa senność; śpiączka

sopping [ˈsɔpiŋ] Ⅱ *zob* **sop** *v* ▥ *adj* przemoczony

↑ **soprano** ▥ *attr muz* ~ **clef** klucz C

sora [ˈsɔːrə] *s zool* (*Porzana carolina*) północnoamerykański derkacz

sorbic [ˈsɔːbik] *adj chem* (*o kwasie*) sorbowy ⟨sorbinowy⟩

sorbose [ˈsɔːbəus] *s farm* sorboza

sorcerous [ˈsɔːsərəs] *adj* czarodziejski; czarnoksięski; kuglarski

↑ **sorcery** *s* ... czarnoksięstwo; magia

sordidly [ˈsɔːdidli] *adv* 1. brudno; nędznie;

plugawo; obskurnie; wstrętnie 2. podle; nikczemnie 3. skąpo

↑ **sore** ▥ *adj* 1. ... *wet med* ~ **mouth** pryszczyca

sorgo [ˈsɔːgəu] *s bot* słodkie sorgo

soroptimist [sɔːˈrɔptimist] Ⅱ *s* członkini stowarzyszenia kobiet niezależnych pracujących społecznie ▥ *attr* **Soroptimist Club** międzynarodowe stowarzyszenie kobiet niezależnych pracujących społecznie

sorosis [sɔˈrəusis] *s bot* mięsisty owoc złożony (ananas itp.)

sorption [ˈsɔːpʃən] *s fiz chem* sorpcja

↑ **sorrel**[1] ▥ *attr bot* ~ **tree** (*Oxydendrum arboreum*) północnoamerykańskie drzewo wrzosowate

↑ **sortie** *s* 2. *wojsk lotn* zadanie bojowe samotnego samolotu

sotol [ˈsəutɔl, səuˈtɔl] *s bot* amerykańska i meksykańska roślina liliowata podobna do juki

souari [suːˈɑːri] *attr bot* ~ **nut** jadalny owoc oleisty południowoamerykańskiego drzewa *Caryocar nuciferum*

soubise [suːˈbiːz] *s kulin* biały sos cebulowy (do mięsa itd.)

soullessly [ˈsəullisli] *adv* bezdusznie

↑ **sound**[1] ▥ *attr* ... ~ **barrier** bariera ⟨granica⟩ dźwięku; *fiz* ~ **field** pole dźwiękowe ⟨akustyczne⟩

↑ **sounding**[2] ▥ *attr* ~ **rocket** rakieta meteorologiczna (do badania górnych warstw atmosfery)

sounding-line [ˈsaundiŋlain] *s mar* sondolina

soundlessly [ˈsaundlisli] *adv* bezdźwięcznie; bezszmerowo

soup[2] [suːp] *s sl lotn* 1. koń mechaniczny; moc silnika 2. = **supercharge** *s* ↑

soup[3] [suːp] *vt sl* **to** ~ **up** dodać gazu

↑ **source** ▥ *attr* źródłowy; ~ **material** a) materiały źródłowe; źródła (do pracy naukowej) b) *nukl* ~~surowiec~~; materiał wyjściowy; *nukl* ~ **fission** rozszczepienie neutronami ze źródła; ~ **interlock** blokada źródła neutronowego; ~ **range** zakres źródła (w pracy reaktora); ~ **term** term źródła

source-free [sɔːsˈfriː] *adj nukl* bezźródłowy; ~ **medium** środowisko bezźródłowe

soursop [ˈsauəsɔp] *s* 1. *bot* drzewo Indii Zachodnich *Annona muricata* 2. owoc tego drzewa

sousaphone [ˈsuːsəfəun] *s muz* suzafon

soutache [suːˈtæʃ] *s* sutasz

southpaw [ˈsauθpɔː] *sl* Ⅱ *s* mańkut ▥ *adj* leworęczny

↑ **sow**[1] ▥ *attr zool* ~ **bug** stonoga z rodzaju *Oniscus*

↑ **space** ▥ *attr* przestrzenny; ~ **car** ⟨**station, platform**⟩ = **satellite station** *zob* **satellite** ↑; ~ **opera** powieść ⟨sztuka telewizyjna, słuchowisko⟩ na temat podróży międzyplanetarnej; *lotn* ~ **flight** ⟨**travel**⟩ podróż kosmiczna (międzyplane-

tarna⟩; ~ **suit** kombinezon kosmonauty;
fiz ~ **charge** ładunek przestrzenny; ~
independent ⟨**dependent**⟩ niezależny ⟨zależny⟩ od ładunku przestrzennego; ~
quantization kwantowanie przestrzenne;
~ **reflection** odbicie przestrzenne
spaceman [′speismən] *s* (*pl* **spacemen**
[′speismən]) kosmonauta
spaceship [′speisʃip] *s* pojazd kosmiczny
space-time [′speistaim] *s fiz* czasoprzestrzeń
spadefish [′speidfiʃ] *s zool* (*Chaetodipterus faber*) cierniopłetwa ryba atlantycka
spadiceous [spi′diʃəs] *adj bot* kolbiasty
spahi [′spɑ:hi:] *s* spahis
↑ **spall** Ⅲ *vi* odprys-kiwać/nąć; wy/kruszyć się
spallation [spɔ:′leiʃən] ⬜ *s* 1. spalacja;
kruszenie się 2. łuszczenie się 3. odłupywanie się; wykruszanie się; odpryskiwanie Ⅲ *attr* kruszeniowy; (*o fragmencie*)
spalacyjny
spalling [′spɔ:liŋ] ⬜ *zob* **spall** *v* Ⅲ *s attr* =
= **spallation** *s attr* ↑
spam [spæm] *s* konserwa mięsna
↑ **Spanish** ⬜ *adj* ... *geogr* ~ **Main** Morze
Karaibskie; *bot* ~ **needles** (*Bidens bipinnata*) uczep; ~ **onion** duża cebula; ~
paprika odmiana pieprzu *Capsicum frutescens*; *zool* ~ **mackerel** (*Scomberomorus maculatus*) amerykańska makrelowata ryba jadalna
sparge [spɑ:dʒ] *vt* rozprys-nąć/kiwać
sparing [′speəriŋ] ⬜ *zob* **spare** *v* Ⅲ *adj* 1.
oszczędny 2. pobłażliwy; litościwy 3. (*o
zapasie itd.*) skąpy; szczupły
↑ **spark**[1] Ⅲ *vt* 2. *przen* natchnąć entuzjazmem
↑ **spark-plug** *s* 2. *am pot* (*o człowieku*)
dusza (towarzystwa, zespołu itd.)
sparling [′spɑ:liŋ] *s zool* (*Osmerus eperlanus*) stynka
sparoid [′spɑ:rɔid] *adj zool* (*o rybie*) należąca do rodziny *Sparidae*
↑ **sparrow** *s* 2. **Sparrow** *wojsk* zdalnie kierowany pocisk typu „powietrze-powietrze"
sparteine [′spɑ:tii:n] *s chem* sparteina
spasmolytic [ˌspæzmə′litik] *med* ⬜ *s* środek przeciwskurczowy Ⅲ *adj* przeciwskurczowy
↑ **spat**[3] *s powinno być*: sztylpa
spathic [′spæθik] *adj miner* podobny do
szpatu
↑ **spatial** *adj* ... *fiz* ~ **average** wartość
przestrzenna średnia; *nukl* ~ **mesh** sieć
przestrzenna; ~ **variation of flux** zmiana strumienia w przestrzeni
spatterdock [′spætədɔk] *s bot* (*Nymphaea*)
lilia wodna
spatulate [′spætʃuleit] *adj bot* (*o liściu*) łopatkowy
speakings [′spi:kiŋz] *spl* wypowiedzi
spear[2] [spiə] *s bot* kiełek; źdźbło
spearfish [′spiəfiʃ] ⬜ *s zool* wielka ryba

łowna z rodzaju *Makaira* Ⅲ *vi* łowić ryby oszczepem
↑ **spearhead** Ⅲ *vt* stanąć na czele (akcji
itd.)
↑ **specific** ⬜ *adj* 2. ... *fiz* ~ **gravity concentration** wzbogacenie grawitacyjne; ~
heat ciepło właściwe; (*w rakietnictwie*)
~ **impulse** popęd ⟨impuls⟩ właściwy; ~
thrust ciąg jednostkowy
↑ **specification** *s* 4. warunki techniczne
speciously [′spi:ʃəsli] *adv* zwodniczo; zdradliwie; z pozorami słuszności (prawdy)
↑ **spectacular** ⬜ *s tv* widowisko z udziałem gwiazd (sceny, estrady, piosenki itd.)
spectacularly [spek′tækjuləli] *adv* 1. widowiskowo; popisowo 2. teatralnie 3. okazale; efektownie
specter [′spektə] *s am* = **spectre**
spectrogram [′spektrəgræm] *s* spektrogram
spectroheliogram [ˌspektrəu′hi:liəgræm] *s
astr* spektroheliogram
spectroheliograph [ˌspektrəu′hi:liəgrɑ:f] *s
astr* spektroheliograf
spectrometer [spek′trɔmitə] *s fiz* spektrometr; fotometr spektralny
spectrophotometer [ˌspektrəufə′tɔmitə] *s
astr* spektrofotometr
spectroscopy [spek′trɔskəpi] *s astr fiz* spektroskopia
speculatively [′spekjulətivli] *adv* 1. spekulatywnie 2. teoretycznie 3. spekulacyjnie
↑ **speech** Ⅲ *attr* (*o grupie, zespole, obszarze itd.*) językowy; (*o formie itd.*) lingwistyczny; ~ **correction** poprawianie wad
wymowy; *fonet* ~ **sound** głoska
speechlessly [′spi:tʃlisli] *adv* niemo
↑ **speedily** *adv* ... pośpiesznie; prędko; rychło; bezzwłocznie
speedlight [′spi:dlait] *s fot* flesz; elektronowa lampa błyskowa
↑ **speed-up** Ⅲ *s* przyspieszenie; zwiększone ⟨większe⟩ tempo
speedwalk [′spi:dwɔ:k] *s* ruchomy chodnik
speiss [spais] *s metalurg* szpajza
spelaean [spi′li:ən] *adj* speleologiczny; jaskiniowy
speleologist [spi:li′ɔlədʒist] *s* speleolog;
grotołaz
speleology [spi:li′ɔlədʒi] *s* speleologia; jaskinioznawstwo
↑ **spell**[2]
~ **out** *vt* 2. objaśni-ć/ać ⟨wypowi-edzieć/adać⟩ wyraźnie ⟨niedwuznacznie⟩
spellbind [′spelbaind] *vt* (**spellbound**
[′spelbaund], **spellbound**) urze-c/kać; o/czarować; za/hipnotyzować; trzymać pod
urokiem
↑ **spelling** Ⅲ *attr* ~ **pronunciation** wymowa zgodna z pisownią
spelunker [spi:′lʌŋkə] *s* grotołaz; speleolog
Spencerianism [spen′səriənizəm] *s* filozofia Herberta Spencera
↑ **sperm**[3] Ⅲ *attr* ~ **oil** olej spermacetowy
spermatium [spə:′meiʃiəm] *s bot* ciałko
plemnikowe wodorostów

spermatocyte [,spə:mətə'sait] s biol spermatocyt

spermatogonium [,spə:mətəu'gəuniəm] s biol spermatogonium

spermatophore [,spə:mətə'fɔ:] s zool plemniomieszek; spermatofor

spermatophyte [,spə:mətə'fait] s bot roślina nasienna

spermatozoid [,spə:mətə'zəuid] s bot spermatozoid

spermic ['spə:mik] adj fizj nasienny

spermogonium [spə:mə'gəuniəm] s bot spermogonium

spermophile ['spə:məfail] s zool (Citellus) suseł

spermophyte ['spə:məfait] s = spermatophyte ↑

sperrylite ['sperilait] s miner sperylit

sphagnous ['sfægnəs] adj torfiasty; porosły mchami

↑ sphagnum Ⅲ attr ~ peat torf sfagnowy

sphalerite ['sfælərait] s miner sfaleryt

sphene [sfi:n] s miner sfen; tytanit

sphenic ['sfi:nik] adj klinowy

spheral ['sfiərəl] adj sferyczny; kulisty

↑ spherical adj ... ~ aberration aberracja sferyczna; ~ triangle trójkąt sferyczny

spherics ['sferiks] s = sferiks ↑

sphygmic ['sfigmik] adj (odnoszący się do) tętna

sphygmogram ['sfigməgræm] s med wykres tętna

sphygmoid ['sfigmɔid] adj podobny do tętna

sphygmometer [sfig'mɔmitə] s med sfigmometr

spica ['spaikə] s opaska kłosowa (rodzaj bandaża)

spicate ['spaikeit] adj bot kłosowy

spiceberry ['spais,beri] s bot (Gaultheria procumbens) amerykańskie ziele zimozielone

spicily ['spaisili] adv 1. ostro; pikantnie 2. aromatycznie 3. (opowiadać itp.) pikantnie, pieprznie

spiculate ['spikjuleit] adj ościsty; kolący

spiculum ['spikjuləm] s zool (drobny) kolec

↑ spider s 4. pl ~s wojsk podwodne zapory zbudowane przez Niemców podczas II wojny światowej wzdłuż wybrzeży Normandii

spier ['spaiə] s 1. szpieg 2. podglądacz 3. obserwator

spiffy ['spifi] adj sl fajny

↑ spike Ⅲ attr bot ~ lavender (Lavendula spica) gatunek mięty

spikelet ['spaiklit] s bot kłosek

↑ spin Ⅲ s 4. fiz spin; kręt Ⅳ attr fiz spinowy; ~ vector wektor spinu; techn ~ stabilization stabilizacja (pocisku) wskutek ruchu obrotowego; ~ drier wyżymaczka wirówkowa, wirówka

spinaceous [spi'neiʃəs] adj bot komosowaty

↑ spinal adj ... med ~ anaesthesia znieczulenie dordzeniowe

↑ spindle Ⅲ s 5. biol wrzeciono Ⅲ attr ~ file = spindle s 4. Ⅳ vt nabi-ć/jać (bloczek itd.) na szpikulec

↑ spinner s 4. techn rakieta stabilizowana ruchem obrotowym

spinor ['spainə] nukl Ⅲ s spinor Ⅲ attr spinorowy; ~ field pole spinorowe

spinose ['spainəus], spinous ['spainəs] adj ciernisty; kolczasty

spinozism [spai'nəuzizəm] s panteistyczna filozofia Spinozy

spin-stabilized ['spin'steibilaizd] attr ~ rocket = spinner s 4. ↑

spinthariscope [spin'θɑ:riskəup] s nukl spinteryskop, spinteroskop

spiracle ['spirəkl] s 1. otwór oddechowy 2. (u waleni) otwór nosowy 3. (u niektórych ryb) szczelina oddechowa

↑ spiral Ⅲ s 5. ekon spirala (cen, inflacyjna itd.)

spirillum [spi'riləm] s biol krętek

spiritually [spi'ritjuəli] adv duchowo

spirograph ['spairəgrɑ:f] s med spirograf

spirogyra [spairəu'dʒairə] s bot wodorost z rodzaju Spirogyra

spiroid ['spairɔid] adj spiralny

spirula [spi'rju:lə] s zool dziesięciornica Spirula spirula

spitefully ['spaitfuli] adv 1. złośliwie 2. zawzięcie 3. mściwie

↑ spittle Ⅲ attr zool ~ insect pluskwiak kraskowaty

spitzenburg ['spitsənbə:g] s odmiana jabłka zimowego

spivery ['spivəri] s spekulanctwo; paskarstwo

↑ splash Ⅲ vt 5. wojsk lotn strącić (samolot nieprzyjacielski)

~ down vi (o statku kosmicznym) wodować

Ⅲ s 7. strącony samolot nieprzyjacielski

splat [splæt] s listewka kryjąca połączenie płyt ściennych

splendidly ['splendidli] adv 1. wspaniale; znakomicie; świetnie 2. okazale 3. doskonale

splendor ['splendə] s am = splendour

splenectomy [spli'nektəmi] s chir wycięcie śledziony

splenius ['spli:niəs] s anat mięsień płatowaty

↑ splinter Ⅳ attr oddzielony; oderwany; ~ group odłam

↑ split² Ⅲ adj 1. ... lotn ~ flap klapa krokodylowa

split-level [,split'levl] adj (o mieszkaniu, wnętrzu) dwupoziomowy; kilkupoziomowy; wielopoziomowy

spodumene ['spɔdjumi:n] s miner spodumen

spoiler ['spɔilə] s lotn przerywacz

spoilfive ['spɔilfaiv] s karc gra, w której każdy z grających otrzymuje 5 kart

spondylitis [spɔndi'laitis] s med zapalenie (próchnica) kręgów spontaneously [spɔn'teinjəsli] *adv* 1. spontanicznie; samorzutnie; dobrowolnie 2. (*poruszać się itd.*) mechanicznie; odruchowo 3. samoistnie

spook² [spu:k] *s pot* pirat drogowy

↑ spoon¹ Ⅲ *attr kulin* ~ bread prażucha z mąki kukurydzanej

↑ spoony ☐ *adj* 3. *sl wojsk* klawy; wdechowy; byczy

sporadically [spə'rædikəli] *adv* sporadycznie; rzadko

sporiferous [spɔ'rifərəs] *adj bot* zarodnikonośny

sporocarp [spɔrə'ka:p] *s bot* zarodnioowocnik

sporocyst [spɔ:rə'sist] *s biol* sporocysta

sporogenesis [spɔrəu'dʒenəsis] *s biol* sporogeneza

sporogenous [spɔ'rɔdʒənəs] *adj biol* zarodnikotwórczy

sporogony [spɔ'rɔgəni] *s biol* sporogeneza

sporophore ['spɔrəfɔ:] *s bot* torebka zarodnikowa

sporophyll ['spɔrəfil] *s bot* liść zarodnionośny

sporophyte ['spɔrəfait] *s bot* sporofit

sporotrichosis [spɔrɔtrai'kəusis] *s* grzybica sporotrychoza

Sporozoa [spɔrɔ'zəuə] *spl zool* sporowce

sporozoan [spɔrɔ'zəuən] *s zool* sporowiec

sporozoite [spɔrɔ'zəuait] *s zool* sporozoit

↑ sporting Ⅲ *adj* 1. ... ~ dog pies myśliwski

sportively ['spɔ:tivli] *adv* żartobliwie; żartem; w żarcie

sporty ['spɔ:ti] *adj pot* 1. godny prawdziwego sportowca 2. (*o człowieku*) równy; he is a ~ chap to równy gość 3. (*o zachowaniu*) krzykliwy 4. elegancki; stylowy

sporulate [spɔrju'leit] *vi bot* 1. zarodnikować 2. przetrwalnikować

↑ spot Ⅲ *attr* 1. ... *handl* ~ check ⟨test⟩ próba losowa 2. *radio* miejscowy; ~ announcement miejscowa zapowiedź ⟨reklama⟩; ~ jamming zagłuszanie określonego kanału

spotlessly ['spɔtlisli] *adv* nieskazitelnie; bez zarzutu

↑ spotted Ⅲ *adj* ... *zool* ~ cat(fish) amerykańska ryba *Ictalurus punctatus*; ~ sandpiper = peetweet ↑

spottily ['spɔtili] *adv* w cętki; w kropki

spousal ['spauzl] *s* (*także pl* ~s) zaślubiny

sprawly ['sprɔ:li] *adj* 1. (*o roślinności*) rozkrzewiony; bujny 2. (*o zabudowaniach*) rozrzucony (po okolicy) 3. (*o człowieku*) rozwalony (w fotelu, na kanapie itd.)

↑ spray¹ ☐ *s* 4. rozprysk Ⅲ *attr nukl* rozpryskowy; ~ condenser skraplacz rozpryskowy; ~ point ostrze snopiące

↑ spread¹ ☐ *vt* 1. ... ~ing power rozlewność (farby)

↑ spring Ⅳ *attr* 1. ... *bot* ~ beauty (*Claytonia virginica*) amerykański kwiat por-

tulakowaty 2. ... *mech* ~ constant stała sprężyny

spring-back ['sprɪŋbæk] *s* sprężynowanie

↑ springer *s* 5. kurczę z wiosennego wylęgu

springlock ['sprɪŋlɔk] *s* zatrzask

sprinkler² ['sprɪŋklə] *s* (*także* ~ system) (przeciwpożarowa) instalacja tryskaczowa

↑ sprocket Ⅲ *attr* ~ wheel koło łańcuchowe drabinkowe

↑ spruce² Ⅲ *attr* świerkowy; *zool* ~ grouse kanadyjska kuropatwa *Canachites canadensis*

spryly ['spraili] *adv* rześko; żwawo

↑ spun Ⅲ *adj* ... *mar* ~ yarn nitka wyczeskowa

spunkily ['spʌŋkili] *adv pot* 1. odważnie 2. burkliwie

↑ spur Ⅳ *attr techn* ~ gear przekładnia zębata walcowa o zębach prostych; *kolej* ~ track bocznica

↑ spurge Ⅲ *attr bot* ~ laurel wawrzynowaty krzew *Daphne laureola*

↑ spurious *adj* 4. *nukl* pasożytniczy; ~ count liczenie pasożytnicze

spuriously ['spjuəriəsli] *adv* 1. fałszywie; nieprawdziwie; nieautentycznie 2. rzekomo 3. udając; symulując

spurred [spə:d] ☐ *zob* spur *vt* Ⅲ *adj* zaopatrzony w ostrogi; z ostrogami

spurr(e)y ['spə:ri] *s bot* (*Spergula*) sporek

↑ squad Ⅲ *attr* ~ car samochód policyjny z krótkofalówką

squalidly ['skwɔlidli] *adv* brudno; nędznie; plugawo

↑ squall *s* ... *meteor* rain ~ nawałnica z ulewą; snow ~ śnieżyca; white ~ nawałnica bez opadu

squamosal ['skweiməsl] *adj* łuszczący się; łuskowaty; łuszczasty

squamulose ['skweimjuləs] *adj* pokryty łuseczkami

↑ square ☐ *s* 8. *sl* ciemniak; cep; buc Ⅲ *adj* 2. ... ~ bracket nawias prostokątny ⟨kwadratowy⟩; *mar* ~ sail żagiel rejowy ⟨prostokątny⟩ 4. ... ~ dance kontredans 10. *sl* niewtajemniczony; ciemny ‖ *pot* ~ shooter równy gość; morowy facet

↑ square-toed *adj* 2. *pot* (*o człowieku*) starej daty

square-toes ['skwɛətəuz] *s pot* człowiek starej daty

↑ squarish *adj* 2. zbliżony do kwadratu; prawie kwadratowy

squarrose ['skwɔrəus, skwɔ'rəus] *adj* 1. szorstki 2. pokryty łuskami; łuskowaty

↑ squash² Ⅲ *attr zool* ~ bug owad północnoamerykański *Anasa tristis* wyrządzający szkody w dyniach, melonach itd.

squashily ['skwɔʃili] *adv* gąbczasto

squatty ['skwɔti] *adj* przysadzisty

squawfish ['skwɔ:fiʃ] *s am zool* 1. karpiowata ryba jadalna *Ptychocheilus oregonensis* 2. okoń *Taenioloca lateralis*

↑ squawk ☐ *s* 2. *sl* jojczenie; biadolenie;

psioczenie Ⅲ *vi* 2. *sl* jojczeć; biadolić; psioczyć

squawroot [ˈskwɔːruːt] *s bot* zarazowata roślina północnoamerykańska *Conopholis americana*

squeamishly [ˈskwiːmiʃli] *adv* 1. delikatnie; wrażliwie 2. wybrednie

↑ **squeeze** Ⅲ *s* 5. *pot* kłopot; **in a tight** ~ przyciśnięty do muru

squeteague [skwiːˈtiːg] *s zool* (*Cynoscion regalis*) ryba jadalna Atlantyku z rodziny *Sciaenidae*

↑ **squib** Ⅰ *s* 4. *wojsk* przenośnik ognia; lont prochowy; petarda

squid² [skwid] *s wojsk mar* trzylufowy moździerz do rzucania bomb głębinowych

↑ **squirt** Ⅲ *s* 4. *sl wojsk lotn* odrzutowiec

squirting [ˈskwɔːtiŋ] Ⅰ *zob* **squirt** *v* Ⅲ *attr bot* ~ **cucumber** roślina dyniowata *Ecballium elaterium*

↑ **stab** Ⅲ *s* 5. *sl radio tv* ostry dźwięk muzyki potęgujący dramatyczność sceny lub dialogu

stabile [stəˈbail, ˈsteibil] *adj* stały; trwały; stabilny

↑ **stability** *s* 1. ... stabilność; **heat** ~ odporność na wysokie temperatury

↑ **stabilizer** *s* ... utrwalacz

↑ **stable**¹ *adj* 1. ... stabilny; *nukl* ~ **emitter** źródło o stałym natężeniu; ~ **orbit** orbita ustalona

stable³ [steibl] *s* zespół specjalistów związanych z jakimś przedsięwzięciem

↑ **stack** Ⅲ *vt* 4. *lotn* zorganizować drogą radiową bezkolizyjne lądowanie większej grupy samolotów

stadiometer [steidiˈɔmitə] *s* krzywomierz

staff² [staːf, *am* stæf] *s bud* rodzaj wyprawy do tymczasowych budynków dekoracyjnych

staffer [ˈstaːfə] *s* członek sztabu ⟨zespołu⟩ ⟨specjalistów⟩

↑ **stage** Ⅰ *s* 5. ... *nukl* stopień

stagehand [ˈsteidʒhænd] *s teatr* pracownik fizyczny w teatrze

staggerbush [ˈstægəbuʃ] *s bot* amerykański krzew wrzosowaty *Neopieris mariana*

staging-area [ˈsteidʒiŋˌɛəriə] *s wojsk* baza operacyjna

stagnantly [ˈstægnəntli] *adv* 1. w stagnacji; w zastoju; martwo 2. ospale; ociężale; bezwładnie

staidly [ˈsteidli] *adv* statecznie; poważnie; z równowagą

stainlessly [ˈsteinlisli] *adv* nieskazitelnie

stairwell [ˈstɛəwel] *s bud* klatka ⟨dusza⟩ schodowa

Stakhanovite [stəˈkaːnəvait] *s* stachanowiec

stalely [ˈsteilli] *adv* nieświeżo

staling [ˈsteiliŋ] *s* gromadzenie się w podglebiu substancji szkodliwych

Stalinism [ˈstaːlinizəm] *s* stalinizm

Stalinist [ˈstaːlinist] *adj* stalinowski

stalkless [ˈstɔːklis] *adj bot* bezłodygowy

stallfeed [ˈstɔːlfiːd] *vt roln* tuczyć

stalwartly [ˈstɔːlwəːtli] *adv* 1. silnie; krzepko 2. dzielnie; mężnie

staminate [ˈstæmineit], **staminiferous** [stæmiˈnifərəs] *adj bot* pręcikowy

staminodium [stæmiˈnəudiəm] *s bot* bezpyłkowy pręcik kwiatowy

stamping [ˈstæmpiŋ] Ⅰ *zob* **stamp** *v* Ⅲ *attr pot* ~ **ground** miejsce chętnie odwiedzane ⟨przez kogoś⟩

↑ **stand** Ⅴ *attr chem* ~ **oil** olej zagęszczony ⟨przez ogrzewanie⟩

↑ **standard** Ⅰ *s* 2. ... *nukl* ~ **of recognition** norma identyfikacji

standee [stænˈdiː] *s pot* (*na przedstawieniu itd.*) widz ⟨słuchacz⟩ zajmujący miejsce stojące

↑ **standing** Ⅲ *adj* 1. ... *fiz* ~ **wave** fala stojąca 5. ... *mar* ~ **rigging** olinowanie stałe; takielunek stały 9. (o broni itd.) ~ **by** w pogotowiu

standout [ˈstændaut] *s pot* członek zespołu upierający się przy swoim stanowisku wbrew opinii wszystkich pozostałych

standpat [ˈstændpæt] *s pot* zwolennik istniejącego stanu rzeczy ⟨sprzeciwiający się jakimkolwiek zmianom⟩

stanine [ˈsteinain] *s lotn* skala sprawności lotnika

stannous [ˈstænəs] *adj chem* cynawy

stannum [ˈstænəm] *s chem* cyna

stapelia [stəˈpiːliə] *s bot* (*Stapelia*) stapelia

stapes [ˈsteipiːz] *s anat* strzemię; strzemiączko

staphyloma [stæfiˈləumə] *s med* garbiak

staphyloplasty [ˈstæfiləˌplæsti] *s med* chirurgia plastyczna języczka ⟨podniebienia miękkiego⟩

staphylorrhaphy [stæfiˈlɔrəfi] *s chir* operacja plastyczna (rozszczepu) podniebienia

↑ **star** Ⅲ *adj* ... ~ **apple** a) *bot* drzewo Indii Zachodnich *Chrysophyllum cainito* b) owoc tego drzewa; *bot* ~ **grass** nazwa różnych trawiastych roślin o gwiazdowatych kwiatach lub układzie liści; ~ **thistle** (*Centaurea calcitrapa*) chaber wełnisty; *wojsk* ~ **shell** pocisk oświetlający

stardom [ˈstaːdəm] *s* gwiazdorstwo; bycie gwiazdą (filmową itp.)

starkly [ˈstaːkli] *adv* 1. *lit* sztywno 2. zupełnie; całkowicie; kompletnie 3. nago

starlike [ˈstaːlaik] *adj* gwiazdowaty; podobny do gwiazdy

starry-eyed [ˈstaːriaid] *adj* marzycielski; niepraktyczny; **he is** ~ on chodzi z głową w obłokach

↑ **starting** Ⅲ *adj* 3. rozruchowy; ~ **condenser** kondensator rozruchowy; ~ **voltage** napięcie rozruchowe

start-stop [ˈstaːtstɔp] *attr* ~ **printer** dalekopis

start-up [ˈstaːtʌp] Ⅰ *s* rozruch; uruchomienie Ⅲ *attr* rozruchowy; ~ **time** czas rozruchu

↑ **starvation** Ⅲ *attr* głodowy; ~ **diet** głodowe wyżywienie
stash [stæʃ] *vt am sl* schować
stassite [ˈstæsait] *s miner* stasyt
↑ **state** Ⅰ *s* 3. ... *am* **State's attorney** prokurator ‖ **State's evidence** wydanie
wspólników
stateside [ˈsteitsaid] *adj* (*w odniesieniu do
obywateli USA*) nasz; państwowy
↑ **static** *adj* 4. stały; *fiz* ~ **magnetic field**
pole magnetyczne stałe; *meteor* ~ **bomb**
pojemnik metalowy zawierający instrument do mierzenia prędkości powietrza
statically [ˈstætikəli] *adv* 1. statycznie 2.
nieruchomo
↑ **station** Ⅳ *attr radio tv* ~ **break** przerwa między programami; *am* ~ **waggon**
samochód osobowo-towarowy; kombi
↑ **stationary** *adj* 5. *nukl* ustalony; ~ **state**
stan ustalony; ~ **thermonuclear reaction**
ustalona reakcja termonuklearna
↑ **stationery** *s* 2. ... papeteria
statism [ˈsteitizəm] *s* etatyzm
statistically [stəˈtistikəli] *adv* statystycznie
statocyst [ˈsteitəsist] *s* statocysta
↑ **status** *s* ... **rise in** ~ awans społeczny
statutable [ˈstætjutəbl] *adj* 1. statutowy 2.
(*o wykroczeniu*) karalny
↑ **statutory** *adj* 3. (*o wykroczeniu*) karalny
↑ **stay**[1] Ⅲ *vt* 8. podszyć tkaniną słabsze
miejsca (**a fur** błamu)
steadfastly [ˈstedfəstli] *adv* 1. mocno; solidnie 2. pewnie; niezawodnie 3. niezachwianie; nieugięcie; wytrwale
steadily [ˈstedili] *adv* 1. mocno; silnie 2.
solidnie; pewnie; niezawodnie 3. równo-
miernie; jednostajnie; miarowo; stale 4.
trwale 5. pilnie; solidnie; sumiennie
6. statecznie; poważnie 7. wytrwale
steakburger [ˈsteikbɔːgə] *s* kanapka z
dwóch kromek chleba i befsztyka
stealing [ˈstiːliŋ] Ⅰ *zob* **steal** *v* Ⅲ *s* kradzież
↑ **steam** Ⅳ *attr* parowy; (odnoszący się
do) pary; ~ **distillation** destylacja z parą wodną; ~ **trap** garnek kondensacyj-
ny; odwadniacz; ~ **chest** skrzynia zaworowa; ~ **turbine** turbina parowa
stearate [ˈstiəreit] *s chem* stearynian
steatopygia [stiətəˈpaidʒiə] *s med* nadmierne otłuszczenie pośladków
stedfast [ˈstedfəst] *adj* = **steadfast**
steelhead [ˈstiːlhed] *s zool* pstrąg amerykański *Salmo gairdneri*
steeplebush [ˈstiːplbuʃ] *s* = **hardback** ↑
steeply [ˈstiːpli] *adv* 1. stromo; urwiście;
spadziście 2. nagle; ostro; gwałtownie
3. krańcowo; przesadnie
steeve[2] [stiːv] *vt mar* ciasno upychać (bawełnę itp.) w ładowni statku
stegosaurus [stegoˈzɔːrəs] *s paleont* (*Stegosaurus*) stegozaur
↑ **stellar** *adj* ... ~ **guidance** nawigacja
gwiezdna
stellarator [steləˈreitə] *s nukl* stelarator

stelliform [ˈstelifɔːm] *adj* gwiazdowaty;
kształtu gwiazdy
↑ **stem**[1] Ⅲ *vt* 2. *górn* przebi-ć/jać (otwór
strzałowy)
↑ **stem**[2] Ⅲ *attr sport* ~ **turn** krystiania
⟨chrystiania⟩ biodrowa
stemmer [ˈstemə] *s górn* nabijak do ubijania przybitki
stem-winder [ˈstemwaində] *s* (*także*
stem-winding watch) zegarek nakręcany
za pomocą nakrętki
stenograph [ˈstenəgraːf, *am* ˈstenəgræf] *s*
1. stenogram 2. maszyna do pisania sym-
bolami stenograficznymi ⟨do stenografo-
wania⟩
stenopetalous [stenəuˈpetələs] *adj bot* wąsko-
kopłatkowy
stenophyllous [steˈnɔfiləs] *adj bot* wąsko-
listny
↑ **step** Ⅳ *attr* skokowy; skoku; stopniowy;
nukl ~ **function** funkcja skokowa; ~
length długość skoku; ~ **potentiometer**
potencjometr stopniowy; (*w rakietnictwie*) ~ **rocket** rakieta stopniowa
stephanite [ˈstefənait] *s miner* stefanit
steraic [stiˈreiik] *adj chem* (*o kwasie*) stearynowy
sterculiaceous [ˌstəːkjuliˈeiʃəs] *adj bot* za-
twarowaty
stereobate [ˈstiəriəbeit] *s arch* cokół bez
kolumny
stereocomparator [ˌstiəriəuˈkɔmpəreitə] *s*
stereokomparator
stereogram [ˈstiəriəgræm] *s techn* stereogram
stereoisomerism [ˌstiəriəuaiˈsɔmərizəm] *s*
stereoizomeria
stereopsis [steriˈɔpsis] *s* widzenie przestrzenne
stereoptics [steriˈɔptiks] *s opt fot* stereop-
tyka
stereoscopy [steriˈɔskəpi] *s* stereoskopia
stereotypy [steriəˈtaipi] *s druk* stereotypia
steric [ˈsterik] *adj chem* przestrzenny
↑ **sterility** *s* 1. ... sterylność
sternly [ˈstəːnli] *adv* surowo; srogo
steroid [ˈsterɔid] *s biochem* steroid
sterol [ˈsterɔl] *s biochem* sterol
stertor [ˈstəːtə] *s med* chrapanie; charczenie
stertorously [ˈstəːtərəsli] *adv med* charczą-
co; chrapliwie
stibnite [ˈstibnait] *s miner* antymonit
↑ **stick**[1] Ⅳ *attr* laskowaty; *zool* ~ **insect**
owad z rodziny *Phasmatidae*
stickful [ˈstikful] *s druk* pełny wierszownik (tekstu)
sticking [ˈstikiŋ] Ⅰ *zob* **stick** *v* Ⅲ *adj* 1.
lepki; lepiący się 2. ~ **out** sterczący; ~
out ears odstające uszy
stickseed [ˈstiksiːd] *s bot* (*Lappula*) lepnik
sticktight [ˈstiktait] *s bot* (*Bidens frondosa*) uczep
stick-up [ˈstikʌp] *s sl* skok; napad (bandycki)

stickweed ['stikwi:d] s bot (Ambrosia) ambrozja

stiffly ['stifli] adv 1. sztywno; twardo 2. nieugięcie; nieprzejednanie; uparcie; zawzięcie 3. zaciekle; zacięcie 4. pot (zapłacić itd.) słono 5. trudno; ciężko 6. (osądzić itd.) surowo 7. (wiać itd.) silnie 8. grząsko 9. (zarobić ciasto) gęsto 10. (opowiadać dowcip) słono; tłusto; pieprznie

stilbestrol [stil'bestrol] s biochem farm stilbestrol

stilbite ['stilbait] s miner stylbit

stillbirth ['stilbə:θ] s poród martwego płodu

stilliform ['stilifo:m] adj kształtu łzy

Stillson ['stilsən] attr techn ~ wrench klucz rozsuwalny do rur

↑ sting □ s 7. radio tv = stab s 5. ↑

↑ stinger s 2. sl lotn żądło (działo w ogonie bombowca)

stingily ['stindʒili] adv skąpo; sknerowato

stingy² ['stindʒi] adj 1. (o owadzie itd.) kłujący 2. (o roślinie) parzący

stinkbug ['stiŋkbʌg] s zool śmierdzący owad z rodziny Pentatomidae

stinkstone ['stiŋkstəun] s miner wapień cuchnący

stinkweed ['stiŋkwi:d] s bot (Datura stramonium) bieluń dziędzierzawa

stipitate ['stipiteit] adj bot krótkoogonkowy; o ogonku siedzącym

stirpiculture [stə:pi'kʌltʃə] s hodowanie specjalnych ras zwierząt

↑ stirrup Ⅲ attr ~ pump przenośna pompa ręczna

↑ stock Ⅲ adj 7. zapasowy; ~ pile zapasowy stos (piasku itd.) ‖ ekon ~ company towarzystwo akcyjne

stockpile ['stokpail] □ vt gromadzić zapas (towaru itd.) Ⅲ s żelazny zapas (surowców itd.)

stockpiling ['stokpailiŋ] □ zob stockpile vt ↑ Ⅲ s gromadzenie zapasów; chomikowanie

stodgily ['stodʒili] adv ciężko

stoichiology ['stəuiki'olədʒi] s fizjologia komórek i tkanek

stoichiometry [stəuiki'omitri] s stechiometria, matematyka chemii

stolidly ['stolidli] adv bez wzruszenia; powściągliwie; flegmatycznie; biernie

↑ stoma s 1. ... szparka oddechowa 2. zool przetchlinka

↑ stomach Ⅲ attr żołądkowy; gastryczny; dent ~ tooth drobny kieł mleczny; zool ~ worm słupkowiec

stomatal ['stomətəl] adj 1. bot szparkowaty 2. zool przetchlinkowaty

stomatoplasty [stomətə'plæsti] s med plastyka jamy ustnej

stomatous ['stomətəs] adj = stomatal ↑

↑ stone Ⅲ attr 1. ... zool ~ roller nazwa słodkowodnych ryb amerykańskich: a) Campostoma anomalium b) Hypentelium nigricans

stonewort ['stəunwə:t] s bot wodorost z rodziny Charophyta

stonily ['stəunili] adv kamiennie

↑ stooge □ s 3. lizus; podlizywacz 4. asystent komika (w cyrku itp.) 5. sl początkujący opryszek

↑ stopping Ⅲ s 1. ... za/hamowanie Ⅲ attr ~ power zdolność hamowania; nukl ~ cross-section przekrój czynny na hamowanie; ~ equivalent równoważna warstwa hamowania

↑ storage □ s 1. ... gromadzenie Ⅲ attr składowy; ~ tank zbiornik składowy

↑ storm Ⅳ attr ~ cellar schron przeciwhuraganowy (przeciwcyklonowy)

stormless ['sto:mlis] adj (o rejsie itd.) spokojny; bez burzy

stout-hearted [staut'ha:tid] adj 1. dzielny 2. zdecydowany

↑ stove-pipe s ... lotn flying ~ pierwszy eksperymentalny silnik odrzutowy marynarki wojennej

strabotomy [strə'botomi] s chir operacyjne usuwanie zeza

↑ straggling Ⅲ s nukl fluktuacja przypadkowa; ~ parameter parametr fluktuacji przypadkowej

straight-line ['streitlain] adj 1. (o ruchu) prostoliniowy 2. (o mechanizmie) prostowodowy

↑ strain Ⅳ s 9. biol szczep Ⅴ attr ~ hardening utwardzanie przez odkształcanie; ~ tensor tensor odkształcenia; ~ gauge (am gage) tensometr; czujnik tensometryczny

straining ['streiniŋ] □ zob strain v Ⅲ s 1. naprężenie 2. nadwerężenie 3. nagięcie (naciągnięcie) (paragrafu itd.) interpretacją Ⅲ attr bud ~ piece rozpora

↑ strange adj 2. ... nukl ~ particle cząstka dziwna

↑ strangeness Ⅲ attr nukl ~ number dziwność

strapless ['stræplis] adj (o biustonoszu, sukni itd.) bez ramiączek

stratal ['streitl] adj geol warstwowy

stratiform ['strætifo:m] adj geol warstwowy; uwarstwiony

stratigraphic(al) [stræti'græfik(əl)] adj geol stratygraficzny

stratigraphy [strə'tigrəfi] s geol stratygrafia

strato-cumulus [streitəu'kju:mjuləs] s (pl stratocumuli [streitəu'kju:mjulai]) meteor stratocumulus

stratojet ['streitəu,dʒet] s lotn stratosferyczny bombowiec odrzutowy

stratovision [stra:tə'viʒən] s stratowizja

↑ straw Ⅲ attr 1. ... ~ boss zastępca szefa; ~ colour słomiany; koloru słomy; ~ man figurant; ~ wine słodkie wino z winogron suszonych na słomie

↑ strawberry Ⅲ attr ... bot ~ bush północnoamerykański krzew trzmielinowaty Euonymus atropurpureus; ~ shrub krzew z rodzaju Calycanthus; ~ tomato

jadalny owoc psiankowatej rośliny *Physalis pruniosa*
straw-hat [ˈstrɔːhæt] *attr* ~ **circuit** ⟨**trail**⟩ występy teatru objazdowego na prowincji (w okresie letnim)
↑ **stray** Ⅲ *adj* ‖ *nukl* ~ **neutron** neutron rozproszeniowy; ~ **radiation** promieniowanie rozproszone
↑ **stream** Ⅰ *s* 2. ... ~ **of consciousness** strumień świadomości
↑ **streamline** Ⅲ *attr nukl* ~ **flow** przepływ spokojny (laminarny)
streamliner [ˈstriːmlainə] *s* pojazd o kształtach opływowych
stream-of-consciousness [ˌstriːməvˈkɔnʃəsnis] *attr* ~ **novel** powieść pisana metodą swobodnych skojarzeń ⟨rejestrująca strumień świadomości⟩
streamy [ˈstriːmi] *adj* 1. obfitujący w strumienie 2. płynący strumieniem ⟨strugą⟩
↑ **strength** *s* 2. ... *techn* **impact** ~ odporność na uderzenia 8. *nukl* intensywność; ~ **of a source** ⟨**sink**⟩ intensywność źródła
strenuously [ˈstrenjuəsli] *adv* 1. pracowicie 2. męcząco; żmudnie; mozolnie 3. wytężenie 4. zacięcie; zawzięcie
strepitous [ˈstrepitəs] *adj* hałaśliwy
streptomycin [ˌstreptəuˈmaisin] *s farm* streptomycyna
streptothrycin [ˌstreptəuˈθraisin] *s farm* streptotrycyna
stress-strain [ˈstresˌstrein] *attr fiz* ~ **ratio** stosunek naprężenia do odkształcenia
↑ **strict** *adj* 4. bezwzględny; absolutny
striction [ˈstrikʃən] *s* ściągnięcie; ściśnięcie; zwieranie
strictly [ˈstriktli] *adv* 1. ściśle; dokładnie 2. całkowicie; zupełnie 3. surowo; srogo 4. niewątpliwie; bezwzględnie; absolutnie
stridently [ˈstraidəntli] *adv* piskliwie; ostro; przeraźliwie
stridor [ˈstraidɔː] *s* 1. zgrzyt 2. *med.* szorstki, hałaśliwy oddech
stridulous [ˈstridjuləs] *adj* (*o oddechu*) skrzypiący; świszczący
↑ **strike** Ⅲ *s* 6. (*także* **air** ~) *lotn* nalot 7. *lotn* samolot biorący udział w nalocie Ⅳ *attr geol* ~ **fault** uskok podłużny
strike-breaking [ˈstraikbreikiŋ] *s* łamistrajkostwo
striker[2] [ˈstraikə] *s* ordynans
strikingly [ˈstraikiŋli] *adv* uderzająco (podobny itd.)
↑ **string** Ⅳ *attr* 1. strunowy; ~ **electrometer** elektrometr strunowy 2. *muz* smyczkowy; ~ **quartette** kwartet smyczkowy; ~ **bass** kontrabas 3. sznurowy; ~ **tie** wąski krawat ‖ *bud* ~ **development** zabudowa pasmowa
stringently [ˈstrindʒəntli] *adv* 1. (*nakazywać itd.*) surowo 2. (*o rynku pieniężnym — kształtować się itd.*) ciasno 3. (*argumentować itd.*) przekonywająco
↑ **strip** Ⅲ *s* 2. = **airstrip** Ⅳ *attr roln* ~ **cropping** ⟨**planting**⟩ uprawa wstęgowa

stripped [stript] Ⅰ *zob* **strip** *vt* Ⅲ *adj* 1. nagi; ogołocony 2. *nukl* obdarty; (*o atomie*) nagi
↑ **stripper** *s* 4. *nukl* sekcja ekstrakcyjna
stripping [ˈstripiŋ] Ⅰ *zob* **strip** *v* Ⅲ *s nukl* 1. wydobywanie; ekstrakcja 2. stripping deuteronu Ⅲ *adj nukl* ~ **column** kolumna zubożająca; kolumna do ekstrakcji powrotnej
strobe [strəub] *s fot* flesz
strobila [strəˈbailə] *s zool* strobila; dojrzały tasiemiec z główką i szyjką
strongyle [ˈstrɔŋgail] *s zool* słupkowiec
strontianite [strɔntiəˈnait] *s miner* strontianit
strophanthus [strəˈfænθəs] *s bot* krzew ⟨drzewo⟩ z rodzaju *Strophantus*
↑ **struck** [strʌk] Ⅲ *adj* 1. (*o placówce przemysłowej*) unieruchomiony wskutek strajku 2. (*o mierze ciała sypkiego*) nasypany równo z brzegiem naczynia 3. *nukl* bombardowany; ~ **nucleus** jądro bombardowane; jądro-tarcza; ~ **particle** cząstka bombardowana; cząstka-tarcza
↑ **structural** *adj* 3. *nukl* (*o materiale*) konstrukcyjny; składowy; ~ **particle** cząstka składowa ‖ *jęz* ~ **linguistics** strukturalizm; językoznawstwo strukturalne
structurally [ˈstrʌktʃərəli] *adv* strukturalnie
struggler [ˈstrʌglə] *s* walczący; bojownik
↑ **struma** *s* 2. *med* skrofuły 3. *bot* zgrubienie (na organie rośliny)
strumous [ˈstruːməs] *adj med* skrofuliczny
strutting [ˈstrʌtiŋ] Ⅰ *zob* **strut**[1] *vi* Ⅲ *adj* dumnie stąpający
struttingly [ˈstrʌtiŋli] *adv* dumnie stąpając
strychnic [ˈstriknik] *adj chem* (*o związku itd.*) strychniny
strychninism [ˈstrikninizəm] *s med* zatrucie strychniną
stubble-mulch [ˌstʌblˈmʌltʃ] *attr roln* ~ **farming** = **stubble-mulching** ↑
stubble-mulching [ˌstʌblˈmʌltʃiŋ] *s roln* pozostawianie części ścierni na powierzchni podoranej roli (zabieg przeciwerozyjny)
stubbornly [ˈstʌbənli] *adv* uparcie; nieustępliwie; uporczywie; zacięcie
studding [ˈstʌdiŋ] *s bud* materiał drzewny na słupki
studiedly [ˈstʌdidli] *adv* 1. w sposób obmyślony ⟨przemyślany⟩; z rozmysłem 2. wyszukanie; w sposób wystudiowany
studiously [ˈstjuːdjəsli] *adv* 1. pilnie; z zamiłowaniem do nauki 2. (*wyrażać się itd.*) wyszukanie; w sposób wystudiowany
studwork [ˈstʌdwəːk] *s* konstrukcja ze słupków
↑ **stunt**[2] Ⅲ *attr film tv* ~ **man** kaskader
stupa [ˈstuːpə] *s rel* stupa
stupendously [stjuˈpendəsli] *adv* 1. zdu-

miewająco; niesłychanie 2. ogromnie; potwornie

stupidly ['stju:pidli] *adv* głupio; bezsensownie; niemądrze; idiotycznie

sturdily ['stə:dili] *adv* 1. silnie; mocno; krzepko 2. (*opierać się itd.*) śmiało; stanowczo; zacięcie; zdecydowanie

stutteringly ['stʌtəriŋli] *adv* jąkając ⟨zacinając⟩ się; zająkliwie

stylebook ['stailbuk] *s druk* wzornik

stylistically [stai'listikəli] *adv* stylistycznie

stylobate ['stailəbeit] *s arch* stylobat

stylography [stai'lɔgrəfi] *s* rytowanie

stylolite [stailə'lait] *s geol* stylolit

stylopodium [stailə'pəudiəm] *s bot* rozszerzenie szyjki słupka

stylus ['stailəs] *s* 1. rylec 2. igła (gramofonowa itd.)

↑ **stymie** Ⅲ *vt* za/szachować (kogoś); s/torpedować (projekt itd.)

stypsis ['stipsis] *s med* 1. działanie ściągające 2. tamowanie (krwawienia itd.)

styracaceous [stairə'keiʃəs] *adj bot* styrakowcowaty

styrene [stai'ri:n, 'stiri:n] *s chem* styren

subacute [sʌbə'kju:t] *adj* podostry

subagent [sʌb'eidʒənt] *s* subagent; podzastępca; człowiek prowadzący podzastępstwo (firmy itd.)

subalpine [sʌb'ælpain] *adj* podalpejski

subarid [sʌb'ærid] *adj* (*o klimacie*) umiarkowanie suchy

subassembly [sʌbə'sembli] *s techn* podzespół

subastringent [sʌbə'strindʒənt] *adj med* lekko ściągający

subatomic [sʌbə'tɔmik] *adj nukl* subatomowy; ~ **particle** cząstka subatomowa

subaural [sʌb'ɔ:rəl], **subauricular** [sʌbɔ:-'rikjulə] *adj anat* znajdujący się pod uchem

subaxillary [sʌb'æksiləri] *adj bot* znajdujący się pod pachwiną (liścia)

subbase ['sʌbbeis] *s arch* warstwa dolna nośna (kolumny itd.); podsypka

subbasement [sʌb'beismənt] *s bud* suterena

subcaliber [sʌb'kælibə] *adj wojsk* podkalibrowy

subcartilaginous [sʌbkɑ:ti'lædʒinəs] *adj anat* podchrząstkowy

subcategory [sʌb'kætigɔ:ri] *s* podrzędna ⟨niższa⟩ kategoria; podkategoria

subcelestial [sʌbsi'lestiəl] *adj* podniebny

subcellar [sʌb'selə] *s bud* suterena; dolna piwnica

subclinical [sʌb'klinikl] *adj* podkliniczny

↑ **subconscious** Ⅲ *s* podświadomość

subconsciously [sʌb'kɔnʃəsli] *adv* podświadomie

subcortex [sʌb'kɔ:teks] *s anat* podkorze

subcritical [sʌb'kritikl] *adj fiz chem* podkrytyczny

subculture [sʌb'kʌltʃə] *s* hodowla pochodna (bakterii)

subdeacon [sʌb'di:kən] *s kośc* subdiakon

subdean ['sʌbdi:n] *s uniw* prodziekan

subdeb ['sʌbdeb], **subdebutante** [ˌsʌbdebju'tænt] *s* 1. *pot* panna czekająca na formalne wprowadzenie do towarzystwa 2. podlotek

↑ **suberic** *adj* ... ~ **acid** kwas korkowy (suberynowy)

suberization [ˌsju:bərai'zeiʃən] *s bot* korkowacenie; kutynizacja

suberize ['sju:bəraiz] *vt* powodować korkowacenie

suberized ['sju:bəraizd] Ⅰ *zob* **suberize** *vt* ↑ Ⅲ *adj* skorkowaciały

subglacial [sʌb'gleiʃiəl] *adj* podlodowcowy; subglacjalny

subgroup ['sʌbgru:p] *s* podgrupa

subhead ['sʌbhed] *s* podtytuł

subindex [sʌb'indeks] *s mat* indeks dolny; znacznik dolny

subirrigate [sʌb'irigeit] *vt roln* nawadniać podglebie

subirrigation [sʌbiri'geiʃən] *s roln* nawadnianie podglebia

↑ **subject** Ⅴ *attr* tematowy; ~ **catalogue** katalog rzeczowy; ~ **matter** temat; tematyka

sublevel [sʌb'levl] *s fiz* podpoziom

subliminal [sʌb'liminəl] *adj psych* podprogowy

sub-literature [sʌb'litərətʃə] *s* skrypty (uczelniane itd.)

submachine-gun [sʌbmə'ʃi:n-gʌn] *s wojsk* ręczny karabin maszynowy

subman ['sʌbmæn] *s* (*pl* **submen** ['sʌbmen]) 1. człowiek niedorozwinięty 2. podczłowiek

submarginal [sʌb'mɑ:dʒinl] *adj* (*o gruntach*) uprawiane tylko przy dobrej koniunkturze gospodarczej

submaxillary [sʌbmæk'siləri, 'sʌbmæksiləri] *adj anat* (*o gruczole*) podszczękowy

submergible [sʌb'mə:dʒibl], **submersible** [sʌb'mə:sibl] *adj* zanurzalny

submicroscopic [sʌbmaikrə'skɔpik] *adj* submikroskopowy

submontane [sʌb'mɔntein] *adj* podgórski

suboceanic [sʌbəuʃi'ænik] *adj* podoceaniczny

subordinal [sʌb'ɔ:dinl] *adj* podrzędny

subordinating [sʌbɔ:di'neitiŋ] *adj* podporządkowujący

subphylum [sʌb'failəm] *s biol* podgromada

subregion ['sʌbri:dʒən] *s* podregion; dział okręgu

subscapular [sʌb'skæpjulə] *adj anat* podłopatkowy

subscript ['sʌbskript] Ⅰ *s* 1. *mat* wskaźnik (indeks, znacznik) dolny 2. dopisek (przypis) u dołu (tekstu, strony) Ⅲ *adj* pisany u dołu (poniżej linii)

subsidiarily [sʌb'sidiərili] *adv* 1. pomocniczo 2. dodatkowo 3. jako uzupełnienie; w uzupełnieniu (czegoś)

subsolar [sʌb'səulə] *adj* międzyzwrotnikowy

subsonic [sʌb'sɔnik] *adj* poddźwiękowy; subsoniczny

substandard [sʌb'stændəd] *adj* (będący) poniżej normy

substantialism [sʌb'stænʃəlizəm] *s filoz* substancjalizm

substantially [sʌb'stænʃəli] *adv* 1. cieleśnie; konkretnie; namacalnie 2. istotnie 3. poważnie; pokaźnie; znacznie; w poważnym stopniu 4. solidnie; mocno; trwale 5. zamożnie; zasobnie 6. faktycznie; rzeczywiście 7. (*działać itd.*) odżywczo 8. (*najeść się*) obficie

↑ **substantive** *adj* 5. *techn* powinowaty do włókna

substantively [sʌb'stæntivli] *adv · 1. gram* rzeczownikowo 2. niezależnie 3. formalnie 4. faktycznie; rzeczywiście

↑ **substituant** *powinno być:* **substituent**

substitutive [sʌbsti'tju:tiv] *adj* zastępczy

substratosphere [sʌb'strætəsfiə] *s* podstratosferyczne warstwy przestrzeni

↑ **substrat|um** *s* 2. *pl* ∼**a** *mal* podkład; grunt

subsumption [sʌb'sʌmʃən] *s* podciągnięcie (czegoś) pod kategorię ⟨regułę itd.⟩

subtangent [sʌb'tændʒənt] *s geom* podstyczna

subtemperate [sʌb'tempərit] *adj geogr* umiarkowanie chłodny

subtend [sʌb'tend] *vi geom* rozciągać się pod (łukiem)

subtilely [sʌbtilli] *adv* = **subtly**

subtilin [sʌbtilin] *s biochem* subtylina

subtly [sʌtli] *adv* 1. subtelnie; delikatnie; misternie 2. wyrafinowanie 3. przenikliwie; bystro 4. (*skonstruować itd.*) przemyślnie; sprytnie 5. (*o zwierzęciu itd. — zachowywać się*) chytrze

subtractive [sʌb'træktiv] *adj* 1. odejmujący 2. odjemny; (będący) do odjęcia

subtreasury [sʌb'treʒəri] *s* oddział ministerstwa skarbu

subtropics [sʌb'trɔpiks] *spl* strefa podzwrotnikowa

suburbanite [sʌb'ə:bənait] *s* mieszkaniec przedmieścia

suburbicarian [sʌbə:bi'kɛəriən] *adj* podrzymski

subvene [sʌb'vi:n] *vi* 1. wspom-óc/agać; za/interweniować 2. nadarz-yć/ać się

↑ **subversive** Ⅲ *s* wywrotowiec

↑ **subway** Ⅲ *attr am* ∼ **circuit** nowojorskie teatry położone poza dzielnicą teatrów

succedaneum [sʌksi'deiniəm] *s* środek zastępczy; namiastka

successfully [sʌk'sesfuli] *adv* 1. pomyślnie; szczęśliwie; z powodzeniem 2. popularnie

successional [sʌk'seʃənəl] *adj* kolejny

successionally [sʌk'seʃənəli] *adv* kolejno

successively [sʌk'sesivli] *adv* kolejno; po kolei; z rzędu

succinic [sʌk'sinik] *adj chem* (*o kwasie*) bursztynowy

succor [sʌkə] *vt s am* = **succour**

succulently [sʌkjuləntli] *adv* 1. soczyście; mięsiście 2. (*opowiadać itd.*) interesująco; żywo

succursal [sə'kə:sl] *adj* filialny; ekspozyturalny; agencyjny

succuss [sə'kʌs] *vt med* wstrząs-nąć/ać

succussion [sə'kʌʃən] *s med* wstrząsanie

suckfish [sʌkfiʃ] *s zool* 1. = **remora** *s* 1. 2. ryba kalifornijska *Caularchus maeandricus*

↑ **suction** Ⅲ *attr* zasysający; ∼ **fan** wentylator zasysający

sudarium [sju:'dɛəriəm] *s* 1. chusta 2. *rel* chusta św. Weroniki

sudor [sju:də] *s fizj* pot; pocenie się

sudoral [sju:dərəl] *adj fizj* potowy; potny

sudoriparous [ˌsju:də'ripərəs] *adj* wydzielający pot

sudsy [sʌdzi] *adj* mydlinowaty; przypominający mydliny

sufficiently [sə'fiʃəntli] *adv* dostatecznie; dosyć; wystarczająco

suffocating [sʌfəkeitiŋ] Ⅰ *zob* **suffocate** *v* Ⅲ *adj* duszny; duszący

suffocatingly [sʌfə'keitiŋli] *adv* duszśco

suffumigate [sə'fju:migeit] *vt med* podkadz-ić/ać

suffumigation [səˌfju:mi'geiʃən] *s med* podkadzanie

↑ **sugar** Ⅲ *attr* 2. ... *bot* ∼ **corn** słodka kukurydza; ∼ **pine** sosna kalifornijska *Pinus lambertiana*

sugarberry [ʃugə,beri] *s bot* amerykańska czeremcha *Celtis laevigata*

sugarbush [ʃugəbuʃ] *s am* mała plantacja klonów cukrowych

sugarcoat [ʃugəkəut] *vt* pocukrzyć; powlec cukrem

↑ **sugar-daddy** *s sl powinno być:* starszy pan utrzymujący młodą kobietę

↑ **suggestion** Ⅲ *attr* ∼ **box** skrzynka życzeń i zażaleń

↑ **suggestive** *adj* 2. sugestywny

suggestively [sə'dʒestivli] *adv* 1. nasuwając myśl (**of sth** o czymś); przypominając (**of sth** coś); sugestywnie 2. (*opowiadać coś*) dwuznacznie

suicidally [sui'saidəli] *adv* samobójczo

suint [swint] *s* tłuszczopot (wełny)

suitably [sju:təbli] *adv* odpowiednio; stosownie; należycie; właściwie; we właściwy (w należyty) sposób

sukiyaki [su:ki:ˌja:ki:] *s kulin* japońska potrawa z mięsa i jarzyn (podawana w japońskich restauracjach w USA)

Sukkoth [su'kəuθ] *spl rel* kuczki

sulcus [sʌlkəs] *s* rowek; bruzda

sulf- = **sulph-**

sulfa, sulpha [sʌlfə] *farm* Ⅰ *adj* sulfonamidowy; ∼ **drugs** leki sulfonamidowe; sulfonamidy Ⅲ *s* sulfonamid

sulfadiazin(e), sulphadiazin(e) [ˌsʌlfədaiə'zi:n] *s farm* sulfadiazyna

sulfaguanidine, sulphaguanidine [sʌlfə'gwɔnidi:n] *s farm* sulfaguanidyna

sulfamerazine, sulphamerazine [sʌlfə'me-rəzi:n] s farm sulfamerazyna

sulfanilamide, sulphanilamide [sʌlfə'niləmaid] s farm sulfanilamid

sulfapyridine, sulphapyridine [sʌlfə'piridi:n] s farm sulfapirydyna

sulkili ['sʌlkili] adv z dąsem; posępnie

sullenly ['sʌlənli] adv ponuro; posępnie; markotnie

↑ **sulphate** ⬜ s ... ~ **of copper** ⟨**of zinc**⟩ siarczan miedziowy ⟨cynkowy⟩ Ⅲ attr ~ **turpentine** terpentyna posiarczanowa

sulphathiazole [sʌlfə'θaiəzəul] s farm sulfatiazol

sulphatize ['sʌlfətaiz] vt przemieni-ć/ać w siarczan ⟨siarczek⟩ przez prażenie

sulphonate ['sʌlfəneit] chem ⬜ s sulfonian Ⅲ vt sulfonować

sulphonation [sʌlfə'neiʃən] s chem sulfonowanie

sulphone ['sʌlfəun] s chem sulfon

sulphonic [sʌl'fɔnik] adj chem sulfonowy

sulphonmethane [sʌlfɔn'meθein] s chem sulfonal

sulphonyl ['sʌlfənil] chem ⬜ s sulfonyl Ⅲ attr ~ **chloride** chlorek kwasu sulfonowego

sulphur-bottom [,sʌlfə'bɔtəm] s zool (Balaenoptera musculus) pletwal błękitny

sultrily ['sʌltrili] adv 1. parno; duszno 2. (reagować itd.) gwałtownie

sumac ['su:mæk] s bot garb sumak

↑ **summation** Ⅲ attr ~ **device** przyrząd sumujący; integrator

↑ **sump** ⬜ s 5. łapacz szlamu ⟨mułu⟩ Ⅲ attr ~ **pump** pompa szlamowa ⟨mułowa⟩; ~ **tank** zbiornik szlamu ⟨mułu⟩

sumptuously ['sʌmtjuəsli] adv wspaniale; wystawnie; okazale; z przepychem

↑ **sun** Ⅳ attr słoneczny; ~ **disk** tarcza słoneczna; zool ~ **bittern** (Eurypyga helios) płaskorzytka słonecznica

sunbow ['sʌnbəu] s tęczowy łuk (ukazujący się w wodotrysku itd.)

Sunday-go-to-meeting [,sʌndigəutu:'mi:tiŋ] adj żart odświętny

sunderance ['sʌndərəns] s odłączenie; rozłączenie

sundrop ['sʌndrɔp] s bot roślina amerykańska z rodzaju Oenothera

sunglass ['sʌngla:s, am 'sʌnglæs] s szkło powiększające; lupa

sunglow ['sʌngləu] s astr halo (dookoła Słońca)

↑ **sun-lamp** s 2. lampa kwarcowa

supe [sju:p] s = **soup** 2.

super ['sju:pə] s = **superimposition** ↑

superabundantly [sju:pərə'bʌndəntli] adv w nadmiarze

superbly [sju:'pə:bli] adv 1. wspaniale; znakomicie 2. przepięknie 3. luksusowo

superbomb ['sju:pəbɔm] s wojsk bomba wodorowa

↑ **supercharge** Ⅲ s techn dodatkowy ładunek (powietrza, mieszanki); doładowanie

superciliously [sju:pə'siliəsli] adv butnie; dumnie; wyniośle; lekceważąco

supercolumniation [sju:pəkə,lʌmni'eiʃən] s bud kolumnada z dwóch kondygnacji kolumn

superconductor [,sju:pəkən'dʌktə] s fiz nadprzewodnik

supercritical [sju:pə'kritikl] adj fiz chem nadkrytyczny

super-duper ['sju:pə'dju:pə] adj sl 1. ekstra; super; pierwszorzędny 2. kolosalny

superego [sju:pə'ri:gəu] s psych super ego

supereminent [sju:pər'eminənt] adj znakomity; wyróżniający się

superfecundation [sju:pə,fekʌn'deiʃən] s biol zapłodnienie dodatkowe (drugiego jajka)

superfetation [sju:pəfi'teiʃən] s fizj zapłodnienie ciężarnej

superficially [sju:pə'fiʃəli] adv 1. powierzchownie 2. pobieżnie; pot po łebkach

superfluously [sju:'pə:fluəsli] adv zbytecznie; zbędnie; niepotrzebnie; nadmiernie

superfuse [sju:pə'fju:z] vt 1. zal-ać/ewać; obl-ać/ewać 2. fiz przechł-odzić/adzać

superfusion [sju:pə'fju:ʒən] s 1. zal-anie/ewanie; obl-anie/ewanie 2. fiz przechłodzenie

superglacial [sju:pə'gleiʃəl] adj (przybyły) znad lodowca

superheavy [sju:pə'hevi] adj nadciężki; nukl ~ **nucleus** jądro nadciężkie

superimposition [sju:pər,impə'ziʃən] s film tv nakładanie się obrazów

superlatively [sju:'pə:lətivli] adv najwyżej; najprzedniej; w najwyższym stopniu

superlunar(y) [sju:pə'lu:nə(ri)] adj nadksiężycowy; pozaksiężycowy

supermarket [sju:pə'ma:kit] s samoobsługowy dom towarowy; supersam; supermarket

supernally [sju:'pə:nəli] adv bosko

supernatant [sju:pə'neitənt] adj unoszący się na powierzchni

supernaturalism [sju:pə'nætʃərəlizəm] s 1. nadprzyrodzoność 2. filoz supranaturalim

supernaturally [sju:pə'nætʃərəli] adv w sposób nadprzyrodzony; nadnaturalnie

superorder [sju:pər'ɔ:də] s (w systematyce) nadrząd

superorganic [,sju:pərɔ:'gænik] adj nadorganiczny

superphonic [sju:pə'fɔnik] adj = **supersonic** adj

superpower [,sju:pə'pauə] ⬜ s polit supermocarstwo Ⅲ attr nukl ~ **reactor** reaktor o wielkiej mocy

superrealism [,sju:pə'riəlizəm] s = **surrealism**

supersaturated [sju:pə'sætjureitid] ⬜ zob **supersaturate** vt Ⅲ adj przesycony; ~ **vapour** para przesycona

super-Schmidt ['sju:pəʃmit] s astr teleskop z urządzeniem do fotografowania meteorów

supersedure [ˌsjuːpəˈsiːdʒə] s 1. zastąpienie 2. usunięcie (urzędnika itd.) 3. zajęcie (czyjegoś) mienia 4. wyrugowanie; wyparcie

superserviceable [sjuːpəˈsəːvisəbl] adj narzucający się; nadskakujący; przesadnie usłużny

superstitionally [sjuːpəˈstiʃənəli] adv zabobonnie; przesądnie

superstratum [sjuːpəˈstreitəm] s górna ⟨wierzchnia⟩ warstwa

supersubtle [sjuːpəˈsʌtl] adj nadmiernie subtelny

supervoltage [sjuːpəˈvəultidʒ] s elektr nadnapięcie; przepięcie

supplantation [sʌplaːnˈteiʃən] s wyrugowanie; zajęcie (czyjegoś) miejsca ⟨stanowiska⟩

↑ **supply²** adv 1. ... prężnie 2. z uległością; uniżenie; czołobitnie

suppositive [səˈpɔzitiv] adj 1. = **supposititious** 2. = **suppositional** 3. gram warunkowy; przypuszczający

↑ **suppressor** Ⅲ attr nukl ~ **effect** efekt inhibicji

supraliminal [sjuːprəˈliminl] adj psych ponadprogowy

supra-national [ˌsjuːprəˈnæʃənəl] adj ponadnarodowy

supraorbital [ˌsjuːprəˈɔːbitəl] adj anat nadoczodołowy

↑ **supreme** adj 1. ... ~ **commander** naczelny wódz; **Supreme Soviet of the USSR** Rada Najwyższa ZSRR

supremely [sjuːˈpriːmli] adv 1. najwyżej; w najwyższym stopniu 2. ostatecznie 3. doskonale

surculus [ˈsəːkjuləs] s bot odrośl; pęd liściowy (mszaków i widłaków)

↑ **surf** Ⅲ vi powinno być: uprawiać surfing Ⅲ attr zool ~ **duck** ⟨**scoter**⟩ 'amerykańska kaczka Melanitta perspicillata; ~ **fish** amerykańska ryba z rodzaju Holconoti

↑ **surface** Ⅲ attr 2. ... nukl ~ **boiling** wrzenie przypowierzchniowe; ~ **density** gęstość powierzchniowa; ~ **effect** zjawisko powierzchniowe; techn ~ **plate** płyta miernicza; płyta traserska

surface-active [ˌsəːfisˈæktiv] adj chem powierzchniowo-aktywny; powierzchniowo-czynny; ~ **agent** = **surfactant** ↑

surface-to-air [ˈsəːfis-təˌɛə] attr wojsk ~ **missile** pocisk zdalnie kierowany typu „ziemia—powietrze"

surface-to-surface [ˈsəːfistəˌsəːfis] attr wojsk ~ **missile** pocisk zdalnie kierowany typu „ziemia—ziemia"

surfactant [səˈfæktənt] s substancja powierzchniowo-aktywna

surfbird [ˈsəːfbəːd] s zool amerykański ptak przybrzeżny Aphriza virgata

surfing [ˈsəːfiŋ] Ⅰ zob **surf** vi ↑ Ⅲ s sport

surfing; jazda ⟨ślizganie się⟩ na desce na grzbiecie fali

↑ **surge** Ⅲ attr techn ~ **tank** zbiornik wyrównawczy

surgy [ˈsəːdʒi] adj burzliwy; wzburzony

suricate [ˈsjuːrikeit] s zool (Suricata tetradactyla) afrykańskie łaszowate zwierzę ryjące

surlily [ˈsəːlili] adv gburowato; cierpko; zgryźliwie

surpassingly [səˈpɑːsiŋli] adv niezrównanie; w sposób niezrównany ⟨nieprześcigniony⟩

surprint [ˈsəːprint] vt naddrukować

surprisal [səˈpraizəl] s 1. zaskoczenie 2. niespodzianka

↑ **surprising** adj ... niespodziewany

surprisingly [səˈpraiziŋli] adv zadziwiająco; niespodziewanie; zaskakująco

surra [ˈsuərə] s wet trypanosomoza

↑ **survey** Ⅲ s 6. nadzór; kontrola 7. dokonywanie zdjęć Ⅲ attr ~ **instrument** przyrząd kontrolny; ~ **counter** licznik promieniowania

surveying [səˈveiiŋ] Ⅰ zob **survey** vt Ⅲ s miernictwo

↑ **survival** Ⅲ attr nukl ~ **curve** krzywa przeżycia

susceptibly [səˈseptibli] adv wrażliwie; obraźliwie; ze skłonnością do obrażania się

susfu [sʌsˈfuː] s sl wojsk bajzel; bałagan

suspants [sʌsˈpænts] spl damskie majtki z podwiązkami; majtkopas

↑ **suspended** Ⅲ adj 1. ... med ~ **animation** przejściowe zahamowanie czynności życiowych

↑ **suspension** Ⅲ attr ~ **points** wielokropek; domyślnik; nukl ~ **reactor** reaktor z paliwem w zawiesinie

suspensively [səsˈpensivli] adv w zawieszeniu; wstrzymując

suspicional [səsˈpiʃənəl] adj podejrzliwy

suspiciously [səsˈpiʃəsli] adv 1. podejrzanie 2. podejrzliwie

suspiration [sʌspiˈreiʃən] s wzdychanie; westchnienie

↑ **sustained** Ⅲ adj 3. ... nukl ~ **reaction** reakcja podtrzymywana

sustainer [səsˈteinə] s 1. lotn silnik główny pocisku rakietowego 2. radio program nie opłacany przez reklamę handlową

sustaining [səsˈteiniŋ] Ⅰ zob **sustain** vt Ⅲ adj radio (o programie) nie opłacany przez reklamę handlową

sustention [səsˈtenʃən] s = **sustenance**

susurrus [sjuːˈsʌrəs] s med szmer; pomruk

swag² [swæg] Ⅰ vi chwiać się (na nogach) Ⅲ s chwianie się (na nogach)

swallow-dive [ˈswɔləuˌdaiv] s = **swallow¹** s 2.

swallow-tailed [ˈswɔləuˌteild] adj o kształcie jaskółczego ogona; ~ **coat** frak

↑ **swamp** Ⅲ attr ... bot ~ **cypress** (Taxodium distichum) cyprys błotny; zool ~ **sparrow** (Melospiza georgiana) amerykańska zięba błotna

swamp-land ['swɔmplænd] s moczary
↑ swan ⫸ attr łabędzi; sport ~ dive = swallow[1] s 2.
swanky ['swæŋki] adj sl 1. tupeciarski 2. pretensjonalnie szykowny
↑ swarm[1] ⫸ attr biol ~ spore zoospora
swarmer ['swɔːmə] s biol zoospora
swarthily ['swɔːðili] adv śniado
swatch [swɔtʃ] s próbka tkaniny
sway-back ['sweibæk] s siodłowato wygięty grzbiet
Swazi ['swɑːzi] s Suazi
↑ sweat ⫸ attr ~ shirt pulower sportowca
~ out vt 3. napocić się (a problem etc. nad zagadnieniem itd.); to ~ it out przebrnąć przez coś 4. oblewać się siódmym potem czekając na coś; to ~ out sb's return from a dangerous mission nie móc się doczekać czyjegoś powrotu z niebezpiecznej wyprawy
sweatshop ['swetʃɔp] s zakład pracy wyzyskujący robotników
Swedish ['swiːdiʃ] ⫸ adj ... ~ movements szwedzka gimnastyka
sweepback ['swiːpbæk] s lotn skos dodatni ⟨do tyłu⟩ (płata)
sweepforward [swiːp'fɔːwəd] s lotn skos ujemny ⟨do przodu⟩ (płata)
↑ sweet ⫸ adj 3. ... bot ~ alyssum trwałe ziele Lobularia maritima; ~ basil (Ocimum basilicum) bazylia właściwa; ~ cicely nazwa kilku roślin amerykańskich pokrewnych trybuli; ~ fern amerykański krzew Comptonia peregrina; ~ flag (Acorus calamus) tatarak; ~ pepper pieprz Capsicum frutescens; ~ potato (Ipomoea batatas) batat
↑ sweet-bay s 2. amerykańska magnolia Magnolia virginiana
swelteringly ['swelteriŋli] adv upalnie; skwarnie
swifter ['swiftə] s mar 1. wanta pojedyncza kolumny masztu 2. odbijacz linowy wokoło łodzi
swiftly ['swiftli] adv szybko; bystro; rychło; prędko; chyżo
swimmie-talkie ['swimi-tɔːki] s mikrofon przeznaczony do używania pod wodą
swimming ['swimiŋ] ⫸ zob swim v ⫸ s pływanie
swimmingly ['swimiŋli] adv bez trudu; lekko; śpiewająco
swimming-pool-type ['swimiŋpuːl,taip] attr nukl basenowy; ~ reactor reaktor basenowy
swimsuit ['swimsjuːt] s kostium kąpielowy
↑ swine ⫸ attr wet ~ pox ospa świń
↑ swing ⫸ attr ekon ~ credit krótkoterminowa pożyczka udzielona państwu importującemu przez państwo eksportujące; kredyt techniczny; (w zakładzie pracującym na trzy zmiany) ~ shift zmiana między zmianą dzienną a nocną; zmiana dodatkowa

swipple ['swipl] s = swingle s 2.
swirly ['swəːli] adj wirujący
switch-blade ['switʃbleid] attr ~ knife nóż sprężynowy
switchyard ['switʃjɑːd] s kolej dworzec przetokowy ⟨rozrządowy⟩
↑ swivel ⫸ attr ... ~ chair krzesło obrotowe; fotel obrotowy
swizzle ['swizl] ① s napój z rumu, lodu, cytryny, gorzkich kropel i cukru ⫸ attr ~ stick pałeczka do mieszania napojów z lodem
sword-bill ['sɔːdbil] s zool koliber południowoamerykański Ensifera ensifera
↑ swordsman s ... szpadzista; szablista
swordtail ['sɔːdteil] s zool (Xiphophorus) mieczyk
sycophantic [saikɔ'fæntik] adj pochlebczy
sycophantically [saikɔ'fæntikəli] adv pochlebczo; z pochlebstwami
syllepsis [si'lepsis] s gram złączenie pod rządem jednego orzeczenia kilku podmiotów różnych co do rodzaju, liczby, osoby
sylvanite ['silvənait] s miner sylwanit
sylviculture [,silvi'kʌltʃə] s hodowla lasu
symbiont ['simbiont] s biol symbiont
symbiotically [simbi'ɔtikəli] adv symbiotycznie
symbiotics [simbi'ɔtiks] s = anthroposophics ↑
symbolically [sim'bɔlikəli] adv symbolicznie
symbolist ['simbəlist] s symbolista
symbology [sim'bɔlədʒi] s symbolika; symbolizm
symmetalism [sim'metəlizəm] s bimetalizm; bimetal
symmetrically [si'metrikəli] adv symetrycznie
symmetrization [,simitrai'zeiʃən] s symetryzacja
sympathetically [simpə'θetikəli] adv 1. ze zrozumieniem 2. współczująco; ze współczuciem; z ubolewaniem 3. sympatycznie; miło; mile
sympathizingly [simpə'θaiziŋli] adv współczująco; ze współczuciem; z ubolewaniem
↑ sympathy ⫸ attr ~ strike strajk solidarnościowy
symphonious [sim'fəuniəs] adj harmonijny; współbrzmiący
symphyseal, symphysial [sim'fiziəl] adj anat spojeniowy
sympodium [sim'pəudiəm] s bot sympodium
symptomatically [simtə'mætikəli] adv symptomatycznie
synaeresis [si'nerəsis] s jęz synereza; ściągnięcie dwóch sylab ⟨samogłosek⟩ w jedną
syn(a)esthesia [sinis'θiːzjə] s med odczucie uboczne towarzyszące czuciu właściwemu
synapse [si'næps] s fizj synapsa

synapsis [si'næpsis] s fizj koniugacja chromosomów

synarthrosis [sina:'θrəusis] s med staw nieruchomy

syncarp ['sinka:p] s bot owoc złożony mięsisty

synch [siŋk] s vi vt = synchronization, synchronize

synchro ['siŋkrəu] s techn selsyn

synchro-cyclotron [,siŋkrəu'saiklətrɔn] s nukl synchrocyklotron

synchro-flash ['siŋkrəuflæʃ] s fot flesz sprzężony z obiektywem

synchronizer ['siŋkrənaizə] s techn synchronizator

synchrophasotron [siŋkrəu'fæzətrɔn] s nukl synchrofazotron

synchrotron ['siŋkrətrɔn] s nukl synchrotron

synclinal [sin'klainəl] adj synklinalny

syncline ['siŋklain] s geol synklina

syncopation [siŋkə'peiʃən] s synkopowanie

syndesmosis [,sindes'məusis] s anat więzozrost

syndet ['sindet] s syntetyczny detergent

syndetic [sin'detik] adj gram łączący

sindical ['sindikəl] adj syndykalny

syndrome ['sindrəum] s fiz med syndrom; zespół

synecious, synoecious [si'ni:ʃəs] adj bot obupłciowy

synergism [si'nə:dʒizəm] s fiz efekt współdziałania

synergist [si'nə:dʒist] s med fizj narząd współdziałający; synergista

synergistic [,sinə'dʒistik] adj współdziałający; fiz ~ effect efekt współdziałania

syngamy ['siŋgəmi] s biol syngamia

syngenesis [sin'dʒenisis] s biol syngeneza

synoecious zob synecious ↑

synoicous [si'nɔikəs] adj = synecious ↑

synoptically [si'nɔptikəli] adv synoptycznie

synovitis [sinə'vaitis] s med zapalenie błony maziowej

syntactically [sin'tæktikəli] adv gram syntaktycznie; składniowo

syntactics [sin'tæktiks] s filoz syntaktyka

syphiloid [sifi'lɔid] adj med kiłowaty

syringa [si'riŋgə] s bot (Philadelphus coronarius) jaśminowiec wonny

syringes zob syrinx ↑

syringomyelia [,siriŋgəumai'i:liə] s med jamistość rdzenia

syrinx ['siriŋks] s (pl syringes [si'rindʒi:z]) s 1. anat trąbka słuchowa 2. zool organ głosowy ptaka 3. mitol muz fletnia bożka Pana

Syrphidae ['sə:fidi:] s zool bzygi

syssarcosis [sisa:'kəusis] s med połączenie mięśniowe kości

systematically [sisti'mætikəli] adv systematycznie

↑ systemic adj ... ogólnoustrojowy

systemize ['sistimaiz] vt u/systematyzować

T

↑ tab s 9. lotn klapka (na sterze)

tabanid ['tæbənid] s zool (Tabanus) bąk (mucha); mucha końska; pot ślepiec

tabescent [tə'besənt] adj med 1. wiądowy 2. więdnący

taboret ['tæbərit] s = tabouret

tachina ['tækinə] s (także ~ fly) zool (Tachina) rączyca

tachistoscope [tə'kistəskəup] s psych tachistoskop

tachogram ['tækəgræm] s zapis tachometru

tachograph ['tækəgra:f, am 'tækəgræf] s miern tachograf

tachygraph ['tækigra:f, am 'tækigræf] s tachometr samopiszący

tachylalia [tæki'leiljə] s med anormalnie szybki i niewyraźny sposób mówienia

tachysterol [tə'kistərəl] s chem tachysteryna

tacitly ['tæsitli] adv milcząco

taciturnly ['tæsitə:nli] adv małomównie

tackiness ['tækinis] s kleistość; lepkość; przylepność

taconite ['tækənait] s miner takonit

tactfully ['tæktfuli] adv taktownie

tactic ['tæktik] s taktyka; sposób postępowania

tactically ['tæktikəli] adv 1. taktycznie 2. zręcznie

taction ['tækʃən] s dotknięcie; dotykanie; zetknięcie (stykanie) się; styk

tactlessly ['tæktlisli] adv nietaktownie; w nietaktowny sposób

tactually ['tæktjuəli] adv dotykowo; przez dotyk

tad [tæd] s am brzdąc; berbeć

taeniacide ['ti:niəsaid] s farm środek tasiemcobójczy

taeniafuge ['ti:niəfju:dʒ] s farm środek tasiemcopędny

taeniasis [ti:'naiəsis] s med tasiemczyca

tagrag ['tægræg] s 1. motłoch; hałastra; tłuszcza; gawiedź; czerń 2. łachman; łach; strzęp

Tahitian [tə'hi:tiən] s Tahita-ńczyk/nka

tahsildar [ta:'silda:] s (w Indiach) urzędnik skarbowy

↑ tail[1] M attr ogonowy; tylny; ~ beam a) bud belka stropowa oparta na wymianie b) (u wozu) zatylnik; wojsk ~ gun działo w ogonie samolotu

↑ **tailing** Ⅲ *s* 5. *pl* ~s *nukl* odpady (ze wzbogacania rud)

↑ **tailor** Ⅲ *vt* 3. przystosow-ać/ywać (coś do warunków lub potrzeb) 4. u/szyć w stylu klasycznym; **~ed shirtwaist** bluzka koszulowa

tail-wagging [ˈteilˌwægiŋ] *s sport* christiania biodrowa; *pot* biodrówka

↑ **take** Ⅲ *s* ‖ *sl* (*o szpitalu, personelu*) **to be on ~** mieć ostry dyżur

take-home [teikˈhəum] *attr* ~ **pay** pensja netto; pobory „na rękę"

talcose [ˈtælkəus], **talcous** [ˈtælkəs] *adj* talkowy

taler [ˈtɑːlə] *s* = **thaler**

taliped [ˈtæliped] *adj* 1. (*o stopie*) koślawy 2. (*o człowieku*) z koślawą stopą

↑ **talk**
   ~ down Ⅲ *vt* 2. *lotn* sprowadzić (samolot) do lądowania przez radio

talkathon [ˈtɑːkəθɔn] *s* rozwlekłe przemówienie (obstrukcjonisty)

↑ **talking** Ⅵ *attr* ~ **book** nagranie płytowe utworu literackiego dla niewidomych

tall² [tɔl] *adj chem* talowy; ~ **oil** smolej; olej talowy

Talmudist [ˈtælmudist] *s* talmudysta

tam [tæm] *s* = **tam-o'-shanter**

tamale [təˈmɑːli] *s kulin* potrawa meksykańska z kukurydzy i mielonego mięsa

tamarau [ˈtɑːmərɔ] *s zool* filipiński bawół *Bubalis mindorensis*

tamely [ˈteimli] *adv* 1. łagodnie; ulegle 2. (*pisać, mówić*) banalnie; mdło; blado 3. (*o krajobrazie — przedstawiać się*) monotonnie; jednostajnie

tamper² [ˈtæmpə] *nukl* Ⅰ *s* reflektor Ⅲ *attr* ~ **material** substancja reflektora

tam-tam [ˈtʌmˌtʌm] *s vi* = **tomtom**

tan¹ Ⅰ *s* 3. ... **to take a ~** opalić się

tanagrine [ˈtænəgrin] *adj zool* należący do rodziny tanagr ⟨ptaków południowoamerykańskich⟩

tanbark [ˈtænbɑːk] *s* kora garbarska

tangelo [ˈtændʒələu] *s bot* krzyżówka mandarynki z innym drzewem tej samej rodziny lub z grejpfrutem

tangentially [tænˈdʒenʃəli] *adv geom* stycznie

tangibly [ˈtændʒibli] *adv* 1. namacalnie; dotykalnie 2. istotnie; rzeczywiście; faktycznie 3. (*różnić się*) wyraźnie

tangleberry [ˈtænglˌberi] *s bot* czarna jagoda amerykańska *Gaylussacia frondosa*

tangram [ˈtæŋgrəm] *s* chińska układanka

tangy [ˈtæŋi] *adj* mający posmak ⟨zapach⟩ (**of sth** czegoś)

↑ **tank** Ⅲ *attr* czołgowy; przeciwczołgowy; *wojsk* ~ **buster** działo przeciwczołgowe; ~ **destroyer** działo przeciwpancerne samobieżne ‖ *roln* ~ **farming** uprawa roślin w kulturach wodnych

tankdozer [ˈtæŋkdəuzə] *s wojsk* czołg przeznaczony do trasowania drogi przez gęste krzaki i wśród drzew

↑ **tanker** *s* 3. samolot tankowiec ⟨cysterna⟩

tankette [tænˈket] *s sl wojsk* tankietka

tanning [ˈtæniŋ] Ⅰ *zob* **tan¹** *v* Ⅲ *s* 1. garbowanie 2. *przen* wygarbowanie ⟨wyłojenie⟩ ⟨komuś⟩ skóry 3. opalanie się; opalenizna

tantalate [ˈtæntəleit] *s chem* tantalan

tapetum [təˈpiːtəm] *s biol* tapetum; warstwa wyścielająca

tarantass [tɑːrɑːnˈtɑːs] *s* tarantas

tarantism [ˈtærəntizəm] *s psych* chorobliwy pęd do tańczenia

tardily [ˈtɑːdili] *adv* 1. powolnie; leniwie; opieszale 2. późno; z opóźnieniem 3. niechętnie

tarfu [tɑːˈfuː] *adj sl wojsk* = **snafu** *adj* ↑

tarsal [ˈtɑːsl] *adj anat* tarczkowy; stępowy; ~ **bones** kości stępu

tarsometatarsal [ˌtɑːsəumetəˈtɑːsl] *adj anat* stępowośródstopowy

tartare [tɑːˈtɑː] *attr kulin* ~ **sauce** rodzaj sosu tatarskiego

tartly [ˈtɑːtli] *adv* 1. cierpko 2. zgryźliwie; opryskliwie

tartrazine [ˈtɑːtrəziːn] *s chem* żółcień kwasowa; tartrazyna

↑ **task** Ⅰ *s* 2. ... ~ **force** b) zespół fachowców mających wykonać określone zadanie Ⅲ *vt* 3. wystawić na próbę (kogoś, czyjąś cierpliwość itd.)

↑ **taste** Ⅵ *attr* smakowy; ~ **buds** kubki ⟨brodawki⟩ smakowe

tastefully [ˈteistfuli] *adv* gustownie; w dobrym guście; ze smakiem

tastelessly [ˈteistlisli] *adv* 1. bez smaku 2. niegustownie; bez gustu

tastily [ˈteistili] *adv* 1. smakowicie; smacznie 2. *pot* szykownie; elegancko; ze smakiem

tatouay [ˈtætuei] *s zool* (*Tatoua unicinctus*) armadyl tropikalnej Ameryki Południowej

tattletale [ˈtætlteil] *pot* Ⅰ *s* donosiciel; skarżypyta Ⅲ *adj* donosicielski; zdradziecki

taupe [təup] *s* kolor ciemnoszary

taurine² [tɔːˈriːn] *s chem* tauryna

taurocholic [tɔːrəˈkɔlik] *adj chem* (*o kwasie*) taurocholowy

tautog [tɔːˈtɔg] *s zool* (*Tautoga onitis*) ryba atlantycka z rodziny wargaczy

tautologize [tɔːˈtɔlədʒaiz] *vi* operować tautologizmami

tautomeric [tɔːtəˈmerik] *adj chem* tautomeryczny

tawdrily [ˈtɔːdrili] *adv* bez gustu; krzykliwie; niegustownie; jarmarcznie

↑ **tax** Ⅲ *attr* ... ~ **rate** stopa podatkowa; ~ **sale** licytacja za zaległe podatki; ~ **title** tytuł własności nabyty na licytacji za zaległe podatki

taxeme [ˈtæksiːm] *s jęz* taksem

tax-exempt [ˌtæks-igˈzemt] *adj* wolny od podatków

↑ **taxi** Ⅲ *attr* ~ **dancer** fordanserka

taxis ['tæksis] *s* 1. układ 2. *biol med* taksja

taxon ['tækson] *s biol* grupa taksonomiczna

taxonomy [tæks'ɔnəmi] *s* systematyka

↑ **tea** Ⓜ *attr* herbaciany; ~ **ball** zaparzaczka do herbaty; ~ **biscuit** herbatnik; ~ **shop** herbaciarnia; bar herbaciany; ~ **wagon** stolik na kółkach do podawania posiłku z herbatą

teacart ['ti:kɑ:t] *s* stolik na kółkach z zastawą do herbaty

teaching ['ti:tʃiŋ] Ⓘ *zob* **teach** *v* Ⓜ *s* 1. nauczanie 2. *pl* ~s nauki (mistrza)

teammate ['ti:mmeit] *s* kolega z drużyny ⟨z zespołu⟩

↑ **tear²** Ⓜ *attr* łzawiący; ~ **bomb** bomba łzawiąca

↑ **tear-drop** *s* 2. wiszący kolczyk w kształcie łzy; łezka

tearfully ['tiəfuli] *adv* płaczliwie; łzawo

teary ['tiəri] *adj* łzawy; płaczliwy

technetium [tek'ni:ʃiəm] *s chem* technet

↑ **technic** Ⓘ *s* 2. = **technicality** Ⓜ *adj* = **technical**

↑ **technical** *adj* ‖ *wojsk* ~ **sergeant** drugi od góry stopień sierżancki z istniejących czterech

technography [tek'nɔgrəfi] *s* 1. opis rzemiosł 2. nauka o geograficznym rozmieszczeniu zakładów przemysłowych

technolator [tek'nɔlətə] *s* wielbiciel techniki

tediously ['ti:djəsli] *adv* nudno

↑ **tee¹** Ⓜ ⌐*attr* ~ **shirt** podkoszulek bawełniany z krótkimi rękawami

teething ['ti:ðiŋ] Ⓘ *zob* **teethe** *vi* Ⓜ *s* ząbkowanie Ⓜ *attr* ~ **ring** kółko plastikowe lub kościane, które daje się do gryzienia ząbkującym niemowlętom

teetotaler [ti:'təutlə] *s am* = **teetotaller**

tektite ['tektait] *s geol* tektyt

telangiectasis [te'lændʒi'ektəsis] *s med* rozszerzenie naczyń włosowatych

telecar ['telikɑ:] *s* samochód przystosowany do przekazywania telegramów

telecast ['telikɑ:st, *am* 'telikæst] *tv* Ⓘ *vt* nadawać w telewizji; emitować (program) Ⓜ *s* emisja programu telewizyjnego

telecon ['telikɔn] *s radio* amerykańskie urządzenie do zbiorowego porozumiewania się na zasadzie radia i dalekopisu

teledeltos [teli'deltɔs] *s* formularz, na którym się drukuje telegramy w samochodach zwanych **telecars** ↑

telegenic [teli'dʒenik] *adj* telegeniczny

telegony [te'legəni] *s biol* telegonia

↑ **telegraph** Ⓜ *attr bot* ~ **plant** (*Desmodium gyrans*) wschodnioindyjska koniczyna, której listki wykonują nagłe ruchy, jak gdyby dając znaki

telejuke ['telidʒu:k] *s* szafa grająca z (wmontowanym) telewizorem

telemetry [tə'lemitri] *s* telemetria; pomiary zdalne

telemotor [teli'məutə] *s mar* telemotor

telencephalon [telen'sefələn] *s anat* kresomózgowie

teleological [teliə'lɔdʒikl] *adj filoz* teleologiczny; ~ **argument** teleologizm

telepathist [te'lepəθist] *s* człowiek ze zdolnościami telepatycznymi

telephotograph [teli'fəutəgrɑ:f, *am* teli-'fəutəgræf] *s* 1. telefotografia; zdjęcie zrobione teleobiektywem 2. telefotografia; przekazywanie obrazu na odległość

telepic ['telipik] *s tv* film telewizyjny

teleportation [,telipɔ:'teiʃən] *s* = **telekinesis**

teleprompter ['teliprɔmtə] *s tv* sufler

teleradio [teli'reidiəu] *s* radio i telewizja

↑ **telescope** Ⓜ *attr* teleskopowy

telescopically [teli'skɔpikəli] *adv* teleskopowo

telestereoscope [teli'stiəriəskəup] *s* telestereoskop

telesthesia [,teli:s'θi:zjə] *s psych* telestezja

teletherapy [teli'θerəpi] *med* Ⓘ *s* teleterapia; naświetlanie promieniami kobaltowymi Ⓜ *attr* teleterapeutyczny

telethermometer [teliθə'mɔmitə] *s fiz* teletermometr; termometr zdalny

telethon ['teliθɔn] *s* wielogodzinny program (maraton) telewizyjny

teletranscription [,telitræn'skripʃən] *s* film zrobiony z obrazu telewizyjnego

teletypewriter [teli'taipraitə] *s am* dalekopis

teleutospore [te'lju:təspɔ:] = **teliospore** ↑

televideo ['telividiəu] *s tv* wizja

telfer ['telfə] *adj vt* = **telpher** ↑

telial ['ti:liəl] *adj bot* ~ **stage** stadium wytwarzania teleutospor

teliospore ['ti:liəspɔ:] *s bot* teleutospor

tellies ['teliz] *spl sl* telewizja; program telewizyjny

tellurate ['teljureit] *s chem* telluran

telluric² [te'ljuərik] *adj chem* tellurowy

telluride ['teljuraid] *s chem* tellurek

tellurion, tellurian [te'lu:riən] *s astr* tellurium

tellurite ['teljurait] *s* 1. *chem* telluryt 2. *miner* telluryt; ochra tellurowa

tellurous ['teljurəs] *adj chem* tellurawy

telophase ['teləfeiz] *s biol* telofaza; ostatnia faza mitozy

telpher ['telfə] *s* elektrowciąg; ~ **line** tor elektrowciągu

telpherage ['telfəridʒ] *s* 1. kolejka linowa; elektrowciąg 2. przewóz kolejką linową ⟨elektrowciągiem⟩

Telugu [te'lu:gu:] *s* 1. język drawidyjski; język Telugów 2. Telugu; członek plemienia Telugów

temblor ['temblɔ:] *s am* wstrząs ziemi

↑ **temperature** Ⓜ *attr* temperaturowy; ~ **gradient** gradient temperatury; ~ **scanner** sonda temperaturowa

tempering ['tempəriŋ] Ⓘ *zob* **temper** *v* Ⓜ *s* *nukl* odpuszczanie

tempestuously [tem'pestjuəsli] *adv* burzliwie

↑ template *s* 2. *nukl* forma; wzorzec; sprawdzian

templon ['templɔn] *s rel* ikɔnostas

↑ tempo Ⅲ *attr sport* ~ turn = tail-wagging ↑

temptingly ['temtiŋli] *adv* kusząco; nęcąco

tenaciously [ti'neiʃəsli] *adv* 1. spoiście 2. ciągliwie 3. czepnie 4. (*pamiętać*) wiernie; trwale 5. wytrwale; nieustępliwie 6. lekko 7. z przywiązaniem (of sth do czegoś)

↑ tendency Ⅲ *attr* tendencyjny; ~ writings pisma tendencyjne

tendentiously [ten'denʃəsli] *adv* tendencyjnie

tenderly ['tendəli] *adv* 1. miękko 2. delikatnie; wrażliwie; łamliwie 3. młodo 4. czule 5. (*dbać o coś*) zazdrośnie 6. (*usmażyć mięso*) na krucho

tenderometer [tendə'rɔmitə] *s* przyrząd do mierzenia stopnia dojrzałości jarzyn przeznaczonych na konserwy

tenesmus [tə'nezməs] *s med* parcie (na mocz, na stolec)

teniacide ['ti:niəsaid] *s* = taeniacide

tennantite ['tenəntait] *s miner* tenantyt

tenonitis [tenə'naitis] *s med* zapalenie ścięgna

↑ tenor Ⅲ *attr* ... *muz* ~ clef klucz tenorowy

tenorraphy [tə'nɔrəfi] *s chir* zeszycie ścięgna

tensely ['tensli] *adv* 1. w napięciu; w naprężeniu 2. emocjonująco

tensible ['tensibl] *adj* rozciągalny; rozciągliwy

↑ tensile *adj* 1. ... *fiz* ~ strength wytrzymałość na rozciąganie ⟨*nukl* na rozerwanie⟩

tensility [ten'siliti] *adj* rozciągliwość

tensimeter [ten'simitə] *s* manometr

tensiometer [tensi'ɔmitə] *s* tensometr

tensive ['tensiv] *adj* napięciowy; powodujący napięcie

↑ tensor Ⅲ *attr* tensorowy

↑ tent¹ Ⅳ *attr zool* ~ caterpillars barczatkowate

tentage ['tentidʒ] *s zbior* namioty

tenurously ['tenjurəsli] *adv* 1. cienko; wiotko 2. rzadko 3. słabo 4. subtelnie; nieznacznie

teosinte [ti:ə'sinti] *s bot* (*Euchlaena mexicana*) meksykańska trawa pokrewna kukurydzy

tepidly ['tepidli] *adv* 1. letnio 2. chłodno; bez zapału

teratoid ['terətɔid] *adj biol* potworkowaty

terbia ['tə:biə] *s chem* tlenek terbowy

terebinthic [terə'binθik], terebinthine [terə'binθin] *adj* terpentynowy

tergum ['tə:gəm] *s* (*pl* terga ['tə:gə]) grzbiet

termer ['tə:mə] *s* więzień odsiadujący karę

terminalization [,tə:minəlai'zeiʃən] *s biol* terminalizacja (chiazm)

terminally ['tə:minəli] *adv* na zakończenie

termitarium [tə:mi'tɛəriəm] *s* urządzenie do badania odporności drewna na działalność termitów

↑ ternary *adj* 1. ... *nukl* ~ fission rozszczepienie trójfragmentowe

ternion ['tə:niɔn] *s* trójka; troje

terpineol [tə:'piniɔl] *s chem* terpineol

Terpsichore [tə:'psikəri] *s mitol* Terpsychora

terrazzo [tə'rætsəu] *s bud* terrazzo

terribly ['teribli] *adv* strasznie; straszliwie; okropnie; potwornie

terrifically [tə'rifikəli] *adv* 1. straszliwie; przerażająco; przeraźliwie; okropnie 2. kapitalnie; wspaniale; znakomicie

territorially [teri'tɔ:riəli] *adv* terytorialnie

tersely ['tə:sli] *adv* zwięźle; lapidarnie; dosadnie

tertial ['tə:ʃl] *adj zool* (*o piórze*) trzeciorzędowy

tessellate ['tesəleit] *vt* układać w mozaikę

↑ test¹ Ⅳ *attr* testowy; próbny; doświadczalny; ~ blank formularz testowy; *nukl* ~ hole odwiert próbny; kanał doświadczalny; ~ particle cząstka próbna; *techn* ~ piece próbka kontrolna; *lotn* ~ pilot oblatywacz samolotów

testosterone [tes'tɔstərəun] *s biochem* testosteron

↑ test-tube Ⅲ *attr* ~ baby dziecko ze sztucznego zapłodnienia

tetanize ['tetənaiz] *vt* pobudzić (mięsień) do skurczu tężcowego

tetartohedral [ti,ta:təu'hi:drəl] *adj miner* tetartoedryczny

tetchily ['tetʃili] *adv* z rozdrażnieniem; w rozdrażnieniu

tetra ['tetrə] *s zool* ryba akwariowa z rodziny *Characinidae*

tetracid [te'træsid] *adj chem* czterozasadowy

tetracycline [,tetrə'saiklin] *s farm* tetracyklina

tetraethyllead [,tetrə'eθilled] *s chem* czteroetyloołów

tetrahedrite [tetrə'hi:drait] *s miner* tetraedryt

↑ tetrahedron *s* 2. *wojsk* stalowa zapora przeciwczołgowa w kształcie piramidy

tetraploid ['tetrəplɔid] *biol* Ⅰ *s* tetraploid Ⅲ *adj* tetraploidalny

tetrastichous [tet'ræstikəs] *adj bot* czterorzędowy

tetroxide [tet'rɔksaid] *s chem* czterotlenek

tetryl ['tetril] *s chem* tetryl

↑ Teutonic Ⅰ *adj* ... ~ Knights ⟨Order⟩ Krzyżacy

Texas ['teksəs] *spr attr zool* ~ sparrow amerykański łuszczak *Arremonops rufivirgatus*

thalamencephalon [,θæləmen'sefəlɔn] *s anat* międzymózgowie

thalassemia [θælə'si:miə] *s med* talasemia

thankfully ['θæŋkfuli] adv z wdzięcznością; dziękczynnie
thanklessly ['θæŋklisli] adv niewdzięcznie
thaumatology [θɔ:mə'tɔlədʒi] s nauka o cudach ⟨o cudotwórstwie⟩
theaceous [θi'eiʃəs] adj bot cistronkowaty
theater ['θiətə] s am = theatre
theatrically [θi'ætrikəli] adv teatralnie
theatrics [θi'ætriks] s sztuka reżyserska; reżyseria
theelin ['θi:lin] s biochem folikulina; estron
thelitis [θiə'laitis] s med zapalenie brodawki sutkowej
thenardite [θi'nɑ:dait] s miner tenardyt
theologically [θiə'lɔdʒikəli] adv teologicznie
theologize [θi'ɔlədʒaiz] vi teologizować
theophylline [θi:əfi'li:n] s chem teofilina
theoretically [θiə'retikəli] adv teoretycznie
theosophically [θiə'sɔfikəli] adv teozoficznie
therapeutically [θerə'pju:tikəli] adv terapeutycznie; leczniczo
therianthropic [θiriæn'θrɔpik] adj ⟨o bóstwach⟩ przedstawiony w postaci częściowo ludzkiej i częściowo zwierzęcej
theriomorphic [θiriəu'mɔ:fik] adj ⟨o bóstwach⟩ teriomorficzny
therm(a)esthesia [θə:məs'θi:zjə] s odczuwanie ciepła
↑ thermal ⬜ adj 1. ... nukl ~ barrier bariera cieplna; ~ insulation izolacja cieplna; ~ pit studnia cieplna 2. termiczny; nukl ~ cracking krakowanie termiczne; ~ cycling okresowe zmiany temperatury; ~ flux strumień neutronów termicznych; techn ~ power plant elektrociepłownia; ~ siphon termosyfon Ⅲ s lotn wstępujący prąd ciepłego powietrza
thermalize ['θə:məlaiz] vt termalizować
thermally ['θə:məli] adv cieplnie
therman(a)esthesia [,θə:mənis'θi:zjə] s med niezdolność rozróżniania ciepła i zimna
thermion [θə:'maiɔn, 'θə:miən] s fiz termoelektron; termion
↑ thermionic adj 2. fiz termoelektronowy; ~ emission emisja termoelektronowa; ~ tube ⟨valve⟩ lampa elektronowa
thermistor ['θə:mistə] s miern termistor
thermobarograph [,θə:məu'bærəgrɑ:f, am ,θə:məu'bærəgræf] s termobarograf
thermocautery [,θə:məu'kɔ:təri] s med przyżeganie
thermochemistry [,θə:məu'kemistri] s termochemia
thermoduric [,θə:məu'dju:rik] adj odporny na działanie wysokich temperatur
↑ thermo-electric adj ... ~ couple termoelement
thermoelectromotive [,θə:məui,lektrə'məutiv] adj termoelektromotoryczny
thermoelectron [,θə:məu-i'lektrɔn] s = thermion ↑
thermofission [,θə:məu'fiʃən] s nukl rozszczepienie termiczne

thermofusion [,θə:məu'fju:ʒən] s nukl synteza ⟨fuzja⟩ termiczna
thermogenesis [,θə:məu'dʒenisis] s wytwarzanie ciepła
thermography [θə:'mɔgrəfi] s termografia
thermolysis [θə:'mɔlisis] s fiz chem termoliza
thermometry [θə:'mɔmitri] s termometria
thermomotive [,θə:məu'məutiv] adj termomotoryczny
thermonuclear [,θə:məu'nju:kliə] adj termojądrowy, termonuklearny
thermopile ['θə:məupail] s stos termoelektryczny; termostos
thermoplastic [,θə:məu'plæstik] ⬜ adj termoplastyczny Ⅲ s tworzywo termoplastyczne; plastomer
thermoradiography [,θə:məu,reidi'ɔgrəfi] s termoradiografia
thermoscope ['θə:məskəup] s termoskop
thermoset ['θə:məuset] s plastik termoutwardzalny
thermosetting [,θə:məu'setiŋ] ⬜ s termoutwardzanie Ⅲ adj termoutrwardzalny
thermostabilize [,θə:məu'steibilaiz] vt uodporniać (materiał) na działanie wysokich temperatur
thermostable ['θə:məu,steibl] adj termostabilny; odporny na działanie wyższych temperatur
thermotaxis [,θə:məu'tæksis] s 1. odruch (rośliny) na ciepło; poruszanie się (organizmu) w zależności od ciepła 2. regulacja cieplna
thermotics [θə:'mɔtiks] s nauka o cieple
thermotropism [θə:'mɔtrəpizəm] s termotropizm
thersitical [θə:sitikəl] adj 1. ordynarny; rynsztokowy 2. sprośny 3. obelżywy
thewless ['θju:lis] adj bez wigoru; apatyczny
thiaminase [,θaiəmi'neiz] s biochem tiaminaza
thiamin(e) ['θaiəmi:n] s biochem tiamina, witamina B_1
thiazine ['θaiəzi:n] s chem tiazyna
thiazole ['θaiəzəul] s chem tiazol
thickleaf ['θikli:f] s bot roślina gruboszowata
thickly ['θikli] adv 1. grubo 2. gęsto 3. mętnie 4. (mówić) ochryple
↑ thickness Ⅲ attr ~ gauge grubościomierz
thigmotaxis [,θigmɔ'tæksis], thigmotropism [θig'mɔtrəpizəm] s biol odruch rośliny na dotknięcie
thimbleberry ['θimbl,beri] s bot nazwa kilku amerykańskich malin o kształcie naparstka (Rubus occidentalis itd.)
thimbleweed ['θimbl,wi:d] s bot nazwa roślin o główce kształtu naparstka (Anemone virginiana itd.)
thing-in-itself [,θiŋinit'self] s filoz rzecz sama w sobie; noumenon
thioaldehyde [θaiəu'ældihaid] s chem tioaldehyd

thiocyanate [θaiəu'saiənait] s chem tiocyjanian

thiocyanic [ˌθaiəusai'ænik] adj chem (o kwasie) tiocyjanowy

thionic [θai'ɔnik] adj chem (o kwasie) tionowy

thiophene [θaiə'fi:n] s chem tiofen

thiosinamine [θaiə'siənəmin] s chem allilotiomocznik; farm tiozynamina

thiosulphuric [ˌθaiəsʌl'fju:rik] adj (o kwasie) tiosiarkowy

thiouracil [ˌθaiə'ju:rəsil] s chem tiouracyl

thiourea [ˌθaiəju'riə] s chem tiomocznik

↑ **third** ⒤ adj ... kolej ~ **rail** trzecia szyna; szyna prądowa

thirstily ['θə:stili] adv żądnie; z pragnieniem; chciwie

thirty-second [ˌθə:ti'sekənd] adj muz ~ **note** trzydziesta druga

tholobate ['θɔləbeit] s bud konstrukcja niosąca kopułę

Thomism ['tɔmizəm, təu'mizəm] s filoz tomizm

Thompson ['tɔmsən] spr attr ogr ~ **seedless** winorośl kalifornijska

thoracoplasty [ˌθɔrəkɔ'plæsti] s med torakoplastyka

thoria ['θɔ:riə] s chem dwutlenek toru

thorianite ['θɔ:riənait] s miner torianit

thorogummite [θɔ:rə'gʌmait] s miner torogumit

thoron ['θɔ:rɔn] s chem toron

thorotungstite [θɔ:rə'tʌŋstait] s miner toroszelit

thoughtfully ['θɔ:tfuli] adv 1. w zadumie; w zamyśleniu 2. z rozwagą; z namysłem 3. troskliwie

thoughtlessly ['θɔ:tlisli] adv bezmyślnie; nierozważnie

thralldom ['θrɔldəm] s am = **thraldom**

thrasonically [θrə'sɔnikəli] adv samochwalczo; chełpliwie

threadfin ['θredfin] s zool ryba z rodziny Polynemidae

3-D ['θri:'di:] = **three-dimensional**

three-mile ['θri:mail] adj trzymilowy; ~ **limit** pas wód terytorialnych

thremmatology [ˌθremə'tɔlədʒi] s biol nauka o prawach dziedziczności i zmienności

↑ **threshold** ⒤ attr progowy; nukl ~ **dose** ⟨kinetic energy, value⟩ dawka ⟨energia kinetyczna, wartość⟩ progowa; ekon ~ **rate** pensja wypłacana początkującemu pracownikowi

thriftily ['θriftili] adv 1. oszczędnie; zapobiegliwie; gospodarnie 2. am kwitnąco

thrillingly ['θriliŋli] adv porywająco; emocjonująco; pasjonująco; wstrząsająco

thrivingly ['θraiviŋli] adv kwitnąco

↑ **throat** s 6. lotn gardziel; przewężenie

throatily ['θrəutili] adv gardłowo; ochryple

throatlatch ['θrəutˌlætʃ] s (w uprzęży) podgardle

throbbingly ['θrɔbiŋli] adv 1. pulsując 2. (o maszynie — pracować) warkocząc; z warkotem 3. z dreszczem (przyjemności)

thrombin ['θrɔmbin] s biochem trombina

thromboplastin [ˌθrɔmbəu'plæstin] s biochem tromboplastyna

↑ **throttle** ⒤ attr techn ~ **lever** dźwignia przepustnicy; manetka; ~ **valve** zawór dławiący; przepustnica; nukl ~ **pressure** ciśnienie dolotowe

↑ **throw-out** s 3. prospekt reklamowy; ulotka

↑ **thrust** ⒱ attr geol ~ **fault** uskok odwrócony

thruway ['θru:wei] s am autostrada

Thucholite ['θju:kəlait] s miner tucholit

Thucydides [θju:'sididi:z] spr Tucydydes

thulia ['θju:liə] s chem tlenek tulowy

↑ **thumb** ⒤ vt 4. zatrzymywać przejeżdżające samochody ruchem kciuka; **to** ~ **one's way** jechać autostopem

↑ **thunder** ⒱ attr ~ **stick** a) drewniana zabawka robiąca hałas przypominający ryk byka b) sl (o mówcy) krzykacz

thunderhead ['θʌndəhed] s meteor chmura zwiastująca burzę; kowadło burzy

thunderingly ['θʌndəriŋli] adv 1. grzmiąco; z grzmotem; ogłuszająco 2. straszliwie

thunderously ['θʌndərəsli] adv 1. z grzmotem; ogłuszająco 2. (oklaskiwać, o pogodzie — zapowiadać się) burzliwie

↑ **thundery** adj ... meteor ~ **front** front burzowy; ~ **tendency** skłonność do burz

thymelaeaceous [tiˌmili'eiʃəs] adj bot wawrzynkowaty

thymic² ['taimik] adj tymiankowy

thymonucleic [ˌθaiməunju:'kli:ik] adj chem (o kwasie) tymonukleinowy

thyroidectomy [ˌθairɔid'ektəmi] s chir wycięcie tarczycy

thyrotropic [θairɔ'trɔpik] adj med działający na tarczycę

thyroxine [θai'rɔksi:n] s biochem tyroksyna

thyrsus ['θə:səs] s bot miotełka; kwiatostan silnie rozgałęziony

thysonurian [θaisə'nju:riən] s zool szczeciogonka

↑ **tick²** ⒤ attr kleszczowy; ~ **fever** gorączka kleszczowa; bot ~ **trefoil** roślina należąca do rodzaju Desmodium

tickseed ['tiksi:d] attr (o nasionach) czepny

tick-tack-toe [ˌtiktæk'təu] s zabawa dziecięca

tidewater ['taidwɔ:tə] s 1. woda zalewająca wybrzeże w czasie przypływu 2. wybrzeże

tidily ['taidili] adv 1. czysto; schludnie 2. starannie 3. (pracować itd.) solidnie; porządnie

tidytips ['taiditips] s bot (Layia elegans) ziele kalifornijskie mające barwne kwiaty

tie-in [tai'in] attr (o sprzedaży) wiązany

tiger² ['taigə] *interj wojsk* milczeć!; cicho tam!

tigerish ['taigəriʃ] *adj* tygrysi

tightly ['taitli] *adv* 1. zwarcie; spoiście 2. szczelnie 3. (*o sukni itd.* — *opinać*) obciśle; ciasno 4. (*ściskać itd.*) mocno; silnie 5. (*walczyć*) zażarcie

tiglon ['taiglɔn] *s zool* krzyżówka tygrysa z lwem

tilefish ['tailfiʃ] *s* (*Lopholatilus chamaele onticeps*) barwna atlantycka ryba jadalna

tillandsia [ti'lændziə] *s bot* tropikalna roślina epifityczna z rodzaju *Tillandsia*

↑ **timber** Ⅲ *attr mar* ~ **hitch** węzeł zaciskowy

↑ **time** Ⅴ *adj* 8. *nukl mat* czasowy; czasu; ~ **constant** stała czasowa ⟨czasu⟩; ~ **derivative** ⟨**integral**⟩ pochodna ⟨całka⟩ względem czasu; ~ **distribution** rozkład w zależności od czasu; ~ **lag** opóźnienie w czasie; zwłoka; ~ **period counter** licznik chronograficzny; ~ **reflection** odwrócenie czasu; ~ **resolution** rozdzielczość czasowa; ~ **varying field** pole zmienne w czasie Ⅴ *attr* ~ **clock** zegar kontrolny; *fot* ~ **exposure** naświetlenie na czas

timelessly ['taimlisli] *adv* bez końca; w nieskończoność

time-out [taim'aut] *s* przerwa

↑ **timer** *s* 2. ... przekaźnik zegarowy

timidly ['timidli] *adv* nieśmiało; bojaźliwie

timorously ['timərəsli] *adv* nieśmiało; trwożliwie; bojaźliwie

tineid ['tiniid] *attr zool* ~ **moth** mól

tin-fish ['tinfiʃ] *s sl mar* torpeda

tin-pan ['tinpæn] *attr* ~ **alley** a) dzielnica wydawnictw muzycznych b) kompozytorzy muzyki popularnej

tinter ['tintə] *s sl* film kolorowy

tintype ['tintaip] *s druk* ferrotypia

tinwork ['tinwə:k] *s* 1. robota cynowa ⟨w cynie⟩ 2. *pl* ~**s** zakłady cynowe

tip-off [tip'ɔf] *s* ostrzeżenie

tipple² ['tipl], **tippler** ['tiplə] *s* wywrotnica

tipsily ['tipsili] *adv* pijacko

tiredly ['taiəridli] *adv* ze zmęczeniem; z mozołem

tirelessly ['taiəlisli] *adv* niezmordowanie; niestrudzenie

tiresomely ['taiəsəmli] *adv* 1. nudno 2. nieznośnie

↑ **tissue** Ⅰ *s* 5. papierowa chusteczka do nosa Ⅲ *attr* tkankowy; *biol* ~ **culture** hodowla tkanek; *nukl* ~ **dose** dawka pochłonięta w tkance; ~ **equivalent material** substancja równoważna tkance

titanous [tai'tænəs] *adj chem* tytanawy

titer *zob* **titre** ↑

titi¹ ['ti:ti:] *s zool* południowoamerykańska małpka z rodzaju *Callicebus*

titi² ['ti:ti] *s bot* amerykańskie drzewo

a) **black** ~ *Cliftonia monophylla* b) **white** ~ *Cyrilla racemiflora*

titlist ['taitlist] *s* zdobywca tytułu (w sporcie, grach itd.)

Titoism ['ti:təuizəm] *s polit* titoizm

titre, *am* **titer** ['taitə] *s chem* 1. miano (roztworu) 2. temperatura krzepnięcia kwasów tłuszczowych

tizzy ['tizi] *s sl* 1. drżączka 2. wariowanie z powodu głupstwa

↑ **tobacco** Ⅲ *attr zool* ~ **worm** larwa motyla sfinks *Protoparce sexta*

tobogganer [tə'bɔgənə], **tobogganist** [tə'bɔgənist] *s sport* zawodnik startujący na toboganie

tocopherol [təu'kɔfərɔl] *s biochem* tokoferol, witamina E

toddite ['tɔdait] *s miner* todyt

toehold ['təuhəuld] *s* oparcie dla końca stopy

↑ **toggle** *s* 2. *techn* dźwignia kolankowa

toilsomely ['tɔilsəmli] *adv* żmudnie; mozolnie; z mozołem

toilworn ['tɔilwɔ:n] *adj* strudzony; utrudzony; zaharowany; spracowany

tokology [tə'kɔlədʒi] *s* położnictwo

tolan ['təulən], **tolane** ['təulein] *s* tolan

↑ **tolerance** Ⅲ *attr* dopuszczalny; *nukl* ~ **dose** ⟨**standard**⟩ dawka ⟨norma⟩ dopuszczalna

tolerantly ['tɔlərəntli] *adv* tolerancyjnie; wyrozumiale; z wyrozumiałością

tolidine ['tɔlidi:n] *s chem* tolidyna

toll-vision ['tɔlviʒən] *s* odcinek programu opłacany przez prywatnego nadawcę

toluate ['tɔljueit] *s chem* sól ⟨ester⟩ kwasu metylobenzoesowego

toluene ['tɔljui:n] *s chem* toluen

toluic [tɔ'lju:ik] *adj chem* toluilowy

toluidine ['tɔljuidi:n] *s chem* toluidyna

tolyl ['tɔlil] *s chem* tolil

tomatin(e) ['tɔməti:n] *s chem farm* tomatyna

↑ **tomato** Ⅲ *attr zool* ~ **hornworm** szkodnik *Protoparce quinquemaculata*

tomcat ['tɔmkæt] *s* kot, kocur

tomcod ['tɔmkɔd] *s zool* 1. dorsz atlantycki *Microgadus tomcod* 2. dorsz Pacyfiku *Microgadus proximus*

tomogram ['tɔməgræm] *s med* tomogram

tomographic [tɔmə'græfik] *adj med* tomograficzny

tomography [tɔ'mɔgrəfi] *s med* tomografia

tonelessly ['təunlisli] *adv* bezbarwnie

toneme ['təuni:m] *s jęz* tonem

↑ **tongue** Ⅰ *s* 12. *meteor* klin (**of cold air** zimnego powietrza) Ⅲ *attr stol* ~ **joint** połączenie wpustowe

tonkin ['tɔŋkin] *s* kij bambusowy (do nart, na wędkę)

tonus ['təunəs] *s fizj* napięcie; tonus

Tony² ['təuni] *s* srebrny medal przyznawany w USA wybitnym aktorom teatralnym

↑ **tool** Ⅲ *vt* 5. (*także* ~ **up**) wyposażyć

(zakład) w osprzęt techniczny Ⓜ *attr* ~
engineering technologia budowy maszyn
toothsomely ['tu:θsəmli] *adv* smacznie; wybornie
↑ **top**[1] ⚀ *s* 16. *aut* (*na oponie*) bieżnik; protektor Ⓜ *attr* górny; szczytowy; *ogr* ~
cross krzyżowanie linii wsobnej z odmianą handlową; *zool* ~ **minnow** ryba
z rodziny *Cyprinodontidae* ⟨*Poeciliidae*⟩;
wojsk ~ **sergeant** ⟨*sl* kick⟩ sierżant szef
top-flight ['tɔpflait] *adj* pierwszorzędny
topically ['tɔpikəli] *adv* 1. aktualnie 2. tematycznie
topmost ['tɔpməust] *adj* najwyższy; szczytowy
topocaine ['tɔpəkeiin] *s farm dent* środek znieczulający
topographically [tɔpə'græfikəli] *adv* topograficznie
tops [tɔps] *adj sl* najfajniejszy
topside ['tɔpsaid] *s* góra ⟨górna część⟩ (przedmiotu)
topsoil ['tɔpsɔil] *s roln* warstwa uprawna; górny poziom gleby
toral ['tɔrəl] *adj bot* (dotyczący) dna kwiatowego
torbernite [tɔ:'bə:nait] *s miner* torbernit
torchwood ['tɔ:tʃwud] *s* drewno żywiczne ⟨smolne⟩
↑ **toreador** *s* 2. konny uczestnik walki byków
torero [tə'reərəu] *s* toreador walczący pieszo
torii ['tɔ:rii:] *spl rel* torii
tormentingly [tɔ:'mentiŋli] *adv* dręcząco
toroid ['tɔ:rɔid] *s geom* toroid
toroidal [tɔ'rɔidəl] *adj nukl* toroidalny
↑ **torpedo** ⚀ *s* 5. *sl* rewolwerowiec 🔲 *attr*
~ **tube** wyrzutnia torpedowa
torpidly ['tɔ:pidli] *adv* 1. w odrętwieniu
2. sennie; nieruchawo; obojętnie; apatycznie
torporific [tɔ:pə'rifik] *adj* odrętwiający; powodujący senność
↑ **torque**[1] *s* ... *fiz* para sił
torques ['tɔ:kwi:z] *s zool* kołnierzyk ⟨obróżka⟩ (u ptaka itd.)
torrentially [tɔ'renʃəli] *adv* 1. (*o deszczu — padać*) ulewnie; gwałtownie 2. (*o rzece — płynąć*) rwąco
torridly ['tɔridli] *adv* skwarnie; upalnie
torrify ['tɔrifai] *vt* = **torrefy**
torsade [tɔ:'seid] *s* frędzle kręcone; plecionka; torsada
torsibility [tɔ:si'biliti] *s* skręcalność; skrętność
tortiously ['tɔ:ʃəsli] *adv* szkodliwie; z (czyjąś) szkodą; *prawn* na szkodę (państwa itd.)
tortuously ['tɔ:tju:əsli] *adv* 1. (*o drodze — biec itd.*) kręto; wijąc się 2. (*postępować itd.*) wykrętnie
torulin ['tɔ:rjulin] *s* witamina B₁
↑ **torus** *s* 4. *anat* wał; występ
totalitarianism [təu,tæli'teəriənizəm] *s* totalitaryzm; totalizm

totalizer ['təutəlaizə] *s* 1. = **totalizator** 2.
maszyna do dodawania i odejmowania
totally ['təutəli] *adv* całkowicie; kompletnie
totals ['təutəls] *spl księgow* ogółem; razem
↑ **touch** Ⓜ *attr sport* ~ **football** amerykańska odmiana piłki nożnej
touchily ['tʌtʃili] *adv* drażliwie
↑ **tough** ⚀ *adj* 12. (*o polityce*) bezwzględny; twardej ręki
↑ **touring** 🔳 *adj* ... ~ **car** autokar
↑ **tourist** 🔳 *attr* ~ **class** klasa turystyczna (na statku, w samolocie); ~ **court** motel
tovarisch [tɔ'va:riʃ] *s* towarzysz
↑ **tow**[1] 🔳 *attr* ~ **car** samochód pomocy drogowej
towhee [təu'hi:] *s zool* amerykańska zięba z rodzaju *Pipilo*
townscape ['taun,skeip] *s* sztuka komponowania krajobrazu miejskiego
toxaphene ['tɔksəfi:n] *s chem* chlorowany kamfen stosowany jako środek owadobójczy
toxicant ['tɔksikənt] *s* trucizna
toxication [,tɔksi'keiʃən] *s* zatruwanie; zatrucie
toxicity [tɔk'sisiti] *s* toksyczność; właściwości trujące
toxicogenic [,tɔksikəu'dʒenik] *adj* jadotwórczy
toxicosis [,tɔksi'kəusis] *s* zatrucie
toxiphobia [tɔksi'fəubiə] *s* lęk przed zatruciem
toxophilite [tɔk'səufilait] *s sport* łuczni-k/-czka
toxoplasmosis [,tɔksəuplæz'məusis] *s wet* toksoplazmoza
↑ **toy** 🔳 *attr* 4. zabawkarski; ~ **industry** zabawkarstwo
toyon ['tɔujon] *s bot* (*Heteromeles arbutifolia*) kalifornijski zimozielony krzew różowaty
trac [træk] *s wojsk* desantowy pojazd amfibia
↑ **trace**[1] 🔳 *attr* 1. śladowy; *biol* ~ **element** pierwiastek śladowy 2. *nukl* wskaźnikowy; ~ **element** pierwiastek wskaźnikowy
↑ **tracer**[1] ⚀ *s* 4. *nukl* wskaźnik 🔳 *attr* *nukl* wskaźnikowy; ~ **atom** atom wskaźnikowy; ~ **chemistry** chemia wskaźników izotopowych; ~ **studies** badania wskaźnikowe; ~ **technique** technika wskaźnikowa
traceried ['treisərid] *adj* ozdobiony maserwerkiem; z maserwerkową ornamentacją
tracheid ['treikiid] *s bot* tracheida
tracheitis [,treiki'aitis] *s med* zapalenie tchawicy
tracheoscopy [,treiki'ɔskəpi] *s med* wziernikowanie tchawicy
trachytic [trə'kitik] *adj* trachitowy
↑ **track** ⚀ *s* 2. ... *meteor* **regular** ~ **of**

depressions szlak niżów 8. = **track--athletics** Ⅳ *attr sport* ~ **meet** zawody lekkoatletyczne

trackmobile [ˌtrækmə'bi:l] *s kolej* pojazd zmotoryzowany przystosowany do poruszania się po szynach i po szosie

tractably ['træktəbli] *adv* z uległością; ulegle; posłusznie; łagodnie

tractive ['træktiv] *adj* (*o sile itd.*) pociągowy

↑ **trade** Ⅲ *attr* ... ~ **book** książka przeznaczona do sprzedaży; ~ **reference** referencja o reputacji firmy; ~ **name** nazwa firmowa (artykułu handlowego); ~ **school** szkoła zawodowa

trading ['treidiŋ] ① *zob* **trade** *v* Ⅲ *adj* handlowy; ~ **post** punkt handlowy (z dala od centrum handlowego); ~ **stamp** bon premiowy

traditor ['trɑːditɔ:] *s* (*pl* **traditores** ['trɑː:ditɔ:ri:z]) zdrajca (wśród wczesnych chrześcijan)

↑ **traffic** Ⅲ *attr* ~ **circle** rondo

tragically ['trædʒikəli] *adv* tragicznie

trailer-park ['treilə,pɑ:k] *s* obozowisko dla przyczep campingowych

trailing ['treiliŋ] ① *zob* **trail** *v* Ⅲ *adj* wlokący się; (*o roślinie*) płożący się ‖ *lotn* ~ **edge** krawędź spływu (płata)

↑ **train** Ⅲ *s* 12. *techn* przekładnia; mechanizm Ⅳ *attr* ~ **oil** olej wielorybi

traitorously ['treitərəsli] *adv* 1. zdradziecko; wiarołomnie 2. perfidnie

tram³ [træm] ① *vt* naregulować; nastawić Ⅲ *s w zwrotach*: **in** ~ dobrze nastawiony; wyregulowany; **out of** ~ źle (nie) nastawiony; rozregulowany

tramroad ['træmrəud] *s górn* chodnik przewozowy

transaminases [ˌtrænsəmi'neisi:z] *s biochem* transaminazy

transcalent [træns'keilənt] *adj fiz* przepuszczający ciepło

transceiver [træns'si:və] *s radio* aparat nadawczo-odbiorczy

transcendentally [trænsen'dentəli] *adv* transcendentalnie

transculturation [trænsˌkʌltʃə'reiʃən] *s* przejście od dawnej kultury do nowej

transducer [træns'dju:sə] *s elektr* przetwornik

transect [træn'sekt] *vt* z/robić przekrój

↑ **transfer** Ⅳ *attr* przechodni; *biol* ~ **properties** właściwości przechodnie

transfluent ['trænsfluənt] *adj* przepływający

transflux ['trænsflʌks] *s* przepływanie; przepływ

↑ **transformer** Ⅲ *attr fiz* ~ **equation** prawo indukcji

transgressive [træns'gresiv] *adj nukl* transgresywny; ~ **segregation** rozszczepianie transgresywne

↑ **transient** *adj* 5. *fiz* nieustalony; ~ **field** pole elektryczne nieustalone; ~ **state** stan przejściowy (nieustalony)

transiently ['trænziəntli, trænʃəntli] *adv* chwilowo; przejściowo; przelotnie; krótkotrwale

↑ **transit** Ⅲ *attr* przejściowy; *miern* ~ **instrument** instrument przejściowy

transitorily [trænsi'tɔrili] *adv* chwilowo; krótkotrwale; przelotnie

↑ **translation** Ⅲ *attr nukl* translacyjny; ~ **symmetry** symetria translacyjna

translational [træns'leiʃənəl] *adj nukl* translacyjny; *fiz* ~ **energy** energia ruchu postępowego (translacji); ~ **motion** ruch postępowy; translacja

↑ **translocation** *s* 2. *biol* translokacja; przenoszenie

translucently [træns'lu:səntli] *adv* półprzezroczyście

transmeridional [trænsmə'ridjənəl] *adj* przecinający południk; wschodnio-zachodni

transmethylases [trænsmeθi'leisi:z] *spl biochem* transmetylazy

transmissible [træns'misibl] *adj* przenośny

transmontane [træns'mɔntein] *adj* zaalpejski; transmontański

transmundane [træns'mʌndein] *adj* zaświatowy; zaziemski

transonic, transsonic [træn'sɔnik] *adj* przydźwiękowy; równy szybkości dźwięku

↑ **transparency** *s* 3. *fot* diapozytyw barwny

transparently [træns'pɛərəntli] *adv* przezroczyście

transpicuous [træns'pikjuəs] *adj* 1. przezroczysty 2. jasny; zrozumiały

transpolar [træns'pəulə] *adj* przechodzący przez biegun

↑ **transport** Ⅲ *attr nukl* ~ **approximation** przybliżona teoria przenoszenia (transportu); ~ **section** przekrój czynny na przenoszenie; ~ **kernel** jądro (całkowite) przenoszenia

transuranian [trænsju'reinjən] *adj nukl* transuranowy

transuranic [trænsju'rænik] *adj nukl* transuranowy; zauranowy; ~ **element** pierwiastek transuranowy

transuranium [trænsju:'reinjəm] *s chem* transuran

↑ **transverse** *adj* ... *anat* ~ **process** wyrostek poprzeczny; *fiz* ~ **vibration** drganie poprzeczne

↑ **trapeze** *s* 3. *lotn* urządzenie zamontowane przy podwoziu dużego bombowca umożliwiające mu wychwytanie w locie odrzutowca myśliwskiego i wprowadzenie go do wnętrza bombowca

trappean ['træpiən] *adj geol* trapowy

trapped [træpt] ① *zob* **trap¹** *vt* Ⅲ *adj nukl* wychwytany; schwytany; ~ **particle** cząstka wychwytana ⟨schwytana⟩

traprock ['træprɔk] *s* = **trap²**

↑ **trap-shooting** *s* 2. strzelanie do rzutków

↑ **trash** Ⅲ *attr roln* ~ **farming** = **stubble--mulching** ↑

trashily ['træʃili] *adv* tandetnie; licho

↑ **trauma** s ... obrażenia
traumatism [ˈtrɔːmətizəm] s med urazowość
traumatize [ˈtrɔːmətaiz] vt med uszk-odzić/adzać
trave [treiv] s 1. bud belka poprzeczna; mostownica 2. stoisko do kucia koni
traveled [ˈtrævld] adj am = **travelled**
traveler [ˈtrævlə] s am = **traveller**
↑ **travelling** Ⅲ adj 2. nukl bieżący; ~ **wave** fala bieżąca ⟨wędrowna⟩
↑ **traverse** Ⅴ attr ~ **rod** karnisz z urządzeniem do zaciągania zasłony
↑ **tray** Ⅲ attr roln ~ **agriculture** hydroponika; uprawa roślin w kulturach wodnych
treacherously [ˈtretʃərəsli] adv zdradziecko; perfidnie; zdradliwie
treasonably [ˈtriːzənəbli] adv 1. (postępować) zdradziecko 2. (działać) wywrotowo
↑ **treatment** s 5. fiz sposób obliczania
trebling [ˈtrebliŋ] Ⅰ zob **treble** v Ⅲ s potrojenie
↑ **tree** Ⅲ attr ~ **burst** pocisk wybuchający na wysokości wierzchołków drzew; bot ~ **heath** (Erica arborea) śródziemnomorski wrzosiec krzewiasty; zool ~ **shrew** (Tupaia) wiewiórecznik
trehala [trəˈhɑːlə] s jadalna cukrowata wydzielina larw owadów z rodzaju Larinus z Azji Mniejszej
trehalose [ˈtriːhələus] s chem trehaloza
treillage [ˈtreilidʒ] s kraty; konstrukcja kratowa
tremblingly [ˈtrembliŋli] adv drżąc; z drżeniem
trembly [ˈtrembli] adj drżący
tremendously [triˈmendəsli] adv 1. straszliwie; przerażająco 2. olbrzymio; ogromnie; w ogromnym stopniu; w ogromnej mierze; potężnie; kolosalnie
tremolant [ˈtremələnt] muz Ⅰ adj tremolujący Ⅲ s tremolująca piszczałka organowa
tremolite [ˈtreməlait] s miner tremolit
↑ **trench** Ⅴ attr okopowy; ~ **knife** obosieczny nóż do walki wręcz
trestle-tree [ˈtresltriː] s mar wzdłużnica jarzma
triarchy [ˈtraiɑːki] s rządy trzech; triumwirat
triaxial [traiˈæksiəl] adj trójosiowy
triazine [ˈtraiəziːn] s chem trójazyna
triazole [ˈtraiəzəul] s chem triazol
tribade [ˈtribəd] s lesbijka
tribromoethanol [trai͵brəuməuˈeθənəul] s chem trójbromoetanol
tributarily [ˈtribjutɛərili] adv poddańczo; hołdowniczo
tricarpellary [ˈtraiˈkɑːpeləri] adj bot o trzech owocolistkach
trichinize [ˈtrikinaiz] vt med zaka-zić/żać włośniami ⟨trychinami⟩
trichinous [ˈtrikinəs] adj med zawierający włośnie ⟨trychiny⟩

trichite [ˈtrikait] s miner trychit
trichloride [traiˈklɔraid] s chem trójchlorek
trichologist [traiˈkɒlədʒist] s sl dermatolog specjalista chorób włosów i skóry głowy
trichome [ˈtraikəum] s bot utwór epidermy w kształcie włoska szczeci
trichosis [traiˈkəusis] s med choroba włosów
trichroic [traiˈkrəuik] adj trójbarwny
trichromatism [traiˈkrəumətizəm] s trójbarwność
trickily [ˈtrikili], **trickishly** [ˈtrikiʃli] adv 1. podstępnie; chytrze 2. zręcznie; sprytnie; wykrętnie 3. zawile
tricksily [ˈtriksili] adv 1. figlarnie; psotnie 2. dziwacznie
tricolor [ˈtrikələ] adj s am = **tricolour**
tricuspidate [traiˈkʌspideit] adj = **tricuspid**
tridimensional [traidiˈmenʃənəl] adj trójwymiarowy
triecious [traiˈiːʃəs] adj = **trioecious**
triennium [traiˈeniəm] s trzylecie
trierarch [ˈtraiərɑːk] s trierarcha
triethanolamine [traiˈeθənələmiːn] s chem trójetanolamina
triflingly [ˈtraifliŋli] adv żartem; żartując; w żarcie
trifocal [traiˈfəukəl] Ⅰ adj fiz trójogniskowy Ⅲ spl ~s okulary trójogniskowe
trifoliolate [traiˈfəuliəleit] adj bot trójlistkowy
trifolium [traiˈfəuliəm] s bot koniczyna
triforium [traiˈfɔːriəm] s arch triforium
↑ **trigger** Ⅰ s 3. elektr układ wyzwalający ⟨spustowy⟩ Ⅲ attr ~ **circuit** układ wyzwalający ⟨spustowy⟩; ~ **action** wyzwalanie; meteor ~ **effect** efekt wyzwolenia Ⅳ vt to ~ **off** zapoczątkować; rozpocząć; rozpętać (wojnę itd.)
triggerfish [ˈtrigəfiʃ] s zool ryba mórz tropikalnych z rodzaju Balistes
trigo [ˈtriːgəu] s pszenica; pole pszeniczne
trigonometrically [trigənəˈmetrikəli] adv trygonometrycznie
trigonous [ˈtrigənəs] adj trójkątny
trillium [ˈtriliəm] s ziele z rodzaju liliowatych (Trillium)
trilocular [triˈlɔkjulə] adj trójkomorowy
trimetric [traiˈmetrik] adj geom (o rzucie, projekcji) trójmianowy
↑ **trimming** Ⅲ attr lotn ~ **tab** klapka wyzwalająca; trimer
trimolecular [traiməˈlekjulə] adj fiz trójcząsteczkowy
trimonthly [traiˈmʌnθli] adv trzymiesięcznie; co trzy miesiące
trimorph [ˈtraimɔːf] s substancja trójpostaciowa
trimorphism [traiˈmɔːfizəm] s trójpostaciowość
trimorphous [traiˈmɔːfəs] adj trójpostaciowy
trinal [ˈtrainəl] adj potrójny

trinary ['trainəri] *adj* 1. trójdzielny 2. trójkowy

trinitrotoluene [trai‚naitrəu'tɔljui:n] *s chem* trójnitrotoluen

trinodal [trai'nəudəl] *adj bot* trójwęzłowy

triode ['traiəud] *s* trioda; lampa trójelektrodowa

trioecious [trai'i:ʃəs] *adj bot* posiadający kwiaty męskie, żeńskie i obupłciowe

↑ **trip** Ⅿ *attr techn* ~ **point** punkt wyłączenia; ~ **valve** zawór wyłączeniowy (odcinający)

tripartition [traipɑ:'tiʃən] *s* trójdzielność

tripedal ['tripədəl, trai'pi:dəl] *adj* trójnożny

triphenylmethane [trai‚fenilmi'θein] *s chem* trójfenylmetan

triphibious [tri'fibiəs] *adj wojsk* (*o działaniach*) na lądzie, na morzu i w powietrzu

triphylite ['trifilait] *s miner* tryfilin

triphyllous [trai'filəs] *adj* trójlistny

triple-expansion [‚tripl-eks'pænʃən] *attr* ~ **steam-engine** maszyna parowa trójcylindrowa

triplerich ['triplritʃ] *adj* (*o chlebie*) wzbogacony (w substancje odżywcze)

↑ **triplet** *s* 5. *fiz* tryplet

tripletail ['triplteil] *s zool* (*Lobotes surinamensis*) atlantycko-śródziemnomorska ryba jadalna

triple-weight ['tripl‚weit] *attr chem* ~ **hydrogen** tryt

triploid ['triplɔid] *s biol* triploid

trisaccharide [trai'sækəraid] *s chem* trójsʁcharyd

triseptate [trai'septeit] *adj bot zool* o trzech przegrodach

triserial [trai'siriəl] *adj bot* trójrzędowy

trisoctahedral [tri‚sɔktə'hi:drəl] *adj geom* dwudziestoczterościenny

trisoctahedron [tri‚sɔktə'hi:drɔn] *s geom* dwudziestoczterościan

trisomic [trai'sɔmik] *adj biol* trisomiczny

trisomy ['traisɔmi] *s biol* trisomiczność

trispermous [trai'spə:məs] *adj bot* trójnasienny

tristeza [tris'teizə] *s bot* zakaźna choroba drzew cytrusowych

tritely ['traitli] *adv* banalnie; szablonowo

tritium ['tritiəm] *s chem* tryt

triton² ['traitən] *s chem* triton

triturable ['tritʃərəbl] *adj* możliwy do sproszkowania; dający się sproszkować

triumphant [trai'ʌmfənt] *adj* 1. zwycięski 2. triumfujący 3. chełpiący się zwycięstwem

triumphantly [trai'ʌmfəntli] *adv* 1. zwycięsko 2. triumfalnie; z triumfem 3. triumfująco

trivia ['triviə] *spl* błahostki; drobiazgi

trivialization [‚trivjəlai'zeiʃən] *s* trywializowanie; trywializacja

trivially ['trivjəli] *adv* 1. błaho; bez znaczenia 2. szablonowo; banalnie

triweekly [trai'wi:kli] ⬜ *adv* 1. trzy razy w tygodniu 2. co trzeci tydzień; co trzy tygodnie Ⅲ *adj* 1. (*o publikacji*) ukazujący się trzy razy w tygodniu 2. zdarzający się co trzeci tydzień

Trizonia [trai'zəuniə] *spr hist* Trizonia

trochoidal [trɔ'kɔidəl] *adj fiz* cykloidalny

trochophore ['trɔkəfɔ:] *s zool* trochofora

trochotron ['trɔkətrɔn] *s nukl* trochotron

troegerite [trəu'gərait] *s miner* tregeryt

trogon ['trəugɔn] *s zool* tropikalny ptak z rodzaju *Trogon*

trombidiasis [trɔmbi'daiəsis] *s wet* zarobaczenie lądzieniami ⟨ıɔztoczami z rodzaju *Trombiidae*⟩

trona ['trəunə] *s miner* trona

tronometer [trɔ'nɔmitə] *s med* przyrząd do mierzenia drżenia palców

tropaeolin [trɔ'pi:əlin] *s chem* tropeolina

trophoblast ['trɔfəbla:st] *s biol* trofoblast

trophoplasm ['trɔfə‚plæzəm] *s biol* trofoplazma

↑ **tropic** Ⅲ *adj* ... *zool* ~ **bird** (*Phaeton*) faeton

tropicalize ['trɔpikəlaiz] *vt* przystosować do warunków tropikalnych

tropine [trəu'pi:n] *s chem* tropina

tropism ['trɔpizəm] *s biol* tropizm

tropopause ['trɔpəpɔ:z] *s meteor* tropopauza

tropophilous [trɔ'pɔfiləs] *adj biol* przystosowany do życia w klimacie zmiennym

tropophyte ['trɔpəfait] *s biol* roślina przystosowana do życia w klimacie zmiennym

trotline ['trɔtlain] *s wędk* linka haczykowa

trouble-shoot ['trʌblʃu:t] *vi elektr* wykrywać usterki w sieci

trouble-shooter ['trʌbl‚ʃu:tə] *s* 1. arbiter w sprawach spornych stosunków pomiędzy pracownikami 2. mechanik usuwający usterki

troublesomely ['trʌblsəmli] *adv* kłopotliwie; nieznośnie; w przykry sposób; dokuczliwie

troupial ['tru:pjəl] *s zool* ptak amerykański z rodziny *Icteridae*

↑ **trout** Ⅲ *attr zool* ~ **perch** ryba amerykańska o cechach pstrąga i okonia

↑ **truck²** Ⅲ *attr* ~ **tractor** ciągnik z przyczepą; ~ **trailer** przyczepa ciągnięta przez samochód ciężarowy

truckage ['trʌkidʒ] *s* 1. rozwożenie wozem ⟨samochodem ciężarowym⟩ 2. opłata za przewóz wozem ⟨samochodem ciężarowym⟩

trucking¹ ['trʌkiŋ] ⬜ *zob* **truck¹** *v* Ⅲ *s* 1. zamiana 2. handel domokrążny

trucking² ['trʌkiŋ] *s am* prowadzenie gospodarstwa warzywniczego; *pot* badylarstwo

truckman ['trʌkmən] *s* 1. woźnica ⟨właściciel⟩ wozu ciężarowego 2. kierowca ⟨właściciel⟩ samochodu ciężarowego

truculently ['trʌkjuləntli, 'tru:kjuləntli]

adv wojowniczo; zadzierzyście; zaczepnie; agresywnie

↑ **trumpet** Ⓥ *attr bot* ∼ **honeysuckle** amerykański wiciokrzew *Lonicera sempervirens*

trumpets ['trʌmpits] *spl bot* (*Sarracenia flava*) dzbanecznik

trumpetweed ['trʌmpitwi:d] *s bot* (*Eupatorium perfoliatum* ⟨*maculatum, purpureum*⟩) eupatorium

↑ **trunk** Ⓜ *attr techn* ∼ **piston** tłok jednostronnie otwarty; tłok nurnikowy

trunkfish ['trʌŋkfiʃ] *s zool* ryba z rodzaju koster

↑ **truss** Ⓜ *attr bud* ∼ **bridge** most kratowy ⟨kratownicowy⟩

↑ **trust** Ⓥ *attr polit* ∼ **territory** terytorium powiernicze

trustfully ['trʌstfuli] *adv* ufnie; z ufnością

trustily ['trʌstili] *adv* 1. wiernie 2. pewnie; niezawodnie

trustingly ['trʌstiŋli] *adv* ufnie; z ufnością

trustworthily [trʌst'wə:ðili] *adv* w sposób godny zaufania

↑ **try** Ⓥ *attr* ∼ **square** kątownik prosty stały

tryingly ['traiiŋli] *adv* 1. trudno; ciężko; męcząco; boleśnie; przykro; nieznośnie; dokuczliwie 2. denerwująco; irytująco

trypoflavine [tripɔ'fleivin] *s farm* trypoflawina

tryptophan ['triptɔfæn] *s biochem* tryptofan

tsarism ['tsa:rizəm] *s* caryzm

T-shirt ['ti:ʃə:t] *s* = **tee shirt** *zob* **tee**[1] ↑

↑ **tuba** *s* 3. *wojsk* radiowa stacja nadawcza służąca do unieszkodliwienia nieprzyjacielskiego radaru

tubate ['tju:beit] *adj* rurowy; *anat* (*o gruczole*) cewkowy

tuberculate [tju:'bə:kjulit] *adj bot* brodawkowany

tuberculated [tju:ˌbə:kju'leitid] *adj* pokryty guzkami; zawierający guzki ⟨gruzełki⟩

tubulate ['tju:bjuleit] *adj* = **tubular**

tubulure ['tju:bjulju:ə] *s* wylot (rury)

tuckahoe ['tʌkəhəu] *s am* 1. *bot* jadalny podziemny przetrwalnik grzyba *Potria cocos* 2. ubogi biały człowiek 3. mieszkaniec stanu Wirginia

tularemia [tjulə'ri:miə] *s med* tularemia

tule ['tu:li] *s bot* (*Scirpus*) sitowie kalifornijskie

tulibee ['tʌlibi:] *s zool* ryba jezior północnoamerykańskich z rodzaju *Leucichthys*

tulipwood ['tju:lipwud] *s* drewno tulipanowca

↑ **tumbler** Ⓜ *attr techn* ∼ **gear** przekładnia zębata odchylna dla zmiany kierunku biegu

tumbleweed ['tʌmblwi:d] *s bot* nazwa roślin, które w jesieni odrywają się od swych korzeni i są niesione przez wiatr

tumbling ['tʌmbliŋ] ⬚ *zob* **tumble** *v* Ⓦ *s techn* bębnowanie; oczyszczanie w bębnie; **dry** ∼ bębnowanie na sucho

tumidly ['tju:midli] *adv* 1. na kształt obrzmienia 2. (*mówić, pisać*) napuszenie; bombastycznie

tumifacient [ˌtju:mi'feiʃənt] *adj med* 1. powodujący obrzmienie 2. obrzmiewającą

tumor ['tju:mə] *s am* = **tumour**

tumultuously [tju'mʌltju:əsli] *adv* 1. zgiełkliwie 2. burzliwie 3. niespokojnie

tunefully ['tju:nfuli] *adv* melodyjnie

tunelessly ['tju:nlisli] *adv* niemelodyjnie

↑ **tuner** *s* 3. *sl* film muzyczny

↑ **tungsten** Ⓦ *attr* (*o lampie, stali, kwasie*) wolframowy

tungstite ['tʌŋstait] *s miner* 1. ochra wolframowa 2. szelit

Tunguses [tuŋ'gu:zi:z] *spl* Tunguzi

Tungusic [tuŋ'gu:zik] *adj* tunguski

tunica ['tju:nikə] *s anat bot zool* osłona; powłoka; błona; plewa

↑ **tunnel** Ⓥ *attr* tunelowy; ∼ **net** sieć na kuropatwy; **nukl** ∼ **effect** zjawisko tunelowe; efekt tunelowy

tunnelling ['tʌnəliŋ] ⬚ *zob* **tunnel** *v* Ⓦ *s* drążenie tunel-u/ów

tupelo ['tu:pələu] *s bot* (*Nyssa*) tupelo (drzewo dereniowate)

turbellarian [ˌtə:bi'lɛəriən] *s zool* wirek (robak z gromady *Turbellaria*)

turbidimeter [ˌtə:bi'dimitə] *s* turbidymetr

turbidly ['tə:bidli] *adv* mętnie

turbinal ['tə:binəl] *adj* = **turbinate**

turbination [tə:bi'neiʃən] *s* skręcenie

turbo-blower [ˌtə:bəu'bləuə] *s techn* turbodmuchawa

turboprop [ˌtə:bəu'prɔp] *s* silnik turbośmigłowy

turbosupercharger [ˌtə:bəuˌsu:pə'tʃa:dʒə] *s lotn* turbosprężarka doładowująca; turbozespół ładujący

↑ **turbulence** *s* 4. (*w hydromechanice, aeromechanice, meteorologii*) turbulencja

↑ **turbulent** *adj* 3. (*w hydromechanice, aeromechanice, meteorologii*) turbulentny

turbulently ['tə:bjuləntli] *adv* 1. niespokojnie; burzliwie 2. niesfornie; buntowniczo

turfman ['tə:fmən] *s* (*pl* **turfmen** ['tə:fmən]) człowiek interesujący się wyścigami konnymi; bywalec wyścigów konnych

turgescent [tə:'dʒesənt] *adj* nabrzmiały; napęczniały; nabrzmiewający

turgite ['tə:dʒait] *s miner* turgit

↑ **turgor** *s* 2. *bot* turgor

↑ **turkey** *s* 1. ... *zool* ∼ **buzzard** powinno być: (*Cathartes aura*) ścierwnik czerwonogłowy 2. *teatr* fiasko; klapa

Turkic ['tə:kik] *s jęz* grupa języków uralo-ałtajskich

Turkism ['tə:kizəm] *s* turecczyzna

Turkmen ['tə:kmen] *s* język turkmeński

↑ **turn** Ⅳ *attr* *aut* ~ **indicator** kierunkowskaz

turnaround [ˌtəːnəˈraund] *s* 1. zwrot (w
polityce, nastrojach itd.) 2. *aut* przestrzeń wystarczająca do wykonania ma-
newru zawracania 3. czas potrzebny statkowi lub samolotowi do przebycia trasy tam i z powrotem wraz z załadowaniem i wyładowaniem ładunku

turnhall [ˈtəːnhɔːl] *s* szkoła gimnastyki

turnix [ˈtəːniks] *s* *zool* (*Turnix*) przepiór-
nik

↑ **turnover** *s* 6. *biol* odnowa

↑ **turn-table** *s* 3. adapter

turret [ˈtʌrit] *s* *wojsk* wieżyczka ⟨kopuła⟩
pancerna

turtleback [ˈtəːtlbæk], **turtledeck** [ˈtəːtl-
deck] *s* *mar* pokład obły

turtlehead [ˈtəːtlhed] *s* *bot* ziele amerykańskie należące do rodzaju *Chelone*

tussah [ˈtʌsə] *s* rodzaj jedwabiu indyjskiego

tussal [ˈtʌsəl] *adj* *med* kaszlowy

tussocky [ˈtʌsəki] *adj* porosły kępkami trawy

tutorage [ˈtjuːtəridʒ] *s* 1. wychowawstwo
2. opiekuństwo 3. opłata za wychowawstwo ⟨opiekuństwo⟩

tutu [ˈtuːtuː] *s* spódniczka baletnicy

tweeter [ˈtwiːtə] *s* głośnik wysokotonowy

twenty-one [ˌtwentiˈwʌn] *s* *karc* (gra w)
oczko ⟨oko⟩

twerp [twəːp] *s* = **twirp**

twice-laid [ˈtwaisleid] *adj* zrobiony ⟨spo-
rządzony⟩ z używanego ⟨tandetnego⟩ materiału

twiggy [ˈtwigi] *adj* zrobiony ⟨złożony⟩ z
prętów

twinberry [ˈtwinˌberi] *s* *bot* 1. = **partridgeberry** ↑ 2. północnoamerykański wicio-
krzew *Lonicera involucrata*

twink [twiŋk] Ⅰ *s* mrugnięcie Ⅲ *vi* =
twinkle *vi*

twinleaf [ˈtwinliːf] *s* *bot* (*Jeffersonia di-
phylla*) amerykańska roślina berberyso-
wata

twinning [ˈtwiniŋ] Ⅰ *zob* **twin** *v* Ⅲ *s* 1.
wydanie na świat bliźniąt 2. połączenie
3. (*w krystalografii i nukleonice*) zbliź-
niaczenie

twirp [twəːp] *s* *sl* buc; wypierdek

twittery [ˈtwitəri] *adj* świergotliwy

two-body [ˈtuːbɔdi] *attr* *fiz* ~ **collision**
zderzenie dwóch ciał

twofer [ˈtuːfə] *s* *sl* *teatr* dwa bilety sprze-
dane w cenie jednego (dla podniesienia
frekwencji)

two-fisted [ˈtuːˌfistid] *adj* *sl* zawadiacki

two-group [ˈtuːgruːp] *attr* *fiz* dwugrupo-
wy

two-master [ˈtuːmaːstə] *s* *mar* dwumasztowiec

two-party [ˈtuːˌpaːti] *attr* *polit* ~ **system**
system dwupartyjny

two-pass [ˈtuːpaːs] *attr* *fiz* ~ **core** rdzeń
o podwójnej cyrkulacji

two-phase [ˈtuːfeiz] *attr* *fiz* dwufazowy;
~ **system** układ dwufazowy

two-platoon [ˈtuːpləˌtuːn] *attr* *sport* (*w
piłce nożnej*) ~ **system** system polega-
jący na podwójnym składzie drużyny:
jednym dla obrony, drugim dla ataku

two-position [ˌtuːpəˈziʃən] *attr* *fiz* dwupołożeniowy; ~ **action** działanie dwupo-
łożeniowe

two-time [ˈtuːˌtaim] *vt* *sl* zdradz-ić/ać

↑ **type** Ⅲ *attr* typowy; ~ **genus** ⟨**species,
specimen**⟩ typowy rodzaj ⟨gatunek, o-
kaz⟩

typecast [ˈtaipkaːst] *vt* *teatr* wy/typować
(aktorów do roli)

typhlology [tifəˈlɔlədʒi] *s* *med* wiedza o
ślepocie

typhogenic [taifɔˈdʒenik] *adj* *med* powodujący dur

typhomalaria [ˌtaifəuməˈlɛəriə], **typhopalu-
dism** [ˌtaifəuˈpæljudizəm] *s* *med* zimnica z objawami duru brzusznego

typically [ˈtipikəli] *adv* typowo; charak-
terystycznie (**of** ... dla ⟨u⟩ ...)

typographer *s* 2. redaktor techniczny

typothetae [taiˈpɔθitiː, taipɔˈθiːtiː] *spl* mi-
strzowie drukarscy

tyrannizingly [tirəˈnaiziŋli], **tyrannously**
[ˈtirənəsli] *adv* tyrańsko; po tyrańsku

tyrannosaurus [tiˌrænɔˈzɔːrəs] *s* *paleont*
tyranozaur

tyrite [ˈtirait] *s* *miner* tyryt; fergusonit

tyrocidine [ˌtairɔˈsaidiːn] *s* *biochem* *farm*
tyrocydyna

tyrosinase [taiˈrɔsineis] *s* *biochem* tyrosy-
naza

tyrosine [tairɔˈsiːn] *s* *biochem* tyrozyna

tyrothricin [ˌtairəuˈθraisin] *s* *chem* *farm*
tyrotrycyna

tyuyamunite [ˌtjuːjuːˈæmjunait] *s* *miner*
tiujamunit

U

↑ **U, u** Ⅰ *s* 2. U *pot* (= **upper class**) wyższe sfery Ⅲ *adj* (pochodzący itd.) z wyższych sfer

udo [ˈuːdəu] *s* *bot* (*Aralia cordata*) roślina
uprawiana w Japonii i Chinach dla jej
jadalnych pędów

uglily [ˈʌglili] *adv* brzydko; szpetnie; szkaradnie; w brzydki sposób

↑ **ugly** Ⅰ *adj* 1. ... *przen* ~ **duckling**
brzydkie kaczątko

uinta(h)ite [juˈintəait] *s* *miner* uintait

Ulisses [juˈlisiːz] *spr* Ulisses, Odyseusz

ulmaceous [ʌl'meiʃəs] *adj bot* wiązowaty
ulrichite ['ʌlrikait] *s miner* ulrychit
↑ **ulterior** *adj* 1. ... późniejszy
↑ **ultimate** *adj* 5. ... ~ **strength** granica wytrzymałości
↑ **ultra** ⊡ *adj* ... ~ **centrifuge** ultrawirówka
ultrahigh ['ʌltrə,hai] *adj radio* ~ **frequency** UHF; fale decymetrowe
ultra-high-speed [,ʌltrəhai'spi:d] *attr nukl* ~ **particle** cząstka ultraprędka
ultramicrochemical [,ʌltrə,maikrəu'kemikəl] *adj* ultramikrochemiczny
ultramicrochemistry [,ʌltrə,maikrəu'kemistri] *s* ultramikrochemia
↑ **ultrasonic** *adj* ... ultradźwiękowy; ~ **generator** generator ultradźwiękowy
ultra-temperature [,ʌltrə'tempritʃə] *s nukl* temperatura ultrawysoka
ultravirus [,ʌltrə'vaiərəs] *s* wirus przesączalny
ulu ['u:lu:] *s* rodzaj noża eskimoskiego
ululant ['ju:ljulənt] *adj* 1. wyjący 2. lamentujący
umbonal ['ʌmbənəl], **umbonate** ['ʌmbənit] *adj* guzowaty
umbrageously [ʌm'breidʒəsli] *adv* cieniście
↑ **umbrella** ⊞ *attr bot* ~ **leaf** (*Diphylleia cymosa*) berberysowate ziele północnoamerykańskie
umohoite ['ʌməu,həuait] *s miner* umohoit
unadvisedly [ʌnəd'vaizidli] *adv* nieroztropnie; nierozważnie
unalterably [ʌn'ɔ:ltərəbli] *adv* niezmiennie
unambiguously [ʌnəm'bigjuəsli] *adv* niedwuznacznie
unanimously [ju:'næniməsli] *adv* jednogłośnie
unapproachably [ʌnə'prəutʃəbli] *adv* 1. nieprzystępnie 2. niezrównanie; w sposób niedościgły
unassumingly [ʌnə'sju:miŋli] *adv* skromnie; bez pretensji
unavailingly [ʌnə'veiliŋli] *adv* bezcelowo; bezskutecznie; daremnie
unavoidably [ʌnə'vɔidəbli] *adv* niechybnie; niezawodnie
unbearably [ʌn'bɛərəbli] *adv* nieznośnie; (w sposób) nie do zniesienia (nie do wytrzymania)
unbecomingly [ʌnbi'kʌmiŋli] *adv* 1. niewłaściwie; niestosownie; nieodpowiednio 2. nietwarzowo
unbendingly [ʌn'bendiŋli] *adv* nieugięcie
unbeseemingly [ʌnbi'si:miŋli] *adv* niestosownie
↑ **unbound** ⊞ *adj* 5. *nukl* (*o poziomie*) niezwiązany
↑ **uncalled-for** *adj* 3. nieproszony; narzucony 4. natrętny; nahalny
uncanonically [ʌnkə'nɔnikəli] *adv* wbrew prawu kanonicznemu
unceasingly [ʌn'si:ziŋli] *adv* bezustannie; nieprzerwanie

↑ **uncertainty** *s* 2. ... nieoznaczoność; ~ **principle** zasada nieoznaczoności
↑ **uncharged** *adj* 4. *nukl* nienaładowany; ~ **particle** cząstka nienaładowana
uncharitably [ʌn'tʃæritəbli] *adv* nieprzyjaźnie; nieprzychylnie; nieżyczliwie
unchastily [ʌn'tʃeistili] *adv* nieskromnie; bezwstydnie; lubieżnie
uncollided [ʌnkə'laidid] *adj nukl* ~ **neutrons** neutrony, które nie uległy zderzeniom
unconformably [ʌnkən'fɔ:məbli] *adv* 1. niezgodnie (**to sth** z czymś) 2. niezależnie (**to sth** od czegoś)
unconscionably [ʌn'kɔnʃənəbli] *adv* 1. bez sumienia; bez skrupułów 2. nadmiernie 3. horrendalnie
unconsciously [ʌn'kɔnʃəsli] *adv* 1. nieświadomie; bezwiednie 2. nieprzytomnie
unconstitutionally [ʌn,kɔnsti'tju:ʃənəli] *adv* niekonstytucyjnie; wbrew (nakazom) konstytucji
unconventionally [ʌnkən'venʃənəli] *adv* 1. niekonwencjonalnie; w sposób niekonwencjonalny (oryginalny, nieszablonowy) 2. sprzecznie z przyjętym zwyczajem
unconvincingly [ʌnkən'vinsiŋli] *adv* nieprzekonywająco
uncouthly [ʌn'ku:ðli] *adv* 1. nieokrzesanie 2. niezgrabnie; niezręcznie
uncritically [ʌn'kritikəli] *adv* bezkrytycznie
undecagon [ʌn'dekəgɔn] *s geom* jedenastokąt
undecidability [ʌndi,saidə'biliti] *s log* nierozstrzygalność
undecidable [ʌndi'saidəbl] *adj log* nierozstrzygalny
undeniably [ʌndi'naiəbli] *adv* niezaprzeczalnie; bezsprzecznie
↑ **underact** *vt* 2. *teatr* za/grać z umiarem (dla uwydatnienia dramatyzmu)
under-age [ʌndər'eidʒ] *adj* niepełnoletni; nieletni
underarmed [ʌndər'a:md] *adj* niedostatecznie uzbrojony
underbelly ['ʌndə,beli] *s* 1. *anat* podbrzusze 2. *przen* czułe miejsce
underbuy ['ʌndəbai] *vt* korzystnie kupić
underclassman [ʌndə'kla:smən] *s uniw* student pierwszego roku
undercover [ʌndə'kʌvə] *adj* tajny; potajemny; sekretny
undercure ['ʌndə,kiuə] *techn* ⊡ *s* niedowulkanizować ⊞ *s* niedowulkanizowanie
underdrainage [ʌndə'dreinidʒ] *s roln* drenowanie podziemne
underogatory [ʌndi'rɔgətəri] *adj* nieuwłaczający; nieuchybiający; nie przynoszący ujmy
underplay [ʌndə'plei] *vt* = **underact** *vt* 1., 2. ↑
underproof ['ʌndəpru:f] *adj* nie mający przepisowej mocy (alkoholu)
undersparred [ʌndə'spa:d] *adj mar* bez należytego omasztowania

understandable [ʌndə'stændəbl] adj zrozumiały

↑ undertint s ... podcieniowanie

undrape [ʌn'dreip] vt zdjąć draperię ⟨udrapowanie⟩ (sth z czegoś); obnaż-yć/ać

uneasily [ʌn'i:zili] adv 1. niespokojnie; z niepokojem; z zaniepokojeniem; ze zmartwieniem 2. z zażenowaniem 3. krępująco

unemployability [ʌnim,plɔiə'biliti] s niezdolność ⟨nie nadawanie się⟩ do pracy ⟨do zatrudnienia⟩

unenriched [ʌnin'ritʃt] adj nukl ~ uranium uran niewzbogacony

unequally [ʌn'i:kwəli] adv nierówno; rozmaicie; niejednostajnie; nieregularnie

unequivocally [ʌni'kwivəkəli] adv niedwuznacznie; jasno; wyraźnie

unerringly [ʌn'ə:riŋli] adv 1. nieomylnie 2. niezawodnie 3. precyzyjnie 4. celnie

UNESCO [ju'neskəu] s Unesco; Organizacja Narodów Zjednoczonych do spraw Oświaty, Nauki i Kultury

unessentially [ʌni'senʃəli] adv nieistotnie

unevenly [ʌn'i:vənli] adv 1. nierówno 2. chropowato 3. nieparzyście 4. niejednolicie 5. zmiennie

uneventfully [ʌni'ventfuli] adv bez wydarzeń; bez wypadków; bez incydentów; spokojnie

unexceptionably [ʌnik'sepʃənəbli] adv bez zarzutu; nienagannie

unexceptional [ʌnik'sepʃənəl] adj 1. niewyjątkowy 2. nie dopuszczający wyjątków

unexpectedly [ʌniks'pektidli] adv niespodziewanie; nieoczekiwanie; nagle

unexpressive [ʌniks'presiv] adj, unexpressively [ʌniks'presivli] adv bez wyrazu

unfailingly [ʌn'feiliŋli] adv niezawodnie; pewnie; na pewno

unfairly [ʌn'feəli] adv 1. niesprawiedliwie 2. nielojalnie 3. krzywdząco 4. nieuczciwie 5. (grać itd.) nieprzepisowo; pot nieczysto

unfaithfully [ʌn'feiθfuli] adv 1. niewiernie; wiarołomnie 2. (tłumaczyć itd.) nieściśle

unfamiliarly [ʌnfə'miljəli] adv 1. obco 2. bez dokładnej znajomości (czegoś)

unfavourably [ʌn'feivərəbli] adv 1. niepomyślnie 2. nieżyczliwie; nieprzychylnie 3. ujemnie 4. odmownie

unfeelingly [ʌn'fi:liŋli] adv 1. bez czucia 2. (postępować itd.) bez serca; okrutnie

unfeignedly [ʌn'feinidli] adv niekłamanie; bez udawania

unfilial [ʌn'filjəl] adj niegodny syna; niesynowski

unfilially [ʌn'filjəli] adv nie po synowsku; w sposób niegodny syna

unfitly [ʌn'fitli] adv niestosownie; nieodpowiednio

unflaggingly [ʌn'flægiŋli] adv 1. niezmordowanie 2. z niesłabnącym zainteresowaniem

unflatteringly [ʌn'flætəriŋli] adv niepochlebnie

unforbearingly [ʌnfɔ:'beəriŋli] adv niewyrozumiale; bez pobłażania

unforgettably [ʌnfə'getəbli] adv w sposób niezapomniany

unfoundedly [ʌn'faundidli] adv bez uzasadnienia; bezpodstawnie

unfruitfully [ʌn'fru:tfuli] adv 1. jałowo; bezpłodnie 2. bezowocnie; daremnie

ungenerously [ʌn'dʒenərəsli] adv 1. skąpo; ze skąpstwem 2. podle

ungovernably [ʌn'gʌvənəbli] adv niesfornie; krnąbrnie; nieopanowanie

ungracefully [ʌn'greisfuli] adv bez wdzięku; niezdarnie

ungraciously [ʌn'greiʃəsli] adv nieuprzejmie

ungramatically [ʌngrə'mætikəli] adv niegramatycznie; niepoprawnie

ungratefully [ʌn'greitfuli] adv niewdzięcznie

ungrudgingly [ʌn'grʌdʒiŋli] adv nie szczędząc; hojnie; nie żałując

unguardedly [ʌn'ga:didli] adv niebacznie; nieopatrznie; nierozważnie

unguinous ['ʌngwinəs] adj oleisty; tłusty

unhandily [ʌn'hændili] adv 1. niezręcznie; niezgrabnie; niezdarnie 2. nieporęcznie; niepraktycznie

unhandsomely [ʌn'hænsəmli] adv nieładnie

unharmful [ʌn'ha:mful] adj nieszkodliwy

unharmfully [ʌn'ha:mfuli] adv nieszkodliwie

unhasp [ʌn'ha:sp] vt 1. odryglować 2. odhaczyć

unhat [ʌn'hæt] vi zdjąć/zdejmować kapelusz

unhealthily [ʌn'helθili] adv 1. niezdrowo; chorobliwie 2. niezdrowotnie; szkodliwie dla zdrowia

↑ unhealthy adj 4. niezdrowotny; szkodliwy dla zdrowia

unhood [ʌn'hud] vt zdjąć/zdejmować kaptur (sb komuś)

unicycle [ju:ni'saikl] s rower jednokołowy (cyrkowca itd.)

unidirectional [ju:nidi'rekʃənəl] adj jednokierunkowy; fiz ~ current prąd jednokierunkowy

unified ['ju:nifaid] ⬜ zob unify vt ⬜ adj 1. zjednoczony 2. ujednolicony; zunifikowany; nukl ~ nuclear model zunifikowany model jądra

↑ uniform ⬜ adj 3. fiz jednorodny; równomierny; ~ field pole jednorodne; ~ velocity prędkość równomierna

uniformalize [,ju:ni'fɔ:məlaiz] vt ujednostajni-ć/ać

uniformitarianism [,ju:nifɔ:mi'teərjənizəm] s geol uniformitaryzm

unimpeachably [ʌnim'pi:tʃəbli] adv nienagannie

unintelligibly [ʌnin'telidʒibli] adv niezrozumiale

uninterestedly [ʌn'intərestidli] *adv* bez zainteresowania; (*słuchać itd.*) obojętnie

unintermittingly [ʌnintə'mitiŋli] *adv* nieprzerwanie; bez przerwy

unionize ['ju:njənaiz] ⬚ *vt* z/jednoczyć ⬚ *vi* z/jednoczyć się

˙nipod ['ju:nipɔd] *s* *fot* jednonożny statyw fotograficzny

uniquely [ju:'ni:kli] *adv* 1. niezrównanie 2. wyjątkowo; rzadko

uniseptate [ˌju:ni'septeit] *adj* *bot* (*o łuszczynie*) mający jedną przegrodę

↑ unit ⬚ *attr* jednostkowy; *biol* ~ **character** cecha niezależna; ~ **factor** gen; *fiz* ~ **area** (volume) powierzchnia (objętość) jednostkowa

unitage ['ju:nitidʒ] *s* ilość (czegoś) zawarta w jednostce miary (przypadająca na jednostkę miary)

↑ united ⬚ *adj* 2. ... **United Peasants' Party** Zjednoczone Stronnictwo Ludowe

↑ universal ⬚ *adj* 2. ... *techn* ~ **joint** przegub uniwersalny (wychylny, Kardana)

universalist [ˌju:ni'və:səlist] *s* uniwersalista

unjustly [ʌn'dʒʌstli] *adv* niesprawiedliwie

unknowingly [ʌn'nəuiŋli] *adv* bezwiednie; nieświadomie

unlawfully [ʌn'lɔ:fuli] *adv* 1. nielegalnie; bezprawnie 2. nieślubnie (urodzony)

↑ unlearned *adj* 3. nie nauczony; nie wyuczony

unlisted [ʌn'listid] *adj* 1. nie uwzględniony (nie figurujący) w spisie (na liście) 2. *ekon* nie notowany na giełdzie; nie kotowany

unloading [ʌn'ləudiŋ] ⬚ *zob* unload *vt* ⬚ *s* rozładowanie; wyładowanie ⬚ *attr techn* ~ **face** strona rozładowcza

unmannered [ʌn'mænəd] *adj* = **unmannerly**

unmercifully [ʌn'mə:sifuli] *adv* bezlitośnie; bez litości; niemiłosiernie

unmeriting [ʌn'meritiŋ] *adj* nie zasługujący

unmew [ʌn'mju:] *vt* wypu-ścić/szczać z klatki (na wolność)

unmistakably [ʌnmis'teikəbli] *adv* 1. niewątpliwie; bez wątpienia 2. niedwuznacznie; wyraźnie

↑ unmitigated *adj* 3. (*o kłamstwie itd.*) jawny 4. (*o zuchwalstwie itd.*) bezgraniczny

unmoderated [ʌn'mɔdəreitid] *adj* 1. nieumiarkowany; niewstrzemięźliwy; nierozsądny 2. *nukl* (*o neutronie*) niespowolniony; ~ **lattice** siatka bez moderatora

unmoving [ʌn'mu:viŋ] *adj* 1. nieruchomy 2. niewzruszający

unnecessarily [ʌn'nesisərili] *adv* niepotrzebnie; zbędnie

↑ unorganized *adj* ... *biochem* ~ **ferment** enzym

↑ unpaired *adj* 3. *nukl* (*o nukleonie, elektronie*) niesparowany

unpleasantly [ʌn'plezəntli] *adv* nieprzyjemnie; niemiło, niemile; przykro; niesympatycznie

unpopularly [ʌn'pɔpjuləli] *adv* niepopularnie

unpractically [ʌn'præktikəli] *adv* 1. niepraktycznie 2. nierealnie

unprocessed [ʌnprɔ'sest] *adj* nieprzerobiony; surowy; ~ **material** surowiec

unprofessionally [ʌnprə'feʃənəli] *adv* 1. niezawodowo; po dyletancku; niefachowo 2. sprzecznie z etyką zawodową (z zasadami przyjętymi w zawodzie) 3. *sport* amatorsko; po amatorsku

unqualifiedly [ʌnˌkwɔli'faiədli] *adv* 1. bez kwalifikacji; niekompetentnie 2. (*oskarżać itd.*) bez sprecyzowania 3. (*odmawiać itd.*) kategorycznie; bezwzględnie 4. (*chwalić, popierać itd.*) bez zastrzeżeń 5. (*ufać itd.*) bezgranicznie

unquietly [ʌn'kwaiətli] *adv* niespokojnie

unreally [ʌn'riəli] *adv* nierealnie; nieprawdziwie; iluzorycznie

unreasonably [ʌn'ri:zənəbli] *adv* 1. nierozsądnie 2. niedorzecznie; bezsensownie 3. (*wymagać itd.*) nadmiernie; horrendalnie

unreconstructed [ˌʌnrikən'strʌktid] *adj* *polit ekon* zacofany; wsteczny

↑ unrefined *adj* 2. ... ~ **material** surowiec

unreflected [ʌnri'flektid] *adj* *nukl* ~ **assembly** zestaw bez reflektora

unreflective [ʌnri'flektiv] *adj* nierozważny

unreflectively [ʌnri'flektivli] *adv* nierozważnie

unrelentingly [ʌnri'lentiŋli] *adv* nieubłaganie; bezlitośnie

unreliably [ʌnri'laiəbli] *adv* niepewnie; (*postępować itd.*) niesolidnie

unremittingly [ʌnri'mitiŋli] *adv* 1. niestrudzenie 2. nieustannie

unrepair [ʌnri'pɛə] *s* = **disrepair**

unrestraint [ʌnris'treint] *s* nieopanowanie; brak opanowania (*przen* hamulców)

unrighteously [ʌn'raitʃəsli] *adv* 1. niecnie 2. niesprawiedliwie; bezprawnie

unrivaled [ʌn'raivld] *adj* *am* = **unrivalled**

UNRRA ['ʌnrə] ⬚ *s* UNRRA ⬚ *attr* unrowski

unsaturated [ʌn'sætʃureitid] *adj* nie nasycony (czymś); nie przepojony; *chem* ~ **solution** roztwór nienasycony

unsavourily [ʌn'seivərili] *adv* niesmacznie; bez smaku

unscrupulously [ʌn'skru:pjuləsli] *adv* bez skrupułów; niegodziwie

unseasonably [ʌn'si:zənəbli] *adv* 1. nie w porę; nie na czasie 2. poza właściwym sezonem 3. (*żartować itd.*) niestosownie 3. (*o upałach, mrozach itd. — nastać*) nietypowo dla danej pory roku

unselfishly [ʌn'selfiʃli] *adv* 1. niesamolubnie; bezinteresownie 2. z samozaparciem

unshroud [ʌn'ʃraud] *vt* odsłonić

unsight [ʌn'sait] *adj* = **unseen** *adj*

unskilful, am unskillful [ʌn'skilful] adj
niezręczny; niezdarny; niesprawny

unsophisticatedly [ʌnsə'fistikeitidli] adv 1.
prosto; naturalnie 2. niewinnie; naiwnie

unspeakably [ʌn'spi:kəbli] adv 1. niewypowiedzianie; niewymownie; niewyra-
żalnie; w sposób nie dający się opisać
2. ohydnie

↑ unstable adj 2. nukl nietrwały; labilny

unstably [ʌn'steibli] adv 1. niepewnie;
chwiejnie 2. nukl nietrwale; labilnie

unsteadily [ʌn'stedili] adv 1. niepewnie;
chwiejnie; (iść itd.) na niepewnych (na
chwiejnych) nogach 2. (świecić itd.) mi-
gotliwie 3. (wiać itd.) zmiennie

unsubstantially [ʌnsəb'stænʃəli] adv 1. nieistotnie 2. nierealnie

unsuitably [ʌn'su:təbli] adv niewłaściwie;
niestosownie; nieodpowiednio

unsuspectedly [ʌnsəs'pektidli] adv 1. nie
budząc podejrzeń 2. bez niczyjej wiedzy

unsuspectingly [ʌnsəs'pektiŋli] adv nic nie
podejrzewając

unsystematically [ʌnsisti'mætikəli] adv
niesystematycznie

unthankfully [ʌn'θæŋkfuli] adv niewdzięcznie; bez wdzięczności; nie dziękując

unthinkingly [ʌn'θiŋkiŋli] adv bezmyślnie

untidily [ʌn'taidili] adv 1. nieporządnie;
w nieładzie; niestarannie; niechlujnie
2. (żyć itd.) w zaniedbaniu

untowardly [ʌntə'wɔ:dli] adv 1. niesfornie;
krnąbrnie; przewrotnie 2. (zjawić się
itd.) niewygodnie; nie w porę 3. (zdarzyć się itd.) niefortunnie; niepomyślnie;
nie na czasie 4. (zachować się itd.) niestosownie

untraveled [ʌn'trævld] adj am = untravelled

untruly [ʌn'tru:li] adv nieprawdziwie; fałszywie

untruthful [ʌn'tru:θful] adj 1. nieprawdo-
mówny 2. niezgodny z prawdą; nieprawdziwy

untruthfully [ʌn'tru:θfuli] adv 1. nieprawdomównie 2. niezgodnie z prawdą; nieprawdziwie

unusually [ʌn'ju:ʒuəli] adj niezwykle; nie-
codziennie; rzadko; wyjątkowo; nadzwyczajnie

unutterably [ʌn'ʌtərəbli] adv niewypowiedzianie

unweight [ʌn'weit] vt odciążyć; zmniejszyć ciężar

↑ unwholesome adj 2. niehigieniczny

unwholesomely [ʌn'həulsəmli] adv 1. niezdrowo; w niezdrowych warunkach 2. niehigienicznie

unwieldily [ʌn'wi:ldili] adv nieporęcznie

unwontedly [ʌn'wəuntidli] adv 1. niezwykle; rzadko 2. bez przyzwyczajenia

unworthily [ʌn'wə:ðili] adv 1. niegodnie; nie zasługując (of sth na coś) 2. (postąpić itd.) niegodziwie

Upanishad [u:'pæniʃæd] s filoz Upaniszady

upbuild [ʌp'bild] vt 1. wybudować (zbu-
dować, postawić) (dom itd.) 2. za-łożyć/-
kładać (instytucję itd.)

upcheck ['ʌptʃek] s sl lotn pozytywna o-
cena próbnego lotu

upchuck ['ʌptʃʌk] sl Ⅱ vt wyrzygać; zwy-
miotować Ⅲ vi wyrzygać się; z/wymio-
tować

upcoming ['ʌpkʌmiŋ] adj nadchodzący;
bliski; zbliżający się

update ['ʌpdeit] vt 1. unowocześnić; u-
współcześnić; zmodernizować 2. doprowadzić (rachunki, wykazy itd.) do stanu
bieżącego

updo ['ʌpdu:] s uczesanie do góry

↑ up-grade Ⅳ vt 1. awansować (kogoś);
dać awans (sb komuś) 2. polepsz-yć/ać
(podn-ieść/osić) (jakość towaru, wyniki
produkcji itd.)

↑ upland Ⅲ attr ... zool ~ plover (Bar-
tramia longicauda) amerykański ptak
przybrzeżny

uplifter ['ʌpliftə] s moralista; człowiek dążący do podniesienia poziomu moralnego
w społeczeństwie

upper-case ['ʌpəkeis] druk Ⅱ attr ~ letters wersaliki Ⅲ vt wy/drukować wersa-
likami

uprear ['ʌpriə] vt 1. wy/hodować (zwierzęta) 2. wy/chować (dzieci)

↑ upright Ⅱ adj 1. ... ~ piano pianino

uprightly ['ʌp'raitli] adv 1. pionowo 2. (postępować itd.) uczciwie; sprawiedliwie

uproariously [ʌp'rɔ:riəsli] adv hałaśliwie;
hucznie; wrzaskliwie; burzliwie

upslide ['ʌpslaid] adj meteor ~ motion
wślizg

upspring [ʌp'spriŋ] vi 1. skoczyć/skakać w
górę; podsk-oczyć/akiwać 2. powsta-ć/
wać; zaistnieć

↑ upstairs Ⅱ adv 2. lotn wysoko; na dużej wysokości; to go ~ wznosić się; iść
w górę

upstate ['ʌpsteit] am Ⅱ s północna część
stanu Ⅲ adj (o mieszkańcu) (z) północnej części stanu

↑ upsweep s 3. = updo ↑

↑ uptake s 3. nukl przyswojenie; pochło-
nięcie

uptilt [ʌp'tilt] vt podnieść jednym końcem
nachylić (odchylić) ku górze

↑ up-to-date adj 3. (o wykazach, rachunkach itd.) doprowadzony do stanu bieżącego; à jour

uptrend ['ʌptrend] s tendencja zwyżkowa

uraconite ['juərəkɔnait] s miner urakonit

uraemic [ju'ri:mik] adj med mocznicowy

Uralian [juə'reiljən] adj uralski; jęz ~
languages języki uralskie

Uranian [juə'reiniən] adj astr (dotyczący)
planety Uran

uranide ['juərənaid] s miner uranowiec

uraninite [juə'ræninait] s miner uraninit;
blenda smolista

uranite [juərə'nait] s miner uranit

↑ **uranium** ⊡ *s* ... ~ **metal** uran metaliczny ⊞ *attr nukl fiz chem* uranowy; ~ **furnace** ⟨**pile**⟩ reaktor uranowy; ~ **hexafluoride** sześciofluorek uranu; ~ **content** zawartość uranu; ~ **poisoning** a) zatrucie uranu b) zatrucie uranem

uranium-bearing [juə'reiniəm₁bɛəriŋ] *adj nukl fiz* uranonośny; ~ **coal** węgiel uranonośny; ~ **vein deposit** uranonośne złoże żyłowe

uranmolybdate [₁juərənmə'libdeit] *s miner* uranomolibdenian

uranochalcite [juə₁reinəu'kælsait] *s miner* uranochalcyt

uranocircite [juə₁reinəu'sə:sait] *s miner* uranocyrcyt

uranophane [juə'reinəufein] *s miner* uranofan, lambertyt

uranopilite [juə₁reinəu'pailait] *s miner* uranopilit

uranospathite [juə₁reinəu'spæθait] *s miner* uranospatyt

uranosphaerite [juə₁reinəu'sfɛərait] *s miner* uranosferyt

uranospinite [juə₁reinəu'spainait] *s miner* uranospinit

uranothallite [juə₁reinəu'θælait] *s miner* uranotalit

uranothorite [juə₁reinəu'θɔ:rait] *s miner* uranotoryt

uranotile [juə'reinəutail] *s miner* uranotyl

uranotite [juə'reinəutait] *s miner* uranotyt

Uranus [juə'reinəs] *spr astr* (planeta) Uran

uranyl ['juərənil] *chem* ⊡ *s* uranyl ⊞ *attr* ~ **acetate** ⟨**nitrate, phosphate**⟩ octan ⟨azotan, fosforan⟩ uranylu

urbanely [ə:'beinli] *adv* dwornie; grzecznie; układnie; wykwintnie; wytwornie

↑ **urea** ⊞ *attr chem* mocznikowy; ~ **resins** żywice mocznikowe; aminoplasty

urea-formaldehyde [ju'riə-fɔ:'mældihaid] *s chem* żywica mocznikowo-formaldehydowa

urease ['juərieis, 'juərieiz] *s biochem* ureaza

uredo [juə'ri:dəu] *bot* ⊡ *s* uredo ⊞ *attr* ~ **stage** stadium uredo

uredospore [juə'ri:dəspɔ:] *s bot* uredospora; zarodnik rdzy

ureides ['juəriaidz] *spl chem* ureidy

uremic [ju'ri:mik] *adj* = **uraemic** ↑

urethan ['juəriθən], **urethane** [juəri'θein] *s chem* uretan

urethritis [juəri'θraitis] *s med* zapalenie cewki moczowej

urethroscope [juə'reθrəskəup] *s med* wziernik cewkowy

urethroscopy [juəre'θrɔskəpi] *s med* wziernikowanie cewki

urinalysis [juəri'nælisis] *s* analiza moczu

urinous ['juərinəs] *adj* moczowy

urochrome ['juərəkrəum] *s biochem* urochrom

urogenous [juə'rɔdʒinəs] *adj* wytwarzający mocz; wytworzony z moczu ⟨w moczu⟩

uropod ['juərəpɔd] *s zool* tylna kończyna obunogów

uropygial [juərə'pidʒiəl] *adj zool* ⟨o gruczole itd.⟩ kuprowy

uropygium [juərə'pidʒiəm] *s zool* kuper (ptaka)

usefully ['ju:sfuli] *adv* pożytecznie; z pożytkiem

uselessly ['ju:slisli] *adv* 1. niepotrzebnie; zbytecznie; bezcelowo 2. bezużytecznie

usuriously [ju'zjuəriəsli] *adv* lichwiarsko

utilise ['ju:tilaiz] *vt* = **utilize**

↑ **utility** ⊞ *attr* 1. ... ~ **room** pomieszczenie gospodarcze (na pralkę, suszarkę itd.) 2. funkcjonalny; utylitarny 3. drugorzędny; podrzędny; w gorszym gatunku

utopianism [ju:'təupjənizəm] *s* utopijność; utopizm

uttering ['ʌtəriŋ] ⊡ *zob* **utter²** *vt* ⊞ *s* 1. wypowi-edzenie/adanie 2. puszcz-enie/anie w obieg fałszywych pieniędzy

utterly ['ʌtəli] *adv* 1. całkowicie; zupełnie; kompletnie 2. skrajnie

uvanite ['ju:vənait] *s miner* uwanit

uvarovite [ju:'va:rəvait] *s miner* uwarowit

uveitis [ju:vi'aitis] *s med* zapalenie jagodówki

uxorial [ʌk'sɔ:riəl] *adj* 1. (dotyczący) małżonki ⟨żony⟩ 2. (o mężu) zaślepiony w swojej żonie

V

vacciniaceous [væk₁sini'eiʃəs] *adj bot* wrzosowaty

vaccinization [væk₁sinai'zeiʃən] *s med* powtarzanie szczepienia aż do całkowitego uodpornienia

vacuolate ['vækjuəleit] *adj biol* wodniczkowy

vacuolation [vækjuə'leiʃən] *s biol* tworzenie się wodniczek

↑ **vacuum** ⊞ *attr* próżniowy; ~ **bottle**

⟨**flask**⟩ termos; ~ **chamber** komora próżniowa; ~ **tight** hermetyczny; próżnioszczelny; ~ **tightness** hermetyczność próżnioszczelność; ~ **valve** = **vacuum-tube**

vaginitis [vædʒi'naitis] *s med* zapalenie pochwy

vaguely ['veigli] *adv* 1. niewyraźnie; nieuchwytnie; niejasno 2. (odpowiedzieć itd.) wymijająco 3. (patrzeć itd.) błędnie;

nieprzytomnie 4. (*postępować itd.*) niezdecydowanie

vaingloriously ['vein'glɔ:riəsli] *adv* 1. pysznie; zarozumiale 2. chełpliwie

↑ **valence²** Ⅲ *attr chem* wartościowościowy; walencyjny; ~ **bond** wiązanie walencyjne; *nukl* ~ **electron** elektron walencyjny ⟨wartościowości⟩

valerianaceous [və'lɛəriəneiʃəs] *adj bot* kozłkowaty

valgus ['vælgəs] *adj* koślawy

valiance ['væljəns], **valiancy** ['væljənsi] *s* dzielność; męstwo; odwaga; waleczność

valiantly ['væljəntli] *adv* dzielnie; mężnie; odważnie; walecznie

validly ['vælidli] *adv* 1. z zachowaną ważnością; (*o umowie — działać*) wiążąco; obowiązująco 3. (*argumentować itd.*) przekonywająco; niezbicie 4. (*krytykować itd.*) słusznie

valor ['vælə] *s am* = **valour**

valorously ['vælərəsli] *adv* dzielnie; mężnie; walecznie

valuably ['væljuəbli] *adv* wartościowo; cennie; kosztownie; drogo

valuational [vælju'eiʃənəl] *adj* szacunkowy

valve-in-the-head [,vælvinðə'hed] *attr techn* ~ **engine** silnik górnozaworowy

valvelet ['vælvlit] *s techn* zastawka

valvulitis [vælvju'laitis] *s med* zapalenie zastawki

vanadinite [və'nædinait] *s miner* wanadynit

↑ **vanadium** Ⅲ *attr chem* wanadowy; *techn* ~ **steel** stal wanadowa

Van de Graaff ['vændigræf] *spr attr* ~ **generator** ⟨**machine**⟩ generator Van de Graaffa

vandenbrandite [vændin'brændait] *s miner* wandenbrandyt

Van der Waals [vænder'wɔ:ls] *spr attr fiz chem* ~ **forces** siły Van der Waalsa; ~ **radius** promień Van der Waalsa

vanitory ['vænitɔ:ri] *s* umywalka z umieszczoną pod spodem szafką na kosmetyki itd.

vanoxite ['vænəksait] *s miner* wanoksyt

vapidly ['væpidli] *adv* 1. (*smakować itd.*) mdło 2. (*rozmawiać itd.*) beztreściwie: jałowo: nieinteresująco; nudno 3. (*pisać itd.*) ckliwie; mdło

vapor ['veipə] *s am* = **vapour**

vaporish ['veipəriʃ] *adj am* = **vapourish**

vaporously ['veipərəsli] *adv* mgliście

vaquero [va:'kerəu] *s* cowboy południowoamerykański

variably ['vɛəriəbli] *adv* zmiennie

varicolored [væri'kʌləd] *adj am* = **varicoloured**

varicosis [væri'kəusis] *s med* żylakowatość

↑ **varied** Ⅲ *adj* ... *zool* ~ **thrush** drozd amerykański *Ixoreus naevius*

varietal [və'raiitəl] *adj* odmianowy

varietally [və'raiitəli] *adv* odmianowo

variolar [və'raiələ] *adj* = **variolous**

variously ['vɛəriəsli] *adv* rozmaicie

vari-typer [væri'taipə] *s* maszyna do pisania z zestawem czcionek o różnym kroju i typie

↑ **varnish** Ⅲ *attr* ~ **tree** drzewo wydzielające sok używany do wyrobu lakierów; ~ **stain** bejca lakiernicza

vas [væs] *s anat* naczynie

vasopressin [væsəu'presin] *s biochem farm* wazopresyna

vat-died ['vætdaid] *adj* farbowany systemem kadziowym; kadziowany

vat-dye ['vætdai] *vt* farbować systemem kadziowym; kadziować

vatic ['vætik] *adj* proroczy

↑ **vector** Ⅰ *s* 3. *lotn* przepisowa trasa lotu Ⅲ *vt lotn* podawać pilotowi kurs w czasie lotu Ⅲ *attr* (*o trójkącie, wielkości itd.*) wektorowy; ~ **field** pole wektorowe

↑ **vectorial** *adj* ... ~ **recorder** wektograf piszący

Vedanta [vi'da:ntə] *s filoz* wedanta

veep [vi:p] *s* wiceprezydent

veery ['viəri] *s zool* (*Hylocichla fuscescens*) drozd amerykański

↑ **vegetable** Ⅲ *adj* ... ~ **butter** masło roślinne; ~ **earth** próchnica; ~ **kingdom** królestwo roślin; ~ **marrow** kabaczki

↑ **vegetate** Ⅰ *vi* 3. *sl* żyć bezproduktywnie, bezmyślnie i biernie 4. *med* (*o narośli itd.*) rosnąć; wyrastać Ⅲ *vt* zadrzewi-ć/ać; zalesi-ć/ać; wprowadzać roślinność; pokrywać roślinnością

vehemently ['vi:əməntli] *adv* 1. gwałtownie; silnie; porywiście 2. (*postępować itd.*) gwałtownie; namiętnie; porywczo; wybuchowo

veining ['veiniŋ] Ⅰ *zob* **vein** *vt* Ⅲ *s* żyłkowanie: żyłowanie; słojowanie; żyłki; usłojenie (drewna)

veinstone ['veinstəun] *s miner* skała płonna towarzysząca minerałom użytecznym

velamen [vi'leimən] *s* 1. *anat* osłonka; pochewka 2. *bot* osłonka (korzeniowa)

vellicate ['velikeit] *vt* 1. szarp-ać/nąć 2. uszczvpnąć/szczypać

velocitization [vi,lɔsitai'zeiʃən] *s aut* nieświadome przyspieszanie ⟨nieświadoma szybka jazda⟩ (na autostradzie)

↑ **velocity** Ⅲ *attr fiz* ~ **component** składowa prędkości: ~ **range** przedział prędkości; ~ **modulation** ⟨**variation**⟩ modulacja prędkości

velure [vi'ljuə] *s* 1. *tekst* aksamit; welur 2. (*w kapelusznictwie*) welwetowa poduszeczka do wygładzania włosa na cylindrze

venatic(al) [vi'nætik(əl)] *adj* myśliwski

vendibly ['vendibli] *adv* sprzedajnie; przekupnie

vending ['vendiŋ] Ⅰ *zob* **vend** *vt* Ⅲ *adj* ~ **machine** automat (sprzedający papierosy, słodycze itd.)

vendue ['vendju:] *s* licytacja

venerably ['venərəbli] adv czcigodnie
vengefully ['vendʒfuli] adv mściwie
venipuncture [veni'pʌŋktʃə] s med nakłucie żyły
venomously ['venəməsli] adv jadowicie; trująco
↑ vent ⬚ s 5. (w płaszczu) rozcięcie z tyłu
ventilative ['ventilətiv] adj wentylacyjny
ventriculus [ven'trikjuləs] s zool żołądek (owada)
↑ venture Ⓜ attr ekon ~ capital kapitał spekulacyjny
venturesomely ['ventʃəsəmli] adv 1. śmiało; przedsiębiorczo 2. ryzykownie; hazardowo
Venus's-hair ['vi:nəsəz‚hɛə] s bot paproć Adiantum capillus-Veneris
veraciously [və'reiʃəsli] adv prawdomównie
veratrize ['verətraiz] vt zaprawi-ć/ać weratryną
verbid ['və:bid] s gram 1. bezokolicznik 2. imiesłów
verdin ['və:din] s zool (Auriparus flaviceps) amerykańska sikora żółtogłowa
veredically [viə'redikəli] adv prawdomównie
verglas [və'gla:] s fr (w alpinistyce) oblodzenie
veriest ['veriəst] adj największy; najwyższy; ostateczny; krańcowy; the ~ stupidity bezdenna głupota; szczyt głupoty
verism ['viərizəm] s weryzm
verist ['viərist] s werysta
veritably ['veritəbli] adv prawdziwie; naprawdę
vermiculite [və:'mikjulait] s miner wermikulit
vermination [və:mi'neiʃən] s 1. rozmnożenie się robactwa; zarobaczenie 2. robaczywienie 3. robaczywość
↑ verminous adj 4. robaczywy
vernacularism [və'nækjulərizəm] s wyrażenie gwarowe (żargonowe)
vernalization [və:nəlai'zeiʃən] s roln wernalizacja
versatilely [və:sə'tailli] adv wszechstronnie
vertebration [və:ti'breiʃən] s anat kręgi
↑ vertical ⬚ adj ‖ am wojsk ~ envelopment natarcie połączonych sił powietrznych i lądowych
vertically ['və:tikəli] adv pionowo
vertiginously [və:'tidʒinəsli] adv zawrotnie
vesicate ['vesikeit] vi powodować powstawanie pęcherzy
↑ vesicular adj ... wet ~ exanthema pryszczyca
↑ vesper Ⅲ attr zool ~ sparrow (Pooecetes gramineus) trznadel amerykański
vespertilionine [vespə'tiljənain] adj należący do podrodziny nietoperzy Vespertilioninae
vespid ['vespid] s zool owad z rodziny Vespidae

vespine ['vespain] adj osi, osy
vestee [ves'ti:] s przodzik
vestiary ['vestiəri] adj ubraniowy; odzieżowy
vesuvianite [vi'su:viənait] s miner wezuwian, idokraz
↑ veterinary Ⅲ adj ... ~ medicine weterynaria
vetmobile ['vetmɔbi:l] s samochód inwalidzki
vexatiously [vek'seiʃəsli] adv dokuczliwie; irytująco; nieznośnie; w przykry sposób
vexingly ['veksiŋli] adv irytująco; dokuczliwie; nieznośnie
viability [vaiə'biliti] s zdolność do życia (do utrzymania się przy życiu, do przeżycia)
viator [vai'eitə] s podróżny
vibraculum [vai'brækjuləm] s (pl vibracula [vai'brækjulə]) zool macka; czułek
↑ vibrant ⬚ adj 3. fonet dźwięczny Ⅲ s fonet spółgłoska dźwięczna
vibrantly ['vaibrəntli] adv 1. wibrując; drgając; rezonując; z drżeniem 2. dygocąc; tętniąc (życiem itd.) 3. fonet dźwięcznie
vibratile ['vaibrətail] adj 1. wibracyjny 2. drgający
vibrating [vai'breitiŋ] ⬚ zob vibrate v Ⅲ adj wibracyjny; techn ~ condenser kondensator wibracyjny; ~ contactor przerywacz wibracyjny; ~ reed electrometer elektrometr wibracyjny
vibration-proof [vai'breiʃən-pru:f] adj przeciwwibracyjny; przeciwdrganiowy
vibronic [vai'brɔnik] adj elektr (dotyczący) drgań elektrycznych
vicariously [vai'kɛəriəsli] adv zastępczo
vicarly ['vikəli] adj pastorski
viceregent [vais'ri:dʒənt] s wiceregent
vichyssoise [viʃi'swa:z] s fr kulin zimna zupa ziemniaczano-cebulowa
victoriously [vik'tɔ:riəsli] adv zwycięsko
↑ victory Ⅲ attr ~ garden ogródek warzywny na podwórzu domu (w skrzynce na parapecie okna) założony wskutek ograniczeń żywnościowych podczas II wojny światowej; ~ girl młodociana przestępczyni; Victory Medal medal nadawany wszystkim wojskowym, którzy służyli w armii Stanów Zjednoczonych podczas I wojny światowej; ~ ribbon baretka medalu Victory Medal; ~ ship amerykański statek towarowy produkowany masowo podczas II wojny światowej; ~ suit ubranie cywilne szyte podczas II wojny światowej z uwzględnieniem oszczędności materiału
victuallage ['vitəlidʒ] s aprowizacja; żywność; artykuły spożywcze
video ['vidiəu] s 1. tv wizja 2. sl telewizja
videologist [vidi'ɔlədʒist] s entuzjasta telewizji
vidfilm ['vidfilm], vidpic ['vidpik] s film telewizyjny

vietinghofite [ˈviːtiŋɔfait] s *miner* vietinghofit

↑ **view** Ⅲ *vt* 5. oglądać telewizję

vigesimal [vaiˈdʒesiməl] *adj* 1. dwudziesty 2. dwudziestkowy

vigilantly [ˈvidʒiləntli] *adv* czujnie

vigor [ˈvigə] s *am* = **vigour**

vigorously [ˈvigərəsli] *adv* 1. rześko; z wigorem 2. silnie; mocno 3. energicznie

vilely [ˈvailli] *adv* 1. podle; nikczemnie; niegodziwie 2. *pot* wstrętnie; ohydnie; nędznie

villainage [ˈvilinidʒ] s = **villeinage**

villainously [ˈvilənəsli] *adv* 1. łajdacko; łotrowsko; nikczemnie 2. *pot* ohydnie; wstrętnie

villatic [viˈlætik] *adj* wiejski

villiform [ˈvilifɔːm] *adj bot* kosmkowaty

vimen [ˈvaimən] s *bot* pęd; witka

vina [ˈviːnɑː] s hinduski muzyczny instrument strunowy

vinaigrette² [viniˈgret] *attr kulin* ~ **sauce** winegret

vinasse [viˈnæs] s wywar melasowy

vincible [ˈvinsibl] *adj* pokonalny; (możliwy) do pokonania

vindicable [ˈvindikəbl] *adj* dający się usprawiedliwić (obronić)

vindictively [vinˈdiktivli] *adv* mściwie

↑ **vinegar** ▣ *attr* octowy; *zool* ~ **fly** muszka z rodzaju *Drosophila*

vinegarette [ˌvinigəˈret] s = **vinaigrette**

vinegaroon [ˌvinigəˈruːn] s *zool* (*Thelyphonus giganteus*) skorpion amerykański

vinegary [ˈvinigəri] *adj* octowaty

vinic [ˈvinik] *adj* winny

vinyl [ˈvainil] *chem* Ⅱ s winyl Ⅲ *attr* winylowy; winylu; ~ **acetate** ⟨**chloride**⟩ octan ⟨chlorek⟩ winylu; ~ **alcohol** alkohol winylowy

vinylidene [vaiˈnilidiːn] s *chem* winyliden

↑ **viola¹** s ... ~ **da gamba** viola da gamba

violently [ˈvaiələntli] *adv* 1. gwałtownie 2. potężnie

violist [ˈvaiəlist] s *muz* altwiolinista

viomycin [vaiəˈmaisin] s *farm* wiomycyna

viosterol [vaiˈɔstərɔl] s *farm* witamina D; dewit; witasol

vipe [vaip] *vi sl* nałogowo palić marihuanę

viral [ˈvairəl] *adj med* wirusowy

↑ **virgin** Ⅲ *adj* 3. *nukl* pierwotny; ~ **flux** strumień pierwotny

↑ **Virginia** Ⅲ *attr bot* ~ **cowslip** (*Mertensia virginica*) szorstkolistne ziele amerykańskie; *zool* ~ **deer** (*Odocoileus virginianus*) białoogonowy jeleń amerykański

virgins'-bower [ˈvəːdʒinzˌbauə] s *bot* (*Clematis*) powojnik pnący

viridian [viˈridiən] s zieleń szmaragdowa

virilism [ˈvirilizəm] s występowanie cech męskich u kobiety

virocracy [viˈrɔkrəsi] s rządy mężczyzn

virological [vairəˈlɔdʒikəl] *adj* wirusologiczny

virologist [vaiˈrɔlədʒist] s wirusolog

virosis [vaiˈrəusis] s *med* zakażenie wirusami

↑ **viscerate** Ⅱ *vt* 2. wy/patroszyć Ⅲ [ˈvisərit] *adj* wypatroszony

viscerotropic [visərəˈtrɔpik] *adj* mający powinowactwo do trzewi

viscosimeter [ˌviskɔsiˈmiːtə] s = **viscometer**

visionally [ˈviʒənəli] *adv* chimerycznie

↑ **visual** Ⅱ *adj* 1. ... ~ **aids** wzrokowe pomoce naukowe; ~ **purple** czerwień wzroku Ⅲ *s sl lotn* bezpośrednie sprawdzenie przez odrzutowce niezidentyfikowanego obiektu latającego

visually [ˈviʒuəli] *adv* wzrokowo

vitaceous [vaiˈteiʃəs] *adj bot* winoroślowaty

vitallium [vaiˈtæljəm] s *metalurg* witalium

↑ **vitally** *adv* 2. życiowo

vitaminize [vaiˈtæminaiz] *vt* witaminizować

vitascope [ˈvaitəskəup] s kinematograf

vitiable [ˈviʃiəbl] *adj* 1. ulegający zepsuciu ⟨skażeniu⟩ 2. podlegający unieważnieniu

vitiated [ˈviʃieitid] Ⅱ *zob* **vitiate** *vt* Ⅲ *adj* 1. zepsuty; skażony 2. unieważniony

↑ **vitreous** *adj* 1. ... ~ **humour** ciecz szklista

vitrescent [viˈtresənt] *adj* ulegający zeszkleniu się

vitric [ˈvitrik] *adj* szklany

vituline [ˈvitjulain] *adj* cielęcy

vituperatively [viˈtjuːpərətivli] *adv* obelżywie; obraźliwie

vivaciously [viˈveiʃəsli] *adv* żywo; z ożywieniem

vivax [ˈvaivæks] s pasożyt zimnicy

viverine [vaiˈverain] *adj zool* łaszowaty

vividly [ˈvividli] *adv* 1. (*świecić itd.*) jasno; jaskrawo; oślepiająco 2. (*o barwach* — odbijać od tła) żywo; jaskrawo 3. (*opisywać itd.*) żywo; barwnie

vivipara [viˈvipərə] *spl* zwierzęta żyworodne

vizor [ˈvaizə] s = **visor**

V-J [viːˈdʒei] *attr* ~ **Day** dzień zwycięstwa nad Japonią w II wojnie światowej (2. IX. 1945)

V-mail [ˈviːmeil] s (*w czasie II wojny światowej*) służba łączności dostarczająca listy jednostkom amerykańskim przebywającym poza Stanami Zjednoczonymi, przeważnie za pomocą mikrofilmów

vocally [ˈvəukəli] *adv* 1. głośno 2. ustnie

↑ **vocational** *adj* ... ~ **guidance** poradnictwo zawodowe

vociferant [vɔˈsifərənt] *adj* wrzeszczący; wrzaskliwy

voglianite [ˈvɔgliənait] *s miner* foglianit
voglite [ˈvɔglait] *s miner* foglit
↑ **voice** [III] *attr muz* ~ **part** partia wokalna ⟨głosowa⟩; *pot* wokal
voicelessly [ˈvɔislisli] *adv* 1. bezgłośnie 2. *fonet* bezdźwięcznie
↑ **void** [I] *adj* 6. *nukl* kawitacyjny; ~ **coefficient** współczynnik kawitacji; ~ **content** objętość kawitacyjna; ~ **fraction** kawitacja względna
voidable [ˈvɔidəbl] *adj* podlegający unieważnieniu
voided [ˈvɔidid] [I] *zob* **void** *vt* [III] *adj* 1. mający puste miejsca 2. unieważniony
volcanologist [vɔlkəˈnɔlədʒist] *s* wulkanolog
volcanology [vɔlkəˈnɔlədʒi] *s* wulkanologia
volitation [vɔliˈteiʃən] *s* latanie
Volsteadism [ˈvɔlstedizəm] *s* ustawowa prohibicja
↑ **voltage** [III] *attr elektr* ~ **multiplier** opornik dodatkowy; ~ **threshold** napięcie progowe
voltaism [vɔltəˈizəm] *s* elektryczność galwaniczna
voltammeter [vɔltəˈmitə] *s fiz* woltamperomierz, amperowoltomierz
voltampere [vɔltˈæmpiə] *s fiz* woltamper
volubly [ˈvɔljubli] *adv* ze swadą; potoczyście
↑ **volume** [I] *s* 4. ... ~ **to surface ratio** stosunek objętości do powierzchni [III] *attr* objętościowy; *nukl* ~ **dose** dawka pochłonięta całkowita; ~ **effect** efekt objętościowy; ~ **energy** energia objętościowa
volumetrically [vɔljuˈmetrikəli] *adv* 1. objętościowo 2. *chem* przez miareczkowanie; wolumetrycznie
voluminously [vəˈlju:minəsli] *adv* 1. obszernie 2. (*o pisarzu — tworzyć*) płodnie 3. (*pakować coś*) grubo; potężnie 4. (*pisać listy*) obficie 5. (*uszyć spódnicę itd.*) suto
voluntarily [ˈvɔlʌnterili] *adv* 1. dobrowolnie 2. samorzutnie; spontanicznie; bez przymusu 3. ochotniczo; nieobowiązkowo 4. (*wyrządzić szkodę itd.*) umyślnie; rozmyślnie; świadomie
voluntarism [vɔˈlʌntərizəm] *s filoz* woluntaryzm
voluptuously [vəˈlʌptjuəsli] *adv* lubieżnie; zmysłowo; rozpustnie
vomica [ˈvɔmikə] *s med* 1. jama w narządzie ⟨w płucu⟩ 2. ropa (w jamie)
V-one [vi:ˈwʌn] *s* bomba latająca V-1
voodooism [ˈvu:du:izəm] *s* praktyki czarnoksięskie
voraciously [vəˈreiʃəsli] *adv* żarłocznie; łapczywie
↑ **vortex** [III] *attr nukl* wirowy; ~ **ring** pierścień wirowy; ~ **type** ⟨**flow**⟩ przepływ burzliwy ⟨turbulentny⟩
vortically [ˈvɔ:tikəli] *adv* wirowo
votively [ˈvəutivli] *adv* wotywnie; jako wotum
voyeur [vwa:ˈjə:] *s fr* zboczeniec doznający seksualnego zadowolenia przy oglądaniu narządów płciowych i sytuacji seksualnych
voyeurism [vwa:ˈjə:rizəm] *s fr* zboczenie polegające na doznawaniu zadowolenia seksualnego przy oglądaniu narządów płciowych i sytuacji seksualnych
V-shaped [ˈvi:ʃeipt] *adj* o kształcie klina; klinowaty
V-two [vi:ˈtu:] *s* bomba latająca V-2
vulcanism [ˈvʌlkənizəm] *s geol* wulkanizm
vulcanologist [vʌlkəˈnɔlədʒist] *s* = **volcanologist**
vulcanology [vʌlkəˈnɔlədʒi] *s* = **volcanology**
vulgarly [ˈvʌlgəli] *adv* 1. wulgarnie; trywialnie; ordynarnie; w złym guście 2. pospolicie; po prostacku 3. powszechnie
vulnerably [ˈvʌlnərəbli] *adv* 1. podlegając zranieniu; dając się zranić; nie będąc zabezpieczonym przed atakiem ⟨przed ciosami⟩ 2. mając słaby punkt
vulpecular [vɔlˈpekjulə] *adj* = **vulpine**
↑ **vying** [III] *s* współzawodniczenie; rywalizowanie; współubieganie się

W

WAC [wæk] *s am wojsk* (*w czasie II wojny światowej*) kobieta służąca w korpusie kobiecym
wack [wæk] *s sl* nieobliczalny facet
↑ **wacky** *adj* ... nieobliczalny
waddlingly [ˈwɔdliŋli] *adv* (*chodzić*) kołysząc się w biodrach; kaczkowatym chodem
wadset [ˈwɔdset] *s prawn* dług hipoteczny; zastaw
wady [ˈweidi] *s* osoba usiłująca przekroczyć nielegalnie granicę Stanów Zjednoczonych
WAF [wæf] *s am* kobieta służąca w pomocniczych formacjach lotniczych
wafture [ˈwɔ:ftʃə] *s* powiew
↑ **wage**[1] [III] *attr* ~ **fixing** zamrożenie płac; ~ **scale** skala ⟨siatka⟩ płac
waggishly [ˈwægiʃli] *adv* 1. żartobliwie 2. drwiąc(o)
Wagnerism [ˈva:gnərizəm] *s* wagnerowska koncepcja dramatu muzycznego; wagneryzm
↑ **wagon** [III] *attr sl wojsk* ~ **soldier** artylerzysta; ~ **train** pociąg z zaopatrzeniem

wagonload ['wægənləud] s 1. (pełna) fura (towaru) 2. (pełny) wagon (towaru)

Wahabi [vɑ:'hɑ:bi] s rel wahhabita

wahoo[1] ['wɑ:hu:] s bot (Evonymus atropurpureus) trzmielinowaty krzew amerykański

wahoo[2] ['wɑ:hu:] s zool ryba łowna Acanthocybium solendri

wailfully ['weilfuli] adv płaczliwie

↑ **waist** Ⅲ attr lotn ~ **gun** działo zamontowane w środku kadłuba samolotu

waistcloth ['weistklɔθ] s przepaska biodrowa

waistline ['weistlain] s talia; pas; stan

↑ **waiting** Ⅲ attr ~ **period** okres, który robotnik musi przebyć bez pracy, żeby mieć prawo do zasiłku

wakefully ['weikfuli] adv 1. czuwając; bezsennie 2. czujnie

walkie-lookie ['wɔ:ki͵luki], **walkie-peekie** ['wɔ:ki͵pi:ki] s przenośna stacja nadawcza radiowo-telewizyjna, nadająca sygnały w promieniu jednej mili

walkie-pushie ['wɔ:ki͵puʃi] s ruchoma telewizyjna stacja nadawcza używana przy zawodach sportowych itd.

walk-in [wɔ:k'in] attr ~ **cooler** pomieszczenie chłodnia

↑ **walking-stick** s 2. zool = **stick insect** zob **stick**[1] ↑

↑ **wall** Ⅲ attr ... miner ~ **rock** skała towarzysząca; bot ~ **pellitory** pokrzywowata roślina Parietaria officinalis; ~ **rocket** roślina krzyżowa Diplotaxis tenuifolia; ~ **rue** (Asplenium rutamuraria) zanokcica murowa

walloper ['wɔləpə] s 1. chłop jak tur 2. kolos

walloping ['wɔləpiŋ] Ⅰ zob **wallop** vi Ⅲ s pot 1. lanie; manto 2. klęska na całej linii

walpurgite ['vɔ:lpuəgait] s miner walpurgit

↑ **wandering** Ⅲ adj 1. ... zool ~ **albatross** (Diomedea exulans) albatros wędrowny

wanderoo [wɔndə'ru:] s zool makak

wanly ['wænli] adv 1. blado 2. mizernie

wapperjaw ['wæpədʒɔ:] s pot przodozgryz

↑ **war** Ⅲ attr 1. ... ~ **dance** taniec wojenny; ~ **game** gra wojenna; am wojsk ~ **risk insurance** ubezpieczenie wojskowych na czas trwania wojny

↑ **ward** Ⅲ s 4. ... wychowanek; wychowanica, wychowanka Ⅲ attr am ~ **heeler** pionek partyjny

wardenry ['wɔ:dənri] s 1. stanowisko dyrektora (nadzorcy, inspektora, konserwatora, kustosza) 2. sąd funkcja opiekuna społecznego (kuratora)

wareroom ['wɛəru:m] s magazyn; skład

warily ['wɛərili] adv ostrożnie

↑ **warm**
~ **up** Ⅲ vi 2. sport przeprowadzać rozgrzewkę

warm-heartedly [wɔ:m'hɑ:tidli] adv serdecznie; życzliwie

↑ **warming** Ⅲ s 1. ... ~ **up** b) sport rozgrzewka

↑ **warp** Ⅴ attr (o dzianinie) ~ **knit** nie puszczający oczek; z nielecącymi oczkami

warsaw ['wɔ:sɔ:] s am zool 1. ryba morska Promicrops itaiara 2. morska ryba jadalna Epinephelus nigrita

↑ **wash**
~ **out** Ⅰ vt 2. sl oblać (kogoś przy egzaminie) Ⅲ vi 2. sl oblać egzamin
Ⅴ attr ~ **goods** tkaniny nie tracące koloru w praniu

washcloth ['wɔʃklɔθ] s myjka

washed-up [wɔʃt'ʌp] adj 1. pot skonany 2. sl (o kandydacie po egzaminie) oblany

Washington ['wɔʃiŋtən] spr attr bot ~ **palm** palma wachlarzowa Washingtonia filifera ⟨gracilis⟩; kulin ~ **pie** tort przekładany

Washingtonian [wɔʃiŋ'təuniən] s mieszkaniec miasta ⟨stanu⟩ Washington

WASP, Wasp [wɔsp] s am wojsk żeński oddział pilotów w lotnictwie

waspishly ['wɔspiʃli] adv zjadliwie

Wassermann ['vɑ:səmən] attr med ~ **reaction** ⟨test⟩ odczyn ⟨próba⟩ Wassermanna

↑ **waste** Ⅴ attr ~ **disposal** usuwanie odpadów; ~ **recovery** regeneracja odpadów

wastefully ['weistfuli] adv marnotrawnie; rozrzutnie

wasting ['weistiŋ] Ⅰ zob **waste** v Ⅲ adj med wyniszczający (dla organizmu); ~ **paralysis** postępujący zanik mięśni Ⅲ s med wyniszczenie (organizmu); chudnięcie

↑ **watch** Ⅴ attr rel ~ **meeting** nabożeństwo na zakończenie roku

watchfully ['wɔtʃfuli] adv czujnie; bacznie

↑ **water** Ⅰ s 1. ... ~ **of crystallization ⟨of hydration⟩** woda krystalizacyjna (hydratacyjna) Ⅴ attr wodny; ~ **front** pobrzeże; ~ **gap** przełom; ~ **nymph** a) mitol nimfa wodna b) bot lilia wodna c) bot roślina z rodzaju Naias; ~ **rights** prawo czerpania wody (z danego źródła, jeziora itd.); ~ **system** sieć wodna; ~ **witching** różdżkarstwo; bud ~ **back** zbiornik na gorącą wodę umieszczony z tyłu pieca; med ~ **blister** pęcherzyk wodnisty; sport (w zawodach hippicznych) ~ **jump** rów z wodą; fiz ~ **vapour** para wodna; nukl ~ **channel** kanał wodny (mokry); ~ **coolant** chłodziwo wodne; woda chłodząca; ~ **cooling** chłodzenie wodą; ~ **monitor** monitor aktywności wody; ~ **recirculation** recyrkulacja wody; ~ **slurry** zawiesina (papka) wodna; ~ **wall** warstwa wody; ściana wodna; bot ~

chestnut kotewka pospolita; ~ **chinquapin** amerykańska lilia wodna *Nelumbium pentapetalum*; ~ **gum** (*Nyssa sylvatica*) tulepo; ~ **marigold** amerykańska roślina złożona *Bidens Beckii*; ~ **oak** amerykańska odmiana dębu *Quercus nigra*; ~ **pimpernel** a) = **brookweed** b) (*Anagallis arvensis*) kurzyślad; ~ **plantane** ziele wodne z rodzaju *Alisma*; ~ **purslane** (*Didiplis diandra*) krwawnicowata roślina amerykańska; ~ **shield** roślina grzybieniowata z rodzajów *Brasenia* i *Cabomba*; ~ **speedwell** (*Veronica Anagallis-aquatica*) przetacznik bobowniczek; ~ **starwort** roślina z rodzaju *Callitriche*; *zool* ~ **crake** (*Cinclus aquaticus*) pluszcz wodny; ~ **snake** wąż wodny; ~ **strider** owad półpokrywy z rodziny *Hydrobatidae*; ~ **thrush** a) amerykańska gajówka *Seiurus novoboracensis* (*motacilla*) b) europejski pluszcz; ~ **turkey** (*Anhinga*) wężówka; *sport* ~ **jump** rów z wodą (przeszkoda na wyścigach)

waterbrain ['wɔ:təbrein] *s wet* kołowacizna

↑ **water-buffalo** *s* 2. *wojsk* desantowy pojazd amfibia

watercraft ['wɔ:təkra:ft, *am* 'wɔtəkræft] *s* 1. talent do sportów wodnych 2. statek

water-repellent ['wɔ:tə-ri'pelənt] *adj* hydrofobowy

waterscape ['wɔ:təskeip] *s plast* motyw wodny

watersoak ['wɔ:təsəuk] *vt* za/moczyć ⟨maczać⟩ w wodzie

water-soluble [,wɔ:tə'sɔljubl] *adj* rozpuszczalny w wodzie

↑ **wave** Ⅵ *attr radio tv* falowy; ~ **guide** falowód; *fiz* ~ **front** czoło fali; ~ **propagation** rozprzestrzenianie się fal; *mat* ~ **equation** równanie falowe; ~ **function** ⟨**number**⟩ funkcja ⟨liczba⟩ falowa; *techn* ~ **mechanics** mechanika falowa; ~ **recorder** przyrząd do mierzenia wysokości fal morskich; *wojsk* ~ **bombing** naloty falowe

wavellite ['weivəlait] *s miner* wawelit

Wave(s) [weiv(z)] *s am mar* kobieta w rezerwowej służbie morskiej

↑ **wax** Ⅰ *s* 1. ... **Carnauba** ~ wosk Karnauba 4. nagranie na płycie gramofonowej Ⅲ *attr* ... ~ **insect** owad wydzielający wosk Ⅵ *vt* 2. nagr-ać/ywać na płycie gramofonowej

waxiness ['wæksinis] *s* woskowatość; woskowaty wygląd; woskowata powierzchnia

waxplant ['wækspla:nt, *am* 'wæksplænt] *s bot* pnącze trojeściowate z rodzaju *Hoya*

waxweed ['wækswi:d] *s bot* (*Cuphea* ⟨*Parsonsia*⟩ *petiolata*) amerykańskie ziele krwawnicowate

waygoing ['weigəuiŋ] *adj* odchodzący; odjeżdżający

waywardly ['weiwədli] *adv* 1. samowolnie; krnąbrnie; niesfornie 2. kapryśnie; nieobliczalnie

weakfish ['wi:kfiʃ] *s zool* ryba jadalna z rodzaju *Cynoscion*

weakly ['wi:kli] *adv* 1. słabo 2. słabowicie; wątło; anemicznie 3. rzadko; wodniście 4. nieprzekonywająco

wealthily ['welθili] *adv* 1. bogato; zamożnie; majętnie 2. zasobnie (**in** sth w coś)

weaponeer [wepə'niə] *s wojsk lotn* członek załogi odbezpieczający bomby atomowe przed zrzuceniem

wearily ['wiərili] *adv* 1. ze zmęczeniem; ze zmęczenia; ze znużeniem 2. męcząco; nużąco; nudnie 3. ze znudzeniem

weasel² ['wi:zl] *s* pojazd na gąsienicach do jazdy po śniegu lub mokradle

weatherdrome ['weðədrəum] *s* pływająca stacja meteorologiczna

weatherize ['weðəraiz] *vt tekst* uodporniać (tkaninę) na działanie wpływów atmosferycznych

↑ **weave** Ⅲ *vi* 4. *sl radio* odsunąć się od mikrofonu (dla uzyskania wrażenia oddalania się)

webworm ['webwə:m] *s zool* (*Acantholida erytrocephala*) osnuja czerwonogłowa

wedgie ['wedʒi] *s* pantofel damski na koturnie; koturn

weediness ['wi:dinis] *s* zachwaszczenie

weigela [wai'gi:lə, wai'dʒi:lə] *s bot* (*Weigela*) wajgelia

↑ **weight** Ⅲ *vt* 3. przen-ieść/osić ciężar (sth na coś) Ⅲ *attr fiz* ~ **density** ciężar właściwy; ~ **per h.p.** obciążenie mocy

weighted ['weitid] Ⅰ *zob* **weight** *vt* Ⅲ *adj* z/ważony; *fiz* ~ **average** średnia ważona

weightily ['weitili] *adv* 1. ciężko 2. (*argumentować itd.*) ważko; poważnie; przekonywająco 3. (*o troskach — dać się odczuć*) uciążliwie; przygniatająco; przytłaczająco

weighting ['weitiŋ] Ⅰ *zob* **weight** *vt* Ⅲ *s* ważenie Ⅵ *attr nukl* ~ **function** funkcja ważona

weirdly ['wiədli] *adv* niesamowicie; nieziemsko

weiss [vais] *attr* ~ **beer** jasne piwo pszeniczne silnie musujące

weka ['weikə, 'wi:kə] *s zool* (*Ocydromus australis*) chróściel nowozelandzki

weldment ['weldmənt] *s techn* 1. spawanie; spaw 2. miejsce zespawania ⟨spawu⟩; spaw

weldor ['weldə] *s* = **welder**

welfarism [wel'fɛərizəm] *s* polityka ubezpieczeń społecznych

↑ **well¹** Ⅰ *s* 12. *nukl* jama

well-favored ['wel'feivəd] *adj am* = **well-favoured**

wellpoint ['welpɔint] *s* studnia wiercona dla obniżenia poziomu wód gruntowych

well-preserved [welpri'zə:vd] *adj* (*o człowieku*) dobrze zakonserwowany

well-thought-of [wel'θɔːt-ɔv] adj cieszący się dobrą opinią
↑ Welsh[1] □ adj ... kulin ~ rabbit ⟨rarebit⟩ opiekany chleb oblany roztopionym serem
weren't [wəːnt] = were not zob be
wernerite ['wəːnərait] s miner werneryt
westernism ['westənizəm] s wyrażenie stosowane w zachodnich stanach USA
↑ wet □ adj 1. ... nukl ~ lattice siatka zanurzona ⟨mokra⟩; ~ suspension zawiesina w cieczy
~ out vt wymoczyć; odmoczyć; odklejać (jedwab); usuwać tłuszcz (z wełny)
wetback ['wetbæk] s am nielegalny imigrant z Meksyku do USA
wetting ['wetiŋ] □ zob wet vt □ adj zwilżający; ułatwiający zwilżenie; ~ agent czynnik zwilżający; zwilżacz
wheat-board ['wiːtbɔːd] s bud płyta konstrukcyjna z odpadów pszenicznych
wheedlingly ['wiːdliŋli] adv 1. pieszczotliwie 2. bałamutnie; zalotnie
↑ wheel □ s 1. ... sl big ~ gruba ryba; szyszka Ⓜ attr zool ~ animal(cule) wrotek; ~ bug (Arilus cristatus) północnoamerykański owad niszczący inne owady
wheelwork ['wiːlwəːk] s techn tryby; zespół trybów
↑ which □ adj 1. powinno być: który?; ~ one of you? który z was?; ~ way? a) którędy?; dokąd? ...
whidah, whydah, widow ['widə] attr zool ~ bird = widow-bird
whiffletree ['wifl,triː] s orczyk
Whiggish ['wigiʃ] adj wigowski
Whiggism ['wigizəm] s polityka Wigów
whimsically ['wimzikəli] adv 1. kapryśnie; fanaberyjnie; narwanie 2. dziwacznie; cudacznie
↑ whip Ⓜ attr zool ~ scorpion skorpion z rodzaju Thelyphonus; ~ snake wąż, którego układ łusek na ogonie przypomina bicz
whipstitch ['wipstitʃ] s ścieg obrzucony ⟨okrętkowy⟩
whipworm ['wipwəːm] s zool owsik
whirlabout [wəːlə'baut] s = whirligig
whirley ['wəːli] s wojsk bomba latająca
↑ whirligig □ attr zool ~ beetle owad wodny z rodziny krętaków (Gyrinidae)
whirlybird ['wəːlibəːd] s lotn śmigłowiec
↑ whisk Ⓜ attr ~ broom miotełka do czyszczenia ubrań
whisperingly ['wispəriŋli] adv szeptem; szepcząc
whistle-stop ['wislstɔp] am □ s 1. przystanek kolejowy w małym miasteczku 2. małe prowincjonalne miasteczko □ vi objeżdżać teren podczas kampanii wyborczej
whistling ['wisliŋ] □ zob whistle v □ s

1. gwizdanie; świstanie; gwizd; świst 2. wet dychawica świszcząca (u koni) ▣ adj gwiżdżący; świszczący; zool ~ swan amerykański łabędź Cygnus columbianus
↑ white □ adj 1. ... ~ heat a) fiz biały żar b) przen gorączkowe podniecenie; White House a) Biały Dom, siedziba prezydenta USA b) władza wykonawcza w USA; ~ line pusty wiersz; nie zapisane miejsce; (w gleboznawstwie) ~ alkali sołoniec; am polit ~ primary zebranie przedwyborcze wyłącznie dla białych; anat ~ matter biała substancja mózgowa; chem ~ vitriol siarczan cynku; farm ~ wax wosk biały; fiz ~ noise biały szum; szum szerokopasowy; górn ~ damp czad; tlenek węgla; kulin ~ sauce biały sos; med ~ plague gruźlica; metalurg ~ gold stop z grupy Au—Cu—Ni—Zn; ~ lead biel ołowiana; bot ~ birch brzoza Betula pendula; ~ bryoni (Bryonia alba) przestęp; ~ cedar amerykański cedr Chamaecyparis thyoides; ~ clover (Trifolium repens) koniczyna biała; ~ gum eukaliptus australijski o białawej korze; ~ oak odmiany dębu: Quercus alba, petrea, Garrayana, lobata, robur; ~ pine sosna amerykańska Pinus strobus; ~ poplar (Populus alba) białodrzew; ~ spruce świerk Picea glauca; zool ~ gerfalcon sokół Falco rusticulus; ~ perch okoń amerykański Morone americana; ~ rat (Rattus norvegicus) szczur albinos; ~ whale (Delphinapterus leucas) bieługa, delfin szablogrzbiet 5. dopuszczalny
whitebeard ['waitbiəd] s sędziwy staruszek
white-eye ['wait'ai] s zool ptak z rodziny szlarników Zosteropidae
white-faced ['waitfeist] adj 1. (o człowieku) białolicy 2. (o koniu) z białą strzałką
white-headed [wait'hedid] adj 1. białowłosy; siwowłosy 2. jasnowłosy; pot ~ boy ulubieniec
white-hot [wait'hɔt] adj rozpalony do białości
whitely ['waitli] adv biało; na biało
whiteness ['waitnis] s 1. biel 2. bladość 3. czystość
white-tailed ['waitteild] adj zool ~ deer amerykański jeleń Odocoileus virginianus
white-throated ['wait,θrəutid] attr zool ~ sparrow = peabody bird zob peabody ↑
whitewing ['waitwiŋ] s am zamiatacz ulic (ubrany w biały kitel)
white-winged ['waitwiŋgd] adj białoskrzydły; zool ~ dove amerykański gołąb Zenaida asiatica
whittling ['witliŋ] □ zob whittle v □ s 1. struganie 2. strużyna
whizzbang ['wizbæŋ] s wojsk bomba latająca
↑ whole □ adj 4. ... mat ~ number licz-

ba całkowita; *muz* ~ **note** cała nuta; ~ **step** cały ton

whole-life ['həul'laif] *attr* ~ **insurance** ubezpieczenie na życie

wholeseas ['həulsi:z] *adj* (*także* ~ **over**) *pot* pijaniusieńki; pijany w sztok

↑ **wholesome** *adj* 1. ... zdrowotny 2. higieniczny 3. (*o radzie itd.*) zbawienny

wholesomely ['həulsəmli] *adv* 1. zdrowo; zdrowotnie 2. higienicznie 3. zbawiennie

whole-souled ['heulsəuld] *adj* = **whole-hearted**

whole-wheat ['həulwi:t] *adj* (*o mące*) pszenno-razowy

whydunit [wai'dʌnit] *s* powieść kryminalno-psychologiczna

wickedly ['wikidli] *adv* 1. grzesznie 2. w złym zamiarze; złośliwie 3. niegodziwie; nikczemnie; ohydnie; paskudnie

wickiup ['wikiʌp] *s am* indiańska chata

wicopy ['wikəpi] *s bot* 1. (*Dirca palustris*) drzewo skórzane 2. (*Chamaenerion angustifolium*) kiprzyca 3. lipa amerykańska *Tilia glabra*

wide-angle [waid'æŋgl] *adj fot* (*o obiektywie*) szerokokątny

widely-spaced ['waidli,speist] *adj* rozmieszczony w dużych odstępach

wide-open [waid'əupən] *adj* 1. rozwarty ⟨otwarty⟩ na oścież 2. pobłażliwie traktujący (naruszenie ustawy o prohibicji, grach hazardowych itd.)

widow² ['widə] *attr* ~ **bird** = **widow-bird**

Wiener ['vi:nə] *adj* wiedeński; *kulin* ~ **schnitzel** sznycel wiedeński ⟨po wiedeńsku⟩

wiggly ['wigli] *adj* (*o dziecku*) ruchliwy ⟨wiercący się⟩

wigner ['wignə] *attr fiz* ~ **effect** powstawanie defektu (w sieci krystalicznej)

wiikite ['wiikait] *s miner* wiikit

wilco ['wilkəu] *s* (*w sygnalizacji radiowej*) wyraz szyfrowy: „wiadomość odebrałem, rozkaz wykonam"

↑ **wild** *adj* 1. ... ~ **rubber** kauczuk z drzew dziko rosnących; *biol* ~ **type** (**of population**) dzika populacja; *bot* ~ **allspice** = = **spice-bush**; ~ **briar** ⟨**brier**⟩ a) dzika róża b) (*Rosa eglanteria*) róża gęstokolczasta; ~ **carrot** (*Daucus carota*) marchew zwyczajna; ~ **flax** (*Linaria vulgaris*) lnica pospolita; ~ **hyacynth** a) amerykańska roślina z rodzaju *Camassia* b) (*Scilla nondescripta*) dzwonek okrągłolistny; ~ **indigo** amerykańska roślina z rodzaju *Baptista*; ~ **lettuce** (*Lactuca serriola* ⟨*scariola*⟩) sałata kompasowa; dzikuń; ~ **madder** a) (*Rubia*) marzanna b) (*Galium mollugo*) przytulia pospolita; ~ **mustard** (*Sinapis arvensis*) gorczyca polna; ~ **pansy** (*Viola tricolor*) bratek trójbarwny; ~ **parsley** dzika roślina podobna do pietruszki; ~ **parsnip** baldaszkowaty chwast podobny do pasternaka; ~ **rye** trawa z rodzaju *Ely-*

mus; ~ **spinach** (*Chenopodium*) komosa; ~ **vanilla** (*Trilisa odoratissima*) amerykańska roślina złożona o zapachu wanilii

↑ **wild-cat** Ⅲ *attr* 4. (*o strajku*) dziki; nieautoryzowany przez związek zawodowy

wildcutter [waild'kʌtə] *s pot* 1. człowiek dokonujący wierceń na własną rękę 2. spekulant

wild-eyed ['waildaid] *adj* 1. wściekły 2. (*o człowieku*) o błędnym wzroku; z obłędem w oczach

wildling ['waildliŋ] *s* 1. dzika roślina; dziki kwiat 2. dzikie zwierzę

wildwood ['waildwud] *s* dziki las; drzewa dziko rosnące

wilfully ['wilfuli] *adv* 1. rozmyślnie; umyślnie; świadomie; z premedytacją 2. uparcie; samowolnie

wilily ['waili] *adv* chytrze; przebiegle; podstępnie

willful ['wilful] *adj am* = **wilful**

willfully ['wilfuli] *adv am* = **wilfully** ↑

willingly ['wiliŋli] *adv* chętnie; z chęcią; ochoczo

willowware ['wiləuweə] *s* porcelana chińska z wzorem niebieskim w liście wierzbowe

Wilson ['wilsən] *spr zool* ~'**s petrel** petrel *Oceanites oceanicus*; ~'**s phalarope** rudlonogi ptak amerykański *Steganopus tricolor*; ~'**s snipe** kszyk amerykański *Capella delicata*; ~'**s thrush** = **veery** ↑

↑ **wind¹** Ⅲ *attr* wietrzny; ~ **rose** róża wiatrów; ~ **scale** skala do oznaczania prędkości wiatru; ~ **sleeve** = **wind-sock**; *bud* ~ **brace** wiatrownica; *fiz* ~ **erosion** erozja wietrzna; *wet* ~ **sucking** łykawość (u konia)

↑ **wind-blown** *adj* 4. (*o drzewach*) przechylone w jednym kierunku wskutek przeważających wiatrów

windbreaker ['windbreikə], **windcheater** ['windtʃi:tə] *s* wiatrówka; skafander

windily ['windili] *odv* wietrznie

↑ **window** Ⅲ *attr* okienny; ~ **sash** skrzydło okienne; ~ **shade** stora

↑ **window-dressing** *s* 3. (*zw* **mere** ~) *przen* mydlenie oczu; bluff; pozory

wind-pollinated [wind'pɔlineitid] *adj bot* wiatropylny

wind-pollination [wind,pɔli'neiʃən] *s bot* wiatropylność

wind-shake ['windʃeik] *s* spaczenie (drewna); pęknięcie okrężne łukowe (wada drewna)

windtight ['windtait] *adj* wiatroszczelny

windway ['windwei] *s* 1. kanał wentylacyjny 2. *muz* piszczałka wargowa

winery ['wainəri] *s* wytwórnia win

winesap ['wainsæp] *s bot* odmiana amerykańskiego jabłka zimowego

↑ **wing** Ⅲ *vi* 2. (*o człowieku*) podróżować samolotem Ⅳ *attr* skrzydłowy; ~ **chair** fotel z bocznym oparciem na głowę; *lotn* ~ **loading** jednostkowe obciążenie po-

wierzchni płata; *techn* ~ **nut** nakrętka skrzydełkowa ⟨motylkowa⟩; *wojsk lotn* ~ **gun** działo umieszczone na skrzydle samolotu; *zool* ~ **coverts** pióra okrywowe
↑ **winged** ⫿ *adj* ... *myśl* ~ **game** ptactwo łowne; *wojsk* ~ **bomb** ⟨**comet**⟩ bomba latająca
wingman ['wiŋmən] *s* (*pl* **wingmen** ['wiŋmən]) *lotn* (*w formacji samolotów*) skrzydłowy
wingy ['wiŋi] *adj* 1. uskrzydlony; skrzydlaty 2. szybki; chyży
winsomely ['winsəmli] *adv* uroczo; pociągająco
↑ **winter** ⫿ *attr* 1. ... *bot* ~ **aconite** ziele jaskrowate *Eranthis hyemalis*; ~ **melon** (*Cucumis melo*) melon
winterberry ['wintə‚beri] *s bot* kilka amerykańskich gatunków ostrokrzewu
winterfeed ['wintəfi:d] *vt* karmić przez zimę
↑ **winter-green** *s* 2. amerykańska roślina wrzosowata *Gaultheria procumbens*
winterize ['wintəraiz] *vt* zaopatrzyć na zimę; zabezpieczyć przed mrozem
winterkill ['wintəkil] ⫿ *vt* dopuścić do wymarznięcia (rośliny); wymrozić (roślinę) ⫿ *vi* (*o roślinach*) wymarznąć
wintrily ['wintrili] *adv* chłodno
winze [winz] *s górn* szybik między dwoma poziomami
↑ **wire** ⫿ *attr* 1. ... ~ **gauze** siatka druciana; ~ **glass** szkło zbrojne ‖ ~ **recorder** aparat zapisujący dźwięki; ~ **tapping** podsłuch rozmów telefonicznych
wireman ['waiəmən] *s* (*pl* **wiremen** ['waiəmən]) elektromonter
wirephoto [waiə'fəutəu] *s* fotografia przekazana telegraficznie
wirework ['waiəwə:k] *s* przedmiot wykonany z drutu
wireworks ['waiəwə:ks] *s* druciarnia
↑ **wire-wove** *adj* 2. (zrobiony) z drutu plecionego
wiring ['waiəriŋ] ⫿ *zob* **wire** *v* ⫿ *s* 1. depeszowanie; telegrafowanie 2. drutowanie 3. instalacja elektryczna; druty; system ⟨sieć⟩ drutów
wisely ['waizli] *adv* mądrze; roztropnie
wisteria [wis'teriə] *s bot* wistaria
wistfully ['wistfuli] *adv* 1. w zadumie 2. tęsknie 3. smutno
↑ **witch**¹ ⫿ *attr* (dotyczący) czarownicy ⟨czarownic⟩; ~ **hunt** a) tropienie czarownic b) *przen* nagonka na przeciwników politycznych rzekomo pod zarzutem działalności antypaństwowej c) szukanie kozła ofiarnego; ~ **hazel** a) *bot* (*Hamamelis virginiana*) oczar wirgiński b) *farm* liście oczaru wirgińskiego; *bot* ~ **grass** a) (*Agropyron repens*) perz b) amerykański chwast *Panicum capillare*; *zool* ~ **moth** motyl nocny z rodzaju *Erebus*
witching ['witʃiŋ] ⫿ *zob* **witch**¹ *v* ⫿ *s* czary ⫿ *adj* magiczny; czarnoksięski

↑ **withdrawn** ⫿ *adj* (*o człowieku*) zamknięty w sobie; niekomunikatywny
↑ **withe** ⫿ *attr bot* ~ **rod** (*Viburnum cassinoides* ⟨*nudum*⟩) północnoamerykański gatunek kaliny
withindoors [wið'indɔ:z] *adv* w domu
within-named [wið'inneimd] *adj* wymieniony w niniejszym piśmie
withy ['wiði] *adj* giętki (smukły, gibki) jak witka (łozowa)
witlessly ['witlisli] *adv* 1. nierozsądnie 2. tępo; nieinteligentnie
↑ **witness** ⫿ *s* 4. sekciarz należący do Świadków Jehowy; Jehowita; Świadek Jehowy ⫿ *attr* ~ **mark** kamień graniczny posiadłości ziemskiej
↑ **wizard** ⫿ *adj* 2. (także **wizardly**) magiczny; czarnoksięski
↑ **wobble** ⫿ *attr* ~ **pump** pompa tarczowa
woefully ['wəufuli] *adv* 1. ze smutkiem; w smutku; smutno; z przygnębieniem; w przygnębieniu 2. boleśnie; ponuro; katastrofalnie; fatalnie
wog [wɔg] *s sl pog* przybłęda ze Wschodu
↑ **wolf** ⫿ *attr zool* ~ **eel** (*Anarhichthys ocellatus*) węgorzowata amerykańska ryba drapieżna; *sl mar* ~ **pack** grupa łodzi podwodnych atakująca konwoje statków towarowych
wollastonite ['wuləstənait] *s miner* wolastonit
↑ **woman** ⫿ *attr* ‖ ~ **suffrage** prawo wyborcze dla kobiet
wonderfully ['wʌndəfuli] *adv* cudownie; zdumiewająco
↑ **wood** ⫿ *attr* ... ~ **note** odgłos leśny (np. śpiew ptaka); *bot* ~ **hyacynth** liliowaty kwiat *Scilla nonscripta*; *zool* ~ **ibis** brodziec amerykański *Mycteria americana*; ~ **thrush** drozd amerykański *Hylocichla mustelina*; ~ **peewee** amerykańska muchołówka *Myiochanes virens*
woodenly ['wudənli] *adv przen* sztywno; drętwo
woodpile ['wudpail] *s* stos drewna (do palenia)
woodprint ['wudprint] *s druk* klisza
woodworm ['wudwə:m] *s zool* robak ⟨czerw⟩ drzewny
woofer ['wu:fə] *s* głośnik niskotonowy
woolen ['wulin] *adj s am* = **woollen**
wooler ['wulə] *s am* zwierzę dające wełnę
↑ **woolly** *adj* 1. ... *zool* ~ **bear** gąsienica obrośnięta wełnistymi włosami
woozy ['wuzi] *adj sl* 1. zamroczony; podchmielony 2. (*o człowieku*) nie w sosie
Worcester ['wustə] *spr attr* ~ **china** delikatna porcelana z królewskiej fabryki w mieście Worcester; *kulin* ~ **sauce** sos Worcester
↑ **word** ⫿ *attr* słowny; wyrazowy; ~ **order** szyk wyrazów (w zdaniu); ~ **square**

kwadrat magiczny (rodzaj rozrywki u-mysłowej)
↑ **word-blind** �III *s med* cierpiący na aleksję
↑ **word-book** ['wə:dbuk] *s* 2. libretto
↑ **work** V *attr* roboczy; *nukl* ~ **function (of an electron)** praca wyjścia (elektronu); *fiz* ~ **function** potencjał termodynamiczny Helmholtza
work-book ['wə:kbuk] *s* 1. podręcznik 2. (*na budowie itd.*) dziennik wykonanych robót
↑ **working** III *adj* 1. ... **the** ~ **class** ... klasa robotnicza 5. roboczy; ~ **drawing** rysunek roboczy (wykonawczy); ~ **day** dzień roboczy; dniówka; ~ **papers** papiery uprawniające do zatrudnienia nieletniego; *nukl* ~ **curve (of a counter)** krzywa robocza (licznika); charakterystyka (licznika); ~ **power density** gęstość robocza mocy; ~ **gas** gaz roboczy; reagent gazowy
↑ **workman** *s* 1. ... ~**'s compensation** odszkodowanie za następstwa wypadku podczas pracy
works [wə:ks] I *s zob* **work** *s* 7., 8., 9., 10., 12. III *attr* zakładowy; fabryczny; ~ **council** rada zakładowa
↑ **workshop** I *s* 2. seminarium
↑ **world** I *s* 1. ... *sl* **out of this** ~ nie z tej ziemi; bezkonkurencyjny III *attr* ... **World Court** Międzynarodowy Trybunał Sprawiedliwości (w Hadze); (*w geopolityce*) ~ **island** Europa, Azja i Afryka jako jednostka polityczna; *ekon* **World Bank** Międzynarodowy Bank Odbudowy i Rozwoju
world-auxiliary [,wə:ldɔ:'gziliəri] *s* sztuczny język międzynarodowy
worrisomely ['wʌrisəmli] *adv* dokuczliwie

worshipfully ['wə:ʃipfuli] *adv* czcigodnie; ze czcią
worthily ['wə:ðili] *adv* 1. godnie; z szacunkiem 2. stosownie
↑ **wove** III *adj* ~ **paper** papier welinowy
↑ **woven** III *adj* u/tkany; (*o drucie*) pleciony; ~ **wire** drut pleciony; plecionka druciana; tkanina druciana; siatka druciana; ~ **paper** = **wove paper** *zob* **wove** ↑
wow [wau] I *s* 1. (*w nagraniu dźwięku*) falowanie dźwięku 2. *sl* bomba, coś niezwykle udanego III *interj pot* ojej!
wraps [ræps] *s wojsk* opaska cenzury na pakunku
wrathfully ['rɔ:θfuli] *adv* gniewnie; gniewliwie; w gniewie
wrathily ['rɔ:θili] *adv pot* ze złością
wrathy ['rɔ:θi] *adj pot* zły
↑ **wrecker** *s* 4. *zamiast*: pogotowie (samochodowe itd.) *powinno być*: samochód pomocy drogowej
wrecking ['rekiŋ] I *zob* **wreck** *v* III *attr* ~ **car** = **wrecker** 4. ↑
wretchedly ['retʃidli] *adv* 1. nieszczęśnie; fatalnie 2. nędznie; marnie; żałośnie 3. ohydnie; wstrętnie; paskudnie 4. kiepsko; mizernie
write-up [rait'ʌp] *s pot* dzien notka; wzmianka (w prasie)
wrongfully ['rɔŋfuli] *adv* 1. niesprawiedliwie; niesłusznie 2. krzywdząco 3. bezprawnie
wrongly ['rɔŋli] *adv* 1. źle; brzydko; nieszlachetnie 2. niewłaściwie; mylnie; błędnie; fałszywie
wych-hazel ['witʃheizl] *s* = **witch hazel** *zob* **witch**[1] ↑
↑ **wye** III *attr geod* ~ **level** niwelator z lunetą przekładową

X

↑ **X, x** III *attr* **x chromosome** chromosom x
xanthochroid ['zænθəkrɔid] *adj* należący do ludów jasnowłosych (białej rasy)
xenia ['zi:niə] *s biol* ksenia
xenogenesis [zi:nəu'dʒenisis] *s biol* 1. heterogeneza 2. generacja naprzemienna
xenomorphic [zi:nəu'mɔ:fik] *adj miner* ksenomorficzny
xeric ['ziərik] *adj* 1. suchy 2. wywołujący posuchę
xeroderma [ziərəu'də:mə] *s med* skóra sucha (pergaminowa)
xerogel ['ziərəudʒel] *s chem* kserogal
xerography [ziə'rɔgrəfi] *s druk* kserografia
xerophilous [ziə'rɔfiləs] *adj bot* kserofilny; sucholubny
xerophthalmia [,ziərəu'fθælmiə] *s med* suchość spojówek

xerophyte ['ziərəufait] *s bot* kserofit; suchorośl
xeroprinting [,ziərəu'printiŋ] *s druk* technika kserograficzna
xeroradiography [,ziərəu,reidi'ɔgrəfi] *s* kseroradiografia
xiphisternum [zifi'stə:nəm] *s anat* wyrostek mieczykowaty
↑ **x-ray** I *adj* ... ~ **therapy** radioterapia; *zool* ~ **fish** = **glassfish** ↑
xylidine ['zailidi:n] *s chem* ksylidyna
xyloid ['zailɔid] *adj* drzewiasty
xylol ['zailɔl] *s chem* ksylen
xylose ['zailəus] *s chem* ksyloza
xylotomous [zai'lɔtəməs] *adj* (*o owadzie*) drążący drewno
xylotomy [zai'lɔtəmi] *s* skrawanie drewna mikrotomem

Y

yackety-yack [jækiti'jæk] *s am sl* puste gadanie; przelewanie z pustego w próżne

Yahweh ['jɑ:vi] *spr rel* Jahwe

yak [jæk] *s* = **yuk**

yammer ['jæmə] *pot* Ⓘ *vi* jojczeć; biadolić Ⓘ *s* jojczenie; biadolenie

↑ **Yankee** Ⓘ *attr powinno być*: **Yankee Doodle** pieśń, którą Anglicy wyśmiewali Amerykanów około 1755 r., uważana obecnie przez Amerykanów za ich pieśń narodową

Yankeeism [jæŋ'kiizəm] *s* 1. cechy charakteryzujące Yankesów 2. wyrażenie amerykańskie; amerykanizm

↑ **yard²** Ⓘ *attr bot* ~ **grass** chwast *Eleusine indica*

yardarm ['jɑ:dɑ:m] *s mar* nok rei

yardbird ['jɑ:dbə:d] *s sl wojsk* żołnierz stale przydzielany do zajęć nieżołnierskich (do sprzątania, pielenia itd.)

yarn-dyed ['jɑ:ndaid] *adj* (*o tkaninie*) utkany z farbowanego włókna

ya-ta-ta ['jɑ:tətɑ:] *s sl* puste gadanie; mielenie ozorem

yaupon ['jɔ:pɔn] *s bot* amerykańska odmiana ostrokrzewu *Ilex vomitoria*

↑ **yellow** Ⓘ *adj* 1. ... ~ **journalism** sensacyjna prasa; ~ **peril** żółte niebezpieczeństwo; *anat* ~ **spot** żółta plamka (siatkówki); *bot* ~ **avens** = **bennet**; ~ **daisy** (*Rudbeckia hirta*) rudbeckia; ~ **pine** a) amerykańska odmiana sosny b) tulipanowiec *Liriodendron tulipifera*; ~ **poplar** tulipanowiec; *zool* ~ **jacket** osa z rodziny *Vespidae* z żółtymi plamami; ~ **warbler** amerykańska gajówka *Dendroica petechia*

yellowbird ['jeləubə:d] *s* nazwa różnych ptaków o żółtym upierzeniu

yellow-fin ['jeləufin] *attr zool* ~ **tuna** ryba jadalna Pacyfiku *Neothunnus macropterus*

yellow-green ['jeləugri:n] *adj* żółtozielony

yellowlegs ['jeləulegz] *s zool* nazwa amerykańskich ptaków przybrzeżnych *Totanus melanoleucus* ⟨*flavipes*⟩

yellowtail ['jeləuteil] *s zool* nazwa kilku ryb o żółtej płetwie ogonowej

yellowthroat ['jeleuθrəut] *s zool* nazwa kilku amerykańskich gajówek z żółtą plamką na gardle

yellowweed ['jeləuwi:d] *s bot* starzec jakubek

yellowwood ['jeləuwud] *s* drewno amerykańskiego drzewa *Cladrastis lutea* oraz kilku innych drzew o żółtym drewnie

Y-gun ['waigʌn] *s wojsk* rodzaj dwulufowego działa przeciw łodziom podwodnym

↑ **yield** Ⓥ *s* 3. ... *nukl* ~ **of neutrons per fission** liczba neutronów wytwarzanych w akcie rozszczepienia; ~ **of recovered point-mutations** liczba zregenerowanych mutacji punktowych Ⓥ *attr nukl* ~ **cross-section** przekrój czynny na wytwarzanie; ~ **strength** umowna granica plastyczności

youngberry ['jʌŋˌberi] *s* jeżyna amerykańska (krzyżówka kilku gatunków jeżyn)

youthfully ['ju:θfuli] *adv* 1. młodo 2. młodzieńczo

yow [ju:] *interj* (*wyraża ból, konsternację lub przerażenie*) oj!; ojej!; o rety!

yo-yo ['jəu-jəu] *s* jojo

ytterbia [i'tə:biə] *s chem* tlenek iterbowy

yttria ['itriə] *s chem* tlenek itrowy

yttrocrasite [ˌitrəu'kræsait] *s miner* itrokrazyt

yttroersite [ˌitrəu'ə:sait] *s miner* itroerzyt

yttrogummite [ˌitrəu'gʌmait] *s miner* itrogumit

yttrotantalite [ˌitrəu'tæntəlait] *s miner* itrotantalit

yuk [ju:k] *s* salwa śmiechu

Z

zanthoxylum [zæn'θɔksiləm] *s farm* kora różnych gatunków drzew *Zanthoxylum* (stosowana w medycynie)

zealously ['zeləsli] *adv* gorliwie; z zapałem; żarliwie

↑ **zebra** Ⓘ *attr* ... *zool* ~ **fish** pręgowana ryba akwariowa *Brachydania verio*

zebrawood ['zi:brəˌwud] *s* prążkowane drewno drzewa Ameryki tropikalnej *Connarus guianensis*

zee [zi:] *s am* zet; litera z

zeep [zi:p] *s* = **zero-energy pile** *zob* **zero-energy** ↑

zein ['zi:in] *s biochem* zeina

↑ **zero** Ⓘ *attr* ... *nukl* ~ **rest-mass** zerowa moc spoczynkowa

zero-energy ['ziərəu'inədʒi] *attr nukl* ~ **pile** reaktor o mocy zerowej; ~ **level** poziom mocy zerowej; ~ **thermal apparatus** reaktor termonuklearny o mocy zerowej

zestful ['zestful] *adj* pełen ochoty (animuszu, werwy); ochoczy

zestfully ['zestfuli] *adv* z ochotą; ochoczo; z zapałem; z werwą

zeugma ['zu:gmə] *s gram ret* zeugma

zeunerite ['zju:nərait] *s miner* zeuneryt

Z-gun ['zedgʌn] *s wojsk* brytyjskie działo przeciwlotnicze

zibeline ['zibəlin] Ⅱ *adj* soboli Ⅲ *s* sobole (futro)

ziggurat ['ziguræt] *s archeol* zikkurat

↑ **zinc** Ⅳ *attr* cynkowy; *chem* ~ **white** biel cynkowa; *farm* ~ **ointment** maść cynkowa

zincate ['ziŋkeit] *s chem* cynkan

zincite ['ziŋkait] *s miner* cynkit

zinckenite ['ziŋkənait] *s miner* cynkenit

zincking ['ziŋkiŋ] Ⅰ *zob* **zinc** *vt* Ⅲ *s* odsrebrzanie za pomocą cynku

zincous ['ziŋkəs] *adj* cynkowy

zingiberaceous [zin‚gibə'reiʃəs], **zinziberaceous** [zin‚zibə'reiʃəs] *adj bot* imbirowaty

↑ **zip** Ⅲ *attr* ~ **gun** prymitywny pistolet własnej roboty

zippeite ['zipiait] *s miner* cypeit

zirconyl ['zə:kɔnil] *s chem* cyrkonyl

zirkelite ['zə:kəlait] *s miner* cyrkelit

↑ **zombi(e)** *s* 4. *sl* tuman; bałwan 5. *sl* mocny cocktail

↑ **zonal** *adj* ... ~ **soil** gleba powstała pod wpływem roślinności i klimatu

zoography [zəu'ɔgrəfi] *s* opis zwierząt

zooid [zəu'ɔid] *s biol* zooid

zoometry [zəu'ɔmitri] *s* zoometria

zoomorphic [zəuɔ'mɔfik] *adj* zoomorficzny

zoon ['zəuɔn] *s zool* osobnik, który się rozwinął z jednego jaja

zoonoses [zəuɔ'nəuziz] *s med* choroby przenoszone przez zwierzęta

zoophilous [zəu'ɔfiləs] *adj* 1. lubiący zwierzęta 2. *bot* zapylany przez zwierzęta

zoophobia [zəuɔ'fəubiə] *s* lęk przed zwierzętami

zooplasty [zəu'ɔpləsti] *s med* zooplastyka; przeszczepianie tkanek zwierzęcych człowiekowi

zoospore ['zəuɔspɔ:] *s zool* zoospora, pływka

zoot [zu:t] *attr sl* ~ **suit** ubranie o ekstrawaganckim kroju

zoril ['zɔril], **zorilla** [zɔ'rilə] *s zool* łasicowate zwierzę południowoafrykańskie *Ictonyx striatus*

Zoroastrianism [‚zɔrəu'æstriənizəm] *s filoz* zoroastryzm

zwieback ['tswi:bɑ:k] *s kulin* cwibak

zwinglian ['tswiŋgliən] *adj* (*o doktrynie*) Ulrycha Zwingli

zwiterion ['tswitə‚raiən] *s fiz* jon dwubiegunowy

zygapophysis [zaigə'pɔfisis] *s anat zool* wyrostek stawowy kręgu

zygomorphic [zaigəu'mɔ:fik] *adj biol* o jednej płaszczyźnie symetrii

zygospore ['zaigəspɔ:] *s bot biol* zygospora

zymogenesis [‚zaimɔ'dʒenisis] *s biochem* tworzenie się enzymu z zymogenu

zymogenic [zaimɔ'dʒenik] *adj* wywołujący fermentację

zymometer [zai'mɔmitə] *s* przyrząd do mierzenia stopnia fermentacji

zymurgy ['zaimə:dʒi] *s* sztuka fermentacyjna (warzenie piwa, robienie wina itd.); przemysłowe zastosowanie fermentacji

NAZWY GEOGRAFICZNE

GEOGRAPHICAL NAMES

↑ **Afghanistan** ... **Republic of** ~ Republika Afganistanu

↑ **Africa** ... **Republic of South** ~ Republika Południowej Afryki; *hist* **South West** ~ Afryka Południowo-Zachodnia (= **Namibia** ↑); **French West** ~ Francuska Afryka Zachodnia; **Portuguese East** ~ Portugalska Afryka Wschodnia (= **Mozambique**); **Portuguese West** ~ Portugalska Afryka Zachodnia (= **Angola**)

Andora [ən'dɔːrə] Andora; **Principality** ⟨**Valleys**⟩ **of** ~ Księstwo ⟨Doliny⟩ Andory

Anguilla [æŋ'gwilə] Anguilla

Antigua and Barbuda [ən'tiːgə ənd baː'bjuːdə] Antigua i Barbuda

↑ **Antilles** ... **Netherlands** ~ Antyle Holenderskie

↑ **Argentina** ... *powinno być*: Argentyna; **Argentine Republic** Republika Argentyńska

Aruba [ə'ruːbə] Aruba

↑ **Australia** ... **Commonwealth of** ~ Związek Australijski

↑ **Austria** ... **Republic of** ~ Republika Austrii

Bahamas, the [ðə bə'haːməz] Wyspy Bahama; **the Commonwealth of the** ~ Wspólnota Bahamów

Bangladesh [bæŋglə'deʃ] Bangladesz; **People's Republic of** ~ Ludowa Republika Bangladeszu

↑ **Belgium** ... **Kingdom of** ~ Królestwo Belgii

Belize [bi'liːz] Belize

Benin [be'niːn] Benin; **People's Republic of** ~ Ludowa Republika Beninu

Bermuda [bə'mjuːdə] Bermudy

Bhutan [bu'taːn] Bhutan; **Kingdom of** ~ Królestwo Bhutanu

Botswana [bɔt'swaːnə] Botswana; **Republic of** ~ Republika Botswany

British Antarctic Territory, the [ðə 'britiʃ æn'taːktik 'teritəri] Brytyjskie Terytorium Antarktyczne

Brunei ['bruːnai] Brunei; **State of** ~ Państwo Brunei

Burkina Faso [bəːˌkiːnə 'fæsou] Burkina Faso

↑ **Burma** *obecnie*: **Myanmar** ↑

Burundii [bu'ruːndi] Burundi; **Republic of** ~ Republika Burundii

Cape Verde [keip 'vəːd] Wyspy Zielonego Przylądka; **Republic of** ~ Republika Wysp Zielonego Przylądka

Cayman Islands, the [ðə 'keimən 'ailəndz] Kajmany

Central African Republic [ˌsentrəl æfrikən ri'pʌblik] Republika Środkowoafrykańska

↑ **China** ... **People's Republic of** ~ Chińska Republika Ludowa

Cocos ⟨**Keeling**⟩ **Islands, the** [ðə 'koukəs ⟨'kiːliŋ⟩ 'ailəndz] Wyspy Kokosowe

Commonwealth of Independent States [ˌkɔmənwelθ əv ˌində- 'pendənt 'steits] Wspólnota Państw Niepodległych

Comoros ['kɔmərouz] Komory; **Federal Islamic Republic of the** ~ Federacyjna Islamska Republika Komorów

↑ **Congo** ... **People's Republic of the** ~, ~**(Brazzaville)** Ludowa Republika Konga; *hist* **Democratic Republic of the** ~, ~**(Kinshasa)** Demokratyczna Republika Konga (= **Zaire** ↑)

↑ **Cyprus** ... **Republic of** ~ Republika Cypru

↑ **Czechoslovakia** *powinno być*: **Czecho-Slovakia** [ˌtʃekou-slə'vækiə] Czecho-Słowacja; **Czech and Slovak Federative Republic** Czeska i Słowacka Republika Federacyjna

↑ **Denmark** ... **Kingdom of** ~ Królestwo Danii

Dominica [ˌdɔmi'niːkə] Dominika; **Commonwealth of** ~ Wspólnota Dominiki

Ecuador ['ekwədɔː] Ekwador; **Republic of** ~ Republika Ekwadoru

↑ **Egypt** ... **Arab Republic of** ~ Egipska Republika Arabska

El Salvador [el'sælvədɔː]; **Republic of** ~ Republika Salwadoru

↑ **Ethiopia** ... **People's Democratic Republic of** ~ Ludowo-Demokratyczna Republika Etiopii

Fiji ['fiːdʒiː] Fidżi; **Republic of** ~ Republika Fidżi

↑ **France** ... **French Republic** Republika Francuska

↑ **Germany** ... **Federal Republic of** ~ Republika Federalna Niemiec

Ghana ['gaːnə] Ghana; **Republic of** ~ Republika Ghany

Gilbert and Ellis Islands ['dʒilbət-ənd- 'elis 'ailəndz] Wyspy Gilberta i Lagunowe

↑ **Greece** ... **Hellenic Republic** Republika Grecji

Grenada [gri'neidə] Grenada

Guadeloupe [ˌgwaːdə'luːp] Gwadelupa

Guam [gwɔːm] Guam

Guernsey ['gəːnzi] Guernsey

↑ **Guiana** *powinno być*: **Guyana** [gai'ænə] Gujana;

Co-operative Republic of ~ Spółdzielcza Republika Gujany; **French** ~ Gujana Francuska; **Dutch** ⟨**Netherlands**⟩ ~ Gujana Holenderska (= **Suriname** ↑)
↑ **Guinea** ... **Republic of** ~ Republika Gwinei; **Portuguese** ~ Gwinea Portugalska; **Equatorial** ~ Gwinea Równikowa
Guinea-Bissau [ˌginibiˈsau] Gwinea Bissau; **Republic of** ~ Republika Gwinei Bissau

↑ **Indonesia** ... **Republic of** ~ Republika Indonezji
↑ **Ireland** ... **Republic of** ~ Republika Irlandzka
↑ **Italy** ... **Italian Republic** Republika Włoska

↑ **Kenya** ... **Republic of** ~ Republika Kenii
Kiribati [ˌkiriˈbaːti] Kiribati; **Republic of** ~ Republika Kiribati
↑ **Korea** ... *powinno być*: **Democratic People's Republic of** ~ Koreańska Republika Ludowo-Demokratyczna; **Republic of** ~ Korea Południowa, Republika Koreańska
Kyrgyzstan [ˌkirgizˈstaːn] Kirgistan

↑ **Laos** ... **Lao People's Democratic Republic** Laotańska Republika Ludowo-Demokratyczna
Lesotho [ləˈsɔːtə] Lesotho; **Kingdom of** ~ Królestwo Lesotho
↑ **Liberia** ... **Republic of** ~ Republika Liberii
↑ **Libya** ... **Socialist People's Libyan Arab Jamahiriya** Libijska Arabska Dżamahirija Ludowo-Socjalistyczna
↑ **Luxemburg** ... **Grand Duchy of** ~ Wielkie Księstwo Luksemburga

Macau [məˈkau] Makao
Malagasy Republic [ˌmæləˈgæsi riˈpʌblik] Republika Malgaska (= **Madagascar**)
Malawi [məˈlaːwi] Malawi; **Republic of** ~ Republika Malawi
↑ **Malaya** ... *hist* **Federation of** ~ Federacja Malajska
Malaysia [məˈleiziə] Malezja; **Federation of** ~ Federacja Malezji
Maldives [ˈmɔːldiːvz] Malediwy; **Republic of** ~ Republika Malediwska
↑ **Mauretania** ... **Islamic Republic of** ~ Muzułmańska Republika Mauretanii
Mauritius [mɔˈriʃəs] Mauritius
Mayotte [məˈjɔt] Majotta
Mensk [mensk] Mińsk (Białoruski)
Micronesia [ˌmaikrəˈniːziə] Mikronezja; **Federated States of** ~ Federacja Państw Mikronezji
Moldova [mɔlˈdɔvə] Mołdawia
↑ **Monaco** ... **Principality of** ~ Księstwo Monako
Montserrat [ˌmɔntsəˈræt] Montserrat
Myanmar [miənˈmaː] Myanmar; **Union of** ~ Związek Myanmar

Namibia [nəˈmiːbiə] Namibia; **Republic of** ~ Republika Namibii
Nauru [nauˈruː] Nauru; **Republic of** ~ Republika Nauru
↑ **Netherlands** ... **Kingdom of the** ~ Królestwo Holandii
Nevis *zob* **Saint Kitts and Nevis**

New Caledonia [njuː ˌkæləˈdouniə] Nowa Kaledonia
Ngwane [əŋˈgæni] Ngwane; **Kingdom of** ~ Królestwo Ngwane
↑ **Nigeria** ... **Federal Republic** ⟨**the Federation**⟩ **of** ~ Federalna Republika Nigerii
Niue [ˈnjuːei] Niue
↑ **Norfolk** 2. wyspa Norfolk
↑ **Norway** ... **Kingdom of** ~ Królestwo Norwegii

↑ **Pacific Islands** ... **Trust Territory of the** ~ Powiernicze Wyspy Pacyfiku
↑ **Pakistan** ... **Islamic Republic of** ~ Muzułmańska Republika Pakistanu
↑ **Panama** ... **Republic of** ~ Republika Panamy
↑ **Papua** ... ~ **and New Guinea** Papua i Nowa Gwinea
↑ **Philippines, the** ... **Republic of the** ~ Republika Filipin
Pitcairn [ˈpitkɛən], **Pitcairn Islands Group, the** Pitcairn
↑ **Poland** ... **Republic of** ~ Rzeczpospolita Polska
↑ **Polynesia** ... **French** ~ Polinezja Francuska
Puerto Rico [ˌpwəːtəˈriːkou] Puerto Rico; **Commonwealth of** ~ Wspólnota Puerto Rico

Reunion [riːˈjuːniən] Reunion
↑ **Rhodesia** ... *hist* **Northern** ~ Rodezja Północna (= **Zambia** ↑); **Southern** ~ Rodezja Południowa
↑ **Ruanda** ... *powinno być*: *hist* = **Rwanda** ↑
↑ **Ruanda-Urundi** ... *hist* **Trust Territory of** ~ Terytorium Powiernicze Ruanda-Urundi
Ruthenia [ruˈθiːniə] Ruś; **Sub-Carpathian** ~ Ruś Zakarpacka
Rwanda [ˈrwaːndə] Rwanda; **Republic of** ~ Republika Rwandyjska

↑ **Sahara** ... **Spanish** ~ Hiszpańska Sahara
Saint Kitts and Nevis [sənt ˈkits ənd ˈnevis] Saints Kitts i Nevis
Saint Lucia [sənt ˈluːʃə] Saint Lucia
Saint Vincent and the Grenadines [sənt ˈvinsənt ənd ðə ˈgrenədiːnz] Saint Vincent i Grenadyny
↑ **Samoa** ... **American** ~ Samoa Amerykańskie; **Western** ~ Samoa Zachodnie
San Marino [sən məˈriːnou] San Marino; **Most Serene Republic of** ~ Najjaśniejsza Republika San Marino
Seychelles [seiˈʃel] Seszele; **Republic of** ~ Republika Seszeli
↑ **Siam** ... *powinno być*: *hist* Syjam (= **Thailand**)
↑ **Sierra Leone** ... **Republic of** ~ Republika Sierra Leone
↑ **Singapore** ... **Republic of** ~ Republika Singapuru
↑ **Solomon Islands** ... **British** ~ Wyspy Brytyjskie Solomona
Somalia [souˈmæliə] Somalia; **Somali Democratic Republic** Demokratyczna Republika Somalii
↑ **Somaliland** ... *hist* **French** ~ Francuskie Somali
South Africa *zob* **Africa** ↑
Sri Lanca [sriˈlæŋkə] Sri Lanka; **Democratic Socialist Republic of** ~ Demokratyczno-Socjalistyczna Republika Sri Lanki
St Helena *zob* **Saint Helena**
St Kitts *zob* **Saint Kitts and Nevis** ↑

St Lucia *zob* **Saint Lucia** ↑
St Petersburg [sənt'pi:təzbə:g] St Petersburg
St Vincent *zob* **Saint Vincent and Grenadines** ↑
↑ **Sudan, the** ... **Republic of the** ~ Republika Sudanu
Suriname [,suəri'næm] Surinam; **Republic of** ~ Republika Surinamu
↑ **Syria** ... **Syrian Arab Republic** Syryjska Republika Arabska

Tajikistan [ta:,dʒiki'sta:n] Tadżykistan
Tanzania [tən'zæniə] Tanzania; **United Republic of** ~ Zjednoczona Republika Tanzanii
↑ **Thailand** ... *powinno być*: Tajlandia; **Kingdom of** ~ Królestwo Tajlandii
↑ **Togo** ... **Republic of** ~ Republika Togo
Tokelau Islands ['toukəlau 'ailəndz] Tokelau
Tonga ⟨**Friendly**⟩ **Islands** ['tɔŋə⟨'frendli⟩ 'ailəndz] Wyspy Tonga ⟨Przyjacielskie⟩
Trinidad and Tobago ['trinidæd ənd tə'ba:gou] Trynidad i Tobago
↑ **Turkey** ... **Republic of** ~ Republika Turecka
Turks and Caicos Islands ['tɔ:ks ənd 'keikəs 'ailəndz] Turks i Caicos
Tuvalu [tu'va:lu:] Tuwalu

↑ **Uganda** ... **Republic of** ~ Republika Ugandy

United Arab Emirates [ju:,naitid ,ærəb 'emərəts] Zjednoczone Emiraty Arabskie
↑ **United States of North America** ... *powinno być*: **United States of America, the** Stany Zjednoczone Ameryki

Vanuatu [,vænu'a:tu:] Vanuatu; **Republic of** ~ Republika Vanuatu
↑ **Vatican City** ... ~ **State** Państwo Watykańskie
↑ **Vietnam** ... **Socialist Republic of** ~ Socjalistyczna Republika Wietnamu
↑ **Virgin Islands** ... **British** ~ Dziewicze Wyspy Brytyjskie; **United States** ~ Wyspy Dziewicze Stanów Zjednoczonych

Western Samoa [,westən sə'mouə] Zachodnie Samoa; **Independent State of** ~ Niepodległe Państwo Zachodnie Samoa

Yemen ['jemən] Jemen; **Republic of** ~ Republika Jemenu

Zaire [zai'iə] Zair; **Republic of** ~ Republika Zairu
Zambia ['zæmbiə] Zambia; **Republic of** ~ Republika Zambii
Zimbabwe [zim'ba:bwi] Zimbabwe; **Republic of** ~ Republika Zimbabwe

POWSZECHNIE STOSOWANE SKRÓTY ANGIELSKIE I AMERYKAŃSKIE

ENGLISH AND AMERICAN COMMON ABBREVIATIONS AND CONTRACTIONS

↑ **a.** 6. **against** przeciwko

↑ **AA** 2. **American Airways** Amerykańskie Linie Lotnicze 3. **Athens News Agency** Ateńska Agencja Informacyjna

↑ **A.A.A.** 6. **Allied Artists of America** Związek Artystów Ameryki

↑ **A.A.A.A.** 2. **Amateur Athletic Association of America** Amatorski Związek Atletyczny Ameryki

↑ **A.A.A.S.** 2. **American Academy of Arts and Sciences** Amerykańska Akademia Nauk Humanistycznych i Przyrodniczych

AAPC = **All-African People's Conference** Konferencja Narodów Afryki

AAPSC = **Afro-Asian Peoples' Solidarity Council** Organizacja Solidarności Narodów Afryki i Azji

AATUF = **All-African Trade Unions Federation** Ogólnoafrykańska Federacja Związków Zawodowych

↑ **Acc., acc.** 6. **according** zgodnie (z czymś)

ACP = **Australian Country Party** Australijska Partia Agrarna

↑ **ACTU** 2. **Australian Council of Trade Unions** Australijska Rada Związków Zawodowych

ADA = **Americans for Democratic Action** Amerykanie na rzecz Akcji Demokratycznej

ADB = **Asian Development Bank** Azjatycki Bank Rozwoju

↑ **ADC** 2. **Andean Development Corporation** Andyjskie Stowarzyszenie Rozwoju

ADLP = **Australian Democratic Labour Party** Australijska Demokratyczna Partia Pracy

A.D.S. = **Autograph Document Signed** rękopis opatrzony podpisem autora

↑ **AEC** 2. **Atomic Energy Corporation** Towarzystwo Energii Atomowej (w Wielkiej Brytanii)

↑ **AF** 2. **Air Force** Siły Powietrzne 3. **Air France** Francuskie Linie Lotnicze

AfDB = **African Development Bank** Afrykański Bank Rozwoju

AFF = **Army Field Forces** Lądowe Siły Zbrojne

A.F.L.-C.I.O. = **American Federation of Labour — Congress of Industrial Organ-** izations Amerykańska Federacja Pracy — Kongres Organizacji Przemysłowych

afterw. = **afterword** posłowie

AGARD = **Advisory Group for Aeronautical Research and Development** Grupa Doradcza Badań i Rozwoju Lotnictwa (w NATO)

↑ **AI** 2. **Air India** Indyjskie Linie Lotnicze

AID = **Agency for International Development** Agencja Międzynarodowego Rozwoju (w USA)

AII = **Air India International** Międzynarodowe Indyjskie Towarzystwo Lotnicze

AIOC = **Anglo-Iranian Oil Company** Anglo-Irańskie Towarzystwo Naftowe

AIP = **American Independent Party** Amerykańska Partia Niezależnych

AITUC = **All-India Trade Union Congress** Ogólnoindyjski Kongres Związków Zawodowych

AIWC = **All-India Women's Conference** Ogólnoindyjska Konferencja Kobiet

AIWO = **Agudas Israel World Organization** Światowa Organizacja Żydowska Agudas

AJC = **American Jewish Committee** Komitet Amerykańsko-Żydowski

↑ **AL** 2. **Awami League** Liga Ludowa (w Bangladeszu)

A.L.A. = **American Library Association** Amerykańskie Stowarzyszenie Bibliotekarskie

ALP = **Australian Labour Party** Australijska Partia Pracy

AMINOIL = **American Independent Oil Company** Amerykańskie Niezależne Towarzystwo Naftowe

ampl.ed. = **amplified edition** wydanie uzupełnione

An., an. = **annual** rocznik, rok

↑ **ANA** 4. **All-Nippon Airways** Ogólnojapońskie Linie Lotnicze 5. **Arab News Agency** Arabska Agencja Informacyjna (w ZRA) 6. = AA 3. ↑

ANC = **African National Congress** Afrykański Kongres Narodowy

ANP = **Associated Negro Press** Zjednoczona Prasa Murzyńska (w USA)

ANZUS = Australia — New Zealand — United States Pakt Wojskowy między Australią, Nową Zelandią i Stanami Zjednoczonymi

↑ AP 2. Australia Party Partia Australijska 3. Associated Press Zrzeszona Prasa (w USA)

A.P.C.A. = Anglo-Polish Catholic Association Anglo-Polskie Stowarzyszenie Katolickie

A-PCL = All-Pakistan Confederation of Labour Ogólnopakistańska Konferencja Pracy

API = Associated Press of India Zjednoczona Prasa Indyjska

APOC = hist Anglo-Persian Oil Company Anglo-Perskie Towarzystwo Naftowe

APP = Associated Press of Pakistan Zjednoczona Prasa Pakistanu

AR = Agency Reuter Agencja Reutera (w Wielkiej Brytanii)

ARAMCO = Arabian-American Oil Company Arabsko-Amerykańskie Towarzystwo Naftowe

ARO = Asian Regional Organization (of the International Confederation of Free Trade Unions) Azjatycka Regionalna Organizacja (Międzynarodowej Konferencji Wolnych Związków Zawodowych)

A.R.R.L. = American Radio Relay League Amerykańskie Stowarzyszenie Radioamatorów

A.R.S. = American Rocket Society Amerykańskie Towarzystwo Rakietowe

AS = Australian Standard norma australijska

ASEAN = Association of South-East Asian Nations Stowarzyszenie Narodów Azji Południowo-Wschodniej

a.s.f. = and so forth i tym podobne

a.s.o. = and so on i tak dalej

ASPAC = Asian and Pacific Cooperation Council Rada Współpracy Krajów Azji i Pacyfiku

ATAF = Allied Tactical Air Force Alianckie Lotnictwo Taktyczne

ATUC = African Trade Unions Congress Afrykański Kongres Związków Zawodowych

augm. ed. = augmented edition wydanie powiększone

AUP = Australian United Press Australijska Zjednoczona Prasa

AWU = Australian Workers' Union Australijski Związek Robotniczy

↑ B 5. lotn Boeing Boeing

BA = British Airways Brytyjskie Linie Lotnicze

↑ B.E. 3. hist British Empire Imperium Brytyjskie

BEM = British Empire Medal Medal Brytyjskiego Imperium

↑ B.I.S. 1. ... powinno być: Bank Rozliczeń Międzynarodowych, BRM 2. ... powinno być: Brytyjskie Towarzystwo Międzyplanetarne

BIT, bit = (w informatyce) binary digit bit (jednostka ilości informacji)

BMC = British Motor Corporation Brytyjskie Towarzystwo Motorowe

BNA = 1. Bakhtar New Agency Agencja Informacyjna Afganistanu 2. British North American Act Brytyjski Akt Północno-Amerykański

BNBC = British National Book Centre Narodowy Brytyjski Ośrodek Książki

BPO = hist Baghdad Pact Organization Organizacja Paktu Bagdadzkiego

BPS = Burma Press Syndicate Syndykat Prasy Birmańskiej

BR = British Railways Koleje Brytyjskie

BRT = Brutto Register Ton tona rejestrowa brutto

BTUC = Burma Trade Unions Congress Birmański Kongres Związków Zawodowych

BUA = British United Airways Zjednoczone Brytyjskie Linie Lotnicze

bull. = bulletin biuletyn

BWM = British War Medal Brytyjski Medal Wojenny

CAA = Central African Airways Linie Lotnicze Afryki Centralnej

CACM = Central American Common Market Wspólny Rynek Ameryki Środkowej

CAL = Continental Air Lines Kontynentalne Linie Lotnicze

CALANS = Caribbean and Latin American News Service Służba Informacyjna Karaibska i Krajów Ameryki Łacińskiej

CARIFTA = Caribbean Free Trade Area Karaibska Strefa Wolnego Handlu

CATU = Confederation of Arab Trade Unions Konfederacja Arabskich Związków Zawodowych

CC = Consular Corps korpus konsularny

CCSATU = Co-ordinating Council of South African Trade Unions Rada Koordynacyjna Południowoafrykańskich Związków Zawodowych

CDUCE = Christian Democratic Union of Central Europe Chrześcijańsko-Demokratyczna Unia Europy Środkowej

C.DWT = Cargo Dead Weight Tonnage tonaż nośności użytkowej

CE = Council of Europe Rada Europejska, RE

CED = Committee for Economic Development Komitet Rozwoju Gospodarczego (w USA)

CENTO = Central Treaty Organization Organizacja Paktu Centralnego

CHU = Centigrade Heat Unit funtkaloria

CIA = Central Intelligence Agency Centralna Agencja Wywiadowcza (*w USA*)

CID = Criminal Investigation Department Urząd Śledczy dla spraw Kryminalnych (*w Wielkiej Brytanii*)

CIG = *hist* Central Intelligence Group Centralna Grupa Wywiadu (*w USA*)

↑ C.I.O. ... *powinno być*: Kongres Związków Przemysłowych (*w USA*)

CIOMS = Council for International Organizations of Medical Sciences Rada Międzynarodowych Organizacji Medycznych

CITU = Central of India Trade Unions Centrala Indyjska Związków Zawodowych

CIUSS = Catholic International Union for Social Service Katolicka Unia Międzynarodowa Służby Społecznej

CLC = Canadian Labour Congress Kanadyjski Kongres Pracy

clopen = *mat* closed-open (set) otwarto-domknięty

CMEA = Council of Mutual Economic Aid Rada Wzajemnej Pomocy Gospodarczej, RWPG

CN = Commonwealth of Nations Wspólnota Narodów

CNA = Central News Agency Centralna Agencja Informacyjna

CNTU = Confederation of National Trade Unions Konfederacja Narodowych Związków Zawodowych (*w Kanadzie*)

COIRT = Central Office for International Railway Transport Centralny Urząd Przewozów Międzynarodowych Kolejami

collab. = collaboration 1. współpraca 2. współpracownik

Colombo = Council for Technical Cooperation in South and South-East Asia Rada Technicznej Współpracy Południowej i Południowo-Wschodniej Azji (plan Colombo)

Comecon = CMEA ↑

comment. = commentation 1. komentarz, objaśnienie 2. komentator

compil. = compilation 1. kompilacja 2. kompilator

CoP = Cooperative Party Partia Spółdzielcza (*w Wielkiej Brytanii*)

COSEC = Coordinating Secretariat of National Unions of Students Sekretariat Koordynacyjny Narodowych Związków Studenckich

COSPAR = Committee on Space Research Komitet do spraw Badań Przestrzeni Kosmicznej

CP = 1. Conservative and Unionist Party Partia Konserwatywna (*w Wielkiej Brytanii*) 2. Canadian Press Prasa Kanadyjska

↑ CPA 3. Caribbean Press Association Karaibskie Stowarzyszenie Prasowe

CPC = Communist Party of Canada Komunistyczna Partia Kanady

CPI = Communist Party of India Komunistyczna Partia Indii

CPP = 1. *hist* Communist Party of Poland Komunistyczna Partia Polski 2. Convention People's Party Ludowa Partia Konwentu (*w Ghanie*)

↑ C.P.U.S.A. *powinno być*: CPUS = Communist Party of United States Komunistyczna Partia Stanów Zjednoczonych, KPSZ

CSA = Canadian Standards Association Kanadyjskie Stowarzyszenie Normalizacyjne

↑ ct. *powinno być*: ct = cent cent (moneta)

CTV = 1. colour television telewizja kolorowa 2. Canada Television Kanadyjska Telewizja

CU = *pot tv* close-up (picture) zbliżenie

CUKT = Carnegie United Kingdom Trust Fundacja Carnegie'go Zjednoczonego Królestwa

CWL = Constructional Water Line wodnica konstrukcyjna

CWPP = *hist* Communist Worker's Party of Poland Komunistyczna Partia Robotnicza Polski, KPRP

↑ d. 3. date data

↑ DC 5. Decimal Classification klasyfikacja dziesiętna

DNA = *chem* deoxyribonucleic acid kwas dezoksyrybonukleinowy

DP = Democratic Party Partia Demokratyczna (*w USA*)

dV = *fiz* element of volume element objętości

DWT = Deadweight Tonnage tonaż nośności brutto

↑ EAC 2. = East African Community Wspólnota Afryki Wschodniej

EAEC = European Atomic Energy Community Europejska Wspólnota Energii Atomowej

EAES = European Atomic Energy Society Europejskie Stowarzyszenie Energii Atomowej

EAL = Eastern Airlines Wschodnie Linie Lotnicze (*w USA*)

↑ EC 2. = European Council Rada Europejska, RE

ECA = 1. European Confederation of Agriculture Europejska Konfederacja Rolnictwa 2. Economic Commission for Africa Komisja Gospodarcza dla Afryki (*przy ONZ*)

ECAFE = Economic Commission for Asia and the Far East Komisja Gospodarcza dla Azji i Dalekiego Wschodu (*przy ONZ*)

ECE = Economic Commission for Europe Europejska Komisja Gospodarcza, EKG (*przy ONZ*)

ECITO = European Central Inland Trans-

port Organization Europejska Centralna Organizacja Transportu Wewnętrznego

ECLA = Economic Commission for Latin America Komisja Gospodarcza dla Ameryki Łacińskiej (*przy ONZ*)

ECOSOC = Economic and Social Council Rada Gospodarczo-Społeczna (*przy ONZ*)

ECSC = European Coal and Steel Community Europejska Wspólnota Węgla i Stali, EWWiS

↑ **ed.** 3. **edition** wydanie, edycja

↑ **EEC** 2. **= European Economic Community** Europejska Wspólnota Gospodarcza, EWG

EFTA = European Free Trade Association Europejskie Zrzeszenie Wolnego Handlu

EIB = European Investment Bank Europejski Bank Inwestycyjny

El Al = El Al Israel Airlines Izraelskie Linie Lotnicze

EMA = European Monetary Agreement Europejski Układ Walutowy, EUW

ENEA = European Nuclear Energy Agency Europejska Agencja Energii Atomowej

ENIAC = Electronic Numerical Integrator and Computer Eniac (historycznie pierwsza elektroniczna maszyna cyfrowa)

enl. ed. = enlarged edition wydanie powiększone

EPA = 1. *hist* **European Productivity Agency** Europejska Agencja Produktywności 2. **European Payment Agreement** Europejskie Porozumienie Walutowe

EPPO = European and Mediterranean Plant Protection Organization Europejska i Śródziemnomorska Organizacja Ochrony Roślin

EPTA = Expanded Programme of Technical Assistance Rozszerzony Program Pomocy Technicznej (*przy ONZ*)

EPU = *hist* **European Payments Union** Europejska Unia Płatnicza, EUP

ERO = European Regional Organization (ICFTU) Europejska Regionalna Organizacja (MKWZZ)

↑ **ERP** ... *powinno być*: Program Odbudowy Europy

ESRO = European Space Research Organization Europejska Organizacja Badania Przestrzeni Kosmicznej

ETC = European Translation Centre Europejskie Centrum Tłumaczeń

Euratom Europejska Wspólnota Energii Atomowej

FAO = Food and Agriculture Organization Organizacja do spraw Wyżywienia i Rolnictwa (*przy ONZ*)

Fasc., fasc. = fascicle zeszyt, fascykuł

FCB = Frequency Control Board Biuro Kontroli Częstotliwości

FEC = Free Europe Committee Komitet Wolnej Europy, KWE

FENA = Far East News Agency Daleko-

wschodnia Agencja Informacyjna (*na Tajwanie*)

FF = Fianna Fail Żołnierze Losu (*w Irlandii*)

f.i. = for instance na przykład, np.

FIS 2. **Federal Information Service** Federalna Służba Informacyjna (*w Nigerii*)

FLOSY = Front for the Liberation of South Yemen Front Wyzwolenia Jemenu Południowego

forew. = foreword wstęp; przedmowa

FRS = Federal Reserve System System Rezerwy Federalnej (*w USA*)

FUND = International Monetary Fund Międzynarodowy Fundusz Walutowy (Monetarny)

GAL = *hist mar* **Gdynia-America Line** Linie Żeglugowe Gdynia-Ameryka

GASL = *hist mar* **Gdynia-America Shipping Lines** Linie Okrętowe Gdynia-Ameryka

GATT = General Agreement on Tariffs and Trade Układ Ogólny w sprawie Ceł i Handlu

GCA = *lotn* **ground-controlled approach** urządzenie naziemne ułatwiające lądowanie samolotu we mgle

g.c.d. = *mat* **greatest common divisor** największy wspólny podzielnik

GECO = General Electric Company Ogólne Towarzystwo Elektryczne (*w USA*)

GFTU = General Federation of Trade Unions Powszechna Federacja Związków Zawodowych (*w KRLD*)

g.l.b. = *mat* **greatest lower bound** największe ograniczenie dolne, infimum

↑ **GM** 4. **General Motors** Ogólne Towarzystwo Motorowe (*w USA*)

GMC = General Motors Corporation Ogólne Towarzystwo Motorowe

GNA = Ghana News Agency Ghańska Agencja Informacyjna

GTUC = Ghana Trade Unions Congress Kongres Związków Zawodowych Ghany

HAL = *mar* **Hamburg-America Line** Linia Hamburg-Ameryka

HCH = hexachlorocyclohexane sześciochlorocykloheksan (*preparat owadobójczy*)

HCR = High Commissariat for Refugees Wysoki Komisarz do spraw Uchodźców (*przy ONZ*)

HH = His Highness Jego Wysokość

HICOM = *hist* **Allied High Commission** Aliancka Wysoka Komisja

HIH = His ⟨Her⟩ Imperial Highness Jego ⟨Jej⟩ Cesarska Wysokość

HP = Horse Power koń mechaniczny

HPh = Horse Power Hour koniogodzina

HTU = height of transfer unit wysokość jednostki przenoszenia

IAC = **Indian Airlines Corporation** Towarzystwo Indyjskich Linii Lotniczych

IADB = 1. **Inter-American Development Bank** Międzyamerykański Bank Rozwoju Gospodarczego 2. **Inter-American Defence Board** Międzyamerykańska Rada Obrony .

IAEA = **International Atomic Energy Agency** Międzynarodowa Agencja Energii Atomowej, MAEA

IALS = **International Association of Legal Science** Międzynarodowe Stowarzyszenie Nauk Prawnych

IAMP = **International Association of Meteorology and Atmosphere Physics** Międzynarodowe Stowarzyszenie Meteorologii i Fizyki Atmosferycznej

IANA = **Inter-African News Agency** Międzyafrykańska Agencja Informacyjna (*w Rodezji*)

IARU = **International Amateur Radio Union** Międzynarodowa Unia Radioamatorska

↑ IATA 2. *hist* **International Air Traffic Association** Międzynarodowe Stowarzyszenie Ruchu Powietrznego 3. **International Amateur Theatre Association** Międzynarodowe Stowarzyszenie Teatru Amatorskiego

IBE = **International Bureau of Education** Międzynarodowe Biuro Wychowania, MBW

IBRD = **International Bank of Reconstruction and Development** Międzynarodowy Bank Odbudowy i Rozwoju, MBOR

IBWM = **International Bureau of Weights and Measures** Międzynarodowe Biuro Miar i Wag

ICA = 1. **International Cartographic Association** Międzynarodowe Stowarzyszenie Kartograficzne 2. **International Cooperative Alliance** Międzynarodowy Związek Spółdzielczy, MZS 3. **International Council of Archives** Międzynarodowa Rada Archiwów

↑ ICC 3. **International Compution Centre** Międzynarodowy Ośrodek Obliczeń Matematycznych

ICF = **International Canoe Federation** Międzynarodowa Federacja Kajakowa

ICFTU = **International Confederation of Free Trade Unions** Międzynarodowa Konfederacja Wolnych Związków Zawodowych, MKWZZ

ICJ = **International Court of Justice** Międzynarodowy Trybunał Sprawiedliwości (*w Hadze*)

ICOM = **International Council of Museums** Międzynarodowa Rada Muzeów

ICOMON = **International Council of Monuments** Międzynarodowa Rada Zabytków

ICPHS = **International Council for Philosophy and Humanistic Studies** Mię-

dzynarodowa Rada Filozofii i Nauk Humanistycznych

ICPO = **International Criminal Police Organization** Międzynarodowa Organizacja Policji Kryminalnej

ICPU = **International Catholic Press Union** Międzynarodowa Unia Prasy Katolickiej

ICSM = **International Committee of Scientific Management** Międzynarodowy Komitet Naukowej Organizacji

ICSU = **International Council of Scientific Unions** Międzynarodowa Rada Unii Naukowych

ICW = **International Council of Women** Międzynarodowa Rada Kobiet

I.D. 2. **Iurum Doctor** doktor praw

IDA = **International Development Association** Międzynarodowe Stowarzyszenie Rozwoju, MSR

IEA = **International Economic Association** Międzynarodowe Stowarzyszenie Nauk Ekonomicznych

IFA = **Irish Features Agency** Irlandzka Agencja Prasowa

IFAC = **International Federation for Automatic Control** Międzynarodowa Federacja Automatycznej Kontroli

IFC = **International Finance Corporation** Międzynarodowe Towarzystwo Finansowe, MTF

IFCC = **International Federation of Camping and Caravanning** Międzynarodowa Federacja Kampingu i Karawaningu

IFCTU = **International Federation of Christian Trade Unions** Międzynarodowa Federacja Chrześcijańskich Związków Zawodowych, MFChZZ

iff = *mat* **if and only if** wtedy i tylko wtedy

IFJ = **International Federation of Journalists** Międzynarodowa Federacja Dziennikarzy, MFD

IFLA = **International Federation of Library Associations** Międzynarodowa Federacja Stowarzyszeń Bibliotekarzy

IFMC = **International Folk Music Council** Międzynarodowa Rada Muzyki Ludowej

↑ IFS 2. **International Federation of Surveyors** Międzynarodowa Federacja Mierniczych

IFT = **International Federation of Translators** Międzynarodowa Federacja Tłumaczy

IFTA = **International Federation of Travel Agencies** Międzynarodowa Federacja Biur Podróży

IFTC = **International Film and Television Council** Międzynarodowa Rada Filmu i Telewizji

↑ IGU 2. **International Gas Union** Międzynarodowa Unia Gazownictwa

IHA = **International Hotel Association**

Międzynarodowe Stowarzyszenie Hotelarstwa

IIHF = **International Ice Hockey Federation** Międzynarodowy Związek Hokeja na Lodzie

IIL = **Institute of International Law** Instytut Prawa Międzynarodowego

ILAA = **International Literary and Artistic Association** Międzynarodowe Stowarzyszenie Literackie i Artystyczne

ILC = **International Law Commission** Komisja Prawa Międzynarodowego (*przy ONZ*)

ILP = **Irish Labour Party** Irlandzka Partia Pracy

↑ **IMC** 4. **International Maritime Committee** Międzynarodowy Komitet Morski

IMCO = **Intergovernmental Maritime Consultative Organization** Międzynarodowa Doradcza Organizacja Morska, MDOM

↑ **IMF** 1. ... *powinno być*: Międzynarodowy Fundusz Walutowy, MFW

IMS = **International Musicological Society** Międzynarodowe Towarzystwo Muzykologiczne

IMU = **International Mathematical Union** Międzynarodowa Unia Matematyczna

INA = 1. **Iraq News Agency** Iracka Agencja Informacyjna 2. **Irish News Agency** Irlandzka Agencja Informacyjna 3. **Israel News Agency** Izraelska Agencja Informacyjna

INAC = **Iran National Airlines Corporation** Towarzystwo Irańskich Linii Lotniczych

INC = **Indian National Congress** Indyjski Kongres Narodowy

Interpol = **International Criminal Police Commission** międzynarodowa policja kryminalna

INTUC = **Indian National Trade Union Congress** Narodowy Kongres Związków Zawodowych Indii

↑ **I.O.J.** *powinno być*: Międzynarodowa Organizacja Dziennikarzy, MOD

↑ **IPA** 3. **International Press Agency** Międzynarodowa Agencja Prasowa (*w Etiopii*)

IPC = **Iraq Petroleum Company** Irackie Towarzystwo Naftowe

IPI = **International Press Institute** Międzynarodowy Instytut Prasy

IPPF = **International Planned Parenthood Federation** Międzynarodowa Federacja Planowania Rodziny

IPSA = **International Politic Science Association** Międzynarodowe Stowarzyszenie Wiedzy Politycznej

IPU = **Inter-Parliamentary Union** Unia Międzyparlamentarna

IQ = *psych.* **intelligence quotient** współczynnik inteligencji

IRF = **International Road Federation** Międzynarodowa Federacja Drogowa

IRO = **International Refugee Organization**

Międzynarodowa Organizacja Uchodźców

IRTC = **International Railway Transport Committee** Międzynarodowy Komitet Transportu Kolejowego

IRTU = **International Road Transport Union** Międzynarodowy Związek Transportu Drogowego

IRU = 1. **International Relief Union** Międzynarodowy Związek Pomocy 2. = **IRTU** ↑

IS = 1. **Intelligence Service** służba informacyjna (*wywiad brytyjski*) 2. **Irish Standard** norma irlandzka

↑ **ISA** 2. = **International Sociological Association** Międzynarodowe Stowarzyszenie Socjologii

ISCU = **International Council of Scientific Unions** Międzynarodowa Rada Stowarzyszeń Naukowych

ISFA = **International Scientific Film Association** Międzynarodowe Stowarzyszenie Filmu Naukowego

ISI = **International Statistical Institute** Międzynarodowy Instytut Statystyczny

ISSA = **International Social Security Association** Międzynarodowe Stowarzyszenie Ubezpieczeń Społecznych

ISU = **International Skating Union** Międzynarodowa Federacja Łyżwiarska

↑ **ITA** 2. **Independent Television Authority** Niezależne Wiadomości Telewizyjne (*towarzystwo telewizyjne w Wielkiej Brytanii*)

ITI = **International Theatre Institute** Międzynarodowy Instytut Teatralny, MIT

ITO = **International Trade Organization** Międzynarodowa Organizacja Handlu

ITTF = **International Table Tennis Federation** Międzynarodowa Federacja Tenisa Stołowego

ITU = **International Telecommunication Union** Międzynarodowy Związek Telekomunikacyjny, MZT

ITV = **Independent Television** telewizja niezależna (*towarzystwo telewizyjne w Wielkiej Brytanii*)

IUA = **International Union of Architects** Międzynarodowa Unia Architektów

IUAA = **International Union of Alpine Associations** Międzynarodowa Federacja Towarzystw Alpinistycznych

IUAT = **International Union against Tuberculosis** Międzynarodowy Związek Przeciwgruźliczy

IUB = **International Union of Biochemistry** Międzynarodowa Unia Biochemii

IUBS = **International Union of Biological Sciences** Międzynarodowa Unia Nauk Biologicznych

IUCN = **International Union for Conservation of Nature and Natural Resources** Międzynarodowa Unia Ochrony Przyrody i Zasobów Naturalnych

I.U.D. = **Iuris Utriusque Doctor** doktor o-bojga praw

IUGG = **International Union of Geodesy and Geophysics** Międzynarodowa Unia Geodezji i Geofizyki

IUMI = **International Union of Marine Insurance** Międzynarodowa Unia Ubezpieczeń Morskich

IUOTO = **International Union of Official Travel Organizations** Międzynarodowy Związek Urzędowych Organizacji Turystycznych

IUPCT = **International Union for the Publication of Customs Tariffs** Międzynarodowa Unia Publikacji Taryf Celnych

IUPIP = **International Union for the Protection of Industrial Property** Międzynarodowa Unia Ochrony Własności Przemysłowej

IUPLAW = **International Union for the Protection of Literary and Artistic Works** Międzynarodowa Unia Ochrony Dzieł Literackich i Artystycznych

IUPT = **International Union of Public Transport** Międzynarodowa Unia Transportu Publicznego

↑ **IUS ...** *powinno być:* Międzynarodowy Związek Studentów, MZS

IUSY = **International Union of Socialist Youth** Międzynarodowy Związek Młodzieży Socjalistycznej

IVS = **International Voluntary Service** Międzynarodowa Służba Ochotnicza

IWSA = **International Water Supply Association** Międzynarodowe Stowarzyszenie Zaopatrzenia w Wodę

IYHF = **International Youth Hostels Federation** Międzynarodowa Federacja Schronisk Młodzieżowych

IYRU = **International Yacht Racing Union** Międzynarodowy Związek Żeglarstwa Regatowego

JAL = **Japan Air Lines** Japońskie Linie Lotnicze

jato = *lotn* **jet-assisted take-off** start ze wspomaganiem odrzutowym

JBS = **John Birch Society** Stowarzyszenie Johna Bircha (*w USA*)

JiJi = **Jiji Press** Agencja Prasowa (*w Japonii*)

↑ **JIS** 2. **Japanese Industrial Standard** japońska norma przemysłowa

journ. = **journal** dziennik

JTA = **Jewish Telegraphic Agency** Żydowska Agencja Telegraficzna (*w USA*)

K∞ = **infinite multiplication constant** współczynnik mnożenia w układzie nieskończonym

KADU = **Kenya African Democratic Union** Kenijski Afrykański Związek Demokratyczny

KAL = **Korean Air Lines** Koreańskie Linie Lotnicze (*w KRLD*)

KANU = **Kenya African National Union** Kenijski Afrykański Związek Narodowy

KAU = *hist* **Kenya African Union** Afrykański Związek Kenii

KCNA = **Korean Central News Agency** Koreańska Centralna Agencja Informacyjna (*w KRLD*)

KNA = 1. **Korean National Airlines** Koreańskie Państwowe Linie Lotnicze (*w Korei Południowej*) 2. **Kenya News Agency** Kenijska Agencja Prasowa

KPP = **Korean Pacific Press** Koreańska Prasa Pacyfiku (*w Korei Południowej*)

KTUC = **Kenya Trade Union Congress** Kenijski Kongres Związków Zawodowych

LAFTA = **Latin American Free Trade Association** Zrzeszenie Wolnego Handlu Ameryki Łacińskiej

↑ **L.A.M.** 2. **Liberalium Artium Magister** magister nauk wyzwolonych

LAS = **League of Arab States** Liga Państw Arabskich, LPA

L.B. = **Litterarum Baccalaureus** bakalaureus literatury

lb. av. = **pound (avoirdupois)** funt handlowy

LbP = **Liberal Party** Partia Liberalna (*w Wielkiej Brytanii*)

l.c.m. = *mat* **least common multiplicity** najmniejsza wspólna wielokrotność

LD = *nukl* **lethal dose** dawka śmiertelna

li. = **line** linia (2,54 mm)

LMTD = **logarithmic mean temperature difference** logarytmiczna średnia różnica temperatur

LN = *hist* **League of Nations** Liga Narodów

LNA = **Libyan News Agency** Libijska Agencja Informacyjna

LOI = **loss on ignition** strata przy wyprażaniu

LP = **Labour Party** Partia Pracy (*w Wielkiej Brytanii*)

LPA = **Liberal Party of Australia** Liberalna Partia Australii

LPS = **London Press Service** Londyńska Służba Prasowa (*w Wielkiej Brytanii*)

l.s.c. = **loco sub citato** w wyżej wymienionym miejscu

l.u.b. = *mat* **least upper bound** najmniejsze ograniczenie górne, supremum

MAL = **Malaysian Airways Limited** Malajzjańskie Linie Lotnicze

M.A.Sc. = **Master of Applied Science** magister nauk stosowanych

MBS = **Mutual Broadcasting System** Wzajemny System Radiowy (*sieć radiowa w USA*)

MCCTU = **Mongolian Central Council of Trade Unions** Centralna Rada Związków Zawodowych Mongolii

MEDO = *hist* **Middle East Defence Orga-**

nization Organizacja Obronna Środkowego Wschodu

MEN, MENA = Middle East News Agency Środkowowschodnia Agencja Informacyjna (*w ZRA*)

METO = *hist* **Middle East Treaty Organization** Organizacja Paktu Środkowego Wschodu

MLF = Multilateral Force Wielostronne Siły Nuklearne, WSN

MP = Military Police Policja Wojskowa

↑ **M.P.** 4. **Master of Planning** magister planowania

MPC = *nukl* **maximum permissible concentration** największe dopuszczalne napromienienie

M.Sc.D. = Master of Science in Dentistry magister stomatologii

M.Sc.Econ. = Master of Science in Economics magister ekonomii

M.Sc.F. = Master of Science in Forestry magister leśnictwa

Mss. = manuscripta rękopisy

MTD = mean temperature difference średnia różnica temperatur

MTR = *nukl* **material testing reactor** reaktor do badania materiałów

m/y = motor yacht jacht motorowy

NAB = News Agency of Burma Agencja Informacyjna Birmy

NAFEN = Near and Far East News Wiadomości Bliskiego i Dalekiego Wschodu (*w Indiach*)

NAP = National Awami Party Narodowa Partia Ludowa (*w Bangladeszu*)

NASA = National Aeronautics and Space Administration Narodowy Zarząd Lotniczy i Kosmiczny (*w USA*)

↑ **NATO** ... *powinno być*: Organizacja Paktu Północnego Atlantyku

↑ **NBS** 2. **National Broadcasting Service** Krajowa Służba Radiowa (*w USA*)

↑ **NC** 2. **Northern Council** Rada Północna, RP

NCL = National Central Library Narodowa Biblioteka Centralna (*w Wielkiej Brytanii*)

NCNA = New China News Agency Agencja Informacyjna Nowych Chin (*w ChRL*)

NDP = New Democratic Party Nowa Partia Demokratyczna (*w Kanadzie*)

NILP = Northern Ireland Labour Party Partia Pracy Irlandii Północnej

NLbP = National Liberal Party Narodowa Partia Liberalna (*w Wielkiej Brytanii*)

NLFC = National Liberal Federation of Canada Narodowa Federacja Liberalna Kanady

n.mile = nautical mile angielska mila morska

NORC = National Opinion Research Center Krajowy Ośrodek Badania Opinii (*w USA*)

NP = 1. **Nationalist Party** Partia Nacjonalistyczna (*w Irlandii Północnej*) 2. **New Party** Nowa Partia (*w Kanadzie*)

NRT = Netto Register Ton tona rejestrowa netto

N/S, n/s = Nuclear Ship statek o napędzie atomowym

NSA = National Student Association Narodowe Stowarzyszenie Studentów (*w USA*)

NSC = National Security Council Narodowa Rada Bezpieczeństwa (*w USA*)

NSF = National Science Foundation Narodowa Fundacja Naukowa (*w USA*)

NTP = 1. *med* **normal temperature and pressure** normalna temperatura i ciśnienie 2. *nukl* **number of theoretical plates** liczba półek teoretycznych

NTU = *nukl* **number of transfer units** liczba jednostek przenoszenia

Nw = net electric capacity moc elektryczna użyteczna

NWA = North West Orient Airlines Północno-Zachodnie Orientalne Linie Lotnicze

NZFL = New Zealand Federation of Labour Nowozelandzka Federacja Pracy

NZLP = New Zealand Labour Party Partia Pracy Nowej Zelandii

NZNP = New Zealand National Party Nowozelandzka Partia Narodowa

NZPA = New Zealand Press Association Nowozelandzkie Stowarzyszenie Prasowe

OAPEC = Organization of Arab Petroleum Exporting Countries Organizacja Krajów Arabskich Eksportujących Naftę

↑ **OAS** ... *powinno być*: Organizacja Państw Amerykańskich, OPA

OAU = Organization of African Unity Organizacja Jedności Afrykańskiej, OJA

o.c. = opus citatum, opere citato dzieło cytowane, w dziele cytowanym

OCAS = Organization of Central American States Organizacja Państw Ameryki Środkowej

OECD = Organization for Economic Cooperation and Development Organizacja Współpracy Gospodarczej i Rozwoju

ONA = Overseas News Agency Zamorska Agencja Informacyjna (*w USA*)

OPEC = Organization of Petroleum Exporting Countries Organizacja Krajów Eksportujących Naftę

op. posth. = opus posthumanum wydanie pośmiertne

OU = (BBC) Open University Uniwersytet Powszechny (*w Wielkiej Brytanii*)

oz. av = ounce (avoirdupois) uncja handlowa

↑ **p.** 4. **part** część

↑ **PAL** 2. **Phase Alternation Line** linia zmiany fazy (*niemiecki system telewizji kolorowej*)

PAT = **Press Association of Thailand** Syjamskie Stowarzyszenie Prasowe
PATA = **Pacific Area Travel Association** Stowarzyszenie Turystyczne Regionu Pacyfiku
PBS = **Palestine Broadcasting Service** Radiowa Służba Palestyńska (*w Izraelu*)
PC = **Plaid Cymru** Nacjonalistyczna Partia Walijska
PCA = **Permanent Court of Arbitration** Stały Sąd Rozjemczy
PCP = **Progressive Conservative Party** Partia Postępowo-Konserwatywna (*w Kanadzie*)
PERT = **Programme Evaluation and Review Technique** Program Oceny i Przeglądu Technicznego
PIA = **Pakistan International Airlines Corporation** Pakistańskie Międzynarodowe Linie Lotnicze
PNCC = **Polish National Catholic Church** Polski Narodowy Kościół Katolicki (*w USA*)
PNS = **Philippine News Service** Filipińska Służba Informacyjna
Polcoop = **Polish Cooperation** polska spółdzielczość (Przedsiębiorstwo Handlu Zagranicznego Centrali Rolniczej Spółdzielni „Samopomoc Chłopska")
poset = *mat* **partially ordered set** zbiór częściowo uporządkowany
PP = **People's Party** Partia Ludowa (*w Pakistanie*)
PPA = **Pakistan Press Association** Pakistańskie Stowarzyszenie Prasowe
PPP = *hist* **Polish Peasant Party** Polskie Stronnictwo Ludowe
PRC = **Polish Research Centre** Polski Ośrodek Naukowy, PON (*w Wielkiej Brytanii*)
pref. = **preface** przedmowa
↑ **PRS** 2. **Polish Register of Ships** Polski Rejestr Statków
PSN = **Pacific Steam Navigation Company** Towarzystwo Żeglugi Parowej Pacyfiku (*w USA*)
PSP 1. = **Praja Socialist Party** Socjalistyczna Partia Ludowa (*w Indii*) 2. **Polish Socialist Party** *hist* Polska Partia Socjalistyczna
PTI = **Press Trust of India** Prasowy Trust Indyjski
PUC = *hist* **Polish University College** Polskie Kolegium Uniwersyteckie (*w Wielkiej Brytanii*)
PUCAL = **Polish University College Association Limited** Stowarzyszenie Polskiego Kolegium Uniwersyteckiego SA (*w Wielkiej Brytanii*)
PUP = **Protestant Unionist Party** Protestancka Partia Unionistów (*w Irlandii*)
PUWP = **Polish United Workers' Party** Polska Zjednoczona Partia Robotnicza, PZPR
↑ **PWA** 2. **Pacific Western Airlines** Linie Lotnicze Zachodniego Pacyfiku 3. **Polish**

Western Association Polski Związek Ziem Zachodnich, PZZZ
PWR = *nukl* **pressurized water reactor** reaktor ciśnieniowy ⟨z wodą pod ciśnieniem⟩

↑ **Q** 2. **Quality** jakość, gatunek (*znak najwyższej jakości, klasy światowej*)
QAL = **Queensland Airlines** Australijskie Linie Lotnicze

Radar = **Radio Detection and Ranging** wykrywanie i określanie odległości za pomocą radia, radiolokacja
rato = *lotn* **rocket-assisted take-off** start ze wspomaganiem rakietowym
RBE = *nukl* **relative biological effectiveness irradiation** względna skuteczność biologiczna promieniowania (WSB)
↑ **R.C.** 5. **Rotary Club** *hist* Klub Rotariański
reg. ton = **registered ton** tona rejestrowa
rev. ed. = **revised edition** wydanie poprawione
↑ **Rh** 2. **Rhesus** czynnik Rh
RNA = *chem* **ribonucleic acid** kwas rybonukleinowy
RNC = **Republican National Committee** Narodowy Komitet Republikański (*w USA*)
RSA = **Republic of South Africa** Republika Południowej Afryki
RP = **Republican Party** Partia Republikańska (*w USA*)

↑ **s.** 2. **see** zobacz, zob.
SAA = **South African Airways** Linie Lotnicze Południowej Afryki
SAL = 1. *mar* **South African Lines** Linie Południowoafrykańskie 2. *mar* **Svenska — America Line** Szwedzko-Amerykańska Linia
SALT = **Strategic Armaments Limitation Talks** Rokowania w sprawie Ograniczenia Zbrojeń Strategicznych
SAPA = **South African Press Association** Stowarzyszenie Prasowe Południowej Afryki (*w RPA*)
SATUC = **South African Trade Union Council** Południowoafrykańska Rada Związków Zawodowych
SC = **Security Council** Rada Bezpieczeństwa (*przy ONZ*)
SCAC = **Social Credit Association of Canada** Kanadyjskie Stowarzyszenie Kredytu Społecznego
SCOR = **Special Committee on Oceanic Research** Naukowy Komitet Badań Oceanicznych
SCP = **Social Credit Party** Partia Kredytu Społecznego (*w Nowej Zelandii*)
scuba = *sport* **self-contained underwater breathing apparatus** aparat do oddychania pod wodą
SDF = **Social Democratic Federation** Federacja Socjaldemokratyczna (*w USA*)

SEAL = **Scandinavian East Africa Line** Skandynawska Linia Wschodnioafrykańska

↑ **SEATO** *powinno być*: **South-East Asia Treaty Organization** Organizacja Paktu Południowo-Wschodniej Azji

SECAM = kolejny z pamięci (*francuski system telewizji kolorowej*)

sect. = **section** dział, oddział, sekcja

select. = **selected** wybrany

SF = **Special Fund** Fundusz Specjalny (ONZ)

SICT = **Standard International Trade Classification** Wzorcowa Klasyfikacja Handlu Międzynarodowego

SLP = **Socialist Labour Party** Socjalistyczna Partia Pracy (*w USA*)

SN = **Scottish Nationalists** Szkocka Partia Nacjonalistyczna

SOE = *hist* **Special Operation Executive** Zarząd Operacji Specjalnych

SOL = **Svenska Orient Line** Szwedzko--Orientalna Linia

SONNA = **Somali National News Agency** Somalijska Państwowa Agencja Prasowa

SPA = **Sudanese Press Agency** Sudańska Agencja Informacyjna

SPF = **South Pacific Forum** Forum Południowego Pacyfiku

SPNS = **South Pacific News Service** Służba Informacyjna Południowego Pacyfiku (*w Nowej Zelandii*)

sq. ft = **square foot** stopa kwadratowa

sq. in. = **square inch** cal kwadratowy

sq. m. = **square mile** mila kwadratowa

sq. yd = **square yard** jard kwadratowy

SSP = **Samyukta Socialist Party** Zjednoczona Partia Socjalistyczna (*w Indii*)

STUC = **Scottish Trade Unions Congress** Szkocki Kongres Związków Zawodowych

SUDANAIR = **Sudan Airways** Sudańskie Linie Lotnicze

sum. = **summary** streszczenie

SUNFED = **Special United Nations Fund for Economic Development** Specjalny Fundusz Rozwoju Gospodarczego Narodów Zjednoczonych

SUP = **Socialist Unity Party** Partia Socjalistycznej Jedności Nowej Zelandii

S.V.P. = **s'il vous plaît** proszę

Swissair = **Swiss Air Transport Company** Szwajcarskie Lotnicze Towarzystwo Transportowe

SWP = **Socialist Workers' Party** Socjalistyczna Partia Robotnicza (*w USA*)

s/y = **sail yacht** sportowy jacht żaglowy

↑ **TAA** 2. **Trans-Australia Airlines** Transaustralijskie Linie Lotnicze

↑ **TAC** 2. **Technical Assistance Committee** Komitet Pomocy Technicznej (*przy ONZ*) 3. **Thai Airways Company** Syjamskie Linie Lotnicze

TANU = **Tanganyika African National** Union Afrykański Narodowy Związek Tanganiki

TCA = **Trans-Canada Air Lines** Transkanadyjskie Linie Lotnicze

TDW = **Tonn Dead Weight** tonaż martwej wagi

Telex = **telegraph exchange** dalekopis, teleks

TTL = **to take leave** z pożegnaniem (*na wizytówkach*)

TTNA = **Ta Tao News Agency** Agencja Informacyjna Ta Tao (*na Tajwanie*)

TUIAFW = **Trade Unions' International of Agricultural and Forestry Workers** Międzynarodowa Unia Związków Zawodowych Pracowników Rolnictwa i Leśnictwa

TWA = **Trans-World Airlines** Wszechświatowe Linie Lotnicze (*w USA*)

UAA = **United Arab Airlines** Zjednoczone Arabskie Linie Lotnicze (*w ZRA*)

UAC = 1. **United Africa Company** Zjednoczone Towarzystwo Afrykańskie 2. **United Aircraft Corporation** Zjednoczone Towarzystwo Lotnicze

UAR = **United Arab Republic** Zjednoczona Republika Arabska, ZRA

UBA = **Union of Burma Airways** Związek Linii Lotniczych Birmy

UCEE = **Socialist Union of Central-Eastern Europe** Unia Socjalistyczna Europy Środkowo-Wschodniej

UCPI = **United Communist Party of Ireland** Zjednoczona Komunistyczna Partia Irlandii

UFO = **unidentified flying object** niezidentyfikowany przedmiot latający

UHF = **ultra high frequency** ultra wielka częstotliwość

UIA = **Union of International Associations** Unia Międzynarodowych Stowarzyszeń

UID = **Utriusque Iuris Doctor** doktor obojga praw

UIEO = **Union of International Engineering Organizations** Unia Międzynarodowych Organizacji Technicznych

UIF = **Union of International Fairs** Unia Targów Międzynarodowych

UN = **United Nations** Narody Zjednoczone, NZ

UNCTAD = **United Nations Conference on Trade and Development** Konferencja Narodów Zjednoczonych do spraw Handlu i Rozwoju

UNDP = **United Nations Development Programme** Program Rozwoju Organizacji Narodów Zjednoczonych

UNEF = **United Nations Emergency Force in the Middle East** Doraźne Siły Zbrojne Narodów Zjednoczonych na Bliskim Wschodzie

↑ **UNESCO** ... *powinno być*: Organizacja Narodów Zjednoczonych do spraw Oświaty, Nauki i Kultury, UNESCO

↑ **UNFAO** ... *powinno być*: Organizacja

Narodów Zjednoczonych do spraw Wyżywienia i Rolnictwa

UNHCR = **United Nations High Commissioner for Refugees** Wysoki Komisarz Narodów Zjednoczonych do spraw Uchodźców

UNI = **United News of India** Zjednoczone Wiadomości Indii

UNIC = **United Nations Information Centre** Ośrodek Informacyjny Narodów Zjednoczonych

UNICEF = **United Nations International Children's Emergency Fund** *hist*, **United Nations Children's Fund** Fundusz Narodów Zjednoczonych Pomocy Dzieciom

UNIDO = **United Nations Industrial Development Organization** Organizacja Narodów Zjednoczonych do spraw Rozwoju Przemysłowego

UNREF = **United Nations Refugee Emergency Fund** Fundusz Narodów Zjednoczonych Pomocy Uchodźcom

UNRWA = **United Nations Relief and Works Agency for Palestine Refugees in the Near East** Agencja Narodów Zjednoczonych do spraw Pomocy Uchodźcom Palestyńskim na Bliskim Wschodzie

UNS = **International Union of Nutritional Sciences** Międzynarodowy Związek Nauk o Żywieniu

UP = 1. *hist* **United Press Association** Zjednoczone Stowarzyszenie Prasy (*w USA*) 2. **Unionist Party** Partia Unionistów (*w Irlandii Północnej*)

UPI = 1. **United Press International** Zjednoczona Prasa Międzynarodowa (*w USA*) 2. *hist* **United Press of India** Zjednoczona Prasa Indyjska

UPP = 1. **United Peasants' Party** Zjednoczone Stronnictwo Ludowe, ZSL (*w Polsce*) 2. **United Press of Pakistan** Zjednoczona Prasa Pakistańska

UPU = **Universal Postal Union** Powszechny Związek Pocztowy, PZP

UPWP = **United Polish Workers' Party** Polska Zjednoczona Partia Robotnicza, PZPR

USIA = *hist* **United States Information Service** Służba Informacyjna Stanów Zjednoczonych

UTUC = **United Trade Unions Congress** Zjednoczony Kongres Związków Zawodowych (*w Indiach*)

UTUFP = **United Trade Unions Federation of Pakistan** Zjednoczona Federacja Związków Zawodowych Pakistanu

v = **volume** wolumen, tom

VNA = **Viet-Nam News Agency** Wietnamska Agencja Informacyjna (*w DRW*)

VOA = **Voice of America** Głos Ameryki (*radiostacja*)

WAAC = **West African Airways Corporation** Towarzystwo Linii Lotniczych Wschodniej Afryki

WAEC = **West African Economic Community** Wspólnota Gospodarcza Afryki Zachodniej

WAL = **Western Air Lines** Zachodnie Linie Lotnicze (*w USA*)

WAPOR = **World Association for Public Opinion Research** Światowe Stowarzyszenie Badania Opinii Publicznej

WATA = **World Association of Travel Agencies** Międzynarodowe Stowarzyszenie Biur Podróży

WAY = **World Assembly of Youth** Światowe Zgromadzenie Młodzieży

WCA = **West Coast Airlines** Linie Lotnicze Zachodniego Wybrzeża (*w USA*)

WCC = **World Council of Churches** Światowa Rada Kościołów, ŚRK

WCP = **World Council of Peace** Światowa Rada Pokoju, ŚRP

WCPP = **World Committee of Partisans of Peace** Światowy Komitet Obrońców Pokoju, ŚKOP

WCWB = **World Council for the Welfare of the Blind** Światowa Rada Opieki nad Ociemniałymi

WEU = **Western European Union** Unia Zachodnioeuropejska, UZE

WFCYWG = **World Federation of Catholic Young Women and Girls** Światowa Federacja Katolickiej Młodzieży Żeńskiej

WFD = **World Federation of the Deaf** Światowa Federacja Głuchych

WFDY = **World Federation of Democratic Youth** Światowa Federacja Młodzieży Demokratycznej, ŚFMD

WFMH = **World Federation for Mental Health** Światowa Federacja Zdrowia Psychicznego

WFSW = **World Federation of Scientific Workers** Światowa Federacja Pracowników Nauki, ŚFPN

WFTU = **World Federation of Trade Unions** Światowa Federacja Związków Zawodowych, ŚFZZ

WFUNA = **World Federation of United Nations Associations** Światowa Federacja Towarzystw Przyjaciół Organizacji Narodów Zjednoczonych

WIDF = **Women's International Democratic Federation** Światowa Demokratyczna Federacja Kobiet, ŚDFK

WYC = **World Jewish Congress** Światowy Kongres Żydowski

WMA = **World Medical Association** Światowe Stowarzyszenie Lekarskie

WPA = **World Presbyterian Alliance** Światowe Zjednoczenie Prezbiteriańskie

WPC = **World Powers Conference** Światowa Konferencja Energetyczna

WRAC = *wojsk* **Women Royal Army Corps** Żeński Korpus Królewskiej Armii

WRI = **War Resisters' International** Mię-
dzynarodówka Przeciwników Wojny
WRL = **War Resisters' League** Liga Przeciwników Wojny
WUS = **World University Service** Światowa Pomoc Uniwersytecka
WVA = **World Veterinary Association**
Światowe Stowarzyszenie Weterynaryj-
ne
WVF = **World Veterans Federation** Światowa Federacja Weteranów Wojennych

YCS = **International Young Christian
Students** Międzynarodowa Chrześcijań-
ska Młodzież Studencka
YCW = **International Young Christian
Workers** Międzynarodowa Chrześcijań-
ska Młodzież Robotnicza

ZETA = *nukl* **zero-energy thermal apparatus** reaktor termonuklearny o mocy
zerowej
Zip Code = kod pocztowy amerykański

TABELA MIAR I WAG
ANGIELSKICH I AMERYKAŃSKICH

TABLE OF BRITISH AND AMERICAN
MEASURES AND WEIGHTS

Linear Measure — Miary długości

1 league [li:g] **(nautical, sea)** league (morska) (= 3 nautical miles = 5,56 km)
1 league [li:g] **(land, statute)** league (lądowa) (= 3 land, statute miles = 4,83 km)
1 International Nautical Mile [mail] (*skr* **INM**) mila morska (= 10 cable's lengths =
  = 6 076 feet = 1,852 km)
1 mile [mail] **(land, statute)** (*skr* **ml**) mila lądowa (= 8 furlongs = 1 760 yards = 5 280
  feet = 1,609 km)
1 cable's length ['keibls,leŋθ] $\begin{cases} \text{British} = 100 \text{ fathoms} = 680 \text{ feet} = 183 \text{ m} \\ am = 120 \text{ fathoms} = 720 \text{ feet} = 219,5 \text{ m} \end{cases}$
1 furlong ['fə:lɔŋ] (*skr* **fur**) furlong (= 10 chains (surveyor's) = 40 rods = 660 feet =
  = 220 yards = 201,17 m)
1 chain [tʃein] **(Gunter's, surveyor's)** (*skr* **ch**) *w geodezji*: chain (= 4 rods = 66 feet =
  = 20,12 m)
1 chain [tʃein] **(engineer's)** (*skr* **ch**) *w mechanice*: chain (= 100 feet = 30,48 m)
1 rod [rɔd] (*skr* **rd**) rod (= 16,5 feet = 5,5 yards = 5,03 m)
1 fathom ['fæðəm] (*skr* **f**) sążeń (= 6 feet = 2 yards = 8 spans = 1,83 m)
1 ell [el] † ell (= 45 inches = 1,14 m)
1 yard [jɑ:d] (*skr* **yd**) jard (= 3 feet = 16 nails = 91,44 cm)
1 foot [fut] (*pl* **feet** [fi:t], *skr* **ft**) stopa (= 3 hands = 12 inches = 30,48 cm)
1 pace [peis] pace (= 0,5—0,7 rod = 2,5 feet = 76,2 cm)
1 cubit ['kju:bit] † łokieć (= 18—22 inches = 0,5 m)
1 span [spæn] piędź (= 4 nails = 9 inches = 22,86 cm)
1 link [liŋk] **(Gunter's, surveyor's)** *w geodezji*: ogniwo (= 7,92 inches = 20 cm)
1 link [liŋk] **(engineer's)** *w mechanice*: ogniwo (= 1 foot = 30,48 cm)
1 finger ['fiŋgə] finger (= 4,5 inches = 11,4 cm)
1 hand [hænd] dłoń (= 4 inches = 10,16 cm)
1 nail [neil] nail (= 2¼ inches = 5,7 cm)
1 inch [intʃ] (*skr* **in.**) cal (= 12 lines = 2,54 cm)
1 barleycorn ['bɑ:likɔ:n] barleycorn (= 4 lines = ¹/₃ inch = 8,5 mm)
1 line [lain] linia (= 6 points = 2,1 mm)
1 point [pɔint] punkt (= ¹/₁₂ inch = 0,351 mm)
1 mil [mil] mil (= 0,001 inch = 0,025 mm)

Square Measure — Miary powierzchni

1 township ['taunʃip] *am* township (= 36 square miles = 36 sections = 93,24 km²)
1 square mile ['skwɛə 'mail] (*skr* **ml²**) **(land, statute)** mila kwadratowa (lądowa) (= 640
  acres = 259 hectares = 2,59 km²)
1 hide [haid] † hide (= 80—120 acres = 32,4—48,6 ha)
1 acre ['eikə] (*skr* **a.**) akr (= 4 roods = 43,6 square feet = 4,8 square yards = 0,405 ha)
1 rood [ru:d] rood (= 40 square rods = 2,5 square chains = 0,101 ha)
1 square chain ['skwɛə 'tʃein] chain kwadratowy (= 16 square rods = 404,7 m²)
1 are [ɑ:] (*skr* **a.**) *am* ar (= 119,6 square yards = 100 m²)
1 square fathom ['skwɛə'fæðəm] (*skr* **f²**) sążeń kwadratowy (= 4 square yards =
  = 3,34 m²)

1 **square rod** ['skwɛə 'rɔd] rod kwadratowy (= 30¹/₄ square yards = 25,29 m²)
1 **square yard** ['skwɛə 'jaːd] (*skr* **yd²**) jard kwadratowy (= 9 square feet = 0,836 m²)
1 **square foot** ['skwɛə 'fut] (*pl* **square feet** ['skwɛə 'fiːt], *skr* **ft²**) stopa kwadratowa
  (= 144 square inches = 929 cm²)
1 **square inch** ['skwɛə 'intʃ] (*skr* **in.²**) cal kwadratowy (= 6,45 cm²)
1 **square line** ['skwɛə 'lain] linia kwadratowa (= 4,4 mm²)

Cubic Measure — Miary objętości

1 **rod** [rɔd] rod (= 10 register ton(ne) = 1000 cubic feet = 28,3 m³)
1 **register ton(ne)** ['redʒistə 'tɔn] tona rejestrowa (= 100 cubic feet = 2,83 m³)
1 **freight ton(ne)** ['freit 'tɔn] tona frachtowa (= 40 cubic feet = 1,13 m³)
1 **cubic fathom** ['kjuːbik 'fæðəm] sążeń sześcienny (= 216 cubic feet = 6,116 m³)
1 **standard** ['stændəd] standard (= 165 cubic feet = 4,672 m³)
1 **cord** [kɔːd] **(gross)** sąg (duży) (= 128 cubic feet = 3,624 m³)
1 **cord** [kɔːd] **(short)** sąg (mały) (= 126 cubic feet = 3,568 m³)
1 **stack** [stæk] stack (= 108 cubic feet = 4 cubic yards = 3,04 m³)
1 **load** [ləud] load (= 40 cubic feet = 1,12 m³)
1 **cubic yard** ['kjuːbik 'jaːd] (*skr* **yd³**) jard sześcienny (= 27 cubic feet = 0,76 m³)
1 **barrel** ['bærəl] barrel (= 5—8 cubic feet = 0,14—0,224 m³)
1 **cubic foot** ['kjuːbik 'fut] (*pl* **cubic feet** ['kjuːbik 'fiːt], *skr* **ft³**) stopa sześcienna
  (= 0,028 m³)
1 **board foot** ['bɔːd 'fut] (*pl* **board feet** ['bɔːd 'fiːt]) board foot (= ¹/₁₂ cubic foot =
  = 0,00236 m³)
1 **cubic inch** ['kjuːbik 'intʃ] (*skr* **in.³**) cal sześcienny (= 16,39 cm³)

WEIGHT MEASURE — WAGI

Advoirdupois Measure — Wagi handlowe

1 **ton(ne)** [tɔn] (*skr* **tn**) **(gross, long)** tona (duża, wielka) (= 20 hundredweights (long) =
  = 2 240 pounds = 1 016 kg)
1 **ton(ne)** [tɔn] (*skr* **sh.tn**) **(net, short)** tona (mała) (= 20 hundredweights (short) = 2 000
  pounds = 907,18 kg)
1 **ton(ne)** [tɔn] (*skr* **t**) **(metric, millier)** tona (metryczna) (= 2 204,6 pounds = 0,984 gross
  ton(ne) = 1 000 kg)
1 **quintal** ['kwintəl] cetnar $\left\{\begin{array}{l}\text{British} = 112 \text{ pounds} \\ \text{am} = 100 \text{ pounds}\end{array}\right\}$ 1 hundredweight
1 **wey** [wei] wey (= 2—3 hundredweights = 101,6—152,4 kg)
1 **hundredweight** ['hʌndrədweit] (*skr* **cwt**) **(gross, long)** cetnar (duży, wielki) (= 112
  pounds = 50,8 kg)
1 **hundredweight** ['hʌndrədweit] (*skr* **cwt**) **(net, short)** cetnar (mały) (= 100 pounds =
  = 45,36 kg)
1 **cental** ['sentl] cental (= 1 hundredweight (short) = 100 pounds = 45,36 kg)
1 **quarter** ['kwɔːtə] **(gross)** ćwierć cetnara (duża) (= ¹/₄ hundredweight = 28 pounds =
  = 2 stones = 12,7 kg)
1 **quarter** ['kwɔːtə] **(short)** ćwierć cetnara (mała) (= 25 pounds = 11,34 kg)
1 **tod** [tɔd] † tod (= 28 pounds = 2 stones = 12,7 kg)
1 **stone** [stəun] kamień (= 14 pounds = 6,35 kg)
1 **clove** [kləuv] † clove (= 8 pounds = 3,175 kg)
1 **quartern** ['kwɔːtən] † quartern (= ¹/₄ stone = 3,5 pounds = 1,58 kg)
1 **pound** [paund] (*skr* **lb**) funt (= 16 ounces = 7 000 grains = 453,59 g)
1 **ounce** [auns] (*skr* **oz**) uncja (= 16 drams = 437,5 grains = 28,35 g)
1 **drachm, dram** [dræm] (*skr* **dr**) drachma (= 27,344 grains = 1,772 g)
1 **grain** [grein] gran (= 64,8 mg)

Troy Measure — Wagi troy

1 **pound** [paund] (*skr* **lb**) funt (= 12 ounces = 5 760 grains = 373,2 g)
1 **ounce** [auns] (*skr* **oz**) uncja (= 8 drams = 480 grains = 31,1 g)
1 **pennyweight** ['peniweit] (*skr* **dwt**) pennyweight (= 24 grains = 1,555 g)
1 **carat** ['kærət] (*skr* **c**) karat (= 3,086 grains = 200 mg)
1 **grain** [grein] gran (= 64,8 mg)
1 **mite** [mait] mite (= 24 doits = 3,24 mg)
1 **doit** [dɔit] doit (= 24 periots = 0,135 mg)
1 **periot** ['periət] periot (= 24 blanks = 0,00675 mg)
1 **blank** [blæŋk] blank (= 0,00028 mg)

Apothecaries' Measure — Wagi aptekarskie

1 **pound** [paund] (*skr* **lb**) funt (= 12 ounces = 5 760 grains = 373,2 g)
1 **ounce** [auns] (*skr* **oz**) uncja (= 8 drams = 480 grains = 31,1 g)
1 **drachm, dram** [dræm] (*skr* **dr**) drachma (= 3 scruples = 3,89 g)
1 **scruple** ['skru:pl] skrupuł (= 20 grains = 1,3 g)
1 **grain** [grein] gran (= 64,8 mg)

Liquid Measure — Miary pojemności płynów

1 **butt** [bʌt] butt (= 108—140 gallons = 490,97—636,44 l)
1 **pipe** [paip] pipe (= 105 gallons = 477,33 l)
1 **hogshead** ['hɔgshed] (*skr* **hhd**) hogshead (= 52,5 Imperial gallons = 238,67 l)
1 **barrel** ['bærəl] (*skr* **bbl**) beczka, barrel (= 31—42 gallons = 140,6—190,9 l)
1 **barrel** ['bærəl] (*dla płynów*) beczka, barrel $\begin{cases} \text{British} = 36 \text{ Imperial gallons} = 163,6 \text{ l} \\ am = 31,5 \text{ gallons} = 119,2 \text{ l} \end{cases}$
1 **barrel** ['bærəl] (*dla ropy naftowej*) beczka, barrel $\begin{cases} \text{British} = 34,97 \text{ gallons} = \\ = 158,988 \text{ l} \\ am = 42,2 \text{ gallons} = 138,87 \text{ l} \end{cases}$
1 **kilderkin** ['kildəkin] baryłka (= 2 firkins = 16—18 gallons = 72,7—81,8 l)
1 **firkin** ['fə:kin] firkin (= 8—9 gallons = 36,3—40,9 l)
1 **gallon** ['gælən] (*skr* **gal**) galon $\begin{cases} \text{British Imperial} = 4 \text{ Imperial quarts} = 8 \text{ pints} = \\ = 4,546 \text{ l} \\ am = 0,833 \text{ British gallon} = 3,785 \text{ l} \end{cases}$
1 **pottle** ['pɔtl] *†* pottle (= ¹/₂ gallon = 2 quarts = 2,27 l)
1 **quart** [kwɔ:t] (*skr* **qt**) kwarta $\begin{cases} \text{British Imperial} = ¹/₄ \text{ gallon} = 2 \text{ pints} = 1,14 \text{ l} \\ am = 0,833 \text{ British quart} = 0,946 \text{ l} \end{cases}$
1 **pint** [paint] (*skr* **pt**) pół kwarty $\begin{cases} \text{British} = ¹/₈ \text{ gallon} = 4 \text{ gills} = 0,57 \text{ l} \\ am = 0,47 \text{ l} \end{cases}$
1 **gill** [dʒil] gill (= ¹/₄ pint) $\begin{cases} \text{British} = 0,142 \text{ l} \\ am = 0,118 \text{ l} \end{cases}$
1 **fluid ounce** ['fluid 'auns] (*skr* **fl oz**) płynna uncja $\begin{cases} \text{British} = 8 \text{ fluid drams} = \\ = 28,4 \text{ ml} \\ am = 1,041 \text{ British fluid ounce} \\ = 29,57 \text{ ml} \end{cases}$
1 **fluid drachm, dram** ['fluid 'dræm] (*skr* **fl dr**) płynna drachma $\begin{cases} \text{British} = ¹/₈ \text{ British} \\ \text{fluid ounce} = 3,55 \\ \text{ml} \\ am = 2,96 \text{ ml} \end{cases}$
1 **wineglass** ['waingla:s] wineglass (= 16 fluid drams = 2 ounces = 56,8 ml)
1 **table-spoon** ['teiblspu:n] łyżka stołowa (= 3 tea-spoons = 4 fluid drams = ¹/₂ fluid
ounce = 14,2 ml)
1 **tea-spoon** ['ti:spu:n] łyżeczka do herbaty (= ¹/₃ table-spoon = 1¹/₃ fluid drams =
= 4,4 ml)
1 **minim** ['minim] minim (= ¹/₆₀ fluid dram = 0,06 ml)

Dry Measure — Miary pojemności ciał sypkich

1 **chaldron** ['tʃɔːldrən] † chaldron (= 32—36 bushels = 1 268—1 309 l)
1 **quarter** ['kwɔːtə] ćwierć (= 2 coombs = 8 bushels = 291 l)
1 **coomb** [kuːm] † coomb (= 4 bushels = 1,45 British gallons = 145,5 l)
1 **sac** [sæk] † sac (= 3 bushels = 109,1 l)
1 **strike** [straik] † strike (= 2 bushels = 72,73 l)

1 **bushel** ['buʃl] (*skr* **bu**) buszel $\begin{cases} \text{British Imperial} = 4 \text{ pecks} = 8 \text{ gallons} = 36,35 \text{ l} \\ am = 0,9689 \text{ Imperial bushel} = 35,2 \text{ l} \end{cases}$

1 **peck** [pek] (*skr* **pk**) peck $\begin{cases} \text{British Imperial} = 2 \text{ gallons} = 8,81 \text{ l} \\ am = 0,9689 \text{ Imperial peck} = 7,7 \text{ l} \end{cases}$

1 **gallon** ['gælən] (*skr* **gal**) galon $\begin{cases} \text{British Imperial} = 4,546 \text{ l} \\ am = 0,83267 \text{ Imperial gallon} = 3,785 \text{ l} \end{cases}$

1 **quart** [kwɔːt] (*skr* **qt**) kwarta $\begin{cases} \text{British Imperial} = 2 \text{ pints} = 1,14 \text{ l} \\ am = 1,101 \text{ l} \end{cases}$

1 **pint** [paint] (*skr* **pt**) pint $\begin{cases} \text{British Imperial} = 0,568 \text{ l} \\ am = 0,551 \text{ l} \end{cases}$

1 **barrel** ['bærəl] (*skr* **bbl**) beczka, barrel $\begin{cases} \text{British Imperial} = 163,6—181,7 \text{ l} \\ am = 117,3—158,98 \text{ l} \end{cases}$

notatki

notatki

notatki